Sur la route

Contents

Sommario

Inhaltsverzeichnis

Sumario

DISTANCES *Quelques précisions :*

Au texte de chaque localité vous trouverez la distance des villes environnantes et celle de Paris. Lorsque ces villes sont celles du tableau ci-contre, leur nom est précédé d'un losange ♦.

Les distances sont comptées à partir du centre-ville et par la route la plus pratique, c'est-à-dire celle qui offre les meilleures conditions de roulage, mais qui n'est pas nécessairement la plus courte.

DISTANCES *Commentary :*

The text on each town includes its distance from its immediate neighbours and from Paris. Those cited opposite are preceded by a lozenge ♦ in the text.

Distances are calculated from centres and along the best roads from a motoring point of view - not necessarily the shortest.

DISTANZE *Qualche chiarimento :*

Nel testo di ciascuna località troverete la distanza dalle città viciniori e da Parigi. Quando queste città sono quelle della tabella a lato, il loro nome è preceduto da una losanga ♦.

Le distanze sono calcolate a partire dal centro delle città e seguendo la strada più pratica, ossia quella che offre le migliori condizioni di viaggio ma che non è necessariamente la più breve.

ENTFERNUNGEN *Einige Erklärungen :*

In jedem Ortstext finden Sie Entfernungen zu größeren Städten in der Umgebung und nach Paris. Wenn diese Städte auf der nebenstehenden Tabelle aufgeführt sind, sind sie durch eine Raute ♦ gekennzeichnet.

Die Entfernungen gelten ab Stadtmitte unter Berücksichtigung der günstigsten (nicht immer kürzesten) Strecke.

DISTANCIAS *Algunas precisiones :*

En el texto de cada localidad encontrará la distancia de las ciudades más cercanas y la de París. Cuando estas ciudades son las del cuadro de la página siguiente, su nombre viene precedido de un rombo ♦.

Los kilómetros están calculados a partir del centro de la ciudad por la carretera más cómoda, es decir la que ofrece mejores condiciones de circulación, pero que no es necesariamente la más corta.

Participez à notre effort permanent de mise à jour

Adressez-nous vos remarques et vos suggestions

Cartes et guides Michelin

46 avenue de Breteuil - 75341 Paris Cedex 07

DISTANCES ENTRE PRINCIPALES VILLES

DISTANCES BETWEEN MAJOR TOWNS

DISTANZE TRA LE PRINCIPALI CITTÀ

ENTFERNUNGEN ZWISCHEN DEN GRÖSSEREN STÄDTEN

DISTANCIAS ENTRE LAS CIUDADES PRINCIPALES

Marseille – Strasbourg **798 km**

	Amiens	Bâle	Bayonne	Besançon	Bordeaux	Brest	Caen	Calais	Clermont-Ferrand	Dijon	Genève	Grenoble	Le Havre	Lille	Limoges	Lyon	Le Mans	Marseille	Metz	Montpellier	Mulhouse	Nancy	Nantes	Nice	Orléans	Paris	Perpignan	Reims	Rennes	Rouen	Saint-Étienne	Strasbourg	Toulon	Toulouse
Bâle	568																																	
Bayonne	918	1028																																
Besançon	560	151	888																															
Bordeaux	726	836	184	696																														
Brest	614	1097	814	956	622																													
Caen	239	783	770	643	578	373																												
Calais	155	683	1062	595	870	718	343																											
Clermont-Ferrand	546	478	555	337	372	751	544	690																										
Dijon	459	244	833	104	641	856	542	603	282																									
Genève	684	259	932	177	695	1081	767	828	323	199																								
Grenoble	711	403	815	287	658	1108	794	855	286	296	144																							
Le Havre	179	746	842	606	650	482	107	283	571	505	730	757																						
Lille	115	610	989	522	797	814	344	112	617	530	755	782	284																					
Limoges	542	612	412	472	220	599	437	686	178	417	486	464	548	613																				
Lyon	607	389	813	249	550	1004	690	751	178	192	156	104	653	678	356																			
Le Mans	349	703	619	563	427	402	151	415	382	462	687	714	223	420	286	610																		
Marseille	923	694	683	564	649	1319	1005	1067	459	507	435	282	969	994	637	316	926																	
Metz	345	253	1095	257	903	920	568	471	546	264	424	559	531	387	680	455	526	771																
Montpellier	906	677	519	547	484	1092	989	1050	364	490	418	300	952	977	432	299	718	169	754															
Mulhouse	527	35	1016	139	824	1085	771	653	466	232	294	438	734	569	600	377	691	693	228	676														
Nancy	362	209	1031	199	839	884	541	488	495	213	366	508	504	404	629	404	491	720	56	703	184													
Nantes	530	847	518	707	326	296	284	674	452	606	725	738	380	601	303	628	183	961	707	796	835	671												
Nice	1078	737	838	719	804	1474	1161	1222	614	662	478	334	1124	1149	792	471	1081	188	926	324	848	875	1116											
Orléans	277	538	649	398	457	545	255	421	295	297	522	549	283	348	272	445	138	761	402	744	526	382	303	916										
Paris	148	554	771	413	579	596	240	292	400	313	538	565	203	219	396	461	203	776	331	759	542	304	383	931	130									
Perpignan	1054	825	483	695	448	1056	972	1198	465	638	566	448	1100	1125	514	447	821	317	902	152	824	851	760	472	786	907								
Reims	157	412	906	324	714	731	379	271	502	284	470	580	342	198	531	476	338	791	189	774	371	206	518	946	265	143	922							
Rennes	417	849	629	708	437	245	177	522	536	608	833	860	286	566	374	756	154	1071	672	907	837	636	107	1226	297	348	871	483						
Rouen	115	682	814	542	622	499	124	219	507	441	666	693	87	220	484	589	196	905	419	888	670	440	379	1060	219	139	1036	231	303					
Saint-Étienne	659	441	701	301	519	909	742	803	147	244	214	139	705	730	325	59	507	309	507	292	429	456	599	464	392	513	440	528	661	641				
Strasbourg	503	145	1122	244	930	1077	725	617	571	338	404	548	688	544	706	483	684	798	163	781	114	148	864	953	560	489	929	346	829	577	535			
Toulon	984	755	744	625	710	1380	1067	1128	520	568	496	335	1030	1055	698	377	987	64	831	230	754	781	1022	153	822	837	378	852	1132	966	370	859		
Toulouse	852	913	299	783	244	852	768	996	397	726	654	536	858	923	310	535	617	405	990	240	912	939	556	560	582	706	204	841	667	794	528	1017	466	
Tours	381	656	537	516	345	484	233	525	300	415	527	534	305	452	204	430	82	745	558	636	644	494	198	900	112	234	739	369	236	277	425	715	806	535

1

PRINCIPALES ROUTES

N 4 Numéro de route

17 Distances partielles

Distances entre principales villes, voir tableau p. 7

MOTEL: sur autoroute, sur route, voir au texte de la localité.

■ Station-service avec essence sans plomb (24 h / 24)

HAUPTVERKEHRSSTRASSEN

N 4 Straßennummer

17 Teilentfernungen

Entfernungen zwischen Großstädten, siehe Tabelle S. 7

MOTEL: an der Autobahn, an sonstigen Straßen, siehe Text der betreffenden Ortschaft.

■ Bleifrei-Tankstelle, Tag und Nacht geöffnet

MAIN ROADS

N 4 Road number

17 Intermediary distances

Distances between major towns, see table p. 7

MOTEL: on motorways, on other roads, see text under town heading

■ 24 hour petrol station selling unleaded petrol

CARRETERAS PRINCIPALES

N 4 Número de la carretera

17 Distancias parciales

Distancias entre las ciudades principales, ver cuadro p. 7

MOTEL: de Autopista, de carretera, ver al texto de la localidad

■ Estación de servicio con gasolina sin plomo abierta permanentemente

PRINCIPALI STRADE

N 4 Numero della strada

17 Distanze parziali

Distanze fra le principali città, vedere tabella p. 7

MOTEL: sulle autostrade, sulle strade, vedere al testo della località.

■ Stazione di servizio con benzina senza piombo aperta 24 ore su 24

2
1
2
3
4
5
6
7
Rennes
Tours
PARIS
Strasbourg
Bordeaux
Toulouse
Lyon
Marseille
Dover
Folkestone
Dunkerque
CALAIS
Boulogne
St Omer
le Touquet-Paris-Plage
Montreuil
St Pol-sur-Ternoise
Berck-Plage
Hesdin
Doullens
Abbeville
le Tréport
Somme
AMIENS
Blangy
Dieppe
St Valéry-en-Caux
Fécamp
Etretat
Neufchâtel-en-Bray
Poix
Yvetot
Bolbec
Forges-les-Eaux
Breteuil
LE HAVRE
ROUEN
Gournay-en-Bray
Beauvais
Seine
C
H
E
Ste Mère-Eglise
Isigny
Arromanches
Honfleur
Trouville
Deauville
Cabourg
Pont-Audemer
Pont-l'Évêque
Gisors
les Andelys
Carentan
Bayeux
CAEN
Lisieux
Louviers
Vernon
Pontoise
St Lô
Villers-Bocage
Bernay
Evreux
Mantes
PARIS
Villedieu-les-Poêles
Vire
Falaise
Vimoutiers
Eure
Flers
Orne
Gacé
l'Aigle
Mortain
Argentan
Verneuil-sur-Avre
Dreux
Domfront
Sées
Rambouillet
St Hilaire-du-Harcouët
Bagnoles-de-l'Orne
Mortagne-au-Perche
Fougères
Alençon
Chartres
Ablis
Mayenne
Bellême
Étampes
Mamers
Nogent-le-Rotrou
Vitré
Pithiviers
la Ferté-Bernard
Laval
Sarthe
Châteaudun
Artenay
LE MANS
St Calais
ORLÉANS
Château-Gontier
Vendôme
Châteauneuf-sur-Loire
Loir
Segré
la Flèche
Beaugency
Château-Renault
Blois
Lamotte-Beuvron
Angers
Ancenis
LOIRE
TOURS
Salbris
Montrichard
Romorantin-Lanthenay
Saumur
Loire
Chinon
Indre
Cher
Vierzon
Cholet
Loches
Bourges
Mortagne
Thouars
Loudun
Issoudun
Sèvre Nantaise
Bressuire
Châtellerault
Châteauroux
Chantonnay
9

3
Blankenberge
Oostende
Brugge
ANTWERPEN
BELGIË
GENT
Mechelen
Dover
Dunkerque
Veurne
CALAIS
Kortrijk
Cassel
Ieper
BRUSSEL
BRUXELLES
Boulogne
St Omer
Armentières
Hazebrouck
ESCAUT
BELGIQUE
Le Touquet-Paris-Plage
LILLE
Tournai
Lillers
Béthune
Montreuil
Lens
Fresnes-les-M.
Valenciennes
Mons
Charleroi
Namur
Berck-Plage
Hesdin
St Pol-sur-Ternoise
Douai
Maubeuge
Dinant
Arras
Meuse
Doullens
Cambrai
Sambre
Philippeville
Abbeville
le Cateau
Avesnes
Givet
Bapaume
le Tréport
Somme
Péronne
Guise
Hirson
Rocroi
Blangy
AMIENS
St Quentin
Vervins
Neuville-aux-Tourneurs
Charleville Mézières
Poix
Neufchâtel-en-Bray
Roye
Montdidier
Sedan
Breteuil
Noyon
Oise
Laon
Rethel
Forges-les-Eaux
Gournay-en-Bray
Beauvais
Compiègne
Aisne
Vouziers
Clermont
Soissons
Gisors
REIMS
les Andelys
Chantilly
Senlis
Villers-Cotterets
Ste Menehould
Vernon
Pontoise
Marne
Epernay
Mantes
Meaux
Château-Thierry
PARIS
Lagny
la Ferté-sous-Jouarre
Châlons-sur-Marne
Montmirail
Coulommiers
Dreux
Rambouillet
Sézanne
Vitry-le-François
St Dizier
Evry
Corbeil-Essonnes
Provins
Aube
Ablis
Melun
Chartres
Étampes
Fontainebleau
Nogent-sur-Seine
Seine
Montereau-Faut-Yonne
Troyes
Nemours
Bar-sur-Aube
Sens
Pithiviers
Artenay
Yonne
St Florentin
Joigny
ORLÉANS
Montargis
Châteauneuf-sur-Loire
Tonnerre
Châtillon-sur-Sei
LOIRE
Auxerre
Beaugency
Montbard
Gien
Briare
Lamotte-Beuvron
Bonny-sur-Loire
Clamecy
Avallon
Salbris
Romorantin-Lanthenay
Cosne-sur-Loire
Pouilly-en-Auxois
Saulieu
Vierzon
la Charité-sur-Loire
Château-Chinon
Bourges
Nevers
Beaune
Meursault
Autun
Chagny
Issoudun
Cher
Châteauroux
Luzy
Chalon-sur-Saône
St Pierre-le-Moutier
le Creusot
St Amand-Montrond
10

4
PARIS
St Denis
Argenteuil
Maisons-Laffitte
Poissy
St Germain-en-Laye
Nanterre
Colombes
Asnières
le Bourget
Villeparisis
Bobigny
le Raincy
Montreuil
Vincennes
Boulogne-Billancourt
St Cloud
Versailles
Sèvres
Meudon
Clamart
Trappes
Sceaux
Champigny
St Maur
Maisons-Alfort
Créteil
Vitry
l'Haÿ-les-Roses
Antony
Orly
Palaiseau
Chevreuse
Orsay
Longjumeau
Juvisy
Villeneuve-St Georges
Brunoy
Brie-Comte-Robert
Seine
Marne
LUXEMBOURG
BUNDESREPUBLIK DEUTSCHLAND
Arlon
Montmédy
Longwy
Longuyon
Thionville
Ludwigshafen
Mannheim
Heidelberg
Kaiserslautern
Saarbrücken
Forbach
Sarreguemines
Boulay-Moselle
Briey
Etain
Verdun
METZ
St Avold
Bitche
Wissembourg
Karlsruhe
Sarre-Union
Pont-à-Mousson
Château-Salins
Sarrebourg
Haguenau
Saverne
Bar-le-Duc
Commercy
Toul
NANCY
Lunéville
STRASBOURG
Molsheim
Erstein
Vaucouleurs
Joinville
Neufchâteau
Mirecourt
St Dié
Sélestat
Ribeauvillé
Vittel
Contrexéville
Épinal
Gérardmer
Orbey
Colmar
Neuf-Brisach
Freiburg
Chaumont
Soultzbach
Remiremont
Plombières-les-Bains
Rouffach
Guebwiller
Bourbonne-les-Bains
le Thillot
Thann
MULHOUSE
Luxeuil-les-Bains
Langres
Lure
Altkirch
Schaffhausen
St Michel
Belfort
Vesoul
Montbéliard
Sochaux
BÂLE
ZÜRICH
Gray
Baume-les-Dames
DIJON
Solothurn
SUISSE
BESANÇON
Luzern
Dole
Morteau
Neuchâtel
BERN
Seurre
Salins
Pontarlier
Poligny
Fribourg
Champagnole
Interlaken
Lons-le-Saunier
Meuse
Moselle
Rhin
Saône
Doubs
11

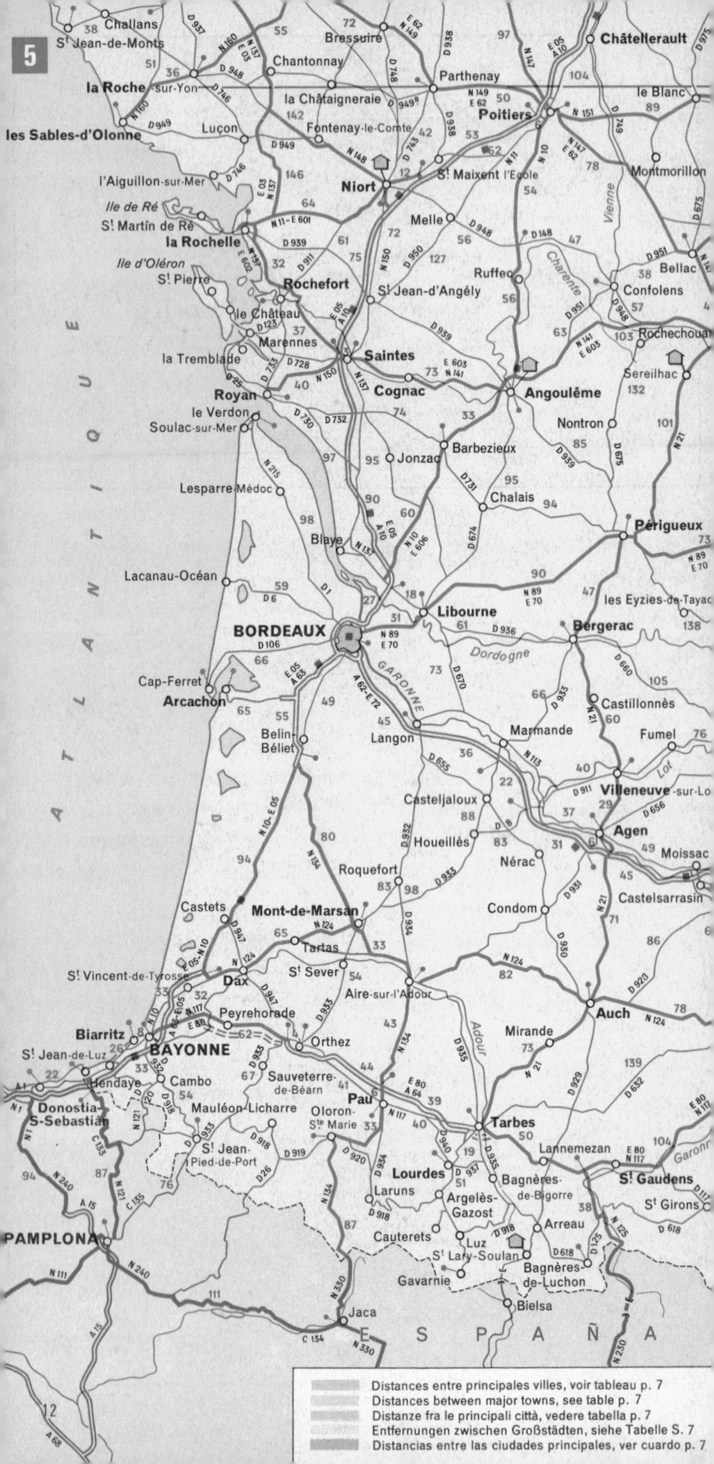
5
Challans
St Jean-de-Monts
la Roche-sur-Yon
les Sables-d'Olonne
Luçon
l'Aiguillon-sur-Mer
Ile de Ré
St Martin de Ré
la Rochelle
Ile d'Oléron
St Pierre
le Château
Marennes
la Tremblade
Royan
le Verdon
Soulac-sur-Mer
Lesparre-Médoc
Lacanau-Océan
BORDEAUX
Cap-Ferret
Arcachon
Belin-Béliet
Castets
St Vincent-de-Tyrosse
Dax
Biarritz
BAYONNE
St Jean-de-Luz
Hendaye
Donostia-S-Sebastián
PAMPLONA
Bressuire
Chantonnay
la Châtaigneraie
Fontenay-le-Comte
Niort
Parthenay
St Maixent l'Ecole
Poitiers
Châtellerault
le Blanc
Montmorillon
Melle
Rochefort
St Jean-d'Angély
Saintes
Cognac
Ruffec
Angoulême
Confolens
Bellac
Rochechouart
Sereilhac
Nontron
Barbezieux
Jonzac
Chalais
Blaye
Libourne
Périgueux
les Eyzies-de-Tayac
Bergerac
Dordogne
GARONNE
Castillonnès
Marmande
Langon
Fumel
Villeneuve-sur-Lot
Casteljaloux
Houeillès
Agen
Moissac
Nérac
Castelsarrasin
Roquefort
Mont-de-Marsan
Tartas
Condom
St Sever
Aire-sur-l'Adour
Auch
Peyrehorade
Orthez
Mirande
Adour
Cambo
Sauveterre-de-Béarn
Pau
Tarbes
Mauléon-Licharre
Oloron-Ste Marie
St Jean-Pied-de-Port
Lourdes
Lannemezan
St Gaudens
Laruns
Argelès-Gazost
Bagnères-de-Bigorre
St Girons
Cauterets
Luz
Arreau
St Lary-Soulan
Gavarnie
Bagnères-de-Luchon
Bielsa
Jaca
Charente
Vienne
ATLANTIQUE
ESPAÑA
Distances entre principales villes, voir tableau p. 7
Distances between major towns, see table p. 7
Distanze fra le principali città, vedere tabella p. 7
Entfernungen zwischen Großstädten, siehe Tabelle S. 7
Distancias entre las ciudades principales, ver cuardo p. 7

6
Châteauroux
St Amand-Montrond
St Pierre-le-Moutier
Luzy
le Creusot
Montceau-les-Mines
Argenton-sur-Creuse
la Châtre
Moulins
Digoin
Paray-le-Monial
Charolles
Creuse
Montluçon
St Pourçain-sur-Sioule
Lapalisse
Loire
la Souterraine
Guéret
Gannat
Vichy
Roanne
Aubusson
Bourganeuf
Châtelguyon
Riom
Thiers
l'Arbresle
Feurs
LIMOGES
Royat
CLERMONT-FD
Montbrison
Montrond-les
Ussel
la Bourboule
le Mont-Dore
Issoire
Ambert
Uzerche
Allier
ST-ETIENNE
Tulle
la Chaise-Dieu
Brioude
Annonay
Donzenac
Mauriac
Yssingeaux
Brive-la-Gaillarde
Dordogne
Murat
St Flour
le Puy
Lamastre
Souillac
Aurillac
St Céré
Sarlat-la-Canéda
Rocamadour
St Chély-d'Apcher
Privas
Gourdon
Langogne
Vals-les-Bains
Figeac
Lot
Entraygues-sur-T
Aubenas
Decazeville
Largentière
Espalion
Mende
Villefort
Cahors
Villefranche-de-Rouergue
Ardèche
Rodez
Sévérac-le-Château
Florac
Caussade
Aveyron
Millau
Alès
Montauban
le Vigan
Gard
Tarn
Albi
St Affrique
Gaillac
Nîmes
Hérault
Lacaune
Lodève
Castres
Bédarieux
Aigues-Mortes
MONTPELLIER
TOULOUSE
St Pons-de-Thomières
le Grau-du-Roi
Mazamet
Stes Maries-de-la-Me
Muret
Mèze
Auterive
Béziers
Sète
Castelnaudary
Agde
Carcassonne
Narbonne
Pamiers
Lézignan-Corbières
Limoux
Foix
Lavelanet
Quillan
Salses
Ariège
Aude
Ax-les-Thermes
PERPIGNAN
Prades
Andorra-la-Vella
Font-Romeu
Port-Vendres
Céret
Mont-Louis
Cerbère
le Perthus
Bourg-Madame
Prats-de-Mollo-la-Preste
Figueres

7
Poligny
Champagnole
Fribourg
Interlaken
Tournus
Louhans
Lons-le-Saunier
Lausanne
Morez
SUISSE
LAC LÉMAN
Montreux
Saône
Evian-les-Bains
Thonon
Rhône
Brig
Gex
Sion
Mâcon
St Genis-Pouilly
GENÈVE
Ain
Annemasse
Bourg-en-Bresse
Nantua
Martigny
St Julien
Bonneville
Pont-d'Ain
Bellegarde-sur-Valserine
Cluses
Chamonix
Villefranche-sur-S
Annecy
Megève
les Houches
Tunnel du Grand St Bernard
Arbresle
Tunnel du Mont Blanc
LYON
Belley
Aix-les-Bains
Aosta
Albertville
Bourgoin-Jallieu
Chambéry
Bourg-St Maurice
la Tour-du-Pin
les Abrets
Isère
Rive-de-Gier
Moutiers
Vienne
Val-d'Isère
Voiron
St Etienne-de St Geoirs
St Jean-de-Maurienne
Lanslebourg-Mont-Cenis
Annonay
St Marcellin
GRENOBLE
Tunnel du Fréjus
TORINO
Susa
Tournon
Romans-sur-Isère
Vizille
le Bourg-d'Oisans
Lamastre
la Mure
Briançon
Valence
Clelles
Aiguilles
Pô
Privas
Crest
Die
Guillestre
Drôme
ITALIA
Gap
Embrun
Montélimar
Aspres-sur-Buech
Serres
Barcelonnette
Cuneo
Nyons
St Etienne-de-Tinée
Pierrelatte
Durance
Colmars
Pont-St Esprit
Sisteron
Tende
Orange
Var
Digne
RHÔNE
Carpentras
Puget-Théniers
Forcalquier
Sospel
Avignon
Barrême
Castellane
Cavaillon
Apt
Menton
NICE
Manosque
Monte-Carlo Monaco
St Remy-de-Provence
Verdon
Grasse
Arles
Antibes
Salon-de-Provence
Salernes
Cannes
Aix-en-P.
Draguignan
Fréjus
St Raphaël
Fos-sur-Mer
Brignoles
le Luc
Martigues
Aubagne
Ste Maxime
MARSEILLE
St Tropez
le Beausset
le Castelet
Bastia
la Ciotat
TOULON
Hyères
le Lavandou
Iles d'Hyères
Calvi
Corte
MÉDITERRANÉE
Ajaccio
Sartène
Bonifacio

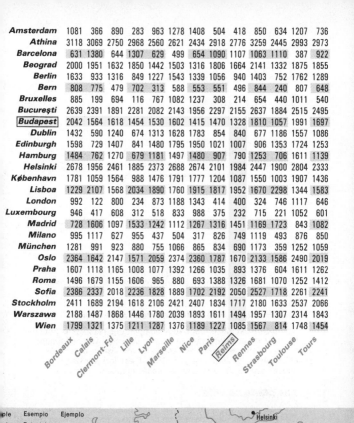

	Bordeaux	Calais	Clermont-Fd	Lille	Lyon	Marseille	Nice	Paris	**Reims**	Rennes	Strasbourg	Toulouse	Tours
Amsterdam	1081	366	890	283	963	1278	1408	504	418	850	634	1207	736
Athina	3118	3069	2750	2968	2560	2621	2434	2918	2776	3259	2445	2993	2973
Barcelona	631	1380	644	1307	629	499	654	1090	1107	1063	1110	387	922
Beograd	2000	1951	1632	1850	1442	1503	1316	1806	1664	2141	1332	1875	1855
Berlin	1633	933	1316	849	1227	1543	1339	1056	940	1403	752	1762	1289
Bern	808	775	479	702	313	588	553	551	496	844	240	807	648
Bruxelles	885	199	694	116	767	1082	1237	308	214	654	440	1011	540
București	2639	2391	1891	2281	2082	2143	1956	2297	2155	2637	1884	2515	2495
Budapest	2042	1564	1618	1454	1530	1602	1415	1470	1328	1810	1057	1991	1697
Dublin	1432	590	1240	674	1313	1628	1783	854	840	677	1186	1557	1086
Edinburgh	1598	729	1407	841	1480	1795	1950	1021	1007	906	1353	1724	1253
Hamburg	1484	762	1270	679	1181	1497	1480	907	790	1253	706	1611	1139
Helsinki	2678	1956	2461	1885	2373	2688	2674	2101	1984	2447	1900	2804	2333
København	1781	1059	1564	988	1476	1791	1777	1204	1087	1550	1003	1907	1436
Lisboa	1229	2107	1568	2034	1890	1760	1915	1817	1952	1670	2298	1344	1583
London	992	122	800	234	873	1188	1343	414	400	324	746	1117	646
Luxembourg	946	417	608	312	518	833	988	375	232	715	221	1052	601
Madrid	728	1606	1097	1533	1242	1112	1267	1316	1451	1169	1723	843	1082
Milano	995	1117	627	955	437	504	317	826	749	1119	493	876	850
München	1281	991	923	880	755	1066	865	834	690	1173	359	1252	1059
Oslo	2364	1642	2147	1571	2059	2374	2360	1787	1670	2133	1586	2490	2019
Praha	1607	1118	1165	1008	1077	1392	1266	1035	893	1376	604	1611	1262
Roma	1496	1679	1155	1606	965	880	693	1388	1326	1681	1070	1252	1412
Sofia	2386	2337	2018	2236	1828	1889	1702	2192	2050	2527	1718	2261	2241
Stockholm	2411	1689	2194	1618	2106	2421	2407	1834	1717	2180	1633	2537	2066
Warszawa	2188	1487	1868	1446	1780	2039	1893	1611	1494	1957	1307	2314	1843
Wien	1799	1321	1375	1211	1287	1376	1189	1227	1085	1567	814	1748	1454

...ple Esempio Ejemplo
...ple Beispiel
...apest - Reims
1328 km

Découvrez le guide...

et sachez l'utiliser pour en tirer le meilleur profit. Le Guide Michelin n'est pas seulement une liste de bonnes tables ou d'hôtels, c'est aussi une multitude d'informations pour faciliter vos voyages.

La clé du Guide

Elle vous est donnée par les pages explicatives ci-après.

Sachez qu'un même symbole, qu'un même caractère, en rouge ou en noir, en maigre ou en gras, n'a pas tout à fait la même signification.

La sélection des hôtels et des restaurants

Ce Guide n'est pas un répertoire complet des ressources hôtelières, il en présente seulement une sélection volontairement limitée. Cette sélection est établie après visites et enquêtes effectuées régulièrement sur place. C'est lors de ces visites que les avis et observations de nos lecteurs sont examinés.

Les plans de ville

Ils indiquent avec précision les rues piétonnes et commerçantes, les voies de traversée ou de contournement de l'agglomération, la localisation : des hôtels (sur de grandes artères ou à l'écart), de la poste, de l'office de tourisme, des grands monuments, des principaux sites, etc...

Pour votre véhicule

Au texte de la plupart des localités figure une liste de représentants des grandes marques automobiles avec leur adresse et leur numéro d'appel téléphonique. En route, vous pouvez ainsi faire entretenir ou dépanner votre voiture, si nécessaire.

Sur tous ces points et aussi sur beaucoup d'autres, nous souhaitons vivement connaître votre avis. N'hésitez pas à nous écrire, nous vous répondrons.

Merci par avance.

Services de Tourisme Michelin

46, avenue de Breteuil, 75341 PARIS CEDEX 07

Bibendum vous souhaite d'agréables voyages.

Le choix d'un hôtel, d'un restaurant

Notre classement est établi à l'usage de l'automobiliste de passage. Dans chaque catégorie les établissements sont cités par ordre de préférence.

CLASSE ET CONFORT

	Grand luxe et tradition	XXXXX
	Grand confort	XXXX
	Très confortable	XXX
	De bon confort	XX
	Assez confortable	X
	Simple mais convenable	
M	Dans sa catégorie, hôtel d'équipement moderne	
sans rest	L'hôtel n'a pas de restaurant	
	Le restaurant possède des chambres	avec ch

L'INSTALLATION

Les hôtels des catégories , et possèdent tout le confort et assurent en général le change, les symboles de détail n'apparaissent donc pas dans le texte de ces hôtels.

Dans les autres catégories, nous indiquons les éléments de confort existants mais certaines chambres peuvent ne pas en être pourvues.

30 ch	Nombre de chambres
	Ascenseur - Air conditionné
TV	Télévision dans la chambre
	Hôtel entièrement ou en partie réservé aux non-fumeurs
ch	Chambres réservées aux non-fumeurs
rest	Salle de restaurant réservée aux non-fumeurs
wc	Salle de bains et wc privés, Salle de bains privée sans wc
wc	Douche et wc privés, Douche privée sans wc
	Téléphone dans la chambre relié par standard
	Téléphone dans la chambre, direct avec l'extérieur (cadran)
	Chambres accessibles aux handicapés physiques
	Repas servis au jardin ou en terrasse
	Piscine : de plein air ou couverte
	Plage aménagée - Jardin de repos - Tennis à l'hôtel
25 à 150	Salles de conférences : capacité des salles
	Garage gratuit (une nuit) aux porteurs du Guide de l'année - Garage payant
P	Parc à voitures réservé à la clientèle
	Accès interdit aux chiens :
	dans tout l'établissement
rest	au restaurant seulement
ch	dans les chambres seulement
mai-oct.	Période d'ouverture, communiquée par l'hôtelier
sais.	Ouverture probable en saison mais dates non précisées
	Les établissements ouverts toute l'année sont ceux pour lesquels aucune mention n'est indiquée.

Le choix d'un hôtel, d'un restaurant

L'AGRÉMENT

Le séjour dans certains hôtels se révèle parfois particulièrement agréable ou reposant.

Cela peut tenir d'une part au caractère de l'édifice, au décor original, au site, à l'accueil et aux services qui sont proposés, d'autre part à la tranquillité des lieux.

De tels établissements se distinguent dans le guide par les symboles rouges indiqués ci-après.

à	Hôtels agréables
XXXXX à X	Restaurants agréables
« Parc fleuri »	Élément particulièrement agréable
	Hôtel très tranquille ou isolé et tranquille
	Hôtel tranquille
< mer	Vue exceptionnelle
<	Vue intéressante ou étendue

Consultez les cartes p. 56 à 63, elles faciliteront vos recherches.

Nous ne prétendons pas avoir signalé tous les hôtels agréables, ni tous ceux qui sont tranquilles ou isolés et tranquilles.

Nos enquêtes continuent. Vous pouvez les faciliter en nous faisant connaître vos observations et vos découvertes.

LA TABLE

Les étoiles : voir les cartes p. 64 à 71.

En France, de nombreux hôtels et restaurants offrent de bons repas et de bons vins.

Certains établissements méritent toutefois d'être signalés à votre attention pour la qualité de leur cuisine. C'est le but des étoiles de bonne table.

Nous indiquons pour ces établissements trois spécialités culinaires et des vins locaux. Essayez-les, à la fois pour votre satisfaction et pour encourager le chef dans son effort.

✿ 529 **Une très bonne table dans sa catégorie**

L'étoile marque une bonne étape sur votre itinéraire.

Mais ne comparez pas l'étoile d'un établissement de luxe à prix élevés avec celle d'une petite maison où à prix raisonnables, on sert également une cuisine de qualité.

✿✿ 88 **Table excellente, mérite un détour**

Spécialités et vins de choix... Attendez-vous à une dépense en rapport.

✿✿✿ 18 **Une des meilleures tables, vaut le voyage**

Table merveilleuse, grands vins, service impeccable, cadre élégant... Prix en conséquence.

R **Les repas soignés à prix modérés**

Tout en appréciant les bonnes tables à étoiles, vous souhaitez parfois trouver sur votre itinéraire, des restaurants plus simples à prix modérés. Nous avons pensé qu'il vous intéresserait de connaître des maisons qui proposent, pour un rapport qualité-prix particulièrement favorable un repas soigné, souvent de type régional.

Consultez les cartes p. 74 à 80 et ouvrez votre guide au nom de la localité choisie. La maison que vous cherchez se signale à votre attention par la lettre **R** en rouge, ex. : **R** 70/110.

Les vins et les mets : voir p. 72 et 73

LES PRIX

Les prix que nous indiquons dans ce guide ont été établis en septembre 1987. Ils sont susceptibles de modifications, notamment en cas de variations des prix des biens et services.

Entrez à l'hôtel le Guide à la main, vous montrerez ainsi qu'il vous conduit là en confiance.

Les hôtels et restaurants figurent en gros caractères lorsque les hôteliers nous ont donné tous leurs prix et se sont engagés, sous leur propre responsabilité, à les appliquer aux touristes de passage porteurs de notre guide.

Prévenez-nous de toute majoration paraissant injustifiée. Si aucun prix n'est indiqué, nous vous conseillons de demander les conditions.

Repas

enf. 45	Prix de menu pour enfants
	Établissement proposant un menu simple à **moins de 65 F**
R 55/115	**Repas à prix fixe** minimum 55 et maximum 115
55/110	Repas à prix fixe minimum 55 non servi les dimanches et jours de fête
R 70/110	Repas soigné à **prix modérés**
bc	Boisson comprise
	vin de table en carafe à prix modéré
R carte 120 à 185	**Repas à la carte** — Le premier prix correspond à un repas normal comprenant : hors-d'œuvre, plat garni et dessert Le 2e prix concerne un repas plus complet (avec spécialité) comprenant : deux plats, fromage et dessert *sauf indication spéciale* bc, *la boisson est facturée en supplément aux prix fixes et à la carte*
26	Prix du petit déjeuner servi dans la chambre
22	Prix du petit déjeuner non servi dans la chambre

Chambres

ch 145/220	Prix minimum 145 pour une chambre d'une personne et prix maximum 220 pour la plus belle chambre occupée par deux personnes
ch	Le prix du petit déjeuner est inclus dans le prix de la chambre

Demi-pension

1/2 p 165/285	Prix minimum et maximum de la demi-pension par personne et par jour, en saison (voir détails p. 21)
AE ⓓ E VISA	Principales **cartes de crédit** acceptées par l'établissement : American Express — Diners Club — Eurocard — Visa (carte bleue).

QUELQUES PRÉCISIONS UTILES

Petit déjeuner. — Quelques établissements n'acceptent pas de servir le petit déjeuner en chambre, le signe tasse en noir ☕ marque cette restriction.
Le prix du petit déjeuner est parfois inclus dans le prix de la chambre mais cette formule ne peut pas être imposée.

Le dîner à l'hôtel. — Les hôteliers sont tenus de vous loger sans que vous ayez obligation de dîner chez eux. Cependant, en saison, l'hôtelier peut louer de préférence une chambre au touriste prenant un repas.

La demi-pension. — Nous n'indiquons que des prix de haute saison, en demi-pension (un repas, chambre, petit déjeuner). Il s'agit de prix par jour et par personne, ils sont donnés à titre indicatif et il est indispensable de s'entendre par avance avec l'hôtelier pour conclure un arrangement définitif.
Il est presque toujours possible d'obtenir sur demande les conditions de pension complète.
Hors saison, c'est-à-dire avant le 1er juillet, après la mi-septembre et en dehors des périodes de fêtes, des tarifs spéciaux sont pratiqués, réclamez-les lors de votre réservation.
Dans les stations de sports d'hiver, les prix pratiqués en été sont généralement moins élevés qu'en saison d'hiver.

Nota : Une personne seule occupant une chambre de deux personnes, se voit parfois appliquer une majoration.

Taxes et service. — Les prix que nous indiquons s'entendent Taxes et Services compris. Aucune majoration ne doit figurer sur votre note, sauf éventuellement la taxe de séjour.

Les arrhes. — Certains hôteliers demandent le versement d'arrhes. Il s'agit d'un dépôt-garantie qui engage l'hôtelier comme le client. Bien faire préciser les dispositions de cette garantie.
Sauf arrangement spécial, leur montant correspond généralement à trois nuitées (chambre sans pension) ou à quatre journées en pension complète. Demandez à l'hôtelier de vous fournir dans sa lettre d'accord toutes précisions utiles sur la réservation et les conditions de séjour.

LA VOITURE, LES PNEUS

Garagistes, réparateurs, fournisseurs de pneus Michelin

RENAULT	Concessionnaire (ou succursale) de la marque Renault.
PEUGEOT	Agent de la marque Peugeot.
Gar. de la Côte	Garagiste qui ne représente pas de marque de voiture.
ⓜ	Spécialistes du pneu.

Établissements généralement fermés samedi ou parfois lundi.
Dans nos agences, nous nous faisons un plaisir de donner à nos clients tous conseils pour la meilleure utilisation de leurs pneus.

Dépannage

N **La nuit** — Cette lettre désigne des garagistes qui assurent, la nuit, les réparations courantes.

Le dimanche — Il existe dans toutes les régions un service de dépannage le dimanche. La Police, la Gendarmerie peuvent en général indiquer le garagiste de service le plus proche ou le numéro téléphonique d'appel du groupement départemental d'assistance routière.

Pour visiter une ville et ses environs

LES CURIOSITÉS

Intérêt

★★★	Vaut le voyage
★★	Mérite un détour
★	Intéressant

Situation

Voir	Dans la ville
Env.	Aux environs de la ville
N, S, E, O	La curiosité est située : au Nord, au Sud, à l'Est, à l'Ouest
②, ④	On s'y rend par la sortie ② ou ④ repérée par le même signe sur le plan du Guide et sur la carte
2 km	Distance en kilomètres
	Les musées sont généralement fermés le mardi

LES VILLES

63300	Numéro de code postal de la localité (les deux premiers chiffres correspondent au numéro du département)
✉ **57130** Ars	Numéro de code postal et nom du bureau distributeur du courrier
✆	Indicatif téléphonique de zone
P	Préfecture
SP	Sous-préfecture
80 ⑤	Numéro de la Carte Michelin et numéro du pli
G. Jura	Voir le Guide Vert Michelin Jura
1 057 h.	Population
alt. 675	Altitude de la localité
Stat. therm.	Station thermale
Sports d'hiver	Sports d'hiver
1 200/1 900	Altitude de la station et altitude maximum atteinte par les remontées mécaniques
2	Nombre de téléphériques ou télécabines
14	Nombre de remonte-pentes et télésièges
	Ski de fond
BY **B**	Lettres repérant un emplacement sur le plan
9	Golf et nombre de trous
✻ ⋞	Panorama, point de vue
	Aéroport
	Localité desservie par train-auto. Renseignements au numéro de téléphone indiqué
	Transports maritimes
	Transports maritimes pour passagers seulement
i	Information touristique
A.C.	Automobile Club

Pour visiter une ville et ses environs

LES PLANS

Hôtels - Restaurants

e Symbole et lettre les identifiant

Curiosités

Bâtiment intéressant et entrée principale

Édifice religieux intéressant :
Catholique - Protestant

B Lettre identifiant une curiosité

Voirie

Autoroute, double chaussée de type autoroutier
échangeur : complet, partiel, numéro

Grande voie de circulation

Sens unique - Rue impraticable

Rue piétonne - Tramway

Pasteur P Rue commerçante - Parc de stationnement

Porte - Passage sous voûte - Tunnel

Gare et voie ferrée

B Bac pour autos - Pont mobile

Signes divers

Information touristique

Mosquée - Synagogue

Tour - Ruines - Moulin à vent

Hôpital - Marché couvert - Château d'eau

Jardin, parc, bois - Cimetière - Calvaire

Stade - Golf - Patinoire

Piscine de plein air, couverte

Aéroport - Hippodrome - Vue - Panorama

Funiculaire - Téléphérique, télécabine

Monument, statue - Fontaine - Usine

Port de plaisance - Phare

Transport par bateau :
passagers et voitures, passagers seulement

Bâtiment public repéré par une lettre :
A C Chambre d'agriculture - Chambre de commerce
G H J Gendarmerie - Hôtel de ville - Palais de justice
M P T Musée - Préfecture, sous-préfecture - Théâtre
U Université, grande école
POL. Police (commissariat central)

3 Repère commun aux plans et aux cartes Michelin détaillées

Bureau principal de poste restante et téléphone

Caserne - Table d'orientation

Tour ou pylône de télécommunications

Station de métro - Gare routière

4m2 18T 18 Passage bas (inf. à 4 m 50) - Pont à charge limitée (inf. à 19 t.)

Garage : Peugeot, Talbot, Citroën - Renault (Alpine)

Discover the guide...

To make the most of the guide, know how to use it. The Michelin Guide offers in addition to the selection of hotels and restaurants a wide range of information to help you on your travels.

The key to the guide

...is the explanatory chapters which follow.
Remember that the same symbol and character whether in red or black or in bold or light type, have different meanings.

The selection of hotels and restaurants

This book is not an exhaustive list of all hotels but a selection which has been limited on purpose. The final choice is based on regular on the spot enquiries and visits. These visits are the occasion for examining attentively the comments and opinions of our readers.

Town plans

These indicate with precision pedestrian and shopping streets ; major through routes in built up areas ; exact locations of hotels whether they be on main or side streets ; post offices ; tourist information centres ; the principal historic buildings and other tourist sights.

For your car

Each entry includes a list of agents for the main car manufacturers with their addresses and telephone numbers. Therefore even while travelling you can have your car serviced or repaired.

Your views or comments concerning the above subjects or any others, are always welcome. Your letter will be answered.

Thank you in advance.

Services de Tourisme Michelin
46, av. de Breteuil, F-75341 PARIS CEDEX 07

Bibendum wishes you a pleasant journey.

Choosing your hotel or restaurant

We have classified the hotels and restaurants with the travelling motorist in mind. In each category they have been listed in order of preference.

CLASS, STANDARD OF COMFORT

⌂⌂⌂⌂⌂	Luxury in the traditional style	XXXXX
⌂⌂⌂⌂	Top class comfort	XXXX
⌂⌂⌂	Very comfortable	XXX
⌂⌂	Good comfort	XX
⌂	Quite comfortable	X
⌂	Modest comfort	
M	In its class, hotel with modern amenities	
sans rest	The hotel has no restaurant	
	The restaurant has bedrooms	avec ch

HOTEL FACILITIES

Hotels in categories ⌂⌂⌂⌂⌂, ⌂⌂⌂⌂, ⌂⌂⌂, usually have every comfort and exchange facilities ; details are not repeated under each hotel.

In other categories, we indicate the facilities available, however, they may not be found in each room.

30 ch	Number of rooms
	Lift (elevator) - Air conditioning
TV	Television in room
	Hotel either partly or wholly reserved for non-smokers
ch	Rooms reserved for non-smokers
rest	Restaurant reserved for non-smokers
wc	Private bathroom with toilet, private bathroom without toilet
wc	Private shower with toilet, private shower without toilet
	Telephone in room : outside calls connected by the operator
	Telephone in room : direct dialling for outside calls
	Rooms accessible to the physically handicapped
	Meals served in garden or on terrace
	Outdoor or indoor swimming pool
	Beach with bathing facilities - Garden
	Hotel tennis court
25 à 150	Equipped conference hall (minimum and maximum capacity)
	Free garage (one night) for those having the current Michelin Guide - Charge made for garage
P	Car park for customers only
	Dogs are not allowed : in any part of the hotel
rest	in the restaurant
ch	in the bedrooms
mai-oct.	Dates when open, as indicated by the hotelier
sais.	Probably open for the season - precise dates not available.
	Where no date or season is shown, establishments are open all year round.

AMENITY

Your stay in certain hotels will sometimes be particularly agreeable or restful.

Such a quality may derive from the hotel's fortunate setting, its decor, welcoming atmosphere and service.

Such establishments are distinguished in the Guide by the red symbols shown below.

🏨🏨 to 🏨	Pleasant hotels
XXXXX to X	Pleasant restaurants
« Parc fleuri »	Particularly attractive feature
🐦	Very quiet or quiet secluded hotel
🐦	Quiet hotel
⋲ mer	Exceptional view
⋲	Interesting or extensive view

By consulting the maps on pp. 56 to 63 you will find it easier to locate them.

We do not claim to have indicated all the pleasant, very quiet or quiet, secluded hotels which exist.

Our enquiries continue. You can help by letting us know your opinions and discoveries.

CUISINE

The stars : refer to the maps on pp. 64 to 71.

In France, a large number of hotels and restaurants offer good food and fine wines.

Certain establishments merit being brought to your particular attention for the quality of their cooking. That is the aim of the stars for good food.

In the text of these establishments we show some of the culinary specialities, to a maximum of three and some of local wines, that we recommend you to try.

✿ 529 **An especially good restaurant in its class**

The star indicates a good place to stop on your journey.

But beware of comparing the star given to a « de luxe » establishment with accordingly high prices, with that of a simpler one, where for a lesser sum one can still eat a meal of quality.

✿✿ 88 **Excellent cooking, worth a detour**

Specialities and wines of first class quality... do not expect such meals to be cheap.

✿✿✿ 18 **Exceptional cuisine, worth a special journey**

Superb food, fine wines, faultless service, elegant surroundings. One will pay accordingly !

R **Good food at moderate prices**

Apart from those establishments with stars we have felt that you might be interested in knowing of other establishments which offer good value for money with a high standard of cooking, often of regional dishes.

Refer to the map on pp. 74 to 80 and turn to the appropriate pages in the text. The establishments in this category are shown with the word **R** in red, e. g. **R** 70/110.

Food and Wines : see pp. 72 and 73.

PRICES

Valid for late 1987 the rates shown may be revised should there be changes in the price of goods and services.

Your recommendation is self-evident if you always walk into a hotel, Guide in hand.

Hotels and restaurants whose names appear in bold type have supplied us with their charges in detail and undertaken, on their own responsability, to abide by them if the traveller is in possession of this year's Guide.

If you think you have been overcharged, let us know.
Where no rates are shown it is best to enquire about terms in advance.

Meals

enf. 45	Price of children's menu
◆	Establishment serving a plain menu **for less than 65 F**
R 55/115	**Set meals** — Lowest 55 and highest 115 prices for set meals
55/110	The cheapest set meal 55 is not served on Sundays or holidays
R 70/110	Good meals **at moderate prices**
bc	Drink included
🍷	Table wine available by the carafe at a moderate price
R carte 120 à 185	**« A la carte » meals** — The first figure is for a plain meal and includes hors-d'œuvre, main dish of the day with vegetables and dessert The second figure is for a fuller meal (with « spécialité » and includes 2 main courses, cheese, dessert *Except where specifically stated* bc. *drinks are payable in addition to the fixed and « à la carte » prices*
☕ 26	Price of continental breakfast served in the bedroom
☕ 22	Price of continental breakfast served in the dining room

Rooms

ch 145/220	Lower price 145 for a comfortable single and highest price 220 for the best double room
ch ☕	Breakfast is included in the price of the room

Half Board

1/2 p 165/285	Lowest and highest prices per person, per day in the season (see page 29)
AE ⓓ E VISA	**Credit cards** — Principal credit cards accepted by establishments : American Express — Diners Club — Eurocard (Access - MasterCard) — Visa (Barclaycard).

A FEW USEFUL DETAILS

Breakfast. — Some establishments will not serve breakfast in the room. The black symbol for breakfast ☕ indicates this restriction.
The price of breakfast is sometimes included in the room charge. But the customer is not obliged to take breakfast or be charged for it.

Dinner at the hotel. — Hoteliers are required by law to offer accommodation without obliging you to take dinner in their restaurant. However, in the season the hotelier may give preference to tourists taking dinner in the hotel.

Half Board. — We indicate only high season prices for half board, which comprises bedroom, breakfast and one meal. These rates are per day and per person and are intended for guidance only. It is essential to agree terms with the hotelier before making a firm reservation.
It is nearly always possible to obtain full board terms on request.
Out of season, that is to say before the 1st July, after mid-September and excluding other holiday periods, special rates usually operate. Ask for details when you make your reservation.
In winter sports resorts rates charged in summer are generally lower than in winter.
N.B. - Rooms are charged on a unit basis ; a single person occupying a double room may therefore pay an increased board charge.

Taxes and Service charge. — These are included in prices quoted in the Guide. There should be no addition to your bill except for local lodging taxes where these are applicable.

Deposits. — Certain hoteliers require the payment of a deposit. This constitutes a mutual guarantee of good faith.
Apart from any special arrangement the amount is generally approximately the charge for 3 nights in the case of bed and breakfast or 4 days in the case of full board.
Ask the hotelier to provide you, in his letter of confirmation, with all terms and conditions applicable to your reservation.

CAR, TYRES

Car dealers, repairers and Michelin tyre suppliers

RENAULT	Renault main agent.
PEUGEOT	Peugeot dealer.
Gar. de la Côte	General repair garage.
◍	Tyre specialist.

These workshops are usually closed on Saturdays and occasionally on Mondays.
The Staff at our Depots will be pleased to give advice on the best way to look after your tyres.

Breakdown service

N **At night** — Symbol indicating garage offering night breakdown service.

On Sunday — Each town has a breakdown service available on Sunday. In any event, the Gendarmerie, Police, etc., will usually be able to give the address of the garage on duty.

Seeing a town and its surroundings

SIGHTS

	Star-rating
★★★	Worth a journey
★★	Worth a detour
★	Interesting
	Finding the sights
Voir	Sights in town
Env.	On the outskirts
N, S, E, O	The sight lies north, south, east or west of the town
②, ④	Sign on town plan and on the Michelin road map indicating the road leading to a place of interest
2 km	Distance in kilometres
	Museums and art galleries are generally closed on Tuesdays.

TOWNS

63300	Local postal number (the first two numbers represent the department number)
✉ **57130 Ars**	Postal number and name of the post office serving the town
☎ 28	Telephone dialling code
P	Prefecture
SP	Sub-prefecture
80 ⑤	Number of the appropriate sheet and section of the Michelin road map
G. Jura	See the Michelin Green Guide Jura
1 057 h.	Population
alt. 675	Altitude (in metres)
Stat. therm.	Spa
Sports d'hiver	Winter sports
1 200/1 900	Altitude (in metres) of resort and highest point reached by lifts
2	Number of cable-cars
14	Number of ski and chair-lifts
	Cross country skiing
BX **B**	Letters giving the location of a place on the town plan
9	Golf course and number of holes
	Panoramic view. Viewpoint
	Airport
	Places with a motorail connection. Further information from phone no. listed
	Shipping line
	Passenger transport only
	Tourist Information Centre
A.C.	Automobile Club

TOWN PLANS

Hotels — Restaurants

e Symbol and reference letter locating hotels and restaurants

Sights

Place of interest and its main entrance

Interesting place of worship : Catholic - Protestant

B Reference letter locating a sight

Roads

Motorway, dual carriageway

Interchange : complete, limited, number

Major through route

One-way street - Unsuitable for traffic

Pedestrian street - Tramway

Pasteur P Shopping street - Car park

Gateway - Street passing under arch - Tunnel

Station and railway

B Car ferry - Lever bridge

Various signs

Tourist Information Centre

Mosque - Synagogue

Tower - Ruins - Windmill

Hospital - Covered market - Water tower

Garden, park, wood - Cemetery - Cross

Stadium - Golf course - Skating rink

Outdoor or indoor swimming pool

Airport - Racecourse - View - Panorama

Funicular - Cable-car

Monument, statue - Fountain - Factory

Pleasure boat harbour - Lighthouse

Ferry services : passengers and cars, passengers only

Public buildings located by letter :

A C Chamber of Agriculture - Chamber of Commerce

G H J Gendarmerie - Town Hall - Law Courts

M P T Museum - Prefecture or sub-prefecture - Theatre

U University, College

POL. Police (in large towns police headquarters)

(3) Reference number common to town plans and detailed Michelin maps

Main post office with poste restante and telephone

Barracks - Viewing table

Communications tower or mast

Underground station - Coach station

4m4 18T (18) Low headroom (15 ft. max.) - Bridge with load limit (under 19 t)

Garage : Peugeot, Talbot, Citroën - Renault (Alpine)

Scoprite la guida...

e sappiatela utilizzare per trarne il miglior vantaggio. La Guida Michelin è un elenco dei migliori alberghi e ristoranti, naturalmente. Ma contiene anche una serie di utili informazioni per i Vostri viaggi !

La « chiave »

Leggete le pagine che seguono e comprenderete !
Sapete che uno stesso simbolo o una stessa parola in rosso o in nero, in carattere magro o grasso, non ha lo stesso significato ?

La selezione degli alberghi e ristoranti

Attenzione ! La guida non elenca tutte le risorse alberghiere. E' il risultato di una selezione, volontariamente limitata, stabilita in seguito a visite ed inchieste effettuate sul posto. E, durante queste visite, amici lettori, vengono tenute in evidenza le Vs. critiche ed i Vs. apprezzamenti !

Le piante di città

Indicano con precisione : strade pedonali e commerciali, il modo migliore per attraversare od aggirare il centro, l'esatta ubicazione degli alberghi e ristoranti citati, della posta centrale, dell'ufficio informazioni turistiche, dei monumenti più importanti e poi altre e ancora altre utili informazioni per Voi !

Per la Vs. automobile

Indirizzo e telefono delle principali marche automobilistiche vengono segnalati nel testo di ogni località. Così, in caso di necessità, saprete dove trovare il « medico » per la Vs. vettura.

Su tutti questi punti e su altri ancora, gradiremmo conoscere il Vs. parere. Scriveteci e non mancheremo di risponderVi !

Services de Tourisme Michelin
46, av. de Breteuil, F-75341 PARIS CEDEX 07

Grazie e buon viaggio.

La scelta di un albergo, di un ristorante

La nostra classificazione è stabilita ad uso dell'automobilista di passaggio. In ogni categoria, gli esercizi vengono citati in ordine di preferenza.

CLASSE E CONFORT

🏨🏨🏨🏨🏨	Gran lusso e tradizione	✗✗✗✗✗
🏨🏨🏨🏨	Gran confort	✗✗✗✗
🏨🏨🏨	Molto confortevole	✗✗✗
🏨🏨	Di buon confort	✗✗
🏨	Abbastanza confortevole	✗
⌂	Semplice, ma conveniente	
M	Nella sua categoria, albergo con attrezzatura moderna	
sans rest	L'albergo non ha ristorante	
	Il ristorante dispone di camere	avec ch

INSTALLAZIONI

I 🏨🏨🏨🏨🏨, 🏨🏨🏨🏨, 🏨🏨🏨 offrono ogni confort, per questi alberghi non specifichiamo quindi il dettaglio delle installazioni.

Nelle altre categorie indichiamo gli elementi di confort esistenti ; alcune camere possono talvota esserne sprovviste.

30 ch	Numero di camere
	Ascensore - Aria condizionata
TV	Televisione in camera
	Albergo completamente o in parte riservato ai non fumatori
ch	Camere riservate ai non fumatori
rest	Ristorante riservato ai non fumatori
wc	Bagno e wc privati, bagno privato senza wc
wc	Doccia e wc privati, doccia privata senza wc
	Telefono in camera collegato con il centralino
☎	Telefono in camera comunicante direttamente con l'esterno
♿	Camere d'agevole accesso per i minorati fisici
	Pasti serviti in giardino o in terrazza
	Piscina : all'aperto, coperta
	Spiaggia attrezzata - Giardino da riposo
	Tennis appartenente all'albergo
25 à 150	Sale per conferenze : capienza minima e massima delle sale
	Garage gratuito (una notte) per chi presenta la guida dell'anno - Garage a pagamento
P	Parcheggio
	E'vietato l'accesso ai cani : ovunque
rest	soltanto al ristorante
ch	soltanto nelle camere
mai-oct.	Periodo di apertura comunicato dall'Albergatore
sais.	Possibile apertura in stagione, ma periodo non precisato.
	Gli esercizi senza tali indicazioni sono aperti tutto l'anno.

AMENITÀ

Il soggiorno in alcuni alberghi si rivela talvolta particolarmente ameno o riposante.

Ciò può dipendere dalle caratteristiche dell'edificio, dalle decorazioni non comuni, dalla sua posizione, dall'accoglienza e dal servizio offerti sia dalla tranquillità dei luoghi.

Questi esercizi sono cosi contraddistinti :

🏨🏨🏨🏨🏨 a 🏨	Alberghi ameni
XXXXX a X	Ristoranti ameni
« Parc fleuri »	Un particolare piacevole
	Albergo molto tranquillo o isolato e tranquillo
	Albergo tranquillo
< mer	Vista eccezionale
<	Vista interessante o estesa

Consultate le carte da p. 56 a 63.

Non abbiamo la pretesa di aver segnalato tutti gli alberghi ameni, nè tutti quelli molto tranquilli o isolati e tranquilli.

Le nostre ricerche continuano. Le potrete agevolare facendoci conoscere le vostre osservazioni e le vostre scoperte.

LA TAVOLA

Le Stelle — Vedere le carte da p. 64 a p. 71.

In Francia numerosi alberghi e ristoranti offrono buoni pasti e buoni vini.

Tuttavia alcuni esercizi meritano di essere segnalati alla Vostra attenzione per la qualità della loro cucina : è questo lo scopo delle « stelle di ottima tavola ».

Per questi esercizi indichiamo tre specialità culinarie e vini locali. Provateli, tanto per vostra soddisfazione quanto per incoraggiare l'abilità del cuoco.

✿ 529 **Un'ottima tavola nella sua categoria.**

La stella indica una tappa gastronomica sul Vostro itinerario.

Non mettete però a confronto la stella di un esercizio di lusso, dai prezzi elevati, con quella di un piccolo esercizio dove, a prezzi ragionevoli, viene offerta una cucina di qualità.

✿✿ 88 **Tavola eccellente : merita una deviazione.**

Specialità e vini scelti... AspettateVi una spesa in proporzione.

✿✿✿ 18 **Una delle migliori tavole : vale il viaggio.**

Tavole meravigliose

Grandi vini, servizio impeccabile, ambientazione accurata, ... Prezzi conformi.

R **Pasti accurati a prezzi contenuti**

Oltre alle ottime tavole contrassegnate con stelle, abbiamo pensato potesse interessarVi conoscere degli esercizi che, per un rapporto qualità-prezzo particolarmente favorevole, offrono un pasto accurato spesso a carattere tipicamente regionale.

Consultate le carte da p. 74 a p. 80

e aprite la Vostra guida in corrispondenza della località prescelta. L'esercizio che cercate richiamerà la vostra attenzione grazie alla lettera **R** evidenziata in rosso. Es. **R** 70/110.

I buoni vini : vedere p. 72/73.

I PREZZI

I prezzi riportati in Guida sono stati stabiliti nel settembre 1987. Essi potranno subire delle variazioni, in relazione ai cambiamenti dei prezzi di beni e servizi.

Entrate nell'albergo o nel ristorante con la guida alla mano dimostrando in tal modo la fiducia in chi vi ha indirizzato.

Gli alberghi e ristoranti figurano in carattere grassetto quando gli albergatori ci hanno comunicato tutti i loro prezzi e si sono impegnati sotto loro responsabilità, ad applicarli ai turisti di passaggio in possesso della nostra pubblicazione.

Segnalateci eventuali maggiorazioni che Vi sembrano ingiustificate. Quando i prezzi non sono indicati, Vi consigliamo di chiedere preventivamente le condizioni.

Pasti

enf. 45	Prezzo del menu riservato ai bambini
◆	Esercizio che presenta un menu semplice per **meno di 65 F**
R 55/115	**Prezzo fisso** minimo 55 e massimo 115
55/110	Prezzo fisso minimo 55, non applicato la domenica e nei giorni festivi
R 70/110	Pasto accurato a **prezzo contenuto**
bc	Bevanda compresa
🍷	Vino da tavola in caraffa a prezzo modico
R carte 120 à 185	**Alla carta** — Il primo prezzo corrisponde ad un pasto semplice comprendente : antipasto, piatto con contorno, dessert Il secondo prezzo corrisponde ad un pasto più completo (con specialità) comprendente : due piatti, formaggio e dessert. *« Salvo speciale indicazione* bc, *le bevande non sono comprese nei prezzi, sia fissi che alla carta ».*
☕ 26	Prezzo della prima colazione servita in camera
☕ 22	Prezzo della prima colazione non servita in camera

Camere

ch 114/220	Prezzo minimo 114 per una camera singola e prezzo massimo 220 per la camera più bella per due persone
ch ☕	Il prezzo della prima colazione è compreso nel prezzo della camera

Mezza pensione

1/2 p 165/285	Prezzo minimo e massimo della mezza pensione per persona e per giorno, in alta stagione (vedere dettagli a p. 37)
AE ⓓ E VISA	**Carte di credito :** principali carte di credito accettate da un albergo o ristorante : American Express — Diners Club — Eurocard (Mastercard) — Visa (Bank Americard).

QUALCHE CHIARIMENTO UTILE

Prima colazione. — Alcuni esercizi non servono la prima colazione in camera : in tal caso il simbolo della tazzina viene stampato in nero ☕. Il prezzo della prima colazione alle volte è incluso nel prezzo della camera, ma questa formula non può essere imposta.

La cena in albergo. — Gli albergatori sono tenuti ad allogiarvi senza che siate obbligati a pranzare presso l'albergo. Tuttavia, in stagione, l'albergatore può preferire dare una camera al turista che consuma un pasto.

La mezza pensione. — Indichiamo soltanto i prezzi di mezza pensione (camera, prima colazione e un pasto), per giorno e per persona, praticati in alta stagione. Poichè tali prezzi vengono dati a titolo indicativo è indispensabile prendere accordi preventivamente con l'albergatore per stabilire le condizioni definitive.
E' quasi sempre possibile su richiesta, ottenere condizioni di pensione completa.
In bassa stagione, da metà settembre a fine giugno con l'esclusione dei periodi festivi, vengono praticati prezzi speciali : richiedeteli al momento della prenotazione.
Nelle stazioni di sport invernali i prezzi praticati in estate sono generalmente meno elevati che durante la stagione invernale.
Nota : per le persone sole che occupano una camera doppia il prezzo indicato può essere suscettibile di maggiorazione.

Tasse e servizio. — I prezzi che indichiamo s'intendono servizio compreso. Nessuna maggiorazione deve figurare sulla Vostra ricevuta, salvo eventualmente la tassa di soggiorno.

Le caparre. — Alle volte alcuni albergatori chiedono il versamento di una caparra. È un deposito-garanzia che impegna tanto l'albergatore che il cliente. Salvo accordi speciali, l'importo corrisponde generalmente al prezzo di tre notti (camera senza pensione) o di quattro giornate di pensione completa. Chiedete all'albergatore di fornirVi, nella sua lettera di conferma, ogni dettaglio sulla prenotazione e sulle condizioni di soggiorno, nonchè di precisarVi le norme riguardanti la reciproca garanzia di tale caparra.

L'AUTOMOBILE, I PNEUMATICI

Garagisti riparatori, rivenditori di pneumatici Michelin

RENAULT	Concessionario (o Succursale) della Renault.
PEUGEOT	Agente della marca Peugeot.
Gar. de la Côte	Garagista non rappresentante di marche vettura.
ⓑ	Specialista in pneumatici.

Questi esercizi sono generalmente chiusi il sabato o talvolta il lunedì.
Le nostre Succursali sono in grado di dare ai nostri clienti tutti i consigli relativi per la migliore utilizzazione dei pneumatici.

Servizio riparazioni d'emergenza

N **Notturno** — Questa lettera indica garagisti che assicurano durante la notte il servizio di normali riparazioni.

Domenicale — Esiste anche di domenica un servizio di riparazione. La polizia e la « gendarmerie » sono generalmente in grado di precisare l'officina in servizio più vicina o il numero telefonico del gruppo dipartimentale di assistenza stradale.

Per visitare una città ed i suoi dintorni

LE CURIOSITÀ

	Grado d'interesse
★★★	Vale il viaggio
★★	Merita una deviazione
★	Interessante
	Situazione
Voir	Nella città
Env.	Nei dintorni della città
N, S, E, O	La curiosità è situata : a Nord, a Sud, a Est, a Ovest
②, ④	Ci si va dall'uscita ② o ④ indicata con lo stesso segno sulla pianta della guida e sulla carta stradale
2 km	Distanza chilometrica
	I musei sono generalmente chiusi il martedì.

LE CITTÀ

63300	Codice di avviamento postale (le prime due cifre corrispondono al numero del dipartimento)
✉ **57130** Ars	Numero di codice e sede dell'Ufficio postale
☎	Prefisso telefonico interurbano
Ⓟ	Prefettura
◇SP◇	Sottoprefettura
80 ⑤	Numero della carta Michelin e numero della piega
G. Jura	Vedere la guida Verde Michelin Jura
1 057 h.	Popolazione
alt. 675	Altitudine
Stat. therm.	Stazione termale
Sports d'hiver	Sport invernali
1 200/1 900	Altitudine della località e altitudine massima raggiungibile dalle risalite meccaniche
2	Numero di funivie o cabinovie
14	Numero di sciovie, seggiovie
	Sci di fondo
BX **B**	Lettere indicanti l'ubicazione sulla pianta
9	Golf e numero di buche
✻ ←	Panorama, vista
✈	Aeroporto
	Località con servizio auto su treno. Informarsi al numero di telefono indicato
	Trasporti marittimi
	Trasporti marittimi (solo passeggeri)
ℹ	Ufficio informazioni turistiche
A.C.	Automobile Club

Per visitare una città ed i suoi dintorni

LE PIANTE

Alberghi — Ristoranti

e Simbolo e lettera di riferimento

Curiosità

Edificio interessante ed entrata principale

Costruzione religiosa interessante : Cattolica - Protestante

B Lettera che identifica una curiosità

Viabilità

Autostrada, doppia carreggiata tipo autostrada svincolo : completo, parziale, numero

Grande via di circolazione

Senso unico - Via impraticabile

Via pedonale - Tranvia

Pasteur P Via commerciale - Parcheggio

Porta - Sottopassaggio - Galleria

Stazione e ferrovia

B Battello per auto - Ponte mobile

Simboli vari

Ufficio informazioni turistiche

Moschea - Sinagoga

Torre - Ruderi - Mulino a vento

Ospedale - Mercato coperto - Torre idrica

Giardino, parco, bosco - Cimitero - Calvario

Stadio - Golf - Pista di pattinaggio

Piscina : all'aperto, coperta

Aeroporto - Ippodromo - Vista - Panorama

Funicolare - Funivia, Cabinovia

Monumento, statua - Fontana - Fabbrica

Porto per imbarcazioni da diporto - Faro

Trasporto con traghetto : passeggeri ed autovetture, solo passeggeri

Edificio pubblico indicato con lettera :

A C Camera di Agricoltura - Camera di Commercio

G H J Gendarmeria - Municipio - Palazzo di giustizia

M P T Museo - Prefettura, Sottoprefettura - Teatro

U Università, grande scuola

POL. Polizia (Questura, nelle grandi città)

3 Simbolo di riferimento comune alle piante ed alle carte Michelin particolareggiate

Ufficio centrale di fermo posta e telefono

Caserma - Tavola d'orientamento

Torre o pilone per telecomunicazione

Stazione della Metropolitana - Autostazione

4m4 18T 18 Sottopassaggio (altezza inferiore a m 4,50) - Ponte a portata limitata (inf. a 19 t)

Garage : Peugeot, Talbot, Citroën - Renault (Alpine)

Der Michelin-Führer...

Er ist nicht nur ein Verzeichnis guter Restaurants und Hotels, sondern gibt zusätzlich eine Fülle nützlicher Tips für die Reise. Nutzen Sie die zahlreichen Informationen, die er bietet.

Zum Gebrauch dieses Führers

Die Erläuterungen stehen auf den folgenden Seiten.

Beachten Sie dabei, daß das gleiche Zeichen rot oder schwarz, fett oder dünn gedruckt verschiedene Bedeutungen hat.

Zur Auswahl der Hotels und Restaurants

Der Rote Michelin-Führer ist kein vollständiges Verzeichnis aller Hotels und Restaurants. Er bringt nur eine bewußt getroffene, begrenzte Auswahl. Diese basiert auf regelmäßigen Überprüfungen durch unsere Inspektoren an Ort und Stelle. Bei der Beurteilung werden auch die zahlreichen Hinweise unserer Leser berücksichtigt.

Zu den Stadtplänen

Sie informieren über Fußgänger- und Geschäftsstraßen, Durchgangs- oder Umgehungsstraßen, Lage von Hotels und Restaurants (an Hauptverkehrsstraßen oder in ruhiger Gegend), wo sich die Post, das Verkehrsamt, die wichtigsten öffentlichen Gebäude und Sehenswürdigkeiten u. dgl. befinden.

Hinweise für den Autofahrer

In jedem Ortstext sind Adresse und Telefonnummer der Vertragshändler der großen Automobilfirmen angegeben. So können Sie Ihren Wagen im Bedarfsfall unterwegs warten oder reparieren lassen.

Ihre Meinung zu den Angaben des Führers, Ihre Kritik, Ihre Verbesserungsvorschläge interessieren uns sehr. Zögern Sie daher nicht, uns diese mitzuteilen... wir antworten bestimmt.

Services de Tourisme Michelin
46, avenue de Breteuil, F-75341 PARIS CEDEX 07

Vielen Dank im voraus und angenehme Reise !

Wahl eines Hotels, eines Restaurants

Unsere Auswahl ist für Durchreisende gedacht. In jeder Kategorie drückt die Reihenfolge der Betriebe eine weitere Rangordnung aus.

KLASSENEINTEILUNG UND KOMFORT

	Großer Luxus und Tradition	
	Großer Komfort	
	Sehr komfortabel	
	Mit gutem Komfort	
	Mit ausreichendem Komfort	
	Bürgerlich	
M	Moderne Einrichtung	
sans rest	Hotel ohne Restaurant	
	Restaurant vermietet auch Zimmer	avec ch

EINRICHTUNG

Für die , , geben wir keine Einzelheiten über die Einrichtung an, da diese Hotels jeden Komfort besitzen.

In den Häusern der übrigen Kategorien nennen wir die vorhandenen Einrichtungen. Diese können in einigen Zimmern fehlen.

30 ch	Anzahl der Zimmer
	Hotel ganz oder teilweise reserviert für Nichtraucher
ch	Hotelzimmer für Nichtraucher
rest	Restauranträume für Nichtraucher
	Fahrstuhl - Klimaanlage
TV	Fernsehen im Zimmer
wc	Privatbad mit wc, Privatbad ohne wc
wc	Privatdusche mit wc, Privatdusche ohne wc
	Zimmertelefon mit Außenverbindung über Telefonzentrale
	Zimmertelefon mit direkter Außenverbindung
	Für Körperbehinderte leicht zugängliche Zimmer
	Garten-, Terrassenrestaurant
	Freibad, Hallenbad
	Strandbad - Liegewiese, Garten
	Hoteleigener Tennisplatz
25 à 150	Konferenzräume (Mindest- und Höchstkapazität)
	Garage kostenlos (nur für eine Nacht) für die Besitzer des Michelin-Führers des Jahres
	Garage wird berechnet
P	Parkplatz reserviert für Gäste
	Das Mitführen von Hunden ist unerwünscht :
	im ganzen Haus
rest	nur im Restaurant
ch	nur im Hotelzimmer
mai-oct.	Öffnungszeit, vom Hotelier mitgeteilt
sais.	Unbestimmte Öffnungszeit eines Saisonhotels
	Die Häuser, für die wir keinerlei Schließungszeiten angeben, sind das ganze Jahr hindurch geöffnet.

ANNEHMLICHKEITEN

In manchen Hotels ist der Aufenthalt wegen der schönen, ruhigen Lage, der nicht alltäglichen Einrichtung und Atmosphäre und dem gebotenen Service besonders angenehm und erholsam.

Solche Häuser und ihre besonderen Annehmlichkeiten sind im Führer durch folgende Symbole gekennzeichnet :

🏨🏨🏨🏨🏨 ... 🏨	Angenehme Hotels
XXXXX ... X	Angenehme Restaurants
« Parc fleuri »	Besondere Annehmlichkeit
🐦	Sehr ruhiges, oder abgelegenes und ruhiges Hotel
🐦	Ruhiges Hotel
< mer	Reizvolle Aussicht
<	Interessante oder weite Sicht

Die Übersichtskarten S. 56 bis 63 helfen Ihnen bei der Suche nach besonders ausgezeichneten Häusern.

Wir wissen, daß diese Auswahl noch nicht vollständig ist, sind aber laufend bemüht, weitere solche Häuser für Sie zu entdekken ; dabei sind uns Ihre Erfahrungen und Hinweise eine wertvolle Hilfe.

KÜCHE

Die Sterne : siehe Karten S. 64 bis 71.

Zahlreiche Hotels und Restaurants in Frankreich bieten gute Mahlzeiten und gute Weine an.

Aufgrund der Qualität ihrer Küche verdienen einige jedoch Ihre besondere Beachtung. Auf diese Häuser hinzuweisen, ist das Ziel der « Sterne für gute Küche ».

Bei den mit « Stern » ausgezeichneten Betrieben nennen wir drei kulinarische Spezialitäten und regionale Weine, die Sie probieren sollten.

✿ 529 **Eine sehr gute Küche : verdient Ihre besondere Beachtung.**

Der Stern bedeutet eine angenehme Unterbrechung Ihrer Reise. Vergleichen Sie aber bitte nicht den Stern eines sehr teuren Luxusrestaurants mit dem Stern eines kleineren oder mittleren Hauses, wo man Ihnen zu einem annehmbaren Preis eine ebenfalls vorzügliche Mahlzeit reicht.

✿✿ 88 **Eine hervorragende Küche : verdient einen Umweg.**

Ausgesuchte Menus und Weine... angemessene Preise.

✿✿✿ 18 **Eine der besten Küchen : eine Reise wert.**

Ein denkwürdiges Essen, edle Weine, tadelloser Service, gepflegte Atmosphäre... entsprechende Preise.

R **Sorgfältig zubereitete, preiswerte Mahlzeiten.**

Wir glauben, daß es für Sie interessant ist, außer den Stern-Restaurants auch solche Häuser zu kennen, die ein besonders preisgünstiges, gutes, vorzugsweise landesübliches Essen bieten.

Orte mit solchen Häusern finden Sie auf den Karten S. 74 bis 80. Im Text sind die betreffenden Häuser durch den roten Buchstaben **R** gekennzeichnet, z.B. : **R** 70/110.

Gute Weine : Siehe S. 72/73.

PREISE

Die in diesem Führer genannten Preise wurden uns Ende September 1987 angegeben. Sie können sich mit den Preisen von Waren und Dienstleistungen ändern.

Halten Sie beim Betreten des Hotels den Führer in der Hand. Sie zeigen damit, daß Sie aufgrund dieser Empfehlung gekommen sind.

Die Namen der Hotels und Restaurants, die ihre Preise genannt haben, sind fettgedruckt. Gleichzeitig haben sich diese Häuser verpflichtet, die von den Hoteliers selbst angegebenen Preise den Benutzern des Michelin-Führers zu berechnen.

Informieren Sie uns bitte über jede unangemessen erscheinende Preiserhöhung. Wenn keine Preise angegeben sind, raten wir Ihnen, sich beim Hotelier danach zu erkundigen.

Mahlzeiten

enf. 45	Preis des Kindermenus
◆	Restaurant, das ein einfaches **Menu unter 65 F** anbietet
R 55/115	**Feste Menupreise** — Mindestpreis 55 F, Höchstpreis 115 F
55/110	Mindestpreis 55 F für ein Menu, das an Sonn- und Feiertagen nicht angeboten wird
R 70/110	Sorgfältig zubereitete, **preiswerte** Mahlzeiten
bc	Getränke inbegriffen
🍷	Preiswerter Tischwein in Karaffen
R carte 120 à 185	**Mahlzeiten « à la carte »** — Der erste Preis entspricht einer einfachen Mahlzeit und umfaßt Vorspeise, Tagesgericht mit Beilage, Nachtisch. Der zweite Preis entspricht einer reichlicheren Mahlzeit (mit Spezialgericht) bestehend aus : zwei Hauptgängen, Käse, Nachtisch
	Wenn bc *nicht vermerkt ist, sind die Getränke in den Preisen nicht inbegriffen*
☕ 26	Frühstückspreis (im Zimmer serviert)
☕ 22	Preis des Frühstücks, im Frühstücksraum serviert

Zimmer

ch 145/220	Mindestpreis 145 F für ein Einzelzimmer und Höchstpreis 220 F für zwei Personen
ch ☕	Übernachtung mit Frühstück

Halbpension

1/2 p 165/285	Mindestpreis und Höchstpreis für Halbpension pro Person und Tag während der Hauptsaison (s. S. 45)
AE ⓓ E VISA	**Kreditkarten :** von den Hotels und Restaurants angenommene Kreditkarten : American Express — Diners Club — Eurocard (Mastercard) — Visa (carte bleue).

EINIGE NÜTZLICHE HINWEISE

Frühstück. — In einigen Hotels wird das Frühstück nicht im Zimmer serviert : das schwarze Zeichen ☕ weist auf diese Einschränkung hin. Der Frühstückspreis ist meistens nicht im Zimmerpreis inbegriffen. Die Einnahme des Frühstücks sollte jedoch nicht aufgedrängt werden.

Abendessen im Hotel. — Nach den Bestimmungen muß der Hotelier Sie beherbergen, ohne daß Sie gezwungen wären, das Abendessen im Hotel einzunehmen. Jedoch kann der Hotelier in der Hauptreisezeit ein Zimmer bevorzugt an den Touristen vermieten, der auch eine Mahlzeit einnimmt.

Halbpension. — Wir geben nur die Halbpensionspreise (Zimmer, Frühstück, eine Mahlzeit) in der Hochsaison an. Die Preise gelten pro Person und Tag und sind als Richtpreise anzusehen. Wir raten Ihnen dringend, sich vor Antritt der Reise mit dem Hotelier über den Endpreis zu verständigen. Vollpension wird von den meisten Häusern angeboten - Preise auf Anfrage. In der Vor- und Nachsaison, d.h. vor dem 1. Juli und ab Mitte September (ausgenommen Feiertagswochen) werden häufig günstige Sonderpreise oder -arrangements angeboten. Fragen Sie bei der Zimmerbestellung danach.
In den Wintersportorten sind die Preise im Sommer meistens niedriger als im Winter.

Anmerkung : Für Personen, die ein Doppelzimmer allein belegen, werden die angegebenen Preise manchmal erhöht.

Mehrwertsteuer und Bedienung. — Die angegebenen Preise enthalten Mehrwertsteuer und Bedienung. Sie sind Inklusivpreise, die sich nur noch durch die evtl. zu zahlende Kurtaxe erhöhen können.

Anzahlung. — Einige Hoteliers verlangen eine Anzahlung. Diese ist als Garantie sowohl für den Hotelier als auch für den Gast anzusehen. Sofern keine besonderen Vereinbarungen getroffen werden, entspricht die Anzahlung gewöhnlich dem Preis von drei Übernachtungen (Zimmer ohne Pension) oder von vier Tagen bei Vollpension. Bitten Sie den Hotelier, daß er Ihnen in seinem Bestätigungsschreiben alle seine Bedingungen mitteilt.

DAS AUTO, DIE REIFEN

Reparaturwerkstätten, Lieferanten von Michelin-Reifen

RENAULT Renault-Zweigstelle (oder Niederlassung)
PEUGEOT Peugeot-Vertragswerkstatt
Gar. de la Côte Unabhängige Reparaturwerkstatt
⊛ Reifenhändler

Im allgemeinen sind diese Werkstätten am Samstag und eventuell am Montag geschlossen
In unseren Depots geben wir unseren Kunden gerne Auskunft über alle Reifenfragen.

Reparaturdienst

N **Nachts** — Dieser Buchstabe weist auf Autoreparaturwerkstätten hin, die auch nachts Reparaturen ausführen.

Sonntags — An Sonntagen ist in jeder französischen Stadt eine Reparaturwerkstatt geöffnet. Notfalls kann die Gendarmerie oder die Polizei die entsprechende Werkstatt angeben.

Besichtigung einer Stadt und ihrer Umgebung

HAUPTSEHENSWÜRDIGKEITEN

	Bewertung
★★★	Eine Reise wert
★★	Verdient einen Umweg
★	Sehenswert
	Lage
Voir	In der Stadt
Env.	In der Umgebung der Stadt
N, S, E, O	Im Norden (N), Süden (S), Osten (E), Westen (O) der Stadt.
②, ④	Zu erreichen über Ausfallstraße ②, ④, die auf dem Stadtplan und auf der Michelin-Karte durch das gleiche Zeichen gekennzeichnet ist
2 km	Entfernung in Kilometern
	Museen sind im allgemeinen dienstags geschlossen.

STÄDTE

63300	Zuständige Postleitzahl (die zwei ersten Zahlen sind ebenfalls Nummer des Departements)
✉ **57130 Ars**	Postleitzahl und Name des Verteilerpostamtes
☎	Ortsnetzkennzahl - Vorwahlnummer
P	Präfektur
SP	Unterpräfektur
80 ⑤	Nummer der Michelin-Karte und Faltseite
G. Jura	Siehe Grünen Michelin-Reiseführer Jura
1 057 h.	Einwohnerzahl
alt. 675	Höhe
Stat. therm.	Thermalbad
Sports d'hiver	Wintersport
1 200/1 900	Höhe des Wintersportortes und Maximal-Höhe, die mit Kabinenbahn oder Lift erreicht werden kann
2	Anzahl der Kabinenbahnen
14	Anzahl der Schlepp- oder Sessellifts
	Langlaufloipen
BY **B**	Markierung auf dem Stadtplan
9	Golfplatz und Lochzahl
✻ ⋞	Rundblick - Aussichtspunkt
	Flughafen
	Ladestelle für Autoreisezüge - Nähere Auskunft unter der angegebenen Telefonnummer
	Autofähre
	Personenfähre
ℹ	Informationsstelle
A.C.	Automobil Club

STADTPLÄNE

Hotels – Restaurants

e Symbol und Referenzbuchstabe

Sehenswürdigkeiten

Sehenswertes Gebäude mit Haupteingang

Sehenswerte katholische bzw. evangelische Kirche

B Referenzbuchstabe einer Sehenswürdigkeit

Straßen

Autobahn, Schnellstraße

Anschlußstelle : Autobahneinfahrt und/oder -ausfahrt, Nummer

Hauptverkehrsstraße

Einbahnstraße - nicht befahrbare Straße

Fußgängerzone - Straßenbahn

Pasteur Einkaufsstraße - Parkplatz

Tor - Passage - Tunnel

Bahnhof und Bahnlinie

Autofähre - Bewegliche Brücke

Sonstige Zeichen

Informationsstelle

Moschee - Synagoge

Turm - Ruine - Windmühle

Krankenhaus - Markthalle - Wasserturm

Garten, Park, Wäldchen - Friedhof - Bildstock

Stadion - Golfplatz - Eisbahn

Freibad - Hallenbad

Flughafen - Pferderennbahn - Aussicht - Rundblick

Standseilbahn - Seilschwebebahn

Denkmal, Statue - Brunnen - Fabrik

Jachthafen - Leuchtturm

Schiffsverbindungen : Autofähre - Personenfähre

Öffentliches Gebäude, durch einen Buchstaben gekennzeichnet :

A C Landwirtschaftskammer - Handelskammer

G H J Gendarmerie - Rathaus - Gerichtsgebäude

M P T Museum - Präfektur, Unterpräfektur - Theater

U Universität, Hochschule

POL. Polizei (in größeren Städten Polizeipräsidium)

Straßenkennzeichnung (identisch auf Michelin-Stadtplänen und - Abschnittskarten)

Hauptpostamt (postlagernde Sendungen) u. Telefon

Kaserne - Orientierungstafel

Funk-, Fernsehturm

U-Bahnstation - Autobusbahnhof

Unterführung (Höhe bis 4,50 m) - Brücke mit beschränkter Belastung (unter 19 t)

Reparaturwerkstätten : Peugeot, Talbot, Citroën - Renault (Alpine)

Conozca la guía...

Si sabe utilizarla, le sacará mucho partido. La Guía Michelin no es sólo una lista de buenos restaurantes y hoteles, también es una multitud de informaciones de gran utilidad en sus viajes.

La clave de la Guía

La tiene Vd. en las páginas explicativas siguientes.

Sabrá que un mismo símbolo, que un mismo tipo de letra, en rojo o en negro, en fino o en grueso, no tienen el mismo significado, en absoluto.

La selección de los hoteles y restaurantes

Esta Guía no es una relación completa de los recursos hoteleros de Francia sólo presenta una selección voluntariamente limitada. Ésta se establece mediante visitas y encuestas efectuadas regularmente sobre el propio terreno. Es en estas visitas donde se examinan las opiniones y observaciones de nuestros lectores.

Los planos de la ciudad

Indican con precisión : las calles peatonales y comerciales, cómo atravesar o rodear la ciudad, dónde se sitúan los hoteles (en las grandes arterias o en los alrededores), dónde se encuentran correos, la oficina de turismo, los grandes monumentos, los lugares destacados, etc.

Para su vehículo

En el texto de diversas localidades hemos indicado los representantes de las grandes marcas de automóviles, con su dirección y número de teléfono. Así, en ruta, Vd. puede hacer revisar o reparar su coche, si fuera necesario.

Sobre todos estos puntos y también sobre muchos otros, nos gustaría conocer su opinión. No dude en escribirnos. Nosotros le responderemos.

Gracias anticipadas.

Services de Tourisme Michelin
46, avenue de Breteuil, F-75341 PARIS CEDEX 07

Michelin le desea viajes felices.

La elección de un hotel, de un restaurante

Nuestra clasificación ha sido establecida para uso de los automovilistas de paso. Dentro de cada categoría se citan los establecimientos por orden de preferencia.

CLASE Y CONFORT

	Gran lujo y tradición	XXXXX
	Gran Confort	XXXX
	Muy confortable	XXX
	Bastante confortable	XX
	Confortable	X
	Sencillo pero decoroso	
M	Dentro de su categoría, hotel con instalaciones modernas	
sans rest	El hotel no dispone de restaurante	
	El restaurante tiene habitaciones	avec ch

LA INSTALACIÓN

Los hoteles de , , poseen toda clase de confort y hacen cambio de divisas. Por eso no detallamos en el texto del hotel los símbolos de sus instalaciones.

En las otras categorías, los elementos de confort indicados no existen, con frecuencia, más que en algunas habitaciones.

30 ch	Número de habitaciones
	Ascensor - Aire acondicionado
TV	Televisión en la habitación
	Hotel totalmente o parcialmente reservado a los no fumadores
ch	Habitaciones reservados a los no fumadores
rest	Restaurante reservado a los no fumadores
wc	Baño privado con wc, baño privado sin wc
wc	Ducha privada con wc, ducha privada sin wc
	Teléfono en la habitación por centralita
	Teléfono en la habitación directo con el exterior
	Habitaciones para minusválidos
	Comidas servidas en el jardín o en terraza
	Piscina al aire libre o cubierta
	Playa equipada - Jardín - Tenis en el hotel
25 à 150	Salones de reuniones : capacidad
	Garaje gratuito (una noche solamente) a los portadores de la Guía del año - Garaje de pago
P	Aparcamiento reservado a la clientela
	Prohibidos los perros :
	en todo el establecimiento
rest	en el restaurante solamente
ch	en las habitaciones solamente
mai-oct.	Período de apertura comunicado por el hotel
sais.	Apertura probable en temporada, sin precisar
	Ninguna mención para los establecimientos abiertos todo el año

EL ATRACTIVO

La estancia en determinados hoteles es, a veces, especialmente agradable o tranquila.

Esto puede deberse a las características del edificio, a la decoración original, al emplazamiento y los servicios ofrecidos, o también a la tranquilidad del lugar.

Estos establecimientos se distinguen en la guía por los símbolos en rojo que indicamos a continuación.

🏨🏨🏨🏨🏨 a 🏨	Hoteles agradables
XXXXX a X	Restaurantes agradables
« Parque »	Elemento particularmente agradable
🐎	Hotel muy tranquilo, o aislado y tranquilo
🐎	Hotel tranquilo
⋞ mar	Vista excepcional
⋞	Vista interesante o extensa

Consulte los mapas de las pág. 56 a 63, le será más fácil descubrirlos.

No pretendemos haber indicado todos los hoteles agradables, ni siquiera todos los tranquilos o los aislados y tranquilos.

Nuestras averiguaciones continúan. Vd puede ayudarnos enviándonos sus observaciones y sus descubrimientos.

LA MESA

La estrellas : ver mapa p. 64 a 71.

En Francia, muchos hoteles y restaurantes ofrecen una buena cocina y buenos vinos.

Entre los numerosos establecimientos recomendados en esta Guía, algunos merecen ser señalados a su atención por la calidad de su cocina. Por eso les otorgamos unas estrellas de buena mesa.

Indicamos casi siempre, para estos establecimientos, tres especialidades gastronómicas. Pruébelas, a la vez para su placer y también para animar al jefe de cocina en sus esfuerzos.

✿ 529 **Una muy buena mesa en su categoría**

La estrella indica una buena etapa en su itinerario.

Pero no compare la estrella de un establecimiento de lujo, de precios altos, con la estrella de un establecimiento más sencillo, en el que, a precios razonables, se sirve también una cocina de calidad.

✿✿ 88 **Mesa excelente, merece un rodeo**

Especialidades y vinos selectos... Cuente con un gasto en proporción.

✿✿✿ 18 **Una de las mejores mesas, justifica el viaje**

Mesa exquisita, grandes vinos, servicio impecable, marco elegante... Precios en consecuencia.

R **Comidas esmeradas a precios moderados**

Aparte de los establecimientos con estrellas, hemos pensado que puede interesarle conocer otros restaurantes que ofrecen, con una buena relación calidad-precio, una comida esmerada, generalmente de tipo regional.

Consulte los mapas de las págs. 74 a 80.

En ellos figuran las localidades que tienen establecimientos con precios moderados. Estos restaurantes están señalados en el texto con una **R** de color rojo. Ej. : **R** 70/110.

Los vinos y los platos : ver págs. 72 y 73.

LOS PRECIOS

Los precios que indicamos en esta Guía, fueron establecidos en Septiembre de 1987. Pueden producirse modificaciones debidas a variaciones de los precios de bienes y servicios.

Entre en el hotel o el restaurante con su guía en la mano, demostrando así que ésta le conduce allí con confianza.

Los hoteles y restaurantes figuran con carácteres gruesos cuando los hoteleros nos han señalado todos sus precios, comprometiéndose bajo su responsabilidad a respetarlos ante los turistas de paso, portadores de nuestra Guía.

Infórmenos de todo recargo que pueda parecerle injustificado. Cuando no figura ningún precio, le aconsejamos se ponga de acuerdo con el hotelero sobre las condiciones.

Comidas

enf. 45	Precio del menú infantil
◆	El establecimiento sirve una comida simple por menos de **65 F**
R 55/115	**Comidas a precio fijo** mínimo 55 y máximo 115
55/110	La comida a precio fijo mínimo 55 no se sirve los domingos y festivos
R 70/110	Comida esmerada a **precios moderados**
bc	Bebida incluida
🍶	Jarra de vino de la casa a precio moderado
R carte 120 à 185	**Comidas a la carta** — El primer precio corresponde a una comida sencilla, pero esmerada, comprendiendo : entrada, plato fuerte del día, postre El segundo precio se refiere a una comida más completa (con especialidad) comprediendo : dos platos, queso y postre *Salvo mención especial* bc, *la bebida se cobra en suplemento a los precios fijos y a la carta*
☕ 26	Precio del desayuno servido en la habitación
☕ 22	Precio del desayuno sin servirse en la habitación

Habitaciones

ch 145/220	Precio mínimo 145 de una habitación individual y precio máximo 220 de la mejor habitación ocupada por dos personas
ch ☕	El precio del desayuno está incluido en el precio de la habitación

Media pensión

1/2 p 165/285	Precio mínimo y máximo de la media pensión por persona y por día, en plena temporada (ver p. 53)
AE ⓓ E VISA	Principales **tarjetas de crédito** aceptadas por el establecimiento : American Express — Diners Club — Eurocard — Visa.

ALGUNAS INFORMACIONES ÚTILES

Desayuno. — Algunos establecimientos no sirven el desayuno en la habitación ; una taza en color negro ☕ indica esta restricción.
El precio del desayuno está incluido a veces en el precio de la habitación, pero no puede ser obligatorio.

Cenar en el hotel. — Los hoteleros tienen la obligación de alojarle sin exigirle que utilice los servicios del restaurante. Sin embargo, en temporada, el hotelero puede preferentemente alojar al turista que cena en el hotel.

La media pensión. — Indicamos solamente el precio de la media pensión (habitación, desayuno y una comida) por día y persona en temporada alta. Estos precios se dan a título indicativo y conviene concretarlos de antemano con el hotelero.
Casi siempre se pueden obtener, previa petición, unas condiciones de pensión completa.
Fuera de temporada, es decir antes del 1° de julio, después de mediados de septiembre y fuera de los períodos festivos, hay unas tarifas especiales ; reclámelas al hacer su reserva. En las estaciones de deportes de invierno, los precios de verano suelen ser inferiores a los de invierno.

Nota : Una habitación doble ocupada por una sola persona puede sufrir un incremento sobre el precio de la habitación individual.

Impuestos y servicio. — Los precios que indicamos incluyen los impuestos y el servicio. En su nota no debe figurar ningún recargo excepto, eventualmente, el impuesto de estancia.

La señal. — Algunos hoteleros piden una señal al reservar. Se trata de un depósito-garantía que compromete tanto al hotelero como al cliente. Conviene precisar con detalle las cláusulas de esta garantía.
Salvo condición especial, el importe corresponde generalmente al precio de tres noches en caso de habitación y desayuno, y de 4 días en caso de pensión completa, según duración de la estancia. Pida al hotelero confirmación escrita de las condiciones de estancia así como todos los detalles útiles.

EL COCHE, LOS NEUMÁTICOS

Talleres de reparación, proveedores de neumáticos Michelin

RENAULT	Concesionario (o sucursal) de la marca Renault.
PEUGEOT	Agente de la marca Peugeot.
Gar. de la Côte	Taller que no representa ninguna marca de coche.
◍	Especialistas en neumáticos.

Establecimientos generalmente cerrados el sábado o a veces el lunes. Nuestras sucursales tienen mucho gusto en dar a nuestros clientes todos los consejos necesarios para la mejor utilización de sus neumáticos.

Servicio de reparación

N **De noche** — Esta letra designa los talleres que atienden durante la noche las reparaciones corrientes.

El domingo — En todas las localidades existe un servicio de reparación que atiende los domingos.
En general, la Policía, la "Gendarmería", pueden indicar el taller en servicio más próximo.

Para visitar una población y sus alrededores

LAS CURIOSIDADES

	Grado de interés
★★★	Justifica el viaje
★★	Merece un rodeo
★	Interesante
	Situación de las curiosidades
Voir	En la población
Env.	En los alrededores de la población
N, S, E, O	La curiosidad está situada al norte, al sur, al este, al oeste
②, ④	Salir por la salida ② o ④, localizada por el mismo signo en el plano de la Guía y en el mapa
2 km	Distancia en kilómetros
	Los museos cierran generalmente los martes

LAS POBLACIONES

63300	Código postal de la localidad ; los dos primeros dígitos corresponden al número del Departamento (Provincia)
✉ **57130 Ars**	Código postal y Oficina de Correos distribuidora
⭘	Indicativo telefónico del Departamento
P	Capital de Provincia (Prefectura)
SP	Subprefectura
80 ⑤	Mapa Michelin y pliego
G. Jura	Ver la Guía Verde Michelin Jura
1 057 h.	Población
alt. 675	Altitud de la localidad
Stat. therm.	Termas
Sports d'hiver	Deportes de invierno
1 200/1 900	Altitud de la estación y altitud máxima alcanzada por los remontes mecánicos
2	Número de teleféricos o telecabinas
14	Número de telesquís o telesillas
	Esquí de fondo
BY B	Letras para localizar un emplazamiento en el plano
9	Golf y número de hoyos
✻ <	Panorama, vista
	Aeropuerto
	Localidad con servicio Auto-Expreso. Información en el número indicado.
	Transportes marítimos
	Transportes marítimos de pasajeros solamente
	Información turística
A.C.	Automóvil Club

Para visitar una población y sus alrededores

LOS PLANOS

Hoteles — Restaurantes

Hotel, restaurante. Letra de identificación

Curiosidades

Edificio interesante y entrada principal

Edificio religioso interesante :
Católico - Protestante

B Letra que identifica una curiosidad

Características de las calles

Autopista, autovía
acceso, completo, parcial, número

Vía importante de circulación

Sentido único - Calle impracticable

Calle peatonal - Tranvía

Pasteur Calle comercial - Aparcamiento

Puerta - Pasaje cubierto - Túnel

Estación y línea férrea

Barcaza para coches - Puente móvil

Signos diversos

Oficina de Información de Turismo

Mezquita - Sinagoga

Torre - Ruinas - Molino de viento

Hospital - Mercado cubierto - Depósito de agua

Jardín, parque, bosque - Cementerio - Crucero

Estadio - Golf - Pista de patinaje

Piscina al aire libre, cubierta

Aeropuerto - Hipódromo - Vista - Panorama

Funicular - Teleférico, telecabina

Monumento, estatua - Fuente - Fábrica

Puerto deportivo - Faro

Transporte por barco :
pasajeros y vehículos, pasajeros solamente

Edificio público localizado con letra :
A C Cámara de Agricultura - Cámara de Comercio
G H J Guardia civil - Ayuntamiento - Palacio de Justicia
M P T Museo - Gobierno civil - Teatro
U Universidad, Escuela Superior
POL. Policía (en las grandes ciudades : Jefatura)

(3) Referencia común a los planos y a los mapas detallados Michelin

Oficina central de lista de correos y teléfonos

Cuartel - Mesa de orientación

Torreta o poste de telecomunicación

Boca de metro - Estación de autobuses

4m4 18T (18) Pasaje bajo (inf. a 4 m 50) - Puente de carga limitada (inf. a 19 t.)

Garaje : Peugeot, Talbot, Citroën - Renault (Alpine)

1

L'AGRÉMENT **ANNEHMLICHKEIT**

AMENITY **EL ATRACTIVO**

AMENITÀ

le texte text il testo Ortstext el texto	la carte map la carta Karte el mapa
.... ch ... ch+	

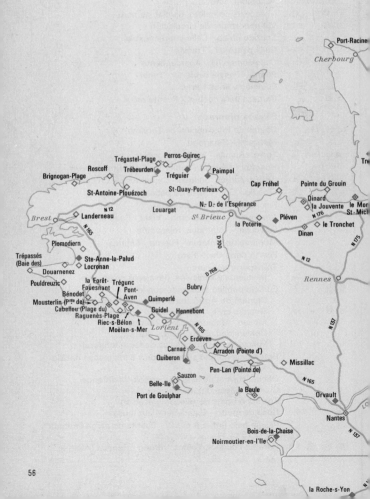

Port-Racine
Cherbourg
Trégastel-Plage
Perros-Guirec
Roscoff
Trébeurden
Brignogan-Plage
Tréguier
Paimpol
St-Quay-Portrieux
Cap Fréhel
Pointe du Grouin
St-Antoine-Plouézoch
Dinard
la Jouvente
le Mont-St-Michel
N.-D. de l'Espérance
Louargat
N 12
Brest
Landerneau
St Brieuc
la Poterie
Pléven
N 176
le Tronchet
Dinan
N 165
D 700
N 175
Plomodiern
N 12
Trépassés (Baie des)
Ste-Anne-la-Palud
Locronan
Douarnenez
D 768
Rennes
Pouldreuzic
la Forêt-Fouesnant
Trégunc
Pont-Aven
Bubry
Bénodet
Mousterlin (Pte de)
Quimperlé
Cabellou (Plage du)
Raguenès-Plage
Guidel
Hennebont
Riec-s-Bélon
Moëlan-s-Mer
Lorient
N 165
N 137
Erdeven
Carnac
Arradon (Pointe d')
Quiberon
Missillac
Pen-Lan (Pointe de)
Sauzon
N 165
Belle-Ile
Port de Goulphar
la Baule
Orvault
Nantes
Bois-de-la-Chaise
Noirmoutier-en-l'Ile
N 137
la Roche-s-Yon

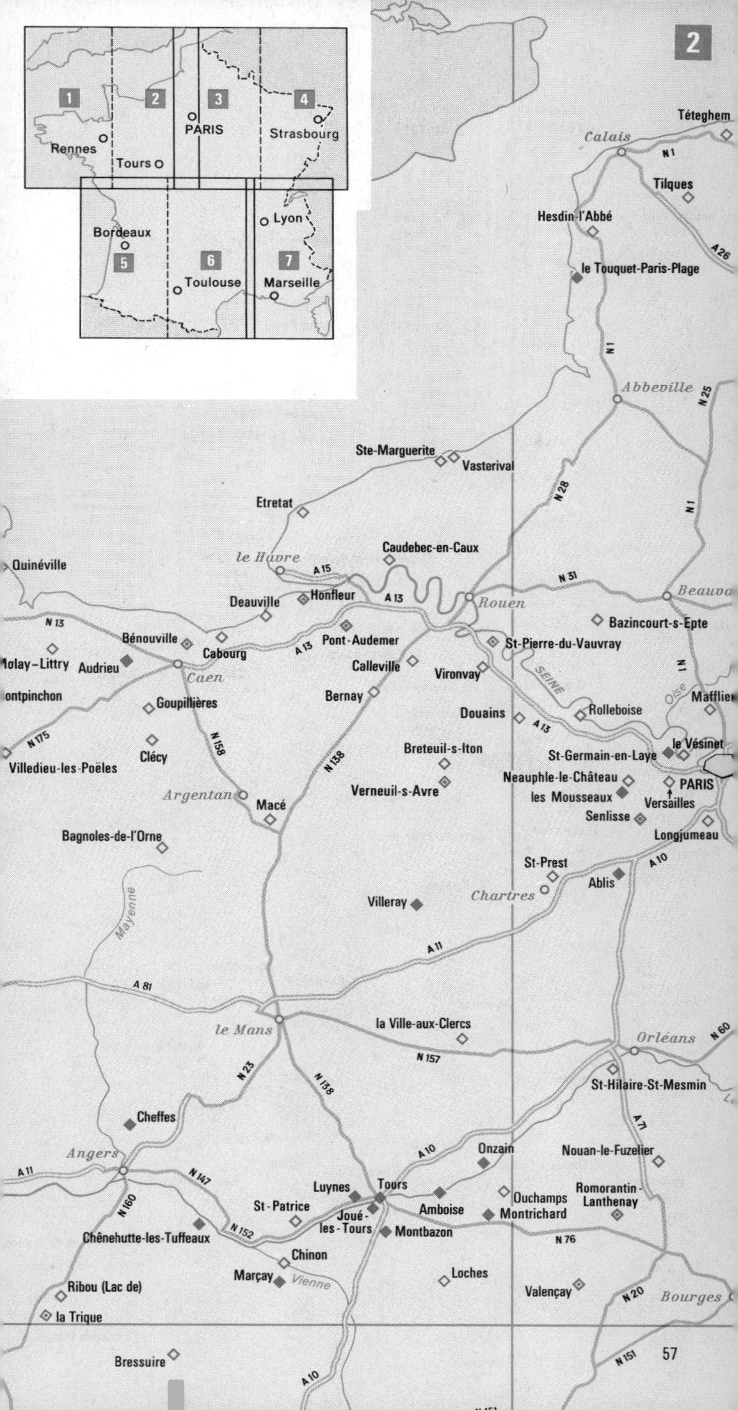

2
1
2
3
4
PARIS
Strasbourg
Rennes
Tours
Bordeaux
Lyon
5
6
7
Toulouse
Marseille
Téteghem
Calais
N1
Tilques
Hesdin-l'Abbé
A26
le Touquet-Paris-Plage
N1
Abbeville
N25
Ste-Marguerite
Vasterival
N28
Etretat
N1
Caudebec-en-Caux
Quinéville
le Havre
A15
N31
Beauva
Deauville
Honfleur
A13
Rouen
Bazincourt-s-Epte
N13
Bénouville
Pont-Audemer
St-Pierre-du-Vauvray
Molay-Littry
Audrieu
Cabourg
A13
Calleville
Vironvay
SEINE
N1
Caen
Montpinchon
Goupillières
Bernay
Oise
Maffliers
Douains
A13
Rolleboise
N175
N158
Breteuil-s-Iton
le Vésinet
Clécy
N138
St-Germain-en-Laye
Villedieu-les-Poëles
Neauphle-le-Château
Verneuil-s-Avre
PARIS
les Mousseaux
Argentan
Versailles
Macé
Senlisse
Bagnoles-de-l'Orne
Longjumeau
St-Prest
A10
Ablis
Chartres
Villeray
Mayenne
A11
A81
le Mans
la Ville-aux-Clercs
Orléans
N60
N157
N23
N138
St-Hilaire-St-Mesmin
A71
Cheffes
Onzain
Nouan-le-Fuzelier
Angers
A10
A11
N147
Luynes
Tours
Romorantin-Lanthenay
Ouchamps
N160
St-Patrice
Amboise
Joué-les-Tours
Montrichard
Chênehutte-les-Tuffeaux
N152
Montbazon
N76
Chinon
Marçay
Vienne
Loches
Ribou (Lac de)
Valençay
N20
Bourges
la Trique
N151
Bressuire
A10
N151

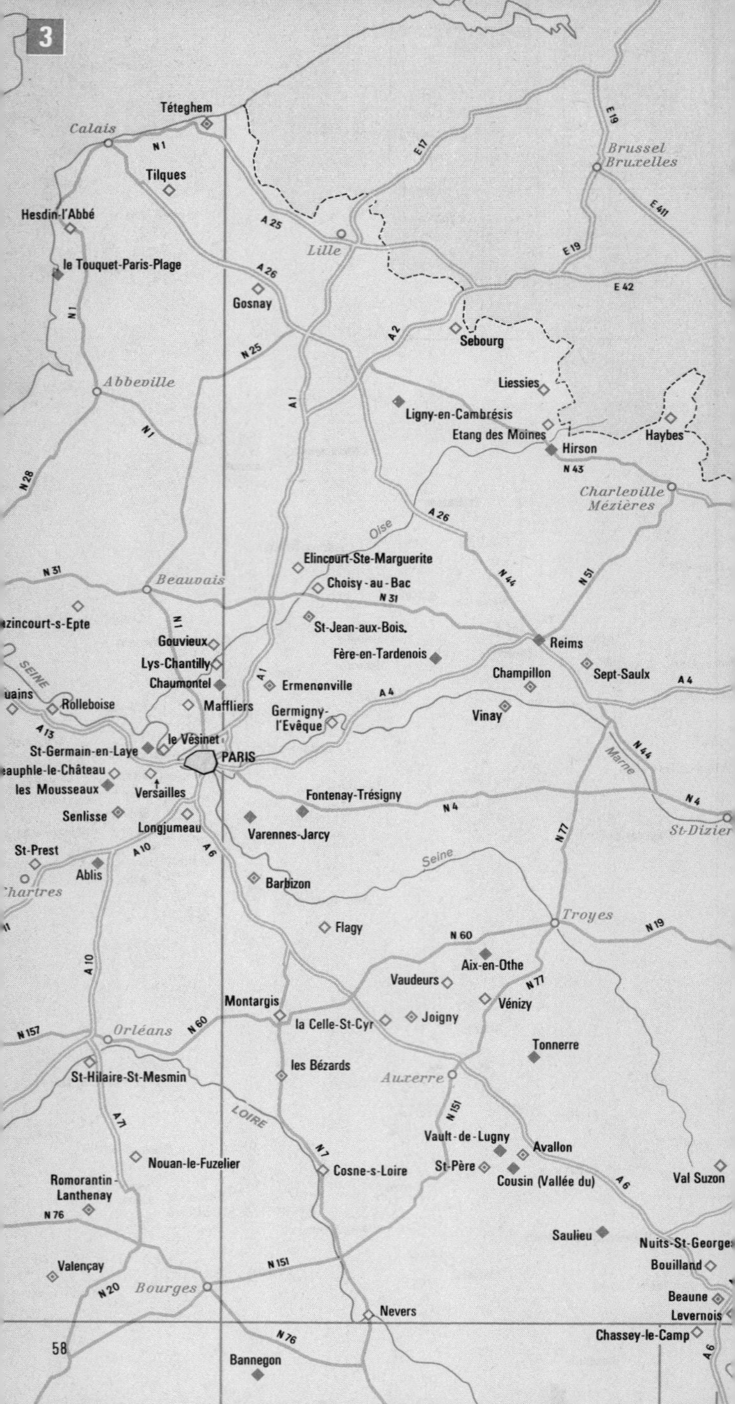
3
Téteghem
Calais
N 1
Tilques
Hesdin-l'Abbé
le Touquet-Paris-Plage
Gosnay
A 25
A 26
Lille
E 17
E 19
Brussel
Bruxelles
E 411
E 42
Sebourg
A 2
N 25
N 1
Abbeville
A 1
Liessies
Ligny-en-Cambrésis
Etang des Moines
Haybes
Hirson
N 43
N 28
Charleville
Mézières
A 26
Oise
Elincourt-Ste-Marguerite
Choisy-au-Bac
N 31
N 31
Beauvais
N 44
N 51
zincourt-s-Epte
St-Jean-aux-Bois
Gouvieux
Fère-en-Tardenois
Reims
Lys-Chantilly
Sept-Saulx
Champillon
Chaumontel
Ermenonville
A 4
SEINE
uains
Rolleboise
Maffliers
A 4
Germigny-l'Evêque
Vinay
A 13
le Vésinet
St-Germain-en-Laye
PARIS
N 44
Marne
eauphle-le-Château
Versailles
les Mousseaux
Fontenay-Trésigny
N 4
N 4
Senlisse
Longjumeau
Varennes-Jarcy
St-Dizier
N 77
St-Prest
A 10
A 6
Ablis
Seine
Chartres
Barbizon
Troyes
Flagy
N 60
N 19
Aix-en-Othe
A 10
Vaudeurs
N 77
Montargis
Vénizy
N 157
Orléans
N 60
la Celle-St-Cyr
Joigny
Tonnerre
St-Hilaire-St-Mesmin
les Bézards
Auxerre
LOIRE
N 151
A 71
Vault-de-Lugny
Avallon
N 7
Nouan-le-Fuzelier
Cosne-s-Loire
St-Père
Cousin (Vallée du)
A 6
Val Suzon
Romorantin-Lanthenay
N 76
Saulieu
Nuits-St-George
Valençay
N 151
Bouilland
N 20
Bourges
Beaune
Nevers
Levernois
N 76
Chassey-le-Camp
58
A 6
Bannegon

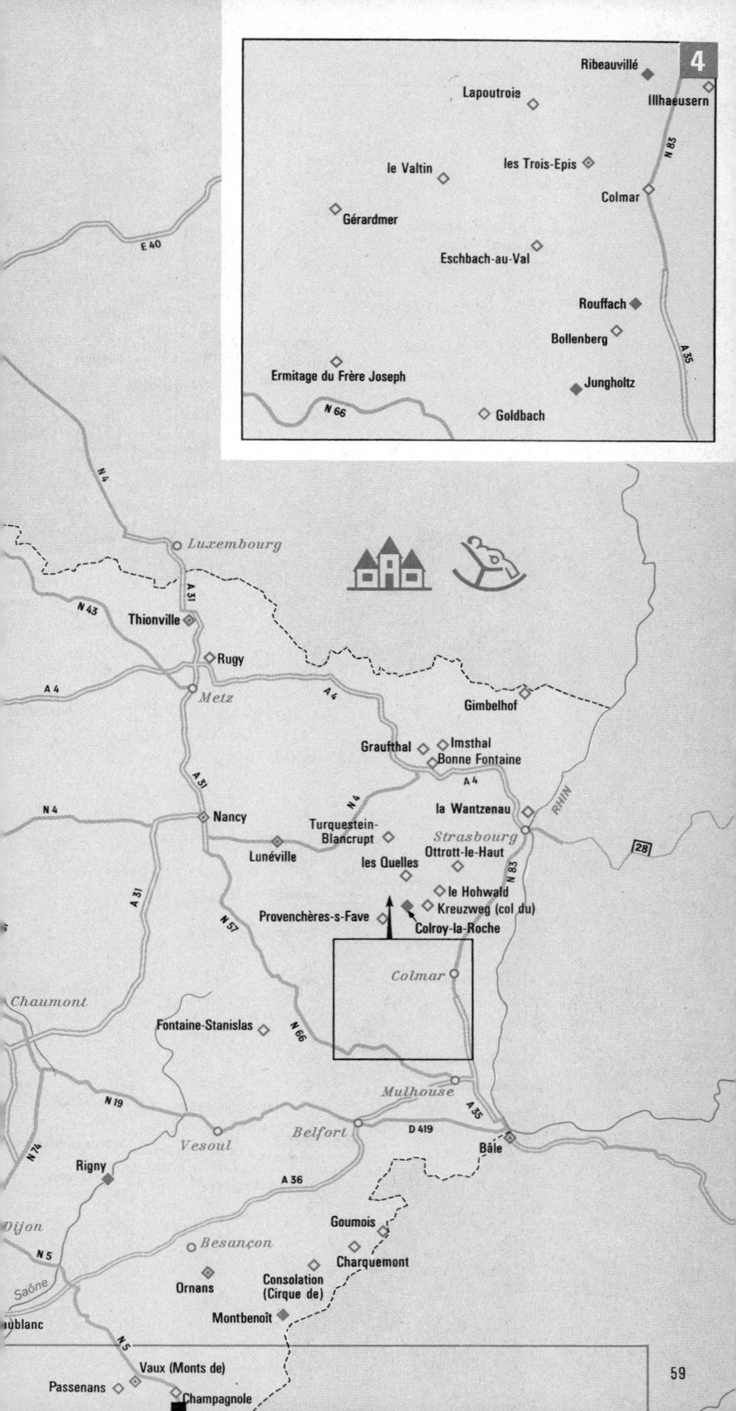
4
Ribeauvillé
Lapoutroie
Illhaeusern
N 83
le Valtin
les Trois-Epis
Colmar
Gérardmer
Eschbach-au-Val
Rouffach
Bollenberg
A 35
Ermitage du Frère Joseph
Jungholtz
N 66
Goldbach
E 40
N 4
Luxembourg
A 31
N 43
Thionville
Rugy
A 4
Metz
A 4
Gimbelhof
Graufthal
Imsthal
Bonne Fontaine
A 4
A 31
N 4
N 4
la Wantzenau
RHIN
Nancy
Turquestein-Blancrupt
Strasbourg
28
Lunéville
Ottrott-le-Haut
les Quelles
N 83
le Hohwald
A 31
Kreuzweg (col du)
N 57
Provenchères-s-Fave
Colroy-la-Roche
Colmar
Chaumont
Fontaine-Stanislas
N 66
Mulhouse
N 19
A 35
Belfort
D 419
Vesoul
Bâle
N 74
Rigny
A 36
Dijon
Goumois
Besançon
Charquemont
N 5
Saône
Ornans
Consolation (Cirque de)
Montbenoît
ublanc
N 5
Vaux (Monts de)
Passenans
Champagnole

5

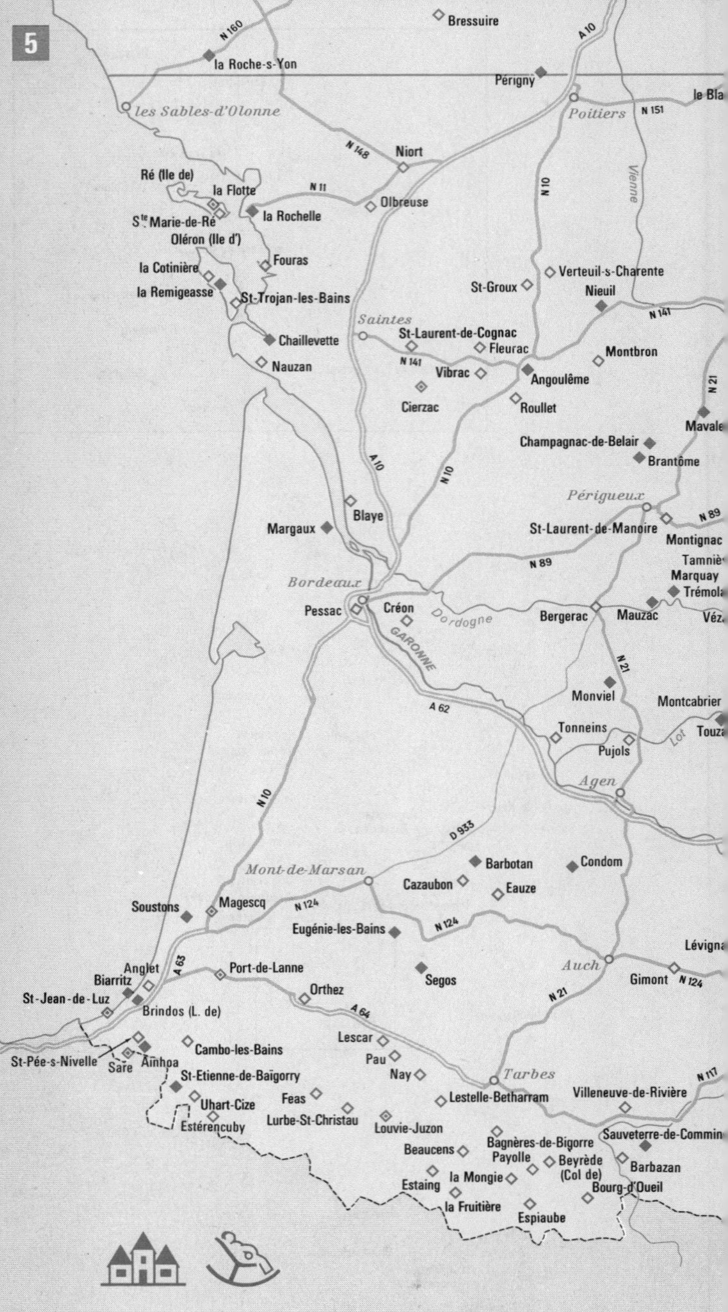
Bressuire
N 160
la Roche-s-Yon
A 10
Périgny
le Bla
les Sables-d'Olonne
Poitiers
N 151
N 148
Niort
N 10
Vienne
Ré (Ile de)
la Flotte
N 11
Olbreuse
Ste Marie-de-Ré
la Rochelle
Oléron (Ile d')
Fouras
la Cotinière
Verteuil-s-Charente
la Remigeasse
St-Groux
Nieuil
St-Trojan-les-Bains
Saintes
N 141
Chaillevette
St-Laurent-de-Cognac
Fleurac
Montbron
N 141
Nauzan
Vibrac
Angoulême
N 21
Cierzac
Roullet
Mavale
Champagnac-de-Belair
Brantôme
A 10
N 10
Périgueux
Blaye
N 89
Margaux
St-Laurent-de-Manoire
Montignac
N 89
Tamniè
Marquay
Bordeaux
Trémola
Pessac
Créon
Dordogne
Bergerac
Mauzac
Véz
GARONNE
N 21
Monviel
Montcabrier
A 62
Tonneins
Touz
Lot
Pujols
Agen
N 10
D 933
Barbotan
Condom
Mont-de-Marsan
Cazaubon
Eauze
Soustons
Magescq
N 124
Eugénie-les-Bains
N 124
Lévigna
Anglet
A 63
Port-de-Lanne
Auch
Biarritz
Segos
Gimont
N 124
St-Jean-de-Luz
Orthez
N 21
Brindos (L. de)
A 64
Lescar
Cambo-les-Bains
St-Pée-s-Nivelle
Sare
Aïnhoa
Pau
St-Etienne-de-Baïgorry
Nay
Tarbes
N 117
Feas
Lestelle-Betharram
Villeneuve-de-Rivière
Uhart-Cize
Lurbe-St-Christau
Estérencuby
Louvie-Juzon
Bagnères-de-Bigorre
Sauveterre-de-Commin
Beaucens
Payolle
Beyrède
(Col de)
Barbazan
Estaing
la Mongie
Bourg-d'Oueil
la Fruitière
Espiaube

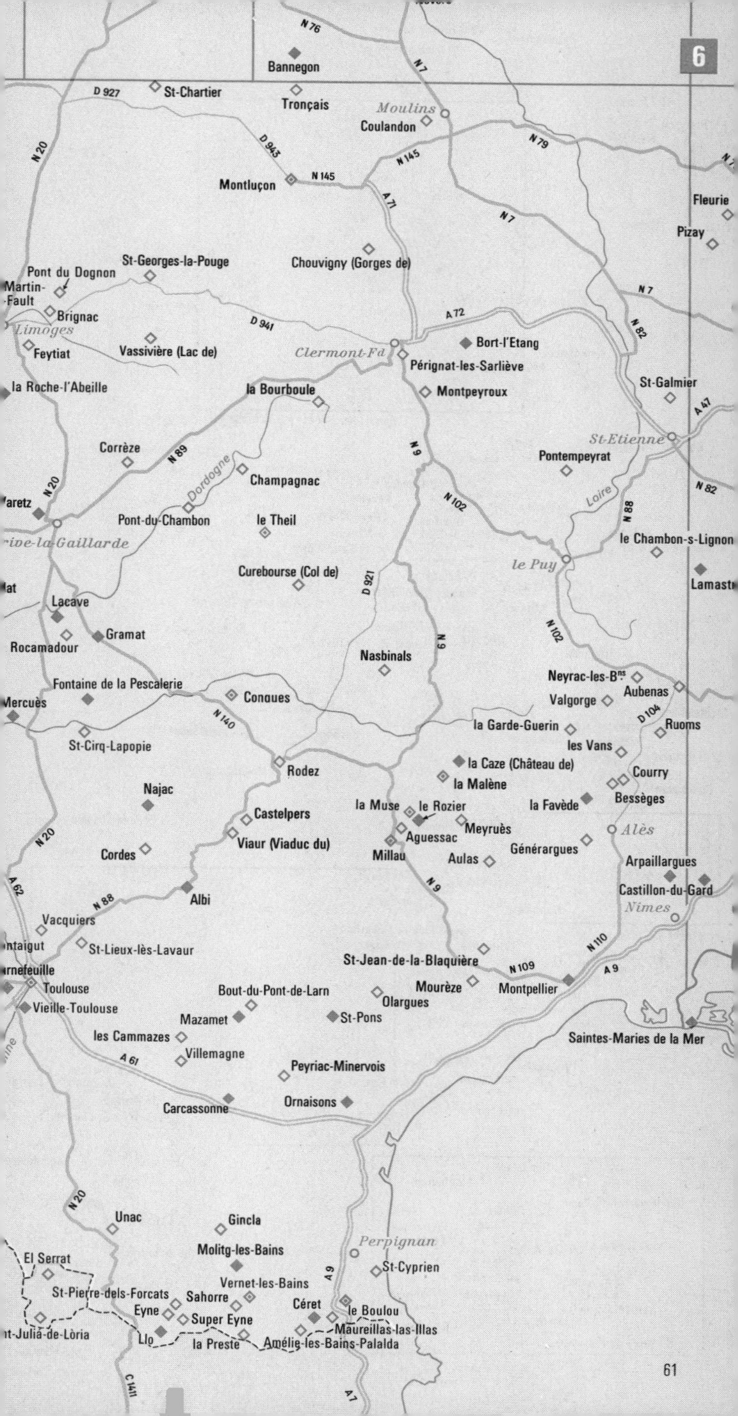
6
N 76
Bannegon
N 7
D 927
St-Chartier
Tronçais
Moulins
Coulandon
N 20
D 943
N 79
N 145
Montluçon
A 71
Fleurie
N 7
Pizay
St-Georges-la-Pouge
Chouvigny (Gorges de)
Pont du Dognon
Martin-
-Fault
Brignac
Limoges
D 941
A 72
N 82
Feytiat
Vassivière (Lac de)
Clermont-Fd
Bort-l'Etang
Pérignat-les-Sarliève
la Roche-l'Abeille
la Bourboule
Montpeyroux
St-Galmier
A 47
St-Etienne
Corrèze
N 89
N 9
Pontempeyrat
Dordogne
Champagnac
N 102
Loire
N 82
N 88
N 20
Pont-du-Chambon
le Theil
le Chambon-s-Lignon
Curebourse (Col de)
le Puy
Lamastre
D 921
Lacave
N 102
Gramat
Rocamadour
N 9
Nasbinals
Fontaine de la Pescalerie
Neyrac-les-Bns
Aubenas
Mercuès
Conques
Valgorge
N 140
D 104
la Garde-Guerin
Ruoms
St-Cirq-Lapopie
les Vans
Rodez
la Caze (Château de)
Courry
la Malène
Najac
la Favède
Bessèges
la Muse
le Rozier
Castelpers
Meyruès
Alès
Aguessac
N 20
Viaur (Viaduc du)
Générargues
Millau
Cordes
Aulas
Arpaillargues
N 9
Castillon-du-Gard
A 62
Albi
N 88
Nîmes
Vacquiers
N 110
St-Lieux-lès-Lavaur
St-Jean-de-la-Blaquière
N 109
A 9
Toulouse
Mourèze
Montpellier
Bout-du-Pont-de-Larn
Olargues
Vieille-Toulouse
Mazamet
St-Pons
Saintes-Maries de la Mer
les Cammazes
A 61
Villemagne
Peyriac-Minervois
Carcassonne
Ornaisons
N 20
Unac
Gincla
Perpignan
El Serrat
Molitg-les-Bains
St-Cyprien
A 9
Vernet-les-Bains
St-Pierre-dels-Forcats
Sahorre
Céret
le Boulou
Eyne
Super Eyne
Maureillas-las-Illas
Llo
la Preste
Amélie-les-Bains-Palalda
C 1411
A 7

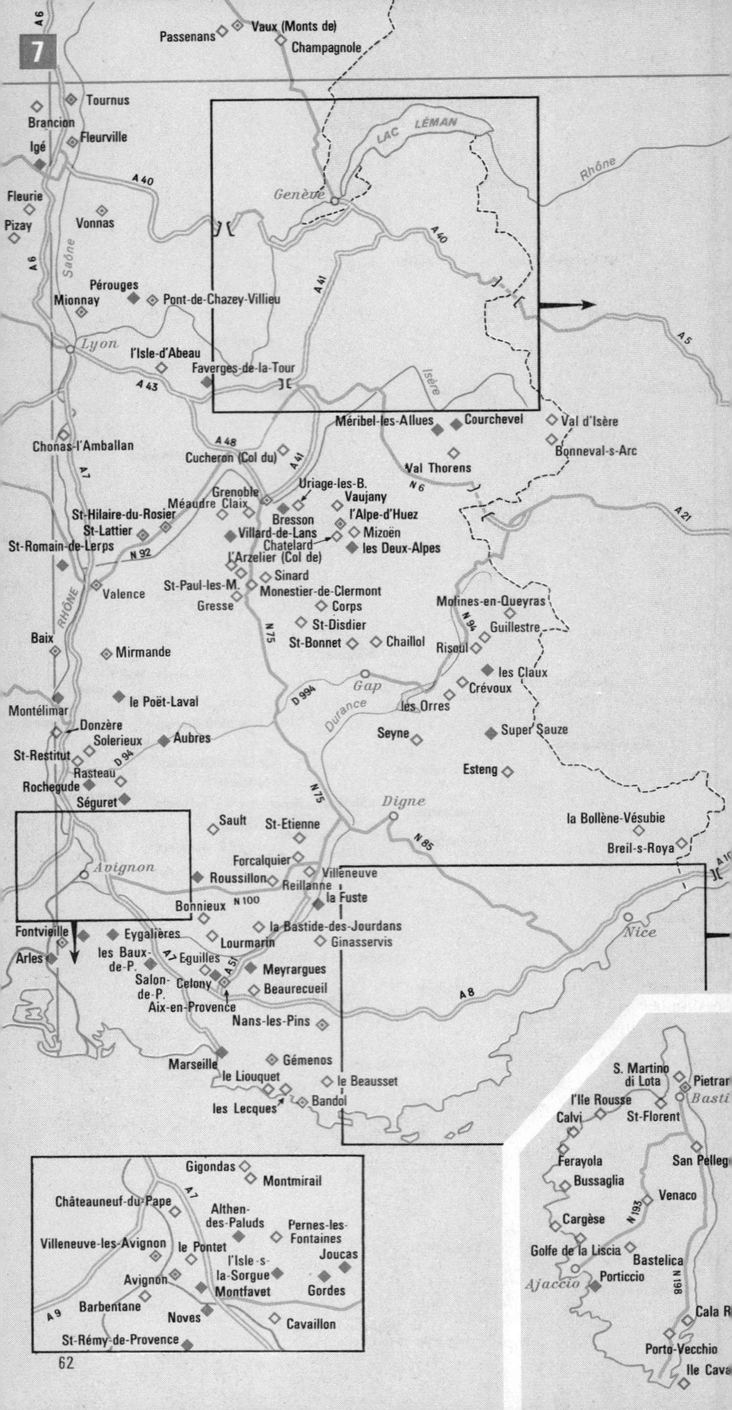
7
Passenans
Vaux (Monts de)
Champagnole
Tournus
Brancion
Fleurville
Igé
Fleurie
Pizay
Vonnas
Lac Léman
Genève
Rhône
A 40
A 41
A 5
Saône
Pérouges
Mionnay
Pont-de-Chazey-Villieu
Lyon
l'Isle-d'Abeau
Faverges-de-la-Tour
A 43
Isère
Méribel-les-Allues
Courchevel
Val d'Isère
Bonneval-s-Arc
Chonas-l'Amballan
A 48
Cucheron (Col du)
Val Thorens
N 6
Uriage-les-B.
Grenoble
Vaujany
Méaudre
Claix
Bresson
l'Alpe-d'Huez
St-Hilaire-du-Rosier
St-Lattier
Villard-de-Lans
Mizoën
Chatelard
les Deux-Alpes
A 21
St-Romain-de-Lerps
N 92
l'Arzelier (Col de)
Sinard
Valence
St-Paul-les-M.
Monestier-de-Clermont
Gresse
Corps
Molines-en-Queyras
St-Disdier
N 94
Guillestre
Baix
N 75
St-Bonnet
Chaillol
Risoul
Mirmande
les Claux
Gap
Crévoux
Montélimar
le Poët-Laval
D 994
Durance
les Orres
Donzère
Seyne
Super Sauze
Solerieux
Aubres
St-Restitut
D 94
Rasteau
Esteng
Rochegude
Séguret
Digne
la Bollène-Vésubie
Sault
St-Etienne
N 85
Breil-s-Roya
Forcalquier
Avignon
Roussillon
Villeneuve
Reillanne
A 10
Bonnieux
N 100
la Fuste
Nice
Fontvieille
Eygalières
la Bastide-des-Jourdans
Lourmarin
Ginasservis
Arles
les Baux-de-P.
Eguilles
Meyrargues
Salon-de-P.
Celony
Beaurecueil
A 8
Aix-en-Provence
Nans-les-Pins
Marseille
Gémenos
le Liouquet
le Beausset
les Lecques
Bandol
Gigondas
Montmirail
Châteauneuf-du-Pape
Althen-des-Paluds
Pernes-les-Fontaines
Villeneuve-les-Avignon
le Pontet
Joucas
l'Isle-s-la-Sorgue
Avignon
Montfavet
Gordes
A 9
Barbentane
Noves
Cavaillon
St-Rémy-de-Provence
S. Martino di Lota
Pietrar
Basti
l'Ile Rousse
Calvi
St-Florent
Ferayola
San Pelleg
Bussaglia
Venaco
N 193
Cargèse
Golfe de la Liscia
Bastelica
Ajaccio
Porticcio
N 198
Cala R
Porto-Vecchio
Ile Cava

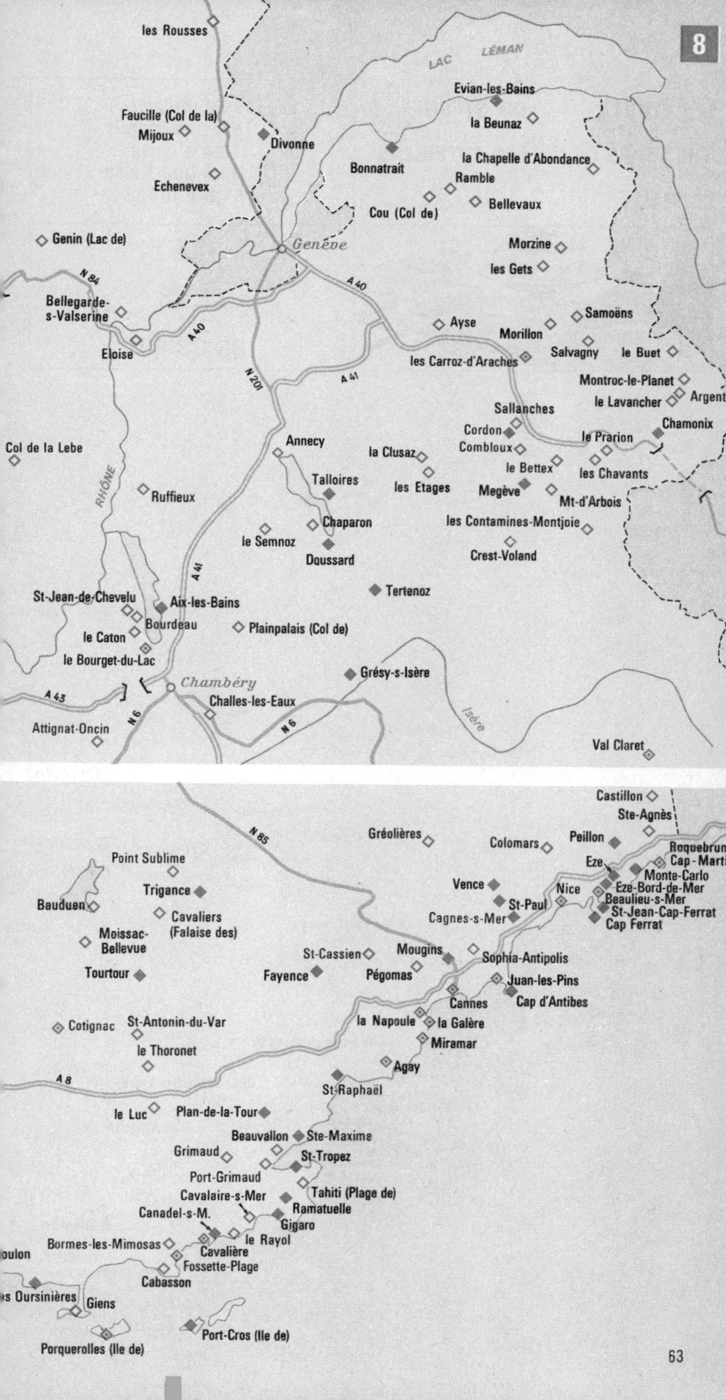

LAC LÉMAN
les Rousses
Evian-les-Bains
la Beunaz
Faucille (Col de la)
Mijoux
Divonne
Bonnatrait
la Chapelle d'Abondance
Ramble
Echenevex
Cou (Col de)
Bellevaux
Genin (Lac de)
Genève
Morzine
les Gets
N 84
A 40
Bellegarde-s-Valserine
Eloise
A 40
Ayse
Samoëns
Morillon
Salvagny
le Buet
les Carroz-d'Araches
N 201
A 41
Montroc-le-Planet
le Lavancher
Argentière
Sallanches
Chamonix
Cordon
le Prarion
Col de la Lebe
Annecy
la Clusaz
Combloux
le Bettex
les Chavants
RHÔNE
Talloires
les Etages
Megève
Mt-d'Arbois
Ruffieux
Chaparon
les Contamines-Montjoie
le Semnoz
Doussard
Crest-Voland
A 41
Tertenoz
St-Jean-de-Chevelu
Aix-les-Bains
Bourdeau
Plainpalais (Col de)
le Caton
le Bourget-du-Lac
Grésy-s-Isère
Chambéry
A 43
Challes-les-Eaux
N 6
N 6
Isère
Attignat-Oncin
Val Claret
Castillon
Ste-Agnès
N 85
Gréolières
Colomars
Peillon
Roquebrune
Cap-Martin
Point Sublime
Eze
Monte-Carlo
Vence
Eze-Bord-de-Mer
Trigance
Nice
Beaulieu-s-Mer
Bauduen
St-Paul
St-Jean-Cap-Ferrat
Cavaliers (Falaise des)
Cagnes-s-Mer
Cap Ferrat
Moissac-Bellevue
St-Cassien
Mougins
Sophia-Antipolis
Tourtour
Fayence
Pégomas
Juan-les-Pins
Cannes
Cap d'Antibes
Cotignac
St-Antonin-du-Var
la Napoule
la Galère
Miramar
le Thoronet
Agay
A 8
St-Raphaël
le Luc
Plan-de-la-Tour
Beauvallon
Ste-Maxime
Grimaud
St-Tropez
Port-Grimaud
Cavalaire-s-Mer
Tahiti (Plage de)
Ramatuelle
Canadel-s-M.
Gigaro
le Rayol
Bormes-les-Mimosas
Cavalière
Fossette-Plage
Cabasson
Giens
Porquerolles (Ile de)
Port-Cros (Ile de)

1

LES ÉTOILES — DIE STERNE — THE STARS — LAS ESTRELLAS — LE STELLE

Texte et carte
Text and map
Testo e carta
Ortstext und Karte
Texto y mapa

✿

✿✿

✿✿✿

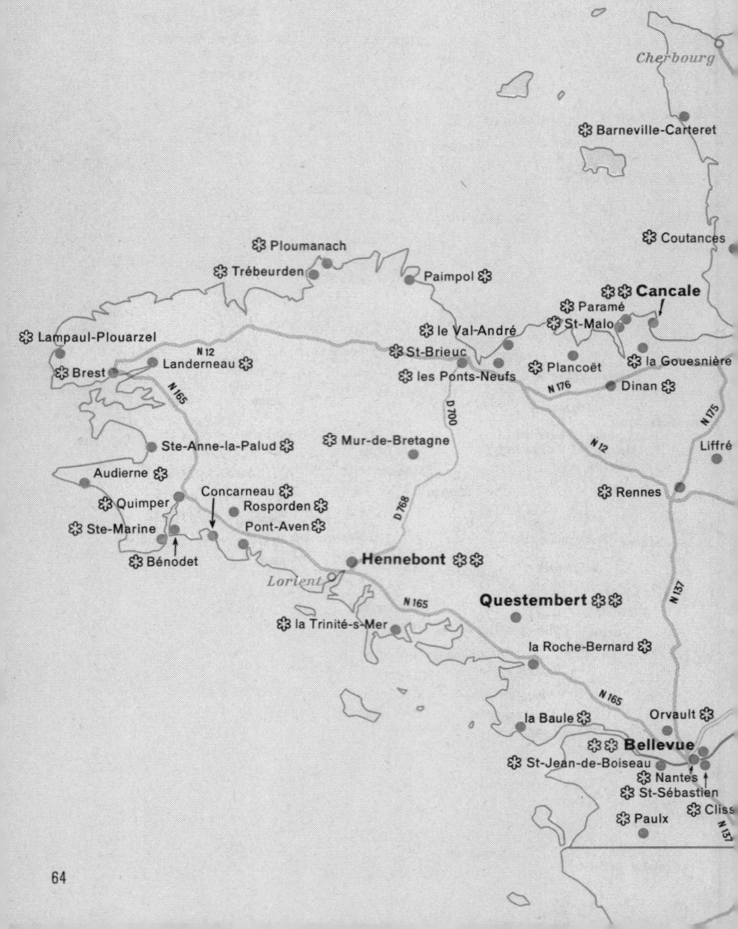

Cherbourg
✿ Barneville-Carteret
✿ Coutances
✿ Ploumanach
✿ Trébeurden
Paimpol ✿
✿✿ Cancale
✿ Paramé
✿ St-Malo
✿ le Val-André
✿ Lampaul-Plouarzel
N 12
✿ St-Brieuc
✿ Plancoët
✿ la Gouesnière
✿ Brest
Landerneau ✿
✿ les Ponts-Neufs
N 176
Dinan ✿
N 165
D 700
N 175
N 12
Liffré
Ste-Anne-la-Palud ✿
✿ Mur-de-Bretagne
Audierne ✿
✿ Rennes
Concarneau ✿
✿ Quimper
Rosporden ✿
✿ Ste-Marine
Pont-Aven ✿
D 768
✿ Bénodet
Hennebont ✿✿
Lorient
N 165
Questembert ✿✿
N 137
✿ la Trinité-s-Mer
la Roche-Bernard ✿
N 165
Orvault ✿
la Baule ✿
✿✿ Bellevue
✿ St-Jean-de-Boiseau
✿ Nantes
✿ St-Sébastien
✿ Cliss
✿ Paulx
N 137

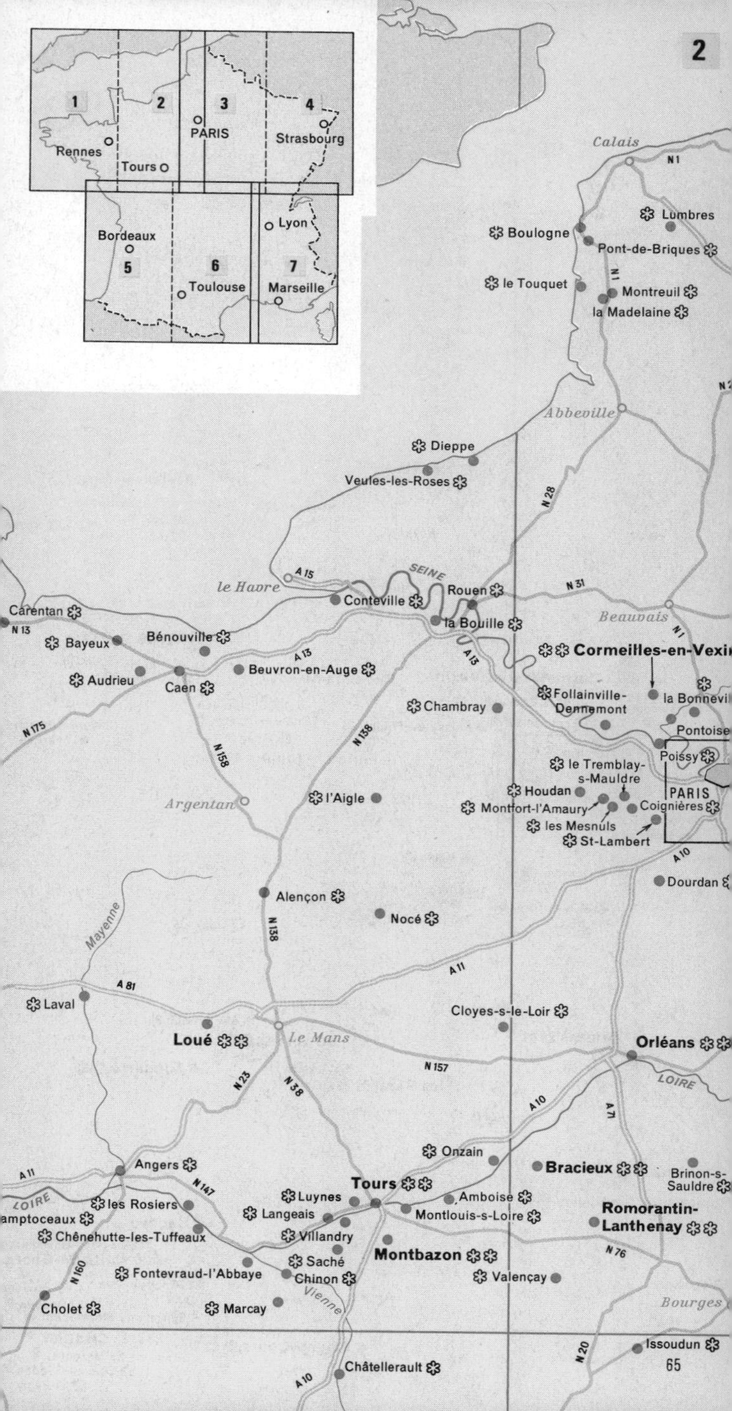

1
2
3
4
PARIS
Strasbourg
Rennes
Tours
Lyon
Bordeaux
5
6
7
Toulouse
Marseille
Calais
N1
Lumbres
Boulogne
Pont-de-Briques
le Touquet
Montreuil
la Madelaine
Abbeville
Dieppe
Veules-les-Roses
N 28
SEINE
A 15
le Havre
Rouen
N 31
Conteville
la Bouille
Beauvais
Carentan
N 13
Bayeux
Bénouville
A 13
Cormeilles-en-Vexin
Audrieu
Caen
Beuvron-en-Auge
Chambray
Follainville-Dennemont
la Bonneville
Pontoise
N 175
N 158
N 138
Poissy
le Tremblay-s-Mauldre
Houdan
PARIS
Montfort-l'Amaury
Coignières
les Mesnuls
St-Lambert
l'Aigle
Argentan
A 10
Dourdan
Alençon
Noce
Mayenne
A 11
A 81
Laval
Cloyes-s-le-Loir
Loué
Le Mans
Orléans
N 157
LOIRE
N 23
N 38
A 71
Onzain
Bracieux
Brinon-s-Sauldre
Angers
N 147
Tours
Luynes
Amboise
Romorantin-Lanthenay
les Rosiers
Langeais
Montlouis-s-Loire
Champtoceaux
Chênehutte-les-Tuffeaux
Villandry
Montbazon
N 76
Saché
N 160
Fontevraud-l'Abbaye
Chinon
Valençay
Vienne
Cholet
Marcay
Bourges
Issoudun
N 20
Châtellerault

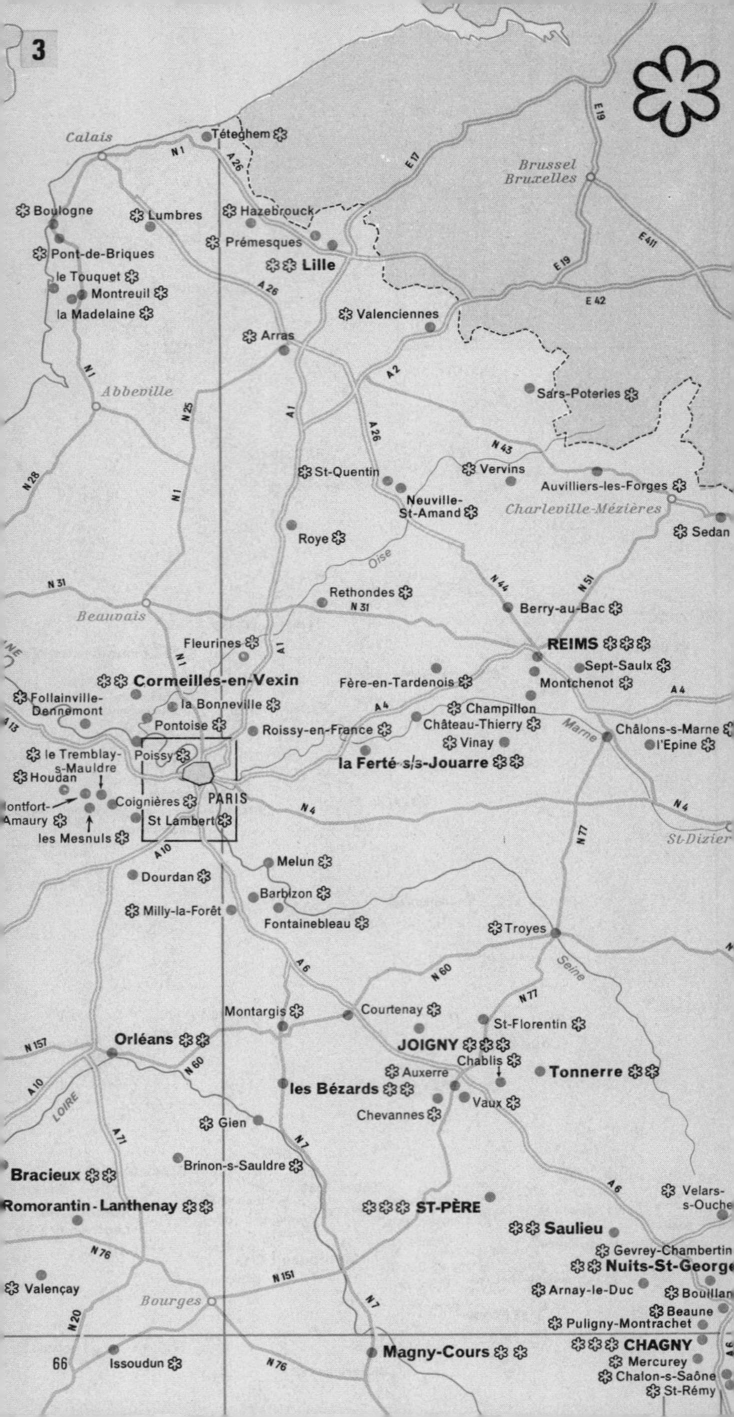
3
Calais
Téteghem
Brussel Bruxelles
Boulogne
Lumbres
Hazebrouck
Prémesques
Pont-de-Briques
Lille
le Touquet
Montreuil
la Madelaine
Valenciennes
Arras
Abbeville
Sars-Poteries
St-Quentin
Vervins
Auvilliers-les-Forges
Neuville-St-Amand
Charleville-Mézières
Sedan
Roye
Rethondes
Beauvais
Berry-au-Bac
Fleurines
REIMS
Sept-Saulx
Cormeilles-en-Vexin
Fère-en-Tardenois
Montchenot
Follainville-Dennemont
la Bonneville
Champillon
Pontoise
Roissy-en-France
Château-Thierry
Châlons-s-Marne
le Tremblay-s-Mauldre
Poissy
Vinay
l'Epine
Houdan
la Ferté-s/s-Jouarre
Montfort-l'Amaury
Coignières
PARIS
les Mesnuls
St Lambert
St-Dizier
Melun
Dourdan
Barbizon
Milly-la-Forêt
Fontainebleau
Troyes
Montargis
Courtenay
St-Florentin
Orléans
JOIGNY
Chablis
Auxerre
Tonnerre
les Bézards
Vaux
Chevannes
Gien
Brinon-s-Sauldre
Bracieux
Velars-s-Ouche
Romorantin-Lanthenay
ST-PÈRE
Saulieu
Gevrey-Chambertin
Nuits-St-Georges
Valençay
Arnay-le-Duc
Bouilland
Bourges
Beaune
Puligny-Montrachet
CHAGNY
Magny-Cours
Mercurey
Issoudun
Chalon-s-Saône
St-Rémy
66

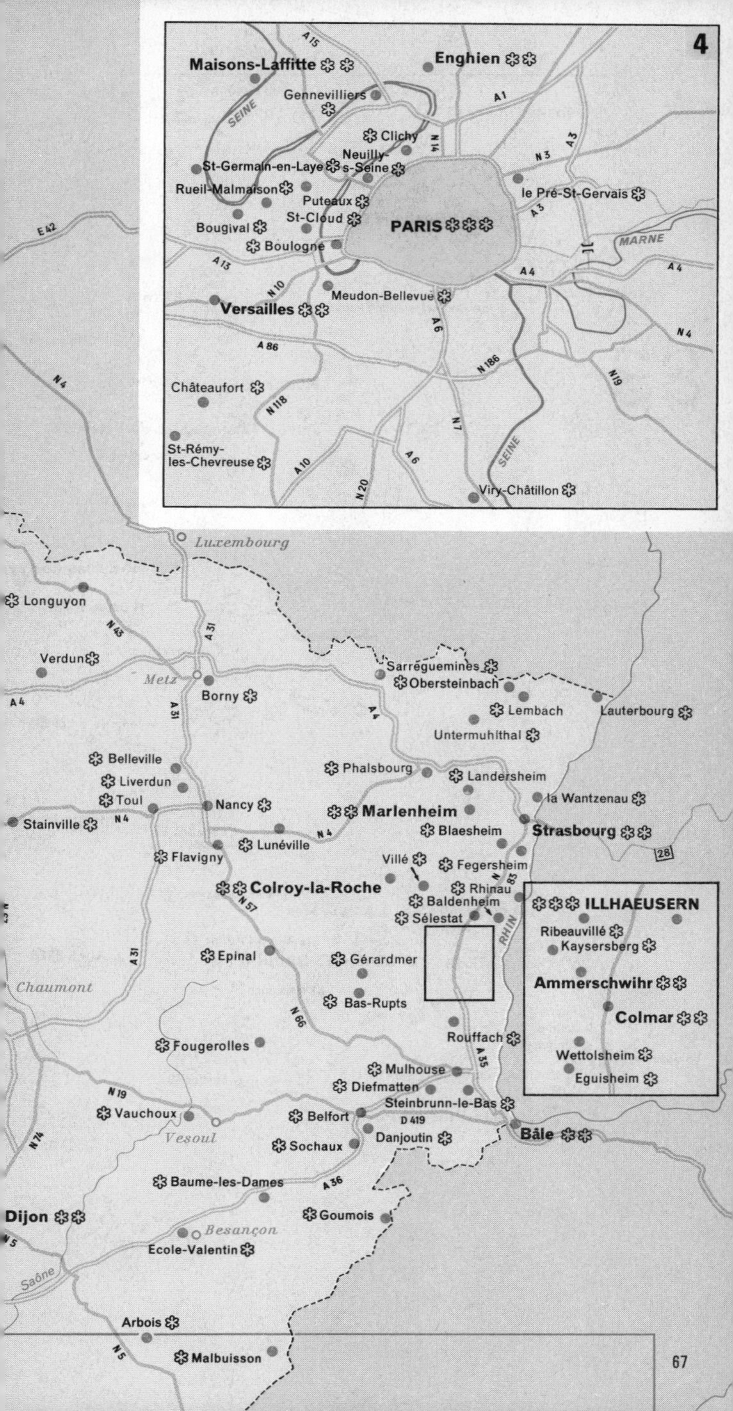
4
Maisons-Laffitte
Enghien
Gennevilliers
Clichy
Neuilly-s-Seine
St-Germain-en-Laye
Rueil-Malmaison
Puteaux
le Pré-St-Gervais
St-Cloud
Bougival
PARIS
Boulogne
MARNE
Meudon-Bellevue
Versailles
Châteaufort
St-Rémy-les-Chevreuse
Viry-Châtillon
SEINE
Luxembourg
Longuyon
Verdun
Metz
Borny
Sarreguemines
Obersteinbach
Lembach
Lauterbourg
Untermuhlthal
Belleville
Liverdun
Toul
Nancy
Stainville
Phalsbourg
Landersheim
la Wantzenau
Marlenheim
Blaesheim
Strasbourg
Lunéville
Flavigny
Villé
Fegersheim
Colroy-la-Roche
Rhinau
Baldenheim
Sélestat
ILLHAEUSERN
Ribeauvillé
Kaysersberg
Ammerschwihr
Colmar
Wettolsheim
Eguisheim
Epinal
Gérardmer
Chaumont
Bas-Rupts
Rouffach
Fougerolles
Mulhouse
Diefmatten
Steinbrunn-le-Bas
Vauchoux
Belfort
Vesoul
Danjoutin
Sochaux
Bâle
Baume-les-Dames
Goumois
Dijon
Besançon
Ecole-Valentin
Saône
Arbois
Malbuisson
RHIN

5

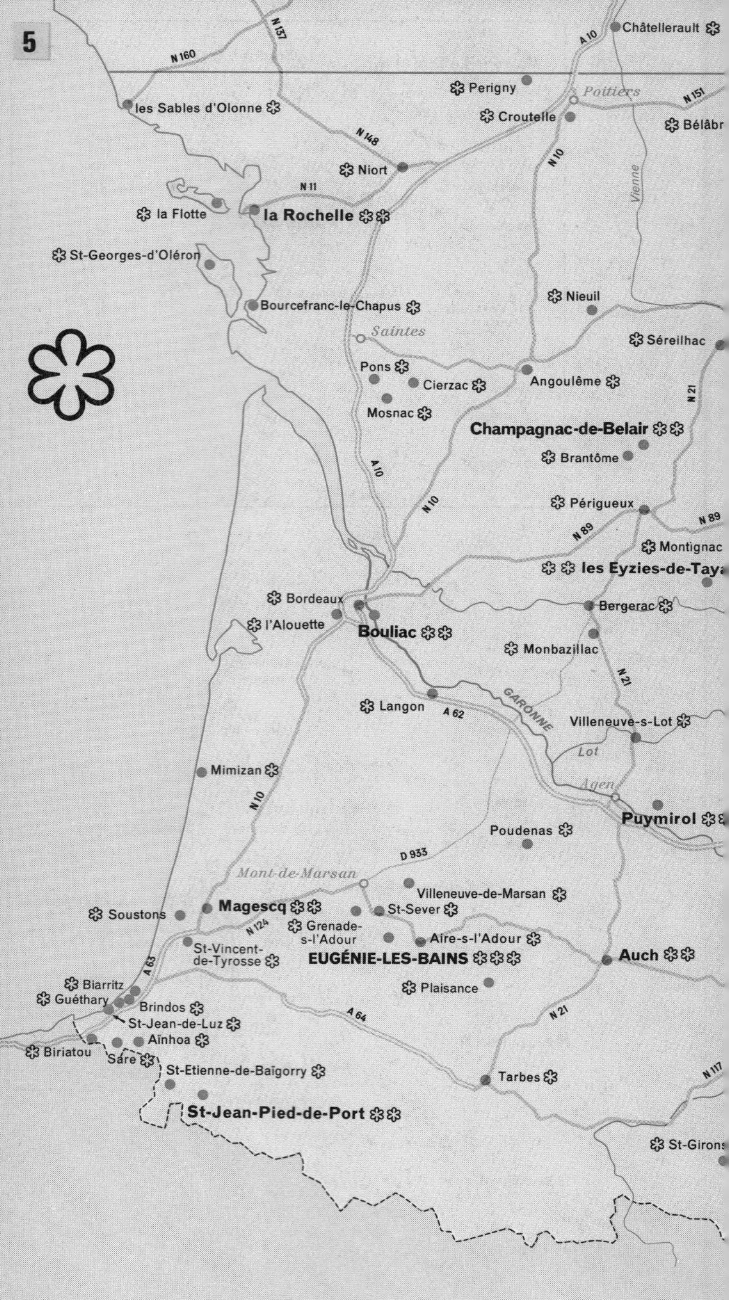

Châtellerault
N 137
N 160
A 10
Perigny
Poitiers
N 151
les Sables d'Olonne
Croutelle
Bélâbr
N 148
N 10
Niort
N 11
Vienne
la Flotte
la Rochelle
St-Georges-d'Oléron
Nieuil
Bourcefranc-le-Chapus
Saintes
Séreilhac
Pons
Angoulême
Cierzac
N 21
Mosnac
Champagnac-de-Belair
Brantôme
A 10
N 10
Périgueux
N 89
N 89
Montignac
les Eyzies-de-Taya
Bordeaux
Bergerac
l'Alouette
Bouliac
Monbazillac
N 21
GARONNE
Langon
A 62
Villeneuve-s-Lot
Lot
Mimizan
Agen
N 10
Puymirol
Poudenas
D 933
Mont-de-Marsan
Villeneuve-de-Marsan
Magescq
Soustons
St-Sever
N 124
Grenade-s-l'Adour
Aire-s-l'Adour
St-Vincent-de-Tyrosse
EUGÉNIE-LES-BAINS
Auch
A 63
Biarritz
Plaisance
Guéthary
Brindos
St-Jean-de-Luz
A 64
N 21
Aïnhoa
Biriatou
Sare
St-Etienne-de-Baïgorry
Tarbes
N 117
St-Jean-Pied-de-Port
St-Girons

Issoudun
Magny-Cours
Loire
N 7
Bourbon-Lancy
D 927
Bourbon-l'Archambault
Moulins
N 79
Digoin
D 943
N 20
N 145
N 79
Montluçon
N 145
A 71
N 7
ROANNE
Martin-du-Fault
D 941
N 7
A 72
N 82
Limoges
Chamalières
Clermont-Fd
Montrond-les-Bains
la Roche-l'Abeille
N 9
Besse-en-Chandesse
St-Étienne
N 89
ojat
N 82
Dordogne
Varetz
N 102
Loire
Tence
Brive-la-Gaillarde
le Puy
Lamastre
Moudeyres
N 9
mme
D 921
Aumont-Aubrac
Lot
N 102
Laguiole
D 104
N 140
Rodez
la Caze
Vialas
Montpezat-de-Quercy
Salles-Curan
N 20
Alès
Cordes
Millau
Marssac
Roquefort-s-Soulzon
A 62
N 9
N 88
Nîmes
Réalmont
N 110
gnac
A 9
Montpellier
Toulouse
N 109
le Grau-du-Roi
Vigoulet
Florensac
A 61
A 9
Narbonne
Carcassonne
N 20
Molitg-les-Bains
A 9
Perpignan
Latour-de-Carol
A 7
C 1411

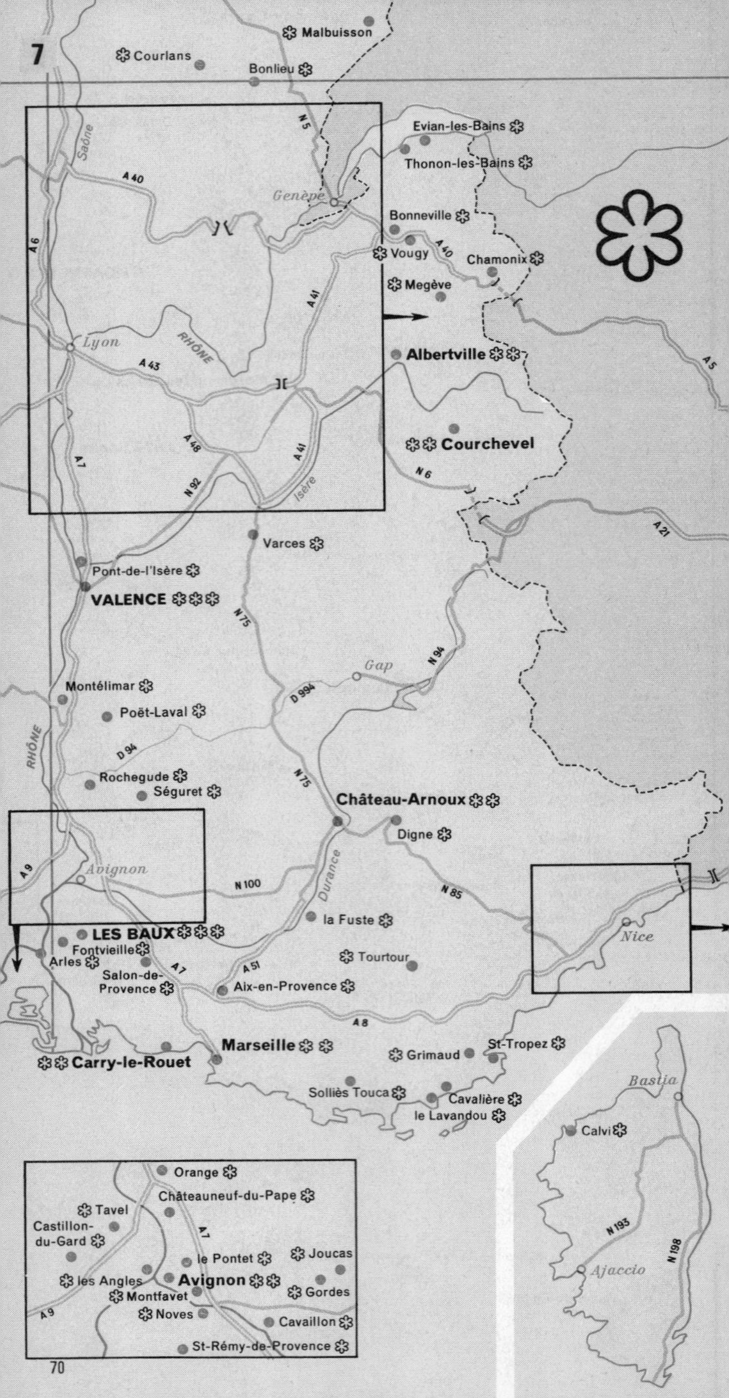
7
Malbuisson
Courlans
Bonlieu
N 5
Evian-les-Bains
Thonon-les-Bains
Saône
A 40
Genève
Bonneville
A 6
Vougy
A 40
Chamonix
Megève
A 41
Lyon
RHÔNE
Albertville
A 5
A 43
A 48
A 41
Courchevel
A 7
N 92
Isère
N 6
A 21
Varces
Pont-de-l'Isère
VALENCE
N 75
Gap
N 94
D 994
Montélimar
Poët-Laval
D 94
RHÔNE
Rochegude
Séguret
N 75
Château-Arnoux
Digne
A 9
Avignon
Durance
N 100
N 85
Nice
la Fuste
LES BAUX
Fontvieille
Arles
Tourtour
A 7
A 51
Salon-de-Provence
Aix-en-Provence
A 8
Marseille
Carry-le-Rouet
Grimaud
St-Tropez
Solliès Touca
Cavalière
le Lavandou
Bastia
Calvi
N 193
N 198
Ajaccio
Orange
Châteauneuf-du-Pape
Tavel
Castillon-du-Gard
A 7
le Pontet
Joucas
les Angles
Avignon
Gordes
Montfavet
Noves
Cavaillon
A 9
St-Rémy-de-Provence

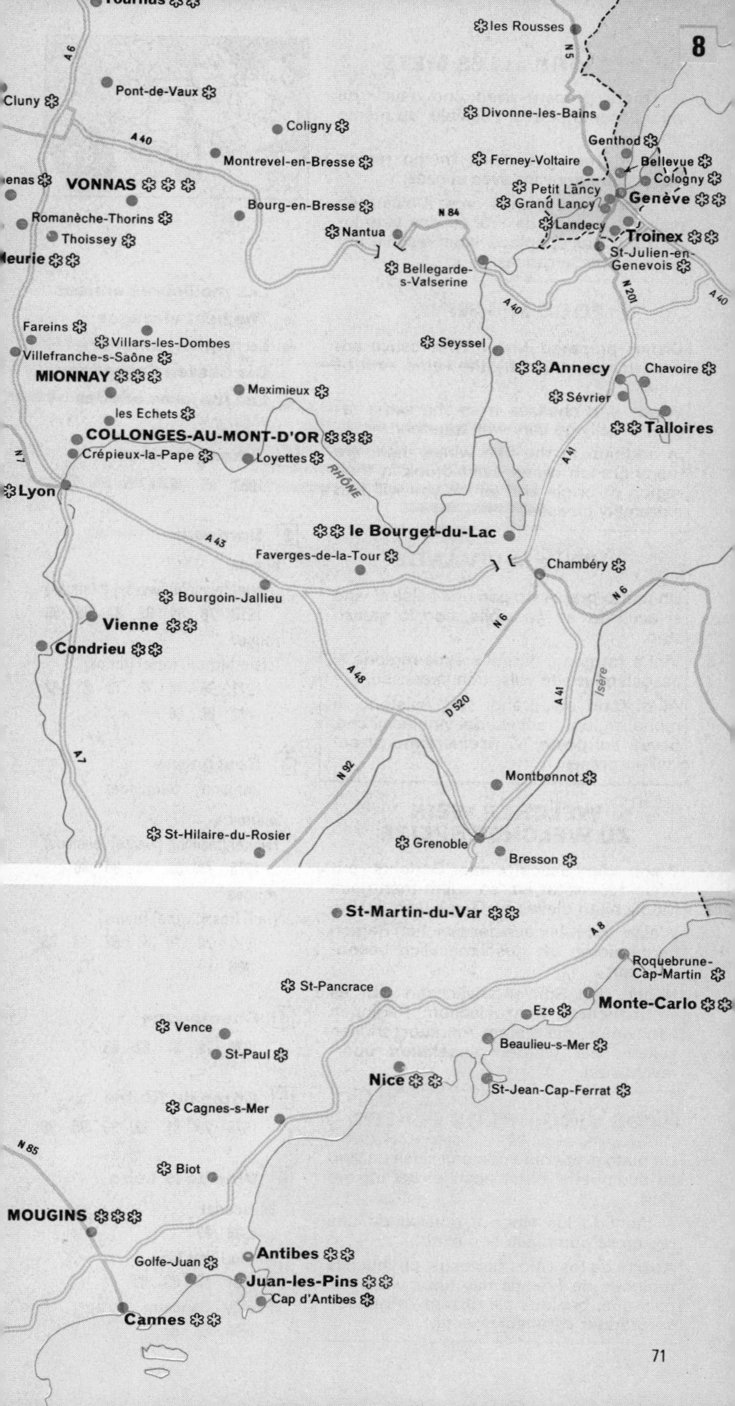

8
Tournus
les Rousses
Cluny
Pont-de-Vaux
Divonne-les-Bains
Coligny
Genthod
Montrevel-en-Bresse
Ferney-Voltaire
Bellevue
Cologny
VONNAS
Petit Lancy
Grand Lancy
Genève
Bourg-en-Bresse
Romanèche-Thorins
Landecy
Troinex
Thoissey
Nantua
St-Julien-en-Genevois
Bellegarde-s-Valserine
Fareins
Villars-les-Dombes
Seyssel
Villefranche-s-Saône
Annecy
Chavoire
MIONNAY
Meximieux
Sévrier
les Echets
Talloires
COLLONGES-AU-MONT-D'OR
Crépieux-la-Pape
Loyettes
RHÔNE
Lyon
le Bourget-du-Lac
Faverges-de-la-Tour
Chambéry
Bourgoin-Jallieu
Vienne
Condrieu
Isère
Montbonnot
St-Hilaire-du-Rosier
Grenoble
Bresson
A 6
A 40
N 84
N 5
N 201
A 41
A 43
A 48
N 6
D 520
N 92
A 7
N 7
St-Martin-du-Var
A 8
Roquebrune-Cap-Martin
St-Pancrace
Monte-Carlo
Eze
Vence
Beaulieu-s-Mer
St-Paul
Nice
St-Jean-Cap-Ferrat
Cagnes-s-Mer
N 85
Biot
MOUGINS
Antibes
Golfe-Juan
Juan-les-Pins
Cap d'Antibes
Cannes

LES VINS et LES METS

Un mets préparé avec une sauce au vin s'accommode, si possible, du même vin.

Vins et fromages d'une même région s'associent souvent avec succès.

En dehors des grands crus, il existe en maintes régions de France des vins locaux qui, bus sur place, vous réserveront d'heureuses surprises.

FOOD and WINE

Dishes prepared with a wine sauce are best accompanied by the same kind of wine.

Wines and cheeses from the same region usually go very well together.

In addition to the fine wines there are many French wines, best drunk in their region of origin and which you will find extremely pleasant.

I VINI e le VIVANDE

Un piatto preparato con una salsa al vino si accorda, se possibile, con lo stesso vino.

Vini e formaggi di una stessa regione si associano molte volte con successo.

Al di fuori dei grandi vini, esistono in molte regioni francesi dei vini locali che, bevuti sul posto, Vi riserveranno piacevoli sorprese.

WELCHER WEIN ZU WELCHER SPEISE

Wenn die Sauce eines Gerichts mit Wein zubereitet ist, so wählt man nach Möglichkeit diesen als Tischwein.

Weine und Käse aus der gleichen Region harmonieren oft geschmacklich besonders gut.

Neben den Spitzengewächsen gibt es in manchen französischen Regionen Landweine, die Sie am Anbauort trinken sollten. Sie werden angenehm überrascht sein.

LOS VINOS Y LOS PLATOS

Un plato preparado con una salsa de vino se acompaña, si es posible, del mismo vino.

A menudo los vinos y quesos de una región se combinan con éxito.

Aparte de los vinos famosos, en muchas regiones de Francia hay unos vinos del país que, bebidos allí mismo, le pueden sorprender agradablemente.

- **Les meilleures années**
- **The best vintages**
- **Le migliori annate**
- **Die besten Jahrgänge**
- **Las mejores añadas**

1 Alsace

1983 85 86 87

2 Bordeaux

blancs
(white) (bianchi) (weiße) (blancos)
1975 78 81 82 83 85 86

rouges
(claret) (rossi) (rote) (tintos)
1971 75 76 78 79 81 82 83 85 86

3 Bourgogne

Burgundy - Burgunder

blancs
(white) (bianchi) (weiße) (blancos)
1978 79 82 83 85 86

rouges
(red) (rossi) (rote) (tintos)
1976 78 79 81 82 83 85 86

4 Champagne

1976 79 81 82 83

5 Côtes du Rhône

1978 79 81 82 83 85 86

6 Vins de la Loire

Muscadet
1986 87

Anjou - Touraine
1981 82 83 85

Pouilly - Sancerre
1985 86 87

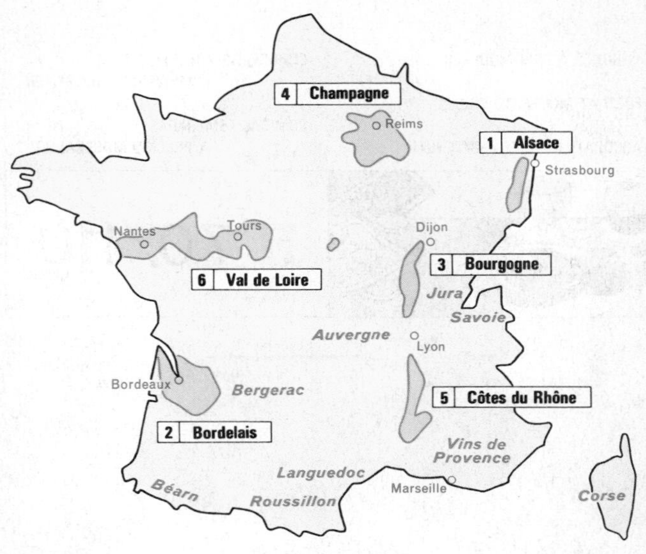

- *Quelques suggestions de vins selon les mets...*
- *A few hints on selecting the right wine with the right dish...*
- *Qualche suggerimento sul consumo dei vini...*
- *Einige Vorschläge zur Wahl der Weine...*
- *Algunas sugerencias de vinos según los distintos platos...*

Vins blancs secs
Dry white wines
Vini bianchi secchi
Herber Weißwein
Vinos blancos secos

- **1** Sylvaner, Riesling, Pinot gris
- **2** Graves secs
- **3** Chablis, Meursault, Pouilly-Fuissé, Mâcon
- **4** Brut
- **5** Condrieu, Hermitage, Provence
- **6** Muscadet, Pouilly-s-L., Sancerre, Vouvray sec

Vins rouges légers
Light red wines
Vini rossi leggeri
Leichter Rotwein
Vinos tintos suaves

- **1** Pinot noir, Riesling (blanc)
- **2** Graves, Médoc
- **3** Côte de Beaune, Mercurey, Beaujolais...
- **4** Coteaux champenois
- **5** Tavel (rosé), Côtes de Provence
- **6** Bourgueil, Chinon

Vins rouges corsés
Full bodied red wines
Vini rossi robusti
Kräftiger Rotwein
Vinos tintos con cuerpo

- **1**
- **2** Pomerol, St-Émilion
- **3** Chambertin, Côte-de-Nuits, Pommard...
- **4**
- **5** Châteauneuf-du-Pape, Cornas, Côte-Rôtie
- **6**

Vins de dessert
Sweet wines
Vini da dessert
Süßer Wein
Vinos de postre

- **1** Muscat, Gewurztraminer (vins secs)
- **2** Sauternes, Monbazillac
- **4** Demi-sec
- **5** Beaumes-de-Venise
- **6** Anjou
- **-** Banyuls

1

REPAS SOIGNÉS A PRIX MODÉRÉS

GOOD FOOD AT MODERATE PRICES

PASTI ACCURATI A PREZZI CONTENUTI

SORGFÄLTIG ZUBEREITETE PREISWERTE MAHLZEITEN

COMIDAS ESMERADAS A PRECIOS MODERADOS

R 70/110

Cherbourg
Trévou-Tréguignec
Perros-Guirec
Paimpol
Tréguier
Carantec
Lannion
St-Cast-le-Guildo
Ploudalmézeau
Sables-d'Or-les-Pins
St-Jean-le-Thomas
N 12
Pontauba
Brest
Belle-Isle-en-Terre
St-Brieuc
Pléneuf-Val-André
N 165
Combourg
N 176
le Faou
Carhaix-Plouguer
D 700
Tinténiac
N 12
Châteaulin
Liffré
Quédillac
Noyal-s-Vil
Quimper
Pontivy
Rennes
D 768
Ploërmel
Raguenès-Plage
Lorient
N 165
Ste-Anne-d'Auray
Auray
N 137
N 165
Bangor
Nantes
St-Gilles-Croix-de-Vie
N 160

2
1
2
3
4
PARIS
Strasbourg
Rennes
Tours
Bordeaux
Lyon
5
6
7
Toulouse
Marseille
Calais
N 1
A 26
St-Omer
Favières
Abbeville
N 25
N 28
Envermeu
Amiens
Londinières
Fontaine-le-Dun
Fécamp
Forges-les-Eaux
Duclair
le Havre
A 15
Honfleur
Rouen
N 31
Beauvais
Beuzeville
A 13
Balleroy
N 13
Caen
A 13
Villers-Bocage
N 175
SEINE
N 158
N 138
Oise
Falaise
A 13
le Vésinet
Flers
PARIS
Argentan
le Mêle-s-Sarthe
Mortagne-au-Perche
A 10
Buais
Chartres
Mayenne
St-Pierre-des-Nids
A 11
Néau
A 81
A 10
Saulges
le Mans
N 157
Orléans
N 23
St-Denis-d'Anjou
N 138
Meung-s-Loire
N 60
Oucques
Loire
la Flèche
Le Lude
A 71
Seiches-s-le-Loir
Baugé
Neuillé-le-Lierre
A 10
Angers
A 11
N 147
Tours
Romorantin-Lanthenay
Gennes
les Rosiers
N 152
N 76
Saumur
Fontevraud-l'Abbe.
Vienne
N 160
N 20
Bourges
le Grand-Pressigny
N 151
St-Vincent-Sterlanges
A 10
Ambrault

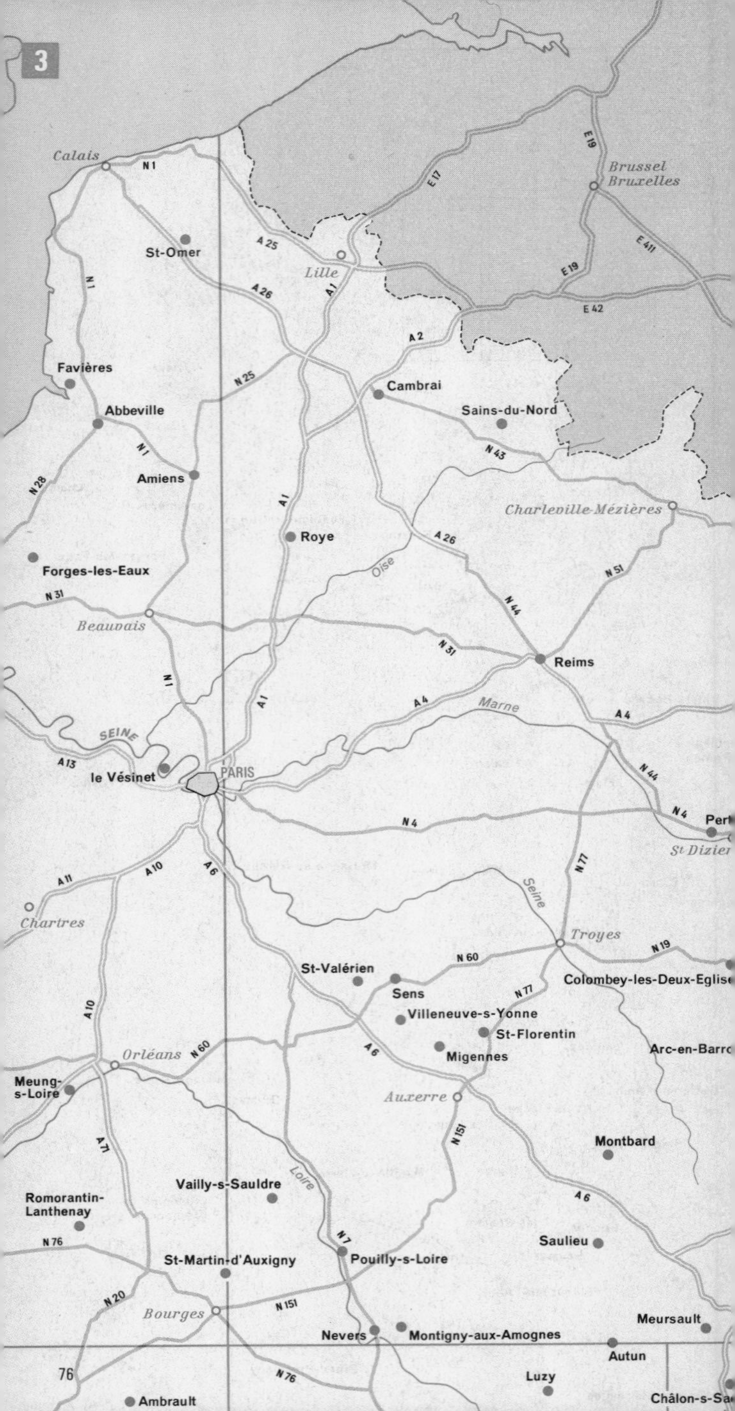
3
Calais
N 1
Brussel
Bruxelles
E 19
E 17
St-Omer
A 25
Lille
A 1
A 26
E 411
E 19
E 42
A 2
Favières
N 25
Cambrai
Abbeville
Sains-du-Nord
N 1
N 43
Amiens
N 28
Charleville-Mézières
A 1
Roye
A 26
Oise
Forges-les-Eaux
N 51
N 31
N 44
Beauvais
N 31
Reims
N 1
A 1
A 4
Marne
A 4
SEINE
A 13
le Vésinet
PARIS
N 44
N 4
N 4
Pert
St Dizier
A 10
A 6
A 11
N 77
Seine
Chartres
Troyes
N 19
N 60
St-Valérien
Sens
Colombey-les-Deux-Eglise
N 77
Villeneuve-s-Yonne
A 10
St-Florentin
Migennes
A 6
Arc-en-Barro
Orléans
N 60
Meung-s-Loire
Auxerre
N 151
A 71
Montbard
Loire
Vailly-s-Sauldre
Romorantin-Lanthenay
A 6
N 76
N 7
Saulieu
St-Martin-d'Auxigny
Pouilly-s-Loire
N 20
Bourges
N 151
Meursault
Nevers
Montigny-aux-Amognes
Autun
N 76
Luzy
Ambrault
Châlon-s-Sa

4
R
N 4
Luxembourg
ièvres
A 31
N 43
A 4
Metz
A 4
A 31
Niedersteinbach
Hinsingen
Haguenau
Nancy
Strasbourg
28
N 4
N 4
Mutzig
Houdelaincourt
N 57
Charmes
N 83
Lièpvre
A 31
Chaumont
A 35
Westhalten
Bains-les-Bains
RHIN
N 66
Langres
Masevaux
Mulhouse
N 19
Combeaufontaine
Belfort
D 419
Bâle
Vesoul
Saône
N 74
A 36
Dijon
Besançon
Genlis
N 5
Mouthier-Haute-Pierre
Mouchard
5
N 5
77

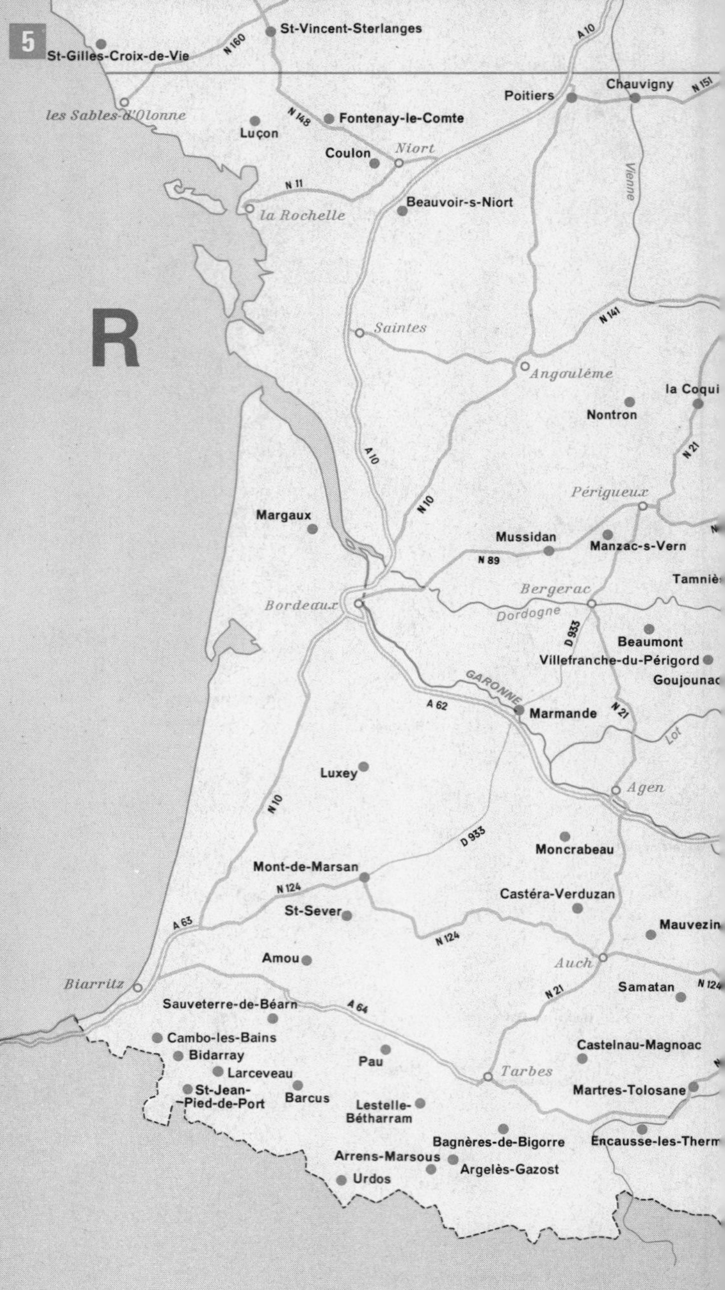
5
R
St-Gilles-Croix-de-Vie
St-Vincent-Sterlanges
N 160
A 10
les Sables-d'Olonne
Poitiers
Chauvigny
N 151
N 148
Fontenay-le-Comte
Luçon
Coulon
Niort
Vienne
N 11
la Rochelle
Beauvoir-s-Niort
Saintes
N 141
Angoulême
la Coqui
Nontron
N 21
A 10
N 10
Périgueux
Margaux
Mussidan
Manzac-s-Vern
N 89
Tamniès
Bergerac
Bordeaux
Dordogne
D 933
Beaumont
Villefranche-du-Périgord
Goujounac
GARONNE
A 62
Marmande
N 21
Lot
Luxey
Agen
N 10
D 933
Moncrabeau
Mont-de-Marsan
N 124
Castéra-Verduzan
St-Sever
A 63
N 124
Mauvezin
Amou
Auch
Biarritz
Samatan
N 124
Sauveterre-de-Béarn
A 64
N 21
Cambo-les-Bains
Castelnau-Magnoac
Bidarray
Pau
Larceveau
Tarbes
St-Jean-
-Pied-de-Port
Barcus
Martres-Tolosane
Lestelle-
Bétharram
Bagnères-de-Bigorre
Encausse-les-Therm
Arrens-Marsous
Argelès-Gazost
Urdos

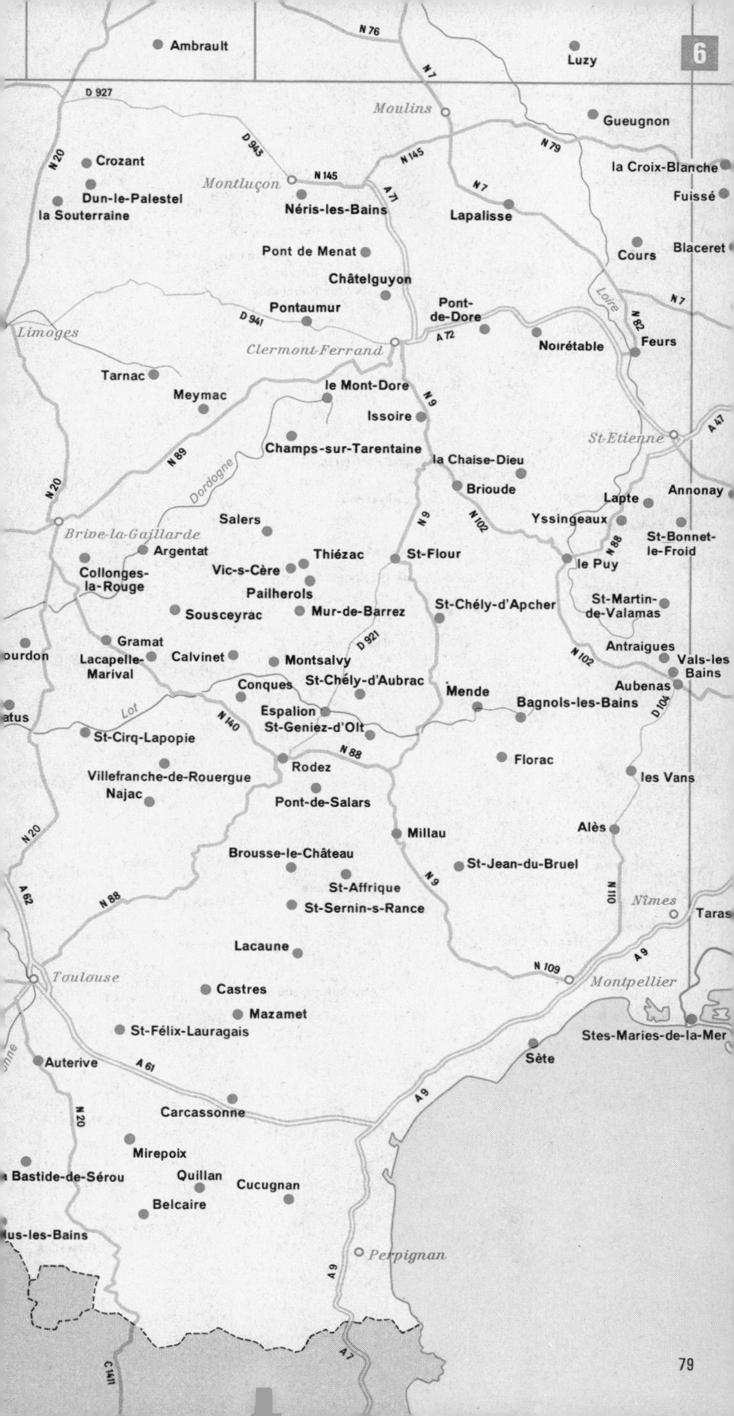
Ambrault
Luzy
N 76
N 7
Moulins
D 927
Gueugnon
N 79
D 943
N 145
N 20
Crozant
la Croix-Blanche
Montluçon
N 145
A 71
N 7
Fuissé
Dun-le-Palestel
Néris-les-Bains
la Souterraine
Lapalisse
Pont de Menat
Blaceret
Cours
Châtelguyon
Loire
N 7
Pontaumur
Pont-
de-Dore
D 941
N 82
Limoges
A 72
Noirétable
Feurs
Clermont-Ferrand
Tarnac
le Mont-Dore
Meymac
N 9
Issoire
A 47
St-Etienne
Champs-sur-Tarentaine
N 89
la Chaise-Dieu
Dordogne
Brioude
Annonay
N 20
Lapte
Salers
N 9
N 102
Yssingeaux
Brive-la-Gaillarde
St-Bonnet-
le-Froid
N 88
Argentat
Thiézac
St-Flour
le Puy
Collonges-
la-Rouge
Vic-s-Cère
Pailherols
St-Chély-d'Apcher
St-Martin-
de-Valamas
Sousceyrac
Mur-de-Barrez
D 921
Gramat
Antraigues
N 102
ourdon
Lacapelle-
Marival
Calvinet
Montsalvy
Vals-les
Bains
St-Chély-d'Aubrac
Conques
Aubenas
Mende
Lot
Espalion
Bagnols-les-Bains
D 104
atus
N 140
St-Geniez-d'Olt
St-Cirq-Lapopie
N 88
Rodez
Florac
Villefranche-de-Rouergue
les Vans
Najac
Pont-de-Salars
N 20
Millau
Alès
Brousse-le-Château
St-Jean-du-Bruel
N 9
St-Affrique
A 62
N 88
N 110
St-Sernin-s-Rance
Nîmes
Taras
Lacaune
A 9
N 109
Toulouse
Montpellier
Castres
Mazamet
Stes-Maries-de-la-Mer
St-Félix-Lauragais
Sète
Auterive
A 61
N 20
A 9
Carcassonne
Mirepoix
Bastide-de-Sérou
Quillan
Cucugnan
Belcaire
lus-les-Bains
Perpignan
A 9
A 7
C 1411

7
Saône
Pont-de-Poitte
Tournus
Cuiseaux
Fleurville
Mâcon
A 40
Fuissé
A 6
Chasselay
Lyon
RHÔNE
A 43
Chambéry
LAC LÉMAN
Bons-en-Chablais
Genève
Rhône
Cluses
Chamonix
Servoz
les Houches
Thônes
Brédannaz
Faverges
A 41
A 5
le Mottier
A 48
A 7
N 6
le Sappey-en-Chartreuse
St-Marcellin
Grenoble
Allemond
St-Vallier
Isère
les Deux-Alpes
A 21
St-Péray
Valence
Monestier-de-Clermont
N 94
Corps
Die
Crest
Saint-Bonnet
N 75
Gap
Serres
D 994
D 94
Digne
Carpentras
Avignon
A 9
N 85
Levens
Contes
A 10
Castellane
St-Jeannet
N 100
Durance
Tarascon
Nice
Valbonne
A 8
Rognes
A 51
St-Antonin-du-Var
Aix-en-Provence
Stes-Maries-de-la-Mer
Marseille
Bastia
l'Ile Rousse
N 193
Col de Vizzavona
Bastelica
Ajaccio
N 198
R

LOCALITÉS
par ordre alphabétique

PLACES
in alphabetical order

LOCALITÀ
in ordine alfabetico

Alphabetisches
ORTSVERZEICHNIS

LOCALIDADES
por orden alfabético

ABBEVILLE 80100 Somme 52 ⑥⑦ **G. Flandres Artois Picardie** – 25 998 h.

Voir Château de Bagatelle* BZ – Façade* de l'église St-Vulfran AZ E – Musée Boucher de Perthes * BY M.

Env. St-Riquier : intérieur** de l'église* 9 km par ② – Vallée de la Somme* par ⑤.

Syndicat d'Initiative 26 pl. Libération ☎ 22 24 27 92 - A.C. 85 r. Saint-Gilles ☎ 22 24 30 69.

Paris 163 ④ – ◆Amiens 45 ③ – Arras 76 ② – Beauvais 87 ④ – Béthune 84 ② – Boulogne-sur-Mer 81 ① – Dieppe 64 ⑥ – ◆Le Havre 162 ⑤ – ◆Rouen 97 ⑤ – St-Omer 86 ①.

Plan page suivante

France, 19 pl. Pilori ☎ 22 24 00 42, Télex 155365 – wc wc ☎ – 35 à 60. AE E VISA. rest BY a
R *(fermé 15 déc. au 15 janv., dim. midi de nov. à mai et sam. midi)* 75 – 21 – **77 ch** 110/220.

XX **Aub. de la Corne,** 32 chaussée du Bois ☎ 22 24 06 34 – AE E VISA BY e
fermé 1er au 15 mars, 1er au 15 juil., dim. soir et lundi – **R** 90/230.

XX **Au Châteaubriant,** 1 pl. Hôtel de Ville ☎ 22 24 08 23 – E VISA BYZ z
fermé 28 juin au 28 juil., vacances de fév., dim. soir et lundi sauf fériés – **R** 60/100.

XX **L'Escale en Picardie,** 15 r. Teinturiers ☎ 22 24 21 51, poissons et coquillages – AE E VISA. AY s
fermé 7 août au 7 sept., vacances de fév., dim. soir, soirs de fêtes et lundi – **R** 110/185.

X **Condé** avec ch, 14 pl. Libération ☎ 22 24 06 33 – E VISA. ch BZ u
fermé 15 août au 9 sept., 15 déc. au 1er janv. et dim. sauf fériés – **R** 55/90 – 15 – **8 ch** 80/120.

par ③ : 2 km rte d'Amiens – ✉ **80100** Amiens :

Ibis ☎ 22 24 80 80, Télex 145045, – ch wc ☎ – 50. E VISA
R carte 75 à 120, enf. 35 – 26 – **45 ch** 195/237.

à Épagnette par ④ : 3 km – ✉ **80580** Pont-Rémy :

X **La Picardière,** ☎ 22 24 15 28, – . AE E VISA
fermé mardi soir et merc. – **R** 58/180.

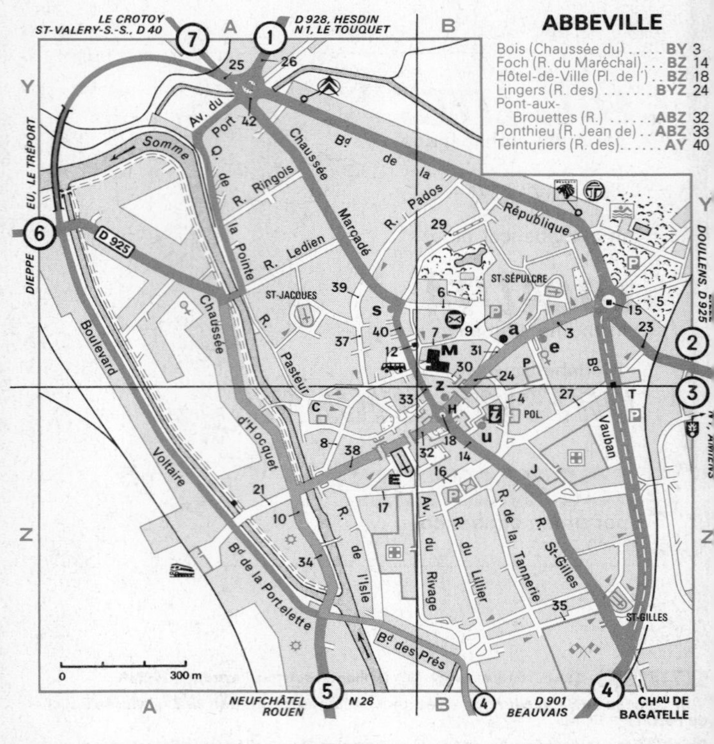

Boucher-de-Perthes (R.). BZ 4
Briand (Av. A.).......... BY 5
Capucins (R. des) .... BY 6
Carmes (R. des) .... BY 7
Chevalier-de-la-Barre (R. du) .... AZ 8
Clemenceau (Pl.) .... BY 9
Cordeliers (R. des) ...... AZ 10
Courbet (Pl. Amiral) ..... AY 12
Gaulle (Pl. Général-de) .. BY 15
Grand-Marché (Pl. du) .... BZ 16
Hôtel-Dieu (R. de l') ..... AZ 17
Jaurès (R. Jean) .... AZ 21
Leclerc (Av. du Gén.) .... BY 23
Menchecourt (R. de) .... AY 25
Mennesson (R. Jean) ... AY 26
Millevoye (R.) .... BZ 27
Pareurs (R. aux) .... BY 29
Patin (R. Gontier) .... BY 30
Pilori (Pl. du) .... BY 31
Portelette (R. de la)...... AZ 34
Prayel (R. du)........... BZ 35
Rapporteurs (R. des) .... AY 37
St-Vulfran (R.) .... AZ 38
Sauvage (R. P.) .... AY 39
Verdun (Pl. de) .... AY 42

CITROEN S.N.G.R., 214 bd République ☎ 22 24 30 80 [N]
FORD Abbeville-Autom., 29 Chaussée Hocquet ☎ 22 24 08 54
PEUGEOT-TALBOT Les Gds Gar. de l'Avenir, 8 bd République ☎ 22 24 77 55
RENAULT Palais Autom., Zone Ind., rte Doullens par ② ☎ 22 24 29 80
V.A.G. S.A.D.R.A., 53 av. R.-Schuman, Zone Ind. ☎ 22 24 34 81
VOLVO Picard Automobiles, 145 Ch. des Postes ☎ 22 31 22 11

◉ Lagrange-Pneus, 76 rte Doullens ☎ 22 24 14 72

L'ABER-WRAC'H 29 Finistère [58] ④ **G. Bretagne** – ✉ **29214** Lannilis.

Paris 606 – ♦Brest 28 – Landerneau 35 – Landivisiau 44 – Morlaix 68 – Quimper 96.

Baie des Anges sans rest, ☎ 98 04 90 04 – wc ☎ Ⓟ
1er mars-1er nov. – 28 – **17 ch** 150/270.

ABLIS **78660** Yvelines [60] ⑨, [196] ㊵ – 1 367 h.

Paris 63 – Chartres 31 – Étampes 30 – Mantes 64 – ♦Orléans 76 – Rambouillet 14 – Versailles 45.

✕ **Croix Blanche,** ☎ (1) 30 59 10 31 – AE ⓓ VISA
fermé fév., mardi soir et merc. – **R** 60/160.

à l'Ouest : 6 km par D 168 – ✉ **28700** Auneau :

Château d'Esclimont, ☎ 37 31 15 15, Télex 780560, <, « Parc, étang, forêt », – ☎ Ⓟ – 50. VISA. rest
R 235/410 – 70 – **48 ch** 495/1145, 6 appartements 1350/1975 – 1/2 p 583/883.

ABONDANCE 74360 H.-Savoie 70 ⑱ G. Alpes du Nord – 1 240 h. alt. 930 – Sports d'hiver : 1 000/1 800 m 1 13 – **Voir Fresques**** **du cloître.**

Office de Tourisme à la Mairie 50 73 02 90.

Paris 596 – Annecy 102 – Évian-les-Bains 28 – Morzine 39 – Thonon-les-Bains 28.

Les Touristes, 50 73 02 15, – wc Ⓟ.
1er juin-30 sept. et 20 déc.-15 avril – **R** 65/105 – 19 – **28 ch** 125/235 – 1/2 p 150/210.

CITROEN Trincaz, à Richebourg 50 73 03 16 RENAULT Gar. des Alpes, 50 73 01 41 N

ABREST 03 Allier 73 ⑤ – rattaché à Vichy.

Les ABRETS 38490 Isère 74 ⑭ – 2 795 h.

Paris 515 – Aix-les-B. 41 – Belley 33 – Chambéry 35 – ♦Grenoble 49 – La Tour-du-Pin 12 – Voiron 22.

Host. Abrésienne, rte Grenoble 76 32 04 28 – Ⓟ. E VISA
fermé 12 au 24 sept., lundi soir hors sais. (sauf hôtel) et mardi – **R** 49/130 – 19 – **22 ch** 75/150 – 1/2 p 140/170.

Belle Étoile avec ch, 76 32 04 97 – wc . AE E VISA
fermé nov., dim. soir et lundi du 1er déc. au 31 mai – **R** 59/140 – 16 – **15 ch** 73/125 – 1/2 p 171/196.

FIAT, PEUGEOT-TALBOT Gar. Moderne, 76 32 04 13 PEUGEOT, TALBOT Bosse-Platière, 76 32 06 77

ACQUIGNY 27 Eure 55 ⑰ – rattaché à Louviers.

ADÉ 65 H.-Pyr. 85 ⑧ – rattaché à Lourdes.

Les ADRETS-DE-L'ESTÉREL 83 Var 84 ⑧, 195 ㉝ – 689 h. – ✉ 83600 Fréjus.

Env. Mt Vinaigre *** **S : 8 km puis 30 mn, G. Côte d'Azur.**

Paris 886 – Cannes 28 – Draguignan 45 – Grasse 37 – Mandelieu 17 – St-Raphaël 21.

AGAY 83 Var 84 ⑧, 195 ㉝㉞ G. Côte d'Azur – ✉ 83700 St-Raphaël.

Office de Tourisme bd Plage N 98 94 82 01 85.

Paris 883 – Cannes 31 – Draguignan 43 – ♦Nice 63 – St-Raphaël 9.

Sol e Mar M, au Dramont SO : 2 km 94 95 25 60, < Ile d'Or et cap du Dramont, – Ⓟ
1er avril-15 oct. – **R** 105/160 – 30 – **47 ch** 330/440 – 1/2 p 340/420.

France-Soleil sans rest, 94 82 01 93, <, – wc Ⓟ
Pâques-oct. – 28 – **18 ch** 280/380.

Beau Site, à Cap Long SO : 1 km par N 98 94 82 00 45, – wc wc Ⓟ. AE E VISA. rest
hôtel : fermé 1er nov. au 15 déc. ; rest. : ouvert 1er avril-1er nov. – **R** (dîner seul.) 98 – 24 – **21 ch** 190/310 – 1/2 p 223/265.

Aub. de la Rade, bd Bord de Mer 94 82 00 37, < – E VISA
1er avril-30 sept. – **R** 65/150.

AGDE 34300 Hérault 83 ⑮⑯ G. Gorges du Tarn – 13 235 h.

Voir Ancienne cathédrale St-Étienne* E.

Office de Tourisme r. Louis Bages 67 94 29 68.

Paris 809 ④ – Béziers 22 ③ – Lodève 60 ④ – Millau 121 ④ – ♦Montpellier 58 ④ – Sète 23 ②.

Plan page suivante

Bon Repos sans rest, 15 r. Rabelais (e) 67 94 16 26 – wc. E VISA
fermé 4 au 15 janv. – 24 – **15 ch** 150/180.

Aub. de la Grange avec ch, rte de la Tamarissière (s) 67 94 20 66 – Ⓟ. E VISA
1er avril-31 oct. et fermé mardi sauf juil.-août – **R** 79/165 – 30 – **9 ch** 150/160 – 1/2 p 195/200.

à La Tamarissière SO : 4 km par D 32E – ✉ 34300 Agde :

La Tamarissière M, 67 94 20 87, Télex 490225, <, , , – . AE E VISA
15 mars-1er déc. – **R** *(fermé dim. soir et lundi sauf du 15 juin au 15 sept.)* 105/210 – 48 – **35 ch** 250/460 – 1/2 p 280/385.

au Cap d'Agde SE : 5 km par D 32E – ✉ 34300 Agde :

Golf M, Ile des Loisirs 67 26 87 03, Télex 480709, , , , – ch Ⓟ – 70. AE VISA
fermé 15 déc. au 15 fév. – **R** carte 160 à 225 – 36 – **50 ch** 430/520 – 1/2 p 396/416.

St-Clair M, 67 26 36 44, Télex 480464, – ch Ⓟ – 100. AE E VISA
1er avril-1er nov. – **R** voir rest. **Les Trois Sergents** ci-après – 33 – **82 ch** 310/450 – 1/2 p 303/378.

AGDE

Gambetta (Pl.) 13
Montesquieu (R.) 23
Roger (R. Jean)

Aires (Pl. des)........... 2
Amour (R. de l') 4
Bages (R. L.)............ 5
Chantiers (Quai des)..... 6
Chapître (Quai du)....... 8
Claude-Bernard (R.) 9
Ferry (R. Jules).......... 10
Fraternité (R. de la) 12
Gaulle (Av. Gén. de) 14
Grand-Rue 15
Jaurès (Pl. Jean) 16
Jeu-de-Ballon (Pl. du).... 17
Marseillan (Av. de) 20
Molière (Pl.)............. 22
Poissonnerie (R. de la) ... 24
Portalet (R. du).......... 26
Renan (R. E.)............ 28
Terrisse (R. Claude)....... 29
4 Septembre (R.) 30

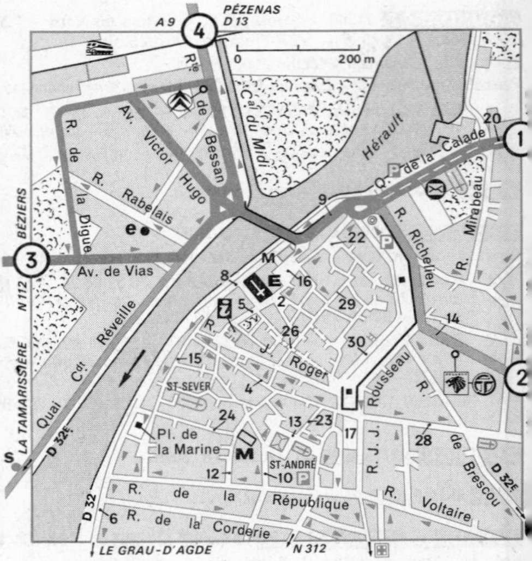

Les guides Rouges
les guides Verts
et les cartes Michelin
sont complémentaires.
Utilisez-les ensemble.

🏨 **Les Pins** Ⓜ 🐎 sans rest, **Mont-St-Martin** ✆ **67 26 00 11, Télex 480942,** 🏊, 🌳 – 📺 🛁wc ☎ ♿ Ⓟ – 🪑 25. AE ⓓ
fermé déc. et janv. – ☕ 29 – **40 ch** 300/350.

🏨 **Gde Conque** 🐎 sans rest, **Vieux Cap** ✆ **67 26 11 42,** ≤ **le large** – 🛗 🛁wc 🚿 ☎ Ⓟ. VISA
1er avril-30 sept. – ☕ 25 – **32 ch** 230/330.

XXX **Les Trois Sergents** -Hôtel St Clair, ✆ **67 26 73 13,** ⛱, 🏊 – AE ⓓ E VISA
fermé déc., janv., dim. soir et lundi sauf juil.-août – **R** 110/200, enf. 55.

CITROEN Auto-Agde, 9 rte Bessan ✆ 67 94 24 84
PEUGEOT-TALBOT Gar. Four, 12 av. Gén.-de-Gaulle ✆ 67 94 11 41

RENAULT Briffa, av. Béziers à Vias ✆ 67 21 62 50 N
Ⓟ Gautrand-Pneus, rte de Sète ✆ 67 94 30 60

AGEN P 47000 L.-et-G. 79 ⑮ G. Pyrénées Aquitaine – 32 893 h.

Voir Musée★★ AYZ **M.**

⛳ **Bon Encontre** ✆ **53 66 65 13 par** ③.

✈ **d'Agen-la-Garenne** ✆ **53 96 22 50 par SO : 3 km.**

ℹ Office de Tourisme 107 bd Carnot ✆ 53 47 36 09.

Paris 647 ① – **Albi 147** ⑤ – **Auch 71** ④ – ♦**Bayonne 209** ⑥ – ♦**Bordeaux 140** ⑤ – **Brive-la-Gaillarde 169** ② – **Pau 157** ⑥ – **Périgueux 136** ① – **Tarbes 144** ④ – ♦**Toulouse 116** ⑤.

Plan page ci-contre

🏨 **Château H. des Jacobins** 🐎 sans rest, **1 ter pl. Jacobins** ✆ **53 47 03 31, « Décoré avec recherche, meubles anciens »** – ⇹ 🛁wc 🚿wc ☎ ♿ Ⓟ AZ **f**
☕ 40 – **15 ch** 200/400.

🏨 **Atlantic H.** sans rest, **133 av. J.-Jaurès par** ③ ✆ **53 96 16 56** – 🛗 📺 🛁wc 🚿wc ☎ 🚗 Ⓟ. AE ⓓ E VISA
fermé 24 au 31 déc. – ☕ 24 – **30 ch** 155/225.

🏨 **Régina** sans rest, **139 bd Carnot** ✆ **53 47 07 97** – 🛗 🛁wc 🚿 ☎ 🚗. VISA BY **e**
☕ 20 – **32 ch** 100/195.

🏨 **Provence** sans rest, **22 cours 14 Juillet** ✆ **53 47 39 11** – 🛗 ▤ 📺 🛁wc 🚿wc ☎. AE ⓓ E VISA BY **s**
☕ 28 – **20 ch** 146/270.

🏨 **Ibis** Ⓜ, **105 bd Carnot** ✆ **53 47 31 23, Télex 541331** – 🛗 📺 🛁wc ☎ ♿ – 🪑 50. E VISA BZ **a**
R 65/70 – ☕ 24 – **38 ch** 215/234 – 1/2 p 304.

🏨 **Quercy,** **10 r. Gde-Horloge** ✆ **53 66 35 49** – 🛁 🚿wc ☎. E VISA. ✗ ch AY **r**
fermé août et dim. – **R** 63/80 🍷 – ☕ 20 – **12 ch** 115/180.

XX **L'Absinthe,** **29 bis r. Voltaire** ✆ **53 66 16 94** – VISA AY **v**
fermé sam. midi et dim. – **R** carte 130 à 260.

AGEN

à Galimas par ① : 11 km – ✉ **47340** Laroque Timbaut :

La Sauvagère Ⓜ, ✆ 53 68 81 21, ⛱, – 📺 ⛀wc ⛆wc ☎ Ⓟ. AE ⓓ E VISA
fermé 4 au 31 janv. – **R** *(fermé dim.)* 88/180, enf. 50 – ☕ 38 – **12 ch** 238/320 – ½ p 260/390.

à Bon-Encontre par ③ : 5 km – ✉ **47240** Bon-Encontre :

Parc Ⓜ, r. République ✆ 53 96 17 75 – ⛀wc ⛆wc ☎ Ⓟ. E VISA
R *(fermé dim. soir)* 90/220, enf. 35 – ☕ 20 – **10 ch** 140/200 – ½ p 240/280.

Sxandra sans rest, N 113 ✆ 53 96 37 02, 🏊 – ⛀wc ⛆wc ☎ Ⓟ – 🏔 25. VISA
☕ 26 – **40 ch** 165/228.

à Layrac par ④ et D 305 : 9 km – ✉ **47390** Layrac :

✕✕ **La Terrasse** avec ch, ✆ 53 87 01 69, ⛱, – ⛆. AE ⓓ E VISA
fermé 26 oct. au 15 nov., dim. soir et lundi – **R** 85/120 – ☕ 17 – **7 ch** 150 – ½ p 180.

tourner →

à l'Aéroport par ⑤ : 3 km – ✉ **47000** Agen :

XX **Aéroport,** ✆ 53 96 38 95, ←, 🏵 – ▤ **P**. AE ⓓ E VISA
fermé août, dim. soir et sam. – **R** 135/240 🍷.

par ⑦ rte Bordeaux :

XXX **La Corne d'Or** M avec ch, 1,5 km N 113 ✉ 47450 Colayrac ✆ 53 47 02 76, ← – ▤ rest TV ⛀wc ☎ **P** – 🏃 40. AE ⓓ VISA. ✗ ch
fermé 13 juil. au 9 août, 7 au 14 janv., dim. soir et sam. – **R** 90/200, enf. 50 – ☕ 26 – **14 ch** 210/250 – ½ p 200/300.

XX **Host. La Rigalette** 🐦 avec ch, 2 km av. Véronne 47000 Agen ✆ 53 47 37 44, ←, 🏵, « Parc fleuri » – ⛀wc 🚿 ☎ **P** – 🏃 30. AE ⓓ
fermé dim. soir du 15 sept. au 30 juin et lundi – **R** 125/210 – ☕ 25 – **7 ch** 140/170.

Voir aussi à *Puymirol* par ③ : 16 km

MICHELIN, Agence régionale, 4 r. Denis Papin, Z.I. Jean Malèze à Bon Encontre par ③ ✆ 53 96 28 47

FORD SERVAUTO, 14 bd Liberté ✆ 53 96 87 90
JAGUAR Tastets, 182 bd Liberté ✆ 53 47 10 63
OPEL Palissy Garage, av. Colmar ✆ 53 98 17 77 N ✆ 53 98 11 11
PEUGEOT, TALBOT Palais de l'Automobile, rue Boillot par ② ✆ 53 47 12 21 N
RENAULT S.A.V.R.A., 84 av. J.-Jaurès par ③ ✆ 53 66 81 75

Lacan, 95 av. Michelet ✆ 53 96 24 00

Périphérie et environs

BMW, Gar. Chollet, rte de Toulouse à Boé ✆ 53 96 29 55
CITROEN S.A.G.G., bd Ed.-Lacour prolongé, Boé par ④ ✆ 53 96 47 03 N
FIAT Pradat-Auto, bd Ed.-Lacour prolongé, Boé ✆ 53 96 43 78
MERCEDES-BENZ Gar. T.V.I., , rte Toulouse, Bon Encontre ✆ 53 96 22 25 N ✆ 53 98 11 11
V.A.G. SAGAUTO, N 21, Foulayronnes ✆ 53 95 82 00

Dalomis, N 113 à Las Pradines ✆ 53 96 39 83
Faure-Pneu, Zone Ind. J.-Malèze, Bon Encontre ✆ 53 96 08 63
Pneu-Service, Zone Ind. J.-Malèze, Bon Encontre ✆ 53 96 38 13
Solapneu, rte Layrac, Boé ✆ 53 96 46 43
Techni-Pneus, Lafon N 113, Bon Encontre ✆ 53 98 28 18

AGOS 65 H.-Pyr. 85 ⑰⑱ – rattaché à Argelès-Gazost.

AGUESSAC 12520 Aveyron 80 ⑭ – 615 h.

Paris 636 – Florac 76 – Millau 7 – Rodez 66 – Sévérac-le-Château 25.

Les Artys 🐦, 2 km par D 907 ✆ 65 59 85 42, ←, 🏵, parc, 🏊 – ⛀wc ☎ **P**. E VISA
15 avril-1er oct. – **R** *(fermé merc. midi sauf juil.-août)* 76 🍷, enf. 45 – ☕ 24 – **25 ch** 185/225 – ½ p 188/319.

Le Rascalat, NO : 2 km N 9 ✆ 65 59 80 43, 🏵, 🌳 – 🚿wc **P**. AE E VISA
fermé 1er au 25 janv., dim. hors sais. et sam. soir – **R** 62/125, enf. 45 – ☕ 18 – **22 ch** 100/170 – ½ p 128/165.

Ballon Rond, ✆ 65 59 80 18, 🌳 – ⛀wc
1er avril-30 sept. – **R** 58/120 🍷, enf. 30 – ☕ 20 – **20 ch** 90/170 – ½ p 150/160.

AHETZE 64 Pyr.-Atl. 78 ⑱ – rattaché à Bidart.

L'AIGLE 61300 Orne 60 ⑤ **G. Normandie Vallée de la Seine** – 10 182 h.

Syndicat d'Initiative pl. F.-de-Beina (juin-sept.) ✆ 33 24 12 40.

Paris 139 ③ – Alençon 59 ⑤ – Chartres 79 ③ – Dreux 58 ③ – Évreux 55 ② – Lisieux 56 ①.

Plan page ci-contre

✽ **Dauphin** (Bernard), pl. Halle ✆ 33 24 43 12, Télex 170979 – TV ☎ – 🏃 30 à 50. AE ⓓ E VISA B a
R 104/222, enf. 58 – ☕ 32 – **30 ch** 290/360 – ½ p 420/490
Spéc. Feuilleté d'oeufs brouillés aux escargots, Filet de sole à la normande, Aiguillettes de canard Pays d'Ouche.

XX **Aub. de la Jardinière,** à Anglures sur N 26 par ③ ✆ 33 24 26 65 – E VISA
fermé fév. et lundi – **R** 62/110.

par ③ : 3,5 km – ✉ **61300** L'Aigle :

XX **Aub. St-Michel,** ✆ 33 24 20 12, 🏵, 🌳 – **P**. E VISA
fermé 15 au 28 fév., merc. soir et jeudi – **R** 63/120 🍷.

à Chandai par ③ : 8,5 km – ✉ **61300** L'Aigle :

XX **Le Trou Normand,** N 26 ✆ 33 24 08 54 – AE E VISA
fermé janv., lundi soir et mardi – **R** 62/180.

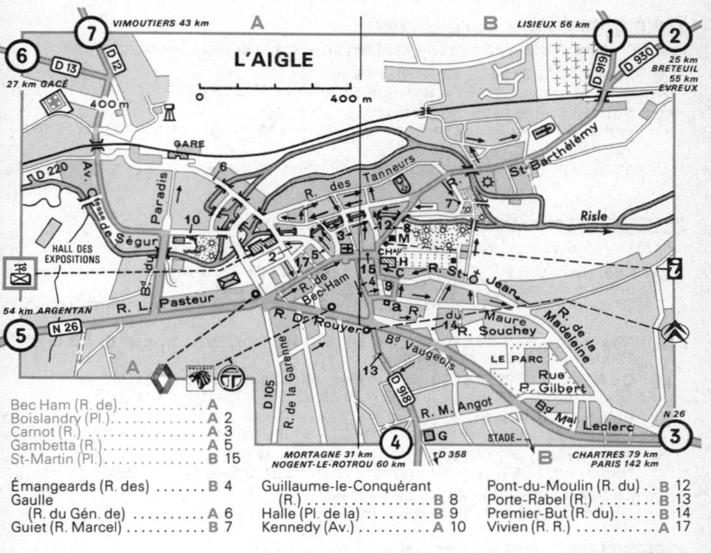

Bec Ham (R. de) . . . . A
Boislandry (Pl.) . . . . A 2
Carnot (R.) . . . . A 3
Gambetta (R.) . . . . A 5
St-Martin (Pl.) . . . . B 15

Émangeards (R. des) . . . . B 4
Gaulle (R. du Gén. de) . . . . A 6
Guiet (R. Marcel) . . . . B 7
Guillaume-le-Conquérant (R.) . . . . B 8
Halle (Pl. de la) . . . . B 9
Kennedy (Av.) . . . . A 10
Pont-du-Moulin (R. du) . . B 12
Porte-Rabel (R.) . . . . B 13
Premier-But (R. du) . . . . . . B 14
Vivien (R. R.) . . . . A 17

CITROEN Escalmel, 1 r. Dr-Rouyer ☎ 33 24 24 66 N ☎ 33 24 51 50
FIAT-LANCIA-AUTOBIANCHI Bongiovanni, rte de Paris, à St-Sulpice-sur-Risle ☎ 33 24 06 87
FORD Gar. de l'Avenir, 86 av. du Perche ☎ 33 24 58 80
PEUGEOT-TALBOT Centre Autom., Aiglon, rte de Paris par ③ à St-Sulpice sur Risle ☎ 33 24 14 66
PEUGEOT-TALBOT Dufay, 12 r. Dr-Rouyer ☎ 33 24 12 32

RENAULT Pavard, rte de Paris à St-Sulpice-sur-Risle par ③ ☎ 33 24 18 99 N ☎ 33 24 51 50
RENAULT Gar. Dano, 4 r. L.-Pasteur ☎ 33 24 00 34
V.A.G. Poirier, rte de Paris à St-Michel-Tuboeuf ☎ 33 24 02 43

Ⓜ Lallemand-Pneus, Anglures à St-Sulpice-sur-Risle ☎ 33 24 48 24

AIGOUAL (Mont) **30** Gard **80** ⑯ **G. Gorges du Tarn** – alt. 1 567. **Voir Observatoire** ✱★★★. **Accès par le col de la Séreyrède** ≤★.

AIGUEBELETTE (Lac d') ★ **73** Savoie **74** ⑮ **G. Alpes du Nord.**
Voir Site★ **de la Combe.**
D'Aiguebelette-le-Lac : Paris 536 – Belley 36 – Chambéry 21 – ♦Grenoble 59 – Voiron 42.

à la Combe – ✉ **73610** Lépin-le-Lac :

✕ **de la Combe " chez Michelon "** ⛰ avec ch, ☎ **79 36 05 02**, ≤, ⛱ – ⌂ ⋒wc ⓟ. E VISA. ✻
fermé 26 oct. au 22 nov., lundi soir et mardi – **R** 76/160, enf. 56 – ☕ 18 – **9 ch** 100/220 – 1/2 p 140/190.

à Lépin-le-Lac – 191 h. – ✉ **73610** Lépin-le-Lac :

⌂ **Clos Savoyard** ⛰, ☎ **79 36 00 15**, ≤, ⛱ – ⓟ. AE E VISA. ✻ rest
1er juin-15 sept. – **R** 80/185, enf. 36 – ☕ 20 – **17 ch** 100/155 – 1/2 p 170/190.

à Novalaise-Lac – 1 017 h. – ✉ **73470** Novalaise :

⌂ **Novalaise-Plage** ⛰, ☎ **79 36 02 19**, ≤, ⛱, ⛵ – ⌂wc ⋒ ☎ ⓟ. E VISA. ✻
1er avril – oct. et fermé lundi soir et mardi sauf juil.-août – **R** 80/235, enf. 55 – ☕ 24 – **12 ch** 125/250 – 1/2 p 200/250.

à St-Alban-de-Montbel – 226 h. – ✉ **73610** Lépin-le-Lac :

⌂ **St-Alban-Plage** ⛰ sans rest, NE : 1,5 km D 921 ☎ **79 36 02 05**, ≤, ⛵, ⛱ – ⌂wc ⋒wc ☎ ⓟ – 🎪 30. ✻
1er mai-fin sept. – ☕ 22 – **16 ch** 130/300.

à Attignat-Oncin S : 7 km par D 39 – ✉ **73610** Lépin-le-Lac :

✕✕ **Mont-Grêle** ⛰ avec ch, ☎ **79 36 07 06**, ≤, ⛱ – ⌂wc ☎ ⓟ. ✻ ch
1er mars-30 nov. et fermé lundi soir et mardi sauf juil.-août – **R** 66/230 – ☕ 25 – **11 ch** 110/220 – 1/2 p 155/205.

AIGUEBELLE 73220 Savoie 74 ⑰ – 1 044 h.

Paris 575 – Albertville 26 – Allevard 31 – Chambéry 37 – St-Jean-de-Maurienne 34.

Poste, ✆ 79 36 20 05, – wc ☎ Ⓟ
fermé 20 déc. au 1er fév. et sam. – **R** 55/100 – 15 – **21 ch** 90/180 – 1/2 p 140/160.

Soleil, ✆ 79 36 20 29, , – Ⓟ. E VISA
fermé 15 oct. au 30 nov., dim. soir et lundi – **R** 50/160 – 15 – **17 ch** 75/160 – 1/2 p 110/140.

PEUGEOT-TALBOT Jacinto, ✆ 79 36 20 56
RENAULT Adam, ✆ 79 36 31 31 N ✆ 79 36 34 28

AIGUEBELLE 83 Var 84 ⑰ **G. Côte d'Azur** – ✉ **83980** Le Lavandou.

Paris 882 – Hyères 28 – Le Lavandou 5,5 – St-Tropez 34 – Ste-Maxime 38 – ♦Toulon 46.

Les Roches, ✆ **94 71 05 07, Télex 430023,** ←, **« Agréables terrasses en bordure de mer,** » ← – ch ☎ Ⓟ. AE VISA. rest
26 mars-15 oct. – **R** 220/260 – 75 – **38 ch** 550/1450, 8 appartements 2010/2500 – 1/2 p 850/1050.

Résidence Soleil M sans rest, ✆ **94 05 84 18,** ← – wc wc ☎ Ⓟ. E VISA
Pâques-oct. – **24 ch** 385/400.

Gd Pavois, ✆ 94 05 81 38, – wc wc ☎ Ⓟ. AE E VISA. rest
25 mars-5 oct. – **R** 70/100, enf. 40 – **29 ch** 250/380 – 1/2 p 350/400.

Plage, ✆ 94 05 80 74, ←, , – wc wc ☎
Pâques-oct. – **R** (dîner seul.) 90 – 23 – **51 ch** 214/342 – 1/2 p 262/428.

Beau Soleil, ✆ 94 05 84 55, – wc ☎ Ⓟ. E VISA. rest
Pâques-oct. – **R** (déj. à la carte) 95 – **18 ch** 280/310 – 1/2 p 230/250.

XXX **La Serre,** ✆ 94 05 81 49, ←, – E VISA
15 juin-fin sept. – **R** (dîner seul.) 165/280.

AIGUEPERSE 63260 P.-de-D. 73 ④ **G. Auvergne** – 2 740 h.

Paris 357 – ♦Clermont-Ferrand 31 – Gannat 9 – Montluçon 74 – Riom 16 – Thiers 44 – Vichy 28.

Marché, ✆ 73 63 61 96 – wc ☎. E VISA
fermé 1er au 15 oct. et 15 au 31 janv. – **R** *(fermé merc. soir de nov. à mai)* 52/125, enf. 32 – 16,50 – **20 ch** 85/156 – 1/2 p 120/140.

AIGUES-MORTES 30220 Gard 83 ⑧ **G. Provence** (plan) – 4 475 h.

Voir Remparts** et tour de Constance** : ** – Tour Carbonnière * NE : 3,5 km.**

Office de Tourisme pl. St-Louis ✆ 66 53 73 00.

Paris 749 – Arles 47 – ♦Montpellier 29 – Nîmes 41 – Sète 63.

Host. Remparts, pl. A.-France ✆ **66 53 82 77,** , **« Demeure ancienne aménagée »** – ☎ Ⓟ. AE E VISA
15 mars-31 oct. et fermé lundi sauf du 1er juil. au 30 sept. et fériés – **R** 105/195, enf. 50 – **19 ch** 270/440 – 1/2 p 370/540.

St-Louis, r. Amiral-Courbet ✆ **66 53 72 68, Télex 485465,** – TV wc wc ☎. AE E VISA
R 120/210 – 28 – **21 ch** 253/315 – 1/2 p 353/384.

XX **Arcades,** 23 bd Gambetta ✆ **66 53 81 13,** – AE E VISA
fermé lundi (sauf fériés), juil. et août – **R** 95/160, enf. 50.

PEUGEOT Gar. SOVERA, 104 rte de Nîmes ✆ 66 53 61 92
RENAULT Gar. Guyon-autom., ✆ 66 53 81 10 N

AIGUILLON 47190 L.-et-G. 79 ⑭ – 4 239 h.

Paris 627 – Agen 30 – Houeillès 31 – Marmande 28 – Nérac 26 – Villeneuve-sur-Lot 33.

Jardin des Cygnes, rte Villeneuve ✆ **53 79 60 02,** , **« Parc et étang »** – wc wc ☎ Ⓟ – 25. AE E VISA
fermé 24 au 30 août, 18 déc. au 11 janv., 9 au 18 avril et sam. – **R** 65/168, enf. 35 – 21 – **17 ch** 138/247 – 1/2 p 177/215.

à Lagarrigue **par D 278 et VO : 4,5 km** – ✉ **47190** Aiguillon :

XX **Aub. des Quatre Vents,** ✆ 53 79 62 18, ←, , – Ⓟ. AE E VISA
fermé mi-janv. à mi-fév., dim. soir et lundi sauf juil.-août et fériés – **R** 110/310, enf. 70.

L'AIGUILLON-SUR-MER 85460 Vendée 71 ⑪ **G. Poitou Vendée Charentes** – 2 152 h.

Paris 457 – Luçon 21 – La Rochelle 50 – La Roche-sur-Yon 53 – La Tranche-sur-Mer 11.

à la Faute-sur-Mer O : 0,5 km – ✉ **85460** Aiguillon-sur-Mer :

Les Chouans sans rest, ✆ **51 56 45 56** – wc ☎. E VISA
fermé 15 oct. au 20 déc. et lundi hors sais. – 25 – **22 ch** 160/230.

AIGUINES 83 Var 84 ⑥ **G. Alpes du Sud** – 161 h. alt. 823 – ✉ **83630** Aups.
Voir Cirque de Vaumale <** E : 4 km – **Col d'Illoire** <* E : 2 km.
Paris 837 – Castellane 57 – Digne 65 – Draguignan 59 – Manosque 67 – Moustiers-Ste-Marie 17.

✗ **Altitude 823** avec ch, ☎ **94 70 21 09**, <,
fin mars-début nov. – **R** 60/150, enf. 37 – ☕ 20 – **11 ch** 69/105 – 1/2 p 140/165.

AIGURANDE **36140** Indre 68 ⑲ – 2 182 h.
Paris 314 – Argenton-sur-C. 33 – Châteauroux 48 – La Châtre 26 – Guéret 35 – La Souterraine 40.

Berry, ☎ **54 06 30 38**, – wc wc. rest
fermé 1er au 25 oct. et vend. de nov. à avril – **R** 70/220 – ☕ 30 – **10 ch** 130/250 – 1/2 p 200/220.

✗ **Relais de la Marche** avec ch, ☎ **54 06 31 58** – wc ☎. E VISA
fermé 13 au 28 sept. et 1er au 16 nov. – **R** 60/160, enf. 50 – ☕ 20 – **7 ch** 130/150 – 1/2 p 190/200.

LANCIA, AUTOBIANCHI Guillebaud, ☎ 54 06 31 12 N
PEUGEOT-TALBOT Buvat, ☎ 54 06 33 15 N
Yvernault, 38 r. de la Marche ☎ 54 06 30 59 N
Gar. Dumontet, av. Georges Sand ☎ 54 30 30 30
Tisseron, ☎ 54 30 30 54

AILEFROIDE 05 H.-Alpes 77 ⑰ – rattaché à Pelvoux (Commune de).

AIME **73210** Savoie 74 ⑱ **G. Alpes du Nord** – 1 795 h. alt. 690.
Voir Ancienne basilique St-Martin*.
Syndicat d'Initiative av. Tarentaise ☎ 79 09 79 79.
Paris 625 – Albertville 38 – Bourg-St-Maurice 13 – Chambéry 85 – Moûtiers 11.

Palambo M sans rest, **N 90** ☎ **79 55 67 55**, – wc wc ☎. E VISA
☕ 22 – **20 ch** 155/210.

Le Cormet M sans rest, **N 90** ☎ **79 09 71 14** – TV wc ☎. E VISA.
fermé 1er au 15 juin et dim. soir en mai et juin – ☕ 20 – **14 ch** 160/200.

✗✗ **L'Atre**, **N 90** ☎ **79 09 75 93**, – E
fermé 1er au 20 juin, 1er au 21 oct. et lundi – **R** carte 115 à 180.

CITROEN Gar. Vagneur, ☎ 79 09 70 36
PEUGEOT-TALBOT Silvestre, ☎ 79 09 70 58
RENAULT Villien, ☎ 79 09 71 25

AINAY-LE-VIEIL 18 Cher 69 ⑪ **G. Berry Limousin** – 182 h. – ✉ **18200** St-Amand-Montrond.
Voir Château * – Paris 291 – La Châtre 50 – Montluçon 42 – Moulins 73 – St-Amand-Montrond 11.

Crémaillère, ☎ **48 63 50 14**, – E VISA.
fermé 15 janv. au 15 fév. et vend. (sauf de juin à août) – **R** 60/160 – ☕ 20 – **8 ch** 95/160.

AINCILLE 64 Pyr.-Atl. 85 ③ – rattaché à St-Jean-Pied-de-Port.

AINGERAY 54 M.-et-M. 62 ④ – rattaché à Liverdun.

AINHOA 64 Pyr.-Atl. 85 ② **G. Pyrénées Aquitaine** – 544 h. – ✉ **64250** Cambo-les-Bains.
Voir Rue principale*.
Paris 797 – ♦Bayonne 26 – Cambo-les-Bains 11 – Pau 124 – St-Jean-de-Luz 23.

Argi-Eder M, ☎ **59 29 91 04, Télex 570067**, <, « **Jardin** », – ch rest TV ☎ – 35. AE E VISA. ch
1er avril-15 nov. et fermé dim. soir (sauf fêtes) et merc. hors sais. – **R** (dim. prévenir) 135/250, enf. 70 – ☕ 34 – **30 ch** 440/520, 6 appartements 470/530 – 1/2 p 455/495.

❀ **Ithurria** (Isabal), ☎ **59 29 92 11**, « **Maison basque du 17e s., jardin** » – rest ☎ – 25. AE VISA
20 mars-15 nov. et fermé mardi soir et merc. sauf vacances de printemps et du 1er juil. au 15 sept. – **R** (dim. prévenir) 120/210 – ☕ 30 – **26 ch** 290/380 – 1/2 p 320/360
Spéc. Foie gras au naturel, Piments rouges farcis à la morue, Ragoût de queues de langoustines aux pâtes fraîches. **Vins** Jurançon, Madiran.

à Dancharia S : 3 km – ✉ **64250** Cambo-les-Bains :

Ur Hegian, ☎ **59 29 91 16**, – . E VISA. rest
fermé janv. et merc. sauf 15 juin au 15 sept. – **R** 60/100 – ☕ 20 – **22 ch** 100/160 – 1/2 p 180/210.

AIRAINES **80270** Somme 52 ⑦ **G. Flandres Artois Picardie** – 2 385 h.
Paris 142 – Abbeville 21 – ♦Amiens 28 – Beauvais 66 – Le Tréport 47.

✗ **Relais Forestier "Pont d'Hure"**, à Allery O : 5 km sur rte d'Oisemont ☎ **22 29 42 10**, < – – 35
fermé 1er au 15 janv., mardi et le soir sauf sam. – **R** 64/145, enf. 40.

RENAULT Gar. Mille, 33 av. Gén.-Leclerc ☎ 22 29 40 71 N

Les AIRES **34 Hérault** 83 ④ – **rattaché à Lamalou-les-Bains.**

AIRE-SUR-L'ADOUR 40800 Landes 82

①② **G. Pyrénées Aquitaine – 7 216 h.**

Voir Sarcophage de Ste-Quitterie★ dans l'église Ste-Quitterie B.

Paris 721 ⑤ – **Auch 82** ② – **Condom 67** ② – **Dax 76** ⑤ – **Mont-de-Marsan 31** ⑤ – **Orthez 59** ④ – **Pau 49** ③ – **Tarbes 69** ②.

Dupouy, 22 r. 13-juin **(s)** ✆ **58 71 71 76,** – – P – 25. E VISA
fermé lundi – **R** 58/160 – 18 – **14 ch** 90/160 – ½ p 135/185.

Commerce avec ch, **3 r. Labeyrie (a)** ✆ **58 71 60 06,** – wc wc ☎ – 25. E VISA. ch
fermé 1er au 15 janv., lundi (sauf hôtel) et dim. soir sauf juil.-août – **R** 60/160 – 16 – **20 ch** 85/180 – ½ p 160/220.

Chez l'Ahumat avec ch, **2 r. P.-Mendès-France (e)** ✆ **58 71 82 61** – . AE E VISA. ch
fermé 18 avril au 2 mai et 1er au 15 sept. – **R** *(fermé merc.)* 39/68 – 14 – **13 ch** 65/92 – ½ p 115/127.

AIRE-SUR-L'ADOUR

Carnot (R.)	2
Daugé (R. C.)	3
Despagnet (R. F.)	4
Duprat (R. P.)	6
Gambetta (R.)	8
Labeyrie (R. H.)	10
Mendès-France (R.)	11
Verdun (Av. de)	12

à Segos **(32 Gers) par ③, N 134 rte Pau et D 260 : 9 km – ✉ 32400 Riscle :**

Domaine de Bassibé (Capelle), ✆ **62 09 46 71,** ←, , **parc,** – TV ☎ P – 40. AE E VISA. rest
Pâques-2 nov. – **R** 160/260, enf. 80 – 54 – **6 ch** 540/570, 3 appartements 750 – ½ p 515/730
Spéc. Soupe en croûte aux cèpes, Brandade froide de morue, Escalopes de foie de canard aux poires. **Vins** Côtes de St-Mont, Pacherenc.

FORD Gar. Daudon-Sadra, 52 av. du 4-Septembre ✆ 58 71 60 64
MERCEDES, V.A.G. Perron, rte de Pau ✆ 58 71 61 62
PEUGEOT, TALBOT Labarthe, Zone Ind. Cap de la Coste, N 124 par ⑤ ✆ 58 71 71 95
RENAULT SADIA, rte Bordeaux par ⑤ ✆ 58 71 60 01

AIRE-SUR-LA-LYS 62120 P.-de-C. 51 ⑭ G. Flandres Artois Picardie – 10 012 h.

Voir Bailliage★ B – Collégiale St-Pierre★ E.

Office de Tourisme à l'Hôtel-de-Ville ✆ 21 39 07 22.

Paris 236 ② – **Arras 56** ② – **Béthune 25** ② – **Boulogne 60** ③ – ♦**Lille 57** ① – **Montreuil 55** ③.

AIRE-SUR-LA-LYS

Arras (R. d')	4
Bourg (R. du)	7
Grand'Place	
St-Omer (R. de)	28
Vignette (R.)	37
Armes (Pl. d')	3
Béguines (Pl des)	6
Carnot (Av.)	8
Château (Pl. du)	10
Château (R. du)	12
Clemenceau (Bd)	13
Doyen (R. du)	16
Fort Gassion (R. du)	17
Gaulle (Bd de)	18
Jehan-d'Aire (Pl.)	21
Leclerc (R. du Mar.)	23
Mardyck (R. de)	24
Notre-Dame (Pl.)	25
Paris (R. de)	26
St-Martin (R. de)	27
St-Pierre (Pl.)	29
St-Pierre (R.)	31
Tour Blanche (R. de la)	33
Vauban (Av.)	35

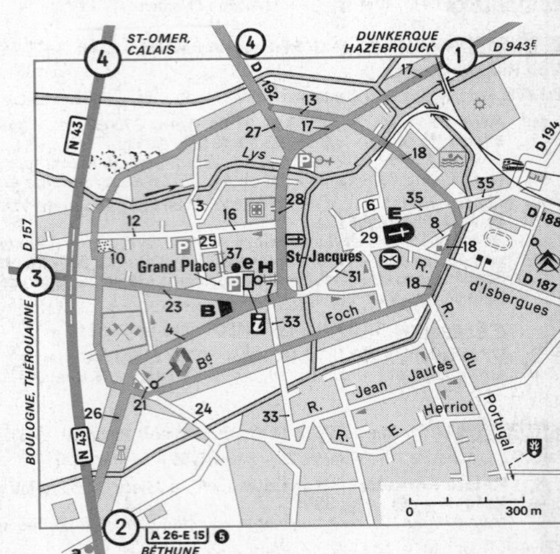

Europ H. sans rest, 14 Gde-Place **(e)** ☎ **21 39 04 32** – ⇔wc ⋒ Ⓟ. AE E VISA
☕ 15 – **14 ch** 90/150.

XXX **Host. Trois Mousquetaires** ⚘ avec ch, **Château de la Redoute (a)** ☎ **21 39 01 11, « Parc » –** ⇔wc ⋒wc ☎ – 🏛 30. AE E VISA
fermé 20 déc. au 20 janv., dim. soir et lundi – **R** 77/230 ♂ – ☕ 30 – **27 ch** 230/350.

BMW Gar. Cornuet, 3 pl. du Castel ☎ 21 39 06 65
CITROEN Warmé, 14 r. Lyderic ☎ 21 39 00 31
NISSAN Gar. Barbara, RN 43, St-Martin ☎ 21 39 00 76
RENAULT Gar. Delgery, 5 pl. Jéhan d'Aire ☎ 21 39 02 98 N
Auto-Pneu, 1 r. Alsace-Lorraine ☎ 21 39 07 08

AISEY-SUR-SEINE 21 Côte-d'Or 65 ⑧ – 147 h. – ✉ **21400** Châtillon-sur-Seine.
Paris 247 – Châtillon-sur-Seine 16 – ♦Dijon 68 – Montbard 28.

Roy ⚘, ☎ **80 93 21 63,** ☖ – ⇔wc ⋒wc ☎ Ⓟ – 🏛 50
fermé déc. et mardi – **R** 55/160 – ☕ 20 – **10 ch** 80/195 – ½ p 200/220.

AIX (Ile d') ★ **17123** Char.-Mar. 71 ⑬ **G. Poitou Vendée Charentes** – 173 h.
Accès par transports maritimes :.

⛴ depuis la **Pointe de la Fumée** (2,5 km NO de Fouras). En 1987 : en saison, 8 services quotidiens, hors saison, 2 à 3 services quotidiens. Traversée 25 mn - 40,50 F (AR) - ☎ 46 42 61 48 (La Rochelle).

⛴ depuis **La Rochelle**. En 1987 : en saison, 1 service quotidien - Traversée 1 h 15 mn - 94 F (AR) - ☎ 46 42 61 48 (La Rochelle).

⛴ depuis **Boyardville** (Ile d'Oléron). En 1987 : de juin à sept., 4 services quotidiens - Traversée 30 mn - 48 F (AR) - ☎ 46 47 01 45 (St-Georges-d'Oléron).

AIX-EN-OTHE 10160 Aube 61 ⑮ **G. Champagne** – 2 349 h.
Voir Jubé★ dans l'église de Villemaur-sur-Vanne N : 4,5 km.
Paris 144 – Nogent-sur-Seine 38 – St-Florentin 33 – Sens 40 – Troyes 31.

Aub. Scierie ⚘, **à la Vove S : 1,5 km** ☎ **25 46 71 26,** ≤, **« Parc et rivière »,** ⛱ – TV ⇔wc ⋒wc ☎ Ⓟ. AE ⊙ E VISA
fermé lundi soir et mardi du 15 oct. au 15 avril – **R** 105/195, enf. 50 – ☕ 38 – **14 ch** 200/320 – ½ p 300/320.

RENAULT Gar. Carton, ☎ 25 46 70 13 N

AIX-EN-PROVENCE ⟨SP⟩ **13100** B.-du-R. 84 ③, 93 ⑬ **G. Provence** – 124 550 h. – Stat. therm. – Casino : AY.

Voir Le Vieil Aix★★ BXY **: Cours Mirabeau★★** BY**, Cathédrale St-Sauveur** BX **(Triptyque du Buisson Ardent★★, baptistère★ et vantaux★ du portail, Musée des Tapisseries★** BX **M1, Cloître St-Sauveur★** BX **N, Cour★ de l'Hôtel de Ville** BY **H – Fontaine des Quatre-Dauphins★** BY **S – Eglise St-Jean de Malte : Nef★** CY **– Musée Granet★** CY **M3 – Vierge★ et triptyque de l'Annonciation★ dans l'église Ste-Marie-Madeleine** CY **– Fondation Vasarely★** AV **M O : 4 km.**

⛳18 **d'Aix-Marseille** ☎ **42 24 20 41 par ④ et D 9 : 8,5 km.**

ℹ Office de Tourisme pl. Gén.-de-Gaulle ☎ 42 26 02 93, Télex 430466.

Paris 756 ⑤ – Avignon 80 ⑤ – ♦Marseille 31 ④ – ♦Nice 175 ② – Nîmes 105 ⑤ – ♦Toulon 81 ②.

Plan page suivante

Paul Cézanne Ⓜ sans rest, **40 av. Victor-Hugo** ☎ **42 26 34 73, Télex 403158, « Bel aménagement intérieur »** – ⧉ ▤ TV ☎. AE VISA BZ **h**
fermé 23 déc. au 23 janv. – ☕ 42 – **44 ch** 425/840.

Pullman Le Pigonnet ⚘, **5 av. Pigonnet** ✉ **13090** ☎ **42 59 02 90, Télex 410629,** ☂, **« Parc fleuri »,** ⛱ – ⧉ TV ☎ Ⓟ – 🏛 80. AE ⊙ E VISA AV **t**
R *(fermé dim. soir du 1er nov. au 31 mars)* 165/185 – ☕ 55 – **48 ch** 415/675 – ½ p 615/745.

Augustins Ⓜ sans rest, **3 r. Masse** ☎ **42 27 28 59, Télex 441052, « Ancien couvent »** – ⧉ TV ☎ 🚗. AE ⊙ E VISA. ✗ BY **k**
☕ 40 – **29 ch** 320/590.

Gd H. Nègre Coste sans rest, **33 cours Mirabeau** ☎ **42 27 74 22, Télex 440184** – ⧉ TV ☎ Ⓟ. AE ⊙ E VISA BY **m**
☕ 40 – **37 ch** 280/430.

Thermes Sextius, 2 bd J.-Jaurès ☎ **42 26 01 18, Télex 410888,** ☂, **« Parc »,** ⛱ – ⧉ TV Ⓟ – 🏛 30. AE ⊙ E VISA. ✗ rest AX
R 140/150 – ☕ 38 – **64 ch** 200/420 – ½ p 335/520.

Mozart Ⓜ ⚘ sans rest, **49 cours Gambetta** ☎ **42 21 62 86** – ⧉ ⇔wc ⋒wc ☎ 🚗 Ⓟ. E VISA CZ **a**
48 ch ☕ 220/260.

St-Christophe sans rest, **2 av. Victor-Hugo** ☎ **42 26 01 24** – ⧉ TV ⇔wc ⋒wc ☎ 🚗. E VISA BY **a**
☕ 30 – **56 ch** 200/270.

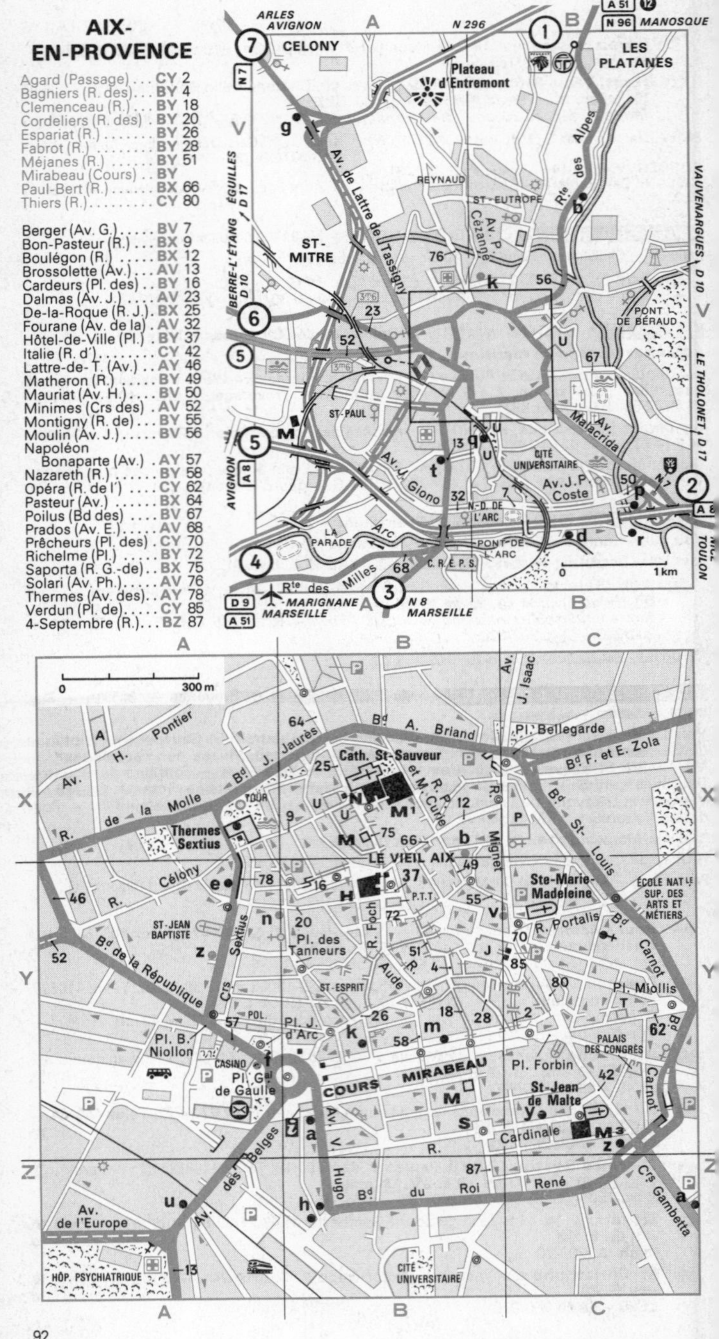
AIX-EN-PROVENCE
Agard (Passage) . . . CY 2
Bagniers (R. des) . . . BY 4
Clemenceau (R.) . . . BY 18
Cordeliers (R. des) . BY 20
Espariat (R.) . . . . BY 26
Fabrot (R.) . . . . BY 28
Méjanes (R.) . . . . . . BY 51
Mirabeau (Cours) . . BY
Paul-Bert (R.) . . . . . . BX 66
Thiers (R.) . . . . CY 80
Berger (Av. G.) . . . . . BV 7
Bon-Pasteur (R.) . . . BX 9
Boulégon (R.) . . . . . BX 12
Brossolette (Av.) . . . AV 13
Cardeurs (Pl. des) . . BY 16
Dalmas (Av. J.) . . . . . AV 23
De-la-Roque (R. J.) . BX 25
Fourane (Av. de la) . AV 32
Hôtel-de-Ville (Pl.) . . BY 37
Italie (R. d') . . . . CY 42
Lattre-de-T. (Av.) . . AY 46
Matheron (R.) . . . . . BY 49
Mauriat (Av. H.) . . . . BV 50
Minimes (Crs des) . AV 52
Montigny (R. de) . . . BY 55
Moulin (Av. J.) . . . . . BV 56
Napoléon Bonaparte (Av.) . AY 57
Nazareth (R.) . . . . . . BY 58
Opéra (R. de l') . . . . CY 62
Pasteur (Av.) . . . . . . BX 64
Poilus (Bd des) . . . . BV 67
Prados (Av. E.) . . . . . AV 68
Prêcheurs (Pl. des) . CY 70
Richelme (Pl.) . . . . . BY 72
Saporta (R. G.-de) . . BX 75
Solari (Av. Ph.) . . . . . AV 76
Thermes (Av. des) . . AY 78
Verdun (Pl. de) . . . . . CY 85
4-Septembre (R.) . . . BZ 87
ARLES AVIGNON
N 296
A 51
N 96 MANOSQUE
CELONY
LES PLATANES
Plateau d'Entremont
N 7
Av. de Lattre de Tassigny
REYNAUD
ST-EUROPE
Av. P. Cézanne
Rte des Alpes
ÉGUILLES D 17
BERRE-L'ÉTANG D 10
VAUVENARGUES D 10
ST-MITRE
PONT DE BÉRAUD
LE THOLONET D 17
ST-PAUL
Av. Malacrida
CITÉ UNIVERSITAIRE
Av. J. Giono
Av. J.P. Coste
AVIGNON A 8
N.-D. DE L'ARC
LA PARADE
Arc
PONT-DE-L'ARC
C.R.E.P.S.
Rte des Milles
A 8 NICE TOULON
0 1 km
D 9 MARIGNANE MARSEILLE
A 51
N 8 MARSEILLE
0 300 m
Bd A. Briand
Av. J. Isaac
Pl. Bellegarde
Bd F. et E. Zola
Cath. St-Sauveur
R. P. et M. Curie
R. Mignet
Av. H. Pontier
Bd J. Jaurès
R. de la Molle
TOUR
Thermes Sextius
LE VIEIL AIX
Célony
R.
Bd St-Louis
Ste-Marie-Madeleine
ÉCOLE NATLE SUP. DES ARTS ET MÉTIERS
ST-JEAN BAPTISTE
Crs Sextius
Pl. des Tanneurs
R. Foch
P.T.T.
R. Portalis
Bd de la République
R. Aude
Bd Carnot
ST-ESPRIT
Pl. Miollis
POL.
Pl. J. d'Arc
Pl. B. Niollon
PALAIS DES CONGRÈS
Pl. Forbin
CASINO
Pl. Gal de Gaulle
COURS MIRABEAU
St-Jean de Malte
Carnot
Cardinale
Av. des Belges
Av. V. Hugo
R. 4-Septembre
Bd du Roi René
Crs Gambetta
Av. de l'Europe
HÔP. PSYCHIATRIQUE
CITÉ UNIVERSITAIRE

Résidence Rotonde M sans rest, 15 av. Belges ✆ 42 26 29 88 – wc wc ☎ P. AE E VISA AZ u
fermé 20 déc. au 15 janv. – 27 – **42 ch** 190/275.

Caravelle sans rest, 29 bd Roi-René ✆ 42 21 53 05, Télex 401015, – TV wc wc ☎. E VISA CY z
25 – **30 ch** 160/280.

Globe sans rest, 74 cours Sextius ✆ 42 26 03 58 – TV wc wc. E VISA
fermé 20 déc. au 1er fév. – 22 – **45 ch** 175/250. AY e

Le Moulin M sans rest, 1 av. Schumann (près nouvelles facultés) ✉ 13090 ✆ 42 59 41 68 – cuisinette TV wc wc P. AE E VISA BV q
fermé 15 déc. au 6 janv. – 25 – **37 ch** 138/255.

Cardinal sans rest, 24 r. Cardinale ✆ 42 38 32 30 – wc wc ☎. AE CY y
20 – **22 ch** 130/240.

Moderne sans rest, 34 av. Victor-Hugo ✆ 42 26 05 16 – wc wc. AE E. BZ h
fermé fév. – 24 – **22 ch** 150/245.

XXX **Vendôme,** 2 bis av. Napoléon Bonaparte ✆ 42 26 01 00, – P. AE E VISA
fermé mardi soir et merc. sauf juil.-août – **R** 175/285. AY f

XXX ✿ **Clos de la Violette** (Banzo), 10 av. Violette ✆ 42 23 30 71, , – . AE VISA. BV k
fermé 1er au 21 nov., 7 au 21 mars, lundi midi et dim. – **R** (nombre de couverts limité - prévenir) carte 220 à 350
Spéc. Feuilleté de légumes au pistou (avril à oct.), Blanc de poulette à la jambe de bois, Millefeuille au chocolat. Vins Côteaux d'Aix, Palette.

XX **Capucin,** 7ter r. Mignet ✆ 42 20 69 77, cuisine du Sud-Ouest – VISA BCY v
fermé 15 août au 8 sept., lundi midi et dim. – **R** 155/210.

XX **Abbaye des Cordeliers,** 21 r. Lieutaud ✆ 42 27 29 47, – AE E VISA
fermé dim. soir et lundi – **R** (nombre de couverts limité-prévenir) 95/175. ABY n

XX **Le Clam's,** 22 cours Sextius ✆ 42 27 64 78, produits de la mer – AE E VISA
fermé juil.-août – **R** 170. AY z

X **Poivre et Sel,** 9 r. Constantin ✆ 42 21 40 73 – . AE VISA BX b
fermé mardi sauf juil.-août – **R** 120/160, enf. 45.

au Nord :

Le Prieuré sans rest, par ① : 3 km rte Sisteron ✆ 42 21 05 23, ← – wc P. BV b
22 – **30 ch** 120/275.

au Sud-Est 3 km ou par sortie d'autoroute Aix-Est :

Novotel Aix Est, Résidence Beaumanoir ✆ 42 27 47 50, Télex 400244, – TV ☎ P – 200. AE E VISA BV p
R snack carte 90 à 160, enf. 40 – 38 – **102 ch** 330/360.

Novotel Aix Sud M, ✆ 42 27 90 49, Télex 420517, , – TV ☎ P – 100. AE E VISA BV d
R grill carte environ 120, enf. 40 – 38 – **80 ch** 330/360.

Ibis M, ✆ 42 27 98 20, Télex 420519 – rest TV wc ☎ P – 70 BV r
83 ch.

à Celony 3 km sur N 7 – ✉ **13090** Aix-en-Provence :

Mas d'Entremont M , ✆ 42 23 45 32, ←, , « Demeure provençale avec terrasses dans un parc, », – ch TV ☎ P – 70. E VISA AV g
15 mars-1er nov. – **R** *(fermé dim. soir et lundi midi sauf fériés)* 160/180 – 40 – **9 ch** 400/600, 8 bungalows – ½ p 420/510.

au Canet de Meyreuil SE : 8 km sur N 7 par ② – ✉ **13590** Meyreuil :

X **Aub. Provençale** avec ch, ✆ 42 58 36 47, – P. E VISA
fermé 2 au 16 janv. – **R** *(fermé mardi soir et merc. sauf juil.-août)* 90/138, enf. 65 – 25 – **6 ch** 100/200.

à Éguilles par D 17 AV : 11 km – 4 473 h. – ✉ **13510** Éguilles :

Aub. du Belvédère , ✆ 42 92 52 92, ←, , « Jardin en terrasse », – wc wc ☎ P – 60 à 80. AE E VISA
R *(fermé dim. soir du 1er nov. au 30 mars)* 93/223 – 25 – **30 ch** 199/321 – ½ p 217/255.

Autres ressources hôtelières :

Voir *Beaurecueil* par ② et D 58 : 10 km, *Roquefavour* par ⑤ et D 64 : 12 km, *Châteauneuf-le-Rouge* par ② N 7 : 13 km et *Meyrargues* par ① : 16 km.

tourner →

ALFA-ROMEO SOCODIA, av. Club Hippique, D 65 ☏ 42 59 01 32
BMW Gar. Continental, 8 av. De-Lattre-de-Tassigny ☏ 42 23 24 33
FORD NOVO, Zéda-la Pioline, les Milles ☏ 42 20 17 17 et 39 bd A.-Briand ☏ 42 23 16 20
FORD Novo, 62 av. de Nice à Gardanne ☏ 42 51 02 84
HONDA Cogédis, av. Club Hippique ☏ 42 20 15 35
MERCEDES MASA, 40 r. Irma Moreau ☏ 42 64 45 45
PEUGEOT-TALBOT Gds Gar. de Provence, Zéda-La Pioline, rte des Milles AV ☏ 42 20 01 45
PEUGEOT-TALBOT Gar. Josserand, rte des Alpes Les Platanes ☏ 42 21 17 55
RENAULT Verdun-Aix, 5 rte Galice ☏ 42 64 47 47
TOYOTA Gar. Bondil, av. Club Hippique ☏ 42 59 59 34
V.A.G. Touring-Autom., Zéda-la Pioline, les Milles ☏ 42 20 14 08
VOLVO Gar. Briand, ZA Pioline, les Milles ☏ 42 20 07 38

Cambi-Pneus, 9 r. Signoret ☏ 42 23 06 77
Josserand-Pneus, rte des Alpes Les Platanes ☏ 42 21 17 55
Jules-Pneus, Pont de l'Arc, rte des Milles ☏ 42 27 67 02
Le Pneu François, 40 av. P.-Brossolette ☏ 42 27 78 90
Les Milles Pneus, chem. Valette, Z.I. les Milles ☏ 42 24 30 90
Omnica, Z.I. des Milles, 128 av. Bessmer ☏ 42 24 46 56
Pyrame, 66 cours Gambetta ☏ 42 21 49 16 et r. André Ampère, Zone Ind. les Milles ☏ 42 39 91 48
Rome-Pneu, 13 bd J.-Jaurès ☏ 42 23 16 54
Sornin, 7 cours Gambetta ☏ 42 21 29 93
Station Pneumatic, 31 bd A.-Briand ☏ 42 23 32 28

AIXE-SUR-VIENNE

87700 H.-Vienne 72 ⑰ G. Berry Limousin – 5 650 h.

Paris 408 – Angoulême 96 – ♦Limoges 13 – Nontron 56 – Périgueux 88 – St-Junien 29 – Uzerche 65.

XX **Aub. des Deux Ponts,** av. Gare ☏ 55 70 10 22 – E VISA
fermé 20 août au 10 sept., dim. soir et lundi – **R** 55/150 🍷, enf. 35.

PEUGEOT-TALBOT Villelongue, 27 av. Pasteur ☏ 55 70 21 58 N
RENAULT Boissou, 45 av. Pasteur ☏ 55 70 20 59

AIX-LES-BAINS

73100 Savoie 74 ⑮ G. Alpes du Nord – 22 534 h. – Stat. therm. : Aix-les-Bains et Marlioz – Casinos: Grand Cercle BYZ, Nouveau Casino BY.

Voir Esplanade au bord du Lac★ AY – Escalier★ de l'Hôtel de Ville CYZ H – Musée Faure★ CY M1.

Env. Le tour du lac du Bourget★★ 51 km par ④, en bateau★ : 4 h – Abbaye de Hautecombe★★ (Chant Grégorien), en bateau : 2 h – Renseignements sur excursions en bateau : Cie Savoyarde de Navigation, Grand Port ☏ 79 61 42 40 – ≤★★ sur lac du Bourget, à la Chambotte par ① : 14 km.

18 ☏ 79 61 23 35 par ③ : 3 km.

✈ de Chambéry-Aix-les-Bains : ☏ 79 54 46 05, au Bourget-du-Lac par ④ : 8 km.

Syndicat d'Initiative pl. M.-Mollard ☏ 79 35 05 92, Télex 980015.

Paris 536 ④ – Annecy 34 ① – Bourg-en-Bresse 106 ④ – Chambéry 16 ④ – ♦Lyon 104 ④.

Plan pages suivantes

Ariana et rest. Adélaïde M, av. de Marlioz à Marlioz, par ③ : 1,5 km ☏ 79 88 08 00, Télex 980266, ≤, « Parc », – ch – 45 à 150. AE E VISA
R 110/290 – **60 ch** 300/660 – 1/2 p 400/620.

Le Manoir, 37 r. Georges-1er ☏ 79 61 44 00, Télex 980793, – rest – 30 à 80. E VISA. rest — CZ **w**
fermé mi déc. à mi janv. – **R** 105/195 – 38 – **73 ch** 195/395 – 1/2 p 218/358.

Cloche, 9 bd Wilson ☏ 79 35 01 06 – . AE . rest — BY **b**
23 avril-1er oct. – **R** 90/100 – 27 – **54 ch** 280/400 – 1/2 p 240/340.

Iles Britanniques, pl. Établissement Thermal ☏ 79 61 03 77, ≤, « Jardins fleuris » – . AE VISA. rest — CY **s**
15 avril-15 oct. – **R** 110 – 30 – **80 ch** 360/420.

Vendôme M, 12 av. Marlioz ☏ 79 61 23 16 – wc wc . E VISA — CZ **a**
1er fév.-31 oct. – **R** 80/150 – 30 – **32 ch** 200/310 – 1/2 p 240/400.

Aub. de la Baye, chemin du Tir aux Pigeons (par bd. des Anglais CY) ☏ 79 88 07 01, , , – wc wc – 50
fermé nov. et déc. – **R** 70, enf. 50 – 27 – **35 ch** 200/330 – 1/2 p 280/300.

Palais des Fleurs M sans rest, 17 r. Isaline ☏ 79 88 35 08, Télex 320657, – cuisinette wc . E VISA — CZ **b**
15 mars-4 nov. – 25 – **24 ch** 210/280.

Paix, 11 r. Lamartine ☏ 79 35 02 10, – wc . AE E VISA — CY **d**
1er mars-15 nov. – **R** 75/95 – 25 – **70 ch** 145/240 – 1/2 p 235/275.

La Régence, 33 bd Wilson ☏ 79 35 02 26 – wc wc . E VISA — BZ **e**
fermé mars – **R** *(fermé jeudi)* 56/125 🍷 – 22 – **32 ch** 160/240 – 1/2 p 195/230.

Métropole sans rest, 23 r. Casino ☏ 79 35 17 53 – wc . — CY **x**
20 mars-1er nov. – **80 ch** 125/225.

Eglantiers, 20 bd Berthollet ✆ 79 61 43 21, – wc wc . 30. AE E VISA. rest CY f
fermé 1er fév. au 15 mars – **R** *(fermé merc.)* 135/336 – 30 – **23 ch** 174/215 – ½ p 265/280.

Revotel sans rest, 40 r. Genève ✆ 79 35 03 37 – TV wc wc . CY v
mi-janv.-mi-nov. – 20 – **18 ch** 145/175.

Beaulieu, 29 av. Ch.-de-Gaulle ✆ 79 35 01 02, – wc wc . AE E VISA. rest BZ r
2 avril-20 déc. – **R** 80/230 – 26 – **31 ch** 190/230 – ½ p 240/275.

Parc, 28 r. Chambéry ✆ 79 61 29 11 – wc . VISA. rest CZ n
20 avril-20 oct. – **R** 80/100 – 25 – **50 ch** 105/280 – ½ p 245/280.

Azur sans rest, 18 av. Victoria ✆ 79 35 00 96, – TV wc . AE E VISA BY a
fermé 15 déc. au 6 fév. – 23 – **16 ch** 160/240.

Soleil Couchant, 130 av. St-Simond ✆ 79 35 05 83, , – wc wc . AE E VISA BY z
5 mai-4 oct. – **R** 68/180 , enf. 40 – 23 – **31 ch** 140/220 – ½ p 180/230.

Cécil H. sans rest, 20 av. Victoria ✆ 79 35 04 12 – TV wc wc . VISA. BY a
fermé 15 fév. au 15 mars – 20 – **21 ch** 115/200.

Dauphinois, 14 av. Tresserve ✆ 79 61 22 56, , – ch wc . AE E VISA. CZ d
fermé 15 déc. au 15 fév. et dim. soir du 15 nov. au 15 mars – **R** 90/185 – 22 – **84 ch** 150/250 – ½ p 199/245.

Gallia-Beauséjour, 24 bd Berthollet ✆ 79 61 21 09, – . VISA rest CY j
15 mars-15 déc. – **R** *(fermé dim. soir et jeudi)* 70/130 – 22 – **44 ch** 150/230.

Croix du Sud sans rest, 3 r. Dr-Duvernay ✆ 79 35 05 87 – wc BZ f
fin avril-fin oct. – 19 – **16 ch** 110/174.

Nice-Savoie sans rest, 11 r. Isaline ✆ 79 61 04 00, – cuisinette wc CZ u
fin mars-début nov. – 17 – **26 ch** 120/170.

Central, 6 r. H.-Murger ✆ 79 35 21 19 – . ch BY s
1er mars-15 nov. – **R** 45/75 – 20 – **20 ch** 80/110 – ½ p 145/160.

Palma sans rest, 19 bis square A.-Boucher ✆ 79 35 01 10 – wc . E VISA BY n
26 avril-30 oct. – 19,50 – **16 ch** 92/175.

XX **Platanes** avec ch, Petit Port ✆ 79 61 40 54, , – wc wc . AE E VISA AY b
fermé janv. et fév. – **R** *(fermé lundi sauf juil.-août)* (dim. prévenir) 64/158 – 20 – **18 ch** 195/235 – ½ p 210/260.

XX **Brasserie Poste,** 32 av. Victoria ✆ 79 35 00 65 – AE E VISA. BY t
fermé 14 nov. au 13 déc. et lundi – **R** 63/126 , enf. 50.

à Gresy-sur-Aix par ① : 5 km – ✉ **73100** Aix-les-Bains :

XX **Le Pont Neuf,** (près gare) ✆ 79 35 12 04 – . AE
fermé 6 au 28 août, vacances de fév., dim. soir et sam. – **R** 60/150 .

par la sortie ② :

à Pugny-Chatenod 4,5 km – ✉ **73100** Aix-Les-Bains :

Clairefontaine, ✆ 79 61 47 09, <, , , , – cuisinette TV wc . E VISA. rest
25 mars-15 oct. – **R** 70/160 – 26 – **29 ch** 130/360 – ½ p 175/290.

par la sortie ③ :

avenue du golf : 3 km :

Campanile , ✆ 79 61 30 66, Télex 980090, , – TV wc . VISA
R 63 bc/86 bc, enf. 38 – 24 – **50 ch** 200/220 – ½ p 287/330.

à Viviers-du-Lac : 4 km : – ✉ **73420** Viviers-du-Lac :

Chambaix H. sans rest, D 991 ✆ 79 61 31 11, , – TV wc wc . AE E VISA
fermé 10 oct. au 10 nov. et 25 déc. au 5 janv. – 22 – **29 ch** 200/250.

par la sortie ④ :

sur N 201 : 5 km – ✉ **73420** Viviers-du-Lac :

XX **Week-end** avec ch, ✆ 79 54 40 22, <, , – rest TV wc wc . E VISA
fermé 15 déc. au 1er fév. et lundi hors sais. – **R** 68/215, enf. 45 – 22 – **13 ch** 160/220 – ½ p 210.

tourner →

AIX-LES-BAINS

Bains (R. des) . . . . CY 2
Carnot (Pl.) . . . . CY 6
Casino (R. du) . . . . CY 8
Chambéry (R. de) . . . . . CZ 9
Davat (R.) . . . . CY 15
Temple-de-Diane (Sq) CY 39

Berthollet (Bd) . . . . CY 3
Boucher (Sq. Alfred) . . BY 5
Clemenceau (Pl. G.) . . . BY 12
Dacquin (R.) . . . . CY 13
Fleurs (Av. des) . . . . . . CY 16
Garrod (R. Sir-A.) . . . . BZ 18
Gaulle (Av. Ch.-de) . . . BZ 19
Georges-1er (R.) . . . . . . CZ 21
Lamartine (R.) . . . . CY 22
Liège (R. de) . . . . CZ 24
Lord-Revelstoke (Av.) . CZ 25
Mollard (Pl. M.) . . . . . . CZ 27
Prés-Riants (R. des) . . . BY 28
République (R.) . . . . . . BY 30
Revard (Pl. du) . . . . CZ 31
Roosevelt (Av. F.) . . . . . BY 33
Seyssel (R. C.-de) . . . . . CY 34
Solms (Av. Marie-de) BYZ 36
Temple (R. du) . . . . BY 37
Victoria (Av.) . . . . BY 42
Zander
(R. de l'Institut) . . . . CZ 44

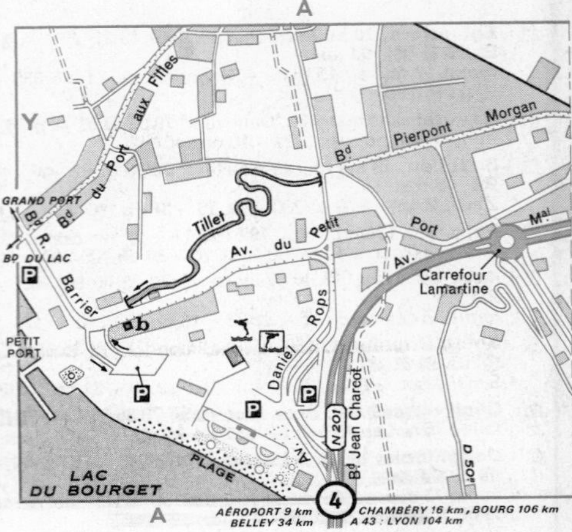

par la sortie ⑤ :

au Grand Port : 3 km – ✉ **73100** Aix-les-Bains :

La Pastorale Ⓜ, 221 av. Grand Port ✆ **79 35 25 36, Télex 309709, « Jardin »** – 40. AE ⓓ E VISA
fermé 1er fév. au 30 avril – **R** *(fermé dim. soir et lundi hors sais.)* 85/160 – **30 ch** 240/300 – ½ p 295/300.

XXX **Lille** avec ch, ✆ **79 35 04 22**, – wc – 25. AE ⓓ E VISA
fermé 1er janv. au 5 mars – **R** *(fermé merc.)* (dim. et fêtes prévenir) carte 220 à 350 – 28 – **18 ch** 210/250.

XXX **Davat** avec ch, à 100 m Grand Port ✆ **79 35 09 63**, **« Cadre de verdure, jardin fleuri »** – wc . AE E VISA
20 mars-2 nov. et fermé lundi soir (sauf hôtel) et mardi – **R** (dim. prévenir) 80/200 – **20 ch** 200/280 – ½ p 290/315.

à Brison-les-Oliviers : 9 km D 991 – ✉ **73100** Aix-les-Bains :

X **Bocquin**, ✆ **79 54 21 81**, –
15 mars-15 oct. et fermé mardi – **R** 90/150.

Autres ressources hôtelières et curiosités :

Voir *Revard (Mont)* par ② et D 913 : 21 km, *Albens* par ① : 11 km, *St-Félix* par ① et N 201 : 14 km.

ALFA-ROMEO-OPEL Gar. de Savoie, 7 bd de Russie ✆ 79 61 26 80 N
CITROEN Gar. Domenge, Les Prés Riants, 17 bd de Lattre-de-Tassigny ✆ 79 35 07 89
FIAT-MERCEDES Rouchon, Rd-Pt Lamartine ✆ 79 61 41 35
FORD Seigle, 41 av. Marlioz ✆ 79 61 09 55
HONDA, VOLVO De Alessandri, 44 r. Vaugelas ✆ 79 35 14 12
LANCIA-AUTOBIANCHI Coudurier-Curioz, 104 av. de Marlioz ✆ 79 35 39 82
NISSAN Gar. St-Christophe, 31 bd Lepic ✆ 79 61 29 45

PEUGEOT-TALBOT Gar. du Golf, D 991 à Drumettaz par ③ ✆ 79 61 12 88
PORSCHE-MITSUBISHI Gar. du Mt-Blanc, 1 square A.-Boucher ✆ 79 35 08 64
RENAULT Perrel, 11 sq. A.-Boucher ✆ 79 35 01 66
V.A.G. S.A.S., Z.A.C. à Grésy sur Aix ✆ 79 35 47 18

Tout le pneu, 1 r. de France ✆ 79 35 10 79

AJACCIO **2A Corse-du-Sud** 90 ⑰ – voir à Corse.

ALBAN **81250 Tarn** 80 ⑫ **G. Gorges du Tarn – 1 068 h. alt. 614.**
Paris 729 – Albi 29 – Castres 54 – Lacaune 39 – Réalmont 32 – Rodez 85 – St-Affrique 53.

Bon Accueil, ✆ **63 55 81 03**, – wc wc . AE ⓓ VISA
fermé 3 janv. au 7 fév. – **R** *(fermé lundi sauf juil.-août)* 60/170 – 18 – **13 ch** 100/160 – ½ p 130/150.

RENAULT Saunal, 6 r. de Ladrech ✆ 63 55 82 32

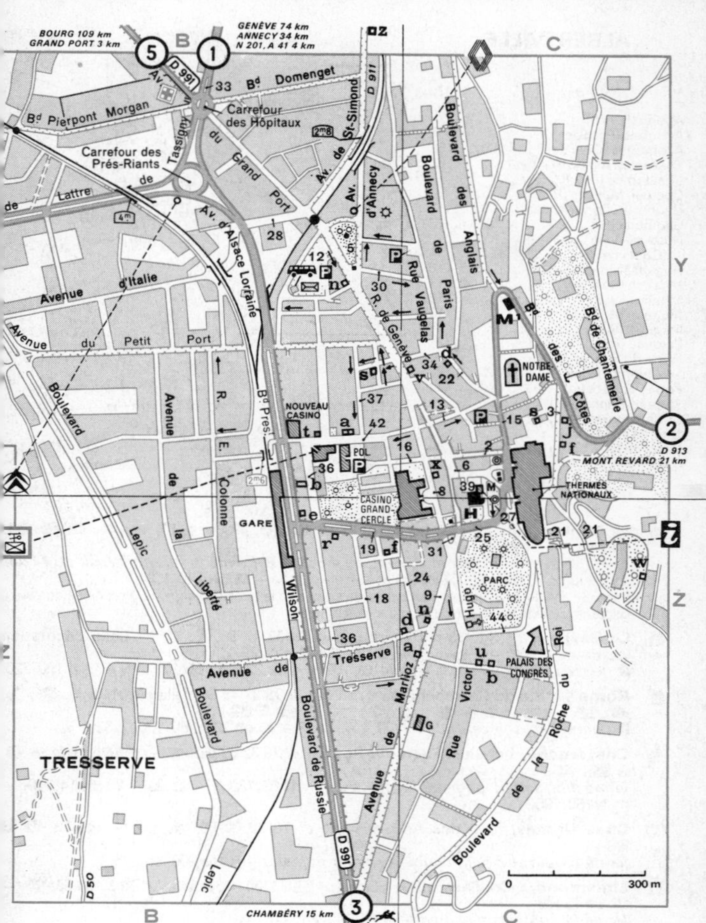

*The numbered circles on the town plans ①, ②, ③ are duplicated on the **Michelin maps** at a scale of 1:200 000. These references, common to both guide and map, make it easier to change from one to the other.*

ALBENS **73410** Savoie **74** ⑮ – **2 105 h.**

Paris 544 – Aix-les-Bains 11 – Annecy 22 – Bellegarde-sur-Valserine 44 – Chambéry 27 – Rumilly 9.

- ✗ **Auberge Fleurie** avec ch, ✆ **79 54 17 16** – wc. Ⓟ. AE ⓓ E VISA
  fermé 25 oct. au 25 nov., dim. soir et lundi – **R** 65/250 – 25 – **8 ch** 140/180 – 1/2 p 140/182.

CITROEN Gar. Gare, ✆ 79 54 17 20 N ✆ 79 63 04 32

PEUGEOT-TALBOT Gar. du Centre, ✆ 79 54 17 79 N

ALBERTVILLE SP **73200** Savoie **74** ⑰ **G. Alpes du Nord** – **17 537 h.**

Voir à Conflans : Bourg ★, Porte de Savoie ≤★ B.

Env. Route du fort du Mont ≤★★ E : 11 km.

Syndicat d'Initiative pl. Gare ✆ 79 32 04 22.

Paris 584 ① – **Annecy 45** ① – **Chambéry 49** ③ – **Chamonix 67** ① – ♦**Grenoble 86** ③.

ALBERTVILLE

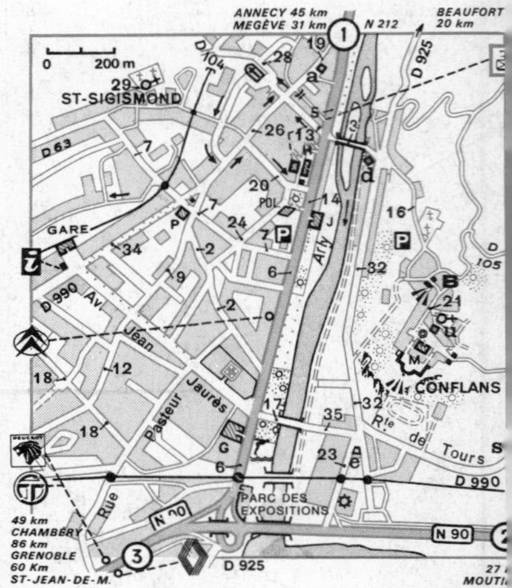

Million, 8 pl. Liberté **(a)** ✆ **79 32 25 15**, – rest
fermé 25 avril au 10 mai et 20 sept. au 4 oct. – **R** *(fermé lundi sauf le soir du 14 juil au 1er sept. et dim. soir)* 140/450 et carte – 45 – **28 ch** 240/450
Spéc. Salade de langoustines, Gaufrettes de saumon à la tombée d'oignons, Noix de ris de veau à l'aigre-doux. **Vins** Roussette de Monterminod, Chignin.

La Berjann M, 33 rte Tours **(s)** ✆ **79 32 47 88**, ≤, « **Belle décoration intérieure** », – wc wc . E VISA. ch
R *(fermé dim. soir d'oct. à fin juin)* 63/160 – 22 – **11 ch** 170/240 – 1/2 p 190/220

Roma M, **Rte de Chambéry par ③ : 1 km** ✆ **79 37 15 56, Télex 980140**, ≤, – wc – 70 à 140. AE E VISA
R *(fermé dim. soir et lundi)* 75/220 – 25 – **75 ch** 230/280 – 1/2 p 320.

Costaroche, 1 chemin Pierre-du-Roy **(e)** ✆ **79 32 02 02**, – wc wc
E VISA.
fermé dim. soir et lundi midi d'oct. à juin – **R** 68/130 – 22 – **20 ch** 145/195 – 1/2 p 160/198.

XXX **Chez Uginet,** Pont des Adoubes **(d)** ✆ **79 32 00 50**, ≤, – . AE E VISA
fermé 25 juin au 5 juil., 11 nov. au 5 déc. et mardi – **R** 110/290, enf. 75.

XX **Ligismond,** à Conflans, sur la place **(u)** ✉ **73200 Albertville** ✆ **79 32 53 50**, – AE E VISA
fermé 12 au 19 sept. et lundi – **R** 95/290, enf. 60.

BMW Portier, rte de Moutiers ✆ 79 32 23 32 N
CITROEN Gar. Pierre du Roy, 9 rte de Grignon, pt. Albertin par D 925 ✆ 79 32 47 37
CITROEN Gar. Hôte, 48 av. Chasseurs-Alpins ✆ 79 32 00 94 N
FIAT, LANCIA-AUTOBIANCHI S.A.V.A., rte de Moutiers ✆ 79 32 06 82
FORD Tarentaise-Auto, 1 rte de Grignon, carr. Pierre du Roy ✆ 79 32 04 98
OPEL Gar. Gare, 25 av. Victor-Hugo ✆ 79 32 02 28
PEUGEOT-TALBOT Arly-Auto, 113 r. Pasteur ✆ 79 32 23 75
RENAULT S.A.G.A.M., N 90 ✆ 79 32 45 70
V.A.G. Gar. des Quatre Vallées, 1 r. R. Pidda ✆ 79 32 31 97
Gar. des Alpes, 5 av. Gén.-de-Gaulle ✆ 79 3 23 09

Centrale du Pneu, ZI à La Bathie ✆ 79 31 0 98
Piot-Pneu, Zone Ind. du Chiriac, r. A.-Croiza ✆ 79 32 56 15
Tessaro-Pneus, Zone Ind. du Chiriac, 156 L.-Armand ✆ 79 32 04 60

ALBI P **81000** Tarn 82 ⑩ **G. Pyrénées Roussillon** – **48 341 h.**

Voir Cathédrale★★★ AY – **Palais de la Berbie★ : musée Toulouse-Lautrec★★** AXY **M** – **Pont du 22-Août** ≤★ BX.

Env. Église St-Michel de Lescure★ 5,5 km par ①.

Le Séquestre : T.A.T. ✆ **63 54 45 28 par ⑤.**

Office de Tourisme et A.C. Palais Berbie ✆ 63 54 22 30.

Paris 699 ⑤ – Béziers 144 ④ – ♦Clermont-Ferrand 304 ① – ♦St-Étienne 339 ① – ♦Toulouse 77 ⑤.

La Réserve Ⓜ, rte Cordes par ⑥ : 3 km ✆ 63 60 79 79, Télex 520850, ←, 🍴, « Dans un parc au bord du Tarn », 🏊, 🎾 – ☎ Ⓟ – 🏛 80. AE ⓓ E VISA. ✻ rest
avril-oct. – **R** 130/260, enf. 65 – ☕ 50 – **22 ch** 390/630 – ½ p 370/565.

Host. St-Antoine Ⓜ, 17 r. St-Antoine ✆ 63 54 04 04, Télex 520850, « Jardin, meubles anciens » – 🛗 TV ☎ Ⓟ – 🏛 50. AE ⓓ E VISA — BY **d**
R 90/180, enf. 45 – ☕ 40 – **56 ch** 290/550 – ½ p 280/410.

Chiffre Ⓜ, 50 r. Séré-de-Rivières ✆ 63 54 04 60 – 🛗 ▤ rest TV ☎ 🚗 Ⓟ – 🏛 400. AE ⓓ E VISA — BY **b**
R *(fermé dim.)* 75/185 – ☕ 26 – **40 ch** 230/340 – ½ p 250/400.

Le Vigan, 16 pl. Vigan ✆ 63 54 01 23, Télex 530328 – 🛗 TV 🛁wc 🚿wc ☎ 🚗 – 🏛 40 à 200. AE ⓓ E VISA — BY **n**
R *(fermé 15 au 30 déc.)* 60/200 – ☕ 25 – **37 ch** 150/290.

Modern' Pujol et rest. Michel André, 22 av. Col. Teyssier ✆ 63 54 02 92 – ▤ rest TV 🛁wc 🚿wc ☎ 🚗. AE ⓓ E VISA. ✻ ch — BY **s**
R *(fermé 1er au 21 juil., vacances de fév., vend. soir, sam. midi et dim. soir)* 110/210 – ☕ 22 – **21 ch** 160/300 – ½ p 220/300.

Cantepau sans rest, 9 r. Cantepau ✆ 63 60 75 80 – 🛗 TV 🛁wc 🚿wc ☎. E VISA
fermé 23 déc. au 14 janv. – ☕ 18 – **33 ch** 115/185. — BX **a**

George V sans rest, 29 av. Mar.-Joffre ✆ 63 54 24 16 – 🚿wc ☎. AE VISA — AZ **e**
☕ 19 – **9 ch** 100/165.

St Clair sans rest., r. St Clair ✆ 63 54 25 66 – cuisinette TV 🛁wc 🚿wc ☎. E VISA
15 mars-15 nov. – ☕ 25 – **12 ch** 180/250. — AY **v**

Parking sans rest, 31 pl. Fernand-Pelloutier ✆ 63 54 09 07 – 🚿 — BY **h**
☕ 15 – **15 ch** 90/150.

Relais Gascon et Aub. Landaise avec ch, 1 r. Balzac ✆ 63 54 26 51 – ▤ rest TV 🚿wc ☎. E VISA — BY **e**
R *(fermé dim. soir et lundi)* 58/130 🍷, enf. 35 – ☕ 22 – **16 ch** 150/240 – ½ p 220/240.

Marssac-sur-Tarn par ⑤ : 10 km – ✉ **81150** Marssac-sur-Tarn :

XXX ❁ **Francis Cardaillac,** ✆ 63 55 41 90, ←, parc, ⛱, ⛱ – ▤ Ⓟ. AE ⓓ E VISA
fermé 4 au 30 janv., dim. soir et lundi sauf fériés – **R** (nombre de couverts limité - prévenir) 110/340 bc, enf. 80
Spéc. Terrine de champignons (saison), Sandre à l'échalote, Carré d'agneau et la chartreuse d'épaule à la coriandre. **Vins** Gaillac rouge et blanc.

MICHELIN, Agence, bd Mar.-Lannes par ① ✆ **63 60 78 04**

ALFA-ROMEO-SEAT Mauriés, 101 av. Gambetta ✆ 63 54 06 75
CITROEN Gar. Marlaud, rte Rodez, Lescure par ① ✆ 63 60 70 84
FIAT, MERCEDES S.A.T.A., rte de Castres ✆ 63 54 03 02
HONDA Gar. Auriol, 14 av. Gambetta ✆ 63 54 06 51
LADA, SKODA, VOLVO Gar. Grimal, 128 av. A.-Thomas ✆ 63 60 72 05
NISSAN A.C.A., 174 av. de-Lattre-de-Tassigny ✆ 63 60 35 00
OPEL Auto-Loisirs, rte de Millau ✆ 63 60 60 22
RENAULT Ets Puech, 179 av. Gambetta par ④ ✆ 63 54 68 00
V.A.G. Courant, rte de Castres, Ranteil ✆ 63 54 36 44

Ⓜ Bellet Pneus, rte Castres ✆ 63 54 23 47
Comptoir du Pneu, 27 bd du Lude ✆ 63 54 12 26
Escoffier-Pneus, 101 av. F.-Verdier ✆ 63 54 04 99
Pneu-Service, 51 av. A.-Thomas ✆ 63 60 71 98

ALBIEZ-LE-JEUNE 73 Savoie **77** ⑦ – 78 h. alt. 1 350 – ✉ **73300** St-Jean-de-Maurienne.
Paris 625 – Chambéry 87 – St-Jean-de-Maurienne 16 – St-Michel-de-Maurienne 26.

X **L'Escale** ⛰ avec ch, ✆ **79 64 20 00,** ← – ⋔
fermé 15 avril au 1er mai, 15 nov. au 15 déc. et merc. hors sais. – **R** 70/180 – ☕ 25 – **12 ch** 120 – 1/2 p 150.

ALBIEZ-LE-VIEUX 73 Savoie **77** ⑦ – 275 h. alt. 1 522 – ✉ **73300** St-Jean-de-Maurienne.
Voir Col du Mollard ←★ **S : 3 km, G. Alpes du Nord** .
Paris 625 – Chambéry 87 – St-Jean-de-Maurienne 16 – St-Sorlin-d'Arves 15.

🏨 **La Rua** ⛰, ✆ **79 59 30 76,** ← – ⛀wc ⋔wc ☎ Ⓟ. ✱ rest
15 juin-30 sept. et 15 déc.-15 avril – **R** 60/150 – ☕ 19,50 – **22 ch** 115/180 – 1/2 p 152/213.

Les ALBRES 12 Aveyron **80** ① – 389 h. – ✉ **12220** Montbazens.
Paris 598 – Decazeville 12 – Figeac 19 – Rodez 48 – Villefranche-de-Rouergue 35.

🏨 **Frechet** ⛰, Les Albres ✆ **65 80 42 46,** ⛱ – 📺 ⛀wc ⋔wc. ✱ rest
fermé 1er au 15 sept. – **R** 59/120 ♨, enf. 40 – ☕ 19 – **18 ch** 120/165 – 1/2 p 154/188.

ALENÇON Ⓟ **61000** Orne **60** ③ **G. Normandie Cotentin** – 32 526 h.
Voir Église N.-Dame★ (vitraux ★) BZ – **Musée des Beaux-Arts et de la Dentelle★ collection de dentelles★★** AZ **M** – **Musée de la Dentelle : collection de dentelles★★** BZ **M1** – **Env. Forêt de Perseigne★ 9 km par ③.**
ℹ Office de Tourisme Maison d'Ozé ✆ 33 26 11 36 – A.C.O. 2 cours Clemenceau ✆ 33 32 27 27.
Paris 191 ② – Chartres 116 ③ – Évreux 114 ② – Laval 92 ⑤ – ♦Le Mans 49 ④ – ♦Rouen 146 ①.

Plan page ci-contre

🏨 **Chapeau Rouge** sans rest, 1 bd Duchamp ✆ **33 26 20 23** – 📺 ⛀wc ⋔wc ☎. E VISA Y
☕ 19 – **16 ch** 120/250.

🏨 **Gd Cerf,** 21 r. St-Blaise ✆ **33 26 00 51, Télex 772212,** ⛱ – 🛗 📺 ⛀wc ⋔wc ☎ AE E VISA BZ
fermé 23 janv. au 14 fév. et dim. du 1er oct. au 1er avril – **R** 65/195 ♨ – ☕ 28 – **33 ch** 130/280 – 1/2 p 210/300.

🏨 **France** sans rest, 3 r. St Blaise ✆ **33 26 26 36** – 📺 ⛀wc ⋔wc ☎. E VISA BZ
☕ 19 – **31 ch** 90/250.

🏨 **Gare,** 50 av. Wilson ✆ **33 29 03 93** – 📺 ⛀wc ⋔wc ☎ Ⓟ. AE E VISA Y
fermé 20 déc. au 6 janv. – **R** *(fermé sam. de janv. au 15 mai et dim. sauf le soir en juil.-août)* 48/105 ♨ – ☕ 19,50 – **22 ch** 140/270.

XXX ❁ **Petit Vatel** (Lerat), 72 pl. Cdt-Desmeulles ✆ **33 26 23 78** – AE ⓓ E VISA
fermé 15 au 31 août, vacances de fév., dim. soir et merc. – **R** 108/208 ♨, enf. 68
Spéc. Cocktail de saumon fumé et jambon de canard, Filet de St-Pierre, Confit de canard aux écrevisses. AZ

au Londeau par ② – ✉ **61000** Alençon :

🏨 **Campanile,** rte Paris ✆ **33 29 53 85, Télex 171908** – 📺 ⛀wc ☎ Ⓟ – 🏛 35. VISA
R 63 bc/86 bc, enf. 38 – ☕ 24 – **35 ch** 200/220 – 1/2 p 287/330.

par ④ : 4 km sur N 138 :

🏨 **Host. du Château de Maleffre,** Saint-Paterne ✆ **33 31 82 78,** ←, parc – ⛀ ⋔ Ⓟ. E VISA. ✱ rest
fermé vacances de Noël – **R** *(fermé vend., sam. et dim.)* (dîner seul.) (résident seul.) 115 bc – ☕ 20 – **13 ch** 85/260.

ALENÇON

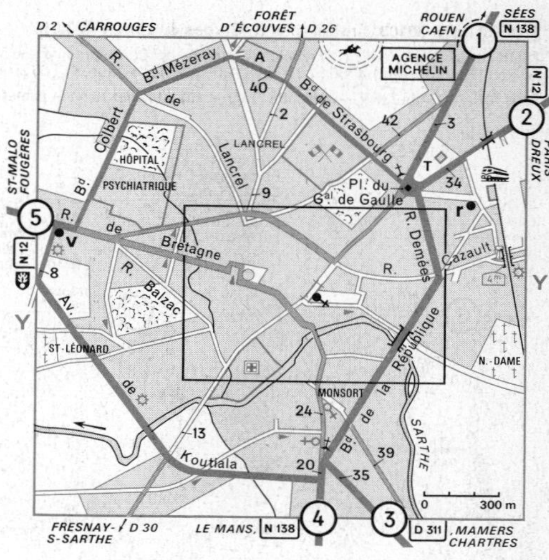

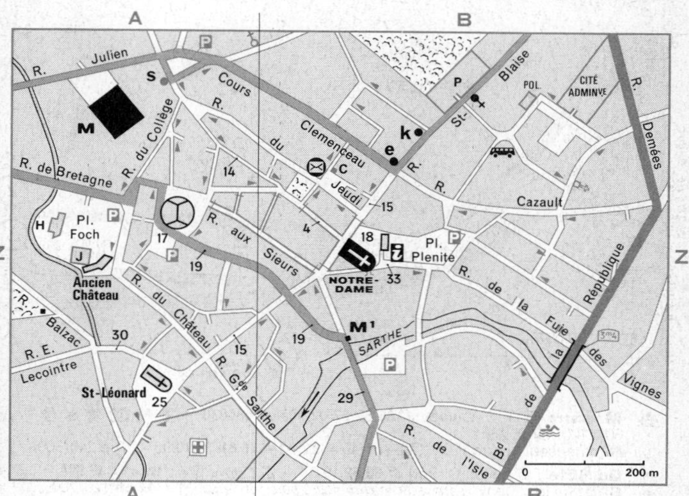

Autres ressources hôtelières : **Voir** ***St-Denis-sur-Sarthon*** **par ③ : 12 km et** ***St-Léonard-des-Bois*** **par ⑤ : 20 km.**

MICHELIN, Agence, r. Lazare Carnot ZI Nord à Damigni par ① ✆ **33 29 13 26**

AUSTIN, ROVER Gar. de Bretagne, 141 r. de Bretagne ✆ 33 26 08 27

BMW, OPEL Gar. de l'Europe, 160 av. Gén.-Leclerc ✆ 33 26 37 04

CITROEN Roques, N 138 rte du Mans par ④ ✆ 33 26 50 50 N

FIAT, LANCIA-AUTOBIANCHI Kosellek, 45 av. de Quakenbruck ✆ 33 29 40 67

FORD Legrand-Autos, 132 av. de Quakenbruck par ② ✆ 33 29 45 61

MERCEDES Achille-Auto, rte de Bretagne à Condé-sur-Sarthe ✆ 33 26 50 12 N ✆ 39 54 10 10

NISSAN VOLVO Guérin Autom., 21 r. Demées, ✆ 33 29 06 15

PEUGEOT, TALBOT Gds Gar. de l'Orne, 111 av. de Basingstoke par ① ✆ 33 29 22 22 N

RENAULT SODIAC, N 12, rte de Paris à Cerisé par ② ✆ 33 29 20 22

RENAULT Chantepie, 37 r. Marchant-Saillant par R. Cazault Y ✆ 33 29 21 60

TOYOTA Baroche, 136 av. Rhin et Danube ✆ 33 31 00 00

V.A.G Gar. Poirier, 36 r. Ampère Z.I Nord ✆ 33 31 10 74

Alençon-Pneus, 71 av. de Basingstoke ✆ 33 29 16 22

ALÈS ⟨SP⟩ **30100** Gard **80** ⑰⑱ **G. Gorges du Tarn** – 44 343 h.

Office de Tourisme 2 r. Michelet (Chambre de Commerce) ✆ 66 52 21 15, Télex 490855 et pl. G.-Péri (Pâques-sept.) ✆ 66 52 32 15 – A.C. quai Jean-Jaurès ✆ 66 30 44 40.

Paris 707 ② – Albi 231 ④ – Avignon 71 ③ – ♦Montpellier 70 ④ – Nîmes 44 ③ – Valence 147 ②.

ALÈS

Avéjan (R. d') B
Docteur-Serres (R.) B
Edgar-Quinet (R.) B
Louis-Blanc (Bd) B
St-Vincent (R.) B 15
Taisson (R.) B 19

Albert-1er (R.) A 2
Audibert (R. Cdt) A 3
Barbusse (Pl. Henri) B 4
Canal (R. du) B 5
Gaulle (Av. Gén. de) B 7
Hôtel-de-Ville (Pl. de l') A 8
Leclerc (Pl. Gén.) B 9
Martyrs-de-la-Résistance (Pl.) B 10

Michelet (R.) B 12
Péri (Pl. Gabriel) B 13
Rollin (R.) A 14
Sémard (Pl. Pierre) B 16
Soleil (R. du Faubourg-du) B 17
Stalingrad (Av. de) B 18
Talabot (Bd) B 20
Vauban (Bd) A 22

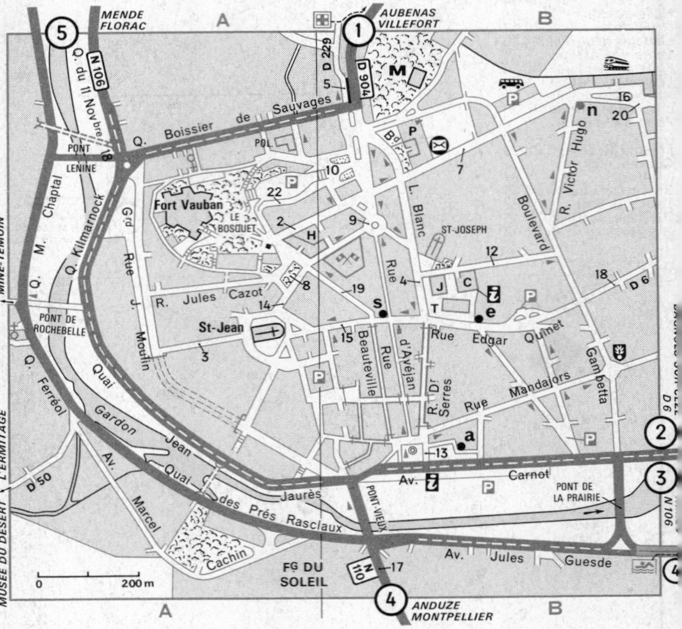

Mercure Ⓜ, r. E.-Quinet ✆ 66 52 27 07, Télex 480830 – 30 à 100. E VISA — B e
R (dîner seul.) carte 120 à 190, enf. 45 – ☕ 32 – **75 ch** 250/290 – 1/2 p 240/360.

Gd Hôtel, 17 bis pl. G.-Péri ✆ 66 52 19 01 – wc wc. E VISA — B a
R *(fermé déc., janv., sam. soir et dim. hors sais.)* 65 – ☕ 24 – **42 ch** 120/280.

Orly sans rest, 10 r. Avéjan ✆ 66 52 43 27 – wc. E VISA. — B s
☕ 25 – **44 ch** 163/199.

Parc avec ch, **174 rte Nîmes par ③ : 2 km** ✆ 66 30 62 33, – wc –
50 à 70. E VISA. ch
R 75/125, enf. 60 – ☕ 20 – **5 ch** 160/175 – 1/2 p 175/255.

Le Riche avec ch, **42 pl. Sémard** ✆ 66 86 00 33, salle 1900 – AE E VISA — B r
fermé 15 juil. au 15 août – **R** 65/240 – ☕ 27 – **19 ch** 180/290.

rte de Nîmes par ③ 4 km sur N 106 – ✉ **30560** St-Hilaire-de-Brethmas :

L'Écusson sans rest, ✆ 66 30 10 52, – wc. E VISA
fermé 20 déc. au 5 janv. – ☕ 28 – **26 ch** 160/250.

Aub. St-Hilaire, ✆ 66 30 11 42 – VISA.
fermé dim. soir et lundi sauf fériés – **R** 120/250, enf. 45.

à Méjannes-lès-Alès par ③ et D 981 : 7,5 km – ✉ **30340** Salindres :

Aub. des Voutins, ✆ 66 61 38 03, – E VISA
fermé dim. soir et lundi sauf fériés – **R** 105/230.

ALFA-ROMEO Gar. Grégori, 30 bd Gambetta ✆ 66 30 07 66
BMW-FIAT Cévennes-Autom., rte d'Aubenas à St Martin de Valgalgues ✆ 66 30 22 46
CITROEN Alès-Auto, 78 rte de Bagnols par ② ✆ 66 86 42 40
DATSUN-NISSAN-LADA-SKODA Gar. Chauvet, 92 bis rte Alsace ✆ 66 30 13 80
FORD Morel, 15 av. Gibertine ✆ 66 86 44 73
LANCIA-AUTOBIANCHI Gar. Juveau, 2 bd L.-Blanc ✆ 66 52 39 31
OPEL-GM Gar. SOGIR, rte de Nîmes à St-Hilaire de Brethmas ✆ 66 61 32 97
PEUGEOT-TALBOT Guiraud, 1165 rte d'Uzès par ③ ✆ 66 86 41 87
RENAULT Auto-Christol, rte de Montpellier à St-Christol-les-Alès par N 110 B ✆ 66 60 86 44 N ✆ 66 60 71 71
V.A.G. Provence-Auto, Km 3, rte de Nîmes à St-Hilaire de Brethmas ✆ 66 30 81 23

Ayme-Pneus, Imp. Rameau, zone Ind. Croupillac ✆ 66 30 22 10
Escoffier-Pneus, 8 pl. Barbusse ✆ 66 52 38 72 et Zone Ind. av. des Frères Lumière ✆ 66 56 77 77
Pneus-Rouveyran, 35 av. Marcel Cachin, prés Rasclaux ✆ 66 52 51 83 et rte de Nîmes, Km 2 à St-Hilaire-de-Brethmas ✆ 66 61 33 55

ALFORTVILLE 94 Val-de-Marne 61 ①, 101 ㉖ – voir à Paris, Environs.

ALISSAS 07 Ardèche 76 ⑲, 77 ⑪, 93 ⑳ – rattaché à Privas.

ALIX 69 Rhône 73 ⑨, 74 ① – 776 h. – ✉ 69380 Lozanne.
Paris 446 – L'Arbresle 11 – ♦Lyon 28 – Villefranche-sur-Saône 12.

✗ **Le Vieux Moulin,** ✆ 78 43 91 66, ☂ – Ⓟ. VISA
fermé 16 août au 7 sept., lundi et mardi – **R** 80/170.

ALLASSAC 19240 Corrèze 75 ⑧ **G. Périgord Quercy** – 3 560 h.
Paris 483 – Brive-la-Gaillarde 16 – ♦Limoges 84 – Tulle 34.

Midi, av. Victor-Hugo ✆ 55 84 90 35 – ⋒wc. E VISA
fermé 1er au 15 janv. – **R** 60/80 ⅓ – ☕ 20 – **10 ch** 100/150 – ½ p 150/170.

CITROEN Bouillaguet, ✆ 55 84 90 22
RENAULT Vignal, ✆ 55 84 91 22

ALLÈGRE 43270 H.-Loire 76 ⑥ **G. Auvergne** – 1 375 h. alt. 1 021.
Voir Ruines du château ✵★.
Paris 479 – Ambert 48 – Brioude 40 – Langeac 34 – Le Puy 28.

Voyageurs, ✆ 71 00 70 12 – ⋒wc ☎ Ⓟ
15 mars-15 déc. – **R** 50/80 ⅓ – ☕ 18 – **24 ch** 75/170 – ½ p 120/140.

CITROEN Gar. J.-M.-Allès, ✆ 71 00 70 50
PEUGEOT-TALBOT Gar. Marrel, ✆ 71 00 70 62 N

ALLEMONT 38114 Isère 77 ⑥ – 1 207 h. alt. 820.
Voir Traverse d'Allemont ✵★★ O : 6 km, **G. Alpes du Nord.**
Paris 608 – Le Bourg-d'Oisans 11 – ♦Grenoble 45 – St-Jean-de-Maurienne 54 – Vizille 29.

Giniès ⛰, ✆ 76 80 70 03, ≤, ☂, ⛱ – ⋒ ☎ Ⓟ. ✻
R *(2 mai-15 sept.)* 80/150 ⅓ – ☕ 20 – **18 ch** 110/140 – ½ p 145/190.

ALLÉRIOT 71 S.-et-L. 69 ⑩, 70 ② – rattaché à Chalon-sur-Saône.

ALLERY 80 Somme 52 ⑦ – rattaché à Airaines.

ALLEVARD 38580 Isère 74 ⑯, 77 ⑥ **G. Alpes du Nord** – 2 391 h. – Stat. therm. (18 mai-25 sept.).
Voir Route du Collet★★ par ② – O : Route de Brame-Farine★.
Office de Tourisme pl. Résistance ✆ 76 45 10 11.
Paris 573 ① – Albertville 47 ① – Chambéry 35 ① – ♦Grenoble 38 ③ – St-Jean-de-Maurienne 65 ①.

Plan page suivante

Ermitage ⛰, **(e)** ✆ 76 97 51 41, parc, ☂, ✂ – ⇅ TV ⌂wc ☎ Ⓟ. ✻ rest
18 mai-24 sept. – **R** 82 – **48 ch** ☕ 110/250.

Les Pervenches ⛰, **(s)** ✆ 76 97 50 73, ≤, parc, ⛱, ✂ – ⌂wc ☎ ♿ Ⓟ. E VISA. ✻ rest
10 mai-25 sept., 1er fév.-vacances de printemps – **R** *(fermé jeudi midi et merc.)* 68/180 – ☕ 25 – **30 ch** 168/250 – ½ p 207/245.

Parc ⛰ sans rest, **(u)** ✆ 76 97 54 22, ≤, parc, ✂ – ⇅ TV ⌂wc ☎ Ⓟ
17 mai-25 sept. – **50 ch** ☕ 125/235.

Continental, (r) ✆ 76 45 03 25, ⛱ – ⇅ ⋒wc ☎ 🚗 Ⓟ. ✻
15 mai-25 sept. et vacances scolaires de Noël, de fév. et de printemps – **R** 67 – ☕ 21 – **40 ch** 90/186 – ½ p 175/210.

Alpes, (d) ✆ 76 97 51 18 – ⋒wc. E VISA
fermé oct. et lundi de nov. à mai sauf vacances scolaires – **R** 55/92 – ☕ 15 – **12 ch** 105/130 – ½ p 145/155.

ALLEVARD

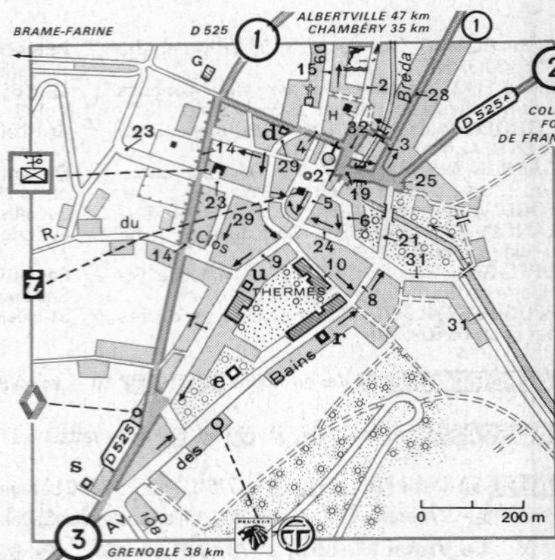

à Pinsot S : 7 km par D 525 A – ✉ **38580** Allevard :

🏨 **Pic Belle Étoile,** ✆ 76 97 53 62, Télex 305551, ←, 🛏, 🎾 – |‡| ⛀wc ⋒wc ☎ 🅟 – 🏟 30. **E** VISA. 🚫 rest
8 mai-23 oct. et 4 déc.-15 avril – **R** 75/175, enf. 45 – ☕ 30 – **34 ch** 158/236 – $^1/_2$ p 190/240.

CITROEN Auto B 2, par ① ✆ 76 45 09 28 🅽 ✆ 76 45 08 31
PEUGEOT-TALBOT Gar. Tissot, ✆ 76 97 50 62
RENAULT Gar. des Alpes, ✆ 76 45 11 16 🅽 ✆ 76 97 56 27

ALLIGNY-EN-MORVAN 58 Nièvre 65 ⑰ – 709 h. – ✉ **58230** Montsauche.
Paris 261 – Autun 32 – Château-Chinon 34 – Clamecy 79 – Nevers 100 – Saulieu 11.

✕ **Aub. du Morvan** avec ch, ✆ 86 76 13 90 – ⋒. 🚫 ch
fermé 14 nov. au 22 déc., 2 janv. au 18 mars, le soir (sauf sam.) et jeudi hors sais. – **R** 58/155 🍷 – ☕ 21 – **5 ch** 102/135 – $^1/_2$ p 128/138.

ALLONZIER-LA-CAILLE 74 H.-Savoie 74 ⑥ – 661 h. alt. 643 – ✉ **74350** Cruseilles.
Voir Ponts de la Caille★ N : 1,5 km, G. Alpes du Nord.
Paris 545 – Annecy 13 – Bellegarde-sur-Valserine 49 – Bonneville 31 – ♦Genève 30.

🏨 **Manoir** 🔇, ✆ 50 46 81 82, Télex 309499, ←, 🌳 – TV ⛀wc ⋒wc ☎ 🚗 🅟 – 🏟 40. AE ⓓ **E** VISA
fermé 1ᵉʳ au 20 déc. et lundi hors sais. – **R** 85/260 🍷, enf. 50 – ☕ 35 – **18 ch** 170/300 – $^1/_2$ p 250/280.

ALLOS **04260** Alpes-de-H.-P. 81 ⑧ **G. Alpes du Sud** – 681 h. alt. 1 425 – Sports d'hiver à La Foux : 1 800/2 600 m 🚡3 ⛷17 et au Seignus.
Env. ✻★★ du col d'Allos NO : 15 km.
ℹ Office de Tourisme à la Foux ✆ 92 83 80 70, Télex 430684.
Paris 772 – Barcelonnette 36 – Colmars 8 – Digne 79.

au Seignus O : 2 km par D 26 – alt. 1 500 – Sports d'hiver : 1 400/2 425 m 🚡1 ⛷9 – ✉ **04260** Allos :
ℹ Office de Tourisme au Seignus ✆ 92 83 02 81, Télex 405945.

🏠 **Altitude 1500** 🔇, ✆ 92 83 01 07, ← – ⋒ 🅟. 🚫 ch
15 juin-10 sept. et 20 déc.-20 avril – **R** (nombre de couverts limité - prévenir) 70/200 enf. 35 – ☕ 19 – **16 ch** 160/190.

ALMANARRE 83 Var 84 ⑮⑯ – rattaché à Hyères.

L'ALOUETTE 33 Gironde 71 ⑨ – rattaché à Bordeaux.

L'ALPE D'HUEZ 38750 Isère 77 ⑥ **G. Alpes du Nord** – alt. 1 860 – Sports d'hiver : 1 860/3 350 m 🚡5 ⛷49, ⛸.
Voir Pic du Lac Blanc ✻★★★ NE par téléphérique B – Env. Lac Besson★ N : 5,5 km.
Altiport ✆ 76 80 41 15, SE : 1,5 km.
ℹ Office de Tourisme pl. Paganon (fermé mai) ✆ 76 80 35 41, Télex 320892.
Paris 624 ① – Le Bourg-d'Oisans 14 ① – Briançon 79 ① – ♦Grenoble 62 ①.

ALPE D'HUEZ

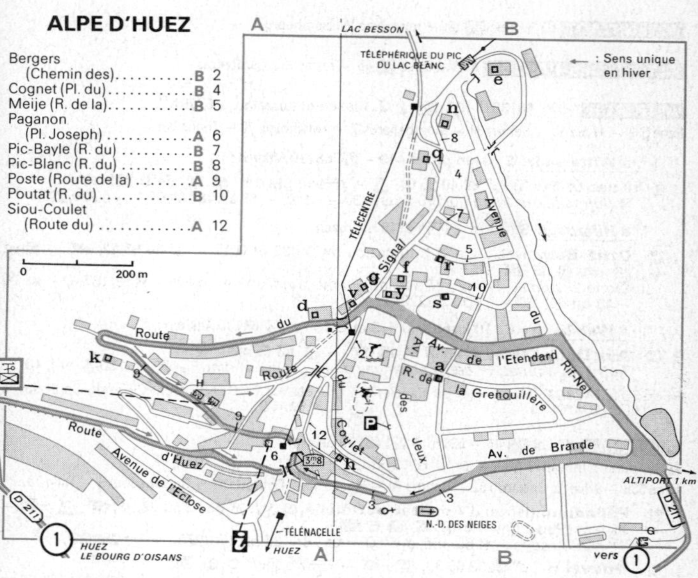

Petit Prince, rte poste 76 80 33 51, massif de l'Oisans, – 25. AE . rest — A **k**
Noël-Pâques – **R** 140/175 – 38 – **40 ch** 350/550 – 1/2 p 360/520.

Les Gdes Rousses, 76 80 33 11, Télex 308467, massif de l'Oisans, – – 30. AE VISA — A **d**
20 juin-10 sept. et 15 déc.-1er mai – **R** 145 – 40 – **50 ch** 490 – 1/2 p 440/520.

Vallée Blanche, 76 80 30 51, massif de l'Oisans, – – 40. VISA. rest — B **h**
15 déc.-30 avril – **R** 150/190, enf. 90 – 35 – **42 ch** (pens. seul.) – P 390/525.

Hermitage, 76 80 35 43, , – – 40. rest — B **f**
5 déc.-2 mai – **R** 110/150, enf. 65 – 35 – **37 ch** 320/480.

Au Chamois d'Or, 76 80 31 32, pistes et montagnes, – . VISA. — B **e**
15 déc.-25 avril – **R** 115/150 – 32 – **42 ch** 450/600, 3 appartements 950 – 1/2 p 420/520.

Le Dôme et rest Gd Tétras M, 76 80 32 11, massif de l'Oisans, – . AE E VISA. rest — B **q**
juil.-août et déc.-avril – **R** 180/250 – 40 – **20 ch** 420/450 – 1/2 p 485/510.

Le Christina, 76 80 33 32, massif de l'Oisans, , – wc wc . E VISA. rest — B **n**
début juil.-fin août et début déc.-fin avril – **R** 140 – 34 – **27 ch** (1/2 pens. seul.) – 1/2 p 354/454.

Belle Aurore, 76 80 33 17, – wc . VISA. rest — B **g**
20 déc.-vacances de printemps – **R** 165 – 36 – **37 ch** 320/490 – 1/2 p 400/450.

Alp'Azur sans rest, 76 80 34 02, – wc wc . E VISA — B **v**
fermé 1er mai au 30 juin – 28 – **20 ch** 185/300.

Les Bruyères, 76 80 32 74, , – wc wc . E VISA. rest — B **y**
1er juil.-30 août et 1er déc.-30 avril – **R** 100/130 – 29 – **20 ch** 280/360.

L'Outa avec ch, 76 80 34 56, , – wc wc . E. rest — B **s**
15 déc.-20 avril – **R** 120, enf. 46 – **11 ch** 235 – 1/2 p 390.

La Cordée, 76 80 35 39, – AE E VISA — B **r**
1er juil.-1er sept. et 1er déc.-1er mai – **R** 130, dîner à la carte.

Ancolie, r. Grenouillère 76 80 60 91 — B **a**

à Huez par ① : 4 km par D 211 – alt. 1 495 – **38750** Alpe d'Huez :

Gai Vallon, 76 80 30 52, – . rest
fermé 2 au 15 mai – **R** 65/85 – 25 – **12 ch** 90/180 – 1/2 p 170.

TOYOTA Gar. de l'Alpe, 76 80 45 06

ALTENSTADT 67 B.-Rhin 57 ⑲ – rattaché à Wissembourg.

ALTHEN-DES-PALUDS 84 Vaucluse 81 ⑫ – rattaché à Carpentras.

ALTKIRCH 68130 H.-Rhin 66 ⑨ **G. Alsace et Lorraine** – 6 129 h.

Paris 533 – ♦Bâle 33 – Belfort 34 – Montbéliard 47 – ♦Mulhouse 20 – Thann 29.

à Wittersdorf E : 3 km par D 419 – ✉ **68130** Altkirch :

Kuentz-Bix M, ☎ 89 40 95 01, – wc wc ☎ P. AE E VISA.
R *(fermé fév. et lundi)* 70/190, enf. 30 – 25 – **18 ch** 180/200 – 1/2 p 220/250.

à Hirtzbach S : 4 km – ✉ **68118** Hirtzbach :

Ottié-Baur avec ch, à la bifurcation de D 432 et D 17 ☎ **89 40 93 22**, – wc ☎ P. E VISA. ch
fermé 22 juin au 17 juil., 21 déc. au 2 janv., lundi soir et mardi – **R** 55/187 – 20 – **13 ch** 65/180 – 1/2 p 176/220.

à Wahlbach : E : 10 km par D 419 et D 19B – ✉ **68130** Altkirch :

Aux Deux Clefs, ☎ 89 07 81 49, – P. AE E VISA
fermé mi-août au 1er sept., vacances de fév., lundi et mardi – **R** 120/250, enf. 40.

PEUGEOT, TALBOT Maute gar. du Centre, 21 r. de l'Ill ☎ 89 40 01 15

RENAULT Gar. Fritsch, 29 r. du 3e Zouaves ☎ 89 40 01 07

ALVIGNAC 46 Lot 75 ⑲ – 566 h. – ✉ **46500** Gramat.

Syndicat d'Initiative (juil.-août) ☎ 65 33 66 42.

Paris 538 – Brive-la-Gaillarde 52 – Cahors 64 – Figeac 43 – Gourdon 41 – Rocamadour 9 – Tulle 78.

Palladium (Hôtel d'Application Hôtelière), ☎ **65 33 60 23**, ←, – rest wc wc ☎ P. AE E VISA
1er mai-30 sept. – **R** 65/180, enf. 50 – 28 – **25 ch** 170/270 – 1/2 p 250/380.

Nouvel H., ☎ 65 33 60 30, – wc wc ☎ P. VISA
1er mars-15 déc. et fermé vend. soir, dim. soir et sam. du 15 oct. à Pâques – **R** 45/130 – 16 – **13 ch** 82/160 – 1/2 p 120/160.

Aub. Madeleine, ☎ 65 33 61 47,
Pâques-fin sept. – **R** 45/100.

AMANCY-VOZERIER 74 H.-Savoie 74 ⑦ – rattaché à la Roche-sur-Foron.

AMBÉRIEUX-EN-DOMBES 01 Ain 74 ①② – 848 h. – ✉ **01330** Villars-les-Dombes.

Paris 445 – Bourg-en-Bresse 39 – ♦Lyon 34 – Mâcon 53 – Villefranche-sur-Saône 16.

Aub. des Bichonnières, rte d'Ars sur Formans ☎ **74 00 82 07**, « **Ancienne ferme bressanne** », – wc wc ☎ P – 25. E VISA.
fermé janv. et lundi sauf le soir de juin à sept. – **R** 100/220 – 23 – **13 ch** 190/260.

PEUGEOT-TALBOT Butillon, ☎ 74 00 84 02 N

RENAULT Vacheresse, ☎ 74 00 83 46 N

AMBERT 63600 P.-de-D. 73 ⑯ **G. Auvergne** – 8 026 h.

Voir Église St-Jean★ E.

Syndicat d'Initiative 4 pl. Hôtel de Ville (15 sept.-15 juin) ☎ 73 82 01 55, Télex 990643 et pl. G.-Courtial (15 juin-15 sept.) ☎ 73 82 14 15.

Paris 434 ① – Brioude 69 ③ – ♦Clermont-Fd 91 ① – Montbrison 46 ② – Le Puy 70 ③ – Thiers 54 ①.

Livradois, 1 pl. Livradois **(d)** ☎ 73 82 10 01 – TV wc ☎. AE E VISA
fermé 15 au 30 nov., 5 au 12 janv., dim. soir et lundi d'oct. à juin – **R** 75/250 – 21 – **14 ch** 75/250.

Chaumière, 41 av. Mar.-Foch **(e)** ☎ 73 82 14 94, – wc wc ☎. AE E VISA
fermé 1er janv. au 15 fév., sam. midi de sept. à juin, sam. soir et dim. soir (sauf hôtel en juil.-août) – **R** 65/170 – 22 – **24 ch** 160/260 – 1/2 p 200/280.

La Dore, 58 av. Mar.-Foch **(a)** ☎ 73 82 00 58 – wc ☎. AE E VISA
fermé lundi soir de sept. à juin – **R** 50/150 – 17 – **11 ch** 90/180 – 1/2 p 105/150.

Clemenceau (Av G.) 2
Lyon (Av. de) 3
Portette (Bd de la) .. 4
Sully (Bd) 5

CITROEN Rigaud, rte de Clermont par ① ☎ 73 82 01 57

FORD Colomb, Rte de Clermont ☎ 73 82 01 28

Arcis-Pneus, 34 av. de la Dore ☎ 73 82 02 69

AMBIALET 81 Tarn 80 ⑫ G. Gorges du Tarn – 405 h. – ✉ 81340 Valence-d'Albigeois.

Voir Site ★.

Paris 694 – Albi 23 – Castres 54 – Lacaune 53 – Rodez 72 – St-Affrique 67.

Pont, ☎ 63 55 32 07, ≤, parc – rest ⋔wc ☎ Ⓟ. AE ⓓ VISA
1er mars-30 nov. – **R** 65/170, enf. 35 – ☕ 17 – **13 ch** 126/161 – 1/2 p 145/180.

AMBOISE 37400 I.-et-L. 64 ⑯ G. Châteaux de la Loire – 11 415 h.

Voir Château★★ B : ≤★★ de la Terrasse, ≤★★ de la tour des Minimes – Clos-Lucé★ B M1 – Pagode de Chanteloup★ 3 km par ④.

Office de Tourisme quai Gén.-de-Gaulle ☎ 47 57 09 28.

Paris 221 ① – Blois 35 ① – Loches 34 ④ – ♦Tours 25 ⑤ – Vierzon 91 ③.

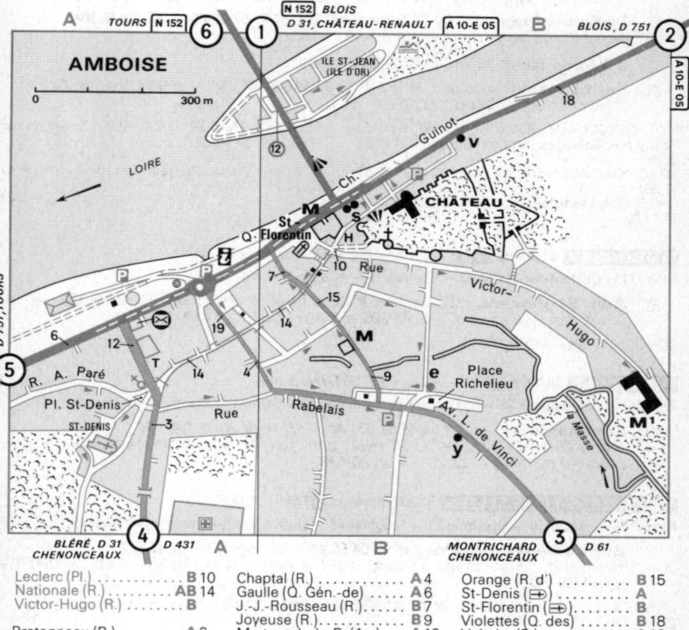

Leclerc (Pl.) .... **B** 10
Nationale (R.) .... **AB** 14
Victor-Hugo (R.) .... **B**

Bretonneau (R.)......... **A** 3

Chaptal (R.) .... **A** 4
Gaulle (Q. Gén.-de) ..... **A** 6
J.-J.-Rousseau (R.)...... **B** 7
Joyeuse (R.)............ **B** 9
Martyrs-de-la-R. (Av.) ... **A** 12

Orange (R. d') .... **B** 15
St-Denis (⊟) .... **A**
St-Florentin (⊟)......... **B**
Violettes (Q. des) .... **B** 18
Voltaire (R.) .... **A** 19

Le Choiseul, 36 quai Ch.-Guinot ☎ 47 30 45 45, Télex 752068, parc, – ☎ Ⓟ – 50. E VISA **B v**
fermé 5 janv. au 15 mars – **R** 200/240 – **23 ch** ☕550/700 – 1/2 p 290.

Novotel M, S : 2 km par rte de Chenonceaux ☎ 47 57 42 07, Télex 751203, ≤, – TV ☎ Ⓟ – 200. AE ⓓ E VISA
R grill carte environ 120, enf. 40 – ☕ 38 – **82 ch** 320/370.

Belle Vue sans rest, 12 quai Ch.-Guinot ☎ 47 57 02 26 – TV wc ⋔wc ☎. E VISA. **B s**
15 mars-30 nov. – ☕ 24 – **34 ch** 170/280.

Chanteloup sans rest, rte de Bléré par ④ : 1,5 km ☎ 47 57 10 90 – wc ⋔wc ☎ Ⓟ. E VISA.
1er avril-2 nov. – ☕ 28 – **25 ch** 230/340.

Parc sans rest, 8 r. L.-de-Vinci ☎ 47 57 06 93, – wc ⋔wc ☎ Ⓟ. E VISA. **B y**
1er mars-31 oct. – ☕ 32 – **18 ch** 190/360.

Lion d'Or, 17 quai Ch.-Guinot ☎ 47 57 00 23 – wc. E VISA. rest
1er avril-30 nov. – **R** 117/196, enf. 53 – ☕ 27 – **22 ch** 132/253 – 1/2 p 254/273. **B s**

La Brèche, 26 r. J.-Ferry par ① ☎ 47 57 00 79, – wc. AE ⓓ E VISA.
fermé 1er déc. au 10 janv. et dim. du 1er oct. au 1er mars – **R** 59/80 – ☕ 21 – **15 ch** 100/221 – 1/2 p 185/215.

XXXX ⊛ **Le Manoir Saint Thomas** (Le Coz), pl. Richelieu ✆ **47 57 22 52**, « Elégant pavillon Renaissance, jardin » – AE ⓓ E VISA B e
fermé 1er au 15 nov., 15 janv. au 15 fév. et lundi – **R** carte 200 à 270
Spéc. Matelote d'anguille (mai-déc.), Foie confit au Vouvray, Suprême de pintade farci. Vins Chinon.

XX **Auberge du Mail** avec ch, 32 quai Gén.-de-Gaulle par ⑤ ✆ **47 57 60 39** – wc ☎ Ⓟ. AE ⓓ E VISA
fermé 15 nov. au 15 déc. et vend. hors sais. – **R** 95/200, enf. 60 – 23 – **12 ch** 210/230 – 1/2 p 260.

au Nord-Est – ✉ **37400** Amboise :

Château de Pray ⛰, par ② : 2,5 km sur D 751 ✆ **47 57 23 67**, ←, « Terrasse dominant la vallée, parc » – wc ⋒ Ⓟ. AE ⓓ E VISA. rest
fermé 1er janv. au 10 fév. – **R** 145/180 – 37 – **16 ch** 250/402 – 1/2 p 445/465.

XX **La Bonne Étape,** par ② : 2,5 km sur D 751 ✆ **47 57 08 09** – AE ⓓ E VISA
fermé 2 janv. au 1er mars et mardi – **R** 75/180.

à Négron par ⑥ : 3 km – ✉ **37530** Amboise :

Petit Lussault sans rest, N 152 ✆ **47 57 30 30**, – wc ⋒wc ☎ Ⓟ
1er avril-1er oct. – **22 ch** 170/240.

FIAT, LANCIA-AUTOBIANCHI, V.A.G. Gar. du Relais des Châteaux, rte Chenonceaux ✆ 47 57 07 64
FORD Gar. A.-France, 41 r. de Blois ✆ 47 57 11 30
OPEL Gar. Moderne Sport, 12 r. de Blois ✆ 47 57 11 32
PEUGEOT-TALBOT C.G.F., 108 r. St-Denis par D 83 ✆ 47 57 42 82
Nourry Pneus, 25 quai Gén.-de-Gaulle ✆ 47 57 44 71

AMBONNAY 51 Marne 56 ⑰ – 801 h. – ✉ **51150** Tours-sur-Marne.
Paris 171 – Châlons-sur-Marne 22 – Épernay 19 – ♦Reims 29 – Vouziers 66.

Aub. St-Vincent, r. St-Vincent ✆ **26 57 01 98** – ⋒. AE ⓓ E VISA. ch
fermé dim. soir et lundi – **R** 90/300, enf. 45 – 18 – **11 ch** 100/150.

CITROEN Croizy, ✆ 26 57 01 71

AMBRAULT 36 Indre 68 ⑨ – 642 h. – ✉ **36120** Ardentes.
Paris 267 – Châteauroux 24 – La Châtre 24 – Issoudun 20 – St-Amand-Montrond 46.

XX **Commerce** avec ch, ✆ **54 49 01 07**, – ⋒ – 30. E VISA.
fermé 15 au 21 oct., 1er au 20 janv., dim. soir, lundi et soirs de fêtes – **R** (dim prévenir) 60/145 – 20 – **7 ch** 90/120.

AMBRIÈRES-LES-VALLÉES 53300 Mayenne 59 ⑳ – 3 013 h.
Paris 250 – Alençon 60 – Domfront 23 – Fougères 46 – Laval 42 – St-Hilaire-du-Harcouët 49.

Gué de Gênes, rte Lassay ✆ **43 04 95 44** – wc ⋒ Ⓟ. E VISA
fermé déc., 15 au 28 fév. et merc. d'oct. à avril – **R** 49/110 – **8 ch** 80/160 – 1/2 p 150/180.

CITROËN Gar. Bigot-Duchesne ✆ 43 04 95 57 N
RENAULT Gar. Anne, ✆ 43 04 91 04

AMÉLIE-LES-BAINS-PALALDA 66110 Pyr.-Or. 86 ⑱⑲ **G. Pyrénées Roussillon** – 3 779 h – Stat. therm. (15 janv.-22 déc.) – Casino.
Voir Vallée du Mondony★ S : voir plan.
Office de Tourisme et du Thermalisme pl. République ✆ 68 39 01 98, Télex 500711.
Paris 944 ② – Céret 8 ② – ♦Perpignan 38 ② – Prats-de-Mollo-la-Preste 23 ③ – Quillan 105 ②.

Plan page ci-contre

Gd H. Reine-Amélie M, bd Petite-Provence **(t)** ✆ **68 39 04 38**, ← – ☎ Ⓟ. AE ⓓ E VISA
R 110/170 – 28 – **69 ch** 230/330.

Palmarium H. M, av. Vallespir **(u)** ✆ **68 39 19 38** – wc ⋒wc ☎
fermé 19 déc. au 28 janv. – **R** 70/140 – 25 – **63 ch** 235/270.

Gd H. Thermes ⛰, pl. Mar.-Joffre **(n)** ✆ **68 39 01 00**, ← – wc ⋒wc ☎ Ⓟ **83 ch**.

Martinet ⛰, r. Hermabessière **(d)** ✆ **68 39 00 64**, ← – wc ⋒wc ☎. VISA rest
fermé 10 déc. au 2 fév. – **R** 80/100, enf. 35 – 25 – **40 ch** 180/210 – 1/2 p 230/250.

Gorges ⛰, pl. Arago **(y)** ✆ **68 39 29 02** – wc ⋒wc ☎
fermé 22 déc. au 1er mars – **R** 80/120 – 20 – **44 ch** 180/200 – 1/2 p 160/230.

Castel Émeraude ⛰, par rte de la Corniche - ouest du plan ✆ **68 39 02 83** Télex 500769, ←, – wc ⋒wc ☎ Ⓟ. E VISA. ch
1er fév.-1er déc. – **R** 77/225, enf. 60 – 26 – **31 ch** 185/265 – 1/2 p 215/250.

AMÉLIE-LES-BAINS PALALDA

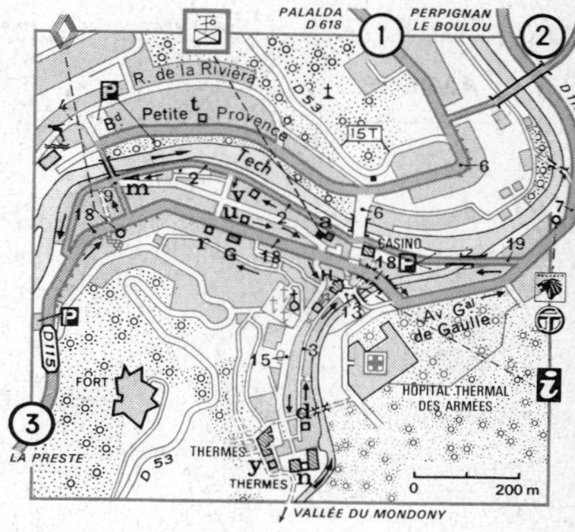

Host. Toque Blanche, av. Vallespir (r) ✆ 68 39 00 57 – wc wc. *fermé 20 déc. au 25 janv.* – **R** 66/198, enf. 52 – 18 – **43 ch** 110/160.

Palm Tech M, quai G. Bosch (v) ✆ 68 83 98 00 – wc *fermé 20 déc. au 31 janv.* – **R** 70/110 – 22 – **56 ch** 145/210.

Ensoleillade et Rive sans rest, 70 r. J. Coste (m) ✆ 68 39 06 20, – cuisinette wc *1er avril-30 nov.* – 20 – **19 ch** 140/190.

Le Bogavante, quai G.-Bosch (a) ✆ 68 39 08 57 – AE E VISA *fermé janv., fév. et lundi* – **R** 56/140.

PEUGEOT-TALBOT Gar. Cédo, ✆ 68 39 29 05 RENAULT Gar. du Vallespir, ✆ 68 39 05 05

L'AMÉLIE-SUR-MER 33 Gironde 71 ⑯ – rattaché à Soulac-sur-Mer.

AMIENS P 80000 Somme 52 ⑧ G. Flandres Artois Picardie – 136 358 h.

Voir Cathédrale*** CY – **Hortillonnages*** DY – **Hôtel de Berny*** CY **M1** – **Musée de Picardie**** BZ.

18 ✆ 22 91 02 04 par ② : 7 km – ✆ 22 92 50 50.

Office de Tourisme r. J.-Catelas ✆ 22 91 79 28, pl. A.-Fiquet ✆ 22 92 90 93 et pl. Notre-Dame (15 juin-15 sept.) ✆ 22 91 16 16 – A.C. 15 r. M.-Sangnier ✆ 22 91 64 73.

Paris 148 ③ – ♦Lille 115 ② – ♦Reims 156 ③ – ♦Rouen 114 ⑤ – St-Quentin 74 ③.

Plan pages suivantes

Univers sans rest, 2 r. Noyon ✆ 22 91 52 51, Télex 145070 – TV – 60. AE E VISA CZ a
30 – **41 ch** 265/360.

Carlton-Belfort, 42 r. Noyon ✆ 22 92 26 44 – wc wc. AE E VISA. CZ d
R 108/156 – 27 – **36 ch** 195/300.

Postillon sans rest, 19 pl. au Feurre ✆ 22 91 46 17 – TV wc – 80. E VISA BY u
25 – **37 ch** 230/350.

Normandie sans rest, 1 bis r. Lamartine ✆ 22 91 74 99 – TV wc. VISA CY f
22 – **26 ch** 110/230.

Ibis, 4 r. Mar.-De-Lattre-de-Tassigny ✆ 22 92 57 33, Télex 140765 – TV wc – 25 – **94 ch**. BY e

Le Rallye, 24 r. Otages ✆ 22 91 76 03 – wc wc – 60. AE E VISA CZ s
R *(fermé août, Noël à Nouvel An, vacances de fév., vend. soir, sam. et dim.)* 70 – 18 – **21 ch** 90/190.

Paix sans rest, 8 r. République ✆ 22 91 39 21 – TV wc BY r
fermé 15 déc. au 20 janv. – 20 – **26 ch** 115/145.

Le Mermoz, 7 r. J.-Mermoz ✆ 22 91 50 63 – VISA CY b
fermé 1er au 15 août, vacances de Noël, de fév., sam. et dim. – **R** 100/190, enf. 60.

Couronne, 64 r. St Leu ✆ 22 91 88 57 – E VISA CX k
fermé 15 juil. au 12 août, dim. soir et sam. – **R** 77/140.

Les Marissons, 68 r. Marissons ✆ 22 92 96 66 – . VISA CY n
fermé 16 juil. au 16 août, sam. midi, dim. soir et lundi – **R** 95/165.

Joséphine, 20 r. Sire-Firmin-Leroux ✆ 22 91 47 38 – VISA CY h
fermé 1er au 29 août, vacances de fév., dim. soir et lundi – **R** 95/140.

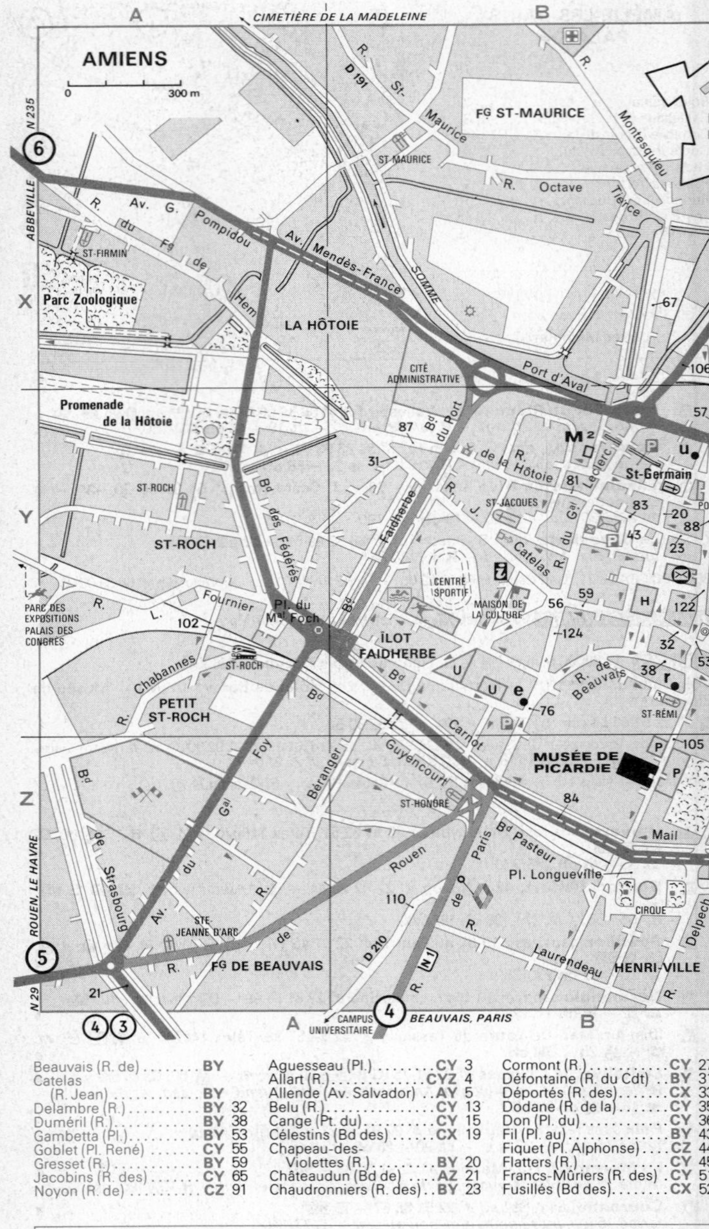

Beauvais (R. de)	BY		Aguesseau (Pl.)	CY 3		Cormont (R.)	CY 27
Catelas (R. Jean)	BY		Allart (R.)	CYZ 4		Défontaine (R. du Cdt)	BY 31
Delambre (R.)	BY	32	Allende (Av. Salvador)	AY 5		Déportés (R. des)	CX 33
Duméril (R.)	BY	38	Belu (R.)	CY 13		Dodane (R. de la)	CY 35
Gambetta (Pl.)	BY	53	Cange (Pt. du)	CY 15		Don (Pl. du)	CY 36
Goblet (Pl. René)	CY	55	Célestins (Bd des)	CX 19		Fil (Pl. au)	BY 43
Gresset (R.)	BY	59	Chapeau-des-Violettes (R.)	BY 20		Fiquet (Pl. Alphonse)	CZ 44
Jacobins (R. des)	CY	65	Châteaudun (Bd de)	AZ 21		Flatters (R.)	CY 45
Noyon (R. de)	CZ	91	Chaudronniers (R. des)	BY 23		Francs-Mûriers (R. des)	CY 51
						Fusillés (Bd des)	CX 52

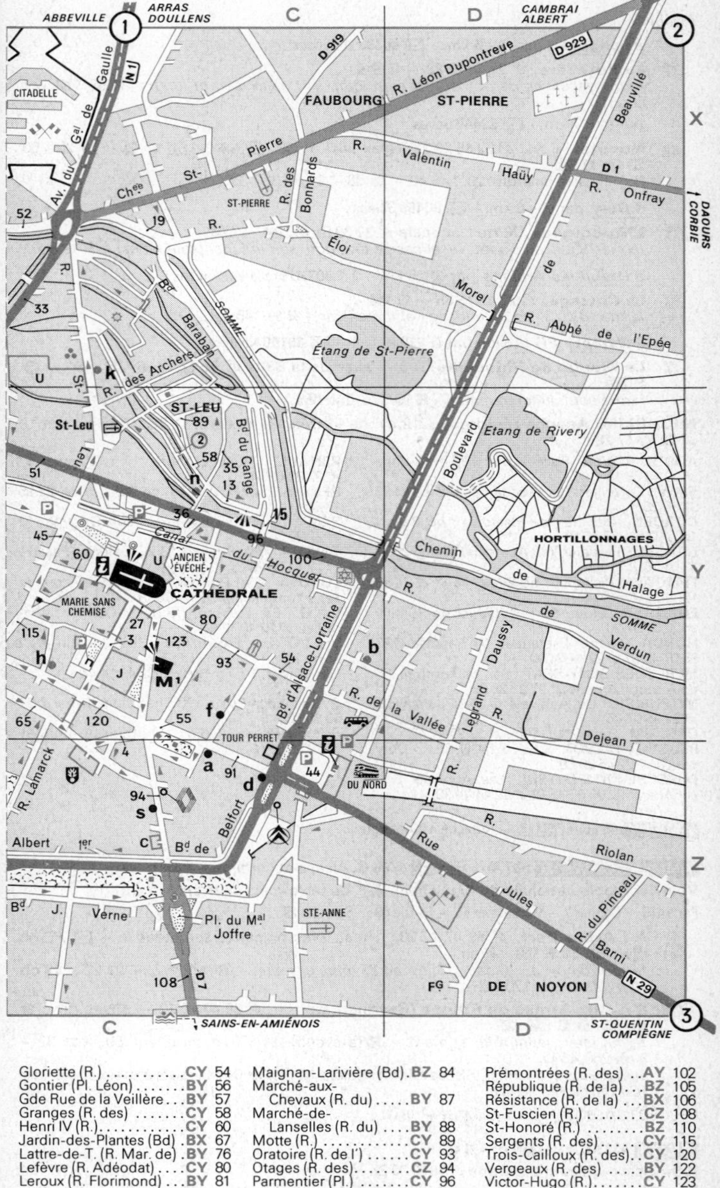

Gloriette (R.) . . . . CY 54
Gontier (Pl. Léon) . . . . BY 56
Gde Rue de la Veillère . . . BY 57
Granges (R. des) . . . . CY 58
Henri IV (R.) . . . . CY 60
Jardin-des-Plantes (Bd) . BX 67
Lattre-de-T. (R. Mar. de) . BY 76
Lefèvre (R. Adéodat) . . . . CY 80
Leroux (R. Florimond) . . . BY 81
Lin (R. au) . . . . BY 83

Maignan-Larivière (Bd) . BZ 84
Marché-aux-Chevaux (R. du) . . . . . BY 87
Marché-de-Lanselles (R. du) . . . . BY 88
Motte (R.) . . . . CY 89
Oratoire (R. de l') . . . . . . CY 93
Otages (R. des) . . . . CZ 94
Parmentier (Pl.) . . . . CY 96
Port-d'Amont . . . . CY 100

Prémontrées (R. des) . . AY 102
République (R. de la) . . . BZ 105
Résistance (R. de la) . . . BX 106
St-Fuscien (R.) . . . . CZ 108
St-Honoré (R.) . . . . BZ 110
Sergents (R. des) . . . . . . CY 115
Trois-Cailloux (R. des) . . CY 120
Vergeaux (R. des) . . . . . BY 122
Victor-Hugo (R.) . . . . CY 123
2e-D.-B. (R. de la) . . . . . . BY 124

Campers...

Use the current Michelin Guide

Camping Caravaning France.

à Longueau par ③ : 6 km – ✉ **80330** Longueau :

XX **La Potinière,** ☎ 22 46 22 83 – E VISA
fermé vacances de printemps, août, dim. soir, jeudi soir et lundi – **R** 98/170, enf. 50.

par ③ : 7 km – ✉ **80440** Boves :

Novotel M 🐎, ☎ 22 46 22 22, Télex 140731, 🍽, 🏊, 🌳 – 📺 ☎ 🅟 – 🏔 25 à 50. AE ⓓ E VISA
R grill carte environ 120, enf. 40 – ☕ 38 – **91 ch** 350/370.

à Dury par ④ : 6 km – ✉ **80480** Saleux :

XX **L'Aubergade,** 78 rte Nationale ☎ 22 89 51 41, 🌳 – VISA
fermé 18 juil. au 8 août, vacances de fév., dim. soir et lundi (sauf fériés) – **R** 78/300.

à Dreuil-lès-Amiens par ⑥ : 5 km – ✉ **80730** Dreuil-lès-Amiens :

XX **Le Cottage,** ☎ 22 43 15 85 – E VISA
fermé 16 au 31 août, lundi soir et mardi soir – **R** 59/145 🍷.

à Nampty SO : 13 km par D 210 et D 8 – ✉ **80160** Nampty :

XX **Le Moulin de Rigauville,** D 8 - Vallée de la Selle ☎ 22 42 12 36, 🍽, 🌳 – 🅟. E VISA
fermé août, lundi et mardi – **R** 99/175, enf. 58.

MICHELIN, Agence régionale, 212 av. de la Défense-Passive, D 929 à Rivery par ② ☎ 22 92 47 28

AUSTIN-ROVER Fiszel Autom., 33 av. Europe ☎ 22 43 58 15
BMW La Veillère, 12 r. de la Résistance ☎ 22 91 80 26
CITROEN Gds Gar. de Picardie, 3 bd Belfort CZ ☎ 22 91 57 45 N
CITROEN Fournier, r. d'Australie, par ⑥ ☎ 22 43 01 16
FIAT Auto Picardie, 7 bd Beauville ☎ 22 44 53 12
FORD Éts Leroux, 92 r. Gaulthier-de-Rumilly ☎ 22 95 37 20
HONDA Gar. de l'Esplanade, 6 r. Lenotre ☎ 22 95 07 45 N ☎ 22 44 74 90
MERCEDES-BENZ-SEAT Gar. de l'Europe, 85 bd Alsace-Lorraine ☎ 22 91 28 63
MITSUBISHI Les Aubivats, N 25 à Poulainville ☎ 22 95 07 45
OPEL-GM Renel, N 1, Dury ☎ 22 95 42 42
PEUGEOT-TALBOT S.C.A. S.I.A.N. 35 N 1 Dury par ④ ☎ 22 45 33 88
PORSCHE-MITSUBITSHI Les Aubivats 6 r. Lenotre ☎ 22 95 07 45 N ☎ 22 44 74 90
RENAULT Gueudet Auto, 19 r. Otages CZ ☎ 22 92 09 41
RENAULT SARVA, 7 rte de Paris BZ ☎ 22 95 17 60
RENAULT Fleury, 654 r. de Paris, Dury par ④ ☎ 22 95 36 49
TOYOTA Gar. Pruvost, 23 av. Défense-Passive ☎ 22 44 86 20
TOYOTA Gar. Pruvost, rte de Roye Croix de Fer à Longueau ☎ 22 47 38 13
V.A.G. Éts Cresson, rte de St-Quentin Longueau ☎ 22 46 12 91
VOLVO Gar. Picard, 235 r. Jean-Moulin ☎ 22 95 66 26
Gar. Sueur, 1 r. Fg-Hem ☎ 22 43 14 44

Ⓜ Fischbach Pneu, 120 Chée Jules Ferry ☎ 22 53 95 50
Picardie-Pneus, 126 r. Gaulthier-de-Rumilly ☎ 22 95 33 89

AMILLY 45 Loiret 65 ② – rattaché à Montargis.

AMMERSCHWIHR 68770 H.-Rhin 62 ⑱⑲ G. Alsace et Lorraine – 1 639 h.

Voir Nécropole nationale de Sigolsheim ✻★ du terre-plein central N : 4 km.

Paris 435 – Colmar 7 – Gérardmer 55 – St-Dié 49 – Sélestat 25.

A l'Arbre Vert, ☎ 89 47 12 23, « Rest. avec boiseries sculptées » – 📺 🛁wc 🚿wc ☎. AE E VISA. ✻ ch
fermé 25 nov. au 10 déc., 10 fév. au 25 mars et mardi – **R** 65/275 🍷 – ☕ 22 – **13 ch** 120/200 – ½ p 170/255.

XXX ✿✿ **Aux Armes de France** (Gaertner) avec ch, ☎ 89 47 10 12 – 🛁wc 🚿wc ☎ 🅟. AE ⓓ E VISA. ✻ ch
fermé janv., jeudi midi et merc. – **R** (prévenir) 280/370 et carte, enf. 80 – ☕ 32 – **8 ch** 260/450
Spéc. Foie gras d'oie frais, Filet de sole aux nouilles, Canette de Barbarie au miel et aux épices. **Vins** Tokay Pinot gris, Riesling.

PEUGEOT-TALBOT Hiltenfinck, ☎ 89 47 13 00

AMOU 40330 Landes 78 ⑦ – 1 462 h.

ℹ Syndicat d'Initiative à la Mairie ☎ 58 89 00 22.

Paris 767 – Aire-sur-l'Adour 52 – Dax 31 – Hagetmau 18 – Mont-de-Marsan 47 – Orthez 14 – Pau 49.

Commerce, ☎ 58 89 02 28, 🍽 – 📺 🛁wc 🚿 ☎ 🅟 – 🏔 40. AE ⓓ E VISA
fermé 10 nov. au 1er déc., 15 fév. au 1er mars et lundi hors sais. – **R** 58/170 – ☕ 18 – **20 ch** 120/200 – ½ p 180/200.

Voyageurs, ☎ 58 89 02 31 – 🛁wc 🅟 – 🏔 50. E VISA
fermé fév. et sam. de déc. à avril – **R** 48/130 🍷, enf. 40 – ☕ 14 – **14 ch** 80/170 – ½ p 100/130.

AMPHION-LES-BAINS 74 H.-Savoie 70 ⑰ **G. Alpes du Nord** – ✉ **74500** Évian.

Syndicat d'Initiative (15 juin-15 sept.) ✆ 50 70 00 63.

Paris 574 – Annecy 80 – Évian-les-Bains 3,5 – ♦Genève 39 – Thonon-les-Bains 5,5.

- **Plage** ⚘, ✆ **50 70 00 06**, <, parc, – wc wc ☎ Ⓟ. E VISA. ✻ rest
  23 mai-30 sept. – **R** 80/100, enf. 40 – ☕ 24 – **38 ch** 205/250 – ½ p 220/280.
- **Parc et Beauséjour**, ✆ **50 75 14 52**, <, , parc, , – wc ☎ ♿ Ⓟ – 30 à 100. VISA
  fermé déc., janv., dim. soir et lundi du 20 sept. à mai – **R** 58/110, enf. 35 – ☕ 20 – **50 ch** 100/210.
- **Princes**, ✆ **50 75 02 94**, <, parc – wc wc ☎ Ⓟ. E VISA. ✻ rest
  15 mai-20 sept. – **R** 65/150 – ☕ 20 – **35 ch** 180/300 – ½ p 200/270.
- **Tilleul**, ✆ **50 70 00 39**, – cuisinette wc wc ☎ Ⓟ. E VISA
  fermé janv. – **R** *(fermé dim. soir et lundi hors sais.)* 65/190 ₰, enf. 50 – ☕ 22 – **28 ch** 120/280 – ½ p 190/230.
- **Chablais** ⚘, **à Publier S : 1 km** ✉ **74500 Évian** ✆ **50 75 28 06**, <, , – wc wc ☎ Ⓟ. AE E VISA. ✻ rest
  fermé déc. – **R** 63/120 ₰, enf. 40 – ☕ 22 – **25 ch** 95/204.
- ✗✗ **Le Relais** avec ch, ✆ **50 70 00 21**, <, – wc ☎. AE E VISA
  fermé 20 déc. au 1er fév., lundi soir et mardi sauf juil.-août – **R** 75/195 – ☕ 20 – **5 ch** 108/168 – ½ p 150/180.

ANCENIS ⟨SP⟩ **44150** Loire-Atl. 63 ⑱ **G. Châteaux de la Loire** – 7 263 h.

Office de Tourisme pl. Pont ✆ 40 83 07 44.

Paris 348 ① – Angers 54 ① – Châteaubriant 48 ① – Cholet 47 ③ – Laval 95 ① – ♦Nantes 38 ④ – Niort 158 ③ – La Rochelle 162 ③ – La Roche-sur-Yon 87 ③ – Vannes 142 ④.

ANCENIS

Anjou (R. d') .... BZ 3
Clemenceau (R. G.) .... BYZ
Pont (R. du) .... BZ 13

Alsace-Lorraine (Pl.) .... BZ 2
Basse (Grande-Rue) .... BZ 4
Briand (R. Aristide) ...... BZ 5
Charost (R.) .... AZ 6
Château (R. du) .... BZ 7
Châteaubriant (R. de) ... BY 8
Huchon (Bd) .... AZ 10
Leclerc (R. du Général) .. AZ 12
République (Pl. de la) .. AZ 14
Tonneliers (R. des) ...... AZ 15
64e-R.I. (R. du) .... ABZ 18

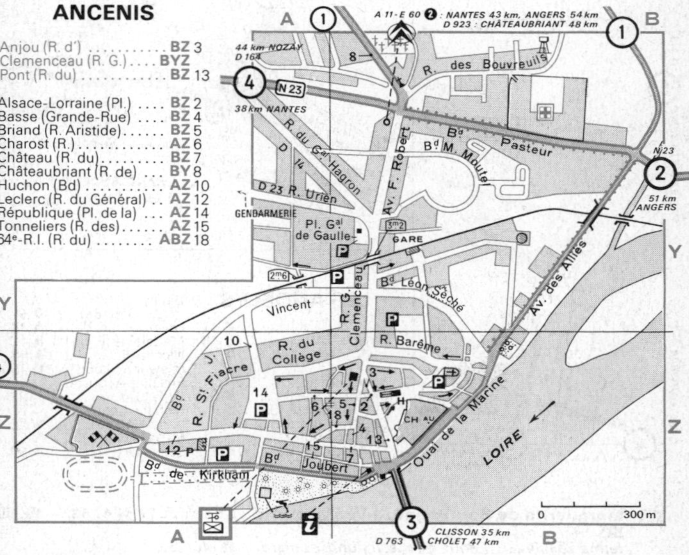

- **Val de Loire** Ⓜ, **Le Jarrier d'Ancenis, rte d'Angers par ② : 2 km** ✆ **40 96 00 03**, **Télex 711592** – wc ☎ ♿ Ⓟ – 80. E VISA
  R *(fermé sam.)* 55/149 ₰, enf. 38 – ☕ 19 – **40 ch** 175/224 – ½ p 162/229.

CITROEN Gar. Moderne, 339 av. F.-Robert ✆ 40 83 28 06
RENAULT Gar. Leroux, Zone Ind. rte Châteaubriant BY ✆ 40 83 23 20
Clinique du Pneu, 151 r. de Barème ✆ 40 83 27 73

Les ANCIZES-COMPS **63770** P.-de-D. 73 ③ **G. Auvergne** – 1 985 h. alt. 710.

Paris 395 – Aubusson 61 – ♦Clermont-Ferrand 50 – Montluçon 70 – Vichy 67 – Ussel 78.

- **Vieille Ferme**, ✆ **73 86 81 25**, – wc. VISA
  R *(fermé merc. soir du 1er oct. au 30 mars)* 48/180 ₰ – ☕ 16 – **14 ch** 85/140 – ½ p 125/165.

PEUGEOT-TALBOT Brousse, ✆ 73 86 80 37

ANCY-LE-FRANC **89160** Yonne 65 ⑦ **G. Bourgogne** – 1 063 h.
Voir Château.**

Paris 217 – Auxerre 54 – Châtillon-sur-Seine 38 – Montbard 27 – Tonnerre 19.

PEUGEOT-TALBOT Gar. Piat, ✆ 86 75 12 21 RENAULT Gar. Royer ✆ 86 75 15 29

ANDARD 49 M.-et-L. 64 ⑪ – 1 758 h. – ✉ **49800** Trelazé.

Paris 288 – Angers 14 – Baugé 26 – La Flèche 46 – Saumur 41 – Seiches-sur-le-Loir 18.

XX **Le Dauphin,** ✆ 41 80 41 59 – ▤ Ⓟ. E VISA
fermé 1er au 23 août, lundi soir et mardi – **R** 50/130.

ANDELOT-EN-MONTAGNE 39 Jura 70 ⑤ – 555 h. alt. 604 – ✉ **39110** Salins-les-Bains.
Voir Forêt de la Joux : sapin Président* E : 4 km, G. Jura.**

Paris 411 – Arbois 19 – Champagnole 16 – Lons-le-Saunier 50 – Pontarlier 38 – Salins-les-Bains 14.

Bourgeois, ✆ 84 51 43 77 – wc wc Ⓟ.
fermé nov. – **R** 50/95 – 16 – **15 ch** 70/125 – $^1/_2$ p 115/125.

Les ANDELYS 27700 Eure 55 ⑰, 196 ① **G. Normandie Vallée de la Seine** – 8 214 h.
Voir Ruines du Château Gaillard** A – **Église N.-Dame*** B.

Office de Tourisme 1 r. Philippe-Auguste (15 mars-15 nov.) ✆ 32 54 41 93.

Paris 92 ② – Beauvais 63 ② – Évreux 36 ③ – Gisors 31 ② – Mantes-la-Jolie 52 ③ – ◆Rouen 40 ①.

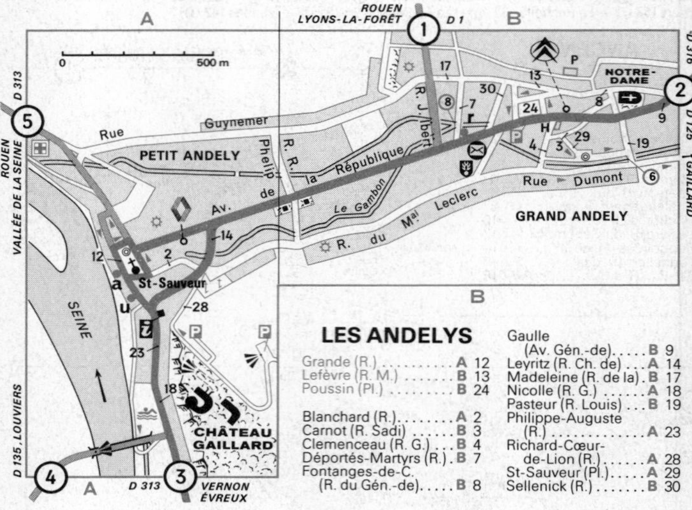

LES ANDELYS

Grande (R.) . . . . . . A 12
Lefèvre (R. M.) . . . . . . B 13
Poussin (Pl.) . . . . . . B 24

Blanchard (R.) . . . . . . A 2
Carnot (R. Sadi) . . . . . . B 3
Clemenceau (R. G.) . . . B 4
Déportés-Martyrs (R.) . B 7
Fontanges-de-C. (R. du Gén.-de) . . . . . B 8
Gaulle (Av. Gén.-de) . . . . . B 9
Leyritz (R. Ch. de) . . . A 14
Madeleine (R. de la) . B 17
Nicolle (R. G.) . . . . . . A 18
Pasteur (R. Louis) . . . B 19
Philippe-Auguste (R.) . . . . . . A 23
Richard-Cœur-de-Lion (R.) . . . . . . A 28
St-Sauveur (Pl.) . . . . . A 29
Sellenick (R.) . . . . B 30

XXX **Marguerite de Bourgogne,** à Vezillon par ③ : 0,5 km ✆ 32 54 47 19 – Ⓟ. AE VISA.
fermé 25 juil. au 21 août, dim. soir, lundi et mardi – **R** 140/255.

XX **Chaîne d'Or** avec ch, 27 r. Grande ✆ 32 54 00 31, ← – wc wc ☎ Ⓟ. VISA. A **a**
fermé 2 janv. au 2 fév., dim. soir et lundi hors sais. – **R** 120/260 – 30 – **12 ch** 125/340.

XX **Normandie** avec ch, 1 r. Grande ✆ 32 54 10 52 – wc Ⓟ. E VISA A **u**
fermé 1er déc. au 1er janv., merc. soir et jeudi – **R** 60/160 – 25 – **11 ch** 85/220.

X **Paris** avec ch, 10 av. République ✆ 32 54 00 33, – . E VISA B **r**
fermé merc. du 1er avril au 30 oct. et dim. du 1er nov. au 30 mars – **R** 48/125 – 20 – **8 ch** 90/200.

AUSTIN ROVER Gar. J.F.C., 44 av. République ✆ 32 54 12 80
CITROEN SEAC, 30 av. Gén. de Gaulle ✆ 32 54 04 40
PEUGEOT, Gouedard, 27 r. Rémy par ② ✆ 32 54 11 36 N ✆ 32 54 34 05
RENAULT Consortium Autom. 75 av. République ✆ 32 54 21 49
V.A.G. Vexin Autom., Zone Ind. r. Hamelin ✆ 32 54 14 35

ANDERNOS-LES-BAINS 33510 Gironde 78 ① G. Pyrénées Aquitaine – 5 985 h. – Casino.
Office de Tourisme 33 av. Gén.-de-Gaulle ☎ 56 82 02 95.
Paris 627 – Arcachon 40 – ♦Bayonne 172 – ♦Bordeaux 46 – Dax 137 – Mont-de-Marsan 118.

Aub. Le Coulin, 3 av. d'Arès ☎ **56 82 04 35** – wc wc ☎. VISA. ch
fermé 20 déc. au 31 janv. et lundi – **R** 50/120 – 27 – **11 ch** 200/220 – 1/2 p 195/210.

CITROEN Millot, 108 av. Bordeaux ☎ 56 82 13 05
RENAULT Arc-Auto, 68 bis r. Gén.-de-Gaulle à Arès ☎ 56 60 15 20 N
RENAULT Gar. Beaudoin, 144 bd République ☎ 56 82 00 88

ANDLAU 67 B.-Rhin 62 ⑨ G. Alsace et Lorraine – 1 760 h. – ✉ **67140** Barr.
Voir Église★ : porche★★.
Paris 433 – Erstein 23 – Le Hohwald 8 – Molsheim 22 – Sélestat 18 – ♦Strasbourg 39.

Kastelberg ☎ **88 08 97 83,** – wc wc ☎ P – 30. E VISA
fermé 24 au 30 déc. – **R** *(1er avril-1er nov.)* (en sem. dîner seul.) 90/190, enf. 50 – 24 – **28 ch** 195/240 – 1/2 p 250/320.

Boeuf Rouge, ☎ **88 08 96 26** – AE E VISA
fermé 20 au 30 juin, 2 janv. au 3 fév., merc. soir et jeudi – **R** 82/191, enf. 36.

Au Canon avec ch, ☎ **88 08 95 08,** – wc P. AE E VISA. ch
fermé nov., fév. et mardi – **R** 99 bc – 22 – **10 ch** 90/156 – 1/2 p 155/200.

ANDOLSHEIM 68 H.-Rhin 62 ⑲ – rattaché à Colmar.

Towns underlined in red on the **Michelin maps** *at a scale of 1 : 200 000 are included in this guide. Use the latest map to take full advantage of this information.*

ANDORRE (Principauté d') ★★ 86 ⑭⑮, 43 ⑥⑦ G. Pyrénées Roussillon – 45 877 h. –
628 : interurbain avec la France.

Andorre-la-Vieille (Andorra La Vella) capitale de la Principauté G. Pyrénées Roussillon (plan) – alt. 1 029.
Voir NE : Vallée du Valira del Orient★ – N : Vallée du Valira del Nord★.
Office de Tourisme r. Dr-Vilanova ☎ 20 2 14 – A.C.A. 4 r. Babot Camp ☎ 20 8 90.
Paris 889 – Barcelona 220 – Carcassonne 165 – Foix 103 – ♦Perpignan 166 – ♦Toulouse 185.

Andorra Center M, 7 r. Dr Nequi ☎ **24 9 99, Télex 377,** – rest ☎ – 40 à 100. AE E VISA. rest
R 77/88 – 27 – **140 ch** 198/306, 10 appartements 475 – 1/2 p 219/371.

Andorra Palace, Prat de la Creu ☎ **21 0 72, Télex 208,** ←, – cuisinette ☎ P – 100. AE E VISA. rest
R 145 – 38 – **140 ch** 245/470.

Eden Roc M, av. Dr-F.-Mitjavila ☎ **21 0 00** – ☎ P. AE E VISA.
R 122 – 29 – **55 ch** 435 – 1/2 p 369/451.

Mercure M, 58 av. Méritxell ☎ **20 7 73, Télex 208,** – ☎ P – 35. AE E VISA. rest
R 145 – 38 – **70 ch** 295/350.

Flora M sans rest, 23 Antic Carrer Major ☎ **21 5 08, Télex 209,** – . AE E VISA.
45 ch 275.

Président, 40 av. Santa Coloma ☎ **22 9 22, Télex 233,** ←, – cuisinette ☎ – 35. E VISA. rest
R 95 – 28 – **157 ch** 305/365, 12 studios 365 – 1/2 p 305.

Sasplugas , av. del Co Princep Iglesias ☎ **20 3 11,** ←, – wc ☎ . AE E VISA. rest
R *(fermé dim.)* 90/140 – **26 ch** 150/330.

Cassany sans rest, 28 av. Méritxell ☎ **20 6 36** – wc wc . E VISA
20 – **53 ch** 175/225.

Isard, 32 av. Méritxell ☎ **20 0 92, Télex 377** – wc wc . AE E VISA. rest
R 73/78 – 22 – **55 ch** 106/212 – 1/2 p 201/245.

Florida sans rest, 11 r. Llacuna ☎ **20 1 05** – wc wc ☎. E VISA
55 ch 150/195.

Consul, 5 pl. Rebes ☎ **20 1 96** – wc wc . AE E VISA
fermé 10 janv. au 10 fév. – **R** *(fermé lundi d'oct. à juin)* 80/110 – **27 ch** 190/255 – 1/2 p 200/250.

Celler d'En Toni avec ch, 4 Verge del Pilar ☎ **21 2 52** – wc ☎. AE E VISA.
R 90/200 – 15 – **19 ch** 75/175.

ALFA-ROMEO, PORSCHE-MITSUBISHI Automobiles Sud-América, 94 av. Meritxell ✆ 20.6.26
AUTOBIANCHI-LANCIA Autom. Jordi, 107 av. Santa Coloma ✆ 20.3.83
DATSUN-LADA-NISSAN-ROVER-SKODA Gar. Autom. Sport, 12 Virgen del Pilar ✆ 20.1.44
FIAT-SEAT 5 Avda D.F. Mitjavila ✆ 20.4.71
FORD Autos-Servei, 3, av. Princep Benlloch ✆ 20.0.23
HONDA 89 av. Princep Benlloch ✆ 21.2.95
OPEL-G.M. Motorauto, 52 av. Santa Coloma ✆ 20.6.22
PEUGEOT-TALBOT Gar. International, av. Tarragona ✆ 21.6.69
TOYOTA av. Dr.-Vilanova ✆ 22.3.71
V.A.G. 100 av. Méritxell ✆ 21.3.74

Arinsal – alt. 1 145 – Sports d'hiver : 1 550/2 600 m 15 – ✉ La Massana.
Andorre-la-Vieille 9.

St. Gothard Ⓜ, ✆ 36 0 20, ←, – 150
170 ch.

Solana, ✆ 35 1 27, ←, – wc wc . AE E VISA. rest
fermé 10 au 20 mai et 15 oct. au 15 nov. – **R** 52/100 – 25 – **45 ch** 120/180 – ½ p 150/160.

Poblado, ✆ 35 1 22, ← – wc wc . E VISA. rest
fermé oct. et nov. – **R** 50 – 15 – **29 ch** 55/130 – ½ p 135.

Residencia Janet sans rest, à Erts S : 1,5 km ✆ 35 0 88 – wc wc .
fermé 15 oct. au 1er déc. – 15 – **20 ch** 70/150.

Canillo – alt. 1 531 – ✉ Canillo.
Voir Crucifixion★ dans l'église de Sant Joan de Caselles NE : 1 km.
Andorre-la-Vieille 11.

Bonavida Ⓜ, ✆ 51 3 00, ←, , – wc – 30. AE E VISA.
fermé 2 mai au 5 juin (sauf hôtel) et 1er oct. au 30 nov. – **R** 65 – **40 ch** 208/260 – ½ p 160/200.

Péllissé Ⓜ, rte Pas de la Case : 1 km ✆ 51 2 05, ← – wc . E VISA
fermé 15 mai au 6 juin et 16 oct. au 6 nov. – **R** 50/75 – 20 – **37 ch** 95/160 – ½ p 155.

Encamp – alt. 1 313 – **Voir Les Bons : site★ N : 1 km** – Andorre-la-Vieille 6.

Coray Ⓜ, ✆ 31 5 13, – wc – 35. ch
fermé nov. – **R** 40/45 – **85 ch** 150/170 – ½ p 110/120.

Univers Ⓜ, ✆ 31 0 05 – wc wc . E VISA.
fermé 1er nov. au 1er déc. – **R** 60/65 – 15 – **36 ch** 100/140 – ½ p 135/165.

Les Escaldes – alt. 1 105 – ✉ Andorre-la-Vieille – Andorre-la-Vieille 1.

Roc Blanc Ⓜ, (centre thermal), 5 pl. dels Co-Princeps ✆ 21 4 86, Télex 224, , – – 30 à 500. AE E VISA. rest
R 196 – **L'Entrecôte** (snack) **R** carte 190 à 250, enf. 98 – 53 – **240 ch** 240/541, 4 appartements 1840 – ½ p 518/673.

Delfos Ⓜ, av. del Fener ✆ 24 6 42, Télex 242 – rest – 100 à 200. AE E VISA. rest
R 85/90 – 24 – **200 ch** 204/255 – ½ p 225/258.

Comtes d'Urgell, 29 av. de les Escoles à Engordany ✆ 20 6 21, Télex 226 – wc wc . AE E VISA. rest
R 79/87 – 24 – **200 ch** 158/232 – ½ p 185/201.

Espel Ⓜ, 1 pl. Creu Blanca à Engordany ✆ 20 8 55 – wc .
fermé nov. – **R** 50 bc/65 bc – **102 ch** 125/180 – ½ p 130/140.

Les Closes Ⓜ sans rest, 93 av. Carlemany ✆ 28 3 11 – wc . AE E VISA.
44 ch 204/228.

Canut, 107 av. Carlemany ✆ 21 3 42, Télex 398 – wc . AE E VISA. rest
R 65/150, enf. 50 – 25 – **58 ch** 120/300 – ½ p 150/180.

AUSTIN-MG, CITROEN, JAGUAR, ROVER, TRIUMPH Garage Central, 34 bis av. Carlemany ✆ 20.5.01
INNOCENTI-MAZDA Gar. Cosmos, 10 av. de les Escoles ✆ 21.2.66
TOYOTA - SUBARU - MASERATI Fiter y Rossell, 4 ✆ 28 5 27

La Massana – alt. 1 241 – ✉ La Massana – Andorre-la-Vieille 5.

Rutllan Ⓜ, ✆ 35 0 00, ←, , , – . AE E VISA. rest
R 90/125 – 30 – **100 ch** 260 – ½ p 215/240.

Marco Polo Ⓜ, ✆ 36 3 63, ←, – wc – **140 ch**.

La Borda de l'Avi, rte Arinsal ✆ 35 1 54 – .

Ordino – alt. 1 304 – Andorre-la-Vieille 7.

Coma Ⓜ, ℘ 35 1 16, ←, – TV P. E VISA.
fermé 1er nov. au 1er déc. – **R** 60/70 – **48 ch** 180/260 – 1/2 p 165/180.

Pas-de-la-Case – alt. 2 091 – Sports d'hiver : 2 050/2 407 m 24.
Voir Port d'Envalira ** O : 4 km – Andorre-la-Vieille 30.

Sporting Ⓜ, ℘ 55 4 55, Télex 255, ← – TV. AE E VISA. rest
15 déc.-20 avril – **R** 95 – **76 ch** 260/610 – 1/2 p 330/510.

Els Isards, ℘ 55 1 55, Télex 289, ← – wc. AE E VISA. rest
R 90/110 – 40 – **39 ch** 200/260 – 1/2 p 215/260.

Santa-Coloma – alt. 970 – ✉ Andorre-la-Vieille – Andorre-la-Vieille 3.

Cerqueda, ℘ 20 2 35, ←, – wc. AE E VISA. rest
fermé 7 janv. au 7 mars – **R** 74/79 – 20 – **75 ch** 119/226 – 1/2 p 179/200.

ALFA-ROMEO-SEAT Europe-Auto, 72 av. de Enclar ℘ 21.6.32

RENAULT Renault Servei, 140 av. d'Enclar ℘ 20.6.72

Sant-Julia-de-Loria – alt. 909 – Andorre-la-Vieille 7.

Sant Eloi Ⓜ, ℘ 41 1 00, Télex 239, ←, – – 100. E VISA. rest
R 77 – **88 ch** 211/277 – 1/2 p 648/857.

Pol Ⓜ, ℘ 41 1 22, Télex 272, – TV P. AE E VISA.
R 71/88 – **75 ch** 172/198 – 1/2 p 197/215.

Coma Bella, SE : 7 km par VO ℘ 41 2 20, ←, alt. 1300, parc, « Dans la forêt de la Rabassa » – wc P. E VISA
fermé 15 nov. au 20 déc. et 8 au 30 janv. – **R** 55 – 15 – **28 ch** 195/245 – 1/2 p 120/160.

BMW-MERCEDES Automobiles Pyrénées, Prat de la Tresa ℘ 41.9.64

VOLVO Auto-Diesel, 59 av. Virgen de Canolich ℘ 41.1.43

El Serrat – alt. 1 539 – ✉ Ordino – Andorre-la-Vieille 16.

Del Serrat, ℘ 35 2 96, ← – wc. AE E VISA. rest
fermé nov. – **R** 65 – 15 – **20 ch** 200 – 1/2 p 125/145.

Soldeu – alt. 1 826 – Sports d'hiver : 1 700/2 560 m 16 – ✉ Soldeu – Andorre-la-Vieille 19.

Del Tarter, à El Tarter, O : 3 km ℘ 51 1 65, ← – wc P. E VISA.
fermé 15 oct. au 1er déc. – **R** *(fermé mardi du 1er mai au 30 juin et du 15 sept. au 15 oct.)* 50/70 – 22 – **37 ch** 174 – 1/2 p 204.

Sant Pere avec ch, à El Tarter, O : 3 km ℘ 51 0 87, Télex 234, ←, – wc P. AE E VISA. rest
R carte 90 à 175 – **6 ch** 200/350.

ANDRÉZIEUX BOUTHÉON 42 Loire 73 ⑱ – rattaché à St Étienne.

ANDUZE 30140 Gard 80 ⑰ G. Gorges du Tarn – 2 787 h.
Voir Bambuseraie de Prafrance★ N : 3 km par D 129.
Syndicat d'Initiative plan de Brie ℘ 66 61 98 17.
Paris 718 – Alès 13 – Florac 67 – Lodève 86 – ♦Montpellier 67 – Nîmes 47 – Le Vigan 52.

au NO : 3 km par D 907 – ✉ 30140 Anduze :

Porte des Cévennes Ⓜ, ℘ 66 61 99 44, ←, , – wc wc P. AE E VISA.
1er avril-27 oct. – **R** *(fermé dim. midi)* 77/145 – 19 – **18 ch** 185/280 – 1/2 p 180/270.

à Générargues : NO 5,5 km par D 129 et D 50 – ✉ 30140 Anduze :

Trois Barbus, ℘ 66 61 72 12, ←, , – TV P – 30. AE E VISA.
fin mars-début nov. et fermé lundi du 15 sept. au 14 juin – **R** 90/220, enf. 70 – 35 – **35 ch** 220/370 – 1/2 p 275/360.

à Mialet NO : 10 km par D 129 et D 50 – ✉ 30140 Anduze.
Voir Le Mas Soubeyran : musée du Désert★ (souvenirs protestants 17e-18e s.) S : 3 km.

Grottes de Trabuc, sur D 50 ℘ 66 85 02 81, ←, – wc P. rest
23 mars-4 oct. et fermé mardi – **R** 65/100 – 17 – **8 ch** 90/160 – 1/2 p 140/180.

Aub. du Fer à Cheval, ℘ 66 85 02 80 – E VISA
ouvert : 1er avril-1er oct., vend., sam. et dim. du 1/10 au 31/12, fermé dim. soir (sauf juil.-août) et lundi – **R** 50/90, enf. 45.

à Tornac : SO : 6 km par D 982 – ✉ **30140** Anduze :

X **Le Ranquet,** ✆ 66 77 51 63, ⛱, ⛲, 🌳 – AE ⓓ E VISA. ✗
fermé 10 janv. au 25 mars, mardi soir et merc. sauf juil.-août – **R** 140/210.

ANET 28260 E.-et-L. 55 ⑰, 196 ⑬ – 2 431 h.

Voir Château★, G. Normandie Vallée de la Seine.

Paris 79 – Chartres 51 – Dreux 16 – Évreux 37 – Mantes-la-Jolie 28 – Versailles 59.

🏠 **Dousseine** sans rest, ✆ 37 41 49 93, 🌳 – TV ⛀wc ⛆wc ☎ P – 🏛 50. E VISA
☕ 30 – **20 ch** 180/250.

XX **Aub. de la Rose** avec ch, ✆ 37 41 90 64 – ⛆ ☎. VISA. ✗
fermé 15 au 30 août, vacances de fév., dim. soir et lundi – **R** 77/215 – ☕ 22 – **6 ch** 130.

XX Manoir d'Anet, ✆ 37 41 91 05.

à Ézy-sur-Eure (27 Eure) NO : 2 km – ✉ **27530** Ézy :

XXX **Maître Corbeau,** rte Ivry ✆ 37 64 73 29, ⛱, 🌳 – P. AE ⓓ E VISA
fermé mardi soir et merc. sauf fériés – **R** 165/195.

PEUGEOT-TALBOT Dafeur, ✆ 37 41 91 02 N
RENAULT Bonnin, ✆ 37 41 90 51
RENAULT Ezy Auto, à Ezy-sur-Eure (27 Eure) ✆ 37 64 74 33

ANGERS P 49000 M.-et-L. 63 ⑳ **G. Châteaux de la Loire** – **141 143 h.**

Voir Château★★★ AYZ **: tenture de l'Apocalypse★★★, tapisseries mille-fleurs★★, tapisseries★ du Logis du Gouverneur – Vieille ville★★ : cathédrale★★** BY**, galerie romane★★ de la Préfecture★** BZ **P, galerie David d'Angers★** BZ **E, Maison d'Adam★** BYZ **K, hôtel Pincé★** BY **M2 – Choeur★★ de l'église St-Serge★** CY **R – Musée Jean Lurçat et de la Tapisserie contemporaine★★ dans l'anc. hôpital St-Jean** ABX **– La Doutre★.**

⛳18 **de St-Jean-des-Mauvrets ✆ 41 91 96 56 par ④ : 8 km.**

ℹ Office de Tourisme et Accueil de France (Informations et réservations d'hôtels, pas plus de 5 jours à l'avance) pl. Kennedy ✆ 41 88 69 93 et pl. Gare St-Laud ✆ 41 87 72 50, Télex 720930 – A.C.O. 21 bd Foch ✆ 41 88 40 22.

Paris 294 ① – ♦Caen 218 ⑥ – Laval 74 ⑥ – ♦Le Mans 94 ① – ♦Nantes 89 ⑤ – ♦Orléans 214 ① – Poitiers 136 ④ – ♦Rennes 119 ⑥ – Saumur 45 ③ – ♦Tours 109 ①.

Plan pages suivantes

🏨 **Anjou et rest. Salamandre,** 1 bd Mar.-Foch ✆ 41 88 24 82, Télex 720521 – 🛗 TV ☎ 🚗. AE ⓓ E VISA. ✗ rest — CZ h
R *(fermé dim.)* 88/160 – ☕ 35 – **51 ch** 260/360.

🏨 **Mercure** M 🐕, pl. Mendès-France (Centre des Congrès) ✉ 49100 ✆ 41 60 34 81, Télex 722139 – 🛗 ▤ TV ☎ ♿ 🚗. AE ⓓ E VISA — CY a
R 85/130 🍷, enf. 44 – ☕ 38 – **86 ch** 355/380.

🏨 **Concorde** M, 18 bd Mar.-Foch ✉ 49100 ✆ 41 87 37 20, Télex 720923 – 🛗 TV ☎ ♿ – 🏛 25 à 300. AE ⓓ E VISA — BZ u
R (brasserie) carte 105 à 165 🍷 – ☕ 36 – **73 ch** 315/380.

🏨 **France et rest. Plantagenets** M, 8 pl. Gare ✆ 41 88 49 42, Télex 720895 – 🛗 ▤ rest TV ⛀wc ⛆wc ☎. AE ⓓ E VISA — BZ
R *(fermé 22 déc. au 6 janv., dim. midi et sam.)* 73/130 🍷, enf. 35 – ☕ 30 – **57 ch** 250/350 – ½ p 265/355.

🏨 **Progrès** M sans rest, 26 r. D.-Papin ✆ 41 88 10 14, Télex 720982 – 🛗 TV ⛀wc ⛆wc ☎. AE ⓓ E VISA — AZ
☕ 25 – **41 ch** 245/275.

🏨 **Champagne** sans rest, 34 r. D. Papin ✆ 41 88 78 06 – 🛗 TV ⛀wc ⛆wc ☎. AE ⓓ E VISA — AZ
fermé 21 déc. au 3 janv. – ☕ 20 – **30 ch** 135/250.

🏨 **Europe** sans rest, 3 r. Château-Gontier ✉ 49100 ✆ 41 88 67 45, Télex 722125 – TV ⛀wc ⛆wc ☎. AE ⓓ E VISA — BZ
☕ 21 – **29 ch** 165/205.

🏨 **Univers** sans rest, 16 r. Gare ✆ 41 88 43 58 – 🛗 TV ⛀wc ⛆wc ☎. AE ⓓ E VISA — BZ n
☕ 20 – **45 ch** 145/230.

🏨 **St Julien** sans rest, 9 pl. Ralliement ✆ 41 88 41 62 – 🛗 TV ⛀wc ⛆wc ☎. E VISA — BY
☕ 19 – **35 ch** 170/220.

🏠 **Ibis** M, r. Poissonnerie ✉ 49100 ✆ 41 86 15 15, Télex 720916 – 🛗 TV ⛀wc ☎ ♿ – 🏛 30 à 50. E VISA — BY
R carte 75 à 120 🍷, enf. 35 – ☕ 26 – **95 ch** 230/250.

🏠 **Fimotel,** 23 bis r. P. Bert ✉ 49100 ✆ 41 88 10 10, Télex 722735 – 🛗 TV ⛀wc ☎ ♿ P – 🏛 150. AE ⓓ E VISA — BZ
R 59/89, enf. 32 – ☕ 25 – **52 ch** 240/265.

🏠 **Royal** sans rest, 8 bis pl. Visitation ✉ 49100 ✆ 41 88 30 25 – 🛗 TV ⛀wc ⛆wc ☎. ⓓ E VISA — BZ
☕ 17 – **40 ch** 85/190.

Mail sans rest, 8 r. Ursules 41 88 56 22 – wc wc . E VISA
27 ch 170/260. CY **b**

Roi René sans rest, 16 r. Marceau 49100 41 88 88 62 – wc wc .
fermé août – 22 – **25 ch** 100/200. AZ **p**

St-Jacques, 83 r. St-Jacques 41 48 51 05 – wc . AE E VISA CV **r**
R *(fermé 16 août au 12 sept. et dim.)* 50/150 – 18 – **19 ch** 90/240 – 1/2 p 150/260.

St Raphaël, 13 r. de l'Esvière 49100 41 87 55 58 – wc wc . AE E VISA AZ **d**
R (pour résidents seul.) 50 – 19 – **10 ch** 140/180.

XXX **Le Toussaint** (Bignon), 7 r. Toussaint 49100 41 87 46 20 – AE E VISA. BZ **v**
fermé 30 juil. au 23 août, vacances de fév., dim. et lundi – **R** (nombre de couverts limité-prévenir) 155/210
Spéc. Foie gras frais macéré au Bonnezeaux, Poisson de Loire au beurre blanc, Pied de porc farci à l'ancienne. **Vins** St-Aubin-de-Luigné, Savennières.

XXX **Le Quéré,** 9 pl. Ralliement 49100 41 87 64 94 – . AE E VISA BY **e**
fermé 1er au 15 juil., vacances de fév., vend. soir et sam. – **R** carte 200 à 260.

XX **Le Logis** (Guinet), 17 r. St-Laud 41 87 44 15, **produits de la mer** – AE E VISA
fermé 2 au 25 juil., sam. soir du 1er juin au 30 sept. et dim. – **R** 95/250 BY **u**
Spéc. Salade de raie tiède au blanc de poireaux, Goujonnette de turbot au safran, Choucroute de poissons (1er déc. au 30 avril). **Vins** Saumur, Savennières.

XX Le Vert d'eau, 9 bd G.-Dumesnil 41 48 52 86 AY **s**

XX L'Entr'acte, 9 r. L.-de-Romain 41 87 71 82 BY **r**

X **L'Entrecôte,** av. Joxé (M.I.N.) par av. M. Talet et av. Besnardière 49100 41 43 71 77 – VISA CV **z**
fermé 24 juil. au 24 août, 25 déc. au 3 janv., sam. et dim. – **R** (déj. seul.) 60/100.

vers ① : NE 6 km rte de Paris – **49480** St Sylvain d'Anjou :

XXX **Aub. d'Éventard** avec ch, 41 43 74 25, – wc . AE E VISA. DV **f**
fermé 2 au 22 janv., dim. soir et lundi – **R** 100/270 – 27 – **10 ch** 110/260 – 1/2 p 220/350.

XX **Le Clafoutis,** 41 43 84 71, – . AE E VISA DV **v**
fermé août, 11 au 21 fév., dim. soir, merc. soir et jeudi – **R** 70/135.

Par ④, à Érigné : 12 km – **49130** Les Ponts de Cé :

XX **Host. Château,** 41 57 71 95, – . E VISA
fermé 5 au 30 janv., dim. soir et merc. – **R** 75/210.

vers ⑤ par autoroute de Nantes sortie Lac de Maine O : 2 km – **49000** Angers :

Lac de Maine M, 41 48 02 12, Télex 721111 – ch rest wc – 200. AE E VISA BV **n**
fermé Noël au 3 janv. – **R** *(fermé dim.)* 70/130 – 30 – **80 ch** 230/300 – 1/2 p 250/330.

au NO : 4 km – **49240** Avrillé :

XX **Aub. de la Haye,** parc de la Haye 41 69 33 58, , « Jardin fleuri » – . AE VISA BV **q**
fermé vacances de fév., dim. soir et lundi – **R** 75/160, enf. 45.

par ⑥ à la Croix Cadeau : 8 km – **49240** Avrillé :

Motel le Cavier M , 41 42 30 45 – wc . AE E VISA. rest
R *(fermé 1er au 15 août, 24 déc. au 8 janv. et dim.)* 55 bc/75 – 25 – **29 ch** 170/240 – 1/2 p 255/315.

MICHELIN, Agence, 18 bd G.-Ramon, Z.I. St-Serge CV 41 43 65 52

AUSTIN-ROVER Gar. Rallye-Service, 4 bis r. St-Maurille 41 88 03 39 41 66 82 66
BMW S.A.G.A., 2 av. Besnardière 41 43 72 88
CITROEN SOVAM, 3 r. Vaucanson CV 41 43 16 24 41 66 82 66
FIAT-LADA-SKODA S.A.D.R.A., 150 bd de Lattre-de-Tassigny 41 44 48 48
FORD Gar. Clénet, 170 av. de-Lattre-de-Tassigny 41 44 44 44 41 34 53 46
HONDA Anjou-Autom., 4 av. Pasteur 41 87 69 57
MERCEDES-BENZ Gar. Bretagne, 107 bd Bedier 41 44 51 51 41 66 82 66
PEUGEOT Gar. Lafayette-Messie, 21 pl. Lafayette CX 41 88 42 20
PEUGEOT-TALBOT S.I.A.A., 9 quai F.-Faure, Zone Ind. St-Serge CV 41 43 23 55
RENAULT Succursale, bd Bon-Pasteur AY 41 48 35 34
VAG Gar. Moderne, 160 av. de Lattre-de-Tassigny 41 66 56 77

Cailleau, 9 r. Thiers 41 88 73 20
Perry-Pneus, 4 av. Besnardière 41 43 67 49
Rodier-Pneu, 7 bd de la Romanerie 41 43 95 14

ANGERS

Alsace (R. d') . . . BZ
Beaurepaire (R.) . . . . AY
Bressigny (R.) . . CZ
Chaperonnière (R.) . . . . BY 13
Foch (Bd Mar.) . BZ
Laiterie (Pl.) . . . . AY 34
Lenepveu (R.) . . BY 38
Lices (R. des) . . . BZ 42
Lionnaise (R.) . . AX
Plantagenet (R.) BY 49
Ralliement (Pl.) . BY 55
Roë (R. de la) . . . BY 61
St-Aubin (R.) . . . BZ 63
St-Julien (R.) . . . BZ 67
Voltaire (R.) . . . . BZ 78

Académie (Pl.) . AZ 2
Anjou (R. d') . . . BZ
Arago (Bd) . . . . . BX
Arbrissel (Bd) . . . CX
Arnauld (Bd H.) . AY
Ayrault (Bd) . . . . BY
Barra (R.) . . . . . . CV 3
Baumette (Pr.) . CX 4
Bazin (Quai R.) . . . . BY
Beaussier (Bd) . . . . BV 5
Bedier (Bd J.) . . . . CX 6
Berges (Voie des) . BX
Bessonneau (Bd) . CY
Bichat (R.) . . . . AX 7
Blancheraie (Av.) . AZ
Blanchoin (Bd) . . . CX
Boisnet (R.) . . . . BY
Bon-Pasteur (Bd) . CV 8
Bout-du-Monde (Prom. du) . . . . . BY 10
Birgé (Bd G.) . . . . . . DV
Capucins (Ch.) . . . CV
Carmes (Q. des) . . AY
Carnot (Bd) . . . . CY
Chalouère (R.) . . . . DV 14
Chatenay (Av. V.) . . DV
Chaumin (Bd E.) . . CX 16
Clemenceau (Bd) CV
David-d'Angers (R.) . . . . BY 21
Daviers (Bd) . . . . . . AX
Denis-Papin (R.) . . BZ 22
Descazeaux (Bd) . . AY
Desjardins (R.) . . . . CZ
Deux-Croix (Bd) . . DV 24
Dr.-Bichon (Pl.) . . . AX

A

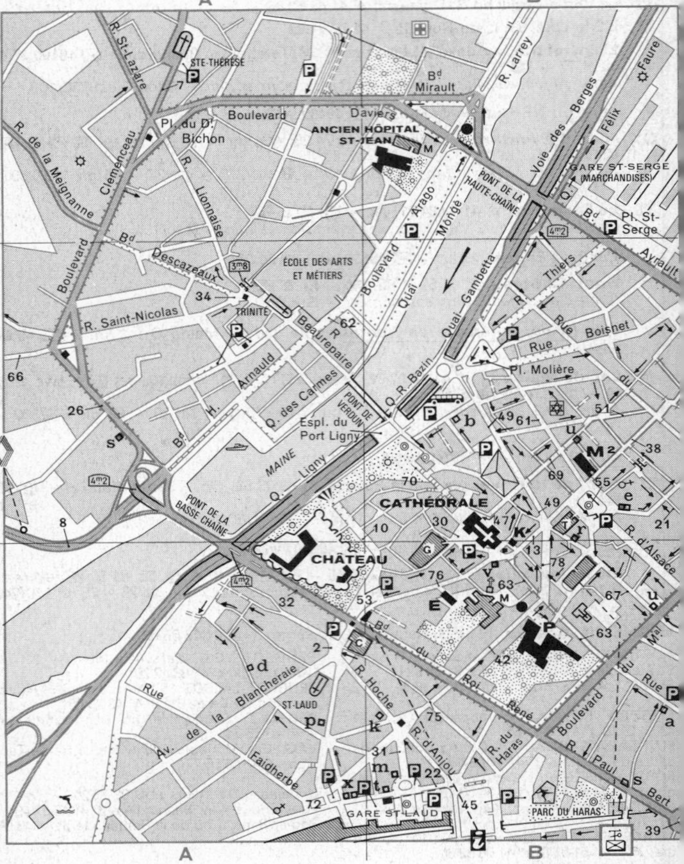

X
R. St-Lazare
STE-THÉRÈSE
7
R. de la Meignanne
Clemenceau
Pl. du Dr Bichon
Boulevard
Daviers
Bd Mirault
R. Larrey
ANCIEN HÔPITAL ST-JEAN
M
R. Lionnaise
Voie des Berges
Félix
Faure
GARE ST-SERGE (MARCHANDISES)
PONT DE LA HAUTE-CHAÎNE
Bd Pl. St-Serge
Ayrault
Boulevard
Bd Descazeaux
34
TRINITÉ
ÉCOLE DES ARTS ET MÉTIERS
Boulevard Arago
Quai Monge
Quai Gambetta
Thiers
R. Saint-Nicolas
R. Beaurepaire
62
Rue Boisnet
66
Bd H. Arnauld
Q. des Carmes
Pl. Molière
Rue du
Y
26
Q. R. Bazin
PONT DE VERDUN
Espl. du Port Ligny
b
49
61
51
38
s
u
M2
MAINE
Q. Ligny
70
69
55
e
4m2
8
PONT DE LA BASSE CHAÎNE
10
CATHÉDRALE
49
47
30
K
r
21
R. d'Alsace
G
13
CHÂTEAU
78
76
v
63
32
53
E
M
67
u
4m2
P
63
Bd du Roi René
42
2
C
d
R. Hoche
Rue de la Blancheraie
ST-LAUD
Z
p
k
75
R. d'Anjou
Av. Faidherbe
31
m
22
R. du Haras
Boulevard du Rue
a
R. Paul Bert
x
t
S
72
GARE ST-LAUD
45
PARC DU HARAS
39

A
B

SABLÉ 52 km
AGENCE MICHELIN
ÎLE ST-AUBIN
AÉRODROME
Moyenne
SARTHE
ECOUFLANT
PARC DES EXPOSITIONS
A11-E 501
N 23
LA FLÈCHE 47 km
LE MANS 94 km
TOURS 109 km
EVENTARD
BOIS-L'ABBÉ
LA BARONNERIE
Route d'Epinard
Chin des Capucins
Bd de Monplaisir
Av. V. Chatenay
D 117
D 116
M.I.N.
NOZAY
ST-LAZARE
Gasnier
Av. Pasteur
Bd G. Birgé
CHINON 80 km
SAUMUR 52 km
BEAUFORT-EN-V. 27 km
ST-JACQUES
ST-ANTOINE
E 60
N 147
MAISON DES ARTS
ST-BARTHÉLEMY D'ANJOU
Rte de St-Barthélemy
R. St-Léonard
ST-LÉONARD
POL
R. Volney
MAINE
R. Eblé
STE BERNADETTE
MADELEINE
D. Guichard
ARDOISIÈRES
ouv. fin 1988
ST-MARTIN
R. Parmentier
LA ROSERAIE
Mal Juin
Rte de la Pyramide
D 312
R. du
Blanchoin
N 260
D 952
R. du Bd d'Arbrissel
CHOLET 61 km
POITIERS 136 km
SAUMUR 45 km
N 160
LES-PONTS-DE-CÉ 7 km
Av. M. Talet
JARDIN DES PLANTES
CENTRE DE CONGRÈS
Bd Carnot
Pl. Louis Imbach
Bd St-Michel
Pl. M. France
R. Pierre Lise
N-DAME
Mail
Bd Bessonneau
Pl. du Gal Leclerc
Av. Pasteur
JARDIN DU MAIL
8 Mai 1945
R. Louis Gain
Desjardins
R. du Quinconce
Hanneloup
R. Franklin
Pl. du Lycée
ST-JOSEPH
R. Célestin Port
Bressigny
300 m

ANGERVILLE 91670 Essonne 60 ⑲ – 2 638 h.

Paris 69 – Ablis 29 – Chartres 45 – Étampes 18 – Évry 57 – ♦Orléans 49 – Pithiviers 26.

France M, 2 pl. du Marché ✆ (1) 64 95 20 03, – wc wc . E VISA
R carte 150 à 240 – 26 – **16 ch** 190/270.

ANGLARDS-DE-SALERS 15 Cantal 76 ② – rattaché à Salers.

Les ANGLES 30133 Gard 81 ⑪ – 5 570 h.

Paris 682 – Alès 67 – Avignon 4 – Nîmes 39 – Remoulins 18.

Le Petit Manoir, chemin de la Pinède ✆ 90 25 03 36, – wc wc . VISA. rest
R 75/150 – 22 – **40 ch** 180/250 – $^1/_2$ p 175/225.

XXX ❀ **Ermitage-Meissonnier** avec ch, à Bellevue sur D 900 rte Nîmes ✆ 90 25 41 68, « Jardin fleuri » – . AE VISA
R *(fermé dim. soir de nov. à mars et lundi sauf le soir en juil.-août)* 160/360, enf. 100
Spéc. Bisquebouille d'Avignon, Ravioli de crustacés au pistou, Profiterolles de lapereau au miel de lavande. **Vins** Crozes-Hermitage, Châteauneuf-du-Pape.

Host. Ermitage M sans rest, ✆ 90 25 41 02, – wc wc . AE VISA
fermé janv. et fév. – 45 – **16 ch** 200/370.

à la Bégude de Saze par rte Nîmes : 8 km – ✉ **30650** Rochefort-du-Gard :

La Gélinotte, ✆ 90 31 72 13, ≤, , , – wc
fermé 30 oct. au 15 déc. – **R** *(fermé lundi sauf le soir en sais. et dim. soir hors sais.)* 85 – 22 – **10 ch** 200/260 – $^1/_2$ p 230/250.

Les ANGLES 66 Pyr.-Or. 86 ⑯ – 475 h. alt. 1 600 – Sports d'hiver : 1 600/2 400 m 2 17 –
✉ **66210** Mont-Louis – Office de Tourisme ✆ 68 04 42 04.

Paris 1002 – Mont-Louis 13 – ♦Perpignan 92 – Quillan 59.

XX **La Ramballade,** ✆ 68 04 43 48, « Cadre rustique » – AE E VISA
fermé 9 mai au 2 juin, 7 nov. au 1er déc. et merc. sauf vacances scolaires – **R** 90/190.

ANGLET 64600 Pyr.-Atl. 78 ⑱ **G. Pyrénées Aquitaine** – 30 364 h.

18 **de Chiberta** ✆ 59 63 83 20, N : 5 km.

de Biarritz-Parme : Air France ✆ 59 23 93 82, SO : 2 km.

Office de Tourisme 1 av. Chambre-d'Amour ✆ 59 03 77 01.

Paris 777 – ♦Bayonne 3 – Biarritz 4 – Cambo-les-Bains 19 – Pau 110 – St-Jean-de-Luz 19.

Plan : voir Biarritz-Anglet-Bayonne

Chiberta et du Golf M, 104 bd Plages - AX ✆ 59 63 88 30, Télex 550637, ≤, « en lisière du Golf », , – TV – 180. AE E VISA. rest
R 110/140 – 38 – **98 ch** 380/540 – $^1/_2$ p 373/413.

Fine sans rest, av. de Montbrun ✆ 59 63 00 09 – . BX
17 – **11 ch** 90/110.

XXX **Relais de Parme,** à l'aéroport SO : 2 km ✆ 59 23 93 84, ≤ – . AE E VISA
fermé sam. – **R** 190/330. BX

au lac de Brindos SO : 3,5 km par N 10 – XXXX ❀ avec ch, voir à Biarritz.

FORD Auto-Durruty, Zone Ind. des Pontots, bd du B.A.B. ✆ 59 52 33 33
LANCIA, SEAT Gd Gar. du Palais, bd du B.A.B. ✆ 59 63 89 85
OPEL Gar. Lafontaine, BAB 2, les Pontots ✆ 5[illegible] 52 26 46
RENAULT Gar. Aylies Fres, 54 av. Espagn[illegible] ✆ 59 03 98 13

ANGON 74 H.-Savoie 74 ⑥ – rattaché à Talloires.

ANGOULÊME P 16000 Charente 72 ⑬⑭ **G. Poitou Vendée Charentes** – 50 151 h.

Voir Site★ – **Promenade des Remparts**★★ YZ – **Cathédrale**★ : **façade**★★ Y **F.**

9 **de l'Hirondelle** ✆ 45 61 16 94, S : 2 km - X – Office de Tourisme 2 pl. St-Pierre et l'Hôtel de Ville ✆ 45 95 16 84, Télex 791605 – A.C. 10 r. Prudent ✆ 45 95 16 14.

Paris 444 ① – Agen 198 ③ – ♦Bordeaux 116 ⑤ – Châteauroux 216 ② – ♦Limoges 103 ② – Niort 10[illegible] ① – Périgueux 85 ③ – Poitiers 110 ① – La Rochelle 141 ⑥ – Royan 108 ⑥.

Plan page ci-contre

❀ **Host. du Moulin du Maine Brun**, par traversée de ville et sortie ⑥ rt Cognac : 10 km, ✉ 16290 Hiersac ✆ 45 90 83 00, Télex 791053, ≤, , Par[c] animalier, « Élégante installation avec beau mobilier, » – TV – 25[0]. AE E VISA
fermé nov. et déc. – **R** *(fermé dim. soir et lundi du 1er janv. au 31 mars)* 165/27[0] enf. 50 – 40 – **20 ch** 400/475 – $^1/_2$ p 410/520
Spéc. Foie gras de canard en terrine, Amourettes de saumon et langoustines au beurre de romarin[,] Feuilleté gourmand aux pommes confites.

ANGOULÊME

Louvel (Pl. F.) .... Y 31
Marengo (R.) ...... YZ 33
Monlogis (R.) .... X 34
Paris (R. de) .... Y
Périgueux (R. de) .... Z 38
Postes (R. des) ...... Y 39
St-Martial (Esp. et R.) Z 45
Saintes (R. de) ...... X 48

Aguesseau (Rampe) . Y 2
Barthou (R. L.) .... Y 3
Bouillaud (Pl.) .... Z 5
Briand (Bd A.) .... Y 6
Bury (Bd de) .... X 7
Chabasse (Bd) ...... X 8
Champs-de-Mars (Pl.) Y 9
Churchill (Bd W.) .... Z 10
Cloche-Verte (R.) .... Y 12
Denis-Papin (R.) ..... Y 16
Desaix (Bd) .... Z 20
Fne-du-Lizier (R.) .... Y 23
Fougerat (R.) .... Y 24
Gambetta (Av.) .... Y 25
Gaulle (R. Gén.-de) .. Y 26
Halles (Pl. des) ...... Y 27
Juin (Av. Mar.) .... X 28
La Rochefoucauld (R.) .... Y 29
Lattre-de-T. (Av. de) . X 30
Montbron (Route) ... X 35
Pasteur (Bd) .... Y 37
République (Bd) ..... X 40
St-André (R.) .... Y 42
St-Antoine (R.) ...... X 44
St-Roch (R.) .... Y 47
Tour-Garnier (R.) .... X 52
8-Mai-1945 (Bd du) .. X 55

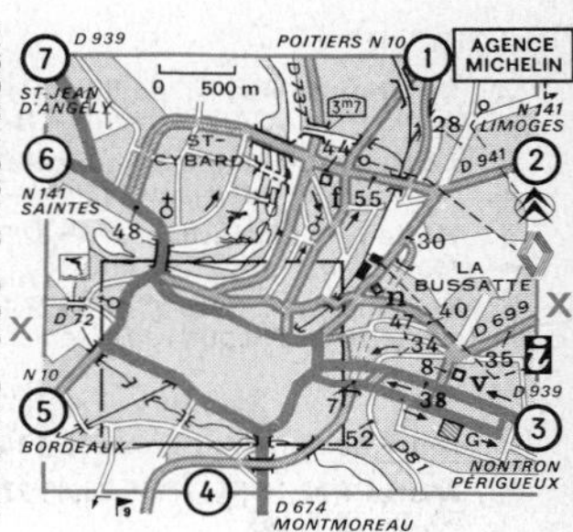

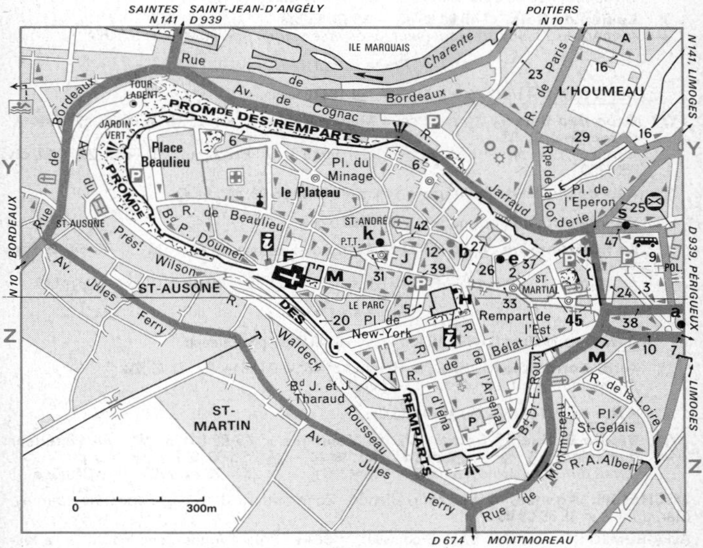

Gd H. France, 1 pl. Halles ✆ 45 95 47 95, ⛱ – 🛗 🅿 – 🏛 60. AE ⓓ E VISA. ✻ rest — Y **e**
R *(fermé 20 déc. au 15 janv., dim. midi et sam.)* 115 – **61 ch** ☕140/450 – ½ p 185/280.

Novotel Ⓜ, par ① : 6 km sur N 10 près échangeur Nord, ✉ 16430 Champniers ✆ 45 68 53 22, Télex 790153, ⛱, 🏊, 🌳 – 🛗 ▤ TV ☎ ♿ 🅿 – 🏛 50 à 200. AE ⓓ E VISA
R grill carte environ 120, enf. 40 – ☕ 38 – **100 ch** 300/330.

St-Antoine Ⓜ, 31 r. St-Antoine ✆ 45 68 38 21, Télex 790909 – 🛗 TV 🛁wc ☎ ♿ 🅿 – 🏛 100. AE ⓓ E VISA. ✻ rest — X **f**
R *(fermé dim. soir)* 51/150 🍷 – ☕ 22 – **32 ch** 180/240 – ½ p 190/255.

Épi d'Or Ⓜ sans rest, 66 bd René-Chabasse ✆ 45 95 67 64 – 🛗 TV 🛁wc 🚿wc ☎ 🅿. AE ⓓ E VISA — X **v**
☕ 23 – **30 ch** 200/250.

Trois Piliers sans rest, 3 bd Bury ✆ 45 92 42 11 – 🛗 🛁wc ☎ 🚗 – 🏛 50 à 90 — Z **a**
☕ 20 – **50 ch** 160/220.

Palais sans rest, pl. Francis Louvel ✆ 45 92 54 11 – 🛁wc 🚿 ☎. E VISA — Y **k**
☕ 20 – **51 ch** 120/240.

Le Flore, 414 rte Bordeaux par ⑤ : 2 km ✆ 45 91 99 46, Télex 791573, ⛱ – 🚿wc ☎ ♿ 🚗 🅿. AE ⓓ E VISA
fermé 15 au 21 août, 24 au 31 déc. et sam. midi – **R** 89/200 🍷 – ☕ 22 – **40 ch** 125/263 – ½ p 189/268.

Pyrénées sans rest, 80 r. St-Roch ✆ 45 95 20 45, ⛱ – 🚿wc ☎. AE ⓓ E VISA — Y **s**
fermé août – ☕ 18 – **20 ch** 100/160.

XX **Le Chandelier,** 7 r. de Saintes, à St Cybard ✆ 45 95 51 05, — AE ⓓ VISA
fermé 1er au 23 juil. et mardi – **R** 80/195, enf. 60.

X **Le Palma,** 4 rampe d'Aguesseau ✆ 45 95 22 89 – E VISA Y u
fermé 23 déc. au 8 janv. et dim. – **R** 39/125 ♂.

X **Halles,** 11 r. Massillon ✆ 45 92 65 24 – AE E VISA Y b
fermé dim. – **R** 55/140, enf. 30.

X **Terminus,** pl. Gare ✆ 45 95 27 13 – E VISA X n
fermé 10 au 31 août, vend. soir et sam. – **R** 58/260, enf. 28.

Par la sortie ① :

route de Poitiers : 7 km – ✉ **16430** Champniers :

Motel PM 16 M, ✆ 45 68 03 22, Télex 790345, – TV wc wc ☎ P – 50. AE ⓓ E VISA
R voir rest **Feu de Bois** ci-après – 23 – **41 ch** 205/245.

X **Le Feu de Bois,** ✆ 45 68 69 96 – P. E VISA
fermé 2 au 23 janv. et lundi (sauf fériés et le soir en juil.-août) – **R** 57/165.

Par la sortie ③ :

par D 939, D 4 et D 25 – 11 070 h. – ✉ **16410** Dignac :

XXX **Orée des Bois** M avec ch, à **Maison Neuve, 17 km** ✆ **45 24 94 38,** , –
wc wc P. AE
fermé 11 nov. au 1er déc., dim. soir et lundi – **R** 98/250, enf. 60 – 26 – **11 ch** 150/250.

XX Aub. du Moulin de Baillarge, à 14 km ✆ **45 60 65 09,** – P.

à Dignac rte de Périgueux – ✉ **16410** Dignac :

La Marronnière , ✆ 45 24 50 42, parc – wc P – 30. AE ⓓ E VISA.
ch
fermé dim. soir et lundi – **R** 55/90 ♂, enf. 30 – 18 – **10 ch** 110/150 – $^1/_2$ p 178.

Par la sortie ⑤ :

à Nersac N 10 et D 699 : 10 km – ✉ **16440** Roullet-St-Estèphe :

XX **Aub. Pont de la Meure,** rte Hiersac ✆ 45 90 60 48 – AE ⓓ E VISA
fermé août, vend. soir et sam. – **R** 90/150.

à Roullet : 14 km – ✉ **16440** Roullet :

XXX **Vieille Étable** M avec ch, rte Mouthiers ✆ **45 66 31 75,** , « A l'intérieur d'un parc », , – TV wc wc ☎ P – 25 à 60. E VISA. rest
fermé dim. soir de nov. à mars – **R** 65/210 ♂ – 27 – **23 ch** 220 – $^1/_2$ p 240/345.

MICHELIN, Agence, r. Salvador-Allende, Zone Ind. n°3, Isle d'Espagnac, par av. Mar.-Juin X ✆ **45 68 09 66**

ALFA-ROMEO Frayssinhes, 57 r. Broquisse ✆ 45 61 24 28
BMW Laujac Autom., 52 r. Bordeaux ✆ 45 92 08 50
CITROEN Leger-Durand, rte N 10 à La Couronne par ⑤ ✆ 45 67 26 03
FIAT Gar. du Port l'Houmeau, 69 bd Besson Bey ✆ 45 95 59 81
RENAULT Succursale, 11 rte Paris X ✆ 45 68 90 66

SEAT Espace Autos, Zone Ind. N° 3, La Madeleine ✆ 45 68 70 55
VOLVO Gar. Bris, 340 rte de Bordeaux ✆ 45 91 59 60

Piot-Pneu, Port L'Houmeau, 37 bd Besson Bey ✆ 45 92 06 04
Rogeon-Pneus, Zone Ind. de Rabion ✆ 45 91 35 36

Périphérie et environs

CITROEN SOCHAC, Zone Ind., Gond-Pontouvre par av. Mar.-Juin X ✆ 45 68 90 77 N
CITROEN SAMA, Zone d'Emploi, Puymoyen par ④ ✆ 45 61 23 92
FORD Mathieux Autom., rte de Paris, Gond-Pontouvre ✆ 45 68 02 55
MERCEDES-BENZ SAFI-16, Zone Ind., n°3, Gond-Pontouvre ✆ 45 68 00 11

OPEL-GM Angoulême-Nord-Auto, rte de Paris à Champniers ✆ 45 68 74 33
PEUGEOT Perga, Zone Ind. à l'Isle-d'Espagnac par ② ✆ 45 68 78 33
PEUGEOT-TALBOT Fetiveau, 250 bis av. République à l'Isle-d'Espagnac par ② ✆ 45 68 73 58
Picoty, rte N 10, Gond-Pontouvre ✆ 45 68 60 55

ANIANE **34** Hérault **83** ⑥ – rattaché à Gignac.

ANNEBAULT **14** Calvados **54** ⑰ – 259 h. – ✉ **14430** Dozulé.

Paris 207 – Cabourg 15 – ♦Caen 35 – Pont-L'Evêque 12.

XX **Aub. Le Cardinal** avec ch, ✆ 31 64 81 96, , – P. AE ⓓ E VISA.
fermé 15 au 30 nov., 15 janv. au 20 fév., mardi soir et merc. hors sais. – **R** 85/180, enf. 58 – **7 ch** 140/250 – $^1/_2$ p 220/260.

ANNECY P 74000 H.-Savoie 74 ⑥ G. Alpes du Nord – 51 593 h.

Voir Avenue d'Albigny★ CXY – Le Vieil Annecy★★ : Descente de Croix★ dans l'église St-Maurice BY **B**, Palais de l'Isle★ BY rue Ste-Claire★ ABY, pont sur le Thiou ≤★ BY **N** – Château ★ BY – Jardin public★ CY – Musée de la Cloche★ CU**M** – Forêt du crêt du Maure★ : ≤★★ 3 km par ④.

Env. Tour du lac★★★ 39 km (ou en bateau 1 h 30) – Gorges du Fier★★ et collections★ du château de Montrottier : 11 km par ⑦.

18 du lac d'Annecy ✆ 50 60 12 89 par ② : 10 km.

✈ d'Annecy-Meythet : T.A.T. ✆ 50 22 02 41 par ⑦ et D 14 : 4 km.

Office de Tourisme clos Bonlieu 1 r. Jean-Jaurès ✆ 50 45 00 33, Télex 309347 – A.C. 15 r. Préfecture ✆ 50 45 09 12.

Paris 539 ⑦ – Aix-les-Bains 34 ⑥ – ♦Genève 43 ① – ♦Lyon 137 ⑥ – ♦St-Étienne 184 ⑥.

Plan page suivante

L'Abbaye ⛰, 15 chemin Abbaye à Annecy-le-Vieux ✆ 50 23 61 08, ☂, « Belle décoration intérieure », ☀ – TV ☎ P – 🔺 30. AE ◑ E VISA — CU **b**
R *(fermé lundi du 1er oct. au 30 avril)* 130/280 – ☕ 40 – **8 ch** 350/550, 3 appartements 850 – 1/2 p 495/695.

Carlton sans rest, 5 r. Glières ✆ 50 45 47 75, Télex 309472 – |‡| TV ☎. AE ◑ E VISA — AY **g**
☕ 27 – **48 ch** 262/355.

Splendid H. sans rest, 4 quai E.-Chappuis ✆ 50 45 20 00, Télex 385233 – |‡| TV ☎ ♿. E VISA — BY **s**
fermé 24 déc. au 2 janv. – ☕ 26 – **50 ch** 190/350.

Faisan Doré, 34 av. Albigny ✆ 50 23 02 46 – |‡| ⛀wc ⛆wc ☎ – 🔺 35. E VISA — CV **e**
R 88/160 – ☕ 21 – **40 ch** 280/310 – 1/2 p 290/310.

Réserve, 21 av. Albigny ✆ 50 23 50 24, ≤, ☀ – TV ⛀wc ⛆wc ☎ P. ◑ E VISA
fermé 26 juin au 10 juil. et 23 déc. au 24 janv. – **R** 90/200 🍷 – ☕ 30 – **12 ch** 220/300 – 1/2 p 250/360. — CV **v**

Motel le Flamboyant M sans rest, 52 r. Mouettes à Annecy-le-Vieux par av. d'Albigny et D129 ✆ 50 23 61 69, Télex 309284 – cuisinette TV ⛀wc ☎ 🚗 P. AE ◑ E VISA
☕ 35 – **32 ch** 260/315.

Semnoz sans rest, 1 fg Balmettes ✆ 50 45 04 12 – ⛀wc ⛆wc ☎. AE E VISA. ✻
fermé 20 déc. au 10 janv., sam. et dim. en hiver – ☕ 26 – **24 ch** 220/260. — AY **b**

Ibis M, 12 r. Gare ✆ 50 45 43 21, Télex 385585, ☀ – |‡| TV ⛀wc ☎ – 🔺 35. E VISA — AY **a**
R carte 75 à 120 🍷, enf. 35 – ☕ 26 – **83 ch** 225/250.

Crystal H. sans rest, 20 r. L.-Chaumontel ✆ 50 57 33 90 – |‡| TV ⛀wc ⛆wc ☎ P. E VISA — AX **e**
☕ 23 – **22 ch** 210/235.

Muses, 61 r. Centrale à Albigny par ② : 1,5 km ✆ 50 23 29 26, ☂ – ⛆ ☎ P. E VISA. ✻ rest
fermé 18 déc. au 3 janv. – **R** *(fermé 30 oct. au 31 mars, dim. soir et lundi hors sais.)* 58/160 – ☕ 22 – **30 ch** 84/190 – 1/2 p 130/182.

Parmelan sans rest, 41 av. Romains ✆ 50 57 14 89, ☀ – ⛆wc ☎ P. ✻ — BU **d**
1er avril-1er oct. – ☕ 20 – **28 ch** 93/250.

Parc sans rest, 43 chemin des Fins, vers le parc des sports ✆ 50 57 02 98, ☀ – ⛆wc ☎ P. VISA — BU **r**
fermé 10 au 20 juin et 25 nov. au 5 janv. – ☕ 20 – **24 ch** 95/160.

Touring H. ⛰ sans rest, 24 av. Berthollet ✆ 50 57 16 97 – TV ⛀wc ⛆ ☎ P. AE ◑ VISA — AX **q**
☕ 19 – **21 ch** 175/250.

d'Aléry sans rest, 5 av. d'Aléry ✆ 50 45 24 75 – TV ⛀wc ⛆ ☎. AE E VISA — AY **k**
fermé 1er au 12 janv. – ☕ 27 – **20 ch** 150/290.

Paris sans rest, 15 bd J.-Replat ✆ 50 57 35 98 – ⛀ ⛆wc ☎. ✻ — AX **y**
fermé 15 oct. au 15 nov. – ☕ 19 – **12 ch** 105/190.

Coin Fleuri sans rest, 3 r. Filaterie ✆ 50 45 27 30 – ⛀wc ⛆wc ☎ — BY **t**
☕ 22 – **14 ch** 110/190.

XXX ✿✿ **Aub. de l'Éridan** (Veyret-Durebex), 7 av. de Chavoires à Annecy-le-Vieux, Petit Port par ② ✆ 50 66 22 04, ≤, ☂, ☀ – P. AE ◑ E VISA
fermé 16 août au 3 sept., 10 fév. au 3 mars, dim. soir et merc. – **R** 250/550 et carte
Spéc. Oeufs de caille fumés aux deux oeufs de mer, Boudin de perche au sabayon d'écrevisses, Charlotte d'agneau au serpolet. **Vins** Roussette de Seyssel, Mondeuse.

XXX **Didier Roque,** 13 r. J.-Mermoz à Annecy-le-Vieux par av. France et rte Thônes ✆ 50 23 07 90, ≤, ☂ – AE ◑ VISA — CU **v**
fermé dim. soir et lundi sauf juil.-août – **R** 175/285, enf. 90.

XXX **Belvédère** ⛰ avec ch, rte du Semnoz par ④ : 2 km ✆ 50 45 04 90, ≤ Annecy et lac, ☀ – ⛆ ☎ P. VISA. ✻ — CV **t**
hôtel : 1er mai-30 sept. ; rest. : fermé 27 mars au 22 avril, dim. soir et lundi – **R** 170/320 – ☕ 22 – **10 ch** 130/160 – 1/2 p 200/220.

ANNECY

Lac (R. du) . . . . BY 31
Pâquier (R. du) . . . . BY 44
République (R. de la) . . . . BY 56
Royale (R.) . . . . AY 58
Ste-Claire (Fg et R.) . . . . . BY 64

Bel-Air (Ch. du) . . . . BU 3
Bordeaux (R. Henri) . . . . . CU 5
Cesière (R. de la) . . . . BV 6
Chappuis (Quai E.) . . . . . . BY 7
Corniche (Bd de la) . . . . . CV 12
Crêt-du-Maure (Av. du) . . . . BV 13
Crête (R. de la) . . . . BU 14
Fins (Ch. des) . . . . BU 20
Gaulle (Pl. du Gén. de) . . CU 22
Grenette (R.) . . . . BY 23
Hôtel-de-Ville (Pl.) . . . . . . BY 27
J.-J.-Rousseau (R.) . . . . . . BY 30
Leclerc (R. du Mar.) . . . . . BU 35
Libération (Pl. de la) . . . . . BY 36
Loverchy (Av. de) . . . . BV 38
Novel (Av. de) . . . . CU 40
N.-D.-de-Liesse (⊕) . . . . . BY 42
Petit-Port (Av. du) . . . . CV 46
Poste (R. de la) . . . . AY 50
Président-Favre (Av.) . . BXY 51
Prés-Riants (R. des) . . . BCU 52
Repos (R. du) . . . . AY 53
République (Av. de la) . . . BV 54
Romains (Av. des) . . . . BU 57
St-François (⊕ et Pl.) . . . BY 60
St-François-de-Sales (R.) . AY 61
St-Joseph (⊕) . . . . BU 62
St-Maurice (⊕) . . . . BY B
St-Pierre (⊕) . . . . BY 63
Stade (Av. du) . . . . BU 65
Theuriet (R. André) . . . . . . CV 67
Vaillat (R. Léandre) . . . . . . CU 68
11e-Bat.-de-Chasseurs-Alpins (R.) . . . . BU 71

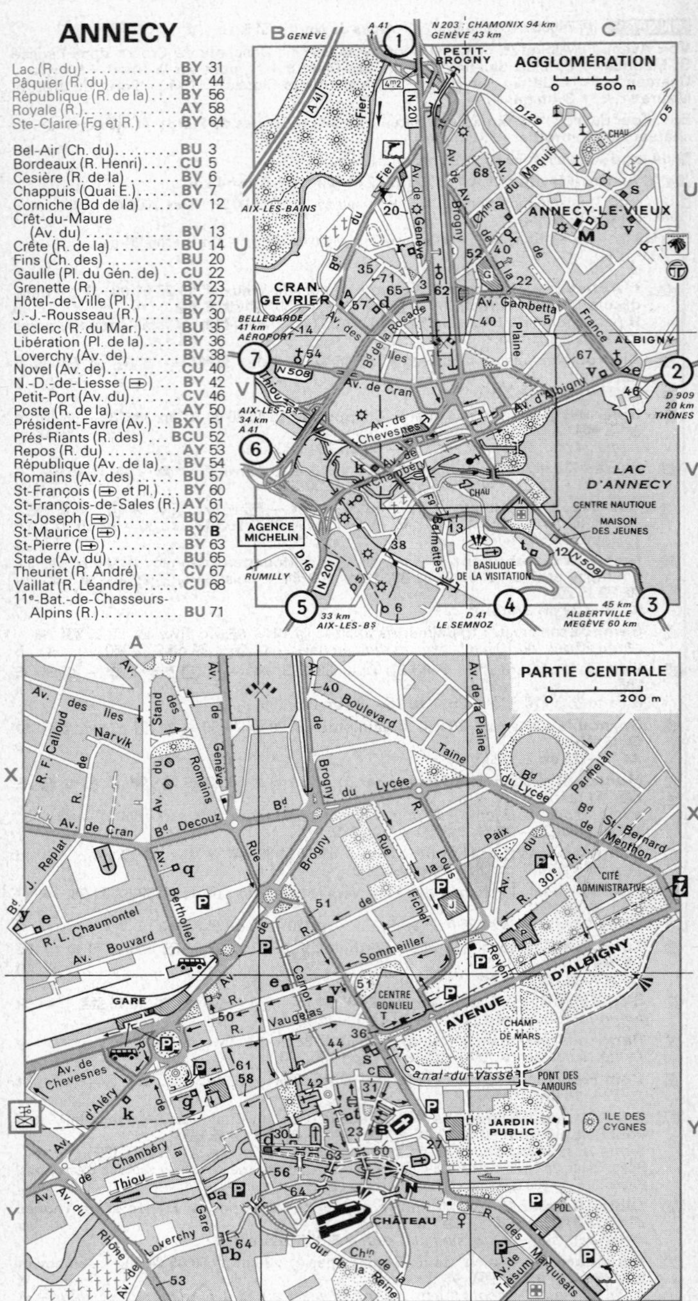

XX **L'Amandier,** 6 av. Mandallaz ✆ 50 51 74 50 – AE E VISA BV **k**
fermé dim. sauf fériés – **R** 130/280.

XX **Le Pré de la Danse,** 16 r. J. Mermoz à Annecy-le-Vieux, par av. France et rte Thônes ✆ 50 23 70 41 – P. E VISA CU **s**
fermé 22 juin au 13 juil., 3 au 11 janv., lundi soir et merc. hors sais. – **R** 135/235, enf. 70.

XX **Le 1930,** 2 r. Louis-Armand ✆ 50 23 05 41, – AE E VISA CU **a**
fermé 11 juil. au 8 août, dim. soir et lundi – **R** 128/280 ♁, enf. 100.

XX **Aub. du Lyonnais** avec ch, 9 r. République ✆ 50 51 26 10, – wc. AE E VISA BY **d**
fermé 15 juin au 1er juil., 16 déc. au 1er fév., merc. (sauf juil.-août) et mardi soir – **R** 88/256 ♁ – 24 – **8 ch** 120/280.

XX **Le Boutae,** imp. Pré Carré - 10 r. Vaugelas ✆ 50 45 62 94 – . AE E VISA
fermé 1er au 15 août – **R** 100/200, enf. 80. BY **v**

X **Buffet Gare T.G.V.,** ✆ 50 45 42 24 – E VISA AY
R 68/145, enf. 28.

X **Garcin,** (1er étage), 11 r. Pâquier ✆ 50 45 20 94 – AE E VISA BY **s**
fermé 16 juin au 10 juil., vacances de fév., mardi soir et merc. – **R** 58/160.

X **Fer à Cheval,** 21 r. Sommeiller ✆ 50 45 13 35 – AE BY **e**
fermé 1er au 7 mai, 1er au 7 sept., dim. soir et lundi – **R** (nombre de couverts limité - prévenir) 65/85 ♁.

rte du Semnoz **par ④ : 3,5 km – ✉ 74000** Annecy :

X **Super Panorama** avec ch, ✆ 50 45 34 86, ≤ **lac et montagne,** – rest
fermé 4 janv. au 13 fév., lundi soir et mardi – **R** 90/250 – 30 – **5 ch** 160.

rte d'Aix-les-Bains **par ⑤ : 3 km – ✉ 74600** Seynod :

Mercure M, ✆ **50 52 09 66, Télex 385303,** – rest TV P – 120. AE E VISA
R 90/145 ♁, enf. 43 – 37 – **69 ch** 310/380 – 1/2 p 410.

à Pont de Brogny **par ① : 4 km – ✉ 74370** Pringy :

XX **Fier** avec ch, ✆ **50 27 16 66,** – P. E VISA
fermé 28 oct. au 28 nov., mardi soir et merc. sauf juil.-août – **R** 97/210 – 22 – **10 ch** 90/185 – 1/2 p 145/170.

à Chavoires **par ② : 4,5 km – ✉ 74290** Veyrier-du-Lac :

XXX ❀ **Pavillon de l'Ermitage** (Tuccinardi) avec ch, ✆ **50 60 11 09,** **« Jardin fleuri et belle vue sur le lac »** – wc . AE E VISA
début mars-fin oct. – **R** (nombre de couverts limité - prévenir) 170/320 – 35 – **11 ch** 250/360 – 1/2 p 280/400
Spéc. Omble chevalier meunière, Soufflé de brochet, Poularde de Bresse chavoisienne. **Vins** Crépy, Seyssel.

à St-Martin-Bellevue **N : 11 km par ①, N 203, D 14 – ✉ 74370** Pringy :

Beau Séjour , **à la gare : 1 km** ✆ **50 60 30 32,** ≤, – wc wc P – 40. VISA. rest
15 mars-10 déc. et fermé dim. soir et lundi sauf juil.-août – **R** 75/165 ♁ – **35 ch** 200/250 – 1/2 p 190/230.

Autres ressources hôtelières :

Voir localités citées autour du lac 74 ⑥ ⑯.

MICHELIN, Agence régionale, Z.I. de Vovray, 5 r. de Sansy, Seynod V ✆ **50 51 59 70**

FIAT, LANCIA-AUTOBIANCHI Gar. Pont-Neuf, 1 av. Pont-Neuf ✆ 50 51 40 30
INNOCENTI, MAZDA, VOLVO Cochet, 59 av. de Genève ✆ 50 57 02 45

Blanc, 3 r. Rumilly ✆ 50 51 13 02
Bruyère, 18 ch. des Fins ✆ 50 57 16 68
Dupanloup, 119 av. Genève ✆ 50 57 03 81
Frasson, 2 bis av. du Stade ✆ 50 57 16 88

Périphérie et environs

AUSTIN ROVER Gar. Ducros, 72 av. d'Aix, Seynod ✆ 50 45 42 65
BMW Aravis Automobile, 100 av. d'Aix les Bains à Seynod ✆ 50 45 32 36
CITROEN Dieu, rte d'Aix, Seynod par ⑤ ✆ 50 69 16 72
FORD S.A.A.E.M. 140 av. d'Aix, Seynod ✆ 50 69 15 04
MERCEDES-BENZ SEVI 74, ZAE de Césardes ch. de la Croix-Seynod ✆ 50 69 17 40
OPEL Gar. du Parmelan, 33 av. Petit-Port, Annecy-le-Vieux ✆ 50 23 12 85

PEUGEOT-TALBOT Gar. Central, 28 av. des Carrés, Annecy-le-Vieux ✆ 50 23 23 13
RENAULT Savoie-Automobile, av d'Aix, Seynod par ⑤ ✆ 50 45 82 13
V.A.G. SAT, Z.I. des Césardes, rte des Creuses à Seynod ✆ 50 69 06 79

Piot-Pneu, 6 r. de la Césière, Zone Ind. de Vovray à Seynod ✆ 50 51 72 85

ANNEMASSE 74100 H.-Savoie 74 ⑥ **G. Alpes du Nord** – 26 438 h.

Country Club du Bossey ☎ 50 43 75 25 par ⑦.

Office de Tourisme r. de la Gare ☎ 50 92 53 03.

Paris 539 ⑥ – Annecy 51 ① – Bonneville 22 ① – ♦Genève 8 ⑥ – St-Julien-en-Genevois 15 ⑥.

ANNEMASSE

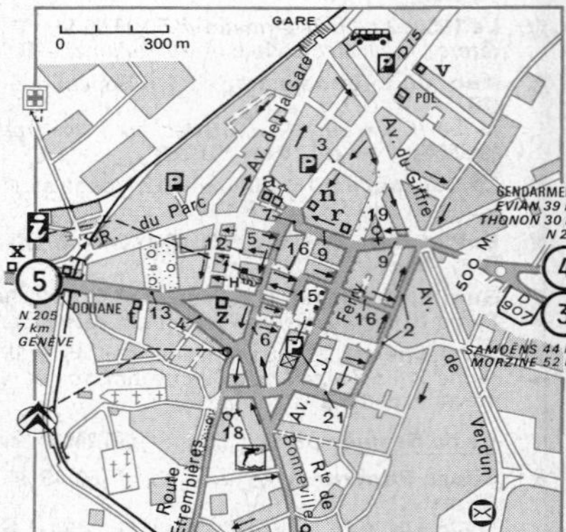

Voir cartouche ci-contre

Mercure Ⓜ, à Gaillard, r. des Jardins **(e)** ✉ 74240 Gaillard ☎ 50 92 05 25 Télex 385815, – rest TV ☎ Ⓟ – 25 à 100. AE ◑ E VISA
R carte 110 à 165 , enf. 40 – ☕ 33 – **78 ch** 310/360.

Genève et rest. Scala Ⓜ, rte de Genève ☎ 50 38 70 66, Télex 385472 – TV ☎ Ⓟ – 60. AE ◑ E VISA
R 90/120 – ☕ 32 – **100 ch** 250/300 – $^1/_2$ p 295.

Helvetia et rest. Le Cygne à Deux Têtes Ⓜ, 4 rte Genève **(x)** ☎ 50 38 59 80 Télex 385925 – TV ☎ Ⓟ – 25 à 100. AE ◑ E VISA
R *(fermé dim. soir)* 65/180 – ☕ 30 – **65 ch** 220/280 – $^1/_2$ p 315.

Parc Ⓜ sans rest, 19 r. Genève **(t)** ☎ 50 38 44 60, Télex 309034 – TV ☎. AE ◑ E VISA
☕ 30 – **30 ch** 190/300.

Hague sans rest, 42 r. Genève **(s)** ☎ 50 38 47 14 – TV wc ☎ Ⓟ
20 ch.

National Ⓜ sans rest, pl. J.-Deffaugt **(n)** ☎ 50 92 06 44 – TV wc wc ☎ Ⓟ. AE ◑ E VISA
☕ 25 – **45 ch** 200/225.

Central H. Ⓜ sans rest, pl. Hôtel de Ville **(z)** ☎ 50 38 27 06 – TV wc wc ☎. AE ◑ E VISA
☕ 25 – **28 ch** 150/310.

Pax H. sans rest, 22 av. Gare **(a)** ☎ 50 38 25 46 – TV wc wc ☎. E VISA
☕ 22 – **44 ch** 135/197.

Eden sans rest, 11 r. Faucigny **(r)** ☎ 50 92 21 57 – wc wc ☎. E VISA
fermé 14 au 25 mai et 1er au 7 nov. – ☕ 22 – **14 ch** 148/220.

Savoie sans rest, 52 r. Chablais **(v)** ☎ 50 37 05 06 – Ⓟ. E VISA
☕ 20 – **30 ch** 120/200.

XXX **de la Tour,** à Gaillard 47 r. Vignes ✉ 74240 Gaillard ☎ 50 38 65 38, – Ⓟ. AE ◑ E VISA
fermé sam. midi et dim. – **R** 130/260 .

X **Le Temps de Vivre,** 47 chemin des Belosses à Ambilly par ⑤ et rte de Gaillard ☎ 50 92 36 06 – AE E VISA
fermé sept. et mardi – **R** (prévenir) (dîner seul.) 100/200.

au Pas de l'Échelle par ⑦ : 4 km – ✉ **74100** Annemasse :

Tilleuls sans rest, N 206 ☎ 50 37 61 79 – Ⓟ.
fermé août, sam. et dim. – ☕ 17 – **12 ch** 80/120.

Pittet, rte téléphérique ☎ 50 37 61 42, , – Ⓟ. AE. rest
fermé sept. et sam. – **R** 75/95 – ☕ 18 – **14 ch** 90/100 – $^1/_2$ p 140/160.

à La Bergue E : 6 km par ③ – ✉ **74380** Bonne :

✕ **La Pergola,** ✆ 50 39 30 27, – Ⓟ. E VISA
fermé 5 janv. au 16 fév., jeudi midi et merc. – **R** 85/150.

AUSTIN, ROVER, TRIUMPH Gar. Maurice, 13 r. du Faucigny ✆ 50 92 21 96
BMW, NISSAN Borgel, r. de Montréal, Zone Ind., Ville-la-Grand ✆ 50 37 07 60 N ✆ 50 92 08 03
CITROEN SADAL, rte de Taninges à Vetraz-Monthoux par ③ ✆ 50 37 42 45
CITROEN Gar. de Savoie, 4 r. Étrembières ✆ 50 92 11 75
FIAT, LANCIA-AUTOBIANCHI Gar. du Chablais, Zone Ind. Mont-Blanc, r. de la Résistance ✆ 50 37 30 37

FORD Gar. de la rte blanche, 90 rte de Bonneville ✆ 50 37 10 54
HONDA, TOYOTA Degenève, 63 rte Genève à Gaillard ✆ 50 38 09 55
OPEL Gar. Bel, 29 r. de la République à Ville-la-Grand ✆ 50 92 10 48
RENAULT 2 av. du Léman ✆ 50 92 05 11
V.A.G. Gar. International, r. de la Résistance, Zone Ind. ✆ 50 37 13 43

Ⓜ Blanc, 3 av. du Giffre ✆ 50 37 78 04
Piot-Pneu, 75 rte des Vallées ✆ 50 37 27 11

ANNONAY 07100 Ardèche 77 ① G. Vallée du Rhône – 20 085 h.

Office de Tourisme pl. des Cordeliers ✆ 75 33 24 51.

Paris 532 ① – ♦Grenoble 103 ① – ♦St-Étienne 43 ④ – Tournon 35 ① – Valence 52 ① – Vienne 43 ① – Yssingeaux 58 ③.

Midi sans rest, 17 pl. Cordeliers **(n)** ✆ 75 33 23 77 – wc wc Ⓟ. AE Ⓓ E VISA
fermé 20 déc. au 20 janv. et dim. en hiver – 21 – **40 ch** 95/195.

✕✕ **Marc et Christine,** face gare **(e)** ✆ 75 33 46 97 – VISA
fermé 8 au 22 août, 2 au 16 janv. dim. soir et lundi sauf fériés – **R** 98/235, enf. 50
Le Patio R 79/89 , enf. 50.

✕✕ L'Escabelle, av. Europe **(t)** ✆ 75 33 09 10.

✕✕ **Le Bilboquet,** 2 pl. Cordeliers **(s)** ✆ 75 33 30 20 – AE Ⓓ E VISA
fermé 19 au 25 sept., 1er au 15 janv., vend. soir et sam. midi sauf juil.-août – **R** 62/195, enf. 35.

à Davezieux par ① : 4,5 km sur D 82 – ✉ **07100** Annonay :

Don Quichotte et Siesta Ⓜ, rte Valence ✆ 75 33 11 99, Télex 346380, ←, – rest wc wc Ⓟ – 80. AE Ⓓ E VISA
R 80/120 – 24 – **56 ch** 140/250 – $^{1}/_{2}$ p 260.

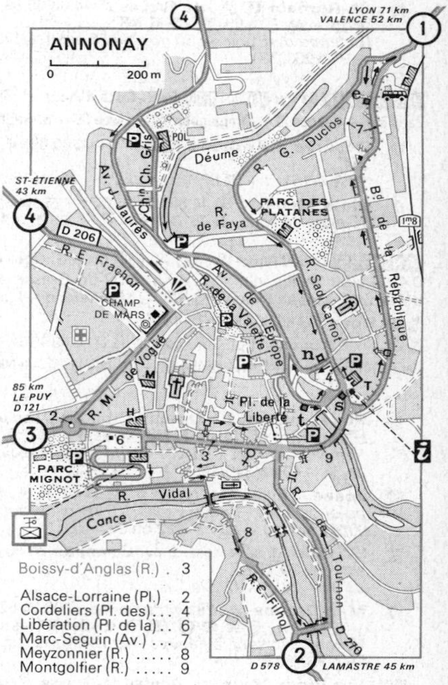

Boissy-d'Anglas (R.)	3
Alsace-Lorraine (Pl.)	2
Cordeliers (Pl. des)	4
Libération (Pl. de la)	6
Marc-Seguin (Av.)	7
Meyzonnier (R.)	8
Montgolfier (R.)	9

ALFA-ROMEO, SEAT Gar. Tartavel, Davezieux ✆ 75 33 26 07
CITROEN Gar. du Vivarais, Zone Ind. La Lombardière, Davezieux par ① ✆ 75 33 26 32 N ✆ 75 33 42 27
FIAT Gar. Dhennin, 47 bd République ✆ 75 33 24 43
FORD Caule, rte de Lyon, Davezieux ✆ 75 33 22 98
PEUGEOT-TALBOT Desruol, N 82, St-Clair par ① ✆ 75 33 10 98
RENAULT Soverad, rte de Lyon à Davezieux ✆ 75 33 20 21
V.A.G. Siterre, 33 bd République ✆ 75 33 42 10

Gar. Boyer, rte de Lyon, Davezieux ✆ 75 32 19 95
Gar. Segard, Dép 519 à Chabetout ✆ 75 33 40 11

Ⓜ Eyraud, 45 bd de la République ✆ 75 33 42 19
Jurdit, 47 r. G.-Duclos ✆ 75 33 27 49

CONSTRUCTEUR : Renault Véhicules Industriels, Rte de Roanne ✆ **75 33 11 11**

ANNOT 04240 Alpes-de-H.-P. 81 ⑱, 195 ⑫ **G. Alpes du Sud** – 1 062 h. alt. 700.

Voir Vieille ville★ – Clue de Rouaine★ S : 4 km.

Syndicat d'Initiative pl. Revelly (fermé nov.-déc.) ✆ 92 83 23 03.

Paris 812 – Castellane 32 – Digne 70 – Manosque 111.

Avenue, ✆ 92 83 22 07, – wc ☎. E VISA. rest
1er avril-4 nov. – **R** 62/120 – 16 – **14 ch** 127/182 – 1/2 p 156/195.

aux Scaffarels SE : 2 km – alt. 655 – ✉ **04240** Annot :

Honnoraty, ✆ 92 83 22 03 – wc. rest
fermé 15 déc. au 1er fév. – **R** 58/110 – 13,50 – **12 ch** 90/150 – 1/2 p 140/180.

ANOST 71550 S.-et-L. 69 ⑦ **G. Bourgogne** – 848 h.

Voir ★ de Notre-Dame de l'Aillant : 30 mn.

Paris 274 – Autun 24 – Château-Chinon 20 – Mâcon 136 – Montsauche 17.

XX **La Galvache,** ✆ 85 82 70 88 – E VISA
fermé 15 janv. au 15 fév., mardi soir et merc. sauf juil.-août – **R** 48/145, enf. 40.

ANSE 69480 Rhône 74 ① – 3 745 h.

Paris 437 – L'Arbresle 19 – Bourg-en-Bresse 56 – ♦Lyon 26 – Mâcon 47 – Villefranche-sur-Sâone 6.

St-Romain M, rte Graves ✆ 74 68 05 89, Télex 380514, – TV wc ☎ – 30 à 60. AE E VISA
R *(fermé dim. soir du 30 nov. au 30 avril)* 68/170, enf. 40 – 20 – **24 ch** 180/206 – 1/2 p 280/300.

ANTHÉOR 83 Var 84 ⑧, 195 ㉞ **G. Côte d'Azur** – ✉ **83700** St-Raphaël.

Paris 887 – Cannes 27 – Draguignan 47 – ♦Nice 59 – St-Raphaël 13.

Réserve d'Anthéor, N 98 ✆ 94 44 80 05, ≤, – wc wc. AE E VISA
1er fév.-15 oct. – **R** 82/155 – 22 – **13 ch** 168/275 – 1/2 p 210/245.

Flots Bleus, ✆ 94 44 80 21, ≤, – wc. E VISA
15 mars-15 oct. – **R** 78/135, enf. 45 – 25 – **19 ch** 150/235 – 1/2 p 195/235.

ANTIBES 06600 Alpes-Mar. 84 ⑨, 195 ㉟㊵ **G. Côte d'Azur** – 63 248 h. – Casino: la Siesta sur D 41 – **Voir Vieille ville★** X : **Av. Amiral-de-Grasse ≤★ – Château Grimaldi (Déposition de Croix★, Musée Picasso★)** XB – **Marineland★ 4 km par ①.**

18 de Biot ✆ 93 65 08 48, NO : 4 Km.

Office de Tourisme 11 pl. Gén.-de-Gaulle ✆ 93 33 95 64, Télex 970103.

Paris 914 ② – Aix-en-Provence 158 ② – Cannes 11 ③ – ♦Nice 22 ①.

Plan page ci-contre

Royal et rest. Le Dauphin, bd Mar.-Leclerc ✆ 93 34 03 09, ≤, – wc wc ☎. AE E VISA. rest X q
fermé 1er nov. au 20 déc. – **R** *(fermé dim. soir et merc. hors sais.)* 95/165, enf. 65 – 36 – **43 ch** 340/490 – 1/2 p 390/440.

Josse, 8 bd James Wyllie ✆ 93 61 47 24, ≤, – ch wc ☎. E VISA
hôtel : 15 fév.-30 nov.; rest.: 15 mars-15 oct. et fermé merc. sauf juil.-août – **R** 60/90, enf. 40 – 27 – **22 ch** 350/450. Z f

L'Étoile M sans rest, 2 av. Gambetta ✆ 93 34 26 30 – TV wc wc ☎. AE E VISA X m
26 – **26 ch** 272/324.

Mas Djoliba, 29 av. Provence ✆ 93 34 02 48, Télex 461686, « Jardin », – TV wc wc ☎. AE E VISA. rest Y h
R *(fermé fin sept. à Pâques sauf vacances scolaires)* 120 – 35 – **14 ch** 280/500 – 1/2 p 300/380.

XXX **Les Vieux Murs,** av. Amiral-de-Grasse ✆ 93 34 06 73, – AE E VISA X b
fermé 12 nov. au 20 déc. et merc. – **R** 170.

XXX ✿ **L'Écurie Royale** (Xhauflair), 33 r. Vauban ✆ 93 34 76 20 – . AE E VISA.
fermé août, 2 au 16 janv., dim. soir et mardi midi d'oct. à mai et lundi – **R** (du 1er juin au 30 sept. dîner seul.) 170/240 X t
Spéc. St-Jacques (oct. à mai), Langoustines à la nage au pinot blanc, Feuilleté chaud aux fruits de saison. **Vins** Bandol, Gassin.

XXX **La Marguerite,** 11 r. Sadi Carnot ✆ 93 34 08 27 – . E VISA X s
fermé 1er au 15 mai, mardi midi du 15 juin au 15 sept., dim. soir hors sais. et lundi – **R** 155/320, enf. 100.

XX **Aub. Provençale** avec ch, pl. Nationale ✆ 93 34 13 24, – TV wc ☎. AE E VISA X k
fermé 15 nov. au 15 déc. – **R** *(fermé lundi)* 70/190 – **6 ch** 250/350.

XX **Du Bastion,** 1 av. Gén.-Maizière ✆ 93 34 13 88, – AE E VISA X p
fermé janv., fév., lundi (sauf le soir en sais.) et dim.soir hors sais. – **R** 100/160.

ANTIBES

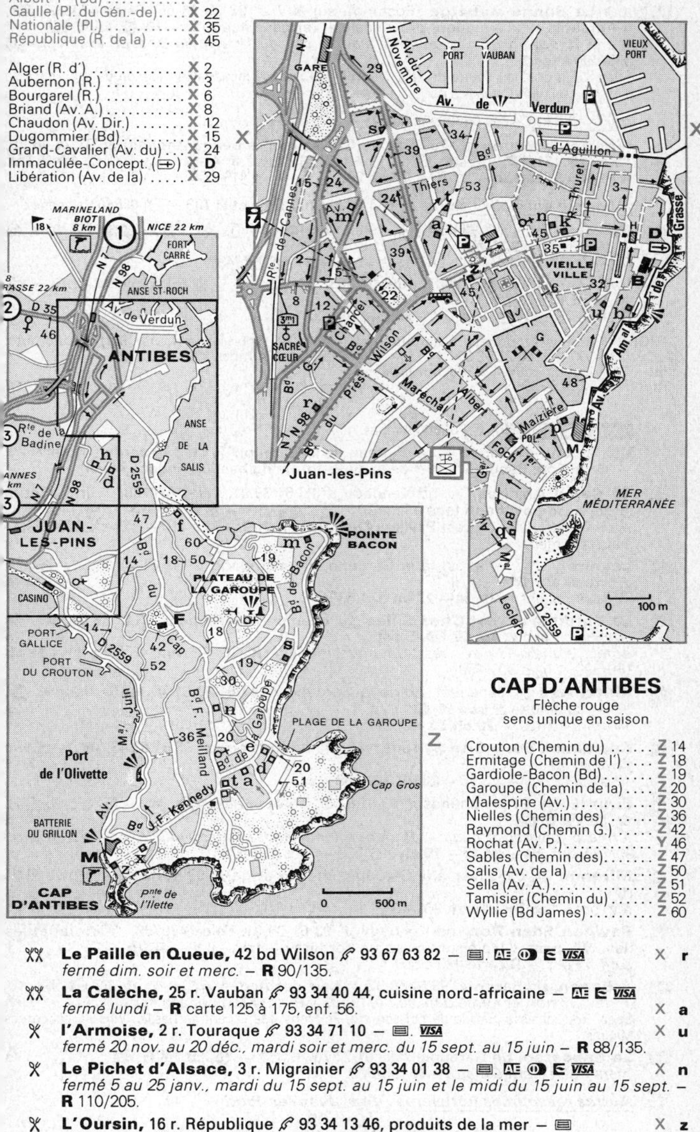

XX **Le Paille en Queue,** 42 bd Wilson ✆ 93 67 63 82 – ▤. AE ◑ E VISA — X **r**
fermé dim. soir et merc. – **R** 90/135.

XX **La Calèche,** 25 r. Vauban ✆ 93 34 40 44, **cuisine nord-africaine** – AE E VISA — X **a**
fermé lundi – **R** carte 125 à 175, enf. 56.

X **l'Armoise,** 2 r. Touraque ✆ 93 34 71 10 – ▤. VISA — X **u**
fermé 20 nov. au 20 déc., mardi soir et merc. du 15 sept. au 15 juin – **R** 88/135.

X **Le Pichet d'Alsace,** 3 r. Migrainier ✆ 93 34 01 38 – ▤. AE ◑ E VISA — X **n**
fermé 5 au 25 janv., mardi du 15 sept. au 15 juin et le midi du 15 juin au 15 sept. – **R** 110/205.

X **L'Oursin,** 16 r. République ✆ 93 34 13 46, **produits de la mer** – ▤ — X **z**
fermé août, dim. soir et lundi – **R** carte 85 à 150 ♂.

par ① et N 7 – ✉ **06600** Antibes :

🏨 **Bleu Marine** Ⓜ sans rest, **r. des 4 Chemins** ✆ **93 74 84 84,** ← – |$| TV ⊂⊃wc ☎ **P**. AE ◑ E VISA. ✡
☕ 23 – **18 ch** 230/250.

tourner →

N : 4 km Quartier de la Brague – ✉ **06600** Antibes :

XXXXX ✿✿ **La Bonne Auberge** (Rostang), sur N 7 ✆ 93 33 36 65, Télex 470989, 🍽, « Agréable salle à manger provençale et terrasse fleurie » – ▤ Ⓟ. AE E VISA
fermé 15 nov. au 15 déc. et lundi (sauf le soir du 1er avril au 30 sept. et fêtes) – **R** 338/496 et carte
Spéc. Loup grillé au beurre de soja, Oursins à la pomme mousseline, Rognon de veau dans sa croûte au sel. **Vins** Coteaux d'Aix.

par ② 4,5 km – ✉ **06600** Antibes :

Fimotel Neptune Ⓜ, 2599 rte de Grasse (sortie péage Antibes) ✆ 93 74 46 36, Télex 461181, 🍽, 🏊, 🌳, 🎾 – 🛗 ▤ ch 📺 ⛀wc ☎ ♿ Ⓟ – 🏛 100. AE ◑ E VISA
R 65/120 🍷, enf. 34 – ☕ 30 – **75 ch** 287/338 – 1/2 p 419/604.

à Sophia Antipolis, entrée ① NO : 9 km par D 35 et D 103 – ✉ **06560** Valbonne :

Novotel Ⓜ 🌿, ✆ 93 65 40 00, Télex 970914, 🍽, 🏊, 🌳, 🎾 – 🛗 ▤ 📺 ☎ ♿ Ⓟ – 🏛 200. AE ◑ E VISA
R grill carte environ 120, enf. 40 – ☕ 38 – **97 ch** 395/495.

Ibis Ⓜ 🌿, ✆ 93 65 30 60, Télex 461363, 🍽, 🏊, 🌳 – 🛗 📺 ⛀wc ☎ ♿ Ⓟ – 🏛 40. AE E VISA
R carte 75 à 120 🍷 – ☕ 27 – **99 ch** 270/300.

CITROEN Gar. Riviera, Bretelle Autoroute par ② ✆ 93 33 04 90 🅽 ✆ 93 33 92 98
OPEL Gar. Dugommier, 172 rte de Nice, la Fontonne ✆ 93 74 59 99
V.A.G. Sport-Auto-Route, Sortie Autoroute, Péage d'Antibes ✆ 93 33 28 59
◍ Massa-Pneus, 127 rte de Grasse ✆ 93 74 27 01

Cap d'Antibes – ✉ 06600 Antibes.

Voir Le tour du Cap★★ YZ – Plateau de la Garoupe ✱★★ Z – Jardin Thuret★ Z F – ⋞★ Pointe Bacon Z – ⋞★ de la plate-forme du bastion (musée naval) Z.

du Cap d'Antibes 🌿, bd Kennedy ✆ 93 61 39 01, Télex 470763, ⋞ littoral et le large, « Gd parc fleuri face à la mer », 🏊, 🏖, 🎾 – 🛗 ▤ ☎ 🚗 – 🏛 140. ✗
avril-fin oct. – **R** voir rest **Pavillon Eden Roc** ci-après – ☕ 110 – **121 ch** 2200/2900, 9 appartements. Z x

Levant Ⓜ 🌿 sans rest, à la Garoupe, chemin plage ✆ 93 61 41 33, ⋞, 🏖 – ⛀wc ☎ Ⓟ. ✗ Z e
Pâques-mi-oct. – ☕ 34 – **27 ch** 520/630.

La Gardiole et rest Chez Gilles 🌿, chemin La Garoupe ✆ 93 61 35 03, 🍽, 🌳 – ⛀wc 🚿wc ☎ Ⓟ. AE ◑ E VISA Z n
hôtel : 1er mars-11 nov. ; rest. : 1er mars-1er nov. – **R** 110/195, enf. 45 – ☕ 35 – **21 ch** 180/390 – 1/2 p 300/450.

Motel Axa 🌿 sans rest, bd de la Garoupe ✆ 93 61 36 51, « Jardin fleuri », 🏊, 🎾 – cuisinette ⛀wc ☏ Ⓟ Z a
15 mars-15 nov. – **20 ch** ☕460/600.

Résidence Beau Site 🌿 sans rest, 141 bd Kennedy ✆ 93 61 53 43, 🌳 – ⛀wc 🚿wc ☏ Ⓟ Z t
1er avril-15 oct. – ☕ 35 – **26 ch** 340/380.

First H. 🌿, 21 av. Chênes ✆ 93 61 87 37, Télex 462466, 🍽, 🌳 – 📺 ⛀wc 🚿wc ☎. AE ◑ E VISA Y d
fermé 5 janv. au 5 mars – **R** *(fermé lundi midi et mardi du 1er nov. au 30 avril)* 90/125, enf. 50 – ☕ 35 – **16 ch** 293/506 – 1/2 p 413/523.

Miramar 🌿 sans rest, à la Garoupe, chemin plage ✆ 93 61 52 58 – ⛀wc 🚿wc ☏ Z d
fév.-oct. – ☕ 28 – **14 ch** 360/400.

XXXX **Pavillon Eden Roc,** bd Kennedy ✆ 93 61 39 01, Télex 470763, ⋞ littoral et les îles, 🍽, parc, « Isolé sur un roc, en bordure de mer, 🏊 » – ▤ Ⓟ. ✗ Z z
avril-fin oct. – **R** carte 430 à 550.

XXX ✿ **Bacon,** bd Bacon ✆ 93 61 50 02, ⋞ baie des Anges, 🍽 – ▤ Ⓟ. AE ◑ VISA. ✗
1er fév.-15 nov. et fermé dim. soir et lundi – **R** 300/400 dîner à la carte Z m
Spéc. Bouillabaisse, Salade de poisson cru, Poissons à la vapeur au basilic. **Vins** La Londe des Maures.

XXX **Le Cabestan,** bd Garoupe ✆ 93 61 77 70, ⋞, 🍽 – Ⓟ. AE ◑ E VISA Z s
mars-oct. et fermé mardi – **R** 195/300.

Autres ressources hôtelières : **Voir** *Juan-les-Pins.*

ANTICHAN-DE-FRONTIGNES 31 H.-Gar. 86 ① – 75 h. – ✉ 31510 Barbazan.

Paris 860 – Bagnères-de-L. 25 – Lannemezan 34 – St-Girons 60 – ✦Toulouse 110.

X **La Palombière** 🌿 avec ch, carrefour D 9 et D 618 ✆ 61 79 67 01, ⋞, 🍽, 🌳 – 🚿 Ⓟ
Pâques-15 nov., 20 déc.-5 janv. et vacances de fév. – **R** 50/130 – ☕ 17 – **6 ch** 145/250 – 1/2 p 146/170.

ANTONNE-ET-TRIGONANT 24 Dordogne 75 ⑥ – rattaché à Périgueux.

ANTRAIGUES 07530 Ardèche 76 ⑲ **G. Vallée du Rhône** – 523 h.

Paris 643 – Aubenas 14 – Lamastre 58 – Langogne 66 – Privas 42 – Le Puy 79.

✗ **La Remise,** au pont de l'Huile ✆ 75 38 70 74, Authentique cadre rustique – P.
fermé nov., dim. soir et vend. sauf juil.-août – **R** 75/150.

AOSTE 38 Isère 74 ⑭ – 1 537 h. – ✉ **38490** Les Abrets.

Paris 514 – Belley 26 – Chambéry 33 – ♦Grenoble 54 – ♦Lyon 69.

à la Gare de l'Est NE : 2 km sur N 516 – ✉ **38490** Les Abrets :

Au Coq en Velours, N 516 ✆ 76 31 60 04, « Jardin fleuri » – wc wc ☎ P. AE ⓓ E VISA. ch
fermé 2 au 25 janv., dim. soir et lundi – **R** 75/200 – ☕ 20 – **16 ch** 160/200 – $^1/_2$ p 160/180.

XX **Vieille Maison** avec ch, rte St-Didier, par D40 ✆ 76 31 60 15, – wc ☎ P. AE E VISA
fermé 21 août au 14 sept., dim. soir et merc. – **R** 80/210 – ☕ 20 – **10 ch** 180/195.

OPEL Gar. Carriot ✆ 76 31 64 51

RENAULT Ponson, à St Genix sur Guiers (Savoie) ✆ 76 31 63 35

AOUSTE-SUR-SYE 26 Drôme 77 ⑫ – rattaché à Crest.

APPOIGNY 89380 Yonne 65 ⑤ **G. Bourgogne** – 2 625 h.

Paris 163 – Auxerre 9,5 – Joigny 17 – St-Florentin 30.

XXX Relais St-Fiacre, ✆ 86 53 21 80, – P.

XX **Aub. Les Rouliers,** ✆ 86 53 20 09 – P. E VISA
fermé 30 juin au 13 juil., 1er au 15 oct., 1er au 15 mars, mardi soir et merc. – **R** 68/175, enf. 40.

APT 84400 Vaucluse 81 ⑭ **G. Provence** – 11 560 h.

Office de Tourisme av. Ph.-de-Girard ✆ 90 74 03 18.

Paris 729 ③ – Aix-en-P. 54 ② – Avignon 52 ③ – Carpentras 49 ③ – Cavaillon 31 ③ – Digne 91 ①.

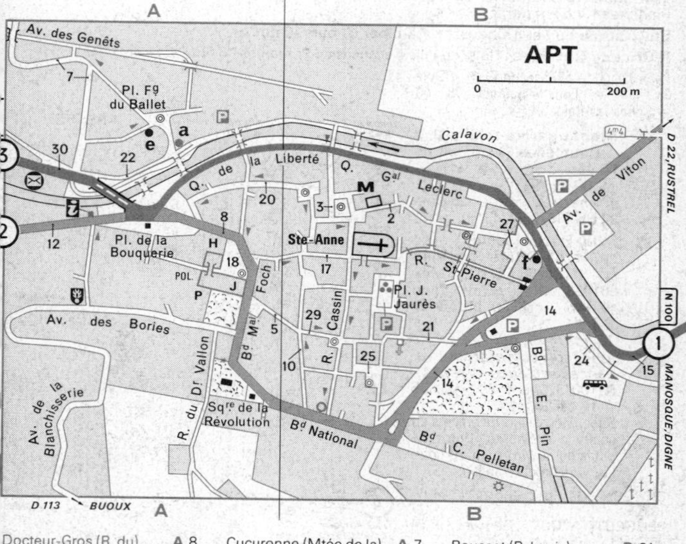

Docteur-Gros (R. du) . . . . A 8
Marchands (R. des) . . . . . B 17
St-Pierre (R.) . . . . B

Amphithéâtre (R. de l') . . . B 2
Carnot (Pl.) . . . . B 3
Cély (R.) . . . . AB 5
Cucuronne (Mtée de la) . A 7
Gambetta (R.) . . . . B 10
Girard (Av. Ph.-de) . . . . . . A 12
Lauze-de-Perret (Crs et Pl.) B 14
Libération (Av. de la) . . . . B 15
Péri (Pl. Gabriel) . . . . A 18
République (R. de la) . . . . A 20
Rousset (R. Louis) . . . . . . B 21
Sagy (Quai Léon) . . . . A 22
Saignon (Av. de) . . . . B 24
St-Martin (Pl.) . . . . B 25
St-Pierre (Pl.) . . . . B 27
Scudéry (R.) . . . . B 29
Victor-Hugo (Av.) . . . . A 30

7

Aptois H. sans rest, 6 cours Lauze-de-Perret ✆ 90 74 02 02 – wc ☎.
fermé 15 fév. au 15 mars – ☕ 22 – **26 ch** 90/180.

Ste Anne sans rest, 28 pl. Balet ✆ 90 74 00 80 – wc wc ☎
☕ 20 – **8 ch** 135/160.

Luberon avec ch, 17 quai Léon-Sagy ✆ 90 74 12 50, – TV wc ☎. VISA
fermé 9 déc. au 19 janv. – **R** *(fermé dim. soir et lundi sauf juil.-août et fériés)* 95/190 – ☕ 23 – **9 ch** 170/230 – ½ p 170/210.

à St-Martin-de-Castillon par ① : 12 km – ✉ **84750** Viens :

La Source, rte Viens ✆ 90 75 21 58, , « Volière » – **P**. VISA
15 mars-15 nov. et fermé dim. soir et lundi – **R** carte 150 à 200.

par ③ : 7 km par N 100 et VO – ✉ **84400** Apt :

La Grasille, ✆ 90 74 25 40, – **P**. VISA
fermé 15 nov. au 24 déc., mardi soir hors sais. et merc. – **R** 70/90, enf. 50.

à St Saturnin-lès-Apt par ③ : 9 km – ✉ **84490** St Saturnin-lès-Apt :

St-Hubert, ✆ 90 75 42 02
fermé 1er juin au 5 juil., fév., dim. soir et lundi – **R** (dim. et fêtes prévenir) 100/160.

CITROEN Aymard, 53 av. Victor-Hugo par ③ ✆ 90 74 04 39 **N** ✆ 90 74 15 02
FORD Germain, 56 av. Victor-Hugo ✆ 90 74 10 17 **N** ✆ 90 74 15 02
PEUGEOT-TALBOT Splendid Gar., Quartier Lançon, N 100, rte Avignon par ③ ✆ 90 74 02 11

Apta-Pneus, quartier Lançon, N 100 ✆ 90 7 07 78
Laggiard, 64 av. Victor-Hugo ✆ 90 74 31 04

ARAVIS (Col des) 74 H.-Savoie 74 ⑦ G. Alpes du Nord – alt. 1 498 – ✉ 74220 La Clusaz.

Voir ←★★.

Paris 578 – Albertville 32 – Annecy 39 – Bonneville 34 – La Clusaz 7,5 – Megève 21.

Rhododendrons, ✆ 50 02 41 50, ←, – VISA
20 mai-20 sept. – **R** 68/125, enf. 42.

ARBOIS 39600 Jura 70 ④ G. Jura – 4 167 h.

Voir Maison paternelle de Pasteur★ E – Reculée des Planches★★ et grottes des Planches★ 4,5 km par ②.

Env. Cirque du Fer à Cheval★★ 7 km par ③ puis 15 mn.

Office de Tourisme à l'Hôtel de Ville (vacances de Printemps-15 oct.) ✆ 84 66 07 45.

Paris 399 ⑤ – ♦Besançon 49 ① – Dole 35 ⑤ – Lons-le-Saunier 38 ④ – Salins-les-Bains 14 ①.

Messageries sans rest, 2 r. Courcelles **(z)** ✆ 84 66 15 45 – wc ☎ – 60. VISA
1er mars-30 nov. – ☕ 26 – **26 ch** 115/225.

✿ **de Paris** (Jeunet) avec ch, r. de l'Hôtel de Ville **(r)** ✆ 84 66 05 67, Télex 361033, – wc wc ☎ – 50. AE VISA
15 mars-20 nov. et fermé lundi soir et mardi sauf vacances scolaires et sept. – **R** 100/320, enf. 80 – ☕ 35 – **18 ch** 200/400
Spéc. Mousseline de brochet au coulis d'écrevisses, Gigot de poularde au vin jaune et morilles. **Vins** Arbois, Pupillin.

CITROEN Gar. des Sports, ✆ 84 66 13 63
PEUGEOT-TALBOT Ganeval, ✆ 84 66 02 78
RENAULT Dupré, par D 246 ✆ 84 66 05 70

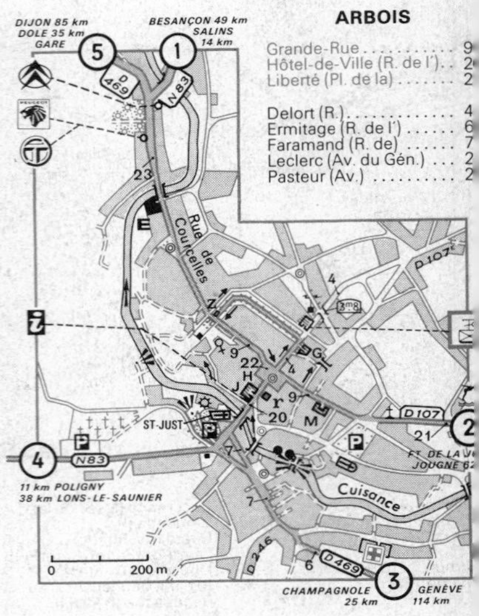

ARBONNE 64 Pyr.-Atl. 78 ⑪⑱ – rattaché à Biarritz.

ARBONNE-LA-FORÊT 77 S.-et-M. 61 ① – 496 h. – ✉ **77630** Barbizon.
Paris 58 – Évry 30 – Fontainebleau 11 – Melun 16 – Nemours 24.

XX **Aub. du Petit Corne Biche,** ✆ (1) 60 66 26 34, 🏞 – E VISA
fermé 6 janv. au 13 fév., mardi et merc. – **R** 80/120.

ARBUSIGNY 74 H.-Savoie 74 ⑥ – rattaché à La Roche-sur-Foron.

ARCACHON 33120 Gironde 78 ②⑫ **G. Pyrénées Aquitaine** – 13 664 h. – Casino.
Voir Boulevard de la Mer★ AX.
🏌18 ✆ 56 54 44 00 par ② : 4 km.
ℹ Office de Tourisme pl. F.-Roosevelt ✆ 56 83 01 69, Télex 570503.
Paris 652 ① – Agen 193 ① – Auch 256 ① – ♦Bayonne 162 ① – Biarritz 172 ① – ♦Bordeaux 64 ① – Dax 125 ① – Mont-de-Marsan 126 ① – Pau 205 ① – Royan 165 ①.

Plan pages suivantes

🏨 **Arc Hôtel** M 🐦 sans rest, 89 bd Plage ✆ 56 83 06 85, Télex 571044, ≤, 🏊 – 🛗 📺 ☎ Ⓟ. AE ⦿ E VISA. ✻ DY **b**
☕ 46 – **30 ch** 350/790, 3 appartements 1700.

🏨 **Point France** M sans rest, 1 r. Grenier ✆ 56 83 46 74 – 🛗 📺 ☎ 🚗. AE ⦿ E VISA DY **q**
1er mars-11 nov. – ☕ 33 – **34 ch** 345/480.

🏨 **Gd H. Richelieu** sans rest, 185 bd Plage ✆ 56 83 16 50, Télex 540043, ≤ – 🛗 ⇹ 📺 ☎ Ⓟ – 🎪 25. AE ⦿ E VISA CY **n**
15 mars-1er nov. – ☕ 27 – **43 ch** 320/470.

🏨 **Les Vagues** 🐦, 9 bd Océan ✆ 56 83 03 75, Télex 570503, ≤ – 🛗 🛁wc ☎ Ⓟ. AE ⦿ E VISA. ✻ rest BY **b**
fermé 15 mars au 1er juin et déc. – **R** (dîner seul.)(résidents seul.) 155 – ☕ 40 – **29 ch** 390/526 – ½ p 390/458.

🏨 **Les Ormes** M 🐦, 1 r. Hovy ✆ 56 83 09 27, ≤, 🏞, 🌳 – 🛗 🛁wc 🚿wc ☎ Ⓟ – 🎪 50. E VISA EY **d**
R 100/220, enf. 65 – ☕ 38 – **24 ch** 425/525 – ½ p 440/480.

🏨 **Lamartine** M sans rest, 28 av. Lamartine ✆ 56 83 95 77, Télex 550422 – 🛗 🛁wc ☎ Ⓟ. AE E VISA. ✻ DY **r**
fermé 1er déc. au 15 janv. – ☕ 25 – **31 ch** 250/285.

🏨 **Le Nautic** sans rest, 20 bd Plage ✆ 56 83 01 48 – 🛗 📺 🛁wc 🚿wc ☎ Ⓟ. AE ⦿ E VISA EZ **y**
☕ 30 – **36 ch** 290.

🏨 **Le Novel** M sans rest, 24 av. Gén.-de-Gaulle ✆ 56 83 40 11 – 🛗 🛁wc 🚿wc ☎. VISA DZ **g**
1er avril-1er oct. – ☕ 25 – **22 ch** 235/290.

🏨 **Roc Hôtel et Moderne,** 200 bd Plage ✆ 56 83 07 43, 🏞, 🌳 – 🛗 🛁wc 🚿wc ☎ DY **e**
hôtel : 1er avril-15 oct. ; rest. : 15 mai-30 sept. – **R** 75/120 – ☕ 30 – **54 ch** 220/380.

🏨 **Mimosas** sans rest, 77 bis av. République ✆ 56 83 45 86 – 🛁wc 🚿wc ☎ Ⓟ. E VISA DZ **f**
☕ 24 – **21 ch** 200/300.

🏠 **Plage,** 10 av. N.-Deganne ✆ 56 83 06 23, 🏞, 🌳 – 📺 🚿wc ☎. AE ⦿ E VISA
R *(fermé 17 nov. au 17 déc.)* 75/120 – ☕ 25 – **50 ch** 290/310 – ½ p 270. DY **s**

🏠 **Marinette** sans rest, 15 allées J.-M. de Hérédia ✆ 56 83 06 67 – 🛁wc 🚿wc ☎ CZ **k**
25 mars-15 oct. – ☕ 24 – **24 ch** 200/320.

XX **Patio,** 10 bd Plage ✆ 56 83 02 72, 🏞 – E VISA EZ **t**
fermé fév. et mardi sauf juil.-août – **R** carte 150 à 210.

XX **Le Boucanier,** 222 bd Plage ✆ 56 83 41 82 – ⦿ E VISA. ✻ DY **n**
fermé 20 nov. au 20 déc. et lundi sauf le soir en sais. – **R** 130/280.

XX **Chez Boron,** 15 r. Prof.-Jolyet ✆ 56 83 29 96, 🏞, produits de la mer – AE ⦿ E VISA DY **v**
fermé mi-janv. à fin fév. et merc. hors sais. sauf fêtes – **R** carte 150 à 230.

X **Bayonne** avec ch, 9 cours Lamarque ✆ 56 83 33 82 – 🚿wc ☎. AE ⦿ VISA CY **u**
Pâques-30 sept. et fermé dim. soir. et lundi d'avril à mi-juin – **R** 70/110, enf. 50 – ☕ 22 – **18 ch** 205/255 – ½ p 235.

aux Abatilles SO : 2 km – ✉ **33120** Arcachon :

🏨 **Parc** M 🐦 sans rest, 5 av. Parc ✆ 56 83 10 58 – 🛗 📺 ☎ Ⓟ – 🎪 80. VISA. ✻ ABX **s**
1er juin-1er oct. – ☕ 35 – **30 ch** 410.

au Moulleau SO : 5 km – ✉ **33120** Arcachon :

🏠 **Les Buissonnets** 🐦, 12 r. L. Garros ✆ 56 54 00 83, 🏞, 🌳 – 🛁wc 🚿wc ☎. ✻ AY **f**
fermé oct. – **R** 75/190 – ☕ 25 – **18 ch** 160/280.

FORD Intégral Station, 59 cours Lamarque ✆ 56 83 40 96

PEUGEOT, TALBOT Gleizes, 36 bd Côte-d'Argent ✆ 56 83 06 43

V.A.G. Dupin, 61 bd Mestrezat ✆ 56 83 13 28

ARCANGUES 64 Pyr.-Atl. 78 ⑱ – rattaché à Biarritz.

ARC-EN-BARROIS 52210 H.-Marne 66 ② **G. Champagne** – 835 h.

Syndicat d'Initiative r. Anatole-Gabeur (15 juin-15 sept.) ✆ 25 02 52 17.

Paris 274 – Bar-sur-Aube 48 – Châtillon-sur-Seine 42 – Chaumont 24 – Langres 30.

Parc, ✆ 25 02 53 07 – wc wc ☎ – 80. VISA
fermé 1er fév. au 15 mars, dim. soir et lundi hors sais. – **R** 48/120, enf. 48 – 18 – **19 ch** 73/170.

ARCENS 07 Ardèche 76 ⑱ – 484 h. alt. 610 – ✉ **07310** St-Martin-de-Valamas.

Paris 600 – Le Cheylard 16 – Privas 64 – St-Agrève 22.

Chalet des Cévennes, ✆ 75 30 41 90, ←, – wc – ⓟ. ch
fermé oct. et vend. du 1er nov. au 1er mai – **R** 58/120 – 17 – **16 ch** 110/150 – 1/2 p 140/150.

de l'Eysse, ✆ 75 30 43 85 – wc wc ⓟ. AE. rest
fermé fév. et merc. d'oct. à avril – **R** 52 bc/126, enf. 27 – 19 – **11 ch** 100/160.

ARCACHON LE MOULLEAU PYLA-SUR-MER

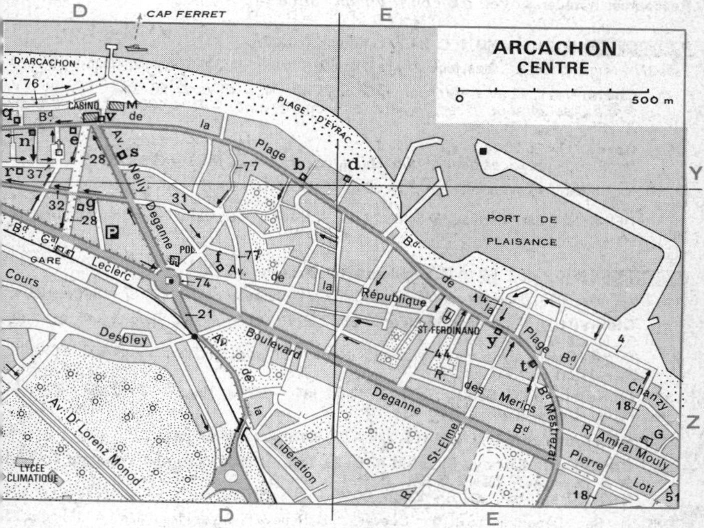

ARCIS-SUR-AUBE 10700 Aube 61 ⑦ G. Champagne – 3 258 h.

Paris 158 – Châlons-sur-Marne 50 – Nogent-sur-Seine 52 – Troyes 27.

Saint-Hubert, quai Marine près du Pont ☏ 25 37 86 93 – AE E VISA
fermé 5 au 25 août, 24 au 31 déc., vend. soir et sam. du 6 août au 14 juin – **R** 46 bc/96 ♨, enf. 35.

CITROEN Allais, ☏ 25 37 84 82 — V.A.G. Gar. Leroy, ☏ 25 37 84 52 N

L'ARCOUEST (Pointe de) 22 C.-du-N. 59 ② – rattaché à Paimpol.

Les ARCS 73 Savoie 74 ⑱ G. Alpes du Nord – alt. 1 600 – Sports d'hiver : 1 200/3 200 m 2 51 – ✉ 73700 Bourg-St-Maurice.

Voir Arc 1800 ✱★★ – **Arc 1600** ≤★.

18 de Chantel ☏ **79 07 48 00, NO : 5 km.**

Office de Tourisme ☏ 79 07 48 00.

Paris 650 – Bourg-St-Maurice 12 – Chambéry 113 – Val-d'Isère 43.

Golf M, **S : 4 km - alt. 1 800 -** ☏ **79 07 25 17, Télex 980404,** ≤ **montagnes,** – – P – 400. AE ① E VISA, rest
15 juin-30 sept. et 15 déc.-15 avril – **R** 95, enf. 65 **Le Green** *(1er juil.-30 août et 20 déc.-15 avril)* **R** (dîner seul.) carte 220 à 350 – **280 ch** 372/972 – 1/2 p 372/497.

Les ARCS 83460 Var 84 ⑦ G. Côte d'Azur – 3 915 h.

Voir Polyptyque★ dans l'église – Chapelle Ste-Roseline★ NE : 4 km.

Syndicat d'Initiative pl. Gén.-de-Gaulle (juin-1er oct.) ☎ 94 73 37 30.

Paris 852 – Brignoles 41 – Cannes 61 – Draguignan 10 – St-Raphaël 29 – Ste-Maxime 32.

XX **Logis du Guetteur** avec ch, NE par D 57 ☎ 94 73 30 82, « Pittoresque installation dans un vieux fort » – wc P. AE E VISA
fermé 15 nov. au 15 déc. et vend. – **R** 70/195 – 25 – **10 ch** 190 – 1/2 p 240.

CITROEN Gar. Audibert ☎ 94 73 31 41

RENAULT Gar. des 4 Chemins ☎ 94 47 40 43 N

ARCY-SUR-CURE 89 Yonne 65 ⑤ G. Bourgogne – 527 h. – ✉ 89270 Vermenton.

Paris 197 – Auxerre 31 – Avallon 19 – Vézelay 20.

XX **Grottes** avec ch, N 6 ☎ 86 40 91 47, – wc P. E VISA
fermé 5 janv. au 10 fév. et merc. de fin sept. à fin mai – **R** 55/125 – 20 – **7 ch** 85/157.

RENAULT Gar. Teissier, ☎ 86 40 90 42

L'ARDÈCHE (Gorges de) ★★★ 07 Ardèche 80 ⑨ G. Provence.

Ressources hôtelières : Voir *à Bidon* et *Vallon Pont d'Arc*.

ARDENTES 36120 Indre 68 ⑨ G. Berry Limousin – 3 287 h.

Paris 277 – Argenton 38 – Châteauroux 14 – La Châtre 22 – Issoudun 33 – St-Amand-Montrond 57.

Chêne Vert, 22 av. de Verdun ☎ 54 36 22 40, – wc ☎. AE VISA
fermé 3 au 24 août, 1er au 15 janv., dim. soir et lundi – **R** 89/130 – 21 – **8 ch** 90/233 – 1/2 p 179/206.

XX **Gare,** ☎ 54 36 20 24 – P
fermé juil., vacances de fév., dim. soir, lundi et soirs de fêtes – **R** 85/130.

CITROEN Godiard, 46 av. de Verdun ☎ 54 36 20 26
MERCEDES-BENZ Gar. Marteau, ☎ 54 36 22 95

PEUGEOT-TALBOT Gar. Bucheron, 33 av. de Verdun ☎ 54 36 21 40
RENAULT Gar. Berry, 30 av. de Verdun ☎ 54 36 22 47

ARDRES 62610 P.-de-C. 51 ② G. Flandres Artois Picardie – 3 390 h.

Paris 275 – Arras 100 – Boulogne-sur-Mer 37 – ♦Calais 17 – Dunkerque 41 – ♦Lille 87 – St-Omer 23.

Clément, Espl. Mar.-Leclerc ☎ 21 82 25 25, – wc wc ☎ P – 50. AE E VISA. ch
fermé 15 janv. au 15 fév., mardi midi en hiver et lundi sauf fériés – **R** 100/300 – 30 – **17 ch** 170/260.

Le Relais, bd C.-Senlecq ☎ 21 35 42 00, – wc wc ☎. AE E VISA. ch
R 60/170 – 20 – **11 ch** 160/220.

SE 8,5 km par N 43, D 217 et D 226 – ✉ 62890 Recques-sur-Hem :

Château de Cocove M, ☎ 21 82 68 29, Télex 810985, « dans un parc » – TV ☎ P – 30. AE E VISA
R 90/250, enf. 45 – 28 – **22 ch** 260/450 – 1/2 p 378/638.

CITROEN Gar. Carpentier, 55 r. Cdt Quéval ☎ 21 35 42 16

Renova Pneu, av. des Alliés à Audruicq ☎ 21 82 75 81

ARÊCHES 73 Savoie 74 ⑰ G. Alpes du Nord – alt. 1 080 – Sports d'hiver : 1 080/2 150m 11 – ✉ 73270 Beaufort-sur-Doron – Voir Hameau de Boudin★ E : 2km.

Syndicat d'Initiative ☎ 79 38 37 58.

Paris 609 – Albertville 26 – Chambery 75 – Mégève 47.

Aub. du Poncellamont M, ☎ 79 38 10 23, ←, – wc wc ☎ P. E VISA
fermé 20 avril au 10 mai, 15 nov. au 15 déc., dim. soir et lundi – **R** 80/270, enf. 40 – 27 – **14 ch** 170/215 – 1/2 p 210/220.

ARFEUILLES 03640 Allier 73 ⑥ – 881 h.

Paris 357 – Lapalisse 15 – Moulins 65 – Roanne 38 – Thiers 59 – Vichy 41.

Nord, ☎ 70 55 50 22, – P
fermé 11 nov. au 5 déc., vacances de fév. et dim. soir de sept. à avril – **R** 55/120 – 16 – **9 ch** 70/180 – 1/2 p 130/160.

ARGEIN 09 Ariège 86 ② – 193 h. – ✉ 09800 Castillon-en-Couserans.

Paris 817 – Foix 60 – St-Girons 16.

Host. la Terrasse, ☎ 61 96 70 11, – wc wc
1er mars-30 oct. – **R** 55/160 – 15 – **10 ch** 100/160 – 1/2 p 150/170.

ARGELÈS-GAZOST ⟨SP⟩ 65400 H.-Pyr. 85 ⑰ G. Pyrénées Aquitaine – 3 456 h. – Stat. therm. (juin-sept.).

Voir Route du Hautacam★ à l'Est par D 100 Y.

Syndicat d'Initiative Grande Terrasse ✆ 62 97 00 25.

Paris 815 ① – Lourdes 13 ① – Tarbes 32 ①.

Miramont, r. Pasteur ✆ 62 97 01 26, « Jardin fleuri » – wc wc ☎ P. VISA. Z **n**
fermé 25 oct. au 20 déc. – **R** (nombre de couverts limité - prévenir) 55/145 – 17 – **29 ch** 155/180 – ½ p 140/160.

Les Cimes, 1 pl. Ourout ✆ 62 97 00 10, – wc wc ☎ P. E VISA. rest Z **a**
fermé 10 oct. au 18 déc. – **R** 53/150, enf. 32 – 21 – **28 ch** 130/180 – ½ p 140/160.

Bernède, r. Mar.-Foch ✆ 62 97 06 64, Télex 531040, – TV wc wc ☎ P. AE E VISA. rest
1er avril-31 oct., fév. et vacances de printemps – **R** 63/170, enf. 38 – 21 – **40 ch** 140/280 – ½ p 158/167. Y **s**

Mon Cottage, r. Yser ✆ 62 97 07 92, – wc wc P.
1er avril-1er oct. et vacances scolaires de fév. – **R** 55 – 20 – **24 ch** 110/160 – ½ p 180/210. Z **e**

Primerose, r. Yser ✆ 62 97 06 72, – wc wc ☎ P Z **f**
1er juin-30 sept. – **R** 55/115 – 20 – **26 ch** 100/150 – ½ p 115/165.

ARGELÈS-GAZOST
0 300 m
LOURDES 13 km
30 km COL D'AUBISQUE
42 km EAUX-BONNES
CAUTERETS 17 km
COL DU TOURMALET 36 km
GAVARNIE 38 km

- Barère-de-Vieuzac (R.) Y 2
- Dambé (Av. Jules) Y 3
- Digoy (R. Capitaine) YZ 4
- Hébrard (Av. Adrien) YZ 5
- La Terrasse Z 6
- Mairie (Pl. de la) Z 7
- Marne (Av. de la) Y 8
- Russel (R. du Cte-H.) Z 10
- Sassère (R. Hector) Y 12
- Sorbé-Bualé (R.) Y 13
- Victoire (Pl. de la) Y 14
- Victor-Hugo (Av.) Z 15

Gabizos, N 21 ✆ 62 97 01 36, – wc wc ☎ P. E VISA Z **x**
vacances de printemps, 10 mai-15 oct. et vacances de fév. – **R** 45/105, enf. 35 – 17 – **26 ch** 75/158 – ½ p 126/158.

L'Aubisque sans rest, rte Pierrefitte ✆ 62 97 00 05 – wc ☎ P Z **k**
12 ch.

Bon Repos, rte Stade ✆ 62 97 01 49 – wc P. VISA. rest
vacances de printemps, fin mai-début oct. et vacances de fév. – **R** 50/80 – 18 – **20 ch** 80/160 – ½ p 125/145.

Brasero (grill), rte Lourdes par ① ✆ 62 97 05 12 – P. E VISA
vacances de fév.-30 nov. et fermé lundi sauf juil.-août – **R** 60/100, enf. 40.

à St-Savin S : 3 km par D 101 - Z – ✉ **65400** Argelès-Gazost.

Voir Site★ de la Chapelle de Piétat S : 1 km.

Panoramic, ✆ 62 97 08 22, ≤ vallée, – wc wc ☎. AE E VISA. rest
Pâques-10 oct. – **R** 63/125 – 19 – **22 ch** 115/190.

Viscos, ✆ 62 97 02 28, – wc wc ☎ P. AE E VISA
fermé 1er au 25 déc. et lundi sauf vacances scolaires – **R** 88/190, enf. 38 – 18 – **16 ch** 185/190 – ½ p 175/210.

à Agos par ① : 5 km – ✉ **65400** Argelès-Gazost :

Chez Pierre d'Agos, ✆ 62 97 05 07, – TV wc wc ☎
fermé 1er au 22 déc. – **R** 42/100 – 17,50 – **53 ch** 150/180 – ½ p 138/162.

à Beaucens SE : 5 km par D 100 - Y - et D 13 – Stat. therm. (30 mai-2 oct.) – ✉ **65400** Argelès-Gazost :

Thermal, ✆ 62 97 04 21, ≤, , « Parc » – wc wc ☎ P.
1er juin-30 sept. – **R** 60/110, enf. 35 – 18 – **30 ch** 120/210 – ½ p 130/170.

ARGELÈS-SUR-MER **66700** Pyr.-Or. 86 ⑳ – 5 753 h. – Casino : à Argelès-Plage.

Paris 928 – Céret 26 – ♦Perpignan 21 – Port-Vendres 10 – Prades 58.

Mouettes M, rte Collioure : 3 km ✆ 68 81 21 69, ←, ☂, ≋ – TV ⌂wc ☎ P. AE ⓓ E VISA
1er fév.-30 nov. – **R** 98/168 ♫ – ☐ 28 – **24 ch** 225/334 – ½ p 205/310.

Golfe sans rest, rte Collioure : 3 km ✆ 68 81 14 73, ← – ⌂wc ⌂wc ☎ P. ✗
Pâques-10 oct. – ☐ 18 – **36 ch** 190/220.

Gd H. Commerce, rte Nationale ✆ 68 81 00 33 – |‡| ⌂wc ⌂wc ☎ P. AE ⓓ E VISA
fermé 20 déc. au 31 janv. – **R** *(fermé dim. soir et lundi d'oct. au 30 mars)* 53/145 ♫ – ☐ 22 – **40 ch** 103/200 – ½ p 150/198.

Annexe le Parc M ⛰, ✆ 68 81 05 52, ≋, ☘ – |‡| ⌂wc ⌂wc ☎ P – ♣ 80. AE ⓓ E VISA
1er juin-30 sept. – ☐ 22 – **23 ch** 205/235 – ½ p 216/226.

Soubirana, rte Nationale ✆ 68 81 01 44 – ⌂wc ⌂wc. E VISA
fermé 1er au 15 nov. – **R** *(fermé dim. soir et sam. du 1er oct. au 1er mai)* 55/195 ♫ – ☐ 18 – **18 ch** 80/150 – ½ p 155/205.

à Argelès-Plage E : 2,5 km **G. Pyrénées Roussillon** – ✉ **66700** Argelès-sur-Mer.

Voir SE : Côte Vermeille★★.

ℹ Office de Tourisme pl. Arènes ✆ 68 81 15 85, Télex 500911.

Lido, bd Mer ✆ 68 81 10 32, Télex 505220, ←, ☂, ≋ – |‡| ☎ P. VISA. ✗ rest
15 mai-2 oct. – **R** 90/155, enf. 55 – ☐ 31 – **73 ch** 275/490 – ½ p 270/380.

Plage des Pins M, ✆ 68 81 09 05, ←, ≋, ✗ – |‡| P. E VISA. ✗
4 juin-26 sept. – **R** 96/135 – ☐ 28 – **49 ch** 320/360 – ½ p 288/310.

Marbella sans rest, ✆ 68 81 12 24 – |‡| ⌂wc ⌂wc ☎. VISA. ✗
1er juin-30 sept. – ☐ 18 – **38 ch** 190/220.

Solarium, av. Vallespir ✆ 68 81 10 74 – ⌂wc ⌂wc ☎. ✗
mai-sept. – **R** (dîner seul.) 74 – ☐ 17 – **18 ch** 90/200 – ½ p 180/200.

à Racou-Plage SE : 3 km – ✉ **66700** Argelès-sur-Mer :

Val Marie, ✆ 68 81 11 27, ≋ – ⌂wc ⌂wc
1er avril-31 oct. – **R** 45/75 ♫, enf. 25 – **29 ch** ☐95/148 – ½ p 110/158.

PEUGEOT TALBOT Venzal, Zone Ind. rte St-André ✆ 68 81 06 86

RENAULT Cadmas, 3 bis rte Collioure ✆ 68 81 12 29

In questa guida
uno stesso simbolo, uno stesso carattere
stampati in rosso o in nero, in magro o in grassetto
hanno un significato diverso.
Leggete attentamente le pagine esplicative (p. 30 a 37).

ARGENTAN ⟨SP⟩ **61200** Orne 60 ②③ **G. Normandie Cotentin** – 18 002 h.

Voir Église St-Germain★.

ℹ Office de Tourisme pl. Marché ✆ 33 67 12 48.

Paris 193 ② – Alençon 45 ③ – ♦Caen 57 ⑤ – Chartres 133 ② – Dreux 112 ② – Évreux 117 ② – Flers 44 ④ – Laval 108 ④ – Lisieux 58 ① – ♦Rouen 127 ②.

Plan page ci-contre

France, 8 bd Carnot **(r)** ✆ 33 67 03 65, ☘ – ⌂wc ⌂wc ☎. E VISA. ✗ ch
fermé dim. soir – **R** *(fermé 1er au 10 sept. et 15 fév. au 15 mars)* 60/155 ♫ – ☐ 18 – **13 ch** 150/230 – ½ p 220.

XXX **Renaissance** avec ch, 20 av. 2e-Division-Blindée **(n)** ✆ 33 36 14 20 – ⌂wc ⌂wc ☎ P – ♣ 30. AE ⓓ E VISA
fermé dim. – **R** 78/185, enf. 55 – ☐ 23 – **15 ch** 120/230 – ½ p 170/220.

à Fontenai-sur-Orne par ④ : 4,5 km – ✉ **61200** Argentan :

Faisan Doré, ✆ 33 67 18 11 – TV ⌂wc ☎ P – ♣ 100. E VISA
fermé dim. soir – **R** 62/120 ♫ – ☐ 24 – **19 ch** 200/280 – ½ p 290/320.

à Écouché par ④ : 9 km – ✉ **61150** Écouché :

XX **Lion d'Or** M avec ch, 1 r. Pierre Pigot ✆ 33 35 16 92, ☘ – TV ⌂wc ⌂wc ☎ P – ♣ 80. AE E VISA
fermé 15 au 30 août et lundi – **R** 65/200 – ☐ 24 – **8 ch** 140/220 – ½ p 210/245.

CITROEN Brunet, 21 r. République ✆ 33 36 79 99

FORD Ghislain, 59 r. République ✆ 33 67 02 66

Ⓜ Fischer-Pneus, 21 r. de la République ✆ 33 36 08 36

Marsat-Argentan-Pneus, 30 av. de la 2e D.B. ✆ 33 67 26 79

ARGENTAN

Chaussée (R. de la) 8
Henri-IV (Pl.) 18
Panthou (R. E.) 20
St-Germain (R.) 28

Beigle (R. du) 2
Boschet (R. P.) 3
Briand (R. Aristide) 4
Carnot (Bd) 7
Collège (R. du) 9
Forêt-Normande (Av. de la) 13
Gaulle (Bd Général-de) 14
Griffon (R. du) 15
Leclerc (Pl. Général) 19
Paty (R. du) 23
Poterie (R. de la) 24
République (R. de la) .. 25
St-Martin (R.) 29
Victor-Hugo (Bd) 30
Vimal-du-Bouchet (Pl.) 33
Wolf (R. J.) 34
2e-D.-B. (Av. de la) 35
104e-d'Infanterie (R. du) 38

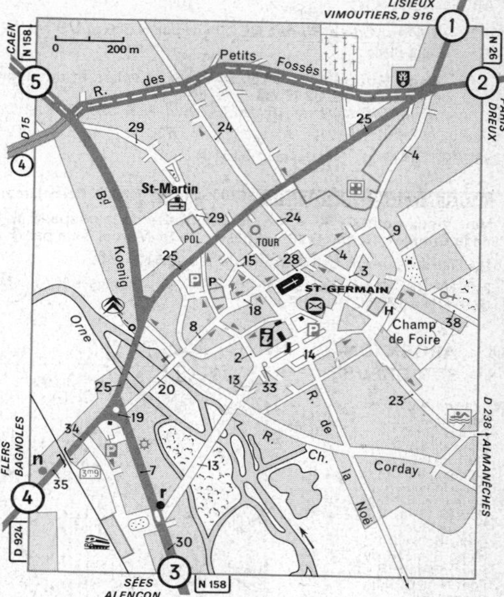

Pour bien lire les plans de ville, voir signes et abréviations p. 23

ARGENTAT 19400 Corrèze **75** ⑩ **G. Berry Limousin** – 3 424 h.

Voir Site★.

ℹ Office de Tourisme av. Pasteur (15 juin-15 sept.) ☎ 55 28 16 05 et à la Mairie (hors saison) ☎ 55 28 10 91.

Paris 512 – Aurillac 53 – Brive-la-Gaillarde 44 – Mauriac 51 – St-Céré 43 – Tulle 28.

Gilbert, r. Vachal ☎ **55 28 01 62,** – wc wc ☎ **P**. AE ⓓ E VISA
fermé 5 janv. au 5 mars, vend. soir et sam. midi – **R** 65/175 – 20 – **30 ch** 90/250 – 1/2 p 130/200.

Fouillade, pl. Gambetta ☎ **55 28 10 17,** – wc ☎ **P**. VISA
fermé 3 nov. au 15 déc. – **R** *(fermé lundi du 19 sept. au 15 juin)* 52/120 ♂, enf. 45 – 17 – **28 ch** 80/160 – 1/2 p 125/155.

CITROEN Frizon, 25 av. des Xaintries ☎ 55 28 10 79
FORD Joassim, 2 r. Pierre et Marie Curie ☎ 55 28 00 17 N
RENAULT Gar. Gambetta, 14 pl. Gambetta ☎ 55 28 00 58

Ⓟ Corrèze-Pneus, 30 av. d'Aurillac ☎ 55 28 14 31

ARGENTEUIL 95 Val-d'Oise **55** ⑳, **101** ⑭ – voir à Paris, Environs.

ARGENTIÈRE 74 H.-Savoie **74** ⑨ **G. Alpes du Nord** – alt. 1 253 – Sports d'hiver : 1 200/3 300 m 3 2 – ✉ **74400** Chamonix-Mont-Blanc.

Voir SE : Aiguille des Grands Montets ≤★★ **par téléphérique – Trélechamp** ≤★★ **N : 2,5 km – Réserve naturelle des Aiguilles Rouges★★ N : 3,5 km.**

Paris 622 – Annecy 104 – Chamonix 8 – Vallorcine 7,5.

Grands Montets M sans rest, **près téléphérique de Lognan** ☎ **50 54 06 66,** ≤, – TV wc ☎ **P**. E VISA
2 juil.-11 sept. et 20 déc.-1er mai – **40 ch** 323/440.

Bois Rose, ☎ **50 54 05 55,** – AE ⓓ E VISA
fermé 1er au 15 mai, 10 nov. au 20 déc., dim. soir et lundi – **R** 68/148.

Dahu avec ch, ☎ **50 54 01 55,** ≤, – wc ☎. AE E VISA
15 juin-15 oct. et 15 déc.-15 mai – **R** *(fermé merc. du 1er sept. au 18 oct.)* 46/110 ♂ – 23 – **22 ch** 85/210.

tourner →

à Montroc-Le Planet NE : 2 km par N 506 et VO – alt. 1 384 – ✉ **74400** Chamonix-Mont-Blanc :

Becs Rouges, ✆ 50 54 01 00, ← vallée et montagnes, – wc wc ☎ P. AE E VISA
15 juin-15 sept. et 15 déc.-30 avril – **R** 82/126 – 27 – **24 ch** 131/342 – ½ p 237/275.

PEUGEOT-TALBOT Gar. Costa, ✆ 50 54 04 30

ARGENTON-SUR-CREUSE **36200** Indre 68 ⑰⑱ **G. Berry Limousin** – **6 141 h.**

Voir Vieux pont ←★ K – ←★ de la terrasse de la chapelle N.-D.-des-Bancs L – Vallée de la Creuse★ SE par D 48 – Église★ de St-Marcel 2 km par ⑤.

Office de Tourisme Hall de l'Hôtel de Ville ✆ 54 24 05 30.

Paris 301 ① – Châteauroux 31 ① – Guéret 67 ③ – ♦Limoges 94 ④ – Montluçon 101 ② – Poitiers 99 ⑤ – ♦Tours 125 ⑤.

ARGENTON-SUR-CREUSE

Acacias (Allée des) 2
Bara (R.) 3
Barbès (R.) 5
Chapelle-N.-D. (R. de la) 7
Châteauneuf (R.) 8
Chauvigny (R. A. de) 10
Coursière (R. de la) 12
Gare (R. de la) 14
Grande (Rue) 15
Ledru-Rollin (R.) 17
Merle-Blanc (R. du) 18
Point-du-Jour (R. du) 20
Pont-Neuf (R. du) 23
Raspail (R.) 24
République (Pl. de la) 25
Rochers-St-Jean (R. des) 27
Rosette (R.) 28
Rousseau (R. Jean-J.) 29
Victor-Hugo (R.) 30

Les plans de villes sont orientés le Nord en haut.

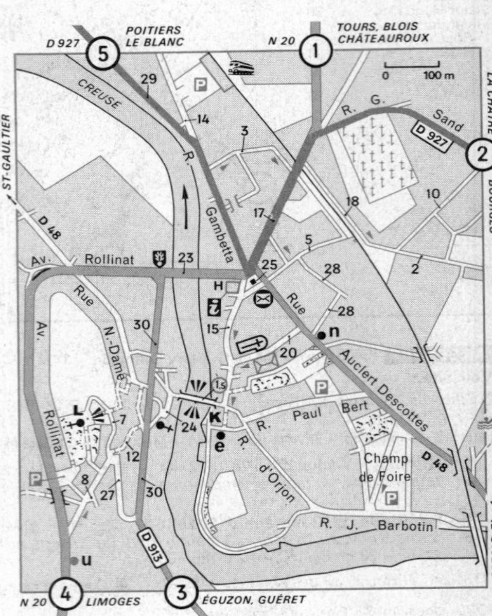

Manoir de Boisvillers sans rest, 11 r. Moulin-de-Bord **(e)** ✆ 54 24 13 88, – wc wc ☎ P. AE E VISA.
fermé 20 déc. au 15 janv. – 20 – **14 ch** 95/245.

Cheval Noir, 27 r. Auclert-Descottes **(n)** ✆ 54 24 00 06, Télex 751183 – TV wc wc ☎. E VISA
fermé janv., fév., dim. soir et lundi hors sais. et mardi du 1er juin au 30 sept. – **R** 70/160, enf. 45 – 25 – **30 ch** 110/230.

Chez Maître Jean, 67 av. Rollinat **(u)** ✆ 54 24 02 09 – P. VISA.
fermé 15 au 31 oct. et merc. – **R** 53/120.

à St-Marcel par ① : 2 km – ✉ **36200** Argenton-sur-Creuse

Le Prieuré, ✆ 54 24 05 19, ←, – wc wc ☎ P – 30. VISA.
fermé fév. et lundi – **R** 50/120 – 20 – **12 ch** 105/190.

CITROEN Gar. Dieu, Z.I - Rte de Limoges par ④ ✆ 54 24 00 82
CITROEN Gar. Besson, N 20 à Tendu par ① ✆ 54 24 12 26
PEUGEOT-TALBOT Chavegrand, rte de Limoges par ④ ✆ 54 24 04 32 N

Gar. Allignet, 15 bis bd Georges Sand ✆ 54 24 07 01 N ✆ 54 24 24 95

Gebhard-Pneu, rte de Limoges, N 20 ✆ 54 24 13 08

ARGENT-SUR-SAULDRE 18410 Cher 65 ⑪ **G. Châteaux de la Loire** – 2 687 h.
Paris 173 – Bourges 55 – Cosne-sur-Loire 46 – Gien 21 – ♦Orléans 62 – Salbris 42 – Vierzon 52.

XX **Relais de la Poste** avec ch, ✆ 48 73 60 25 – wc. E VISA
fermé 15 janv. au 15 fév. et lundi du 1er oct. au 30 juin – **R** 80/270 – 20 – **8 ch** 170/220.

PEUGEOT Gge Léger, ✆ 48 73 63 06 RENAULT Carlot, ✆ 48 73 61 83

ARINSAL Principauté d'Andorre 86 ⑭, 43 ⑥ – voir à Andorre.

ARINTHOD 39240 Jura 70 ⑭ **G. Jura** – 1 135 h.
Voir Église★ de St-Hymetière S : 4 km.
Paris 429 – Bourg-en-Bresse 50 – Lons-le-Saunier 37 – Nantua 37 – St-Amour 35.

Tour, ✆ 84 48 00 05 – wc. ch
R 45/95 – 15 – **14 ch** 80/170 – 1/2 p 190/210.

ARLEMPDES 43 H.-Loire 76 ⑰ **G. Vallée du Rhône** – 182 h. alt. 840 – ✉ **43490** Costaros.
Voir ≤★★ du château.
Paris 544 – Aubenas 76 – Langogne 28 – Le Puy 28.

Manoir , ✆ 71 57 17 14, ≤ – . ch
1er mars-1er nov. – **R** 58/135 – 20 – **16 ch** 100/150 – 1/2 p 150/160.

Au moment de chercher un hôtel ou un restaurant, soyez efficace. Sachez utiliser les noms soulignés en rouge sur les ***cartes Michelin*** *à 1/200 000. Mais ayez une carte à jour !*

ARLES 13200 B.-du-R. 83 ⑩ **G. Provence** – 50 772 h.
Voir Arènes★★ YZ – Théâtre antique★★ Z – Cloître St-Trophime★★ et église★ Z : portail★★ – les Alyscamps★ X – Palais Constantin★ Y F – Musées : Art chrétien★★ et cryptoportiques★ Z M1, Arlaten★ Z M3, Art païen★ Z M2, Réattu★ Y M4 – Ruines de l'abbaye de Montmajour ★ 5 km par ①.
Office de Tourisme 35 pl. République ✆ 90 93 49 11 et bd des Lices ✆ 90 96 29 35, Télex 440096 – A.C. 12 r. Liberté ✆ 90 96 40 28.
Paris 727 ① – Aix-en-Provence 75 ② – Avignon 37 ① – Béziers 136 ⑤ – Cavaillon 44 ① – ♦Marseille 95 ② – ♦Montpellier 73 ⑤ – Nîmes 30 ⑥ – Salon-de-Provence 41 ② – Sète 103 ⑤.

Plan page suivante

Jules César, bd Lices ✆ 90 93 43 20, Télex 400239, « Ancien couvent avec son cloître, jardins intérieurs », – TV – 50. AE E VISA Z b
fermé fin nov. au 22 déc. – **R** voir rest. **Lou Marquès** ci-après – 55 – **55 ch** 350/800.

D'Arlatan sans rest, 26 r. Sauvage (près pl. Forum) ✆ 90 93 56 66, Télex 441203, « Demeure du 15e s., beau mobilier, patio et jardin » – – 25. AE E VISA Y f
38 – **43 ch** 285/490.

Mireille M, 2 pl. St-Pierre ✆ 90 93 70 74, Télex 440308, , – wc wc . AE E VISA Y h
fermé hôtel : 15 nov. au 15 fév.; rest. : 15 nov. au 28 fév. – **R** 95/150 – 35 – **34 ch** 275/420 – 1/2 p 267/335.

Forum sans rest, 10 pl. Forum ✆ 90 93 48 95, – wc . VISA Z z
1er mars-15 nov. – 30 – **45 ch** 145/385.

St-Trophime sans rest, 16 r. Calade ✆ 90 96 88 38 – wc wc . VISA Z x
10 mars-15 nov. – 22 – **22 ch** 125/225.

Calendal sans rest, 22 pl. Pomme ✆ 90 96 11 89, « Jardin ombragé » – wc wc . E VISA Z s
15 fév.-15 nov. – 22 – **27 ch** 150/260.

Mirador sans rest, 3 r. Voltaire ✆ 90 96 28 05 – wc wc . E VISA Y n
fermé 5 janv. au 10 fév. – 21 – **15 ch** 138/200.

Le Cloître sans rest, 18 r. Cloître ✆ 90 96 29 50 – wc wc . E VISA. Z a
15 mars-15 nov. – 22 – **33 ch** 150/220.

La Roseraie sans rest, à Pont-de-Crau E : 2 km par N 453 - X ✆ 90 96 06 58, « jardin fleuri » – wc .
15 mars-15 oct. – 24 – **12 ch** 180/240.

Constantin sans rest, 59 bd Craponne ✆ 90 96 04 05 – wc wc . E VISA. Z k
15 mars-15 nov. – 19 – **15 ch** 105/195.

tourner →

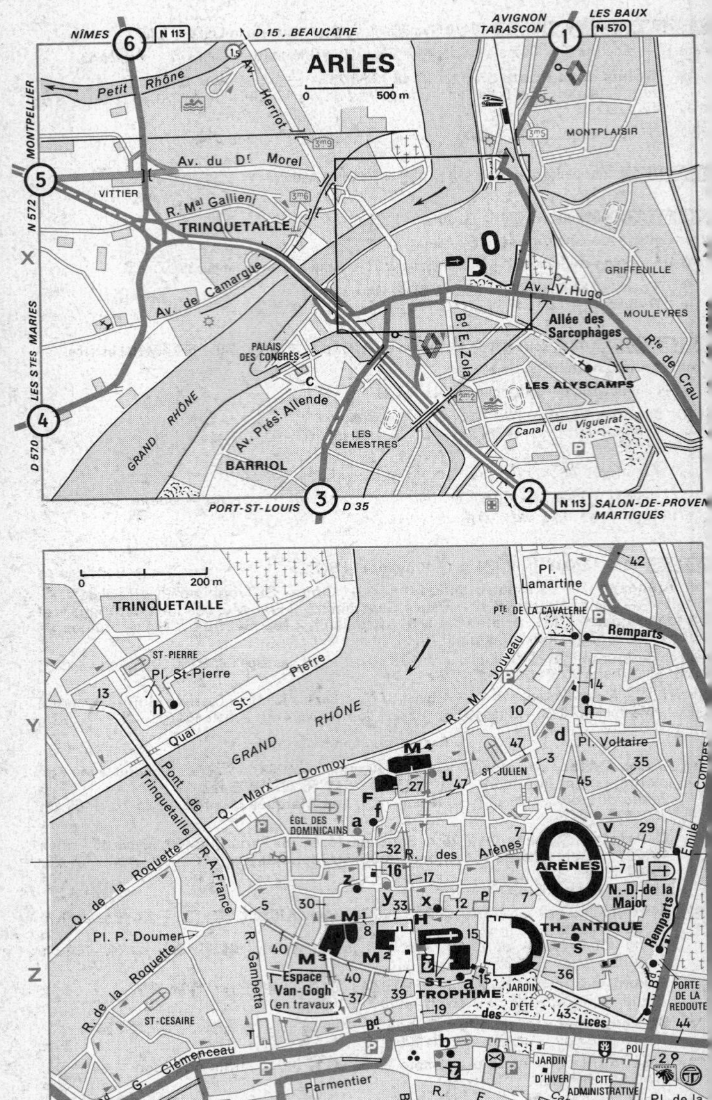
ARLES
0
500 m
NÎMES
N 113
D 15, BEAUCAIRE
AVIGNON
TARASCON
LES BAUX
N 570
Petit Rhône
Av. Herriot
MONTPLAISIR
MONTPELLIER
Av. du Dr Morel
VITTIER
R. Mal Gallieni
TRINQUETAILLE
N 572
GRIFFEUILLE
Av. V. Hugo
Av. de Camargue
MOULEYRES
LES STES MARIES
Bd E. Zola
Allée des Sarcophages
PALAIS DES CONGRÈS
Rte de Crau
LES ALYSCAMPS
GRAND RHÔNE
Av. Prést Allende
LES SEMESTRES
Canal du Vigueirat
D 570
BARRIOL
PORT-ST-LOUIS
D 35
N 113
SALON-DE-PROVEN
MARTIGUES
0
200 m
TRINQUETAILLE
Pl. Lamartine
PTE DE LA CAVALERIE
Remparts
ST-PIERRE
Pl. St-Pierre
Quai St-Pierre
R. M. Jouveau
GRAND RHÔNE
Pl. Voltaire
ST-JULIEN
Q. Marx Dormoy
Pont de Trinquetaille
ÉGL. DES DOMINICAINS
R. des Arènes
Q. de la Roquette
R. A. France
ARÈNES
N.-D.-de la Major
Pl. P. Doumer
TH. ANTIQUE
R. de la Roquette
R. Gambetta
Espace Van-Gogh (en travaux)
ST-TROPHIME
JARDIN D'ÉTÉ
Bd des Lices
PORTE DE LA REDOUTE
ST-CESAIRE
Bd G. Clémenceau
JARDIN D'HIVER
CITÉ ADMINISTRATIVE
Parmentier
R. E. Fassin
Canal de Craponne
Pl. de la Croisière
Av. Sadi Carnot
Av. du Gal Leclerc
Bd E. Zola

XXX ✿ **Lou Marquès,** bd Lices ✆ 90 93 43 20, 😊 – AE ⓓ E VISA — Z **b**
fermé fin nov. au 22 déc. – **R** 185/345, enf. 150
Spéc. Panaché de la mer en oursinado, Râble de lapereau au romarin, Gratin d'orange au Grand Marnier. Vins Coteaux des Baux, Palette.

XX **Vaccarès,** pl. Forum (1er étage) ✆ 90 96 06 17, 😊 – VISA — Z **y**
fermé 20 déc. au 20 janv., dim. et lundi sauf fêtes – **R** 150/190.

XX **Côté Cour,** r. A. Pichot ✆ 90 49 77 76 – ⓓ E VISA — Y **d**
fermé 15 janv. au 15 fév. et mardi – **R** 140.

XX **L'Olivier,** 1 bis r. Réattu ✆ 90 49 64 88, 😊 – E VISA. ✻ — Y **u**
fermé 5 au 15 avril, 1er au 20 nov., dim. et lundi sauf juil. – **R** 128/190, enf. 65.

XX **La Paillote,** 28 r. Dr.-Fanton ✆ 90 96 33 15, 😊 – E VISA — Y **a**
fermé 15 janv. au 15 mars, jeudi midi et merc. hors sais. – **R** 90/140.

X **Host. des Arènes,** 62 r. Refuge ✆ 90 96 13 05, 😊 – E VISA — Y **v**
fermé 20 au 30 juin, 1er déc. au 1er fév., mardi soir hors sais. et merc. – **R** 56/80 ♁.

à l'Est : 7,5 km par N 453 et chemin privé - X – ✉ **13200** Arles :

Aub. la Fenière Ⓜ ⚘, ✆ 90 98 47 44, Télex 441237, ≤, « jardin fleuri » – ☎ ♿ 🚗 Ⓟ – 🏊 25. AE ⓓ E VISA. ✻ rest
R *(fermé 1er nov. au 20 déc., le midi du 22 mai au 1er nov. et sam. midi)* 130/185 – ☕ 35 – **25 ch** 273/492 – 1/2 p 254/390.

Autres ressources hôtelières :

Voir *Fontvieille* par ① : 9,5 km.

BMW Gar. de la Verrerie, 10 av. Dr.-Morel, Trinquetaille ✆ 90 96 19 59
CITROEN Trébon Autos, 35 av. de la Libération par ① ✆ 90 96 42 83
MERCEDES TOYOTA Provem, Gar. du Lion, 10 r. Verrerie, Trinquetaille ✆ 90 93 53 55
PEUGEOT-TALBOT Roux, 3 av. Victor-Hugo ✆ 90 93 98 59
RENAULT Arles Autom. Services, 84 av. Stalingrad ✆ 90 96 82 82
RENAULT Lacoste, 27 av. Sadi-Carnot ✆ 90 96 37 76

V.A.G. Gar. de l'Avenir, 5 av. de la Libération, rte Tarascon ✆ 90 96 98 10

Ⓜ Ayme-Pneus, Zone Ind. Nord, rue Cotton ✆ 90 93 56 95
Gay-Pneus, av. Pont-Crau, N 113 ✆ 90 93 60 13
Jauffret-Pneus, 22 bd Victor Hugo ✆ 90 93 50 14
Vulcania, 8 bd Victor-Hugo ✆ 90 96 02 03

Si vous cherchez un hôtel tranquille,
ne consultez pas uniquement les cartes p. 46 à 53,
mais regardez également dans le texte
les établissements indiqués avec le signe ⚘

ARLES-SUR-TECH 66150 Pyr.-Or. 86 ⑱ G. Pyrénées Roussillon – 2 921 h.

ℹ Syndicat d'Initiative Gare routière ✆ 68 39 11 99.

Paris 948 – Amélie-les-Bains-Palalda 4 – ♦Perpignan 42 – Prats-de-Mollo-la-Preste 19.

Glycines, r. Joc-de-Pilota ✆ 68 39 10 09, 😊, 🌳 – ⛀wc 🚿 ☎ Ⓟ. E VISA
fermé 15 déc. au 31 janv. – **R** *(fermé lundi)* 80/200 – ☕ 25 – **34 ch** 105/200 – 1/2 p 180/250.

à Can Partère SO : 5 km sur D 115 – ✉ **66150** Arles-sur-Tech :

XX **Aub. du Vallespir** avec ch, ✆ 68 39 12 73, ≤, 😊, 🌳 – 🚿wc Ⓟ. ✻ ch
fermé lundi sauf juil.-août – **R** 75/180 – ☕ 30 – **8 ch** 100/180 – 1/2 p 160/220.

ARMBOUTS-CAPPEL 59 Nord 51 ③ – rattaché à Dunkerque.

ARMENTIÈRES 59280 Nord 51 ⑮ G. Flandres Artois Picardie – 25 992 h..

ℹ A.C. 26 pl. St-Vaast ✆ 20 77 10 12.

Paris 236 ③ – Dunkerque 59 ⑥ – Kortrijk 36 ② – Lens 41 ③ – ♦Lille 19 ③ – St-Omer 50 ⑥.

Plan page suivante

Albert 1er sans rest, 28 r. Robert Schuman ✆ 20 77 31 02 – ⛀wc 🚿wc ☎. E VISA. ✻ — Z **a**
☕ 24 – **19 ch** 160/240.

CITROEN Gar. Chauvin, 10-12 r. Bayard ✆ 20 77 32 02
DATSUN-NISSAN Gar. Duretz, 1 r. J.-Ferry ✆ 20 77 09 52
RENAULT Gar. de la Lys, 1797 r. d'Armentières, Nieppe par ⑥ ✆ 20 48 57 50 N

V.A.G. Gar. Delabie, 37 r. J.-Ferry ✆ 20 77 09 57

Ⓜ Crépy-Pneus, 5 r. Mar.-Foch ✆ 20 77 10 88
Hennette, rte Nationale à Ennetières-Wez-Macquart ✆ 20 35 85 28

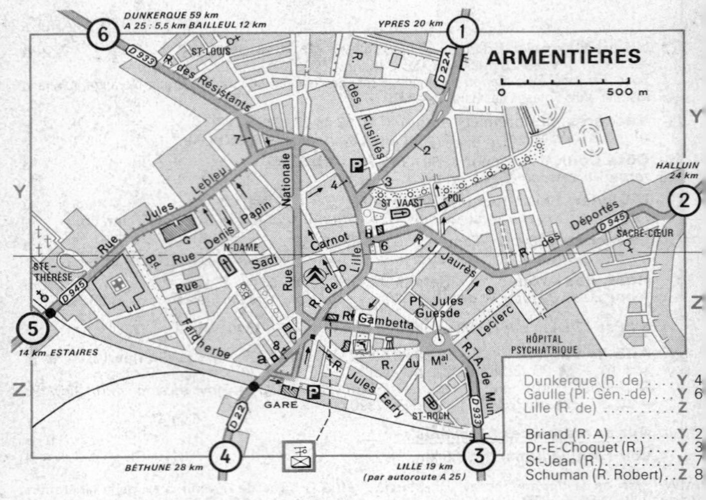

ARMOY 74 H.-Savoie 70 ⑰ – rattaché à Thonon-les-Bains.

ARNAC-POMPADOUR 19230 Corrèze 75 ⑧ **G. Berry Limousin** – 1 474 h.

Syndicat d'Initiative conciergerie du Château (fermé nov.-déc.).

Paris 455 – Brive-la-Gaillarde 52 – •Limoges 59 – Périgueux 68 – St-Yrieix 24 – Uzerche 25.

Aub. de la Marquise , à la gare 55 73 33 98, – wc wc – ch
4 juin-1er nov. – **R** *(fermé mardi sauf juil.-août)* 95/165, enf. 45 – 26 – **12 ch** 195/225 – ½ p 190/220.

CITROEN Nouaille, à Pompadour 55 73 30 18
PEUGEOT-TALBOT Coulaud, 17 av. du Midi 55 73 37 42
RENAULT Debernard, à Pompadour 55 73 30 57

ARNAGE 72 Sarthe 64 ③ – rattaché au Mans.

ARNAY-LE-DUC 21230 Côte-d'Or 65 ⑱ **G. Bourgogne** – 2 431 h.

Paris 287 – Autun 28 – Beaune 34 – Chagny 40 – •Dijon 57 – Montbard 73 – Saulieu 28.

Chez Camille (Poinsot), 80 90 01 38, « Bel aménagement intérieur » – wc .
fermé 3 au 31 janv. – **R** 118/284 , enf. 60 – 40 – **13 ch** 325
Spéc. Crème de cuisses de grenouilles aux perles du Japon, Fondue d'escargots aux choux de Bruxelles, Fricassée de chapon fermier Archiduc. **Vins** Pinot, Montagny.

Poste sans rest, 80 90 00 76 – wc wc .
20 mai-oct. – 19 – **14 ch** 125/220.

Terminus avec ch, N 6 80 90 00 33 – wc .
fermé 6 janv. au 6 fév. et merc. – **R** 60/170 – 20 – **12 ch** 70/200.

PEUGEOT, TALBOT Gar. de L'Arquebuse, 80 90 05 16
RENAULT Gar. Contant, 80 90 07 09
V.A.G Binet, à St-Prix 80 90 10 07 80 90 04 92

ARPAILLARGUES 30 Gard 80 ⑲ – rattaché à Uzès.

ARPAJON 91290 Essonne 60 ⑩ – 8 028 h.

Syndicat d'Initiative pl. Hôtel de Ville (1) 60 83 36 51.

Paris 32 – Chartres 70 – Evry 20 – Melun 41 – •Orléans 87 – Versailles 40.

Saint Clément, 16 av. Hoche (1) 64 90 21 01 – .
fermé 1er au 22 août, dim. soir et lundi – **R** 190.

ARPAJON-SUR-CÈRE 15 Cantal 76 ⑫ – rattaché à Aurillac.

ARQUES-LA-BATAILLE 76880 S.-Mar. 52 ④ **G. Normandie Vallée de la Seine** – 2 742 h.
Voir Ruines du château★.
Paris 163 – Dieppe 7 – Neufchâtel-en-Bray 28 – ♦ Rouen 60.

XX **Host. Manoir d'Archelles** avec ch, sur D 1 ✆ 35 85 50 16 – wc wc ☎ P. AE E VISA. rest
fermé 1er au 14 août, dim. soir et lundi – **R** 60/180 – 20 – **8 ch** 130/200 – ½ p 150/180.

CITROEN Féron, ✆ 35 85 50 41

ARRADON 56 Morbihan 63 ③ – rattaché à Vannes.

ARRAS P 62000 P.-de-C. 53 ② **G. Flandres Artois Picardie** – 45 364 h.
Voir Grand'Place★★ CY et Place des Héros★★ CY – Hôtel de Ville et beffroi★ BY H – Ancienne abbaye St-Vaast★ : musée★ BY.
Office de Tourisme 7 pl. Mar.-Foch ✆ 21 51 26 95 – A.C. bd Carnot ✆ 21 71 06 39.
Paris 178 ② – ♦Amiens 65 ④ – ♦Caen 298 ④ – ♦Calais 112 ⑥ – Charleville-Mézières 158 ② – Douai 26 ① – ♦Le Havre 238 ④ – ♦Lille 52 ① – ♦Rouen 173 ④ – St-Quentin 74 ②.

Plan pages suivantes

Univers , 3 pl. Croix-Rouge ✆ 21 71 34 01 – ☎ P – 200. AE E VISA. rest BZ k
R *(fermé dim. en août)* 80/170 – 30 – **36 ch** 155/300 – ½ p 270/380.

Moderne sans rest, 1 bd Faidherbe ✆ 21 23 39 57, Télex 133701 – TV wc ☎. AE E VISA CZ u
fermé 24 déc. au 2 janv. – 23 – **55 ch** 200/280.

La Belle Etoile M , Zone d'emploi Les Alouettes à St Nicolas-lès-Arras ✉ 62223 St Laurent-Blangy ✆ 21 58 59 00, Télex 133748, – TV wc ☎ P – 40. AE E VISA
R 55/125 , enf. 40 – 25 – **36 ch** 205/230 – ½ p 260/290.

Astoria et rest. Carnot, 12 pl. Foch ✆ 21 71 08 14, Télex 160768 – wc wc ☎. AE E VISA. CZ s
R *(fermé 25 déc. au 5 janv.)* 79/95 – 22 – **31 ch** 120/220.

Diamant M sans rest, 5 pl. Héros ✆ 21 71 23 23 – TV wc wc ☎. E VISA CZ b
20 – **12 ch** 220/240.

XXX ✻ **La Faisanderie** (Dargent), 45 Grand' Place ✆ 21 48 20 76, « Cave du 17e s. » – AE E VISA CY f
fermé 2 au 23 août, vacances de fév., dim. soir et lundi – **R** carte 255 à 345, enf. 65
Spéc. St Jacques au beurre blanc de céleri (oct. à avril), Fricassée de ris et rognon de veau, Gibier (saison).

XXX **Ambassadeur** (Buffet Gare), ✆ 21 23 29 80 – AE E VISA CZ
fermé dim. soir – **R** 95/178 .

XXX **Victor Hugo,** 11 pl. Victor Hugo ✆ 21 23 34 96, produits de la mer – AE E VISA – *fermé vacances de fév., août, dim. soir et lundi* – **R** (nombre de couverts limité - prévenir) 141 bc/172 bc AZ e

XXX **Le Régent** avec ch, r. A.-France à St Nicolas-lès-Arras ✉ 62223 St-Laurent-Blangy ✆ 21 71 51 09, , – wc wc ☎. E VISA BY d
fermé août, lundi (sauf hôtel) et dim. soir – **R** 92/325 – 26 – **11 ch** 140/325.

XX **Chanzy** avec ch, 8 r. Chanzy ✆ 21 71 02 02 – wc ☎. AE E VISA CZ n
R 80/180 , enf. 50 – 20 – **20 ch** 100/250, 4 appartements 300.

XX **La Rapière,** 44 Gd'Place ✆ 21 55 09 92 – AE E VISA CY a
fermé dim. soir – **R** 81/113 , enf. 35.

à Beaurains par ③ : 3 km – 3 922 h. – ✉ 62217 Beaurains :

XX **L'Auberge,** ✆ 21 71 59 30 – P. AE E VISA
fermé dim. soir – **R** 70/190 , enf. 40.

MICHELIN, Agence régionale, rte de Béthune, D 63, Ste-Catherine-lès-Arras AY ✆ 21 71 12 08

ALFA-ROMEO-HONDA Gar. Hanot-Mariani, 95 av. W.-Churchill ✆ 21 71 54 41
AUSTIN-ROVER Gar. Leclercq, 38 bd Strasbourg ✆ 21 71 62 33
BMW Centre Autom. Artésien, Port Fluvial à St-Laurent Blangy ✆ 21 58 11 44
CITROEN SO. CA. AR., 2 r. des Rosati ✆ 21 55 39 10
DATSUN Gar. Kennedy, 22 av. Kennedy ✆ 21 51 06 98
FIAT Gar. Michonneau, 6 av. Michonneau ✆ 21 55 37 52
FORD Liévinoise Autom., 16 av. Michonneau ✆ 21 55 42 42 N
LANCIA-AUTOBIANCHI Specq, 21 r. du Saumon ✆ 21 73 59 20
OPEL-GM Gar. Méral, av. d'Immercourt à St-Laurent-Blangy ✆ 21 73 18 24
PEUGEOT-TALBOT Cyr-Leroy, 75 rte Cambrai par ② ✆ 21 73 26 26
RENAULT Arras Sud-Autom., 134 rte de Cambrai par ② ✆ 21 55 46 15
RENAULT Nouv. Gar. de l'Artois, 40 voie N.-Dame-de-Lorette ✆ 21 23 02 56
V.A.G. Willerval, 13 bis r. G.-Clemenceau à St-Laurent-Blangy ✆ 21 55 30 75

Chamart, 245 av. Kennedy ✆ 21 71 31 95
Delit-Pneus, av. Michonneau prolongée, St-Nicolas ✆ 21 55 38 25
Pneus et Services DK, 8 r. Diderot ✆ 21 51 74 84

ARRAS

Ernestale (R.) . . . . BZ 13
Gambetta (R.) . . . . BZ
Ronville (R.) . . . . CZ 26
St-Aubert (R.) . . . . BY
Théâtre (Pl. du) . . . . BZ 33

Adam (R. Paul) . . . . AY 2
Agaches (R. des) . . . . BY 3
Albert-1er-de-Belg. (Rue) . . . . BY 4
Ancien-Rivage (Pl. de l') . . . . BY 5
Barbot (R. Gén.) . . . . BY 6
Carabiniers d'Artois (R. des) . . . . AY 8
Cardinal (R. du) . . . . CZ 9
Delansorne (R. D.) . . . . BZ 10
Doumer (R. Paul) . . . . BY 12
Ferry (R. Jules) . . . . AY 15
Foch (R. Maréchal) . . . . CZ 16
Gouvernance (R.) . . . . BY 18
Guy Mollet (Pl.) . . . . CY 19
Jongleurs (R. des) . . . . BZ 21
Madeleine (Pl. de la) . . . . . BY 22
Marché-au-Filé (R. du) . . . . BY 24
Robespierre (R.) . . . . BZ 25
Ste-Claire (R.) . . . . AZ 28
Ste-Croix (R.) . . . . CY 29
Strasbourg (Bd de) . . . . CZ 30
Taillerie (R. de la) . . . . CY 31
Teinturiers (R. des) . . . . BY 32
Verdun (Cours de) . . . . AZ 35
Victor-Hugo (Pl.) . . . . AZ 36
Wacquez-Glasson (Rue) . . . . CZ 38
29-Juillet (R. du) . . . . BY 39

Welcome to France!
Remember,
keep to the right.

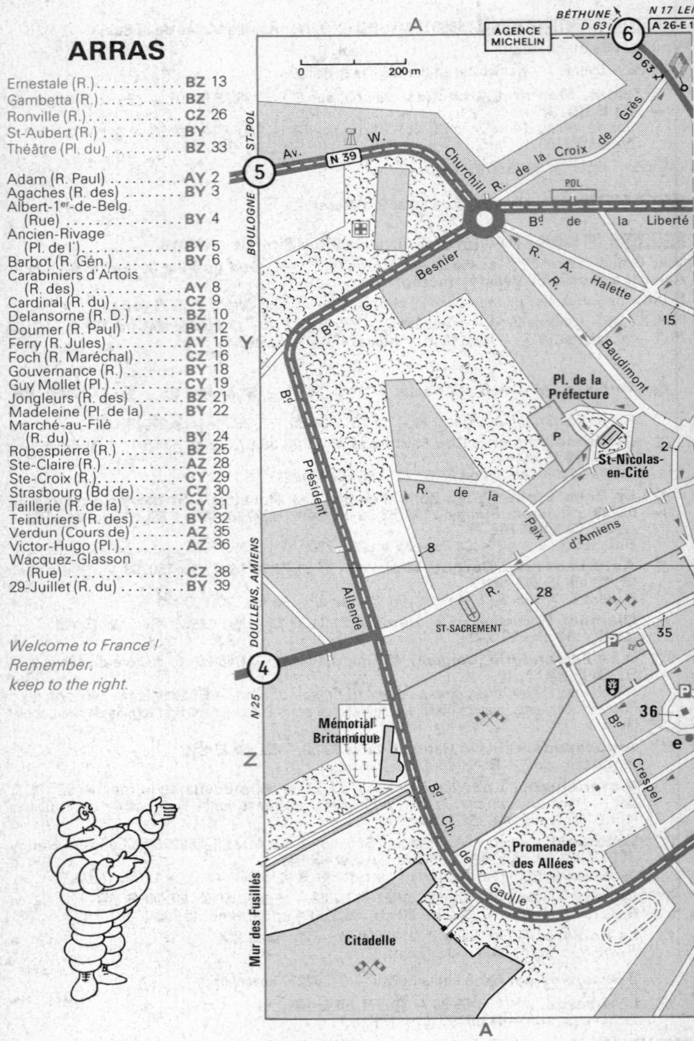

Wenn Sie vom Hotelier eine schriftliche Bestätigung Ihrer Zimmerreservierung oder eine Antwort auf eine Anfrage erwarten, fügen Sie Ihrem Schreiben bitte Rückporto bei.

ARREAU **65240** H.-Pyr. 85 ⑲ **G. Pyrénées Aquitaine** – 816 h. alt. 704.
Voir Vallée d'Aure★ S.
Paris 848 – Auch 90 – Bagnères-de-Luchon 32 – Lourdes 60 – St-Gaudens 54 – Tarbes 57.

- **Angleterre,** rte Luchon ✆ **62 98 63 30,** – wc wc ☎ Ⓟ. E VISA.
  1er juin-10 oct. et 26 déc.-Pâques – **R** 52/170 – 22 – **25 ch** 165/215.
- **France,** ✆ 62 98 61 12 – wc wc.
  1er juin-30 sept., 26 déc.-30 avril et fermé mardi soir et merc. – **R** 60/120, enf. 32 – 20 – **17 ch** 95/180 – ½ p 125/170.

RENAULT Buetas ✆ 62 98 60 67 N

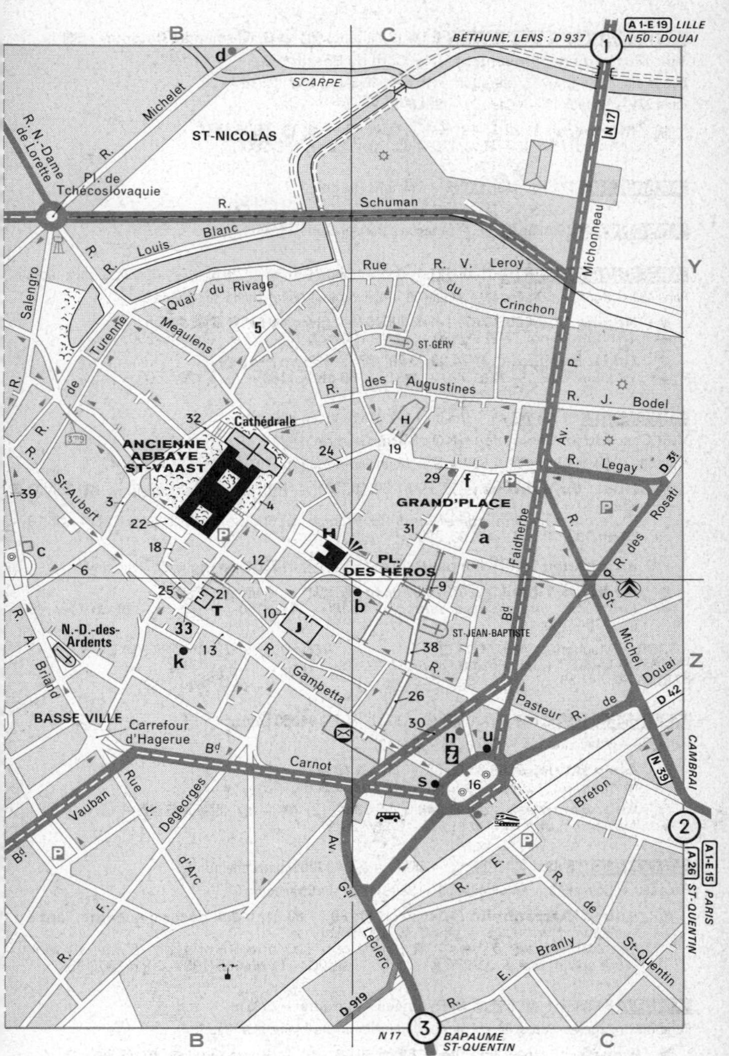

☛ *Les localités dont les noms sont soulignés de rouge sur les* ***cartes Michelin*** *à 1/200 000 sont citées dans ce guide. Utilisez une carte récente pour profiter de ce renseignement.*

ARRENS-MARSOUS 65 H.-Pyr. 85 ⑰ **G. Pyrénées Aquitaine** – 827 h. alt. 878 – ✉ **65400** Argelès-Gazost.

Syndicat d'Initiative ☎ 62 97 02 63.

Paris 827 – Argelès-Gazost 12 – Laruns 36 – Lourdes 25 – Tarbes 45.

Au Relais des Cols, NE : 3,5 km par D 918 ☎ 62 97 05 53, ≤, – wc **P**. **E** VISA. rest
1er mai-30 sept. et vacances scolaires de fév. – **R** 58/160, enf. 30 – 16 – **17 ch** 90/150 – ½ p 130/200.

ARROMANCHES-LES-BAINS 14117 Calvados 54 ⑮ G. Normandie Cotentin – 395 h.

Voir Musée du débarquement – La Côte du Bessin★ O.

Syndicat d'Initiative r. Mar.-Joffre (15 avril-15 sept.) ☎ 31 22 36 45.

Paris 271 – Bayeux 10 – ◆Caen 29 – St-Lô 45.

Marine, ☎ 31 22 34 19, ≤ – wc wc ☎ P. AE E VISA
1er mars-15 nov. – **R** 68/120 – 20 – **21 ch** 190/280.

ARS-EN-RÉ 17 Char.-Mar. 71 ⑫ – voir à Ré (Ile de).

ARSONVAL 10 Aube 61 ⑱ – rattaché à Bar-sur-Aube.

ARS-SUR-FORMANS 01 Ain 74 ① G. Vallée du Rhône – 719 h. – ✉ **01480** Jassans-Riottier.

Paris 439 – Bourg-en-Bresse 41 – ◆Lyon 36 – Mâcon 46 – Villefranche-sur-Saône 9.

Régina, ☎ 74 00 73 67, Télex 305767 – wc P. E VISA. ch
15 mars-15 nov. – **R** 62/130 – 19 – **31 ch** 155/168 – 1/2 p 140/200.

Gd H. Basilique, ☎ 74 00 73 76, – wc wc P. AE
1er avril-25 oct. – **R** 50/120 – 19 – **60 ch** 75/160 – 1/2 p 120/150.

ARTEMARE 01 Ain 74 ④ – 914 h. – ✉ **01510** Virieu-le-Grand.

Voir Cascade de Cerveyrieu★ NO : 3 km, G. Jura.

Paris 504 – Aix-les-Bains 34 – Belley 17 – Bourg-en-Bresse 75 – ◆Genève 71 – Nantua 47.

Host. du Valromey, ☎ 79 87 30 10, – TV wc wc ☎ P – 25. AE E VISA
R *(fermé nov., dim. soir et lundi du 1er sept. au 30 juin)* 60/173 , enf. 38 – 19 – **25 ch** 135/200 – 1/2 p 180/220.

à Luthézieu NO : 8 km par D 31 et D 8 – ✉ **01260** Champagne-en-Valromey :

Au Vieux Tilleul , ☎ 79 87 64 51, ≤, – P. E VISA
fermé janv., mardi soir et merc. hors sais. – **R** 58/165 – 18 – **10 ch** 115/145 – 1/2 p 154/165.

CITROEN Mochon, ☎ 79 87 30 14 N
PEUGEOT-TALBOT Gar. Pochet, ☎ 79 87 32 67 N ☎ 79 87 41 58
RENAULT Boléa, ☎ 79 87 30 43

ARTIGUELOUVE 64 Pyr.-Atl. 85 ⑥ – 822 h. – ✉ **64230** Lescar.

Paris 772 – ◆Bayonne 104 – Orthez 40 – Pau 10.

Alain Bayle, ☎ 59 83 05 08 – AE E VISA
fermé merc. sauf juil.-août et dim. soir – **R** 84/160.

Aub. Semmarty, sur D 146 ☎ 59 83 00 12, – P. AE E VISA
fermé juil., dim. soir et lundi – **R** 53/125 .

ARTZENHEIM 68 H.-Rhin 62 ⑲ – 557 h. – ✉ **68320** Muntzenheim.

Paris 450 – Colmar 16 – ◆Mulhouse 50 – Sélestat 20 – ◆Strasbourg 67.

Aub. d'Artzenheim avec ch, ☎ 89 71 60 51, « Joli décor d'auberge, jardin » – wc wc ☎ P – 50. E VISA. ch
fermé 15 fév. au 15 mars – **R** *(fermé dim. soir et lundi midi du 15 nov. au 15 fév., lundi soir et mardi)* 80/235 , enf. 65 – 20 – **11 ch** 115/190 – 1/2 p 120/195.

ARUDY 64260 Pyr. Atl. 85 ⑥ G. Pyrénées Aquitaine – 2 705 h.

Paris 796 – Argelès-Gazost 56 – Lourdes 43 – Oloron-Ste-Marie 18 – Pau 26.

France, pl. Hôtel de Ville ☎ 59 05 60 16, – wc wc P. E VISA.
fermé mai et sam. hors sais. sauf vacances scolaires – **R** 55/86 – 17 – **21 ch** 85/170 – 1/2 p 125/150.

ARVERT 17530 Char.-Mar. 71 ⑭ – 2 543 h.

Paris 511 – Marennes 13 – Rochefort 35 – La Rochelle 67 – Royan 21 – Saintes 45.

Villa Fantaisie , ☎ 46 36 40 09, ≤, parc – wc wc P. AE E VISA
fermé 2 janv. au 28 fév., dim. soir et lundi sauf du 1er juin au 15 sept. – **R** 120/250, enf. 60 – 35 – **23 ch** 240/350 – 1/2 p 260/350.

ARVILLARD 73 Savoie 74 ⑯ – 787 h. – ✉ **73110** La Rochette.

Paris 573 – Albertville 41 – Allevard 8 – Chambéry 34 – St-Jean-de-Maurienne 59.

Les Iris , ☎ 79 25 51 29, ≤, , – wc ☎ P. E VISA
R 55 bc/149 , enf. 40 – 16 – **27 ch** 89/180 – 1/2 p 137/190.

ARZ (Ile d') 56840 Morbihan 63 ⑬ G. Bretagne – 277 h.
Accès par transports maritimes.

depuis **Vannes.** En 1987 : de Pâques à fin sept. 2 à 3 services quotidiens - Traversée 30 mn – 30 F (AR) - Renseignements : Vedettes Vertes du Golfe, Gare Maritime ✆ 97 63 79 99.

depuis **Conleau.** En 1987 : saison 13 services quotidiens, hors saison 10 services quotidiens - Traversée 15 mn - 14,20 F (AR).

L'Escale avec ch, au débarcadère ✆ 97 44 32 15, ← – ⋒. E VISA. ✻ ch
1er avril-25 sept. – **R** 50/120 – ☕ 18 – **11 ch** 103/186.

L'ARZELIER (Col de) 38 Isère 77 ④ – rattaché à Château-Bernard.

ASCAIN 64310 Pyr.-Atl. 85 ② G. Pyrénées Aquitaine – 2 159 h.
☐ Syndicat d'Initiative (15 juin-15 sept.) et Comité du Tourisme (hors saison) ✆ 59 54 00 84.
Paris 798 – Cambo-les-Bains 26 – Hendaye 21 – Pau 135 – St-Jean-de-Luz 7.

La Hacienda M, NO : 2 km sur rte St-Jean-de-Luz ✆ 59 54 02 47, ←, ⛱, parc, ⛱ – Ⓟ – 🏔 40. E VISA. ✻
1er avril-15 oct. – **R** *(fermé dim. soir et lundi sauf juil.-août)* 95 ⅓, enf. 55 – ☕ 29 – **26 ch** 280/370 – $^1/_2$ p 295/450.

Rhûne, (Annexe : ⛱, ⛱, parc - 15 ch ⌂wc ☎), ✆ 59 54 00 04, Télex 570792, ←, ⛱ – ⌂wc ⋒wc ☎ Ⓟ. E VISA
fermé 10 janv. au 10 mars – **R** 75/110 – ☕ 26 – **42 ch** 200/270 – $^1/_2$ p 210/260.

Basque sans rest, ✆ 59 54 00 12, ⛱, ⛱ – ⌂wc ⋒wc ☎ Ⓟ
15 juin-30 sept. – ☕ 23 – **37 ch** 150/300.

Parc (ex. Trinquet-Larralde), ✆ 59 54 00 10, ⛱, ⛱, ⛱ – ⌂wc ⋒wc ☎. E VISA. ✻ rest
fermé 1er au 28 déc., 5 au 30 janv. et lundi d'oct. à Pâques – **R** 70/180, enf. 34 – ☕ 28 – **28 ch** 180/270 – $^1/_2$ p 235.

au col de St-Ignace SE : 3,5 km – ✉ 64310 Ascain :

Les Trois Fontaines, ✆ 59 54 20 80, ⛱ – Ⓟ
fermé fév. et merc. hors sais. – **R** 50/90.

ASCARAT 64 Pyr.-Atl. 85 ③ – rattaché à St-Jean-Pied-de-Port.

ASNIÈRES-SUR-SEINE 92 Hauts-de-Seine 55 ⑳, 101 ⑮ – voir à Paris, Environs.

ASPIN (Col d') 65 H.-Pyr. 85 ⑲ G. Pyrénées Aquitaine – alt. 1 489 – **Voir** ✻★★★.
Paris 836 – Arreau 13 – Bagnères-de-Bigorre 25.

ASPRES-SUR-BUËCH 05140 H.-Alpes 81 ⑤ G. Alpes du Sud – 773 h. alt. 764.
Paris 658 – Gap 35 – ♦Grenoble 96 – Sisteron 45 – Valence 125.

Parc, ✆ 92 58 60 01, ⛱ – ⌂wc ⋒wc ☎ Ⓟ. AE ⓓ E VISA
6 mai-30 sept. et fermé lundi sauf juil.-août – **R** 75/160 ⅓, enf. 40 – ☕ 22 – **24 ch** 110/200 – $^1/_2$ p 165/300.

ASSEVILLERS (Aire d') 80 Somme 53 ⑫ – voir à Péronne.

ASSY (Plateau d') 74480 H.-Savoie 74 ⑧ G. Alpes du Nord – alt. 1 000.
Voir Église★ : décoration★★ – Pavillon de Charousse ✻★★ O : 2,5 km puis 30 mn – Lac Vert★ NE : 5 km – **Env.** Plaine-Joux ←★★ NE : 5,5 km.
☐ Office de Tourisme av. J.-Arnaud ✆ 50 58 80 52.
Paris 599 – Annecy 80 – Bonneville 41 – Chamonix 32 – Megève 25 – Sallanches 12.

Tourisme sans rest, ✆ 50 58 80 54, ←, ⛱ – ⌂wc ☎ Ⓟ
fermé 15 au 30 juin, 20 oct. au 5 nov. et merc. hors sais. – ☕ 19 – **15 ch** 80/180.

Chamois d'Or, à Bay SO : 4 km par D 43 ✉ 74190 Le Fayet ✆ 50 58 82 48, ← massif du Mt-Blanc, ⛱, ⛱ – ⌂ ⋒wc ☎ Ⓟ. E VISA. ✻ rest
fermé dim. soir et lundi hors sais. – **R** carte 125 à 170 – ☕ 21 – **20 ch** 115/160 – $^1/_2$ p 185/215.

CITROEN Gar. du Plateau, ✆ 50 58 80 63
PEUGEOT-TALBOT Gar. Legon, à Passy ✆ 50 78 33 74
RENAULT Ducoudray, à Chedde Passy, ✆ 50 78 33 77

ATTIGNAT 01 Ain 70 ⑫⑬ – 1 682 h. – ✉ 01340 Montrevel-en-Bresse.
Paris 402 – Bourg-en-Bresse 11 – Lons-le-Saunier 65 – Louhans 44 – Mâcon 37 – Tournus 43.

Relais Bressan, D 975 ✆ 74 30 92 24, ⛱ – Ⓟ
fermé 31 mai au 15 juin, 12 au 30 nov., lundi et mardi – **R** 50/112.

RENAULT Gar. des Prés, ✆ 74 30 92 28

ATTIGNAT-ONCIN 73 Savoie 74 ⑮ – rattaché à Aiguebelette (Lac d').

AUBAZINE 19 Corrèze 75 ⑨ **G. Périgord Quercy** – 673 h. – ✉ **19190** Beynat.

Voir Église★ : tombeau de St-Étienne★★ – Puy de Pauliac ⩤★ NE : 3,5 km puis 15 mn.

18 du Coiroux ✆ 55 27 25 66, E : 4 km.

Paris 501 – Aurillac 86 – Brive-la-Gaillarde 14 – St-Céré 53 – Tulle 19.

de la Tour, ✆ 55 25 71 17 – wc. VISA
fermé 1er au 15 fév., dim. soir et lundi midi hors sais. – **R** (dim. prévenir) 60/150 – 20 – **20 ch** 110/170 – 1/2 p 160/190.

St-Étienne, ✆ 55 25 71 01, – wc **P** – 40. **E** VISA
1er mars-20 nov. – **R** 70/120, enf. 40 – 16 – **32 ch** 80/170.

Saut de la Bergère, E : 2 km par D 48 ✆ 55 25 74 09, – **P**. **E** VISA
mars-nov. et fermé merc. en oct. et mars – **R** 65/140, enf. 35 – 18 – **10 ch** 90/150 – 1/2 p 140/165.

AUBE **61270** Orne 60 ④ **G. Normandie Vallée de la Seine** – 1 841 h.

Paris 146 – L'Aigle 7 – Alençon 56 – Argentan 47.

St-James, ✆ 33 24 01 40 – **E** VISA
fermé 1er au 7 sept., 16 au 26 fév., dim. soir et lundi – **R** 59/102.

AUBENAS **07200** Ardèche 76 ⑲ **G. Vallée du Rhône** – 13 134 h..

Voir Site★.

Office de Tourisme 4 bd Gambetta ✆ 75 35 24 87 – A.C. 7 r. l'Airette ✆ 75 93 47 83.

Paris 630 ② – Alès 74 ④ – Mende 111 ④ – Montélimar 43 ③ – Privas 30 ② – Le Puy 91 ①.

AUBENAS

Gambetta (Bd)
Gaulle (Pl. Gén.-de) . . . 6
Grande-Rue 8
Vernon (Bd de) 33

Bouchet (R. Auguste) . . 2
Champ-de-Mars (Pl.) . . 3
Couderc (R. G.) 5
Grenette (Pl. de la) 9
Hoche (R.) 12
Hôtel-de-Ville (Pl.) 13
Jaurès (R. Jean) 15
Jourdan (R.) 16
Laprade (Bd C.) 18
Lesin-Lacoste (R.) 19
Liberté (Av. de la) 20
Nationale (R.) 21
Radal (R.) 24
République (R. de la) . . 26
Réservoirs (R. des) 27
Roure (Pl. Jacques) . . . 29
St-Benoît (Rampe) 30
Silhol (R. Henri) 32
4-Septembre (R.) 35

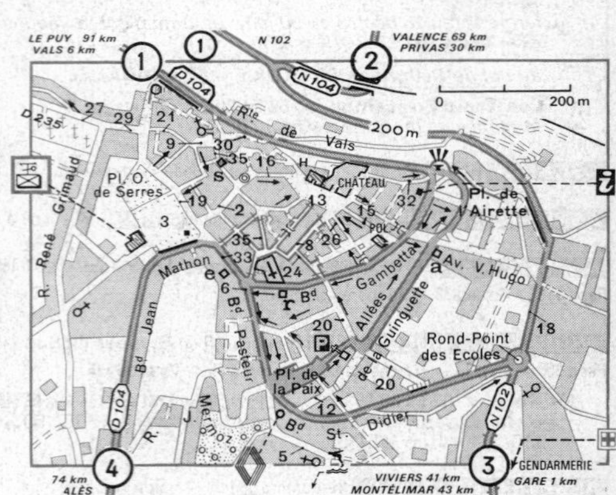

Le Cévenol sans rest, 77 bd Gambetta **(r)** ✆ 75 35 00 10 – wc wc **P**. VISA
20 – **45 ch** 115/220.

La Pinède, NO : 1,5 km par D 235 ✆ 75 35 25 88, ⩤ vallée, parc, – wc wc **P** – 40. VISA
fermé 15 déc. au 20 janv. – **R** *(fermé lundi)* 68/148 – 27 – **32 ch** 182/235 – 1/2 p 195/225.

L'Orangerie sans rest, 7 allées de la Guinguette **(a)** ✆ 75 35 30 42 – wc **P**. AE.
19,50 – **16 ch** 175/235.

Provence sans rest, 5 bd Vernon **(e)** ✆ 75 35 28 43 – wc wc. **E** VISA
fermé 20 déc. au 3 janv. – 19 – **21 ch** 112/190.

Le Fournil, 34 r. 4-Septembre **(s)** ✆ 75 93 58 68 – **E** VISA.
fermé 29 mai au 28 juin, 1er au 30 janv., dim. soir et lundi – **R** 85/160.

ALFA-ROMEO, AUSTIN-ROVER Nave, 7 bd St-Didier ✆ 75 35 26 76
CITROEN Bonnet Autom., rte de Montélimar par ③ ✆ 75 35 05 77 **N**
FIAT, LANCIA Gounon, 22 bd St-Didier ✆ 75 35 08 21
RENAULT Chanéac, 4 bd St-Didier ✆ 75 93 70 88 **N**

VOLVO Coudène, 28 rte de Vals ✆ 75 35 22 05

Maison du Pneu Grange Fils, 36 rte de Vals ✆ 75 35 20 53
R.I.P.A., rte de Vals ✆ 75 35 40 66

AUBIGNY-SUR-NÈRE 18700 Cher 65 ⑪
G. Châteaux de la Loire – 5 693 h.

Voir Maisons anciennes★ B.

Syndicat d'Initiative à l'Hôtel de Ville et et r. Dames (juin-15 sept. après-midi seul.) ✆ 48 58 00 09.

Paris 182 ① – Bourges 46 ③ – Cosne 41 ② – Gien 30 ① – ♦Orléans 75 ⑥ – Salbris 32 ⑤ – Vierzon 43 ④.

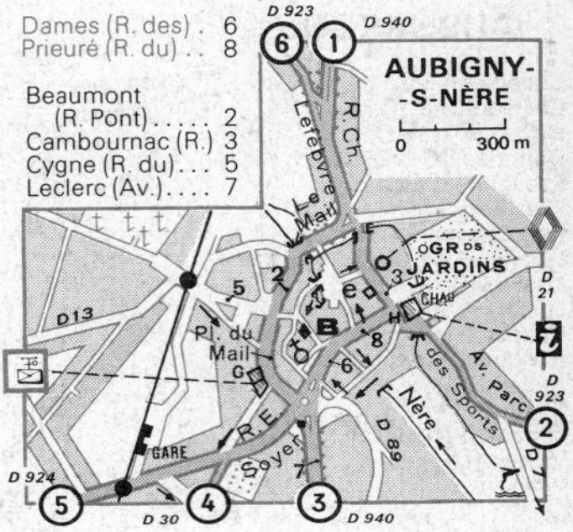

Dames (R. des) . 6
Prieuré (R. du) . . 8
Beaumont (R. Pont) 2
Cambournac (R.) 3
Cygne (R. du) . . . 5
Leclerc (Av.) 7

AUBIGNY-S-NÈRE

Les Charmilles, 6 r. du Château **(e)** ✆ 48 58 17 18 – TV wc ☎ P. E VISA. ch
fermé 1er au 15 fév. (sauf hôtel), dim. soir et lundi midi du 1er sept. au 1er juin – **R** 68/129 – 25 – **9 ch** 99/248 – 1/2 p 173/261.

à Ste Montaine O : 9 km par D 13 – ✉ **18700** Aubigny-sur-Nère :

Le Cheval Blanc, ✆ 48 58 06 92 – wc P. E VISA
fermé 30 août au 20 sept., 24 déc. au 2 janv., dim. soir et lundi midi du 20 sept. au 30 juin sauf fêtes – **R** 60/125 , enf. 50 – 20 – **18 ch** 90/200 – 1/2 p 160/240.

CITROEN Guérard, par ③ ✆ 48 58 00 64
PEUGEOT-TALBOT Bouchet, par ③ ✆ 48 58 05 30 N
RENAULT Petat, ✆ 48 58 00 26 N
Devailly, ✆ 48 58 00 43

AUBRAC 12 Aveyron 76 ⑭ **G. Gorges du Tarn** – alt. 1 300 – ✉ **12470** St-Chély-d'Aubrac.
Paris 578 – Mende 67 – Rodez 59 – St-Flour 67.

Moderne , ✆ 65 44 28 42 – wc wc ☎ P. VISA. rest
22 mai-4 oct. et 1er fév.-6 mars et fermé merc. midi en juin et sept. – **R** 55/156 , enf. 43 – 20 – **27 ch** 110/230 – 1/2 p 145/195.

AUBRES 26 Drôme 81 ③ – rattaché à Nyons.

AUBREVILLE 55 Meuse 56 ⑳ – 359 h. – ✉ **55120** Clermont-en-Argonne.
Paris 241 – Bar-le-Duc 54 – Dun-sur-Meuse 35 – Ste-Menehould 20 – Verdun 27.

Commerce, ✆ 29 87 40 35 – P. rest
fermé 1er au 15 oct. – **R** 50/80 – 15 – **10 ch** 70/90 – 1/2 p 120/130.

AUBRIVES 08 Ardennes 53 ⑧⑨ – 1 022 h. – ✉ **08320** Vireux-Molhain.
Paris 261 – Charleville-Mézières 49 – Fumay 17 – Givet 7 – Rocroi 35.

Debette avec ch, ✆ **24 41 64 72,** , – wc . AE E VISA
fermé 20 déc. au 10 janv., dim. soir et lundi midi sauf fériés – **R** 48/160 , enf. 40 – 20 – **20 ch** 100/180 – 1/2 p 170/200.

AUBUSSON SP 23200 Creuse 73 ① **G. Berry Limousin** – 6 153 h.

Voir Exposition tapis et tapisseries★ à l'Hôtel de Ville H – Musée départemental de la Tapisserie★ M.

Syndicat d'Initiative r. Vieille ✆ 55 66 32 12.

Paris 380 ① – ♦Clermont-Ferrand 90 ③ – Guéret 44 ① – ♦Limoges 88 ④ – Montluçon 63 ① – Tulle 112 ③ – Ussel 59 ③.

Plan page suivante

France, 6 r. Déportés **(s)** ✆ 55 66 10 22 – TV wc wc ☎ . AE E VISA
fermé dim. soir et lundi du 1er sept. au 31 mai sauf fériés – **R** 60/150 – 20 – **21 ch** 80/250 – 1/2 p 220/280.

à la Seiglière par ④ : 3 km – ✉ **23200** Aubusson :

Seiglière M, ✆ 55 66 37 22, Télex 590073, , , , – TV wc P – 60. E VISA.
1er mars-15 nov. – **R** 90/160 – 26 – **42 ch** 230/280 – 1/2 p 220/320.

à Moutier-Rozeille par ④ : 5,5 km sur D 982 – ✉ **23200** Aubusson :

Petit Vatel avec ch, ✆ **55 66 13 15** – wc P. E VISA.
fermé 18 déc. au 24 janv., vend. soir et sam. – **R** 52/200 – 22 – **12 ch** 58/190 – 1/2 p 140/190.

PEUGEOT-TALBOT Hirlemann, à Moutier Rozeille par ③ ✆ 55 66 29 33
PEUGEOT-TALBOT Barraud, Pont d'Alleyrat par D 942A ✆ 55 66 19 91
RENAULT Gar. Aubussonnais, rte de Clermont par ② ✆ 55 66 14 54 N ✆ 55 66 38 38
Loulergue, 14 bis rte Clermont ✆ 55 66 10 50

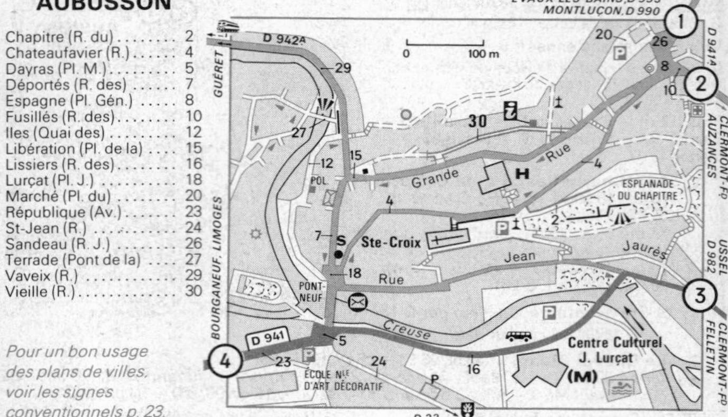

AUBUSSON-D'AUVERGNE 63 P.-de-D. 73 ⑯ – 194 h. – ✉ 63120 Courpière.

Paris 405 – Ambert 39 – ♦ Clermont-Ferrand 59 – Thiers 24.

✗ **Au Bon Coin** avec ch, ✆ 73 53 55 78 – ⋒wc. **E** VISA. ✂
fermé 15 janv. au 1er fév. et lundi hors sais. (sauf rest.) – **R** 60/200 – ☕ 16 – **7 ch** 80/150 – ½ p 160/180.

AUCAMVILLE 31 Hte-Garonne 82 ⑦ – rattaché à Toulouse.

AUCH P 32000 Gers 82 ⑤ G. Pyrénées Aquitaine – 25 543 h.

Voir Cathédrale★ : stalles★★★, vitraux★★ AZ.

ℹ Office de Tourisme et A.C. pl. Cathédrale ✆ 62 05 22 89.

Paris 728 ① – Agen 71 ① – ♦Bayonne 218 ④ – ♦Bordeaux 203 ① – Lourdes 92 ④ – Montauban 86 ② – Pau 104 ④ – St-Gaudens 76 ④ – Tarbes 73 ④ – ♦Toulouse 78 ②.

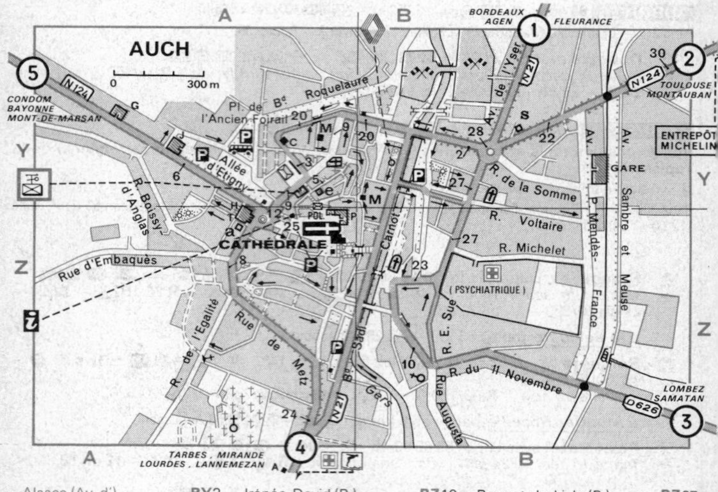

🏨 ✿✿ **France** (Daguin), pl. Libération ✆ 62 05 00 44, Télex 520474, « Belle décoration intérieure » – 🛗 ▤ ch 📺 ☎ – 🏂 30. AE ◑ E VISA AZ **a**
R *(fermé janv., dim. soir et lundi)* (dim. prévenir) 285/410 et carte – **Côté Jardin** *(1er mai-15 oct.)* **R** 170 – **Le Neuvième R** 130 – ☕ 65 – **29 ch** 265/1200 – ½ p 500/850
Spéc. Foies gras chauds et froids, Trois ailes de pigeons au vinaigre, Pruneaux à géométrie variable. **Vins** Colombard.

🏨 **Relais de Gascogne,** 5 av. Marne ✆ 62 05 26 81 – 📺 🛁wc 🚿 ☎ 🚗 VISA BY **s**
fermé 20 déc. au 10 janv. – **R** 75/250 🌡 – ☕ 25 – **32 ch** 95/230 – ½ p 190/300.

✕✕ **Claude Laffitte,** 38 r. Dessoles ✆ 62 05 04 18, ⛱ – AE ◑ E VISA AY **e**
fermé 1er au 15 oct., 1er au 15 avril, dim. soir et lundi – **R** 75/350 🌡, enf. 50.

à Robinson par ④ : 2 km – ✉ **32000** Auch :

🏨 **Robinson** sans rest, rte Tarbes ✆ 62 05 02 83 – 📺 🛁wc 🚿wc ☎ Ⓟ. E VISA
☕ 20 – **26 ch** 160/210.

MICHELIN, Entrepôt, Z.I. Est, chemin d'Engachies par ② ✆ **62 63 13 19**

ALFA-ROMEO, FIAT Beaulieu-Auto-Sce, rte Tarbes ✆ 62 05 57 45
FORD Lamazouère, 52 av. des Pyrénées ✆ 62 05 63 07
PEUGEOT, TALBOT Téchené, rte Toulouse par ② ✆ 62 63 15 44
RENAULT S.A.D.A.G., rte Toulouse par ② ✆ 62 63 11 33
RENAULT Rel. du Prieuré, 89 av. Sadi-Carnot BY ✆ 62 05 01 10
V.A.G. Gd Gar. Auscitain, 50 av. de la Marne ✆ 62 63 01 77

◍ Rivière, 193 r. Victor-Hugo ✆ 62 05 64 21
Solapneu, Zone Ind. Nord, rte Agen ✆ 62 63 14 41

AUDIERNE 29113 Finistère 58 ⑬ G. Bretagne – 3 094 h.

Voir Site★ – Chapelle de St-Tugen★ O : 4,5 km.

ℹ Office de Tourisme pl. Liberté (fermé oct.) ✆ 98 70 12 20.

Paris 592 – Douarnenez 22 – Pointe du Raz 15 – Pont-l'Abbé 32 – Quimper 35.

🏨 ✿ **Le Goyen** (Bosser) Ⓜ, sur le port ✆ 98 70 08 88, ≤ – 🛗 📺 ☎ Ⓟ – 🏂 30. E VISA. ✂
fermé mi-nov. à mi-déc., mi-janv. à début fév. et lundi de sept. à juin sauf fériés – **R** 130/320 – ☕ 37 – **29 ch** 240/300, 5 appartements 450 – ½ p 320/420
Spéc. Parfait de pigeon au foie gras frais, Poissons et crustacés, Poêlée de bananes au beurre d'oranges.

🏨 **Roi Gradlon,** sur la plage ✆ 98 70 04 51, ≤ – 🛁wc 🚿wc ☎ Ⓟ. AE E VISA.
✂ rest
fermé 5 janv. au 23 fév. et lundi sauf du 15 mai au 30 sept. – **R** 65/260, enf. 35 – ☕ 24 – **20 ch** 180/230 – ½ p 230/260.

🏠 **Cornouaille** sans rest, face au port ✆ 98 70 09 13, ≤ – 🛁wc 🚿 ☎ 🚗. ✂
juil.-fin sept. – ☕ 26 – **10 ch** 150/275.

AUDINCOURT 25400 Doubs 66 ⑧⑱ G. Jura – 17 580 h.

Voir Église du Sacré-Coeur★ CY **B.**

ℹ Syndicat d'Initiative 73 Grande Rue ✆ 81 35 52 01.

Paris 485 – ♦Bâle 66 – Baume-les-D. 45 – Belfort 21 – ♦Besançon 79 – Montbéliard 6 – Morteau 70.

Voir plan de Montbéliard agglomération

à Taillecourt N : 1,5 km rte de Sochaux – ✉ **25400** Audincourt :

✕✕ **Aub. La Gogoline,** ✆ 81 94 54 82, ⛱ – Ⓟ. AE ◑ E VISA CY **k**
fermé 1er au 20 sept., vacances de fév., sam. midi, dim. soir et lundi midi – **R** 160/230.

✕✕ **Bernard Legendre,** ✆ 81 94 54 49 – Ⓟ. E VISA. ✂ CY **a**
fermé 1er au 22 août, 2 au 17 janv., dim. soir et lundi – **R** 90/280.

FORD Gar de l'Est, Z.I. à Exincourt ✆ 81 94 51 11
V.A.G. S.M.D. Autom, Zone Ind. des Arbletiers ✆ 81 35 59 68

◍ Equipneu, Zone Ind. des Arbletiers, r. de Belfort ✆ 81 35 56 32
Pneus et Services D.K 33 r. Audincourt, Exincourt ✆ 81 94 51 36

AUDRESSELLES 62 P.-de-C. 51 ① – 538 h. – ✉ 62164 Ambleteuse.

Paris 258 – Boulogne-sur-Mer 13 – ♦Calais 29 – St-Omer 59.

✕ **Le Champenois,** ✆ 21 32 94 68 – AE E VISA
R 50/130, enf. 25.

AUDRIEU 14 Calvados 55 ⑪ – rattaché à Bayeux.

AUDUN-LE-TICHE 57390 Moselle 57 ③ – 6 391 h.

Paris 331 – Longwy 23 – Luxembourg 23 – ♦Metz 57 – Thionville 28 – Verdun 62.

Poste, 59 r. Mar.-Foch ☎ 82 52 10 40 – wc wc ⇧ ⊝ Ⓟ. AE ⓓ E VISA
R 55/120 ♫, enf. 40 – ☕ 20 – **15 ch** 100/160 – ½ p 145/175.

CITROEN Doll, 610 r. S. Allende ☎ 82 52 23 96 N
PEUGEOT-TALBOT Blasi, 467 r. Clemenceau ☎ 82 52 21 63 N
RENAULT Rea, 152 r. du Moulin ☎ 82 52 21 72 N ☎ 82 89 19 94

AULAS 30 Gard 80 ⑯ – rattaché au Vigan.

AULNAY 17 Char.-Mar. 72 ② G. Poitou Vendée Charentes – 1 505 h.

Voir Église St-Pierre★★.

Paris 425 – Poitiers 83 – St-Jean-d'Angély 18.

AULNAY-SOUS-BOIS 93 Seine-St-Denis 56 ⑪, 101 ⑰ – voir à Paris, Environs.

AULT 80460 Somme 52 ⑤ **G. Flandres Artois Picardie** – 2 058 h.

Paris 171 – Abbeville 30 – ♦Amiens 75 – Blangy-sur-Bresle 27 – Dieppe 38 – Le Tréport 11.

Malvina, à Onival ☎ 22 60 40 43 – wc Ⓟ. E VISA
fermé oct. et 15 au 30 janv. – **R** *(fermé vend. soir et dim. soir sauf vacances scolaires)* 60/70 ♫ – ☕ 18 – **28 ch** 65/200 – ½ p 120/180.

CITROEN Gar. Grandsert, ☎ 22 60 40 14 N
Gar. du Centre, 67 r. de St-Valery ☎ 22 60 40 77 N ☎ 22 60 46 15

AULUS-LES-BAINS 09 Ariège 86 ③④ **G. Pyrénées Aquitaine** – 208 h. alt. 762 – ✉ **09140** Seix.

Voir Vallée du Garbet★ N.

Syndicat d'Initiative à la Mairie ☎ 61 96 00 87 et (juin-sept.) ☎ 61 96 01 79.

Paris 835 – Foix 77 – Oust 16 – St-Girons 33.

Beauséjour, ☎ 61 96 00 06, ≤, – wc wc ⊝. ⓓ. ✻ rest
15 juin-30 sept. et vacances scolaires – **R** 65/100 ♫ – ☕ 25 – **30 ch** 120/250 – ½ p 160/220.

France, ☎ 61 96 00 90, ≤, – wc Ⓟ. E VISA. ✻ rest
fermé 10 oct. au 10 déc. – **R** 70/130 – ☕ 20 – **28 ch** 70/140 – ½ p 120/150.

AUMALE 76390 S.-Mar. 52 ⑯ **G. Normandie Vallée de la Seine** – 3 023 h.

Paris 125 ② – ♦Amiens 45 ② – Beauvais 48 ③ – Dieppe 62 ⑤ – Gournay-en-Bray 38 ③ – ♦Rouen 71 ⑤.

AUMALE

Marchés (Pl. des)	16
Abbaye-d'Auchy (R. de l')	2
Bailliage (R. du)	3
Birmandreis (R. de)	5
Centrale (R.)	6
Foch (Av. Maréchal)	7
Fontaines (Bd des)	8
Gare (Av. de la)	9
Gare (R. de la)	10
Hamel (R. du)	12
Libération (Pl. de la)	13
Louis-Philippe (R.)	14
Nationale (R.)	18
Normandie (R. de)	19
Picardie (R. de)	22
St-Lazare (R.)	24
St-Pierre (R.)	25
Tanneurs (R. des)	27

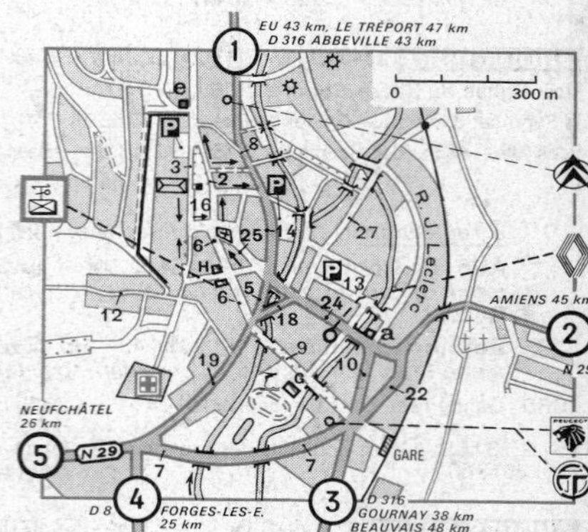

Dauphin, 27 r. St-Lazare **(a)** ☎ 35 93 41 92 – wc ☎ Ⓟ. AE E VISA
fermé 20 juin au 3 juil., 20 déc. au 17 janv., sam. soir du 15 sept. au 4 juil. et dim. sauf fériés – **R** 62/290 – ☕ 20 – **11 ch** 135/165.

Mouton Gras, 2 r. de Verdun **(e)** ☎ 35 93 41 32, « **Maison normande fin 17e s. bel intérieur** », – Ⓟ. AE ⓓ E VISA. ✻
fermé 16 août au 13 sept., lundi soir et mardi – **R** 60/110.

CITROEN Legrand, ☎ 35 93 42 04
PEUGEOT-TALBOT Gar. Fertun, ☎ 35 93 41 21
RENAULT Ducrocq, ☎ 35 93 41 17 N

AUMONT-AUBRAC **48130** Lozère 76 ⑮ – 1 049 h. alt. 1 043.

Paris 547 – Espalion 58 – Marvejols 23 – Mende 42 – Le Puy 91 – St-Chély-d'Apcher 10.

Gd H. Prouheze, 66 42 80 07, – wc wc – 25. E VISA
vacances de fév.-31 oct. et fermé dim. soir et lundi sauf juil.-août – **R** 95/350, enf. 70 – 37 – **29 ch** 185/320 – 1/2 p 245/285
Spéc. Ravioli de pintade aux mousserons, Queues de langoustines sautées au boudin noir, Suprême au chocolat.

Chez Camillou M, N 9 66 42 80 22 – wc – 80. AE E VISA
fermé 3 janv. au 15 fév. – **R** 65/150 – 22 – **41 ch** 180/220 – 1/2 p 177/267.

Gar. Benoit, 66 42 80 17

AUNAY-SUR-ODON **14260** Calvados 54 ⑮ **G. Normandie Cotentin** – 3 039 h.

Syndicat d'Initiative pl. Hôtel de Ville 31 77 60 32.

Paris 275 – ♦Caen 29 – Falaise 40 – Flers 36 – St-Lô 39 – Vire 32.

St-Michel avec ch, **r. Caen** **31 77 63 16** – wc . E VISA
fermé 12 au 30 nov., 15 au 31 janv., dim. soir et lundi hors sais. – **R** 58/155 , enf. 45 – 17 – **7 ch** 135/170 – 1/2 p 130/195.

FIAT-LANCIA Gar. de l'Odon, 31 77 62 88
N 31 77 76 31
PEUGEOT-TALBOT Jourdan, 31 77 62 10
RENAULT Aunay-Gar., 31 77 63 48

AUPS **83630** Var 84 ⑥ **G. Côte d'Azur** – 1 652 h.

Office de Tourisme pl. Mairie (15 juin-15 sept.) 94 70 00 80.

Paris 821 – Aix-en-Provence 93 – Castellane 72 – Digne 84 – Draguignan 29 – Manosque 60.

à Moissac-Bellevue NO : 7 km par D 9 – **83630** Aups :

Le Calalou M , **94 70 17 91, Télex 461885,** ≤, , parc, , – wc wc . AE E VISA. rest
1er mars-30 nov. et fermé dim. soir et lundi sauf Pâques à oct. – **R** 105/310, enf. 80 – 40 – **39 ch** 330/440 – 1/2 p 350/405.

AURAY **56400** Morbihan 63 ② **G. Bretagne** – 10 185 h.

Voir Quartier St-Goustan★ – Promenade du Loch ≤★ – Église St-Gildas★ B – Ste-Avoye : Jubé★ et charpente★ de l'église 4 km par ①.

de St-Laurent-Ploëmel 97 56 85 18, par ③ : 11 km – 97 42 50 50.

Office de Tourisme pl. République 97 24 09 75.

Paris 474 ① – Lorient 36 ④ – Pontivy 48 ⑤ – Quimper 97 ④ – Vannes 18 ①.

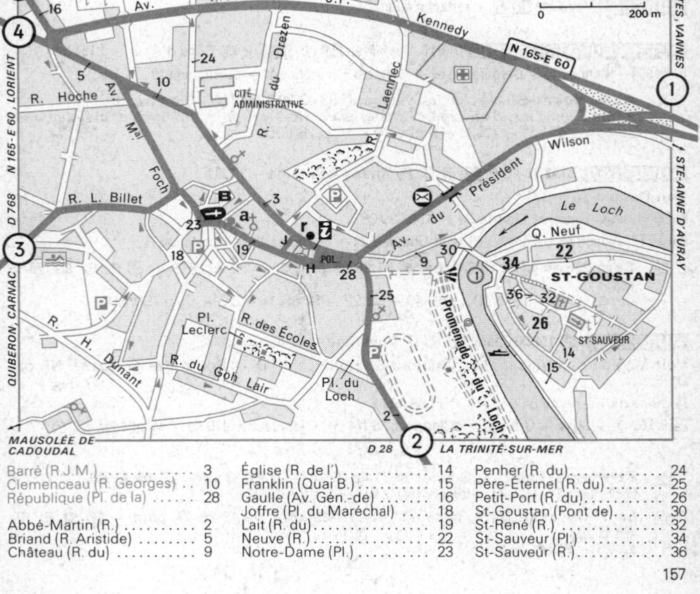

Barré (R.J.M.)	3	Église (R. de l')	14	Penher (R. du)	24
Clemenceau (R. Georges)	10	Franklin (Quai B.)	15	Père-Éternel (R. du)	25
République (Pl. de la)	28	Gaulle (Av. Gén.-de)	16	Petit-Port (R. du)	26
		Joffre (Pl. du Maréchal)	18	St-Goustan (Pont de)	30
Abbé-Martin (R.)	2	Lait (R. du)	19	St-René (R.)	32
Briand (R. Aristide)	5	Neuve (R.)	22	St-Sauveur (Pl.)	34
Château (R. du)	9	Notre-Dame (Pl.)	23	St-Sauveur (R.)	36

Loch et rest. La Sterne M, quartier Petite Forêt 97 56 48 33, Télex 951025 – TV wc & P – 50. E VISA.
R *(fermé lundi sauf juil.-août)* 65/180, enf. 47 – 21 – **30 ch** 205/278 – 1/2 p 230.

Le Branhoc M sans rest, 1,5 km par rte du Bono 97 56 41 55, – wc wc & P. E VISA.
19 – **28 ch** 190/240.

Mairie, pl. Mairie **(r)** 97 24 04 65 – wc wc
fermé fin sept. à début nov., sam. soir et dim. hors sais. – **R** 55/96 – 18 – **21 ch** 89/200.

La Closerie de Kerdrain, 14 r. L. Billet 97 56 61 27, , – AE E VISA
R 86/220, enf. 40.

Aub. La Plaine, r. Lait **(a)** 97 24 09 40 – E VISA
fermé 12 au 28 oct., 1er au 20 mars et mardi – **R** 55/140.

à Baden par ① et D 101 : 9 km – **56870** Baden :

Le Gavrinis M, à Toul-Broche E : 2 km 97 57 00 82, – wc wc P – 30. AE E VISA
fermé 3 au 10 oct., mi-janv. à mi-fév., dim. soir hors sais. et lundi (sauf hôtel en sais.) – **R** (nombre de couverts limité - prévenir) 89/245 – 22 – **19 ch** 147/262 – 1/2 p 189/247.

CITROEN Olliveaud, rte de Ste-Anne-d'Auray, Kerfontaine par ① 97 24 01 71 N 97 55 04 34
PEUGEOT-TALBOT Gar. Laine, rte Lorient, par ④ 97 24 05 14 N 97 55 04 34
RENAULT S.C.A.D.A., rte de Ste Anne d'Auray par ① 97 24 05 94
V.A.G. Kermorvant, rte de Quiberon, Zone Ind. 97 24 11 73
Auray-Pneus, r. de la Paix 97 56 50 55

AUREC-SUR-LOIRE 43110 H.-Loire 76 ⑧ – 4 563 h..

Office de Tourisme 17 r. du Monument (juil.-sept.) 77 35 42 65.

Paris 532 – Firminy 11 – Montbrison 42 – Le Puy 60 – ♦St-Étienne 21 – Yssingeaux 33.

à Semène NE : 3 km par D 46 – **43110** Aurec-sur-Loire :

Coste avec ch, 77 35 40 15, – P. E VISA
fermé août, vacances de fév., dim. soir et lundi – **R** 65/136, enf. 45 – 15 – **7 ch** 85 – 1/2 p 124.

PEUGEOT-TALBOT Verot, 15 av. de Firminy 77 35 41 03 N
RENAULT Parrat, rte de Firminy 77 35 40 01 N

AUREL 84 Vaucluse 81 ⑭ – rattaché à Sault.

AURIBEAU-SUR-SIAGNE 06810 Alpes-Mar. 84 ⑧, 195 ㉔ G. Côte d'Azur – 1 154 h.

Paris 904 – Cannes 14 – Draguignan 62 – Grasse 8,5 – ♦ Nice 46 – St-Raphaël 40.

Aub. Nossi-Bé avec ch, au village 93 42 20 20, – wc
fermé 3 janv. au 28 fév., mardi soir et merc. hors saison, mardi midi et merc. midi en saison – **R** 160 – 23 – **6 ch** 170 – 1/2 p 260/350.

AURIGNAC 31420 H.-Gar. 82 ⑯ G. Pyrénées Aquitaine – 1 128 h.

Voir Donjon ※★.

Syndicat d'Initiative à la Mairie 61 98 90 08.

Paris 777 – Auch 69 – Pamiers 83 – St-Gaudens 22 – St-Girons 45 – ♦ Toulouse 76.

Cerf Blanc M, r. St-Michel 61 98 95 76, – rest wc P. AE E VISA
fermé lundi – **R** 70/190, enf. 40 – 22 – **11 ch** 120/220 – 1/2 p 180/280.

AURILLAC P 15000 Cantal 76 ⑫ G. Auvergne – 33 197 h. alt. 631.

Voir Maison des Volcans★★ (Château St-Étienne) CX **D** – Route des Crêtes★★ NE par D 35, CX.

Office de Tourisme pl. Square 71 48 46 58.

Paris 565 ② – Brive-la-G. 97 ④ – ♦Clermont-Fd 164 ② – Montauban 179 ③ – Montluçon 217 ④.

Plan page ci-contre

St-Pierre, Prom. du Gravier 71 48 00 24 – TV . AE E VISA CY **a**
R 65/180 – 28 – **29 ch** 180/240 – 1/2 p 230/300.

La Thomasse M sans rest, r. Dr.-Mallet 71 48 26 47, parc – TV P. AE E VISA AZ **d**
28 – **21 ch** 260/275.

AURILLAC

Carmes (R. des) .... BYZ
Duclaux (R. Émile) .... BY 13
Frères (R. des) .... CY 22
Gambetta (Av.) .... CY 23
Palais-de-Justice (Pl. du) ... BY 29
République (Av. de la) ..... BY

Angoulême (Cours d') ...... CY 2
Briand (Av. A.) .... CYZ 3
Champeil (R. J.-B.) .... CY 6
Consulat (R. du) .... CY 8
Coste (R. de la) .... BX 9

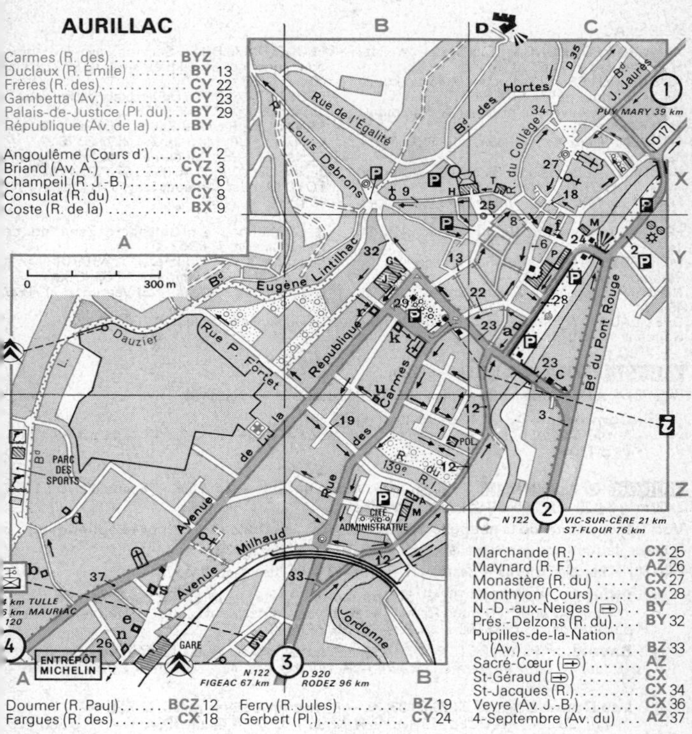

Doumer (R. Paul) ...... BCZ 12
Fargues (R. des) .... CX 18
Ferry (R. Jules) .... BZ 19
Gerbert (Pl.) .... CY 24
Marchande (R.) .... CX 25
Maynard (R. F.) .... AZ 26
Monastère (R. du) ...... CX 27
Monthyon (Cours) ...... CY 28
N.-D.-aux-Neiges (⊞) .. BY
Prés.-Delzons (R. du) .... BY 32
Pupilles-de-la-Nation (Av.) .... BZ 33
Sacré-Cœur (⊞) .... AZ
St-Géraud (⊞) CX
St-Jacques (R.) .... CX 34
Veyre (Av. J.-B.) .... CX 36
4-Septembre (Av. du) ... AZ 37

Bordeaux M sans rest, 2 av. République ☏ 71 48 01 84, Télex 990316 – wc wc ☎ – 25 à 40. AE E VISA — BY **r**
fermé 17 déc. au 15 janv. – 28 – **37 ch** 230/310.

La Ferraudie M sans rest, 15 r. Bel Air ☏ 71 48 72 42 – TV wc ☎ P. AE E VISA — AZ **b**
23 – **22 ch** 180/290.

Relax H. M, 113 av. Gén.-Leclerc par rte de Rodez ③ ☏ 71 63 60 00, – wc wc ☎ P. E VISA. rest
R *(fermé dim. soir sauf juil.-août)* 52/125 – 22 – **28 ch** 170/250 – ½ p 240/250.

Renaissance, pl. Square ☏ 71 48 09 80 – wc ☎. VISA. ch — BY **k**
fermé 1er au 15 juil., 24 déc. au 15 janv. et dim. – **R** 65/100 – 20 – **25 ch** 140/250.

Voyageurs, 4 pl. P.-Sémard ☏ 71 48 01 44 – wc wc ☎. AE E VISA — AZ **n**
R 55 bc/100 bc, enf. 29 – 20 – **30 ch** 100/180 – ½ p 160/200.

Univers, 2 pl. P.-Sémard ☏ 71 48 24 57, – wc ☎ P. E VISA. — AZ **e**
R 65/110 – 25 – **42 ch** 120/250.

Terminus sans rest, 8 r. Gare ☏ 71 48 01 17 – wc wc ☎. E VISA — AZ **s**
22 – **22 ch** 85/260.

XX **Quatre Saisons,** 10 r. Champeil ☏ 71 64 89 19 – AE E VISA — CY **f**
fermé mardi – **R** 72 bc/112, enf. 45.

XX **Reine Margot,** 19 r. G.-de-Veyre ☏ 71 48 26 46 – E VISA — BYZ **u**
fermé lundi sauf août – **R** 75/250.

à Arpajon-sur-Cère par ③ et 2 km sur D 920 – 4 951 h. – ✉ **15130** Arpajon-sur-Cère :

Les Provinciales M sans rest, pl. du Foirail ☏ 71 64 29 50, – TV wc ☎ ♿ P. E VISA
21 – **20 ch** 170/210.

MICHELIN, Entrepôt, r. Gutenberg ZI de Lescudillier par r. F. Maynard AZ ☏ 71 64 90 33

ALFA-ROMEO, HONDA Tachet, 24 av. Cdt-H.-Monraisse ✆ 71 63 76 15
AUSTIN-ROVER Gar. du Centre, 46 av. Pupilles-de-la-Nation ✆ 71 48 08 84
BMW SEAT Auvergne Auto, av. G.-Pompidou ✆ 71 64 58 44 N
CITROEN Daix, Av. G.-Pompidou ✆ 71 64 14 82
CITROEN Auto Vialenc, 86 bd Louis-Dauzier AY ✆ 71 48 00 00
FIAT Gar. Moderne Ladoux, 29 r. P.-Doumer ✆ 71 48 37 86
FORD Gar. Dalbouze, Bd du Vialenc ✆ 71 64 14 43
MERCEDES-V.A.G. Automobile Sce, av. G. Pompidou ✆ 71 63 41 83
NISSAN Coste, 12 r. F.-Maynard ✆ 71 48 26 48 N
OPEL-LADA, Vidal, 47 av. Pupilles-de-la-Nation ✆ 71 48 01 51
PEUGEOT-TALBOT Socauto, av. G.-Pompidou, Zone Ind.-de Sistrières par ③ ✆ 71 63 66 00
PEUGEOT-TALBOT Delbort, av. de la Prade à Jussac par ④ ✆ 71 46 60 55
RENAULT Rudelle-Fabre, 100 av. Ch.-de-Gaulle par r. F.-Maynard AZ ✆ 71 63 76 22
RENAULT Gar. Moderne, 9 av. des Raux à Jussac par ③ ✆ 71 46 65 23 N ✆ 71 46 64 13
TOYOTA Gar. Arnaud, 5 av. J.-B.-Veyre ✆ 71 48 12 31

Cantal-Pneu, 8 r. Gutenberg, Zone Ind. de Lescudillier ✆ 71 63 57 30
Collange, 30 r. P.-Doumer ✆ 71 48 09 01
Estager-Pneu, rte Conthe ✆ 71 63 40 60
Ladoux-France-Pneus, 1 bd Verdun ✆ 71 48 17 01
Laval, av. Gén.-Leclerc ✆ 71 63 61 42

AURIOL **13390** B.-du-R. 84 ⑭ – 5 222 h.
Paris 784 – Aix-en-Provence 27 – Brignoles 38 – ♦Marseille 28 – ♦Toulon 56.

Commerce, ✆ 42 04 70 25 – P.
fermé fév., dim. soir et merc. sauf juil.-août – **R** 73/140 – 17 – **11 ch** 90/125 – ½ p 130.

AURON **06** Alpes-Mar. 81 ⑨, 195 ④ **G. Alpes du Sud** – alt. 1 608 – Sports d'hiver : 1 600/2 450 m 2 23 – ✉ **06660** St-Étienne-de-Tinée.
Voir Décor peint★ de la chapelle St-Érige – SO : Las Donnas ≤★★ par téléphérique.
Office de Tourisme Immeuble la Ruade ✆ 93 23 02 66, Télex 470300.
Paris 801 – Barcelonnette 65 – Cannes 117 – ♦Nice 98 – St-Étienne-de-Tinée 7.

Pilon, ✆ **93 23 00 15**, ≤, **patinoire**, (**été**) – P. AE E VISA. rest
1er juil.-30 août, 20 déc.-15 avril – **R** (hiver : dîner seul. ; été : déjeuner-grill à la piscine) carte 105 à 150 – 32 – **30 ch** 290/490.

Savoie, ✆ **93 23 02 51**, ≤ – wc – 60. AE VISA. rest
10 juil.-30 août et 20 déc.-15 avril – **R** 110/160, enf. 45 – 25 – **22 ch** 240/360 – ½ p 280/380.

Las Donnas, ✆ **93 23 00 03**, ≤ – wc wc – 50. E VISA.
1er juil.-29 août et 20 déc.-15 avril – **R** 70/95 – 20 – **48 ch** 190/280 – ½ p 160/265.

AUROUX **48** Lozère 76 ⑯ – 438 h. alt. 1 000 – ✉ **48600** Grandrieu.
Paris 545 – Langogne 15 – Mende 50 – Le Puy 54.

France, D 988 ✆ **66 69 55 02**, ≤ –
fermé 15 déc. au 15 janv. – **R** 45/100, enf. 30 – 14 – **23 ch** 62/115 – ½ p 135/150.

AUSSOIS **73** Savoie 77 ⑧ **G. Alpes du Nord** – 501 h. alt. 1 489 – Sports d'hiver : 1 500/2 750 m 10 – ✉ **73500** Modane – **Voir Site★ – Monolithe de Sardières★ NE : 3 km.**
Office de Tourisme ✆ 79 20 30 80.
Paris 645 – Chambéry 108 – Lanslebourg-Mont-Cenis 16 – Modane 7 – St-Jean-de-Maurienne 38.

Le Choucas, ✆ **79 20 32 77**, ≤, – wc. E VISA. rest
1er juin-30 sept. et 1er déc.-30 avril – **R** 75/85, enf. 50 – 22 – **28 ch** 155/200 – ½ p 195.

Soleil, ✆ **79 20 32 42** – wc wc P. rest
10 juin-15 oct. et 10 déc.-15 mai – **R** 65/80, enf. 55 – 22 – **30 ch** 100/180 – ½ p 165/175.

Les Mottets, ✆ **79 20 30 86**, ≤ – wc wc P. ch
R 74/150 – 21 – **34 ch** 125/195 – ½ p 180/190.

AUTERIVE **31190** H.-Gar. 82 ⑱ – 5 436 h.
Paris 736 – Carcassonne 87 – Castres 82 – Muret 20 – St-Gaudens 74 – ♦Toulouse 33.

Pyrénées, rte Espagne ✆ **61 50 61 43** – . E VISA
fermé 28 oct. au 28 nov., vacances de printemps et lundi – **R** 48/190 – 16 – **17 ch** 90/120 – ½ p 140.

CITROEN Gimbrède N 20 ✆ 61 50 61 48

AUTIGNY-LE-GRAND **52** H.-Marne 62 ① – rattaché à Joinville.

AUTOROUTES Consultez l'**Atlas Michelin des autoroutes de France.**
Motels sur autoroute, voir à : Beaune, Mâcon, Nemours, Péronne, Salon-de-Provence.

AUTRANS 38880 Isère 77 ④ – 1 595 h. alt. 1 050 – Sports d'hiver : 1 182/1 683 m 13.

Office de Tourisme rte de Méaudre 76 95 30 70, Télex 308495.

Paris 588 – ♦Grenoble 36 – Romans-sur-Isère 58 – St-Marcellin 45 – Villard-de-Lans 15.

Poste, 76 95 31 03, – wc wc . E VISA
fermé 15 oct. au 10 déc. – **R** 65/180, enf. 40 – 22 – **30 ch** 165/200 – 1/2 p 220/240.

La Buffe, 76 95 33 26, – wc wc . AE E VISA
fermé 15 avril au 15 mai, 8 sept. au 15 oct., mardi soir et merc. du 15 oct. au 20 déc. et du 15 mai au 30 juin – **R** 70/160, enf. 40 – 30 – **21 ch** 250/300 – 1/2 p 260.

Feu de Bois, 76 95 33 32, – wc wc . E VISA
4 juil.-5 oct. et 20 déc.-30 mai – **R** 75/110, enf. 50 – 20 – **10 ch** 200 – 1/2 p 210/220.

Ma Chaumière, 76 95 30 12 – wc . E VISA
15 juin-20 sept. et 1er déc.-2 mai – **R** 68/85 – 21 – **20 ch** 110/189 – 1/2 p 215/240.

Montbrand sans rest, 76 95 34 58, – wc wc
15 juin-15 sept. et 15 déc.-15 avril – 20 – **8 ch** 150/200.

La Tapia sans rest, 76 95 33 00 – wc wc
fermé 15 avril au 15 mai et 15 nov. au 15 déc. – **10 ch** 150/198.

à Méaudre S : 5,5 km – 38112 Méaudre :

Prairie, 76 95 22 55, – wc – 30. VISA
fermé 15 au 30 avril, 15 au 30 oct. et merc. hors sais. – **R** 60/150, enf. 32 – 22 – **25 ch** 190/200 – 1/2 p 180.

Pertuzon, 76 95 21 17, – wc . E VISA
fermé 15 au 30 janv., oct. et merc. du 22 sept. au 20 déc. (sauf vacances de nov.) – **R** 58/130, enf. 32 – **10 ch** 125/194 – 1/2 p 150/181.

CITROEN Gar. Bonnet, à Meaudre 76 95 20 74
PEUGEOT Gouy et Velay, 76 95 30 04 N
RENAULT Joubert, 76 95 30 22 N 76 95 36 71

AUTREVILLE 88 Vosges 62 ④ – 119 h. – 88300 Neufchâteau.

Paris 301 – ♦Nancy 44 – Neufchâteau 20 – Toul 23.

Relais Rose, 83 52 04 98, – wc wc . AE E VISA
fermé dim. soir de nov. à fév. sauf vacances scolaires – **R** 75/160, enf. 35 – 22 – **15 ch** 110/290 – 1/2 p 160/210.

AUTRY-LE-CHÂTEL 45 Loiret 65 ② – 944 h. – 45500 Gien.

Paris 163 – Bonny-sur-Loire 23 – Bourges 71 – Gien 11 – ♦Orléans 75.

Commerce avec ch, 38 36 81 40 – . E VISA
fermé 1er au 15 août, vacances de fév. et merc. – **R** 50/120 – **10 ch** 65 – 1/2 p 170.

AUTUN 71400 S.-et-L. 69 ⑦ **G. Bourgogne** – 16 320 h.

Voir Cathédrale : tympan***** BZ – **Porte St-André*** BY – **Grilles* du lycée Bonaparte** AZ **B** – **Manuscrits* (bibliothèque de l'Hôtel de Ville)** BZ **H** – **Musée Rolin* : statuaire romane**, Nativité** du Maître de Moulins et vierge**** BZ **M1** – **Env. Château de Sully** 15 km par ③** – **Croix de la Libération** * **SO : 6 km par D 120** BZ.

Office de Tourisme et A.C. 3 av. Ch.-de-Gaulle 85 52 20 34.

Paris 291 ① – Auxerre 128 ① – Avallon 80 ① – Chalon-sur-Saône 53 ④ – ♦Dijon 85 ② – ♦Lyon 185 ④ – Mâcon 118 ④ – Moulins 98 ⑤ – Nevers 103 ⑥ – Roanne 122 ⑤.

Plan page suivante

Ursulines M, 14 r. Rivault 85 52 68 00, – TV – 50. AE E VISA AZ **e**
fermé 5 janv. au 15 fév. – **R** 130/250 – 30 – **29 ch** 300/450 – 1/2 p 360.

St Louis, 6 r. Arbalète 85 52 21 03, Télex 801262, – wc wc . AE E VISA BZ **v**
fermé 20 déc. au 2 fév., dim. soir et lundi du 1er nov. au 19 mars – **R** 79/200, enf. 37 – 23 – **51 ch** 121/284 – 1/2 p 210/320.

Arcades sans rest, 22 av. République 85 52 30 03 – wc wc . E VISA AY **u**
15 mars-15 nov. – 20 – **40 ch** 90/230.

France sans rest, 18 av. République 85 52 14 00 – AY **z**
fermé dim. soir du 1er oct. au 30 juin – 15,50 – **23 ch** 70/160.

Commerce Touring H., 20 av. République 85 52 17 90 – wc. E VISA AY **u**
fermé oct. – **R** *(fermé lundi)* 45/100, enf. 28 – 15,50 – **23 ch** 80/160.

Host. Vieux Moulin avec ch, porte Arroux D 980 85 52 10 90, « Joli jardin au bord de l'eau » – wc wc . AE E VISA AY **w**
fermé 15 déc. au 1er mars, dim. soir et lundi hors sais. – **R** 140/230 – 24 – **16 ch** 180/250.

Chalet Bleu, 3 r. Jeannin 85 86 27 30 – VISA BY **s**
fermé lundi soir et mardi – **R** 75/165.

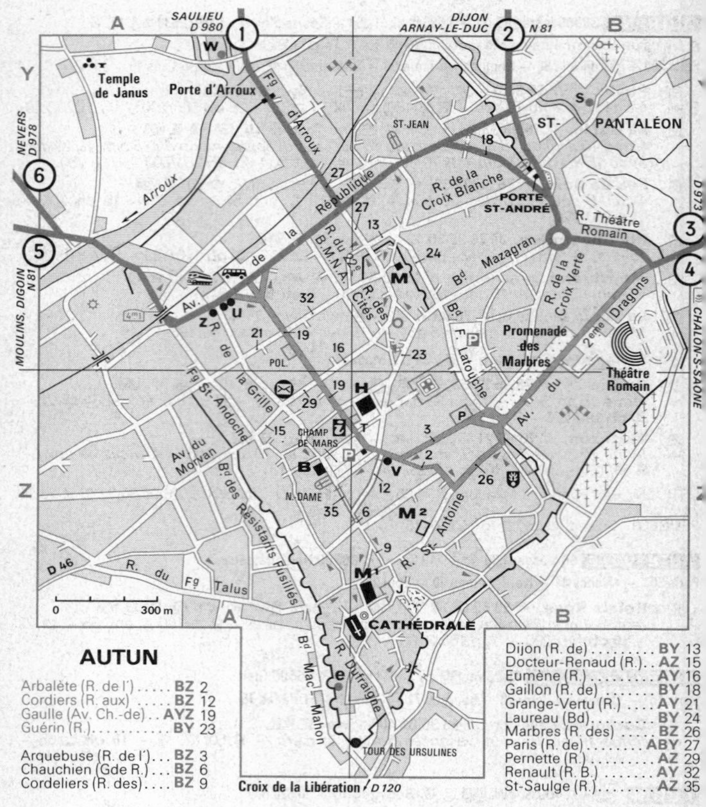

AUTUN

Arbalète (R. de l') . . . . . **BZ** 2
Cordiers (R. aux) . . . . . **BZ** 12
Gaulle (Av. Ch.-de) . . **AYZ** 19
Guérin (R.). . . . . **BY** 23

Arquebuse (R. de l') . . . **BZ** 3
Chauchien (Gde R.) . . . **BZ** 6
Cordeliers (R. des) . . . . **BZ** 9

Dijon (R. de) . . . . **BY** 13
Docteur-Renaud (R.). . **AZ** 15
Eumène (R.) . . . . **AY** 16
Gaillon (R. de) . . . . **BY** 18
Grange-Vertu (R.) . . . . **AY** 21
Laureau (Bd). . . . . **BY** 24
Marbres (R. des) . . . . . **BZ** 26
Paris (R. de) . . . . **ABY** 27
Pernette (R.) . . . . **AZ** 29
Renault (R. B.) . . . . **AY** 32
St-Saulge (R.). . . . . **AZ** 35

BMW Bosset, 28 r. B.-Renault ✆ 85 52 30 21
CITROEN Auto-Gar. Lemaître, 56 rte d'Arnay, Zone Ind. par ② ✆ 85 52 15 32 **N**
FIAT, MERCEDES Dupard, 8 av. République ✆ 85 52 31 84
MERCEDES, SEAT Deplanque, Zone Ind., rte d'Arnay RN 494 ✆ 85 52 20 02
PEUGEOT, TALBOT S.A.V.A., Zone Ind., rte d'Arnay par ② ✆ 85 52 13 10

Agostini, carr. de la Légion ✆ 85 52 29 38
Gouillardon-Gaudry, rte Étang-s-Arroux, La Verrerie ✆ 85 52 16 62
Tout pour le pneu, bd de l'Industrie ✆ 85 52 20 79

AUVERS **77** S.-et M. **61** ⑪ – rattaché à Milly-la-Forêt (Essonne).

AUVERS-SUR-OISE **95430** Val-d'Oise **55** ⑳, **106** ⑥ **G. Environs de Paris** – **5 722 h.**

Office de Tourisme Les Colombières, r. Sansonne ✆ (1) 30 36 10 06.

Paris 42 – Beauvais 47 – Chantilly 29 – L'Isle-Adam 7 – Pontoise 6,5 – Taverny 6.

XX **Host. du Nord,** r. Gén.-de-Gaulle ✆ (1) 30 36 70 74, – **E** VISA
fermé août et lundi – **R** (déj. seul. sauf vend. et sam. : déj. et dîner) carte 135 à 190.

AUVILLERS-LES-FORGES **08** Ardennes **53** ⑰ – 800 h. – ✉ **08260** Maubert-Fontaine.

Paris 214 – Charleville-Mézières 31 – Hirson 24 – Laon 69 – Rethel 56 – Rocroi 14.

XXX ✿ **Host. Lenoir** avec ch, ✆ **24 54 30 11**, – wc wc ☎. AE E VISA
fermé 2 janv. au 1er mars, et vend. – **R** (nombre de couverts limité - prévenir) 215 bc/380 – 28 – **18 ch** 140/280, 3 appartements 350 – 1/2 p 260/385
Spéc. Mousse de pigeon au foie gras, Potée de lotte à l'oseille, Noisettes d'agneau aux morilles.

AUXERRE P 89000 Yonne 65 ⑤ **G. Bourgogne** – 40 698 h.

Voir Cathédrale★★ : trésor★ BY – Ancienne abbaye St-Germain★ BY.

Env. Gy-l'Évêque : Christ aux Orties★ de la chapelle 9,5 km par ③.

Office de Tourisme 1 et 2 quai République ✆ 86 52 06 19 – A.C.Y. 9 r. E. Dolet ✆ 86 46 25 15.

Paris 166 ⑤ – Bourges 140 ④ – Chalon-sur-Saône 174 ② – Chaumont 142 ② – ♦Dijon 149 ② – ♦Lyon 297 ② – Nevers 112 ③ – ♦Orléans 150 ⑤ – Sens 57 ⑤ – Troyes 81 ①.

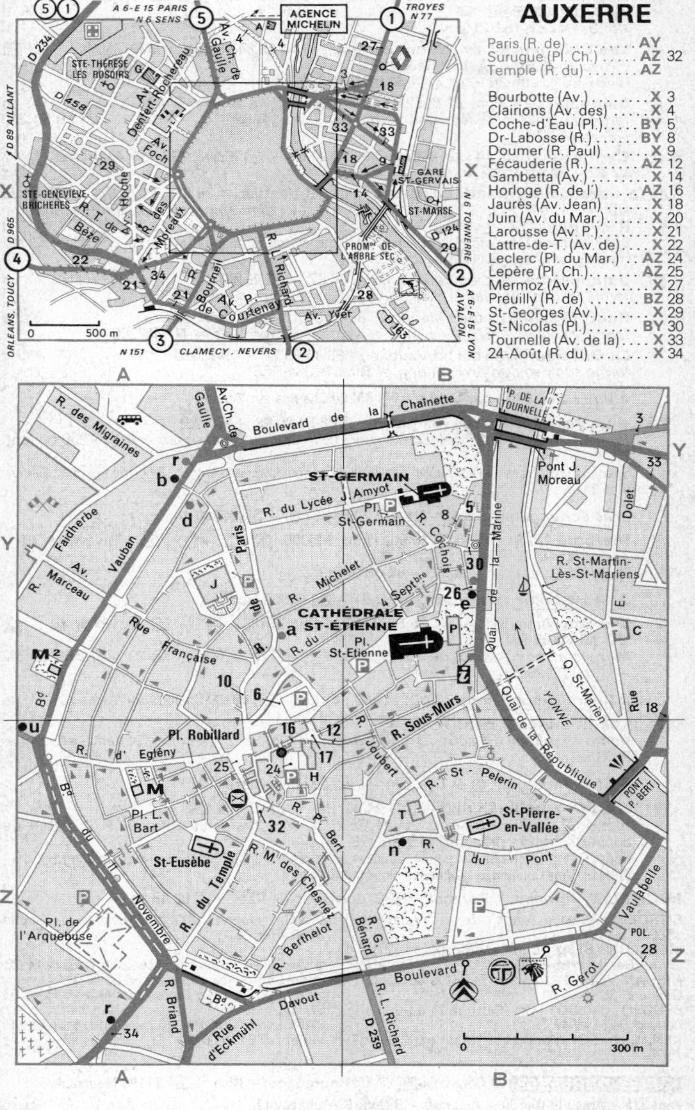

To sightsee in the capital use the **Michelin Green Guide PARIS**.

H. Le Maxime Ⓜ sans rest, 2 quai Marine ☎ **86 52 14 19** – AE ⓓ E VISA BY **e**
27 – **25 ch** 290/450.

Parc des Maréchaux sans rest, 6 av. Foch ☎ **86 51 43 77**, parc – wc – 40. AE E VISA AZ **u**
25 – **24 ch** 190/325.

Normandie sans rest, 41 bd Vauban ☎ **86 52 57 80** – wc wc – 30. AE ⓓ E VISA. AY **b**
19 – **47 ch** 180/210.

Les Clairions Ⓜ, av. Worms par ⑤ ☎ **86 46 85 64, Télex 800039**, – wc – 100. AE E VISA
R 78/145 , enf. 36 – 22 – **62 ch** 210/245 – ½ p 220/250.

Seignelay, 2 r. Pont ☎ **86 52 03 48** – wc wc . E VISA BZ **n**
fermé 11 janv. au 12 fév. et lundi d'oct. à juil. – **R** 58/150 – 21 – **23 ch** 80/210 – ½ p 151/191.

Cygne sans rest, 14 r. 24-Août ☎ **86 52 26 51** – wc wc . E VISA
22 – **24 ch** 150/270. AZ **r**

XX ❀ **Jardin Gourmand** (Boussereau), 56 bd Vauban ☎ **86 51 53 52**, – AE ⓓ E VISA – *fermé 1er au 21 nov., vacances de fév., dim. soir (sauf juil.-août) et lundi* – **R** 98/210, enf. 65 AY **d**
Spéc. Melon de homard (juin à sept.), Papillote de bar au fenouil (mai à oct.), Ris de veau aux champignons.. **Vins** Epineuil, Irancy.

XX **Salamandre,** 84 r. de Paris ☎ **86 52 87 87** – AE E VISA AY **a**
fermé 20 déc. au 5 janv., dim. soir et lundi sauf fériés – **R** 75/175.

XX **Rest. Maxime,** 5 quai Marine ☎ **86 52 04 41** – AE ⓓ E VISA BY **e**
fermé 1er au 15 juin, 21 déc. au 3 janv. et merc. hors sais. – **R** 145/280.

X **La Grilladerie,** 45 bis bd Vauban ☎ **86 46 95 70** – AE E VISA AY **r**
fermé sam. soir en hiver et dim. – **R** carte 80 à 150.

à Vaux SE : 6 km par D 163 – ✉ **89290** Champs-sur-Yonne :

XXX ❀ **La Petite Auberge** (Barnabet), ☎ **86 53 80 08** – . VISA
fermé 4 au 19 juil., 23 déc. au 15 janv., dim. soir, lundi et fériés – **R** 115/250 bc, enf. 85
Spéc. Langoustines à la viennoise, Escalope de bar au caviar de saumon, Pièce de boeuf au Gamay. **Vins** Irancy.

près échangeur Auxerre-Nord : 7 km par ⑤ – ✉ **89380** Appoigny :

Mercure Ⓜ , ☎ **86 53 25 00, Télex 800095**, , , – wc – 80. AE ⓓ E VISA
R 95/180 , enf. 41 – 35 – **82 ch** 280/340.

à l'Aérodrome : 7 km par ⑤ et D 31 – ✉ **89000** Auxerre :

Les Bruyères Ⓜ , ☎ **86 53 07 22, Télex 351831**, – wc – 150. AE ⓓ E VISA
fermé dim. soir et lundi de nov. à mars – **R** 45/112, enf. 35 – 22 – **37 ch** 182/242 – ½ p 220/298.

à Champs-sur-Yonne par ② et N 6 : 11 km – ✉ **89290** Champs-sur-Yonne :

XX **Les Rosiers,** ☎ **86 53 31 11**,
fermé 15 juil. au 1er août, 21 déc. au 10 janv., merc. et le soir sauf vend. et sam. – **R** 68/95.

à Chevannes par ③ et D1 : 8 km – ✉ **89240** Pourrain :

XXX ❀ **La Chamaille** (Siri), ☎ **86 41 24 80**, – . AE ⓓ VISA
fermé 30 août au 9 sept., 20 au 28 déc., fév., mardi et merc. – **R** (nombre de couverts limité - prévenir) 115, enf. 78
Spéc. Foie gras chaud aux poires, Saumon au confit d'oignon, Canard sauvage au sang (1er oct.-31 déc.). **Vins** Coulanges-la-Vineuse, Bourgogne Aligoté.

MICHELIN, Agence, r. Rozanoff, Z.A.C. des Pieds de Rats, X ☎ **86 46 98 66**

CITROEN Auxerre Autos, 18 bd Vaulabelle ☎ 86 51 59 33
MERCEDES-BENZ Europe-Auto, 11 av. Charles-de-Gaulle ☎ 86 46 90 23
NISSAN-VOLVO Carette, 34 av. Charles-de-Gaulle ☎ 86 46 96 38
PEUGEOT-TALBOT Gar. Central, 24 bd Vaulabelle ☎ 86 51 47 47
RENAULT SODIVA, 2 av. J.-Mermoz ☎ 86 46 75 75

V.A.G. Jeannin, 40-47 av. Charles-de-Gaulle ☎ 86 46 95 86

Auxerre-Pneus, 7 av. Marceau ☎ 86 52 09 22
Pneu-Centre, rte de Troyes ☎ 86 46 58 94
S.O.V.I.C., 14 allée Frères Lumière ☎ 86 46 93 57
SARL Lenoir Josiane, 20 r. de Grisy à St-Bris le Vineux ☎ 86 46 58 94

AUXEY-DURESSES 21 Côte-d'Or 69 ⑨ **G. Bourgogne** – 345 h. – ✉ **21190** Meursault.
Paris 321 – Arnay-le-Duc 30 – Autun 40 – Beaune 8 – Chagny 12.

XX **La Crémaillère,** ☎ **80 21 22 60** – . VISA.
fermé 1er fév. au 15 mars, lundi soir et mardi – **R** 80/170.

AUXONNE 21130 Côte-d'Or 66 ⑬ **G. Bourgogne** – 7 868 h.

Office de Tourisme Porte du Comté ✆ 80 37 34 46.

Paris 345 – ♦Dijon 32 – Dole 16 – Gray 36 – Vesoul 80.

Corbeau, 1 r. Berbis ✆ 80 31 11 88 – wc. AE E VISA. ch
R *(fermé lundi)* 65/180 – 20 – **10 ch** 150/220.

à Villers les Pots **NO : 5 km par N 5 et D 976 – ✉ 21130** Auxonne :

Aub. du Cheval Rouge, ✆ 80 31 44 88 – wc. E VISA. rest
fermé 16 oct. au 6 nov. – **R** *(fermé dim. soir hors sais. et sam. midi)* 75/210 – 20 – **10 ch** 180/200 – $^1/_2$ p 230/250.

aux Maillys **S : 8 km par D 20 – ✉ 21130** Auxonne :

XX **Virion,** ✆ 80 39 13 40 – E VISA
fermé 16 au 23 oct., fév., dim. soir et lundi – **R** 80/145.

PEUGEOT, TALBOT Bourg, rte de Dijon ✆ 80 36 35 53 RENAULT Cône, rte de Dole ✆ 80 37 32 20

AVALLON 89200 Yonne 65 ⑯ **G. Bourgogne** – 9 186 h.

Voir Site★ – Ville fortifiée★ : Portails★ de l'église St-Lazare – Miserere★ du musée de l'Avallonnais M – Vallée du Cousin★ S par D 427.

Syndicat d'Initiative 6 r. Bocquillot ✆ 86 34 14 19.

Paris 215 ③ – Auxerre 51 ⑤ – Beaune 107 ③ – Chaumont 133 ② – Nevers 101 ④ – Troyes 103 ①.

AVALLON

Gde-Rue A.-Briand 13
Paris (R. de)
Vauban (Pl.)

Belgrand (R.) 2
Bocquillot (R.) 3
Capucins (Prom. des).. 5
Collège (R. du) 6
Fontaine-Neuve (R.)... 8
Fort-Mahon (R.) 9
Gaulle (Pl. Gén. de).... 12
Porte-Auxerroise (R.).. 14
Terreaux (Prom. des) .. 16

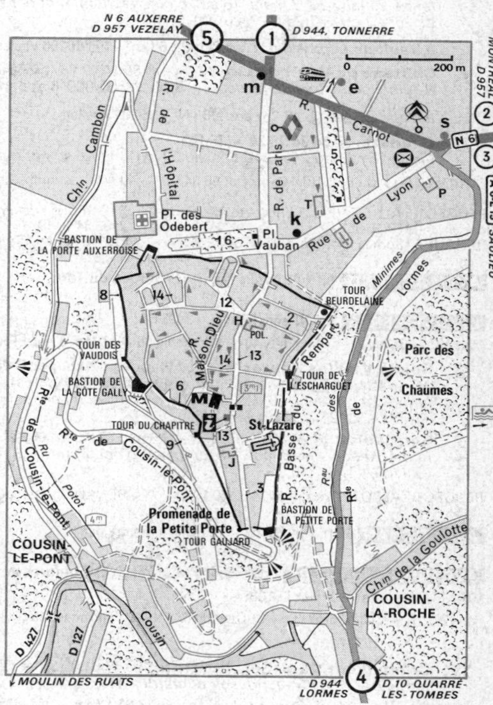

Hostellerie de la Poste, 13 pl. Vauban **(k)** ✆ 86 34 06 12, Télex 351806, « Ancien relais de poste du 18e s., jardin fleuri » – E VISA
15 mars-fin nov. – **R** carte 260 à 380, enf. 60 – 45 – **17 ch** 300/750, 6 appartements 800/900.

Relais Fleuri M, rte de Saulieu N 6, 5 km par ③ ✆ 86 34 02 85, Télex 800084, – 100. AE E VISA
R 95/140 – 29 – **48 ch** 255/300.

tourner →

Moulin des Ruats ⓢ, dans la vallée du Cousin par ⑤ et D 427 : 5 km ✆ 86 34 07 14, ≤, ⛱, « Frais jardin au bord de l'eau » – ⌂wc ☎ Ⓟ. ⓓ E VISA
15 fév.-15 nov. et fermé lundi (sauf hôtel de juin à oct.) et mardi midi – **R** 250 – ☕ 35 – **23 ch** 220/480 – 1/2 p 500/650.

Vauban Ⓜ sans rest, 53 r. Paris **(m)** ✆ 86 34 36 99, parc – TV ⌂wc ☎ Ⓟ
fermé 15 nov. au 15 déc. – ☕ 22 – **26 ch** 220/300.

Moulin des Templiers ⓢ sans rest, dans la vallée du Cousin par ⑤ et D 427 : 4 km ✆ 86 34 10 80, ≤, parc animalier, « Jardin au bord de l'eau » – ⌂wc ☎ Ⓟ
15 mars-31 oct. – ☕ 26 – **14 ch** 180/270.

XXX **Morvan,** 7 rte de Paris (N 6) ✆ 86 34 18 20, ⛱, parc – Ⓟ. AE ⓓ E VISA
fermé 14 au 25 nov., 6 janv. au 28 fév., dim. soir et lundi sauf fériés – **R** 120/195.

XX **Les Capucins** avec ch, 6 av. P.-Doumer **(e)** ✆ 86 34 06 52, ⛱ – ⌂wc ☎ Ⓟ. E VISA
fermé 12 au 20 oct., 15 déc. au 20 janv., mardi soir hors sais. et merc. – **R** 85/250 🍷 – ☕ 25 – **8 ch** 240/312 – 1/2 p 230.

X **Cheval Blanc,** 55 r. Lyon **(s)** ✆ 86 34 12 05 – Ⓟ. AE E VISA
fermé 10 au 29 mars, 12 nov. au 10 déc. et lundi – **R** 50/130 🍷.

à Pontaubert par ⑤ : 5 km – ✉ **89200** Avallon :

Fontaine sans rest, ✆ 86 34 02 87 – ⌂wc ⌂ ☎. AE E VISA
fermé 15 nov. au 14 déc. et lundi du 15 oct. au 15 mai – ☕ 20 – **8 ch** 150/200.

XX **Les Fleurs** avec ch, ✆ 86 34 13 81, ⛱, ⛱ – ⌂wc ⌂wc ☎ Ⓟ. E VISA
fermé 25 janv. au 3 mars, 16 au 26 oct., jeudi midi hors sais. et merc. – **R** 80/150 – ☕ 25 – **7 ch** 170/250 – 1/2 p 200.

à Vault de Lugny par ⑤ et D 142 : 6 km – ✉ **89200** Vault de Lugny :

Château de Vault de Lugny ⓢ, ✆ 86 34 07 86, ⛱, parc, ⛱, % – TV ☎ Ⓟ
R *(dîner seul.) (résidents seul.)* – **5 ch** ☕550/900, 6 appartements 1350/1950.

à Valloux par ⑤ : 6 km sur N6 – ✉ **89200** Avallon :

XX **Chenêts,** ✆ 86 34 23 34 – E VISA
fermé 25 juin au 2 juil., 20 déc. au 22 janv., lundi soir et mardi – **R** 92/210 🍷.

CITROEN Ets Michot, 10 r. Carnot ✆ 86 34 01 23
PEUGEOT-TALBOT Ets Fichot, rte de Paris par ⑤ ✆ 86 34 15 85
RENAULT Sodiva, 30 r. Paris ✆ 86 34 19 27
V.A.G Jeannin, 2 rte de Paris ✆ 86 34 13 03
Ⓜ Comptoir du Pneu, Zone Ind. r. de l'Etang ✆ 86 34 16 19
Ets Piot-Pneu 10 rte Paris ✆ 86 34 20 04

AVEN ARMAND ★★★ 48 Lozère 80 ⑤ G. Gorges du Tarn.

Les AVENIÈRES 38630 Isère 74 ⑭ – 3 495 h.

Paris 507 – Belley 24 – Chambéry 40 – ♦Grenoble 65 – ♦Lyon 76 – La Tour du Pin 17.

Relais Vieilles Postes ⓢ, Les Nappes : 2 km par D 40ᴮ ✆ 74 33 62 99, ⛱, ⛱, % – ▤ rest TV ⌂wc ⌂wc ☎ ♿ Ⓟ. ⓓ E VISA. ✖ rest
fermé 5 au 18 avril, 20 déc. au 12 janv., dim. soir sauf juil.-août et lundi – **R** 115/280, enf. 50 – ☕ 25 – **17 ch** 180/250.

Bourjaillat, ✆ 74 33 60 87, ⛱ – ⌂wc ⌂wc ☎. E VISA
fermé 20 déc. au 15 janv. et vend. soir d'oct. à mai – **R** 40/130 🍷 – ☕ 20 – **10 ch** 130/160 – 1/2 p 140.

PEUGEOT-TALBOT Grégot, ✆ 74 33 60 10 N
RENAULT Gar. du Parc, ✆ 74 33 61 30 N

AVENTIGNAN 65 H.-Pyr. 85 ⑳ – rattaché à Montréjeau.

AVESNES-SUR-HELPE ⟨SP⟩ 59440 Nord 53 ⑥ G. Flandres Artois Picardie – 6 502 h.

Voir L'Avesnois★★ E par D 133.

Paris 207 ③ – Charleroi 52 ① – St-Quentin 66 ③ – Valenciennes 49 ⑤ – Vervins 33 ③.

Plan page ci-contre

XXX **Crémaillère,** 26 pl. Gén.-Leclerc **(a)** ✆ 27 61 02 30 – AE ⓓ E VISA
fermé 2 au 18 janv., lundi soir et mardi – **R** 75/200 🍷.

XX **Carillon,** 12 pl. Gén.-Leclerc **(a)** ✆ 27 61 17 80 – AE ⓓ E VISA
fermé 15 au 30 déc., mardi soir et merc. – **R** 50/200.

XX **Terminus** avec ch, 15 av. Gare **(e)** ✆ 27 61 17 79 – ⌂wc ☎ Ⓟ. AE E VISA
fermé vend. – **R** 55/170, enf. 40 – ☕ 20 – **17 ch** 79/185 – 1/2 p 150/249.

XX **La Grignotière,** 5 av. Gare **(n)** ✆ 27 61 10 70 – AE ⓓ E VISA
fermé mardi soir et lundi – **R** 60/140 🍷.

Autres ressources hôtelières : **Voir *Dourlers*** par ① : 6,5 km.

PEUGEOT-TALBOT Ets Depret, 39 rte de Sains, Avesnelles par ② ✆ 27 61 15 70
RENAULT Gar. Moderne, rte de Maubeuge par ① ✆ 27 61 09 73 N

AVESNES-SUR-HELPE

Albret (R. d') 2
Aulnoye (R. d') 3
Berlaimont (R. de) 4
Cambrésienne (R.) 6
Crapauds (Ch. des) 7
Foch
(Av. du Maréchal) ... 8
France (R. de) 12
Gossuin (R.) 13
Guillemin (Pl.) 15
Jessé-de-Forest (Av.) . 16
Lagrange (R. Léo) 19
Leclerc
(Pl. du Général) 20
Loucheur
(Av. Louis) 21
Mons (R. de) 23
Pasqual (R. Léon) 24
Poudrière (R. de la) 25
Prisse-d'Avenne (R.) .. 27
Ste Croix (R.) 28
Stroh (Av.) 29
Villien (R.) 32
84e-Régt-d'Infanterie
(Av. du) 33

Le località citate nella **Guida Michelin** *sono sottolineate in rosso sulle* **carte Michelin** *scala 1/200 000.*

AVIGNON P **84000** Vaucluse 81 ⑪⑫ **G. Provence** – **91 474 h.**

Voir Palais des Papes★★★ BY – Rocher des Doms ≤★★ BY – Pont St-Bénézet★★ BY – Remparts★ – Vieux hôtels★ (rue Roi-René) CZ **K** – Coupole★ de la cathédrale BY – Façade★ de l'hôtel des Monnaies BY **B** – Vantaux★ de l'église St-Pierre BY – Retable★ et fresques★ de l'église St-Didier BZ – Musées : Petit Palais★★ BY, Calvet★ BZ **M1**, Lapidaire★ BZ **M2**, Louis Vouland (collection★ de faiences) AY **M4**.

d'Avignon-Caumont : Air Jet ☎ **90 88 43 49** par ④ et N 7 : 8 km.

☎ **90 82 50 50.**

Office de Tourisme et Accueil de France (Informations et réservations d'hôtels, pas plus de 5 jours à l'avance), 41 cours Jean-Jaurès ☎ 90 82 65 11, Télex 432877 – A.C. 185 r. Rémouleurs ☎ 90 86 28 71.

Paris 685 ② – **Aix-en-Pr. 80** ④ – **Arles 37** ⑤ – ♦**Marseille 100** ④ – **Nîmes 43** ⑥ – **Valence 125** ②.

Plans pages suivantes

Europe et rest. Vieille Fontaine, 12 pl. Crillon ☎ **90 82 66 92, Télex 431965,** « Belle demeure du 16e s. » – AE ⓓ E VISA
R *(fermé 17 au 24 août, 2 au 9 nov., 2 au 25 janv., sam. midi et dim.)* 150/200 – ☕ 48 – **48 ch** 430/810, 5 appartements 810. BY **d**

Mercure Palais des Papes M sans rest, **Quartier Balance** ☎ **90 85 91 23, Télex 431215** – 80 à 200. AE ⓓ E VISA
☕ 35 – **85 ch** 360/410. BY **r**

Mercure M, **rte de Marseille : 3 km** ☎ **90 88 91 10, Télex 431994**, – 25 à 250. AE ⓓ E VISA
R 90 – ☕ 38 – **105 ch** 320/380. X **m**

Novotel M, **rte de Marseille : 4 km** ☎ **90 87 62 36, Télex 432878**, – 150. AE ⓓ E VISA
R grill carte environ 120, enf. 40 – ☕ 38 – **79 ch** 330/360. X **n**

Cité des Papes sans rest, **1 r. J.-Vilar** ☎ **90 86 22 45, Télex 432734** – AE ⓓ E VISA
fermé 18 déc. au 23 janv. – ☕ 28 – **63 ch** 280/330. BY **b**

Bristol-Terminus sans rest, **44 cours J.-Jaurès** ☎ **90 82 21 21, Télex 432730** – wc wc – 30. AE ⓓ E VISA
fermé fév. – ☕ 26 – **91 ch** 150/280. BZ **m**

Midi sans rest, **25i r. République** ☎ **90 82 15 56, Télex 431074** – wc wc. AE ⓓ E VISA
fermé 17 déc. au 2 janv. – ☕ 25 – **57 ch** 185/270. BZ **g**

Angleterre sans rest, **29 bd Raspail** ☎ **90 86 34 31** – wc wc – 30. VISA.
fermé 20 déc. au 24 janv. – ☕ 24 – **40 ch** 140/295. AZ **a**

St-George sans rest, **rte de Marseille : 1 km** ☎ **90 88 54 34** – AE
☕ 17,50 – **21 ch** 123/143. X **k**

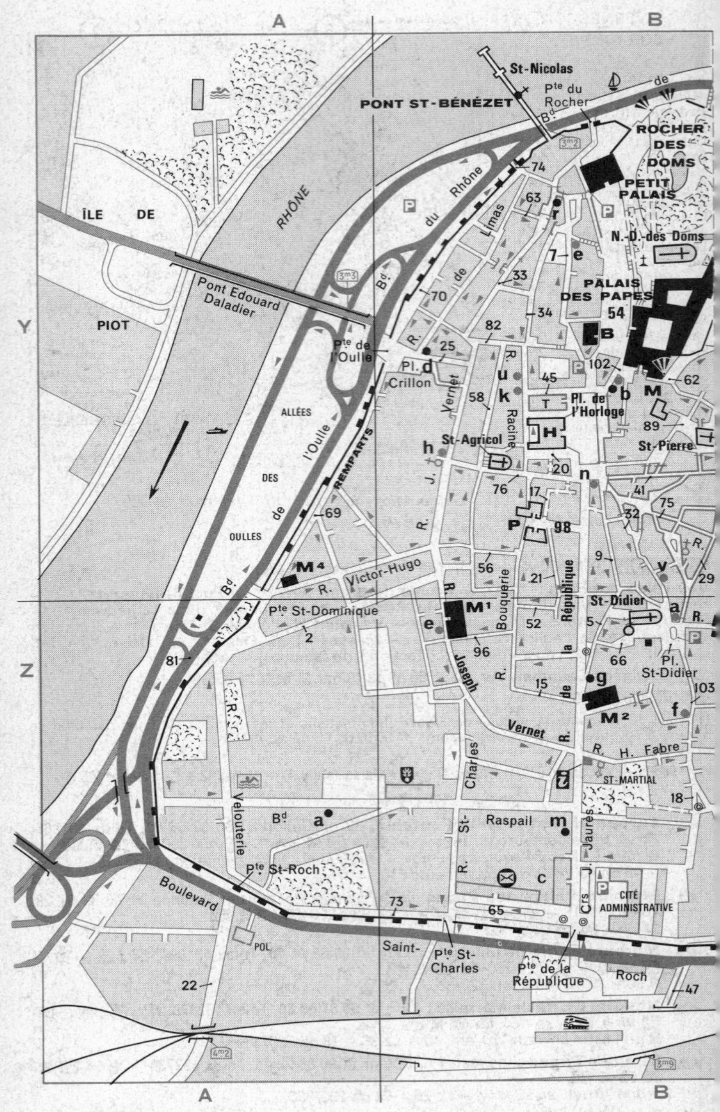
A
B
Y
Z
St-Nicolas
PONT ST-BÉNÉZET
Pte du Rocher
ROCHER DES DOMS
PETIT PALAIS
N.-D.-des Doms
PALAIS DES PAPES
ÎLE DE PIOT
RHÔNE
Pont Edouard Daladier
Bd du Rhône
Pte de l'Oulle
Pl. Crillon
ALLÉES DES OULLES
Bd de l'Oulle
REMPARTS
R. de la Limas
R. Racine
R. J. Vernet
St-Agricol
Pl. de l'Horloge
St-Pierre
R. Victor-Hugo
Pte St-Dominique
R. Bouquerie
R. de la République
St-Didier
Pl. St-Didier
R. Joseph Vernet
R. H. Fabre
ST-MARTIAL
R. Velouterie
R. Charles
R. St-Charles
Raspail
Crs J. Jaurès
CITÉ ADMINISTRATIVE
Pte St-Roch
Boulevard Saint-Roch
Pte St-Charles
Pte de la République
POL

AVIGNON

uguet (R.) . . . . **DY** 51	Rascas (R. de) . . . . **DY** 68
rtolans (R. des) . . . . **BZ** 52	Rempart-de-l'Oulle (R. du) . . . . **AY** 69
alais (Pl. du) . . . . **BY** 54	Rempart-du-Rhône (R. du) . . . . **BY** 70
alapharnerie (R.) . . . . . . **CY** 55	Rempart-St-Michel (R. du) . . . . **CZ** 72
etite Calade (R. de la) . . **BY** 56	Rempart-St-Roch (R. du) . . . . **ABZ** 73
etite-Fusterie (R. de la) . . . . **BY** 58	Rhône (Pte du) . . . . **BY** 74
etite-Saunerie (R. de la) . . . . **CY** 59	Rouge (R.) . . . . **BY** 75
etramale (R.) . . . . **CZ** 61	St-Christophe (R.) . . . . **DZ** 79
yrollerie (R.) . . . . **BY** 62	St-Dominique (Bd) . . . . . **AZ** 81
ont (R. du) . . . . **BY** 63	St-Étienne (R.) . . . . **BY** 82
és.-Kennedy (Cours) . . **BZ** 65	
évot (R.) . . . . **BZ** 66	

St-Jean-le-Vieux (Pl.) . . **CY** 84
St-Jean-le-Vieux (R.) . . **CY** 85
St-Joseph (R.) . . . . **CY** 86
St-Michel (R.) . . . . **CZ** 88
St-Pierre (Pl.) . . . . **BY** 89
St-Ruf (Av.) . . . . **CZ** 91
Ste-Catherine (R.) . . . . . **CY** 92
Sources (Av. des) . . . . . . **CZ** 95
Vernet (R. Horace) . . . . . **BZ** 96
Viala (R. Jean) . . . . **BY** 98
Vice-Légat (R. du) . . . . . **CY** 99
Vilar (R. Jean) . . . . **BY** 102
3-Faucons (R. des) . . . . . **BZ** 103
3-Pilats (R. des) . . . . **CY** 105

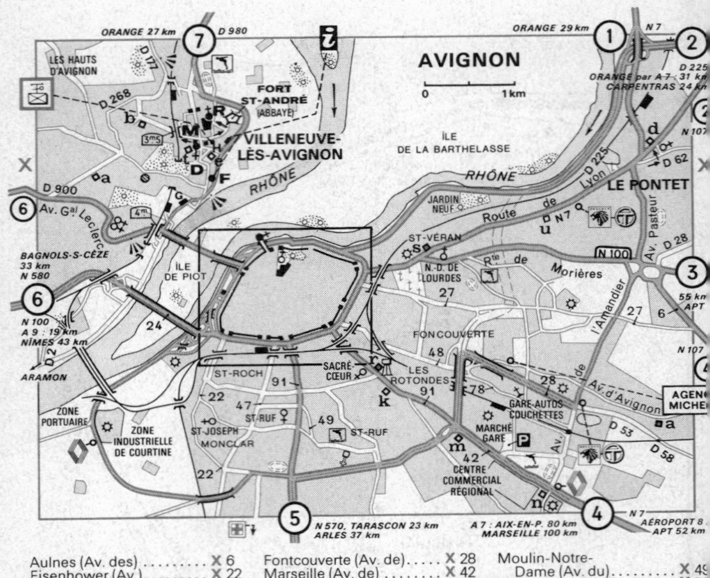

XXX ✿✿ **Hiély,** 5 r. République, entresol ☎ 90 86 17 07 – ▤. VISA — BY
fermé 20 juin au 6 juil., 30 déc. au 16 janv., lundi du 15 août au 30 juin et mardi – **R**
(nombre de couverts limité - prévenir) 150 (déj.)/245 et carte
Spéc. Feuilleté de homard et asperges (mars à juin), Petite marmite du pêcheur, Râble de laperea[u] farçi de son foie. **Vins** Tavel, Châteauneuf-du-Pape.

XXX ✿ **Brunel,** 46 r. Balance ☎ 90 85 24 83 – ▤. AE E VISA — BY
fermé 1er au 15 août, vacances de fév., lundi d'oct. à mai et dim. – **R** 235/320, en[f.] 60
Spéc. Morue fraiche aux épices, Rouget au concassé de tomates et huile d'olive, Millefeuille a[u] chocolat. **Vins** Côtes du Rhône, Lirac.

XXX ✿ **Auberge de France** (Tassan), 28 pl. Horloge ☎ 90 82 58 86 – AE ⓓ E VISA — BY
fermé 15 juin au 1er juil., 4 au 27 janv., merc. soir et jeudi – **R** 220
Spéc. Moules de Bouzigues à l'avignonnaise, Panaché de la mer aux trois sauces, Nougat glac[é]
Vins Tavel, Chateauneuf-du-Pape.

XX **Trois Clefs,** 26 r. Trois Faucons ☎ 90 86 51 53 – ▤. E VISA. ✂ — BZ
fermé nov., vacances de fév. et dim. sauf juil. – **R** 110/220.

XX ✿ **St Didier** (Étienne), 41 r. Saraillerie ☎ 90 86 16 50 – AE ⓓ E VISA — BZ
fermé 1er au 30 mai, 25 au 31 août, lundi et mardi – **R** 170
Spéc. Croustilles de langoustines beurre blanc, Lotte rôtie, Sauté de filet de boeuf au paprika.

XX **Le Vernet,** 58 r. J.-Vernet ☎ 90 86 64 53, ⛱, « Jardin » – E VISA. ✂ — BZ
fermé 4 janv. au 2 mars et dim. sauf du 1er mai au 31 août – **R** 140/240 ♁, enf. 85.

XX **Au Pied de Boeuf,** 49 rte Marseille ☎ 90 82 16 52 – ▤. AE ⓓ E VISA — X
fermé 14 juil. au 15 août et dim. – **R** 125/165 ♁, enf. 70.

XX **Le Grangousier,** 17 r. Galante ☎ 90 82 96 60 – AE ⓓ E VISA — BY
fermé 20 août au 20 sept. et dim. – **R** 85/180, enf. 48.

XX **Les Mayenques,** 41 bis rte Lyon ☎ 90 82 45 98, ⛱ – Ⓟ. AE ⓓ E VISA — X
fermé 4 au 14 janv. et merc. – **R** 100/140.

XX **Salon de la Fourchette,** 7 r. Racine ☎ 90 82 56 01 — BY
29 mars-31 oct. et fermé dim. et lundi – **R** (nombre de couverts limité - préveni[r]) 95/120 ♁.

X **La Fourchette II,** 17 r. Racine ☎ 90 85 20 93 – ▤ — BY
fermé 15 au 30 juin, sam. et dim. – **R** 95/120.

X **La Férigoulo,** 30 r. J.-Vernet ☎ 90 82 10 28 – ▤. AE ⓓ E VISA. ✂ — BY
fermé 1er au 21 nov., 16 janv. au 4 fév., dim. soir et lundi du 1er nov. au 1er mai – [R] 78/180, enf. 30.

à l'aéroport par ④ : 8 km – ✉ **84140** Avignon :

Paradou-Avignon Ⓜ, ✆ 90 88 29 30, Télex 432407, ☂, ♨, ✈, ✂ – ▤ TV ⊟wc ☎ ♿ Ⓟ – 🏛 80. AE ⦿ E VISA
R 90/180 🍷, enf. 45 – ☕ 35 – **42 ch** 330 – 1/2 p 250/270.

au Pontet NE : 5 km par N 7 – 13 137 h. – ✉ **84130** Le Pontet :

Les Agassins Ⓜ ⛱, rte Lyon ✆ 90 32 42 91, ☂, ♨, ✈ – |♦| ▤ TV ☎ Ⓟ – 🏛 30. AE ⦿ VISA. ✱ rest X u
fermé 1er janv. au 1er mars et dim. sauf de juin à sept. – **R** 155/215 – ☕ 41 – **26 ch** 350/590 – 1/2 p 390/490.

✿ **Aub. de Cassagne** Ⓜ ⛱, rte de Védene D 62 près échangeur Avignon Nord - X - ✆ 90 31 04 18, Télex 432997, ☂, « Beau jardin, ♨ » – TV ⊟wc ⋒wc ☎ Ⓟ. AE VISA. ✱ rest
R 170/330, enf. 90 – ☕ 44 – **14 ch** 290/440 – 1/2 p 490/540
Spéc. Filets de rouget au citron vert, Tresses de saumon et langoustines au safran, Côtelettes de lapereau panées et noisettes d'agneau. **Vins** Tavel, Lirac.

Christina Ⓜ sans rest, 34 av. G.-Goutarel ✆ 90 31 13 62 – |♦| ▤ ⊟wc ⋒wc ☎ Ⓟ. ✱ X d
1er avril-30 sept. – ☕ 15 – **56 ch** 160/190.

à Montfavet E : 5,5 km par av. Avignon - X – ✉ **84140** Montfavet :

✿ **Les Frênes** (Biancone) Ⓜ ⛱, av. Vertes-Rives ✆ 90 31 17 93, Télex 431164, ☂, « Mobilier ancien, parc, ♨ » – |♦| ▤ ch TV ☎ Ⓟ – 🏛 35. AE ⦿ E VISA. ✱ rest
hôtel: 1er mars-31 oct.; rest.: 1er avril-31 oct. – **R** 253, enf. 140 – ☕ 60 – **16 ch** 400/1320, 4 appartements 1485 – 1/2 p 713/792
Spéc. Pigeonneau aux pâtes fraîches truffées, Fricassée de rognon d'agneau, Loup rôti au basilic. **Vins** Séguret, Châteauneuf-du-Pape.

✗ **Ferme St-Pierre,** av. Avignon ✆ 90 87 12 86, ☂ – Ⓟ. AE ⦿ E VISA X a
fermé 30 juil. au 21 août, 17 déc. au 2 janv., sam. et dim. – **R** 98.

à l'Échangeur A 7 Avignon Nord : 7 km par ② – ✉ **84700** Sorgues :

Novotel Ⓜ ⛱, ✆ 90 31 16 43, Télex 432869, ☂, ♨, ✈, ✂ – |♦| ▤ TV ☎ ♿ Ⓟ – 🏛 200. AE ⦿ E VISA
R grill carte environ 120, enf. 45 – ☕ 38 – **100 ch** 335/370.

à Morières-les-Avignon par ③ : 9 km – ✉ **84310** Morières-les-Avignon :

Le Paradou, N 100 ✆ 90 33 34 15, Télex 432407, ☂, ♨, ✈, ✂ – TV ⊟wc ⋒wc ☎ Ⓟ – 🏛 25. AE ⦿ E VISA
R *(fermé dim. soir d'oct. à mars)* 90/110 🍷, enf. 65 – ☕ 30 – **30 ch** 225/240 – 1/2 p 230/240.

Autres ressources hôtelières :

Voir ***Villeneuve-lès-Avignon*** X : 2 km, ***Les Angles*** par ⑥ : 4 km, ***Barbentane*** par ⑤ et D 35 : 11 km, ***Noves*** par ④ : 13 km.

MICHELIN, Agence régionale, 109 av. de Montfavet X ✆ **90 88 11 10**

ALFA-ROMEO Sud-Autom., 30 bd St-Roch ✆ 90 86 28 33
AUSTIN-ROVER Auto-Service, 4 bd Limbert, rte de Montfavet ✆ 90 86 39 58
BMW Gar. Davoust, 77 av. de Marseille ✆ 90 8 27 00
CITROEN Sté Comm. Citroën, route de Marseille, N 7 par ④ ✆ 90 87 05 45 N ✆ 90 31 25 8
DATSUN-NISSAN Gar. Danse, Zone Ind. de Courtine, r. Petit Mas ✆ 90 86 48 37
FIAT, LANCIA, AUTOBIANCHI Gar. Royal, 141 rte de Marseille ✆ 90 88 29 55
FORD Gar. Scandolera, N 7, 1 bis rte Morières ✆ 90 82 16 76
MERCEDES-BENZ Autom. Avignonnaise, Centre Commercial Cap Sud, rte de Marseille ✆ 90 88 01 35
PEUGEOT-TALBOT Vaucluse-Auto, 35 av. Fontcouverte, Zone Ind. ✆ 90 88 07 61 et 68 rte d'Avignon au Pontet
RENAULT A.S.A., rte de Marseille, N 7 ✆ 90 7 08 51

RENAULT Autom. des Remparts, SAR, 14 bd St-Michel ✆ 90 85 34 55 N ✆ 91 32 26 54 et Z.I. Courtine, av. Aulanière ✆ 90 31 25 78 N ✆ 91 32 26 54
V.A.G. E.G.S.A., Centre des Affaires Cap Sud ✆ 90 87 63 22 N ✆ 90 88 50 39 et N 7, Zone Portuaire au Pontet ✆ 90 32 20 33 N ✆ 90 88 50 39

Ⓜ Ayme-Pneus, 32 bd St-Michel ✆ 90 82 71 38 et av. de l'étang, Zone Ind. Foncouverte ✆ 90 87 65 37
Dibon-Pneus, 1 rte de Marseille ✆ 90 86 31 65 et Le Pigeonnier, N 7 au Pontet ✆ 90 31 14 13
Maison du Pneu, 25 et 27 bd Limbert ✆ 90 86 00 80
Michel-Pneus, 7 bis quai St-Lazare ✆ 90 82 47 10
Page-Pneus, 37 ter bd Sixte-Isnard ✆ 90 82 06 85
Perrot-Pneus, 110 rte Tarascon ✆ 90 82 03 70 et Zone Ind. de Courtine, av. Gigognan ✆ 90 86 22 21
Piot-Pneu, La Gauloise au Pontet, ✆ 90 31 29 60

AVON 77 S.-et-M. **61** ⑫ – rattaché à Fontainebleau.

AVORIAZ 74 H.-Savoie **74** ⑧ – rattaché à Morzine.

AVRANCHES <SP> **50300** Manche 59 ⑧ **G. Normandie Cotentin** – 10 419 h..

Voir Manuscrits★★ du Mont-St-Michel (musée) AY M – **Jardin des Plantes :** ※★ AZ – **La "plate-forme"** ※★ AY.

Office de Tourisme r. Gén.-de-Gaulle ✆ 33 58 00 22.

Paris 343 ① – **Alençon 127** ③ – ♦**Caen 101** ① – **Cherbourg 120** ① – **Dinan 67** ③ – **Flers 68** ① – **Fougères 40** ③ – ♦**Rennes 75** ③ – **St-Lô 56** ① – **St-Malo 65** ③.

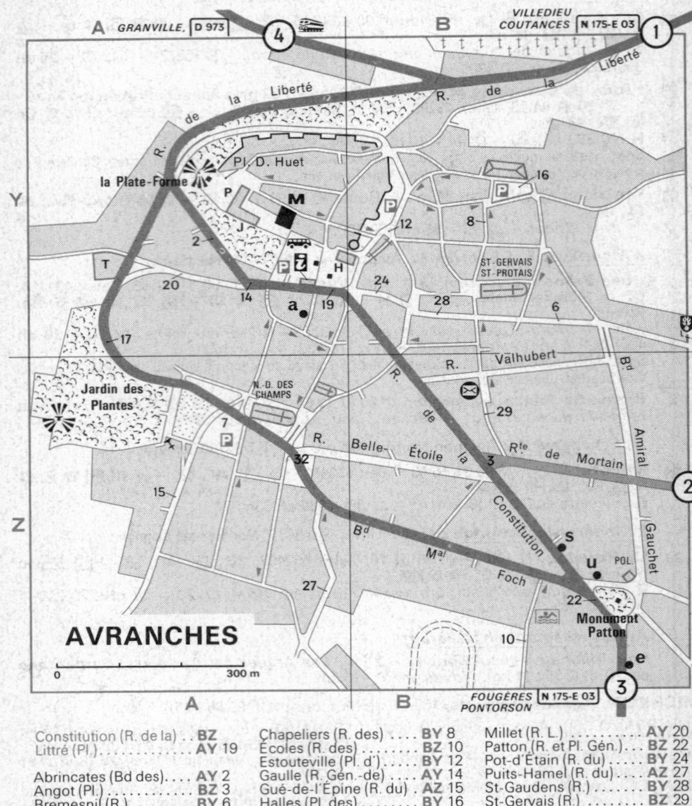

Constitution (R. de la) . . **BZ**	Chapeliers (R. des) . . . . **BY** 8	Millet (R. L.) . . . . **AY** 20
Littré (Pl.) . . . . **AY** 19	Écoles (R. des) . . . . **BZ** 10	Patton (R. et Pl. Gén.) . . . **BZ** 22
	Estouteville (Pl. d') . . . . . **BY** 12	Pot-d'Étain (R. du) . . . . . **BY** 24
Abrincates (Bd des) . . . . **AY** 2	Gaulle (R. Gén.-de) . . . . . **AY** 14	Puits-Hamel (R. du) . . . . **AZ** 27
Angot (Pl.) . . . . **BZ** 3	Gué-de-l'Épine (R. du) . **AZ** 15	St-Gaudens (R.) . . . . **BY** 28
Bremesnil (R.) . . . . **BY** 6	Halles (Pl. des) . . . . **BY** 16	St-Gervais (R.) . . . . **BZ** 29
Carnot (Pl.) . . . . **AZ** 7	Jozeau-Marigné (Bd) . . **AY** 17	Scelles (Pl. G.) . . . . **AZ** 32

Croix d'Or ⛭, 83 r. Constitution ✆ 33 58 04 88, « Décor rustique norman jardin » – wc ⋒wc ☎ 🚗 Ⓟ. VISA. ✂ rest BZ
mi mars-mi nov. – **R** 80/250, enf. 50 – ☕ 25 – **30 ch** 90/350.

Les Abrincates Ⓜ, 37 bd Luxembourg par ③ ✆ 33 58 66 64 – 🛗 TV wc ⋒w ☎ Ⓟ. E VISA. ✂ ch BZ
fermé 20 déc. au 10 janv. et dim. hors saison – **R** voir rest **Le Ménestrel** ci-après ☕ 23 – **27 ch** 200/250.

Le Pratel ⛭ sans rest, 24 r. Vanniers par ③ ✆ 33 68 35 41, 🌳 – wc ⋒wc ☎ Ⓟ. AE E VISA
7 ch ☕ 190/250.

Auberge St-Michel, 7 pl. Gén.-Patton ✆ 33 58 01 91, 🌳 – wc ⋒wc ☎ 🚗 Ⓟ. E VISA BZ
1er avril-14 nov. et fermé dim. soir et lundi du 15 sept. au 15 juin – **R** 60/150, enf. 3 – ☕ 22 – **22 ch** 90/180 – 1/2 p 130/260.

Central sans rest, 2 r. Jardin des Plantes ✆ 33 58 16 59 – wc ⋒wc ☎. E VISA ✂ AY
fermé 1er au 15 oct., 1er au 15 mars et sam. du 1er nov. au au 1er avril – ☕ 16 – **12 c** 70/165.

✕ **Le Ménestrel** -Hôtel Les Abrincates, 37 bd Luxembourg par ③ ✆ 33 58 12 20 – VISA. ✻
fermé vacances de fév. et vend. – **R** 70/120 ♖, enf. 38.

à St-Quentin-sur-le-Homme SE : 5 km par D 78 – BZ – ✉ **50220** Ducey :

✕✕ **Gué du Holme,** ✆ 33 60 63 76, ⛱ – E VISA
fermé 1er au 15 juil., 22 déc. au 10 janv., dim. soir et lundi sauf fériés – **R** 60/200, enf. 35.

CITROEN Basse Normandie Auto, 38 bd Luxembourg, Val-St-Père par ③ ✆ 33 58 23 15 N ✆ 33 70 84 24
FIAT Mauviel, 1 r. Valhubert ✆ 33 58 01 74 N
FORD Gosselin, Z.I. de Saint-Senier ✆ 33 68 38 61
OPEL Verdier, Z.I., St-Martin-des-Champs ✆ 33 58 12 41
PEUGEOT-TALBOT Pavie, D 911, Marcey-les-Grèves par ④ ✆ 33 58 04 22
RENAULT Poulain, 87 r. Cdt-Bindel par ② ✆ 33 58 09 00 N ✆ 33 58 27 14
V.A.G. Avranches-Autom., 3 av. du Quesnoy, St-Martin-des-Champs ✆ 33 58 14 96

Ⓜ Vallée-Pneus, 17 bd du Luxembourg ✆ 33 58 04 24

AVRILLÉ **85** Vendée 67 ⑬ – 940 h. – ✉ **85440** Talmont-St-Hilaire.
Paris 442 – Luçon 25 – La Rochelle 76 – La Roche-sur-Yon 26 – Les Sables-d'Olonne 24.

✕✕ **Relais de la Dinanderie,** av. de La Rochelle ✆ 51 22 32 15 – AE ⓓ E VISA
fermé 19 sept. au 12 oct., fév., dim. soir et lundi (sauf juil.-août) – **R** 64/250, enf. 30.

✕ **Le Menhir,** av. des Sables ✆ 51 22 32 18 – AE ⓓ E VISA
fermé janv., fév., dim. soir et lundi de sept. à Pâques – **R** 48/150, enf. 48.

RENAULT Gar. Bérieau, ✆ 51 22 32 08 N

AX-LES-THERMES 09110 Ariège 86 ⑮ **G. Pyrénées Roussillon** – 1 510 h. alt. 720 – Stat. therm. – Sports d'hiver au Saquet par route du plateau de Bonascre★ (8 km) et télécabine : 1 400 /2 400 m ⛷1 ⛷16 – Casino.
Voir Vallée d'Orlu★ au SE.
ℹ Office de Tourisme ✆ 61 64 20 64, Télex 530806.
Paris 826 – Andorre-la-Vieille 61 – Carcassonne 104 – Foix 42 – Prades 112 – Quillan 53.

🏨 **Royal Thermal** Ⓜ, ✆ 61 64 22 51, Télex 533311 – TV ⛀wc ☎. AE ⓓ E VISA. ✻ rest
R 90/160 – ☕ 32 – **56 ch** 185/350, 10 appartements 330/445 – ½ p 263/349.

🏨 **Le Teich** ⛰, ✆ 61 64 22 99, parc – |‡| ⛀wc ☎ Ⓟ. AE ⓓ E VISA. ✻ rest
fermé 30 nov. au 1er janv. – **R** 62/130 – ☕ 32 – **47 ch** 135/257 – ½ p 184/280.

🏨 **Roy René,** ✆ 61 64 22 28 – |‡| ⛀wc ⛆wc ☎ Ⓟ. AE E VISA. ✻ rest
1er fév.-1er nov. – **R** 55/160, enf. 40 – **29 ch** ☕ 239 – ½ p 170/205.

🏨 **Terminus,** ✆ 61 64 20 55 – ⛀wc ⛆wc ☎. AE ⓓ E VISA
fermé oct., dim. soir et lundi sauf vacances scolaires – **R** 60/130 ♖, enf. 29 – ☕ 21 – **16 ch** 168/178 – ½ p 205.

🏨 **Chalet** ⛰, ✆ 61 64 24 31 – ⛀wc ☎. ✻
fermé 8 nov. au 20 déc. et 5 au 20 janv. – **R** 56/114, enf. 30 – ☕ 19 – **10 ch** 181/187 – ½ p 210.

au Castelet NO : 4 km – alt. 660 – ✉ **09110** Ax-les-Thermes :

🏨 **Le Castelet** ⛰, ✆ 61 64 24 52, ≤, ⛱ – ⛀wc ⛆wc ☎ Ⓟ. AE E VISA. ✻ rest
15 mai-31 oct. et fermé merc. en mai, juin et oct. – **R** 80/165 – ☕ 32 – **27 ch** 213/265 – ½ p 220/240.

à Unac NO : 9 km par N 20 et D 2 – ✉ **09250** Luzenac :

✕✕ **L'Oustal** ⛰ avec ch, ✆ 61 64 48 44, ≤, « Auberge rustique », ⛱ – AE E VISA
fermé 5 janv. au 10 fév. et lundi – **R** 140/210 – ☕ 21 – **6 ch** 130/150.

Garage Chague, ✆ 61 64 21 66

AY 51160 Marne 56 ⑯ – 4 773 h.
Paris 144 – Châlons-sur-Marne 32 – Epernay 3 – ♦Reims 26.

✕ **Au Vieux Pressoir,** r. R. Sondag ✆ 26 55 43 31 – E VISA
fermé 16 au 30 août, 23 janv. au 8 fév., dim. soir, mardi soir et lundi – **R** 80/160 ♖, enf. 40.

CITROEN Tribouillois Automobiles, 3 rte d'Epernay ✆ 26 54 71 43
RENAULT Gar. Farget, D 1 ✆ 26 55 44 25
Auto Plus, 3 rte d'Epernay ✆ 26 54 10 21

AYGUADE-CEINTURON 83 Var 84 ⑯ – rattaché à Hyères.

AYTRÉ 17 Char.-Mar. 71 ⑫ – rattaché à la Rochelle.

AYZE 74 H.-Savoie 74 ⑦ – rattaché à Bonneville.

AZAY-LE-RIDEAU 37190 I.-et-L. 64 ⑭ **G. Châteaux de la Loire** (plan) – 2 915 h.

Voir Château★★★ (spectacle son et lumière★★) – Façade★ de l'église St-Symphorien.

Syndicat d'Initiative à la Mairie (hors saison) ✆ 47 45 42 11 et pl. Mairie (Pâques-fin sept.) ✆ 47 45 44 40.

Paris 258 – Châtellerault 60 – Chinon 21 – Loches 54 – Saumur 46 – ♦Tours 28.

Gd Monarque, pl. République ✆ 47 45 40 08, – wc. AE E VISA
R *(15 mars-15 nov.)* 80/210 – 28 – **30 ch** 110/340 – 1/2 p 235/430.

Val de Loire sans rest, 50 r. Nationale ✆ 47 45 23 67 – wc wc. E VISA
20 mars-15 nov. – 24 – **28 ch** 160/280.

Balzac, r. A.-Riché ✆ 47 45 42 08 – wc. E VISA. ch
R 52/158, enf. 36 – 19 – **12 ch** 150/240 – 1/2 p 183/260.

Biencourt sans rest, r. Balzac ✆ 47 45 20 75 – wc. VISA.
15 fév.-15 nov. – 25 – **9 ch** 160/220.

Aigle d'Or, 10 av. A. Riché ✆ 47 45 24 58, – E VISA
fermé 10 au 21 déc., 15 janv. au 15 fév., dim. soir et merc. – **R** 72/210.

à Saché SE : 7 km par D 17 – ✉ **37190** Azay-le-Rideau :

✿ **Aub. du XIIe siècle** (Niqueux), ✆ 47 26 86 58, **« Cadre médiéval »**, – AE VISA
fermé fév. et mardi – **R** carte 175 à 265
Spéc. Salade tiède de lotte aux épinards crus, Blanc de turbot aux huîtres et bigorneaux, Beuchelle à la tourangelle. **Vins** Bourgueil, Touraine-Azay-le-Rideau.

CITROEN Gar. Central, 4 r. Carnot ✆ 47 45 40 26
MAZDA Relais des Loges, N 751, La Loge ✆ 47 45 46 89
RENAULT Gar. Martin, à la Chapelle-St-Blaise ✆ 47 45 42 02

AZÉ 71 S.-et-L. 70 ⑪ **G. Bourgogne** – 649 h. – ✉ **71260** Lugny.

Paris 388 – Cluny 12 – ♦Lyon 90 – Mâcon 19 – Tournus 25.

A la Fortune du Pot, ✆ 85 33 31 37,
fermé 12 déc. au 13 janv. et jeudi – **R** 80/94.

AZERAILLES 54 M.-et-M. 62 ⑥ – 798 h. – ✉ **54120** Baccarat.

Paris 354 – Épinal 47 – Lunéville 19 – ♦Nancy 54 – St-Dié 31 – Sarrebourg 42.

Gare avec ch, r. Gare ✆ 83 75 15 17, – . E VISA
fermé 12 au 16 juil., dim. soir et lundi – **R** 50/160 – 18 – **8 ch** 90/130 – 1/2 p 150/220.

Le BABORY 43 H.-Loire 76 ④ – rattaché à Blesle.

BACCARAT 54120 M.-et-M. 62 ⑦ **G. Alsace et Lorraine** – 5 437 h.

Syndicat d'Initiative à la Mairie ✆ 83 75 10 46 et Résidence du Centre, pl. Arcades (mai-sept.) ✆ 83 75 13 37.

Paris 360 – Épinal 41 – Lunéville 25 – ♦Nancy 60 – St-Dié 25 – Sarrebourg 42.

Renaissance, 31 r. Cristalleries ✆ 83 75 11 31 – wc. AE E VISA
fermé fév., vend. soir et sam. hors sais. – **R** 45/140 – 16 – **19 ch** 85/160 – 1/2 p 140/180.

BADEFOLS-SUR-DORDOGNE 24 Dordogne 75 ⑮⑯ **G. Périgord Quercy** – 150 h. – ✉ **24150** Lalinde.

Env. Cloître★★ et église★ de Cadouin SE : 7,5 km.

Paris 544 – Bergerac 27 – Périgueux 63 – Sarlat-la-Canéda 47.

Lou Cantou, ✆ 53 22 50 36 – wc wc
1er avril-30 sept. – **R** 52 bc/160 bc – 18 – **12 ch** 130/180 – 1/2 p 138/164.

BADEN 56 Morbihan 63 ② – rattaché à Auray.

BAGNÈRES-DE-BIGORRE 65200 H.-Pyr. 85 ⑱ **G. Pyrénées Aquitaine** – 9 850 h. – Stat. therm. (2 mai-22 oct.) – Casino: AZ.

Voir Parc thermal de Salut★ par D 153 AZ – **Grotte de Médous★★ par ② : 2,5 km – Vallée de Lesponne★ 4,5 km par ②.**

Office du Tourisme et du Thermalisme 21 r. Thermes (mai-oct.) ✆ 62 95 50 71 et pl. Lafayette ✆ 62 95 01 62.

Paris 811 ③ – Lourdes 22 ③ – St-Gaudens 57 ① – Tarbes 21 ③.

BAGNÈRES-DE-BIGORRE

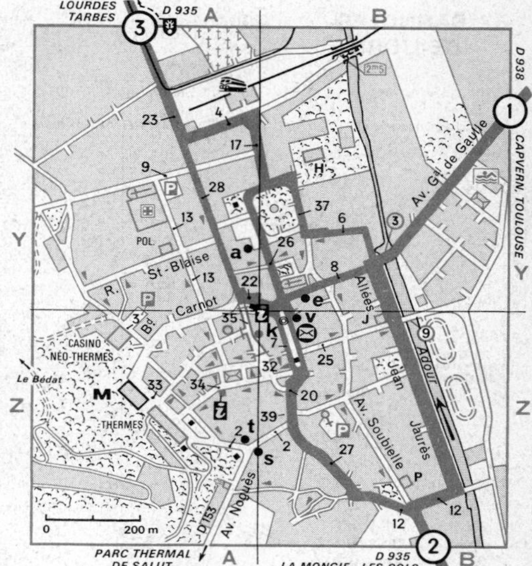

Coustous (Allées des) ..... BZ 7
Foch (R. Maréchal) . BY 8
Lafayette (Pl.) .... ABY 22
Strasbourg (Pl. de) . BZ 32
Thermes (R. des) ... AZ 34
Victor-Hugo (R.) ... AZ 35

Alsace-Lorraine (R. d') .... AZ 2
Arras (R. du Pont d') ... AZ 3
Belgique (Av. de) .. AY 4
Costallat (R.) ...... BY 6
Frossard (R. Émilien) ..... BZ 12
Gambetta (R.) ..... AY 13
Joffre (Av. Mar.) ... AY 17
Jubinal (Pl. A.) ..... BZ 20
Leclerc (Av. Gén.) .. AY 23
Lorry (R. de) .... BZ 25
Pasteur (R.) .... BY 26
Pyrénées (R. des) .. BZ 27
République (R. de la)........ AY 28
Thermes (Pl. des) .. AZ 33
Vigneaux .... BY 37
3-Frères-Duthu (R.). BZ 39

Les plans de villes sont orientés le Nord en haut.

La Résidence, Parc Thermal de Salut ☎ 62 95 03 97, ≤, ⛱, parc, tennis – wc wc ☎ P. E VISA. rest par av. P.-Noguès AZ
1er avril-15 oct. – **R** 90/150, enf. 50 – 30 – **30 ch** 250/280 – 1/2 p 300/350.

Trianon, pl. Thermes ☎ 62 95 09 34, parc, ⛱ – wc wc ☎ P. rest
1er mai-26 oct. – **R** 60/120, enf. 40 – 20 – **30 ch** 85/210 – 1/2 p 150/210. ABZ **s**

Host. d'Asté, par ② : 4 km ☎ 62 95 20 27, ≤, parc, tennis – wc wc ☎ P – 50.
fermé mi-avril à mi-mai, 4 nov. au 10 déc. et merc. sauf vacances scolaires – **R** 65/110, enf. 39 – 22 – **23 ch** 120/205 – 1/2 p 212/298.

Gd. H. Angleterre sans rest, pl. La-Fayette ☎ 62 95 22 24 – wc wc ☎. E VISA BZ **v**
fermé 17 avril au 9 mai – 16,50 – **30 ch** 75/160.

St-Vincent, 31 r. Mar.-Foch ☎ 62 95 01 66 – wc wc ☎. E VISA BY **e**
fermé 24 nov. au 10 déc. et lundi sauf vacances scolaires – **R** 60/110 &, enf. 40 – 17 – **22 ch** 150/180 – 1/2 p 150/170.

Glycines sans rest, 12 pl. Thermes ☎ 62 95 28 11 – wc wc ☎. E VISA AZ **t**
fermé 15 nov. au 27 déc. – 20 – **18 ch** 95/180.

Lutétia, 13 pl. G.-Clemenceau ☎ 62 95 00 45, – wc wc ☎. VISA. rest AY **a**
R 55/100 &, enf. 40 – 20 – **30 ch** 90/200 – 1/2 p 180/200.

XX **Le Bigourdan,** 14 r. V.-Hugo ☎ 62 95 20 20 – AE VISA ABZ **k**
fermé 1er au 15 juin et merc. – **R** 58/250 &.

CITROEN Fourcade, rte des Cols par ② ☎ 62 95 26 68
FIAT Gar. Garcia, 1 r. J.-Meynier ☎ 62 95 26 03
PEUGEOT, TALBOT Laloubère, rte Tarbes par ③ ☎ 62 95 26 84 N
RENAULT Gar. Dubau, 38 av. Gén.-Leclerc par ③ ☎ 62 95 46 64

BAGNÈRES-DE-LUCHON 31 H.-Gar. 85 ⑳ – voir à Luchon.

BAGNEUX 49 M.-et-L. 64 ⑫ – rattaché à Saumur.

BAGNOLES-DE-L'ORNE 61140 Orne 60 ① **G. Normandie Cotentin** – 783 h. – Stat. therm. (5 mai-28 oct.) – Casino. A.

Voir Site★ – Lac★ A – **Parc★** AB.

9 d'Andaine ☎ 33 37 81 42 par ③ : 3 km.

Office de Tourisme pl. République ☎ 33 37 85 66.

Paris 238 ① – Alençon 48 ② – Argentan 39 ① – Domfront 19 ③ – Falaise 45 ① – Flers 27 ④.

BAGNOLES-DE-L'ORNE

Casinos (R. des) . . . . A 2
Dr-Poulain (Av. du) . . . . . . A 8
Château (Av. du) . . . . A 3
Christophle (Bd. A.) BAGNOLES . . . . B 4
Christophle (Av. A.) TESSÉ . . . . A 7
Gaulle (Pl. Général-de) . . . B 9
Hartog (R. G.) . . . . A 13
Le Meunier de la Raillère (Bd) . . . . B 14
Rozier (Av. Ph. du) . . . . . . A 15
Sergenterie-de-Javains (Av.) . . . . A 18

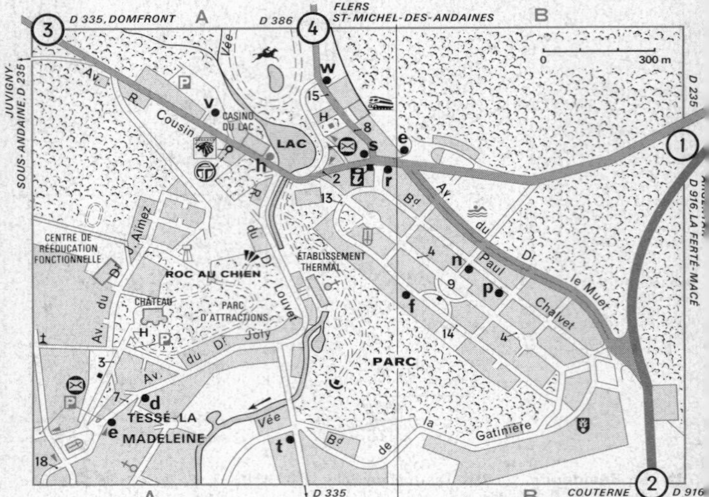

Capricorne, allée Montjoie 33 37 96 99, Télex 170525 – AE E VISA. — A v
Pâques-15 oct. – **R** (dîner seul.) 95/135 – 26 – **21 ch** 260/360, 3 appartements 450 – 1/2 p 350/400.

Lutetia-Reine Astrid, bd Paul Chalvet 33 37 94 77, – 25. AE E VISA. rest — B n
début avril-2 nov. – **R** 95/250, enf. 70 – 28 – **33 ch** 215/325 – 1/2 p 255/342.

Bois Joli, av. P.-du-Rozier 33 37 92 77, Télex 171782, – wc wc. AE E VISA. rest — A w
25 mars-6 nov. – **R** *(fermé dim. soir et merc.)* 148/178, enf. 60 – 28 – **20 ch** 180/350 – 1/2 p 280/400.

Beaumont, 26 bd Le Meunier-de-la-Raillère 33 37 91 77, « Jardin fleuri », – rest wc wc – 25. E VISA. rest — B f
29 avril-2 oct. – **R** 70/250, enf. 45 – 26 – **38 ch** 160/300.

Ermitage sans rest, 24 bd P.-Chalvet 33 37 96 22, – wc wc. E VISA — B p
1er mai-28 oct. – 23 – **39 ch** 165/255.

Le Gd Veneur, pl. République 33 37 86 79 – wc — A r
1er avril-16 oct. – **R** 55/169 – 21 – **23 ch** 146/272 – 1/2 p 206/257.

Gayot, pl. République 33 37 90 22 – wc. AE E VISA — B e
24 avril-30 oct. – **R** 70/190 – 26 – **17 ch** 170/280 – 1/2 p 290/320.

Normandie, r. Dr Le Muet 33 30 80 16, – wc wc. AE E VISA. rest
15 avril-2 nov. – **R** 80/120 – 19 – **25 ch** 92/195 – 1/2 p 168/258.

Terrasse sans rest, pl. République 33 37 92 39 – wc. AE E VISA.
20 – **28 ch** 70/250. — A s

Camélias, av. Chât.-de-Couterne 33 37 93 11, – wc wc. rest — A t
5 mai-25 oct. – **R** 88/98 – 20 – **35 ch** 110/200 – 1/2 p 190/250.

Café de Paris, av. R.-Cousin 33 37 81 76, – AE E VISA. — A h
1er avril-20 oct. et fermé lundi sauf fériés – **R** 86/182, enf. 60.

par ③ et D 235 : 3 km – 61140 Bagnoles-de-l'Orne :

Manoir du Lys, 33 37 80 69, « Dans un parc fleuri », – – 25. AE E VISA. rest
15 mars-31 oct., week-ends de nov. et déc., et fermé dim. soir et lundi du 15 mars au 30 avril – **R** 100/220, enf. 60 – 35 – **11 ch** 280/380 – 1/2 p 430/530.

à Tessé-la-Madeleine – ✉ **61140** Bagnoles-de-l'Orne :

Nouvel H., av. A.-Christophle ✆ 33 37 81 22, – wc ☎ Ⓟ. VISA. A e
fin avril-nov. – **R** 70/99 – 20 – **30 ch** 189/242.

Celtic, av. A.-Christophle ✆ 33 37 92 11, – wc wc ☎. E VISA. A d
fermé janv., dim. soir et lundi hors sais. – **R** 50/160 ₰, enf. 35 – 18 – **12 ch** 160/195 – 1/2 p 215/250.

PEUGEOT-TALBOT Constant, 8 av. R.-Cousin ✆ 33 37 83 11

BAGNOLET 93 Seine-St-Denis 56 ⑪, 101 ⑯ – voir à Paris, Environs.

BAGNOLS 63810 P.-de-D. 73 ⑫ – 891 h. alt. 850.

Paris 451 – •Clermont-Ferrand 68 – Condat 30 – Mauriac 49 – Le Mont-Dore 25 – Ussel 64.

Voyageurs, ✆ 73 22 20 12 – Ⓟ. VISA
Pâques-15 sept. et vacances de fév. – **R** 58/120 ₰ – 18 – **20 ch** 75/170 – 1/2 p 120/190.

CITROEN Gar. Moulie, ✆ 73 22 20 59 N

BAGNOLS-LES-BAINS 48190 Lozère 80 ⑥ **G. Gorges du Tarn** – 240 h. alt. 913 – Stat. therm. (20 avril-25 oct.).

Paris 606 – Langogne 53 – Mende 21 – Villefort 38.

Modern'H. et Malmont, ✆ 66 47 60 04, – wc wc ☎ Ⓟ. E VISA
fermé 31 oct. au 8 nov. – **R** 47/110 ₰ – 18,50 – **28 ch** 102/180 – 1/2 p 175/210.

Pont, ✆ 66 47 60 03, , – cuisinette wc wc ☎. E VISA
1er fév.-20 oct. – **R** 45/100 ₰, enf. 40 – 22 – **28 ch** 120/200 – 1/2 p 160/190.

Commerce, ✆ 66 47 60 07 – wc ☎ Ⓟ. E VISA. rest
Pâques-1er nov. et fermé dim. soir et lundi en avril et oct. – **R** 63/95 – 19 – **28 ch** 85/160 – 1/2 p 145/200.

BAGNOLS-SUR-CÈZE 30200 Gard 80 ⑩ **G. Provence** (plan) – 17 777 h.

Voir Musée d'Art moderne★.

Env. Belvédère★★ du Centre d'Énergie Atomique de Marcoule SE : 9,5 km.

Office de Tourisme esplanade Mont-Cotton ✆ 66 89 54 61.

Paris 657 – Alès 50 – Avignon 33 – Nîmes 48 – Orange 35 – Pont-St-Esprit 11.

Mas de Ventadous M , 69 rte Avignon ✆ 66 89 61 26, Télex 490949, , parc, , – TV wc ☎ Ⓟ – 50. E VISA. rest
fermé 20 déc. au 1er fév. – **R** *(fermé vend. soir et dim. soir hors sais. et sam. midi)* 78/175, enf. 50 – 30 – **22 ch** 360/420 – 1/2 p 500.

Florence II, 16 pl. Bertin-Boissin ✆ 66 89 58 24 – E VISA
fermé dim. soir et lundi – **R** 65/178, enf. 34.

rte de Pont-St-Esprit N : 5,5 km par N 86 – ✉ **30200** Bagnols-sur-Cèze :

Valaurie M sans rest, ✆ 66 89 66 22, <, – wc ☎ Ⓟ. E VISA
fermé 24 déc. au 24 janv. – 28 – **22 ch** 190/220.

à Orsan SE : 6 km par N 580 – ✉ **30200** Bagnols-sur-Cèze :

La Cabre d'Or, ✆ 66 90 12 17, – Ⓟ. AE VISA
R 140/280 ₰, enf. 50.

à Connaux S : 8,5 km sur N 86 – ✉ **30330** Connaux :

Bernon, ✆ 66 82 00 32, – wc Ⓟ. E VISA. ch
fermé dim. soir hors sais. (sauf rest.) et dim. soir – **R** 75/150 ₰ – 18 – **10 ch** 100/250.

Maître Itier, ✆ 66 82 00 24 – Ⓟ
R (dîner prévenir).

CITROEN Jeolas, 239 rte d'Avignon ✆ 66 89 60 43
FIAT Électro-Diesel, 29 rte Nîmes ✆ 66 89 61 20
OPEL Electronic-Auto, 731 rte d'Avignon ✆ 66 89 56 07
PEUGEOT-TALBOT Pailhon, rte Nîmes ✆ 66 89 54 95
RENAULT Gar. Stolard, 252 av. Alphonse Daudet ✆ 66 89 56 36
V.A.G. Gar. Paulus et fils, 37 av. Léon-Blum ✆ 66 89 60 30

Piot-Pneu, 39 av. du Pont ✆ 66 89 54 19

BAILLEUL 59270 Nord 51 ⑤ **G. Flandres Artois Picardie** – 13 412 h.

Voir ★ du beffroi.

Paris 247 – Armentières 12 – Béthune 30 – Dunkerque 44 – Ieper 19 – Lille 30 – St-Omer 36.

Pomme d'Or, 27 r. Ypres ✆ 28 49 11 01 – wc. E VISA. ch
fermé août – **R** *(fermé mardi soir et lundi)* 61/144 ₰, enf. 33 – 18 – **7 ch** 80/230.

Renova Pneu, rte d'Hazebrouck ✆ 28 49 28 44

BAIN-DE-BRETAGNE 35470 I.-et-V. 63 ⑥⑦ – 5 316 h.

Paris 356 – Châteaubriant 29 – ♦Nantes 75 – Ploërmel 61 – Redon 44 – ♦Rennes 32 – Vitré 50.

des Quatre Vents, rte Rennes ✆ 99 43 71 49 – wc wc ☎ P. E VISA
fermé 21 déc. au 16 janv. – **R** 45/150 – ☕ 18 – **20 ch** 92/182 – ½ p 130/150.

BAINS-LES-BAINS 88240 Vosges 62 ⑮ **G. Alsace et Lorraine** – 1 792 h. – Stat. therm. (mi avril-mi oct.).

Office de Tourisme pl. Bain Romain ✆ 29 36 31 75.

Paris 382 ④ – Épinal 30 ① – Luxeuil-les-Bains 29 ② – ♦Nancy 101 ① – Neufchâteau 71 ④ – Vesoul 50 ② – Vittel 42 ④.

BAINS-LES-BAINS

Hôtel-de-Ville (R. de l') 6

Chavane (Av. du Lieutenant-Colonel) 2
Demazure (Av.) 3
Docteur-Bailly (Av. du) 4
Docteur-Mathieu (Av. du) 5
Leclerc (R. du Général) 7
Poirot (R. Marie) 10
Verdun (R. de) 12
2e-D.-B. (Pl. de la) 14

Les plans de villes sont orientés le Nord en haut.

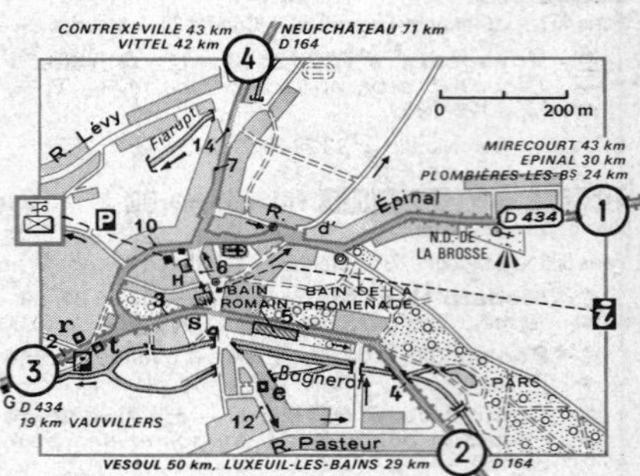

Promenade, (r) ✆ 29 36 30 06, – wc ☎ P. E VISA.
1er mars-1er nov. – **R** 60/190 , enf. 45 – ☕ 19 – **33 ch** 145/175.

Poste, (e) ✆ 29 36 31 01 – wc wc ☎. VISA.
hôtel : ouvert 1er mars-1er nov. ; rest. : fermé 24 déc. au 15 janv., sam. et dim. du 1er nov. au 1er mars – **R** 52/125 – ☕ 19 – **22 ch** 92/161.

Les Ombrées , au Sud par r. Verdun ✆ 29 36 31 85, – wc wc ☎. AE E.
avril-fin oct. – **R** 75/120 , enf. 25 – ☕ 23 – **18 ch** 100/190 – ½ p 148/212.

Nouvel H., (t) ✆ 29 36 32 40 – wc ☎ P. E VISA
10 avril-20 oct. – **R** 58/155 , enf. 40 – ☕ 19,50 – **28 ch** 79/192.

Sources, (s) ✆ 29 36 30 23 – wc. E VISA. rest
10 avril-10 oct. – **R** 50/80 – ☕ 17 – **40 ch** 75/200.

BAIX 07 Ardèche 77 ⑪ – 1 017 h. – ✉ 07210 Chomérac.

Paris 592 – Crest 28 – Montélimar 20 – Privas 20 – Valence 32.

La Cardinale et sa Résidence , ✆ 75 85 80 40, Télex 346143, ≤, , « Ancienne demeure seigneuriale » – TV P. AE VISA. rest
fermé 5 janv. au 15 mars – **R** 180/333 – ☕ 65 – **5 ch** 685/897.

La Résidence , 3 km ✆ 75 85 80 40, Télex 346143, parc, – TV wc ☎ P. AE VISA.
fermé 5 janv. au 15 mars – **R** voir La Cardinale – ☕ 65 – **5 ch** 897, 5 appartements 1092/1185.

Aub. des Quatre Vents M , rte Chomérac, NO : 2 km ✆ 75 85 84 49, – wc ☎ P. VISA
R 45/105 , enf. 35 – ☕ 15 – **16 ch** 110/180 – ½ p 145/180.

BALARUC-LES-BAINS 34540 Hérault 83 ⑯ **G. Gorges du Tarn** – 4 369 h. – Stat. therm. (29 fév.-17 déc.).

Office de Tourisme le Sevigné Thermal (4 janv.-23 déc.) ✆ 67 48 50 07.

Paris 784 – Agde 32 – Béziers 48 – Frontignan 8 – Lodève 66 – ♦Montpellier 29 – Sète 7.

Gd H. Azur sans rest, av. Port ✆ 67 48 50 26 – wc wc ☎
15 mars-30 nov. – ☕ 25 – **16 ch** 130/198.

Pins sans rest, ✆ 67 48 50 15, – wc ☎ P
15 mars-15 déc. – ☕ 19 – **20 ch** 104/161.

Martinez et Moderne avec ch, ✆ 67 48 50 22, , – wc ☎ P.
fermé 15 janv. au 15 mars, dim. soir et lundi du 1er déc. au 1er avril – **R** 80/250 – ☕ 20 – **30 ch** 95/180.

BALBIGNY 42510 Loire 73 ⑱ – 2 469 h.

Syndicat d'Initiative à la Mairie ✆ 77 28 14 12.

Paris 420 – L'Arbresle 52 – Roanne 30 – ♦St-Étienne 47 – Thiers 62 – Villefranche-sur-Saône 63.

XX **Paix** avec ch, ✆ **77 28 11 49** – . VISA
fermé janv. et merc. – **R** 60/140 ⅋ – ☕ 16 – **8 ch** 90/155.

Villard, ✆ 77 28 10 20

BALDENHEIM 67 B.-Rhin 62 ⑲ – rattaché à Sélestat.

BALDERSHEIM 68 H.-Rhin 66 ⑩ – rattaché à Mulhouse.

BÂLE (BASEL) 4000 Suisse 66 ⑩, 216 ④ G. Suisse – 180 463 h. – ✆ et les environs : de France 19-41-61, de Suisse 061.

Voir Cathédrale (Münster)★★ : ←★ CY – Jardin zoologique (Zoologischer Garten)★★★ AZ – Port (Hafen)※★, Exposition★ T – Fontaine du Marché aux poissons (Fischmarktbrunnen)★ BY – Vieilles rues★ BY – Oberer Rheinweg ←★ CY – Musées : Beaux-Arts (Kunstmuseum)★★★ CY, Historique (Historisches Museum)★ CY, d'Ethnographie (Museum für Völkerkunde)★ CY **M1**, Kirschgarten (Haus zum Kirschgarten)★ CZ, d'Art antique (Antikenmuseum)★ CY – ※★ de la tour de la Batterie (wasserturm) 3,5 km par ⑥ U.

18 privé ✆ 89 68 50 91 à Hagenthal-le-Bas (68-France) SO : 10 km.

✈ de Bâle-Mulhouse ✆ 57.25.11 à Bâle (Suisse) par la Zollfreie Strasse 8 km T et à Saint-Louis (68-France) ✆ 89 69 00 00.

Office de Tourisme Schifflände Blumenrain 2 ✆ 25.50.50, Télex 63318 – A.C. Suisse, Birsigstr. 4 ✆ 23.39.33 – T.C.S., Petrihof, Steinentorstr. 13 ✆ 23.19.55.

Paris 554 ⑧ – Bern 95 ⑤ – Freiburg 71 ① – ♦Lyon 389 ⑧ – ♦Mulhouse 35 ⑧ – ♦Strasbourg 145 ①.

Plans pages suivantes

Les prix sont donnés en francs suisses

❀ **Trois Rois**, Blumenrain 8, ✉ 4001 ✆ **25 52 52**, Télex 962937, ←, – ▤ TV ☎ – 80. AE ⓓ E VISA. BY **a**
Rôtisserie des Rois R 84/120 ⅋, enf. 16 – **Rhy-Deck R** carte 45 à 55 ⅋ – ☕ 15 – **90 ch** 165/365, 8 appartements 460/720
Spéc. Béatilles en salade, Suprême de sandre aux pistils de safran, Carré d'agneau en croûte à l'estragon.

Hilton M, Aeschengraben 31, ✉ 4002 ✆ **22 66 22**, Télex 965555, – ch ▤ TV ☎ ♿ – 50 à 300. AE ⓓ E VISA. rest CZ **d**
R carte 60 à 80 ⅋ – ☕ 9,50 – **217 ch** 130/260, 10 appartements.

Plaza M, Riehenring 45, ✉ 4058 ✆ **32 33 33**, Télex 964439, – ▤ TV ☎ ♿ – 30. AE ⓓ E VISA. rest DX **r**
Rôtisserie Plaza *(fermé 10 juil. au 7 août et dim.)* – **R** 38/72 ⅋ – **Grand Café R** carte 25 à 50 ⅋ – ☕ 10 – **234 ch** 190/260, 9 appartements.

Euler, Centralbahnplatz 14, ✉ 4002 ✆ **23 45 00**, Télex 962215 – ▤ TV ☎ – 120. AE ⓓ E VISA BZ **a**
R carte 60 à 95 ⅋ – ☕ 13 – **64 ch** 157/304, 10 appartements 350/555.

Hôtel International M, Steinentorstrasse 25, ✉ 4001 ✆ **22 18 70**, Télex 962370, – ch ▤ TV ☎ ♿ – 25 à 250. AE ⓓ E VISA. rest BZ **b**
Steinenpick R carte 35 à 75, ⅋, enf. 10 – **Rôt. Charolaise R** carte 55 à 90 ⅋ – **210 ch** ☕199/280, 5 appartements.

❀ **Europe et rest. Quatre Saisons** M, Clarastrasse 43, ✉ 4058 ✆ **691 80 80**, Télex 964103, – ch ▤ TV ☎ – 180. AE ⓓ E VISA. rest CX **k**
R *(fermé dim.)* carte 80 à 100 – **170 ch** ☕112/200.

Schweizerhof, Centralbahnplatz 1, ✉ 4002 ✆ **22 28 33**, Télex 962373 – ▤ TV ☎ Ⓟ – 30 à 90. AE ⓓ E VISA. rest CZ **n**
R carte 50 à 80 ⅋ – **75 ch** ☕110/220.

H. Basel , Münzgasse 12, ✉ 4001 ✆ **25 24 23**, Télex 964199 – ▤ rest TV ☎. AE ⓓ E VISA BY **x**
R carte 45 à 75 ⅋, enf. 13 – **75 ch** ☕78/225.

Victoria M, Centralbahnplatz 3, ✉ 4002 ✆ **22 55 66**, Télex 962362 – ▤ rest TV ☎ – 25. AE ⓓ E VISA CZ **n**
R carte 40 à 55 ⅋, enf. 9 – **115 ch** ☕95/180.

Métropol M sans rest, Élisabethenanlage 5 ✉ 4002 ✆ **22 77 21**, Télex 962268 – TV ☎ – 120. AE ⓓ E VISA CZ **a**
46 ch ☕105/170.

Alexander M, Riehenring 85, ✉ 4058 ✆ **26 70 00**, Télex 963325 – cuisinette TV wc ☎ – **65 ch**. CX **s**

Krafft am Rhein , Rheingasse 12, ✉ 4058 ✆ **961 88 77**, Télex 964360, ←, – wc wc ☎. AE ⓓ E VISA CY **z**
R 13/40 ⅋, enf. 9 – **52 ch** ☕68/156 – ½ p 74/134.

tourner →

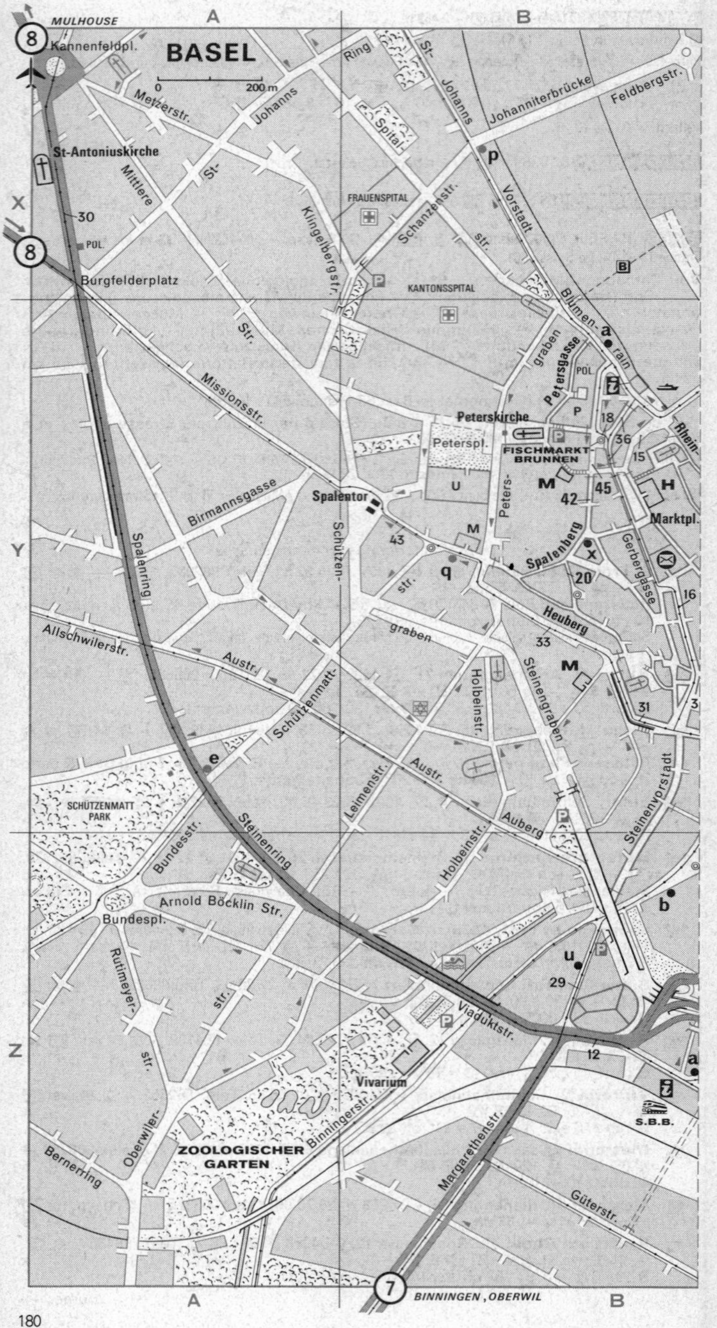
BASEL
MULHOUSE
Kannenfeldpl.
St-Antoniuskirche
Metzerstr.
Mittlere
St-
Johanns
Ring
Spital
St-
Johanns
Vorstadt
Johanniterbrücke
Feldbergstr.
FRAUENSPITAL
Klingelbergstr.
Schanzenstr.
KANTONSSPITAL
Burgfelderplatz
POL.
Str.
Missionsstr.
Petersgraben
Blumenrain
Petersgasse
Peterskirche
Peterspl.
FISCHMARKT-BRUNNEN
Marktpl.
Rhein-
Spalentor
Schützengraben
Birmannsgasse
Spalenring
Spalenberg
Gerbergasse
Heuberg
Allschwilerstr.
Austr.
Schützenmattstr.
Holbeinstr.
Steinengraben
Leimenstr.
Auberg
Steinenvorstadt
SCHÜTZENMATT PARK
Bundesstr.
Steinenring
Arnold Böcklin Str.
Bundespl.
Rutimeyerstr.
Viaduktstr.
Vivarium
Binningerstr.
Margarethenstr.
S.B.B.
ZOOLOGISCHER GARTEN
Oberwilerstr.
Bernerring
Güterstr.
BINNINGEN, OBERWIL

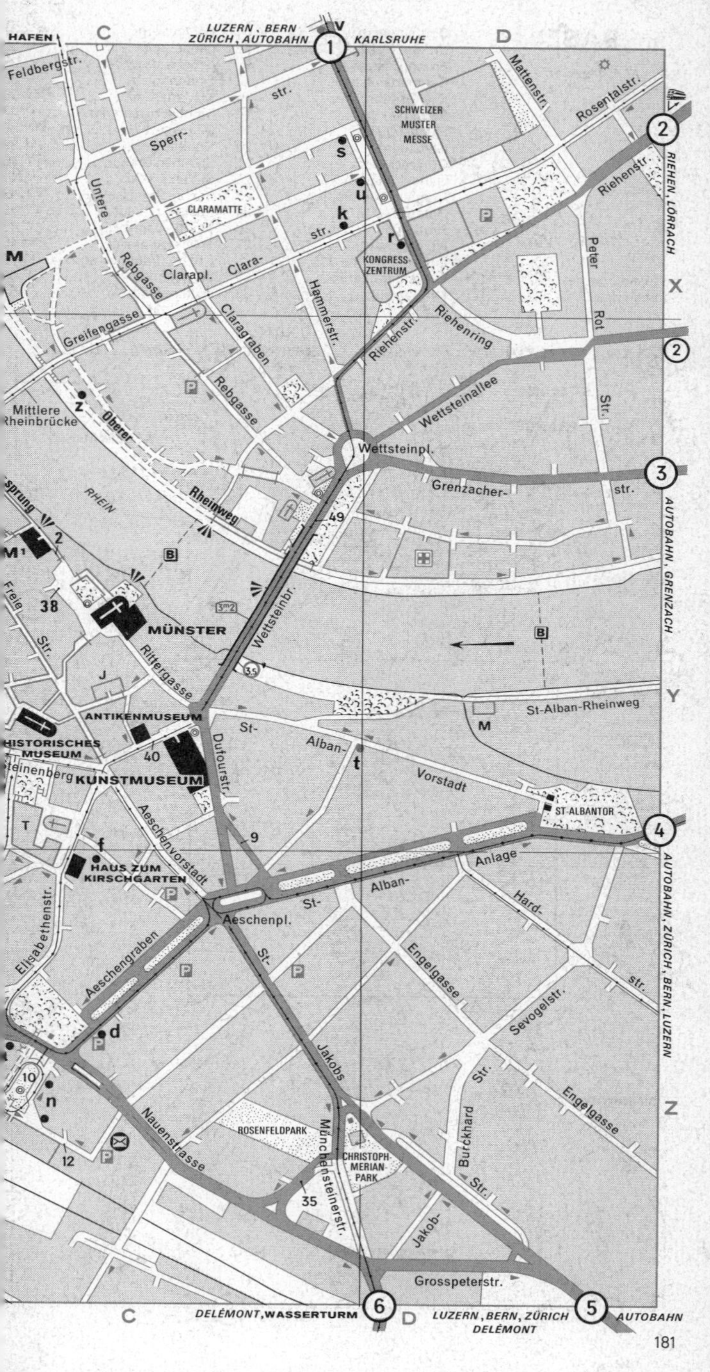
LUZERN, BERN
ZÜRICH, AUTOBAHN
KARLSRUHE
HAFEN
Feldbergstr.
Sperr-
str.
SCHWEIZER
MUSTER
MESSE
Mattenstr.
Rosentalstr.
RIEHEN, LÖRRACH
Riehenstr.
CLARAMATTE
Untere
Rebgasse
Clarapl.
Clara-
str.
KONGRESS-
ZENTRUM
Peter
Rot
Str.
Greifengasse
Claragraben
Hammerstr.
Riehenstr.
Riehenring
Wettsteinallee
Mittlere
Rheinbrücke
Oberer
Rheinweg
Rebgasse
Wettsteinpl.
Grenzacher-
str.
RHEIN
AUTOBAHN, GRENZACH
MÜNSTER
Freie
Str.
Rittergasse
Wettsteinbr.
ANTIKENMUSEUM
HISTORISCHES
MUSEUM
Steinenberg
KUNSTMUSEUM
Dufourstr.
St-
Alban-
Vorstadt
St-Alban-Rheinweg
ST-ALBANTOR
HAUS ZUM
KIRSCHGARTEN
Aeschenvorstadt
Anlage
Alban-
St-
Aeschenpl.
Hard-
str.
Elisabethenstr.
Aeschengraben
St-
Engelgasse
Sevogelstr.
AUTOBAHN, ZÜRICH, BERN, LUZERN
Jakobs
Str.
Engelgasse
Burckhard
Str.
Nauenstrasse
ROSENFELDPARK
Münchensteinerstr.
CHRISTOPH-
MERIAN-
PARK
Jakob-
Grosspeterstr.
DELÉMONT, WASSERTURM
LUZERN, BERN, ZÜRICH
DELÉMONT
AUTOBAHN

BASEL

Street	Grid	No.
Aeschenvorstadt	CYZ	
Barfüsserpl.	BY	3
Centralbahnpl.	CZ	10
Clarapl.	CY	
Eisengasse	BY	15
Falknerstr.	BY	16
Freie Str.	CY	
Gerbergasse	BY	
Greifengasse	CY	
Marktpl.	BY	
Steinenvorstadt	BY	
Augustinergasse	CY	2
Bäumlihofstr.	T	5
Bottmingerstr.	U	6
Bruderholzallee	U	7
Brunngässlein	CY	9
Centralbahnstr.	CZ	12
Dreirosenbrücke	T	14
Fischmarktpl.	BY	18
Flughafenstr.	T	19
Gemsberg	BY	20
Grenzacherstr.	T	21
Gundeldingerrain	U	22
Gundeldinger Str.	U	23
Holeestr.	U	24
Horburgstr.	T	26
Hüningerstr.	T	27
Innere Margarethenstr.	BZ	29
Kannenfeldstr.	AX	30
Kohlenberg	BY	31
Laupenring	U	32
Leonhardsgraben	BY	33
Lindenhofstr.	CZ	35
Marktgasse	BY	36
Münchensteinerstr.	U	37
Münsterpl.	CY	38
Neubadstr.	U	39
St-Alban Graben	CY	40
St-Jakobs Str.	U	41
Schneidergasse	BY	42
Spalenvorstadt	BY	43
Stadthausgasse	BY	45
Thiersteinerallee	U	46
Unterer Batterieweg	U	48
Wettsteinstr.	CY	49
Wittlingerstr.	T	51

🏨 **City,** Henric Petri-Strasse 12, ✉ 4010 ✆ 23 78 11, Télex 962427 – |♦| ▤ ⌂wc ☎. AE ⊙ E VISA CZ **f**
R carte 45 à 50 ♁ – **85 ch** ⊡70/160.

🏨 **Bernina** sans rest, Innere Margarethenstrasse 14, ✉ 4051 ✆ 23 73 00, Télex 963813 – |♦| ⇹ TV ⌂wc ⌂wc ☎. AE ⊙ E VISA BZ **u**
35 ch ⊡60/210.

🏨 **Muenchnerhof,** Riehenring 75, ✉ 4058 ✆ 691 77 80, Télex 964476 – |♦| ⌂wc ⌂wc ☎. AE ⊙ E VISA CX **u**
R 10/40 ♁ – **40 ch** ⊡40/220.

XXXX ✿✿ **Stucki,** Bruderholzallee 42, ✉ 4059 ✆ 35 82 22, ⛱, « Jardin fleuri » – E VISA U **z**
fermé 25 juil. au 15 août, dim. et lundi – **R** 85/140 et carte
Spéc. Minestrone de langoustines aux flageolets, Pavé de foie de veau à la sauge, Feuilleté aux laeckerli.

XXX **Zum Schützenhaus,** Schützenmattstrasse 56 ✉ 4051 ✆ 23 67 60, ⛱ – Ⓟ. AE ⊙ E VISA AY **e**
R carte 70 à 95 ♁, enf. 30.

XXX **Terrasse,** Haltingerstrasse 104 (5e étage) ✉ 4057 ✆ 692 34 78 – AE ⊙ E VISA
fermé 18 juil. au 15 août, dim. et lundi – **R** 60/98. CX **v**

XX **Casanova,** 9 Spalenvorstadt ✉ 4051 ✆ 25 55 37 – AE ⊙ E VISA BY **q**
fermé 10 juil. au 8 août, dim., lundi et fériés – **R** 75/95 ♁, enf. 16.

XX **Donati,** St-Johannsvorstadt 48, ✉ 4056 ✆ 57 09 19, ⛱, cuisine italienne BX **p**
fermé juil. et lundi – **R** 24/30 ♁.

X **St Alban Eck,** St Alban Vorstadt 60 ✉ 4052 ✆ 22 03 20, « Ambiance locale » – AE ⊙ E VISA CDY **t**
fermé 24 déc. au 2 janv., sam., dim. et fériés – **R** carte 45 à 85 ♁.

X **Hägemerstübli,** Hegenheimerstrasse 133 ✉ 4055 ✆ 43 94 35, ⛱, Cuisine alsacienne familiale – AE ⊙ E VISA T **e**
fermé 24 déc. au 4 janv., dim. et lundi – **R** 75.

à Binningen 2 km – ✉ **4102** Binningen :

🏨 **Schlüssel,** Schlüsselgasse 1 ✆ 47 25 66, ⛱, 🚗 – |♦| ⌂wc ⌂wc ☎ Ⓟ. AE ⊙ E VISA U **s**
R *(fermé dim.)* carte 40 à 60 ♁ – **27 ch** ⊡54/120.

XXX **Schloss Binningen,** Schlossgasse 5 ✆ 47 20 55, ⛱, « Gentilhommière du 16e s., bel intérieur, jardin » – Ⓟ. AE E VISA U **r**
fermé 25 juil. au 11 août, 5 au 13 fév., dim. soir et lundi – **R** carte 60 à 105 ♁.

XXX Holee-Schloss, Hasenrainstrasse 59 ✆ 47.24.30, ← – ▤ U **a**

à Riehen par ② : 5 km – ✉ **4125** Riehen :

🏨 **Ascot** Ⓜ, Baselstrasse 67 ✆ 67 39 51, Télex 962424, « Bel aménagement intérieur » – |♦| ▤ rest TV ⌂wc ⌂wc ☎ 🚗. AE ⊙ E VISA
R carte 45 à 60 ♁, enf. 9 – **25 ch** ⊡84/210.

à l'Aéroport de Bâle-Mulhouse par ⑧ : 8 km :

XX **Airport rest,** 5e étage de l'aérogare, ←.
Secteur Suisse, ✉ 4030 Bâle ✆ 57 32 32 – AE ⊙ E VISA
R carte 45 à 60 ♁, enf. 14.
Secteur Français, ✉ 68300 St-Louis ✆ 89 69 77 48 – AE ⊙ E VISA
R (en FF) carte 100 à 160 ♁, enf. 33.

à Hofstetten par ⑦ : 12,5 km – ✉ **4114** Hofstetten :

X **Landgasthof "Rössli"** ⛰ avec ch, ✆ 75 34 75, ⛱ – Ⓟ. AE ⊙ E VISA
fermé 15 janv. au 15 fév. et merc. – **R** carte 45 à 60 ♁ – **7 ch** ⊡30/60.

Autres ressources hôtelières : **Voir *St-Louis*** (France) NO : 5 km.

BALLEROY 14490 Calvados 54 ⑭ **G. Normandie Cotentin** – 780 h.
Voir Château★ – Paris 278 – Bayeux 15 – Caen 37 – St-Lô 21 – Vire 46.

XX **Manoir de la Drôme,** ✆ 31 21 60 94, 🚗 – Ⓟ. AE E VISA
fermé 19 janv. au 16 fév., dim. soir et lundi – **R** 94/143.

CITROEN Gar. du Bessin, ✆ 31 21 60 11 N ✆ 31 21 67 42

La BALME-DE-SILLINGY 74330 H.-Savoie 74 ⑥ – 1 996 h.
Paris 528 – Annecy 10 – Bellegarde-sur-Valserine 31 – Belley 59 – Frangy 15 – ♦Genève 45.

🏨 **Les Rochers,** N 508 ✆ 50 68 70 07, ←, 🚗 – ⌂wc ⌂wc ☎ Ⓟ – 🏔 50 à 70. AE E VISA – *fermé 1er au 6 nov., janv., dim. soir et lundi hors sais.* – **R** 72/210, enf. 40 – ⊡ 25 – **25 ch** 130/190 – ½ p 165/210.
Annexe La Chrissandière ⛰, ✆ 50 68 70 07, ←, « Jardin fleuri, 🏊 » – TV ⌂wc ☎ Ⓟ. AE E VISA – **R** voir H. **Les Rochers** – ⊡ 25 – **10 ch** 260 – ½ p 250.

BANDOL 83150 Var 84 ⑭ G. Côte d'Azur – 6 713 h. – Casino.

Voir Allées Jean-Moulin*.

Accès dans l'Ile de Bendor par vedette 7 mn - En 1987 : voyageurs 15 F (AR) - ✆ 94 29 44 34 (Bandol).

ℹ Office de Tourisme allées Vivien ✆ 94 29 41 35, Télex 400383.

Paris 824 ① – Aix-en-Provence 68 ② – ♦Marseille 51 ② – ♦Toulon 17 ②.

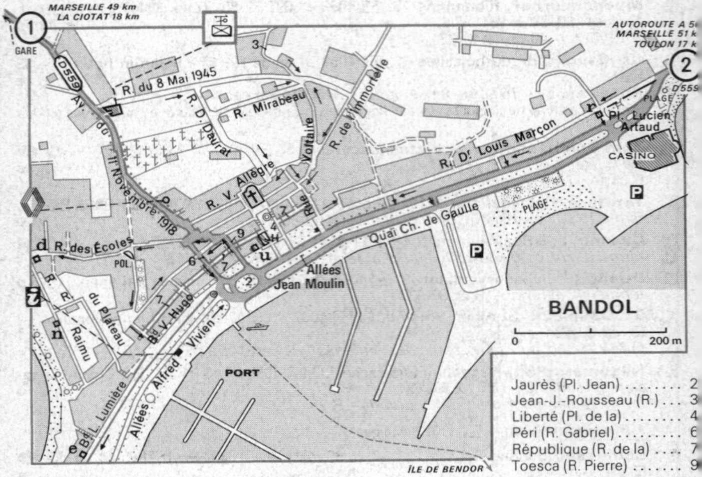

Jaurès (Pl. Jean)	2
Jean-J.-Rousseau (R.)	3
Liberté (Pl. de la)	4
Péri (R. Gabriel)	6
République (R. de la)	7
Toesca (R. Pierre)	9

Pullman-Ile Rousse Ⓜ, bd L.-Lumière **(e)** ✆ 94 29 46 86, Télex 400372, <, – 100. AE ⓓ E VISA
Les Oliviers **R** carte 240 à 340, enf. 90 – **La Goëlette** à la plage, *(Pâques-fin sept.)* **R** (déj. seul.) 70/95, enf. 42 – 55 – **53 ch** 640/1080 – 1/2 p 865/1115.

La Ker Mocotte Ⓜ, r. Raimu **(n)** ✆ 94 29 46 53, <, « Terrasses surplombant la mer », – wc wc – 40. ch
27 fév.-17 oct. – **R** (dîner pour résidents seul.) 120/160 – 32 – **19 ch** 210/285.

Le Provençal, r. Écoles **(d)** ✆ 94 29 52 11, Télex 400308 – wc wc. AE ⓓ E VISA.
R 82/121, enf. 56 – 22 – **22 ch** 231/251 – 1/2 p 250/270.

Baie sans rest, 62 r. Dr L.-Marçon **(r)** ✆ 94 29 40 82 – wc. ⓓ E VISA
fermé janv. – 25 – **14 ch** 230.

Golf H. sans rest, sur plage Rènecros par bd L.-Lumière ✆ 94 29 45 83, <, – wc wc Ⓟ. E VISA.
Pâques-mi-oct. – 25 – **24 ch** 250/390.

Splendid H., sur plage Rènecros par r. Ecoles ✆ 94 29 41 61, – wc wc Ⓟ. VISA.
15 mars-31 oct. – **R** 100 – 22 – **22 ch** 210/230 – 1/2 p 222/232.

Les Galets, par ② : 0,5 km ✆ 94 29 43 46, <, – wc Ⓟ. VISA.
hôtel : 1er avril-31 oct. ; rest. : 1er mai-30 sept. – **R** 88/150 – 20 – **21 ch** 93/185 – 1/2 p 198/290.

Bel Ombra Ⓜ, r. La Fontaine ✆ 94 29 40 90 – wc wc. E VISA. rest
1er mai-30 sept. – **R** 85 – 30 – **19 ch** 170/225 – 1/2 p 195/225.

Provence, Chemin St Marc par ① : 0,5 km ✆ 94 29 41 36 – wc Ⓟ. rest
Pâques - mi-oct. – **R** (dîner seul.) 90 – 20 – **13 ch** 120/170.

XXX **Réserve** avec ch, rte de Sanary par ② ✆ 94 29 42 71, <, – wc Ⓟ. AE ⓓ E VISA
R carte 215 à 300, enf. 65 – 28 – **16 ch** 125/330 – 1/2 p 225/328.

XXX **Aub. du Port,** 9 allées J.-Moulin **(u)** ✆ 94 29 42 63, – AE ⓓ E VISA
R 150/255, enf. 45.

XX **Parc,** Corniche Bonaparte ✆ 94 29 52 10, <, – E VISA
fermé 15 janv. au 15 fév., mardi soir et merc. (sauf le soir en juil.-août) – **R** 68/198.

RENAULT Gar. Pieraccini, 6 av. du 11-Novembre ✆ 94 29 40 24

BANGOR 56 Morbihan 63 ⑪ – voir à Belle-Ile.

BANNEGON 18 Cher 69 ② – 297 h. – ✉ **18210** Charenton-du-Cher.

Paris 280 – Bourges 42 – St-Amand-Montrond 24 – Sancoins 18.

XX **Aub. Moulin de Chaméron** 🔇 avec ch, **SE : 3 km par D 76 et VO** ☎ **48 61 83 80**, 🌳, « Moulin du 18e s. », 🏊, 🌲 – 🛁wc 🚿wc ☎ ♿ Ⓟ. E VISA. 🚫 rest
5 mars-15 nov. et fermé mardi hors sais. – **R** 110/175 🍷, enf. 50 – ☕ 30 – **12 ch** 180/325.

BANYULS-SUR-MER **66650** Pyr.-Or. 86 ⑳ **G. Pyrénées Roussillon** – 4 250 h.

Voir ✻★★ du cap Réderis E : 2 km – ℹ Office de Tourisme av. République ☎ 68 88 31 58.

Paris 941 – Cerbère 10 – ♦Perpignan 37 – Port-Vendres 6.

🏨 **Le Catalan** M 🔇, rte Cerbère ☎ **68 88 02 80**, **Télex 500557**, ≤ Banyuls et la côte, 🏊, 🎾 – 🛗 ☎ Ⓟ. AE ⓓ VISA
1er mai-10 oct. – **R** 150/350 – ☕ 30 – **36 ch** 380 – ½ p 370/470.

🏨 **Les Elmes**, plage des Elmes ☎ **68 88 03 12**, ≤ – ▤ ch 🚿wc ☎ Ⓟ. AE E VISA.
🚫 rest
20 mars-30 oct. – **R** 70/200 🍷 – ☕ 30 – **21 ch** 210/350 – ½ p 240/300.

🏨 **Canal**, 9 r. Dugommier ☎ **68 88 00 75** – 🚿
◆ *20 mars-2 oct.* – **R** 60/100 – ☕ 20 – **30 ch** 125/200 – ½ p 140/170.

XXX **Le Sardinal**, pl. Reig ☎ **68 88 30 07**, 🌳 – E VISA
fermé 12 au 28 oct., 3 au 25 janv., dim. soir et lundi du 15 sept. au 15 juin – **R** 70/250, enf. 35.

X **La Pergola** avec ch, av. Fontaulet ☎ **68 88 02 10** – 🚿wc ☎. E VISA
◆ *25 mars-14 nov.* – **R** 65/150 – ☕ 19 – **17 ch** 150/240 – ½ p 200/270.

BAPAUME **62450** P.-de-C. 53 ⑫ – 4 085 h.

Paris 155 – ♦Amiens 47 – Arras 27 – Cambrai 29 – Douai 42 – Doullens 49 – St-Quentin 48.

🏨 **Paix**, av. A.-Guidet ☎ **21 07 11 03** – 🛁wc ☎ 🚗 Ⓟ. AE E VISA
◆ *fermé 1er au 15 août (sauf hôtel) et 20 déc. au 4 janv.* – **R** *(fermé sam.)* 58/120 🍷 – ☕ 20 – **16 ch** 95/180 – ½ p 230/250.

XX **Host. Les Tilleuls** M 🔇 avec ch, **62 fg Péronne** ☎ **21 59 24 24**, **parc** – TV 🛁wc ☎ Ⓟ. AE E VISA. 🚫 ch
fermé dim. soir et lundi midi – **R** 90/140, enf. 45 – ☕ 25 – **7 ch** 240/290 – ½ p 310/460.

V.A.G. Zuliani-Roose, 42 fg d'Arras ☎ 21 58 90 22

BAPEAUME 76 S.-Mar. 55 ⑥ – rattaché à Rouen.

La BARAQUE 63 P.-de-D. 73 ⑭ – rattaché à Clermont-Ferrand.

BARAQUEVILLE **12160** Aveyron 80 ② – 2 225 h. alt. 791.

Paris 642 – Albi 59 – Millau 74 – Rodez 19 – Villefranche-de-Rouergue 43.

🏨 **Segala Plein Ciel** 🔇, rte Albi ☎ **65 69 03 45**, ≤, 🏊, 🌲, 🎾 – 🛗 TV 🛁wc 🚿 ☎ Ⓟ – 🏛 350. E VISA. 🚫 ch – *fermé vend. soir, dim. soir et lundi hors sais.* – **R** 80/200 – ☕ 27 – **45 ch** 180/290 – ½ p 250/330.

PEUGEOT-TALBOT Sacrispeyre, ☎ 65 69 00 43 N

BARBAZAN **31510** H.-Gar. 86 ① – 386 h.

Paris 848 – Bagnères-de-Luchon 31 – Lannemezan 24 – St-Gaudens 13 – Tarbes 59 – ♦Toulouse 103.

🏨 **Host. de l'Aristou** 🔇, rte Sauveterre ☎ **61 88 30 67**, 🌳 – ⇹ TV 🛁wc ☎ Ⓟ – 🏛 40. AE ⓓ E VISA
R 90/220, enf. 50 – ☕ 30 – **8 ch** 150/300 – ½ p 250/400.

au NO : 3 km par D33 et VO – ✉ **31510** Barbazan :

🏨 **Panoramique** M 🔇, **N : 3 km par D 33** ☎ **61 88 35 23**, ≤ Pyrénées, 🌳, 🌲 – 🛁wc ☎ Ⓟ – 🏛 40. VISA. 🚫 rest
fermé nov. – **R** *(fermé lundi)* 80/150, enf. 40 – ☕ 25 – **20 ch** 190/220 – ½ p 260.

La BARBEN 13 B.-du-R. 84 ② – rattaché à Salon-de-Provence.

BARBENTANE **13570** B.-du-R. 83 ⑩ **G. Provence** – 3 249 h.

Voir Décoration intérieure★ du château – Abbaye St-Michel-de-Frigolet : boiseries★ de la chapelle N.-D.-du-Bon-Remède S : 5 km.

ℹ Syndicat d'Initiative à la Mairie ☎ 90 95 50 39.

Paris 695 – Avignon 9,5 – Arles 33 – ♦Marseille 105 – Nîmes 40 – Tarascon 15.

🏨 **Castel Mouisson** 🔇 sans rest, **quartier Castel-Mouisson, par rte Rognonas : 1,5 km** ☎ **90 95 51 17**, 🏊, 🌲, 🎾 – 🛁wc ☎ ♿ Ⓟ. 🚫
15 mars-15 oct. – ☕ 25 – **16 ch** 210/230.

🏨 **St-Jean**, ☎ **90 95 50 44**, 🌳 – ▤ rest TV 🚿wc Ⓟ. E VISA. 🚫 ch
◆ *fermé 1er au 15 fév. et lundi sauf juil.-août* – **R** 58/98, enf. 40 – ☕ 17 – **14 ch** 115/140 – ½ p 150.

BARBERAZ 73 Savoie 74 ⑮ – rattaché à Chambéry.

BARBEREY-ST-SULPICE 10 Aube 61 ⑯ – rattaché à Troyes.

BARBÉZIEUX 16300 Charente 72 ⑫ **G. Poitou Vendée Charentes** – 5 067 h.

Office de Tourisme 3 bd Chanzy (juil.-août) ✆ 45 78 02 54 et à l'Hôtel de Ville ✆ 45 78 20 22.

Paris 476 ① – Angoulême 33 ① – ♦Bordeaux 83 ⑤ – Cognac 34 ⑦ – Jonzac 23 ⑥ – Libourne 67 ⑤.

BARBEZIEUX

Carnot (R. Sadi) .... Y
Église (Pl. de l') .... Y 8
Jambon (R. Marcel) .... Z 15
Marché (Pl. du) .... Y 16
République (R. de la) .... Z 18
St-Mathias (R.) .... Y 20
Victor-Hugo (R.) .... YZ 29

Alma (R. de l') .... Z 2
Banchereau (R. A.) .... Z 4
Basses-Douves (R. des) .... Y 5
Champ-de-Foire (Pl. du) .... Z 6
Chanzy (Bd) .... YZ 7
Europe (Av. de l') .... Y 9
Foucaud (R. du Cdt-Léo) .... Z 10
Fougerat (R. du Cdt-H.) .... Z 12
Gambetta (Bd) .... Z 14
Trarieux (R.) .... Z 24
Veillon (R. Thomas) .... Z 25
Verdun (Pl. de) .... Y 27
Viaud (Av.) .... Y 28
Vinet (R. Élie) .... Y 30

Pour un bon usage des plans de villes, voir les signes conventionnels p. 23.

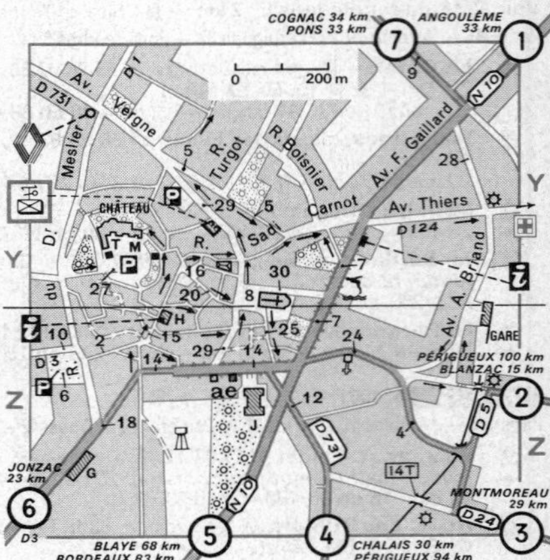

🏨 **La Boule d'Or,** 9 bd Gambetta ✆ 45 78 22 72, 🍽, 🌳 – ⛟wc 🚿wc ☎ 🚗 Ⓟ – 🏛 30 à 60. AE E VISA Z a
R 45/200, enf. 35 – ☕ 20 – **28 ch** 95/218 – ½ p 175/215.

🏨 **La Venta** Ⓜ, à Bois Vert par ⑤ : 11 km sur N 10 ✉ 16360 Baignes-Ste-Radegonde ✆ 45 78 40 95, 🏊, 🌳, 🎾 – ⛟wc 🚿wc ☎ Ⓟ – 🏛 30. E VISA
fermé 21 déc. au 4 janv., vend. soir et sam. midi d'oct. à mai (sauf vacances scolaires) – **R** 47/150 🍷 – ☕ 15 – **23 ch** 100/140 – ½ p 148/180.

✕ **Vieille Auberge** avec ch, **5 ter bd Gambetta** ✆ 45 78 02 61, 🍽 – ⇕ ☎. E VISA
fermé 3 au 16 mai, 1er au 21 nov., dim. soir et lundi – **R** 48/170 🍷, enf. 34 – ☕ 18 – **6 ch** 66/140 – ½ p 132. Z e

RENAULT Cholet, av. Vergnes ✆ 45 78 11 66 N ✆ 45 78 57 95
V.A.G. Puyravaud, 13 bd Gambetta ✆ 45 78 12 13

Charente-Pneus, St-Hilaire ✆ 45 78 03 58

BARBIZON 77630 S.-et-M. 61 ①②, 196 ㊺ **G. Environs de Paris** – 1 273 h.

Voir Gorges d'Apremont★ : Grand Belvédère★ E : 4 km puis 15 mn.

Office de Tourisme 41 r. Grande ✆ (1) 60 66 41 87.

Paris 57 – Étampes 39 – Fontainebleau 9,5 – Melun 11 – Pithiviers 47.

🏨 ✿ **Bas-Bréau** Ⓜ 🔇, ✆ **(1) 60 66 40 05, Télex 690953,** 🍽, **« Jardin fleuri »**, **parc,** 🎾 – TV ☎ 🚗 Ⓟ – 🏛 30. AE E VISA
fermé début janv. à mi fév. – **R** carte 350 à 480 – ☕ 70 – **12 ch** 840/1250, 7 appartements 1450/2270
Spéc. Feuillantine de grouse d'Ecosse, Canard sauvage rôti.

XXX **Les Pléiades** 🔇 avec ch, ✆ **(1) 60 66 40 25, Télex 692131,** 🍽, 🌳 – TV ⛟wc ☎ 🚗 – 🏛 40. AE ⓓ E VISA
R 125/170, enf. 85 – ☕ 30 – **15 ch** 230/310, 3 appartements 480.

XXX **Host. Clé d'Or** 🔇 avec ch, ✆ **(1) 60 66 40 96,** 🍽, 🌳 – TV ⛟wc 🚿wc ☎ Ⓟ – 🏛 30. AE ⓓ E VISA
fermé dim. soir – **R** 140 et carte le dim., enf. 80 – ☕ 30 – **15 ch** 180/420.

XX **L'Angélus,** ✆ (1) 60 66 40 30, 🍽 – Ⓟ. AE ⓓ VISA
fermé fév. et merc. – **R** carte 115 à 190.

✕ **Le Relais de Barbizon,** ✆ (1) 60 66 40 28, 🍽 – VISA
fermé 16 au 31 août, 20 déc. au 5 janv., mardi et merc. – **R** 94/129.

sur la N 7, à l'orée de la forêt E : 1,5 km – ✉ **77630** Barbizon :

XXX **Grand Veneur,** ✆ **(1) 60 66 40 44, « Salle rustique avec grande broche devant un feu de bois »** – Ⓟ. AE ⓓ VISA
fermé 28 juil. au 26 août, merc. soir et jeudi – **R** carte 250 à 350.

BARBOTAN-LES-THERMES 32 Gers 79 ⑫ **G. Pyrénées Aquitaine** – Stat. therm. (fév.-23 déc.) – ✉ **32150** Cazaubon.

Office de Tourisme pl. Armagnac (fév.-23 déc.) ✆ 62 69 52 13.

Paris 713 – Aire-sur-l'Adour 36 – Auch 72 – Condom 36 – Marmande 70 – Nérac 43.

La Bastide Gasconne M, ✆ 62 69 52 09, Télex 521009, ⛱, , – ☎ Ⓟ – 50. AE. rest
1er avril-31 oct. – **R** 260/345 – 40 – **35 ch** 322/552.

Château de Bégué, SO : 2 km par D 656 ✆ 62 69 50 08, ←, « Petit manoir dans un parc », – cuisinette ☎ Ⓟ. VISA. rest
hôtel : 15 mars-1er nov. ; rest. : 1er mai-1er oct. – **R** 130/135 – **35 ch** 272/345 – 1/2 p 275/366.

Cante Grit, ✆ 62 69 52 12, – wc wc ☎ Ⓟ. AE E VISA. rest
15 avril-31 oct. – **R** 90 – 29 – **23 ch** 185/280 – 1/2 p 260/320.

Ambassade Gourmande et Panorama, ✆ 62 69 53 75, – wc wc ☎ Ⓟ. AE ① E VISA. rest
fermé 25 au 30 juil., janv. et fév. – **R** *(fermé mardi)* 65/180 bc – 30 – **17 ch** 240/300 – 1/2 p 230/270.

Paix, ✆ 62 69 52 06, – wc ☎ Ⓟ. E VISA. rest
3 avril-20 nov. – **R** 85/130 – 24 – **32 ch** 227/300 – 1/2 p 310/380.

Beauséjour, ✆ 62 69 52 01, ←, – wc ☎ Ⓟ.
12 avril-30 oct. – **R** 90/100 – 22 – **30 ch** 100/250 – 1/2 p 210/340.

Roseraie, ✆ 62 69 53 26, , – wc ☎ Ⓟ. rest
15 avril-31 oct. – **R** 76/150, enf. 35 – 26 – **33 ch** 88/228 – 1/2 p 215/330.

à Cazaubon SO : 3 km par D 626 – ✉ **32150** Cazaubon :

Château Bellevue, ✆ 62 09 51 95, Télex 521429, ←, « Dans un parc » – wc ☎ Ⓟ – 30. AE ① VISA
15 mars-15 nov. – **R** 110/210 – 32 – **26 ch** 158/352 – 1/2 p 250/380.

à Parleboscq 5 km par D 656, D 15 et D 37 – ✉ **40310** Gabarret :

Le Hay, ✆ 58 44 32 10, , « Parc » – Ⓟ. E VISA
15 avril-15 oct. – **R** *(fermé lundi sauf fériés)* 135/255, enf. 60.

Le BARCARÈS 66420 Pyr.-Or. 86 ⑩ – 2 221 h. – Casino: à Port-Barcarès.

Office de Tourisme Front de Mer ✆ 68 86 16 56.

Paris 895 – Narbonne 64 – ♦Perpignan 21 – Quillan 84.

à Port-Barcarès – **G. Pyrénées Roussillon.**

Hélios M, ✆ 68 86 32 82, , – TV wc wc ☎ Ⓟ. E VISA
fermé janv. – **R** 100/170, enf. 45 – 35 – **50 ch** 311/442 – 1/2 p 421.

RENAULT Gar. Castay, bd du 14 Juillet ✆ 68 86 10 35   Gar. Tébar, N 9, Port-Barcarès ✆ 68 86 06 66 N

BARCELONNETTE SP 04400 Alpes-de-H.-P. 81 ⑧ **G. Alpes du Sud** – 3 314 h. alt. 1 132 – Sports d'hiver au Sauze SE : 4 km, à Super-Sauze SE : 10 km et à Pra-Loup SO : 8,5 km.

Voir Portail Sud★ de l'église de St-Pons NO : 2 km.

Office de Tourisme pl. 7 Portes ✆ 92 81 04 71, Télex 401590.

Paris 736 – Briançon 84 – Cannes 221 – Cuneo 100 – Digne 87 – Gap 69 – ♦Nice 209.

Le Passe-Montagne, SO : 3 km rte Cayolle ✆ 92 81 08 58, , – Ⓟ. AE ① E VISA
fermé 2 mai au 10 juin et 15 nov. au 15 déc. – **R** 89/176.

La Mangeoire, pl. 4-Vents (près Église) ✆ 92 81 01 61 – ① VISA
fermé fin nov. au 15 déc., 30 mai au 21 juin, dim. soir et lundi – **R** 59/175, enf. 39.

au Sauze SE : 4 km par D 900 et D 209 – alt. 1 380 – Sports d'hiver : 1 400/2 400 m 23 – ✉ **04400** Barcelonnette

Alp'H. M, ✆ 92 81 05 04, Télex 420437, ←, , , – cuisinette TV ☎ Ⓟ – 50. AE ① E VISA
10 juin-26 oct. et 15 déc.-25 avril – **R** 60/100 – 30 – **24 ch** 380/470, 10 appartements 540/1050 – 1/2 p 420/510.

L'Équipe, ✆ 92 81 05 12, ← – wc Ⓟ. VISA. rest
20 juin-15 sept. et 15 déc.-15 avril – **R** 85/95, enf. 65 – 25 – **24 ch** 170/225 – 1/2 p 190/220.

Soleil des Neiges, ✆ 92 81 05 01, Télex 405879, ←, – wc wc ☎ Ⓟ. AE ①. rest
20 juin-20 sept. et 19 déc.-15 avril – **R** 95/160 – 25 – **30 ch** 100/280 – 1/2 p 175/240.

Les Flocons, ✆ 92 81 05 03, ← – wc wc. AE E VISA
15 juin-15 sept. et 15 déc.-15 avril – **R** 70/140 – 24 – **20 ch** 130/170 – 1/2 p 180/200.

à Super-Sauze S : 10 km par D 9 et D 9A – alt. 1 700 – Sports d'hiver : voir au Sauze – ✉ **04400** Barcelonnette :

Pyjama M sans rest, ✆ 92 81 12 00, ← – wc ☎ P
début juil.-fin août et 15 déc.-Pâques – ☐ 30 – **10 ch** 200/340.

Op Traken, ✆ 92 81 05 22, ←, – wc wc ☎. VISA
juil.-août et 15 déc.-15 avril – **R** 75/95, enf. 35 – ☐ 30 – **12 ch** 180/300 – ½ p 270/320.

Ourson, ✆ 92 81 05 21, ←, – wc wc ☎ P. rest
1er juil.-31 août et 20 déc.-30 avril – **R** 60/80, enf. 45 – ☐ 25 – **20 ch** 168/186 – ½ p 200/230.

à Pra-Loup SO : 8,5 km par D 902 et D 109 – alt. 1 600 – Sports d'hiver : 1 500/2 500 m 3 29 – ✉ **04400** Barcelonnette.

Office de Tourisme La Maison de Pra-Loup ✆ 92 84 10 04, Télex 420269.

Les Airelles sans rest, ✆ 92 84 13 24, ← – wc ☎ P.
10 juil.-31 août et 10 déc.-fin avril – ☐ 27 – **20 ch** 270/370.

Le Prieuré, à Molanès ✆ 92 84 11 43, – wc wc. AE E VISA
fermé 1er oct. au 15 déc. – **R** (en hiver dîner seul.) 90/160, enf. 42 – ☐ 25 – **14 ch** 225/250 – ½ p 240/300.

CITROEN Gar. de la Gravette, ✆ 92 81 01 66 N ✆ 92 81 17 52
PEUGEOT-TALBOT Gar. de l'Ubaye, ✆ 92 81 02 45
RENAULT Gar. Bertholet, 15 av. 3 frères Arnaud ✆ 92 81 00 25 N

BARCUS 64 Pyr. Atl. 85 ⑤ – 916 h. – ✉ 64130 Mauléon-Soule.

Paris 822 – Mauléon-Licharre 15 – Oloron-Ste-Marie 16 – Pau 49 – St-Jean-Pied-de-Port 55.

XX **Chilo** avec ch, ✆ 59 28 90 79, – P. E VISA
fermé 5 janv. au 10 fév. et lundi du 16 sept. au 13 juil. – **R** 45/155 – ☐ 14 – **11 ch** 65/165 – ½ p 130/160.

BARÈGES 65 H.-Pyr. 85 ⑱ G. Pyrénées Aquitaine – 344 h. alt. 1 250 – Stat. therm. (15 mai-10 oct.) – Sports d'hiver : 1 250/2 350 m 1 22 – ✉ 65120 Luz-St-Sauveur.

Syndicat d'Initiative ✆ 62 92 68 19, Télex 521995.

Paris 840 – Arreau 54 – Bagnères-de-Bigorre 40 – Lourdes 38 – Luz-St-Sauveur 7 – Tarbes 58.

Europe, ✆ 62 92 68 04, – wc wc ☎. VISA. rest
8 juin-23 sept. et 24 déc.-8 avril – **R** 52/250, enf. 28 – ☐ 20 – **53 ch** 170/220 – ½ p 165/243.

Richelieu, ✆ 62 92 68 11 – wc wc. AE E VISA. rest
6 juin-23 sept. et 20 déc.-10 avril – **R** 50/150, enf. 50 – ☐ 20 – **33 ch** 150/250 – ½ p 180/220.

BARENTIN 76360 S.-Mar. 55 ⑥ G. Normandie Vallée de la Seine – 12 776 h.

Paris 156 – Dieppe 49 – Duclair 10 – •Rouen 17 – Yerville 15 – Yvetot 19.

Campanile, RN 15 ✆ 35 92 64 04, Télex 771680 – TV wc ☎ P – 25. VISA
R 63 bc/86 bc, enf. 38 – ☐ 24 – **49 ch** 200/220 – ½ p 287/330.

XX **Aub. Gd St-Pierre**, 19 av. Victor-Hugo ✆ 35 91 03 37 – E VISA
fermé 1er au 12 août, 25 janv. au 8 fév., dim. soir et lundi – **R** 69/127.

PEUGEOT-TALBOT Barbier, 32 av. V.-Hugo ✆ 35 91 22 64
RENAULT Roussel, r. A.-Briand ✆ 35 91 10 52
RENAULT Sellier, av. E.-Zola ✆ 35 91 11 60

BARFLEUR 50760 Manche 54 ③ G. Normandie Cotentin – 630 h.

Voir Phare de la Pointe de Barfleur: ** N : 4 km.

Env. La Pernelle ** du blockhaus S : 6,5 km.

Syndicat d'Initiative quai H.-Chardon (juil.-août).

Paris 358 – •Caen 117 – Carentan 48 – Cherbourg 27 – St-Lô 76 – Valognes 25.

Conquérant sans rest, ✆ 33 54 00 82, « Jardin » – wc wc ☎. E VISA.
fermé 15 nov. au 15 déc. et janv. – ☐ 22 – **17 ch** 100/240.

CITROEN Pesnelle, à Anneville en Saire ✆ 33 54 00 77
RENAULT Gonzalve, à Montfarville ✆ 33 54 04 21

BARGEMON 83 Var 84 ⑦ G. Côte d'Azur – 1 110 h. – ✉ 83830 Callas.

Paris 881 – Castellane 43 – Comps-sur-Artuby 20 – Draguignan 21 – Grasse 44.

XX **Aub. Pierrot**, ✆ 94 76 62 19, – VISA
fermé fév., lundi soir et mardi – **R** (nombre de couverts limité - prévenir) 53/220, enf. 38.

X **Maître Blanc**, ✆ 94 76 60 24 – . AE E VISA
fermé janv. et merc. – **R** (dîner seul. en juil.-août) 86/140.

BARJAC 48 Lozère 80 ⑤ – 544 h. alt. 666 – ✉ **48000** Mende.

Paris 584 – Mende 14 – Millau 83 – Rodez 95 – St-Flour 83.

Midi, ☎ 66 47 01 02 – wc ☎ Ⓟ
R 40/105 – 20 – **21 ch** 80/190 – 1/2 p 100/150.

BARJOLS **83670** Var 84 ⑤ **G. Côte d'Azur** – 2 016 h.

Syndicat d'Initiative bd Grisolle (15 juin-15 sept.) ☎ 94 77 20 01.

Paris 813 – Aix-en-Provence 64 – Brignoles 22 – Digne 86 – Draguignan 45 – Manosque 51.

Pont d'Or, rte St-Maximin ☎ **94 77 05 23** – wc wc E VISA
fermé 1er déc. au 15 janv. – **R** *(fermé dim. soir et lundi du 1er oct. au 31 mai)* 65/135 – 20 – **15 ch** 90/160 – 1/2 p 150/175.

RENAULT Penal, ☎ 94 77 00 51 **Inaudi,** ☎ 94 77 06 13

Können Sie wegen Verkehrsstauungen erst nach 19 Uhr in Ihrem Hotel sein, bestätigen Sie telefonisch Ihre Zimmerreservierung ;
Sie gehen sicherer... und es ist Gepflogenheit.

BAR-LE-DUC Ⓟ **55000** Meuse 62 ① **G. Champagne** – 20 029 h.

Voir Ville haute★ : "le Squelette" (statue)★★ dans l'église St-Étienne AZ.

de Combles-en-Barrois ☎ 29 45 16 03 par ④ : 5 km.

Office de Tourisme 12 r. Lapique ☎ 29 79 11 13 et pl. St-Pierre (juil.-août après-midi seul.) – A.C. 14 r. A.-Maginot ☎ 29 79 03 76.

Paris 218 ④ – Châlons-sur-Marne 70 ④ – Charleville-Mézières 140 ④ – Épinal 141 ② – ♦Metz 98 ① – ♦Nancy 83 ② – Neufchâteau 73 ② – ♦Reims 122 ④ – St-Dizier 24 ③ – Verdun 56 ①.

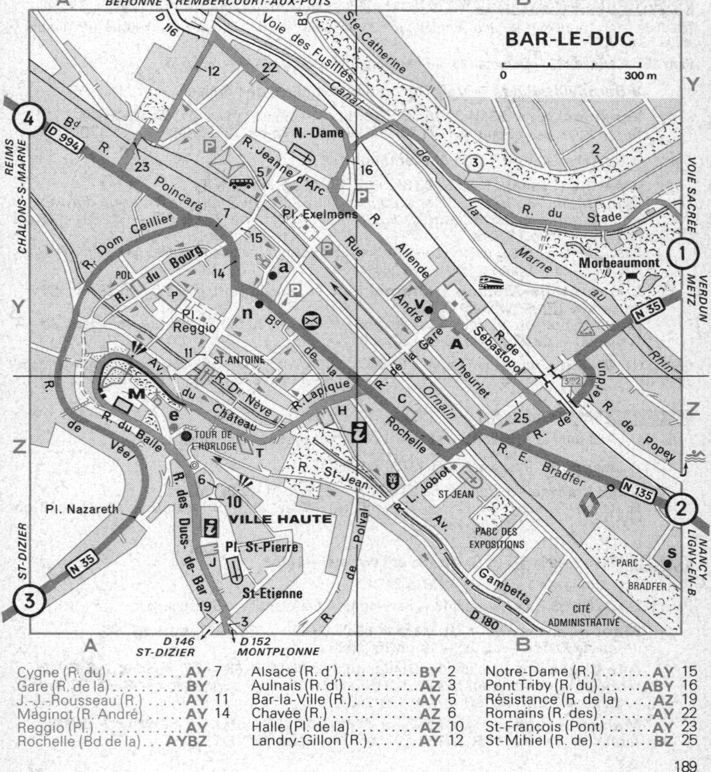

Cygne (R. du) . . . . AY 7
Gare (R. de la) . . . . BY
J.-J.-Rousseau (R.) . . . . . AY 11
Maginot (R. André) . . . . . AY 14
Reggio (Pl.) . . . . AY
Rochelle (Bd de la) . . . AYBZ

Alsace (R. d') . . . . BY 2
Aulnais (R. d') . . . . AZ 3
Bar-la-Ville (R.) . . . . AY 5
Chavée (R.) . . . . AZ 6
Halle (Pl. de la) . . . . AZ 10
Landry-Gillon (R.) . . . . AY 12

Notre-Dame (R.) . . . . AY 15
Pont Triby (R. du) . . . . . . ABY 16
Résistance (R. de la) . . . . AZ 19
Romains (R. des) . . . . AY 22
St-François (Pont) . . . . AY 23
St-Mihiel (R. de) . . . . BZ 25

Duc H. M, parc Bradfer ✆ 29 79 32 66 – |$| TV ☎ P – 60. AE ① E VISA. ✻ rest BZ **s**
R *(fermé août, sam. et dim.)* 65/130 – ☕ 25 – **26 ch** 260/280.

Gd. H. Metz et Commerce, 17 bd La Rochelle ✆ 29 79 02 56 – wc wc ☎ – 40 à 100. E VISA AY **n**
R *(fermé dim. soir de mi-sept. à Pâques)* 70/150 – ☕ 20 – **50 ch** 100/230.

Gare M, 2 pl. République ✆ 29 79 01 45 – TV wc ☎ – 30. AE E VISA. ✻
R 45/100 ♁ – ☕ 20 – **35 ch** 180/260 – 1/2 p 200. BY **v**

Exelmans sans rest, 5 r. du Gué ✆ 29 76 21 06 – ☎. ✻ AY **a**
fermé 1er au 15 janv. – ☕ 13,50 – **14 ch** 54/84.

Meuse Gourmande, 1 r. François de Guise (Ville Haute) ✆ 29 79 28 40, – AE ① E VISA AZ **e**
fermé dim. soir et lundi – **R** (nombre de couverts limité – prévenir) 80/145.

à Trémont-sur-Saulx par ③ et D 3 : 9,5 km – ✉ **55000** Bar-le-Duc :

Aub. de la Source M, ✆ 29 75 45 22, – wc ☎ P – 80. E VISA. ✻ rest
fermé 1er au 22 août, vacances de fév., dim. soir et lundi midi – **R** 75/260 ♁, enf. 52 – ☕ 24 – **24 ch** 200/250 – 1/2 p 275/380.

CITROEN Gd Gar. Lorrain, rte de Reims à Fains-Veel par ④ ✆ 29 45 30 22
FIAT LANCIA-AUTOBIANCHI Gar. Marinoni, 38 r. J.-d'Arc ✆ 29 76 22 65
PEUGEOT-TALBOT Gar. Billet, 83 r. Bradfer, par ② ✆ 29 79 01 30
RENAULT Gar. Central, Parc Bradfer ✆ 29 79 40 66

Barrois Pneus, 22 av. du 94ème RI ✆ 29 79 27 67
Barrois-Pneus, 31 r. Bradfer ✆ 29 79 13 01
Tiffay Pneus, r. du Lt Levasseur ✆ 29 76 10 69

BARNEVILLE 14 Calvados 55 ③ – rattaché à Honfleur.

BARNEVILLE-CARTERET 50270 Manche 54 ① G. Normandie Cotentin (plan) – 2 327 h.

Office de Tourisme r. des Écoles ✆ 33 04 90 58 et pl. Flandre-Dunkerque (avril-sept.) ✆ 33 53 84 80.

Paris 353 – ♦Caen 113 – Carentan 43 – Cherbourg 37 – Coutances 48 – St-Lô 63.

à Barneville-Plage – Voir Décoration romane★ de l'église.

Les Isles , ✆ 33 04 90 76, <, « jardin » – wc wc ☎. AE ① E VISA
fermé 25 nov. au 30 janv. – **R** 70/210, enf. 35 – **35 ch** ☕125/248 – 1/2 p 170/230.

à Carteret – Voir Table d'orientation <★.

✿ **Marine** (Cesne), ✆ 33 53 83 31, < – TV ☎ P. ① E VISA
fermé 14 nov. au 16 déc., 2 janv. au 3 fév. et 23 fév. au 2 mars – **R** *(fermé dim. soir et lundi d'oct. à mars et lundi midi sauf juil.-août)* carte 210 à 345 – ☕ 28 – **28 ch** 250/350 – 1/2 p 240/280
Spéc. St-Pierre rôti aux pommes de terre (juil.-août), Langoustines aux girolles (juil.-sept.), Feuillantine aux fraises des bois et framboises (juil.-août).

L'Hermitage-Maison Duhamel avec ch, sur le port ✆ 33 04 96 29, <, – cuisinette TV wc. ① E VISA
fermé 15 nov. au 15 déc., 4 au 25 janv., 15 fév. au 10 mars, dim. soir et merc. soir – **R** 69/150 – ☕ 22 – 6 studios 250/350.

PEUGEOT, TALBOT Gar. de la Poste, ✆ 33 04 95 22 N
RENAULT Gar. Leboisselier Quesnot, ✆ 33 50 80 14 N ✆ 33 54 83 56

Le BARP 33114 Gironde 78 ② – 2 238 h.

Paris 624 – Arcachon 42 – Belin 13 – ♦Bordeaux 32 – Langon 58 – Villandraut 43.

à Lavignolle S : 4 km – ✉ **33770** Salles :

Chez Lisette avec ch, ✆ 56 88 62 01 – wc ☎ P. VISA
R *(fermé 25 sept. au 17 oct., 31 janv. au 16 fév. et lundi)* 48/170 – ☕ 22 – **15 ch** 100/160 – 1/2 p 170/285.

BARR 67140 B.-Rhin 62 ⑨ G. Alsace et Lorraine – 4 615 h.

Syndicat d'Initiative à la Mairie ✆ 88 08 94 24.

Paris 434 – Colmar 39 – Le Hohwald 12 – Saverne 45 – Sélestat 17 – ♦Strasbourg 35.

Manoir sans rest, 11 r. St-Marc ✆ 88 08 03 40 – wc wc ☎ P. ✻
1er mars-30 nov. – ☕ 25 – **18 ch** 160/250.

A la Couronne avec ch, 4 r. Boulangers ✆ 88 08 25 83 – TV wc ☎. ① E VISA
fermé janv., lundi (sauf le soir de Pâques au 1er nov.) et dim. soir – **R** 95/230, enf. 45 – ☕ 20 – **7 ch** 110/190 – 1/2 p 190/250.

Maison Rouge avec ch, av. Gare ✆ 88 08 90 40 – wc wc ☎ . AE VISA
fermé fév. et lundi – **R** 35/160 ♁ – ☕ 17 – **13 ch** 90/180.

rte Ste-Odile : 2 km par D 854 – ✉ **67140** Barr :

du Château d'Andlau sans rest, ✆ **88 08 96 78,** – wc wc ☎ **P** – 30. **E** VISA.
19 – **25 ch** 110/220.

FORD Dallemagne, rte de Bourgheim ✆ 88 08 91 61 — PEUGEOT-TALBOT Gar. Karrer, ✆ 88 08 94 48

BARRAGE voir au nom propre du barrage.

Les BARRAQUES-EN-VERCORS 26 Drôme **77** ③④ – alt. 676 – ✉ **26420** La Chapelle-en-Vercors – **Env.** NO : Gorges des Grands-Goulets★★★, **G. Alpes du Nord.**

Paris 600 – Die 45 – Romans-sur-Isère 40 – St-Marcellin 27 – Valence 58 – Villard-de-Lans 23.

Grands Goulets , ✆ 75 48 22 45, ≤, , – wc wc **P**. VISA
1er mai-30 sept. – **R** 68/135 – 18 – **30 ch** 95/230 – 1/2 p 135/200.

BARRÊME 04330 Alpes-de-H.-P. **81** ⑰ **G. Alpes du Sud** – 421 h. alt. 720.

Paris 772 – Castellane 24 – Colmars 41 – Digne 30 – Manosque 71 – Puget-Théniers 58.

Alpes H., ✆ 92 34 20 09, – **P**
hôtel : 15 avril-30 oct. ; rest. : 1er fév.-11 nov. – **R** 58/100 – 17 – **11 ch** 80/128 – 1/2 p 105/145.

CITROEN Gar. Aune, ✆ 92 34 20 17

BARROUX 84 Vaucluse **81** ⑬ – rattaché à Caromb.

BARSAC 33 Gironde **79** ①② **G. Pyrénées Aquitaine** – 2 085 h. – ✉ **33720** Podensac.

Paris 617 – ♦Bordeaux 38 – Langon 8 – Libourne 45 – Marmande 45.

Host. du Château de Rolland avec ch, ✆ **56 27 15 75,** , parc, « **Belle demeure dans les vignes** » – TV wc ☎ **P** – 35. AE ⓞ **E** VISA
R *(fermé merc. midi de nov. à Pâques)* 150/220 – 38 – **9 ch** 280/500.

BAR-SUR-AUBE SP 10200 Aube **61** ⑲ **G. Champagne** – 7 146 h.

i Syndicat d'Initiative à l'Hôtel de Ville ✆ 25 27 04 21.

Paris 214 ③ – Châtillon-sur-Seine 59 ② – Chaumont 42 ② – Troyes 52 ③ – Vitry-le-François 66 ③.

Armand (R.) 2
Aubertin (Pl.) 4
Chenot (R.) 6
Belfort (Fg de) 8
Beugnot (R.) 9
Beurnonville (R. Gén.) .. 12
Bourbon (R.) 14
Brossolette (R. Pierre) .. 15
Carnot (Pl.) 16
Collège (R. du) 18
Croix-du-Temple (R.) ... 20
Danton (R.) 22
Gaillard (R. du Château) . 26
Gaulle (R. du Gén. de) .. 27
Jaurès (Pl. Jean) 28
Leclerc (Av. du Gén.) ... 29
Masson-de-Morfontaine (R.) 30
Mathaux (Promenade) .. 32
Payn (R. B.) 34
Romagon (R.) 36
St-Jean (R.) 38
St-Maclou (R.) 39
St-Pierre (R.) 40
Sommerard (R. du) 42
Thiers (R.) 44
Vouillemont (R. du Gén.) 46

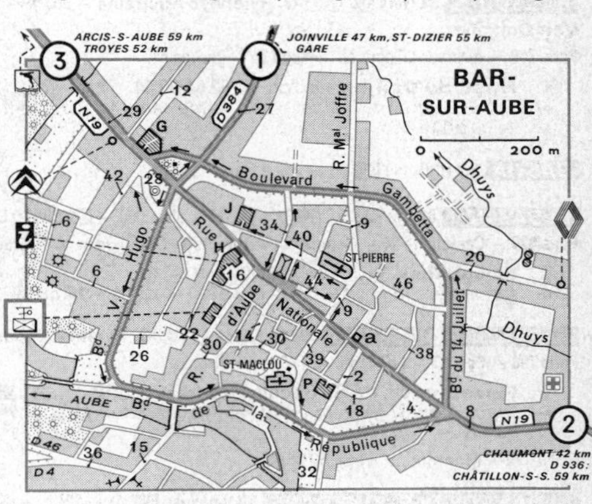

Commerce, 38 r. Nationale **(a)** ✆ 25 27 08 76 – wc wc ☎ . AE ⓞ **E** VISA
fermé début janv. à début fév. – **R** 70/150 – 25 – **16 ch** 95/220.

à Arsonval par ③ : 6 km – ✉ **10200** Bar-sur-Aube :

La Chaumière, ✆ 25 26 11 02, , – **P**. AE **E** VISA
fermé vacances de Noël et de fév., dim. soir et lundi sauf fériés – **R** 80/200, enf. 50.

à Dolancourt par ③ : 9 km – ✉ **10200** Bar-sur-Aube :

Moulin du Landion , ✆ 25 26 12 17, ≤, « Parc » – wc **P** – 30. ⓞ **E** VISA. rest
fermé déc. – **R** 80/180 – 28 – **16 ch** 200/230 – 1/2 p 215/315.

CITROEN Privé, 11 av. Gén.-Leclerc ✆ 25 27 01 23 🅽 ✆ 25 27 13 45
OPEL Gar. Damotte, à Proverville ✆ 25 27 04 47
PEUGEOT-TALBOT Vauthier, N 19 par ② ✆ 25 27 15 03
RENAULT Maigrot, 23 r. Croix-du-Temple ✆ 25 27 01 29
Gar. Roussel, 2 fg Belfort ✆ 25 27 14 00

Le BAR SUR LOUP **06620** Alpes-Mar. 84 ⑨ **G. Côte d'Azur** – 2 043 h.
Voir Site ★ – Église St-Jacques : danse macabre ★ – Place de l'église : ≤ ★.
Paris 921 – Cannes 27 – Grasse 11 – ♦Nice 36 – Vence 16.

XX **Jarrerie,** N 210 ✆ **93 42 51 30,** – **P**. E VISA
fermé 2 janv. au 31 mars et mardi – **R** 110/250 ♁.

BAR-SUR-SEINE **10110** Aube 61 ⑰⑱ **G. Champagne** – 3 851 h.
Voir Intérieur★ de l'église St-Étienne.
Paris 197 – Bar-sur-Aube 38 – Châtillon-sur-Seine 35 – St-Florentin 57 – Tonnerre 49 – Troyes 33.

Barséquanais, 6 av. Gén.-Leclerc ✆ **25 29 82 75,** – wc wc **P**. E VISA
fermé 15 déc. au 15 janv., dim. soir et lundi midi de sept. à juin – **R** 50/115 ♁, enf. 25 – ☕ 15 – **26 ch** 90/170 – ½ p 140/160.

Commerce, pl. République ✆ **25 29 86 36** – ☎ . E VISA. ✻ ch
fermé 25 sept. au 18 oct., 7 au 20 fév., lundi (sauf le soir en juil.-août) et dim. soir – **R** 50/160 ♁ – ☕ 16 – **12 ch** 75/150 – ½ p 125/175.

CITROEN Éts Lhenry, ✆ 25 29 80 20
RENAULT Jollois, ✆ 25 29 87 45 🅽
Pneumatik'Seine, ✆ 25 29 86 12

BARTENHEIM **68870** H.-Rhin 66 ⑩ – 2 452 h.
Paris 554 – Altkirch 21 – ♦Bâle 15 – Belfort 55 – Colmar 63 – ♦Mulhouse 24.

XX **Aub. d'Alsace,** à la Gare E : 1 km ✆ **89 68 31 26,** – **P**. E VISA
fermé 1er au 15 juil., merc. soir et jeudi – **R** 70/190.

BASEL Suisse 66 ⑩, 216 ④ – voir à Bâle.

BAS-RUPTS **88** Vosges 62 ⑰ – rattaché à Gérardmer.

BASSE-GOULAINE **44** Loire-Atl. 67 ③④ – rattaché à Nantes.

BASSOUES **32** Gers 82 ③④ **G. Pyrénées Aquitaine** – 503 h. – ✉ **32320** Montesquiou.
Voir Donjon★.
Paris 769 – Aire-sur-l'Adour 48 – Auch 35 – Tarbes 54.

X **Host. du Donjon** avec ch, ✆ **62 64 90 04,** –
fermé 2 au 10 nov. et fév. – **R** *(fermé sam.)* 43/170 ♁, enf. 30 – ☕ 16 – **7 ch** 85/160 – ½ p 115/160.

BASTIA **2B** H.-Corse 90 ③ – voir à Corse.

La BASTIDE **83** Var 84 ⑦, 195 ㉒ – 115 h. alt. 1 000 – ✉ **83840** Comps-sur-Artuby.
Paris 820 – Castellane 24 – Comps-sur-Artuby 12 – Draguignan 44 – Grasse 49.

de Lachens ✆ **94 76 80 01,** – **P**
fermé déc., janv. et vend. – **R** 60/110 – ☕ 14 – **14 ch** 95/145 – ½ p 180/210.

La BASTIDE-DE-SÉROU **09240** Ariège 86 ④ **G. Pyrénées Roussillon** – 962 h.
Paris 798 – Foix 17 – Le Mas-d'Azil 18 – St-Girons 27.

X **Ferré** avec ch, **rte St-Girons** ✆ **61 64 50 26,** – . VISA. ✻ ch
fermé 2 au 31 janv. et lundi sauf juil., août et fêtes – **R** 45/98 ♁ – ☕ 13 – **10 ch** 80/120 – ½ p 160.

RENAULT Montané, ✆ 61 64 50 06 🅽

La BASTIDE-DES-JOURDANS **84** Vaucluse 84 ④ – 724 h. – ✉ **84240** La Tour.
Paris 767 – Aix-en-Provence 37 – Apt 39 – Manosque 16.

XX **Mirvy** M avec ch, **par D 27 et VO : 2 km** ✆ **90 77 83 23,** ≤, **parc,** – TV wc **P**. E VISA
fermé oct., 21 au 28 fév., mardi soir et merc. – **R** 160/220, enf. 60 – ☕ 32 – **2 ch** 300 – ½ p 260/280.

BATILLY-EN-PUISAYE **45** Loiret 65 ②③ – 123 h. – ✉ **45420** Bonny-sur-Loire.
Paris 169 – Auxerre 64 – Gien 22 – Montargis 54 – ♦Orléans 86.

X **Aub. de Batilly** avec ch, ✆ **38 31 96 12** – wc
fermé 10 au 30 août – **R** 55/80 – ☕ 15 – **8 ch** 85/100 – ½ p 135/155.

BATZ (Ile de) 29253 Finistère 58 ⑥ G. Bretagne – 744 h.
Accès par transports maritimes.

depuis **Roscoff.** En 1987 : du 1er juil. au 9 sept., 14 services quotidiens et du 10 sept. au 30 juin, 8 services quotidiens - Traversée 15 mn – 22 F (AR). Renseignements : Cie Finistérienne d'Aconage ✉ 29253 Ile de Batz ☎ 98 61 76 98.

BATZ-SUR-MER 44740 Loire-Atl. 63 ⑭ G. Bretagne – 2 591 h.
Voir ** de l'église* – Chapelle N.-D. du Mûrier* – Rochers* du sentier des douaniers – La Côte Sauvage*.
Paris 458 – La Baule 7 – •Nantes 81 – Redon 60 – Vannes 71.

XX **L'Atlantide,** 59 bd de Mer ☎ 40 23 92 20, ← – E VISA
15 mars-1er nov. – **R** 110/160.

PEUGEOT Gar. Lebaud, ☎ 40 23 93 16

Les BAUDIÈRES 89 Yonne 65 ⑤ – ✉ 89550 Hery.
Paris 177 – Auxerre 17 – Chablis 20 – Joigny 22 – St-Florentin 15 – Tonnerre 36.

XX **Les Baudières** avec ch, ☎ 86 40 11 51 – fl P. E VISA
fermé fév., dim. soir hors sais. et lundi – **R** 65/200, enf. 60 – 28 – **8 ch** 145/165 – 1/2 p 195.

BAUDUEN 83 Var 84 ⑥ G. Alpes du Sud – 184 h. – ✉ 83630 Aups.
Voir Site* – Lac de Ste Croix**.
Paris 837 – Draguignan 45 – Moustiers-Ste-Marie 33.

Aub. du Lac , ☎ 94 70 08 04, ← lac – wc . ✻
15 mars-11 nov. – **R** 70/160 – 24 – **10 ch** 200/250 – 1/2 p 210/320.

BAUGÉ 49150 M.-et-L. 64 ⑫ G. Châteaux de la Loire (plan) – 3 906 h.
Voir Croix d'Anjou** dans la chapelle des Filles du Coeur de Marie – Pharmacie* de l'hôpital St-Joseph – Le Vieil-Baugé : choeur* de l'église SO : 2 km par D 61 – Forêt de Chandelais* SE : 3 km – Pontigné : peintures murales* dans l'église E : 5 km par D 141 – Syndicat d'Initiative à la Mairie ☎ 41 89 12 12 et (saison) ☎ 41 89 18 07.
Paris 260 – Angers 38 – La Flèche 18 – •Le Mans 60 – Saumur 33 – •Tours 68.

Boule d'Or, 4 r. Cygne ☎ 41 89 82 12 – flwc . VISA. ✻ ch
fermé 15 janv. au 15 fév., dim. soir sauf juil.-août et lundi – **R** 59/170 , enf. 42 – 20 – **14 ch** 85/185 – 1/2 p 160/300.

CITROEN Michaud, 890 rte de Saumur ☎ 41 89 18 12
PEUGEOT-TALBOT Gar. Conrardy, 14 rte d'Angers ☎ 41 89 20 62
RENAULT Kisseleff, 5 r. Foulgues Nerra ☎ 41 89 10 46 N ☎ 41 89 26 20

La BAULE 44500 Loire-Atl. 63 ⑭ G. Bretagne – 14 688 h. – Casino: BZ.
Voir Front de mer** – Parc des Dryades* FZ – La Baule-les-Pins** EFZ.
18 ☎ 40 60 46 18 par ② : 7 km.
de St-Nazaire-Montoir-La Baule ☎ 40 90 15 89 par ③ : 24 km.
Office de Tourisme et Accueil de France (Informations et réservations d'hôtels, pas plus de 5 jours à l'avance) 8 pl. Victoire ☎ 40 24 34 44, Télex 710050 et 5 pl. Palmiers (juil.-août) ☎ 40 60 22 13.
Paris 451 ② – •Nantes 74 ② – •Rennes 136 ② – St-Nazaire 17 ③ – Vannes 71 ①.

Plan page suivante

Hermitage , espl. F.-André ☎ 40 60 37 00, Télex 710510, ←, , parc, , , – TV P – 30 à 100. AE E VISA. ✻ rest BZ **h**
15 avril-15 oct. – **Les Evens R** carte 270 à 340 – **Plage** *(juil.-août)* **R** (déj. seul.) carte 190 à 260 – 60 – **228 ch** 1100/1810, 9 appartements.

Royal , espl. F.-André ☎ 40 60 33 06, Télex 701135, ←, , parc – TV P – 100. AE E VISA. ✻ rest BZ **t**
R 185/200 – 50 – **104 ch** 800/1470 – 1/2 p 720/1380.

✿ **Castel Marie-Louise** M , espl. Casino ☎ 40 60 20 60, Télex 700408, ←, , « Parc » – TV P – 25. AE E VISA. ✻ rest BZ **g**
R (en saison - prévenir) 230/300, enf. 85 – 59 – **29 ch** 900/1320 – 1/2 p 250
Spéc. Bavarois de saumon fumé et salicornes, Minute de bar à la compote de myrtilles, Pigeon rôti à la coque de sel de Guérande. **Vins** Muscadet, Gros Plant sur lie.

Bellevue Plage et rest. la Véranda M, 27 bd Océan ☎ 40 60 28 55, Télex 710459, ← – TV P. AE E VISA. ✻ rest EZ **r**
4 fév.-11 nov. – **R** *(fermé mardi du 1er oct. au 25 mars)* 140 – 35 – **34 ch** 360/520 – 1/2 p 330/430.

Alexandra, 3 bd R.-Dubois ☎ 40 60 30 06, ← – TV P. AE E VISA. ✻ rest DZ **u**
25 mars-30 sept. – **R** 150/220 – 28 – **36 ch** 420 – 1/2 p 390/430.

Majestic sans rest, esplanade F.-André ☎ 40 60 24 86, ← – P. AE VISA BZ **e**
31 mars-15 oct. – **66 ch** 505/540, 6 appartements 775.

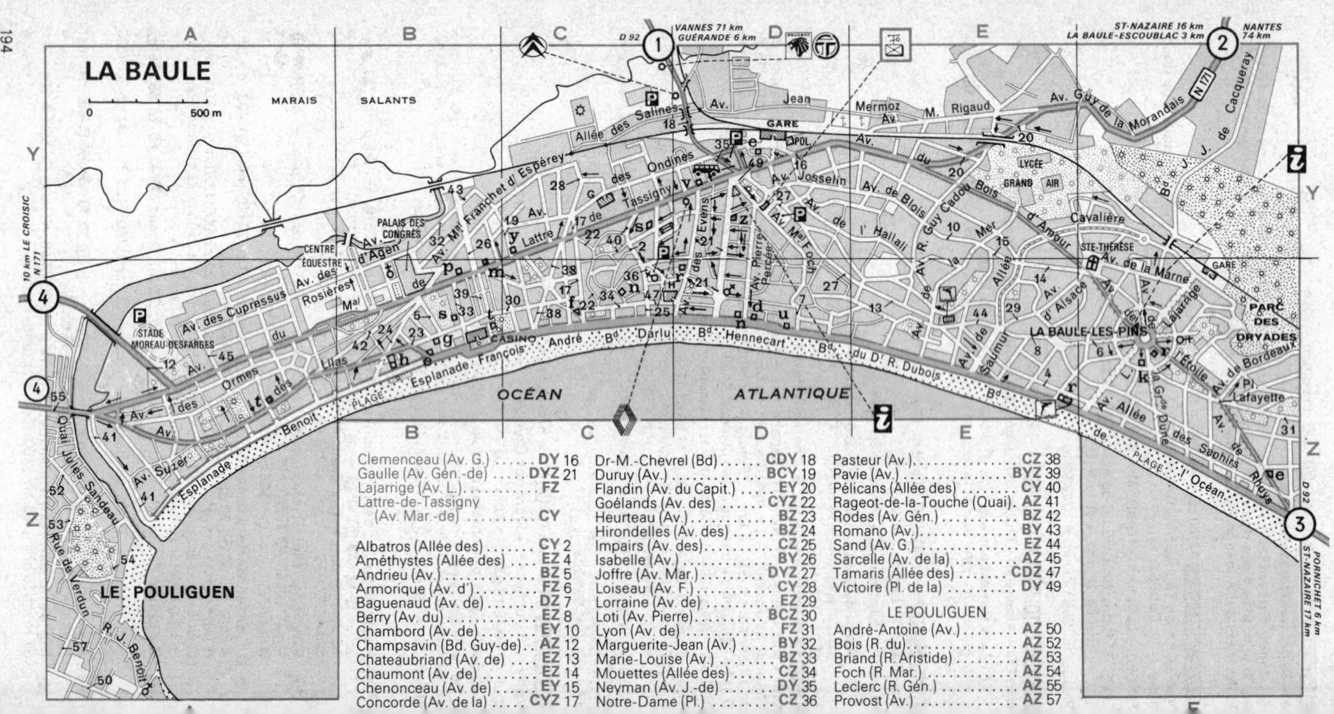

Clemenceau (Av. G.) ...... DY 16	Dr-M.-Chevrel (Bd) ...... CDY 18	Pasteur (Av.) .... CZ 38
Gaulle (Av. Gén.-de) ..... DYZ 21	Duruy (Av.) .... BCY 19	Pavie (Av.) .... BYZ 39
Lajarrige (Av. L.) .... FZ	Flandin (Av. du Capit.) ..... EY 20	Pélicans (Allée des) .... CY 40
Lattre-de-Tassigny (Av. Mar.-de) .... CY	Goélands (Av. des) ..... CYZ 22	Rageot-de-la-Touche (Quai). AZ 41
	Heurteau (Av.) .... BZ 23	Rodes (Av. Gén.) .... BZ 42
	Hirondelles (Av. des) .... BZ 24	Romano (Av.) .... BY 43
Albatros (Allée des) .... CY 2	Impairs (Av. des) .... CZ 25	Sand (Av. G.) .... EZ 44
Améthystes (Allée des) .... EZ 4	Isabelle (Av.) .... BY 26	Sarcelle (Av. de la) .... AZ 45
Andrieu (Av.) .... BZ 5	Joffre (Av. Mar.) .... DYZ 27	Tamaris (Allée des) .... CDZ 47
Armorique (Av. d') .... FZ 6	Loiseau (Av. F.) .... CY 28	Victoire (Pl. de la) .... DY 49
Baguenaud (Av. de) .... DZ 7	Lorraine (Av. de) .... EZ 29	LE POULIGUEN
Berry (Av. du) .... EZ 8	Loti (Av. Pierre) .... BCZ 30	André-Antoine (Av.) .... AZ 50
Chambord (Av. de) .... EY 10	Lyon (Av. de) .... FZ 31	Bois (R. du) .... AZ 52
Champsavin (Bd. Guy-de) .. AZ 12	Marguerite-Jean (Av.) ..... BY 32	Briand (R. Aristide) .... AZ 53
Chateaubriand (Av. de) .... EZ 13	Marie-Louise (Av.) .... BZ 33	Foch (R. Mar.) .... AZ 54
Chaumont (Av. de) .... EZ 14	Mouettes (Allée des) ...... CZ 34	Leclerc (R. Gén.) .... AZ 55
Chenonceau (Av. de) .... EY 15	Neyman (Av. J.-de) .... DY 35	Provost (Av.) .... AZ 57
Concorde (Av. de la) ..... CYZ 17	Notre-Dame (Pl.) .... CZ 36	

La Palmeraie ⛪, 7 allée Cormorans ✆ 40 60 24 41, « Cour fleurie » – wc wc ☎. AE ⓓ E VISA. ✻ rest CZ **n**
26 mars-1er oct. – **R** 90/110 – ☕ 23 – **23 ch** 250/280.

Alcyon sans rest, 19 av. Pétrels ✆ 40 60 19 37 – |♦| TV wc wc ☎. AE ⓓ E VISA CY **s**
☕ 24 – **30 ch** 245/300.

Concorde sans rest, 1 av. Concorde ✆ 40 60 23 09 – |♦| wc wc ☎. E VISA. ✻ CZ **f**
27 mars-2 oct. – ☕ 23 – **47 ch** 270/335.

Les Alizés M, 10 av. de Rhuys ✆ 40 60 34 86, – |♦| TV wc ☎. AE ⓓ E VISA. ✻ rest FZ **e**
R *(1er juil.-31 août)* 115/210, enf. 98 – ☕ 30 – **30 ch** 375/440 – 1/2 p 355/365.

Christina, 26 bd Hennecart ✆ 40 60 22 44, Télex 701963, ⩽ – |♦| ▤ rest wc wc ☎ Ⓟ. E VISA. ✻ DZ **d**
R *(1er juin-30 sept.)* 120/180 – ☕ 25 – **36 ch** 150/350.

Delice H. ⛪ sans rest, 19 av. Marie-Louise ✆ 40 60 23 17 – TV wc ☎ Ⓟ. VISA BZ **s**
12 mai-25 sept. – ☕ 25 – **14 ch** 245/300.

Les Dunes et rest. Le Maréchal, 277 av. De-Lattre-de-Tassigny ✆ 40 24 53 70 – |♦| ▤ rest TV wc wc ☎ Ⓟ. VISA. ✻ DY **v**
fermé 1er au 31 oct. et 15 janv. au 15 fév. – **R** *(fermé lundi du 1er oct. au 1er avril)* 75/116 ♁ – ☕ 24 – **38 ch** 150/290.

Flepen sans rest, 145 av. De-Lattre-de-Tassigny ✆ 40 60 29 30 – wc wc ☎ Ⓟ. AE ⓓ E VISA BZ **p**
25 mars-15 oct. – ☕ 30 – **24 ch** 155/340.

La Closerie sans rest, 173 av. De-Lattre-de-Tassigny ✆ 40 60 22 71 – TV wc wc ☎ Ⓟ. ✻ CY **y**
avril-oct. – ☕ 17 – **15 ch** 150/250.

Lutétia, 13 av. Evens ✆ 40 60 25 81, – wc wc ☎. AE ⓓ VISA. ✻ rest DZ **r**
R *(vacances de fév.-15 nov.)* 75/130 ♁, enf. 50 – ☕ 25 – **15 ch** 165/260.

Mariza, 22 bd Hennecart ✆ 40 60 20 21, ⩽ – wc ☎. AE ⓓ E VISA DZ **n**
fév.-nov. – **R** 96/200 – ☕ 24 – **24 ch** 140/250 – 1/2 p 210/280.

Le Paris, 138 av. Ondines ✆ 40 60 30 53 – TV wc ☎. AE ⓓ E VISA. ✻ ch
fermé oct. et week-ends de nov. à Pâques – **R** 68/120 ♁, enf. 45 – ☕ 20 – **18 ch** 185/265 – 1/2 p 190/265. DY **e**

Ty-Gwenn sans rest, 25 av. Gde-Dune ✆ 40 60 37 07 – wc FZ **k**
☕ 20 – **17 ch** 126/254.

XXX **Henri,** 161 av. De-Lattre-de-Tassigny ✆ 40 60 23 65 – ▤. AE ⓓ E VISA BZ **m**
R 100/185.

XX **La Pergola,** 147 av. des Lilas ✆ 40 24 57 61, – AE E VISA AZ **t**
Pâques-sept. – **R** carte 150 à 210.

XX **Chalet Suisse,** 114 av. Gén.-de-Gaulle ✆ 40 60 23 41 – E VISA DY **z**
fermé 3 au 30 oct., lundi soir, mardi soir et merc. – **R** 55/250.

X **L'Ankou,** 38 av. Etoile ✆ 40 60 22 47 – ⓓ E VISA FZ **r**
fermé vacances de fév. et merc. hors sais. – **R** carte 160 à 220.

Autres ressources hôtelières :

Voir ***Pornichet*** et le ***Pouliguen.***

BMW, LANCIA-AUTOBIANCHI Gar. Gilot, rte de la Baule à Guérande ✆ 40 60 28 06 N ✆ 40 60 07 33
CITROEN Salines-Automobiles, pl. des salines ✆ 40 60 20 71
PEUGEOT-TALBOT Le Déan, rte de la Baule à Guérande ✆ 40 24 08 57
RENAULT Richard, 206 av. De-Lattre-de-Tassigny ✆ 40 60 20 30
Le Pneu Baulois, 79 av. Mar.-De-Lattre-de-Tassigny ✆ 40 24 22 46

BAUME-LES-DAMES 25110 Doubs 66 ⑯ G. Jura – 5 696 h.

Syndicat d'Initiative promenade du Breuil (juin-sept.) ✆ 81 84 27 98.

Paris 446 – Belfort 63 – ♦Besançon 29 – Lure 45 – Montbéliard 47 – Pontarlier 62 – Vesoul 48.

Central sans rest, 3 r. Courvoisier ✆ 81 84 09 64 – wc wc ☎. E VISA. ✻
fermé 1er au 15 nov., 15 au 31 janv. et dim. d'oct. à avril – ☕ 18 – **12 ch** 85/160.

XXX ✿ **Château d'As** (Aubrée) avec ch, ✆ 81 84 00 66, ⩽ – wc wc ☎ Ⓟ. AE E VISA
fermé 15 déc. au 20 fév., dim. soir et lundi sauf fériés – **R** (dim. et fêtes prévenir) 130/280 – ☕ 27 – **10 ch** 130/200
Spéc. Foie gras frais en terrine, Soufflé de saumon, Goujonnette de sole aux légumes nouveaux. **Vins** Côtes du Jura, Arbois.

à Pont-les-Moulins S : 6 km sur D 492 – ✉ **25110** Baume-les-Dames :

Levant, rte Pontarlier ✆ 81 84 09 99 – TV wc wc ☎ Ⓟ. AE ⓓ E VISA
1er mars-1er nov. – **R** 80/180 ♁, enf. 32 – ☕ 22 – **15 ch** 130/240 – 1/2 p 245.

à Hyèvre-Paroisse E : 7 km sur N 83 – ✉ **25110** Baume-les-Dames :

Ziss et rest. Crémaillère, ✆ 81 84 07 88, ☂ – |‡| ⇔wc ☎ ⇔ Ⓟ. AE E VISA
fermé 6 au 29 oct., 24 déc. au 7 janv., et sam. (sauf le soir du 1er avril au 31 oct.) – **R** 50/145 ♁ – ☐ 25 – **21 ch** 200/220 – 1/2 p 200/240.

RENAULT Gar. Central, 10 av. Gén.-Leclerc ✆ 81 84 02 45 N
Gar. Droz, 2 av. Gén.-Leclerc ✆ 81 84 05 48
Gar. Routhier, à Pont les Moulins ✆ 81 84 02 15

BAUME-LES-MESSIEURS 39 Jura 70 ④ **G. Jura** – 174 h.

Voir Retable à volets★ dans l'église – Belvédère des Roches de Baume ←★★★ sur cirque★★★ et grottes★ de Baume S : 3,5 km.

Paris 399 – Champagnole 27 – Dole 54 – Lons-le-Saunier 17 – Poligny 30.

✕ **Grottes,** aux Grottes S : 3 km ✉ **39210 Voiteur** ✆ **84 44 61 59,** ←, ☂ – Ⓟ
1er avril-30 sept. et fermé merc. sauf juil.-août – **R** (déj. seul.) 60/130.

Les BAUX-DE-PROVENCE 13 B.-du-R. 84 ① **G. Provence** (plan) – 433 h. – ✉ **1352** Maussane-les-Alpilles – **Voir Site★★★ – Château ✱★★ – Monument Charloun Rieu ←★★ – Place St-Vincent★ – Rue du Trencat★ – Tour Paravelle ←★ – Fête des Bergers (Noël, messe de minuit)★★ – Cathédrale d'Images★ N : 1 km par D 27 – ✱★★★ sur le Village N : 2,5 km par D 27.**

ℹ Office de Tourisme impasse du Château (Pâques-nov.) ✆ 90 97 34 39.

Paris 716 – Arles 19 – ♦Marseille 86 – Nîmes 44 – St-Rémy-de-Provence 9,5 – Salon-de-Provence 32.

au Village :

Host. de la Reine Jeanne ⛰, ✆ 90 97 32 06, ← – ⇔wc ⋒. E VISA
15 fév.-15 nov. – **R** 85/120, enf. 50 – ☐ 28 – **11 ch** 160/230 – 1/2 p 180/225.

dans le Vallon :

XXXXX ✿✿✿ **Oustaù de Baumanière** (Thuilier) M ⛰ avec ch, ✆ **90 54 33 07, Télex 420203,** ← « **Demeures anciennes aménagées avec élégance, terrasses fleuries** ☂, ✂, ⛱, **club hippique** », ⛱ – ▤ ch TV ⇔wc ☎ Ⓟ. AE ◑ E VISA
fermé 20 janv. au 6 mars, jeudi midi et merc. du 1er nov. au 15 mars – **R** carte 390 à 500 – ☐ 75 – **13 ch** 725/820, 12 appartements 1120 – 1/2 p 1050/1200
Spéc. Pigeon farci au foie gras, Filets de rouget au basilic, Noisette d'agneau Baumanière. **Vins** Côteaux des Baux, Gigondas.

XXX ✿ **La Riboto de Taven,** ✆ **90 97 34 23,** ☂, « **Terrasse ombragée et jardin fleuri au pied des rochers** » – Ⓟ. AE ◑ E VISA
fermé 6 janv. au 28 fév., dim. soir hors sais. et lundi – **R** 230/350
Spéc. Gratin de homard, Escalope de loup de mer à l'huile d'olive, Carré d'Agneau des Alpilles à la sauge. **Vins** Côteaux des Baux.

XXX ✿ **La Cabro d'Or** M ⛰ avec ch, ✆ **90 54 33 21, Télex 401810,** ←, ☂, « **Terrasses ombragées, jardin fleuri, pièce d'eau** », ⛱, ✂ – TV ⇔wc ☎ Ⓟ – 🏛 80. AE ◑ E VISA
fermé 15 nov. au 20 déc., mardi midi et lundi du 15 oct. au 31 mars – **R** carte 225 à 330 – ☐ 50 – **22 ch** 420/660 – 1/2 p 510/630
Spéc. Salade de poissons à l'Antiboise, Aiguillettes de sole aux pistaches, Noisette d'agneau Cabro d'Or. **Vins** Coteaux des Baux.

à l'Est sur D 27 A :

Mas d'Aigret ⛰, ✆ 90 97 33 54, ←, ☂, ⛱, ⛱ – ⇔wc ☎ Ⓟ – 🏛 25. AE ◑ E VISA. ✻ rest
1er avril-1er janv. – **R** *(fermé jeudi hors sais.)* 130/180 – ☐ 30 – **17 ch** 300/600 – 1/2 p 335/565.

au Sud-Ouest sur D 78 F :

La Benvengudo ⛰, ✆ 90 54 32 54, ←, ☂, « **Jardin fleuri** », ⛱, ⛱, ✂ – ⇔wc ⋒wc ☎ Ⓟ. VISA. ✻ rest
15 fév.-11 nov. – **R** *(fermé dim. soir)* (dîner seul.) 160/200 – ☐ 42 – **18 ch** 320/450, 3 appartements 700 – 1/2 p 400/450.

Autres ressources hôtelières : **Voir *Maussane-les-Alpilles*** S : 5 km.

BAVAY 59570 Nord 53 ⑤ **G. Flandres Artois Picardie** – 4 431 h.

Paris 227 – Avesnes 24 – Le Cateau 29 – Lille 76 – Maubeuge 14 – Mons 24 – Valenciennes 23.

XX **Bagacum,** r. d'Audignies ✆ 27 66 87 00 – ▤ Ⓟ. AE ◑ E VISA
fermé 1er au 22 juil., 1er au 15 janv., dim. soir et lundi – **R** 80/150.

XX **Le Bourgogne,** Carrefour de Paris ✆ 27 63 12 58 – Ⓟ. AE ◑ E VISA
fermé 1er au 22 août, 9 au 23 fév., merc. soir et lundi – **R** 85/250 ♁.

CITROEN Gar. de La Chaussée, ✆ 27 63 11 30
RENAULT Gar. Dal, N 49 ✆ 27 63 17 08
V.A.G. Gar. Claeys, 10 r. des Clouteries ✆ 27 63 11 47 N

BAY 74 H.-Savoie 74 ⑧ – rattaché à Assy.

BAYEUX <SP> **14400 Calvados** 54 ⑮ **G. Normandie Cotentin** – 15 237 h.

Voir Tapisserie de la reine Mathilde*** C – **Cathédrale**** Z – **Maison à colombages*** (rue St-Malo) Z **D** – **Env. Brécy : portail* et jardins* du château SE : 10 km par D 126** Y – **Port* de Port-en-Bessin NO : 9 km par ⑦.**

Omaha Beach Golf Club ✆ **31 21 72 94, 11 r. de Bayeux par ⑦.**

Office de Tourisme 1 r. Cuisiniers ✆ 31 92 16 26, Télex 171704.

Paris 268 ② – ♦Caen 28 ② – Cherbourg 91 ⑥ – Flers 68 ③ – St-Lô 35 ④ – Vire 59 ③.

BAYEUX

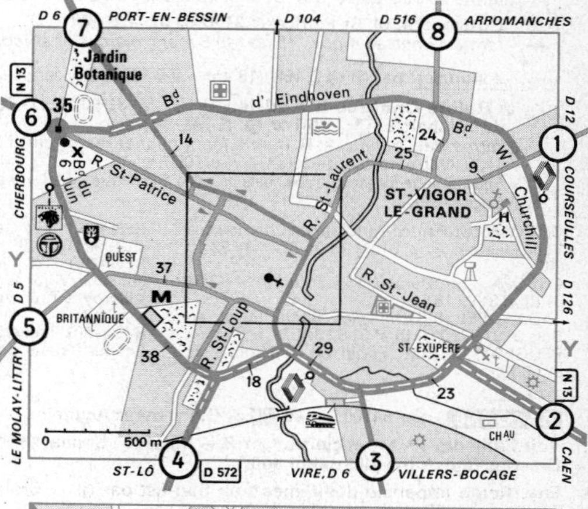

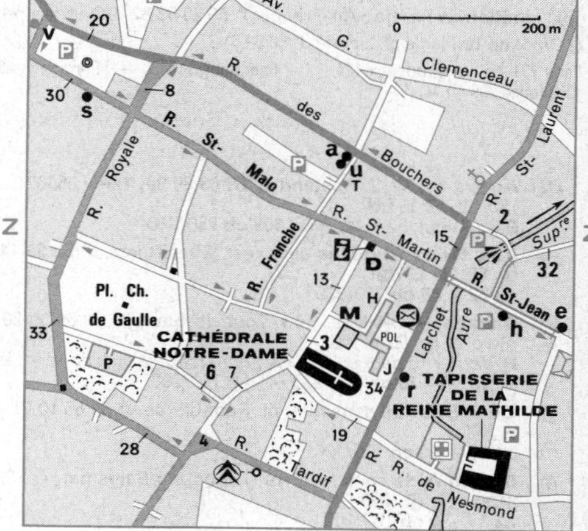

Une réservation confirmée par écrit est toujours plus sûre.

Luxembourg M, 25 r. Bouchers ✆ 31 92 00 04, Télex 171663 – 25. AE E VISA — Z **a**
R 135/280, enf. 68 – **19 ch** 250/400, 3 appartements 1 200 – ½ p 380/640.

❀ **Lion d'Or** , 71 r. St-Jean ✆ 31 92 06 90, Télex 171143, « Ancien relais de poste », – wc wc. AE E VISA. ch — Z **e**
fermé 20 déc. au 20 janv. – **R** 80/220, enf. 70 – 28 – **29 ch** 180/330 – ½ p 280/415
Spéc. Terrine de ris et rognon de veau, Omelette de homard, Fricandeau au pommeau.

Argouges sans rest, 21 r. St-Patrice ✆ 31 92 88 86, « Ancien hôtel particulier du 18e s. », – wc wc. AE E VISA — Z **s**
25 – **25 ch** 210/300.

Churchill sans rest, 14 r. St Jean ✆ 31 21 31 80, Télex 171755 – wc wc. AE E VISA. — Z **h**
15 mars-15 nov. – 27 – **32 ch** 280/330.

Brunville Ⓜ, 9 r. G. Duhomme ✆ 31 21 18 00, Télex 171663 – |₿| TV ⊟wc ⋒wc ☎. AE VISA — Z u
R 58/138 – ☕ 25 – **38 ch** 175/225 – ½ p 180/250.

Novotel, 117 r. St-Patrice ✆ 31 92 16 11, Télex 170176, ⛱, – TV ⊟wc ☎ P – 150. AE ◑ E VISA — Y x
R carte 120 à 160 Ꮷ, enf. 35 – ☕ 35 – **65 ch** 310/340.

Reine Mathilde sans rest, 23 r. Larcher ✆ 31 92 08 13 – ⋒wc ☎. E VISA. ✻
fermé 20 déc. au 20 janv. et dim. hors sais. – ☕ 21 – **16 ch** 190/230. — Z r

Gourmets, pl. St-Patrice ✆ 31 92 02 02 – E VISA — Z v
fermé 19 oct. au 4 nov., 15 fév. au 8 mars, merc. soir et jeudi – **R** 39/90 Ꮷ.

à Audrieu par ② et D 158 : 13 km – ✉ **14250** Tilly-sur-Seulles :

❀ **Relais Château d'Audrieu** Ⓜ, ✆ 31 80 21 52, Télex 171777, ⩽, « Château du 18e, parc », ⛱ – TV ☎ P. E VISA. ✻ rest
fermé déc. et janv. – **R** *(fermé jeudi midi et merc.)* carte 265 à 365 – ☕ 53 – **24 ch** 1400, 4 appartements 1600 – ½ p 1050
Spéc. Galette d'andouille aux oeufs de caille, Béatilles de veau au pommeau, Pomme à la canelle et glace caramel.

CITROEN St-Patrice-Auto, rte de Cherbourg à Vaucelles par ⑥ ✆ 31 92 18 35 N ✆ 31 92 18 00
CITROEN Gar. Danjou, 13 r. Tardif ✆ 31 92 07 31 N ✆ 31 92 13 51
LADA, OPEL, SKODA Gar. Bodin, 26 pl. au Bois ✆ 31 92 02 51 N ✆ 31 92 37 67
PEUGEOT, TALBOT Fortin, bd du 6-Juin ✆ 31 92 09 77
RENAULT Gd Gar. de la Gare, 16 bd Carnot ✆ 31 92 00 70 N
RENAULT Gar. James, ZA bd Winston Churchill à St-Vigor-le-Grand ✆ 31 92 02 94
Villeroy, à Tour en Bessin ✆ 31 92 40 46 N

Bayeux Pneus, ZI rte de Caen ✆ 31 92 01 61
Schmitt-Pneus, bd Eindhoven ✆ 31 92 02 98

BAYONNE

SP **64100** Pyr.-Atl. 78 ⑱ **G. Pyrénées Aquitaine** – 42 970 h.

Voir Cathédrale★ AY, **et cloître★** AY **B** – **Musées : Bonnat★★** BY **M1, basque★★** BY **M2** – **Grandes fêtes★ (fin juil.-début août).**

Env. Route Impériale des Cimes★ au Sud-Est par ③ – **Croix de Mouguerre** ✻★ **SE : 5,5 km par D 52** BY – **voir plan de Biarritz** BX.

✈ **de Biarritz-Parme : Air-France** ✆ **59 23 93 82, SO : 5 km par N 10** AZ.

Office de Tourisme pl. Liberté ✆ 59 59 31 31.

Paris 771 ⑦ – ♦Bordeaux 184 ⑦ – Pamplona 118 ⑤ – ♦Perpignan 483 ② – S.-Sebastiàn 54 ⑤ – ♦Toulouse 299 ②.

Accès et sorties : voir à Biarritz

Plan page ci-contre

Agora Ⓜ, av. J.-Rostand ✆ 59 63 30 90, Télex 550621 – |₿| ▤ rest TV ☎ P – 180. AE ◑ E VISA — BZ e
R 85 Ꮷ, enf. 52 – ☕ 30 – **105 ch** 250/310.

Aux Deux Rivières sans rest, 21 r. Thiers ✆ 59 59 14 61, Télex 570794 – |₿| TV ☎. AE ◑ E VISA — AY n
☕ 32 – **66 ch** 170/330.

Basses-Pyrénées, 14 r. Tour-de-Sault ✆ 59 59 00 29, Télex 541535 – |₿| ⊟wc ⋒wc ☎ P. AE E VISA — AZ
R *(fermé 15 déc. au 15 janv., dim. (sauf le soir en sais.) et lundi midi)* 65/105, enf. 35 – ☕ 22 – **39 ch** 110/230 – ½ p 140/200.

Côte Basque sans rest, pl. République ✆ 59 55 10 21 – |₿| ⊟wc ⋒wc ☎. AE ◑ E VISA — BX a
☕ 20 – **44 ch** 110/190.

Mendi Alde sans rest, rte Cambo-les-Bains par ④ : 3,4 km ✆ 59 42 38 44, – ⊟wc ☎ P. VISA — plan Biarritz BX f
☕ 17 – **9 ch** 100/160.

XXX **Aub. Cheval blanc,** 68 r. Bourgneuf ✆ 59 59 01 33 – ▤. AE ◑ E VISA — BY b
fermé 3 au 8 août, 9 janv. au 6 fév. et lundi (sauf de juin à sept.) – **R** 110/228.

XXX **Beluga,** 15 r. Tonneliers ✆ 59 25 52 13 – ▤ — BY r
fermé janv. et dim. – **R** carte 155 à 225.

XXX **La Tanière,** 53 av. Cap. Resplandy par allées Boufflers (bords de l'Adour) ✆ 59 25 53 42 – AE ◑ E VISA — plan Biarritz CX v
fermé fin fév. à début mars, 15 au 30 juin, lundi soir et mardi sauf juil.août et fériés – **R** 120.

XX **Chez Jacques,** 17 Quai Jauréguiberry ✆ 59 25 66 33 – E VISA — BZ h
fermé lundi – **R** 52/180.

X **Euzkalduna,** 61 r. Pannecau ✆ 59 59 28 02 – E VISA — BY d
fermé dim. soir et lundi – **R** carte 95 à 150 Ꮷ.

MICHELIN, Agence, 50-52 bd Alsace-Lorraine BY ✆ 59 55 13 73

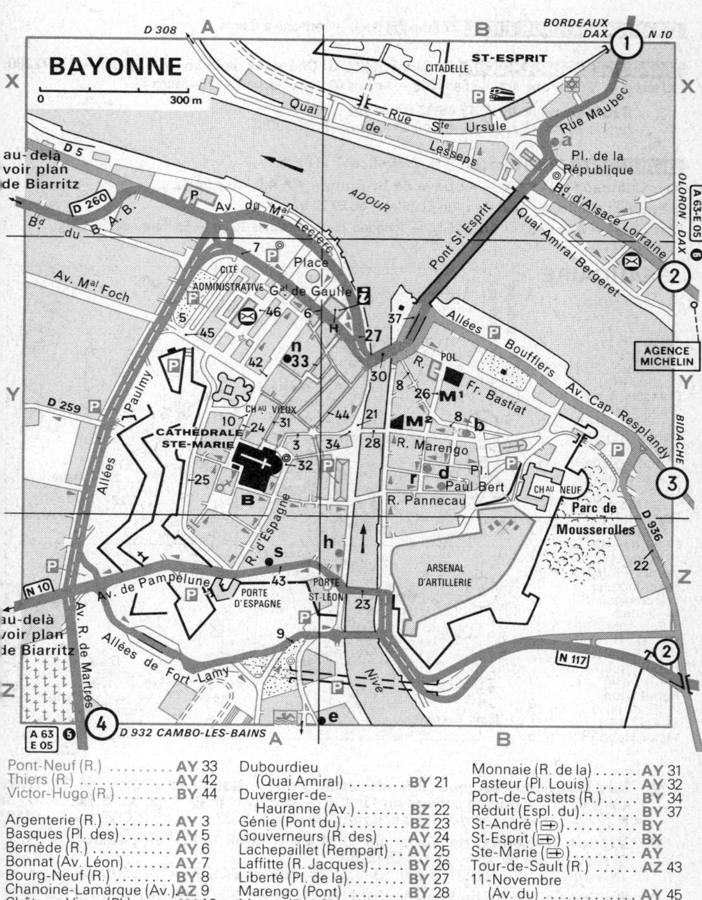

AUSTIN, ROVER Marmande, av. Mar.-Juin ☎ 59 55 05 61
BMW Gar. Durruty, Z.I. St-Étienne ☎ 59 55 88 77
FERRARI, JAGUAR Daverat, 7 quai Lesseps ☎ 59 55 07 48
FIAT Gar. Côte Basque, 44 av. de Bayonne, Anglet N10 AZ ☎ 59 63 04 04
FORD Autom. Durruty, 15 r. Etcheverry ☎ 59 55 13 34
LANCIA-AUTOBIANCHI Gar. Armada, 32 av. Dubrocq ☎ 59 59 02 64 N
OPEL Gar. Lafontaine, allées Paulmy, ☎ 59 25 68 65
PEUGEOT-TALBOT Gambade, av. Mar.-Soult, N 10 AZ ☎ 59 52 45 45
RENAULT Sté Basque Autom., 59 allées Marines par D 5 AX ☎ 59 52 46 46 N
VOLVO Le Crom, 30 av. Dubrocq ☎ 59 59 25 57

Central-Pneu, 35 allées Marines ☎ 59 59 18 26
Comptoir du Pneu, 4 av. Mar.-Foch ☎ 59 59 11 73
La Maison du Pneu, 1 bis pl. Paul Bert ☎ 59 59 26 27
Sud-Ouest Sécurité, 34-36 bd Alsace Lorraine ☎ 59 55 04 72

BAZEILLES **08** Ardennes **53** ⑲ **G. Champagne** – 1 709 h – ✉ **08140** Douzy.

Paris 242 – Bouillon 17 – Charleville-Mézières 24 – Sedan 5.

Aub. du Port , ☎ 24 27 13 89, , – TV wc ☎. AE ① E VISA
fermé 20 déc. au 4 janv. – **R** *(fermé vend. soir du 1er oct. au 28 fév. et dim. soir du 1er sept. au 30 juin)* 60/180 , enf. 50 – 25 – **20 ch** 190/220 – 1/2 p 225/250.

BAZINCOURT-SUR-EPTE 27 Eure 55 ⑧⑨ – rattaché à Gisors.

BAZOUGES-SUR-LE-LOIR 72 Sarthe 64 ② **G. Châteaux de la Loire** – 1 313 h. – ✉ **72200** La Flèche – **Voir Pont** ≤★ – Paris 249 – Angers 40 – La Flèche 7 – ♦Le Mans 49.

✕ **Croissant,** N 23 ✆ 43 45 32 08 – VISA
fermé 16 au 31 août, dim. soir et lundi – **R** 85/130 ♁.

BEAUCAIRE 30300 Gard 81 ⑪ **G. Provence** – 13 015 h.
Voir Château★ : ☀★★ Y – **Abbaye de St-Roman** ≤★ **4,5 km par** ⑤.
ℹ Syndicat d'Initiative quai Gén.-de-Gaulle ✆ 66 59 26 57.
Paris 707 ⑥ – Alès 67 ⑥ – Arles 20 ③ – Avignon 25 ① – Nîmes 24 ⑤ – St-Rémy-de-Pr. 17 ②.

BEAUCAIRE

Ledru-Rollin (R.) . Z 17
Nationale (R.) . . . . Z

Barbès (R.) . . . . . . Z 2
Bijoutiers (R. des) . . . . . YZ 3
Charlier (R.) . . . . . Y 4
Château (R. du) . . Y 5
Clemenceau (Pl. Georges) . . Z 6
Danton (R.) . . . . YZ 7
Denfert-Rochereau (R.) Z 8
Écluse (R. de l') . . Z 9
Foch (Bd Maréchal) YZ 12
Gambetta (Cours) . . . . Z 13
Hôtel-de-Ville (R. de l') . . . . . . Z 14
Jaurès (Pl. Jean) Y 15
Jean-Jacques-Rousseau (R.) . Y 16
N.-D.-des-Pommiers (⊟) Y
Pascal (R. Roger) . . . . . Z 21
République (Pl. de la) . . . . . Y 22
République (R. de la) . . . . . . Y 23
St-Paul (⊟) . . . . . Z
Victor-Hugo (R.) . Y 25

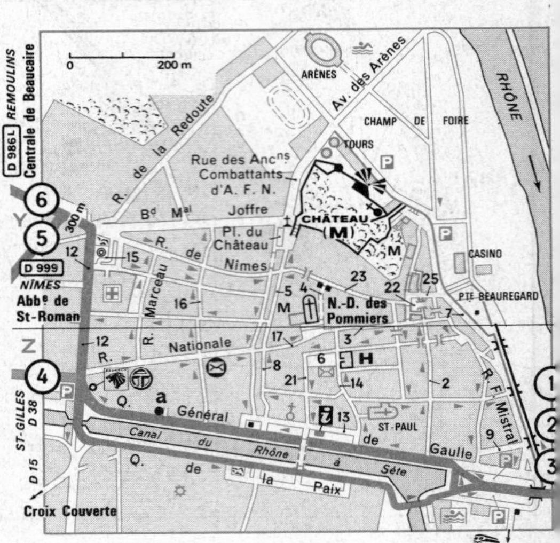

🏨 **Les Doctrinaires,** quai Gén.-de-Gaulle et 32 r. Nationale ✆ 66 59 41 32, Télex 480706, ☂, « Ancien collège du 17e s. » – ⧉ ⇔wc ☎ ⓟ – 🛆 50. E VISA Z **a**
R *(avril-oct. et fermé dim. soir et lundi)* 105/190 – ☕ 32 – **34 ch** 250/280 – ½ p 410.

🏨 **Vignes Blanches,** rte Nîmes par ⑤ : 1 km ✆ 66 59 13 12, Télex 480690, ≤, ⛱ – ⧉ ⇔wc ⋒wc ☎ ⓟ – 🛆 50. AE E VISA
1er avril-15 oct. – **R** 85/160, enf. 59 – ☕ 28 – **61 ch** 230/290 – ½ p 270/290.

🏠 **Robinson** 🐌, rte du Pont-du-Gard par ⑥ : 2 km ✉ 30300 Beaucaire ✆ 66 59 21
◆ 32, ⛱, 🌳, 🎾 – ⇔wc ⋒ ☎ ⓟ
fermé fév. – **R** 60/135 – ☕ 17 – **30 ch** 110/230 – ½ p 160/310.

PEUGEOT-TALBOT Soullier, 1 quai de-Gaulle ✆ 66 59 13 63

◉ Ayme-Pneus, 28 quai de-Gaulle ✆ 66 59 23 98

BEAUCENS 65 H.-Pyr. 85 ⑱ – rattaché à Argelès-Gazost.

BEAUCHAMPS 50 Manche 59 ⑧ – 299 h. – ✉ **50320** La Haye Pesnel.
Paris 332 – Avranches 20 – Granville 17 – Villedieu-les-Poêles 11.

✕✕ **Les Quatre Saisons,** Le Scion O : 1 km sur D 924 ✆ 33 61 30 47, 🌳 – ⓟ. E VISA
◆ *fermé 15 au 30 sept. et merc. soir* – **R** 39/105.

PEUGEOT-TALBOT Garage Fontaine ✆ 33 61 30 20

BEAUFORT 73270 Savoie 74 ⑰⑱ **G. Alpes du Nord** – 1 976 h. alt. 743.
ℹ Office de Tourisme pl. Mairie ✆ 79 38 38 62.
Paris 604 – Albertville 20 – Chambéry 69 – Megève 41.

🏠 **de la Roche,** ✆ 79 38 33 31, ≤, 🌳 – AE ⓓ E VISA
◆ *fermé nov.* – **R** 50/150 ♁, enf. 30 – ☕ 20 – **18 ch** 74/125 – ½ p 145/165.

🏠 **Gd Mont,** ✆ 79 38 33 36 – ⋒. E VISA
◆ *fermé fin sept. à début nov., vend. soir et sam. midi hors sais* – **R** 55/100 ♁, enf. 40 – ☕ 22 – **15 ch** 85/120 – ½ p 145/155.

BEAUGENCY 45190 Loiret 64 ⑧ G. Châteaux de la Loire – 7 339 h.

Voir Église N.-Dame ★ – Donjon★ – Tentures★ dans l'hôtel de ville – Musée de l'Orléanais★ dans le château.

18 des Bordes ℰ 54 87 72 13, par ③ D 925 : 9 km.

Office de Tourisme 28 pl. Martroi ℰ 38 44 54 42.

Paris 151 ① – Blois 31 ④ – Châteaudun 41 ⑥ – ♦Orléans 25 ① – Vendôme 48 ⑤ – Vierzon 84 ②.

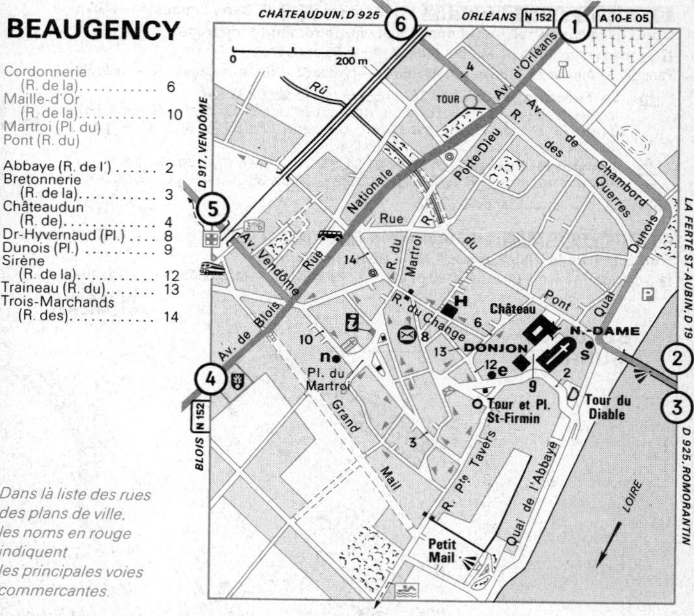

⌂⌂⌂ **L'Abbaye,** quai Abbaye **(s)** ℰ **38 44 67 35, Télex 780038,** ≤, – **TV** ☎ **P** – 40. AE ⓓ E VISA
R 165/235 – **13 ch** ⊒410/550, 5 appartements.

⌂⌂ **Écu de Bretagne,** pl. Martroi **(n)** ℰ **38 44 67 60, Télex 306254** – wc ⋒wc ☎ **P**. AE ⓓ E VISA
fermé 1er fév. au 8 mars – **R** 85/170 – ⊒ 22 – **26 ch** 90/250.

⌂ **Sologne** sans rest, pl. St-Firmin **(e)** ℰ **38 44 50 27** – wc ⋒wc ☎. E VISA.
fermé 20 déc. au 1er fév. et dim. soir du 1er nov. au 1er mars – ⊒ 22 – **16 ch** 100/260.

à Tavers **par ④ : 3 km –** ✉ **45190** Beaugency :

⌂⌂ **La Tonnellerie** ⛰, ℰ **38 44 68 15, Télex 782479,** , « **Jardin fleuri,** » – wc ⋒wc ☎ **P**. AE ⓓ E VISA. rest
30 avril-10 oct. – **R** 149/236, enf. 75 – ⊒ 40 – **24 ch** 340/495 – $^1/_2$ p 390/450.

CITROEN Asklund 30 av. de Blois ℰ 38 44 52 33

RENAULT Gar. de la Mardelle, Zone Ind., 63 av. d'Orléans par ① ℰ 38 44 50 40

BEAUJEU 69430 Rhône 73 ⑨ G. Vallée du Rhône – 2 013 h.

Syndicat d'Initiative square Grand'Han (Rameaux-mi déc.) ℰ 74 69 22 88.

Paris 428 – Bourg-en-Bresse 54 – ♦Lyon 59 – Mâcon 39 – Roanne 64 – Villefranche-sur-Saône 26.

XX **Anne de Beaujeu** avec ch, ℰ **74 04 87 58,** – wc. E VISA
fermé 1er au 8 août, 20 déc. au 20 janv., dim. soir et lundi – **R** 95/260 – ⊒ 19 – **7 ch** 105/180.

CITROEN Gar. du Centre, ℰ 74 04 87 64

PEUGEOT-TALBOT Gar. Desplace, ℰ 74 69 21 56

V.A.G. Gar. Daniel, ℰ 74 04 87 14

BEAULAC 33 Gironde 79 ② – ✉ 33430 Bazas.

Paris 645 – ♦Bordeaux 66 – Langon 23 – Marmande 50 – Mont-de-Marsan 60 – Nérac 68.

XX **Mallet** avec ch, ℰ **56 25 40 77,** – ⋒. AE ⓓ E VISA
R 55/148 , enf. 35 – ⊒ 19 – **11 ch** 100/150 – $^1/_2$ p 180/280.

BEAULIEU-EN-ARGONNE 55 Meuse 56 ⑳ **G. Champagne** – 46 h. – ✉ **55250** Seuil d'Argonne – **Voir Pressoir★ dans l'anc. abbaye.**

Paris 244 – Bar-le-Duc 36 – Futeau 10 – Ste-Menehould 23 – Verdun 50.

- **Host. Abbaye** ⑤, ☎ 29 70 72 81, ←, ✗ – ⋔. ✗ ch
  fermé 15 déc. au 1er fév. et dim. soir du 1er oct. au 31 mars – **R** 60/135 ♨ – ☕ 17,50 – **10 ch** 75/120 – ½ p 125/150.

BEAULIEU-SUR-DORDOGNE 19120 Corrèze 75 ⑲ **G. Berry Limousin** – 1 603 h.

Voir Église ★ : portail méridional ★★ et vierge romane ★ du trésor.

Syndicat d'Initiative pl. Marbot (juin-sept.) ☎ 55 91 09 94.

Paris 522 – Aurillac 65 – Brive-la-Gaillarde 43 – Figeac 62 – Sarlat-la-Canéda 76 – Tulle 39.

- **Le Turenne,** ☎ 55 91 10 16 – wc ⋔wc ☎. AE E VISA
  fermé mi-janv. à mi-fév., dim. et lundi du 1er oct. au 31 mai – **R** *(fermé mardi midi et lundi du 1er oct. au 31 mai)* (dim. prévenir) 75/180 ♨, enf. 37 – ☕ 21 – **22 ch** 190/230 – ½ p 270/290.
- **Central H. Fournié,** ☎ 55 91 01 34, ⛱ – wc ⋔wc ☎. AE ⓓ
  mi mars-mi nov. – **R** 65/200 ♨ – ☕ 22 – **30 ch** 85/220 – ½ p 150/220.

RENAULT Lavastroux, ☎ 55 91 12 82

BEAULIEU-SUR-MER 06310 Alpes-Mar. 84 ⑩, 195 ㉗ **G. Côte d'Azur** – 4 302 h – Casino.

Voir Site★ de la Villa Kerylos★ M – Baie des Fourmis★.

Office de Tourisme pl. Gare ☎ 93 01 02 21 – Paris 941 ④ – Menton 20 ③ – ✦Nice 10 ④.

BEAULIEU-SUR-MER

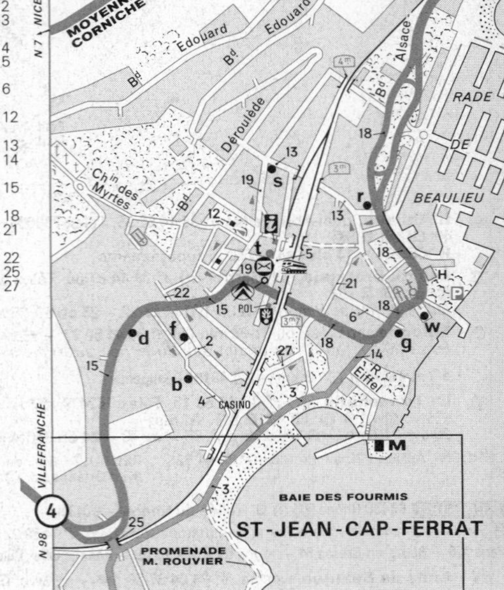

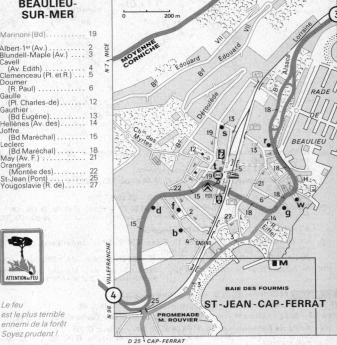

Le feu est le plus terrible ennemi de la forêt Soyez prudent !

- **La Réserve** ⑤, bd Mar.-Leclerc **(w)** ☎ **93 01 00 01, Télex 470301,** ←, ⛱, « Intérieur luxueux en bordure de mer, ⛱ », ⛱ – ⋔ ▤ ch ☎ ⛟ – *fermé 1er déc. au 9 janv.* – **R** carte 365 à 490 – ☕ 80 – **50 ch** 910/2220, 3 appartements.
- ✿ **Métropole** Ⓜ ⑤, bd Mar.-Leclerc **(g)** ☎ **93 01 00 08, Télex 470304,** ←, ⛱, « Vaste terrasse sur mer, parc, ⛱, ⛱ » – ⋔ ▤ ▣ ☎ Ⓟ. E VISA
  fermé 31 oct. au 20 déc. – **R** 370/390 – ☕ 85 – **53 ch** 825/2200 – ½ p 1275/1675
  Spéc. Pavé de loup rôti aux artichauts violets, Ris et rognon de veau à la crème de morilles, Sabayon à l'eau de vie de framboise. **Vins** Bellet, Bandol.

Carlton Ⓜ, 7 av. E.-Cavell **(b)** 93 01 14 70, Télex 970421, – 30. AE E VISA
fermé 1er nov. au 27 déc. – **R** *(1er avril-31 oct.)* 190 – 50 – **32 ch** 400/900 – 1/2 p 810/1320.

La Résidence Ⓜ sans rest, 9 bis av. Albert-1er **(f)** 93 01 06 02, – 40. AE E VISA
1er fév.-30 sept. – 40 – **21 ch** 355/650.

Frisia sans rest, bd Mar. Leclerc **(r)** 93 01 01 04, < – wc. AE E VISA
fermé 31 oct. au 22 déc. – **35 ch** 430/490.

Comté de Nice sans rest, 25 bd Marinoni **(s)** 93 01 19 70 – wc wc. AE E VISA
25 – **33 ch** 250/360.

Le Havre Bleu sans rest, 29 bd Mar. Joffre **(d)** 93 01 01 40 – wc wc. E VISA.
21 – **22 ch** 202/264.

Les Agaves, 4 r. Mar.-Foch **(t)** 93 01 12 09 – E VISA
fermé 3/7 au 11/7, 12/11 au 12/12, lundi midi et merc. midi en juil. août, dim. soir et lundi de sept. à juin – **R** (nombre de couverts limité - prévenir) 90/150.

Autres ressources hôtelières :

Voir *St-Jean-Cap-Ferrat* et *Villefranche*.

CITROEN Gar. de la Poste, 93 01 00 13

BEAUMESNIL 27410 Eure 55 ⑯ **G. Normandie Vallée de la Seine** – 526 h.

Voir Château★.

Paris 141 – Bernay 13 – Dreux 68 – Evreux 39 – ♦Rouen 62.

L'Étape Louis XIII, 32 44 44 72, – . AE E VISA
fermé 1er au 15 fév., dim. soir, lundi et mardi – **R** 85/200.

BEAUMETTES 84 Vaucluse 81 ⑬ – 206 h. – ✉ **84220** Gordes.

Paris 713 – Apt 17 – Avignon 35 – Carpentras 32 – Cavaillon 14.

Host. Moulin Blanc, E : 0,5 km par N 100 90 72 34 50, <, , parc, – . AE E VISA. rest
R 165/275 – 48 – **18 ch** 380/740 – 1/2 p 378/538.

BEAUMONT 24440 Dordogne 75 ⑮ **G. Périgord Quercy** – 1 302 h.

Syndicat d'Initiative (saison) 53 22 39 12.

Paris 558 – Bergerac 29 – Fumel 50 – Périgueux 68 – Sarlat-la-Canéda 53 – Villeneuve-sur-Lot 47.

Voyageurs avec ch, 53 22 30 11 – wc
fermé oct., nov., janv., fév. et lundi – **R** (dim. prévenir) 70/380, enf. 50 – 25 – **10 ch** 70/180.

RENAULT Delpech, 53 22 30 16

BEAUMONT 86 Vienne 68 ④ **G. Poitou Vendée Charentes** – 1 448 h. – ✉ **86490** Beaumont-la Tricherie.

Paris 317 – Châtellerault 16 – Poitiers 22.

Relais du Clain, 49 85 50 36 – . E VISA
fermé 1er au 15 juin, 15 au 30 oct., lundi soir et mardi – **R** 41/140.

BEAUMONT-DE-LOMAGNE 82500 T.-et-G. 82 ⑥ **G. Pyrénées Aquitaine** – 3 949 h.

Paris 713 – Agen 58 – Auch 52 – Castelsarrasin 25 – Condom 61 – Montauban 36 – ♦Toulouse 57.

Commerce, r. Mar.-Foch 63 02 31 02 – wc wc. E VISA. ch
fermé 1er au 8 mai, 24 déc. au 9 janv., dim. soir et lundi du 16 sept. au 9 juil. – **R** 59/150, enf. 33 – 19 – **14 ch** 75/150 – 1/2 p 125/165.

PEUGEOT, TALBOT Gar. Oustric, 63 02 41 18 N 63 02 25 58

BEAUMONT-EN-AUGE 14950 Calvados 55 ③ **G. Normandie Vallée de la Seine** – 397 h.

Paris 202 – ♦Caen 40 – Lisieux 20 – Pont-l'Évêque 6 – Trouville-Deauville 12.

Aub. de l'Abbaye, 31 64 82 31 – VISA
fermé janv., mardi et merc. sauf juil.-août – **R** 140/220.

RENAULT Voidet, 31 64 84 91

BEAUMONT-LE-ROGER 27170 Eure 55 ⑮ G. Normandie Vallée de la Seine – 2 738 h.

Syndicat d'Initiative à la Mairie ✆ 32 45 23 88.

Paris 134 – L'Aigle 41 – Bernay 17 – Évreux 32 – Louviers 35 – ♦Rouen 51 – Verneuil 51.

XX **Le Paris sur Risle,** r. St-Nicolas ✆ **32 45 22 23** – **E** VISA
fermé 28 juin au 3 juil. et 29 nov. au 11 déc. – **R** 70 bc/142.

PEUGEOT-TALBOT Gar. du Centre, ✆ 32 45 20 49
RENAULT J.P.C., ✆ 32 45 22 16 N
RENAULT Gar. Pont aux Chèvres ✆ 32 45 20 44

BEAUMONT-SUR-SARTHE 72170 Sarthe 60 ⑬ – 1 938 h.

Paris 222 – Alençon 23 – La Ferté-Bernard 47 – Mamers 26 – ♦Le Mans 26 – Mayenne 62.

XX **Chemin de Fer** avec ch, à la Gare E : 1,5 km par D 26 ✆ **43 97 00 05,** – wc wc. AE E VISA
fermé 15 au 30 oct., 8 fév. au 1er mars, dim. soir et lundi hors sais. – **R** 54/160 – 18,50 – **16 ch** 80/180 – 1/2 p 126/209.

CITROEN Gar. Llobet, ✆ 43 97 03 23 N
PEUGEOT, TALBOT Gar. Noyer, ✆ 43 97 01 14
PEUGEOT, TALBOT Thureau, à la Croix Margot-Juillé ✆ 43 97 00 33 N
RENAULT Gar. du Centre, ✆ 43 97 00 03

BEAUMONT-SUR-VESLE 51 Marne 56 ⑰ – 480 h. – ✉ 51360 Verzenay.

Voir Faux de Verzy★ S : 3,5 km, G. Champagne.

Paris 157 – Châlons-sur-Marne 28 – Épernay 34 – ♦Reims 16 – Ste-Menehould 62.

La Maison du Champagne, ✆ **26 03 92 45,** – wc . AE E VISA. ch
fermé 1er au 15 oct., 1er au 15 fév., dim. soir et lundi – **R** (dim. et fêtes - prévenir) 55/135 – 20 – **10 ch** 90/150 – 1/2 p 160/185.

RENAULT Gar. Lahante, 14 RN ✆ 26 03 90 59

BEAUNE 21200 Côte-d'Or 69 ⑨ G. Bourgogne – 21 127 h.

Voir Hôtel-Dieu★★ et polyptyque du Jugement dernier★★★ (musée★) AZ – **Collégiale N.-Dame★ : tapisseries★★** AY **D** – **Hôtel de la Rochepot★** AY **B** – **Remparts★** AZ – **Musée du vin de Bourgogne★** AYZ **M1.**

Office de Tourisme et A.C. face Hôtel-Dieu ✆ 80 22 24 51.

Paris 313 ③ – Autun 48 ④ – Auxerre 151 ③ – Chalon-sur-Saône 30 ③ – ♦Dijon 45 ③ – Dole 68 ③.

Plan page ci-contre

✿ **Poste** (Chevillot), **1 bd Clemenceau ✆ 80 22 08 11, Télex 350982,** – . AE E VISA AZ **s**
25 mars-20 nov. – **R** 295/330 – **21 ch** 695/845, 4 appartements 1270 – 1/2 p 1025/1282.

Le Cep , **27 r. Maufoux ✆ 80 22 35 48, Télex 351256, « Ameublement de style »** – . AE E VISA AZ **z**
1er mars-30 nov. – **R** voir rest. **Bernard Morillon** ci-après – 50 – **46 ch** 450/800.

Henry II M sans rest, **12 fg St Nicolas ✆ 80 22 83 84, Télex 350217** – wc . AE E VISA. AY **q**
40 – **50 ch** 300/550.

Belle Epoque M sans rest, **15 fg Bretonnière ✆ 80 24 66 15** – wc . AE E VISA. AZ **h**
15 mars-15 déc. – 32 – **13 ch** 320/425.

La Closerie M sans rest, par ④ **rte Autun N 74 ✆ 80 22 15 07, Télex 351213,** , – wc . AE E VISA
fermé 23 déc. au 31 janv. et dim. soir hors sais. – 27 – **30 ch** 290/335.

Samotel M, par ④ **rte Autun N 74 ✆ 80 22 35 55, Télex 350596,** ←, – wc – 50. AE E VISA
fermé 20 nov. au 15 déc. – **R** 80 bc/149 bc, enf. 45 – 40 – **66 ch** 250/300.

Central H., 2 r. V.-Millot ✆ 80 24 77 24 – wc . **E** VISA AZ **n**
fermé 23 nov. au 21 déc., 15 au 30 janv., jeudi midi de nov. à fin mars et merc. de nov. à fin juin – **R** 105/230 – 27 – **20 ch** 170/350.

Grillon, 21 rte Seurre par ② ✆ 80 22 44 25, – wc wc . AE VISA
fermé 15 janv. au 15 fév. – **R** *(fermé merc.)* (dîner seul.) 75/110 – 21 – **18 ch** 160/240 – 1/2 p 195/290.

Host. de Bretonnière sans rest, **43 fg Bretonnière ✆ 80 22 15 77,** – wc wc AZ **v**
20 – **22 ch** 125/220.

Le Home sans rest, **138 rte Dijon par ① ✆ 80 22 16 43,** – wc wc . E VISA
25 – **22 ch** 165/270.

BEAUNE

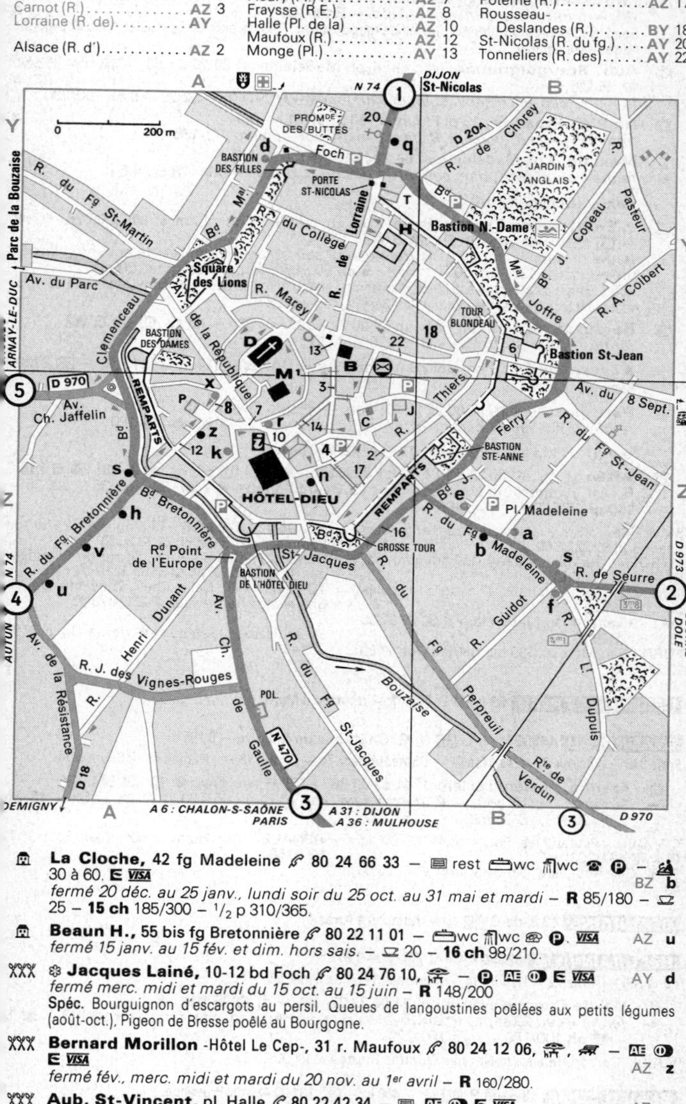

La Cloche, 42 fg Madeleine 80 24 66 33 – rest wc wc – 30 à 60. E VISA — BZ b
fermé 20 déc. au 25 janv., lundi soir du 25 oct. au 31 mai et mardi – **R** 85/180 – 25 – **15 ch** 185/300 – 1/2 p 310/365.

Beaun H., 55 bis fg Bretonnière 80 22 11 01 – wc wc VISA — AZ u
fermé 15 janv. au 15 fév. et dim. hors sais. – 20 – **16 ch** 98/210.

XXX ✿ **Jacques Lainé,** 10-12 bd Foch 80 24 76 10, – AE ① E VISA — AY d
fermé merc. midi et mardi du 15 oct. au 15 juin – **R** 148/200
Spéc. Bourguignon d'escargots au persil, Queues de langoustines poêlées aux petits légumes (août-oct.), Pigeon de Bresse poêlé au Bourgogne.

XXX **Bernard Morillon** -Hôtel Le Cep-, 31 r. Maufoux 80 24 12 06, – AE ① E VISA — AZ z
fermé fév., merc. midi et mardi du 20 nov. au 1er avril – **R** 160/280.

XXX **Aub. St-Vincent,** pl. Halle 80 22 42 34 – AE ① E VISA — AZ r
fermé dim. soir hors sais. – **R** 98/195.

XX **l'Écusson,** pl. Malmédy 80 22 83 08, – AE ① E VISA — BZ f
fermé 15 fév. au 15 mars – **R** 78/225.

XX ✿ **Relais de Saulx** (Monnoir), 6 r. Very 80 22 01 35 – — AZ k
fermé 14 au 20 juin, 1er au 10 sept., 15 fév. au 15 mars, dim. soir, lundi et fériés – **R** (nombre de couverts limité - prévenir) 145/230
Spéc. Cassolette d'escargots Beaunoise, Fricassée de volaille de Bresse, Chariot de desserts.

tourner →

XX ✿ **Rôtisserie La Paix** (Dauphin), 47 fg Madeleine ✆ 80 22 33 33, — AE ⓓ E VISA — *fermé mars, dim. soir et lundi* — **R** 85/185 BZ **s**
Spéc. Saumon et lotte fumés, Ravioli de langoustines, Pied de porc en cassoulet. **Vins** Bourgogne Aligoté, Marsannay.

XX **Aub. Bourguignonne** avec ch, 4 pl. Madeleine ✆ 80 22 23 53 — rest wc ☎. E VISA BZ **a**
fermé 22 déc. au 24 janv. et lundi sauf fériés — **R** 79/175 — 20 — **8 ch** 190/230.

XX **Au P'tit Pressoir,** 15 pl Fleury ✆ 80 22 07 31 — VISA AZ **x**
fermé 15 juin au 10 juil. — **R** *(fermé mardi soir et merc.)* 73/185.

X **Maxime,** 3 pl. Madeleine ✆ 80 22 17 82, — E VISA BZ **e**
fermé 4 au 26 janv., dim. soir du 1er oct. au 30 avril et lundi — **R** 54/105.

par ① (Beaune Nord) :

XXXX ✿ **Ermitage de Corton** (Parra) avec ch, rte de Dijon : 4 km ✆ 80 22 05 28, <, — TV wc ☎ P. AE ⓓ E VISA
fermé mi-janv. à mi-fév. — **R** *(fermé dim. soir et lundi)* (nombre de couverts limité - prévenir) 120/420, enf. 50 — 60 — **5 ch** 500/850, 5 appartements 1200
Spéc. Soupe d'escargots à la lie de Meursault, Langoustines au beurre de curry, Médaillon de ris de veau au jus de truffes. **Vins** Chorey-lès-Beaune, Aloxe Corton.

XX **Bareuzai,** rte de Dijon : 3,5 km ✆ 80 22 02 90, <, — P. AE ⓓ E VISA
fermé 1er janv. au 15 fév. — **R** 78/225, enf. 35.

à Levernois SE : 5 km par rte Verdun sur le Doubs D 970 et D 111 - BZ — ✉ 21200 Beaune :

Parc sans rest, ✆ 80 22 22 51, parc — wc wc P
fermé 22 nov. au 11 déc. et 28 fév. au 16 mars — 23 — **20 ch** 120/180.

par ③ : 7 km sur Autoroute A6 — ✉ 21200 Beaune :

Altéa M, ✆ 80 21 46 12, Télex 350627 — rest TV wc ☎ &. AE ⓓ E VISA
R rest. d'autoroute sur place dont **La Bourguignotte R** 140/158, enf. 35 — 35 — **150 ch** 275/300 — 1/2 p 406.

BMW Savy 21, r. J.-Germain ZI à Savigny les Beaune ✆ 80 22 88 69
CITROEN Gar. Champion, 1 rte Pommard, par ④ ✆ 80 22 28 14 N
CITROEN Gar. Chaffraix, 47 r. fg St-Nicolas par ① ✆ 80 22 17 55
FIAT Bolatre, 40 fg Bretonnière ✆ 80 22 31 30 N ✆ 80 22 28 03
FORD Gar. Moreau, 135 bis rte de Dijon ✆ 80 22 27 00 N
PEUGEOT, TALBOT Champion, 42 rte de Pommard par ④ ✆ 80 22 12 30 N
RENAULT Beaune-Auto, 78 rte de Pommard par ④ ✆ 80 22 25 48 N ✆ 80 22 87 04
TOYOTA Gar. Nello Cheli, Zone Ind. de Vignolles-les-Barbizottes ✆ 80 24 76 60

Gouillardon Gaudry, 148 rte de Dijon ✆ 80 22 14 21

BEAUNE-LE-FROID 63 P.-de-D. 73 ⑬ — rattaché à Murol.

BEAUPRÉAU 49600 M.-et-L. 67 ⑤ **G. Châteaux de la Loire** — 6 195 h.
Paris 345 — Ancenis 28 — Angers 51 — Châteaubriant 74 — Cholet 18 — ♦Nantes 48 — Saumur 74.

France, pl. Gén.-Leclerc ✆ 41 63 00 26 — TV wc wc ☎ P. AE VISA.
fermé 1er au 15 août — **R** *(fermé sam. soir et dim.)* 56/120 — 17,50 — **13 ch** 120/190 — 1/2 p 196/220.

CITROEN Pineau, les Ponts ✆ 41 63 00 15 N ✆ 41 63 00 03
FIAT Gar. Rouillière, 1 r. St-Martin ✆ 41 55 00 48
RENAULT Gar. Humeau, 32 r. Mar.-Foch ✆ 41 63 00 58

BEAURAINS 62 P.-de-C. 53 ② — rattaché à Arras.

BEAURAINVILLE 62990 P.-de-C. 51 ⑫ — 1 977 h.
Paris 203 — Arras 72 — Hesdin 14 — Montreuil 12 — St-Omer 53.

X **Val de Canche** avec ch, ✆ 21 90 32 22, — P. E VISA.
fermé 1er au 29 sept., 1er au 15 janv., dim. soir et lundi sauf fêtes — **R** 50/140 — 18 — **10 ch** 100/180 — 1/2 p 150/220.

V.A.G. Gar. du Relais, rte Nat Les Quatres Routes ✆ 21 90 30 33

BEAURECUEIL 13 B.-du-R. 84 ③ — 458 h. — ✉ 13100 Aix-en-Provence.
Paris 767 — Aix-en-Provence 10 — Aubagne 31 — Brignoles 53 — ♦Marseille 41.

Mas de la Bertrande , D 58 ✆ 42 28 90 09, , , — wc ☎ P — 25. AE ⓓ E VISA
fermé 1er fév. au 7 mars, dim. soir et lundi sauf fériés du 30 sept. au 15 juin — **R** 160/260, enf. 65 — 35 — **10 ch** 275/375 — 1/2 p 330/380.

XXX **Relais Ste-Victoire** avec ch, D 46 ✆ 42 28 94 98, <, , — TV wc wc ☎ P — 30. AE ⓓ E VISA
fermé vacances de nov., fév., dim. soir et lundi — **R** (week-ends prévenir) 200/350 enf. 80 — 30 — **5 ch** 160/220, 5 appartements 500 — 1/2 p 260/400.

BEAUREGARD 01 Ain 74 ① – rattaché à Villefranche-sur-Saône.

BEAUREPAIRE 38270 Isère 77 ② – 3 840 h.

Paris 520 – Annonay 39 – ♦Grenoble 64 – Romans 39 – ♦St-Étienne 78 – Tournon 55 – Vienne 30.

XXX **Fiard** avec ch, **13 av. des Terreaux** ✆ **74 84 62 02** – ▤ rest TV ⇔wc ⋒wc ☎. AE ⓓ E VISA
fermé 10 janv. au 10 fév. – **R** 95/300 ♁, enf. 60 – ▭ 30 – **15 ch** 190/300.

CITROEN Gar. des Alpes, ✆ 74 84 60 13
FORD Gar. Dumoulin, ✆ 74 84 61 22
PEUGEOT, TALBOT Perriat ✆ 74 84 60 65
RENAULT Gar. des Terreaux, ✆ 74 84 61 50 N

BEAUREPAIRE-EN-BRESSE 71 S.-et-L. 70 ⑬ – rattaché à Louhans.

BEAUSOLEIL 06 Alpes-Mar. 84 ⑩, 195 ㉗ – rattaché à Monaco.

Le BEAUSSET 83330 Var 84 ⑭ – 5 329 h.

Voir ≤★ **de la chapelle N.-D. du Beausset-Vieux S : 4 km, G. Côte d'Azur.**

ℹ Syndicat d'Initiative pl. Charles-de-Gaulle (fermé après-midi hiver) ✆ 94 90 55 10.

Paris 819 – Aix-en-Provence 64 – ♦Marseille 47 – ♦Toulon 17.

🏨 **Motel la Cigalière** M ⛰, **N : 1,5 km par N 8 et VO** ✆ **94 98 64 63**, ≤, ⛱, ⛱, 🏊, ⛱, ✂ – cuisinette ⇔wc ⋒wc ☎ Ⓟ. VISA
hôtel : fermé 15 au 23 oct., 1er au 10 fév. et dim. hors sais. ; rest. : ouvert 15 mai-10 oct. – **R** (dîner seul.) 90/140 – ▭ 24 – **14 ch** 250/315, 5 studios 440/500 – 1/2 p 235/270.

XX **Aub. Couchoua, N : 3,5 km par N 8 et VO** ✆ **94 98 72 24**, ⛱ – Ⓟ. ✂
fermé 10 au 23 oct., 7 au 29 mars, dim. soir et merc. – **R** (grillades) (en août dîner seul.) 110 ♁.

X **La Miquelette, S : 2 km par N8 et VO** ✆ **94 90 50 79**, ≤, ⛱, ⛱ – Ⓟ. E VISA
fermé début janv. à début mars, le midi (sauf sam. et dim. en juil.-août), dim. soir et lundi de sept. à juin – **R** carte 115 à 180.

RENAULT Central-Gar., ✆ 94 98 70 10 N
Michel Pneum., ✆ 94 90 44 70

BEAUVAIS P 60000 Oise 55 ⑨⑩ **G. Flandres Artois Picardie** – 54 147 h.

Voir Cathédrale★★★ : horloge astronomique★ – Église St-Étienne★ : vitraux★★ et arbre de Jessé★★★ – Musée départemental de l'Oise★ dans l'ancien palais épiscopal M.

✈ **de Beauvais-Tillé** ✆ **44 45 01 06 par ② : 4 km.**

ℹ Office de Tourisme 6 r. Malherbe ✆ 44 45 08 18 et r. St-Pierre (avril-sept.) ✆ 44 45 25 26.

Paris 75 ④ – ♦Amiens 60 ① – Arras 125 ② – Boulogne-sur-Mer 168 ① – Compiègne 57 ③ – Dieppe 104 ⑦ – Évreux 98 ⑥ – ♦Reims 150 ③ – ♦Rouen 80 ⑦ – St-Quentin 113 ②.

Plan page suivante

🏨 **Chenal** M sans rest, **63 bd Gén.-de-Gaulle (a)** ✆ **44 45 03 55, Télex 145223** – ⇅ TV ⇔wc ⋒wc ☎. AE ⓓ E VISA
▭ 30 – **29 ch** 250/340.

🏨 **Palais** sans rest, **9 r. St-Nicolas (s)** ✆ **44 45 12 58** – TV ⇔wc ⋒wc ☎. AE E VISA
▭ 18,50 – **15 ch** 115/198.

🏨 **La Résidence** ⛰ sans rest, **24 r. Louis-Borel par ② et r. D.-Maillart** ✆ **44 48 30 98** – TV ⋒wc ☎ Ⓟ. E VISA
▭ 15 – **23 ch** 130/175.

🏨 **Bristol** sans rest, **60 r. Madeleine (k)** ✆ **44 84 33 85** – TV ⇔ ⋒ Ⓟ
fermé dim. du 15 nov. au 1er mars – ▭ 18,50 – **19 ch** 78/175.

XXX **A la Côtelette, 8 r. Jacobins (e)** ✆ **44 45 04 42** – AE E VISA
fermé dim. soir et lundi – **R** 150 bc.

XX **Marignan, 1 r. Malherbe (u)** ✆ **44 48 15 15** – E VISA
fermé 1er au 21 fév., dim. soir et lundi sauf fêtes – **R** 70/176.

XX **Relais de la Folie, par ② : 1 km face aéroport** ✆ **44 48 09 58** – Ⓟ. VISA
fermé dim. soir et lundi – **R** 120/160 ♁.

par ③ **3 km, quartier St-Lazare** – ✉ **60000** Beauvais :

🏨 **Mercure** M sans rest, **av. Montaigne** ✆ **44 02 03 36, Télex 150210**, 🏊, ⛱ – ▤ TV ☎ ♿ Ⓟ – 🏛 150. AE ⓓ E VISA
▭ 32 – **60 ch** 290.

par ④ **rte de Rouen : 3,5 km** – ✉ **60000** Beauvais :

XXX **La Belle du Coin,** ✆ **44 45 07 24** – Ⓟ. VISA
fermé 15 au 30 août, dim. soir et sam. – **R** 135 bc/250 bc.

à Tillé par ② : 4 km – ✉ **60000** Beauvais :

XX **Le Pradou, 45 r. Ile de France** ✆ **44 45 66 14**, ⛱ – Ⓟ. AE E VISA
fermé 5 au 25 août, vacances de fév., lundi soir et merc. soir – **R** 88/128.

MICHELIN, Agence, av. Blaise-Pascal par ④ ✆ **44 05 21 11**

BEAUVAIS

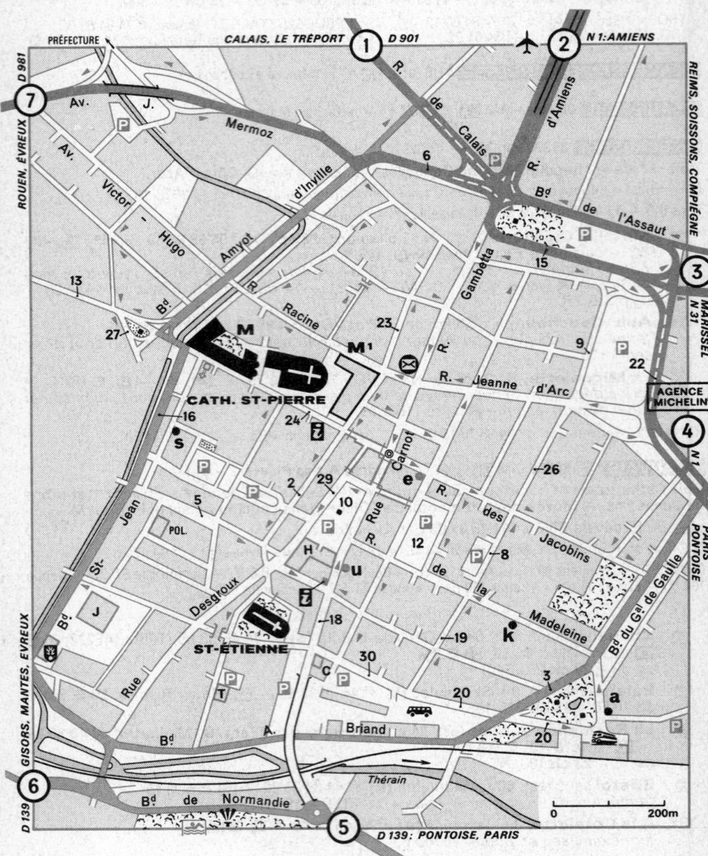

AUSTIN-ROVER Gar. Paris-Londres, r. Gay-Lussac ✆ 44 02 21 42
BMW, TOYOTA Gar. du Franc-Marché, av. P. et M. Curie ZAC St-Lazare ✆ 44 05 15 25
CITROEN Gd Gar. Paintré, 63 r. Calais par ① ✆ 44 45 62 37 N
FIAT Gar. Piscine, r. Becquerelle ✆ 44 45 18 75
FORD Gar. Verbregue, 11 r. N.-D.-du-Thil ✆ 44 45 15 18
OPEL Beauvais-Autos, Z.A.C. St Lazare r. P. et M. Curie ✆ 44 02 05 21
PEUGEOT-TALBOT Le Nouveau Gar., 2 r. Gay-Lussac, N 1 par ④ ✆ 44 02 15 81
RENAULT Gueudet, N 181, rte d'Amiens par ② ✆ 44 48 25 78 N

SEAT Gar. Sangnier Brigant, r. Pierre et Marie Curie ✆ 44 05 26 14
V.A.G. S.A.G.A. 60, r. de Clermont ✆ 44 05 45 47
VOLVO Autom. du Marais, 22 fg St-Jacques et bd Ile de France ✆ 44 84 78 78

Beauvais Pneum., 5 r. du 51ᵉ R.I. ✆ 44 45 91 23
Cacaux, 21 av. Blaise-Pascal, Zone Ind. n°2 ✆ 44 05 21 60
Fischbach Pneu, 55 r. Eugène-de-St-Fussien à Grandvilliers ✆ 44 45 54 95

BEAUVALLON 83 Var 84 ⑰ G. Côte d'Azur – ✉ 83120 Ste-Maxime – ⛳ ✆ 94 96 16 98.

Paris 873 – Hyères 50 – Le Lavandou 38 – St-Tropez 9,5 – Ste-Maxime 4,5 – ♦Toulon 69.

Host. Beauvallon Ⓜ, ✆ 94 43 81 11, Télex 970238, ←, 🏊, 🎾 – wc ☎ Ⓟ. AE. 🚫 rest
Pâques-oct. – **R** 130/160 – ☕ 35 – **27 ch** 600 – ½ p 500/570.

BEAUVEZER 04440 Alpes-de-H.-P. 81 ⑧ G. Alpes du Sud – 237 h. alt. 1 150.

Voir Route du col de la Colle St-Michel★ S.

Paris 808 – Annot 32 – Castellane 44 – Digne 66 – Manosque 107 – Puget-Théniers 54.

Verdon, ✆ 92 83 44 44, ←, – wc ⋒wc Ⓟ. E VISA. 🚫
fermé 21 au 31 mai et 31 oct. au 25 déc. – **R** 59/105 – ☕ 19 – **26 ch** 83/178 – ½ p 124/172.

BEAUVOIR 50 Manche 59 ⑦ – rattaché au Mont-St-Michel.

BEAUVOIR-SUR-MER 85230 Vendée 67 ①② – 3 165 h.

ℹ Office de Tourisme r. Charles-Gollet (15 juin-15 sept.) ✆ 51 68 71 13.

Paris 442 – Challans 16 – ♦Nantes 60 – Noirmoutier-en-l'Ile 22 – Pornic 32 – La Roche-sur-Yon 54.

Touristes, rte du Gois ✆ 51 68 70 19 – wc ⋒wc ☎ Ⓟ – 100. AE ① E VISA
fermé janv. et lundi du 1er oct. au 1er avril sauf vacances scolaires – **R** 55/182 – ☕ 20 – **19 ch** 98/204 – ½ p 179/245.

RENAULT Gar. Boutolleau René, ✆ 51 68 70 28

BEAUVOIR-SUR-NIORT 79360 Deux-Sèvres 72 ① – 759 h.

Paris 417 – Niort 17 – La Rochelle 57 – St-Jean-d'Angély 28.

Aub. des Voyageurs, ✆ 49 09 70 16 – E VISA
fermé 5 janv. aux vacances de fév. et merc. – **R** 55/221.

RENAULT Gar. Savin, ✆ 49 09 70 12

Le BEC-HELLOUIN 27 Eure 55 ⑮ G. Normandie Vallée de la Seine – 476 h. – ✉ 27800 Brionne – Voir Abbaye★★.

Paris 149 – Bernay 21 – Évreux 47 – Pont-Audemer 24 – Pont-l'Évêque 45 – ♦Rouen 42.

Aub. de l'Abbaye avec ch, ✆ 32 44 86 02 – wc. ① E VISA
fermé 9 janv. au 24 fév., lundi soir et mardi hors sais. – **R** 120/250 – ☕ 30 – **8 ch** 250/280.

BÉDARIEUX 34600 Hérault 83 ④ – 6 525 h.

ℹ Office de Tourisme 77 r. St-Alexandre ✆ 67 95 08 79.

Paris 831 – Béziers 35 – Lacaune 55 – Lodève 29 – ♦Montpellier 71 – Pézenas 33 – St-Affrique 80.

Moderne sans rest, **64 av. J.-Jaurès** ✆ **67 95 01 52** – wc ⋒wc ☎. AE ① E VISA
fermé 10 déc. au 20 janv. – ☕ 21 – **28 ch** 90/220.

CITROEN Gar. Pascal, 5 av. Cot ✆ 67 95 03 57
RENAULT Gar. Sandoval, 42 av. Jean-Jaurès ✆ 67 95 00 30
V.A.G. Vulc. Bédaricienne, 50 bis av. J.-Jaurès ✆ 67 95 08 00

Vulc. Bédaricienne, 50 bis av. J.-Jaurès ✆ 67 95 08 00

BÉDÉE 35 I.-et-V. 59 ⑯ – 2 726 h. – ✉ 35160 Montfort.

Paris 373 – Dinan 35 – Loudéac 63 – Montfort 4,5 – ♦Rennes 22.

Commerce, pl. Église ✆ 99 07 00 37 – ⋒. E VISA. 🚫 ch
fermé 1er au 21 août, 25 au 31 déc. et dim. – **R** 45/82 – ☕ 16 – **22 ch** 85/100 – ½ p 125/145.

BÉDOIN 84410 Vaucluse 81 ⑬ G. Provence et Alpes du Sud – 1 842 h.

Voir Le Paty ←★ NO : 4,5 km – ℹ Office de Tourisme à la Mairie ✆ 90 65 60 08 et pl. Marché (Pâques-sept. et vacances scolaires) ✆ 90 65 63 95.

Paris 688 – Avignon 39 – Carpentras 15 – Nyons 38 – Sault 35 – Vaison-la-Romaine 22.

L'Oustau d'Anaïs, rte de Carpentras ✆ 90 65 67 43 – Ⓟ. AE E VISA
fermé 21 sept. au 1er nov., lundi et mardi – **R** 70/140.

BÉGAAR 40 Landes 78 ⑥ – rattaché à Tartas.

BEG-MEIL 29 Finistère 58 ⑮ G. Bretagne – ✉ 29170 Fouesnant.

⛳ **de Quimper et de Cornouaille** ✆ **98 56 97 09, NE : 9,5 km.**

ℹ Office de Tourisme (15 juin-15 sept.) ✆ 98 94 97 47.

Paris 552 – Carhaix-Plouguer 75 – Concarneau 19 – Pont-l'Abbé 25 – Quimper 21 – Quimperlé 44.

Thalamot, ✆ 98 94 97 38, – wc ⋒wc. AE E VISA. 🚫
fin avril-début oct. – **R** 75/218, enf. 56 – ☕ 25 – **35 ch** 125/300 – ½ p 188/360.

La BÉGUDE DE SAZE 30 Gard 81 ⑪ – rattaché aux Angles.

BÉLÂBRE 36370 Indre 68 ⑯ – 1 068 h.

Paris 326 – Argenton-sur-Creuse 36 – Bellac 55 – Le Blanc 13 – Châteauroux 57 – Montmorillon 28.

XX ❀ **L'Écu** (Cotar) avec ch, ☎ 54 37 60 82 – wc wc. AE ⦿ E VISA
fermé 8 au 15 sept., 12 janv. au 15 fév., dim. soir et lundi – **R** (dim. prévenir) 130/300, enf. 80 – 25 – **7 ch** 150/230 – 1/2 p 250
Spéc. Petite marmite, L'andouillette de Bélâbre, Gourmandises.

CITROEN Nibodeau, ☎ 54 37 62 44

BELCAIRE 11 Aude 86 ⑥ – 421 h. alt. 1 002 – ✉ **11340** Espezel.

Voir Forêts★★ de la Plaine et Comus NO.

Env. Belvédère du Pas de l'Ours★★ E : 13 km puis 15 mn, – G. Pyrénées Roussillon.

Paris 827 – Ax-les-Thermes 26 – Carcassonne 77 – Quillan 27.

X **Bayle** avec ch, ☎ 68 20 31 05, – wc wc . E VISA.
fermé 2 nov. au 15 déc., lundi en oct. et du 15 déc. au 1er juin sauf vacances scolaires – **R** 58/180 – 15 – **14 ch** 68/190 – 1/2 p 115/180.

BELCASTEL 12 Aveyron 80 ① **G. Gorges du Tarn** – 249 h. – ✉ **12390** Rignac.

Paris 625 – Decazeville 30 – Rodez 25 – Villefranche de Rouergue 35.

X **Vieux Pont,** ☎ 65 64 52 29, ≤ – AE E VISA
fermé 5 au 12 sept., janv., dim. soir (sauf juil.-août) et lundi d'oct. à mars – **R** 75/170.

BELFORT P **90000** Ter.-de-Belf. 66 ⑧ **G. Jura** – 52 739 h.

Voir Le Lion★ BZ – **Citadelle★ : ★ de la terrasse du fort** BZ.

Office de Tourisme passage de France ☎ 84 28 12 23 – A.C. 18 bis r. Marseillaise ☎ 84 28 00 30.

Paris 503 ④ – ♦Bâle 79 ③ – ♦Besançon 100 ④ – Colmar 74 ③ – ♦Dijon 193 ④ – Épinal 97 ⑥ – ♦Genève 246 ④ – ♦Mulhouse 42 ③ – ♦Nancy 163 ⑥ – Troyes 277 ⑥.

Plan page ci-contre

Altéa H. du Lion, 2 r. G.-Clemenceau ☎ 84 21 17 00, Télex 360914 – TV ☎ P – 25 à 150. AE ⦿ E VISA — BX **k**
Les Saisons R 85/150, , enf.50 – 38 – **82 ch** 250/340.

Modern H. M sans rest, 9 av. Wilson ☎ 84 21 59 45 – TV wc wc ☎ P. AE E VISA. — AZ **a**
fermé 19 déc. au 4 janv. et dim. de nov. à mars – 20 – **45 ch** 160/220.

Capucins, 20 fg Montbéliard ☎ 84 28 04 60 – wc wc ☎. E VISA — BZ **n**
fermé 16 déc. au 8 janv., sam. du 1er oct. au 30 avril et dim. (sauf hôtel du 1er mai au 30 sept.) – **R** 66/148 – 22 – **35 ch** 160/280 – 1/2 p 175/253.

Climat de France M, ☎ 84 22 09 84, Télex 361017 – ch TV wc ☎ P – 25. AE E VISA — AY **d**
R 52/91 , enf. 36 – 24 – **46 ch** 236 – 1/2 p 156/329.

XXX ❀ **Host. du Château Servin** avec ch, 9 r. Gén.-Négrier ☎ 84 21 41 85, , – rest wc P. AE ⦿ E VISA. ch — BZ **r**
fermé 5 au 26 août et vend. – **R** (nombre de couverts limité - prévenir) 180/370 – 40 – **10 ch** 280/350
Spéc. Salade tiède Dominique, Papillote de crustacés, Foie gras poêlé au vinaigre de framboise. **Vins** Kaefferkopf, Pinot noir.

XXX ❀ **Le Sabot d'Annie** (Barbier), D 13 entrée Offemont -BX- N : 3 km ✉ 90300 Valdoie ☎ 84 26 01 71 – P. AE E VISA
fermé 25 juil. au 17 août, vacances de fév., sam. midi et dim. – **R** carte 190 à 300
Spéc. Salade de cèpes, Panaché de poissons bretons au beurre d'herbes, Aiguillette de canette au miel et épices. **Vins** Kaefferkopf.

XX **Le Pot au Feu,** 27 bis Grand'Rue ☎ 84 28 57 84 – AE ⦿ E VISA — BY **s**
fermé 1er au 7 avril, 1er au 21 août, 1er au 7 janv., dim. et lundi – **R** carte 130 à 230 .

X **Thiers** avec ch, 9 r. Thiers ☎ 84 28 10 24 – wc ☎. E VISA — AZ **e**
fermé 21 déc. au 2 janv., sam. soir, dim. et fériés – **R** 57/213 – 16,50 – **20 ch** 84/152 – 1/2 p 126/170.

à Valdoie par ① : 5 km – 4 572 h. – ✉ **90300** Valdoie :

XXX **Hubert Grillet,** sur D 465 ☎ 84 26 18 49, « Cadre de verdure », – P. AE ⦿ E VISA
fermé 1er au 21 août, 15 au 31 janv., dim. soir et lundi – **R** 65/240.

par ② : 4 km sur N 83, rte de Colmar – ✉ **90000** Belfort :

X **La Petite Auberge,** ☎ 84 29 82 91 – P. E VISA
fermé fév., dim. soir, mardi soir et lundi – **R** 51/121 .

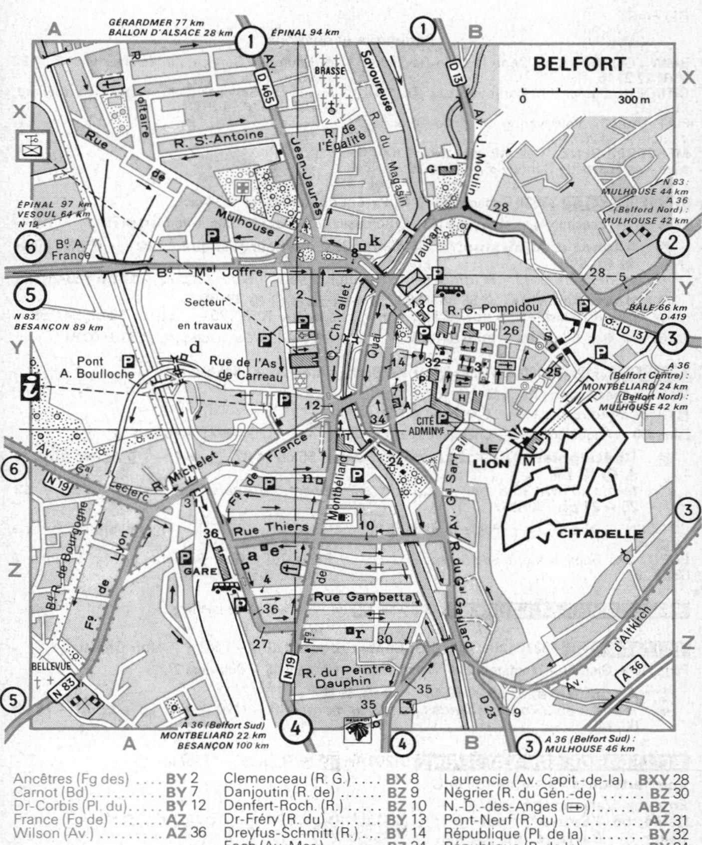

Ancêtres (Fg des) .... BY 2
Carnot (Bd) .... BY 7
Dr-Corbis (Pl. du) ..... BY 12
France (Fg de) .... AZ
Wilson (Av.) .... AZ 36

Armes (Pl. d') .... BY 3
Briand (R. Aristide) ... AZ 4
Brisach (Fg de) .... BY 5

Clemenceau (R. G.) .... BX 8
Danjoutin (R. de) ...... BZ 9
Denfert-Roch. (R.) ..... BZ 10
Dr-Fréry (R. du) .... BY 13
Dreyfus-Schmitt (R.) ... BY 14
Foch (Av. Mar.) .... BZ 24
Gde-Fontaine (R. de la). BY 25
Grande-Rue .... BY 26
Koechlin (R. G.) .... AZ 27

Laurencie (Av. Capit.-de-la) . BXY 28
Négrier (R. du Gén.-de) .... BZ 30
N.-D.-des-Anges (⊞) .... ABZ
Pont-Neuf (R. du) .... AZ 31
République (Pl. de la) .... BY 32
République (R. de la) .... BY 34
Richelieu (Bd) .... BZ 35
St-Christophe (⊞) .... BY
St-Joseph (⊞) .... AX

à l'échangeur de Bessoncourt par ③ : 7 km – ✉ **90160** Bessoncourt :

Campanile ⛰, ✆ 84 29 94 42, Télex 360724 – TV ⇌wc ☎ ♿ Ⓟ. VISA
R 63 bc/86 bc, enf. 38 – ☕ 24 – **46 ch** 200/220 – 1/2 p 287/330.

à Danjoutin par ④ : 3 km – 3 451 h – ✉ **90400** Danjoutin :

Mercure Ⓜ ⛰, ✆ 84 21 55 01, Télex 360801, ⛱ – |♦| ▤ rest TV ☎ ♿ Ⓟ – 🏛 25 à 100. AE ⓓ E VISA
R 95 🌡, enf. 42 – ☕ 33 – **80 ch** 297/310.

XXX ✿ **Pot d'Étain** (Clevenot), ✆ 84 28 31 95 – Ⓟ. E VISA
fermé 1er au 22 juil., 2 au 14 janv., sam. midi, dim. soir et lundi – **R** 170/230
Spéc. Terrine de foie gras d'oie, Lièvre à la Royale (automne), Gibier (en saison). **Vins** Riesling, Pinot noir.

par ④ : 3,5 km – ✉ **90400** Danjoutin :

X **Le Relais Comtois,** sur N 19, entrée Andelnans ✆ 84 28 31 17, 🌳 – Ⓟ. E VISA
fermé 1er au 16 août, dim. soir et lundi – **R** 63/130 🌡.

ALFA-ROMEO, FERRARI, TOYOTA Centre Autom., 37 av. J.-Jaurès ✆ 84 21 61 77
OPEL Diffusion Autom. Belfortaine, 33 r. de Mulhouse ✆ 84 21 41 89
PEUGEOT S.I.A. de Belfort, 10 r. du Rhône ✆ 84 21 53 23

RENAULT Gd Gar. Belfortain, bd H.-Dunant par bd Richelieu BZ ✆ 84 21 46 90 N

Ⓜ Chapuis-Pneus, 58 r. de la 1ère Armée ✆ 84 26 42 00
Salomon, 23 r. Brasse ✆ 84 21 60 50

Périphérie et environs

BMW Gar. Richelieu, Zone Ind. de Bavilliers ☎ 84 22 23 16
CITROEN Rabier Z.I., Danjoutin par ④ ☎ 84 21 22 08
FIAT Autom. Valdoyenne, 37 r. de Turenne, Valdoie ☎ 84 26 54 31
MERCEDES-BENZ Gar. Monin, 29 av. d'Alsace, Les Écarts de Denney ☎ 84 29 81 02

Equipneu Service, Z.I. de Bavilliers ☎ 84 22 25 08
Pneus et Services D.K., 1 rte Montbéliard, Andelnans ☎ 84 28 03 55

BELIN-BÉLIET 33830 Gironde 78 ③ G. Pyrénées Aquitaine – 2 439 h.

Paris 637 – Arcachon 44 – ♦Bayonne 133 – ♦Bordeaux 45 – Dax 96 – Mont-de-Marsan 78.

Aliénor d'Aquitaine, ☎ 56 88 01 23, « Intérieur rustique », – wc wc P.
1er mars-1er déc. – **R** (dîner seul.) (résidents seul.) 75 bc – 22 – **12 ch** 160/200.

Host. des Pins, ☎ 56 88 00 23, – wc P. E VISA
fermé 15 oct. au 15 nov., 2 au 25 janv. et merc. – **R** 55/170 – 21 – **12 ch** 94/188.

CITROEN Gar. Souleyreau, ☎ 56 88 00 63
RENAULT Gar. Dubourg ☎ 56 88 00 84

BELLAC 87300 H.-Vienne 72 ⑦ G. Berry Limousin – 5 465 h.

Voir Châsse★ dans l'église.

Office de Tourisme 1 bis r. L.-Jouvet ☎ 55 68 12 79.

Paris 380 – Angoulême 106 – Châteauroux 110 – Guéret 74 – ♦Limoges 41 – Poitiers 78.

Châtaigniers M, O : 2 km rte Poitiers ☎ 55 68 14 82, – TV wc wc ☎ P. E VISA
fermé 29 avril au 8 mai, nov., vend. soir et sam. hors sais. – **R** carte 130 à 240 – 26 – **27 ch** 170/280.

CITROEN Lachaise, 7 r. F.-Foureau ☎ 55 68 07 13 N
FORD Gar. Boos, à Mézières-sur-Issoire ☎ 55 68 30 28
PEUGEOT, TALBOT Nogaret, rte de Poitiers ☎ 55 68 00 10
RENAULT Gar. Sauteraud, Les Gatines à Blanzac ☎ 55 68 94 48

BELLECOMBE-ST-LAURENT 73 Savoie 74 ⑰ – rattaché à La Léchère.

BELLEGARDE 45270 Loiret 65 ① G. Châteaux de la Loire – 1 582 h – **Voir Château★.**

Paris 110 – Gien 40 – Montargis 23 – Nemours 39 – ♦Orléans 48 – Pithiviers 27.

Agriculture, ☎ 38 90 10 48 – P. E VISA
fermé 3 au 27 oct., vacances de fév. et mardi – **R** 50/120, enf. 28 – 18 – **18 ch** 60/140.

BELLEGARDE-SUR-VALSERINE 01200 Ain 74 ⑤ G. Jura – 11 787 h.

Voir Perte de la Valserine★30 mn.

Env. La Valserine★★ par ④ – Défilé de l'Écluse★★ par ② : 10 km – Barrage de Génissiat★★16 km par ③.

Syndicat d'Initiative 24 pl. Victor-Bérard (fermé après-midi hors saison) ☎ 50 48 48 68.

Paris 498 ④ – Aix-les-Bains 57 ③ – Annecy 41 ③ – Bourg-en-Bresse 81 ④ – ♦Genève 41 ③ – ♦Lyon 121 ④ – St-Claude 46 ④.

La Belle Époque (Sevin), 10 pl. Gambetta **(b)** ☎ 50 48 14 46 – wc wc ☎. AE E VISA
fermé 4 au 21 juil., 14 nov. au 2 déc., dim. soir et lundi hors sais. – **R** 110/200 – 25 – **10 ch** 130/200
Spéc. Salade Délice, Ragoût de queues d'écrevisses Nantua, Blanquette de carpe.

Central-Colonne, 1 r. Bertola **(e)** ☎ 50 48 10 45 – wc ☎. AE E VISA
fermé 15 oct. au 15 nov., lundi (sauf hôtel) et dim. soir – **R** 62/200, enf. 50 – 19 – **28 ch** 100/200.

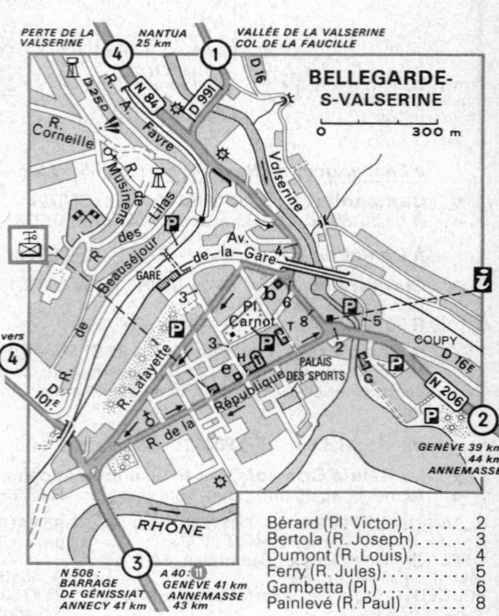

Bérard (Pl. Victor) 2
Bertola (R. Joseph) 3
Dumont (R. Louis) 4
Ferry (R. Jules) 5
Gambetta (Pl.) 6
Painlevé (R. Paul) 8

à Lancrans par ① : 3 km – ✉ **01200** Bellegarde-sur-Valserine :

Sorgia , ✆ **50 48 15 81**, – wc ⋒wc ☎ Ⓟ. VISA
fermé 11 sept. au 6 oct., 4 au 14 janv., dim. soir et lundi midi – **R** 52/160 – 17 – **17 ch** 110/160 – 1/2 p 120/160.

par ④ : 4 km par N 84 – ✉ **01200** Bellegarde-sur-Valserine :

Campanile, ✆ **50 48 14 10** – wc ☎ ♿ Ⓟ. VISA
R 63 bc/86 bc, enf. 38 – 24 – **42 ch** 200/220 – 1/2 p 287/330.

à Éloise (74 H.-Savoie) par ③ : 5 km – ✉ **01200** Bellegarde-sur-Valserine (Ain) :

Le Fartoret , ✆ **50 48 07 18**, ≤, parc, , – ☎ Ⓟ – 60. AE E VISA
R 90/210 – 30 – **40 ch** 171/310 – 1/2 p 215/277.

à Ochiaz O : 5 km par D 101 – ✉ **01200** Bellegarde-sur-Valserine :

Aub. de la Fontaine avec ch, ✆ **50 48 00 66**, – wc ⋒wc ☎ Ⓟ. AE E VISA
fermé 4 au 12 sept., 4 janv. au 4 fév., dim. soir et lundi – **R** 95/250 – 20 – **7 ch** 130/150.

route du Plateau de Retord O : 12 km par Ochiaz D 101 – ✉ **01200** Bellegarde-sur-Valserine :

Aub. Le Catray avec ch, ✆ **50 48 02 25**, ≤ **Mt Blanc et les Alpes**, – ⋒ Ⓟ. AE E VISA
fermé 1er au 15 sept., 1er au 15 nov., lundi soir (sauf hôtel) et mardi – **R** 60/120, enf. 35 – 16 – **9 ch** 100/140 – 1/2 p 140/195.

NISSAN Gar. du Centre, 20 rte de Vouvray ✆ 50 48 38 31
RENAULT Gar. de la Michaille, r. Mar.-Leclerc par D101 E, ZUP Musinens ✆ 50 48 27 21
Gar. Carrier, rte Genève à Coupy ✆ 50 48 48 07
Norsa-Pneu, av. Mar.-Leclerc, Zone Ind. Musinens ✆ 50 48 20 37

BELLE-ILE-EN-MER ★★ **56** Morbihan 63 ⑪⑫ **G. Bretagne** (plan).

Accès : Transports maritimes, pour Le Palais (en été réservation indispensable pour le passage des véhicules).

depuis Quiberon (Port-Maria). En 1987 : de juin au 28 sept. : 7 à 12 services quotidiens (en hiver : 4 à 8 services quotidiens) - Traversée 45 mn – Voyageurs 64 F (AR), autos aller 132 à 312 F. Renseignements : Cie Morbihannaise de Navigation ✆ 97 31 80 01 (Le Palais).

L'Apothicairerie (Grotte de) ★★ – NO de l'Ile.

Bangor – ✉ **56360** Le Palais.

La Forge, sur D 190, rte de Port-Goulphar ✆ **97 31 51 76**, – Ⓟ. AE E VISA
Pâques-mi-nov. – **R** 90, enf. 48.

Port-Donnant – **Voir Site**★★.

Port-Goulphar – ✉ **56360** Le Palais – **Voir Site**★ – **Aiguilles de Port-Coton**★★ NO : 1 km – **Grand Phare** : ★★ N : 2,5 km.

Castel Clara Ⓜ , ✆ **97 31 84 21, Télex 730750**, ≤ **crique et falaises**, , , , – TV ☎ Ⓟ – 35 à 70. VISA. rest
mi-mars-mi-oct. – **R** 185/245, enf. 75 – 43 – **43 ch** 590/780 – 1/2 p 460/590.

Manoir de Goulphar , ✆ **97 31 80 10**, ≤ **crique et falaises**, , – TV wc ☎ Ⓟ. E VISA. rest
Pâques-nov. – **R** 95/180 – 21 – **52 ch** 230/410 – 1/2 p 340.

Poulains (Pointe des) ★ – **Voir** ★.

Sauzon – 563 h. – ✉ **56360** Le Palais – **Voir Site**★.

Le Cardinal Ⓜ , à la pointe du Cardinal ✆ **97 31 61 60**, ≤ – Ⓟ – 50 à 100. VISA. rest
1er mai-30 sept. – **R** 110/170 – 22 – **84 ch** 140/540 – 1/2 p 260/360.

BELLE-ISLE-EN-TERRE **22810** C.-du-Nord 59 ① **G. Bretagne** – 1 216 h.

Voir Loc-Envel : jubé★ **et voûte** ★ **de l'église S : 4 km.**

Syndicat d'Initiative à la Mairie (saison matin seul.) ✆ 96 43 30 38.

Paris 503 – Guingamp 20 – Lannion 28 – Morlaix 36 – St-Brieuc 51.

Relais de l'Argoat avec ch, ✆ **96 43 00 34** – wc ⋒ ☎ Ⓟ – 50. E VISA.
fermé fév. et lundi – **R** 55/250, enf. 55 – 23 – **10 ch** 125/155 – 1/2 p 180/210.

RENAULT Le Quenven, r. du Guic ✆ 96 43 30 45 N

BELLÊME 61130 Orne **60** ⑭⑮ **G. Normandie Vallée de la Seine** (plan) – 1 849 h.
Voir N : Forêt★.

Paris 167 – Alençon 41 – Chartres 75 – La Ferté-Bernard 23 – ♦Le Mans 54 – Mortagne-au-Perche 17.

XX **Paix,** ☏ 33 73 03 32 – VISA
fermé 15 janv. au 15 fév., dim. soir et lundi – **R** 60/280, enf. 40.

RENAULT Gar. Hiron, ☏ 33 73 12 31 — Fauconnier, ☏ 33 73 04 31

BELLERIVE-SUR-ALLIER 03 Allier **73** ⑤ – rattaché à Vichy.

BELLES-HUTTES 88 Vosges **62** ⑰ – rattaché à La Bresse.

BELLEVAUX 74470 H.-Savoie **70** ⑰ **G. Alpes du Nord** – 1 086 h. alt. 907.
Voir Site★.

Syndicat d'Initiative ☏ 50 73 71 53.

Paris 578 – Annecy 72 – Bonneville 33 – ♦Genève 43 – Thonon-les-Bains 24.

La Cascade, ☏ 50 73 70 22, – ⇔ ⋒ Ⓟ. ✗ rest
1er juin-20 sept. et 15 déc.-20 avril – **R** 55/80 ♁, enf. 35 – ☕ 17 – **26 ch** 75/120 – 1/2 p 135/155.

au SO : 5 km par D 26 et VO – ✉ **74470** Bellevaux :

Gai Soleil ⑤, ☏ 50 73 71 52, ←, – ⇔wc Ⓟ. ✗ rest
18 déc.-15 avril et 20 juin-15 sept. – **R** 55/75 ♁ – ☕ 18 – **13 ch** 160 – 1/2 p 165/185.

à Hirmentaz SO : 7 km par D 26 et D 32 – ✉ **74470** Bellevaux :

Panoramic Ⓜ ⑤, ☏ 50 73 70 34, ←, ⛱ – ⇔wc ☎ Ⓟ. ✗
25 juin-31 août et 20 déc.-vacances de printemps – **R** 85 – ☕ 25 – **30 ch** 180/200.

Christania Ⓜ ⑤, ☏ 50 73 70 77, ←, ⛱ – ⇔wc ☎ Ⓟ. ✗
1er juil.-31 août et 15 déc.-20 avril – **R** 85/110, enf. 60 – ☕ 25 – **29 ch** 150/180 – 1/2 p 185/245.

Excelsa ⑤, ☏ 50 73 73 22, – ⇔wc ☎ Ⓟ. ✗ rest
25 juin-5 sept. et 20 déc.-25 avril – **R** 65/85 – ☕ 25 – **21 ch** 140/180.

Skieurs ⑤, ☏ 50 73 70 46, ←, – ⇔wc Ⓟ. ✗ rest
1er juil.-5 sept. et 15 déc.-20 avril – **R** 45/100, enf. 30 – ☕ 16 – **22 ch** 100/190 – 1/2 p 155/180.

BELLEVILLE 54940 M.-et-M. **57** ⑬ – 1 165 h.

Paris 355 – ♦Metz 40 – ♦Nancy 20 – Pont-à-Mousson 13 – Toul 28.

XXX ✿ **Bistroquet** (Mme Ponsard), ☏ 83 24 90 12 – ▤ Ⓟ. AE ⓓ E VISA
fermé 1er au 15 août, sam. midi, dim. soir et lundi – **R** (nombre de couverts limité - prévenir) 170/300
Spéc. Ravioli de langoustines sauce coraline, Blanc de turbot rôti au persil, Émincé de rognon de veau au vin de Bouzy. **Vins** Côtes de Toul..

BELLEVILLE 69220 Rhône **74** ① **G. Vallée du Rhône** – 6 580 h. – Maison du Beaujolais (fermé janv., merc. soir et jeudi) à St-Jean-d'Ardières sur N 6 : 1,5 km ☏ 74 66 16 46 : dégustations de vins et spécialités beaujolaises.

Paris 417 – Bourg-en-Bresse 39 – ♦Lyon 45 – Mâcon 25 – Villefranche-sur-Saône 18.

La Route des Vins sans rest, 1 pl. Gare ☏ 74 66 34 68 – TV ⇔wc ⋒wc ☎ Ⓟ. AE E VISA
fermé janv. – ☕ 25 – **31 ch** 90/260.

Ange Couronné sans rest, 18 r. République ☏ 74 66 42 00 – ⇔wc ⋒wc ☎ ⇔. E VISA. ✗
☕ 25 – **20 ch** 140/330.

XX **Rhône au Rhin,** le port E : 1,5 km sur D17 ☏ 74 66 16 23, – Ⓟ. AE ⓓ VISA
fermé 1er au 17 déc., vacances de fév., dim. soir du 1er oct. au 30 avril, mardi soir et merc. – **R** 65/170 ♁.

XX **Beaujolais,** 40 r. Foch ☏ 74 66 05 31 – E VISA. ✗
fermé 15 au 31 déc. mardi soir et merc. – **R** 70/180 ♁.

à Taponas NE : 3 km – ✉ **69220** Belleville :

Aub. des Sablons Ⓜ ⑤, ☏ 74 66 34 80 – ⇔wc ☎ Ⓟ. E VISA
fermé 15 déc. au 15 janv. – **R** *(fermé mardi hors sais.)* 70/150 – ☕ 24 – **15 ch** 195/250.

à Pizay NO : 5 km par D18 et D69 – ✉ **69220** Belleville :

Château de Pizay ⑤, ☏ 74 66 51 41, Télex 305772, , ⛱, ✗ – TV ☎ Ⓟ – 250. AE ⓓ E VISA. ✗ ch
R 170/270, enf. 80 – ☕ 30 – **48 ch** 400/440 – 1/2 p 360.

RENAULT Dépérier, 172 r. République ☏ 74 66 17 15

BELLEVUE 44 Loire-Atl. 67 ③④ – rattaché à Nantes.

BELLEVUE 92 Hauts-de-Seine 60 ⑩, 101 ㉔ – voir à Paris, Environs (Meudon).

BELLEY 01300 Ain 74 ⑭ **G. Jura** – 8 372 h.
Voir Choeur★ de la cathédrale St-Jean.
Office de Tourisme pl. Victoire ✆ 79 81 29 06.
Paris 505 – Aix-les-Bains 33 – Bourg-en-Bresse 75 – Chambéry 35 – ♦Lyon 95.

Le Manicle, 2 bd Mail ✆ 79 81 42 40 – wc ☎ – 30. E VISA
fermé dim. soir et lundi – **R** 55/130 – 23 – **17 ch** 100/220 – $^1/_2$ p 160/240.

à Contrevoz NO : 9 km sur D 32 – ✉ **01300** Belley :

Aub. la Plumardière, ✆ 79 81 82 54, – E VISA
fermé 26 juin au 8 juil., 28 août au 3 sept., 18 déc. au 10 fév. et lundi de Pâques à début oct. – **R** 60/160, enf. 45.

CITROEN Gar. Callet, rte de Lyon ✆ 79 81 06 43
PEUGEOT-TALBOT Belley Automobiles, ZI du Coron, ✆ 79 81 05 53
Comptoir Départemental du Pneu, rte de Bourg, ✆ 79 81 20 09

BENESSE-MAREMNE 40 Landes 78 ⑰ – 1 175 h. – ✉ **40230** St-Vincent-de-Tyrosse.
Paris 750 – ♦Bayonne 21 – Capbreton 5,5 – Mont-de-Marsan 78 – St-Vincent-de-Tyrosse 6.

Centre, N 10 ✆ 58 72 54 16, – . AE E VISA
fermé 1er janv. au 15 fév., dim. soir et lundi soir – **R** 70/160, enf. 35 – 20 – **14 ch** 130/200.

BÉNODET 29118 Finistère 58 ⑮ **G. Bretagne** (plan) – 2 286 h. – Casino.
Voir Phare ☼★ – Pont de Cornouaille ≤★ NO : 1 km.
Excurs. L' Odet★★ en bateau (1 h 30).
de Quimper et Cornouaille ✆ 98 56 97 09, NE : 12 km.
Pont de Cornouaille - Péage (1987) : auto 3,50 à 5 F (conducteur compris), motos 1,20 F, camion 6 F.
Office de Tourisme 51 av. Plage (fermé oct.) ✆ 98 57 00 14.
Paris 555 – Concarneau 22 – Fouesnant 9 – Pont-l'Abbé 12 – Quimper 16 – Quimperlé 48.

Gwel-Kaër M, av. Plage ✆ 98 57 04 38, ≤ – . E VISA.
1er fév.-15 nov. et fermé dim. soir et lundi hors sais. sauf vacances scolaires et fériés – **R** 120/165 – 30 – **24 ch** 250/430 – $^1/_2$ p 330/385.

Ker Moor , av. Plage ✆ 98 57 04 48, Télex 941182, ≤, « Parc, , » – TV ☎ – 80. E VISA. rest
Pâques-fin oct. – **R** 100/180, enf. 50 – 30 – **60 ch** 280/300 – $^1/_2$ p 350/380.

Kastel Moor, av. Plage ✆ 98 57 05 01, ≤, , , – ☎ – 25 à 80. E VISA. rest
Pâques-fin oct. – **R** voir H. **Ker Moor** – 30 – **23 ch** 220/300 – $^1/_2$ p 350/380.

Menez-Frost sans rest, près poste ✆ 98 57 03 09, « Jardin fleuri, », – ☎ – 25 à 100. E VISA.
28 – **54 ch** 270/450.

Ker Vennaik M, av. Plage ✆ 98 57 15 40 – TV wc wc ☎ . AE E VISA
fermé janv. – **R** voir **H. Poste** – 33 – **17 ch** 260/320 – $^1/_2$ p 240/250.

Le Minaret , ✆ 98 57 03 13, ≤, – wc . E VISA. rest
1er avril-30 sept. – **R** 60/175 – 24 – **21 ch** 180/320 – $^1/_2$ p 230/290.

Ancre de Marine, au Port ✆ 98 57 05 29 – wc . E VISA.
mi-mars-début nov. – **R** *(fermé lundi sauf juil.-août)* 85/170 – 26 – **25 ch** 170/260.

Poste, r. Église ✆ 98 57 01 09 – TV wc wc ☎. AE E VISA
fermé janv. – **R** *(fermé lundi d'oct. à mai)* 55/200, enf. 35 – 23 – **18 ch** 140/260 – $^1/_2$ p 170/235.

Armoric H. sans rest, 3 r. Penfoul ✆ 98 57 04 03, – wc . AE E VISA
15 mai-15 sept. – 22 – **38 ch** 130/245.

✿ **Ferme du Letty** (Guilbault), au Letty SE : 2 km par D 44 et VO ✆ 98 57 01 27 – . AE E VISA.
fermé 10 au 28/10, 15/02 au 4/03, jeudi midi du 1er/4 au 30/9, mardi soir du 1er/10 au 31/3 et merc. – **R** 193/320
Spéc. Millefeuille de ris de veau et St-Jacques (nov. à mai), Feuilleté de tourteau aux girolles (en été), Rouget "Lorren" (en été).

rte de Quimper NE : 2,5 km par D 34 et VO – ✉ **29118** Bénodet :

Domaine de Kereven , ✆ 98 57 02 46, – wc wc ☎ .
Pâques-fin sept. – **R** (dîner seul.) (résidents seul.) 85, enf. 40 – 25 – **16 ch** 260/280 – $^1/_2$ p 225/250.

BENON 17 Char.-Mar. 71 ② – rattaché à La Laigne.

BÉNONCES 01 Ain 74 ⑭ – 274 h. – ✉ 01470 Serrières-de-Briord.

Paris 485 – Belley 28 – Bourg-en-Bresse 55 – ♦Lyon 66 – Nantua 69 – La Tour du Pin 38.

XX **Aub. Terrasse** avec ch, ☎ 74 36 73 56, ≤, 🚗 – ⇔wc ☎. AE E VISA
fermé 2 janv. au 25 mars – **R** *(fermé dim. soir et lundi)* 65/220 ₰, enf. 38 – ☕ 18 – **7 ch** 120/240 – ½ p 182/225.

BÉNOUVILLE 14 Calvados 55 ② – rattaché à Caen.

BERCK-PLAGE 62600 P.-de-C. 51 ⑪ **G. Flandres Artois Picardie** – 15 671 h.

Voir Phare ✳★ B – Parc d'attractions de Bagatelle★ 5 km par ①.

⛳18 **de Nampont St-Martin** ☎ **22 29 92 90 par ③ : 15 km.**

ℹ Office de Tourisme 5 av. F.-Tattegrain ☎ 21 09 50 00.

Paris 207 ③ – Abbeville 46 ③ – Arras 99 ② – Boulogne-sur-Mer 42 ① – Montreuil 17 ② – St-Omer 73 ② – Le Touquet-Paris-Plage 18 ①.

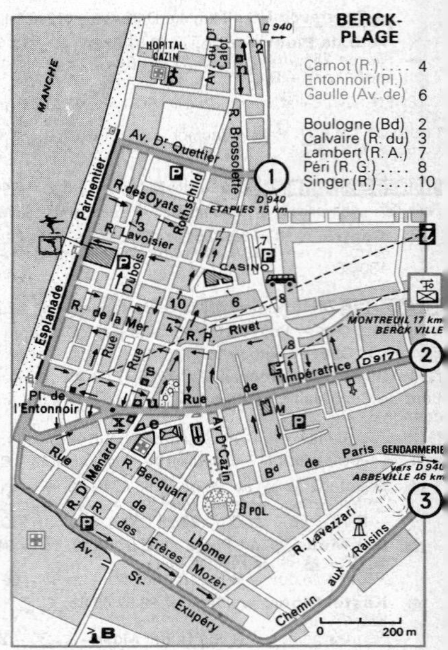

🏨 **Marquenterre,** 31 av. F.-Tattegrain **(u)** ☎ 21 09 12 13, 🚗 – ⇔wc ☎. AE E VISA
fermé 15 déc. au 15 janv. – **R** 135 ₰, enf. 38 – ☕ 18 – **12 ch** 115/185.

🏨 **Florida,** 3 r. Ancien-Calvaire **(e)** ☎ 21 09 15 21 – ⇔wc ⋔wc ☎. VISA. ✻
R 65/100 – **12 ch** ☕190/230.

🏨 **Banque,** 43 r. Division-Leclerc **(s)** ☎ 21 09 01 09 – ⇔wc ⋔wc ☎. AE VISA
R 65/155 – ☕ 20 – **14 ch** 115/230.

XX **Le Homard Bleu** avec ch, 48 pl. Entonnoir **(x)** ☎ 21 09 04 65 – TV ⇔wc ⋔wc ☎. AE E VISA
fermé vacances de fév., dim. soir et lundi d'oct. à mai – **R** 60/185 ₰ – ☕ 20 – **19 ch** 150/250.

XX **Aub. du Bois,** 149 av. Quettier ☎ 21 09 03 43 – AE E VISA
fermé janv. et lundi – **R** 88/200 ₰.

X **Le Mauritius,** 6 r. du Dr Calot **(n)** ☎ 21 09 18 61 – VISA
fermé 1er au 15 janv. et lundi d'oct. à juin – **R** 58/115 ₰, enf. 30.

CITROEN Artois-Autom., Zone Ind., rte Abbeville par ③ ☎ 21 09 26 42 🅽 ☎ 21 84 30 39
PEUGEOT-TALBOT Damour, Zone Ind. rte Abbeville par ③ ☎ 21 09 43 50
RENAULT Campion-Berck, pl. Fontaine par ② ☎ 21 09 04 11

BERGERAC ◈ 24100 Dordogne 75 ⑭⑮ **G. Périgord Quercy** – 27 704 h.

Voir Le Vieux Bergerac★ : Musée du Tabac★★ (maison Peyrarède★) AZ – Musée du Vin, de la Batellerie et de la Tonnellerie★ AZ **M2**.

ℹ Office de Tourisme 97 r. Neuve-d'Argenson ☎ 53 57 03 11.

Paris 558 ⑥ – Agen 89 ③ – Angoulême 109 ⑥ – ♦Bordeaux 87 ⑤ – Pau 214 ④ – Périgueux 47 ①.

Plan page ci-contre

🏨 **La Flambée,** rte Périgueux par ① : 3 km ☎ 53 57 52 33, ≤, « Parc fleuri, ⛱ », 🎾 – TV ⇔wc ⋔wc ☎ 🅟 – 🏋 70. AE ⓓ E VISA
fermé 3 janv. au 31 mars, lundi (sauf hôtel) et dim. soir du 1er avril au 10 juin et du 1er oct. au 31 déc. – **R** 88/230, enf. 60 – ☕ 27 – **21 ch** 198/280 – ½ p 305/415.

🏨 **Bordeaux,** 38 pl. Gambetta ☎ 53 57 12 83, Télex 550412, ⛱ – 🛗 ▤ rest TV ⇔wc ⋔wc ☎ 🚗 – 🏋 50. AE ⓓ E VISA AY **f**
fermé 20 déc. au 20 janv. – **R** *(fermé sam. de nov. à Pâques)* 75/130, enf. 40 – ☕ 22 – **42 ch** 180/235 – ½ p 230/250.

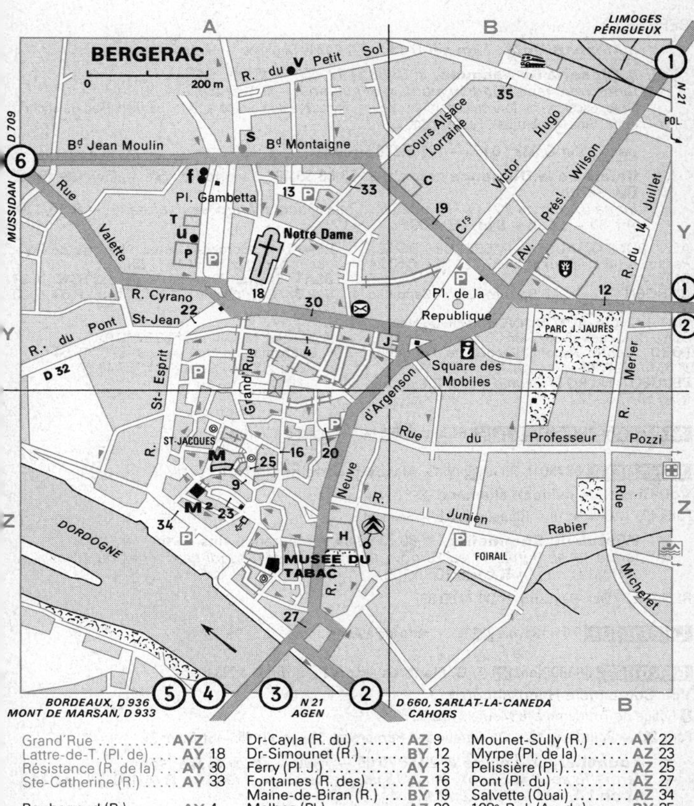

Grand'Rue .... AYZ
Lattre-de-T. (Pl. de) .... AY 18
Résistance (R. de la) ... AY 30
Ste-Catherine (R.) ..... AY 33

Boubarraud (R.) .... AY 4
Dr-Cayla (R. du) .... AZ 9
Dr-Simounet (R.) ...... BY 12
Ferry (Pl. J.) .... AY 13
Fontaines (R. des) ...... AZ 16
Maine-de-Biran (R.) ... BY 19
Malbec (Pl.) .... AZ 20
Mounet-Sully (R.) ..... AY 22
Myrpe (Pl. de la) .... AZ 23
Pelissière (Pl.) .... AZ 25
Pont (Pl. du) .... AZ 27
Salvette (Quai) .... AZ 34
108e-R.-I. (Av. du) ...... BY 35

Commerce M, **36 pl. Gambetta** ✆ **53 27 30 50, Télex 541888**, – wc wc – 50. AE E VISA — AY **f**
fermé 15 fév. au 1er mars et dim. soir du 15 nov. au 15 avril – **R** 76/140, enf. 43 – 21 – **30 ch** 147/215 – ½ p 259/270.

Europ-H. sans rest, **20 r. Petit-Sol** ✆ **53 57 06 54** – wc wc . E VISA — AY **v**
20 – **22 ch** 155/205.

France sans rest, **18 pl. Gambetta** ✆ **53 57 11 61** – wc wc . E VISA — AY **u**
20 – **20 ch** 150/195.

XXX ✿ **Le Cyrano** (Turon) avec ch, **2 bd Montaigne** ✆ **53 57 02 76** – wc wc . AE E VISA — AY **s**
fermé 26 juin au 11 juil., 2 au 26 déc., dim. soir (sauf juil.-août) et lundi – **R** 100/200 – 25 – **11 ch** 160/185
Spéc. Moules farcies au saumon, Pigeon rôti aux choux, Gratin de fruits au sabayon de Monbazillac.
Vins Bergerac, Pécharmant.

par ① : **12 km par N 21, D 107 et VO** – ✉ **24140** Villamblard :

Manoir Gd Vignoble , ✆ **53 24 23 18, Télex 541629**, , , , – – 40. AE E VISA
fermé 22 déc. au 1er fév., dim. soir et lundi sauf du 1er avril au 1er nov. – **R** 125/175, enf. 70 – 32 – **30 ch** 345/475 – ½ p 365/395.

à St-Naixent par ③ et D 19 : 6 km – ✉ **24520** Mouleydier :

XX **La Vieille Grange**, ✆ **53 24 32 21**, – . AE E VISA
fermé 20 sept. au 6 oct., 18 janv. au 6 fév. et merc. (sauf le soir en août) – **R** 88/180, enf. 55.

à Monbazillac S : 7 km par D 13 – ✉ **24240** Sigoulès – **Voir Château★.**

XXX ✿ **Closerie St-Jacques,** ✆ 53 58 37 77, 🏠 – E VISA. ✗
fermé nov., janv., lundi et mardi sauf juil.-août – **R** 165/280, enf. 50
Spéc. Escalope de foie de canard aux poires, Fricassée de homard au Monbazillac, Pied de cochon truffé. **Vins** Monbazillac, Pécharmant.

par ④ sur D 933 : 6 km – ✉ **24240** Sigoulès :

XX **Relais de la Diligence** avec ch, ✆ **53 58 30 48,** ← **vignoble,** 🏠 – ⋒wc ☎ **P**. E VISA. ✗ ch
fermé 27 juin au 10 juil., 15 au 28 fév., mardi soir et merc. sauf juil.-août – **R** 95/170, enf. 30 – ☕ 25 – **8 ch** 150/200.

ALFA-ROMEO, AUSTIN, MERCEDES-BENZ, Parisot, 1 bd Dr-Roux ✆ 53 27 22 11 N ✆ 53 24 34 19
CITROEN Cazes et Barthet, 31 r. Candillac ✆ 53 57 73 77 N
FIAT, LANCIA-AUTOBIANCHI Gar. de Naillac, 39 av. Bordeaux ✆ 53 57 36 08
FORD Centre Autom. Pecou, rte Périgueux ✆ 53 57 27 41 N
PEUGEOT-TALBOT Géraud, 117 r. Clairat par ② ✆ 53 57 62 72
RENAULT Bergerac-Autos, N 21 rte de Périgueux par ① ✆ 53 57 42 11 N
SEAT Chatral, 70 av. P.-Painlevé ✆ 53 63 16 37
V.A.G. Gar. Wilson, 26 av. Wilson ✆ 53 27 20 08

⊛ Martial, pl. Clairat ✆ 53 57 19 97
P. Soubzmaigne, rte Eymet ✆ 53 57 19 54
S.I.A.B., 112 av. Pasteur ✆ 53 57 46 77

BERGÈRES-LÈS-VERTUS **51** Marne **56** ⑯ – rattaché à Vertus.

BERGHEIM 68750 H.-Rhin 62 ⑲ G. Alsace et Lorraine – 1 774 h.

Voir Cimetière militaire allemand ⁂★.

Paris 430 – Colmar 16 – Ribeauvillé 3,5 – Sélestat 9.

X **Wistub du Sommelier,** ✆ **89 73 69 99, restaurant à vins** – ✗
fermé 1er au 9 juil., 14 au 20 nov., vacances de fév., lundi sauf fériés du 14 nov. au 1er mai et dim. – **R** carte 105 à 155.

RENAULT Gar. Beysang, ✆ 89 73 63 33

La BERGUE **74** H.-Savoie **74** ⑥ – rattaché à Annemasse.

BERGUES 59380 Nord 51 ④ G. Flandres Artois Picardie – 4 743 h.

Voir Couronne d'Hondschoote★.

ℹ Office de Tourisme à la Mairie ✆ 28 68 60 44.

Paris 282 – Bourbourg 18 – Dunkerque 8 – Hazebrouck 34 – ♦Lille 65 – St-Omer 31.

🏠 **Tonnelier,** près église ✆ **28 68 70 05** – ⋒wc – 🚣 25. E VISA. ✗ ch
◆ *fermé 18 août au 6 sept., 1er au 18 janv. et vend. sauf fériés* – **R** 58/150 🍷 – ☕ 17 – **12 ch** 115/195 – 1/2 p 125/230.

🏠 **Commerce** sans rest, **près église** ✆ **28 68 60 37** – ⊟
fermé 25 juin au 14 juil. et 20 déc. au 5 janv. – ☕ 18 – **18 ch** 85/170.

XX **Cornet d'Or,** 26 r. Espagnole ✆ **28 68 66 27** – VISA
fermé 15 juin au 9 juil., dim. soir et lundi – **R** 135/240.

PEUGEOT-TALBOT Gar. Moderne Desmidt, à Esquelbecq ✆ 28 65 61 44
RENAULT Houtland Autom., à Wormhout ✆ 28 62 99 00 N
VOLVO Gar. Maecker, à Socx ✆ 28 68 63 50 N ✆ 28 68 61 44

BERNAY ⟨SP⟩ 27300 Eure 55 ⑮ G. Normandie Vallée de la Seine – 10 952 h.

Voir Boulevard des Monts★ AB.

ℹ Syndicat d'Initiative à l'Hôtel de Ville ✆ 32 43 32 08.

Paris 150 ② – Argentan 69 ⑤ – Évreux 48 ② – ♦Le Havre 85 ② – Louviers 51 ② – ♦Rouen 58 ②.

Plan page ci-contre

XX **Trois Vals,** rte Rouen par ② : **1 km** ✆ **32 43 21 54** – E VISA. ✗
fermé 18 août au 6 sept., mardi soir et merc. – **R** 98/170.

XX **Moulin Fouret** 🐌 avec ch, par ④, D 33 et VO ✆ **32 43 19 95,** 🏠, 🛋 – ⋒ **P**. E VISA. ✗ ch
fermé 21 août au 4 sept., 11 au 25 janv., dim. soir et lundi sauf du 1er mai au 17 juil. – **R** 95 – ☕ 20 – **8 ch** 140/190.

CITROEN **MAZDA** Levard, rte de Rouen à Menneval par ② ✆ 32 43 44 43
FORD Gar. Négrie, rte de Conches ✆ 32 43 03 42
LANCIA-AUTOBIANCHI-NISSAN Edouin, carr. Malbrouck, N 13 à Carsix ✆ 32 46 23 59
OPEL Gar. Robillard, rte de Broglie, Zone Ind. ✆ 32 43 09 99
PEUGEOT-TALBOT Lefèvre, N 138, rte de Broglie, Zone Ind. par ⑤ ✆ 32 43 34 28 N ✆ 32 45 95 15
RENAULT Modern Gar. Bernayen, 9 r. Maurice Lemoing ✆ 32 43 01 17

⊛ Subé-Pneurama, 5 r. L.-Gillain ✆ 32 43 37 78

BERNAY

BERNEX 74 H.-Savoie 70 ⑱ **G. Alpes du Nord** – 638 h. alt. 1 000 – **Sports d'hiver : 1 000/1 700 m** ≴14 ⛷ – ✉ **74500** Évian-les-Bains – ℹ Syndicat d'Initiative ☎ 50 73 60 72.

Paris 592 – Annecy 91 – Évian-les-Bains 14 – Morzine 36 – Thonon-les-Bains 16.

Chez Tante Marie ☎ 50 73 60 35, ≤, ☂, 🍽 – ⌂wc ⋔ ☎ **P**. ⓓ VISA. ✻ ch
fermé 15 oct. au 15 déc. – **R** 65/150 ⚲, enf. 30 – ☕ 25 – **25 ch** 200/250 – ½ p 180/240.

à La Beunaz NO : 1,5 km par D 52 – alt. 1 000 – ✉ **74500** Évian-les-Bains :

Bois Joli ☎ 50 73 60 11, ≤, 🍽 – ⌂wc ⋔wc ☎ ♿ **P**. ⓓ E VISA. ✻ rest
fermé 15 nov. au 15 déc. et 7 au 26 mars – **R** *(fermé merc.)* 85/185 – ☕ 26 – **24 ch** 210/250 – ½ p 220/230.

X **Relais Savoyard** avec ch, ☎ 50 73 60 14, ≤, ☂, 🍽 – ⋔wc **P**. AE E VISA
fermé 15 oct. au 15 déc. – **R** 72/100, enf. 35 – **13 ch** ☕110/180 – ½ p 142/175.

BERRY-AU-BAC 02 Aisne 56 ⑥ – 388 h. – ✉ **02190** Guignicourt.

Paris 162 – Laon 27 – ♦Reims 20 – Rethel 44 – Soissons 47 – Vouziers 64.

XXX ✿ **Rest. Cote 108** (Courville), ☎ 23 79 95 04, 🍽 – **P**. AE E VISA
fermé 23 déc. au 27 janv., dim. soir et lundi – **R** (dim. prévenir) 130/350
Spéc. St-Pierre grillé, Coquilles St-Jacques (oct.-avril), Filet d'agneau à l'estragon. **Vins** Coteaux Champenois.

BERRY-BOUY 18 Cher 68 ⑩ – rattaché à Bourges.

BERTHOLÈNE 12 Aveyron 80 ③ – 782 h. – ✉ **12310** Laissac.

Paris 616 – Espalion 26 – Pont-de-Salars 21 – Rodez 22 – Sévérac-le-Château 27.

Bancarel, ☎ 65 69 62 10, 🍽 – ⋔ 🚗 **P**. AE ⓓ E VISA
fermé 25 sept. au 15 oct. – **R** 42/100 ⚲ – ☕ 17 – **13 ch** 100/130 – ½ p 130/150.

BERVEN 29 Finistère 58 ⑤ **G. Bretagne** – ✉ **29225** Plouzevedé.

Voir Église★ : clôture★ du choeur.

Paris 561 – ♦Brest 43 – Landivisiau 14 – Morlaix 24 – St-Pol-de-Léon 14.

XX **Voyageurs** avec ch, ☎ 98 69 98 17 – **P**. E VISA. ✻
fermé mi-sept. à mi-oct. – **R** *(fermé dim. soir et lundi)* 45/120 ⚲, enf. 30 – ☕ 18 – **6 ch** 75/100 – ½ p 150.

BESANÇON P 25000 Doubs 66 ⑮ G. Jura – 119 687 h. – Casino: BY.

Voir Site★ – Citadelle★★ BZ : <★★ des chemins de ronde, musée d'Histoire naturelle★, musée Populaire comtois★, musée de la Résistance et de la Déportation★, Section d'Agriculture★ – Vieille ville★ BZ : Palais Granvelle★ D, Vierge aux Saints★ et Rose de Saint-Jean★ (Cathédrale), Horloge astronomique★ F – Préfecture★ AZ P – Bibliothèque municipale★ BZ B – Promenade Micaud★ BY – Grille★ de l'Hôpital St-Jacques AZ – Musée des Beaux-Arts★ : section d'horlogerie★ AY M1 – Fort Chaudanne <★ S : 2 km puis 15 mn X E – Env. N.-D.-de-la-Libération <★ SE : 5,5 km X K – Belvédère de Montfaucon <★ 8 km par ② – 18 ✆ 81 55 73 54 par ② : 13 km.

Office de Tourisme et Accueil de France (Informations, change et réservations d'hôtels, pas plus de 5 jours à l'avance) 2 pl. 1re Armée Française ✆ 81 80 92 55, Télex 360242 – A.C. 7 av. Élisée-Cusenier ✆ 81 81 26 11.

Paris 413 ⑥ – ♦Bâle 150 ⑥ – Bern 157 ② – ♦Dijon 104 ⑥ – ♦Genève 177 ② – ♦Grenoble 287 ③ – ♦Lyon 249 ⑥ – ♦Nancy 199 ⑥ – ♦Reims 324 ⑤ – ♦Strasbourg 244 ⑥.

Plan page ci-contre

Altéa Parc Micaud M, av. E.-Droz ✆ 81 80 14 44, Télex 360268 – rest TV ☎ P – 25 à 220. AE ① E VISA — BY d
Le Vesontio **R** 90/150 bc, enf. 45 – 39 – **95 ch** 300/505.

Novotel M, r. Trey ✆ 81 50 14 66, Télex 360009, , , – TV ☎ P – 25 à 200. AE ① E VISA — X e
R grill carte environ 120, enf. 40 – 38 – **107 ch** 300/345.

Parc M sans rest, 12 av. Carnot ✆ 81 80 60 70 – TV wc wc ☎ P. AE ① E VISA — BY n
30 – **14 ch** 250/390.

Urbis M, 5 av. Foch (face gare) ✆ 81 88 27 26, Télex 361576 – TV wc ☎ . ① VISA — AY b
R Brasserie 60/120 , enf. 35 – 25 – **97 ch** 200/250.

Nord sans rest, 8 r. Moncey ✆ 81 81 34 56, Télex 361582 – TV wc wc ☎ . AE ① E VISA — BZ r
20 – **44 ch** 95/197.

Siatel M, 3 chemin des Founottes par N 57 : 3 km ✆ 81 80 41 41 – rest TV ☎ P – 30. AE E VISA — X q
R 46/75 , enf. 32 – 19 – **28 ch** 195/280 – 1/2 p 240.

Mercure, 4 av. Carnot ✆ 81 80 33 11, Télex 361276, – TV wc ☎ P – 50. AE ① E VISA — BY a
R 130/180 , enf. 38 – 35 – **70 ch** 305/360.

Arcade sans rest, 21 r. Gambetta ✆ 81 83 50 54, Télex 361247 – TV wc ☎ P – 25. E VISA — BY k
26 – **49 ch** 199/219.

Le Chaland, promenade Micaud, près pont Brégille ✆ 81 80 61 61, « bateau restaurant » – AE E VISA — BY s
fermé 1er au 15 août., 1er au 15 janv., sam. midi et dim. – **R** 280/400.

Mungo Park, 11 r. Jean Petit ✆ 81 81 28 01, , – E VISA — AY e
fermé sam. midi et dim. – **R** 90/190.

Poker d'As, 14 square St-Amour ✆ 81 81 42 49, sculptures sur bois – AE ① E VISA — BY u
fermé 10 juil. au 1er août, 24 déc. au 2 janv., dim. soir et lundi – **R** 75/180 .

Tour de la Pelote, 41 quai Strasbourg ✆ 81 82 14 58, « Tour du 16e s. » – AE ① E VISA — AY
fermé Noël et lundi – **R** 110 bc/160 bc.

Le Chaudanne, 95 r. Dole ✆ 81 52 06 13, – P. E VISA — X f
fermé 24 déc. au 4 janv., sam. et dim. – **R** (déj. seul.) 60/180 .

Carnot avec ch, 8 av. Carnot ✆ 81 88 06 23 – VISA. ch — BY t
fermé 7 au 31 août et dim. – **R** 48/98 , enf. 30 – 20 – **11 ch** 87/140 – 1/2 p 160/195.

à Chalezeule par ① et D 217 : 5,5 km – ✉ 25220 Chalezeule :

Trois Iles sans rest, ✆ 81 61 00 66, – wc wc ☎ P. E VISA
20 – **16 ch** 160/220.

à Roche-lez-Beaupré par ① : 8 km – ✉ 25220 Chalezeule :

Aub. des Rosiers, ✆ 81 57 05 85 – P. E VISA
fermé 27 juin au 16 juil., vacances de fév., lundi soir et mardi – **R** 70/190 , enf. 45.

à Montfaucon par ②, D 464 et D 111 : 9 km – ✉ 25660 Saône :

La Cheminée, rte du Belvédère ✆ 81 81 17 48, <, – P. ① E VISA
fermé fév., dim. soir et lundi – **R** 95/200, enf. 40.

à Pugey par ③ et D 473 : 10 km – ✉ 25720 Beure :

Champ-Fleuri , ✆ 81 57 21 54 – wc ☎ P – 25. VISA
fermé 20 déc. au 10 janv. – **R** *(fermé dim. soir)* 47/130 – 16 – **35 ch** 90/195 – 1/2 p 125/165.

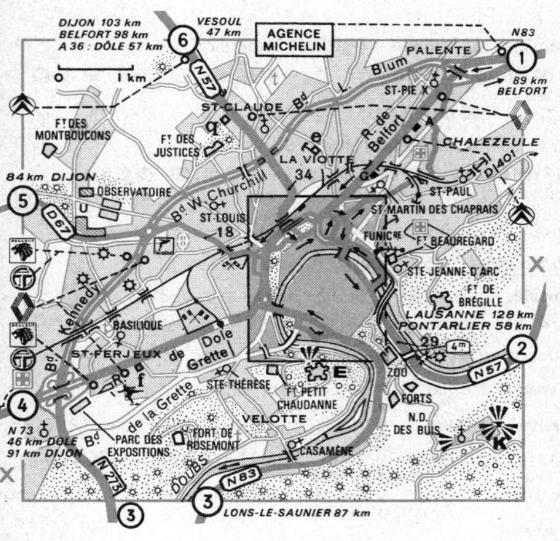

BESANÇON

- Battant (R.) .... AY
- Belfort (R. de) .... BY
- Bersot (R.) .... BZ
- Carnot (Av.) .... BY
- Grande-Rue .... ABZ
- Granges (R. des) .... BYZ
- République (R. de la) .... BY 26

- Battant (Pont) .... AY 3
- Bibliothèque (R. de la) .... BZ 4
- Chaprais (R. des) .... BY 7
- Fusillés-de-la-Résistance (R. des) .... BZ 10
- Granvelle (Prom.) .... BZ 13
- Jacobins (Pl. des) .... BZ 16
- Janvier (R. Antide) .... AZ 17
- Lagrange (Av. Léo) .... X 18
- Lattre-de-Tassigny (Pl. Mar.-de) .... BZ 19
- Leclerc (Pl. du Mar.) .... AY 20
- Orme-de-Chamars (R.) .... AZ 22
- Péclet (R.) .... BZ 24
- Pontarlier (R. de) .... BZ 25
- Révolution (Pl. de la) .... AY 28
- Rivotte (Fg) .... BZ 29
- Rivotte (R.) .... BZ 30
- Ronchaux (R.) .... BZ 32
- Vesoul (R. de) .... X 34
- 1re-Armée Française (Pl.) .... BZ 36

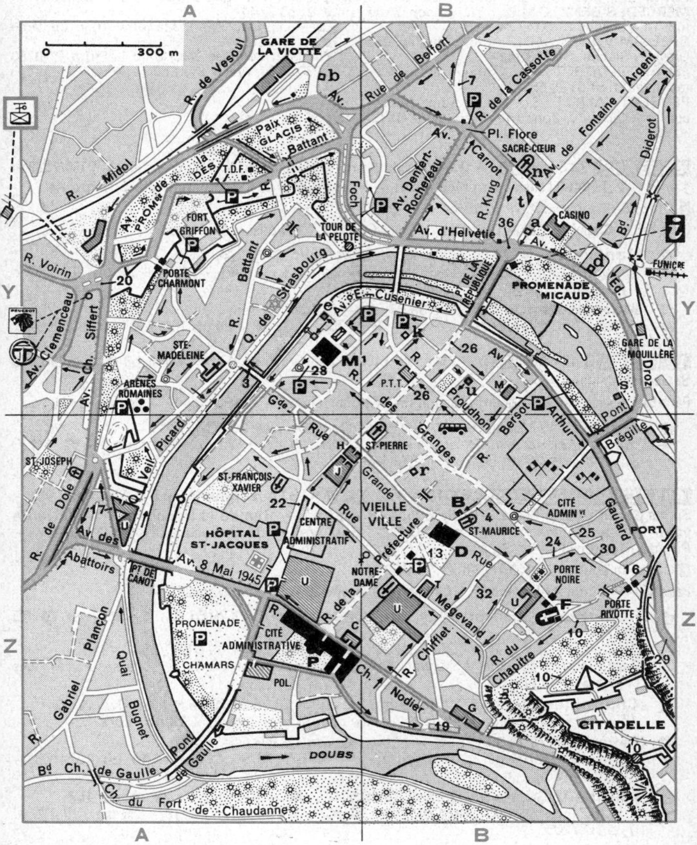

à Château Farine **par ④ et N 73 : 6 km – ✉ 25000** Besançon :

Épicure Ⓜ, ✆ 81 52 04 00, Télex 360167, ⛱, ⛱ – |‡| ▤ rest ▣ ⇔wc ☎ ♿ Ⓟ – 25 à 120. AE ⓓ E VISA
R 65/118 ⅀, enf. 35 – ☕ 32 – **60 ch** 275/306.

à École Valentin **par ⑥ : 5 km – ✉ 25480** Miserey Salines :

XX ❀ **Valentin** (Maire), **19 rte Épinal ✆ 81 80 03 90,** ⛱, ⛱ – Ⓟ. AE ⓓ E VISA
fermé 25 juil. au 8 août, lundi (sauf le midi de sept. à juin) et dim. soir – **R** 89/270, enf. 35
Spéc. Escargolade comtoise, Fricassée de volaille aux morilles, Gibier (saison).

Autres ressources hôtelières : **Voir** ***Étuz*** **par ⑥ et D 1 : 6 km.**

MICHELIN, Agence régionale, r. des Vallières Sud à Chalezeule X ✆ **81 80 24 53**

ALFA-ROMEO-SEAT Tarallo, Z.I. de Thise à Thise ✆ 81 80 68 31
CITROEN Succursale, 228 rte Dole par ④ ✆ 81 51 16 66
CITROEN Cassard, 123 r. de Vesoul, ✆ 81 50 45 24
CITROEN Gar. des Maisonnettes, à Ecole-Valentin par ⑥ ✆ 81 80 09 64
CITROEN Gar. Auto Détente, 124 r. de Belfort ✆ 81 80 11 90
DATSUN-NISSAN Mécanique, Loisirs, Autos, 72 r. de Belfort ✆ 81 88 29 23
FIAT Bever, 4 r. Pergaud ✆ 81 52 46 41
FORD Est-Auto, 18 av. Carnot ✆ 81 80 85 11
MERCEDES-BENZ C.M.B., r. Th.-Edison, Zone Ind. Tilleroyes ✆ 81 50 47 34
OPEL GM-VOLVO J.C.L. Autos, Chemin des Graviers Blancs ✆ 81 53 74 44
PEUGEOT, TALBOT Gar. Cretin, 1 av. G.-Clemenceau ✆ 81 81 29 66
PEUGEOT-TALBOT Sté Ind. Autom. Besançon, bd Kennedy, Zone Ind. Trépillot ✆ 81 53 30 55
PEUGEOT-TALBOT Gar. Girard, 129 r. de Dole ✆ 81 52 05 39
RENAULT Succursale, bd Kennedy ✆ 81 53 81 15 N
RENAULT Gar. Betteto, 148 r. Belfort ✆ 81 80 41 70
RENAULT Masson, 91 r. de Dole ✆ 81 52 05 22
RENAULT Gar. Salmer, 5 r. des Grands-Bas ✆ 81 50 26 19
V.A.G Gar. Simonin, 20 av. Fontaine Argent ✆ 81 80 89 33

Eco-Pneu rte de Vesoul à Ecole-Valentin ✆ 81 53 32 44
La Maison du Pneu, Mariotte, 10 r. de Dole ✆ 81 81 23 89
Pneus et Services D.K., 8 bd L.-Blum ✆ 81 50 29 30 et 6 r. Weiss ✆ 81 50 05 54

BESSANS 73 Savoie **77** ⑨ **G. Alpes du Nord** – 273 h. alt. 1 700 – Sports d'hiver : 1 750/2 200 m ⛷4, ⛷ – ✉ **73480** Lanslebourg-Mont-Cenis – **Voir Peintures★ de la chapelle St-Antoine.**

ℹ Office de Tourisme ✆ 79 05 96 52.

Paris 673 – Chambéry 136 – Lanslebourg-Mont-Cenis 12 – Val-d'Isère 37.

Vanoise ⛱, ✆ **79 05 96 79,** ≤ – ⇔wc ⋒wc ☎ Ⓟ. ✻
25 juin-30 sept. et 15 déc.-30 avril – **R** 55/100 ⅀, enf. 45 – ☕ 25 – **29 ch** 110/230 – ½ p 200/230.

Mont-Iseran ⛱, ✆ **79 05 95 97,** ≤ – ⋒ ⛟. ✻ rest
20 juin-1er oct. et 20 déc.-1er mai – **R** 63/75 ⅀ – ☕ 22 – **20 ch** 158/200 – ½ p 185/216.

Le BESSAT 42 Loire **76** ⑨ – 214 h. alt. 1 160 – Sports d'hiver : 1 174/1 434 m ⛷3 ⛷ – ✉ **42660** St-Genest-Malifaux.

Paris 519 – Annonay 30 – Bourg-Argental 15 – St-Chamond 19 – ♦St-Étienne 18 – Yssingeaux 64.

France, ✆ **77 20 40 99,** ⛱ – ⇔wc ⋒wc ☎ – 30. VISA. ✻
fermé 1er au 15 avril, 1er au 15 sept., 20 déc. au 2 janv., dim. soir et lundi – **R** 45/110 ⅀ – ☕ 16 – **30 ch** 80/150 – ½ p 140/150.

BESSE-EN-CHANDESSE **63610** P.-de-D. **73** ⑬⑭ **G. Auvergne** (plan) – 1 742 h. alt. 1 050 – Sports d'hiver à Super Besse – **Voir Église St-André★ – Rue de la Boucherie★ – Porte de ville★ – Lac Pavin★★ : 4 km par D 978 – Env. Vallée de Chaudefour★★ NO : 11 km – Puy de Montchal ✻★★ S : 4 km.**

ℹ Office de Tourisme pl. Dr-Pipet ✆ 73 79 52 84.

Paris 450 – ♦Clermont-Ferrand 51 – Condat 28 – Issoire 35 – Le Mont-Dore 25.

❀ **Mouflons** (Sachapt) Ⓜ ⛱, **rte Super-Besse ✆ 73 79 51 31,** ≤, ⛱ – ☎ Ⓟ. AE VISA. ✻ rest
1er juin-25 sept. – **R** 95/230 – ☕ 30 – **50 ch** 280/320 – ½ p 280/380
Spéc. Saumon de fontaine, Mignonnettes de Salers au fricot, Délice de poire aux fraises. Vins Corent, Chanturgue.

Charmilles Ⓜ sans rest, **rte Super-Besse ✆ 73 79 50 79** – ⇔wc ⋒wc ☎ Ⓟ
15 juin-15 sept., vacances de fév. et de printemps – ☕ 20 – **20 ch** 170/210.

Levant, ✆ **73 79 50 17,** ⛱ – ⇔wc ☎ ⛟. E VISA. ✻ rest
16 juin-24 sept. et 20 déc.-mi-avril – **R** 62/110 – ☕ 19 – **16 ch** 135/168 – ½ p 120/160.

Le Clos Ⓜ ⛱, **rte Mt-Dore ✆ 73 79 52 77,** ⛱ – ⇔wc ⋒wc ☎ Ⓟ. ⓓ VISA
4 juin-24 sept. et 17 déc.-16 avril – **R** 60/120, enf. 36 – ☕ 19 – **25 ch** 120/170 – ½ p 155/205.

à Super-Besse O : 7 km – alt. 1 350 – Sports d'hiver : 1 350/1 850 m 1 19, – ✉ 63610 Besse-en-Chandesse :

Gergovia, ✆ 73 79 60 15, Télex 394021, ← – . rest
juil.-août et 18 déc.-Pâques – **R** 75/115 – 19 – **53 ch** 150/300 – 1/2 p 397.

Chamois, ✆ 73 79 60 60, ← – ch wc wc . E VISA
1er juil.-30 août et 20 déc.-15 avril – **R** 65/130 – 20 – **15 ch** 150/200 – 1/2 p 160/210.

LADA-PEUGEOT-TOYOTA Gar. Fabre, ✆ 73 79 51 10

RENAULT Gar. des Lacs, ✆ 73 79 50 07
Chareyre, à St-Pierre-Colamine ✆ 73 96 77 19

BESSÈGES 30160 Gard 80 ⑧ – 4 358 h.

Syndicat d'Initiative r. République (15 juin-15 sept.).

Paris 698 – Alès 30 – Aubenas 66 – Mende 91.

Aub. des Combes, E : 4 km par D 51 et VO ✆ 66 25 06 78, , – wc . E VISA. ch
R *(fermé mardi)* 70/150, enf. 35 – 22 – **10 ch** 200/280 – 1/2 p 190/210.

BESSENAY 69690 Rhône 73 ⑲ – 1 617 h.

Paris 465 – ♦Lyon 36 – Montbrison 51 – ♦St-Étienne 63.

Aub. de la Brevenne avec ch, ✆ 74 70 80 01, – . AE E VISA. ch
fermé dim. soir et lundi – **R** 80/170, enf. 70 – 20 – **7 ch** 90/150.

BESSÉ-SUR-BRAYE 72310 Sarthe 64 ⑤ – 2 919 h.

Syndicat d'Initiative r. Val-de-Braye (15 juin-août) ✆ 43 35 56 51.

Paris 195 – La-Ferté-Bernard 42 – ♦Le Mans 55 – ♦Tours 59 – Vendôme 34.

La Chaumière, r. Gambetta ✆ 43 35 30 59 – wc wc . E VISA
fermé 19 au 31 déc. – **R** *(fermé dim. soir et lundi)* 57/105, enf. 45 – 17 – **15 ch** 140/185 – 1/2 p 199/209.

CITROEN Gar. Legeay Yves, ✆ 43 35 32 63
PEUGEOT-TALBOT Gar. Ched'homme, ✆ 43 35 30 42

RENAULT Gar. Bouttier, ✆ 43 35 30 70

BESSINES-SUR-GARTEMPE 87250 H.-Vienne 72 ⑧ – 2 593 h.

Paris 360 – Argenton-sur-Creuse 58 – Bellac 32 – Guéret 48 – ♦Limoges 37 – La Souterraine 21.

Vallée, N 20 ✆ 55 76 01 66 – wc wc . E VISA
fermé fév. et dim. soir – **R** 45/148 – 18,50 – **20 ch** 103/171 – 1/2 p 166/234.

Centre, ✆ 55 76 03 17 –
fermé 25 sept. au 25 oct. et dim. hors sais. – **R** (hors sais. dîner seul.) 50/100 – 18 – **13 ch** 90/200 – 1/2 p 120/140.

Bellevue, N 20 ✆ 55 76 01 99 – . E VISA
fermé 10 fév. au 10 mars et lundi de sept. à fin juin sauf fêtes – **R** 40/110.

BÉTHARRAM (Grottes de) ★★ 64 Pyr.-Atl. 85 ⑰ G. Pyrénées Aquitaine.

Ressources hôtelières : voir à Lestelle-Bétharram.

BÉTHUNE 62400 P.-de-C. 51 ⑭ G. Flandres Artois Picardie – 26 105 h.

Office de Tourisme et A.C. 34 Grand'Place ✆ 21 68 26 29.

Paris 213 ② – ♦Amiens 87 ④ – Arras 33 ④ – Boulogne 91 ⑤ – Douai 41 ② – Dunkerque 67 ⑥.

Plan page suivante

France II M, à Beuvry par ② : 4 km rte Lille ✉ 62660 Beuvry ✆ 21 65 11 00, Télex 110691, , parc – wc – 25 à 80. AE E VISA
R 90/190, enf. 45 – 24 – **53 ch** 265/350 – 1/2 p 350.

à Gosnay SO : 5 km par ④, N 41 et D 181 – ✉ 62199 Gosnay :

Chartreuse du Val St-Esprit, ✆ 21 62 80 00, Télex 134418, parc, – – 25. AE E VISA
R 105/315 – 38 – **23 ch** 275/410.

BMW Gar. Cornuel, rte de Lille à Beuvry ✆ 21 65 09 60
CITROEN SO.CA.BE., 1220 av. Winston-Churchill par ③ ✆ 21 57 65 70 N ✆ 21 57 16 83
FIAT Gar. du Beffroi, 66 r. Sadi Carnot ✆ 21 56 68 85
FORD St.-Vaast Autom., ZI av. Kennedy ✆ 21 56 19 19
HONDA, MERCEDES Cappelle, 92 av. du 8 Mai 1945 ✆ 21 57 22 08
OPEL Plantaz-Dubois, 189 bd Kitchener ✆ 21 57 65 88
PEUGEOT-TALBOT Mizon, 329 av. Kennedy ✆ 21 57 12 05 N ✆ 21 56 16 83

PEUGEOT-TALBOT Bondu, 136 rte Nationale, Beuvry par ② ✆ 21 65 15 06
RENAULT Dist.-Autom.-Béthunoise, 255 r. Jean-Moulin ✆ 21 57 24 30
SEAT Artois Automobiles, ZIB rte de Lillers à Annezin-les-Béthune ✆ 21 68 99 12
TOYOTA Ets Duhem, 4 av. Winston-Churchill ✆ 21 57 20 60
V.A.G. Gar. Roger, N 41, Labuissière ✆ 21 53 57 30

La Maison du Pneu, 371 r. d'Aire ✆ 21 57 02 10

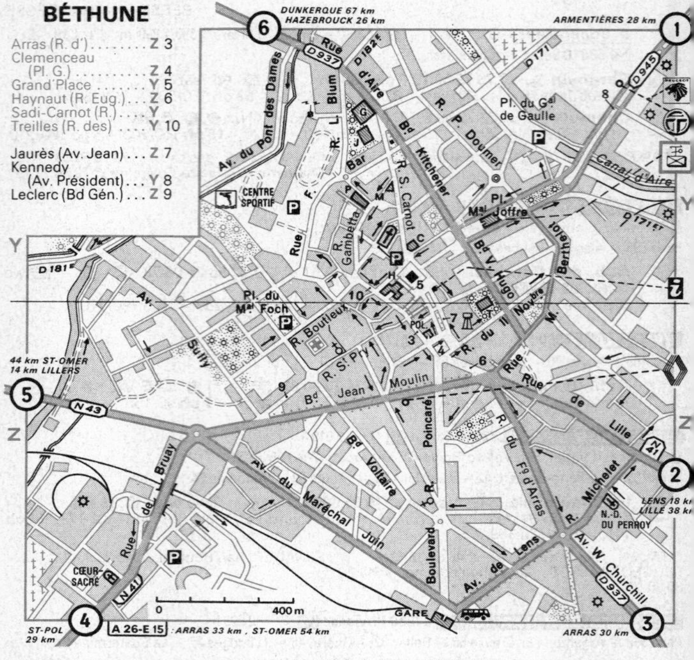

BETON-BAZOCHES 77 S.-et-M. 61 ④ – 538 h. – ✉ **77320** La Ferté-Gaucher.

Paris 77 – Coulommiers 20 – Melun 54 – Provins 21 – Sézanne 36.

XX **Aub. St-Christophe,** N 4 ☎ (1) 64 01 01 09 – P
fermé 15 au 30 juin, janv., mardi soir et merc. – **R** 50/120 ♨.

BETTEX 74 H.-Savoie 74 ⑧ – rattaché à St-Gervais.

BEUIL 06 Alpes-Mar. 81 ⑨, 195 ④ **G. Alpes du Sud** – 387 h. alt. 1 450 – Sports d'hiver : 1 400/2 000 m ≴6 – ✉ **06470** Guillaumes.

Voir Site★ – Route de la Vionène★ E – Route de Beuil à Guillaumes★ O.

Paris 860 – Barcelonnette 83 – Digne 115 – ♦Nice 79 – Puget-Théniers 30 – St-Martin-Vésubie 53.

X **Bellevue** avec ch, ☎ 93 02 30 04, ≤, – ch
20 juin-20 sept. et 20 déc.-30 avril – **R** 70/100 ♨ – ☕ 20 – **6 ch** 145 – ½ p 145/180.

La BEUNAZ 74 H.-Savoie 70 ⑱ – rattaché à Bernex.

BEUVEILLE 54 M.-et-M. 57 ② – rattaché à Longuyon.

BEUVRON-EN-AUGE 14 Calvados 54 ⑰ **G. Normandie Vallée de la Seine** – 276 h. – ✉ **14430** Dozulé – **Voir** ☼★ de l'église de Clermont-en-Auge NE : 3 km.

Paris 224 – Cabourg 15 – ♦Caen 31 – Lisieux 28 – Pont-L'Evêque 32.

XX ✿ **Pavé d'Auge** (Mme Engel), ☎ 31 79 26 71, « Halles anciennes » – AE ⓓ VISA
fermé mi-janv. à début mars, lundi soir et mardi – **R** 125/250 ♨
Spéc. Poissons et crustacés, Poulet Vallée d'Auge.

BEUZEVILLE 27210 Eure 55 ④ **G. Normandie Vallée de la Seine** – 2 536 h.

Paris 184 – Bernay 40 – Deauville 24 – Évreux 79 – Honfleur 15 – ♦Le Havre 48 – Pont-l'Évêque 14.

Petit Castel M sans rest, ☎ 32 57 76 08, – wc ☎. E VISA.
fermé 15 déc. au 15 janv. – ☕ 21 – **16 ch** 210/260.

XX **Aub. Cochon d'Or** avec ch, ☎ 32 57 70 46 – E VISA.
fermé 15 déc. au 15 janv. et lundi – **R** 60/180 – ☕ 20 – **7 ch** 105/170.

CITROEN Perrin, ✆ 32 57 70 52
FIAT Maillet, r. de la Libération ✆ 32 57 70 34 **N** ✆ 32 57 77 83
PEUGEOT Bouloché, à Boulleville ✆ 32 41 21 31 **N** ✆ 32 41 17 95
PEUGEOT Gar. Normandy, ✆ 32 57 70 94
RENAULT Coquerel, ✆ 32 57 70 26 **N**

BEYNAC et CAZENAC 24 Dordogne **75** ⑰ **G. Périgord Quercy** – 460 h. – ✉ **24220** St-Cyprien – **Voir Château**** : **site****, ※** – **Calvaire** ※** – **Château de Castelnaud*** : **site****, ※*** S : 4 km.

Paris 550 – Bergerac 63 – Fumel 64 – Gourdon 33 – Périgueux 64 – Sarlat-la-Canéda 11.

Bonnet, ✆ **53 29 50 01,** ≤, ⛱, 🌳 – ⛀wc ⛆wc ☎ 🚗 Ⓟ. E VISA. ⚘
27 mars-15 oct. – **R** 90/175 – ☕ 24 – **22 ch** 160/210 – 1/2 p 210/230.

à Vézac SE : 2 km – ✉ **24220** St-Cyprien :

Rochecourbe ⛰ sans rest, ✆ **53 29 50 79,** ≤, 🌳 – ⛀wc ☎ Ⓟ. E VISA. ⚘
23 avril-1er nov. – ☕ 27 – **6 ch** 280/380.

Oustal de Vézac ⛰ sans rest, ✆ **53 29 54 21,** ≤, 🌳 – ⛀wc ☎ Ⓟ
avril-30 oct. – ☕ 30 – **20 ch** 260/290.

Le Souqual, ✆ **53 29 50 59,** ⛱, 🏊, 🌳 – Ⓟ. VISA
fermé 15 déc. au 15 fév., dim. soir, lundi et merc. du 15 nov. au 15 mars et mardi sauf juil.-août – **R** 70/160 🍷, enf. 45.

BEYRÈDE (Col de) 65 H.-Pyr. **85** ⑲ – alt. 1 417 – ✉ **65200** Bagnères-de-Bigorre.

Paris 850 – Auch 92 – Bagnères-de-Bigorre 23 – Lannemezan 29 – St-Gaudens 56 – Tarbes 59.

Relais du Col ⛰ avec ch, ✆ **62 91 83 70,** ≤, ⛱ – Ⓟ. ⚘ ch
15 juin-30 oct. – **R** 60/80 🍷 – ☕ 16 – **5 ch** 100 – 1/2 p 115.

Les BÉZARDS 45 Loiret **65** ② – ✉ **45290** Nogent-sur-Vernisson.

Paris 136 – Auxerre 76 – Cosne-sur-Loire 50 – Gien 16 – Joigny 58 – Montargis 23 – •Orléans 69.

❀❀ **Auberge des Templiers** Ⓜ ⛰, ✆ **38 31 80 01, Télex 780998,** ≤, ⛱, « **Bel ensemble hôtelier dans un parc** », 🏊, 🎾 – 📺 ☎ ♿ Ⓟ – 🎤 30. AE ⓓ E VISA
fermé mi-janv. à mi-fév. – **R** 295/460 et carte, enf. 100 – ☕ 65 – **22 ch** 450/980, 8 appartements
Spéc. Mousse de foies de volaille aux raisins, Poissons de Loire (saison), Gibiers de Sologne (saison). **Vins** Pouilly-sur-Loire, Sancerre.

Host. du Château des Bézards ⛰, ✆ **38 31 80 03, Télex 780335,** ≤, ⛱, « Parc », 🏊, 🎾 – ☎ Ⓟ – 🎤 60. AE ⓓ E VISA
R 120/280, enf. 60 – ☕ 40 – **36 ch** 250/450, 4 appartements 700 – 1/2 p 530/820.

BÉZAUDUN-LES-ALPES 06 Alpes-Mar. **81** ⑳, **195** ㉕ – 80 h. alt. 800 – ✉ **06510** Carros.

Paris 952 – Castellane 65 – Grasse 42 – •Nice 46 – St-Martin-Vésubie 59 – Vence 24.

Les Lavandes ⛰ avec ch, ✆ **93 59 11 08,** ≤, ⛱ – ⛆
15 juin-30 sept. et fermé jeudi – **R** 111, enf. 50 – ☕ 25 – **8 ch** 150/200.

BÉZIERS ⟨SP⟩ **34500** Hérault **83** ⑮ **G. Gorges du Tarn** – 78 477 h.

Voir Anc. cathédrale St-Nazaire* AY E : **terrasse** ≤*.

✈ **de Béziers-Vias** : ✆ **67 90 99 10 par** ③ : **18 km.**

ℹ Office de Tourisme 27 r. Quatre-Septembre ✆ 67 49 24 19.

Paris 822 ③ – •Clermont-Fd 374 ③ – •Marseille 231 ③ – •Montpellier 67 ③ – •Perpignan 93 ⑤.

Plan page suivante

Nord sans rest, **15 pl. Jaurès** ✆ **67 28 34 09** – 🛗 ▤ 📺 ☎ – 🎤 60. E VISA. ⚘
☕ 25 – **44 ch** 210/320. BZ **z**

Europe sans rest, **87 av. Prés.-Wilson** ✆ **67 76 08 97, Télex 490064** – 🛗 ▤ 📺 ⛀wc ⛆wc ☎ 🚗 Ⓟ – 🎤 30. AE ⓓ E VISA CZ **b**
☕ 27 – **30 ch** 197/390.

Imperator sans rest, **28 allées P.-Riquet** ✆ **67 49 02 25** – 🛗 📺 ⛀wc ⛆wc ☎ 🚗. AE ⓓ E VISA BY **n**
☕ 26 – **45 ch** 170/298.

Midi et rest. La Rascasse, **13 r. Coquille** ✆ **67 49 13 43** – 🛗 📺 ⛀wc ⛆wc ☎. AE ⓓ E VISA BY **s**
fermé 15 nov. au 1er déc. – **R** *(fermé sam. midi et dim.)* 75/150, enf. 60 – ☕ 26 – **31 ch** 210/320 – 1/2 p 240/320.

Concorde sans rest, **7 r. Solférino** ✆ **67 28 31 05** – 📺 ⛀wc ⛆wc ☎ 🚗. E VISA. ⚘ BY **a**
fermé 15 déc. au 10 janv. – ☕ 25 – **26 ch** 120/210.

Lux H. sans rest, **3 r. Petits Champs** ✆ **67 28 48 05** – 📺 ⛆wc ☎. E VISA BY **v**
☕ 19 – **22 ch** 90/225.

BÉZIERS

Flourens (R.)	AY	18
Péri (Pl. Gabriel)	AY	44
République (R. de la)	AY	51
Riquet (R. Paul)	AY	53
Abreuvoir (R. de l')	AZ	2
Albertini (Av. Auguste)	V	3
Albertini (Av. Enseigne)	V	4
Canterelles (R.)	AZ	6
Citadelle (R. de la)	BY	7
Claparède (Av. E.)	V	8
Corneilhan (Av. de)	BX	9
Coubertin (Av. P. de)	V	10
Drs-Bourguet (R. des)	AZ	13
Dr-Vernhes (R. du)	AY	14
Espagne (Rte d')	V	15
Estienne-d'Orves (Av.)	BYZ	16
Font-Neuve (Av. de la)	BX	19
Four-à-Chaux (Bd du)	V	20
Garibaldi (Pl.)	BZ	21
Genève (Bd de)	V	22
Injalbert (Bd Antonin)	V	25
Joffre (Av. Mar.)	BZ	26
Juin (Bd Mar.)	V	28
Kennedy (Bd Prés.)	V	29
Lattre-de-T. (Bd Mar.-de)	V	30
Leclerc (Bd Mar.)	V	31
Madeleine (Pl. de la)	AY	33
Malbosc (R. Louis)	V	34
Massol (R.)	AZ	35
Moulin (Av. J.)	V	38
Moulins (Rampe des)	AY	39
Orb (R. de l')	AZ	42
Perréal (Bd Ernest)	V	45
Pont-Vieux (Av. du)	V	46
Puits-des-Arènes (R.)	ABZ	50
Révolution (Pl. de la)	AY	52
Saint-Jacques (R.)	ABZ	55
Sérignan (Av. de)	V	56
Tourventouse (Bd)	AZ	58
Viala (R. A.)	V	60
Victoire (Pl. de la)	BY	61
Viennet (R.)	AY	62
11-Novembre (Pl. du)	BX	66

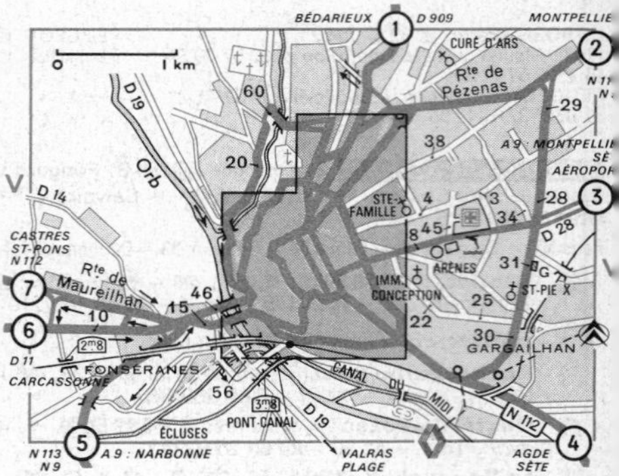

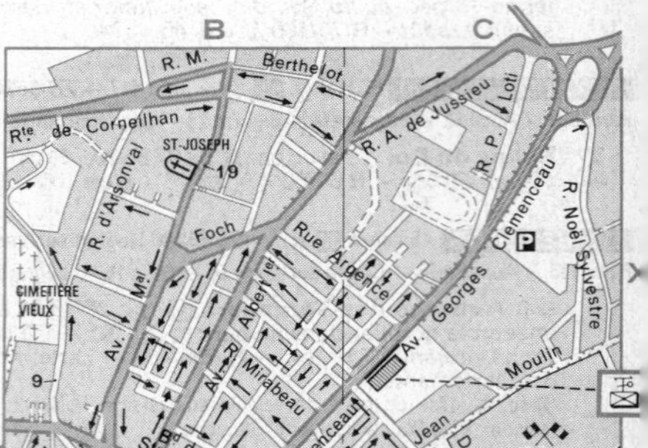

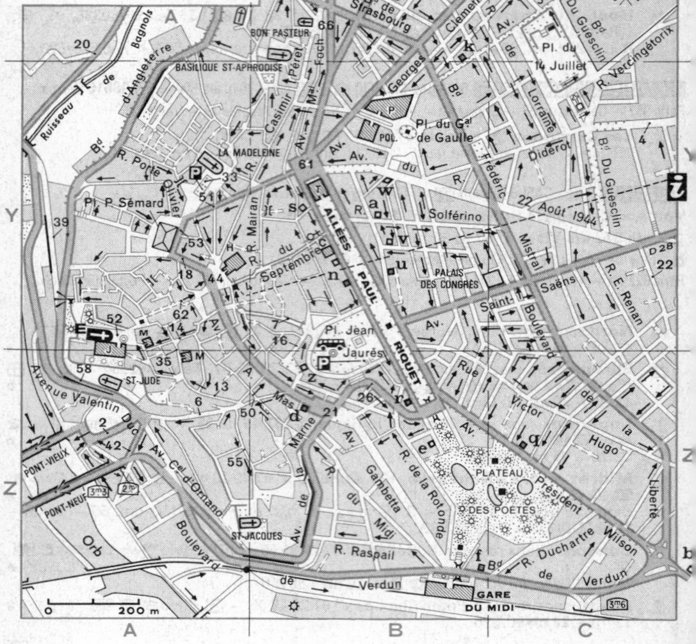

Poètes sans rest, 80 allées P.-Riquet ✆ 67 76 38 66 – TV ⌂wc ⋔ ☎. E VISA. ✾ BZ e
☕ 22 – **14 ch** 130/240.

Splendid H. sans rest, 24 av. du 22-Août ✆ 67 28 23 82 – |≑| TV ⋔wc ☎. E VISA BY w
☕ 20 – **25 ch** 95/260.

XXX **L'Olivier,** 12 r. Boïeldieu ✆ 67 28 86 64 – ▤. AE ⓪ E VISA BY u
fermé dim. soir et lundi midi sauf juil.-août – **R** 150/280.

XX **Ambassade** avec ch, 22 bd Verdun ✆ 67 76 06 24 – ⌂wc ⋔wc. AE ⓪ E VISA BZ f
R *(fermé sam. midi)* 85/235 – ☕ 20 – **15 ch** 90/220 – 1/2 p 220/320.

XX **Le Gourmandin,** 34 av. A.-Mas ✆ 67 28 39 18 – ▤. AE ⓪ E VISA BZ d
fermé dim. soir et lundi – **R** 80/125, enf. 60.

XX **Le Framboisier,** 33 av. Prés. Wilson ✆ 67 62 62 57 – ▤. ⓪ VISA CZ q
fermé 14 au 31 août, 14 au 22 fév., dim. soir et lundi – **R** 95/170.

XX Ragueneau, 36 allées P.-Riquet ✆ 67 28 35 17, ☂ – ▤ BY n

XX **Le Jardin,** 37 av. J.-Moulin ✆ 67 36 41 31 – ▤. AE VISA. ✾ BX k
fermé 26 juin au 11 juil., 12 au 27 fév., dim. et lundi – **R** 90/210, enf. 50.

X **Cigale,** 60 allées P.-Riquet ✆ 67 28 21 56 – ▤. AE E VISA BZ r
fermé 20 juin au 10 juil., 20 sept. au 10 oct., lundi soir et mardi – **R** 80/180 ⅃.

par ③ : 5 km à l'échangeur A 9 Est – ✉ **34420** Villeneuve-les-Béziers :

Ibis, ✆ 67 62 55 14, Télex 480938, ☂ – |≑| TV ⌂wc ☎ ♿ Ⓟ – 🏛 30 à 70
50 ch.

rte de Narbonne par ⑤ : 3,5 km sur N 113 – ✉ **34500** Béziers :

Castelet, ✆ 67 28 82 60, ☂, ⛱, ⛾ – TV ⌂wc ⋔ ☎ Ⓟ. AE ⓪ E VISA
R *(fermé dim.)* 95/160 – ☕ 25 – **28 ch** 180/390 – 1/2 p 290/390.

ALFA-ROMEO-DATSUN-NISSAN Gar. Gayraud, 18 bd Kennedy ✆ 67 30 36 28
CITROEN Ets Tressol, rte Agde ✆ 67 76 90 90 N
FORD SAVAB, 21 r. A.-de-Musset ✆ 67 76 55 34
MERCEDES-BENZ-SEAT S.A.B.V.I., le Manteau Bleu, rte de Narbonne ✆ 67 28 86 04
OPEL France-Auto, rte de Bessan ✆ 67 62 07 21
PEUGEOT-TALBOT Gds Gar. du Biterrois, rte de Bessan par ③ ✆ 67 76 16 03
RENAULT Succursale, 121 av. Prés.-Wilson ✆ 67 62 01 85 N
TOYOTA SA.D.A., rte de Pézenas, Le Garissou ✆ 67 30 14 27

V.A.G. St-Saens-Autos, 11 r. Artisans ✆ 67 76 50 25
VOLVO SOCRA, 49 bd de Verdun ✆ 67 76 57 54

⊚ Estournet, 65 bd Mistral ✆ 67 28 22 82
Fogues, 135 av. Foch ✆ 67 31 18 65
Gautrand-Pneu, 48 av. Rhin et Danube ✆ 67 30 63 88
Longuelanes, 16 av. Pont-Vieux ✆ 67 49 00 47
Pagès, 27 quai Port-Notre-Dame ✆ 67 28 61 53
Piot-Pneu, av. de la Devèze, Zone Ind. du Capiscole ✆ 67 76 11 15
Raymond, 115 av. du Prt Wilson ✆ 67 76 19 46

BIARRITZ 64200 Pyr.-Atl. 78 ⑪⑱, 85 ② G. Pyrénées Aquitaine – 26 647 h. – Casino: Bellevue EY – **Voir** ≤★★ de la Perspective DZ **E** – ≤★ du phare et de la Pointe St-Martin AX – Rocher de la Vierge★ DY – Musée de la mer★ DY **M.**

⛳18 ✆ 59 03 71 80 NE : 1 km - AX ; ⛳18 de Chiberta ✆ 59 63 83 20 N : 5 km.

✈ de Biarritz-Parme : Air-France ✆ 59 23 93 82 : 2 km - ABX – 🚗 ✆ 59 55 50 50.

ℹ Office de Tourisme square d'Ixelles ✆ 59 24 20 24, Télex 570032.

Paris 781 ⑦ – ♦Bayonne 7 – ♦Bordeaux 194 ⑦ – Pau 118 ② – S.-Sebastiàn 50 ⑤.

Plans pages suivantes

Palais ⛰, 1 av. Impératrice ✆ 59 24 09 40, Télex 570000, ≤, « Belle piscine avec grill », ⛾ – |≑| TV ☎ Ⓟ – 🏛 250. AE ⓪ E VISA. ✾ rest EY k
15 avril-1er nov. – **R** au rest.: carte 295 à 400, à la piscine : carte 210 à 380 – ☕ 70 – **116 ch** 800/1900, 24 appartements – 1/2 p 1100/1650.

✾ **Miramar** M ⛰, av. Impératrice ✆ 59 24 85 20, Télex 540831, ≤, ☂, ⛱ – |≑| ▤ rest TV ☎ ♿ Ⓟ – 🏛 80 à 400. AE ⓪ E VISA. ✾ rest AX k
Relais Miramar R 220/240, enf. 170 – ☕ 85 – **109 ch** 806/1762, 17 appartements 1340/2340 – 1/2 p 936/1736
Spéc. Petites salades de l'océan, Blanc de turbot à l'étouffée de champignons, Gourmandise de chocolat blanc. **Vins** Jurançon, Madiran.

Plaza, av. Édouard-VII ✆ 59 24 74 00, Télex 570048, ≤ – |≑| TV ☎ ♿ Ⓟ – 🏛 40. AE ⓪ E EY p
R *(fermé dim. hors sais.)* 130 – ☕ 40 – **60 ch** 230/540.

Eurotel ⛰, 19 av. Perspective ✆ 59 24 32 33, Télex 570014, ≤ mer – |≑| cuisinette ▤ TV – 🏛 40. AE ⓪ E VISA. ✾ rest DY k
Pâques-31 oct. – **R** *(fermé lundi midi et dim.)* carte 135 à 190 – ☕ 50 – **60 ch** 410/800.

Carlina M ⛰, bd Prince-de-Galles ✆ 59 23 03 86, Télex 550873, ≤ – |≑| TV ☎ 🚗 DZ a
31 ch.

Régina et Golf sans rest, 52 av. Impératrice ✆ 59 24 09 60, Télex 541330, ≤ – |≑| ☎ Ⓟ – 🏛 50 à 200. AE ⓪ E VISA AX s
avril-oct. – ☕ 55 – **46 ch** 653/856, 4 appartements 1812.

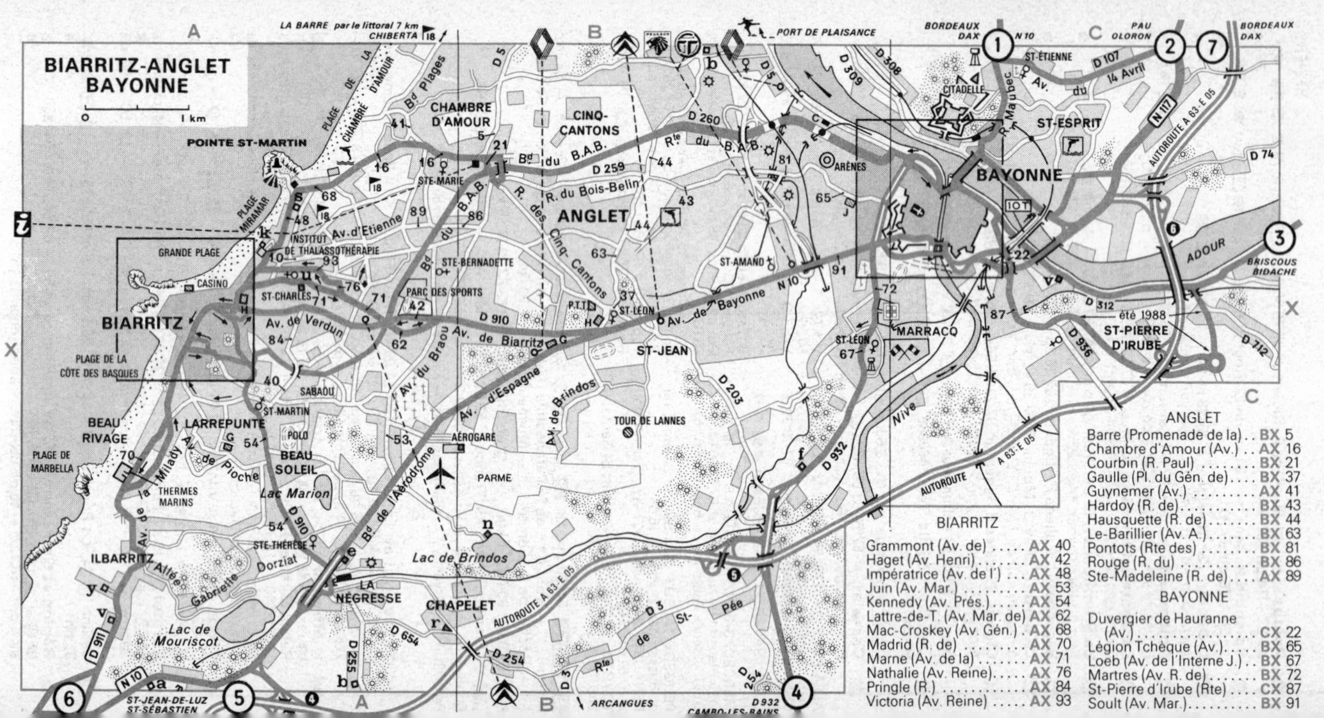

ANGLET

Barre (Promenade de la) .. BX 5
Chambre d'Amour (Av.) .. AX 16
Courbin (R. Paul) .... BX 21
Gaulle (Pl. du Gén. de) .... BX 37
Guynemer (Av.) .... AX 41
Hardoy (R. de) .... BX 43
Hausquette (R. de) .... BX 44
Le-Barillier (Av. A.) .... BX 63
Pontots (Rte des) .... BX 81
Rouge (R. du) .... BX 86
Ste-Madeleine (R. de) .... AX 89

BIARRITZ

Grammont (Av. de) ..... AX 40
Haget (Av. Henri) .... AX 42
Impératrice (Av. de l') ... AX 48
Juin (Av. Mar.) .... AX 53
Kennedy (Av. Prés.) ..... AX 54
Lattre-de-T. (Av. Mar. de) AX 62
Mac-Croskey (Av. Gén.) . AX 68
Madrid (R. de) .... AX 70
Marne (Av. de la) .... AX 71
Nathalie (Av. Reine) ..... AX 76
Pringle (R.) .... AX 84
Victoria (Av. Reine) ..... AX 93

BAYONNE

Duvergier de Hauranne (Av.) .... CX 22
Légion Tchèque (Av.) ..... BX 65
Loeb (Av. de l'Interne J.) .. BX 67
Martres (Av. R. de) .... BX 72
St-Pierre d'Irube (Rte) .... CX 87
Soult (Av. Mar.) .... BX 91

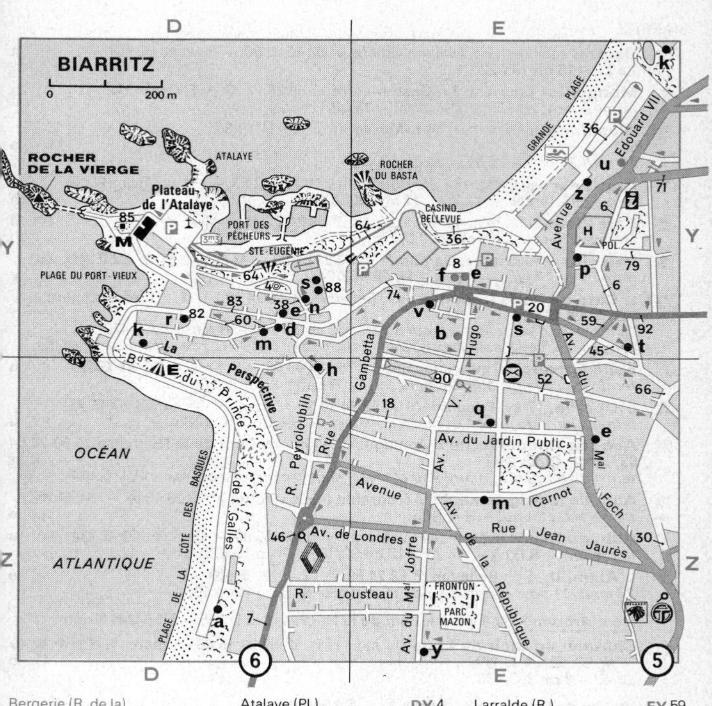

Bergerie (R. de la)
(Voir p. précédente) .. **AX** 10
Clemenceau (Pl.) .... **EY** 20
Edouard-VII (Av.) .... **EY**
Espagne (R. d') .... **DZ**
Foch (Av. du Mar.) ..... **EYZ**
Gambetta (R.) .... **DEZ**
Mazagran (R.) .... **EY** 74
Port-Vieux (Pl. du) ...... **DY** 82
Verdun (Av. de) .... **EY** 92
Victor-Hugo (Av.) ...... **EYZ**

Atalaye (Pl.) .... **DY** 4
Barthou (Av. Louis) ...... **EY** 6
Beaurivage (Av.) .... **DZ** 7
Bellevue (Pl.) .... **EY** 8
Champ-Lacombe (R.) ... **EZ** 18
Gare (Av. de la) .... **EZ** 30
Gaulle (Bd du Gén. de) .. **EY** 36
Goélands (R. des) ...... **DY** 38
Helder (R. du) .... **EY** 45
Hélianthe (Carr. d') ...... **DZ** 46
Jaulerry (Av.) .... **EZ** 52

Larralde (R.) .... **EY** 59
Larre (R. Gaston) .... **DY** 60
Leclerc (Bd Mar.) ...... **DEY** 64
Libération (Pl. de la) ..... **EZ** 66
Marne (Av. de la) .... **EY** 71
Petit (Av. Joseph) .... **EY** 79
Port-Vieux (R. du) ...... **DY** 83
Rocher de la
Vierge (Espl. du) ..... **DY** 85
Ste-Eugénie (Pl.) .... **DY** 88
Sobradiel (Pl.) .... **EZ** 90

Windsor Ⓜ, Gde Plage ✆ 59 24 08 52 – lift ▤ rest TV ☎. AE ① E VISA. ✂ rest
25 mars-10 nov. – **R** 100, enf. 60 – ☕ 30 – **37 ch** 220/450 – ½ p 330/400. EY **z**

Président Ⓜ sans rest, pl. Clemenceau ✆ 59 24 66 40 – lift TV ☎ – 50. AE ① E VISA. ✂ EY **s**
☕ 29 – **64 ch** 320/430.

Océan, pl. Ste Eugénie ✆ 59 24 03 27 – TV wc ☎. AE ① E VISA DY **s**
27 mars-15 nov. – **R** 70/160, enf. 50 – ☕ 32 – **24 ch** 350/450 – ½ p 300/500.

Florida, pl. Ste-Eugénie ✆ 59 24 01 76, Télex 560654 – lift TV wc wc ☎. ① E VISA. ✂ rest DY **s**
27 mars-2 nov. – **R** 74/140 – ☕ 26 – **45 ch** 285/460 – ½ p 250/340.

Fronton et Résidence, 35 av. Mar.-Joffre ✆ 59 23 09 49 – lift TV wc ☎ P
fermé 19 oct. au 23 nov. et 7 au 21 mars – **R** 52/95 – ☕ 18 – **42 ch** 215/230 – ½ p 245/380. EZ **y**

Etche Gorria sans rest, 21 av. Mar.-Foch ✆ 59 24 00 74, – wc wc ☎. ✂ EZ **e**
☕ 20 – **11 ch** 120/230.

Atalaye sans rest, 6 r. Goélands ✆ 59 24 06 76 – lift wc wc ☎. E VISA DY **n**
25 mars-16 oct. – ☕ 26 – **25 ch** 230/320.

Malouthea sans rest, 3 av. Jardin Public ✆ 59 24 06 00 – lift wc ☎ EZ **q**
☕ 21 – **27 ch** 115/215.

Maïtagaria sans rest, 34 av. Carnot ✆ 59 24 26 65 – wc wc ☎. E VISA EZ **m**
☕ 19,50 – **17 ch** 120/170.

Beau Lieu sans rest, pl. Port-Vieux ✆ 59 24 23 59, ← – wc wc ☎. ① E VISA DY **r**
fermé janv. et fév. – ☕ 22 – **28 ch** 150/260.

Central sans rest, 8 r. Maison-Suisse ✆ 59 22 02 06 – wc ☎. E VISA — EY t
☕ 21 – **16 ch** 135/220.

Monguillot sans rest, 3 r. Gaston-Larre ✆ 59 24 12 23 – wc ☎. — DY m
fermé 4 janv. au 15 mars – ☕ 19 – **15 ch** 126/220.

Washington sans rest, 34 r. Mazagran ✆ 59 24 10 80 – wc wc ☎. AE E VISA. — DY e
1er avril-31 oct. – ☕ 21 – **20 ch** 100/240.

Argi-Eder sans rest, 13 r. Peyroloubilh ✆ 59 24 22 53 – wc wc ☎. — DZ h
fermé janv. et fév. – ☕ 20 – **17 ch** 130/200.

Port Vieux sans rest, 43 r. Mazagran ✆ 59 24 02 84 – wc ☎. — DY d
1er mars-15 nov. – **18 ch** ☕130/225.

Palacito sans rest, 1 r. Gambetta ✆ 59 24 04 89 – wc ☎. AE E VISA. — EY v
fermé 4 au 17 janv. – ☕ 25 – **26 ch** 162/244.

XXXX ❀ **Café de Paris** (Laporte), 5 pl. Bellevue ✆ 59 24 19 53, ≤, « Cadre élégant » – ▤. AE ◑ E VISA — EY f
25 mars-1er nov. et fermé lundi du 1er oct. au 30 juin – **R** carte 285 à 420
Spéc. Louvine de ligne en chemise, Gratin de homard en cassolette, Foie de canard aux morilles.

XX **Belle Epoque,** 10 av. Victor Hugo ✆ 59 24 66 06, « Patio » – AE ◑ E VISA — EY b
fermé 2 au 20 nov. et lundi hors sais. – **R** carte 100 à 160 🍷.

XX **L'Operne,** 17 av. Edouard VII ✆ 59 24 30 30, ≤ mer, – ▤. AE ◑ E VISA
fermé 4 janv. au 10 fév. et merc. hors sais. – **R** carte 110 à 185. — EY u

XX **Aub. de Chapelet,** rte d'Arcangues : 4 km, par Pont de la Négresse ✆ 59 23 54 63, – Ⓟ. E VISA — AX r
fermé 15 au 28 fév., mardi soir et merc. sauf vacances scolaires – **R** 110/184.

XX **Aub. de la Négresse,** bd Aérodrome (sous viaduc) ✆ 59 23 15 83 – ▤. E VISA
fermé oct. et lundi – **R** 47/105. — AX e

X **Aub. du Relais** avec ch, 44 av. Marne ✆ 59 24 85 90 – wc ☎. ◑ E VISA — AX u
fermé fév. – **R** 80 🍷 – ☕ 23 – **12 ch** 90/180 – 1/2 p 190/220.

X **L'Alambic,** 5 pl. Bellevue ✆ 59 24 53 41, ≤ – ▤. E VISA — EY e
25 mars-11 nov. et fermé lundi hors sais. – **R** carte 110 à 150.

rte d'Arbonne S : 4 km par Pont de la Négresse et D 255 – ✉ **64200** Biarritz :

Château du Clair de Lune sans rest, ✆ 59 23 45 96, ≤, parc – wc ☎ Ⓟ – 30. AE ◑ E VISA — AX b
☕ 45 – **9 ch** 350/480.

au Lac de Brindos SE : 5 km - BX – ✉ **64600** Anglet :

XXXX ❀ **Chât. de Brindos** Ⓜ avec ch, près aéroport ✆ 59 23 17 68, Télex 541428, « Belle décoration intérieure, bord du lac, parc », ≤, – TV wc ☎ Ⓟ – 30 à 60. AE ◑ E VISA — BX n
R carte 250 à 340 – ☕ 70 – **13 ch** 700/1000
Spéc. Foie gras, Assiette de la mer, "Aumelette" à la mode d'Antan.

à Arbonne 6 km par Pont de la Négresse et D255 - AX – ✉ **64210** Bidart :

XX **Ferme d'Arbonne,** ✆ 59 23 55 17, , « Ferme aménagée, jardin » – Ⓟ. AE ◑ E VISA
R 160/230 🍷, enf. 40.

à Arcangues S : 7 km par D 254 et D 3 - BX – ✉ **64200** Biarritz.
Voir ※★ du cimetière.

Marie-Eder sans rest, ✆ 59 43 05 61, ≤ – ☎ Ⓟ. VISA.
fermé 3 au 31 oct. et mardi hors sais. – ☕ 21 – **8 ch** 140/230.

Autres ressources hôtelières : Voir Anglet.

CITROEN Artola, 88 av. Marne ✆ 59 41 01 30 N
PEUGEOT-TALBOT Gar. Victoria, 48 av. Foch ✆ 59 23 16 24
RENAULT Central-Auto-Gar., 1 carr. Hélianthe ✆ 59 23 02 30 N ✆ 59 41 00 64

Central Pneu, 103 bis av. de Verdun ✆ 59 24 60 93
Perisse Pneu, 18 av. Beau Rivage ✆ 59 23 02 76

BIDARRAY 64 Pyr.-Atl. 85 ③ **G. Pyrénées Aquitaine** – 631 h. – ✉ **64780** Osses.
Paris 805 – Cambo-les-Bains 16 – Pau 122 – St-Étienne-de-Baïgorry 16 – St-Jean-Pied-de-Port 19.

Pont d'Enfer , ✆ 59 37 70 88, ≤, , – wc wc ☎ Ⓟ
1er avril-1er nov. – **R** 80/100, enf. 55 – ☕ 18 – **18 ch** 100/250 – 1/2 p 135/205.

Erramundeya, D 918 ✆ 59 37 71 21, ≤, – wc Ⓟ
1er mars-30 nov. et fermé mardi sauf juil.-août – **R** (résidents seul.) – ☕ 17 – **10 ch** 120/140 – 1/2 p 135/155.

Noblia, D 918 ✆ 59 37 70 89, – . AE E VISA
fermé 1er au 15 janv. et merc. – **R** 50/120, enf. 45 – ☕ 15 – **13 ch** 90/160 – 1/2 p 130.

BIDART 64210 Pyr.-Atl. 78 ⑪⑱ **G. Pyrénées Aquitaine** – 3 052 h.

Voir Chapelle Ste-Madeleine ※★.

Office de Tourisme r. Grande-Plage (janv.-mai matin seul., juin-sept.) ✆ 59 54 93 85.

Paris 785 – ♦Bayonne 14 – Biarritz 6 – Pau 121 – St-Jean-de-Luz 9.

Bidartea M, N : 3 km sur N 10 ✆ **59 54 94 68,** – P – 100. AE E VISA. rest plan Biarritz AX **a**
1er mars-31 oct. – **R** *(fermé lundi hors sais.)* 72/178 – 32 – **36 ch** 180/380 – 1/2 p 296/316.

Ypua , rte Chapelle ✆ **59 54 93 11,** – wc P. E VISA. rest
fin fév.-nov. et fermé lundi du 15 sept. au 15 juin – **R** 68/150, enf. 30 – 15,50 – **12 ch** 145/155 – 1/2 p 175/215.

Les Dunes, à Ilbarritz N : 3 km sur D 911 ✆ **59 23 00 28,** – P. AE E VISA. rest plan Biarritz AX **v**
Pâques-1er déc. et fermé lundi – **R** 55/85 – 19 – **17 ch** 90/140 – 1/2 p 175/185.

Itsas-Mendia, ✆ **59 54 90 23,** ≤, – wc P.
mars-oct. – **R** 80/110 – 22 – **18 ch** 95/135 – 1/2 p 160/180.

Pénélope , à Ilbarritz N : 3 km, rte du Château ✆ **59 23 00 37,** ≤, – wc wc P plan Biarritz AX **y**
R *(1er mai-31 oct.)* (½ pens. seul.) – 14 – **23 ch** 140 – 1/2 p 155.

Élissaldia, pl. Église ✆ **59 54 90 03** – E VISA.
R 70/100, enf. 40.

à Ahetze S : 5 Km par D655 – ✉ **64210** Bidart :

L'Epicerie d'Ahetze, ✆ **59 41 94 95** – AE VISA
fermé 15 nov. au 10 déc. et merc. hors sais. – **R** 60/75.

RENAULT Gar. Sabate-Cazenave, ✆ 59 54 92 57

BIDON 07 Ardèche 80 ⑨ **G. Vallée du Rhône** – 59 h. – ✉ **07700** Bourg-St-Andéol.

Voir Aven de Marzal★★ O : 2 km, G. Provence.

Paris 642 – Montélimar 38 – Pierrelatte 16 – Pont-St-Esprit 18 – Privas 65 – Vallon-Pont-d'Arc 20.

Aub. du Pouzat, S : 4 km par rte des Gorges ✆ **75 04 27 28,** – P.
26 mars-2 oct. – **R** 68/83.

BIESHEIM 68 Haut-Rhin 62 ⑲ – rattaché à Neuf-Brisach.

BIÈVRES 08 Ardennes 56 ⑩ – 87 h. – ✉ **08370** Margut.

Paris 257 – Charleville-Mézières 57 – Longuyon 39 – Sedan 35 – Verdun 61.

Relais de St-Walfroy, ✆ **24 22 61 62** – P. E VISA
fermé mardi – **R** 72/110.

BILLIERS 56 Morbihan 63 ⑭ – rattaché à Muzillac.

BILLOM 63160 P.-de-D. 73 ⑮ **G. Auvergne (plan)** – 4 164 h.

Voir Église St-Cerneuf★.

Syndicat d'Initiative 13 r. Carnot (juin-15 sept.) ✆ 73 68 39 85.

Paris 417 – Ambert 51 – ♦Clermont-Ferrand 27 – Issoire 32 – Le Mont-Dore 66 – Thiers 28 – Vichy 55.

Centre sans rest, pl. A.-Thomas ✆ **73 68 41 04** –
18 – **7 ch** 100/120.

PEUGEOT-TALBOT Gar. Espagnol, 9 av. Victor Cohalion ✆ 73 68 40 58

BIOT 06410 Alpes-Mar. 84 ⑨, 195 ㉕ **G. Côte d'Azur** – 3 680 h.

Voir Musée Fernand Léger★★ – Retable du Rosaire★ dans l'église.

18 ✆ **93 65 08 48 S : 1,5 km.**

Syndicat d'Initiative pl. de la Chapelle ✆ 93 65 05 85.

Paris 920 – Antibes 8 – Cagnes-sur-Mer 10 – Grasse 18 – ♦Nice 22 – Vence 19.

✿ **Aub. du Jarrier** (Métral), au village ✆ **93 65 11 68,** – AE E VISA
fermé 29 nov. au 6 déc., 8 au 31 mars, lundi soir de sept. à fin mai, merc. midi de juin à août et mardi – **R** 180/250
Spéc. Bavarois de saumon fumé, Chapon de Méditerranée rôti, Fricassée de homard au beurre blanc à la citronnelle.

Les Terraillers, ✆ **93 65 01 59,** , « Ancienne poterie du XVIe s. » – P. AE E VISA
fermé merc. – **R** 120/190, enf. 50.

Plat d'Etain, au village ✆ **93 65 09 37** – AE E VISA
fermé 15 nov. au 25 déc., le midi du 15 juin au 15 sept. et merc. – **R** 130/175.

Chez Odile, au Village ✆ **93 65 15 63,**
fermé 1er au 20 déc., 1er au 15 mars et jeudi – **R** 140.

Le BIOT 74 Hte-Savoie 70 ⑱ – 286 h. alt. 820 – ✉ 74430 St-Jean-d'Aulps.

Paris 590 – Annecy 95 – Chamonix 81 – •Genève 54 – Thonon-les-Bains 21.

Tilleuls ⛰, ☎ 50 79 60 41 – wc wc ☎ P. AE ◑ E VISA
fermé 1er au 20 mai, 1er au 20 oct. et lundi – **R** 60/150 ₰, enf. 30 – **17 ch** ▭140/220 – 1/2 p 180/190.

AUSTIN-ROVER Gar. Morand, ☎ 50 79 61 68

BIRIATOU 64 Pyr.-Atl. 85 ① – rattaché à Hendaye.

BISCARROSSE 40600 Landes 78 ⑬ **G. Pyrénées Aquitaine** – 8 979 h.

Office de Tourisme 19 ter av. Plage à Biscarrosse-Plage ☎ 58 78 20 96.

Paris 660 – Arcachon 39 – •Bayonne 132 – •Bordeaux 72 – Dax 95 – Mont-de-Marsan 87.

à Biscarosse-Bourg :

St-Hubert ⛰ sans rest, 44 av. G.-Latécoère ☎ 58 78 09 99, – wc wc ☎ P. E VISA. – ▭ 23 – **16 ch** 210/250.

Le Relais sans rest, rte Parentis ☎ 58 78 10 46 – wc wc ☎ P. E VISA
fermé 20 déc. au 3 janv. – ▭ 21 – **24 ch** 160/225.

Euloge, pl. Marsan ☎ 58 78 72 37 – AE ◑ E VISA
fermé dim. soir et lundi sauf juil.-août – **R** 63/195.

à Navarrosse N : 3,5 km par D 652 et D 305 – ✉ 40600 Biscarrosse :

Transaquitain sans rest, ☎ 58 78 13 13 – wc wc .
Pâques-30 sept. et fermé vend. du 16 sept. au 31 mai – ▭ 25 – **12 ch** 190/280.

à Ispes N : 6 km par D 652 et D 305 – ✉ 40600 Biscarrosse :

La Caravelle ⛰, ☎ 58 78 02 67, ≤, – wc wc ☎ P. E VISA. ch
fermé 1er déc. au 15 fév. et lundi midi d'oct. à mai – **R** 68/180, enf. 37 – ▭ 25 – **11 ch** 140/230 – 1/2 p 160/200.

à la Plage NO : 9,5 km par D 146 – ✉ 40600 Biscarrosse :

La Forestière, av. Pyla ☎ 58 78 24 14, – wc P. VISA
R (fermé janv. et vend. du 1er oct. au 30 mai) 75/230, enf. 40 – ▭ 25 – **34 ch** 215/245 – 1/2 p 300.

Aub. Régina, av. Libération ☎ 58 78 23 34, – wc
26 mars-28 sept. – **R** 59/156 – ▭ 25 – **11 ch** 100/240 – 1/2 p 229/270.

CITROEN Atlantic Autos, 8 r. E.-Branly ☎ 58 78 13 63
PEUGEOT-TALBOT Labarthe, N 652, Zone Ind. ☎ 58 78 12 46

BISCHWIHR 68 H.-Rhin 62 ⑲, 87 ⑦ – rattaché à Colmar.

BITCHE 57230 Moselle 57 ⑱ **G. Alsace et Lorraine** – 7 768 h.

Voir Citadelle★ – Fort du Simserhof★ O : 4 km.

Office de Tourisme à la Mairie ☎ 87 96 00 13.

Paris 429 – Haguenau 42 – Sarrebourg 63 – Sarreguemines 34 – Saverne 49 – Wissembourg 47.

Strasbourg avec ch, 24 r. Teyssier ☎ 87 96 00 44 – TV wc ☎ – 30. E VISA. ch
fermé sept., dim. soir et lundi – **R** 58/120 carte le dim. ₰, enf. 45 – ▭ 21 – **11 ch** 95/220 – 1/2 p 170/190.

ALFA-ROMEO, CITROEN, NISSAN, OPEL Bang Bitche, r. J.-J.-Kieffer ☎ 87 96 07 08
CITROEN Riwer, 1 r. du Bastion ☎ 87 96 00 08 N
FORD-LADA Bitche Autos, 40 r. de Sarreguemines ☎ 87 96 05 26 N
PEUGEOT-TALBOT Feger, pl. de la Gare ☎ 87 96 04 57 N
RENAULT Gar. Rébmeister 47 r Pasteur à Rohrbach ☎ 87 09 70 36 N
RENAULT Gar. Hemmer, 52 r. d'Ingwiller à Goetzenbruck ☎ 87 96 80 96 N ☎ 87 96 80 61

BLACERET 69 Rhône 73 ⑨ – ✉ 69460 St Étienne-des-Oullières.

Paris 425 – Bourg-en-Bresse 47 – Chauffailles 46 – •Lyon 42 – Mâcon 35 – Villefranche-sur-S. 9,5.

Beaujolais, ☎ 74 67 54 75, – AE ◑ E VISA
fermé fév., lundi et mardi – **R** 93/165.

RENAULT Bénétullière, Le Perréon ☎ 74 03 22 67

BLAESHEIM 67113 B.-Rhin 62 ⑨⑩ – 934 h.

Paris 491 – Erstein 15 – Molsheim 15 – Obernai 14 – Sélestat 34 – •Strasbourg 19.

✿ **Au Boeuf (Voegtling),** ☎ 88 68 81 31 – P. AE ◑ E VISA
fermé 1er au 15 août, 1er au 21 fév., dim. soir et lundi sauf fériés – **R** 175/270 dîner à la carte ₰
Spéc. Pavé de saumon au vin rouge, Tournedos à la strasbourgeoise, Noisette de chevreuil forestière (juin à oct.). **Vins** Riesling, Pinot noir.

Schadt, ☎ 88 68 86 00 – AE ◑ E VISA
fermé 14 juil. au 4 août, 1er au 10 janv. et jeudi – **R** 75/105 ₰.

BLAGNAC 31 H.-Gar. 82 ⑧ – rattaché à Toulouse.

BLAIN 44130 Loire-Atl. 63 ⑯ **G. Bretagne** – 7 408 h.

Voir Ruines★ du Château de la Groulaie.

Syndicat d'Initiative pl. Jean-Guihard ☏ 40 87 15 11.

Paris 397 – Châteaubriant 43 – ♦Nantes 36 – Redon 33 – ♦Rennes 80 – St Nazaire 44.

XX **Port** avec ch, **6 quai Surcouf** ☏ **40 79 01 22** – AE E VISA
fermé fév., dim. soir et lundi – **R** 68/180, enf. 25 – 16 – **13 ch** 70/160 – ½ p 140.

BLAINVILLE 60 Oise 55 ⑩ – rattaché à Noailles.

Le BLANC SP 36300 Indre 68 ⑯ **G. Berry Limousin** – 8 051 h.

Office de Tourisme pl. Libération (21 juin-10 sept.) ☏ 54 37 05 13.

Paris 299 ① – Bellac 61 ⑤ – Châteauroux 60 ③ – Châtellerault 51 ① – Poitiers 60 ⑥.

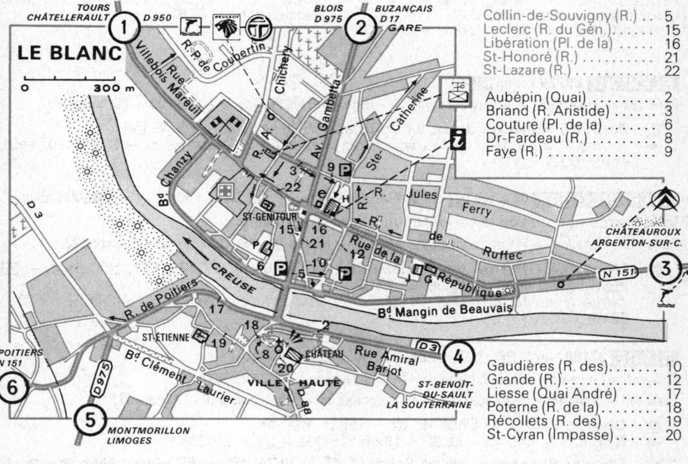

Ile d'Avant, rte Châteauroux par ③ : 2 km ☏ 54 37 01 56, – wc wc ☎ P. E VISA
fermé lundi (sauf hôtel) et dim. soir du 15 sept. au 1er juin – **R** 50/200 – 20 – **15 ch** 140/220.

Théâtre M sans rest, **2 bis av. Gambetta (e)** ☏ **54 37 68 69** – TV wc ☎. AE E VISA
25 – **18 ch** 150/200.

par ④ et D 10 : 6 km – ✉ **36300** Le Blanc :

Domaine de l'Étape , ☏ **54 37 18 02**, ←, parc – wc wc ☎ P. E VISA
R (dîner seul.) (résidents seul.) 85 – 32 – **21 ch** 160/290.

CITROEN SAVRA, rte de Châteauroux ☏ 54 37 05 75
PEUGEOT-TALBOT AUTO AGRI, 28 r. Albert Chichery, ☏ 54 37 06 38
Perry-Pneus, 72 bis r. de la République ☏ 54 37 00 39

Le BLANC-MESNIL 93 Seine-St-Denis 56 ⑪, 101 ⑰ – voir Paris, Environs (Le Bourget).

BLANGY-SUR-BRESLE 76340 S.-Mar. 52 ⑥ – 3 456 h.

Paris 147 – Abbeville 25 – ♦Amiens 54 – Beauvais 70 – Dieppe 49 – ♦Rouen 74.

X **H. de Ville** avec ch, **r. N.-Dame** ☏ **35 93 51 57** –
8 ch.

CITROEN Gar. Leleux, ☏ 35 93 50 52
CITROEN Gar. Letellier, ☏ 35 93 50 12
PEUGEOT-TALBOT Blangier, à Bouttencourt (Somme) ☏ 35 93 50 49 N ☏ 35 93 31 81
RENAULT Gar. Fauvel, ☏ 35 93 50 42 N

BLANZY 71 S.-et-L. 69 ⑱ – rattaché à Montceau-les-Mines.

BLAYE <SP> **33390** Gironde **71** ⑦⑧ **G. Pyrénées Aquitaine** (plan) – 4 750 h.

Voir Citadelle★.

Bac: renseignements ✆ 57 42 04 49.

Office de Tourisme Cours Vauban ✆ 57 42 91 19.

Paris 541 – ♦Bordeaux 49 – Cognac 81 – Libourne 44 – Royan 82 – Saintes 78.

- **La Citadelle** M, dans la citadelle ✆ **57 42 17 10**, ≤ **estuaire**, – TV wc ☎ P – 40. AE E VISA
  R 90/220 , enf. 55 – 25 – **21 ch** 195/265 – ½ p 300/470.
- XX **Caneton d'Argent,** 31 r. St Romain ✆ **57 42 81 00** – AE E VISA
  fermé 15 déc. au 15 janv. et lundi – **R** (nombre de couverts limité - prévenir) 80/115 , enf. 30.

au Nord sur D 255 : 1,5 km – ✉ **33390** Blaye :

- **Château La Grange de Luppé** sans rest, ✆ **57 42 80 20**, « **Château du 19e s. au milieu d'un parc** » – wc P – 30 à 50. AE E VISA
  25 – **11 ch** 165/210.

PEUGEOT-TALBOT Ferandier-Sicard, à St-Martin-Lacaussade ✆ 57 42 03 41
RENAULT Bernicot, 39 r. l'Hôpital ✆ 57 42 01 44
V.A.G. Gar. Menaud, Zone Ind., 30 cours Bacalan ✆ 57 42 12 80

BLÉNEAU **89220** Yonne **65** ③ – 1 697 h.

Paris 154 – Auxerre 52 – Bonny-sur-Loire 20 – Briare 19 – Clamecy 73 – Gien 29 – Montargis 41.

- XX **Aub. du Point du Jour,** 8 r. A.-Briand ✆ **86 74 94 38** – E VISA
  fermé 1er au 8 juil., fév., le soir (sauf sam.) et lundi sauf fériés – **R** 55 (sauf sam. soir)/180 .

BLÉRANCOURT **02** Aisne **56** ③ **G. Flandres Artois Picardie** – 1 207 h. – ✉ **02300** Chauny.

Voir Musée national de la coopération franco-américaine.

Paris 115 – Chauny 14 – Compiègne 33 – Laon 46 – Noyon 14 – St-Quentin 45 – Soissons 23.

- **Host. Le Griffon**, Château de Blérancourt ✆ **23 39 60 11**, , **parc** – TV wc wc P – 30. AE E VISA.
  fermé 1er au 15 fév., 23 au 31 déc., dim. soir et lundi – **R** 90/180, enf. 55 – 28 – **20 ch** 240/270 – ½ p 350/500.

BLÉRÉ **37150** I.-et-L. **64** ⑯ **G. Châteaux de la Loire** – 4 060 h.

Syndicat d'Initiative 2 pl. Libération (15 juin-15 sept.) ✆ 47 57 93 00.

Paris 230 – Blois 45 – Château-Renault 35 – Loches 25 – Montrichard 16 – ♦Tours 27.

- **Cher,** r. Pont ✆ **47 57 95 15**, – wc. VISA.
  R 58/133 , enf. 45 – 20 – **19 ch** 115/193 – ½ p 185/203.
- XX **Cheval Blanc** avec ch, pl. Église ✆ **47 30 30 14**, – TV wc wc ☎ . E VISA
  fermé janv. – **R** *(fermé lundi sauf le soir en juil.-août et dim. soir)* 80/195 – 22 – **13 ch** 170/210 – ½ p 200/260.
- X **Boeuf Couronné** avec ch, rte Tours ✆ **47 57 90 42** – wc P. E VISA
  R 56/120 – 19 – **10 ch** 100/190 – ½ p 180/200.

CITROEN Caillet, ✆ 47 30 26 26
PEUGEOT-TALBOT Gar. Bellevue, ✆ 47 57 90 39
PEUGEOT-TALBOT Gar. Vigean, La Croix-en-Touraine ✆ 47 57 94 14
RENAULT Gar. Caille, La Croix-en-Touraine ✆ 47 30 26 00 N

BLÉRIOT-PLAGE **62** Pas-de-Calais **51** ② – rattaché à Calais.

BLESLE **43450** H.-Loire **76** ④ **G. Auvergne** (plan) – 851 h.

Voir Église St-Pierre★ – Gorges de l'Alagnon★ NE.

Paris 466 – Brioude 23 – Issoire 34 – Murat 44 – Le Puy 83 – St-Flour 39 – St-Germain-Lembron 26.

au Babory-de-Blesle SE : 1,5 km N 9 – ✉ **43450** Blesle :

- **Gare,** N 9 ✆ **71 76 25 02** – P. E VISA
  fermé 1er oct. au 3 nov. et sam. de nov. à juin – **R** 40/90 – 18 – **16 ch** 100/120 – ½ p 160.

BLETTERANS **39140** Jura **70** ③ – 1 380 h.

Paris 379 – Chalon-sur-Saône 48 – Dole 50 – Lons-le-Saunier 13 – Poligny 26.

- **de la Cloche,** ✆ **84 85 01 48** – . E
  R *(fermé sam. de sept. à Pâques)* 43/90 – 14 – **12 ch** 70/120 – ½ p 130/160.

CITROEN Gar. Central, ✆ 84 85 00 89
RENAULT Gar. Moderne, ✆ 84 85 00 31

BLIGNY-SUR-OUCHE 21360 Côte-d'Or 65 ⑨ G. Bourgogne – 776 h.

Paris 291 – Autun 43 – Beaune 19 – •Dijon 47 – Pouilly-en-Auxois 21 – Saulieu 43.

X **Host. Trois Faisans** avec ch, ℘ 80 20 10 14 – wc ⋒ P. AE ① E VISA. ⚔ rest
fermé janv., fév. et lundi hors sais. – **R** 45 bc/185 & – ☕ 21 – **7 ch** 130/200 – 1/2 p 156/191.

Évitez de fumer au cours du repas :
vous altérez votre goût et vous gênez vos voisins.

BLOIS P 41000 L.-et-Ch. 64 ⑦ G. Châteaux de la Loire – 49 422 h.

Voir Château* Z : musée des Beaux-Arts* – Pavillon Anne de Bretagne* YZ F – Église St-Nicolas* Z E, Hôtel d'Alluye* Y D – Jardins de l'Evêché ≤* Y B – Jardin du Roi ≤* Z K.**

i Office de Tourisme et Accueil de France (Informations et réservations d'hôtels, pas plus de 5 jours à l'avance) Pavillon Anne-de-Bretagne, 3 av. Jean-Laigret ℘ 54 74 06 49, Télex 750135 – A.C.O. 3 pl. Louis XII ℘ 54 74 58 92.

Paris 181 ① – Angers 165 ① – •Le Mans 109 ⑦ – •Orléans 59 ① – •Tours 63 ①.

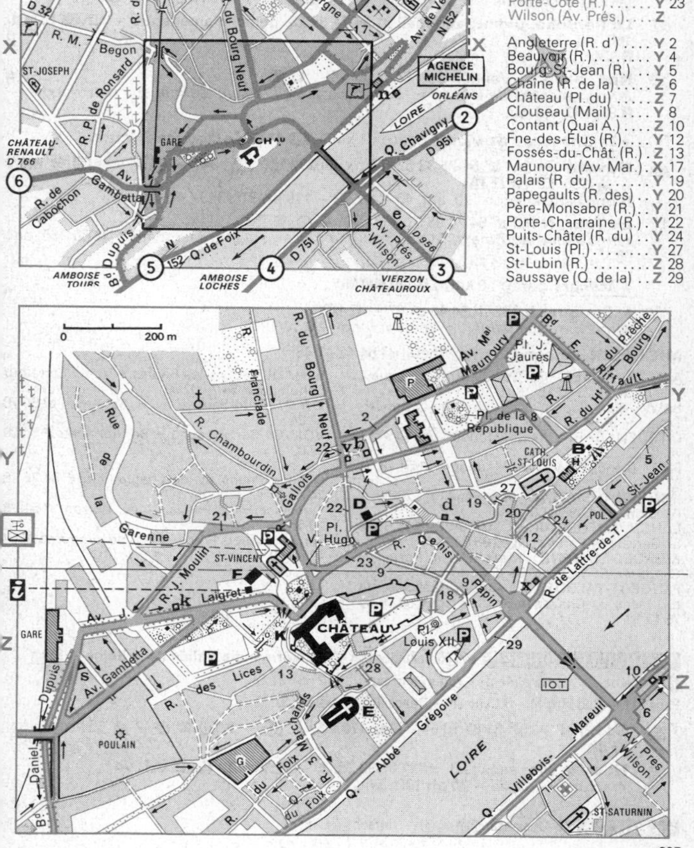

Campanile, par ⑧ : 2 km près échangeur A10, r. Vallée Maillard ✉ 41100 ✆ 54 74 44 66, Télex 751628 – TV ⛀wc ☎ ♿ P – 🏛 25. VISA
R 63 bc/86 bc, enf. 38 – ☕ 24 – **54 ch** 200/220 – ½ p 287/330.

Monarque, 61 r. Porte-Chartraine ✆ 54 78 02 35 – TV ⛀wc ⛆wc ☎ P. E VISA
fermé 15 déc. au 1er janv. – **R** 60/140, enf. 35 – ☕ 18 – **25 ch** 150/300. Y v

Anne de Bretagne sans rest, 31 av. J-Laigret ✆ 54 78 05 38 – ⛀wc ⛆wc ☎. AE ◑ E VISA Z k
fermé 10 au 28 fév. – ☕ 20 – **29 ch** 105/260.

Le Lys sans rest, 3 r. Cordeliers ✆ 54 74 66 08 – ⛆wc ☎ ♿. E VISA. ✻ Y b
fermé 21 déc. au 3 janv. – ☕ 31 – **15 ch** 170/240.

Gd Cerf, 40 av. Wilson ✆ 54 78 02 16 – ⛀wc ☎ P. E VISA. ✻ X e
fermé fév. et vend. hors sais. – **R** 50/200 – ☕ 20 – **14 ch** 75/190 – ½ p 128/180.

Viennois, 5 quai A.-Contant ✆ 54 74 12 80 – ⛀. ✻ Z r
fermé 15 déc. au 15 janv., dim. soir et lundi midi sauf juil.-août – **R** 51/100 🍷 – ☕ 19,50 – **26 ch** 70/180.

St-Jacques sans rest, pl. Gare ✆ 54 78 04 15 – ⛆ ☎. E VISA Z s
☕ 19 – **28 ch** 85/190.

Host. Loire avec ch, 8 r. Mar.-de-Lattre-de-Tassigny ✆ 54 74 26 60 – ⛀wc ☎. AE ◑ E VISA Z x
R *(fermé dim. en hiver)* 95/155 – ☕ 20 – **17 ch** 100/220.

Bocca d'Or, 15 r. Haute ✆ 54 78 04 74 – AE E VISA. ✻ Y d
fermé 31 janv. au 7 mars, lundi midi et dim. sauf fériés – **R** 110/160, enf. 50.

L'Espérance, par ⑤ : 2 km N 152 ✆ 54 78 09 01, ← – P. AE ◑ E VISA
fermé vacances de fév., sam. hors sais. et dim. soir – **R** 97/135, enf. 50.

La Péniche, promenade Mail ✆ 54 74 37 23, péniche aménagée – AE ◑ E VISA. ✻ X n
R 130.

Noë, 10 bis av. Vendôme ✆ 54 74 22 26 – E VISA X a
fermé vacances de fév., vend. soir d'oct. à avril et sam. sauf le soir d'avril à oct. – **R** 90/150, enf. 50.

à La Chaussée St-Victor par ① : 4 km – ✉ **41260** La Chaussée-St-Victor :

Novotel M ⛰, ✆ 54 78 33 57, Télex 750232, 🌳, 🏊, 🌲 – ⇅ ▤ rest TV ☎ ♿ P – 🏛 150. AE ◑ E VISA
R grill carte environ 120, enf. 40 – ☕ 38 – **116 ch** 315/340.

La Tour, N 152 ✆ 54 78 98 91, 🌳, 🌲 – P. E VISA
fermé 28 fév. au 7 mars, 1er au 28 août, dim. soir et lundi sauf fériés – **R** 85/155, enf. 55.

à Ménars par ① : 8 km – ✉ **41500** Mer :

L'Époque, N 152 ✆ 54 46 81 07 – E VISA
fermé dim. soir (sauf juil.-août) et lundi – **R** 78/190.

MICHELIN, Agence, Z.I. de Vineuil ✆ **54 42 47 45**

AUSTIN, ROVER Gd Gar. Central, 12 bis av. Wilson ✆ 54 78 02 15
BMW Gar. Papon, 44 r. Mar.-De-Lattre-de-Tassigny ✆ 54 78 77 06
CITROEN SAPTA, rte Châteaudun par ⑧ ✆ 54 78 42 22
FIAT Blanc, 42 av. Mar.-Maunoury ✆ 54 78 04 62
INNOCENTI-MAZDA Gar. Fénelon, 26-28 r. Fénelon ✆ 54 43 94 20
LANCIA AUTOBIANCHI Inter Auto, 143 RN à St-Gervais-la-Forêt ✆ 54 42 88 83
MERCEDES-BENZ Malard, rte Paris, la Chaussée-St-Victor ✆ 54 78 34 40
PEUGEOT-TALBOT Sté Autom. Blésoise, rte d'Orléans, la Chaussée-St-Victor par ① ✆ 54 78 12 12
RENAULT Blois les Saules Autom., Carrefour Schuman ✆ 54 74 02 99
V.A.G. Auto-Service, av. R.-Schuman ✆ 54 78 67 84
VOLVO Gar. Ribout, 6 r. Berthonneau ✆ 54 20 07 09

◍ Perry-Pneus, av. de Châteaudun ✆ 54 78 18 74
Terovulca Blois Pneus, 14 av. Wilson ✆ 54 78 20 55
Terovulca Blois Pneus, 44 av. de Vendôme ✆ 54 43 48 40

BLONVILLE-SUR-MER 14910 Calvados 55 ③ G. Normandie Vallée de la Seine – 889 h.

ℹ Office de Tourisme allée des Villas (juin-sept.) ✆ 31 87 91 14.

Paris 211 – Cabourg 14 – ♦Caen 38 – Deauville 5 – Lisieux 32.

Gd Hôtel ⛰, ✆ **31 87 90 54, Télex 170385,** ←, 🏊 – ⇅ TV ☎ P – 🏛 35
25 ch.

H. de la Mer sans rest, ✆ 31 87 93 23, ← – ⛀wc ☎ P. E VISA. ✻
mars-nov. – ☕ 25 – **20 ch** 102/254.

La BOCCA 06 Alpes-Mar. 84 ⑧⑨ – rattaché à Cannes.

Le BOËL 35 I.-et-V. 63 ⑥ – rattaché à Rennes.

BOERSCH 67 B.-Rhin 62 ⑨ – rattaché à Obernai.

BOGÈVE 74 H.-Savoie 74 ⑦ – 490 h. – ✉ 74250 Viuz-en-Sallaz.
Paris 564 – Bonneville 27 – Genève 31 – Morzine 43 – Thonon-les-Bains 29.

Le Jorat, rte Brasses ✆ 50 36 61 15, ←, – TV ⇔wc ☎ P. E VISA
fermé 15 nov. au 15 déc., mardi midi et lundi hors sais. – **R** 85/240 – 25 – **15 ch** 220/250 – ½ p 190/300.

BOGNY-SUR-MEUSE 08120 Ardennes 53 ⑱ – 6 262 h.
Voir N : Rocher des Quatre Fils Aymon★, G. Champagne.
Paris 244 – Charleville-Mézières 18 – Givet 41 – Monthermé 3,5 – Rocroi 33.

Micass'H, pl. République ✆ 24 32 02 72 – ⇔ ☎. AE E VISA.
fermé août, sam. midi et dim. soir – **R** 43/95 – 19 – **14 ch** 59/135.

BOIS DE LA CHAIZE 85 Vendée 67 ① – voir à Noirmoutier (Ile de).

BOIS-DU-FOUR 12 Aveyron 80 ④ – alt. 800 – ✉ 12780 Vezins-du-Lévezou.
Paris 637 – Aguessac 16 – Millau 21 – Pont-de-Salars 25 – Rodez 50 – Sévérac-le-Château 18.

Relais du Bois du Four, ✆ 65 61 86 17, parc – ⇔wc wc ☎ P. rest
15 mars-30 nov. et fermé merc. hors sais. – **R** 47/110 – 18 – **27 ch** 78/160.

BOISEMONT 95 Val-d'Oise 55 ⑲, 196 ⑤, 101 ① – 464 h. – ✉ 95000 Cergy.
Paris 42 – Gisors 36 – Mantes-la-Jolie 27 – Meulan 8 – Pontoise 9 – St-Germain-en-Laye 19.

XXX **Les Coteaux,** sur D 22 ✆ (1) 34 42 30 12, – AE ⓓ E VISA
fermé mardi – **R** 95/215, enf. 90.

BOIS-L'ABBESSE 67 B.-Rhin 62 ⑲ – rattaché à Liepvre.

Le BOIS-PLAGE 17 Char.-Mar. 71 ⑫ – voir à Ré (Ile de).

La BOISSE 01 Ain 74 ⑫ – rattaché à Montluel.

Les BOISSES 73 Savoie 74 ⑲ – rattaché à Tignes.

BOISSET 15 Cantal 76 ⑪ – 756 h. – ✉ 15600 Maurs.
Paris 569 – Aurillac 29 – Calvinet 17 – Entraygues-sur-Truyère 49 – Figeac 36 – Maurs 14.

X **Gramond,** ✆ 71 62 20 69, ← – VISA
15 fév.-1er déc. – **R** 50/180.

BOISSEUIL 87 H.-Vienne 72 ⑰⑱ – 1 239 h. – ✉ 87220 Feytiat.
Paris 406 – Bourganeuf 45 – ♦Limoges 10 – Nontron 71 – Périgueux 96 – Uzerche 47.

Le Relais, ✆ 55 06 90 06 – ⇔wc wc ☎. VISA.
fermé 1er au 8 mai, déc. et merc. sauf août – **R** grill carte 100 à 150 – 17 – **12 ch** 100/190 – ½ p 170/200.

BOISSY-LE-CHÂTEL 77 S.-et-M. 56 ⑬, 61 ③ – rattaché à Coulommiers.

BOIS-VERT 16 Charentes 75 ② – rattaché à Barbezieux.

BOLBEC 76210 S.-Mar. 55 ④ – 12 578 h.
Paris 189 ④ – Fécamp 25 ⑤ – ♦Le Havre 30 ④ – ♦Rouen 56 ② – Yvetot 21 ②.

Fécamp sans rest, 15 r. J.-Fauquet **(a)** ✆ 35 31 00 52 – ⇔wc wc. E VISA.
fermé 15 fév. au 1er mars et dim. du 1er oct. au 15 avril – 18 – **26 ch** 80/180.

CITROEN Gar. du Viaduc, 125 r. G.-Clemenceau par ④ ✆ 35 31 01 62
PEUGEOT, TALBOT Lefebvre, 68 av. Mar.-Joffre ✆ 35 31 07 11
RENAULT Périer, 3 r. P.-Bert par ④ ✆ 35 31 06 47

Vulcanisation Normande, 81 bis et 83 r. G.-Clemenceau ✆ 35 31 06 87

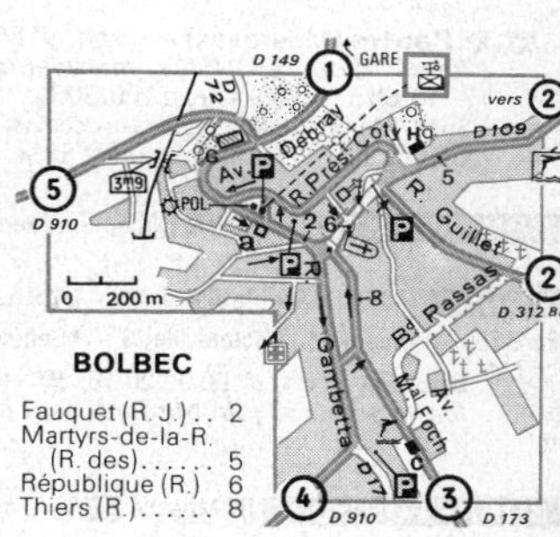

BOLBEC

Fauquet (R. J.) . . 2
Martyrs-de-la-R. (R. des) 5
République (R.) . . 6
Thiers (R.) 8

BOLLENBERG 68 H.-Rhin 62 ⑱⑲ – rattaché à Rouffach.

BOLLÈNE 84500 Vaucluse 81 ① **G. Provence** (plan) – 12 690 h.

Env. Barry : ≤** sur ouvrages de Donzère-Mondragon* N : 6 km, **G. Vallée du Rhône.**

Office de Tourisme pl. Reynaud-de-la-Gardette ✆ 90 30 14 43.

Paris 638 – Avignon 52 – Montélimar 34 – Nyons 35 – Orange 25 – Pont-St-Esprit 10.

XX **Mas des Grès**, avec ch, 1 km par rte St-Restitut ✆ 90 30 10 79, – wc P – 40. AE E VISA
fermé janv., dim. soir et lundi – **R** 85/180 – 22 – **13 ch** 145/220 – 1/2 p 360.

à Rochegude (26 Drôme) SE : 7,5 km - voir à Orange

FORD Bollène-Autom., av. Pont-Neuf ✆ 90 30 10 61
RENAULT Gar. Brun, rte de St-Paul 3 Châteaux, sortie Autoroute ✆ 90 30 40 66
V.A.G. Sodiba, 1 chemin Souvenir ✆ 90 30 12 23
Ayme-Pneus, r. J.-Verne ✆ 90 30 13 21
Pneus-Service, 15 av. Carnot ✆ 90 30 14 40

La BOLLÈNE-VÉSUBIE 06 Alpes-Mar. 84 ⑲, 195 ⑰ **G. Côte d'Azur** – 262 h. alt. 690 – ✉ 06450 Lantosque.

Voir Chapelle St-Honorat ≤* S : 1 km.

Paris 971 – ♦Nice 54 – Puget-Théniers 58 – Roquebillière 6,5 – St-Martin-Vésubie 16 – Sospel 37.

Gd H. du Parc, D 70 ✆ 93 03 01 01, parc – wc wc P. AE rest
1er mai-15 oct. – **R** 64/150 – 20 – **42 ch** 120/270 – 1/2 p 200/480.

BOLLEZEELE 59 Nord 51 ③ – 1 500 h. – ✉ 59470 Wormhout.

Paris 273 – ♦Calais 47 – Dunkerque 24 – ♦Lille 68 – St. Omer 19.

Host. St-Louis, 47 r. Église ✆ 28 68 81 83, Télex 132297, – wc P – 90. AE E VISA
R 100/260, enf. 70 – 35 – **16 ch** 190/240 – 1/2 p 250/280.

BONDUES 59 Nord 51 ⑯ – rattaché à Lille.

BON-ENCONTRE 47 L.-et-G. 79 ⑮ – rattaché à Agen.

Le BONHOMME 68 H.-Rhin 62 ⑱ **G. Alsace et Lorraine** – 612 h. alt. 700 – Sports d'hiver : 830/1 240 m 10 – ✉ 68650 Lapoutroie.

Paris 417 – Colmar 24 – Gérardmer 38 – St-Dié 32 – Ste-Marie-aux-Mines 16 – Sélestat 39.

Poste, ✆ 89 47 51 10, – wc wc P. AE E VISA
fermé 2 nov. au 20 déc., début avril au 23 avril et merc. – **R** 60/160 – **21 ch** 110/180 – 1/2 p 145/185.

BONLIEU 39 Jura 70 ⑮ **G. Jura** – 158 h. alt. 780 – ✉ 39130 Clairvaux-les-Lacs.

Voir Belvédère de la Dame Blanche ≤* NO : 2 km puis 30 mn.

Paris 425 – Champagnole 24 – Lons-le-Saunier 33 – Morez 25 – St-Claude 41.

Alpage, ✆ 84 25 57 53, ≤ alpage, – wc P. AE E VISA
R 75/190, enf. 45 – 28 – **10 ch** 170/200 – 1/2 p 220/250.

Lac, E : 2 km par N78 et VO ✆ 84 25 57 11, – wc P – 25. AE E VISA rest
fermé nov. – **R** *(fermé lundi midi hors sais.)* 90/175, enf. 45 – **39 ch** 78/180 – 1/2 p 135/165.

XX ❀ **Poutre** (Moureaux) avec ch, ✆ 84 25 57 77 – wc P. AE E VISA
fermé 15 déc. au 1er fév., mardi et merc. sauf juil.-août – **R** carte 170 à 270 – 24 – **10 ch** 110/250 – 1/2 p 250/300
Spéc. Filet de truite aux poireaux confits, Ragoût d'escargots aux morilles, Crêpe au praliné et au marc du Jura. **Vins** Côtes du Jura, L'Étoile.

BONNATRAIT 74 H.-Savoie 70 ⑰ – rattaché à Thonon-les-Bains.

BONNE 74380 H.-Savoie 74 ⑥⑦ – 1 639 h.

Paris 550 – Annecy 44 – Bonneville 13 – ♦Genève 19 – Morzine 44 – Thonon-les-Bains 30.

XX **Baud** avec ch, ✆ 50 39 20 15, – wc P. E VISA
fermé 15 au 30 juin et mardi sauf juil.-août – **R** 70/220 – 26 – **12 ch** 150/260 – 1/2 p 180/250.

BONNE-FONTAINE 57 Moselle 57 ⑰ – rattaché à Phalsbourg.

BONNEUIL-SUR-MARNE 94 Val-de-Marne 61 ①, 101 ㉗ – Voir à Paris, Environs.

BONNEVAL-SUR-ARC 73 Savoie 74 ⑲ **G. Alpes du Nord** – 211 h. alt. 1 800 – Sports d'hiver : 1 800/3 000 m 10 – ✉ **73480** Lanslebourg-Mont-Cenis.

Voir Vieux village★.

Office de Tourisme ✆ 79 05 95 95.

Paris 680 – Chambéry 145 – Lanslebourg 19 – Val-d'Isère 30.

La Marmotte Ⓜ, ✆ 79 05 94 82, ≤, – wc Ⓟ. E VISA.
20 juin-20 sept. et Noël-1er mai – **R** 83/150 – 22 – **28 ch** 190/225.

La Bergerie, ✆ 79 05 94 97, ≤ – wc Ⓟ. E VISA. rest
15 juin-15 sept. et 20 déc.-30 avril – **R** 62/85 – 20 – **22 ch** 150/190 – 1/2 p 175/190.

XX **Aub. Pré Catin,** ✆ 79 05 95 07, – E VISA
18 juin-2 oct., 17 déc.-9 mai et fermé lundi sauf fériés – **R** 67/123, enf. 46.

BONNEVILLE 74130 H.-Savoie 74 ⑦ **G. Alpes du Nord** – 9 106 h.

Syndicat d'Initiative r. Ducarroz ✆ 50 97 20 64 et pl. Hôtel de Ville (fermé après-midi hors saison) ✆ 50 97 38 37.

Paris 559 ③ – Albertville 73 ② – Annecy 39 ③ – Chamonix 56 ② – Nantua 86 ③ – Thonon 45 ③.

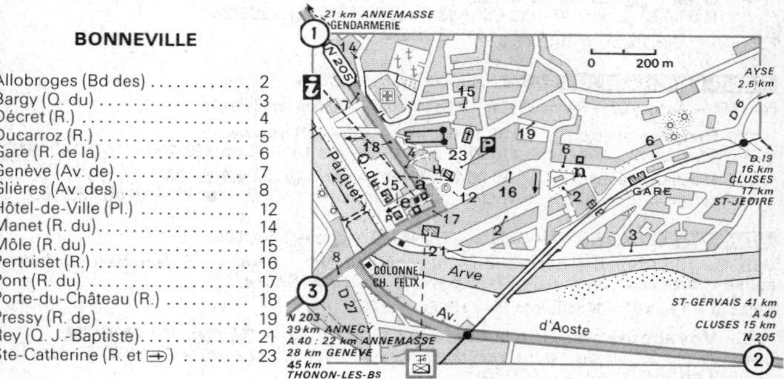

Sapeur H. et rest La Vivandière (Guénon), pl. de l'Hôtel de Ville **(a)** ✆ 50 97 20 68 – rest. AE E VISA.
fermé 29 août au 15 sept., 2 au 18 janv., dim. soir et lundi sauf août – **R** (nombre de couverts limité-prévenir) carte environ 225 – 30 – **18 ch** 210/300 – 1/2 p 205/225
Spéc. Nems de lotte aux aubergines, Salmis de canette et feuillantine de chou vert, Fondant noir.
Vins Roussette, Gamay rouge.

Arve, r. du Pont **(e)** ✆ 50 97 01 28 – wc wc. VISA.
fermé sept., vend. soir et sam. (sauf août) – **R** 62/174 – 17,50 – **16 ch** 173/200 – 1/2 p 160.

Alpes, 85 r. Gare **(n)** ✆ 50 97 10 47 – wc wc Ⓟ. AE E VISA
fermé 15 au 30 juin, 10 au 26 déc., dim. soir et vend. – **R** 60/160 – 17 – **16 ch** 115/155 – 1/2 p 132/150.

Bellevue, à Ayse E : 2,5 km par D 6 ✆ 50 97 20 83, ≤, – wc wc Ⓟ. rest
1er juil.-5 sept. – **R** 66/88 – 20 – **22 ch** 132/180 – 1/2 p 145/160.

à St-Pierre-en-Faucigny par ③, D 12 et D 208 : 5 km – ✉ **74800** La Roche-sur-Foron.
Voir Gorge des Eveaux ★ S : 1 km.

Franco-Suisse, ✆ 50 03 70 01 – wc Ⓟ
fermé 20 juin au 1er juil. et sam. – **R** (dîner seul.) 60 – 18 – **7 ch** 110/140.

PEUGEOT-TALBOT Andréoléty, 403 av. des Glières par ③ ✆ 50 97 20 93
VOLVO Gar. Bel, le Bouchet à Aysé ✆ 50 97 25 64
Barret, 744 av. de Genève ✆ 50 97 02 22

BONNEVILLE (La) 95 Val d'Oise 55 ⑳, 196 ⑥ – rattaché à Cergy-Pontoise (Pontoise).

BONNIÈRES-SUR-SEINE 78270 Yvelines 55 ⑱, 196 ② – 3 362 h.

Paris 72 – Évreux 34 – Magny-en-Vexin 25 – Mantes-la-Jolie 13 – Vernon 12 – Versailles 56.

XXX **Host. Bon Accueil,** rte Vernon : 1,5 km ✆ (1) 30 93 01 00 – Ⓟ. AE E VISA
fermé 28 juil. au 31 août, vacances de fév., mardi soir et merc – **R** 160.

BONNIEUX 84480 Vaucluse 81 ⑬ G. Provence (plan) – 1 385 h.

Voir Tableaux★ dans l'église – Terrasse ≤★.

Syndicat d'Initiative Musée de la Boulangerie, r. République (mi juin-mi sept.) ☎ 90 75 88 34.

Paris 724 – Aix-en-Provence 48 – Apt 13 – Avignon 47 – Carpentras 43 – Cavaillon 26.

Host. du Prieuré, ☎ 90 75 80 78, ≤, « Ancien Prieuré, beau mobilier », – wc ☎. E VISA
12 fév.-2 nov. – **R** *(fermé merc. midi et mardi hors sais. et le midi : mardi, merc. et jeudi de juil. à sept.)* 110/210 – ☕ 35 – **10 ch** 360/400 – 1/2 p 320/435.

César, ☎ 90 75 80 18, ≤ – wc wc ☎
fermé 15 nov. au 20 déc., 5 janv. au 5 fév. et merc. – **R** 80/120 – ☕ 20 – **11 ch** 200/240.

au SE : 6 km par D 36, D 943 et chemin privé – ✉ **84480** Bonnieux :

L'Aiguebrun, ☎ 90 74 04 14, ≤, « Dans un vallon du Lubéron, parc » – wc ☎ P – **8 ch**.

BONNY-SUR-LOIRE 45420 Loiret 65 ⑫ – 1 868 h.

Paris 167 – Auxerre 65 – Clamecy 60 – Cosne-sur-Loire 19 – Montargis 54 – ♦Orléans 86 – Vierzon 76.

Fimotel, NO : 2 km sur N 7 ☎ 38 31 64 62, Télex 781270, ≤ – TV wc wc ☎ P – 120. AE E VISA
R 60/130, enf. 34 – ☕ 26 – **43 ch** 226/252 – 1/2 p 269/284.

RENAULT Gar. Parot, ☎ 38 31 63 32

BONS-EN-CHABLAIS 74890 H.-Savoie 70 ⑰ – 2 781 h.

Paris 554 – Annecy 60 – Bonneville 29 – ♦Genève 22 – Thonon-les-Bains 15.

Progrès avec ch, ☎ 50 36 11 09, – wc ☎
fermé janv., dim. soir et lundi – **R** 65/230 – ☕ 19 – **16 ch** 120/200 – 1/2 p 140/150.

Couronne avec ch, ☎ 50 36 11 17, – wc P. AE E VISA
fermé 22 déc. au 28 janv., dim. soir et lundi – **R** 90/250 – ☕ 20 – **10 ch** 130/250.

BONSON 42 Loire 73 ⑱ – 2 566 h. – ✉ **42160** Andrezieux-Bouthéon.

Voir Sury-le-Comtal : décoration★ du château NO : 3 km – St-Rambert-sur-Loire : église★, bronzes★ du musée SE : 3,5 km, **G. Vallée du Rhône.**

Paris 515 – Feurs 31 – Montbrison 15 – ♦St-Etienne 20.

Voyageurs avec ch, à la Gare ☎ 77 55 16 15, – TV wc. AE E VISA
fermé 30 juil. au 7 août, vacances de fév., vend. soir et sam. – **R** 60/150 – ☕ 18 – **7 ch** 95/150 – 1/2 p 150/160.

BORDEAUX P 33000 Gironde 71 ⑨ **G. Pyrénées Aquitaine** – 211 197 h communauté urbaine 617 705 h. – **Voir Grand Théâtre★★** CDVX – **Cathédrale★ et tour Pey Berland★** CX **E** – **Place de la Bourse★** DX – **Basilique St-Michel★** DY **F** – **Place du Parlement★** DX **65** – **Façade★ de l'église Ste-Croix** DY **K** – **Façade★ de l'église Notre-Dame** CX **D** – **Fontaines★ du monument aux Girondins** CV **R** – **Musée des Beaux-Arts★★** CX **M1** – **Musée des Arts décoratifs★** CX **M2** – **Établissement monétaire★ de Pessac** S **B.**

Golf Bordelais ☎ 56 28 56 04, NO par D 109 : 4 km AT ; de Bordeaux Lac ☎ 56 50 92 72, N par D 2 : 10 km R ; de Cameyrac ☎ 56 72 96 79, par ② : 18 km.

de Bordeaux-Mérignac : Air France ☎ 56 93 81 22 par ⑧ : 11 km – ☎ 56 92 50 50.

Office de Tourisme et Accueil de France, (Informations, change et réservations d'hôtels, pas plus de 5 jours à l'avance) 12 cours 30-Juillet ☎ 56 44 28 41, Télex 570362 – A.C. 8 pl. Quinconces ☎ 56 44 22 92 – Maison du vin de Bordeaux, 1 cours 30-juillet (Informations, dégustation - fermé sam. après-midi et dim.) ☎ 56 52 82 82 CV **z.**

Paris 579 ① – ♦Lyon 550 ② – ♦Nantes 326 ① – ♦Strasbourg 930 ① – ♦Toulouse 244 ⑤.

Sauf indication spéciale, voir emplacement sur Bordeaux p. 4 et 5

Pullman Mériadeck M, 5 r. R.-Lateulade ☎ 56 90 92 37, Télex 540565 – TV ☎ – 350. AE E VISA BX **w**
Le Mériadeck **R** 150 bc/220 bc, enf. 65 – ☕ 48 – **196 ch** 450/765.

Majestic sans rest, 2 r. Condé ☎ 56 52 60 44 – TV ☎. E VISA DV **b**
☕ 26 – **50 ch** 240/330.

Gd H. et Café de Bordeaux sans rest, 2 pl. Comédie ☎ 56 90 93 44, Télex 541658 – TV ☎ – 30 à 50. AE E VISA CVX **b**
☕ 30 – **95 ch** 300/410, 3 appartements 750.

Normandie sans rest, 7 cours 30-Juillet ☎ 56 52 16 80, Télex 570481 – TV ☎ AE E VISA CV **a**
☕ 27 – **100 ch** 170/330.

Terminus, gare St-Jean ✉ 33800 ☎ 56 92 71 58, Télex 540264 – TV ☎ – 80. AE E VISA Bordeaux p. 3 DZ **e**
R 110 bc/130, enf. 46 – ☕ 32 – **80 ch** 246/413.

BORDEAUX

Aquitaine (Bd Aliénor d') .. R 2
Arès (Av. d') .... S
Bègles (Barrière de) ...... S 5
Benauge (R. de la) .... S 6
Bosc (Bd J.-J.) .... S
Brandenburg (Bd)......... R 9
Brazza (Quai de) .... R 12
Briand (Av. A.) .... S
Brienne (Quai de) .... S 15
Cabannes (Av. G.)......... S
Carnot (Av.) CENON....... R 19
Cassagne (Av. R.) .... R
Daney (Bd A.) .... R
Eysines (Av. d') .... R 28
Gallieni (Cours du Mar.)... S 34
Gambetta (Crs) FLOIRAC . R 36
Guesde (R. Jules) .... S 38
Jaurès (Av. Jean) CENON . R 44
Jaurès (Av. Jean) PESSAC .S 45
Joliot-Curie (Bd)......... RS 46
Leclerc (Av. Gén.) .... R 52
Leysotte (Ch. de).......... S
Libération (Av. de la) ..... R 54
Libération (Crs) TALENCE . S
Marne (Av. de la).......... S 55
Ornano (Cours d') .... S 62
Paludate (Quai de) .... S 63
Pasteur (Av.) .... RS 65
République (Av. de la) ..... S 72
Simon (Bd Jules) .... RS 78
Souys (Quai de la).......... S 79
Thiers (Av.)................ R 81
Toulouse (Barrière de) ..... S 82
Toulouse (Rte de) .... S
Trarieux (Bd Ludovic) ..... S 85
V.-Hugo (Crs) CENON .... R 87

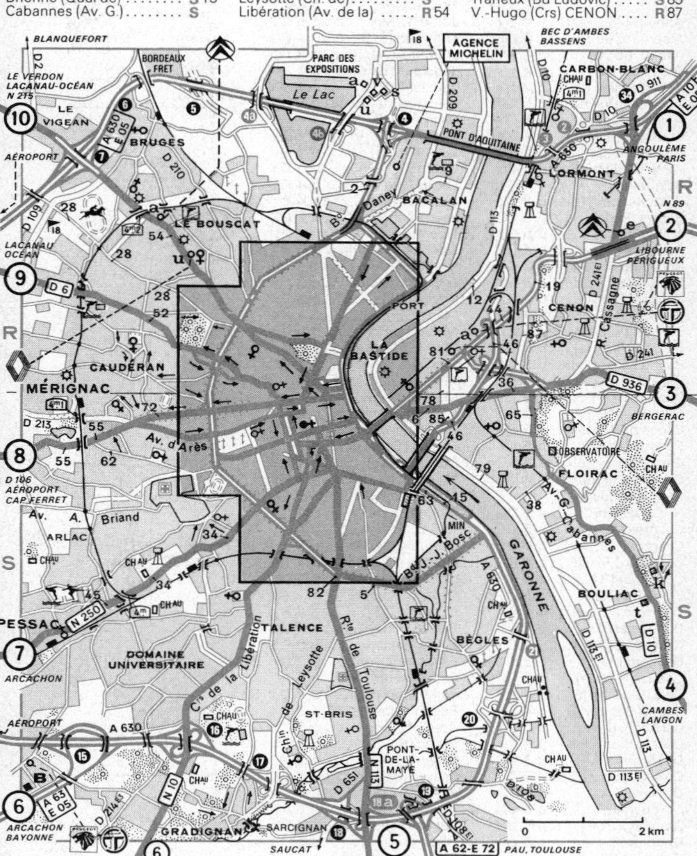

Royal Médoc M sans rest, **3 r. Sèze** ✆ **56 81 72 42, Télex 571042** – |♦| TV ⌂wc ⋔wc ☎. AE ① E VISA. ⋨ — CV **u**
☕ 28 – **45 ch** 260/310.

Sèze sans rest, **23 allées Tourny** ✆ **56 52 65 54, Télex 572808** – |♦| TV ⌂wc ⋔wc ☎. AE ① E VISA — CV **u**
☕ 28 – **25 ch** 160/325.

Atlantic M sans rest, **69 r. E.-Leroy** ✉ **33800** ✆ **56 92 92 22** – TV ⋔wc ☎. AE E VISA – ☕ 20 – **36 ch** 165/220. Bordeaux p. 3 DZ **r**

Notre Dame M sans rest, **36 r. N.-Dame** ✆ **56 52 88 24** – ⌂wc ⋔wc ☎. AE E VISA – *fermé 25 déc. au 4 janv.* – ☕ 20 – **21 ch** 160/230. DU **k**

Français sans rest, **12 r. Temple** ✆ **56 48 10 35, Télex 550587** – |♦| TV ⌂wc ⋔wc ☎. AE ① E VISA — CX **u**
☕ 32 – **36 ch** 300/450.

RÉPERTOIRE DES RUES DU PLAN DE BORDEAUX

Albret (Cours d') . . . p. 5 **CY**
Alsace-Lorr. (Crs) . . p. 5 **DX**
Capdeville (R.) . . . . . p. 4 **BV** 18
Clemenceau (Cours) p. 5 **CV**
Intendance (Cours) . p. 5 **CX**
Jaurès (Pl. Jean) . . . p. 5 **DV**
Ste-Catherine (R.) . . p. 5 **DY**
Tourny (Allées de) . . p. 5 **CV**
Victor-Hugo (Cours) p. 5 **DY**

Abbé-de-l'Épée (R.) p. 4 **BV**
Albert-1er (Bd) . . . . . p. 3 **DZ**
Allo (R. Roger) . . . . . p. 4 **BV**
Arès (Av. d') . . . . p. 4 **AY**
Arès (Barrière d') . . . p. 2 **AY** 3
Argonne (Crs de l') . p. 5 **CY**
Arnozan (Cours X.) . p. 5 **DV**
Audeguil (R. F.) . . . . p. 4 **BY**
Aupérie (R. d') . . . . . p. 3 **DZ**
Aviau (R. d') . . . . p. 5 **CU**
Balguerie-
Stuttenberg (Crs) p. 3 **DT**
Bègles (R. de) . . . . . . p. 3 **DZ**
Belfort (R. de) . . . . . . p. 5 **CY**
Belleville (R.) . . . . p. 4 **BY**
Benauge (R. de la) . . p. 3 **DX** 6
Bir-Hakeim (Pl. de) . p. 5 **DY**
Bocage (R. du) . . . . . p. 4 **AU**
Bonnac (R. G.) . . . . . p. 4 **BX**
Bonnier (R. Claude) . p. 4 **BX**
Bourse (Pl. de la) . . . p. 5 **DX**
Briand (Cours A.) . . . p. 5 **CY**
Brizard (R.) . . . . p. 4 **BX**
Burguet (R. J.) . . . . . p. 5 **CY**
Canteloup (Pl.) . . . . . p. 5 **DY**
Capucins (Pl. des) . . p. 5 **DY**
Carles (R. Vital) . . . . p. 5 **CX**
Carnot (Av.) . . . . p. 4 **AU**
Caudéran (R. de) . . . p. 4 **AV**
Chapeau-Rouge
(Cours) . . . . p. 5 **DX** 20
Chartres (Allées) . . . p. 5 **DV**
Chartrons (Q. des) . . p. 5 **DU**
Château-d'Eau (R.) . p. 4 **BX**
Chauffour (R.) . . . . . . p. 4 **BX**
Clare (R.) . . . . p. 5 **DY**
Comédie (Pl. de la) . p. 5 **CX** 21
Condorcet (R.) . . . . . p. 3 **CT**
Costedoat (R. E.) . . . p. 5 **CY**
Counord (Av. E.) . . . p. 3 **CT**
Course (R. de la) . . . p. 5 **CU**
Croix-Blanche (R.) . . p. 4 **BV**
Crx-de-Seguey (R.) . p. 4 **BU**
Cursol (R. de) . . . . . . p. 5 **CY**
Deschamps (Quai) . p. 3 **DX**
Despagnet (R. F.) . . . p. 4 **AY**
Dr-A.-Barraud (R.) . . p. 4 **BV**
Dr-Nancel-
Pénard (R.) . . . . . . p. 5 **CX** 24
Douane (Q. de la) . . p. 5 **DX**
Doumer (Pl. Paul) . . p. 5 **CU**
Doumerc (R. de) . . . p. 4 **AY**
Duffour-
Dubergier (R.) . . . p. 5 **CY** 26
École-Normale (R.) . p. 4 **AV**
Esprit-des-Lois (R.) . p. 5 **DV** 27
Eysines (Av. d') . . . . p. 4 **AU**
Fargue (Cours L.) . . . p. 3 **DT**
Faure (R. Lucien) . . . p. 3 **DT**
Faures (R. des) . . . . . p. 5 **DY**
Fayolle (Crs E.-de) . . p. 5 **CU**
Foch (Cours Mar.) . . p. 5 **CV**
Fondaudège (R.) . . . p. 5 **CV**
Furtado (R.) . . . . p. 3 **DZ**
Gallieni (Crs Mar.) . . p. 3 **BZ** 34
Gambetta (Cours) . . p. 3 **BZ**
Gambetta (Pl.) . . . . . p. 5 **CX**

Gaspard-
Philippe (R.) . . . . . p. 5 **DY** 37
Gaulle (Av. Ch.-de) . p. 4 **AV**
Gautier (Bd A.) . . . . . p. 4 **AY**
Gayon (R. Ulysse) . . p. 4 **BU**
George-V (Bd) . . . . . p. 3 **BZ**
Godard (Bd) . . . . p. 3 **CT**
Godard (R. Camille) . p. 5 **CU**
Hamel (R. du) . . . . . . p. 5 **DY** 43
Huguerie (R.) . . . . . . p. 5 **CV**
Joffre (R. Mar.) . . . . . p. 5 **CY**
Johnston (R. D.) . . . . p. 4 **BU**
Journu-Auber (Crs) . p. 3 **DT**
Judaïque (Barrière) . p. 2 **AX** 47
Judaïque (R.) . . . . . . p. 4 **BX**
Juin (Crs Mar.) . . . . . p. 4 **BY**
Labottière (R.) . . . . . p. 4 **BU**
Lachassaigne (R.) . . p. 4 **BV**
Lagrange (R.) . . . . . . p. 5 **CU**
Lande (R. Paul-L.) . . p. 5 **CY**
Leclerc (Bd Mar.) . . . p. 4 **AY**
Lecocq (R.) . . . . p. 4 **BY**
Leyteire (R.) . . . . p. 5 **DY**
Libération (Av.) . . . . p. 4 **AU**
Libération (Cours) . . p. 5 **CY**
Liberté (R. de la) . . . . p. 4 **AX**
Louis-XVIII (Quai) . . p. 5 **DV**
Malbec (R.) . . . . p. 3 **DZ**
Mandel (R. G.) . . . . . p. 4 **BV**
Mandron (R.) . . . . . . p. 5 **CU**
Marne (Cours de la) p. 5 **DY**
Marseille (R. de) . . . p. 4 **AV**
Martinique (Cours) . p. 5 **DU**
Martyrs-de-la-
Résistance (Pl.) . . p. 4 **BX**
Médoc (Barrière du) p. 2 **AU** 56
Médoc (Cours du) . . p. 3 **DT**
Mie (R. Louis) . . . . . . p. 4 **BY**
Monnaie (Q. de la) . . p. 5 **DY**
Montbazon (R.) . . . . p. 5 **CX** 58
Mouneyra (R.) . . . . . p. 4 **BY**
Naujac (R.) . . . . p. 4 **BV**
Notre-Dame (R.) . . . p. 5 **DU**
Nouaux (Cours M.) . p. 4 **AV**
Orléans (Allées) . . . . p. 5 **DV**
Ornano (Barrière) . . p. 2 **AY** 60
Ornano (R. d') . . . . . . p. 4 **BY**
Palais (Pl. du) . . . . . . p. 5 **DX**
Palais-Gallien (R.) . . p. 5 **CV**
Paludate (Q. de) . . . . p. 3 **DY** 63
Parc-Lescure (Av.) . . p. 4 **AY**
Parlement (Pl. du) . . p. 5 **DX** 65
Pas-St-Georges (R.) p. 5 **DX**
Pasteur (Cours) . . . . p. 5 **CY**
Paulin (R.) . . . . p. 4 **BV**
Pelleport (R.) . . . . . . p. 3 **DZ**
Pessac (Barrière) . . . p. 3 **BZ** 66
Pessac (R. de) . . . . . p. 5 **CY**
Philippart (R. F.) . . . . p. 5 **DX** 69
Pierre-1er (Bd) . . . . . . p. 4 **BU**
Portal (Cours) . . . . . . p. 5 **DU**
Porte-Dijeaux (R.) . . p. 5 **CX**
Prés.-Roosevelt (Bd) p. 3 **CZ**
Prés.-Wilson (Bd) . . p. 4 **AU**
Queyries (Q. des) . . . p. 3 **DV**
Quinconces (Espl.) . p. 5 **DV**
Renan (R. Ernest) . . . p. 4 **BU**
République (Av.) . . . . p. 4 **AX**
République (Pl.) . . . . p. 5 **CY** 73
Richelieu (Quai) . . . . p. 5 **DX**
St-Genès (Barrière) . p. 3 **BZ** 74
St-Genès (R. de) . . . p. 5 **CY**
St-Germain (R. A.) . . p. 3 **DZ**
St-James (R.) . . . . . . p. 5 **DY**
St-Louis (Cours) . . . . p. 3 **DT**
St-Médard
(Barrière) . . . . p. 2 **AV** 75

St-Rémi (R.) . . . . p. 5 **DX**
St-Sernin (R.) . . . . p. 4 **BX** 76
Salinières (Q. des) . . . p. 5 **DY**
Sauvageau (R. C.) . . . p. 5 **DY**
Somme (Cours de la) p. 5 **DY**
Sourdis (R. F.-de) . . . . p. 4 **BY**
Stalingrad (Pl.) . . . . . . p. 3 **DX** 80

Tauzia (R. de) . . . . p. 3 **DY**
Thiers (Av.) . . . . p. 3 **DX**
Tondu (R. du) . . . . p. 4 **BY**
Toulouse (Barrière) . . p. 3 **DZ** 82
Tournon (Cours de) . . p. 5 **CV** 83
Tourny (Pl. de) . . . . . . p. 5 **CV** 84
Turenne (R.) . . . . p. 4 **BV**
Vaillant (Cours Ed.) . . p. 3 **DT**
Verdun (Cours de) . . . p. 5 **CU**
Victoire (Pl. de la) . . . p. 5 **DY**
Victor-Hugo (Av.) . . . . p. 3 **BT**
Villedieu (R.) . . . . p. 5 **CY** 88
Vincennes (R. de) . . . . p. 4 **AX**
Yser (Cours de l') . . . . p. 5 **DY**
3-Conils (R. des) . . . . . p. 5 **CX**
144e-Rég.-Inf. (R.) . . . p. 4 **BY**

Rues du Plan d'agglomération
Voir Bordeaux p. 1

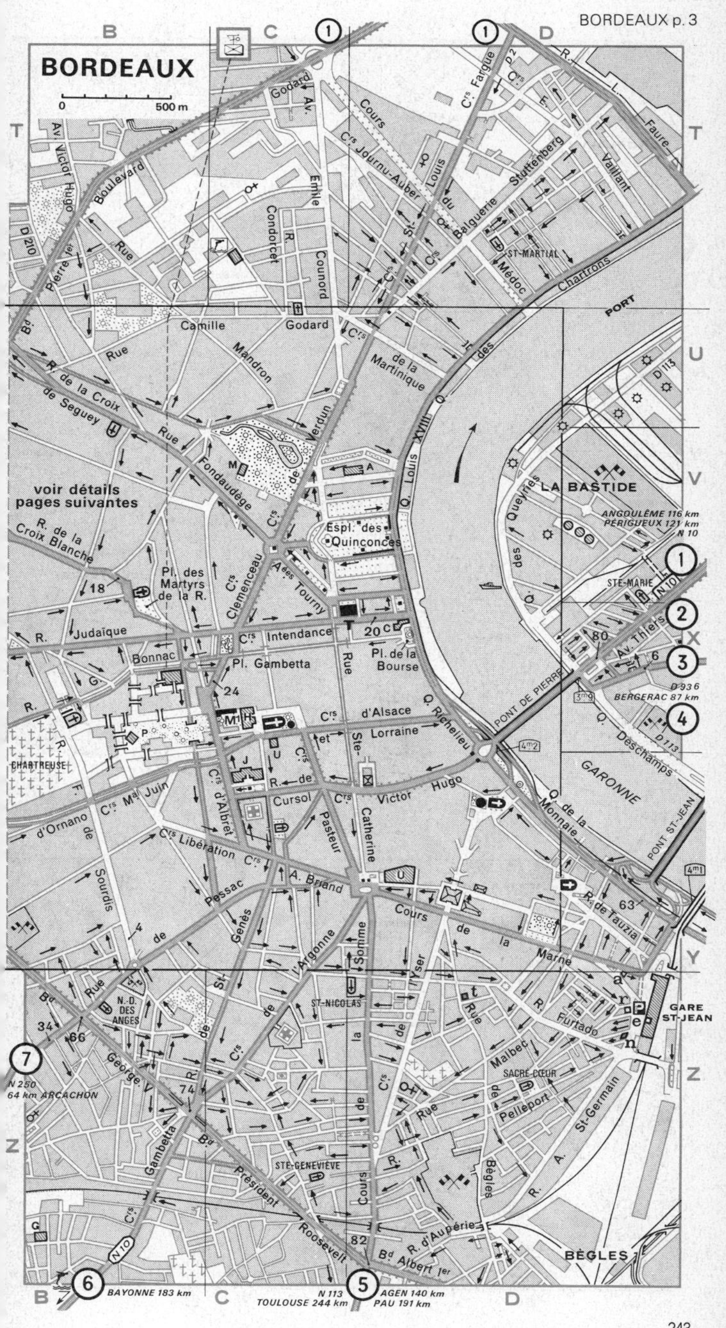
BORDEAUX
0
500 m
voir détails
pages suivantes
Cours
Crs Journu-Auber
Crs St-Louis
Cours du Médoc
Quai des Chartrons
R. Faure
Vaillant
Stuttenberg
Balguerie
Crs Fargue
ST-MARTIAL
PORT
Boulevard
Av. Victor Hugo
Rue Pierre 1er
Bd
D 210
Godard
Av. Emile Counord
R. Condorcet
Rue Camille Godard
Crs de la Martinique
Mandron
R. de la Croix de Seguey
Rue Fondaudège
Crs de Verdun
Q. Louis XVIII
Espl. des Quinconces
Crs Clemenceau
Aees Tourny
R. de la Croix Blanche
Pl. des Martyrs de la R.
R. Judaïque
Crs Intendance
Pl. Gambetta
Pl. de la Bourse
Rue Ste-Catherine
Crs d'Alsace et Lorraine
Q. Richelieu
Crs Victor Hugo
R. de Cursol
Pasteur
Catherine
Crs d'Albret
Crs Mal Juin
d'Ornano
Crs Libération
Crs A. Briand
Crs de Pessac
Genès
de Sourdis
Cours de la Marne
Cours de la Somme
Argonne
Yser
Q. de la Monnaie
R. de Tauzia
Q. Deschamps
GARONNE
PONT DE PIERRE
PONT ST-JEAN
LA BASTIDE
Q. des Queyries
ANGOULÊME 116 km
PÉRIGUEUX 121 km
N 10
STE-MARIE
Av. Thiers
D 936
BERGERAC 87 km
D 113
CHARTREUSE
ST-NICOLAS
N.-D. DES ANGES
Bd George V
R. de St-Genès
Crs de l'Argonne
Rue de Malbec
Rue de Pelleport
SACRÉ-CŒUR
R. A. St-Germain
R. Furtado
GARE ST-JEAN
Rue de Bègles
STE-GENEVIÈVE
Crs Gambetta
Bd Président Roosevelt
R. d'Aupérie
Bd Albert 1er
BÈGLES
N 250
64 km ARCACHON
BAYONNE 183 km
N 113
TOULOUSE 244 km
AGEN 140 km
PAU 191 km
N 10
B
C
D
T
U
V
X
Y
Z

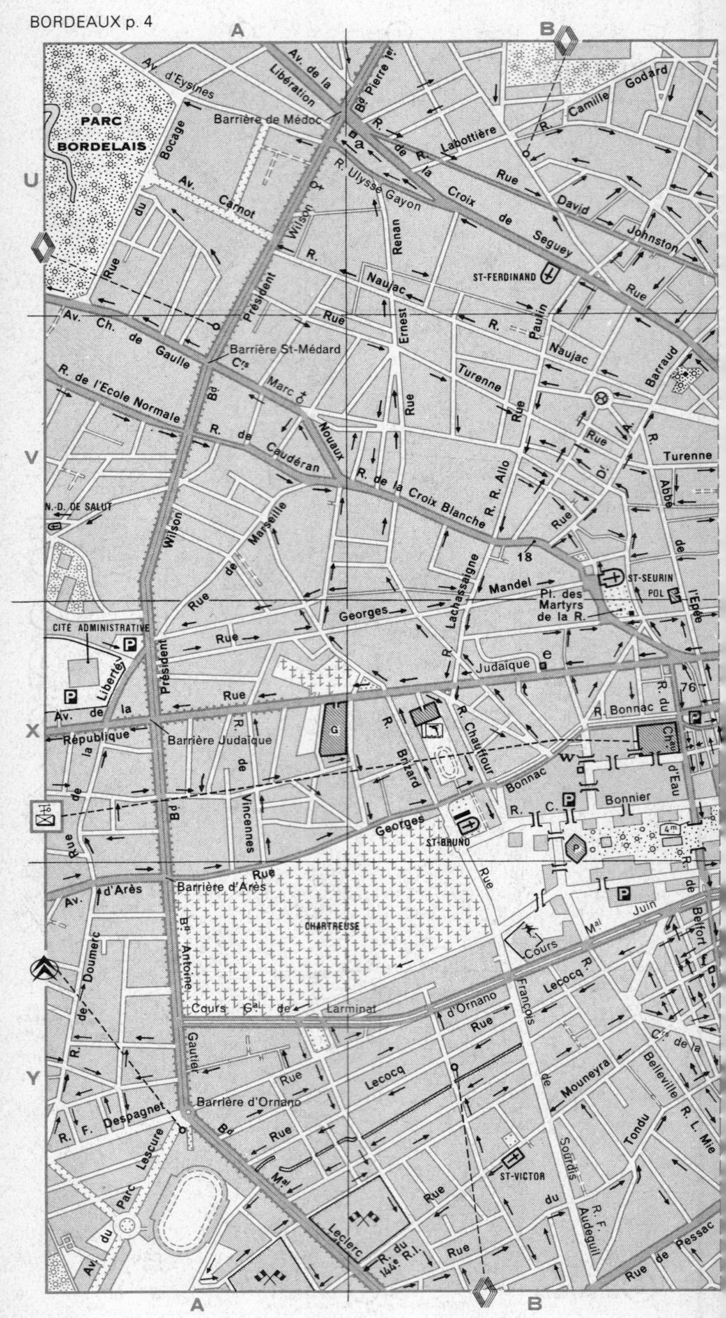
A
B
U
V
X
Y
PARC BORDELAIS
Av. d'Eysines
Av. de la Libération
Bd Pierre 1er
Barrière de Médoc
R. de la Croix de Seguey
R. Labottière
R. Camille Godard
Rue David Johnston
R. Ulysse Gayon
Av. Carnot
Rue du Bocage
Wilson
Président
Renan
R. Naujac
ST-FERDINAND
Rue Paulin
Av. Ch. de Gaulle
Barrière St-Médard
Crs Marc Nouaux
Rue Ernest Renan
R. Turenne
Barraud
R. de l'Ecole Normale
R. de Caudéran
R. de la Croix Blanche
R. R. Allo
Rue Dr A. Barraud
R. Turenne
Abbé de l'Epée
N.-D. DE SALUT
Rue de Marseille
Lachassaigne
Mandel
18
ST-SEURIN
POL
Pl. des Martyrs de la R.
Georges
CITÉ ADMINISTRATIVE
Rue Judaïque
Liberté
Av. de la République
Barrière Judaïque
R. Chauffour
R. Brizard
R. de Vincennes
R. Bonnac
R. du Chau d'Eau
76
G
Bonnac
R. C. Bonnier
Georges
ST-BRUNO
Rue d'Arès
Barrière d'Arès
Av. d'Arès
CHARTREUSE
Bd Antoine Gautier
Cours Mal Juin
Rue de Belfort
R. François de Sourdis
R. Lecocq
Rue Doumerc
Cours Gal de Larminat
d'Ornano
Rue Lecocq
Crs de la Belleville
Rue Mouneyra
R. L. Mie
Barrière d'Ornano
R. F. Despagnet
Parc Lescure
Bd Mal Leclerc
Tondu
ST-VICTOR
R. F. Audeguil
Rue de Pessac
R. du 144e R.I.
Av. du Parc
4m

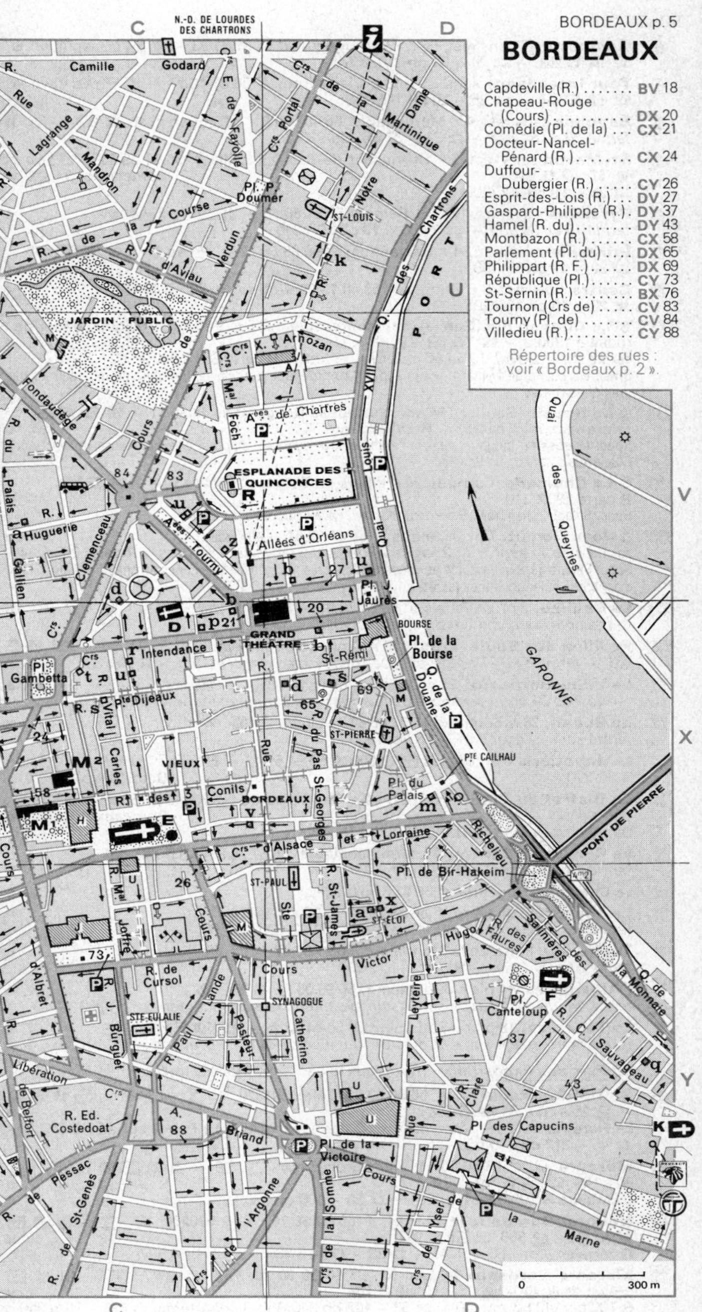
BORDEAUX
Capdeville (R.) .... BV 18
Chapeau-Rouge (Cours) .... DX 20
Comédie (Pl. de la) ... CX 21
Docteur-Nancel-Pénard (R.) .... CX 24
Duffour-Dubergier (R.) ...... CY 26
Esprit-des-Lois (R.) ... DV 27
Gaspard-Philippe (R.). DY 37
Hamel (R. du) .... DY 43
Montbazon (R.) .... CX 58
Parlement (Pl. du) ... DX 65
Philippart (R. F.) ...... DX 69
République (Pl.) ...... CY 73
St-Sernin (R.) .... BX 76
Tournon (Crs de) ..... CV 83
Tourny (Pl. de) .... CV 84
Villedieu (R.) .... CY 88
Répertoire des rues : voir « Bordeaux p. 2 ».
N.-D. DE LOURDES DES CHARTRONS
JARDIN PUBLIC
ESPLANADE DES QUINCONCES
Allées d'Orléans
GRAND THÉATRE
BOURSE
Pl. de la Bourse
GARONNE
PORT
PONT DE PIERRE
Quai des Queyries
ST-LOUIS
ST-PIERRE
ST-PAUL
ST-ELOI
STE-EULALIE
SYNAGOGUE
VIEUX BORDEAUX
Pte CAILHAU
Pl. Gambetta
Pl. de Bir-Hakeim
Pl. de la Victoire
Pl. des Capucins
Pl. Canteloup
0 300 m

Gambetta M sans rest, 66 r. Porte Dijeaux ✆ 56 51 21 83 – wc wc ☎. AE ① E VISA – ☕ 24 – **33 ch** 210/265. CX **s**

Tour Intendance sans rest, 16 r. Vieille Tour ✆ 56 81 46 27 – wc wc ☎. AE ① E VISA – ☕ 25 – **20 ch** 145/260. CX **t**

Bayonne sans rest, 4 r. Martignac ✆ 56 48 00 88 – wc ☎. E VISA CX **p**
fermé 15 au 31 déc. – ☕ 21 – **37 ch** 125/230.

St-Martin sans rest, 2 r. St-Vincent-de-Paul ✉ 33800 ✆ 56 91 55 40 – wc ☎. AE ① E VISA Bordeaux p. 3 DZ **a**
☕ 25 – **19 ch** 105/200.

Pyrénées sans rest, 12 r. St-Rémi ✆ 56 81 66 58 – wc wc ☎ DX **s**
fermé 18 au 30 août – ☕ 17,50 – **19 ch** 105/240.

Printania sans rest, 34 r. Servandoni ✆ 56 96 56 72 – wc wc ☎. E VISA.
☕ 22 – **17 ch** 85/198. BY **f**

Centre sans rest, 8 r. Temple ✆ 56 48 13 29 – wc ☎. AE ① E VISA CX **r**
☕ 20 – **15 ch** 125/205.

XXXX ✿ **Le Chapon Fin** (Garcia), 5 r. Montesquieu ✆ 56 79 10 10, « Original décor de rocaille 1900 » – ▤. AE ① VISA. CVX **d**
fermé 3 au 12 avril, 10 au 30 juil., dim. et ludi – **R** carte 260 à 360
Spéc. Gazpacho de homard (juin à sept.), Lamproie à la bordelaise, Ballotine de lapereau au foie gras. Vins Graves.

XXX ✿ **Le Rouzic** (Gautier), 34 cours Chapeau Rouge ✆ 56 44 39 11 – AE ① E VISA
fermé sam. midi et dim. – **R** 250/350, enf. 70 DX **b**
Spéc. Queues de langoustines rôties aux épices douces, Lamproie à la bordelaise (mars à oct.), Côtelettes d'agneau de Pauillac.

XXX ✿ **La Chamade** (Carrere), 20 r. Piliers de Tutelle ✆ 56 48 13 74 – ▤. E VISA
R carte 220 à 310 DX **d**
Spéc. Salade "Chamade", Pavé de turbot rôti, Pavé de boeuf à la moelle.

XXX ✿ **Jean Ramet,** 7 pl. J. Jaurès ✆ 56 44 12 51 – ▤. VISA DV **u**
fermé 4 au 17 avril, 8 au 21 août, 26 déc. au 2 janv., sam. et dim. – **R** carte 265 à 340
Spéc. Salade de volaille froide aux cèpes et foie gras, Aumônières de cèpes en chaud et froid, Gratin d'asperges et langoustines (saison).

XXX **Le Cailhau,** 3 pl. du Palais ✆ 56 81 79 91 – AE ① E VISA DX **m**
fermé août, sam. midi et dim. – **R** 150/320.

XXX **Pavillon des Boulevards,** 120 r. Croix de Seguey ✆ 56 81 51 02, – AE ① E VISA – *fermé 6 au 21 août, vacances de fév., sam. midi et dim.* – **R** 240/330. BU **a**

XX **Le Vieux Bordeaux,** 27 r. Buhan ✆ 56 52 94 36 – AE VISA DY **a**
fermé 9 au 31 août, vacances de fév., sam. midi, dim. et fériés – **R** 105/200.

XX **Le Buhan,** 28 r. Buhan ✆ 56 52 80 86 – AE ① E VISA. DY **x**
fermé sam. midi et dim. – **R** 145/165.

XX **La Jabotière,** 86 r. Bègles ✉ 33800 ✆ 56 91 69 43 – E VISA
R 85/220. Bordeaux p. 3 DZ **t**

X **Le Bistrot du Clavel (Gare),** 44 r. Ch.-Domercq ✉ 33800 ✆ 56 92 91 52 – ▤. VISA. Bordeaux p. 3 DZ **n**
fermé dim. et lundi – **R** 110/160.

X **Le Bistrot du Centre,** 7 r. Montesquieu ✆ 56 51 28 81 – AE VISA. CVX **d**
fermé dim. et lundi – **R** 110/160.

X Le Chef, 57 r. Huguerie ✆ 56 81 67 07, CV **a**

X **Le Loup,** 66 r. du Loup ✆ 56 48 20 21 – AE ① VISA CX **v**
fermé 15 au 29 août, sam. midi et dim. – **R** 92/220, enf. 60.

X **Tupina,** 6 r. Porte de la Monnaie ✆ 56 91 56 37 – AE VISA DY **q**
fermé dim. et fériés – **R** carte 110 à 230.

X **l'Alhambra,** 111 bis r. Judaïque ✆ 56 96 06 91 – VISA. BX **e**
fermé 14 juil. au 15 août, sam. (sauf le soir en hiver), dim. et fériés – **R** 180.

X **La Ténarèze,** 18 pl. du Parlement ✆ 56 44 43 29 – AE ① E VISA DX **s**
fermé merc. d'oct. à mai et dim. de juin à oct. – **R** 89/175, enf. 35.

au Parc des Expositions : Bordeaux le Lac – ✉ **33300** Bordeaux :

Sofitel Aquitania M, ✆ 56 50 83 80, Télex 691320, ←, – ▤ ch ☎ ♿ P – 25 à 600. AE ① E VISA R **u**
Le Flore *(fermé août, sam. et dim.)* **R** carte 135 à 205 - **Le Pub R** carte 95 à 140 – ☕ 45 – **212 ch** 540/625.

Mercure M, ✆ 56 50 90 14, Télex 540097, , , – ▤ ☎ ♿ P – 80 à 120. AE ① E VISA R **s**
L'Estuaire R 100/140 , enf.31 – ☕ 38 – **100 ch** 330/350.

Novotel-Bordeaux le Lac M, ✆ 56 50 99 70, Télex 570274, , – ▤ ☎ ♿ P – 350. AE ① E VISA R **a**
R carte environ 150, enf. 45 – ☕ 38 – **173 ch** 360.

Mercure-Bordeaux le Lac M, ✆ 56 50 90 30, Télex 540077, – ▤ wc ☎ ♿ P – 250. AE ① E VISA R **v**
R 100 bc/140 bc, enf. 40 – ☕ 38 – **108 ch** 340/350, 3 appartements 450 – $^1/_2$ p 340.

à Carbon-Blanc NE : 8 km par ① – 5 733 h. – ✉ **33560** Carbon-Blanc :

XXX **Marc Demund,** ✆ 56 06 14 55, parc – P. AE ① E VISA
fermé 14 au 21 août, dim. soir et lundi – **R** 150/290.

à Bouliac vers ④ – ✉ **33270** Floirac :

XXX ✿✿ **Le St-James** (Amat), pl. C. Hostein, près église ✆ 56 20 52 19, <, « Terrasse ombragée dominant la Garonne et Bordeaux », – P. AE ① VISA. S k
R 120/380 et carte
Spéc. Fricassée de langoustines aux ravioli d'huîtres, Bar aux poivrons, Pigeon grillé aux épices. Vins Côtes de Bourg, Côtes Premières.

XX **Aub. du Marais,** 22 rte de Lastresne ✆ 56 20 52 17, – P. VISA S t
fermé août, vacances de fév. et merc. – **R** 120/180.

Par la sortie ⑥ :

à Talence : 6 km – ✉ **33400** Talence :

Guyenne (Lycée hôtelier) M, av. F.-Rabelais ✆ 56 80 75 08 – TV wc ✆ P – 30. E VISA.
fermé 27 juin au 28 sept. et vacances scolaires – **R** *(fermé sam. soir et dim.)* 70/110 – 25 – **27 ch** 200/230, 3 appartements 320.

à Courrejan S : 11 km par N 113 et D 108 – ✉ **33140** Pont de la Maye :

XX Aub. du Vieux Port, ✆ 56 87 14 31, – P.

Par la sortie ⑦ :

à Pessac : par la sortie n° 13 de la rocade – 50 543 h. – ✉ **33600** Pessac :

La Réserve M, av. Bourgailh ✆ 56 07 13 28, Télex 560585, « Parc », – TV ✆ P – 60. AE ① E VISA
1er mars-15 nov. – **R** 256/320 – 50 – **19 ch** 360/620.

Royal Brion M sans rest, 10 r. Pin Vert ✆ 56 45 07 72 – TV wc wc ✆ P – 30. AE ① E VISA
fermé 23 déc. au 15 janv. – 31 – **26 ch** 245/300.

Par la sortie ⑧ :

à Mérignac : 5 km par D 106 et D 213 – ✉ **33700** Mérignac :

XX **Charmilles** avec ch, 408 av. de Verdun ✆ 56 97 53 01, – wc P VISA
fermé août et vacances de fév. – **R** *(fermé sam. soir et dim.)* 80/170 – 20 – **16 ch** 80/150.

à l'Aéroport : par la sortie n° 11A de la rocade – ✉ **33700** Mérignac :

Novotel-Mérignac M, ✆ 56 34 10 25, Télex 540320, – TV ✆ P – 25 à 200. AE ① E VISA
R grill carte environ 120, enf. 40 – 38 – **100 ch** 365.

Le Patio M, av. J.-F.-Kennedy à Mérignac ✆ 56 55 93 42, Télex 540183, – TV wc wc ✆ P – 60. AE ① E VISA
R 100, enf. 35 – 35 – **80 ch** 327/387 – 1/2 p 284/304.

Par la sortie ⑨ :

par la sortie n° 9 de la rocade – ✉ **33700** Mérignac :

Dotel M, av. Magudas à Mérignac ✆ 56 34 24 05, Télex 541355, – TV ✆ P – 30 à 60. AE ① E VISA
R 83/350, enf. 54 – 35 – **48 ch** 340/390 – 1/2 p 250/400.

à la Forêt : 8,5 km par ⑨ – ✉ **33320** Eysines :

XX **Les Tilleuls,** ✆ 56 28 04 56, – P. VISA
fermé août, sam. du 1er juil. au 15 sept. et dim. – **R** carte 130 à 210.

à St-Médard-en-Jalles : 15 km – 18 665 h. – ✉ **33160** St-Médard-en-Jalles :

La Chaumière, rte Lacanau : 1 km ✆ 56 05 07 64, – wc ✆ P – 30 à 60. VISA. ch
fermé dim. soir, fériés le soir et lundi – **R** 68/140, enf. 35 – 16 – **20 ch** 140/160.

X **Tournebride,** rte Porge : 2 km ✆ 56 05 09 08 – P. ① E VISA
fermé 1er au 15 août, dim. soir et lundi – **R** 60 bc/140.

MICHELIN, Agence régionale, Zone d'Entrepôts Alfred Daney - av. de Tourville R ✆ 56 39 94 95

AUTOBIANCHI, LANCIA, FIAT Gar. d'Aquitaine, 19 pl. Victoire ☎ 56 91 60 54
BMW Brienne Auto, 23 quai de Brienne ☎ 56 31 21 10 **N** ☎ 56 87 20 99
CITROEN Gar. Parc Sports, 2 av. Parc-Lescure AY ☎ 56 98 65 63
FORD S.A.C.A., 161 av. Thiers ☎ 56 86 86 86
HONDA Mondial Autos, 147 cours Médoc ☎ 56 39 45 78
LANCIA-AUTOBIANCHI Auto-Plus, 94 r. David Johnston ☎ 56 52 10 60
MAZDA-INNOCENTI Mercier, 166 r. de la Benauge ☎ 56 86 21 33
PEUGEOT, TALBOT S.I.A.S.O., 350 av. Thiers Ra ☎ 56 86 84 02
PEUGEOT, TALBOT SIASO-RENAUDEL, 8 pl. Renaudel DY ☎ 56 91 54 15
RENAULT Succursale, 236 av. Thiers Ra ☎ 56 86 24 09 **N**
RENAULT Richard, 62 r. Héron BY ☎ 56 96 61 52
RENAULT Gar. Wilson, 273 bd Wilson, AU ☎ 56 08 70 50
RENAULT Atlantique Autos, 11-13 r. de l'Arsenal BU ☎ 56 44 32 73
SAAB Egreteaud, 337 av. Thiers ☎ 56 86 62 60
TOYOTA Berrous, 157 r. G.-Bonnac ☎ 56 96 38 50

Aquitaine Pneus Services, 103 r. Croix-Blanche ☎ 56 81 62 00
Bordeaux Pneus, 56 quai de Paludate ☎ 56 85 61 53
Bouyssalet-Pneus, 83 r. de Tauzia ☎ 56 91 49 54
Casanave, r. Lamothe Piquey Z.E. Alfred Daney ☎ 56 43 11 84
Central-Pneu, 80 cours Dupré-de-St-Maur ☎ 56 50 84 58
Comet, 91 av. République ☎ 56 02 43 80
Interpneus, r. P.-Baour, Centre Commercial Bordeaux Nord ☎ 56 50 23 00
Interpneus, 63 r. F.-de-Sourdis ☎ 56 24 00 78
Station du Pneu, 226 av. Thiers ☎ 56 86 24 13

Périphérie et environs

AUSTIN-JAGUAR-ROVER-TRIUMPH Stewart et Ardern, 39 av. de la Marne Mérignac ☎ 56 96 86 62
BMW Patrick Mercier Autom., av. Magudas à Mérignac, sortie n° 9 ☎ 56 34 25 24 **N** ☎ 56 36 25 80
CITROEN G.E.V.R.A., 357 av. Libération, Le Bouscat Ra ☎ 56 08 84 84
CITROEN G.E.V.R.A., N 10, les 4 Pavillons, Lormont Re ☎ 56 40 45 00
CITROEN G.E.V.R.A., 411 rte Toulouse, Villenave d'Ornon S ☎ 56 37 37 37
FIAT Auto-Ouest av. Kennedy à Mérignac ☎ 56 34 40 50
FIAT Bordeaux Sud Autos, 114-118 av. des Pyrénées à Villenave-d'Ornon ☎ 56 94 47 94
FIAT, AUTOBIANCHI-LANCIA Auto-Port, 83 bd Godard, Le Bouscat ☎ 56 50 84 84
FORD Palau, 419 rte du Médoc, Bruges ☎ 56 28 84 66
FORD SAFI 33, 486 rte de Toulouse à Bègles ☎ 56 37 80 08
INNOCENTI, MAZDA Cammas, 295 av. Libération, Le Bouscat ☎ 56 08 84 70
LANCIA-AUTOBIANCHI, FERRARI Gar. Lopez Z.I. du phare Rocade Sortie n° 10 à Mérignac ☎ 56 34 28 80
MERCEDES-BENZ SO.BO.VA., 7 av. Rivière, Cenon ☎ 56 86 14 09, 262 av. Libération, Le Bouscat ☎ 56 08 78 85
OPEL A.V.I., 353 rte de Toulouse à Villenave-d'Ornon ☎ 56 37 30 00
OPEL-GM-US Pigeon, 469 rte de Médoc, Bruges ☎ 56 28 84 28 **N** ☎ 56 87 20 99
PEUGEOT, TALBOT Auto-Pessac, av. G.-Eiffel, Pessac, sortie n° 14 S ☎ 56 36 25 21
PEUGEOT, TALBOT S.I.A.S.O, 84 av. Libération, Le Bouscat AT ☎ 56 08 84 89
PORSCHE, MITSUBISHI, SAAB Egreteaud, 14 bis av. J.-Jaurès, Cenon ☎ 56 86 62 60
RENAULT SAPA, Alouette Rocade sortie N° 13, Pessac par ⑦ ☎ 56 36 25 64 **N** ☎ 56 36 25 80
RENAULT Succursale, 253 av. Libération, Le Bouscat Ru ☎ 56 08 84 24
RENAULT Succursale Pont-de-la-Maye, 50 av. des Pyrénées, à Villenave d'Ornon par ⑤ ☎ 56 87 84 60 **N**
SEAT Gar. de la Rocade, Z.I. Chateau Rouquey Av. Kennedy à Mérignac, sortie n° 11 ☎ 56 34 45 66
V.A.G Pees-Martin rte de Martignas, sortie Rocade n° 10, à Mérignac ☎ 56 34 11 76
V.A.G. Gar. Chambéry, rte Mont-de-Marsan, Villenave-d'Ornon ☎ 56 87 02 41
VOLVO Vivier-Noël pl. Monteil, sortie Rocade Ouest n° 13 à Pessac ☎ 56 36 04 39

Comptoir Aquitain du Pneu, 7 r. Marceau à Talence ☎ 56 04 31 42
Vallejo-Pneus, Zone Ind. de Pinel, av. G.-Cabannes à Floirac ☎ 56 86 40 62

Les BORDES **45 Loiret 65 ① – rattaché à Sully-sur-Loire.**

BORMES-LES-MIMOSAS **83230 Var 84 ⑯ G. Côte d'Azur – 3 841 h.**

Voir Site★ – ≤★ du château – Forêt domaniale du Dom★ N : 4 km.

18 de Valcros ☎ 94 66 81 02, NO : 12 km.

Office de Tourisme, r. J.-Aicard ☎ 94 71 15 17 et Quartier la Favière (juin-sept.) ☎ 94 64 82 57.

Paris 877 – Hyères 22 – Le Lavandou 5 – St-Tropez 35 – Ste-Maxime 39 – ♦Toulon 40.

Palma M sans rest, D 559 ☎ **94 71 17 86,** ≤, ☎ – TV wc ☎ P. AE ⓓ E VISA
☕ 30 – **20 ch** 340/380.

Safari H. M, rte Stade ☎ **94 71 09 83, Télex 404603,** ≤ **baie et les îles,** – wc ☎ P – 30. AE ⓓ E VISA.
hôtel : 1er avril-15 oct.; rest.: 1er juin-15 sept. et fermé dim. – **R** grill (dîner seul.) carte environ 150 – ☕ 35 – **32 ch** 350/450.

Paradis H. sans rest, **Mont des Roses, quartier du Pin** ☎ **94 71 06 85,** ≤, – wc wc ☎ P.
1er juin-15 sept. – ☕ 18 – **20 ch** 120/267.

Belle-Vue, pl. Gambetta ☎ **94 71 15 15,** ≤, – wc. E VISA
1er fév.-1er oct. – **R** 75/98 – ☕ 15 – **13 ch** 140 – ½ p 170/190.

XX **Tonnelle des Délices,** pl. Gambetta ✆ 94 71 34 84 – VISA
1er avril-30 sept. – **R** 130/190.

X **La Cassole,** ruelle Moulin ✆ 94 71 14 86 – AE ⓓ
fin janv.-fin oct. et fermé lundi hors sais. (sauf fériés) – **R** (en sais. dîner seul. sauf dim.) 140/260, enf. 75.

à Cabasson S : 8 km par D 41 – ✉ **83230** Bormes-les-Mimosas :

Palmiers M, ✆ 94 64 81 94, – TV ☎ P. AE ⓓ E VISA
R 120/195 – ☕ 42 – **21 ch** 460/600 – ½ p 360/600.

BORNY 57 Moselle 57 ⑭ – rattaché à Metz.

BORT-LES-ORGUES 19110 Corrèze 76 ② **G. Auvergne** – 4 950 h.

Voir Barrage N : 1 km – Orgues de Bort* : ✻** SO : 3 km puis 15 mn.**

ℹ Office de Tourisme pl. Marmontel ✆ 55 96 02 49.

Paris 468 – ♦Clermont-Fd 84 – Mauriac 30 – Le Mont-Dore 48 – St-Flour 88 – Tulle 71 – Ussel 31.

Central, 65 av. Gare ✆ 55 96 74 82, Télex 580106, – TV wc wc ☎ – 50. E VISA
fermé lundi hors sais. – **R** 85/145 – ☕ 22 – **25 ch** 95/230 – ½ p 170/230.

Gare, av. Gare ✆ 55 96 00 47 – wc ☎ P. AE ⓓ E VISA
fermé 20 au 28 déc., vend. soir et sam. midi – **R** 60/150 ♂, enf. 30 – ☕ 19 – **25 ch** 80/195 – ½ p 130/160.

Pavillon, pl. Champ de Foire ✆ 55 96 72 09, – wc wc. E VISA
fermé 10 déc. au 10 janv. et dim. soir du 10 sept. au 10 juin – **R** 42/70 ♂, enf. 28 – ☕ 18 – **10 ch** 80/162 – ½ p 135/170.

Val H. sans rest, av. Gare ✆ 55 96 02 56 –
fermé 25 mai au 10 juin et 20 sept. au 5 oct. – ☕ 16,50 – **9 ch** 76/110.

Barrage sans rest, av. Gare ✆ 55 96 73 22 – .
22 mai-25 sept. – ☕ 17,50 – **12 ch** 64/97.

à Veillac (15 Cantal) N : 5 km sur D 922 – ✉ **15270** Champs-sur-Tarentaine.

Voir Val : site, château* NO : 4 km.**

CITROEN Serre, à Lanobre ✆ 71 40 30 06
FIAT, LANCIA-AUTOBIANCHI Gar. du Pont Neuf, ✆ 55 96 00 75 N
PEUGEOT Vergeade, 843 av. Gare ✆ 55 96 74 78
PEUGEOT, TALBOT Monteil, à Lanobre ✆ 71 40 30 05 N

BORT-L'ÉTANG 63 P.-de-D. 73 ⑮ – rattaché à Lezoux.

Les BOSSONS 74 H.-Savoie 74 ⑧ – rattaché à Chamonix.

BOUAYE 44830 Loire-Atl. 67 ③ – 3 445 h.

Paris 401 – Challans 41 – ♦Nantes 18 – St-Nazaire 61.

à la Roderie NE : 2,5 km – ✉ **44830** Bouaye :

X **Aub. de la Grignotière,** ✆ 40 65 46 11 – P. VISA
fermé 15 juil. au 14 août et mardi – **R** 74/104, enf. 50.

BOUCONVILLE-SUR-MADT 55 Meuse 57 ⑫ – rattaché à St Mihiel.

LA BOUEXIERE 35 I.-et-V. 59 ⑰ – rattaché à Liffré.

BOUGIVAL 78 Yvelines 55 ⑳, 101 ⑬ – voir à Paris, Environs.

BOUILLAND 21 Côte-d'Or 66 ⑪ **G. Bourgogne** – 136 h. – ✉ **21420** Savigny-lès-Beaune.

Paris 325 – Autun 55 – Beaune 16 – Bligny-sur-Ouche 12 – ♦Dijon 44 – Saulieu 55.

XXX ✿ **Host. du Vieux Moulin** (Silva) avec ch, ✆ 80 21 51 16, ←, – TV wc ☎ P. E VISA
fermé 19 déc. au 26 janv., jeudi midi et merc. sauf fériés – **R** (nombre de couverts limité - prévenir) 150/330 – ☕ 50 – **12 ch** 350/700
Spéc. Vinaigrette de pigeonneau aux petits légumes, Mijoté de lentilles au pied de cochon et dos de brochet rôti. Vins Savigny-les-Beaune.

La BOUILLE 76 S.-Mar. 55 ⑥ **G. Normandie Vallée de la Seine** – 550 h. – ✉ **76530** Grand Couronne – **Voir Château de Robert le Diable* : ✻* SE : 3 km – Moulineaux : vitrail* de l'église E : 3 km.**

Bac: renseignements ✆ 35 23 80 37.

Paris 136 – Bernay 41 – Elbeuf 15 – Louviers 30 – Pont-Audemer 35 – ♦Rouen 20.

Bellevue, 35 23 80 57 – wc wc. AE E VISA
R (fermé 15 janv. au 15 fév. et mardi du 15 nov. au 15 mars) 95/198 – 23 – **20 ch** 155/290 – 1/2 p 200/250.

XXX ❀ **St-Pierre** (Kukurudz) avec ch, 35 23 80 10, ←, – wc wc. VISA.
fermé mardi soir et merc. du 1er nov. au 31 mars – **R** 130/250 – 40 – **7 ch** 250/400
Spéc. Civet de homard au Sauternes, Aiguillette de caneton rouennais en vinaigrette, Soufflé au calvados.

XX **Les Gastronomes,** 35 23 80 72, – AE VISA
fermé 7 au 22 sept., fév., merc. soir et jeudi – **R** 95/210.

XX **Poste,** 35 23 83 07, – VISA
fermé 20 déc. au 18 janv., lundi soir et mardi – **R** 90/190.

XX **Maison Blanche,** 35 23 80 53, ← – E VISA
fermé 18 juil. au 5 août, 19 déc. au 4 janv., dim. soir et lundi – **R** 95 (sauf fêtes)/175.

BOUILLY 38 Isère 77 ④ – rattaché à Lans-en-Vercors.

BOUIN 85230 Vendée 67 ② – 2 292 h.
Paris 434 – Challans 24 – ♦Nantes 51 – Noirmoutier-en-l'Ile 30 – St-Nazaire 53.

Martinet sans rest, pl. Croix Blanche 51 49 08 94, – wc wc. E VISA
21 – **16 ch** 160/240.

XX **Le Courlis,** 51 68 64 65, – . E VISA
fermé 19 janv. au 18 fév. et mardi – **R** 75/130, enf. 45.

BOULIAC 33 Gironde 71 ⑨ – rattaché à Bordeaux.

BOULIGNEUX 01 Ain 74 ② – rattaché à Villars-les-Dombes.

BOULOGNE-BILLANCOURT 92 Hauts-de-Seine 55 ⑳, 101 ㉔ – voir à Paris, Environs.

BOULOGNE-SUR-MER 62200 P.-de-C. 51 ① G. Flandres Artois Picardie – 48 349 h. – Casino: Y – **Voir Ville haute**★★ YZ : **coupole**★, **crypte et trésor**★ **de la basilique** Y **B**, ←★ **du Beffroi** Y **H, perspectives**★ **des remparts** YZ – **Calvaire des marins** ←★ Y – **Colonne de la Grande Armée**★ : ★★ **5 km par ① – Côte d'Opale**★ **par ①.**

Env. St-Étienne-au-Mont ←★ **7 km par ④.**

de Wimereux **21 32 43 20 par ① : 8 km.**

21 80 50 50.

Office de Tourisme Pont Marguet 21 31 68 38 – A.C. 63 av. J.-F.-Kennedy 21 92 26 90.

Paris 244 ③ – ♦Amiens 123 ④ – Arras 118 ④ – ♦Calais 34 ② – ♦Le Havre 243 ④ – ♦Lille 115 ③ – ♦Rouen 177 ④.

Plan page ci-contre

Métropole sans rest, 51 r. Thiers 21 31 54 30, – wc wc. VISA — Z e
fermé 20 déc. au 3 janv. – 21 – **27 ch** 123/255.

Ibis, bd Diderot 21 30 12 40, Télex 160485 – wc – 40. E VISA — Z a
R carte 75 à 120, enf. 34 – 25 – **79 ch** 220/245 – 1/2 p 195/207.

Faidherbe sans rest, 12 r. Faidherbe 21 31 60 93 – wc wc — Z t
25 – **34 ch** 190/290.

Lorraine sans rest, 7 pl. Lorraine 21 31 34 78 – wc wc. E VISA. — Y v
fermé 15 déc. au 15 janv. et dim. soir du 15 nov. au 15 mars – 19 – **21 ch** 110/190.

Londres sans rest, 22 pl. France 21 31 35 63 – wc wc. E VISA — Z n
19 – **20 ch** 110/190.

XXX ❀ **La Matelote** (Lestienne), 80 bd Ste-Beuve 21 30 17 97 – E VISA — Y q
fermé 15 au 30 juin, 23 déc. au 15 janv. et dim. soir sauf fêtes – **R** 140/245
Spéc. Papillote de St Jacques (oct. à mai), Panaché de poissons, Feuilleté de poires.

XXX **La Liégeoise,** 10 r. A.-Monsigny 21 31 61 15 – E VISA — YZ s
fermé dim. soir et merc. – **R** (sauf fêtes) carte 190 à 260.

XX **Plage** avec ch, 124 bd Ste-Beuve 21 31 45 35 – . E VISA — Y r
R *(fermé fin déc. à fin janv., dim. soir et lundi)* 65/140, enf. 45 – 17 – **9 ch** 110/150.

au Portel SO : 5 km – 11 074 h – 62480 Le Portel.

Office de Tourisme pl. Poincaré (juin-sept.) 21 31 45 93.

Beau Rivage, pl. Mgr.-Bourgain, quartier plage 21 31 59 82 – . AE E VISA. rest – *fermé oct., dim. soir et vend. soir en hiver* – **R** 48 – 17,50 – **10 ch** 90/170 – 1/2 p 130.

X **Gd Large,** r. Mar.-Foch, quartier plage 21 31 71 51 – E VISA
fermé janv. et vend. soir du 1er oct. au 1er mai – **R** 60/120.

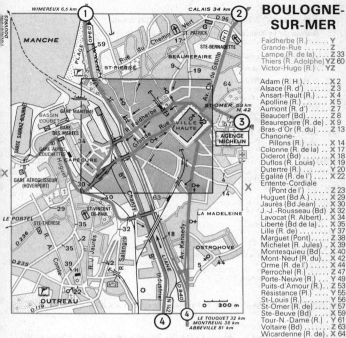

BOULOGNE-SUR-MER

Faidherbe (R.) . . . . . . Y
Grande-Rue . . . . Z
Lampe (R. de la) . . . . Z 33
Thiers (R. Adolphe) YZ 60
Victor-Hugo (R.) . . YZ

Adam (R. H.) . . . . X 2
Alsace (R. d') . . . . . . Z 3
Ansart-Rault (R.) . . . . X 4
Apolline (R.) . . . . X 5
Aumont (R. d') . . . . . Z 7
Beaucerf (Bd) . . . . . . Z 8
Beaurepaire (R. de) . X 9
Bras-d'Or (R. du) . . . Z 13
Chanoine-Pillons (R.) . . . . . . X 14
Colonne (R. de la) . . X 17
Diderot (Bd) . . . . X 18
Duflos (R. Louis) . . . X 19
Dutertre (R.) . . . . Y 20
Égalité (R. de l') . . . . X 22
Entente-Cordiale (Pont de l') . . . . . . Z 23
Huguet (Bd A.) . . . . . X 29
Jaurès (Bd Jean) . . . X 30
J.-J.-Rousseau (Bd) X 32
Lavocat (R. Albert) . . X 34
Liberté (Bd de la) . . . X 35
Lille (R. de) . . . . Y 37
Marguet (Pont) . . . . . Z 38
Michelet (R. Jules) . . X 39
Montesquieu (Bd) . . . X 40
Mont-Neuf (R. du) . . X 42
Orme (R. de l') . . . . . X 44
Perrochel (R.) . . . . . . Z 47
Porte-Neuve (R.) . . . Y 49
Puits-d'Amour (R.) . . Z 53
Résistance (Pl.) . . . . Y 55
St-Louis (R.) . . . . Y 56
St-Omer (R. de) . . . . Y 57
Ste-Beuve (Bd) . . . . X 59
Tour-N.-Dame (R.) . . Y 61
Voltaire (Bd) . . . . Z 63
Wicardenne (R. de) . X 64

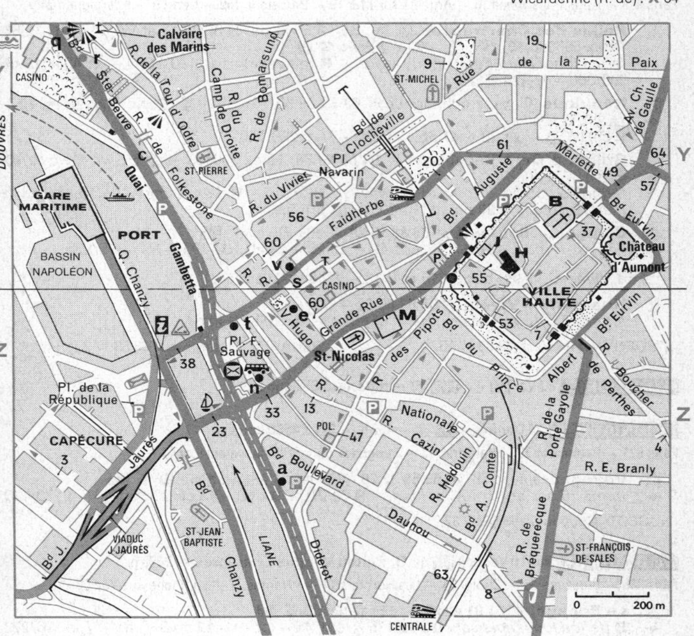

à Wimille NE : 5 km par ② – 4 222 h. – ✉ **62126** Wimille :

XX **Relais de la Brocante,** près Eglise ✆ 21 83 19 31 – AE VISA
fermé 22 août au 6 sept., 1er au 24 fév., dim. soir et lundi – **R** 120/160, enf. 65.

à Pont-de-Briques par ④ : 5 km – ✉ **62360** Pont-de-Briques St-Étienne.

Voir St-Etienne-au-Mont ≤★ du cimetière SO : 2 km.

XXX ✿ **Host. de la Rivière** (Martin) avec ch, **17 r. Gare** ✆ **21 32 22 81** – **E** VISA. ✻ ch
fermé août, vacances de fév., dim. soir et lundi sauf fériés – **R** 130/250 – ☕ 18 – **9 ch** 90/130 – 1/2 p 240/290
Spéc. Foie gras frais, Salade de homard tiède aux avocats, Panaché de la mer au beurre rouge.

à Hesdin-l'Abbé SE : 9 km par ④ et N 1 – ✉ **62360** Pont-de-Briques :

Cléry M, ✆ **21 83 19 83, Télex 135349, « Parc », ✻ – TV ⌂wc ⌂wc ☎ P – 25. AE VISA. ✻**
R carte 140 à 205, enf. 50 – ☕ 40 – **18 ch** 210/425 – 1/2 p 310/410.

MICHELIN, Agence, r. P.-Martin, Z.I. Inquetrie à St-Martin Boulogne par ③ ✆ **21 92 29 48**

AUSTIN-ROVER Auto Channel, Zone Ind. de la Liane à St-Léonard ✆ 21 92 03 30
BMW Éts Cornuel-Boulogne, 13 r. Quéhen ✆ 21 91 11 14
CITROEN Gar. de la Liane, bd Liane par bd Industriel, Zone Ind. à St-Léonard ✆ 21 92 21 11
FIAT Gar. Avenue, bd Liane à St-Léonard ✆ 21 30 44 11
FORD Gar. de Paris, Z.I. de la Liane à St-Léonard ✆ 21 92 05 22
OPEL Europ'Auto, Z.I. de la Liane à St-Léonard ✆ 21 80 94 10
PEUGEOT-TALBOT Gar. St-Christophe, bd Liane, Zone Ind. à St-Léonard par ④ ✆ 21 92 09 11
RENAULT Legrand Boulogne, bd Liane par bd Industriel, Zone Ind. à St-Léonard ✆ 21 91 18 44 N
V.A.G. Gar. Eau-Belle, Parking Auchan à St-Martin-les-Boulogne ✆ 21 92 19 37

Clinique du Pneu, RN 1 à Marquise ✆ 21 92 86 61
Peuvion-Pneus, 12 r. de Constantine ✆ 21 31 85 62
Pneu Fauchille, 10 r. Gerhard-Hansen ✆ 21 91 04 44
Renova-Pneu, r. P. Martin ZI Inqueterie à St Martin Les Boulogne ✆ 21 80 72 72

Le BOULOU **66160** Pyr.-Or. 86 ⑲ **G. Pyrénées Roussillon** – 4 292 h. – Stat. therm. (15 janv.-23 déc.) – Casino.

Syndicat d'Initiative r. Écoles ✆ 68 83 36 32.

Paris 929 – Amélie-les-Bains 16 – Argelès-sur-Mer 19 – Barcelona 165 – Céret 9 – ♦Perpignan 24.

Relais des Chartreuses M, SE : 4,5 km par N 9, D 618 et VO ✆ **68 83 15 88, Télex 506086, ≤, 🏖, ⛱, 🌳 – ⌂wc ☎ P**
fermé lundi (sauf hôtel en juil.-août) – **R** (prévenir) carte 190 à 280 – ☕ 42 – **10 ch** 295/380 – 1/2 p 435/550.

Néoulous M, près échangeur ✆ **68 83 38 50, ≤, ⛱ – ⌂wc ⌂wc ☎ ♿ P – 40. E VISA**
R 55/160 – ☕ 22 – **47 ch** 170/220 – 1/2 p 230/250.

Grillon d'Or, r. République ✆ **68 83 03 60, Télex 500483 – ⌂wc ⌂wc ☎ P. E VISA**
fermé 25 oct. au 1er nov. et 1er janv. au 1er mars – **R** *(fermé merc. du 16 oct. au 1er mars)* 50/160 – **38 ch** ☕110/205 – 1/2 p 169/244.

Canigou, r. Bousquet ✆ 68 83 15 29 – ⌂ ⌂wc. VISA
15 avril-1er nov. – **R** 65/145, enf. 40 – ☕ 26 – **23 ch** 100/195 – 1/2 p 175/225.

à Vivès O : 5 km par D 115 et D 13 – ✉ **66400** Céret :

X **Hostalet de Vivès,** ✆ 68 83 05 52 – ✻
fermé 15 janv. au 8 mars, mardi et merc. – **R** 110 bc/140 bc.

CITROEN Monforte, ✆ 68 83 17 28
RENAULT Montigny, ✆ 68 83 17 29

BOULOURIS **83** Var 84 ⑧, 195 ㉝ – rattaché à St-Raphaël.

BOUNIAGUES **24** Dordogne 75 ⑮ – 462 h. – ✉ **24560** Issigeac.

Paris 571 – Beaumont 23 – Bergerac 13 – Périgueux 60 – Villeneuve-sur-Lot 47.

XX **Voyageurs** avec ch, ✆ **53 58 32 26, 🏖, 🌳 – ⌂wc ⌂wc P. E VISA**
fermé 15 oct. au 15 nov. et lundi – **R** 60/200 – ☕ 18 – **13 ch** 90/160 – 1/2 p 120/190.

PEUGEOT Gouyou, ✆ 53 58 32 32

Le BOUPÈRE **85510** Vendée 67 ⑮ **G. Poitou Vendée Charentes** – 2 893 h.

Paris 385 – Bressuire 36 – Cholet 34 – Les Herbiers 14 – ♦Nantes 77 – La Roche-sur-Yon 50.

Le Bocage, ✆ **51 91 42 82 – ⌂ ⌂ ☎. AE E VISA**
R *(fermé lundi hors sais.)* 52 bc/175, enf. 45 – ☕ 19 – **12 ch** 82/140 – 1/2 p 196/223.

BOURBON-LANCY **71140** S.-et-L. 69 ⑯ **G. Bourgogne** – 6 507 h. – Stat. therm. (6 avril-15 oct.).

Voir Maison de bois et tour de l'horloge★ B.

Office de Tourisme (avril-oct. matin seul. et nov.-mars après-midi seul.) avec A.C. pl. Aligre ☎ 85 89 18 27.

Paris 310 ④ – Autun 62 ① – Mâcon 112 ③ – Montceau-les-M. 53 ② – Moulins 36 ④ – Nevers 72 ④.

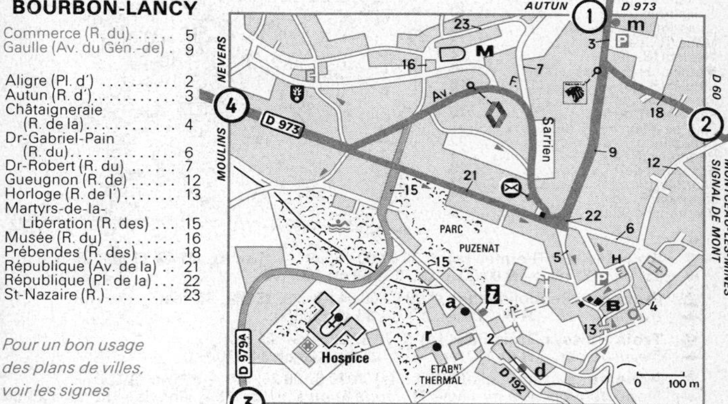

🏨 **Gd Hôtel** 🐚, **(r)** ☎ 85 89 08 87, ⛱, parc – |‡| ⇔wc ⋒wc ☎ **P**. VISA
mi-avril-mi-oct. – **R** 60/125 🍷, enf. 35 – ☕ 20 – **22 ch** 93/185.

🏨 **La Roseraie** sans rest, r. Martyrs-de-la-Libération **(a)** ☎ 85 89 07 96, ⛱ – ⇔wc ☎ ♿
avril-oct. – ☕ 25 – **12 ch** 100/200.

XX ❀ **Raymond** avec ch, **8 r. Autun (m)** ☎ 85 89 17 39 – ▤ rest ⇔wc ⋒wc ☎ **P**. ⓓ E VISA. ✂ rest
fermé 22 avril au 2 mai, 18 nov. au 10 déc., vend. soir sauf juil.-août, dim. soir de nov. à mai et sam. midi – **R** (nombre de couverts limité - prévenir) 75/280 – ☕ 30 – **19 ch** 90/220 – ½ p 190/280
Spéc. Ragoût d'escargots aux pieds de porc, Cannelloni de rognons de veau au vinaigre, Assortiment de desserts. **Vins** St-Pourçain.

XX **Villa Vieux Puits** 🐚 avec ch, **7 r. Bel-Air (d)** ☎ 85 89 04 04, ⛱ – ⋒. VISA
Pâques-mi-déc., dim. soir et lundi hors sais. – **R** 80/250 🍷 – ☕ 25 – **17 ch** 90/180.

CITROEN Blanc, 47 av. Puzenat par ④ ☎ 85 89 11 07
PEUGEOT Puzenat, 41 av. Gén.-de-Gaulle ☎ 85 89 16 14
RENAULT Ségaud, 30 av. F.-Sarrien ☎ 85 89 19 38 N

BOURBON-L'ARCHAMBAULT **03160** Allier 69 ⑬ **G. Auvergne** – 2 550 h. – Stat. therm. (15 janv.-15 déc.).

Voir Allées Montespan ≤★ B – Château ≤★ E.

Env. St-Menoux : choeur★★ de l'église★ 9 km par ②.

Syndicat d'Initiative 1 pl. Thermes ☎ 70 67 09 79.

Paris 289 ① – Montluçon 48 ③ – Moulins 23 ② – Nevers 51 ① – St-Amand-Montrond 55 ③.

Plan page suivante

🏨 ❀ **Thermes** (Barichard), av. Ch.-Louis-Philippe **(a)** ☎ 70 67 00 15, ⛱ – ▤ rest ⇔wc ⋒wc ☎ 🚗. AE ⓓ E VISA. ✂ rest
25 mars-31 oct. – **R** 74/270 – ☕ 19 – **21 ch** 108/236
Spéc. Foie gras d'oie, Noix de lotte florentine, Noisette d'agneau sauce Duchambais. **Vins** St-Pourçain, Sancerre.

🏨 **Gd H. Montespan-Talleyrand,** pl. Thermes **(e)** ☎ 70 67 00 24, ⛱ – |‡| ⇔wc ⋒wc ☎. E VISA. ✂ rest
7 avril-25 oct. – **R** 75/98 – ☕ 25 – **60 ch** 119/210 – ½ p 166/228.

🏨 **Gd H. Parc et Établissement,** r. Parc **(b)** ☎ 70 67 02 55, ⛱ – |‡| ⇔wc ☎ **P** ✂ rest
7 avril-21 oct. – **R** 78/110 – ☕ 18 – **59 ch** 109/195.

tourner →

BOURBON-L'ARCHAMBAULT

Allier (R. Achille) 2
Bel-Air (R. de) 3
Bignon (Bd J.) 4
Burge (R. de la) 5
Château (R. du) 6
Desbordes (Av. E.) 7
Dubost (R. Lieutenant-Colonel) ... 8
Fontaine-Jonas (R. de la) 9
Guillaumin (Av. E.) 10
Louis-Philippe (Av. Ch.) 12
Macé (R. Jean) 13
Meillers (R. de) 14
Mouillières (Bd des) 15
Moulin (R. du) 16
Parc (R. du) 17
Paroisse (R. de la) 19
Pied-de-Fourche (R. du) 21
République (R. de la) 22
Rondreux (R. A.) 24
Solins (Bd de) 26
Thermes (Pl. des) 27
Thermes (R. des) 28
Villefranche (R. de) 29

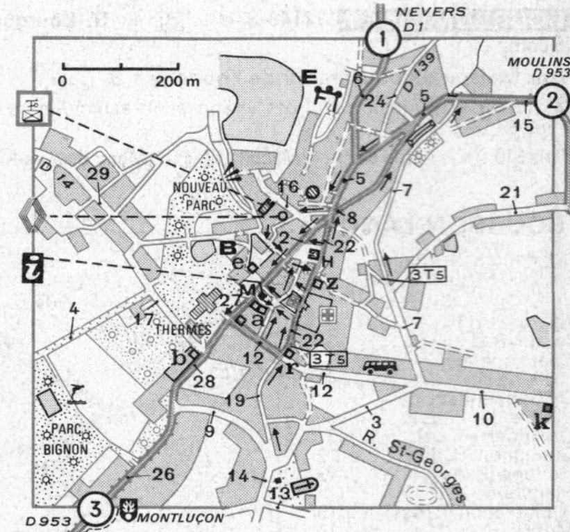

Sources, av. Thermes **(a)** ℘ 70 67 00 15, garden – shower wc phone. AE E VISA. no dogs rest
25 mars-31 oct. – **R** 60/80 – breakfast 16 – **20 ch** 100/176.

France, r. République **(z)** ℘ 70 67 00 04 – garage. E VISA. no dogs rest
6 avril-20 oct. – **R** 50/130 – breakfast 17 – **30 ch** 65/150.

Trois Puits, r. Trois-Puits **(a)** ℘ 70 67 08 35 – no dogs rest
5 avril-25 oct. – **R** 60/110, enf. 40 – breakfast 22 – **28 ch** 54/110.

Acacias, av. Ch.-Louis-Philippe **(r)** ℘ 70 67 06 24, garden – bath wc shower
fermé début janv. à mi-fév. – **R** *(fermé lundi soir)* 65/115 carafe, enf. 35 – breakfast 17 – **25 ch** 73/165 – 1/2 p 100/150.

L'Oustalet, av. E.-Guillaumin **(k)** ℘ 70 67 01 48 – parking. E VISA
fermé 16 au 31 oct., 7 au 13 mars, vend. soir et dim. soir – **R** 86/235.

RENAULT Gar. de la Poste, 3 r. du Moulin ℘ 70 67 00 19

BOURBONNE-LES-BAINS **52400** H.-Marne **62** ⑬⑭ **G. Alsace et Lorraine** – **2 926 h.** – **Stat. therm. (mars-nov.)** – Office de Tourisme Centre Borvo, pl. Bains (mars-nov.) ℘ 25 90 01 71.

Paris 310 ④ – **Chaumont 53** ④ – **♦Dijon 120** ④ – **Langres 43** ④ – **Neufchâteau 53** ① – **Vesoul 56** ②.

BOURBONNE-LES-BAINS

Bains (R. des) 2
Bassigny (R. de) 3
Capucins (R. des) 4
Daprey-Blache (R.) 5
Écoles (R. des) 6
Gouby (Av. du Lieutenant) 7
Grande-Rue 9
Hôtel-Dieu (R. de l') 12
Lattre-de-Tassigny (Av. Maréchal-de) 14
Maistre (R. du Gén.) 15
Mont-l'Étang (R. de) 17
Moulin (R. du) 19
Pierre (R. Amiral) 22
Porte-Galon (R.) 23
Verdun (Pl. de) 25

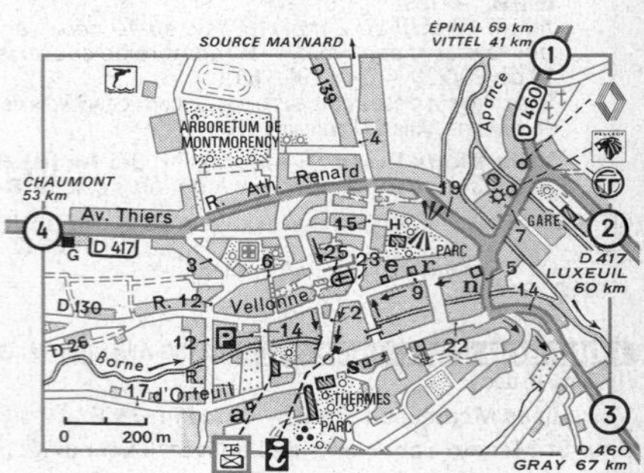

Jeanne d'Arc, r. Amiral-Pierre **(s)** ℘ 25 90 12 55, garden – TV bath wc shower wc phone garage parking. AE E VISA. no dogs rest
10 avril-22 oct. – **R** 70/98 carafe – breakfast 24 – **37 ch** 160/250.

Hérard, Gde-Rue **(e)** ℘ 25 90 13 33 – lift TV shower wc phone garage parking. AE E VISA
R 57/130 carafe, enf. 52 – breakfast 24 – **43 ch** 150/170 – 1/2 p 145/255.

Orfeuil, r. Orfeuil **(a)** ℘ 25 90 05 71, garden, parc – lift cuisinette shower wc phone. AE E VISA. no dogs rest
27 mars-29 oct. – **R** 45/120 – breakfast 17 – **56 ch** 60/160 – 1/2 p 131/204.

Régina, pl. Libération **(n)** ℘ 25 90 06 24 – bath wc shower wc phone. AE E VISA
R 48/99 carafe – breakfast 20 – **15 ch** 95/190 – 1/2 p 140/220.

Étoile d'Or, 53 Gde Rue **(r)** ℘ 25 90 06 05 – bath wc phone parking. AE E VISA
17 avril-16 oct. – **R** 55/105 carafe – breakfast 15 – **41 ch** 70/130 – 1/2 p 128/183.

CITROEN Michaud, par ① ℘ 25 90 03 12
PEUGEOT-TALBOT André, ℘ 25 90 00 56
RENAULT Beau, 13 av. Lt-Gouby ℘ 25 90 00 72

La BOURBOULE 63150 P.-de-D. **73** ⑬ **G. Auvergne** – 2 403 h. alt. 852 – Stat. therm. (2 mai-sept.).

Voir Parc Fenêstre★ B – Roche Vendeix ✳★ 4 km par ② puis 30 mn.

Env. La Banne d'Ordanche ✳★★ NE : 7 km par D 88 B puis 30 mn.

Office de Tourisme pl. Hôtel de Ville ✆ 73 81 07 99.

Paris 435 ③ – Aubusson 86 ③ – ♦Clermont-Ferrand 53 ③ – Mauriac 70 ③ – Ussel 53 ③.

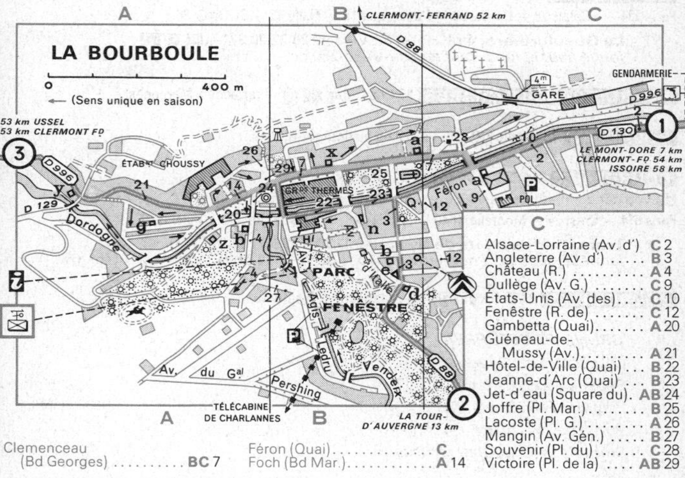

Alsace-Lorraine (Av. d')	C 2
Angleterre (Av. d')	B 3
Château (R.)	A 4
Dullège (Av. G.)	C 9
États-Unis (Av. des)	C 10
Fenêstre (R. de)	C 12
Gambetta (Quai)	A 20
Guéneau-de-Mussy (Av.)	A 21
Hôtel-de-Ville (Quai)	B 22
Jeanne-d'Arc (Quai)	B 23
Jet-d'eau (Square du)	AB 24
Joffre (Pl. Mar.)	B 25
Lacoste (Pl. G.)	A 26
Mangin (Av. Gén.)	B 27
Souvenir (Pl. du)	C 28
Victoire (Pl. de la)	AB 29
Clemenceau (Bd Georges)	BC 7
Féron (Quai)	C
Foch (Bd Mar.)	A 14

Iles Britanniques, quai Gambetta ✆ 73 65 52 39, ← – ▮ ☎ Ⓟ. AE ⓓ E VISA. ✻ rest — A b
fermé début nov. au 20 déc. – **R** 75/150, enf. 45 – ☕ 26 – **42 ch** 262/295 – ½ p 252/270.

Régina, av. Alsace Lorraine ✆ 73 81 09 22, ← – TV wc wc ☎ Ⓟ. E VISA — C a
fermé 5 nov. au 25 déc. – **R** 65/165, enf. 40 – ☕ 25 – **25 ch** 160/280 – ½ p 180/260.

Balroy's, bd G.-Clemenceau ✆ 73 81 01 44 – ▮ wc ☎ — B x
Pâques-fin sept. – **R** 80/120 – ☕ 15 – **27 ch** 65/215 – ½ p 160/290.

International, av. Angleterre ✆ 73 81 05 82 – ✻ rest wc wc ☎. AE ⓓ E VISA. ✻ — B e
fermé 24 au 30 avril et 2 nov. au 20 déc. – **R** 75 – ☕ 20 – **16 ch** 190.

Parc, quai Mar.-Fayolle ✆ 73 81 01 77, ← – ▮ wc ☎. AE ⓓ E VISA. ✻ rest — A z
12 mai-25 sept. – **R** 72/100 – ☕ 23 – **53 ch** 99/240 – ½ p 180/215.

Le Charlet, bd L.-Choussy ✆ 73 81 05 80 – ▮ wc ☎. E VISA. ✻ rest — A g
fermé 1er nov. au 20 déc. – **R** 60/130, enf. 35 – ☕ 20 – **38 ch** 120/180 – ½ p 130/200.

Aviation, r. Metz ✆ 73 81 09 77 – ▮ wc ☎. VISA. ✻ rest — B b
1er mai-30 sept. et 20 déc.-15 avril – **R** 72/150, enf. 45 – ☕ 20 – **48 ch** 110/260 – ½ p 180/240.

Les Fleurs, av. Guéneau-de-Mussy ✆ 73 81 09 44, ← – ▤ rest wc wc ☎ Ⓟ. E VISA. ✻ rest — A y
janv.-sept. – **R** 52/120, enf. 36 – ☕ 20 – **24 ch** 170/220 – ½ p 125/270.

Valsesia, av. Italie ✆ 73 81 06 29 – wc wc ☎. ✻ — B n
1er mai-30 sept. et début janv.-30 mars – **R** 69/137 – ☕ 25 – **12 ch** 162/205 – ½ p 200.

Genève, bd G.-Clemenceau ✆ 73 81 04 85 – wc. VISA — B a
1er mai-28 sept., vacances de Noël, de fév. et de printemps – **R** carte 50 à 70 – ☕ 16 – **40 ch** 65/135 – ½ p 120/140.

Pavillon, av. Angleterre ✆ 73 81 01 42, ←, ← – ▮ wc ☎. ✻ — B d
15 mai-30 sept. – **R** 65/80, enf. 45 – ☕ 20 – **26 ch** 120/160 – ½ p 150/170.

au Nord : 1,5 km par D 88 - B :

XX **Aub. Tournebride** avec ch, ✆ 73 81 01 91, ← – Ⓟ. ✻
fermé 15 nov. au 15 janv. et lundi hors sais. sauf fériés et vacances scolaires – **R** 72/170, enf. 55 – ☕ 25 – **8 ch** 145/170 – ½ p 242.

au NE 2 km par D 996 :

L'Horizon Ⓜ, av. Mar. Leclerc ✆ 73 81 08 40 – wc wc ☎ Ⓟ. VISA. rest
fermé 1er nov. au 20 déc. – **R** 55/85 – 18,50 – **18 ch** 180 – 1/2 p 183/188.

CITROEN Gar. Aviation, r. Metz ✆ 73 81 02 88

BOURBOURG 59630 Nord 51 ③ – 7 341 h.

Paris 284 – ♦Calais 28 – Cassel 28 – Dunkerque 18 – ♦Lille 83 – St-Omer 26.

La Gueulardière, 4 pl. Hôtel de Ville ✆ 28 22 20 97 – AE E VISA
fermé août et lundi sauf fériés – **R** 85/350 bc.

BOURCEFRANC-LE-CHAPUS 17 Char.-Mar. 71 ⑭ – rattaché à Marennes.

BOURDEAU 73 Savoie 74 ⑮ – rattaché au Bourget-du-Lac.

BOURDEAUX 26460 Drôme 77 ⑬ – 578 h.

Syndicat d'Initiative pl. de la Lève (juil.-août.) ✆ 75 53 35 90.

Paris 614 – Crest 24 – Montélimar 40 – Nyons 44 – Pont-St-Esprit 74 – Valence 52.

Trois Châteaux, rte de Nyons sur D 70 ✆ 75 53 33 92 – .
fermé 26 sept. au 7 nov. – **R** 70/110 – 15 – **14 ch** 60/180 – 1/2 p 145/165.

BOURDEILLES 24 Dordogne 75 ⑤ – rattaché à Brantôme.

BOURGANEUF 23400 Creuse 72 ⑨ **G. Berry Limousin** – 1 868 h.

Voir Charpente★ de la tour Zizim – Tapisserie★ dans l'Hôtel de Ville.

Syndicat d'Initiative à la Mairie ✆ 55 64 07 61.

Paris 387 – Aubusson 39 – Guéret 33 – ♦Limoges 49 – Tulle 104 – Uzerche 85.

Commerce, r. Verdun ✆ 55 64 14 55 – wc – 150
fermé 22 déc. au 15 fév., dim. soir et lundi (sauf juil.-août et fêtes) – **R** 60/220 – 22 – **16 ch** 80/250.

Boule d'Or sans rest, av. Turgot ✆ 55 64 12 02 – wc Ⓟ. E
fermé oct. et lundi – 17 – **16 ch** 90/180.

Coupole, av. Turgot ✆ 55 64 08 99, – Ⓟ. AE E
fermé nov. et sam. – **R** 50/100 – 15 – **13 ch** 84/140 – 1/2 p 100/130.

CITROEN Lacourie, ✆ 55 64 00 23
PEUGEOT-TALBOT Barlet, ✆ 55 64 08 76
RENAULT Gaumet, 3 av. Turgot ✆ 55 64 14 22

BOURG-ARGENTAL 42220 Loire 76 ⑨ **G. Vallée du Rhône** – 3 202 h.

Syndicat d'Initiative pl. Liberté (15 juin-15 sept.) ✆ 77 39 63 49.

Paris 543 – Annonay 15 – Le Puy 76 – ♦St-Étienne 28 – Vienne 54 – Yssingeaux 49.

France, pl. 11 Novembre ✆ 77 39 60 28, – TV wc ☎. VISA
fermé fév. et lundi – **R** 51/120, enf. 35 – 16 – **10 ch** 150/165 – 1/2 p 161/170.

Garage Moderne, ✆ 77 39 62 14 N

BOURG-CHARENTE 16 Charente 72 ⑫ – rattaché à Jarnac.

BOURG-DE-PÉAGE 26 Drôme 77 ② – rattaché à Romans-sur-Isère.

Le BOURG-D'OISANS 38520 Isère 77 ⑥ **G. Alpes du Nord** – 3 071 h. alt. 719.

Voir Cascade de la Sarennes★ NE : 1 km puis 15 mn – Gorges de la Lignarre★ NO : 3 km.

Office de Tourisme quai Girard ✆ 76 80 03 25.

Paris 611 – Briançon 67 – Gap 118 – ♦Grenoble 49 – St-Jean-de-Maurienne 94 – Vizille 32.

l'Oberland, ✆ 76 80 24 24, – wc wc ☎ Ⓟ. AE ⓓ E VISA. rest
20 mai-18 sept., 1er fév.-vacances de printemps – **R** 80/188, enf. 40 – 23 – **30 ch** 220 – 1/2 p 210/272.

au Châtelard NE : 12 km par D 211, D 211A et VO – alt. 1 450 – ✉ **38520** Bourg d'Oisans :

La Forêt de Maronne 🐎, ✆ 76 80 00 06, ≤, 🏊, 🌳 – ⌂wc Ⓟ. ✻ rest
15 juin-30 sept., vacances de nov. et 20 déc.-30 avril – **R** 46/150 ⌶, enf. 44 – ☕ 20 – **12 ch** 125/230 – ½ p 150/200.

CITROEN Gar. Bonnenfant, les Sables-en-Oisans ✆ 76 80 07 00

RENAULT Gar. St-Laurent ✆ 76 80 26 97
Gar. Corroyez, ✆ 76 80 01 62

BOURG-D'OUEIL 31 H.-Gar. **85** ⑳ – 21 h. alt. 1 350 – ✉ **31110** Luchon.

Voir Vallée d'Oueil★ au SE – Kiosque de Mayrègne ✻★ SE : 5 km, G. Pyrénées Aquitaine.

Paris 885 – Luchon 15 – St-Gaudens 61 – Tarbes 105 – ♦Toulouse 151.

Sapin Fleuri 🐎, ✆ 61 79 21 90, ≤ – ⌂ Ⓟ. ✻ rest
1er juin-10 oct. et 20 déc.-30 avril – **R** 80/160, enf. 70 – ☕ 25 – **22 ch** 110/140 – ½ p 140/150.

BOURG-DUN 76 S.-Mar. **52** ③ – rattaché à Fontaine-le-Dun.

BOURG-EN-BRESSE Ⓟ **01000** Ain **74** ③ **G. Bourgogne** – 43 675 h.

Voir Église de Brou★★ : tombeaux★★★, chapelles et oratoires★★★ BZ**B** – **Monastère★ : musée de Brou★** BZ**E** – **Stalles★ de l'église N.-Dame** BY**K.**

ℹ Office de Tourisme 6 av. Alsace-Lorraine ✆ 74 22 49 40 et 168 bd de Brou (fin juin-début sept.) ✆ 74 22 27 76 – A.C. 15 av. Alsace-Lorraine ✆ 74 22 43 11.

Paris 425 ⑦ – Annecy 110 ④ – ♦Besançon 148 ② – Bourges 268 ⑦ – Chambéry 108 ④ – ♦Clermont-Fd 222 ⑤ – ♦Dijon 156 ⑦ – ♦Genève 109 ④ – ♦Lyon 62 ⑤ – Roanne 118 ⑥.

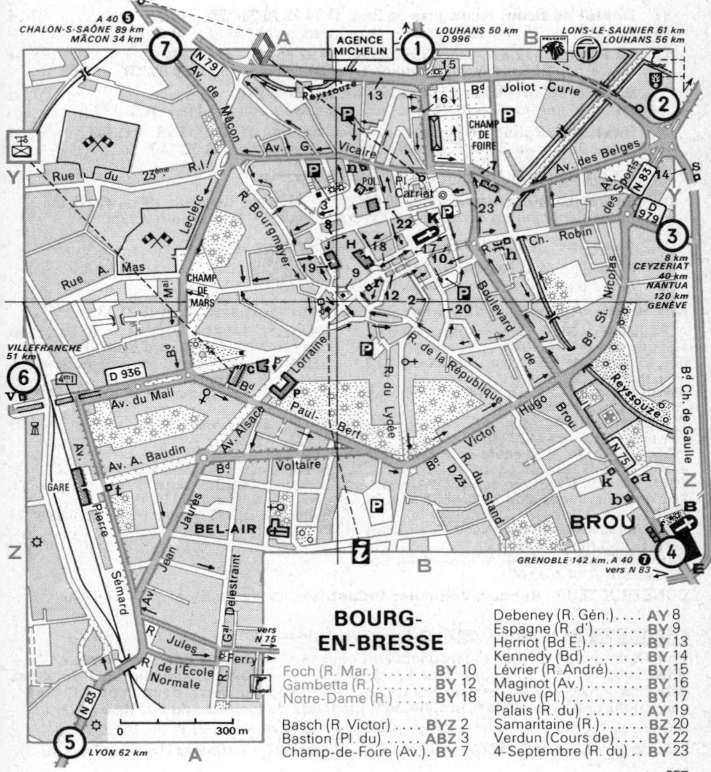

BOURG-EN-BRESSE

Prieuré M sans rest, **49 bd Brou ✆ 74 22 44 60, « Bel aménagement intérieur »**, – TV ☎ P. AE O E VISA BZ **a**
☕ 35 – **14 ch** 275/460.

Le Logis de Brou sans rest, **132 bd Brou ✆ 74 22 11 55** – TV ☎ P – 50. AE O E VISA BZ **k**
☕ 25 – **30 ch** 170/260.

Chantecler M, **10 av. de Bad Kreuznach, rte Strasbourg par ② ✆ 74 22 44 88, Télex 280468**, – TV wc ☎ P – 50. AE O E VISA. rest
fermé 14 nov. au 5 déc. – **R** 110/280, enf. 48 – ☕ 26 – **28 ch** 210/260 – ½ p 240/340.

Terminus sans rest, **19 av. Alphonse Baudin ✆ 74 21 01 21, Télex 380844, « Parc »** – TV wc – 30. AE O E VISA AZ **t**
☕ 27 – **50 ch** 155/285.

Ariane M, **bd Kennedy ✆ 74 22 50 88, Télex 305801**, – wc ☎ P – 30. E VISA. rest BY **s**
fermé vacances de Noël – **R** (dîner seul.) 100/185 – ☕ 28 – **40 ch** 250/280.

Reyssouze, 20 r. Charles Robin ✆ 74 23 11 50 – wc. E VISA. ch BY **h**
fermé 4 au 19 juil., 16 au 31 janv., dim. soir et lundi – **R** 85/210 – ☕ 24 – **8 ch** 105/157 – ½ p 214/266.

XXXX ✿ **Auberge Bressane** (Vullin), **face église de Brou ✆ 74 22 22 68**, – P. AE O VISA BZ **f**
R 160/380
Spéc. Emincé de turbot à la vinaigrette de truffes, Ragoût de homard, Volaille de Bresse à la crème. Vins Montagnieu, Seyssel.

XXX **Mail** avec ch, **46 av. Mail ✆ 74 21 00 26** – rest wc wc ☎ P. O VISA
fermé 14 au 29 juil., 24 déc. au 13 janv., dim. soir et lundi – **R** (nombre de couverts limité - prévenir) 120/250 – ☕ 22 – **9 ch** 160/270. AZ **v**

XX **Ermitage,** 142 bd de Brou ✆ 74 22 19 00 – AE O E VISA BZ **b**
fermé 14 juil. au 15 août, 8 au 15 déc., dim. soir et lundi – **R** 80/180.

XX **Chalet de Brou,** face église de Brou ✆ 74 22 26 28, – VISA BZ **f**
fermé 1er au 15 juin, 22 déc. au 22 janv., jeudi soir et vend. – **R** 60/200.

XX **Le Français,** 7 av. Alsace-Lorraine ✆ 74 22 55 14 – AE E VISA BY **r**
fermé 7 au 21 août, Noël au jour de l'An, sam. soir et dim. – **R** 80/170, enf. 50.

X **Savoie,** 15 r. P.-Pioda ✆ 74 23 29 24 – AE O E VISA BY **n**
fermé 16 juil. au 13 août, 26 déc. au 2 janv., vend. soir et sam. – **R** 50/190.

X **Rest. de l'Église de Brou,** face église de Brou ✆ 74 22 15 28 – E VISA BZ **f**
fermé 27 juin au 27 juil., 22 au 30 déc., mardi et merc. – **R** 52/140.

à St-Just **par ③ : 3 km D 979 – ✉ 01250** Ceyzeriat :

XXX **La Petite Auberge,** ✆ 74 22 30 04, « Auberge fleurie », – P. E VISA
fermé début janv. à début fév., lundi soir et mardi – **R** (prévenir) 95/250.

à Lent **par ⑤ et D 22 : 10 km – ✉ 01240** St-Paul-de-Varax :

X **Place,** ✆ 74 52 76 84 – E VISA
fermé dim. soir et lundi – **R** 59/103.

MICHELIN, Agence, rte de Marboz, Z.I. Extention-Nord par ① ✆ **74 23 21 43**

ALFA-ROMEO, SEAT Bourg Auto 2 000, 22 r. 4-Septembre ✆ 74 23 19 34
BLF, VOLVO Meunier, rte de Strasbourg N 83 à Viriat ✆ 74 22 20 80
BMW Bresse Auto Sport, Rd-Pt B.-Thimonier Zone Ind. Nord ✆ 74 22 24 44
CITROEN D.A.R.A., Zone Ind. Nord av. d'Arsonval par ⑦ ✆ 74 45 12 12 N
FIAT S.E.R.M.A., N 75 Bourg-en-Bresse Nord à Viriat ✆ 74 23 19 55 N
FORD Gar. du Bugey, rte de Pont-d'Ain, face Parc des Expositions ✆ 74 22 32 66 N ✆ 74 22 39 16
HONDA, LANCIA-AUTOBIANCHI Rignanese, 32 rte Pont-d'Ain ✆ 74 22 15 21
MERCEDES-BENZ, TOYOTA DBA, 10 r. Gabriel Vicaire ✆ 74 22 32 44

PEUGEOT, TALBOT S.I.C.M.A., 19 bd Joliot-Curie ✆ 74 23 14 55 N ✆ 74 30 01 16
RENAULT A.R.N.O., bd Ed.-Herriot, Zone Ind. Nord ✆ 74 23 35 55 N
RENAULT Gar. Carriat, 11 pl. Carriat ✆ 74 22 17 11
V.A.G. Europe-Gar., rte de Ceyzeriat ✆ 74 23 31 12

Carronnier, r. A.-Mercier ✆ 74 22 30 73
Comptoir Départemental Pneu, r. F.-Arago, Zone Ind. Nord ✆ 74 23 34 41
Ruder-Pneus, 738 av. de Lyon, Péronnas ✆ 74 21 20 99

CONSTRUCTEUR : Renault Véhicules Industriels, rte de Ceyzeriat ✆ **74 22 82 00**

BOURGES

P **18000** Cher 69 ① **G. Berry Limousin** – 79 408 h.

Voir Cathédrale* Z – Palais Jacques-Coeur** Y – Jardins des Prés-Fichaux* Y – Hôtel Lallemant* Y B – Jardins de l'Archevêché* Z – Tour octogonale* de l'Hôtel des Échevins Y D – Maisons anciennes* YZ – Musée du Berry dans l'hôtel Cujas* : collections gallo-romaines*, prophètes*, pleurants du tombeau du duc de Berry* Y E.**

Office de Tourisme 21 r. V.-Hugo ✆ 48 24 75 33 – A.C. 40 av. J.-Jaurès ✆ 48 24 01 36.

Paris 238 ⑨ – Châteauroux 67 ⑥ – ♦Dijon 246 ② – Nevers 69 ③ – ♦Orléans 114 ⑨ – ♦Tours 147 ⑧.

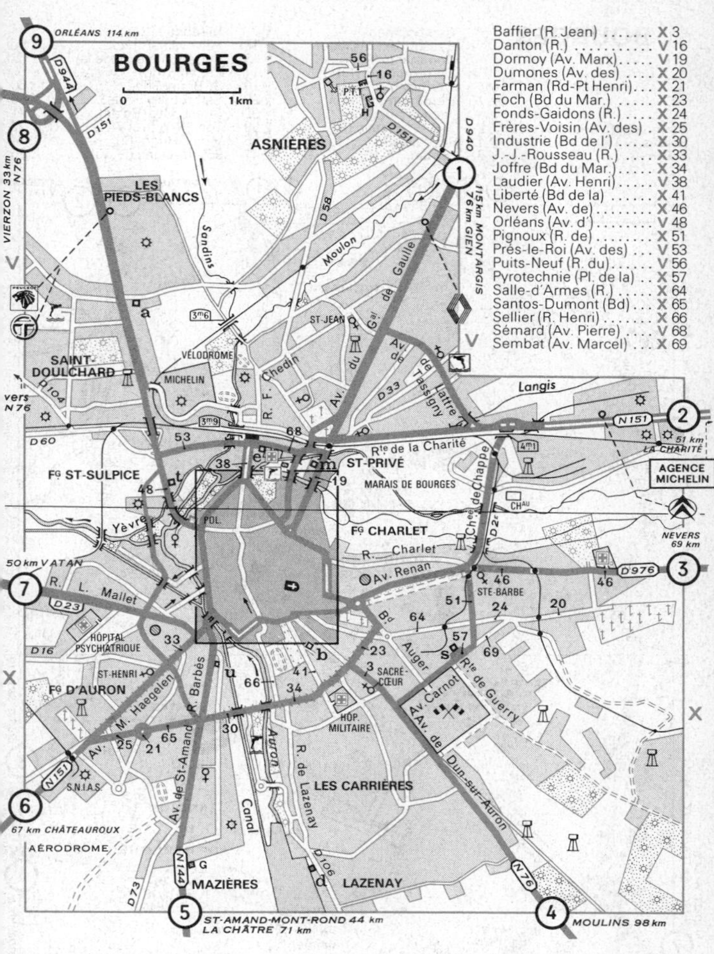

🏨 **Olympia** sans rest, 66 av. Orléans ✆ 48 70 49 84 – |♦| TV ⇔wc ⋒wc ☎ 🚗 P. AE E VISA V t
☕ 18 – **42 ch** 155/210.

🏨 **Le D'Artagnan,** 19 pl. Séraucourt ✆ 48 21 51 51 – |♦| ⇔wc ⋒wc ☎ – 🪑 100. AE VISA X b
R 56/100 🍷 – ☕ 22 – **73 ch** 160/220.

🏨 **Monitel et rest. La Braisière** M, 73 r. Barbès ✆ 48 50 23 62, Télex 783397 – |♦| TV ⇔wc ☎ P – 🪑 40. AE ◐ E VISA X u
fermé 23 déc. au 2 janv. – **R** *(fermé sam. midi et dim. soir)* 75/200 🍷, enf. 40 – ☕ 22 – **48 ch** 195/240.

🏨 **Angleterre,** 1 pl. Quatre Piliers ✆ 48 24 68 51 – |♦| TV ⇔wc ☎ 🚗 – 🪑 35. AE ◐ E VISA. ✻ rest Y a
R *(fermé 18 déc. au 16 janv.)* 66/89 – ☕ 26 – **31 ch** 141/297 – 1/2 p 219/349.

🏨 **Tilleuls** sans rest, 7 pl. Pyrotechnie ✆ 48 20 49 04, Télex 782026, 🌳 – TV ⇔wc ⋒wc ☎ P. ◐ E VISA X s
☕ 22 – **29 ch** 125/200.

🏨 **Christina** sans rest, 5 r. Halle ✆ 48 70 56 50 – |♦| ⇔wc ⋒wc ☎ – 🪑 50. E VISA Z m
☕ 18 – **76 ch** 170/210.

🏨 **Le Cygne** sans rest, 10 pl. Gén.-Leclerc ✆ 48 70 51 05 – |♦| ⇔wc ⋒wc ☎ 🚗. E VISA – *fermé 4 au 31 juil. et 25 au 31 déc.* – ☕ 24 – **21 ch** 145/235. V e

BOURGES

Auron (R. d') .... Z
Jaurès (Av. Jean) .... Y
Moyenne .... YZ

Armuriers (R. des) .... Z 2
Barbès (R.) .... Z 4
Calvin (R.) .... Y 6
Cambournac (R.) .... Y 7
Casse-cou (Passage) .... Y 10
Commerce (R. du) .... Y 13
Dr-Témoin (R. du) .... Y 17
Dormoy (Av. Marx) .... Y 19
Hémerettes (R. des) .... Z 29
Jacques-Cœur (R.) .... Y 32
J.-J.-Rousseau (R.) .... Z 33
Joyeuse (R.) .... Y 35
Leblanc (R. N.) .... Z 41
Mirebeau (R.) .... Y 44
Pelvoysin (R.) .... Y 50
Poissonnerie (R. de la) .... Y 52
Prinal (R. du) .... Y 55
St-Bonnet (Pl.) .... Y 60
Sarrebourg (R. de) .... Z 66
Strasbourg (Bd de) .... Z 71
Tory (R. G.) .... Y 72
Victor-Hugo (R.) .... Z 74
95e-de-Ligne (R. du) .... Z 75

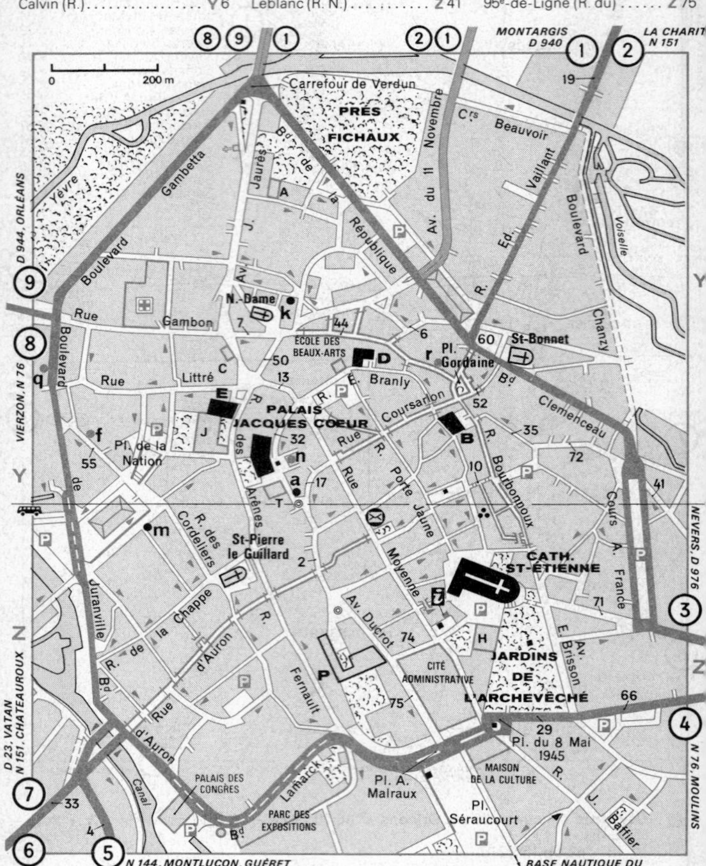

🏨 **Host. Gd Argentier,** ☎ 48 70 84 31 – AE ① E VISA — Y **k**
hôtel : fermé dim. soir du 1er nov. au 1er mai ; rest. : 1er avril-22 déc. et fermé dim. soir et lundi – **R** 85/140 – ☕ 25 – **14 ch** 250/280.

🏨 **St-Jean** sans rest, 23 av. M.-Dormoy ☎ 48 24 13 48 – wc ☎ . E VISA — V **m**
fermé fév. – ☕ 15 – **24 ch** 92/200.

XXX **Jacques Coeur,** 3 pl. J.-Coeur ☎ 48 70 12 72 – AE ① E VISA — Y **n**
fermé 8 juil. au 8 août, 24 déc. au 2 janv., dim. soir et sam. – **R** carte 160 à 225.

XX **Ile d'Or,** 39 bd Juranville ☎ 48 24 29 15 – AE ① E VISA — Y **q**
fermé 1er au 17 sept., 1er au 17 mars, lundi midi et dim. – **R** 82/170.

XX **Le Jardin Gourmand,** 57 r. Mirebeau (transfert prévu 15 bis av. E. Renan ☎ 48 21 35 91) ☎ 48 24 54 21 – VISA — Y **r**
fermé mi-déc. à mi-janv., dim. soir et lundi – **R** 85/135.

à St-Doulchard NO : 3 km – 7 928 h. – ✉ **18230** St-Doulchard :

🏨 **Logitel** M sans rest, ☎ 48 70 07 26 – TV wc ☎ P. AE ① E VISA — V **a**
☕ 18 – **30 ch** 170/195.

à Berry-Bouy NO : 8 km par D 60 – ✉ **18500** Mehun-sur-Yevre :

XX **La Gueulardière,** ☎ **48 26 81 45,** – AE ◑ VISA
fermé lundi soir et mardi – **R** 170/320, enf. 35.

à Fenestrelay E : 5 km par av. Renan, chaussée de la Chappe (XV) et ② – ✉ **18390** St-Germain-du-Puy :

XX **Aub. du Vieux Moulin,** ☎ **48 24 60 45,** – **P**. E VISA
fermé 31 juil. au 22 août, 2 au 6 janv., dim. soir et lundi – **R** 75/135.

MICHELIN, Agence, Zone Ind. du Réau allée Beaumarchais à St-Germain-du-Puy par ② ☎ 48 24 64 11

BMW Gar. Vergès, av. Prospective, Asnières-lès-Bourges ☎ 48 70 47 20
CITROEN Générale-Auto, rte Charité, Zone Ind. St-Germain-du-Puy ☎ 48 24 65 29 **N** ☎ 48 24 44 44
LADA-SKODA Gar. Salmon, 40 av. d'Orléans ☎ 48 65 79 40
MERCEDES-BENZ SAVIB r. Louis Mallet ☎ 48 21 24 04
OPEL Gar. Barbellion rte d'Orléans, St-Doulchard ☎ 48 24 24 30
PEUGEOT-TALBOT Gds Gar. du Cher, rte Orléans, St-Doulchard ☎ 48 24 72 01
RENAULT S.C.A.C., 259 av. Gén.-de-Gaulle ☎ 48 70 99 97 **N**
V.A.G. Laudat, 99 rte de la Charité ☎ 48 70 15 17 **N** ☎ 48 24 19 90

Berry-Pneus, 99 av. Dun ☎ 48 20 34 24
Interpneus, 58 bd Avenir ☎ 48 50 19 30
La Maison du Pneu, 21 r. Parmentier ☎ 48 70 19 91

Le BOURGET 93 Seine-St-Denis **56** ⑪, **101** ⑦⑰ – voir à Paris, Environs.

Le BOURGET-DU-LAC 73370 Savoie **74** ⑮ **G. Alpes du Nord** – 2 570 h.

Voir Église : frise sculptée★ du choeur – Lac★★.

Env. Chapelle de l'Étoile ≤★★ N : 9 km puis 15 mn.

Office de Tourisme pl. du Gén.-Sevez (15 juin-août) ☎ 79 25 01 99.

Paris 527 – Aix-les-Bains 9 – Belley 25 – Chambéry 11 – La Tour-du-Pin 48.

❀ **Ombremont,** N : 2 km par N 504 ☎ **79 25 00 23, Télex 980832,** ≤ lac et montagnes, dans un parc, – TV ☎ **P** – 60. E VISA
fermé 20 déc. au 5 fév. – **R** *(fermé sam. midi sauf juil.-août)* 175/420, enf. 120 – ☕ 46 – **18 ch** 425/750 – ½ p 750/950
Spéc. Ravioles de grenouilles aux herbes, Paletot de pigeonneau en feuille de blettes, Bourguignon de homard aux pâtes fraîches. **Vins** Chignin, Pinot de Chautagne.

Orée du Lac M sans rest, ☎ **79 25 24 19, Télex 309773,** ≤, parc, – TV ☎ **P**. AE ◑ E VISA
1er fév.-31 oct. – ☕ 49 – **9 ch** 600/780, 3 appartements 1050.

Port, ☎ **79 25 00 21,** ≤, – wc wc ☎ **P** – 30. E VISA.
fermé 20 déc. au 5 fév. – **R** *(fermé jeudi)* 90/200 – ☕ 28 – **30 ch** 190/230 – ½ p 230/250.

XXX ❀❀ **Bateau Ivre** (Jacob), ☎ **79 25 02 66, Télex 309162,** « Ancienne grange à sel, jardin fleuri » – **P**. AE ◑ E VISA
début mai-1er nov. et fermé mardi – **R** 210/480 et carte
Spéc. Poêlée de langoustines et foie gras de canard (mai-oct.), Poissons du lac, Croustillant de fruits rouges. **Vins** Chignin, Mondeuse.

XXX **Aub. Lamartine,** rte du Tunnel N : 3,5 km par N 504 ✉ 73370 Bourget-du-Lac, ☎ 79 25 01 03, ≤ lac, – **P**. E VISA
fermé 1er déc. au 25 janv., dim. et lundi sauf fériés – **R** 160/280.

XX **Beaurivage** avec ch, ☎ **79 25 00 38,** ≤, – **P**. VISA. ch
fermé fév. et mardi – **R** 110/290 – ☕ 25 – **10 ch** 150/170.

aux Catons NO : 2,5 km par VO – ✉ **73370** Bourget-du-Lac :

X **La Cerisaie** avec ch, rte Dent-du-Chat ☎ **79 25 01 29,** ≤ lac et montagnes, – **P**. E VISA
fermé mi janv. à début mars et merc. – **R** 110/200 – ☕ 22 – **7 ch** 160.

à Bourdeau N : 4 km par D 14 – ✉ **73370** Bourget-du-Lac :

Terrasse M, au village ☎ **79 25 01 01,** ≤, – rest wc **P**. AE ◑ E VISA. – *1er fév.-30 sept. et fermé lundi* – **R** *(fermé dim. soir du 1er fév. au 10 avril et du 1er au 30 sept., mardi midi du 11 avril au 31 août et lundi)* 86/280 – ☕ 28 – **12 ch** 220/280 – ½ p 250/280.

Girardon, face Base Aérienne ☎ 79 25 01 91

BOURG-LES-VALENCE 26 Drôme **77** ⑫ – rattaché à Valence.

BOURG-MADAME 66760 Pyr.-Or. **86** ⑯ **G. Pyrénées Roussillon** – 1 346 h. alt. 1 130.

Syndicat d'Initiative pl. Mairie (juil.-août) ☎ 68 04 55 35.

Paris 881 – Andorre-la-Vieille 66 – Ax-les-Thermes 55 – Carcassonne 139 – Foix 97 – ◆Perpignan 100.

Celisol sans rest, ☎ **68 04 53 70,** – wc wc ☎ **P**. E VISA
☕ 22 – **14 ch** 180/200.

CITROEN Gar. Targues, N 20 ☎ 68 04 51 53
RENAULT Gar. Pallarès, ☎ 68 04 50 01

BOURGOIN-JALLIEU 38300 Isère 74 ⑬ **G. Vallée du Rhône** – 22 951 h.

🏌 ✆ 74 43 28 84 à l'Isle d'Abeau par ⑥ : 5,5 km.

🅸 Office de Tourisme avec A.C. pl. Carnot ✆ 74 93 47 50.

Paris 507 ⑦ – Bourg-en-Bresse 78 ① – ♦Grenoble 64 ③ – ♦Lyon 41 ⑦ – La Tour-du-Pin 15 ③ – Vienne 39 ⑥.

BOURGOIN-JALLIEU

Belmont (R. Robert) . . . . B 3
Libération (R. de la). . . . . . . B 12
Liberté (R. de la) . . . . B 13
Pontcottier (R.) . . . . B
République (R. de la). . . . AB 20

St-Michel (Pl.) . . . . B 22
23-Août (Pl. du) . . . . B 27

Alsace-Lorraine (Av. d') . . . A 2
Carnot (Pl.) . . . . B 4
Carnot (R.). . . . . AB 5
Clemenceau (R. Georges) . . . . A 6
Gambetta (Av.) . . . . A 7

Génin (R. Ambroise). . . . . . A 8
Halle (Pl. de la). . . . . B 10
Moulin (R. J.) . . . . B 14
Moulins (R. des) . . . . B 15
Paix (R. de la). . . . . A 16
Pouchelon (R. de) . . . . B 17
République (R. de la) . . . . . A 18
Seigner (R. Joseph) . . . . . AB 23
Victor-Hugo (R.) . . . . B 26

🏨 **Climat de France** Ⓜ, par ⑦ : 2 km ✆ 74 28 52 29, 🌳 – 📺 🛁wc ☎ ♿ 🅿 – 🏋 25. AE E VISA
R 55/88 🍷, enf. 35 – ☕ 24 – **41 ch** 230 – ½ p 278/296.

🏨 **Commerce** sans rest, av. Tixier ✆ 74 93 38 01 – 🚿wc 🚗. E VISA — B r
☕ 19 – **23 ch** 60/189.

XXX ✿ **Chavancy,** av. Tixier ✆ 74 93 63 88 – ⓓ E VISA — B r
fermé août, fériés le soir, dim. soir et lundi – **R** 110/240
Spéc. Salade du pêcheur, Marinière de sole aux huîtres, Baron de garenne à la poivrade douce (oct. à déc.). **Vins** Vins du Bugey, St-Savin.

à La Grive par ⑥ : 4 km – ✉ **38300** Bourgoin-Jallieu :

X **Petite Auberge** avec ch, N 6 ✆ 74 93 48 52 – 🅿. VISA
fermé août, sam. soir et dim. soir – **R** 43/81 🍷 – ☕ 16 – **6 ch** 85 – ½ p 130.

à L'Isle-d'Abeau village par ⑦ et D 208 : 4,5 km – ✉ **38300** Bourgoin-Jallieu :

🏨 **Relais du Catey** 🐎, ✆ 74 27 02 97, 🌳, 🪑 – 🚿 🅿. E VISA. 🚭 ch
fermé août – **R** *(fermé dim. soir et sam.)* 59/150 🍷 – ☕ 18 – **10 ch** 80/150.

🏨 **Campanile** Ⓜ, ✆ 74 27 01 22, Télex 308232 – 📺 🛁wc ☎ ♿ 🅿 – 🏋 25. VISA
R 63 bc/86 bc, enf. 38 – ☕ 24 – **54 ch** 200/220 – ½ p 287/330.

à La Combe des Éparres par ④ : 7 km – ✉ **38300** Bourgoin-Jallieu :

🏨 **L'Auberge,** sur N 85 ✆ 74 92 01 17 – 🛁wc. AE E VISA
fermé 16 août au 15 sept. et lundi – **R** 52/140 🍷, enf. 30 – ☕ 18 – **10 ch** 85/160 – ½ p 145/165.

à St-Savin par ① : 7 km – ✉ **38300** Bourgoin-Jallieu :

XX **Les Trois Faisans,** ✆ 74 93 73 74, 🌳 – 📋. E VISA
R *(fermé dim. soir et lundi)* 65/140.

X **La Rivière** 🐎 avec ch, ✆ 74 93 72 16, 🌳, 🪑 – 🚿 – 🏋 25. E VISA
fermé 1er au 8 août et 1er au 10 janv. – **R** *(fermé dim. soir et merc.)* 50/165 🍷 – ☕ 12,50 – **10 ch** 60/78 – ½ p 120.

CITROEN J.-B. Pellet, 5 av. Alsace-Lorraine ✆ 74 93 25 63
NISSAN-VOLVO Blondet, N 6, Ruy ✆ 74 93 43 24
PEUGEOT, TALBOT Pellet, ZAC la Maladière av. E.-Zola par ⑦ ✆ 74 93 00 90
RENAULT Girard, quai de la Bourbre par D522 A ✆ 74 93 08 36 N
RENAULT Gar. Pin, 63 r. République ✆ 74 93 18 04

Mathieu-Pneus, 14 bis r. de Funas ✆ 74 28 00 22
Piot-Pneu, ZI La Maladière, 4 r. Isaac Asimov ✆ 74 93 66 31
Prieur-Pneus, 17 av. Alsace-Lorraine ✆ 74 93 31 34
Tessaro-Pneus, 74 av. Prof. Tixier ✆ 74 28 33 10

BOURG-ST-ANDÉOL 07700 Ardèche 80 ⑨⑩ G. Vallée du Rhône (plan) – 7 665 h.

Voir Église★.

Syndicat d'Initiative pl. Champ-de-Mars ✆ 75 54 54 20.

Paris 632 – Montélimar 28 – Nyons 51 – Pont-St-Esprit 15 – Privas 55 – Vallon-Pont-d'Arc 30.

Moderne, pl. Champ-de-Mars ✆ **75 54 50 12** – wc wc. AE E. rest
1er mars-30 nov. – **R** *(fermé sam. midi et dim. soir d'oct. à juin)* 58/135 – 20 – **21 ch** 90/180.

CITROEN Goussard, 13 fg Notre-Dame ✆ 75 54 50 27 N
RENAULT Provence-Gar., av. F.-Chalamel ✆ 75 54 51 88

BOURG-ST-MAURICE 73700 Savoie 74 ⑱ G. Alpes du Nord – 6 712 h. alt. 840 – Sports d'hiver aux Arcs : 1 200/3 200 m 2 51.

18 de Chantel ✆ 79 07 48 00, S : 20 km.

Office de Tourisme pl. Gare ✆ 79 07 04 92.

Paris 638 – Albertville 54 – Aosta 87 – Chambéry 101 – Chamonix 83 – Moûtiers 27 – Val d'Isère 31.

Concorde M, av. Mar.-Leclerc ✆ **79 07 08 90,** – TV wc. E VISA
fermé oct. et nov. – **R** 90/100, enf. 45 – 28 – **32 ch** 220/260 – ½ p 350/400.

Host. Petit St-Bernard, av. Stade ✆ **79 07 04 32,** – wc wc P. AE E VISA
fermé 20 avril au 1er mai et nov. – **R** 65/85 – 25 – **24 ch** 130/240 – ½ p 150/220.

Bon Repos sans rest, r. Centenaire ✆ **79 07 01 78** – .
18 – **10 ch** 85/230.

Edelweiss, face gare ✆ **79 07 05 55**
fermé juin et 1er au 15 nov. – **R** 45/90.

PEUGEOT-TALBOT Martin A., pl. de la Gare, ✆ 79 07 01 44 N ✆ 79 07 03 06
RENAULT Gar. Guyon, 2 av. de Hte Tarentaise, ✆ 79 07 27 11

BOURGUEIL 37140 I.-et-L. 64 ⑬ G. Châteaux de la Loire – 4 185 h.

Syndicat d'Initiative pl. Halles (matin seul.) ✆ 47 97 70 50.

Paris 278 – Angers 63 – Chinon 17 – Saumur 22 – Tours 45.

Le Thouarsais sans rest, pl. Hublin ✆ **47 97 72 05,** – wc.
fermé vacances de nov., de Noël, de fév. et dim. d'oct. à Pâques – 17 – **30 ch** 66/198.

Germain, r. A.-Chartier ✆ **47 97 72 22** – E VISA
fermé 26 sept. au 24 oct., dim. soir et lundi sauf fêtes – **R** 84/230, enf. 40.

PEUGEOT-TALBOT Delafuye, av. de St-Nicolas, la Villatte ✆ 47 97 70 48
RENAULT Gozillon, à St-Nicolas-de-Bourgueil ✆ 47 97 71 03

La BOURNE (Gorges de) ★★★ 38 Isère 77 ④ G. Alpes du Nord.

BOURROUILLAN 32 Gers 82 ③ – rattaché à Eauze.

BOURTH 27580 Eure 60 ⑤ – 1 013 h.

Paris 126 – l'Aigle 14 – Évreux 43 – Verneuil sur Avre 10.

Aub. Chantecler, face Église ✆ **32 32 61 45** – AE E VISA
fermé 18 août au 6 sept., dim. soir et lundi sauf fériés – **R** 58/180 , enf. 35.

BOUSSAC 23600 Creuse 68 ⑳ G. Berry Limousin – 1 954 h.

Voir Site★ du château.

Env. Toulx Ste-Croix : ✻★★ de la tour S : 11 km.

Office de Tourisme à la Mairie ✆ 55 65 07 62.

Paris 335 – Aubusson 47 – La Châtre 36 – Guéret 41 – Montluçon 34 – St-Amand-Montrond 52.

Relais Creusois, rte La Châtre ✆ **55 65 02 20** – VISA
fermé mardi soir et merc. hors sais. – **R** 100/300, enf. 50.

à Nouzerines NO : 11 km par D 97 – ✉ **23600** Boussac :

La Bonne Auberge ⑤, ✆ 55 82 01 18 – ⇔wc. VISA. ✻ ch
fermé 22 août au 12 sept., vacances de fév. et sam. – **R** 45/100 ♁ – ☕ 13 – **8 ch** 90/130 – ½ p 112/186.

PEUGEOT-TALBOT Chauvet, ✆ 55 65 04 11 RENAULT Chaubron, ✆ 55 65 01 32

BOUSSENS

31 H.-Gar. **86** ② – 735 h. – ✉ **31360** St-Martory.

Paris 767 – Auch 80 – Auterive 50 – Pamiers 73 – St-Gaudens 24 – St-Girons 34 – ♦Toulouse 66.

Lac, ✆ 61 90 01 85, ≤, – TV ⇔wc ⋒ ☎ P. VISA. ✻
fermé janv. et fév. – **R** *(fermé dim. soir)* (dîner seul.) (résidents seul.) 60/150 ♁ – ☕ 20 – **12 ch** 90/180 – ½ p 170/190.

BOUT-DU-LAC

74 H.-Savoie **74** ⑯ – ✉ **74210** Faverges.

Voir Combe d'Ire★ S : 3 km, **G. Alpes du Nord.**

Paris 556 – Albertville 28 – Annecy 17 – Megève 43.

au Bord du Lac :

XX **Chappet** avec ch, ✆ **50 44 30 19**, ≤, – ⇔wc P. E VISA
15 fév.-15 oct. et fermé mardi soir et merc. sauf juil.-août – **R** 78/220 – ☕ 28 – **11 ch** 110/250 – ½ p 180/210.

XX **Sautreau** avec ch, ✆ **50 44 30 02**, ≤, – rest ⇔wc ⋒ P. E VISA
15 mars-fin sept. et fermé mardi soir et merc. hors sais. – **R** 80/190 – ☕ 20 – **12 ch** 140/225 – ½ p 160/230.

à Doussard S : 3 km par N 508 et VO – ✉ **74210** Faverges :

Marceau ⑤, à Marceau-Dessus O : 2 km par N 508 et VO ✆ **50 44 30 11**, Télex 309346, ≤ lac et montagnes, – TV ⇔wc ☎ P. AE ⓓ E VISA
1er fév.-31 oct. – **R** 100/280 – ☕ 37 – **16 ch** 360/540 – ½ p 378/486.

BOUT-DU-PONT-DE-LARN

81 Tarn **83** ⑫ – rattaché à Mazamet.

BOUTENAC-TOUVENT

17 Ch.-Mar. **71** ⑥ – 231 h. – ✉ **17120** Cozes.

Paris 504 – Blaye 55 – Jonzac 30 – Pons 22 – Royan 29 – Saintes 33.

XX **Le Relais** avec ch, à Touvent ✆ **46 90 63 06**, – P. VISA. ✻
fermé 15 sept. au 15 oct. et lundi – **R** 65/150, enf. 45 – ☕ 22 – **9 ch** 95/160 – ½ p 150/180.

BOUXWILLER

67330 B.-Rhin **57** ⑱ **G. Alsace et Lorraine** – 2 766 h.

Env. Tapisseries★★ dans l'église St-Pierre et St-Paul★ de Neuwiller-les-Saverne O : 7 km.

Paris 447 – Bitche 34 – Haguenau 25 – Sarrebourg 38 – Saverne 15 – ♦Strasbourg 42.

Heintz, 84 Grand'Rue ✆ **88 70 72 57**, – ⋒wc P. ✻
fermé 6 au 27 janv., lundi (sauf hôtel) et dim. soir – **R** 60/80 carte le dim. ♁ – **14 ch** ☕145/175 – ½ p 185/190.

CITROEN Stehly, à Ingwiller ✆ 88 89 42 41
RENAULT Gar. Braunecker, à Ingwiller ✆ 88 89 43 78 N
RENAULT Fritsch, ✆ 88 70 70 30 N

BOUZIGUES

34 Hérault **83** ⑯ – rattaché à Mèze.

BOUZONVILLE

57320 Moselle **57** ⑤ – 4 319 h.

Paris 364 – ♦Metz 37 – Saarbrücken 43 – Saarlouis 21 – Thionville 32.

La Bonne Auberge, rte Thionville ✆ **87 78 27 52** – ⇔wc ⋒ P. ⓓ E VISA
R 66/148 ♁, enf. 40 – ☕ 28 – **12 ch** 159/259 – ½ p 219/259.

PEUGEOT-TALBOT Gar. Landry, ✆ 87 78 27 70 RENAULT Champlon, ✆ 87 78 49 18 N ✆ 87 78 48 78

BOYARDVILLE

17 Char.-Mar. **71** ⑬ – voir à Oléron.

BOZOULS

12340 Aveyron **80** ③ **G. Gorges du Tarn** – 2 032 h. alt. 610.

Voir Trou de Bozouls★.

Paris 601 – Espalion 11 – Mende 95 – Rodez 22 – Sévérac-le-Château 41.

A la Route d'Argent, sur D 988 ✆ **65 44 92 27** – ⋒wc ☎ P. E VISA. ✻
fermé 25 déc. au 15 janv. – **R** *(fermé dim. soir)* 55/140 ♁ – ☕ 18 – **20 ch** 80/180 – ½ p 100/130.

XX **Le Belvédère** ⑤ avec ch, ✆ **65 44 92 66**, ≤ Trou de Bozouls – ⇔wc ⋒wc ☎. E VISA
fermé 1er au 15 nov. et vacances de fév. – **R** *(fermé dim. soir et sam. hors sais.)* 58/135 – ☕ 18 – **10 ch** 130/200 – ½ p 150/170.

BRACIEUX 41250 L.-et-Ch. 64 ⑱ G. Châteaux de la Loire – 1 150 h.

Paris 182 – Blois 18 – Châteauroux 91 – Montrichard 40 – ♦Orléans 53 – Romorantin-Lanthenay 32.

Le Cygne et rest. Autebert, r. Brun ✆ 54 46 41 07 – wc P. E VISA
1er mars-15 déc. et fermé merc. – **R** 82/125 – 18 – **17 ch** 90/200 – 1/2 p 180.

XXXX ✿✿ **Bernard Robin,** 1 av. Chambord ✆ **54 46 41 22,** ← – E VISA
fermé 22 déc. à début fév., mardi soir et merc. – **R** (nombre de couverts limité - prévenir) 180/340 et carte
Spéc. Salade de pigeon et homard, Carpe à la Chambord (oct. à fin mai), Gibier (oct. à fin janv.). **Vins** Cheverny, Touraine-Mesland.

RENAULT Gar. Warsemann, ✆ 54 46 40 37 — **Gar. Chambon,** ✆ 54 46 41 10 N

La BRAGUE 06 Alpes-Mar. 84 ⑨, 195 ㉕㊵ – rattaché à Antibes.

BRANCION 71 S.-et-L. 70 ⑪ – rattaché à Tournus.

BRANDÉRION 56 Morbihan 63 ① – rattaché à Hennebont.

BRANTÔME 24310 Dordogne 75 ⑤ **G. Périgord Quercy** – 2 101 h.

Voir Site★ – Clocher★★ de l'église abbatiale – Bords de la Dronne★★.

Syndicat d'Initiative à la Mairie ✆ 53 05 70 21.

Paris 502 – Angoulême 58 – ♦Limoges 90 – Nontron 22 – Périgueux 27 – Ribérac 37 – Thiviers 26.

✿ **Moulin de l'Abbaye** (Bulot) M, ✆ **53 05 80 22, Télex 560570,** ←, « **Terrasse au bord de l'eau** », – ch TV. AE E VISA
5 mai-12 nov. – **R** *(fermé lundi)* 250/320 – 50 – **12 ch** 420/730 – 1/2 p 530/630
Spéc. Foie gras frais, Fondant de volaille au beurre de truffes, Gratin de fruits rouges aux liqueurs. **Vins** Bergerac, Cahors.

✿ **Chabrol** (Charbonnel), ✆ **53 05 70 15** – AE E VISA.
fermé 15 nov. au 15 déc., vacances de fév., dim. soir et lundi du 1er oct. au 30 juin – **R** 120/350 – 35 – **20 ch** 220/350
Spéc. Salade fermière, Civet de bar au Pécharmant, Millefeuille de ris de veau. **Vins** Léparon, Pécharmant.

X **Aub. du Soir** avec ch, ✆ **53 05 82 93,** – AE E VISA
fermé 15 janv. au 15 fév. et lundi du 1er oct. au 1er avril – **R** 65/190 – 25 – **8 ch** 135/200 – 1/2 p 185/200.

à Champagnac de Belair **NE : 6 km par D 78 et D 83** – ✉ **24530** Champagnac de Belair :

✿✿ **Moulin du Roc** (Mme Gardillou) M, ✆ **53 54 80 36, Télex 571555,** ←, « **Ancien moulin à huile au bord de l'eau** », – rest TV P. AE E VISA. rest
fermé 15 nov. au 15 déc. et 15 janv. au 15 fév. – **R** *(fermé merc. midi et mardi)* (nombre de couverts limité - prévenir) 190/280 et carte, enf. 100 – 50 – **14 ch** 380/620
Spéc. Truite farcie aux cèpes, Foie gras au miel et vinaigre de framboises, Morue fraîche au pied de cochon. **Vins** Cahors, Pécharmant.

à Bourdeilles **SO : 10 km** – ✉ **24310** Brantôme.

Voir château★ et mobilier★★.

Griffons, ✆ **53 03 75 61,** – wc. AE E VISA
1er avril-1er oct. – **R** 110/200, enf. 60 – 35 – **10 ch** 280/350 – 1/2 p 300/350.

CITROEN Desvergne, ✆ 53 05 70 29 N ✆ 53 05 83 93 — RENAULT Périgord Vert Autom., ✆ 53 05 70 24

BRAS 83149 Var 84 ⑤ – 677 h.

Paris 802 – Aix-en-Provence 53 – Aubagne 43 – Brignoles 15 – Draguignan 52 – ♦Toulon 57.

X **des Allées** avec ch, ✆ **94 69 90 19** – VISA
hôtel : Pâques-sept. et fermé lundi d'oct. à juin ; rest. : fermé janv.-fév. sauf week-ends et lundi d'oct. à juin – **R** 60/120 – 18 – **14 ch** 80/110 – 1/2 p 150/170.

BRASSAC-LES-MINES 63570 P.-de-D. 76 ⑤ – 4 108 h.

Env. Auzon : site★, statue de N.-D.-du-Portail★★ dans l'église SE : 6,5 km, **G. Auvergne.**

Paris 451 – Brioude 17 – Issoire 20 – Murat 60 – Le Puy 77 – St-Flour 59.

Le Limanais, rte Lempdes ✆ **73 54 13 98** – wc wc P. VISA
fermé sept. et lundi – **R** 49/110 – 22 – **18 ch** 90/140.

FORD Gar. Jourdes, 3 pl. du Musée ✆ 73 54 10 02

A la carte

Dans les restaurants à « prix fixes », il est généralement possible de se faire servir aussi à la carte.

BRÉDANNAZ 74 H.-Savoie 74 ⑥⑯ – ✉ 74210 Faverges.

Paris 554 – Albertville 30 – Annecy 15 – Megève 45.

Azur du Lac, ☎ 50 68 67 49, ←, – wc ☎ P. E VISA
R 65/85 – 20 – **30 ch** 160/295.

Port et Lac, ☎ 50 68 67 20, ←, – wc wc ☎ P
fermé 30 nov. au 1er fév. – **R** 70/200, enf. 50 – 20 – **19 ch** 140/230 – ½ p 140/230.

à Chaparon S : 1,5 km par VO – ✉ 74210 Faverges :

La Châtaigneraie , ☎ 50 44 30 67, ←, « Prairie ombragée », – cuisinette TV wc wc ☎ P – 25. AE E VISA.
début fév.-fin oct. et fermé dim. soir et lundi du 1er oct. au 1er mai – **R** 70/195, enf. 45 – 30 – **25 ch** 215/310 – ½ p 255/285.

BRÉHAL 50290 Manche 59 ⑦ – 2 392 h – 9 ☎ 33 51 58 88 O : 5 km.

Paris 347 – Coutances 19 – Granville 10 – St-Lô 46 – Villedieu-les-Poêles 26.

Gare, ☎ 33 61 61 11 – P. E VISA
fermé 30 mai au 13 juin, 23 déc. au 31 janv., dim. soir et lundi sauf juil.-août – **R** 47/140 , enf. 35 – 19 – **10 ch** 91/100.

CITROEN Gar. Bréhalais, ☎ 33 61 61 30 RENAULT Lainé, ☎ 33 61 62 52

BRÉHAT (Ile de) ★ 22870 C.-du-N. 59 ② **G. Bretagne** – 511 h.

Voir Tour de l'île★★ en vedette 1 h – Phare du Paon★ – Croix de Maudez ←★ – Chapelle St-Michel ←★ – Bois de la citadelle ←★.

Accès : Transports maritimes, pour Port-Clos.

depuis **St-Quay-Portrieux.** En 1987 : juil.-août services quotidiens suivant marées - Traversée 1 h 30 mn – 100 F (AR). Renseignements : Vedettes de Bréhat ☎ 96 55 86 99.

depuis la Pointe de l'Arcouest. En 1987 : de 7 (hiver) à 12 (été) services quotidiens - Traversée 10 mn – 20 F (AR). Renseignements : Vedettes de Bréhat ☎ 96 55 86 99.

Vieille Auberge , au bourg ☎ 96 20 00 24, – wc wc ☎. ch
vacances de printemps-début nov. – **R** 70/150 – **15 ch** (½ pens. seul.) – ½ p 260/275.

Bellevue , Port-Clos ☎ 96 20 00 05, ←, , – wc ☎. E VISA
20 mars-15 nov. – **R** 100/250 – 25 – **18 ch** 175/300 – ½ p 275/300.

BREIL-SUR-ROYA 06540 Alpes-Mar. 84 ⑳, 195 ⑱ **G. Côte d'Azur** – 2 159 h.

Env. Saorge : site★★, ←★, Madonna del Poggio★, couvent des Franciscains, ←★ et gorges★★ N : 9 km.

Paris 900 – Menton 36 – ♦Nice 60 – Tende 21 – Ventimiglia 25.

Castel du Roy M , N : 1 km par N 204 ☎ 93 04 43 66, ←, parc – TV wc wc ☎ P. AE E VISA
2 mars-30 nov. – **R** 90/150 – 25 – **15 ch** 180/220 – ½ p 190/210.

au Col de Brouis SO : 11 km par N 204 et D 2204 – alt. 880 – ✉ 06540 Breil-sur-Roya. **Voir** ←★.

Aub. du Col de Brouis avec ch, ☎ 93 04 41 75, ← – .
1er avril-31 oct. et fermé le lundi – **R** 70/120 – 20 – **9 ch** 120/180.

BREITENBACH 68 H.-Rhin 62 ⑱ – rattaché à Munster.

La BRESSE 88250 Vosges 62 ⑰ **G. Alsace et Lorraine** – 5 370 h. alt. 650 – Sports d'hiver : 900/1 350 m 30, – Office de Tourisme 21 quai Iranées ☎ 29 25 41 29, Télex 960573.

Paris 413 – Colmar 54 – Épinal 60 – Gérardmer 14 – Remiremont 33 – Thann 42 – Le Thillot 19.

Vallées et sa Résidence M , r. P.-Claudel ☎ 29 25 41 39, ←, « Parc », , – cuisinette TV ☎ P – 25 à 200. AE E VISA
R 65/200 , enf. 40 – 23 – **54 ch** 240/300, 60 studios 280/380 – ½ p 260/300.

du Chevreuil Blanc, 5 r. P. Claudel ☎ 29 25 41 08 – TV wc ☎ P. E VISA
fermé nov. – **R** 65/130 , enf. 25 – 22 – **11 ch** 150/190 – ½ p 190.

au NE : 6,5 km par D 34 et D 34D – ✉ 88250 La Bresse :

Aub. du Pêcheur, ☎ 29 25 43 86, ← – P. AE E VISA
fermé 15 au 30 juin, 1er au 15 déc., mardi soir et merc. – **R** 58/100 , enf. 40.

à Belles Huttes NE : 8 km par D 34 et D 34D – ✉ 88250 La Bresse :

Le Slalom, ☎ 29 25 41 71, ← – P. E VISA
fermé 15 nov. au 5 déc. – **R** (libre-service en saison d'hiver) 62/180 , enf. 40.

RENAULT Gar. Bertrand, ☎ 29 25 40 69 N

BRESSOLLES 03 Allier 69 ⑭ – rattaché à Moulins.

BRESSON 38 Isère 77 ⑤ – rattaché à Grenoble.

BRESSUIRE 79300 Deux-Sèvres 67 ⑰ **G. Poitou Vendée Charentes** – 12 040 h.

Office de Tourisme avec A.C. pl. Hôtel de Ville ✆ 49 65 10 27.

Paris 357 ① – Angers 82 ① – Cholet 46 ④ – Niort 62 ③ – Poitiers 81 ② – La Roche-sur-Yon 82 ④.

BRESSUIRE

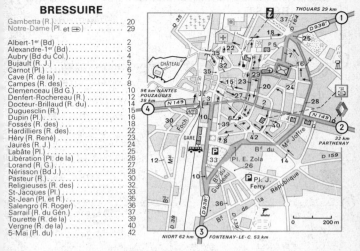

Gambetta (R.) 20
Notre-Dame (Pl. et ⊕) 29

Albert-1er (Bd) 2
Alexandre-1er (Bd) 3
Aubry (Bd du Col.) 4
Bujault (R. J.) 5
Carnot (Pl.) 6
Cave (R. de la) 7
Campes (R. des) 8
Clemenceau (Bd G.) 10
Denfert-Rochereau (R.) 12
Docteur-Brillaud (R. du) 14
Duguesclin (R.) 15
Dupin (Pl.) 16
Fossés (R. des) 18
Hardilliers (R. des) 22
Héry (R. René) 23
Jaurès (R. J.) 24
Labâte (Pl.) 25
Libération (Pl. de la) 26
Lorand (R. G.) 27
Nérisson (Bd J.) 28
Pasteur (R.) 30
Religieuses (R. des) 32
St-Jacques (Pl.) 33
St-Jean (Pl. et R.) 35
Salengro (R. Roger) 36
Sarrail (R. du Gén.) 37
Tourette (R. de la) 39
Vergne (R. de la) 40
5-Mai (Pl. du) 42

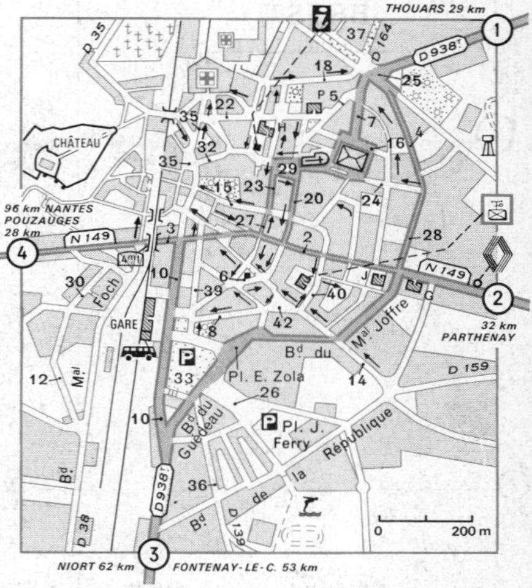

THOUARS 29 km — 96 km NANTES POUZAUGES 28 km — 32 km PARTHENAY — NIORT 62 km — FONTENAY-LE-C. 53 km — CHÂTEAU — GARE — Pl. E. Zola — Pl. J. Ferry — Bd de la République — Bd du Guédeau — Mal Joffre — Mal Foch — D 938 — N 149 — D 159 — 200 m

Sapinière Ⓜ, SE : 2,5 km par ③ et rte Boismé par rocade Niort-Poitiers ✆ 49 74 24 22, ←, – TV wc wc ☎ ♿ P – 200. E VISA.
R 50/150 ♁, enf. 40 – ☕ 22 – **29 ch** 180/260 – ½ p 255/280.

FIAT Chauvin-Besse, 5 r. du Gén.-André ✆ 49 65 06 14
PEUGEOT-TALBOT Gar. Cornu, bd de Thouars par ① ✆ 49 74 20 44
RENAULT Goyault et Jolly, rte de Poitiers ✆ 49 74 15 33
V.A.G. Chollet, rte de Nantes ✆ 49 65 04 00
Bressuire-Pneus, 89 bd de Poitiers ✆ 49 74 13 86

BREST 29200 Finistère 58 ④ **G. Bretagne** – 160 355 h. communauté urbaine 223 854 h.

Voir Cours Dajot ←★★ EZ – Traversée de la rade★ et promenade en rade★ – Visite arsenal et base navale ★ DZ – Musée★ EZ M.

Env. Pont Albert-Louppe ←★ 7,5 km par ⑤.

18 d'Iroise ✆ 98 85 16 17 par ④ : 25 km.

de Brest-Guipavas : ✆ 98 84 61 49 par ③ : 10 km.

Office de Tourisme 1 pl. Liberté (à partir de mi 88) ✆ 98 44 24 96 – A.C.O. Finistère 9 r. Siam ✆ 98 44 32 89.

Paris 596 ② – Lorient 136 ⑤ – Quimper 72 ⑤ – ♦Rennes 244 ② – St-Brieuc 143 ②.

Plans pages suivantes

Sofitel Oceania Ⓜ, 82 r. Siam ✆ 98 80 66 66, Télex 940951 – ▤ rest TV ☎ ♿ – 200. AE ⓓ E VISA EY **r**
R 58/125 – ☕ 36 – **82 ch** 310/390, 5 appartements 530.

Continental, square Tour d'Auvergne ✆ 98 80 50 40, Télex 940575 – ▤ rest TV ☎ ♿ – 200. AE ⓓ E VISA EY **f**
R *(fermé sam. midi et dim.)* 58/100 ♁, enf. 38 – ☕ 29 – **75 ch** 235/350.

✿ **Voyageurs,** 15 av. Clemenceau ✆ 98 80 25 73, Télex 940660 – ▤ rest TV wc wc ☎. AE ⓓ E VISA EY **n**
R *(fermé 18 juil. au 7 août, 1er au 15 janv. et lundi)* 178/210, enf. 47 **grill R** 48/66 ♁ – ☕ 25 – **40 ch** 115/300
Spéc. Salade de mer à la langouste tiède, Etuvée de St-Jacques à la fondue de poireaux, Pavé de bar en papillote de laitue.

Paix sans rest, 32 r. Algésiras ✆ 98 80 12 97 – TV wc wc ☎. AE ⓓ E VISA
☕ 20 – **25 ch** 140/255. EY **a**

Colbert sans rest, 12 r. de Lyon ✆ 98 80 47 21 – TV wc wc ☎. E VISA.
☕ 19 – **27 ch** 100/215. EY **k**

Bretagne sans rest, 24 r. Harteloire ✆ 98 80 41 18 – TV wc ☎. E VISA.
☕ 19 – **21 ch** 135/215. BX **e**

tourner →

Clemenceau (Av. G.) . . . . EY
Jaurès (R. J.) . . . . EY

Liberté (Pl. de la) . . . . EY
Lyon (R. de) . . . . DEY
Siam (R. de) . . . . EY

Aiguillon (R. d') . . . . EZ
Albert 1er (Pl.) . . . . BZ
Algésiras (R. d') . . . . EY 2

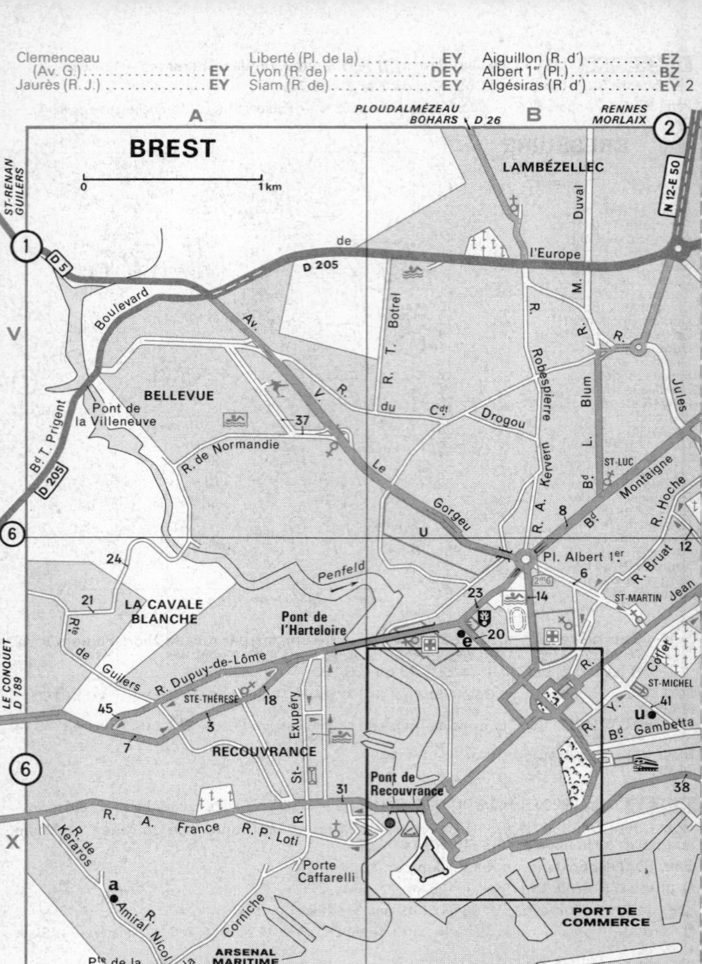

Astoria sans rest, 9 r. Traverse ✆ 98 80 19 10 – wc wc ☎. E VISA — EZ **e**
fermé 23 juil. au 8 août et vacances de Noël – 19 – **24 ch** 79/163.

Bellevue sans rest, 53 r. V.-Hugo ✆ 98 80 51 78 – wc ☎. E VISA — BX **u**
19 – **27 ch** 120/168.

XXX ✿ **Frère Jacques** (Peron), 15 bis r. Lyon ✆ 98 44 38 65 – E VISA — EY **q**
fermé 4 au 17 juil., sam. midi et dim. – **R** 130/270
Spéc. Demoiselles de Loctudy (avril-oct.), St Jacques à l'émietté de tourteau (oct.-mai), Dessert "Frère Jacques".

XXX **Le Vatel,** 23 r. Fautras ✆ 98 44 51 02 – AE ⓓ E VISA — EY **a**
fermé 7 au 21 août, sam. midi et dim. – **R** 65/250.

XX **Le Poulbot,** 26 r. Aiguillon ✆ 98 44 19 08 – . AE ⓓ E VISA — EZ **s**
fermé 8 au 31 août, sam. midi et dim. – **R** 70/230 .

XX **Le Rossini,** 16 r. Amiral Linois ✆ 98 80 10 00 – AE E VISA — DZ **v**
fermé 30 juin au 10 sept. et lundi – **R** 120/240.

à Recouvrance par rte de la Corniche – ✉ 29200 Brest :

Ajoncs d'Or, 1 r. Amiral Nicol ✆ 98 45 12 42 – TV wc ☎ ♿ P – 25. AE ◑ E VISA AX a
R 75 – 26 – **17 ch** 245/295 – ½ p 298.

au Nord par D 788 : 5 km – ✉ 29200 Brest :

Climat de France M, près ZA Kercaradec ✆ 98 47 50 50, Télex 941524 – rest TV wc ☎ ♿ P – 25 à 100. AE E VISA
R 53/120, enf. 38 – 24 – **45 ch** 230.

par ② : 6 km – ✉ 29200 Brest :

Novotel M, Z.A Kergaradec ✆ 98 02 32 83, Télex 940470, – rest TV ☎ ♿ P – 25 à 200. AE ◑ E VISA
R carte environ 120, enf. 40 – 38 – **85 ch** 310/360.

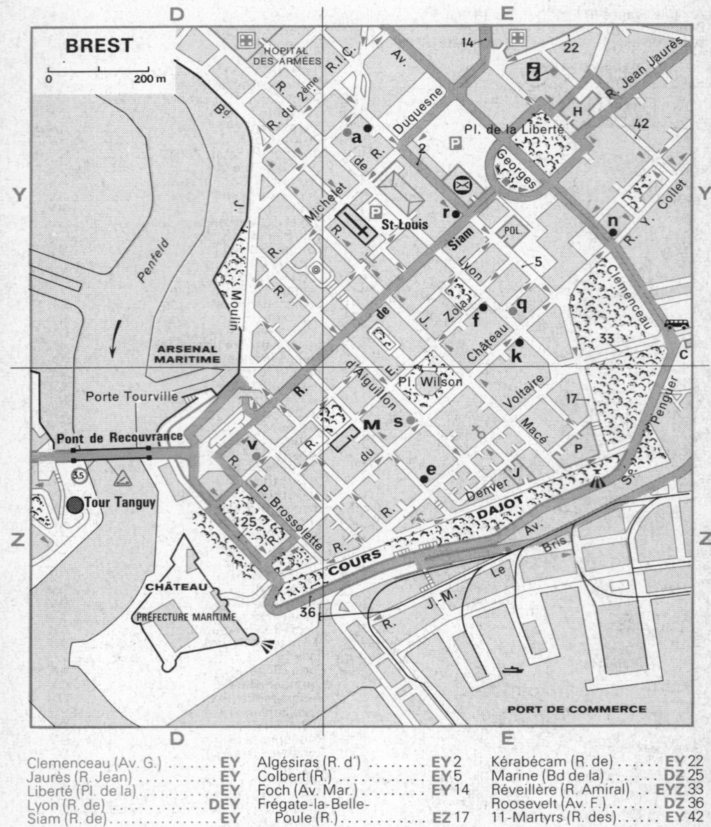

Clemenceau (Av. G.)	EY	Algésiras (R. d')	EY 2	Kérabécam (R. de)	EY 22
Jaurès (R. Jean)	EY	Colbert (R.)	EY 5	Marine (Bd de la)	DZ 25
Liberté (Pl. de la)	EY	Foch (Av. Mar.)	EY 14	Réveillère (R. Amiral)	EYZ 33
Lyon (R. de)	DEY	Frégate-la-Belle-Poule (R.)	EZ 17	Roosevelt (Av. F.)	DZ 36
Siam (R. de)	EY			11-Martyrs (R. des)	EY 42

MICHELIN, Agence, bd Gabriel-Lippmann par ② **Zone Activité Kergaradec à Gouesnou** ☎ **98 02 21 08**

ALFA-ROMEO, TOYOTA Brest Autom., 84 rte de Gouesnou ☎ 98 02 21 82
AUSTIN-ROVER Sébastopol-Autom., Z.I. Kergonan angle bd Europe et rte Gouesnou ☎ 98 42 05 55
BMW Ouest-Autom., r. G.-Plante, Zone Activité Kergaradec à Gouesnou ☎ 98 02 11 15 **N** ☎ 98 40 65 75
CITROEN Succursale, r. G.-Zédé, Zone Ind. de Kergonan par ② ☎ 98 02 23 96
FIAT Automobiles de Bretagne, 159 rte de Gouesnou ☎ 98 02 64 44
FORD Herrou et Lyon, rte Gouesnou à Kerguen ☎ 98 02 35 62
MERCEDES-BENZ, OPEL Gar. de l'Etoile, bd de l'Europe Zone Ind. de Kergonan ☎ 98 41 80 80

PEUGEOT-TALBOT Sté Brestoise des Gges de Bretagne Lavallot, Rte de Guipavas par ④ ☎ 98 02 14 06
RENAULT Filiale, 20 rte Paris ☎ 98 02 20 20 **N** ☎ 42 52 82 82
V.A.G. Gar. St-Christophe, 132 rte de Gouesnou ☎ 98 02 19 80
VOLVO SEVI, r. Kervezennec Zone Ind. Kergonan ☎ 98 02 47 80

Lorans-Pneus, 70 r. P.-Sémard ☎ 98 02 02 11
Madec-Pneus, 19 r. Kerjean-Vras ☎ 98 44 43 13
Pneus Service, Mesmerien, rte de Gouesnou ☎ 98 02 35 26
Simon-Pneus, 74 rte de Gouesnou ☎ 98 02 38 66

BRETENOUX 46130 Lot 75 ⑲ G. Périgord Quercy – 1 213 h.

Voir Château de Castelnau-bretenoux** : ≤* SO : 3,5 km.

Syndicat d'Initiative (15 juin-15 sept. et vacances scolaires) 65 38 59 53.

Paris 531 – Brive-la-Gaillarde 45 – Cahors 85 – Figeac 51 – Sarlat-la-Canéda 67 – Tulle 49.

Gd H. de la Cère, 65 38 40 19, – wc . AE E VISA.
R 55/128, enf. 35 – 18 – **26 ch** 118/185 – 1/2 p 160.

au Port de Gagnac NE : 6 km par D 940 et D 14 – **46130** Bretenoux :

Host. Belle Rive, 65 38 50 04, ≤, – wc . VISA. ch
1er mars-1er oct. – **R** 60/150, enf. 35 – 18 – **14 ch** 80/180 – 1/2 p 160/180.

CITROEN Gar. Croix Blanche, à St-Michel-Loubéjou 65 38 11 88
PEUGEOT-TALBOT Bretenoux-Auto, 65 38 45 60
RENAULT Bassat, 65 38 45 84
Biars-Pneus, à Biars-sur-Cère 65 38 58 34

BRETEUIL 27160 Eure 55 ⑯ G. Normandie Vallée de la Seine – 3 415 h.

Paris 127 – L'Aigle 25 – Évreux 32 – Verneuil-sur-Avre 11.

Mail, r. Neuve-de-Bémécourt 32 29 81 54, , – wc – 40. E VISA
fermé 12 nov. au 1er déc. et lundi de nov. à fév. – **R** 100/149 – 39 – **13 ch** 200/360 – 1/2 p 360.

Goy-Pneus, 32 29 71 88

BRETEUIL 60120 Oise 52 ⑱ – 3 875 h.

Paris 103 – ♦Amiens 32 – Beauvais 28 – Clermont 34 – Compiègne 56 – Montdidier 21.

Cap Nord M, r. de Paris 44 07 10 33 – wc – 50. E VISA
hôtel : fermé 17 au 31 déc. ; rest. : fermé 2 au 17 juil., 19 déc. au 7 janv., vend. soir et sam. – **R** 49/200 – 18 – **38 ch** 150/195.

Globe, r. République 44 07 01 78, , .

CITROEN Minard, 2 r. de Paris 44 07 00 36
PEUGEOT-TALBOT Caullier, 55 av. Gal-Frère 44 07 00 13

BRÉTIGNY-SUR-ORGE 91220 Essonne 60 ⑩ – 19 157 h.

Syndicat d'Initiative 9 r. Gén.-Leclerc 60 84 21 33.

Paris 30 – Chartres 71 – Etampes 26 – Evry 13.

Climat de France M, N 446 69 01 97 60, – TV wc – 25 à 50. E VISA
R 58/89, enf. 35 – 23 – **44 ch** 215/240 – 1/2 p 296/321.

CITROEN Vetille Autom., av. du Gén-de-Gaulle 60 84 09 99

Le BREUIL 71 S.-et-L. 69 ⑧ – rattaché au Creusot.

Le BREUIL 17 Char.-Mar. 71 ⑫ – rattaché à La Rochelle.

Le BREUIL-EN-AUGE 14 Calvados 54 ⑰ – 751 h. – **14130** Pont-l'Évêque.

Paris 202 – ♦ Caen 55 – Deauville 20 – Lisieux 9.

✿ **Aub. Dauphin** (Lecomte), 31 65 08 11 – VISA
fermé 5 janv. au 5 fév., dim. soir et lundi – **R** 92/260
Spéc. Éventail de fleurs de courgettes farcies "Homardine", Aiguillettes de canette au cidre et miel, Feuilleté de rhubarbe sauce cassonade.

Les BRÉVIAIRES 78 Yvelines 60 ⑨, 196 ㉘ – rattaché au Perray-en-Yvelines.

BRÉVIANDES 10 Aube 61 ⑯⑰ – rattaché à Troyes.

BRÉVILLE-SUR-MER 50 Manche 59 ⑦ – rattaché à Granville.

BRÉVONNES 10 Aube 61 ⑰⑱ – 655 h. – **10220** Piney.

Paris 188 – Bar-sur-Aube 31 – St-Dizier 58 – Troyes 26 – Vitry-le-François 52.

Vieux Logis, 25 46 30 17, – . E VISA. ch
fermé dim. soir et lundi – **R** 50/150, enf. 33 – 14 – **7 ch** 86/160.

Aub. du Bourricot Fleuri, 25 46 30 22 – E VISA
fermé 16 août au 4 sept., 25 fév. au 9 mars, mardi soir et merc. – **R** 135/200, enf. 40.

BREZOLLES 28270 E.-et-L. 60 ⑥ – 1 429 h.

Paris 105 – Alençon 88 – Argentan 90 – Chartres 43 – Dreux 23.

Le Relais, 37 48 20 84 – wc . E VISA
fermé août et dim. soir – **R** 60/130 – 20 – **21 ch** 100/180 – 1/2 p 135/170.

BRIANÇON 05100 H.-Alpes 77 ⑱ **G. Alpes du Sud** – 11 544 h alt. 1 321 – Sports d'hiver à Serre-Chevalier par ④ : 6 km, puis téléphérique.

Voir Ville haute★★ : Grande Gargouille★, Pont d'Asfeld★, Remparts ≤★ – Puy St-Pierre ✳★★ de l'église SO : 3 km par D35.

Env. Croix de Toulouse ≤★★ par ④ et D 32 : 8,5 km.

Office de Tourisme Porte de Pignerol ☎ 92 21 08 50, Télex 410898 et Central Parc (vacances scolaires) ☎ 92 21 08 21.

Paris 678 ④ – Digne 146 ③ – Gap 87 ③ – ♦Grenoble 116 ④ – ♦Nice 263 ③ – Torino 108 ①.

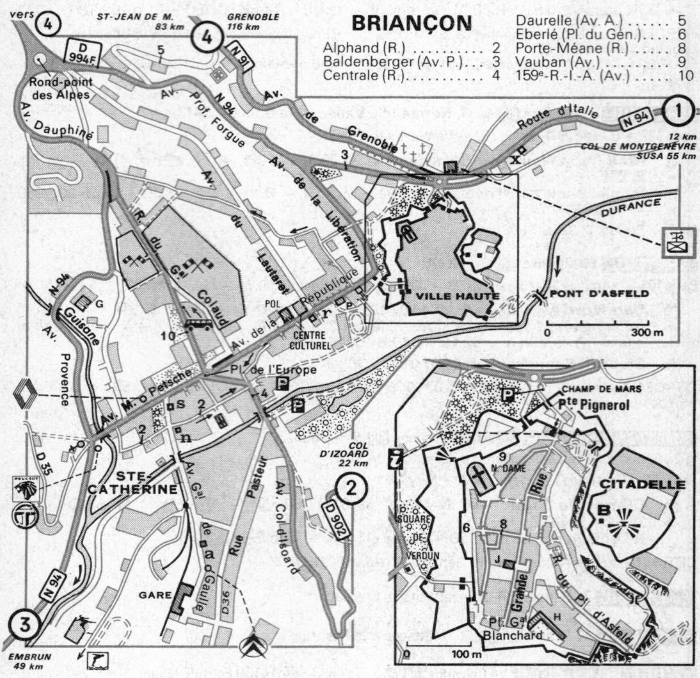

Vauban, 13 av. Gén.-de-Gaulle **(n)** ☎ 92 21 12 11, ≤, – ☎ Ⓟ. E VISA
fermé 9 nov. au 19 déc. – **R** 85/98, enf. 55 – **44 ch** 230/290 – ½ p 190/260.

Le Cristol, 6 rte Italie **(x)** ☎ 92 20 20 11, ≤ – wc wc ☎. AE E VISA
fermé 10 nov. au 15 déc. – **R** 80/180, enf. 45 – 30 – **18 ch** 200/250 – ½ p 210/250.

Edelweiss sans rest, 32 av. République **(r)** ☎ 92 21 02 94, – wc wc ☎ Ⓟ. VISA.
fermé nov. au 15 déc. – 25 – **23 ch** 170/322.

Mont-Brison sans rest, 3 av. Gén.-de-Gaulle **(s)** ☎ 92 21 14 55 – wc wc ☎ Ⓟ.
fermé 5 nov. au 15 déc. – 27 – **45 ch** 160/220.

Paris avec ch, 41 av. Gén.-de-Gaulle **(a)** ☎ 92 20 15 30, ≤ – wc wc ☎ Ⓟ **24 ch**.

Autres ressources hôtelières :

Voir ***Serre-Chevalier*** par ④ : 6 km.

ALFA-ROMEO-OPEL-RENAULT Jullien, 21 av. M.-Petsche ☎ 92 21 30 00 N ☎ 92 21 30 15

CITROEN Briançon Injection Sce, 47 av. du Gén.-de-Gaulle ☎ 92 20 12 20

FORD Gar. Gignoux, av. du Gén.-de-Gaulle ☎ 92 23 11 56

PEUGEOT-TALBOT S.E.P.R.A., 3 rte de Gap ☎ 92 21 10 02

BRIARE 45250 Loiret 65 ② G. Bourgogne – 6 327 h.

Office de Tourisme pl. Église ✆ 38 31 24 51.

Paris 155 – Auxerre 77 – Cosne-sur-Loire 31 – Montargis 42 – ♦Orléans 77.

Host. Canal, 19 quai Pont-Canal ✆ 38 31 22 54 – wc wc ☎ P. E VISA
fermé 20 déc. au 1er fév. et lundi hors sais. – **R** 60/200, enf. 45 – 20 – **18 ch** 170/250 – 1/2 p 200/250.

BRICQUEBEC 50260 Manche 54 ② G. Normandie Cotentin – 3 750 h.

Voir Donjon★ du Château.

Paris 351 – Barneville-Carteret 16 – Cherbourg 22 – Coutances 54 – St-Lô 69 – Valognes 13.

Vieux Château ⛰, ✆ 33 52 24 49 – wc wc ☎ P. E VISA
fermé 20 déc. au 25 janv. – **R** 50/150 ♁, enf. 40 – 25 – **28 ch** 100/280 – 1/2 p 140/200.

PEUGEOT Gar. Legarand, ✆ 33 52 27 72 N | RENAULT Lecocq, ✆ 33 52 27 91 N

BRIDES-LES-BAINS 73 Savoie 74 ⑰⑱ G. Alpes du Nord – 583 h. – Stat. therm. (11 avril-29 oct.) – Casino – ✉ 73600 Moutiers Tarentaise.

Syndicat d'Initiative ✆ 79 55 20 64, Télex 980405.

Paris 616 – Annecy 77 – Chambéry 79 – Courchevel 18 – Moûtiers 6.

Gd H. Thermes, ✆ 79 55 29 77 – TV ☎ ♿ P. rest
1er mai-30 sept. – **R** 125/150 – 38 – **100 ch** 400/540, 4 appartements 1000.

Verseau M ⛰, ✆ 79 55 27 44, <, , – TV wc ☎ P. rest
15 avril-15 oct. – **R** 80/95 – 28 – **32 ch** 250/300.

Savoy, ✆ 79 55 20 55, <, , – TV wc wc ☎ P. VISA. rest
1er mai-2 oct. – **R** 150/170 – 37 – **40 ch** 244/308.

Sources ⛰, ✆ 79 55 29 22, < – TV wc wc ☎ ♿ P. rest
fermé fin oct. à début déc. – **R** 70/80 – 25 – **77 ch** 165/280.

Bains M ⛰, ✆ 79 55 22 05, <, – TV wc wc ☎ P. . rest
22 oct.-10 avril et week-ends de fév. et début mars – **R** 80/110, enf. 35 – **34 ch** 220/275 – 1/2 p 250.

Golf, ✆ 79 55 28 12, < – TV wc wc ☎ P. E VISA. rest
11 avril-10 oct. – **R** 110/120 – 28 – **48 ch** 195/360 – 1/2 p 310/415.

Val Vert, ✆ 79 55 22 62, – TV wc wc ☎ P. E VISA.
fermé 30 oct. au 15 déc. – **R** 78/105 ♁, enf. 50 – 26 – **26 ch** 140/290 – 1/2 p 190/270.

La Grillade, résid. Le Royal ✆ 79 55 20 90, – P. E VISA
fermé 31 oct. au 15 déc. – **R** 70/95.

BRIEC 29112 Finistère 58 ⑮ – 4 711 h.

Paris 548 – Carhaix-Plouguer 43 – Châteaulin 18 – Morlaix 65 – Pleyben 17 – Quimper 16.

Midi, ✆ 98 57 90 10 – P. E VISA. ch
fermé 4 au 18 sept., vacances de Noël, dim. soir et sam. sauf juil.-août – **R** 58/165 ♁, enf. 34 – 20 – **15 ch** 88/95 – 1/2 p 160.

BRIE-COMTE-ROBERT 77170 S.-et-M. 61 ②, 196 ㉝, 101 ㊴ G. Environs de Paris – 10 565 h.

Voir Verrière★ du chevet de l'église.

Paris 32 – Brunoy 9,5 – Évry 21 – Melun 18 – Provins 56.

A la Grâce de Dieu, 45 rue Gal. Leclerc (N 19) ✆ (1) 64 05 00 76 – P. VISA
fermé août et dim. soir – **R** 79/114 ♁.

CITROEN Gar. Pasquier, 43 av. Gén.-Leclerc ✆ (1) 64 05 00 94
FORD Zélus Autom., 22 r. Gén. Leclerc ✆ (1)64 05 03 10
PEUGEOT, TALBOT Ets Lespourci, 1 r. Gén. Leclerc ✆ (1)64 05 50 50
RENAULT Escoffier-Brie, 7 av. Gén. Leclerc ✆ (1)64 05 21 18

BRIENNE-LE-CHÂTEAU 10500 Aube 61 ⑱ G. Champagne – 4 112 h.

Paris 192 – Bar-sur-Aube 24 – Châtillon 72 – St-Dizier 45 – Troyes 40 – Vitry-le-François 42.

Le Briennois sans rest, à Brienne-la-Vieille S : 2 km par D 443 ✆ 25 92 83 61 – E VISA
fermé 15 déc. au 15 janv. – 18 – **8 ch** 80/120.

Aub. de la Plaine avec ch, à la Rothière S : 5 km par D 396 ✆ 25 92 21 79 – wc wc ☎ P. AE E VISA
fermé vend. du 1er sept. au 31 mai – **R** 60/165 ♁, enf. 43 – 17 – **16 ch** 90/165 – 1/2 p 170/190.

FORD Gar. Blavot, ✆ 25 92 80 39 | RENAULT Consigny, ✆ 25 92 80 48

BRIGNAC 87 H.-Vienne 72 ⑱ – rattaché à St-Léonard-de-Noblat.

BRIGNAIS 69 Rhône 74 ⑪ – rattaché à Lyon.

BRIGNOGAN-PLAGES 29238 Finistère 58 ④⑤ G. Bretagne – 881 h.

Voir Clocher★ de l'église de Goulven SE : 3,5 km.

Syndicat d'Initiative r. Gén.-de-Gaulle (juil.-août) ✆ 98 83 41 08.

Paris 588 – ◆Brest 37 – Carhaix-Plouguer 95 – Landerneau 26 – Morlaix 56 – St-Pol-de-Léon 31.

Castel Régis, plage Garo ✆ **98 83 40 22**, ← Baie, – wc ☎ Ⓟ. E VISA. rest
Pâques-fin sept. – **R** *(fermé merc.)* (prévenir), 103/175, enf. 55 – 30 – **17 ch** 225/336 – $^1/_2$ p 360/380.

BRIGNOLES 83170 Var 84 ⑮ G. Côte d'Azur (plan) – 10 894 h.

Voir Sarcophage de la Gayole★ dans le musée M.

Office de Tourisme avec A.C. pl. St-Louis ✆ 94 69 01 78.

Paris 812 – Aix-en-Provence 57 – Cannes 93 – Draguignan 53 – ◆Marseille 64 – ◆Toulon 50.

Le Paris, 29 av. Dréo ✆ **94 69 01 00, Télex 430200** – wc wc. E VISA
fermé janv. – **R** *(fermé lundi)* 72/82 – 18,50 – **16 ch** 133/242 – $^1/_2$ p 180/275.

au Sud : 2,5 km par D 554 rte de Toulon – ✉ **83170** Brignoles :

Mas la Cascade, ✆ **94 69 01 49**, ←, « Bel aménagement intérieur, jardin » – wc ☎ Ⓟ – 25. E VISA
fermé fin janv. à fin fév., mardi soir et merc. sauf juil. et août – **R** 150/250, enf. 90 – 40 – **10 ch** 230/370.

PEUGEOT-TALBOT Gar. Blanc et Rochebois, N 7, rte d'Aix ✆ 94 69 21 23
RENAULT S.A.D.A.P., Zone Ind. ✆ 94 69 23 28 N ✆ 94 22 29 35

Aude, Zone Ind. ✆ 94 69 34 13
Santa-Pneus, Vulcopneu, 22 av. Dréo ✆ 94 59 28 43

La BRIGUE 06 Alpes-Mar. 84 ⑳, 195 ⑨ G. Côte d'Azur – 495 h. alt. 765 – ✉ **06430** Tende.

Voir Collégiale St-Martin★ : retable de l'Adoration de l'Enfant★, Notre-Dame des Neiges★ – Fresques★★ de la chapelle N.-D.-des-Fontaines E : 4 km.

Paris 881 – ◆Nice 82 – Sospel 39.

Mirval, ✆ **93 04 63 71**, ←, – wc Ⓟ. AE E VISA. ch
1er avril-1er nov. – **R** 70/120, enf. 35 – 25 – **18 ch** 140/220 – $^1/_2$ p 170/210.

Fleur des Alpes, pl. St-Martin ✆ **93 04 61 05** – wc. VISA
1er mars-30 nov. et fermé merc. hors sais. – **R** 60/100, enf. 35 – 25 – **7 ch** 120/165 – $^1/_2$ p 150/170.

BRIMEUX 62 P.-de-C. 51 ⑫ – rattaché à Montreuil.

BRINDOS (Lac de) 64 Pyr.-Atl. 78 ⑱ – rattaché à Biarritz.

BRINON-SUR-SAULDRE 18 Cher 64 ⑳ – 1 249 h. – ✉ **18410** Argent-sur-Sauldre.

Paris 191 – Bourges 64 – Cosne-sur-Loire 59 – Gien 36 – ◆Orléans 57 – Salbris 30.

✿ **La Solognote** (Girard), ✆ **48 58 50 29**, – wc wc Ⓟ. E VISA. ch
fermé 24 mai au 2 juin, 14 au 29 sept., fév., mardi soir du 1er oct. au 30 juin et merc. – **R** 130/250 – 30 – **13 ch** 180/260
Spéc. Ravioles de langoustines aux poivrons, Feuilleté de turbot, Gibier (saison). **Vins** Quincy, Menetou.

XX **Le Dauphin** avec ch, ✆ **48 58 52 90** – wc. rest
fermé 18 déc. au 2 janv., 26 fév. au 17 mars, merc. soir et jeudi – **R** 63/135 – 20 – **12 ch** 100/160.

PEUGEOT, TALBOT Gar. Moderne, 8 r. Gare ✆ 48 58 53 17

RENAULT Gar. de la Jacque, ✆ 48 58 50 37 N

BRIONNE 27800 Eure 55 ⑮ G. Normandie Vallée de la Seine (plan) – 5 038 h.

Syndicat d'Initiative pl. Église (juil.-1er sept.) ✆ 32 45 70 51.

Paris 143 – Bernay 15 – Évreux 41 – Lisieux 39 – Pont-Audemer 28 – ◆Rouen 43.

XX **Le Logis de Brionne** avec ch, pl. St-Denis ✆ **32 44 81 73** – wc wc ☎ Ⓟ. E VISA
fermé 24 déc. au 23 janv., lundi sauf le soir en sais. et dim. soir – **R** 70/220, enf. 50 – 28 – **16 ch** 82/180.

XX **Aub. Vieux Donjon** avec ch, r. Soie ✆ **32 44 80 62**, – wc Ⓟ. E VISA
fermé 15 nov. au 10 déc., vacances de fév., dim. soir de nov. à mars et lundi – **R** 65/170 – 20 – **8 ch** 110/195.

CITROEN Rotrou, à Aclou ✆ 32 44 83 66
PEUGEOT-TALBOT Gar. Leroy, 19 bd de la République ✆ 32 44 88 32 N

PEUGEOT-TALBOT Gar. Leroy, 1 rte de Cormeilles ✆ 32 44 80 16 N
RENAULT Maulion, 24 r. Tragin ✆ 32 44 82 02

BRIOUDE ⟨SP⟩ **43100** H.-Loire **76** ⑤ **G. Auvergne** – 7 854 h.

Voir Basilique St-Julien★★.

Env. Lavaudieu : fresques★ de l'église et cloître★ de l'ancienne abbaye 9,5 km par ①.

Office de Tourisme bd Champanne (fermé après-midi hors saison) ✆ 71 50 05 35.

Paris 463 ④ – Aurillac 108 ③ – ♦Clermont-Fd 69 ④ – Issoire 32 ④ – Le Puy 61 ② – St-Flour 52 ③.

BRIOUDE

Commerce (R. du) 5
Maigne (R. Jules) 15
St-Jean (Pl.) 26
Sébastopol (R.) 27
4-Septembre (R. du) 31

Alger (Pl. d') 2
Blum (Av. Léon) 3
Briand (Bd A.) 4
Dr-Devins (Bd) 6
Gare (Av. de la) 7
Gaulle (Pl. Charles-de) 8
Lafayette (Pl.) 9
Lamothe (Av. de) 12
Liberté (Pl. de la) 13
Lyon (R. de) 14
Pascal (R.) 23
République (R. de la) 25
Séguret (R.) 28
Vercingétorix (Bd) 29
Victor-Hugo (R.) 30
14-Juillet (R. du) 32

Dans la liste des rues des plans de ville, les noms en rouge indiquent les principales voies commerçantes.

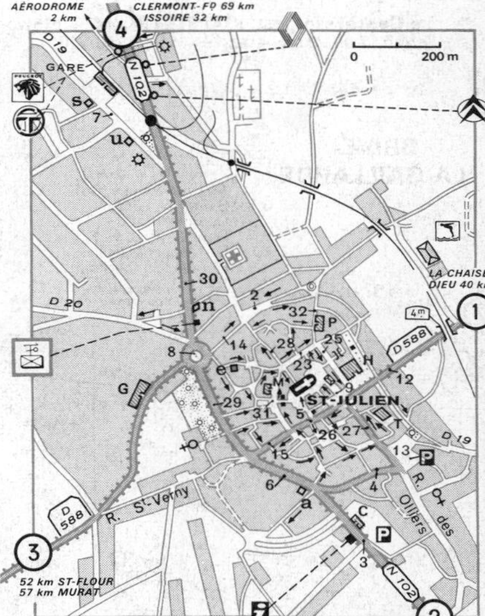

Le Brivas Ⓜ, rte Puy par ② ✆ 71 50 10 49, Télex 392589, ≤, – wc wc ☎ Ⓟ – 40. AE ⓞ E VISA
fermé 18 nov. au 28 déc., vend. soir et sam. midi de mars à oct. – **R** 65/250, enf. 60 – 23 – **30 ch** 180/260 – 1/2 p 195/320.

Moderne, 12 av. Victor-Hugo **(n)** ✆ 71 50 07 30 – TV wc wc ☎ . AE ⓞ E VISA
fermé 1er janv. au 15 fév., dim. soir et lundi midi (sauf fériés hors sais.) – **R** 65/210 – 27 – **17 ch** 180/260.

Poste et Champanne (annexe 14 ch - wc), 1 bd Dr-Devins **(a)** ✆ 71 50 14 62 – wc wc ☎ Ⓟ – 50
fermé dim. soir du 1er nov. au 27 mars – **R** 55/78 – 17 – **20 ch** 90/180 – 1/2 p 160/220.

La Chaumine sans rest, 13 av. Gare **(u)** ✆ 71 50 14 10 –
fermé 15 janv. au 15 fév. et dim. – 18 – **17 ch** 60/160.

Continental, 35 pl. Gare **(s)** ✆ 71 50 09 11 –
fermé fév. et sam. de sept. à juin – **R** 48/135, enf. 35 – 18 – **11 ch** 61/145 – 1/2 p 135/155.

Julien, 7 r. Assas **(e)** ✆ 71 50 00 03 – E VISA
fermé 1er au 7 juin, oct., dim. soir et lundi hors sais. – **R** 50/90.

CITROEN Delmas, av. d'Auvergne ✆ 71 50 12 06 N
CITROEN Legrand G., N 102, Ste Anne, Vieille-Brioude par ② ✆ 71 50 32 42
FIAT, LANCIA-AUTOBIANCHI Legrand, 32 av. Victor-Hugo ✆ 71 50 08 54 N
PEUGEOT-TALBOT Gar. d'Auvergne, av. d'Auvergne ✆ 71 50 06 05

RENAULT Fournier, rte de Clermont ✆ 71 50 02 01
RENAULT Moncel, av. du Velay par ② ✆ 71 50 00 63

Da-Silva-Pneu, av. d'Auvergne ✆ 71 50 10 86
Estager-Pneu, av. d'Auvergne ZI St-Ferréol, ✆ 71 50 37 01

BRIOUZE **61220** Orne **60** ① – 1 813 h.

Paris 220 – Alençon 59 – Argentan 27 – La Ferté-Macé 13 – Flers 17.

Sophie, ✆ 33 66 00 30 –
fermé 1er au 7 fév. et dim. soir – **R** 50/180, enf. 40.

CITROEN Gar. Boutrois ✆ 33 66 00 28

RENAULT Gar. du Chesnay, Le Chesnay à Pointel ✆ 33 66 01 34

BRISON-LES-OLIVIERS 73 Savoie 74 ⑮ – rattaché à Aix-les-Bains.

BRISSAC-QUINCÉ 49320 M.-et-L. 64 ⑪ **G. Châteaux de la Loire** – 2 072 h.
Voir Château★★.

Syndicat d'Initiative à la Mairie ✆ 41 91 22 13.

Paris 300 – Angers 18 – Cholet 55 – Saumur 39.

Le Castel sans rest, ✆ **41 91 24 74,** – wc wc ☎. AE E VISA
fermé 11 au 28 fév. – 19 – **11 ch** 146/210.

Pas de publicité payée dans ce guide.

BRIVE-LA-GAILLARDE

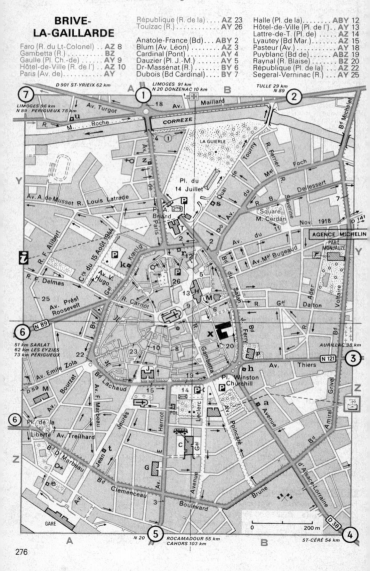

Faro (R. du Lt-Colonel) .. **AZ** 8
Gambetta (R.) .... **BZ**
Gaulle (Pl. Ch.-de) ...... **AY** 9
Hôtel-de-Ville (R. de l') .. **AZ** 10
Paris (Av. de)........... **AY**
République (R. de la).... **AZ** 23
Toulzac (R.) .... **AY** 26

Anatole-France (Bd)... **ABY** 2
Blum (Av. Léon) .... **AZ** 3
Cardinal (Pont) .... **AY** 4
Dauzier (Pl. J.-M.) ...... **AY** 5
Dr-Massénat (R.) .... **BY** 6
Dubois (Bd Cardinal).... **BY** 7
Halle (Pl. de la)........ **ABY** 12
Hôtel-de-Ville (Pl. de l').. **AY** 13
Lattre-de-T. (Pl. de) ..... **AZ** 14
Lyautey (Bd Mar.)........ **AZ** 15
Pasteur (Av.) .... **AY** 18
Puyblanc (Bd de)....... **ABZ** 19
Raynal (R. Blaise) .... **BZ** 20
République (Pl. de la) ... **AZ** 22
Segeral-Verninac (R.) ... **AY** 25

BRIVE-LA-GAILLARDE ⟨SP⟩ **19100** Corrèze **75** ⑧ **G. Périgord Quercy** – **54 032 h.**

Voir Hôtel de Labenche★ BZ **X.**

🚗 ✆ **55 23 50 50.**

ℹ Office de Tourisme et A.C. pl. 14-Juillet ✆ 55 24 08 80.

Paris 486 ① – Albi 212 ⑤ – ♦Clermont-Ferrand 177 ② – ♦Limoges 91 ① – ♦Montpellier 341 ⑤ – ♦Toulouse 218 ⑤.

Plan page ci-contre

Truffe Noire, 22 bd A.-France ✆ 55 74 35 32, – – 30. AE ⊕ E
R 100/120 – ☕ 24 – **35 ch** 200/290 – $^1/_2$ p 350/400. AY **r**

Urbis [M] sans rest, 32 r. M.-Roche ✆ 55 74 34 70, Télex 590195 – TV wc wc ☎. VISA
☕ 27 – **55 ch** 215/241. AY **u**

Le Quercy sans rest, 8 bis quai Tourny ✆ 55 74 09 26 – TV wc wc ☎. AE ⊕ VISA
fermé 20 déc. au 15 janv. – ☕ 28 – **80 ch** 180/260. BY **s**

Champanatier, 15 r. Dumyrat ✆ 55 74 24 14 – AZ **e**
fermé 4 au 18 juil., vacances de fév. – **R** *(fermé vend. soir sauf juil.-août et dim. soir du 1er nov. au 31 mai)* 64/100 – ☕ 19 – **12 ch** 68/170 – $^1/_2$ p 130/200.

XXX **La Crémaillère** avec ch, 53 av. Paris ✆ 55 74 32 47, – wc . AE VISA.
fermé dim. soir et lundi – **R** 90/160 – ☕ 22 – **10 ch** 130/210. AY **z**

XXX **l'Ermitage,** 25 bd Koenig ✆ 55 23 63 11, – P. AE ⊕ E VISA AY **k**
fermé 2 janv. au 5 fév. et dim. de mi-oct. à mi-mai – **R** 120/180, enf. 85.

XX **La Périgourdine,** 15 av. Alsace-Lorraine ✆ 55 24 26 55, , – AE E VISA
fermé 14 au 30 juil., 10 au 15 mars, merc. soir et dim. – **R** 70/250. BZ **a**

XX **La Belle Époque,** 27 av. J. Jaurès ✆ 55 74 08 75 – E VISA AZ **t**
fermé dim. du 1er juin au 30 sept. – **R** 89/280.

X **Régent** avec ch, 3 pl. W.-Churchill ✆ 55 74 09 58, – wc . VISA
R *(fermé vacances de fév., dim. soir et lundi)* 65/180 – ☕ 19 – **24 ch** 120/220 – $^1/_2$ p 203/308. BZ **h**

à Ussac par ① et D 57 : 5 km – ✉ **19270** Donzenac :

Aub. St-Jean , ✆ 55 88 30 20 – wc ☎ . E VISA
R 58/165, enf. 38 – ☕ 25 – **13 ch** 140/210 – $^1/_2$ p 195.

rte d'Argentat par ③ : 3 km – ✉ **19360** Malemort :

Aub. des Vieux Chênes, ✆ 55 24 13 55 – TV wc ☎ P. AE ⊕ E VISA.
fermé 31 juil. au 22 août, sam. soir (sauf hôtel) et dim. – **R** 46/127 – ☕ 18,50 – **14 ch** 105/185 – $^1/_2$ p 165/215.

à l'aérodrome par ⑥ : 6 km – ✉ **19100** Brive-la-Gaillarde :

Campanile [M], ✆ 55 86 88 55, Télex 590838, – TV wc ☎ P – 25. VISA
R 63 bc/86 bc, enf. 38 – ☕ 24 – **42 ch** 200/220 – $^1/_2$ p 287/330.

rte de Varetz par ⑦ et D170 : 5,5 km – ✉ **19100** Brive-la-Gaillarde :

Mercure [M] , ✆ 55 87 15 03, Télex 590096, , , – rest TV ☎ P – 25 à 100. AE ⊕ E VISA
R 110/210, enf. 40 – ☕ 44 – **57 ch** 325/350.

à Varetz par ⑦ et D152 : 10 km – ✉ **19240** Allassac :

✿ **Château de Castel Novel** , ✆ 55 85 00 01, Télex 590065, ≤, « Demeure ancienne isolée dans un grand parc », , – TV ☎ P – 120. AE ⊕ E VISA
7 mai-16 oct. – **R** 190/370, enf. 80 – ☕ 55 – **33 ch** 330/900, 5 appartements 1360 – $^1/_2$ p 575/785
Spéc. Fricassée de cèpes et langoustines à l'échalote grise, Poêlée de foie de canard au cidre, Soufflé glacé à la liqueur de jus de noix verte. **Vins** Cahors, Bergerac.

MICHELIN, Agence, rue de l'Industrie à Malemort sur Corrèze par D 141 BY ✆ **55 92 29 00**

ALFA-ROMEO-HONDA-SEAT Auto Service, la Pigeonnie ✆ 55 74 39 28
AUSTIN-ROVER Crémoux, 20 av. Mar.-Bugeaud ✆ 55 23 69 22
BMW Taurisson, 23 av. Ed.-Herriot ✆ 55 74 25 42
CITROEN Midi-Auto, av. Jean-Charles Rivet par ⑥ ✆ 55 87 90 55
FIAT, LANCIA, AUTOBIANCHI Auto-Sport, Palisse à Malemort-sur-Corrèze ✆ 55 74 24 71
FORD Corrézienne Autles, 30 av. du 18 juin ✆ 55 87 32 65
NISSAN Gar. Pouget, 47-49 rte de Bordeaux ✆ 55 86 92 92
OPEL Cournil 147 av. Ribot ✆ 55 87 02 99
PEUGEOT-TALBOT Morance, Z.I. de Cana, rte d'Objat par ⑦ ✆ 55 88 04 06 **N** ✆ 55 23 22 22
RENAULT Gar. Beauregard, N 89, Estavel par ⑥ ✆ 55 86 90 04 **N** ✆ 55 23 22 22
RENAULT Mournetas, 51 av. de Bordeaux, Estavel par ⑥ ✆ 55 86 92 91
TOYOTA Chambon, r. A. Devaud ✆ 55 88 30 13
V.A.G. S.O.C.O.D.A., av. Prés.-Kennedy ✆ 55 74 07 31
VOLVO Gar. Valenti, 71 av. 11-Novembre ✆ 55 23 77 64

Brive-Pneus, 44 av. P.-Sémard ✆ 55 87 27 58
Estager-Pneu, 26 av. J.-C.-Rivet, Zone de Beauregard ✆ 55 87 35 20
Lagier, à Malemort ✆ 55 24 11 43
Pneu 2000, 115 av. G.-Pompidou ✆ 55 74 07 61

Le BROC 06 Alpes-Mar. 84 ⑨, 195 ㉖ G. Côte d'Azur – 422 h. – ✉ 06510 Carros.

Voir Carros : site★, ※★★ du vieux moulin SE : 4 km.

Paris 949 – Antibes 40 – ♦ Nice 32 – Puget-Théniers 55 – St-Martin-Vésubie 45 – Vence 19.

✕ **L'Estragon,** ☏ 93 29 08 91, ≤,
fermé 10 déc. au 1er fév. et vend. – **R** (déj. seul) 63/120 ♂.

Le BROC 63 P.-de-D. 73 ⑭⑮ – rattaché à Issoire.

BROGLIE 27270 Eure 55 ⑭ G. Normandie Vallée de la Seine – 1 126 h.

Paris 161 – L'Aigle 35 – Alençon 76 – Argentan 58 – Bernay 11 – Évreux 54 – Lisieux 31.

✕✕ **Poste,** ☏ 32 44 60 18 – AE E VISA.
fermé 1er au 12 oct., 14 au 28 déc., lundi soir et mardi – **R** 85/195.

CITROEN Chéron, ☏ 32 44 60 67

BROGNARD 25 Doubs 66 ⑧ – rattaché à Sochaux.

BRON 69 Rhône 74 ⑫ – rattaché à Lyon.

BROONS 22250 C.-du-N. 59 ⑮ – 2 768 h.

Paris 405 – Dinan 24 – Loudéac 47 – Rennes 54 – St-Brieuc 48.

✕✕ **Les Dineux,** voie express N 12, sortie Trémeur ☏ 96 84 65 80 – Ⓟ. E VISA
fermé 9 janv. au 11 fév. et sam. sauf vacances scolaires – **R** 84/110 ♂, enf. 40.

PEUGEOT-TALBOT Gar. Hermeneau, ☏ 96 84 60 19

RENAULT Gar. de l'Ouest, ☏ 96 84 60 12

BROQUIÈS 12480 Aveyron 80 ⑬ – 755 h.

Paris 698 – Albi 62 – Lacaune 69 – Rodez 57 – St-Affrique 30.

Le Pescadou ⑧, S : 2,5 km rte St-Izaire ☏ 65 99 40 21, ≤, – wc Ⓟ
14 ch.

BROU 01 Ain 74 ③ G. Bourgogne.

Curiosités★★★ et ressources hôtelières : rattachées à Bourg-en-Bresse.

BROU 28160 E.-et-L. 60 ⑯ G. Châteaux de la Loire – 3 844 h.

Voir Yèvres : boiseries★ de l'église 1,5 km par ③.

ℹ Syndicat d'Initiative à l'Hôtel de Ville ☏ 37 47 07 85 et r. Chevalerie (Pâques-Toussaint) ☏ 37 47 01 12.

Paris 141 ⑦ – Alençon 93 ⑦ – Chartres 38 ② – Châteaudun 22 ③ – Dreux 67 ② – ♦Le Mans 81 ⑦.

BROU

Baudin (R. E.)	2
Briand (Av. A.)	3
Canettes (R. des)	4
Chevalerie (R. de la)	5
Courtalain (R. de)	6
Gaulle (Av. Général de)	7
Halles (Pl. des)	9
Hôtel-de-Ville (R.)	12
Mail (R. du)	13
Nation (Pl. de la)	15
Président-Kennedy (Av.)	16
St-Jean (R.)	17

Pour bien lire les plans de villes voir signes et abréviations p. 23.

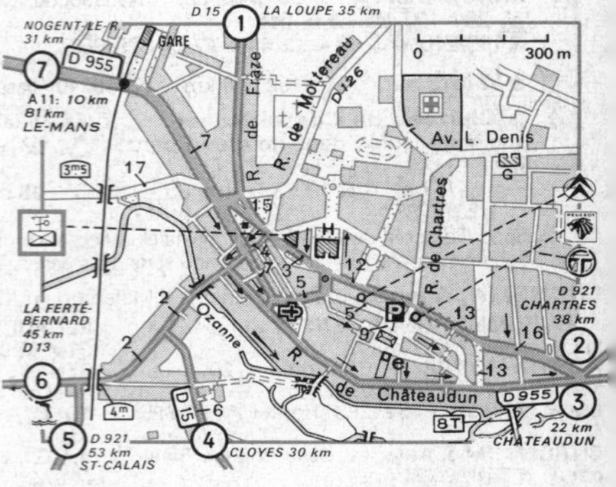

Plat d'Étain, pl. Halles (e) ☏ 37 47 03 98 – wc wc Ⓟ. E VISA
fermé 31 janv. au 7 mars – **R** 69/160 ♂, enf. 38 – ☕ 20 – **20 ch** 95/185 – ½ p 210/245.

CITROEN Auguste, ☏ 37 47 00 44
PEUGEOT, TALBOT Henry, ☏ 37 47 00 68
N ☏ 37 21 94 39

RENAULT Gar. Philippe, par ③ ☏ 37 47 01 68

BROUIS (Col de) 06 Alpes-Mar. 84 ⑳, 195 ⑱ – rattaché à Breil-sur-Roya.

BROUSSE-LE-CHÂTEAU 12 Aveyron 80 ⑫ **G. Gorges du Tarn** – 225 h. – ✉ **12480** Broquiès.

Voir Village perché★.

Paris 701 – Albi 54 – Cassagnes-Bégonhès 34 – Lacaune 54 – Rodez 60 – St-Affrique 39.

Relays du Chasteau, ✆ 65 99 40 15, ≤ – wc wc P. E VISA
fermé 15 déc. au 15 janv., vend. soir et sam. midi du 1er oct. au 1er mai – **R** 55/78 , enf. 30 – 18 – **14 ch** 75/110 – ½ p 120/200.

BROUVELIEURES 88 Vosges 62 ⑯⑰ – rattaché à Bruyères.

BRUAY-EN-ARTOIS 62700 P.-de-C. 51 ⑭ – 23 200 h.

Paris 216 – Arras 36 – Béthune 9 – Lens 26 – ♦Lille 47 – St-Omer 40 – St-Pol-sur-Ternoise 20.

Univers, 30 r. H.-Cadot ✆ 21 62 40 31 – wc wc ☎. E VISA
fermé dim. soir et sam. – **R** 55/125 , enf. 50 – 18 – **18 ch** 80/220.

Park H. sans rest, pl. Cdt-L'Herminier ✆ 21 62 40 28, – wc wc P. E VISA
18 – **20 ch** 115/180.

à Gauchin-Le Gal S : 8 km par D 341 – ✉ **62150** Houdain.

Voir Château★ d'Olhain NE : 3 km, G. Flandres Artois Picardie.

XX **Hatton,** ✆ 21 22 10 02 – VISA
fermé le soir (sauf sam.) du 1er oct. au 1er mai, dim. soir et lundi soir – **R** 85/200.

FIAT Catteau, 45 rte Nationale à Labuissière ✆ 21 53 44 45
PEUGEOT-TALBOT Gar. Ste-Barbe, 1 r. A.-France ✆ 21 53 44 19
RENAULT Gar. Lourme, 6 r. d'Aire à Labuissière ✆ 21 52 28 19 N

BRUÈRE-ALLICHAMPS 18 Cher 69 ① – rattaché à St-Amand-Montrond.

Le BRUGERON 63 P.-de-D. 73 ⑯ – 411 h. alt. 850 – ✉ **63880** Olliergues.

Paris 424 – Ambert 35 – ♦Clermont-Ferrand 70 – ♦St-Étienne 97 – Thiers 35.

Gaudon, ✆ 73 72 60 46, ≤
fermé mi-nov. à mi-déc., dim. soir et lundi hors sais. – **R** 55/175 – 16 – **8 ch** 95/125 – ½ p 124/129.

BRUMATH 67170 B.-Rhin 57 ⑲ – 7 702 h.

Paris 470 – Haguenau 11 – Molsheim 30 – Saverne 30 – ♦Strasbourg 17.

Ville de Paris, 13 r. Gén.-Rampont ✆ 88 51 11 02 – wc wc ☎ P – 30. E VISA
fermé 18 juin au 15 juil. – **R** *(fermé dim. soir et vend.)* 65/180 – 17,50 – **14 ch** 80/200 – ½ p 117/160.

XXX **Écrevisse** avec ch, 4 av. Strasbourg ✆ 88 51 11 08, – wc wc ☎ – 30. AE E VISA
fermé 17 juil. au 7 août, vacances de fév., lundi soir et mardi – **R** 128/295 – 19 – **21 ch** 60/220.

à Mommenheim NO : 6 km par D 421 – ✉ **67670** Mommenheim :

XX **Manoir de la Tour St Georges,** 165 rte Brumath ✆ 88 51 61 78, , – P. AE E VISA
fermé lundi – **R** 88 bc/230, enf. 50.

FORD Gar. Weibel, 6 pl. du Marché ✆ 88 51 12 12

BRUNOY 91 Essonne 61 ①, 101 ㊲ – voir à Paris, Environs.

Le BRUSC 83 Var 84 ⑭ **G. Côte d'Azur** – ✉ **83140** Six-Fours-Plages.

Excurs. à l'île des Embiez★ : Fondation océanographique Ricard★ : ≤★★ en bateau 12 mn.

Paris 833 – Aix-en-Provence 77 – La Ciotat 33 – ♦Marseille 60 – Sanary-sur-Mer 6 – ♦Toulon 15.

XX **St Pierre,** Montée Citadelle ✆ 94 34 02 52, – AE E VISA
fermé mardi soir et merc. du 15 sept. au 15 juin – **R** 80/220.

XX **Mont-Salva,** chemin Mt-Salva ✆ 94 34 03 93, , – P. AE E VISA
fermé 18 janv. au 16 mars, lundi soir et mardi sauf juil.-août – **R** (sauf fêtes) 88/152, enf. 58.

BRUSQUE 12 Aveyron 83 ④ – 527 h. – ✉ **12360** Camares.

Paris 708 – Albi 91 – Béziers 75 – Lacaune 35 – Lodève 50 – Rodez 107 – St-Affrique 35.

La Dent de St-Jean , ✆ 65 99 52 87, ≤ – wc P. ch
6 mars-1er nov. – **R** 65/150 – 17 – **20 ch** 110/155.

BRUYÈRES 88600 Vosges 62 ⑯⑰ – 3 834 h.
Syndicat d'Initiative pl. Stanislas (15 juin-15 sept.) ✆ 29 50 51 33.
Paris 379 – Colmar 68 – Épinal 27 – Gérardmer 23 – Lunéville 55 – Remiremont 30 – St-Dié 25.

XX **Chantecler,** 20 r. Cameroun (1er étage) ✆ 29 50 18 08 – AE ⓓ E VISA
fermé 3 au 24 oct., dim. soir et lundi – **R** 55/150 ꟾ, enf. 35.

à Brouvelieures N : 3,5 km par D 423 et N 420 – ✉ **88600** Bruyères :

Dossmann, ✆ 29 50 20 14 – wc ⋔wc ☎
fermé 12 au 26 sept., 19 déc. au 16 janv. – **R** 58/150 ꟾ – ☕ 18 – **15 ch** 105/200 – 1/2 p 150/190.

BUAIS 50 Manche 59 ⑨⑲ – 776 h. – ✉ **50640** Le Teilleul.
Paris 279 – Domfront 27 – Fougères 34 – Laval 58 – Mayenne 44 – St-Hilaire-du-H. 11 – St-Lô 80.

XX **Rôtisserie Normande,** ✆ 33 59 41 10, Cadre Vieux Normand – Ⓟ. AE E VISA
fermé 20 janv. au 20 fév. et lundi du 15 sept. à Pâques – **R** 55/125.

BUBRY 56310 Morbihan 63 ② – 2 563 h.
Paris 479 – Carhaix-Plouguer 56 – Lorient 34 – Pontivy 22 – Quimperlé 32 – Vannes 53.

Coet Diquel ☞, O : 1 km par VO ✆ 97 51 70 70, ⩽, « Parc », ⛆, ✂ – wc ⋔wc ☎ Ⓟ – 🔼 25 à 30. E VISA. ✻
15 mars-1er déc. – **R** 67/166 – ☕ 22 – **20 ch** 210/265 – 1/2 p 237/265.

BUCHÈRES 10 Aube 61 ⑰ – rattaché à Troyes.

BUCHY 76750 S.-Mar. 55 ⑦ – 1 160 h.
Paris 127 – Les Andelys 43 – Dieppe 46 – Neufchâtel-en-Bray 23 – ♦Rouen 27 – Yvetot 54.

X **Nord,** gare de Buchy NO : 3 km par D 41 ✆ 35 34 40 16 – Ⓟ. E VISA. ✻
fermé 10 nov. au 5 déc., dim. soir et lundi – **R** 44/128 ꟾ.

CITROEN Gar. Guérard, ✆ 35 34 40 33 RENAULT Lucas, ✆ 35 34 40 30

Le BUET 74 H.-Savoie 74 ⑨ – rattaché à Vallorcine.

Le BUGUE 24260 Dordogne 75 ⑯ **G. Périgord Quercy** – 2 784 h.
Voir Gouffre de Proumeyssac★ S : 3 km.
Paris 530 – Bergerac 48 – Brive-la-Gaillarde 73 – Cahors 84 – Périgueux 41 – Sarlat-la-Canéda 32.

Royal Vézère, pl. H. de Ville ✆ 53 07 20 01, Télex 540710, ⩽, « Au bord de la Vézère, sur le toit-terrasse : ⛆ » – ⎈ ☎ ⇔ – 🔼 30 à 150. AE ⓓ E VISA
30 avril-1er oct. – **R** voir rest. **Albuca** ci-après – ☕ 30 – **49 ch** 260/406, 4 appartements 565.

La Ferme Gourmande sans rest, rte Eyzies : 2 km ✆ 53 07 24 97, ⛆ – wc Ⓟ. E VISA – *15 mars-15 nov. et fermé merc. en avril-mai* – ☕ 25 – **8 ch** 150/240.

XXX **L'Albuca,** pl. H. de Ville ✆ 53 07 20 01, Télex 540710, ⩽, 🍽, « Terrasse au bord de la Vézère » – AE ⓓ E VISA
28 avril-1er oct., fermé lundi midi et mardi midi – **R** 110/390, enf. 65.

à Campagne SE : 4 km – ✉ **24260** Le Bugue :

Château, ✆ 53 07 23 50 – Ⓟ. ✻ ch
27 mars-1er nov. – **R** 60/300 – ☕ 25 – **18 ch** 130/200 – 1/2 p 200/250.

CITROEN, LADA, SKODA Casaréjola, ✆ 53 07 20 49

BUIS-LES-BARONNIES 26170 Drôme 81 ③ **G. Alpes du Sud** – 1 957 h.
Syndicat d'Initiative pl. du Champ-de-Mars (avril-mi sept.) ✆ 75 28 04 59.
Paris 691 – Carpentras 40 – Nyons 30 – Orange 49 – Sault 37 – Sisteron 75 – Valence 130.

Lion d'Or ☞ sans rest, sous les Arcades ✆ 75 28 11 31, 🌳 – ⋔wc ☎ ⇔. E VISA. ✻ – *fermé 15 oct. au 15 nov.* – ☕ 23 – **14 ch** 120/210.

PEUGEOT Enguent, ✆ 75 28 09 97 V.A.G Mathieu, ✆ 75 28 05 80
RENAULT Gar. des Platanes, ✆ 75 28 04 92

BUJALEUF 87460 H.-Vienne 72 ⑱⑲ **G. Berry Limousin** – 1 079 h – **Voir** Pont ⩽★.
Paris 421 – Aubusson 64 – Guéret 61 – ♦Limoges 36 – Tulle 87.

H. Alary, r. Lac ✆ 55 69 50 18 – ⋔ ⇔
fermé nov. – **R** 50/90 ꟾ – ☕ 15,50 – **9 ch** 68/90.

BULLY-LES-MINES 62160 P.-de-C. 51 ⑮ – 12 554 h.
Paris 201 – Arras 18 – Béthune 14 – Bruay-en-Artois 18 – Lens 9 – ♦Lille 43.

Moderne et rest. Johnny, 144 r. Gare ✆ 21 29 14 22 – wc ⋔wc Ⓟ. AE E VISA – **R** 55/140 ꟾ – ☕ 16 – **37 ch** 100/150 – 1/2 p 160/200.

PEUGEOT-TALBOT Pruvost-Desfassiaux, 13 r. Roger Salengro ✆ 21 29 12 08

BUSSANG 88540 Vosges 66 ⑧ **G. Alsace et Lorraine** – 1 920 h.

Env. Petit Drumont ✻★★ **NE : 9 km puis 15 mn.**

ℹ Syndicat d'Initiative r. Alsace (saison) ✆ 29 61 50 37.

Paris 419 – Belfort 43 – Épinal 61 – Gérardmer 44 – ♦Mulhouse 49 – Thann 27.

Tremplin, ✆ **29 61 50 30** – wc ☎ P. AE ① E VISA
fermé 30 sept. au 30 oct. et lundi sauf vacances scolaires – **R** 50/130 ₰, enf. 35 – ☕ 20 – **20 ch** 90/210 – ½ p 160/230.

Sources ⛰, **NE : 2,5 km par D 89** ✆ **29 61 51 94,** ←, – TV wc wc ☎. VISA. ✻
R 70/195, enf. 39 – ☕ 24 – **9 ch** 165/230 – ½ p 171/212.

Deux Clefs, ✆ **29 61 51 01,** – wc wc ☎. AE ① E VISA
R 48/96 ₰ – ☕ 20 – **17 ch** 90/180 – ½ p 110/135.

RENAULT Hans, ✆ 29 61 50 32 N

BUSSEAU 23 Creuse 72 ⑩ – ✉ **23150** Ahun.

Paris 361 – Aubusson 30 – Guéret 18.

XX **Viaduc** avec ch, ✆ **55 62 40 62,** ←, – P. AE E VISA. ✻ ch
fermé 15 déc. au 20 janv., dim. soir et lundi – **R** 70/220, enf. 50 – ☕ 25 – **7 ch** 180/220 – ½ p 250.

BUSSIÈRE-POITEVINE 87320 H.-Vienne 72 ⑥ – 1 120 h.

Paris 378 – Confolens 40 – ♦Limoges 61 – Montmorillon 24 – Poitiers 59 – La Souterraine 49.

Le Relais, ✆ **55 68 40 26** –
R 48/80, enf. 25 – ☕ 18 – **10 ch** 110 – ½ p 190/210.

PEUGEOT-TALBOT Sélébran, Le Bourg rte de Gueret-Montluçon ✆ 55 68 40 81 N

RENAULT Lebraud, ✆ 55 68 40 18

BUSSIÈRES 71 S.-et-L. 69 ⑲ **G. Bourgogne** – 393 h. – ✉ **71960** Pierreclos.

Paris 407 – Charolles 46 – Cluny 17 – Mâcon 13 – Roanne 89.

XX **Relais Lamartine** ⛰ avec ch, ✆ **85 36 64 71** – wc ☎ P. AE ① E VISA. ✻ ch
fermé 22 déc. au 2 fév., lundi midi en juil.-août et sept., dim. soir et lundi d'oct. à juin – **R** 140/235 – ☕ 30 – **8 ch** 250/290.

BUTHIERS 77 S.-et-M. 61 ⑪ – rattaché à Malesherbes.

BUXEROLLES 86 Vienne 68 ⑭ – rattaché à Poitiers.

BUZANÇAIS 36500 Indre 68 ⑦ – 4 972 h.

Paris 274 – Le Blanc 48 – Châteauroux 25 – Châtellerault 78 – ♦Tours 64.

Hermitage ⛰, **rte d'Argy** ✆ **54 84 03 90,** – TV wc ☎ P. E VISA
fermé 19 au 27 sept., 1er au 15 janv., dim. soir et lundi – **R** 60/200 ₰, enf. 50 – ☕ 20 – **17 ch** 88/245.

CITROEN Gar. Fontaine, 38 rte de Châteauroux ✆ 54 84 08 39

Ets Chirault, 41 r. Hervault, ✆ 54 84 12 87

CABASSON 83 Var 84 ⑯ – rattaché à Bormes-les-Mimosas.

CABELLOU (Plage du) 29 Finistère 58 ⑪⑮ – rattaché à Concarneau.

CABOURG 14390 Calvados 55 ② **G. Normandie Vallée de la Seine** – 3 249 h. – Casino: A.

18 ✆ **31 91 25 56 par** ⑤ **: 3 km.**

ℹ Office de Tourisme Jardins du Casino ✆ 31 91 01 09.

Paris 225 ③ – ♦Caen 24 ④ – Deauville-Trouville 19 ① – Lisieux 33 ② – Pont-l'Évêque 27 ②.

Plan page suivante

Pullman Gd Hôtel ⛰, **prom. M.-Proust** ✆ **31 91 01 79, Télex 171364,** ←, – TV ☎ P – 25 à 300. AE ① E VISA A e
R 160/200, enf. 80 – ☕ 59 – **68 ch** 720/960.

Le Cottage sans rest, **24 av. Gén. Leclerc** ✆ **31 91 65 61** – TV wc wc ☎. E VISA A s
☕ 25 – **11 ch** 220/270.

à Dives-sur-Mer : Sud du plan – 5 732 h. – ✉ **14160** Dives-sur-Mer.

Voir Halles★ B B.

XX **Guillaume le Conquérant,** 2 r. Hastings ✆ **31 91 07 26,** , « **Ancien relais de poste du XVIe-siècle** » – AE ① E VISA B a
fermé déc., mardi soir et merc. sauf juil.-août – **R** 120/300, enf. 70.

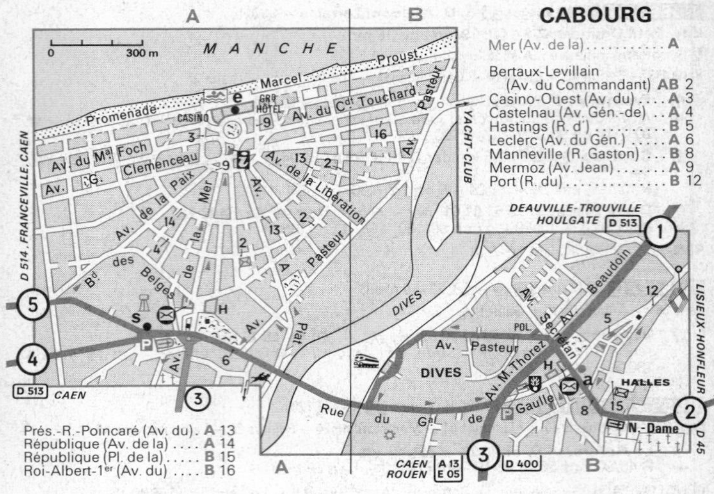

<u>*par*</u> ④ et rte de Gonneville : 7,5 km – ✉ **14860** Ranville :

XXX **Host. Moulin du Pré** ⅋ avec ch, ☎ **31 78 83 68, parc** – wc ☎ **P**. AE ⓓ E VISA. ⅋ ch
fermé oct., 1er au 15 mars, dim. soir et lundi sauf juil.-août et fériés – **R** 190/240 – ☕ 21 – **10 ch** 115/220.

RENAULT Couesnon, 15 r. du Port, à Dives ☎ 31 91 04 51

CABRERETS **46330** Lot 79 ⑨ **G. Périgord Quercy** – 213 h.

Voir Château de Gontaut-Biron★ – ≤★ sur village de la rive gauche du Célé – Grotte du Pech Merle★★ NO : 3 km – Musée de Cuzals★ NE : 5 km.

Paris 596 – Cahors 33 – Figeac 44 – Gourdon 44 – St-Céré 64 – Villefranche-de-Rouergue 42.

Grottes ⅋, ☎ **65 31 27 02**, ≤, ⛱, **« Terrasse sur la rivière »**, ⛱ – wc wc ☎ **P**. E VISA. ⅋ ch
15 mai-30 sept. – **R** *(fermé sam. midi du 15 mai à fin juin)* 58/107 ⅋ – ☕ 19,50 – **18 ch** 100/180 – 1/2 p 127/167.

<u>*à la Fontaine de la Pescalerie*</u> NE : 2,5 km rte Figeac – ✉ **46330** Cabrerets :

La Pescalerie M ⅋, ☎ **65 31 22 55**, ≤, ⛱, **parc** – ☎ **P**. AE ⓓ E VISA
1er avril-1er nov. – **R** (nombre de couverts limité - prévenir) 195/225 – ☕ 45 – **10 ch** 415/560.

CABRIS **06** Alpes-Mar. 84 ⑧, 195 ㉔ – rattaché à Grasse.

CADENET **84160** Vaucluse 84 ③ **G. Provence** – 2 640 h.

Voir Fonts baptismaux★ de l'église.

Env. Abbaye de Silvacane★★ SO : 6,5 km.

Paris 737 – Aix-en-Provence 32 – Apt 23 – Avignon 60 – Manosque 48 – Salon-de-Provence 31.

XX **Aux Ombrelles** avec ch, ☎ **90 68 02 40**, ⛱ – wc ☎ **P**. VISA. ⅋
fermé 1er déc. au 1er fév., dim. soir (sauf hôtel) et lundi hors sais. – **R** 70/185 ⅋ – ☕ 23 – **11 ch** 85/185 – 1/2 p 200/300.

La CADIÈRE-D'AZUR **83740** Var 84 ⑭ **G. Côte d'Azur** – 2 411 h.

Voir ≤★.

ℹ Syndicat d'Initiative Rond-Point R.-Salengro ☎ 94 90 12 56.

Paris 821 – Aix-en-Provence 63 – Brignoles 53 – ♦Marseille 46 – ♦Toulon 22.

Host. Bérard M ⅋, ☎ **94 90 11 43, Télex 400509**, ≤, ⛱, ⛱ – TV wc wc ☎ ⛟ – ⅋ 40. AE E VISA. ⅋
fermé janv. – **R** 140/320, enf. 70 – ☕ 40 – **36 ch** 358/490.

CITROEN Jansoulin, ☎ 94 29 30 36

RENAULT Gar St-Éloi, av. de la Libération ☎ 94 90 12 47

CAEN P 14000 Calvados 55 ⑪⑫ **G. Normandie Cotentin** – 117 119 h.

Voir Abbaye aux Hommes** AY – Abbaye aux Dames BX : Église de la Trinité** – Chevet**, frise** et voûtes** de l'Église St-Pierre* AY **L** – Église et cimetière St-Nicolas* AY **E** – Tour-lanterne* de l'église St-Jean BZ **D** – Hôtel d'Escoville* AY **B** – Château* : musée des Beaux-Arts** AX **M1**, musée de Normandie** AX **M2** – Vieilles maisons* (n°s 52 et 54 rue St-Pierre) AY **K**.

Env. Ruines de l'abbaye d'Ardenne* AV 6 km par ⑩.

Office de Tourisme et Accueil de France (Informations, change et réservations d'hôtels, pas plus de 5 jours à l'avance) pl. St-Pierre ✆ 31 86 27 65, Télex 170353 – A.C.O. 20 av. 6-juin ✆ 31 85 47 35.

Paris 240 ④ – Alençon 102 ⑥ – ♦Amiens 239 ④ – ♦Brest 373 ⑧ – Cherbourg 119 ⑩ – Évreux 121 ⑤ – ♦Le Havre 107 ④ – ♦Lille 344 ④ – ♦Le Mans 151 ⑥ – ♦Rennes 176 ⑧.

Plan page suivante

Relais des Gourmets M, 15 r. Geôle ✉ 14300 ✆ 31 86 06 01, Télex 171657 – 45. AE E VISA — AY t
fermé dim. soir – **R** 210 bc/325 – 42 – **32 ch** 215/540 – ½ p 422/587.

Mercure M, 1 r. Courtonne ✆ 31 93 07 62, Télex 171890 – rest P – 80. AE E VISA — BY b
R 95 bc/150 bc, enf. 35 – 36 – **101 ch** 335/405.

Moderne et rest. 4 Vents, 116 bd Mar.-Leclerc ✆ 31 86 04 23, Télex 171106 – 25. AE E VISA — AY d
R *(fermé dim. soir du 15 oct. au 15 mars)* 85/210, enf. 38 – 36 – **56 ch** 215/410 – ½ p 336/624.

Malherbe sans rest, pl. Foch ✉ 14300 ✆ 31 84 40 06, Télex 170555 – 30. AE E VISA — BZ z
40 – **44 ch** 240/435.

Métropole sans rest, 16 pl. Gare ✉ 14300 ✆ 31 82 26 76, Télex 170165 – wc wc. AE E VISA. — BZ y
22 – **71 ch** 110/225.

France sans rest, 10 r. Gare ✉ 14300 ✆ 31 52 16 99 – wc wc P – 30. E VISA. — BZ h
fermé 20 déc. au 5 janv., sam. soir et dim. soir en janv. et fév. – 23 – **47 ch** 160/250.

Quatrans sans rest, 17 r. Gemare ✉ 14300 ✆ 31 86 25 57 – wc wc. E VISA. — AY p
20 – **36 ch** 130/260.

Bristol sans rest, 31 r. 11-Novembre ✉ 14300 ✆ 31 84 59 76 – wc wc. AE E VISA — BZ v
19 – **25 ch** 100/200.

Royal sans rest, 1 pl. République ✉ 14300 ✆ 31 86 55 33 – wc wc. E VISA — AY e
19 – **45 ch** 150/240.

Armor sans rest, 18 r. Gare ✉ 14300 ✆ 31 82 37 32 – wc. AE E VISA — BZ k
20 – **17 ch** 100/175.

Central sans rest, 23 pl. J.-Letellier ✉ 14300 ✆ 31 86 18 52 – . VISA — AY u
20 – **25 ch** 120/190.

XXX ✿ **La Bourride** (Bruneau), 15 r. Vaugueux ✆ 31 93 50 76, « Maison du vieux Caen » – AE VISA — BX x
fermé 15 au 30 août, 3 au 24 janv., dim. et lundi – **R** (nombre de couverts limité, prévenir) 213/356
Spéc. Bourride, Pigeonneau en croûte de sel et gousses de vanille, Fricassée d'andouille au vinaigre de cidre.

XXX **Le Dauphin** avec ch, 29 r. Gemare ✉ 14300 ✆ 31 86 22 26, Télex 171707 – wc wc P. AE E VISA — AY a
fermé 15 juil. au 12 août et vacances de fév. – **R** *(fermé sam.)* 78/290 – 26 – **21 ch** 215/330.

XXX **Echevins,** 35 rte Trouville, vers ③ ✉ 14300 ✆ 31 84 10 17, parc – P. AE E VISA — AY s
fermé 5 au 26 juil., vacances de fév. et dim. soir de mars à juil. – **R** 140/290, enf. 65.

XX **L'Écaille,** 13 r. de Geôle ✉ 14300 ✆ 31 86 49 10, Télex 171657, produits de la mer – AE E VISA — AY t
fermé sam. midi et lundi – **R** 120 bc/200 bc.

XX **St Andrew's,** 9 quai Juillet ✉ 14300 ✆ 31 86 26 80 – AE E VISA — BZ f
fermé dim. – **R** 75/120.

XX **La Petite Cale,** 18 quai Vendeuvre ✉ 14300 ✆ 31 86 29 15 – E VISA — BY n
fermé 1er au 25 août, dim. et fêtes – **R** 108.

XX **Gastronome,** 43 r. St Sauveur ✆ 31 86 57 75 – AE VISA
fermé 1er au 12 août, dim. soir et lundi – **R** 68/115.

tourner →

CAEN

Alliés (Bd des) . . . . ABY 2
Ecuyère (R.) . . . . AY 17
Guillouard (Pl. L.) . . . . AY 23
Leclerc (Bd Mar.) . . . . AYZ 26
St-Jean (R.) . . . . BYZ
St-Pierre (R.) . . . . AY 47
Strasbourg (R. de) . . . . . . AY 50
6-Juin (Av. du) . . . . BZY

Bernières (R. de) . . . . . . ABY 7
Clemenceau (Av. G.) . . . . BV 9
Côte-Fleurie (Rte de la) . . . . AV 10
Courtonne (Pl.) . . . . BY 13
Délivrande (R. de la) AV, BX 16
G.-le-Conquérant (R.) . . . . AY 20
Havre (R. du) . . . . BZ 24
Juifs (R. aux) . . . . AX 25
Libération (Av. de la) . . ABX 27
Montalivet (Cours) . . BV, BZ 28

Montoir-Poissonnerie (R.) . . . . . AY 29
Pasteur (R.) . . . . BV 33
Père Ch. de Foucauld (Av.) . . . . . ABV 34
République (Pl. de la) . . . AY 35
Richemond (Bd) . . . . AV 36
St-Manvieu (R.) . . . . AY 45
Vaucelles (R. de) . . . . BZ 52
Vaugueux (R. du) . . . . BX 53
Verdun (Av. de) . . . . BZ 55

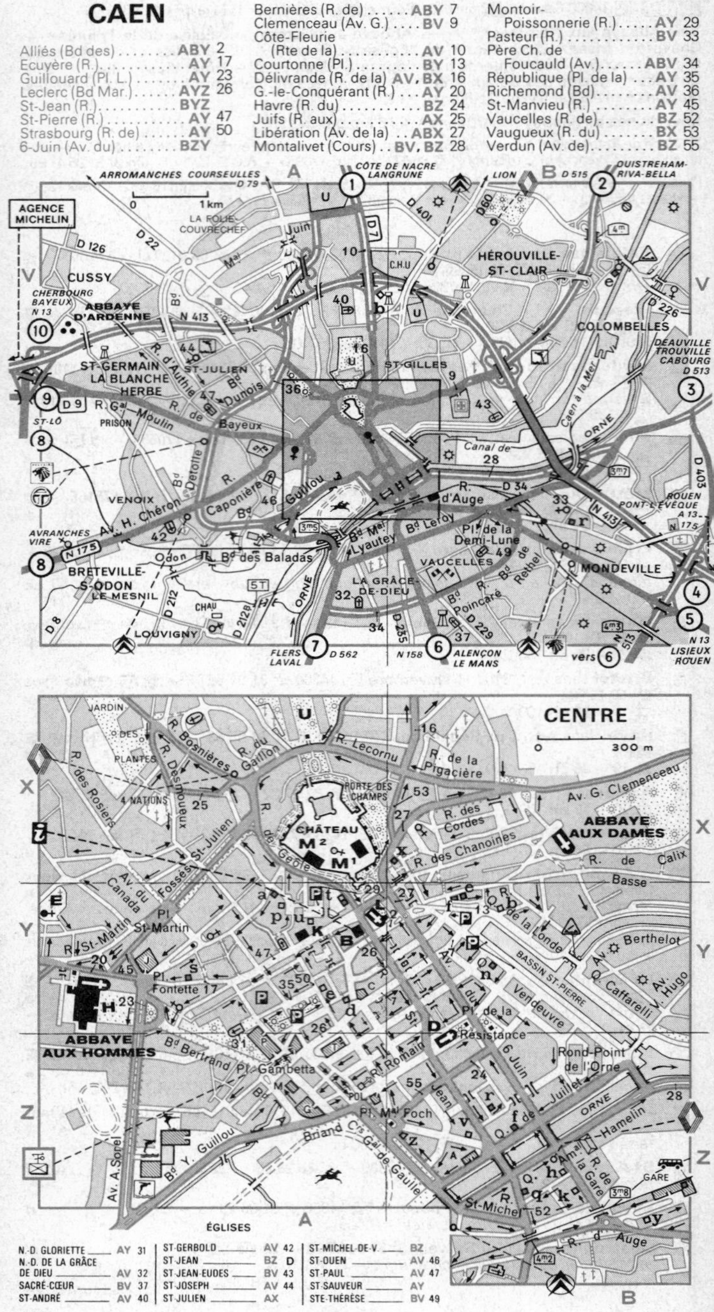

ÉGLISES

N.-D. GLORIETTE	AY 31	ST-GERBOLD	AV 42	ST-MICHEL-DE-V.	BZ
N.-D. DE LA GRÂCE DE DIEU	AV 32	ST-JEAN	BZ D	ST-OUEN	AV 46
SACRÉ-CŒUR	BV 37	ST-JEAN-EUDES	BV 43	ST-PAUL	AV 47
ST-ANDRÉ	AV 40	ST-JOSEPH	AV 44	ST-SAUVEUR	AY
		ST-JULIEN	AX	STE-THÉRÈSE	BV 49

XX **Pub William's,** pl. Courtonne ✆ **31 93 45 52** – ▤. E VISA — BY **e**
fermé 1er au 22 août, dim. et fériés – **R** 59 bc.

XX **Alcide,** 1 pl. Courtonne ✆ **31 93 58 29** – E VISA — BY **f**
fermé juil., 24 au 31 déc. et samedi – **R** 57/98 ♁.

X **Le Chalut,** 3 r. Vaucelles ✉ **14300** ✆ **31 52 01 06** – VISA — BZ **q**
fermé 2 au 15 janv., mardi de sept. à mai et lundi – **R** 50/148.

X **Poêle d'Or,** 7 r. Laplace ✆ **31 85 39 86** – AE E VISA — BZ **r**
fermé 24 déc. au 4 janv., sam. et dim. – **R** 39/53 ♁.

rte de Douvres (bretelle du bd périphérique) – ✉ **14000** Caen :

Novotel M, ✆ **31 93 05 88, Télex 170563,** ⛱, ⛱ – |‡| ▤ rest TV ☎ ♿ P – 200. AE ◑ E VISA — AV **b**
R snack carte environ 120, enf. 44 – ☕ 38 – **126 ch** 335/355.

à Hérouville St-Clair 3 km – 24 470 h – ✉ **14200** Hérouville :

X **L'Espérance** ⛱ avec ch, **r. Abbé Allix, bord du canal** ✆ **31 44 97 10,** ← – ⛱ P – 30. E VISA. ✻ ch — BV **e**
fermé 8 août au 2 sept., dim. soir et lundi en hiver – **R** carte 80 à 200 – ☕ 22 – **10 ch** 90/120 – 1/2 p 170.

à Mondeville : 3, 5 km – 9 629 h – ✉ **14120** Mondeville :

XX **Les Gourmets,** 41 r. Emile Zola ✆ **31 82 37 59** – E VISA. ✻ — BV **r**
fermé 1er au 21 août, dim. soir et sam. – **R** 65/140.

à Louvigny S : 4,5 km – ✉ **14111** Louvigny :

XXX **Aub. de l'Hermitage,** au bord de l'Orne ✆ **31 73 38 66** – VISA
fermé 24 août au 15 sept., vacances de fév., dim. soir et lundi – **R** 145/190.

à Bénouville par ② : 10 km – ✉ **14970** Bénouville :

XXX ✻ **Manoir d'Hastings et la Pommeraie** (Scaviner) M ⛱ avec ch, ✆ **31 44 62 43, Télex 171144, « Prieuré du 17e s., jardin »** – TV ⛱wc ☎ P. AE ◑ VISA
fermé 1er au 15 fév. – **R** 160/370 – **11 ch** ☕500/850 – 1/2 p 560/650
Spéc. Oeufs coque en surprise, Homard au cidre brut, Blanc de turbot "René Gilbert".

à La Jalousie par ⑥ : 13 km – ✉ **14540** Bourguébus :

XX **Aub. de la Jalousie** avec ch, **N 158** ✆ **31 23 51 69** – TV ⛱wc ☎ P. AE E VISA. ✻ rest
hôtel : fermé fév. et lundi hors sais. sauf fériés ; rest. : fermé fév. dim. soir et lundi sauf fériés – **R** 52/160, enf. 35 – ☕ 20 – **12 ch** 96/220 – 1/2 p 165/250.

à Fleury-sur-Orne par ⑦ : 4 km – ✉ **14123** Ifs :

XX **Ile Enchantée,** au bord de l'Orne ✆ **31 52 15 52,** ← – AE ◑ VISA
fermé 1er au 22 août, 8 au 16 fév., dim. soir et lundi – **R** 100/230.

MICHELIN, Agence régionale, Z.I. Carpiquet, rte Bayeux par ⑩ ✆ **31 26 68 19**

AUSTIN-ROVER-JAGUAR Gar. J.F.C. 6 pl. Courtonne ✆ 31 95 42 23
BMW Regnault, 19 prom. du Fort ✆ 31 86 17 61
CITROEN Succursale, rte de Lion-sur-Mer ✆ 31 47 52 82 N
CITROEN Lenrouilly, 35 av. Chéron ✆ 31 74 55 98
CITROEN Gar. St Michel, 13 r. du puits de Jacob, ✆ 31 82 37 51
FORD Viard, 6 av. de Paris ✆ 31 82 09 98
MERCEDES-BENZ Gar. Royal, 30 av. de Paris ✆ 31 82 38 42 N ✆ 31 82 45 55
PEUGEOT, TALBOT Sté Ind. Auto de Normandie, 36 bd André Detolle ✆ 31 74 55 50
RENAULT Succursale, 2 r. de la Gare ✆ 31 82 21 22
RENAULT Gar. Allais, 550 chemin du Val à Ifs, par ⑥ ✆ 31 82 33 31
RENAULT Gar. Université, 18 r. Bosnières ✆ 31 85 49 63
V.A.G Auto-Technic, ZI Nord-Est rte de Lion-sur-Mer ✆ 31 47 56 37
VOLVO Modern'Gar., 79 et 81 av. Henry-Chéron ✆ 31 74 53 09

◉ Clabeaut-Pneu, 13 prom. du Fort ✆ 31 86 12 05
Vallée-Pneus, 2 r. du Chemin Vert ✆ 31 74 44 09

Périphérie et environs

ALFA-ROMEO, TOYOTA Inter-Auto, Zone Ind. de la Sphère à Hérouville ✆ 31 47 52 31
CITROEN Petit Gar., 8 rte Paris, Mondeville ✆ 31 82 20 28
DATSUN, OPEL Transac-Auto ZI Sphère à Hérouville ✆ 31 94 74 23
FIAT Caen-Auto-Service, Zone Ind. de la Sphère à Hérouville ✆ 31 47 64 25
PEUGEOT Gar. Marie, 42 rte de Paris à Mondeville ✆ 31 52 19 32
PEUGEOT TALBOT Gar. Caen Sud, 619 r. de Caen à Ifs par ⑥ ✆ 31 82 32 33
RENAULT Succursale, r. Pasteur à Hérouville ✆ 31 47 59 65
RENAULT Gar. Varon, av. de la Liberté à Colombelles par D 226 ✆ 31 72 41 19
Gar. de l'Étoile, 7 rte de Paris à Mondeville ✆ 31 52 02 34

◉ Clabeaut-Pneu, Zone Ind., rte de Paris, Mondeville ✆ 31 82 30 93
Laguerre, Zone Ind. de la Sphère à Hérouville ✆ 31 93 75 24
Lagueste Pneus, à Ifs ✆ 31 52 08 39
Vallée-Pneus, Zone Ind. Mondeville-Sud à Grentheville ✆ 31 82 37 15

CONSTRUCTEUR : RENAULT Véhicules Industriels, à Blainville-sur-Orne ✆ **31 84 81 33**

CAGNES-SUR-MER 06800 Alpes-Mar. 84 ⑨, 195 ㉕ **G. Côte d'Azur** – 35 426 h.

Voir Haut-de-Cagnes★ X – Château-musée★ X : patio★★, ☼★ de la tour – Musée Renoir Y **M1** : Paysages des Collettes★, Vénus★ (jardin).

ℹ Office de Tourisme 6 bd Mal.-Juin ✆ 93 20 61 64.

Paris 919 ⑤ – Antibes 10 ④ – Cannes 21 ⑤ – Grasse 26 ⑥ – ♦Nice 13 ② – Vence 9 ①.

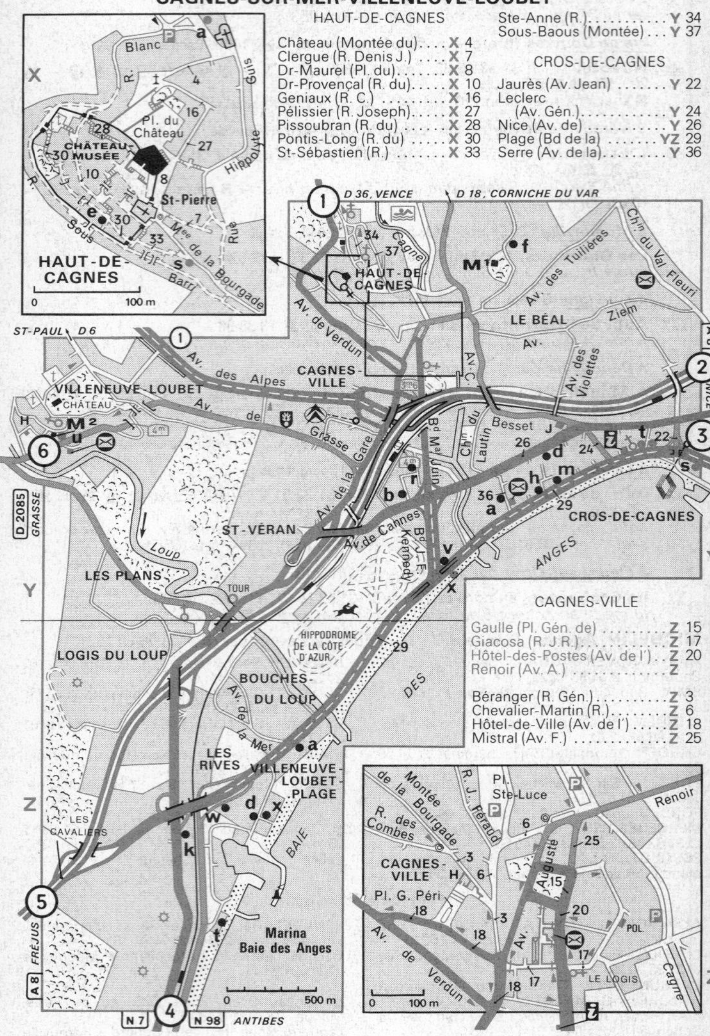

Pour vos promenades du dimanche

la carte Michelin 170

" Sports et loisirs Environs de Paris "

Le Cagnard M, r. Pontis-Long au Haut-de-Cagnes ✆ 93 20 73 21, Télex 462223, ←, – ☎ P. AE ① E VISA X e
R *(fermé 1er nov. au 18 déc. et jeudi midi)* 310/400 – ☕ 50 – **10 ch** 310/550, 9 appartements 680/1100
Spéc. Gateau d'aubergines et artichauts au foie de canard. Filet d'agneau aux herbes fraîches. Millefeuille aux fruits rouges. **Vins** Bellet, Côtes de Provence.

Tiercé H. M sans rest, **33 bd Kennedy ✆ 93 20 02 09**, ← – TV wc ☎ P. E VISA. Y v
☕ 26 – **23 ch** 260/370.

Brasilia M sans rest, **chemin Grands Plans ✆ 93 20 25 03** – TV wc ☎ P. AE ① E VISA Y r
☕ 22 – **18 ch** 230/358.

Les Collettes sans rest, **38 chemin des Collettes ✆ 93 20 80 66**, ← – cuisinette wc ☎ P. VISA Y f
fermé 15 nov. au 15 janv. – ☕ 30 – **13 ch** 250/385.

Le Derby, 26 av. Germaine ✆ 93 20 08 57, – TV wc ☎ P. VISA Y b
fermé 1er au 15 nov. – **R** 60/103 – ☕ 17 – **13 ch** 130/220 – 1/2 p 195/240.

Peintres, 71 montée Bourgade au Haut de Cagnes ✆ 93 20 83 08 – . AE E VISA X s
fermé merc. – **R** 110/155.

Josy-Jo, 2 r. Planastel ✆ 93 20 68 76, – E VISA X a
fermé dim. – **R** carte 150 à 240.

Le Neptune, bd Plage ✆ 93 20 10 59, ←, , – P. VISA Y x
R 127/175.

à Cros-de-Cagnes SE : 2 km – ✉ **06800** Cagnes-sur-Mer.

Syndicat d'Initiative 20 r. des Oliviers (Cagnes-Le Cros) ✆ 93 07 67 08.

Horizon sans rest, **111 bd Plage ✆ 93 31 09 95**, ← – cuisinette wc wc ☎ P. AE ① VISA Y k
fermé 15 nov. au 15 déc. – **44 ch** ☕ 200/400.

Le Minaret sans rest, **av. Serre ✆ 93 20 16 52**, – cuisinette wc wc ☎ P. Y a
☕ 18 – **20 ch** 160/225.

La Pinède, 32 bd Plage ✆ 93 20 16 05, ←, – wc P Y h
14 ch.

Beaurivage, 39 bd Plage ✆ 93 20 16 09, ← – wc ☎ P. E VISA Y m
fermé 12 au 27 nov. – **R** 60/165 – ☕ 16 – **21 ch** 105/190 – 1/2 p 145/205.

Mas d'Azur sans rest, **42 av. Nice ✆ 93 20 19 19** – wc wc ☎ P. E VISA Y d
fermé dim. du 1er nov. au 1er avril – ☕ 20 – **15 ch** 175/300.

La Réserve (Bertho), **91 bd Plage ✆ 93 31 00 17** – . E VISA. Y t
fermé 30 juin au 5 sept., 23 déc. au 2 janv., sam., dim. et fériés – **R** (nombre de couverts limité - prévenir) carte 185 à 295
Spéc. Soupe de poissons de roches, Panaché de crevettes et St Jacques au four, Poissons aux cèpes (sept. à juin). **Vins** Bellet, Côtes de Provence.

Villa du Cros, Port du Cros ✆ 93 07 57 83, – . AE ① E VISA Y s
fermé nov., vacances de fév., dim. soir et lundi sauf fériés – **R** 100/250.

Aub. du Port avec ch, **93 bd Plage ✆ 93 07 25 28**, – cuisinette TV wc ☎. AE ① E VISA Y t
fermé 2 nov. au 26 déc. et merc. sauf juil.-août – **R** 95/160 – ☕ 25 – **5 ch** 250 – 1/2 p 250.

La Bourride, Port du Cros ✆ 93 31 07 75, – AE E VISA Y e
fermé fév. et merc. sauf juil.-août – **R** 120/230, enf. 50.

au Hameau du Soleil NO : 3,5 km par D 6 - Y – ✉ **06270** Villeneuve-Loubet :

Hamotel sans rest, **✆ 93 20 86 60, Télex 970944** – TV ☎ P – 25. AE ① E VISA
fermé 1er au 15 déc. – ☕ 28 – **32 ch** 230/300.

CITROEN Gar. de l'Avenir, 6 r. des Reynes ✆ 93 20 67 24 N ✆ 93 73 19 10
FORD Coll-Auto-Sce, 81 bis av. Gare ✆ 93 20 98 26
LADA-SEAT Gar. du Stade, 5 av. de Nice ✆ 93 73 26 06
PEUGEOT-TALBOT Ortelli, rte la Pénétrante quartier St-Jean par av. des Alpes Y ✆ 93 20 30 40
RENAULT Succursale, 104 bd de la Plage à Cros-de-Cagnes ✆ 93 31 31 31 N ✆ (1)42 52 82 82 et 2 bd Armée des Alpes à Nice CT ✆ 93 89 27 57 N ✆ (1)42 52 82 82

Cent. Auto Bilans Tritons, N7 à Cros-de-Cagnes ✆ 93 31 06 78 N ✆ 93 22 60 99

Massa-Pneus, 40 av. des Alpes ✆ 93 20 94 01
Pneu-Service, 156 rte de Nice, N 7 ✆ 93 31 17 07

CAGNOTTE 40 Landes 78 ⑦ – 472 h. – ✉ 40300 Peyrehorade.

Paris 748 – •Bayonne 43 – Dax 14 – Pau 76.

Boni, ✆ 58 73 03 78, ⌂, ⛱ – ⋔wc ☎ Ⓟ. VISA. ✻ rest
début mars-mi-déc. et fermé dim. soir et lundi d'oct. à juin – **R** 70/180 – ☕ 22 – **10 ch** 120/150 – ½ p 140/200.

CAHORS Ⓟ **46000** Lot 79 ⑧ **G. Périgord Quercy** – 20 774 h.

Voir Pont Valentré★★ AZ – Cathédrale★ BY E : portail Nord★★ et cloître★ – ⋞★ du pont Cabessut BY – Croix de Magne ⋞★ O : 5 km par D 27 AZ – Barbacane et tour St-Jean★ ABY K – Env. Mont-St-Cyr ⋞★ BZ 7 km par D 6.

ℹ Office de Tourisme pl. A.-Briand ✆ 65 35 09 56 – A.C. Chambre de Commerce, 107 quai Cavaignac ✆ 65 35 24 97.

Paris 590 ① – Agen 104 ① – Albi 108 ④ – Aurillac 131 ② – Bergerac 105 ① – •Bordeaux 218 ① – Brive-la-Gaillarde 103 ① – Castres 138 ④ – Montauban 61 ④ – Périgueux 123 ①.

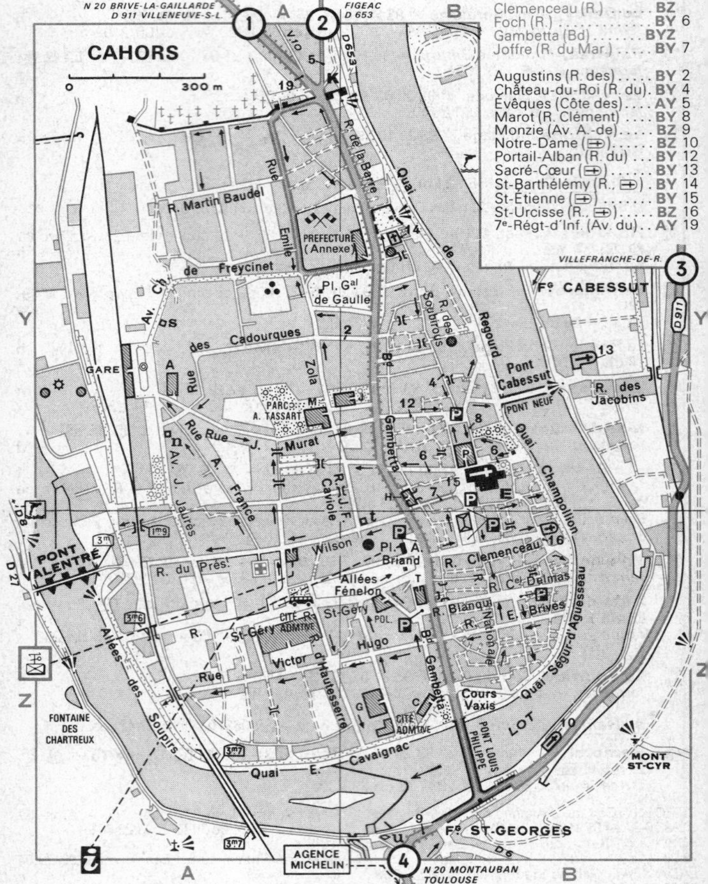

Clemenceau (R.)	BZ
Foch (R.)	BY 6
Gambetta (Bd)	BYZ
Joffre (R. du Mar.)	BY 7
Augustins (R. des)	BY 2
Château-du-Roi (R. du)	BY 4
Évêques (Côte des)	AY 5
Marot (R. Clément)	BY 8
Monzie (Av. A.-de)	BZ 9
Notre-Dame (⊞)	BZ 10
Portail-Alban (R. du)	BY 12
Sacré-Cœur (⊞)	BY 13
St-Barthélémy (R., ⊞)	BY 14
St-Étienne (⊞)	BY 15
St-Urcisse (R., ⊞)	BZ 16
7e-Régt-d'Inf. (Av. du)	AY 19

Wilson Ⓜ sans rest, 72 r. Prés.-Wilson ✆ 65 35 41 80, Télex 521455 – 🛗 TV ☎ Ⓟ – 🏋 25. E VISA — BZ **t**
☕ 22 – **35 ch** 234/342.

France Ⓜ sans rest, 252 av. J.-Jaurès ✆ 65 35 16 76, Télex 520394 – 🛗 TV ☎ 🚗 Ⓟ – 🏋 50. AE ⊕ E VISA. ✻ — AY **n**
fermé 20 déc. au 6 janv. – ☕ 23 – **79 ch** 155/240.

H. La Chartreuse, fg St-Georges ✆ 65 35 17 37, ≤ – TV ⇔wc ⋒wc ☎ P – 120. E VISA BZ **u**
fermé 24 déc. au 5 janv. – **La Chartreuse** *(fermé 1er au 15 nov. et lundi)* **R** 50/150 – ☕ 26 – **34 ch** 150/300.

Terminus, 5 av. Ch.-de-Freycinet ✆ **65 35 24 50** – ⧉ ⇔wc ⋒wc ☎. AE E VISA. ✱ AY **s**
Le Balandre *(fermé 20 au 27 juin, 1er au 15 fév., dim. soir et lundi hors sais. et sam. midi en sais.)* **R** 80/220 – ☕ 23 – **31 ch** 170/260.

rte de Luzech par ① : 3,5 km à Labéraudie – ✉ **46090** Cahors :

Le Clos Grand ⚘, ✆ 65 35 04 39, ⛱, ⚘ – ⋒wc ☎ P. E VISA. ✱ ch
R *(fermé 25/6 au 4/7, 24/9 au 10/10, 24/12 au 2/1, 10/3 au 19/3, sam. sauf le soir du 4/7 au 12/9 et dim. soir)* 55/180 ♁, enf. 45 – ☕ 17 – **21 ch** 110/170 – 1/2 p 170/200.

à Mercuès par ① : 9 km – ✉ **46090** Cahors :

Château de Mercuès ⚘, ✆ **65 20 00 01, Télex 521307,** ≤ **vallée du Lot,** ⛱, **parc,** ⛱, ✂ – ⧉ TV ☎ P – ⚑ 60. AE ⊙ E VISA
1er avril-2 nov. – **R** 170/235 – ☕ 50 – **16 ch** 500/900, 7 appartements 900/1530 – 1/2 p 600/1200.

Les Cèdres ⚘ sans rest, ✆ **65 30 95 65, parc,** ⛱, ✂ – ⇔wc ☎ P. AE ⊙ E VISA
1er avril-2 nov. – **R** voir **Château de Mercuès** – ☕ 50 – **22 ch** 340/425.

à Lamagdelaine par ② : 7 km – ✉ **46090** Lamagdelaine :

XXX **Marco,** ✆ **65 35 30 64,** ⛱, ⚘ – P. AE E VISA
fermé 26 oct au 4 nov., 7 janv. au 6 mars, dim. soir et lundi du 15 sept. au 15 juin – **R** 100/230, enf. 60.

au Montat par ④ et D 47 : 8,5 km – ✉ **46090** Cahors :

XXX **Les Templiers,** ✆ **65 21 01 23** – VISA
fermé 1er au 12 juil., 15 janv. au 15 fév., dim. soir (sauf juil.-aôut) et lundi – **R** 78/190, enf. 55.

route de Toulouse par ④ : 13 km – ✉ **46230** Lalbenque :

H. Aquitaine M, ✆ **65 21 00 51, Télex 532570,** ≤, ⛱ – ⧉ TV ⇔wc ☎ P – ⚑ 50. AE ⊙ E VISA
Aquitaine *(fermé 2 au 20 janv., dim. soir, lundi midi et merc. midi du 15 sept. au 15 avril)* **R** 70/145 ♁, enf. 38 – ☕ 25 – **44 ch** 240/290 – 1/2 p 200/300.

MICHELIN, Agence, Z.I. de l'Aérodrome Cahors - L'Albenque - Le Montat par ④ ✆ **65 21 00 01**

CITROEN Quercy Autom., rte de Toulouse par ④ ✆ 65 35 27 61
MERCEDES-BENZ, V.A.G. Gar. Navarre, rte de Toulouse ✆ 65 35 77 00
PEUGEOT-TALBOT Gd Gar. du Boulevard, rte de Toulouse par ④ ✆ 65 35 16 57

RENAULT Gar. Noyer, rte de Toulouse par ④ ✆ 65 35 15 95

Ⓜ Central Pneu, rte de Toulouse ✆ 65 35 09 02
Desprat, 129 bd Gambetta ✆ 65 35 04 36
Vidaillac A., av. de Paris ✆ 65 35 06 36
Vidaillac J.-L., 68 bd Gambetta ✆ 65 35 32 17

CAJARC 46160 Lot 79 ⑨ G. Périgord Quercy – 1 184 h.

Syndicat d'Initiative pl. Foirail (15 juin-15 sept.) ✆ 65 40 72 89 et à la Mairie (hors saison) ✆ 65 40 65 20.

Paris 602 – Cahors 51 – Figeac 25 – Villefranche-de-Rouergue 26.

au NE : 9 km sur D 662 – ✉ **46160** Cajarc :

XX **La Ferme de Montbrun,** ✆ 65 40 67 71, ≤, ⛱ – P. VISA
Pâques-1er oct. et fermé merc. sauf juil.-août – **R** 120 ♁.

CALAIS ⟨SP⟩ 62100 P.-de-C. 51 ② G. Flandres Artois Picardie – 76 935 h. – Casino.

Voir Monument des Bourgeois de Calais★★ Y – Phare ✳ ★★ X E – Musée★ X M.

🚗 ✆ **21 80 50 50.**

Office de Tourisme et Accueil de France (Informations et réservations d'hôtels, pas plus de 5 jours à l'avance) 12 bd Clemenceau ✆ 21 96 62 40, Télex 130886.

Paris 292 ② – ♦Amiens 155 ③ – Boulogne-sur-Mer 34 ③ – Dunkerque 43 ① – ♦Le Havre 283 ③ – ♦Lille 112 ① – Oostende 98 ① – ♦Reims 271 ② – ♦Rouen 219 ③ – St-Omer 40 ②.

Plan page suivante

Meurice ⚘ sans rest, 5 r. E.-Roche ✆ **21 34 57 03,** ⚘ – ⧉ TV ☎ 🚗. AE ⊙ VISA
☕ 28 – **40 ch** 215/260. X **v**

George V, 36 r. Royale ✆ **21 97 68 00, Télex 135159** – TV ⇔wc ☎ P. AE ⊙ E VISA X **d**
R *(fermé 21 déc. au 4 janv., sam. midi et dim. soir)* 130 ♁ – ☕ 25 – **45 ch** 190/260.

Bellevue sans rest, 23 pl. Armes ✆ **21 34 53 75, Télex 136702** – ⧉ TV ⇔wc ⋒wc ☎ ♿ P. AE ⊙ E VISA X **a**
☕ 20 – **56 ch** 135/225.

CALAIS

DOUVRES, FOLKESTONE
GARE AÉROGLISSEUR (HOVERPORT)
FLAQUE A GUERLETTES
GARE MARITIME
BASE DE VOILE
PLAGE
Digue G. Berthe
WISSANT 20 km
Bd Gal de Gaulle
Pont mobile
R. du Nord
Q. de la Loire
D 940
D 119
Bd du 8 Mai
Rue Mollien
ST-JOSEPH
R. Bossuet
R. A. France
Av. Louis Blériot
Bd Lafayette
R. de Verdun
N 1
Bd L. Gambetta
N 1-E 40
43 km DUNKERQUE
N 43-E 15
BOULOGNE-SUR-MER 34 km
N.-D. DES ARMÉES
Bd Einstein
R. du Four à Chaux
ST-PIERRE
Pont mobile
SAINT-BENOIT-LABRE
Bd Curie
D 245
0 500 m
ST-OMER 40 km

Street	Square	No.
Fontinettes (R. des)	V	14
Gambetta (Bd Léon)	Z	
Jacquard (Bd)	Z	
Lafayette (Bd)	Z	
Pasteur (Bd)	Z	
Royale (R.)	X	36
Amsterdam (R. d')	Y	2
Angleterre (Pl. d')	X	3
Barbusse (Pl. Henri)	X	5
Bonningue (R. Cdt)	X	7
Bruxelles (R. de)	Y	8
Égalité (Bd de l')	V	10
Escaut (Quai de l')	Y	12
Foch (Pl. Mar.)	Y	13
George-V (Pont)	Y	15
Gerschell (R. André)	X	16
Hagueneau (R. de)	V	18
Jacquard (Pont)	Y	19
Maubeuge (R. de)	V	23
Mer (R. de la)	X	24
Notre-Dame (R.)	X	26
Paix (R. de la)	X	27
Paul-Bert (R.)	Y	28
Phalsbourg (R. de)	V	30
Prés.-Wilson (Av.)	Y	31
Quatre-Coins (R.)	Z	32
Rhin (Quai du)	Y	33
Richelieu (R.)	YZ	34
Rome (R. de)	Y	35
Soldat-Inconnu (Pl.)	Y	37
Tamise (Quai de la)	Y	40
Thermes (R. des)	X	41
Valenciennes (R. de)	V	42
Varsovie (R. de)	Y	43
Vauxhall (R. du)	Z	44
Victor-Hugo (Bd)	V	46

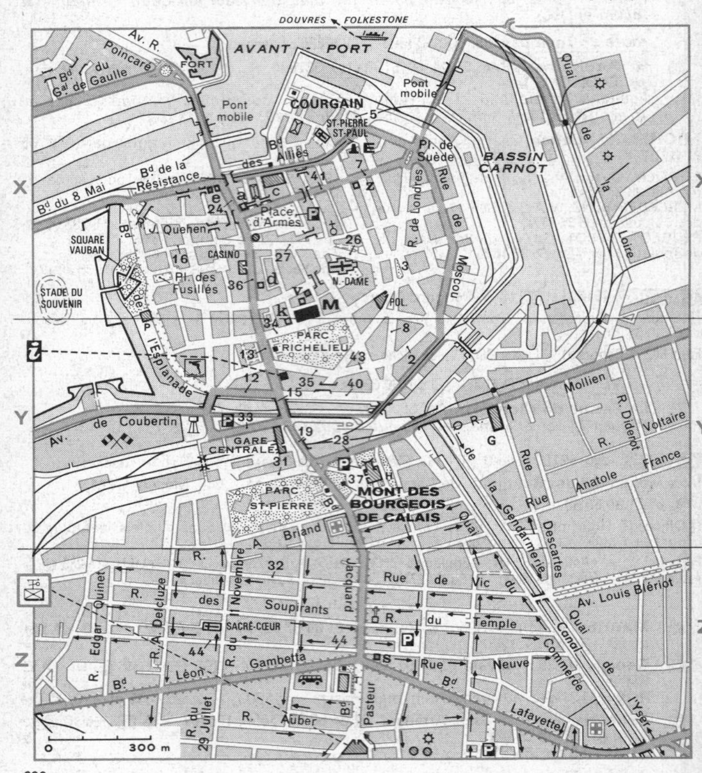

Windsor sans rest, 2 r. Cdt-Bonningue ✆ 21 34 59 40 – ⌂wc ⋒wc ☎ ⇔. AE ⓓ E VISA. ✻ X z
☕ 18 – **15 ch** 100/210.

Ibis, ZUP Beau Marais, r. Greuze ✆ 21 96 69 69, Télex 135004 – TV ⌂wc ☎ ♿ Ⓟ – 🏠 30. E VISA V n
R *(fermé dim. sauf le soir du 1er mars au 31 oct.)* carte 75 à 120 ⓑ, enf. 34 – ☕ 26 – **55 ch** 215/235.

Climat de France ⛵, Plage de Calais ✆ 21 34 64 64, Télex 135300 – TV ⌂wc ☎ ♿ Ⓟ – 🏠 30. AE E VISA V b
R 70/90 ⓑ, enf. 45 – ☕ 28 – **44 ch** 250 – 1/2 p 365/385.

Richelieu sans rest, 17 r. Richelieu ✆ 21 34 61 60 – ⌂wc ⋒wc ⇔. AE ⓓ E VISA XY k
☕ 19 – **15 ch** 180/195.

Albert 1er sans rest, 53 r. Mer ✆ 21 34 36 08 – TV ⌂wc ⋒wc ⇔. ⓓ E VISA X e
☕ 20 – **15 ch** 170/220.

✕✕ **Le Channel,** 3 bd Résistance ✆ 21 34 42 30 – AE ⓓ E VISA X e
fermé 6 au 16 juin, 20 déc. au 15 janv., dim. soir et mardi – **R** 62/210 bc.

✕✕ **La Duchesse,** 44 r. Duc-de-Guise ✆ 21 97 59 69 – AE ⓓ E VISA X v
R *(fermé sam. midi)* 98/250 ⓑ, enf. 50.

✕✕ **Côte d'Argent,** Plage de Calais ✆ 21 34 68 07, ≤ – AE ⓓ E VISA V u
fermé le soir (sauf sam.) d'oct. à mars – **R** 60/199, enf. 40.

✕ Moulin à Poivre, 10 r. Neuve ✆ 21 96 22 32 Z s

à Blériot-Plage par ④ : 2 km – ✉ **62231** Coquelles :

✕✕ **Dunes** avec ch, ✆ 21 34 54 30 – ⋒wc Ⓟ. AE ⓓ VISA
fermé dim. soir et lundi hors sais. – **R** 75/180 – ☕ 18 – **13 ch** 100/190.

AUSTIN, ROVER Littoral AutoCalais, r. G.-Courbet ✆ 21 96 14 41
BMW Gar. Lengaigne, 229 bis bd Victor-Hugo ✆ 21 97 23 96
FORD Gar. Europe, 58 rte St-Omer ✆ 21 34 35 75
PEUGEOT-TALBOT Calais Nord Autom., 361 av. A.-de-St-Exupéry par ① ✆ 21 96 72 42 N
RENAULT Gar. Dieu, 58 av. A.-de-St-Exupéry par ① ✆ 21 97 20 99 N
V.A.G. Gar. Ricquart, Zone Ind. Beau Marais r. Courbet ✆ 21 97 34 32

Ⓜ Argot, 62 av. A.-de-St-Exupéry ✆ 21 96 58 34
Pneu Fauchille, 155 rte St-Omer ✆ 21 34 68 17
Pneu François, r. C.-Ader, Zone Ind. ✆ 21 96 42 36

CALAS 13 B.-du-R. 84 ③⑬ – ✉ **13480** Cabriès.

Paris 754 – Aix-en-Provence 12 – Marignane 15 – ♦Marseille 21 – Salon-de-Provence 43.

✕✕✕ **Aub. Bourrelly** avec ch, ✆ 42 69 13 13, 🌳, 🍴 – ⌂wc ☎ Ⓟ. AE ⓓ E VISA
fermé fév., dim. soir et lundi – **R** 135/240 – ☕ 30 – **16 ch** 175/220 – 1/2 p 270/360.

Ouest : 2 km sur D 9 – ✉ **13480** Cabriès :

✕✕ **Hostellerie du Lac Bleu** ⛵ avec ch, ✆ 42 69 07 81, 🌳, 🍴 – ⌂wc ⇔ Ⓟ – 🏠 40. VISA
R *(fermé dim. soir en hiver)* 110/200, enf. 80 – ☕ 30 – **10 ch** 180/230 – 1/2 p 300.

CALÈS 46 Lot 75 ⑱ – 130 h. – ✉ **46350** Payrac.

Paris 538 – Brive-la-Gaillarde 60 – Cahors 57 – Gourdon 20 – Rocamadour 16 – St-Céré 41.

Pagès ⛵, ✆ 65 37 95 87, 🌳 – ⌂wc ⋒wc ☎ Ⓟ. ✻ rest
fermé 1er au 29 oct., 3 janv. au 3 fév. et mardi de nov. à Pâques – **R** 55/200, enf. 38 – ☕ 20 – **15 ch** 110/250 – 1/2 p 160/220.

Petit Relais, ✆ 65 37 96 09, 🌳 – ⇔ ⋒wc ☎. E VISA
fermé 23 déc. au 3 janv. et sam. hors sais. – **R** 50/240, enf. 35 – ☕ 20 – **9 ch** 98/180.

CALLAC 22160 C.-du-N. 59 ⑪ G. Bretagne – 2 957 h.

Paris 510 – Carhaix-Plouguer 20 – Guingamp 28 – Morlaix 40 – St-Brieuc 58.

✕ **Garnier** avec ch, face gare ✆ 96 45 50 09 – Ⓟ. E VISA. ✻
fermé 15 sept. au 15 oct. et lundi – **R** 60/140 ⓑ, enf. 40 – ☕ 20 – **8 ch** 90/140 – 1/2 p 140.

CITROEN Gar. Laurent, ✆ 96 45 50 30 N
RENAULT Gar. Lucia, ✆ 96 45 50 41

CALVINET 15340 Cantal 76 ⑪ – 408 h. alt. 600.

Paris 602 – Aurillac 39 – Entraygues-sur-Truyère 32 – Figeac 39 – Maurs 17 – Rodez 61.

Beauséjour, ✆ 71 49 91 68 – ⋒ Ⓟ. ✻ rest
avril-oct. et fermé dim. soir et lundi d'avril à juin – **R** 60/140, enf. 38 – ☕ 18 – **20 ch** 70/140 – 1/2 p 105/120.

PEUGEOT-TALBOT Lavigne, ✆ 71 49 91 57

CAMARÈS 12360 Aveyron 80 ⑬ – 1 258 h.

Paris 696 – Albi 78 – Lodève 53 – Millau 53 – Rodez 103.

Demeure du Dourdou ⓢ, rte St-Affrique ✆ 65 99 54 08, ←, « Jardin fleuri » – wc ☎ P. ⓓ E VISA
Pâques-31 oct. – **R** 100/260, enf. 50 – ☕ 25 – **11 ch** 300 – ½ p 240/280.

CAMARET-SUR-MER 29129 Finistère 58 ③ **G. Bretagne** – 3 064 h.

Voir Pointe de Penhir★★★ SO : 3,5 km.

Env. Pointe des Espagnols★★ NE : 13 km.

Syndicat d'Initiative pl. Ch.-de-Gaulle ✆ 98 27 93 60.

Paris 597 – ♦Brest 66 – Châteaulin 43 – Crozon 8,5 – Morlaix 85 – Quimper 64.

France M, ✆ 98 27 93 06, ← – ascenseur rest wc wc ☎. ⓓ E VISA. ✗
27 mars-11 nov. et fermé vend. sauf vacances de printemps et du 30 juin au 15 sept. – **R** 85/250, enf. 38 – ☕ 26 – **22 ch** 200/340 – ½ p 180/320.

Styvel, ✆ 98 27 92 74, ← – wc
1er avril-30 sept. et fermé jeudi d'avril au 15 juin – **R** 75/130, enf. 40 – ☕ 20 – **14 ch** 150/220 – ½ p 168/200.

Vauban sans rest, ✆ 98 27 91 36, ← – . VISA
15 fév.-31 oct. – ☕ 17 – **14 ch** 115/170.

CAMBES 33880 Gironde 71 ⑩ – 924 h.

Paris 596 – ♦Bordeaux 16 – Langon 29 – Libourne 34.

Host. A la Varenne avec ch, à **Esconac NO : 1 km** ✆ 56 21 31 15, ←, , – wc wc ☎ P. E VISA
fermé 5 janv. au 14 fév. – **R** *(fermé merc. de sept. à fin mai)* 80/130, enf. 70 – ☕ 20 – **13 ch** 140/270 – ½ p 220/320.

CAMBO-LES-BAINS 64250 Pyr.-Atl. 85 ③ **G. Pyrénées Aquitaine** – 5 051 h. – Stat. therm. (fév.-22 déc.).

Voir Arnaga★ (villa d'Edmond Rostand) M – Vallée de la Nive★ au Sud.

Office de Tourisme parc St-Joseph ✆ 59 29 70 25.

Paris 790 ④ – ♦Bayonne 19 ④ – Pau 113 ① – St-Jean-de-Luz 31 ③ – St-Jean-Pied-de-Port 34 ② – S.-Sebastiàn 63 ③.

CAMBO-LES-BAINS

Chiquito de Cambo	2
Espagne (Av. d')	3
Mairie (Av. de la)	4
Marronniers (Allée des)	5
Navarre (Av. de)	6
Neubourg (Allées A.-de)	7
Professeur-Grancher (Bd du)	8
Rostand (Allées)	9
Terrasses (R. des)	12
Thermes (Av. des)	13

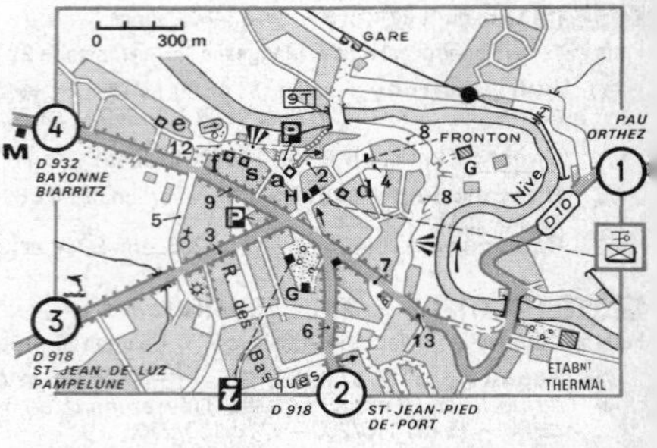

To go a long way quickly, use ***Michelin maps*** *at a scale of 1:1 000 000.*

Errobia ⓢ sans rest, av. Chanteclerc **(e)** ✆ 59 29 71 26, ←, « Villa basque, parc » – wc ☎ P. VISA
Pâques et mai-fin oct. – ☕ 28 – **15 ch** 150/280.

Bellevue, r. Terrasses **(f)** ✆ 59 29 73 22, ←, , – TV wc wc ☎ P. VISA. ✗ rest
fermé lundi hors sais. – **R** 55/160 – ☕ 19 – **27 ch** 83/230.

Relais de la Poste, pl. Mairie **(d)** ✆ 59 29 73 03, – wc ☎ P. AE ⓓ E VISA. ✗
15 avril-31 oct. – **R** 120 bc/210, enf. 40 – ☕ 25 – **10 ch** 200/300 – ½ p 260/300.

St-Laurent, r. Terrasses **(s)** ✆ 59 29 71 10, – wc wc ☎ P. ✗ rest
fermé déc. et janv. – **R** 55/160 – ☕ 17 – **18 ch** 85/160 – ½ p 125/211.

Trinquet sans rest, r. Trinquet **(a)** ✆ 59 29 73 38 –
fermé 15 nov. au 15 déc. et mardi sauf de juil. à sept. – ☕ 15 – **12 ch** 76/100.

Pour des repas simples à prix modiques choisissez les établissements marqués d'un losange

CAMBRAI <SP> **59400** Nord 53 ③④ **G. Flandres Artois Picardie** – 36 618 h.

Voir Mise au tombeau★★ de Rubens dans l'église St-Géry AY **F.**

ℹ Syndicat d'Initiative 48 r. de Noyon ✆ 27 78 26 90 – A.C. 17 mail St-Martin ✆ 27 81 30 75.

Paris 177 ⑧ – ♦Amiens 75 ⑧ – Arras 36 ⑥ – ♦Lille 65 ⑦ – St-Quentin 39 ⑤ – Valenciennes 32 ①.

CAMBRAI

Briand (Pl. A.) .... **AYZ** 6
St-Martin (Mail) .... **AZ** 40
Victoire (Av. de la) ...... **AZ** 47

Albert-1er (Av.) .... **BY** 2
Allende (Pl. Salvador) ... **AZ** 3
Als.-Lorraine (R. d') .... **BYZ** 4
Berlaimont (Bd de) ...... **BZ** 5
Cantimpré (R.) .... **AY** 7
Capucins (R. des) .... **AY** 8
Chât.-de-Selles (R. du) .. **AY** 10
Clefs (R. des) .... **AY** 12
Épée (R. de l') .... **AZ** 13
Fénelon (Gde-Rue) ..... **AY** 15
Fénelon (Pl.) .... **AY** 16
Feutriers (R. des) .... **AY** 17
Gaulle (R. Gén.-de) ...... **BZ** 18
Grand-Séminaire (R. du) .... **AZ** 19
Landrecies (R. de) ...... **BY** 20
Lattre-de-Tassigny (R. du Mar.-de) ...... **BZ** 21
Leclerc (Pl. du Mar.) ..... **BZ** 22
Liniers (R. des) .... **AZ** 23
Nice (R. de) .... **AY** 27
Pasteur (R.) .... **AY** 29
Porte-Notre-Dame (R.) .. **BY** 31
Râtelots (R. des) .... **AZ** 33
Sadi-Carnot (R.) .... **AY** 35
St-Aubert (R.) .... **AY** 36
St-Géry (R.) .... **AY** 37
St-Ladre (R.) .... **BZ** 39
St-Sépulcre (Pl.) .... **AZ** 41
Ségard (Sq. Norbert) .... **AZ** 42
Selles (R. de) .... **AY** 43
Vaucelette (R.) .... **AZ** 45
9-Octobre (Pl. du) ...... **AY** 48

Château de la Motte Fénelon ⛬, square Château ✆ 27 83 61 38, Télex 120285, parc, ☐, ✂ – ☰ TV ☎ P – ⚐ 200. AE ⓓ E VISA
R *(fermé dim. soir et fériés le soir)* 135/195 – ☐ 27 – **29 ch** 240/320.

Beatus ⛬ sans rest, av. Paris par ⑤ : 1,3 km ✆ 27 81 45 70 – TV ☎ P. AE ⓓ E VISA
☐ 25 – **26 ch** 245/285.

Mouton Blanc, 33 r. Alsace-Lorraine ✆ 27 81 30 16, Télex 133365 – ☰ TV ☐wc ⋔wc ☎ – ⚐ 40. VISA BY **a**
R *(fermé dim. soir et lundi)* 80/180, enf. 50 – ☐ 20 – **32 ch** 115/300 – 1/2 p 180/290.

Poste sans rest, 58 av. Victoire ✆ 27 81 34 69 – ☰ ☐wc ⋔wc ☎. E VISA AZ **f**
☐ 22 – **33 ch** 170/230.

France sans rest, 37 r. Lille ✆ 27 81 38 80 – ⋔wc ☎. E VISA. ✻ BY **d**
fermé août, 24 au 31 déc. et dim. en janv. et fév. – ☐ 23 – **24 ch** 90/190.

XX **L'Escargot,** 10 r. Gén. de Gaulle ✆ 27 81 24 54 – AE ⓓ E VISA — BZ e
fermé 15 déc. au 15 janv. et lundi sauf fériés – **R** 60 bc/160 ♨.

X **Aux Arcades,** 12 r. Mar.-de-Lattre-de-Tassigny ✆ 27 81 30 80 – AE ⓓ E VISA — BZ n
fermé merc. – **R** 78/160.

X **Buffet Gare,** ✆ 27 81 03 59 – AE ⓓ E VISA — BY
R *(fermé sam. soir et dim. soir)* 52/98 ♨.

par ③ sur N 43, E : 10 km – ✉ **59157** Beauvois-en-Cambrésis :

XX **La Buissonnière,** ✆ 27 85 29 97 – Ⓟ. ⓓ VISA
fermé août, vacances de fév., dim. soir et lundi – **R** 80/165, enf. 50.

à Ligny-en-Cambrésis SE : 17 km par N 43 et D 74 – ✉ **59191** Ligny-Haucourt :

Château de Ligny ✆, ✆ **27 85 25 84, Télex 820211,** , **parc** – cuisinette TV ☎ Ⓟ. AE VISA. ✻ rest
fermé 2 janv. au 15 fév. et lundi midi – **R** carte 155 à 270, enf. 65 – ☕ 42 – **6 ch** 450/580, 3 appartements 1100.

par rte de Bapaume à l'échangeur A 2 : 3 km – ✉ **59400** Cambrai :

Ibis Ⓜ, ✆ **27 83 54 54, Télex 135074** – wc ☎ ♿. E VISA
R *(fermé dim.)* carte 75 à 120 ♨, enf. 35 – ☕ 25 – **51 ch** 215/223.

Campanile Ⓜ, ✆ **27 81 62 00, Télex 820992,** – TV wc ☎ ♿ Ⓟ – 30. VISA
R 63 bc/86 bc, enf. 38 – ☕ 24 – **42 ch** 200/220 – ½ p 287/330.

ALFA-ROMEO-NISSAN Dumon, rte d'Arras à Sailly-les-Cambrai ✆ 27 81 79 27
AUSTIN, ROVER, TRIUMPH Gds Gar. du Beffroi, 8 r. 11-Novembre ✆ 27 81 21 76
BMW S.O.D.A.C. 40, r. Cantimpré ✆ 27 83 05 90
CITROEN Le Cric, 2 095 av. Paris par ⑤ ✆ 27 83 68 45
FIAT S.A.G.A. 26 r. Cantimpré ✆ 27 83 88 76
FORD Gar. Chandelier, 101 bd Faidherbe ✆ 27 83 82 31
OPEL Auto-Vente, 132 bd Faidherbe ✆ 27 81 57 05
PEUGEOT-TALBOT Auto du Cambrésis, 80 av. de Dunkerque ✆ 27 83 84 23
RENAULT S.A.N.A.C., 200 rte Solesmes par ② ✆ 27 83 82 56 N

François-Pneus, 14 av. V.-Hugo ✆ 27 83 70 54
Lesage-Pneus, 28 bd Faidherbe ✆ 27 83 84 85
Multy-Pneus, Centre Routier International ✆ 27 78 05 22

CAMBREMER 14340 Calvados 54 ⑰, 55 ⑬ – 915 h.
Paris 188 – ♦Caen 34 – Deauville 33 – Falaise 37 – Lisieux 14.

XX **Aub. de la Boissière,** Le Pré d'Auge N 13 ✆ **31 32 24 56, « Maison normande ancienne »** – Ⓟ. AE E VISA
fermé 15 au 30 nov., merc. soir et jeudi – **R** 94/250, enf. 60.

CAMIERS 62176 P.-de-C. 51 ⑪ – 2 126 h.
Paris 223 – Arras 99 – Boulogne-sur-Mer 19 – Le Touquet 12.

Cèdres Ⓜ, **64 r. Vieux Moulin** ✆ **21 84 94 54,** – wc ☎ ♿ Ⓟ. AE E VISA
fermé janv. et vend. soir du 16 sept. au 30 avril – **R** 70/170, enf. 38 – ☕ 20 – **22 ch** 130/250 – ½ p 200/230.

Les CAMMAZES 81 Tarn 82 ⑳ – 174 h. alt. 620 – ✉ **81110** Dourgne.
Paris 753 – Carcassonne 35 – Castres 37 – ♦Toulouse 62.

X **Sanègre** avec ch, SE : 2,5 km par D 629 et D 903 ✆ 63 74 11 79, – wc Ⓟ. ⓓ E VISA. ✻ ch
R 70/190, enf. 40 – ☕ 18 – **10 ch** 120/210 – ½ p 150/190.

CAMOËL 56 Morbihan 63 ⑭ – rattaché à Roche-Bernard.

CAMORS 56 Morbihan 63 ② – 2 321 h. – ✉ **56330** Pluvigner.
Paris 464 – Auray 22 – Lorient 36 – Pontivy 26 – Vannes 32.

Ar Brug, ✆ **97 39 20 10** – wc wc ☎. AE E VISA. ✻
R 50/140 ♨, enf. 35 – ☕ 20 – **20 ch** 97/167 – ½ p 111/146.

CAMPAGNE 24 Dordogne 75 ⑯ – rattaché au Bugue.

CAMPAN 65 H.-Pyr. 85 ⑱⑲ – rattaché à Ste-Marie-de-Campan.

Le CAMP-LAURENT 83 Var 84 ⑭ – rattaché à Toulon.

CAMPS 19 Corrèze 75 ⑳ – 265 h. – ✉ **19430** Mercoeur.

Voir Rocher du Peintre ≤★ S : 1 km, G. Berry Limousin.

Paris 530 – Aurillac 44 – St-Céré 28 – Tulle 54.

- **Lac** M 🐎, ☎ 55 28 51 83, ≤ – ⊟wc ☎ ♿. VISA
  fermé vacances de nov. et fév. – **R** *(fermé mardi soir et merc. d'oct. à Pâques)* 55/170 🌡, enf. 36 – ☕ 17 – **12 ch** 90/170 – 1/2 p 167/197.

CANADEL-SUR-MER 83 Var 84 ⑰ **G. Côte d'Azur** – ✉ **83820** le Rayol-Canadel-sur-Mer.

Voir Col du Canadel ≤★★ NE : 4,5 km – Site★ du Rayol E : 2 km.

Paris 892 – Draguignan 67 – Le Lavandou 11 – St-Tropez 27 – Ste-Maxime 31 – ♦Toulon 52.

- **Karlina** M 🐎, ☎ **94 05 61 65**, ≤, 🏖, 🏊, 🌳 – **P**. ⓓ **E** VISA
  15 avril-10 oct. – **R** 185 – **11 ch** ☕210/850 – 1/2 p 400/680.
- XX **Le Roitelet** 🐎 avec ch, ☎ **94 05 61 39**, ≤, 🏖, 🌳 – ⊓wc ☎ **P**. ⚘ ch
  1er avril-30 sept. – **R** 120/190 – ☕ 30 – **7 ch** 175/250 – 1/2 p 240/305.

CANCALE **35260** I.-et-V. 59 ⑥ **G. Bretagne** – 4 693 h.

Voir Site★ du port★ – ✳★ de la tour de l'église St-Méen Z B – Pointe du Hock ≤★ Z.

ℹ Syndicat d'Initiative 44 r. du Port ☎ 99 89 63 72.

Paris 361 ① – Avranches 59 ① – Dinan 34 ① – Fougères 74 ① – Le Mont-St-Michel 46 ①.

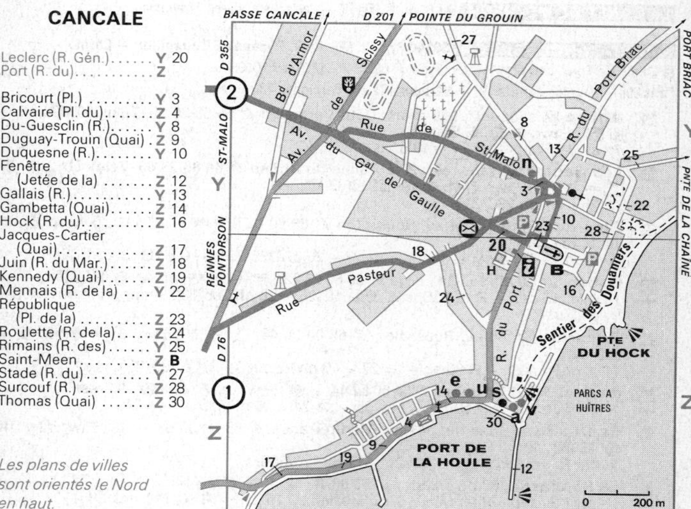

- **Continental,** au port ☎ 99 89 60 16, ≤, 🏖 – ⊟wc ⊓wc ☎. **E** VISA. ⚘ rest
  1er avril-15 nov. – **R** *(fermé lundi)* 98/180 – ☕ 26 – **20 ch** 105/340. Z **s**
- XXX ✿✿ **de Bricourt** (Roellinger) avec ch, **1 r. Duguesclin** ☎ **99 89 64 76**, 🌳 – TV ⊟wc ☎. **E** VISA Y **n**
  mi-mars-mi-déc. – **R** *(fermé mardi et merc.)* (nombre de couverts limité - prévenir) carte 205 à 250, enf. 60 – ☕ 40 – **6 ch** 500
  Spéc. Huîtres tièdes au curcuma, Homard à l'étouffée, Petits gratins de fruits de saison.
- XX **Le Cancalais** avec ch, **quai Gambetta** ☎ **99 89 61 93**, ≤ – **E** VISA Z **u**
  fermé 15 nov. au 3 déc. et 10 au 31 janv. – **R** carte 135 à 230 – ☕ 20 – **8 ch** 100/160.
- XX **Phare** avec ch, **au Port** ☎ **99 89 60 24**, ≤ – ⊟wc ⊓wc. **E** VISA Z **a**
  fermé 1er déc. au 15 fév. et merc. – **R** 63/200 – ☕ 20 – **7 ch** 160/220 – 1/2 p 170/200.
- XX **L'Armada, quai Thomas** ☎ **99 89 60 02**, ≤, 🏖 – AE ⓓ **E** VISA Z **v**
  fermé le soir en hiver, dim. soir et lundi hors sais. – **R** 80/160.
- XX **Ti Breiz, quai Gambetta** ☎ **99 89 60 26**, ≤ – AE **E** VISA Z **e**
  mi-mars-31 oct. et fermé mardi – **R** 108/260.

à la Pointe du Grouin★★ N : 4,5 km par D 201 – ✉ **35260** Cancale :

Pointe du Grouin ⚘, ✆ 99 89 60 55, ← îles et baie du Mt-St-Michel – wc ☎ Ⓟ. E VISA
1er avril-30 sept. et fermé mardi sauf juil.-août – **R** 85/250 – ☕ 25 – **17 ch** 140/250 – 1/2 p 235/300.

CANCON **47290** L.-et-G. **79** ⑤ – 1 334 h.
Paris 599 – Agen 48 – Bergerac 41 – Cahors 81 – Marmande 42.

à Monviel NO : 10,5 km par D 124, D 241 et VO – ✉ **47290** Cancon :

Château de Monviel Ⓜ ⚘, ✆ 53 01 71 64, Télex 571544, ←, parc, ⛱ – Ⓟ. AE ⓓ E VISA
25 mars-15 nov. – **R** *(fermé merc.)* 110/240 – ☕ 50 – **10 ch** 420/580 – 1/2 p 420/520.

CANDÉ-SUR-BEUVRON **41** L.-et-Ch. **64** ⑰ – 916 h. – ✉ **41120** Les Montils.
Paris 195 – Blois 14 – Chaumont-sur-Loire 6,5 – Montrichard 23 – ♦Tours 49.

Lion d'Or, ✆ 54 44 04 66, – wc ☎ Ⓟ. E VISA. ⚹
fermé 1er déc. au 10 janv. et mardi – **R** 58/120 – ☕ 15,50 – **10 ch** 76/195 – 1/2 p 110/163.

XXX **Host. Caillère** avec ch, rte Montils ✆ 54 44 03 08, ←, – wc Ⓟ. AE ⓓ E VISA
fermé 15 janv. au 1er mars – **R** *(fermé dim. soir du 15 nov. au 15 mars, et merc.)* 98/242, enf. 60 – ☕ 32 – **6 ch** 200 – 1/2 p 280.

Le CANET DE MEYREUIL **13** B.-du-R. **84** ③ – rattaché à Aix-en-Provence.

CANET-EN-ROUSSILLON **66140** Pyr.-Or. **86** ⑳ **G. Pyrénées Roussillon** – Casino.
i Office de Tourisme pl. Méditerranée ✆ 68 73 25 20, Télex 500997.
Paris 908 – Argelès-sur-Mer 16 – Narbonne 72 – ♦Perpignan 13.

Althéa Ⓜ sans rest, **120 prom. Côte Vermeille** ✆ **68 80 28 59, Télex 505098,** ← – wc ☎ Ⓟ. E VISA
1er avril-15 oct. – ☕ 31 – **48 ch** 300/372.

Les Sables Ⓜ sans rest, **25 r. Vallée du Rhône** ✆ **68 80 23 63, Télex 505213,** ⛱, – wc wc ☎ Ⓟ. AE ⓓ E VISA
☕ 25 – **41 ch** 230/290.

Clos des Pins Ⓜ, **34 av. Roussillon** ✆ **68 80 32 63,** – wc wc ☎ Ⓟ. AE ⓓ E VISA. ⚹
avril-oct. – **R** (½ pens. seul.) – ☕ 27 – **20 ch** 225/300 – 1/2 p 255/300.

Galion Ⓜ, **20 bis av. Gd Large** ✆ **68 80 28 23,** – wc ☎ Ⓟ. AE VISA
1er avril-15 oct. – **R** 60/130, enf. 35 – ☕ 25 – **28 ch** 205/330, 4 appartements 395 – 1/2 p 320/380.

Aquarius Ⓜ, **40 av. Roussillon** ✆ **68 80 25 48,** ⛱ – wc wc ☎ ♿ Ⓟ. E VISA. ⚹
1er avril-30 sept. – **R** 80 bc – ☕ 27 – **40 ch** 220/300 – 1/2 p 190/260.

du Port Ⓜ, **21 bd Jetée** ✆ **68 80 62 44** – wc ☎ ♿ Ⓟ. ⚹ rest
1er avril-1er oct. – **R** 59/80, enf. 35 – ☕ 24 – **36 ch** 325 – 1/2 p 240.

La Chalosse sans rest, **41 av. Méditerranée** ✆ **68 80 35 69** – wc wc ☎ Ⓟ. E VISA. ⚹
fermé 15 nov. au 5 déc. – ☕ 25 – **15 ch** 170/300.

X **La Rascasse,** 38 bd Tixador ✆ 68 80 20 79 – ▤. E VISA
1er avril-30 sept. et fermé jeudi du 1er avril au 15 juin – **R** 80/140, enf. 38.

CANILLO Andorre **86** ⑭ – voir à Andorre.

CANNES **06400** Alpes-Mar. **84** ⑨, **195** ㉟㊳ **G. Côte d'Azur** – 72 787 h. – Casinos: Les Fleurs BZ, Palm Beach X, Municipal BZ.

Voir Site★★ – Le front de Mer★★ : boulevard★★ BDZ **et pointe★** X **de la Croisette – ←★ de la tour du Mont-Chevalier** AZ **V – Musée de la Castre★** AZ **M – Observatoire de Super-Cannes ☼★★★ E : 4 km,** X **B – Chemin des Collines★ NE : 4 km** V **– La Croix des Gardes** X **E ←★ O : 5 km puis 15 mn.**

18 Country-Club de Cannes-Mougins ✆ 93 75 79 13 par ⑤ : 9 km ; 9 18 Golf Club de Cannes-Mandelieu ✆ 93 49 55 39 par ② : 6,5 km ; 18 de Biot ✆ 93 65 08 48 par ⑤ : 14 km ; 18 de Valbonne ✆ 93 42 00 08 par ⑤ : 15 km.

i Office de Tourisme et Accueil de France (Informations, change et réservations d'hôtels, pas plus de 5 jours à l'avance) Gare S.N.C.F. ✆ 93 99 19 77, Télex 470795 et Palais des Festivals et des Congrès, 1 La Croisette ✆ 93 39 24 53, Télex 470749 – A.C. 3 r. F.-Amouretti ✆ 93 39 38 94.

Paris 901 ③ – Aix-en-Provence 146 ③ – ♦Grenoble 316 ⑤ – ♦Marseille 158 ③ – ♦Nice 32 ⑤ – ♦Toulon 123 ③.

Plan pages suivantes

Carlton Intercontinental, 58 bd Croisette ✆ 93 68 91 68, Télex 470720, ←, – ▤ TV ☎ ♿ – 250. AE ⓓ E VISA CZ e
R voir rest **La Côte** ci-après – ☐ 82 – **295 ch** 989/2110, 30 appartements.

Martinez, 73 bd Croisette ✆ 93 68 91 91, Télex 470708, ←, ,, – ▤ TV ☎ ♿ P – 60 à 1 000. AE ⓓ E VISA DZ n
fermé 15 nov. au 24 déc. et 31 janv. au 1er mars – **R** voir rest **La Palme d'Or** ci-après - **L'Orangeraie R** 190/195 – ☐ 70 – **400 ch** 950/2200, 20 appartements.

Majestic, bd Croisette ✆ 93 68 91 00, Télex 470787, ←, ,,, – ▤ TV ☎ – 60 à 360. AE ⓓ E VISA. rest BZ n
fermé 10 nov. au 20 déc. – **R** carte 230 à 350 - **Grill R** carte environ 250 – ☐ 70 – **262 ch** 1210/2010, 17 appartements.

Gray d'Albion M, 38 r. Serbes ✆ 93 68 54 54, Télex 470744, – ▤ TV ☎ ♿ – 30 à 200. AE ⓓ E VISA BZ d
R voir rest **Royal Gray** ci-après - **Les 4 Saisons R** carte 140 à 240 – ☐ 65 – **173 ch** 450/1250, 13 appartements.

Gd Hôtel sans rest, 45 bd Croisette ✆ 93 38 15 45, Télex 470727, ←,, – TV ☎ P – 30. AE E VISA CZ q
☐ 55 – **76 ch** 695/1390.

Pullman Beach M sans rest, 13 r. Canada ✆ 93 94 50 50, Télex 470034, – ▤ TV ☎ – 30 à 60. AE ⓓ E VISA DZ y
1er mars-15 nov. – ☐ 63 – **94 ch** 730/1090.

Sofitel M, 2 bd J.-Hibert ✆ 93 99 22 75, Télex 470728, « Piscine et terrasses sur le toit, ← baie de Cannes » – ▤ TV ☎ – 150. AE ⓓ E VISA. rest AZ n
fermé 20 nov. au 21 déc. – **R** 160/200 – ☐ 70 – **152 ch** 580/1090.

Novotel M, 25 av. Beauséjour ✆ 93 68 91 50, Télex 470039, ←,, « Jardin », – ▤ TV ☎ – 400. AE ⓓ E VISA DY r
R 140/160 bc, enf. 50 – ☐ 60 – **180 ch** 680/900 – $^1/_2$ p 590/930.

Fouquet's M sans rest, 2 Rd-Pt Duboys-d'Angers ✆ 93 38 75 81 – ▤ ☎. AE ⓓ E VISA CZ y
fermé 7 nov. au 26 déc. – ☐ 50 – **10 ch** 300/990.

Gonnet et de la Reine, 42 bd Croisette ✆ 93 38 40 00, ← – ☎. AE VISA CZ h
1er avril-15 oct. – **R** (résidents seul.) – **58 ch** ☐ 500/1000, 5 appartements 1500.

Splendid sans rest, 4 r. F.-Faure ✆ 93 99 53 11, Télex 470990, ← – cuisinette TV ☎. AE ⓓ E VISA BZ a
63 ch ☐ 380/700.

Victoria M sans rest, Rd-Point Duboys d'Angers ✆ 93 99 36 36, Télex 470817, – ▤ TV ☎ P. AE ⓓ E VISA CZ x
1er avril-10 nov. – **25 ch** ☐ 444/680.

Canberra sans rest, 120 r. d'Antibes ✆ 93 38 20 70, Télex 470817 – ▤ TV ☎ P. AE ⓓ E VISA CZ u
☐ 30 – **45 ch** 330/580.

Solhotel et rest. Le Trident M, 61 av. Dr Picaud par ③ ✉ 06150 Cannes-la-Bocca ✆ 93 47 63 00, Télex 970956, ←,,,, – cuisinette ▤ TV ☎ – 150. AE ⓓ E VISA
fermé 1er nov. au 15 déc. – **R** 115/125 – **101 ch** ☐ 416/609 – $^1/_2$ p 511/636.

Embassy, 6 r. Bône ✆ 93 38 79 02, Télex 470081 – ▤ TV ☎. AE ⓓ E VISA DY j
R *(fermé 15 nov. au 15 déc.)* 95, enf. 60 – **60 ch** ☐ 380/440 – $^1/_2$ p 480/600.

Paris sans rest, 34 bd d'Alsace ✆ 93 38 30 89, Télex 470995,, – ▤ TV wc wc ☎ – 40. ⓓ E VISA. CY a
fermé 6 nov. au 20 janv. – ☐ 25 – **48 ch** 380/550.

Abrial M sans rest, 24 bd Lorraine ✆ 93 38 78 82, Télex 470761 – ▤ TV wc ☎. AE ⓓ E VISA CY s
48 ch ☐ 295/505.

Century M sans rest, 133 r. d'Antibes ✆ 93 99 37 64, Télex 470090 – ▤ TV wc ☎. AE ⓓ E VISA DZ r
fermé 1er déc. au 8 janv. – ☐ 29 – **35 ch** 360/510.

Beau Séjour M, 5 r. Fauvettes ✆ 93 39 63 00, Télex 470975,,, – ▤ ch TV wc ☎. AE ⓓ E VISA. rest AZ d
fermé 1er nov. au 15 déc. – **R** 100 – **46 ch** ☐ 440/590 – $^1/_2$ p 395/600.

Licorn'H. et rest. Les Saisons, 23 av. Fr.-Tonner par ③ ✉ 06150 Cannes-La-Bocca ✆ 93 47 18 46, Télex 470818 – ▤ rest TV wc wc ☎ P. AE ⓓ E VISA
R *(fermé 15 nov. au 15 déc.)* 65/100 – **45 ch** ☐ 370/500 – $^1/_2$ p 285/345.

Château de la Tour, 10 av. Font-de-Veyre par ③ ✉ 06150 Cannes-La-Bocca ✆ 93 47 34 64, Télex 470906,, – wc wc ☎ P. AE ⓓ E VISA. rest
R 96, enf. 35 – **42 ch** ☐ 320/580 – $^1/_2$ p 256/410.

tourner →

CANNES - LE CANNET - VALLAURIS

André (R. du Cdt) ...... **CZ**
Antibes (R. d') .... **BCZ**
Belges (R. des) .... **BZ** 12
Chabaud (R.) .... **CY** 23
Croisette (Bd de la) ... **BDZ**
Félix-Faure (R.) .... **ABZ**
Foch (R. du Mar.) ...... **BY** 44
Joffre (R. du Mar.) ...... **BY** 60
Riouffe (R. Jean de) .... **BY** 98

Albert-Édouard (Jetée) . **BZ**
Alexandre-III (Bd) .... **X** 2
Alsace (Bd) .... **BDY**
Amouretti (R. F.) .... **CZ** 3
Anc. Combattants d'Afrique du Nord (Av.) ...... **AYZ** 4
Aubarède (Ch. de l') ..... **V** 8
Beauséjour (Av.) ..... **DYZ**
Beau-Soleil (Bd) .... **X** 10
Bellevue (Pl.) .... **V** 13
Blanc (R. L.) .... **AYZ**
Bréguières (Ch. des) .... **V** 14
Broussailles (Av. des) .... **V** 16
Buttura (R.) .... **BZ** 17
Canada (R. du) .... **CDZ**
Carnot (Bd) .... **VX** 18
Carnot (Square) .... **V** 20
Castre (Pl. de la) .... **AZ** 22
Christ-Roi (⊕) .... **V** 24
Clemenceau (Av. G.) .... **V** 25
Clemenceau (R. G.) .... **AZ**
Collines (Ch. des) .... **V**
Corniches-du-Paradis ... **V** 26
Coteaux (Av. des) .... **V**
Croix-des-Gardes (Bd de la) .... **VX** 29
Delaup (Bd) .... **AY** 30
Dr-Pierre Gazagnaire (R.) .... **AZ** 32
Dr-R. Picaud (Av) .... **X**
Dollfus (R. Jean) .... **AZ** 33
Doumer (Bd P.) .... **V**
Esterel (Av. de l') .... **X** 34
Faure (R. F.) .... **ABZ**
Favorite (Av. de la) .... **X** 38
Ferrage (Bd de la) .... **ABY** 40
Ferry (R. Jules) .... **V** 42
Fiesole (Av.) .... **X** 43
Four-à-Chaux (Bd du) .... **V** 45
Fournas (Av. de) .... **V** 46
Gallieni (R. du Mar.) .... **BY** 48
Gambetta (Bd) .... **V** 50
Gaulle (Av. Gén.-de) ..... **V**
Gaulle (Pl. Gén.-de) .... **BZ** 52
Gazagnaire (Bd E.) .... **X**
Grasse (Av. de) .... **VX** 53
Guynemer (Bd) .... **AY**
Haddad-Simon (R. J.) ... **CY** 54
Hespérides (Av.des) ..... **X** 55
Hibert (Bd J.) .... **AZ**
Hibert (R.) .... **AZ**
Isnard (Pl. Paul) .... **V** 56
Isola-Bella (Av. d') .... **X**
Jaurès (R. Jean) .... **BY**
Jeanpierre (Av. M.) ...... **V** 58
Juin (Av. Mar.) .... **DZ**
Koenig (Av. Gén.) .... **DY**
Lacour (Bd A.) .... **X** 62
Latour-Maubourg (R.) .. **DZ**
Lattre-de-T. (Av. de) .... **AY** 63
Laubeuf (Quai) .... **AZ**
Leader (Bd) .... **VX** 64
Lérins (Av. de) .... **X** 65
Lorraine (Bd de) ...... **CDY**
Macé (R.) .... **CZ** 66
Madrid (Av. de) .... **DZ**
Meynadier (R.) .... **ABY**
Mermoz (Av. Jean) ...... **V** 67
Mimont (R. de) .... **BY**
Monod (Bd Jacques) ..... **V** 68
Montaigne (R.) .... **BY** 70
Mont-Chevalier (R. du) . **AZ** 72
Montfleury (Bd) ...... **CDY** 73
Monti (R. Marius) ...... **AY** 74
Moulin (Bd du) .... **AY** 76
Noailles (Av. J.-de) ...... **X**
N.-D.-des-Anges (Av.) ... **V** 79
N.-D.-de-Bon-Voyage (⊕) .... **BZ** 80
N.-D.-d'Espérance (⊕) **AZ** 82
N.-D.-des-Pins (⊕) .... **X** 83
Observatoire (Bd de l') . **X** 84
Olivet (Ch. de l') .... **V** 85
Olivetum (Bd) .... **V** 86
Oxford (Bd d') .... **V** 87
Pantiero (la) .... **ABZ**
Paris (R. de) .... **V** 88
Pasteur (R.) .... **DZ**
Pastour (R. L.) .... **AY** 90
Perier (Bd du) .... **V** 92
Perrissol (R. L.) .... **AZ** 93
Petit-Juas (R. du) ..... **VX**
Pinède (Av. de la) ...... **V** 94
Pins (Bd des) .... **X** 95
Pompidou (Av. G.) .... **V**
Pompidou (Espl. G.) ... **BZ**
Prince de-Galles (Av. du) **X** 96
République (Bd de la) . **VX** 97
Riou (Bd du) .... **VX**
Roi-Albert (Av.) .... **X**
Roosevelt (Av. F) .... **V**
Rouguière (R.) ...... **BYZ** 100
Rouvier (Bd M.) .... **V** 102
St-Charles (⊕) .... **V** 103
St-Joseph (⊕) .... **X** 104
St-Nicolas (Av.) ...... **BY** 105
St-Pierre (Quai) .... **AZ**
St-Sauveur (R.) .... **V** 106
Ste-Philomène (⊕) .... **V** 107
Sardou (R. L.) .... **X** 108
Serbes (R. des) .... **BZ** 110
Source (Bd de la) .... **X** 112
Stanislas (Pl.) .... **AY**
Strasbourg (Bd de) .. **CDY**
Tapis-Vert (Av. du) ..... **V** 114
Tuby (Bd Victor) ..... **AYZ** 115
Vallauris (Av. de) ...... **VX** 116
Vallombrosa (Bd) ..... **AY** 118
Vautrin (Bd Gén.) ..... **DZ**
Victor-Hugo (R.) .... **V** 119
Victoria (Av.) .... **V**
Vidal (R. du Cdt) ...... **CY** 120
Wester-Wemyss (Av. Amiral) .... **X** 122

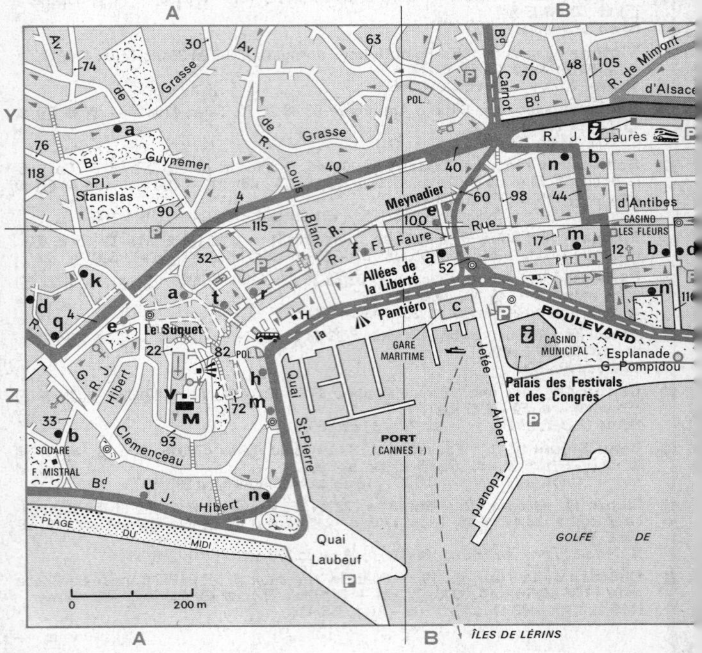

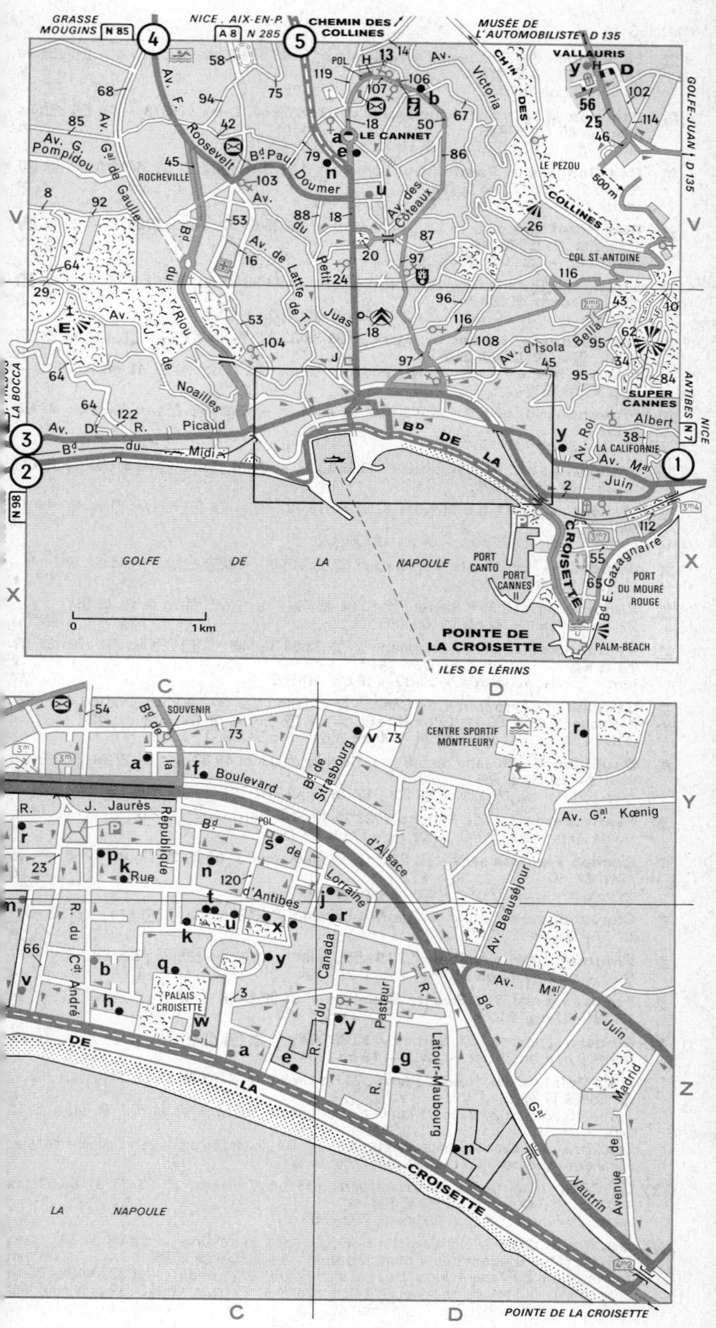

GRASSE
MOUGINS
N 85
NICE, AIX-EN-P.
A 8
N 285
CHEMIN DES COLLINES
MUSÉE DE L'AUTOMOBILISTE
D 135
VALLAURIS
GOLFE-JUAN
LE CANNET
ROCHEVILLE
LE PEZOU
COL ST-ANTOINE
SUPER CANNES
ANTIBES
N 7
NICE
LA CALIFORNIE
LA BOCCA
N 98
GOLFE DE LA NAPOULE
PORT CANTO
PORT CANNES II
PORT DU MOURÉ ROUGE
POINTE DE LA CROISETTE
PALM-BEACH
ILES DE LÉRINS
CENTRE SPORTIF MONTFLEURY
PALAIS CROISETTE
LA NAPOULE
POINTE DE LA CROISETTE

La Madone sans rest, 5 av. Justinia ☎ 93 43 57 87, – cuisinette TV wc wc. AE E VISA X **y**
30 – **22 ch** 360/520.

Athénée M sans rest, 6 rue Lecerf ☎ 93 38 69 54, Télex 470978 – TV wc wc. AE E VISA CY **n**
fermé 15 nov. au 15 janv. – **15 ch** 260/600.

Des Congrès et Festivals M sans rest, 12 r. Teisseire ☎ 93 39 13 81 – TV wc wc. AE E VISA CY **p**
fermé 15 nov. au 20 janv. – **20 ch** 315/440.

Ruc Hôtel sans rest, 15 bd Strasbourg ☎ 93 38 64 32, Télex 970033 – TV wc. AE E VISA. DY **v**
fermé déc. – 20 – **30 ch** 260/500.

Étrangers M sans rest, 10 pl. P. Sémard ☎ 93 38 82 82, Télex 970048 – TV wc wc. E VISA BY **n**
fermé 1er nov. au 20 janv. – 25 – **53 ch** 300/450.

Les Orangers, 1 r. des Orangers ☎ 93 39 99 92, Télex 470873, – TV wc wc. AE E VISA AZ **k**
fermé mi-nov. à mi-déc. – **R** (résidents seul.) 100 – 30 – **41 ch** 470/510 – 1/2 p 385/600.

Provence sans rest, 9 r. Molière ☎ 93 38 44 35 – TV wc wc. AE E VISA CYZ **t**
25 – **30 ch** 194/388.

France sans rest, 85 r. Antibes ☎ 93 39 23 34 – TV wc wc. AE E VISA CY **k**
25 – **34 ch** 240/320.

Molière sans rest, 5 r. Molière ☎ 93 38 16 16, – TV wc wc. E VISA. CYZ **t**
fermé 15 nov. au 20 déc. – **34 ch** 230/420.

Select sans rest, 16 r. H.-Vagliano ☎ 93 99 51 00 – TV wc wc. VISA. CY **r**
18 – **30 ch** 240/280.

Régina sans rest, 31 r. Pasteur ☎ 93 94 05 43 – wc wc. E VISA DZ **g**
21 janv.-21 oct. – **22 ch** 400/485.

Vendôme sans rest, 37 bd Alsace ☎ 93 38 34 33, – TV wc wc. AE E VISA CY **f**
fermé 15 nov. au 15 déc. – 30 – **19 ch** 190/550.

Campanile, Aérodrome de Cannes-Mandelieu par ③ : 6 km ✉ 06150 Cannes-la-Bocca ☎ 93 48 69 41, Télex 461570, – TV wc – 30. VISA
R 63 bc/86 bc, enf. 38 – 24 – **90 ch** 255 – 1/2 p 342/365.

Dauphins Verts sans rest, 9 r. J.-Dollfus ☎ 93 39 45 82, – TV wc wc. AE E VISA AZ **b**
fermé 31 oct. au 15 janv. – 20 – **17 ch** 155/300.

Festival sans rest, 3 r. Molière ☎ 93 38 69 45 – cuisinette wc CZ **k**
fermé 20 nov. au 15 janv. – 18 – **17 ch** 130/300.

Roches Fleuries sans rest, 92 r. G.-Clemenceau ☎ 93 39 28 78, – wc wc. AZ **q**
fermé 15 nov. au 27 déc. – 16 – **24 ch** 100/220.

Cheval Blanc sans rest, 3 r. de-Maupassant ☎ 93 39 88 60 – TV wc wc AY **a**
17 – **16 ch** 180/240.

Wagram, 140 r. d'Antibes ☎ 93 94 55 53, – ch wc wc.
R 97 – 23 – **23 ch** 185/347 – 1/2 p 213/294. CZ **x**

Poste sans rest, 31 r. Bivouac-Napoléon ☎ 93 39 22 58 – wc. BZ **m**
18 – **22 ch** 140/240.

Modern sans rest, 11 r. Serbes ☎ 93 39 09 87 – TV wc BZ **b**
fermé 8 nov. au 28 déc. – 20 – **19 ch** 190/380.

XXXX ✿ **La Palme d'Or** -Hôtel Martinez-, 73 bd Croisette ☎ 93 68 91 91, Télex 470708 – . AE E VISA DZ **n**
fermé 15 nov. au 24 déc., 31 janv. au 1er mars, mardi midi et lundi – **R** carte 290 à 440
Spéc. Trois petites salades amusantes de la Palme d'Or, Turbot en croustille de pomme de terre, Poitrine de pigeonneau aux béatilles. **Vins** Bellet, Gassin.

XXXX **La Côte** -Hôtel Carlton Intercontinental-, 58 bd Croisette ☎ 93 68 91 68, Télex 470720, , – . AE E VISA.
fermé 1er nov. au 23 déc. – **R** carte 250 à 385.

XXXX ✿✿ **Royal Gray** -Hôtel Gray d'Albion-, 2 r. des Etats-Unis ☎ 93 68 54 54, Télex 470744, , « Elégant décor contemporain » – . AE E VISA CYZ **m**
fermé 1er fév. au 7 mars, lundi (sauf le soir en juil.-août) et dim. – **R** 320/440 et carte
Spéc. Sifflets de St-Pierre cannoise, Petit lapin comme en Provence, Gâteau chaud de noix. **Vins** Bandol.

XXX **Poêle d'Or,** 23 r. États-Unis ✆ 93 39 77 65 – ▤. AE ⓓ E VISA — CZ **v**
fermé 11 nov. au 11 déc., mardi midi et lundi – **R** carte 220 à 300.

XXX **Gaston-Gastounette,** 7 quai St-Pierre ✆ 93 39 49 44, ≤, 🏖 – ▤. AE ⓓ E VISA — AZ **h**
fermé 2 au 24 janv. et lundi du 24 janv. au 31 mars – **R** 180.

XXX **Le Festival,** 52 bd Croisette ✆ 93 38 04 81, 🏖 – ▤. AE ⓓ VISA — CZ **a**
fermé 26 nov. au 26 déc. – **R** 167/190.

XXX **Rescator,** 7 r. Mar.-Joffre ✆ 93 39 44 57 – ▤. AE ⓓ E VISA — BYZ **e**
fermé dim. et le midi en juil.-août – **R** 135/350.

XX **Blue Bar,** ancien Palais des Festivals ✆ 93 39 03 04, 🏖 – ▤. E VISA — CZ **w**
fermé juin et mardi sauf juil.-août – **R** carte 185 à 280.

XX **La Mirabelle,** 24 r. St-Antoine ✆ 93 38 72 75 – E VISA — AZ **a**
fermé 1er au 25 déc. et mardi – **R** (diner seul.) carte 250 à 320.

XX **Santons de Provence,** 6 r. Mar. Joffre ✆ 93 39 40 91 – ▤. E VISA
fermé 20 nov. au 20 déc., le midi (en saison) et lundi (hors sais.) – **R** carte 160 à 220.

XX **Relais des Semailles,** 9 r. St Antoine ✆ 93 39 22 32 – E VISA
fermé 1er fév. au 1er mars, lundi midi et dim.(sauf le soir en juil.-août) – **R** 280, enf. 80.

XX **Le Mesclun,** 16 r. St Antoine ✆ 93 99 45 19 – ▤. AE ⓓ E VISA — AZ **t**
fermé 8 fév. au 15 mars et merc. sauf du 1er mai au 30 sept. – **R** (dîner seul.) 150.

XX **Caveau 30,** 45 r. Félix-Faure ✆ 93 39 06 33, 🏖 – ▤. AE ⓓ E VISA — AZ **f**
R 100/200.

XX **Le Croquant,** 18 bd J.-Hibert ✆ 93 39 39 79 – ▤. AE ⓓ E VISA — AZ **u**
fermé dim. soir et lundi – **R** 90/260.

XX **Taverna Romana,** 10 pl. Suquet ✆ 93 39 96 05, cuisine italienne – ▤ — AZ **e**
R 175.

XX **Au Mal Assis,** 15 quai St-Pierre ✆ 93 39 13 38, ≤, 🏖 – AE E VISA — AZ **m**
fermé 10 oct. au 22 déc. et lundi de janv. à mars – **R** 110/170, enf. 70.

X **L'Olivier,** 9 r. Rouguière ✆ 93 39 91 63 – AE ⓓ E VISA — BY **e**
fermé 15 déc. au 15 janv. et lundi – **R** 80/120.

X **La Croisette,** 15 r. Cdt-André ✆ 93 39 86 06 – ⓓ E VISA — CZ **b**
fermé 15 déc. au 15 janv. et mardi – **R** 71/79 🍷.

X **Aux Bons Enfants,** 80 r. Meynadier – ✈ — AZ **r**
fermé 3 au 25 avril, 24 déc. au 10 janv., merc. soir et dim. – **R** 72.

X **Le Monaco,** 15 r. 24-août ✆ 93 38 37 76 — BY **b**
fermé 10 nov. au 15 déc. et dim. – **R** 65/85.

Autres ressources hôtelières :

Voir *Le Cannet* par ③ : 3 km et *Mougins* par ④ : 8 km.

CITROEN Carnot Autom., 48 bd Carnot ✆ 93 68 20 25 et 205 bd Tonner, La Bocca par ③ ✆ 93 47 24 00
PORSCHE-MITSUBISHI Gar. Gras, 17 bd Vallombrosa ✆ 93 39 34 27

Ⓟ Massa-Pneu, 9 bd Vallombrosa ✆ 93 39 25 22
Sud-Est-Pneus, 20 r. Cdt-Vidal ✆ 93 38 58 14

Le CANNET 06110 Alpes-Mar. 84 ⑨, 195 ㉟㊳ G. Côte d'Azur – 37 430 h.

ℹ Syndicat d'Initiative av. Campon ✆ 93 45 34 27.

Paris 905 – Antibes 13 – Cannes 3 – Grasse 15 – ✦Nice 31 – Vence 28.

Voir plan d'agglomération de Cannes-le-Cannet-Vallauris

🏨 **Gde Bretagne** sans rest, **bd Sadi-Carnot ✆ 93 45 66 00, Télex 470918** – ⇕ cuisinette ▤ Ⓟ. E VISA — V **a**
fermé 6 nov. au 21 janv. – ☕ 30 – **34 ch** 350/620.

🏨 **Picardy** sans rest, **bretelle autoroute ✆ 93 45 35 35,** 🏊 – ✂ TV ⌂wc ⌂wc ☎ 🚗 Ⓟ. AE ⓓ E VISA — V **n**
☕ 22 – **25 ch** 185/275.

🏨 **Ibis,** 87 bd Sadi Carnot ✆ 93 45 79 76, Télex 470095 – ⇕ TV ⌂wc ☎. E VISA
R carte 75 à 120 🍷, enf. 40 – ☕ 25 – **40 ch** 260/300. — V **e**

🏨 **Villa St-Vianney** sans rest, **16 bd Sadi Carnot ✆ 93 45 41 29** – ⌂wc ⌂wc ☎. E VISA – ☕ 23 – **12 ch** 125/295. — V **b**

X **Marinette,** 11 r. Rebuffel ✆ 93 38 89 46, 🏖 — V **u**
fermé 15 juil. au 1er sept., jeudi, vend. et sam. – **R** (déj. seul.) 110/120, enf. 75.

ALFA-ROMEO Gar. Europa, bretelle de l'autoroute ✆ 93 45 17 00

Le CANNET-DES-MAURES 83 Var 84 ⑯ – 2 570 h. – ✉ 83340 Le Luc.

Paris 837 – Brignoles 25 – Cannes 73 – Draguignan 26 – St-Tropez 38 – ✦Toulon 55.

🏨 **Mas du Four** 🐌, E : 2,5 km par N 7 et rte de l'E.A. Alat ✆ 94 60 74 64, 🏖, 🏊, 🌳, 🎾 – ⌂wc Ⓟ. E VISA
fermé 24 au 31 oct., 15 janv. au 15 fév., dim. soir et lundi du 4 sept. au 28 juin – **R** 70/150 – ☕ 25 – **10 ch** 120/250 – ½ p 250/330.

La CANOURGUE 48500 Lozère 80 ④⑤ **G. Gorges du Tarn** – 1 391 h.

Voir Sabot de Malepeyre★ SE : 4 km.

Office de Tourisme (15 juin-15 sept.) ☎ 66 32 83 67 et à la Mairie (hors saison) ☎ 66 32 81 47.

Paris 592 – Espalion 54 – Florac 53 – Mende 46 – Rodez 67 – Sévérac-le-Château 22.

Commerce M, ☎ 66 32 80 18 – wc wc – 30 à 50. E VISA
1er mars-15 nov. et fermé dim. soir et lundi hors sais. – **R** 48/100 – 17,50 – **32 ch** 137/180 – 1/2 p 165/180.

PEUGEOT-TALBOT Condomines, ☎ 66 32 80 16 N

CAN PARTÈRE 66 Pyr.-Or. 86 ⑱ – rattaché à Arles-sur-Tech.

CAPBRETON 40130 Landes 78 ⑰ **G. Pyrénées Aquitaine** – 4 703 h. – Casino.

Office de Tourisme av. G.-Pompidou ☎ 58 72 12 11.

Paris 755 – ♦Bayonne 22 – Mont-de-Marsan 84 – St-Vincent-de-Tyrosse 12 – Soustons 21.

à la Plage NO : 1 km – ✉ 40130 Capbreton :

Atlantic, av. de Lattre de Tassigny ☎ 58 72 11 14, – wc wc . rest
hôtel : 1er juin-30 sept., rest. : 1er juin-15 sept. – **R** (dîner seul.) 120/160 – 25 – **30 ch** 140/240 – 1/2 p 225/260.

Océan, av. G.-Pompidou ☎ 58 72 10 22, ← – wc wc . E VISA. rest
fin fév.-sept. et fermé merc. sauf de début juin à fin sept. – **R** 95/200, enf. 28 – 25 – **52 ch** 105/250 – 1/2 p 195/250.

Miramar, front de Mer ☎ 58 72 12 82, ← – wc wc . AE E.
15 mai-20 sept. – **R** *(fermé le midi sauf dim.)* 100/150 – 22 – **42 ch** 210/290 – 1/2 p 170/240.

Terrasses, front de Mer ☎ 58 72 10 20, ← – wc . VISA. rest
mai-sept. – **R** 75/180 – 23 – **24 ch** 120/200 – 1/2 p 220/230.

Mille Sabords, au port de plaisance ☎ 58 72 26 65, ← – VISA.
1er juin-30 sept. et week-ends et fêtes hors sais. – **R** 160/180, enf. 40.

La Sardinière, av. G. Pompidou ☎ 58 72 10 49, ← – AE E VISA
fermé lundi soir et mardi d'oct. à mai sauf vacances scolaires – **R** 130/180.

Le Regalty, au Port de Plaisance Mille Sabords ☎ 58 72 22 80, – AE E VISA.
fermé dim. soir et lundi d'oct. à mai – **R** carte 170 à 270.

CITROEN Barbe, ☎ 58 72 10 15 RENAULT Gar. Puyau, ☎ 58 72 10 52

CAP COZ 29 Finistère 58 ⑮ – rattaché à Fouesnant.

CAP D'AGDE 34 Hérault 83 ⑯ – rattaché à Agde.

CAP D'AIL 06320 Alpes-Mar. 84 ⑩, 195 ㉗ **G. Côte d'Azur** – 4 402 h.

Paris 948 – Menton 12 – Monte-Carlo 3 – ♦Nice 17.

Miramar, av. du 3 Septembre ☎ 93 78 06 60 – rest wc . VISA
fermé 20 oct. au 15 nov., 3 au 20 janv. – **R** *(fermé mardi)* carte 140 à 220 – 22 – **27 ch** 125/220.

CAP D'ANTIBES 06 Alpes-Mar. 84 ⑨, 195 ㉟㊱ – rattaché à Antibes.

La CAPELLE 02260 Aisne 53 ⑯ **G. Flandres Artois Picardie** – 2 265 h.

Voir Pierre d'Haudroy (monument de l'Armistice 1918) NE : 3 km par D 285.

Paris 191 – Avesnes-sur-Helpe 16 – Le Cateau 30 – Fourmies 11 – Guise 23 – Laon 53 – Vervins 17.

Gd Cerf, av. Gén.-de-Gaulle ☎ 23 97 20 61 – VISA
fermé juil., dim. soir d'oct. à mars et lundi – **R** 100/280, enf. 50.

CAPENDU 11700 Aude 83 ⑫ – 1 270 h.

Paris 890 – Carcassonne 17 – Lézignan-Corbières 18 – Olonzac 21 – St-Pons 58.

Top du Roulier, ☎ 68 79 03 60 – wc wc – 100. VISA. ch
fermé dim. soir du 2 nov. à Pâques – **R** 50 bc/200 bc – 20 – **27 ch** 100/150 – 1/2 p 150/200.

CAPESTANG 34310 Hérault 83 ⑭ – 2 679 h.

Paris 838 – Béziers 15 – Carcassonne 63 – ♦Montpellier 84 – Narbonne 18 – St-Pons 40.

Franche-Comté, D 11 ☎ 67 93 31 21 – wc .
R *(fermé dim. soir)* (dîner seul.) (résidents seul.) 60 – 20 – **15 ch** 140/175 – 1/2 p 145/160.

à Poilhes SE par D 11 : 5 km – ✉ 34310 Capestang :

La Tour Sarrasine, ☎ 67 93 41 31, ← – E VISA
fermé 15 janv. au 28 fév., dim. soir (sauf du 1er juil. au 30 sept.) et lundi – **R** 100/160.

CAP FERRAT 06 Alpes-Mar. 84 ⑩⑲ – rattaché à St-Jean-Cap-Ferrat.

CAP FERRET 33970 Gironde 78 ⑫ **G. Pyrénées Aquitaine – Voir ☼★ du phare.**

Office de Tourisme 12 av. Océan (juin-sept.) ✆ 56 60 63 26.

Paris 647 – Arcachon 69 – ♦Bordeaux 71 – Lacanau-Océan 58 – Lesparre-Médoc 86.

- **La Frégate** sans rest, **av. Océan** ✆ **56 60 41 62** – wc wc ☎ P. AE ⓓ E VISA
  début avril-fin sept. – 18 – **24 ch** 179/231.
- **Dunes** sans rest, **av. Bordeaux** ✆ **56 60 61 81** – wc wc P
  vacances de printemps-fin sept. – **13 ch** 140/200.
- **Pins** sans rest, **r. des Fauvettes** ✆ **56 60 60 11**, – wc wc. E VISA.
  1er juin-29 sept. – 26 – **14 ch** 168/263.
- **Quatre Saisons** avec ch, **av. Océan** ✆ **56 60 68 13**, , – wc. E VISA. ch
  fermé 15 déc. au 1er mars et lundi – **R** 70/110 – 20 – **13 ch** 90/200 – 1/2 p 140/198.

CITROEN Gar. du Phare, ✆ 56 60 61 20 PEUGEOT, TALBOT Gava, ✆ 56 60 64 20

CAP FREHEL 22 C.-du-N. 59 ⑤ **G. Bretagne** – ✉ **22240** Fréhel.

Voir Site★★★ – ☼★★★.

Paris 451 – Dinan 45 – Dinard 38 – Lamballe 36 – ♦Rennes 97 – St-Brieuc 49.

- **Relais de Fréhel** , **S : 2,5 km par D 16 et VO** ✆ **96 41 43 02**, , – wc P.
  20 mars-6 nov. – **R** 65/135, enf. 50 – 25 – **13 ch** 130/190 – 1/2 p 190/210.
- **Le Fanal** sans rest, **S : 2,5 km par D 16** ✆ **96 41 43 19**, – wc ☎ P. E VISA.
  26 mars-8 nov. (en mai et oct. ouvert week-ends seul.) – 26 – **9 ch** 200/240.

CAP GRIS-NEZ ★★ **62** P.-de-C. 51 ① **G. Flandres Artois Picardie** – ✉ **62179** Wissant.

Paris 309 – Arras 131 – Boulogne-sur-Mer 20 – ♦Calais 29 – Marquise 13 – St-Omer 58.

- **Mauves** , ✆ **21 32 96 06**, – wc P. E VISA.
  1er avril-15 nov. – **R** 85/180 – 26 – **16 ch** 140/255 – 1/2 p 210/255.
- **La Sirène**, ✆ **21 32 95 97**, < **mer** – P. E VISA
  fermé mi-déc. à fin janv., dim. soir en juil.-août, lundi et le soir (sauf sam.) de mi-sept. au 30 juin – **R** 70/189.

CAP MARTIN 06 Alpes-Mar. 84 ⑩, 195 ㉘ – rattaché à Roquebrune-Cap Martin.

CAPVERN-LES-BAINS 65130 H.-Pyr. 85 ⑨ **G. Pyrénées Aquitaine** – 952 h. – Stat. therm. (mai-22 oct.) – **Voir Donjon du château de Mauvezin ☼★ O : 4,5 km.**

18 de Lannemezan et Capvern-les-Bains ✆ 62 98 01 01 E : 12 km.

Office de Tourisme r. Thermes (15 avril-22 oct.) ✆ 62 39 00 46.

Paris 817 – Arreau 31 – Bagnères-de-Bigorre 20 – Lannemezan 9 – Tarbes 27.

- **Laca** M , **rte Mauvezin** ✆ **62 39 02 06, Télex 521929**, <, , – TV P – 40. AE ⓓ E VISA. rest
  R 95/175 – 25 – **48 ch** 210/403, 7 appartements 371/483 – 1/2 p 299/446.
- **Paris**, ✆ **62 39 03 90** – wc wc . AE E VISA. rest
  15 avril-22 oct. – **R** 70/140 , enf. 50 – 18 – **50 ch** 90/185 – 1/2 p 150/210.
- **Résidence** sans rest, ✆ **62 39 00 14**, – wc wc
  (saisonnier) – **28 ch**.
- **St-Paul**, ✆ **62 39 03 54**, – wc wc ☎ P. rest
  1er mai-15 oct. – **R** 58/64 – 16 – **29 ch** 110/150.
- **Square**, ✆ **62 39 03 51** – wc wc
  1er mai-15 oct. – **R** 50/70 – 15 – **48 ch** 100/170 – 1/2 p 145/165.
- **Lemoine**, ✆ **62 39 02 18**, <, **parc**, – ch wc P.
  1er mai-22 oct. – **R** 53/80 , enf. 40 – 16 – **20 ch** 80/180 – 1/2 p 129/196.
- **Bellevue** , **rte Mauvezin** ✆ **62 39 00 29**, <, – wc P. rest
  2 mai-5 oct. – **R** 65/110 – 13 – **34 ch** 56/118 – 1/2 p 134/206.
- **Central**, ✆ **62 39 00 22** – . rest
  10 juin-22 sept. – **R** 48/110 – 15 – **23 ch** 60/160.

à Gourgue NO : 4 km par D 81 – ✉ **65130** Capvern-les-Bains :

- **Relais des Bandouliers** avec ch, ✆ **62 39 02 21**, , – wc P. ch
  fermé de nov. à mars (sauf rest.) – **R** *(fermé merc. de nov. à mars)* 50/120, enf. 35 – 17 – **10 ch** 85/140 – 1/2 p 125/140.

CARANTEC 29226 Finistère 58 ⑥ **G. Bretagne** – 2 522 h.

Voir Croix de procession★ dans l'église – "Chaise du Curé" (plate-forme) <★ – Pointe de Pen-al-Lann <★ E : 1,5 km puis 15 mn.

Office de Tourisme r. A.-Louppe (avril-15 sept.) ✆ 98 67 00 43.

Paris 554 – ♦Brest 71 – Lannion 53 – Morlaix 15 – Quimper 90 – St-Pol-de-Léon 10.

- **Falaise** 🐌, ✆ 98 67 00 53, ≤ Baie de Morlaix, 🌳 – ⛀wc ⛆wc Ⓟ. ⛌
vacances de printemps et 12 mai-18 sept. – **R** 75/140 – ☕ 17 – **24 ch** 105/180 – ½ p 141/180.
- **Pors Pol** 🐌, plage Pors-Pol ✆ 98 67 00 52, ≤, 🌳 – ⛀wc ⛆wc Ⓟ. E VISA. ⛌ rest
26 mars-16 avril et 21 mai-19 sept. – **R** 60/180, enf. 33 – ☕ 17 – **40 ch** 145/170.
- XX **le Cabestan,** le Port ✆ 98 67 01 87, ≤ – E VISA
fermé 1er au 15 oct., 5 janv. au 5 fév., lundi soir (hors sais.) et mardi – **R** 88/240.

CITROEN Fauqueux, ✆ 98 67 03 43 🅽 ✆ 98 67 04 06 RENAULT Kerrien, ✆ 98 67 01 71

CARBON-BLANC 33 Gironde 71 ⑨, 75 ⑪ – rattaché à Bordeaux.

CARCASSONNE P 11000 Aude 83 ⑪ G. Pyrénées Roussillon – 42 450 h.

Voir La Cité★★★ (embrasement 14 juil.) CZ – **Basilique St-Nazaire★ : vitraux★★, statues★★** CZ **L** – **Musée du château Comtal : calvaire★ de Villanière** CZ **M1.**

🅸 Office de Tourisme et Accueil de France (Informations, change et réservations d'hôtels, pas plus de 5 jours à l'avance) 15 bd Camille-Pelletan ✆ 68 25 07 04, Télex 505234 et Porte Narbonnaise (Pâques, juin-sept.) ✆ 68 25 68 81.

Paris 798 ④ – Albi 107 ① – Béziers 90 ② – Narbonne 61 ② – ♦Perpignan 113 ② – ♦Toulouse 92 ④.

- **Terminus** sans rest, 2 av. Mar.-Joffre ✆ 68 25 25 00, Télex 500198 – 🛗 📺 ☎ 🚗 – 🎤 30 à 200. AE ⓓ E VISA BY **t**
☕ 26 – **112 ch** 180/285.
- **Montségur,** 27 allée d'Iéna ✆ 68 25 31 41, « Mobilier ancien » – 🛗 ▤ 📺 ⛀wc ⛆wc ☎ Ⓟ. AE ⓓ E VISA AZ **r**
fermé 19 déc. au 15 janv. – **R** voir rest. **Languedoc** ci-après – ☕ 28 – **21 ch** 200/350.
- **Pont Vieux** sans rest, 32 r. Trivalle ✆ 68 25 24 99 – 📺 ⛀wc ⛆wc ☎ 🚗. AE E VISA – *fermé fév.* – ☕ 24 – **15 ch** 185/235. CZ **s**

XXX **Languedoc** -Hôtel Montségur-, 32 allée d'Iéna ✆ 68 25 22 17, 🍴 – AE ⓓ E VISA
fermé 15 déc. au 15 janv., dim. soir hors sais. et lundi – **R** 100/220 ✱. AZ **z**

XXX **Logis de Trencavel** avec ch, 290 av. Gén.-Leclerc par ② : 3 km ✆ 68 71 09 53, 🍴, 🌳 – ⊟wc ⋒wc ☎ 🚗 Ⓟ – 🏰 30. AE ⓓ E VISA
fermé 10 janv. au 10 fév. et merc. – **R** 120/225 – ☕ 30 – **12 ch** 120/270 – ½ p 270/360.

à l'entrée de la Cité, près porte Narbonnaise :

La Vicomté Ⓜ 🌿 sans rest, ✆ 68 71 45 45, Télex 500303, ←, 🏊, 🌳 – |‡| ▤ TV ⊟wc ☎ Ⓟ – 🏰 50. AE ⓓ E VISA CZ **d**
☕ 30 – **59 ch** 285/585.

Aragon sans rest, 15 montée Combéléran ✆ 68 47 16 31, Télex 505076, 🏊 – TV ⊟wc ☎ Ⓟ – 🏰 25. AE ⓓ E VISA CZ **k**
☕ 30 – **29 ch** 195/340.

XXX **Aub. Pont Levis,** ✆ 68 25 55 23, 🍴, 🌳 – ▤ Ⓟ. AE ⓓ E VISA. ✱ CZ **x**
fermé 20 sept. au 2 oct., 10 au 29 janv., dim. soir et lundi – **R** (1er étage) 155/220.

dans la Cité - Circulation réglementée en été :

Cité 🌿, pl. Eglise ✆ 68 25 03 34, Télex 500829, ←, 🍴, « Jardin ombragé dans les remparts » – |‡| TV ☎ ♿ 🚗. AE ⓓ E VISA. ✱ rest CZ **e**
25 avril-15 oct. – **R** *(fermé mardi)* 150/300 – ☕ 50 – **47 ch** 680/800.

Donjon 🌿, 2 r. Comte-Roger ✆ 68 71 08 80, Télex 505012, ←, 🌳 – |‡| TV ⊟wc ⋒wc ☎ Ⓟ – 🏰 50. AE ⓓ E VISA CZ **a**
R *(fermé merc.)* (dîner seul.) 100 – ☕ 35 – **36 ch** 220/360.

Remparts sans rest, 3 pl. Gd Puits ✆ 68 71 27 72, ← – ⊟wc ☎ ♿ Ⓟ. E VISA
☕ 25 – **18 ch** 190/250. CZ **n**

XX **La Crémade,** 1 r. Plô ✆ 68 25 16 64 – AE ⓓ E VISA CZ **u**
fermé janv., dim. soir et lundi sauf juil.-août – **R** 78/125, enf. 56.

au Sud-Est : 2,5 km par D 118 et D 104 - CZ, D 42 et D 342 – ✉ **11000** Carcassonne :

✿ **Domaine d'Auriac** 🌿, rte St-Hilaire ✆ 68 25 72 22, Télex 500385, ←, 🍴, « Domaine du 19e s. dans un parc », 🏊, 🎾 – |‡| ▤ ch TV ☎ Ⓟ – 🏰 80. AE E VISA
fermé 8 janv. au 1er fév., dim. soir et lundi midi d'oct. à Pâques – **R** 160/300 – ☕ 65 – **23 ch** 480/950
Spéc. Foie gras de canard, Cassoulet, Crêpes soufflées. **Vins** Minervois, Corbières.

MICHELIN, Agence, bd Gay-Lussac, Z.I. de la Bouriette par ④ ✆ **68 25 21 77**

ALFA-ROMEO-TOYOTA Gar. Debien, Zone Ind. de Félines, rte de Toulouse ✆ 68 47 09 49
AUSTIN, ROVER Autos 11, Zone Ind. de Félines, rte Toulouse ✆ 68 47 99 62
CITROEN Ménard, 30 av. F.-Roosevelt ✆ 68 25 75 36 🅽 ✆ 68 79 01 87
DATSUN, LADA, VOLVO Campagnaro, Plateau de Grazailles ✆ 68 25 33 34
FIAT-LANCIA-AUTOBIANCHI Gar. Vignal, rte de Montréal ✆ 68 25 81 31 et 10 bd Omer Sarraut ✆ 68 25 81 31
FORD Laporta, Z.I. rte Montréal Aéroport ✆ 68 25 11 50
INNOCENTI-MAZDA Gar. Aubertin, 97 av. Gén. Leclerc ✆ 68 25 38 54
MERCEDES-BENZ Bary, RN 113 à Trèbes ✆ 68 78 61 28
OPEL Bourguignon, 79 av. F.-Roosevelt ✆ 68 25 10 43
PEUGEOT-TALBOT Auto Cité, 133 av. F.-Roosevelt par ⑤ ✆ 68 47 84 36
RENAULT Alaux et Gestin, rte Narbonne par ② ✆ 68 25 77 12 🅽 ✆ 68 79 68 81
SEAT Gar. Spanauto, Zone Com. de Félines, ✆ 68 71 23 10
V.A.G. Cathala, rte Narbonne ✆ 68 25 90 01
Gar. du Palais, 21 r. du Palais ✆ 68 25 26 52

Ⓜ Central-Pneu, Z.I. Arnouzette rte de Bram, ✆ 68 25 46 66
Gastou, Zone Ind. la Bouriette ✆ 68 25 35 42
Grulet, 58 av. F.-Roosevelt ✆ 68 25 09 46
Laguzou-Pneus, 20 av. F.-Roosevelt ✆ 68 25 25 88

CARCÈS 83570 Var 84 ⑥ G. Côte d'Azur – 2 093 h.

Paris 829 – Aix-en-Provence 74 – Draguignan 29 – ♦Marseille 81 – ♦Toulon 63.

Chez Nous, ✆ 94 04 50 89 – ⊟wc ⋒ 🚗. E VISA
fermé 14 nov. au 4 déc., 6 au 16 mars et jeudi hors sais. – **R** 60 bc/135 ✱, enf. 40 – ☕ 20 – **13 ch** 90/145 – ½ p 160/190.

CARDAILLAC 46 Lot 79 ⑩ – rattaché à Figeac.

CARENNAC 46 Lot 75 ⑲ G. Périgord Quercy – 376 h. – ✉ 46110 Vayrac.

Voir Portail★ de l'église – Mise au tombeau★ dans la salle capitulaire.

🅸 Syndicat d'Initiative ✆ 65 38 48 36.

Paris 526 – Brive-la-Gaillarde 40 – Cahors 78 – Martel 18 – St-Céré 18 – Sarlat 62 – Tulle 58.

Host. Fénelon 🌿, ✆ 65 38 67 67, ←, 🍴 – ⊟wc ⋒wc ☎ Ⓟ. E VISA
fermé fin janv. au 10 mars, sam. midi et vend. hors sais. – **R** 56/186 – ☕ 18 – **19 ch** 90/170 – ½ p 155/190.

Aub. Vieux Quercy 🌿, ✆ 65 38 69 00, 🍴, 🏊, 🌳 – ⊟wc ⋒wc ☎ Ⓟ. E VISA
1er mars-30 nov. et fermé lundi hors sais. – **R** 55/180 ✱ – ☕ 22 – **24 ch** 170/200 – ½ p 200/220.

CARENTAN **50500** Manche **54** ⑬ **G. Normandie Cotentin** – 6 939 h.

Syndicat d'Initiative à l'Hôtel de Ville ✆ 33 42 33 54.

Paris 310 ① – Avranches 84 ① – ♦Caen 70 ① – Cherbourg 50 ③ – Coutances 35 ② – St-Lô 28 ①.

CARENTAN
Giesmard (R.) 2
Verdun (Bd de) . . . 5

Le Vauban sans rest, r. Sébline **(r)** ✆ 33 71 00 20 – TV wc wc ☎. E VISA. – 25 – **14 ch** 230/250.

XXX ✿ **Aub. Normande** (Bonnefoy), bd Verdun **(e)** ✆ 33 42 02 99 – **P**. AE ① VISA
fermé dim. soir et lundi – **R** (dim. et fêtes prévenir) 89/298
Spéc. Ravioli d'escargots, Gratinée d'huîtres et goujonnettes de bar, Délice chocolat vanille praliné.

PEUGEOT Carentanaise Automobile, 12 r. du 101ème Airborn ✆ 33 42 02 33
PEUGEOT-TALBOT, MECATOL, Z. I. Pommenauque, rte de Cherbourg par ③ ✆ 33 42 23 73
RENAULT Santini, 7 bd de Verdun ✆ 33 42 02 66 N
RENAULT Gar. Lecathelinais, r. du Gén.-de-Gaulle à Ste-Mère-l'Église par ③ ✆ 33 41 43 09

CARHAIX-PLOUGUER **29270** Finistère **58** ⑰ **G. Bretagne** – 9 100 h.

Syndicat d'Initiative r. Brizeux ✆ 98 93 04 42.

Paris 503 ② – ♦Brest 81 ④ – Concarneau 65 ③ – Guingamp 47 ① – Lorient 75 ③ – Morlaix 50 ④ – Pontivy 58 ② – Quimper 60 ③ – ♦Rennes 152 ② – St-Brieuc 77 ②.

CARHAIX-PLOUGUER

Brizeux (R.) . . . 3
Félix-Faure (R.) . . . 8
Lambert (R. Gén.) . . . 12
Lancien (R. F.) . . . 14
Martyrs (R. des)
Briand (R. A.) . . . 2
Carmes (R. des) . . . 5
Église (R. de l') . . . 6
Emeriau (R. Amiral) . . . 7
Hôpital (R. de l') . . . 9
Oberhausen (R.) . . . 15
République (Bd de la) . . . 18
Verdun (Pl. de) . . . 20

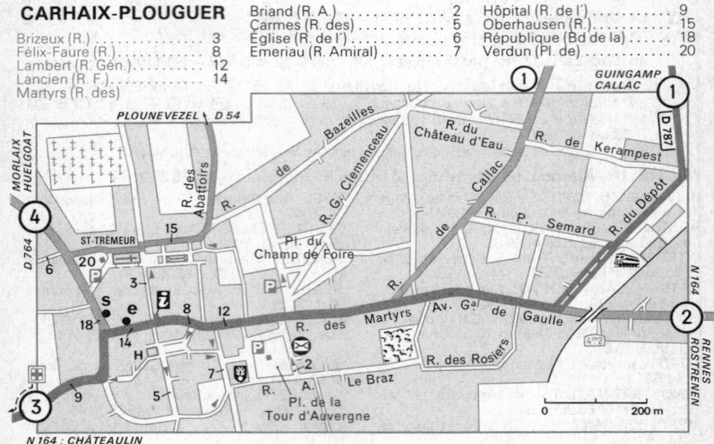

Gradlon M, 12 bd République **(s)** ✆ 98 93 15 22 – rest TV wc ☎ **P** – 80. AE ① E VISA
R *(fermé vend. soir et sam. midi du 16 sept. au 30 juin)* 60/135, enf. 35 – 20 – **44 ch** 180/222.

D'Ahès sans rest, 1 r. F.-Lancien **(e)** ✆ 98 93 00 09 – wc wc
23 – **10 ch** 97/160.

à Port de Carhaix par ③ : 6,5 km sur D 769 – ✉ **29270** Carhaix-Plouguer :

XX **Aub. du Poher,** ✆ 98 99 51 18 – **P**. E VISA
fermé fév. et lundi – **R** 62/145 ⅋.

RENAULT Autom. Centre Bretagne, rte de Rennes par ② ✆ 98 93 18 22 N
V.A.G. S.G.M., bd Jean Moulin ✆ 98 93 26 25
Desserrey-Pneus, rte de Rostrenen ✆ 98 93 05 84
Thomas-Pneus, rte de Callac ✆ 98 93 05 41

CARLING **57** Moselle **57** ⑮ **G. Alsace et Lorraine** – 3 422 h. – ✉ **57490** L'Hôpital.

Voir Centrale Émile Huchet★.

Paris 370 – ♦Metz 45 – Sarreguemines 32 – Saarbrucken 30 – St Avold 7.

XX **Péché Mignon,** 159 r. Principale ✆ 87 82 58 21 – **P**. AE ① E VISA
fermé lundi – **R** 115 bc/140 bc.

CARMAUX 81400 Tarn 80 ⑪ – 12 230 h.

Syndicat d'Initiative pl. Gambetta ☎ 63 76 76 67.

Paris 670 – Albi 16 – Rodez 62 – St-Affrique 87 – Villefranche-de-Rouergue 64.

à *Mirandol-Bourgnounac* N : 13 km par N 88 et D 905 – ✉ **81190** Mirandol-B. :

Voyageurs ⛰, ☎ 63 76 90 10 – ⛲. ✗ rest
hôtel : ouvert 1er avril au 23 août et 11 sept. au 15 oct.; rest. : fermé 23 août au 11 sept., vacances de fév. – **R** *(fermé le soir du 15 oct. au 1er avril)* 50 bc/110 🍷 – ☕ 15 – **11 ch** 80/130 – ½ p 135/170.

CITROEN Gar. Ste-Cécile, 19 av. de Rodez ☎ 63 76 50 93
PEUGEOT, TALBOT Rey, 173 av. A.-Thomas ☎ 63 76 51 52

RENAULT Carmaux Autom., N 88 Pont de Blaye ☎ 63 36 48 67 🅽 ☎ 63 76 56 31
RENAULT Castro, 97 av. A.-Thomas ☎ 63 76 63 55

CARNAC 56340 Morbihan 63 ⑫ **G. Bretagne** – 3 964 h.

Voir Musée préhistorique★★ Y M – Église St-Cornély★ Y E – Tumulus St-Michel★ : ≤★ Y F – Alignements du Ménec★★ par D 196 Y : 1,5 km, de Kermario★ par ② : 2 km, de Kerlescan★ par ② : 4,5 km – Tumulus du Moustoir★ par ② : 4 km, de Kercado★ par ② : 4,5 km – dolmen de Kériaval★ N : 4 km – Dolmens de Mané-Kérioned★ N : 4 km.

⛳18 de St-Laurent-Ploëmel, ☎ 97 56 85 18 N : 8 km par D 196.

Office de Tourisme 74 av. Druides ☎ 97 52 13 52 et pl. Église (Pâques-fin sept.).

Paris 487 ② – Auray 13 ② – Lorient 37 ① – Quiberon 18 ① – Quimperlé 56 ① – Vannes 31 ②.

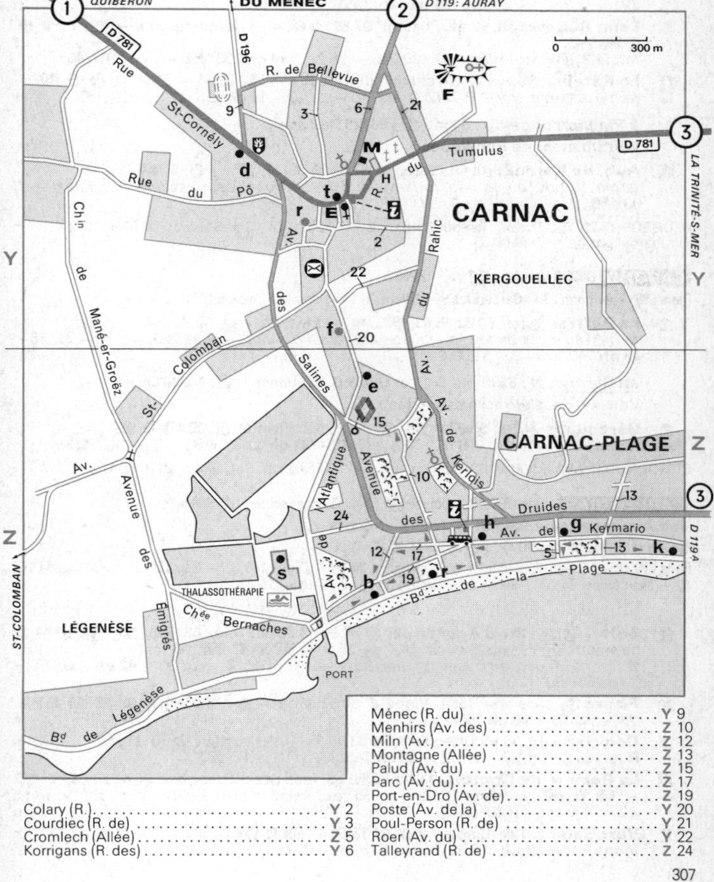

Novotel Tal Ar Mor M, av. Atlantique ☎ 97 52 16 66, Télex 950324, ≤, — rest TV ☎ P. AE E VISA Z s
fermé janv. – **R** grill carte environ 120, enf. 40 – 40 – **110 ch** 410/505.

Diana M, 21 bd Plage ☎ 97 52 05 38, ≤, – TV ☎ P. E VISA Z r
hôtel : 1er avril-9 oct. ; rest. : 30 avril-2 oct. – **R** 180/250 – 55 – **32 ch** 370/800 – 1/2 p 555/635.

Plancton, 12 bd Plage ☎ 97 52 13 65, ≤ – TV wc wc ☎ P. E VISA. rest
25 mars-12 oct. – **R** 105/175 – 25 – **30 ch** 204/345 – 1/2 p 231/301. Z b

Alignements, 45 r. St-Cornély ☎ 97 52 06 30 – wc wc ☎. E VISA.
31 mars-5 avril et 9 mai-20 sept. – **R** (dîner seul.) 50/115 – 21 – **27 ch** 170/226 – 1/2 p 180/206. Y d

Armoric, 53 av. Poste ☎ 97 52 13 47, – wc wc ☎ P. E VISA. rest
vacances de printemps et 22 mai au 15 sept. – **R** 95/140 – 23 – **25 ch** 260 – 1/2 p 248. Z e

Marine, pl. Chapelle ☎ 97 52 07 33, – wc ☎. AE E VISA. rest Y t
hôtel : 1er fév.-5 nov.; rest.: 1er fév.-30 sept. – **R** 75/220 – 25 – **32 ch** 150/380 – 1/2 p 195/315.

Genêts, 45 av. Kermario ☎ 97 52 11 01, – wc wc ☎ P. E VISA. rest
vacances de printemps et 30/5-27/9 – **R** 105/130 – 26 – **35 ch** 150/340. Z g

Ker Ihuel, 59 bd Plage ☎ 97 52 11 38, ≤ – ☎ P. rest Z k
vacances de printemps et 28 mai-22 sept. – **R** 75/130 – 22 – **29 ch** 136/205 – 1/2 p 193/217.

Celtique sans rest, 17 av. Kermario ☎ 97 52 11 49 – wc wc ☎ P. VISA
19 mars-2 oct. – 25 – **35 ch** 145/275. Z h

XX **Lann Roz** avec ch, 12 av. Poste ☎ 97 52 10 48, ≤, « Jardin fleuri » – wc ☎ P. E VISA. Y f
fermé 2 janv. au 1er fév. – **R** 100/240 – 22 – **14 ch** 230/250 – 1/2 p 220/240.

XX **Le Râtelier** avec ch, 4 chemin du Douet ☎ 97 52 05 04 – wc ☎ P. E VISA
fermé oct. et mardi – **R** 70/200, enf. 40 – 23 – **10 ch** 220 – 1/2 p 230/260. Y r

à Plouharnel par ① : 3 km – ✉ **56720** Plouharnel.
Voir Dolmens de Rondossec★.

XX **Aub. de Kérank,** rte Quiberon ☎ 97 52 35 36, ≤, – P. E VISA
fermé 15 nov. au 15 déc., 5 janv. au 5 fév. et lundi sauf vacances scolaires – **R** 90/160.

PEUGEOT-TALBOT Dréan, rte de Carnac à Plouharnel par ① ☎ 97 52 08 53

RENAULT Gar. Steunou, ☎ 97 52 12 08

CAROMB 84330 Vaucluse 81 ⑬ – 2 266 h.

Paris 680 – Avignon 33 – Carpentras 9 – Nyons 35 – Vaison-la-Romaine 19.

Le Beffroi , ☎ 90 62 45 63, , – wc ☎ – 40. E VISA
fermé vacances de fév., mardi soir et merc. hors sais. – **R** 69/220, enf. 50 – 25 – **13 ch** 140/240 – 1/2 p 200/340.

au Barroux N : 3 km par D 13 et D 938 G. Provence – ✉ **84330** Caromb.
Voir ≤★ de la terrasse du château.

Géraniums , ☎ 90 62 41 08, – wc wc ☎ P. AE E VISA
fermé janv. et merc. – **R** 65/160 , enf. 40 – **22 ch** 100/190 – 1/2 p 140/300.

CITROEN Gar. Morard, ☎ 90 62 43 82

RENAULT Gar. Morin, ☎ 90 62 42 98

CARPENTRAS SP 84200 Vaucluse 81 ⑫⑬ G. Provence – 25 886 h.

Voir Ancienne cathédrale St-Siffrein★ : trésor★ Z.

Office de Tourisme 170 av. Jean-Jaurès ☎ 90 63 00 78.

Paris 678 ① – Aix-en-Provence 84 ④ – Avignon 24 ⑤ – Digne 140 ④ – Gap 150 ① – ♦Marseille 104 ④ – Montélimar 74 ① – Salon-de-Provence 50 ④ – Valence 118 ①.

Plan page ci-contre

Safari M , Rte d'Avignon par ⑤ ☎ 90 63 35 35, Télex 431553, , , – cuisinette TV wc wc ☎ P – 25 à 40. AE E VISA. rest
R *(fermé 20 déc. au 5 janv. et dim. hors sais.)* 85/180 – 30 – **42 ch** 250/295 – 1/2 p 250/280.

Fiacre sans rest, 153 r. Vigne ☎ 90 63 03 15 – wc wc ☎. AE E VISA. – 23 – **20 ch** 150/290. Z a

Coq Hardi M, 36 pl. Marotte ☎ 90 63 00 35 – wc wc ☎ P. E VISA Z s
R 78/150 , enf. 35 – 25 – **22 ch** 145/260 – 1/2 p 160/275.

XX **La Rapière du Comtat,** 47 bd du Nord, face pte d'Orange ☎ 90 67 20 03, ≤, – E VISA – *fermé 20 déc. au 15 fév., mardi d'avril à sept., dim. soir et lundi d'oct. à mars* – **R** 60/130 Y u

X **Vert Galant,** 12 r. Clapier ☎ 90 67 15 50 – E VISA Y k
fermé 1er au 15 juil., 25 au 31 déc. et dim. – **R** 90.

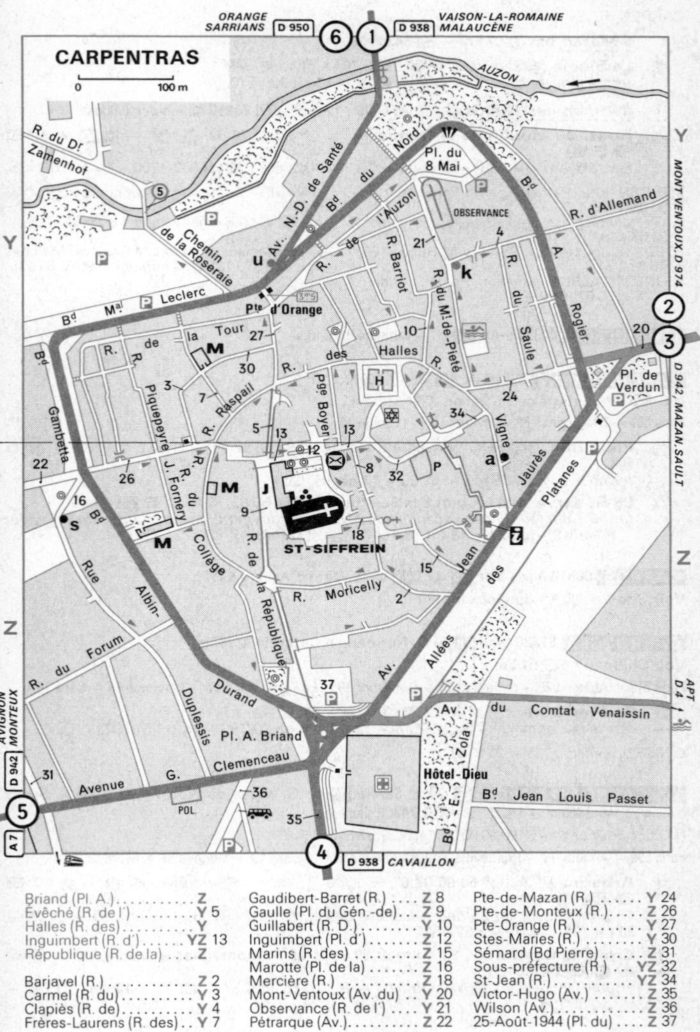

Briand (Pl. A.) . . . . Z
Évêché (R. de l') . . . . Y 5
Halles (R. des) . . . . Y
Inguimbert (R. d') . . . . . . YZ 13
République (R. de la) . . . . . Z

Barjavel (R.) . . . . Z 2
Carmel (R. du) . . . . Y 3
Clapiès (R. de) . . . . Y 4
Frères-Laurens (R. des) . . Y 7
Gaudibert-Barret (R.) . . . . Z 8
Gaulle (Pl. du Gén.-de) . . . Z 9
Guillabert (R. D.) . . . . Y 10
Inguimbert (Pl. d') . . . . Z 12
Marins (R. des) . . . . Z 15
Marotte (Pl. de la) . . . . Z 16
Mercière (R.) . . . . Z 18
Mont-Ventoux (Av. du) . . Y 20
Observance (R. de l') . . . . Y 21
Pétrarque (Av.) . . . . Z 22
Pte-de-Mazan (R.) . . . . . . Y 24
Pte-de-Monteux (R.) . . . . . Z 26
Pte-Orange (R.) . . . . Y 27
Stes-Maries (R.) . . . . Y 30
Sémard (Bd Pierre) . . . . . . Z 31
Sous-préfecture (R.) . . . YZ 32
St-Jean (R.) . . . . YZ 34
Victor-Hugo (Av.) . . . . Z 35
Wilson (Av.) . . . . Z 36
25-Août-1944 (Pl. du) . . . . Z 37

à Monteux par ⑤ : 4,5 km – 7 552 h. – ✉ **84170** Monteux :

La Genestière, ✆ **90 66 27 04**, – wc wc ☎ **P**. AE ① E VISA
R *(fermé 15 oct. au 15 nov., sam. midi et dim. soir)* 90/170 – 30 – **20 ch** 200/350 – ½ p 300.

Select, ✆ **90 66 27 91**, – TV wc. VISA.
fermé 18 déc. au 6 janv. et sam. sauf le soir en sais. – **R** 75/150 – 28 – **8 ch** 200/250 – ½ p 235/260.

XXX **Saule Pleureur,** rte d'Avignon, O : 5 km ✆ **90 62 01 35**, – **P**. AE VISA
fermé 15 au 30 nov., 1er au 20 mars, mardi soir hors sais. et merc. – **R** 158/280, enf. 48.

tourner →

à Mazan par ③ : 7 km – ✉ 84380 Mazan :

Le Siècle ⊗ sans rest, ✆ 90 69 75 70 – ⋒wc ☎. VISA
fermé janv. et dim. hors sais. – ☕ 23 – **12 ch** 125/210.

à Althen-des-Paluds par ⑤ et D 89 : 12 km – ✉ 84210 Althen-des-Paluds :

Host. du Moulin de la Roque Ⓜ ⊗, ✆ **90 62 14 62**, ⛱, ⚯ – ⬍ 📺 ☎ ♿. AE ⓓ E VISA
fermé 6 janv. au 6 fév. – **R** carte 180 à 300 – ☕ 65 – **30 ch** 400/1200 – ½ p 476/1435.

CITROEN Gar. Bernard, rte de Pernes par ④ ✆ 90 63 33 18
FIAT Meunier, rte de Pernes les Fontaines ✆ 90 63 23 80
FORD Ventoux-Autos, 32, 48 av. V. Hugo ✆ 90 63 16 79
PEUGEOT-TALBOT Grimaud, rte de St-Didier par D 4 ✆ 90 67 16 22
RENAULT S.O.V.A., rte Avignon par ⑤ ✆ 90 63 07 72
V.A.G. S.I.A.B., rte de Pernes ✆ 90 63 27 36
⊛ Ayme-Pneus, Z.I. Marché Gare, av. Marchés ✆ 90 63 11 73 131 bd Gambetta ✆ 90 63 59 27

CARQUEFOU 44 Loire-Atl. 67 ③ – rattaché à Nantes.

CARQUEIRANNE 83320 Var 84 ⑮ – 6 199 h.

ℹ Office de Tourisme pl. Libération ✆ 94 58 60 78.

Paris 851 – Draguignan 82 – Hyères 10 – ♦Toulon 14.

Plein Sud sans rest, av. Gén.-de-Gaulle ✆ **94 58 52 86** – ⊟wc ⋒wc ☎ ♿ Ⓟ. E VISA
fermé 5 janv. au 15 fév. – ☕ 25 – **17 ch** 180/250.

XX **La Réserve** avec ch, **port des Salettes** ✆ **94 58 50 02**, ← – ⋒. E VISA
fermé 7 oct. au 7 nov., vacances de fév., dim. soir, merc. soir et lundi sauf juil.-août – **R** 84/310 – ☕ 27 – **18 ch** 88/164 – ½ p 132/173.

CARROS 06510 Alpes-Mar. 84 ⑨, 195 ㉖ G. Côte d'Azur – 8 457 h.

Voir Site★ – ☼★★ du vieux moulin.

CARROUGES 61320 Orne 60 ② G. Normandie Cotentin – 787 h.

Voir Château★ SO : 1 km.

Paris 219 – Alençon 29 – Argentan 23 – Domfront 39 – La Ferté-Macé 17 – Mayenne 54 – Sées 26.

XX **St-Pierre** avec ch, ✆ **33 27 20 02** – 🚗 Ⓟ. E VISA
fermé fév. et merc. – **R** 65/220 🍷 – ☕ 19 – **5 ch** 90/190 – ½ p 170/190.

CITROEN Lehec, ✆ 33 27 20 13 🅽

Les CARROZ-D'ARÂCHES 74 H.-Savoie 74 ⑧ G. Alpes du Nord – alt. 1 140 – Sports d'hiver : 1 140/2 480 m ⛷1 ⛷15 ⛷ – ✉ 74300 Cluses.

ℹ Office de Tourisme ✆ 50 90 00 04. Télex 385281.

Paris 589 – Annecy 73 – Bonneville 27 – Chamonix 51 – Cluses 13 – Megève 34 – Morzine 33.

Arbaron Ⓜ ⊗, ✆ **50 90 02 67**, ←, ⛱, ⛱, ⚘ – ⊟wc ⋒wc ☎ Ⓟ – 🏊 30. AE ⓓ VISA. ⚘ rest
15 juin-15 sept. et 15 déc.-vacances de printemps – **R** 105/175, enf. 65 – ☕ 35 – **30 ch** 198/370 – ½ p 327/332.

Croix de Savoie ⊗, S : 1 km ✆ **50 90 00 26**, ← **montagnes et vallée**, ⛱ – ⋒wc ☎ Ⓟ. E VISA. ⚘ ch
15 juin-15 sept. et 15 déc.-15 avril – **R** 62/135, enf. 37 – ☕ 25 – **19 ch** 150/240 – ½ p 210/255.

CARRY-LE-ROUET 13620 B.-du-R. 84 ⑫ G. Provence – 4 570 h.

ℹ Office de Tourisme (fermé après-midi hors saison) ✆ 42 45 00 08.

Paris 774 – Aix-en-Provence 40 – ♦Marseille 27 – Martigues 16 – Salon-de-Provence 51.

Modern'H., pl. C.-Pelletan ✆ **42 45 00 12**, ⛱ – ⊟wc ⋒wc ☎ Ⓟ. E VISA. ⚘ ch
fermé 15 déc. au 1er fév. – **R** 98 – ☕ 25 – **19 ch** 190/220 – ½ p 225/240.

XXX ✿✿ **L'Escale** (Clor), ✆ **42 45 00 47**, ⛱, « **Terrasses surplombant le port, belle vue** », ⚘ – VISA
1er mars-fin oct. et fermé dim. soir hors sais. et lundi sauf le soir en juil.-août – **R** (dim. prévenir) carte 290 à 405
Spéc. Huîtres en barrigoule, Dos de loup grillé aux épices, Homard rôti dans son beurre corail. **Vins** Coteaux d'Aix, Cassis.

XX **La Brise,** quai Vayssière ✆ **42 45 30 55**, ←, ⛱ – AE ⓓ E VISA
fermé janv., dim. soir et mardi de sept. à Pâques – **R** 140.

CITROEN Gar. Merotte, ✆ 42 45 23 43

CARTERET 50 Manche 54 ① – voir à Barneville-Carteret.

CASSIS 13260 B.-du-R. 84 ⑬ **G. Provence** – 6 318 h. – Casino.

Voir Site★ – O : les Calanques★★ : de Port-Miou, de Port-Pin★, d'En-Vau★★ (à faire de préférence en bateau : 1 h) – Mt de la Saoupe ※★★ E : 2 km par D 41A.

Env. Cap Canaille <★★★ E : 9 km par D 41A – Corniche des Crêtes★★ de Cassis à la Ciotat E : 16 km par D 41A.

Office de Tourisme pl. Baragnon ✆ 42 01 71 17, Télex 441287.

Paris 803 ① – Aix-en-Provence 46 ② – La Ciotat 11 ② – ♦Marseille 23 ① – ♦Toulon 44 ②.

CASSIS

Abbé-Mouton (R.) 2
Arène (R. de l') 4
Autheman (R. V.) 5
Baragnon (Pl.) 6
Barthélemy (Bd) 7
Barthélemy (Quai Jean-Jacques) . 8
Baux (Quai des) 9
Ciotat (R. de la) 10
Clemenceau (Pl.) 12
Jaurès (Av. J.) 16
Leriche (Av. Professeur) 17
Mirabeau (Pl.) 22
Moulins (Q. des) 23
République (Pl.) 25
Revestel (Av. du) 26
St-Michel (Pl.) 27
Thiers (R. Adolphe) 29
Victor-Hugo (Av.) 32

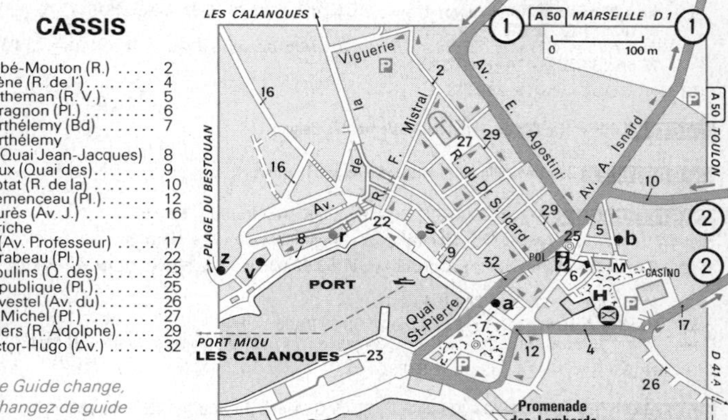

Le Guide change, changez de guide tous les ans.

Roches Blanches, rte Port-Miou SO : 1 km ✆ 42 01 09 30, « Jardins en terrasse avec < mer et Cap Canaille » – 60. AE E VISA. rest
début fév.-début déc. – **R** carte 160 à 250 – 35 – **35 ch** 160/450 – 1/2 p 330/620.

Plage et rest Bestouan, plage Bestouan SO : 1 km ✆ 42 01 05 70, <, – AE E VISA. ch
25 mars-fin oct. – **R** carte 145 à 190 – 28 – **29 ch** 195/400 – 1/2 p 225/330.

Rade M sans rest, av. Dardanelles **(z)** ✆ 42 01 02 97, – wc. AE E VISA
1er mars-30 nov. – 30 – **27 ch** 250/285.

Les Jardins du Campanile, r. A. Favier par ① : 1 km ✆ 42 01 84 85, – wc. AE VISA.
1er avril-15 oct. – **R** (résidents seul. en sais.) – 40 – **38 ch** 440.

Gd Jardin sans rest, 2 r. P.-Eydin **(b)** ✆ 42 01 70 10 – wc wc. AE E VISA.
fermé 31 déc. au 10 fév. – 21 – **26 ch** 140/220.

Liautaud, 2 r. Victor-Hugo **(a)** ✆ 42 01 75 37, < port – wc wc. E VISA. ch
fermé 1er nov. au 15 déc. – **R** 90/160 – 20 – **32 ch** 185/240 – 1/2 p 201/328.

Golfe sans rest, quai Barthélémy **(v)** ✆ 42 01 00 21, < – wc.
1er avril-31 oct. – 20 – **30 ch** 180/230.

XXX **La Presqu'île,** par rte de Port-Miou SO : 2 km ✆ 42 01 03 77, <, – AE E VISA
fermé 4 janv. au 4 mars, lundi (sauf le soir en juil.-août) et dim. soir – **R** 170/260.

XX Gilbert, quai Baux **(s)** ✆ 42 01 71 36, <.

X **Nino,** quai Barthélemy **(r)** ✆ 42 01 74 32, < – AE VISA
fermé 1er déc. au 15 janv., dim. soir (hors sais.) et lundi – **R** 110/200.

CASTAGNIERS 06 Alpes-Mar. 84 ⑨, 195 ㉖ – 1 076 h. – ✉ 06670 St-Martin-du-Var.

Voir Aspremont : ※★ de la terrasse de l'ancien château SE : 4 km, G. Côte d'Azur.

Paris 941 – Antibes 35 – Cannes 44 – Contes 25 – Levens 15 – ♦Nice 18 – Vence 23.

Michel ⛰, ✆ 93 08 05 15, ≤, 🏊 – ⋔
fermé nov. et merc. hors sais. – **R** 75/130, enf. 60 – ☕ 20 – **11 ch** 100/155 – 1/2 p 160/170.

à Castagniers-les-Moulins O : 6 km – ✉ **06670** St-Martin-du-Var :

Servotel Ⓜ, ✆ **93 08 22 00, Télex 461547,** 🏊, 🌳, 🎾 – 🛗 📺 ⇔wc ⋔wc ☎ 🚗 Ⓟ – 🏛 40. AE E VISA
R voir rest. **Les Moulins** ci-après – ☕ 25 – **42 ch** 190/280 – 1/2 p 200/230.

Les Moulins -Hôtel Servotel- avec ch, **N 202** ✆ **93 08 10 62, Télex 461547,** 🏊, 🎾 – ▤ rest ⋔ Ⓟ. E VISA
fermé 15 au 30 mars, 15 oct. au 5 nov. et merc. de sept. à mai – **R** 80/180 – ☕ 20 – **15 ch** 130/200 – 1/2 p 180/240.

CITROEN Ciossa-Autos, ✆ 93 08 13 48

CASTEIL 66 Pyr.-Or. 86 ⑰ – rattaché à Vernet-les-Bains.

Le CASTELET 09 Ariège 86 ⑮ – rattaché à Ax-les-Thermes.

CASTELJALOUX 47700 L.-et-G. 79 ⑬ **G. Pyrénées Aquitaine** – 5 257 h.

Paris 622 – Agen 55 – Langon 40 – Marmande 23 – Mont-de-Marsan 73 – Nérac 30.

Cordeliers sans rest, r. Cordeliers ✆ **53 93 02 19** – 🛗 ⇔wc ⋔ ☎ ♿ 🚗 Ⓟ. E VISA
fermé nov. – ☕ 25 – **24 ch** 90/240.

Vieille Auberge, 11 r. Posterne ✆ **53 93 01 36** – VISA
fermé 1er au 8 mars, 18 au 31 oct., 31 mai au 14 juin, dim. soir et lundi – **R** 52/160.

CITROEN S.E.G.A.D., 44 av. du Lac ✆ 53 93 01 59

CASTELLANE SP 04120 Alpes-de-H.-P. 81 ⑱ **G. Alpes du Sud** – 1 406 h. alt. 724.

Voir Route de Demandolx ≤★★ sur lac de Chaudanne★ et lac de Castillon★ par ① – Site★.

Office de Tourisme r. Nationale ✆ 92 83 61 14.

Paris 796 ③ – Digne 54 ③ – Draguignan 60 ② – Grasse 63 ① – Manosque 94 ②.

CASTELLANE

Nationale (R.) 6
Sauvaire (Pl. Marcel) ... 13

Blondeau (R. du Lt) 3
Liberté (Pl. de la) 4
Mitan (R. du) 5
République (Bd de la) 7
Roc (Chemin du) 8
St-Michel (Bd) 9
St-Victor (R.) 12
11 Novembre (R. du) ... 14

Les plans de villes sont orientés le Nord en haut.

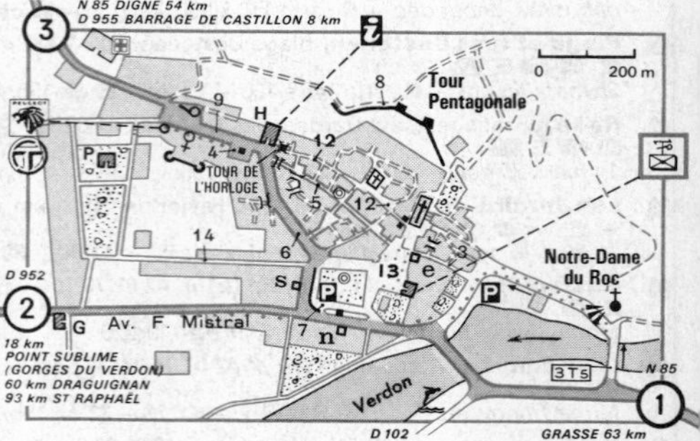

Nouvel H. Commerce Ⓜ, pl. Église **(e)** ✆ **92 83 61 00,** 🌳, 🌳 – 🛗 📺 ⇔wc ☎ Ⓟ. AE ⓓ E VISA. ✗ rest
30 mars-6 nov. – **R** *(fermé avril)* 70/160, enf. 40 – ☕ 28 – **46 ch** 220/260 – 1/2 p 260/280.

Ma Petite Auberge, (n) ✆ **92 83 62 06,** 🌳 – ⇔wc ⋔wc ☎. AE E VISA. ✗ rest
avril-nov. – **R** 60/200 – ☕ 22 – **18 ch** 120/300 – 1/2 p 200/250.

Gd H. du Levant, pl. M. Sauvaire **(s)** ✆ **92 83 60 05,** 🌳 – 🛗 ⇔wc ⋔ ☎ 🚗. E VISA
mars-fin nov. – **R** 60/150, enf. 45 – ☕ 22 – **33 ch** 120/215 – 1/2 p 165/220.

à la Garde par ① : 6 km sur N 85 – ✉ **04120** Castellane :

Aub. du Teillon avec ch, ✆ **92 83 60 88** – ⋔wc Ⓟ
fermé 15 au 31 janv., dim. soir et lundi d'oct. à mars – **R** 65/105, enf. 35 – ☕ 18 – **9 ch** 100/170 – 1/2 p 135/170.

PEUGEOT-TALBOT Castellane-Gar., ✆ 92 83 61 62

Le CASTELLET 83 Var 84 ⑭ **G. Côte d'Azur** – 2 332 h. – ✉ **83330** Le Beausset.

Paris 825 – Brignoles 50 – La Ciotat 18 – ♦Marseille 45 – ♦Toulon 20.

XXX **Castel Lumière** avec ch, au village ☎ **94 32 62 20**, ≤ **montagnes et vallées**, – AE ⓓ E VISA
fermé 2 nov. au 2 déc. et mardi du 1er déc. au 30 juin – **R** 180/240 – ☕ 40 – **5 ch** 300 – 1/2 p 380.

CASTELNAUDARY **11400** Aude 82 ⑳ **G. Pyrénées Roussillon** – 11 381 h.

ℹ Office de Tourisme pl. République ☎ 68 23 05 73.

Paris 760 ④ – Carcassonne 41 ④ – Foix 65 ④ – Pamiers 49 ⑤ – ♦Toulouse 59 ④.

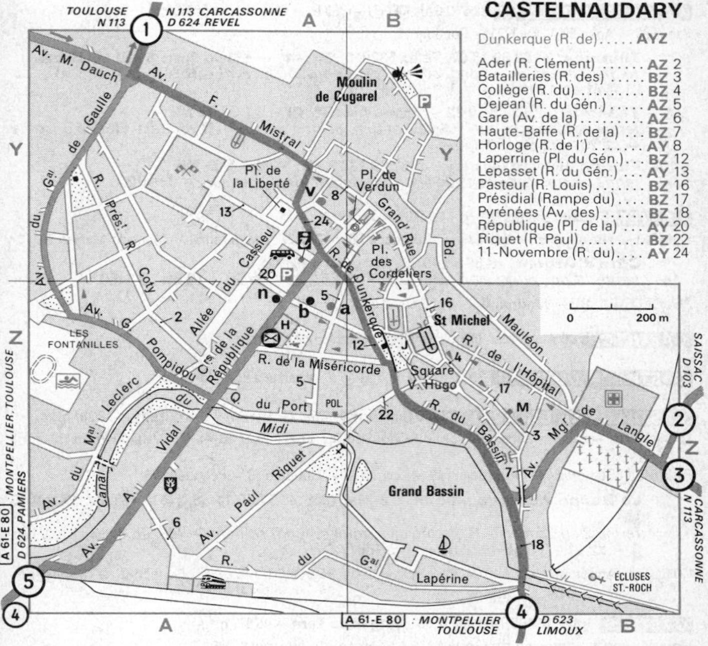

🏨 **Palmes** M 🐎, 10 r. Mar.-Foch ☎ **68 23 03 10, Télex 500372** – 🛗 ▤ TV ☎ 🚗 – 🏊 30. AE ⓓ E VISA — AZ **b**
R 70/130 – ☕ 22 – **19 ch** 210/270 – 1/2 p 220/340.

🏨 **Centre et Lauragais,** 31 cours République ☎ **68 23 25 95** – 🛁wc 🚿wc ☎ VISA — AY **n**
fermé 1er nov. au 15 déc. – **R** 60/200 🍷 – ☕ 18 – **17 ch** 145/190 – 1/2 p 228/238.

XX **Fourcade** avec ch, 14 r. Carmes ☎ **68 23 02 08** – 🛁wc 🚿wc ☎. AE ⓓ E VISA
fermé 26 janv. au 3 mars, mardi soir et merc. hors sais – **R** 52/170 🍷 – ☕ 20 – **14 ch** 70/195. — AY **v**

X **La Belle Époque,** 55 r. Gén.-Dejean ☎ **68 23 39 72** – E VISA — AZ **a**
fermé 5 au 22 janv. et jeudi sauf vacances scolaires – **R** 50/150 🍷.

CITROEN Lauragais-Automobiles, rte de Toulouse par ⑥ ☎ 68 23 00 78 N ☎ 68 23 07 50
MERCEDES-BENZ Gar. Serres, 16 quai du Port ☎ 68 23 01 52
OPEL-G.M. Général autom. de l'Aude rte Carcassonne ☎ 68 23 13 36
PEUGEOT-TALBOT S.N.G.L. ancienne rte de Toulouse par ⑥ ☎ 68 23 01 47

RENAULT Franco, av. Monseigneur de Langle par ③ ☎ 68 23 18 82

Ⓜ Central-Pneu, rte de Carcassonne ☎ 68 23 11 44
Solapneu, rte Mirepoix ☎ 68 23 11 28

CASTELNAU-MAGNOAC 65230 H.-Pyr. 85 ⑩ – 950 h.

Paris 769 – Auch 41 – Lannemezan 26 – Mirande 34 – St-Gaudens 43 – Tarbes 45 – ♦Toulouse 94.

Dupont, ✆ 62 39 80 02, ≤, – wc ⋒wc – 40. E VISA
R 40/90, enf. 40 – 14 – **35 ch** 100/150 – 1/2 p 135/145.

CASTELNOU 66 Pyr.-Or. 86 ⑲ **G. Pyrénées Roussillon** – 152 h. – ✉ **66300** Thuir.

Paris 926 – Argelès-sur-Mer 32 – Céret 29 – ♦Perpignan 19 – Prades 37.

L'Hostal, ✆ 68 53 45 42,
15 mars-31 déc. et fermé merc. soir et lundi – **R** 80 bc/160 bc.

CASTELPERS 12 Aveyron 80 ⑫ – rattaché à Naucelle.

CASTÉRA-VERDUZAN 32410 Gers 82 ④ – 753 h. – Stat. therm. (mai-oct.).

Paris 693 – Agen 59 – Auch 25 – Condom 19.

Thermes, ✆ 62 68 13 07, Télex 532915, , – wc ⋒wc . AE E VISA
fermé 2 au 16 janv., vend. et sam. du 15 nov. au 30 avril – **R** 58/190, enf. 38 – 21 – **41 ch** 120/180 – 1/2 p 140/190.

Ténaréze, ✆ 62 68 10 22 – wc ⋒wc – 30. E VISA
fermé vacances de nov., de fév. et dim. de nov. à mars – **R** voir rest. **Florida** ci-après – 20 – **22 ch** 130/150.

Florida -Hôtel Le Ténarèze-, ✆ 62 68 13 22, – AE E VISA
fermé vacances de nov., de fév., dim. soir et lundi hors sais. – **R** 54/200.

CASTETS 40260 Landes 78 ⑯ – 1 453 h.

Paris 713 – ♦Bayonne 57 – Belin 75 – ♦Bordeaux 125 – Dax 22 – Mimizan 51 – Mont-de-Marsan 60.

Côte d'Argent, ✆ 58 89 40 33, – . ch
fermé 1er oct. au 1er avril (sauf rest.) – **R** 65/120 – 20 – **12 ch** 120/150.

PEUGEOT-TALBOT Modern'Gar., ✆ 58 89 40 21 N

CASTILLON 06 Alpes-Mar. 84 ⑳, 195 ⑱ – rattaché à Menton.

CASTILLON-DU-GARD 30 Gard 80 ⑲, 81 ⑪ – rattaché à Pont-du-Gard.

CASTILLON-LA-BATAILLE 33350 Gironde 75 ⑫⑬ **G. Pyrénées Aquitaine** – 3 207 h.

Office de Tourisme allées République (juin-sept.) ✆ 57 40 27 58 et à la Mairie (hors saison) ✆ 57 40 00 06.

Paris 546 – Bergerac 43 – ♦Bordeaux 49 – Langon 42 – Libourne 18 – Périgueux 76.

La Bonne Auberge avec ch, r. 8-Mai 1945 ✆ 57 40 11 56, – ⋒ . AE E VISA
fermé 2 au 25 nov. – **R** *(fermé sam. midi et lundi sauf du 1er juil. au 30 sept.)* 62/185 – 21 – **10 ch** 102/255 – 1/2 p 160/240.

CITROEN Anconière, ✆ 57 40 04 26

PEUGEOT-TALBOT Ferrachat, à St-Magne-de-Castillon ✆ 57 40 03 07

CASTRES 81100 Tarn 83 ① **G. Gorges du Tarn** – 46 877 h.

Voir Musée★ : oeuvres de Goya★★ BZ – **Hôtel de Nayrac★** AY.

Env. Le Sidobre★ 9 km par ①.

Syndicat d'Initiative Théâtre Municipal pl. République ✆ 63 59 92 44 – A.C. r. Général Sarrail ✆ 63 35 74 57.

Paris 729 ⑧ – Albi 42 ⑦ – Béziers 102 ③ – Carcassonne 65 ③ – ♦Toulouse 71 ④.

Plan page ci-contre

Occitan M sans rest, 201 av. Ch de Gaulle par ③ ✆ 63 35 34 20 – TV . E VISA
fermé vacances de Noël – 22 – **43 ch** 230/255.

Gd Hôtel, 11 r. Libération ✆ 63 59 00 30 – TV wc ⋒wc . AE E VISA
fermé 15 déc. au 15 janv. – **R** *(fermé vend. soir et sam.)* 60/150 – 20 – **40 ch** 120/260 – 1/2 p 290/380. BZ **n**

Chapon Fin, 8 quai Tourcaudière ✆ 63 59 06 17 – . AE VISA BY **b**
fermé lundi en hiver – **R** 85/300, enf. 34.

Les Salvages par ② : 5 km – ✉ **81100** Castres :

Café du Pont avec ch, ✆ 63 35 08 21, ≤, , – ⋒. AE E VISA.
fermé 16 au 24 oct., 8 au 28 fév., dim. soir et lundi – **R** 80/200 – 22 – **6 ch** 120/220.

à St-Germier par ① : 8 km sur N 112 – ✉ **81210** Roquecourbe :

St-Germier sans rest, ✆ 63 59 92 97, – wc ⋒wc
fermé 20 déc. au 5 janv. et dim. – 20 – **15 ch** 191/205.

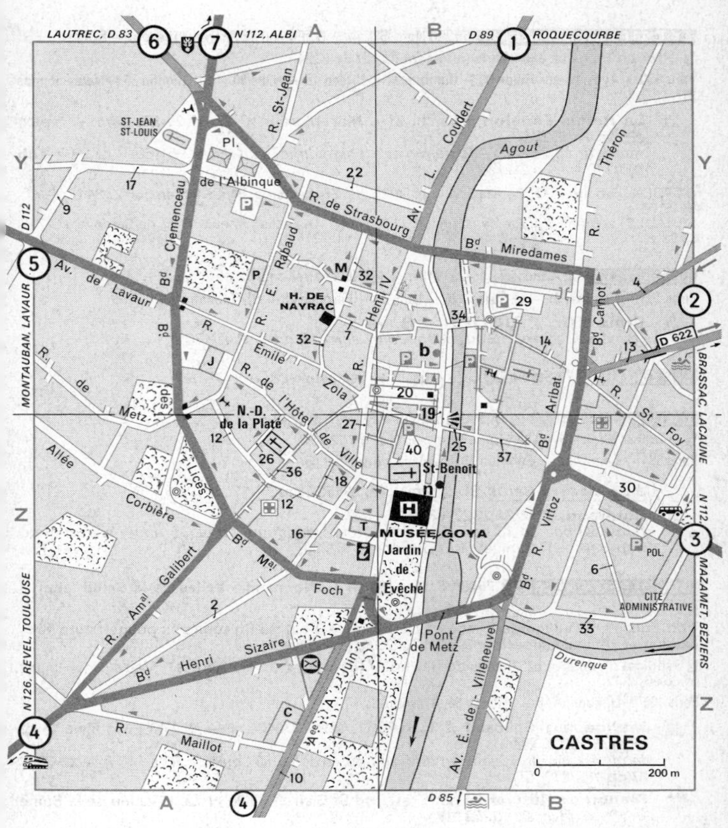

Henri-IV (R.) . . . . ABY
Jaurès (Pl. Jean) . . . . BY 20
Sabatier (R.) . . . . AZ 27
Villegoudou (R.) . . . . BZ 37
Zola (R. Émile) . . . . AY

Albert Ier (Av.) . . . . AZ 2
Alsace-Lorraine (Pl.) . . . . . AZ 3
Audenet (R. Sœur) . . . . . . BY 4
Auque (R. d') . . . . BZ 6
Borrel (R.) . . . . AY 7
Bourgeois (Bd L.) . . . . AY 9
Cassin (Av. R.) . . . . AZ 10
Chambre de l'Édit (R.) . . . . AZ 12
Desplats (Av. J.) . . . . BY 13
Fuzies (R.) . . . . BY 14
Gambetta (R.) . . . . AZ 16
Gazel (R. du) . . . . AY 17
Guy (R. G.) . . . . AZ 18
Jacobins (Quai des) . . . . . . BZ 19
Mahuzies (R.) . . . . AY 22
Neuf (Pont) . . . . BZ 25
Platé (R. de la) . . . . AZ 26
St-Clair (Pl.) . . . . BY 29
Soult (Pl.) . . . . BZ 30
Thomas (R. F.) . . . . AY 32
Veauté (R. A.) . . . . BZ 33
Vieux (Pont) . . . . BY 34
Victor-Hugo (R.) . . . . AZ 36
8 Mai 1945 (Pl. du) . . . . . . BZ 40

ALFA-ROMEO, HONDA Gar. Pirola, 126 av. du Sidobre ☎ 63 35 07 10
BMW Viala, rte de Toulouse ☎ 63 72 51 23
CITROEN Sud Auto, ZAC Chartreuse, rte Toulouse par ⑥ ☎ 63 59 92 10
FIAT S.A.T.A., 111 av. Albert-1er ☎ 63 59 26 22
FORD G.T.A., rte de Toulouse, Zone Ind. Mélou ☎ 63 59 02 52 **N** ☎ 63 59 44 42
MERCEDES Autom., Téoulet Z.I. de la Chartreuse ☎ 63 59 92 88
OPEL Boyeldieu, rte de Toulouse ☎ 63 59 11 12 **N** ☎ 63 98 08 65
PEUGEOT-TALBOT Gar. Maurel, r. de Crabié ☎ 63 35 74 64
RENAULT Sté Tarnaise Autom., rte Toulouse, Mélou par ⑥ ☎ 63 59 41 17
V.A.G. Gar. Négrier, rte Toulouse, Zone Ind. de la Chartreuse ☎ 63 59 30 55

Bellet Pneus, Le Verdier, rte de Toulouse ☎ 63 72 25 25
Bernard, 52 bd Pierre Mendès France ☎ 63 59 07 26
Deldossi-Pneus, 88 rte Toulouse, Zone Ind. Mélou ☎ 63 59 33 83
Escoffier-Pneus, 215 av. Albert-1er ☎ 63 59 27 00
Pneus-Service, 9 allées Corbières ☎ 63 59 33 22

CASTRIES **34160 Hérault** 83 ⑦ **G. Gorges du Tarn** – 3 419 h. – **Voir Château★.**

Paris 751 – Lunel 15 – ♦Montpellier 12 – Nîmes 46.

✕ **L'Art du Feu,** ☎ 67 70 05 97 – AE ⓓ E VISA.
fermé août, vacances de fév., mardi soir et merc. – **R** 69/85, enf. 40.

Le CATEAU-CAMBRÉSIS 59360 Nord 53 ⑭⑮ G. Flandres Artois Picardie – 8 311 h.

Office de Tourisme à la Mairie (juin-sept.) ✆ 27 84 10 94.

Paris 190 – Avesnes-sur-Helpe 30 – Cambrai 24 – Hirson 45 – ♦Lille 80 – St-Quentin 36 – Valenciennes 31.

XX **Le Relais Fénelon** avec ch, 21 r. Mar.-Mortier ✆ 27 84 25 80, parc – ch wc ☎. E VISA
fermé 1er au 24 août – **R** *(fermé dim. soir et lundi sauf fériés)* 85/160 – 20 – **3 ch** 160/170 – 1/2 p 212/260.

CITROEN Ribeiro, 13 r. du Mar. Mortier ✆ 27 84 07 76
RENAULT Legrand, Z.I. Rte de Bazuel ✆ 27 77 89 33
Ets Leclercq, 84 r. Faidherbe ✆ 27 84 26 50
Le Cateau Pneus, 17 fg de Cambrai ✆ 27 84 07 71

Le CATELET 02 Aisne 53 ⑬⑭ – 243 h. – ✉ **02420** Bellicourt.

Paris 168 – Cambrai 21 – Le Cateau 26 – Laon 64 – Péronne 28 – St-Quentin 18.

XX **Croix d'Or,** ✆ 23 66 21 71 – P. VISA
fermé 8 au 29 août, 2 au 16 janv., dim. soir et lundi – **R** 92/170.

Les CATONS 73 Savoie 74 ⑮ – rattaché au Bourget-du-Lac.

CATUS 46150 Lot 79 ⑦ G. Périgord Quercy – 775 h.

Syndicat d'Initiative à la Mairie (juin-sept.) ✆ 65 22 70 31.

Paris 584 – Cahors 16 – Gourdon 28 – Villeneuve-sur-Lot 65.

à St-Médard-Catus SO : 5 km – ✉ **46150** Catus :

XX **Gindreau,** ✆ 65 36 22 27, <, – VISA
fermé 28 oct. au 18 nov., vacances de fév., lundi en juil.-août, mardi soir et merc. hors sais. – **R** (dim. et fêtes prévenir) 110/280.

CAUDEBEC-EN-CAUX 76490 S.-Mar. 55 ⑤ G. Normandie Vallée de la Seine (plan) – 2 477 h.

Voir Église★ – Vallon de Rançon★ NE : 2 km – Pont de Brotonne★ : péage : auto 10 F, camion et véhicule supérieur à 1,7 t. 7 à 22 F, E : 1,5 km.

Syndicat d'Initiative pl. Charles-de-Gaulle (avril-1er nov.) ✆ 35 96 20 65 et à la Mairie (2 nov.-mars) ✆ 35 96 11 12.

Paris 166 – Lillebonne 16 – ♦Rouen 36 – Yvetot 12.

Marine, quai Guilbaud ✆ 35 96 20 11, Télex 770404, < – TV wc wc ☎ P – 30. AE E VISA
fermé 15 déc. au 10 janv. et dim. soir du 15 oct. au 31 mars – **R** 88/180 – 23 – **27 ch** 185/272.

Manoir de Rétival sans rest, rue St Clair ✆ 35 96 11 22, < vallée de la Seine – wc wc ☎ P. AE ⓓ
fermé janv. et merc. – 35 – **10 ch** 480.

Normandie, quai Guilbaud ✆ 35 96 25 11, Télex 771684, < – TV wc wc ☎ P. AE E VISA
fermé fév. – **R** *(fermé dim. soir sauf fériés)* 51/148 – 19,50 – **16 ch** 176/258.

CITROEN Modern'Gar., ✆ 35 96 20 44
PEUGEOT Gar. du Centre, ✆ 35 96 12 45
RENAULT Gar. Lopéra, ✆ 35 96 23 88
V.A.G. Caudebec Autom., ✆ 35 96 13 44

CAUDON-DE-VITRAC 24 Dordogne 75 ⑰ – rattaché à Vitrac.

CAULIÈRES 80 Somme 52 ⑰ – rattaché à Poix de Picardie.

CAUREL 22 C.-du-N. 59 ⑫ – 376 h. – ✉ **22530** Mur-de-Bretagne.

Paris 460 – Carhaix-Plouguer 43 – Guingamp 47 – Loudéac 25 – Pontivy 20 – St-Brieuc 48.

XX **Beau Rivage** M avec ch, au lac de Guerlédan S : 2 km par D 111 ✆ 96 28 52 15, <, – wc ☎ – 30. AE ⓓ E VISA.
fermé 10 janv. au 15 fév., lundi soir et mardi sauf juil.-août – **R** 85/240 – 25 – **8 ch** 150/280 – 1/2 p 250/320.

CAUSSADE 82300 T.-et-G. 79 ⑱ G. Périgord Quercy – 6 132 h.

Paris 630 – Albi 70 – Cahors 39 – Montauban 22 – Villefranche-de-Rouergue 51.

Dupont, r. Recollets ✆ 63 65 05 00 – wc wc ☎ P. E VISA
fermé 1er au 15 nov., vacances de fév., vend. soir et sam. d'oct. à juin – **R** 65/200 – 20 – **31 ch** 100/185 – 1/2 p 150/210.

PEUGEOT-TALBOT Bayol, 92 av. Gén.-Leclerc ✆ 63 93 22 22
Caussade Pneu. pl. des Douches ✆ 63 93 18 30
Taquipneu, à Monteils ✆ 63 93 10 91

CAUTERETS 65110 H.-Pyr. 85 ⑰ G. Pyrénées Aquitaine – 1 113 h alt. 930 – Stat. therm. – Sports d'hiver : 930/2 340 m 2 16 – Casino.

Voir Cascade** et vallée* de Lutour S : 2,5 km par D 920 – Route et site du pont d'Espagne** (chutes du Gave) au Sud par D 920.

Env. SO : Site** du lac de Gaube accès du pont d'Espagne par télésiège puis 1h.

Office de Tourisme pl. Hôtel de Ville ✆ 62 92 50 27.

Par ① : Paris 832 – Argelès-Gazost 17 – Lourdes 30 – Tarbes 50.

Bordeaux M, r. Richelieu (f) ✆ 62 92 52 50, Télex 521425, – – 30. AE VISA rest
fermé 10 oct. au 19 déc. – **R** *(fermé merc. en été)* 100/150 – 32 – **18 ch** 250/350, 6 appartements 300/400 – 1/2 p 240/280.

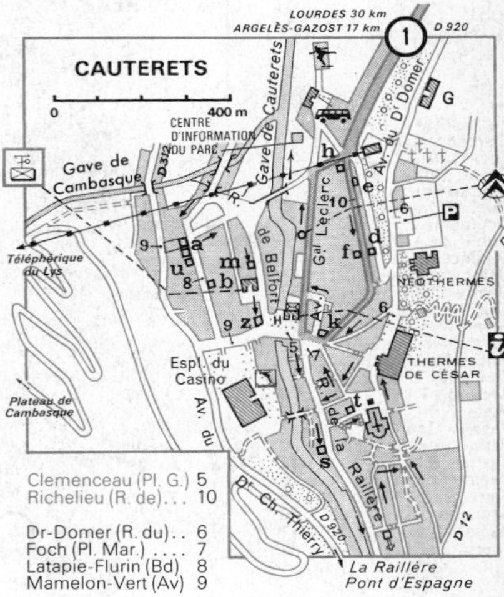

Le Sacca, bd Latapie-Flurin (a) ✆ 62 92 50 02, – rest wc wc . E VISA. rest
fermé 10 oct. au 20 déc. – **R** 55/120, enf. 34 – 20 – **29 ch** 146/208 – 1/2 p 197/217.

Etche Ona, r. Richelieu (d) ✆ 62 92 51 43 – wc wc . AE E VISA
10 mai-30 sept. et 19 déc.-15 avril – **R** 65/170 – 24 – **35 ch** 110/240 – 1/2 p 160/220.

Ste Cécile, bd Latapie-Flurin (b) ✆ 62 92 50 47, – ch rest wc wc . AE E VISA. rest
20 déc.-20 sept. – **R** 60/100 – 25 – **36 ch** 195/250 – 1/2 p 135/210.

CAUTERETS

Clemenceau (Pl. G.) 5
Richelieu (R. de) . . . 10

Dr-Domer (R. du) . . 6
Foch (Pl. Mar.) 7
Latapie-Flurin (Bd) 8
Mamelon-Vert (Av) 9

Bellevue et George V, pl. Gare (h) ✆ 62 92 50 21 – wc wc . rest
1er juin-fin sept. et 20 déc.-fin avril – **R** 63 – 23 – **41 ch** 195/230 – 1/2 p 220/260.

Les Édelweiss, bd Latapie-Flurin (u) ✆ 62 92 52 75 – wc wc . E VISA.
1er juin-30 sept., vacances de Noël et 1er fév.-15 avril – **R** 65/75 – 25 – **26 ch** 168/189 – 1/2 p 170/180.

Paris sans rest, pl. Mar.-Foch (k) ✆ 62 92 53 85 – cuisinette wc wc .
fermé 15 avril au 4 mai et 4 nov. au 15 déc. – 17 – **15 ch** 115/190.

Victoria, bd Latapie-Flurin (a) ✆ 62 92 50 43 – wc wc . rest
fermé 1er oct. au 19 déc. et 21 au 30 avril – **R** 65/85 – 24 – **30 ch** 125/190 – 1/2 p 145/235.

La Rotonde, 38 r. Richelieu (e) ✆ 62 92 52 68 – wc . AE E VISA. rest
fermé 1er nov. au 20 déc. et fin vacances de printemps au 15 mai – **R** 60/80, enf. 40 – 22 – **22 ch** 100/160 – 1/2 p 110.

Centre et Poste, r. Belfort (m) ✆ 62 92 52 69 – wc wc
8 mai-22 sept. et 20 déc.-10 avril – **R** 62/90 – 15 – **40 ch** 80/160 – 1/2 p 120/155.

Welcome, r. Eglise (t) ✆ 62 92 50 22 – wc
2 mai-30 sept. et 15 déc.-15 avril – **R** 75/170 – 18 – **31 ch** 90/178 – 1/2 p 137/180.

Le Peguère, r. Raillère (s) ✆ 62 92 51 08, ← – .
1er juin-30 sept. et vacances scolaires – **R** 58/68 – 16 – **16 ch** 100/130 – 1/2 p 122/142.

Astoria sans rest, av. Mamelon-Vert (z) ✆ 62 92 53 77 – cuisinette wc wc **14 ch**.

à La Fruitière S : 6 km par N 21c et RF – alt. 1 400 – ✉ **65110** Cauterets :

Host. La Fruitière avec ch, ✆ 62 92 52 04, ←, –
15 mai-1er oct., 15 déc.-15 avril – **R** *(fermé dim. soir en été)* (dim. prévenir) 61/145 – 17,50 – **8 ch** 120/143 – 1/2 p 176/190.

au Pont d'Espagne SO : 8 km par D 920 – alt. 1 497 – ✉ **65110** Cauterets :

Pont d'Espagne avec ch, ✆ 62 92 54 10, ←, –
hôtel : 1er juin-20 sept., rest : 1er avril-10 oct., vacances de Noël et de fév. – **R** 56/124 – 15 – **10 ch** 80 – 1/2 p 110.

CITROEN Dansaut, ✆ 62 92 51 01

CAVAILLON 84300 Vaucluse 81 ⑫ **G. Provence** – 20 830 h.

Voir Musée : collection archéologique★ M.

Office de Tourisme 79 r. Saunerie ✆ 90 71 32 01.

Paris 703 ④ – Aix-en-P. 57 ④ – Arles 44 ④ – Avignon 24 ① – Manosque 71 ②.

CAVAILLON

Bournissac (Cours) 3
Castil-Blaze (Pl.) 5
Clos (Pl. du) 7
République (R. de la) ... 37
Victor-Hugo (Cours) 43

Berthelot (Av.) 2
Clemenceau (Av. G.) 6
Coty (Av. R.) 9
Crillon (Bd) 10
Diderot (R.) 12
Donné (Chemin) 13
Doumer (Av. P.) 14
Dublé (Av. Véran) 15
Durance (R. de la) 17
Gambetta (Cours L.) 18
Gambetta (Pl. L.) 19
Gaulle (Av. Gén.-de) 22
Grand-Rue 23
Jaurès (Av. Jean) 24
Joffre (Av. Mar.) 26
Kennedy (Av. J.F.) 27
Lattre-de-T. (R.P.J de) .. 29
Pasteur (R.) 30
Péri (Av. Gabriel) 31
Pertuis (Rte de) 32
Raspail (R.) 34
Renan (Cours E.) 35
Sarnette (Av. Abel) 38
Saunerie (R.) 40
Sémard (Av. P.) 41
Tourel (Pl. F.) 42

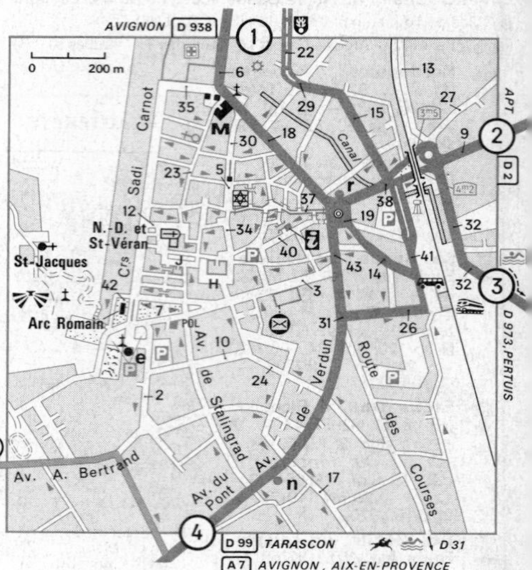

Christel M, par ④ : 2 km ✆ 90 71 07 79, Télex 431547, ←, ... – 200. AE ⦿ E VISA
R *(fermé sam. midi et dim. midi du 1er nov. au 31 mars)* 115/155 – 32 – **105 ch** 265/350, 4 appartements 550 – 1/2 p 350/375.

Parc sans rest, pl. du Clos **(e)** ✆ 90 71 57 78 – wc wc ☎. E VISA.
21 – **40 ch** 120/210.

XXX **L'Assiette au Beurre,** 353 av. Verdun **(n)** ✆ 90 71 32 43 – AE VISA
fermé 27 juin au 18 juil., dim. soir et lundi – **R** 139/225, enf. 40.

XX ✿ **Nicolet,** 13 pl. Gambetta (1er étage) **(r)** ✆ 90 78 01 56 – AE ⦿ E VISA.
fermé 3 au 18 juil., 17 au 24 fév., dim. et lundi – **R** 130/180
Spéc. Salade de homard aux asperges (avril-juin), Médaillons de lotte à la compote de poireaux (juil.-sept.), Pigeon au Châteauneuf-du-Pape (oct.-déc.). **Vins** Côtes du Lubéron, Vacqueyras.

à Robion par ② et D 2 : 5 km – ✉ **84440** Robion :

XX **Maison de Samantha,** ✆ 90 76 55 56 – P. AE ⦿ E VISA
fermé fév., mardi soir et merc. – **R** 75/150.

CITROEN Chabas, rte d'Avignon par ①, q. du Grand-Grès ✆ 90 71 27 40 N ✆ 90 71 14 11
FORD Gar. Reding, 86 av. Paul-Doumer ✆ 90 71 14 80
PEUGEOT-TALBOT Gar. Berbiguier, rte de l'Isle sur Sorgue par ① ✆ 90 71 39 23
RENAULT Autom. Cavaillonnaise, 287 av. G.-Clemenceau par ① ✆ 90 71 34 96 N

Anrès, 154 av. Stalingrad ✆ 90 78 03 91
Ayme Pneus, 261 av. G.-Chauvin ✆ 90 71 36 18
Chabas, 339 route des Courses ✆ 90 71 04 73
Gay-Pneus, av. du Pont ✆ 90 71 78 88
Omnica, 225 r. Ch.-Delaye ✆ 90 71 41 00

CAVALAIRE-SUR-MER 83240 Var 84 ⑰ **G. Côte d'Azur** – 3 912 h.

Office de Tourisme square de Lattre-de-Tassigny ✆ 94 64 08 28.

Paris 883 – Draguignan 58 – Le Lavandou 21 – St-Tropez 18 – Ste-Maxime 22 – ♦Toulon 61.

Calanque , r. Calanque ✆ 94 64 04 27, Télex 400293, ≤ mer, ... – ☎ P. ⦿ E VISA.
mi-mars-7 oct. – **R** 95/175, enf. 60 – 38 – **30 ch** 460/490, 3 appartements 600 – 1/2 p 425/480.

Pergola M, av. Port ✆ 94 64 06 86, ... – wc ☎. ⦿ VISA. rest
fermé 1er nov. au 20 déc., 3 au 30 janv. – **R** *(fermé lundi hors sais.)* 150/195, enf. 85 – 25 – **27 ch** 240/285 – 1/2 p 295/335.

H. Raymond et rest. Le Mistral, av. Alliés ✆ 94 64 07 32, ... – wc wc ☎ P. AE ⦿ E VISA
20 mars-20 oct. – **R** 90/150 , enf. 40 – 25 – **35 ch** 150/280 – 1/2 p 160/260.

Eucalyptus M sans rest, au SE : 1 km ✆ 94 64 01 90 – wc. AE VISA
21 – **17 ch** 285.

Maya M sans rest, av. Mar. Lyautey ✆ 94 64 33 82 – wc wc. E VISA
fermé oct. – 25 – **15 ch** 180/280.

Bel Ombra, av. Maures ✆ 94 64 04 68, – wc wc. rest
Pâques-15 oct. – **R** 85, enf. 50 – 24 – **27 ch** (pension seul.) – P 188/270.

Bonne Auberge, rte Nationale ✆ 94 64 02 96, – wc.
1er avril-24 oct. – **R** (pens. seul.) – 15 – **35 ch** 120/239 – P 207/267.

CAVALIÈRE 83 Var 84 ⑰ **G. Côte d'Azur** – ✉ **83980** Le Lavandou.

Paris 885 – Draguignan 71 – Le Lavandou 7 – St-Tropez 31 – Ste-Maxime 35 – ♦Toulon 48.

✿ **Le Club** M, ✆ 94 05 80 14, Télex 420317, ←, , « Élégant ensemble au bord de la mer, , , » – ch. AE E VISA. rest
11 mai-3 oct. – **R** *(fermé lundi)* (nombre de couverts limité - prévenir) carte 290 à 440 – **32 ch** (½ pens. seul.) – ½ p 975
Spéc. Soupe de congre, roux de seiche et favouilles farcies, Emincé de cigale de mer, Loup en croûte. **Vins** La Londe.

Surplage, ✆ 94 05 80 19, ←, , , – wc. E VISA. rest
mai-oct. – **R** (½ pens. seul.) – **60 ch** 300/380 – ½ p 280/350.

Gd Hôtel Moriaz, ✆ 94 05 80 01, ←, , – wc wc. rest
hôtel : 20 avril-15 oct. ; rest : 12 mai-15 oct. – **R** 120/170 – 27 – **27 ch** 230/350.

Cap Nègre H., ✆ 94 05 80 46 – wc wc. E VISA. rest
15 avril-15 oct. – **R** 150, enf. 60 – 27 – **32 ch** 270/320 – ½ p 290/345.

à Pramousquier E : 2 km sur D 559 – ✉ **83980** Le Lavandou :

Beau Site, ✆ 94 05 80 08 – wc. rest
1er avril-30 sept. – **R** 80/110, enf. 37 – 25 – **16 ch** 202/243 – ½ p 221/242.

CAVALIERS (Falaises des) 83 Var 84 ⑥ **G. Alpes du Sud** – ✉ **83630** Aups.

Voir ←★★ – Tunnels de Fayet ←★★★ E : 2 km – Falaise de Baucher ←★ O : 2 km.

Grand Canyon et rest. Cavaliers M, D 71 ✆ 94 76 91 31, ← canyon du Verdon – wc. AE E VISA. ch
1er avril-1er nov. et fermé merc. soir en oct. – **R** 90/180, enf. 55 – 26 – **15 ch** 270/300 – ½ p 265/325.

CAVIGNAC 33620 Gironde 71 ⑧ – 1 265 h.

Paris 522 – Blaye 26 – ♦Bordeaux 29 – Jonzac 44 – Libourne 29.

Le Machagina M, S : 3 km sur N 10 ✆ 57 68 71 47 – wc. ch
R 45/120 – 19 – **23 ch** 190/220.

Le CAYLAR 34520 Hérault 80 ⑮ **G. Gorges du Tarn** – 295 h. alt. 732.

Voir Pas de l'Escalette★ S : 5 km.

Paris 675 – Ganges 48 – Lodève 19 – Millau 42 – ♦Montpellier 73 – St-Affrique 50 – Le Vigan 49.

Larzac, ✆ 67 44 50 02 – wc. E VISA
fermé merc. – **R** 48/150 – 18 – **15 ch** 100/180.

La CAYOLLE (Col de) 04 Alpes-de-H.-P. 81 ⑧⑨, 195 ② **G. Alpes du Sud** – alt. 2 326.

Voir ★★ – Paris 766 – Barcelonnette 30.

Ressources hôtelières voir à *Esteng* (Alpes-Mar.)

CAZAUBON 32 Gers 79 ⑫ – rattaché à Barbotan-les-Thermes.

La CAZE (Château de) 48 Lozère 80 ⑤ – rattaché à La Malène.

CAZÈS-MONDENARD 82 T.-et-G. 79 ⑰ – 1 342 h. – ✉ **82110** Lauzerte.

Paris 635 – Agen 61 – Cahors 47 – Montauban 38.

L'Atre, ✆ 63 95 81 61 – rest wc. AE E VISA
fermé 14 nov. au 5 déc. et lundi sauf juil.-août – **R** 45 bc/160, enf. 40 – 12 – **10 ch** 100/130 – ½ p 116.

CÉAUX 50 Manche 59 ⑧ – rattaché à Pontaubault.

CEIGNES 01 Ain 74 ④ – 136 h. alt. 612 – ✉ **01430** Maillat.

Paris 474 – Aix-les-Bains 79 – Belley 62 – Bourg-en-Bresse 40 – Lyon 82 – Nantua 14.

Molard avec ch, à **Moulin Chabaud** N 84 ✆ 74 75 70 04 –. ch
fermé 24 déc. au 15 fév., lundi soir et mardi – **R** 50/180, enf. 45 – 15 – **9 ch** 68/170.

CEILLAC 05 H.-Alpes 77 ⑱⑲ **G. Alpes du Sud** – 292 h. alt. 1 643 – Sports d'hiver : 1 643/2 500 m 8 – ✉ **05600** Guillestre – **Voir Vallon du Mélezet★.**

Syndicat d'Initiative à la Mairie ✆ 92 45 05 74.

Paris 727 – Briançon 49 – Gap 74 – Guillestre 14.

Cascade, au pied du Mélezet SE : 2 km ✆ **92 45 05 92**, ←, – wc wc . E VISA. rest
4 juin-5 sept. et 20 déc.-20 avril – **R** 55/102 – 22 – **25 ch** 100/240 – 1/2 p 164/227.

Les Veyres, ✆ **92 45 01 91**, ← – wc P. VISA.
15 juin-20 sept. et 19 déc.-15 avril – **R** 58/70, enf. 36 – 22 – **34 ch** 140/200 – 1/2 p 155/190.

La CELLE-ST-CLOUD 78 Yvelines 55 ⑳, 101 ⑬ – voir à Paris, Environs.

La CELLE-ST-CYR **89970** Yonne 65 ④ – 623 h.

Paris 142 – Auxerre 36 – Joigny 9 – Montargis 52 – Nemours 66 – Sens 39.

Aub. de la Fontaine aux Muses, ✆ **86 73 40 22**, , parc, , – wc wc P. VISA.
fermé mardi midi et lundi – **R** carte 150 à 210 – 27 – **14 ch** 250/290 – 1/2 p 260/310.

CELONY 13 B.-du-R. 84 ③ – rattaché à Aix-en-Provence.

CERBÈRE **66290** Pyr.-Or. 86 ⑳ **G. Pyrénées Roussillon** – 1 726 h.

Voir NO : La Côte Vermeille★★.

Syndicat d'Initiative à la Mairie (15 juin-15 sept.) ✆ 68 88 42 36.

Paris 951 – ♦Perpignan 47 – Port-Vendres 16.

Vigie, rte d'Espagne ✆ **68 88 41 84**, ← **mer et côte**, – wc . VISA.
avril-oct. – **R** 70/100 , enf. 35 – 17 – **20 ch** 170 – 1/2 p 225/255.

Dorade, ✆ **68 88 41 93**, – wc . E VISA
25 mars-15 oct. et fermé mardi sauf du 1er juin au 30 sept. – **R** 60/125 – 22 – **25 ch** 120/170.

CERDON 01 Ain 74 ④ – 647 h. – ✉ **01450** Poncin.

Paris 460 – Belley 67 – Bourg-en-Bresse 34 – Lyon 74 – Nantua 23 – La Tour-du-Pin 73.

à Labalme N : 6 km N 84 – ✉ **01450** Poncin :

Carrier, ✆ **74 39 97 22** – wc P. AE E VISA
fermé janv., mardi soir et merc. sauf juil.-août – **R** 70/180 – 18 – **17 ch** 110/180 – 1/2 p 160/195.

CÉRET **66400** Pyr.-Or. 86 ⑲ **G. Pyrénées Roussillon (plan)** – 6 909 h.

Voir Vieux pont★ – Musée d'Art Moderne★.

Syndicat d'Initiative 1 av. G.-Clemenceau ✆ 68 87 00 53.

Paris 936 – Gerona 75 – ♦Perpignan 31 – Port-Vendres 36 – Prades 55.

La Terrasse au Soleil, rte Fontfrède O : 1,5 km par D 13F ✆ **68 87 01 94**, ←, , , – TV wc wc P. E VISA
1er avril-31 oct. – **R** 149/187 – 40 – **18 ch** 340/430 – 1/2 p 340/385.

La Châtaigneraie, rte Fontfrède O : 2 km par D 13F ✆ **68 87 03 19**, ← **plaine et Canigou**, , **ambiance guest house, « Villa dans la verdure et les rochers »**, , – wc P.
11 mai-10 oct. – **R** *(fermé dim.)* (dîner pour résidents seul.) carte 150 à 215 – 35 – **8 ch** 260/420.

Les Arcades M sans rest, 1 pl. Picasso ✆ **68 87 12 30** – wc wc .
AE VISA.
fermé 14 nov. au 2 déc. – 19 – **26 ch** 150/260.

Sors M, 18 r. St-Ferréol ✆ **68 87 01 40**, – wc wc P. E VISA.
ch – *fermé fév.* – **R** 55/80 – 18 – **24 ch** 160/185 – 1/2 p 230/252.

Pyrénées, 7 r. République ✆ **68 87 11 02**, – wc wc . E VISA
R 60 , enf. 40 – 20 – **22 ch** 100/180 – 1/2 p 170/230.

CITROEN Gar. du Pont, 8 pl. du Pont ✆ 68 87 00 75
CITROEN Taza et Villegas, av. d'Espagne ✆ 68 87 02 65
FORD Gar. Mach, av. des Aspres ✆ 68 87 05 30 N
PEUGEOT-TALBOT Gar. la Bergerie, 3 av. de la Gare ✆ 68 87 18 59
RENAULT Gar. Mas, 104 r. St-Férréol ✆ 68 87 02 26
V.A.G. Gar. St-Ferréol, 8 r. St-Ferréol ✆ 68 87 01 31

Le CERGNE 42 Loire 73 ⑧ – 598 h. alt. 673 – ✉ **42460** Cuinzier.

Paris 400 – Charlieu 16 – Chauffailles 16 – ♦Lyon 81 – Roanne 32 – ♦St-Étienne 109.

Bel'Vue avec ch, ✆ **74 89 77 56**, ←, – . E VISA
fermé dim. soir et lundi – **R** 60/240 , enf. 70 – 18 – **7 ch** 80/160 – 1/2 p 128/238.

CERGY-PONTOISE P 95 Val-d'Oise 55 ⑳, 196 ⑤, 101 ② G. Environs de Paris – 132 773 h.

Cergy 95000 Val-d'Oise – 35 266 h – Paris 36 – Pontoise 4.

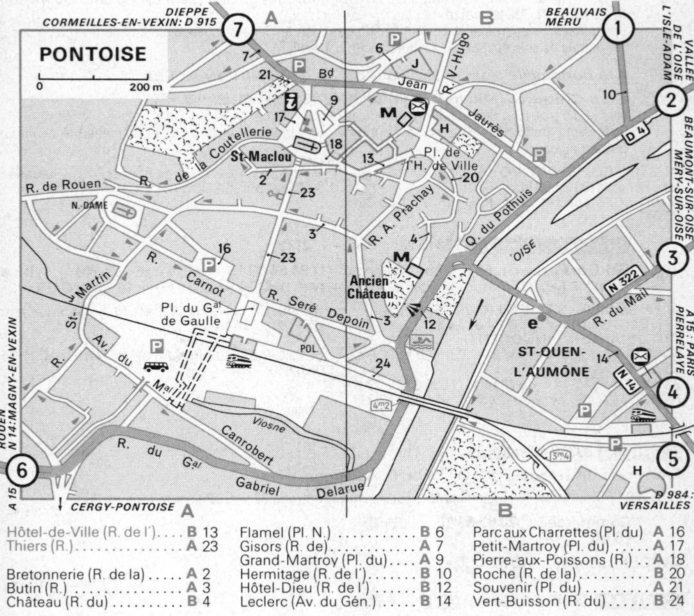

Novotel M, près préfecture ✆ (1) 30 30 39 47, Télex 697264, – – 25 à 200. AE E VISA
R grill carte environ 120 ⅄, enf. 48 – 38 – **196 ch** 350/370.

Ibis M, 28 av Grouettes - Quartier Paradis ✆ (1) 34 22 11 44, Télex 609774 – wc – 30. E VISA
R carte 75 à 120 ⅄, enf. 35 – 24 – **80 ch** 240/255.

XX **Le Zinc,** pl. Touleuses (secteur Sud) ✆ (1) 30 30 42 90 – AE VISA
fermé lundi soir et dim. – **R** 109/300.

Inter-Pneu Melia, Cité Artisanale 67 r. F.-Combe ✆ (1)30 30 11 91

Osny 95520 Val-d'Oise – 10 928 h.

XXX **Moulin de la Renardière,** rte Gisors ✆ (1) 30 30 21 13, « Parc, rivière » – AE E VISA
fermé 16 août au 5 sept., dim. soir et lundi – **R** (nombre de couverts limité - prévenir) 160/250.

CITROEN Rousseau, 2 chaussée J.-César par ⑥ ✆ (1)30 31 00 00

PEUGEOT-TALBOT Cergy-Pontoise-Autom., 8 chaussée J.-César par ⑥ ✆ (1)30 30 12 12

Pontoise 95300 Val-d'Oise – 29 411 h.

Office de Tourisme 6 pl. Petit-Martroy (fermé matin) ✆ (1) 30 38 24 45.

Paris 35 ③ – Beauvais 55 ① – Dieppe 135 ⑦ – Mantes 39 ⑤ – ♦Rouen 91 ⑥.

Campanile, r. P. de Coubertin par ⑥ ✆ (1) 30 38 55 44, Télex 698515, – wc – 35. VISA
R 63 bc/86 bc, enf. 38 – 24 – **50 ch** 200/220 – ½ p 287/330.

XXX ✿ **Jardin des Lavandières** (Decout), 28 r. de Rouen - A - ✆ (1) 30 38 25 55 – AE VISA – *fermé 13 juil. au 16 août, 23 déc. au 3 janv., sam. midi, dim. et fériés* – **R** carte 230 à 320
Spéc. Cassolette d'escargots aux pleurotes, Lasagne de lapereau, Aumônière de pommes aux amandes à la canelle.

X **Aub. du Chou,** rte Auvers NE : 1,5 km par ② ✆ (1) 30 38 03 68, – .

à Cormeilles-en-Vexin par ⑦ : 9,5 km – ✉ **95830** Cormeilles-en-Vexin :

XXX ✿✿ **Relais Ste-Jeanne** (Cagna), sur D 915 ✆ (1) 34 66 61 56, « Jardin » – P. AE ① VISA
fermé 7 au 27 août, vacances de Noël, de fév., mardi soir (sauf avril à août), dim. soir et lundi – **R** 380 et carte
Spéc. Poissons et crustacés en promenade gourmande, Canard sauvage en aiguillettes (juin à déc.), Paupiettes de sole et saumon aux girolles (juin à oct.).

à la Bonneville : par ③ : 5,5 km, N 322 – ✉ **95540** Mery-sur-Oise :

XXX ✿ **Le Chiquito** (Mihura), ✆ (1) 30 36 40 23 – P. AE ① VISA
fermé 15 août au 8 sept., sam. midi et dim. – **R** carte 215 à 300
Spéc. Vinaigrette tiède de cervelle, Paupiette de rognons de veau à l'aïl et à l'embeurré de chou, Dessert au chocolat.

AUSTIN, ROVER, VOLVO SOGEL, 10 r. Séré-Depoin ✆ (1)30 32 55 55
FORD Gar. Marzet, 87 r. P.-Butin ✆ (1)30 32 56 04
V.A.G Pontoise Cergy Autos, 21 Chaussée J.-César ✆ (1)30 30 39 36

St-Ouen-l'Aumône **95310** Val-d'Oise – **17 213 h.**

XX **Gd Cerf** avec ch, **59 r. Gén.-Leclerc** ✆ **(1) 34 64 03 13** – wc. AE VISA B e
fermé 10 au 31 août, dim. soir et lundi – **R** 60 bc/125 – 19,50 – **10 ch** 150/210.

ALFA-ROMEO, SAAB MERCEDES Vigneux, 44 r. Gén.-Leclerc ✆ (1)34 64 01 14
AUTOBIANCHI, INNOCENTI, LANCIA, MAZDA Valdoise Motors, 31 r. Paris ✆ (1)30 37 20 78
BMW DAP, 10-14 r. du Mail ✆ (1) 30 37 72 72
FIAT STCA., 29 av. Gén.-Leclerc ✆ (1)30 37 31 87
RENAULT Hinaux, 57 et 76 r. Gén.-Leclerc ✆ (1)30 37 14 14
La Centrale du Pneu, 1 av. de Verdun ✆ (1)34 64 07 50

CÉRILLY **03350** Allier **69** ⑫ – **1 834 h.**

Env. Forêt de Tronçais★★★ O : 7 km, G. Auvergne.

Paris 289 – Montluçon 40 – Moulins 46 – St-Amand-Montrond 32 – St-Pierre-le-Moutier 35.

Commerce, ✆ **70 67 53 10** – P
15 ch.

CITROEN Levistre, ✆ 70 67 52 22

CERIZAY **79140** Deux-Sèvres **67** ⑯ – **4 881 h.**

Paris 371 – Bressuire 14 – Cholet 37 – Niort 66 – La Roche-sur-Yon 68.

Cheval Blanc, av. du 25-Août ✆ **49 80 05 77**, – TV wc wc ☎ P – 40. E VISA
fermé 23 déc. au 8 janv. – **R** *(fermé dim. soir hors sais.)* 45/95 – 16 – **25 ch** 70/250 – 1/2 p 128/215.

CITROEN Gar. Coulais-Gaboriau, ✆ 49 80 51 51 N ✆ 49 80 01 55
PEUGEOT-TALBOT Gar. Cocandeau Daniel, ✆ 49 80 50 19

CERNAY **68700** H.-Rhin **66** ⑨ **G. Alsace et Lorraine** – **10 334 h.**

Office de Tourisme 1 r. Latouche (juin-sept.) ✆ 89 75 50 35.

Paris 452 – Altkirch 25 – Belfort 39 – Colmar 36 – Guebwiller 15 – ♦Mulhouse 19 – Thann 6.

Frantz, à Uffholtz N : 1 km ✆ **89 75 54 52** – wc wc ☎ P. AE ① E VISA
R *(fermé 19 au 28 déc., 3 au 10 janv. et lundi sauf fériés)* 40/270 bc – 20 – **50 ch** 130/230 – 1/2 p 145/240.

X **Belle-Vue** avec ch, **10 r. Mar. Foch** ✆ **89 75 40 15** – wc ☎ P. E VISA
fermé 20 déc. au 25 janv., vend. soir et dim. soir (sauf hôtel du 26 juin au 30 août) – **R** 50/220, enf. 40 – 25 – **15 ch** 110/200 – 1/2 p 150/180.

X **Host. d'Alsace** avec ch, **61 r. Poincaré** ✆ **89 75 59 81** – rest wc ☎ P. AE ① E VISA
fermé 14 au 30 juil., 21 au 30 déc., dim. soir et lundi – **R** 62/225 – 23 – **10 ch** 90/156 – 1/2 p 150.

PEUGEOT-TALBOT Soriano, 1 r. de l'Industrie ✆ 89 75 44 85 N ✆ 89 75 50 10
RENAULT Courtois, fg de Belfort ✆ 89 75 48 27 N ✆ 89 75 51 23

CÉRONS **33** Gironde **79** ② – **1 308 h.** – ✉ **33720** Podensac.

Paris 614 – ♦Bordeaux 38 – Langon 11 – Libourne 42 – Villandraut 22.

Grappe d'Or, rte St Symphorien ✆ **56 27 11 61** – wc wc ☎ ♿. AE ① E VISA
fermé fév. – **R** 50/100, enf. 35 – 15 – **11 ch** 155/230.

Grillobois, ✆ **56 27 11 50**, – wc ☎ P. VISA
fermé janv., dim. soir et lundi – **R** 70/150 bc, enf. 39 – 18 – **10 ch** 180/200.

CESSIEU 38 Isère 74 ⑬ – rattaché à la Tour-du-Pin.

CESSON 22 C.-du-N. 59 ③ – rattaché à St-Brieuc.

CESSON-SÉVIGNÉ 35 I.-et-V. 59 ⑰ – rattaché à Rennes.

CÉVENNES (Corniche des) ★★★ 48 Lozère 80 ⑥⑯ G. Gorges du Tarn.

CEYRAT 63122 P.-de-D. 73 ⑭ – 4 742 h.

Syndicat d'Initiative à la Mairie ✆ 73 61 42 55.

Paris 405 – ♦Clermont-Ferrand 6 – Issoire 39 – Le Mont-Dore 41 – Royat 6.

Voir plan de Clermont-Ferrand agglomération

La Châtaigneraie sans rest, av. Châtaigneraie ✆ 73 61 34 66, ← – wc wc. E VISA. S **p**
fermé 30 juil. au 22 août, 24 déc. au 2 janv., sam. et dim. – 20 – **16 ch** 142/245.

Promenade, av. Wilson ✆ 73 61 40 46, – wc wc. E VISA S **r**
fermé 2 au 10 janv. dim. soir et lundi – **R** 72/113 – 16 – **12 ch** 85/210 – 1/2 p 160/230.

à Saulzet-le-Chaud S : 2 km par N 89 – ✉ 63540 Romagnat :

Aub. de Montrognon, ✆ 73 61 30 51 –
fermé oct., lundi soir et mardi – **R** 80/175, enf. 45.

CEYSSAT (Col de) 63 P.-de-D. 73 ⑬ – rattaché à Clermont-Ferrand.

CEYZÉRIAT 01250 Ain 74 ③ – 1 982 h.

Paris 433 – Bourg-en-Bresse 8 – Nantua 32.

Mont-July, ✆ 74 30 00 12, ←, , – wc wc
mai-fin sept. et fermé jeudi – **R** (dim. prévenir) 75/170, enf. 45 – 25 – **18 ch** 120/260 – 1/2 p 220/250.

du Relais de la Tour avec ch, ✆ 74 30 01 87 – wc. AE E VISA. ch
fermé 15 oct. au 15 nov., dim. (sauf hôtel) et lundi – **R** 70/200 – 22 – **10 ch** 150/210.

RENAULT Gar. Froment, ✆ 74 30 03 97 ✆ 74 30 03 82

CHABANAIS 16150 Charente 72 ⑤ – 2 254 h.

Paris 432 – Angoulême 57 – Confolens 18 – ♦Limoges 46 – Nontron 52 – St-Junien 16.

Croix Blanche, pl. Croix Blanche ✆ 45 89 22 18, – wc. AE E VISA
R 49/190 – 25 – **19 ch** 100/190 – 1/2 p 145.

CITROEN Mourgaud, ✆ 45 89 00 46 RENAULT Chaux, ✆ 45 89 02 61

CHABEUIL 26120 Drôme 77 ⑫ – 4 391 h.

Paris 578 – Crest 20 – Romans-sur-Isère 16 – Valence 11.

Roch H., Pl. Génissieu ✆ 75 59 00 23 – wc wc. AE E
fermé 15 au 30 nov. et sam. hors sais. – **R** 50/120 – 18 – **21 ch** 120/170.

CHABLIS 89800 Yonne 65 ⑥ G. Bourgogne – 2 414 h.

Paris 182 – Auxerre 19 – Avallon 47 – Tonnerre 16 – Troyes 75.

✿ **Host. des Clos** (Vignaud) avec ch, ✆ 86 42 10 63, – wc – 30. AE E VISA
fermé janv., jeudi midi et merc. du 1er oct. au 31 mai – **R** 130/320, enf. 70 – 38 – **26 ch** 178/308
Spéc. Dos de sandre au Chablis, Canard sauvage aux champignons des bois (sept. à déc.), Rognons de veau aux raisins. **Vins** Petit-Chablis, Irancy.

CITROEN Chablis Autos, ✆ 86 42 14 20 RENAULT Bellat, ✆ 86 42 11 55
LANCIA-AUTOBIANCHI Chablisienne Expl Ind., ✆ 86 42 40 86

CHABRELOCHE 63250 P.-de-D. 73 ⑥ – 1 421 h. alt. 620.

Paris 402 – ♦Clermont-Ferrand 57 – Montbrison 54 – Noirétable 10 – Roanne 45 – Thiers 14.

aux Crocs d'Arconsat N : 4 km par D 86 et D 64 – ✉ 63250 Chabreloche :

Aub. du Montoncel, ✆ 73 94 20 96, ←, – wc. E VISA. ch
fermé 1er au 15 oct. et merc. – **R** 50/200, enf. 30 – 20 – **9 ch** 105/140 – 1/2 p 135/160.

CHABRIÈRES 04 Alpes-de-H.-P. 81 ⑰ – alt. 621 – ✉ 04270 Mézel.

Voir Clue de Chabrières★ O : 1,5 km, G. Alpes du Sud.

Paris 760 – Castellane 36 – Colmars 53 – Digne 18 – Manosque 59 – Puget-Théniers 70.

Relais de Chabrières, N 85 ✆ 92 35 56 69, ⛱ – ⋒ Ⓟ. VISA. ✂ rest
fermé janv. et merc. hors sais. – **R** 65/85 – ☕ 15 – **12 ch** 106/141.

CHAGNY 71150 S.-et-L. 69 ⑨ **G. Bourgogne** – 5 604 h.

Env. Mont de Sène ☼★★ O : 10 km.

ℹ Office de Tourisme 2 r. Halles ✆ 85 87 25 95.

Paris 328 ① – Autun 43 ① – Beaune 15 ① – Chalon-s-S. 17 ② – Mâcon 75 ② – Montceau 44 ④.

❀❀❀ **Lameloise** M, pl. d'Armes **(e)** ✆ 85 87 08 85, Télex 801086, **« Ancienne maison bourguignonne aménagée avec élégance »** – |♦| TV ☎ 🚗. E VISA. ✂ rest
fermé 21 déc. au 19 janv., jeudi midi et merc. – **R** (prévenir) carte 280 à 400 – ☕ 60 – **20 ch** 280/750
Spéc. Ravioli d'escargots, Pigeon de Bresse en vessie, Assiette du chocolatier. **Vins** Rully, Chassagne-Montrachet.

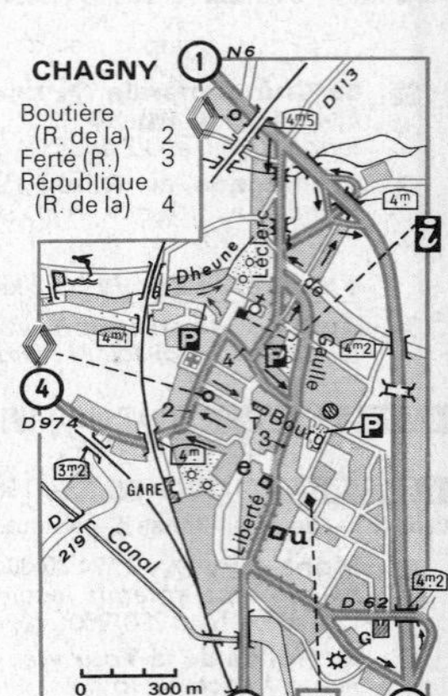

La Ferté sans rest, bd Liberté **(u)** ✆ 85 87 07 47, ⛱ – ⊟wc ⋒wc ☎ Ⓟ. E VISA
fermé janv. et fév. – ☕ 21 – **14 ch** 120/220.

par ② : 2 km par N 6 et VO – ✉ **71150** Chagny :

Host. Bellecroix ⛰ avec ch, ✆ 85 87 13 86, ≤, ⛱ – ⊟wc ⋒wc ☎ Ⓟ – 🏛 40. AE ⓓ E VISA
fermé 21 déc. au 31 janv. et merc. – **R** 95/280 – ☕ 35 – **17 ch** 300/750 – $^1/_2$ p 380/580.

sur N 6 par ② : 2 km rte Chalon – ✉ **71150** Chagny :

Bonnard, ✆ 85 87 21 49 – ⊟wc ⋒wc ☎ Ⓟ
fermé janv., fév. et lundi hors sais. – **R** 62/150 ♨, enf. 40 – ☕ 18 – **20 ch** 170/240.

à Chassey-le-Camp par ④ et D 109 : 6 km – ✉ **71150** Chagny :

Aub. du Camp Romain ⛰, ✆ 85 87 09 91, ≤, ⛱ – ⊟wc ⋒wc ☎ ♿ 🚗 Ⓟ. E VISA
fermé 3 janv. au 10 fév. – **R** *(fermé merc. du 1er nov. au 15 mars)* 79/126, enf. 45 – ☕ 23 – **22 ch** 100/230, 5 appartements 278.

RENAULT Gar. Guillemot, ✆ 85 87 17 91 RENAULT Chagny Auto, N 6 ✆ 85 87 22 28 N

CHAILLEVETTE 17890 Char.-Mar. 71 ⑭ – 1 019 h.

Paris 510 – Marennes 20 – Rochefort 41 – La Rochelle 73 – Royan 17 – Saintes 43.

La Brousse ⛰, ✆ 46 36 60 93, parc, **« Ancienne ferme aménagée »**, 🏊 – ⊟wc ☎ Ⓟ. ✂
1er juil.-4 sept. – **14 ch** (½ pens. seul.) – $^1/_2$ p 240/250.

CHAILLOL 05 H.-Alpes 77 ⑯ – alt. 1 450 – ✉ 05260 Chabottes.

Paris 661 – Gap 25 – Orcières 22 – St-Bonnet 9.

L'Étable ⛰, ✆ 92 50 48 35, ≤ – ⊟ ⋒wc ☎ Ⓟ
30 juin-15 sept. et 20 déc.-15 avril – **R** 59/80 ♨ – ☕ 14,50 – **14 ch** 120/140 – $^1/_2$ p 120/130.

à Chaillol 1600 N : 2 km – ✉ **05260** Chabottes :

La Louzière M ⛰, ✆ 92 50 48 44, ≤ montagnes – |♦| ⊟wc ⋒wc ☎. AE E VISA. ✂
1er juil.-30 sept., 20 déc.-15 avril et fermé merc. – **R** 60/95, enf. 25 – ☕ 25 – **29 ch** 100/205 – $^1/_2$ p 146/173.

CHAILLY-EN-BIÈRE 77960 S.-et-M. 61 ②, 196 ㊺ **G. Environs de Paris** – 1 757 h.

Paris 53 – Étampes 41 – Fontainebleau 9,5 – Melun 9.

XXX **Chalet du Moulin,** S : 1,5 km par N 7 et VO ✆ (1) 60 66 43 42, ≤, ⛱, parc, **« Chalet dans un cadre de verdure »** – Ⓟ. AE ⓓ E VISA
fermé lundi soir et mardi – **R** carte 230 à 370.

XX **Aub. de l'Empereur,** N 7 ✆ (1) 60 66 43 38, ⛱ – AE ⓓ E VISA
fermé 15 janv. au 15 fév., 16 au 25 sept., merc. soir et jeudi – **R** 75/140.

La CHAISE-DIEU 43160 H.-Loire 76 ⑥ G. Auvergne (plan) – 953 h. alt. 1 082.

Voir Église abbatiale★★ : tapisseries★★★.

Syndicat d'Initiative pl. Mairie (fermé après-midi oct.-Pâques) ✆ 71 00 01 16.

Paris 464 – Ambert 33 – Brioude 40 – Issoire 57 – Le Puy 41 – ♦St-Étienne 79 – Yssingeaux 57.

L'Écho et de l'Abbaye, pl. Écho ✆ 71 00 00 45, – wc wc. AE E VISA.
Pâques-10 nov. – **R** 74/210 – 24 – **11 ch** 195/250 – 1/2 p 220/250.

Au Tremblant, D 906 ✆ 71 00 01 85, – wc wc P. E VISA
15 avril-15 nov. – **R** 60/175 – 20 – **28 ch** 95/260 – 1/2 p 175/250.

de la Casa Dei sans rest, pl. Abbaye ✆ 71 00 00 58 – wc. AE E VISA
1er juin-30 sept. – 20 – **11 ch** 150/200.

Plan d'eau de la Tour N : 2 km par D 906 – ✉ 43160 La Chaise-Dieu :

Le Vénéré, ✆ 71 00 01 08, ≤, – cuisinette wc wc P. VISA.
Pâques-30 sept. – **R** (dîner seul.) 58/90 – 18 – **14 ch** 142/210 – 1/2 p 140/165.

à Sembadel Gare S : 6 km par D 906 – ✉ 43160 La Chaise-Dieu :

Moderne, ✆ 71 00 90 15, – wc wc P. E VISA. rest
1er mars-30 nov. – **R** 50/110 – 17 – **23 ch** 120/160 – 1/2 p 130/140.

PEUGEOT-TALBOT Gar. Rodier-Pumin, ✆ 71 00 00 62

RENAULT Fayet, ✆ 71 00 00 88 N

Les CHAISES 78 Yvelines 60 ⑧, 196 ㉗ – rattaché à Rambouillet.

CHALABRE 11230 Aude 86 ⑥ – 1 441 h.

Paris 802 – Carcassonne 48 – Castelnaudary 51 – Foix 48 – Lavelanet 21 – Pamiers 43 – Quillan 24.

France, ✆ 68 69 20 15 – E VISA
fermé nov. – **R** 55/130.

FORD Gar. Gomez, Z.A. le Cazal ✆ 68 69 20 35 N ✆ 68 69 26 75

RENAULT Gar. Loutre, ✆ 68 69 20 13

CHALAIS 16210 Charentes 75 ③ G. Poitou Vendée Charentes – 2 214 h.

Paris 493 – Angoulême 46 – ♦Bordeaux 81 – Périgueux 64.

Relais du Château, au château ✆ 45 98 23 58, – P. E VISA
fermé vacances de fév., mardi soir et merc. – **R** 74/148, enf. 35.

CHALAMONT 01320 Ain 74 ②③ G. Vallée du Rhône – 1 415 h.

Paris 440 – Belley 62 – Bourg-en-Bresse 24 – ♦Lyon 43 – Nantua 55 – Villefranche-sur-Saône 40.

Clerc avec ch, ✆ 74 61 70 30 – P. rest
fermé 1er au 11 juil., 2 au 31 janv., mardi (sauf le midi du 1er avril au 1er nov.) et merc. – **R** 60/195 – 20 – **5 ch** 90/170.

RENAULT Berlie, ✆ 74 61 70 27

Riondy, ✆ 74 61 70 12

CHALEZEULE 25 Doubs 66 ⑮ – rattaché à Besançon.

CHALLANS 85300 Vendée 67 ⑫ G. Poitou Vendée Charentes – 13 060 h.

Office de Tourisme r. de Lattre-de-Tassigny ✆ 51 93 19 75.

Paris 435 ② – Cholet 83 ② – ♦Nantes 57 ① – La Roche-sur-Yon 40 ③ – Les Sables-d'Olonne 43 ④.

Rocotel sans rest, 9 bd Gare (e) ✆ 51 93 07 48 – wc P. AE E VISA
25 – **21 ch** 198/259.

Antiquité sans rest, 14 r. Gallieni (a) ✆ 51 68 02 84, – wc wc P. AE E VISA
fermé sept. et week-ends hors sais. – 21 – **12 ch** 160/240.

Commerce sans rest, 17 pl. A.-Briand (r) ✆ 51 68 06 24 – wc wc. E VISA
fermé 2 au 15 janv. sam. et dim. du 1er nov. au 31 janv. – 23 – **20 ch** 125/260.

Champ de Foire, 10 pl. Champ de Foire (s) ✆ 51 68 17 54 – wc. AE E VISA
fermé 20 déc. au 31 janv., vend. soir et sam. de sept. à juin – **R** 55/200, enf. 40 – 20 – **11 ch** 110/150 – 1/2 p 150/200.

CHALLANS

Dodin (Bd)
Gambetta (R.)
Gaulle (Pl. de) . 5
Bonne-Fontaine (R.) 2
Briand (Pl. A.) . 3
F.F.I. (Bd des) . . . 4
Lattre-de-T. (R. Mar.-de) . . . 7
Leclerc (R. Gén.). 8
Monnier (R. P.) . . 9
Nantes (R. de). . . 10
Strasbourg (Bd) . 12
Viaud-Gd-Marais (Bd) 14

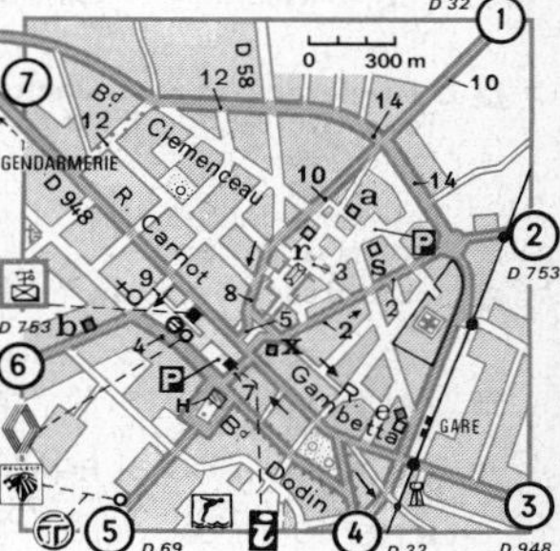

XX **Le Dauphin,** av. Biochaud **(e)** ✆ 51 93 11 52 – E VISA. ✗
fermé 20 juin au 14 juil., vacances de Noël, dim. soir et mardi – **R** 95/190 ♁.

XX **Le Pavillon Gourmand,** 4 r. St-Jean-de-Mont **(b)** ✆ 51 49 04 52 – AE E VISA
fermé 27 juin au 4 juil., vacances de nov., dim. soir (sauf juil.-août) et lundi – **R** carte 145 à 220.

X **Le Marais** avec ch, 16 pl. Gén.-de-Gaulle **(x)** ✆ 51 93 15 13 – TV ⋔wc. E VISA
R 50/200, enf. 35 – ☕ 24 – **14 ch** 115/135 – $^{1}/_{2}$ p 215/235.

par ⑤ : 3 km rte Soullans – ✉ **85300** Challans :

XXX **La Gîte du Tourne-Pierre,** ✆ 51 68 14 78, ⛱ – P. AE ◑ E VISA
fermé 12 au 25 mars, 17 sept. au 1er oct., vend. soir, sam. midi et dim. soir hors sais. – **R** 185/260.

par ⑦ : 6 km sur D 948 – ✉ **85300** Challans :

Relais des Quatre Moulins, ✆ 51 68 11 85 – ⋔wc ☎ P. AE E VISA. ✗
fermé 23 sept. au 17 oct., 24 déc. au 15 janv. et dim. hors sais. – **R** 49/129, enf. 48 – ☕ 18 – **12 ch** 110/155.

CITROEN Atlantic-Autom., 52 rte de St-Jean-de-Monts par ⑥ ✆ 51 93 15 99
PEUGEOT-TALBOT Gar. Retail, rte de Soullans, ✆ 51 93 16 52
RENAULT Vendée-Autom., 29 rte de St-Jean-de-Monts par ⑥ ✆ 51 93 26 55 N
RENAULT Pontoizeau, 3 Bd des F.F.I. ✆ 51 68 11 55

CHALLES-LES-EAUX

73190 Savoie **74** ⑮ **G. Alpes du Nord** – 2 744 h – Stat. therm. (11 avril-26 sept.) – Casino.

Office de Tourisme av. Chambéry ✆ 79 72 86 19.

Paris 544 – Albertville 44 – Chambéry 6 – •Grenoble 50 – St-Jean-de-Maurienne 66.

Château de Challes ⛰, ✆ **79 72 86 71, Télex 309756,** ⛱, **« Terrasse fleurie, parc »,** ⛱, ✗ – TV ☎ ♿ P – 🏛 60. AE ◑ E VISA. ✗ rest
1er fév.-31 oct. – **R** 135/190 – ☕ 55 – **60 ch** 290/450 – $^{1}/_{2}$ p 340/450.

Nieder H. sans rest, av. Chambéry ✆ **79 72 86 52** – ⇕ ⛀wc ⋔wc ☎ 🚗 P. AE E VISA. ✗
fermé oct. et dim. du 1er nov. au 1er avril – ☕ 20 – **25 ch** 110/180.

CHALLEX

01 Ain **74** ⑤ – 817 h. – ✉ **01630** St Genis-Pouilly.

Paris 520 – Bellegarde-sur-Valserine 22 – Bourg-en-Bresse 93 – Genève 19.

XX **Aub. Challaisienne,** ✆ **50 56 35 71,** ⛱ – E VISA
fermé 1er au 15 sept., 1er au 15 fév., dim. soir, mardi midi et lundi – **R** 170/280.

CHALONNES-SUR-LOIRE

49290 M.-et-L. **63** ⑲⑳ **G. Châteaux de la Loire** – 5 358 h.

Syndicat d'Initiative r. J.-Robin (juin-sept.) ✆ 41 78 26 21 et à l'Hôtel de Ville (hors saison) ✆ 41 78 13 22.

Paris 319 – Ancenis 36 – Angers 25 – Châteaubriant 70 – Cholet 39 – •Nantes 71 – Saumur 70.

France, r. Nationale ✆ **41 78 00 12** – ⛀wc ⋔wc ☎ 🚗. E VISA
fermé 19 déc. au 5 janv., vend. soir et sam. de nov. à mars – **R** 46/150 ♁, enf. 35 – ☕ 20 – **14 ch** 125/200 – $^{1}/_{2}$ p 150/195.

CHALONS

17 Char.-Mar. **71** ⑮ – rattaché à Saujon.

CHÂLONS-SUR-MARNE

P **51000** Marne **56** ⑰ **G. Champagne** – 54 359 h.

Voir Cathédrale★★ AZ – **Église N.-D.-en-Vaux★ : intérieur★★** AY **F** – **Musée du cloître de N.-D.-en-Vaux★★** AY **M1.**

Office de Tourisme 3 quai des Arts ✆ 26 65 17 89.

Paris 163 ⑥ – Belfort 297 ④ – •Besançon 279 ④ – Charleville-Mézières 104 ② – •Dijon 239 ④ – •Metz 157 ② – •Nancy 161 ④ – •Orléans 246 ⑤ – •Reims 45 ① – Troyes 77 ⑤.

Plan page ci-contre

❀ **Angleterre et rest. Jacky Michel,** 19 pl. Monseigneur-Tissier ✆ 26 68 21 51, Télex 842078, ⛱ – TV ☎ P. AE ◑ E VISA. ✗ ch — BY **g**
fermé 3 au 24 juil., 22 déc. au 3 janv., sam. midi et dim. sauf fériés – **R** 145/300 – ☕ 35 – **18 ch** 280/360
Spéc. Pot au feu de foie gras aux nouilles fraîches, Rognons de veau au Bouzy Rouge, Dôme au chocolat sauce pistache.

Bristol sans rest, 77 av. P.-Sémard ✆ 26 68 24 63 – ⛀wc ⋔wc ☎ 🚗 P. E VISA. ✗ — X **a**
☕ 15 – **24 ch** 124/175.

Pasteur ⛰ sans rest, 46 r. Pasteur ✆ 26 68 10 00 – TV ⛀wc ⋔wc ☎ P. E VISA — BY **p**
☕ 20 – **28 ch** 100/215.

XX **Les Ardennes,** 34 pl. République ✆ 26 68 21 42 – E VISA — AZ **s**
fermé 1er au 22 août, dim. soir de déc. à fév. et lundi (sauf le midi de mars à nov.) – **R** 105/185, enf. 55.

CHÂLONS-SUR-MARNE

Bourgeois (R. Léon) . . . . . . BY
Croix-des-Teinturiers (R.) . AZ 9
Foch (Pl. Mar.) . . . . AY 14
Jaurès (R. Jean) . . . . AZ 20
Marne (R. de la) . . . . AY 27
République (Pl. de la) . . . . . AZ 39

Arche-Mauvillan (Pt de l') . . . . BZ 2
Brossolette (Av. Pierre) . . . . X 4
Chastillon (R. de) . . . . ABZ 6
Châtelet (R. du) . . . . BY 8
Dr-Pellier (R.) . . . . X 11
Flocmagny (R. du) . . . . BY 12
Gaulle (Av. Charles-de) . . . BZ 15
Godart (Pl.) . . . . AY 17
Jacquiert (R. Clovis) . . . . X 18
Jeanne-d'Arc (Av.) . . . . X 21
Libération (Pl. de la) . . . . . . AZ 24
Mariniers (Pt des) . . . . AY 26
Martyrs-de-la-Résistance (R. des) . . . . BY 29
Metz (Av. de) . . . . X 30
Ormesson (Cours d') . . . . . . AZ 32
Perrier (Quai Eugène) . . . . . AY 33
Prieur-de-la-Marne (R.) . . . . BY 36
Récamier (R. Juliette) . . . . . AZ 38
Roosevelt (Av. du Prés.) . . . . X 41
Sémard (Av. Pierre) . . . . X 42
Vaux (R. de) . . . . AY 47
Vieilles-Postes (R. des) . . . . X 48
Viviers (Pt des) . . . . AY 50

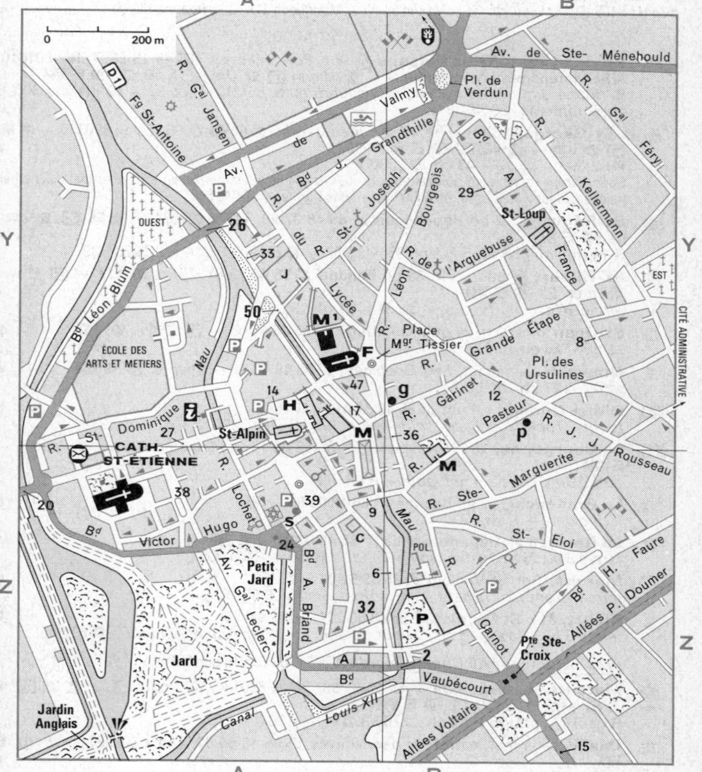

à l'Épine par ③ : 8,5 km – ✉ **51460** Courtisols.

Voir Basilique N.-Dame★★.

Aux Armes de Champagne, ✆ 26 66 96 79, Télex 830998, – ☎ Ⓟ – 100. AE E VISA.
fermé 2 janv. au 6 fév. – **R** 83/227 – 32 – **40 ch** 290/390
Spéc. Fricassée de homard à la coriandre, Gratin de nouilles fraîches au foie gras, Magret de canard au vinaigre de champagne et jus de truffes. **Vins** Chardonnay blanc, Bouzy rouge.

AUSTIN, ROVER, TRIUMPH Poiret, 67 fg St-Antoine ✆ 26 68 08 45
BMW, FIAT Guyot, 170 av. Gén.-Sarrail ✆ 26 68 38 86
CITROEN Ardon, 19 av. W.-Churchill par ④ ✆ 26 64 42 42 ✆ 26 21 01 58
FORD Hall Automobiles, 34 av. W. Churchill ✆ 26 64 49 37
LADA-SKODA-TOYOTA Gar. Marchand, 17 r. du Camp d'Attila ✆ 26 68 22 18
MAZDA Gar. Grandjean, 57 fg St-Antoine ✆ 26 64 60 35
OPEL Gar. de l'Avenue, 1 r. Oradour ✆ 26 68 11 63
RENAULT S.D.A.C. av. 106e-R.-I., Zone Ind. ✆ 26 21 12 12
V.A.G. Marchal Autos, Z.I. St Martin sur le Pré ✆ 26 68 53 95
VOLVO Poiret, Thibié ✆ 26 68 35 03

Auto-Pneu-Marché, 14 r. Martyrs-de-la-Résistance ✆ 26 68 26 57
Châlons-Pneus, 44-46 pl. de la République ✆ 26 68 07 17

CHALON-SUR-SAÔNE

71100 S.-et-L. 69 ⑨ **G. Bourgogne** – 57 967 h.

Voir Réfectoire★ de l'hôpital CZ **B** – Musées Denon★ BZ **M1**, Nicéphore Niepce★ BZ **M2** – Roseraie St-Nicolas★ SE : 4 km X.

18 ✆ 85 48 61 99, NE : 3 km X.

Office de Tourisme et A.C. square Chabas, bd République ✆ 85 48 37 97 – Maison des Vins de la Côte Chalonnaise (unique en Bourgogne dégustations commentées à la carte) promenade Sainte-Marie ✆ 85 41 64 00.

Paris 337 ⑦ – ♦Besançon 124 ① – Bourg-en-Bresse 76 ② – ♦Clermont-Fd 214 ⑤ – ♦Dijon 69 ⑦ – ♦Genève 189 ① – ♦Lyon 126 ④ – Mâcon 58 ④ – Montluçon 211 ⑤ – Roanne 134 ⑤.

Plan page ci-contre

Royal et rest. Trois Faisans M, 8 r. Port Villiers ✆ 85 48 15 86, Télex 801610, « Bel aménagement intérieur » – rest TV ☎ – 60. AE E VISA
R *(fermé dim. de nov. à Pâques et lundi midi)* 85/210 – 32 – **42 ch** 250/300, 8 appartements 380/460. BZ **u**

St-Georges (Choux) M, 32 av. Jean-Jaurès ✆ 85 48 27 05, Télex 800330 – TV ☎ – 40. AE E VISA AZ **s**
R 92/290 – 32 – **48 ch** 200/300
Spéc. Terrine de poireaux au foie gras et sot-l'y-laisse de poularde, Vinaigrette de rouget aux herbes fraîches, Pigeon de Bresse rôti en bécasse. **Vins** Montagny, St-Aubin.

St-Régis M, 22 bd République ✆ 85 48 07 28, Télex 801624 – TV ☎. AE E VISA BZ **v**
R *(fermé dim.)* 80/215, enf. 35 – 32 – **40 ch** 205/350 – ½ p 250/332.

St-Hubert M sans rest, 35 pl. Beaune ✆ 85 46 22 81, Télex 801177 – TV wc wc ☎. AE E VISA BY **r**
fermé 24 déc. au 1er janv. – 31 – **51 ch** 158/276.

St-Jean sans rest, 24 quai Gambetta ✆ 85 48 45 65 – TV wc ☎. VISA BZ **s**
18 – **25 ch** 75/176.

Nouvel H. sans rest, 7 av. Boucicaut ✆ 85 48 07 31 – wc ☎ Ⓟ. E VISA AZ **a**
17 – **27 ch** 75/166.

XXX **Didier Denis,** 1 r. Pont ✆ 85 48 81 01 – E VISA CZ **b**
fermé 29 août au 12 sept., dim. soir et lundi – **R** 87/275.

XXX **Le Bourgogne,** 28 r. Strasbourg ✆ 85 48 89 18, « Maison du 17e s., caveau » – E VISA CZ **r**
fermé dim. soir sauf juil.-août – **R** 88/168.

XX **Le Provençal,** 22 pl. Beaune ✆ 85 48 03 65 – VISA BY **n**
fermé dim. – **R** 75/170.

XX **La Réale,** 8 pl. Gén.-de-Gaulle ✆ 85 48 07 21 – E VISA BZ **m**
fermé 8 au 28 août, dim. soir et lundi – **R** carte 135 à 205.

XX **Marché,** 7 pl. St-Vincent ✆ 85 48 62 00 – E VISA CZ **d**
fermé 15 août au 15 sept., dim. soir et lundi – **R** 68/89.

X **Ripert,** 31 r. St Georges ✆ 85 48 89 20 – VISA. BZ **k**
fermé 3 au 11 avril, 1er au 22 août, 25 déc. au 1er janv., dim. et lundi – **R** 70/110.

près Échangeur A6 Chalon-Nord – ✉ **71100** Chalon-sur-Saône :

Mercure M, av. Europe ✆ 85 46 51 89, Télex 800132, , parc, – TV ☎ Ⓟ – 50 à 150. AE E VISA X **a**
R 65/97, enf. 36 – **86 ch** 280/320 – ½ p 334.

Ibis M sans rest, carrefour des Noirots ✆ 85 46 64 62, Télex 800381 – ☎ Ⓟ. E VISA X **u**
27 – **61 ch** 226/262.

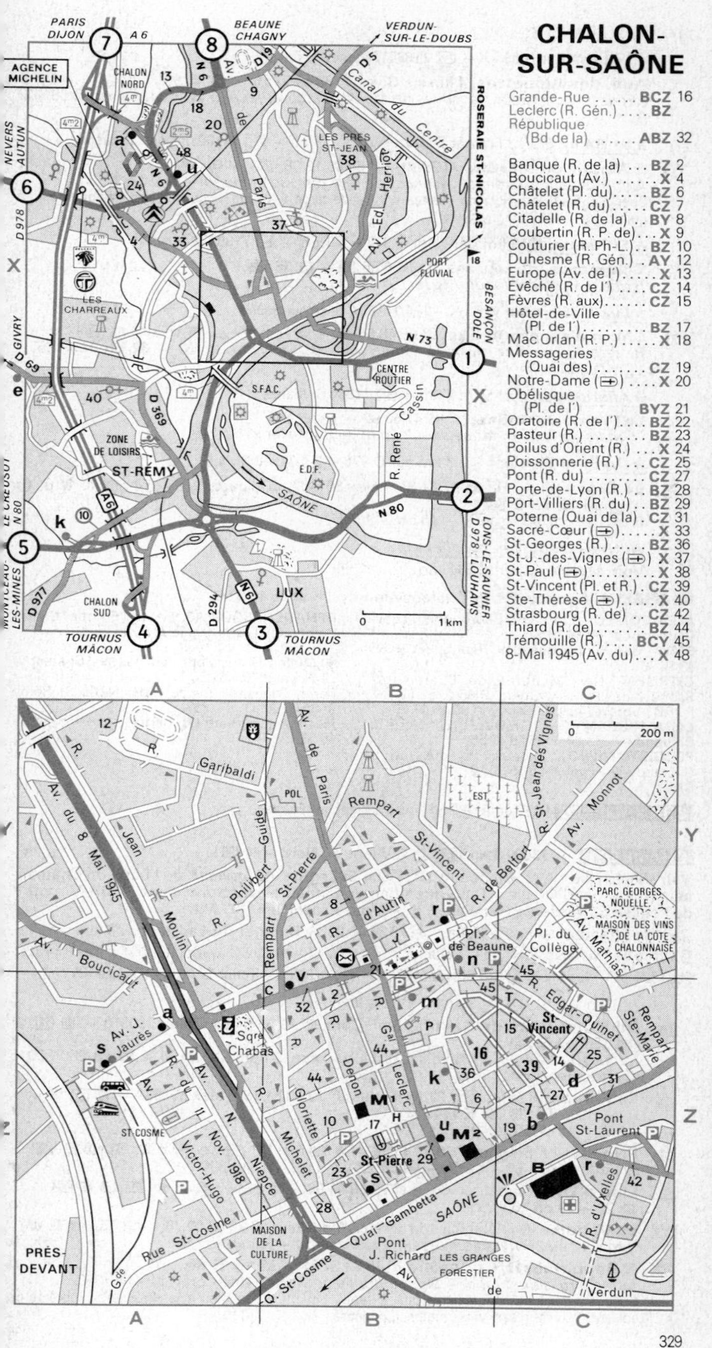

CHALON-SUR-SAÔNE

Grande-Rue .... BCZ 16
Leclerc (R. Gén.) .... BZ
République
(Bd de la) .... ABZ 32

Banque (R. de la) ... BZ 2
Boucicaut (Av.) .... X 4
Châtelet (Pl. du)..... BZ 6
Châtelet (R. du)..... CZ 7
Citadelle (R. de la) . BY 8
Coubertin (R. P. de)... X 9
Couturier (R. Ph-L.) .. BZ 10
Duhesme (R. Gén.) . AY 12
Europe (Av. de l') ..... X 13
Evêché (R. de l') .... CZ 14
Fèvres (R. aux)...... CZ 15
Hôtel-de-Ville
(Pl. de l') .... BZ 17
Mac Orlan (R. P.) ..... X 18
Messageries
(Quai des) .... CZ 19
Notre-Dame (⊞) .... X 20
Obélisque
(Pl. de l') .... BYZ 21
Oratoire (R. de l') .... BZ 22
Pasteur (R.) .... BZ 23
Poilus d'Orient (R.) ... X 24
Poissonnerie (R.) ... CZ 25
Pont (R. du) .... CZ 27
Porte-de-Lyon (R.) .. BZ 28
Port-Villiers (R. du) .. BZ 29
Poterne (Quai de la) . CZ 31
Sacré-Cœur (⊞) ..... X 33
St-Georges (R.) ...... BZ 36
St-J.-des-Vignes (⊞) X 37
St-Paul (⊞) .... X 38
St-Vincent (Pl. et R.) . CZ 39
Ste-Thérèse (⊞) ..... X 40
Strasbourg (R. de) .. CZ 42
Thiard (R. de) .... BZ 44
Trémouille (R.) .... BCY 45
8-Mai 1945 (Av. du) ... X 48

à l'Ouest par D 69 - X – ✉ **71880** Châtenoy-le-Royal :

✗ **Aub. des Alouettes,** 4 km rte Givry ✆ 85 48 32 15 – Ⓟ. E VISA X **e**
fermé 1er au 28 août, vacances de fév., dim. soir et jeudi – **R** (dim. prévenir) 68/142 🍷.

à St-Rémy SO : 3 km par D 977 et VO – 5 177 h. – ✉ **71100** Chalon-sur-Saône :

✗✗✗ ✿ **Moulin de Martorey** (Gillot), ✆ 85 48 12 98, 🏞 – Ⓟ. VISA X **k**
fermé 15 août au 6 sept., vacances de fév., dim. soir et lundi – **R** 95/270
Spéc. Ragoût d'escargots aux pleurotes, Steak de carpe au beurre rouge, Poêlée de melon au safran (juin-oct.). **Vins** Montagny, Givry.

à St-Marcel E : 3 km par ① et D 978 – 4 006 h. – ✉ **71380** St-Marcel :

✗ **Commerce,** rte Louhans ✆ 85 96 56 16 – Ⓟ. E VISA
fermé dim. soir et lundi – **R** 75/150.

à Lux S : 5 km par N 6 - X – ✉ **71100** Chalon-sur-Saône :

🏨 **Charmilles,** par ③ : 5 km ✆ 85 48 58 08 – ▤ rest 🛁wc 🚿 ☎ 🚗 Ⓟ. VISA
R (fermé dim. soir en nov.) (dîner seul) 68/110 🍷 – ☕ 20 – **32 ch** 155/195 – ½ p 210/240.

à Alleriot par ① et VO : 7 km – ✉ **71380** St-Marcel :

✗ **La Frairie de Saône,** ✆ 85 47 56 90 – Ⓟ. E VISA
15 mars-15 sept. et fermé sam. et dim. – **R** (prévenir) 62/110.

à Dracy-le-Fort par ⑥ : 3 km sur D 978 – ✉ **71640** Givry :

🏨 **Le Dracy** Ⓜ 🐦, ✆ 85 87 81 81, Télex 801102, 🏞, parc, 🎾 – 📺 🛁wc ☎ ♿ Ⓟ – 🏋 30. AE ⦿ E VISA
R 68/160, enf. 40 – ☕ 27 – **40 ch** 243/345.

Autres ressources hôtelières :

Voir *Mercurey* par ⑥ : 13 km.

MICHELIN, Agence, Z.I. de Châtenoy-le-Royal X ✆ **85 46 22 51**

ALFA-ROMEO Sport auto Bourgogne, 113 av. Boucicaut ✆ 85 46 30 52
BMW Gar. République, 8 pl. République ✆ 85 48 16 90
CITROEN Gar. Moderne de Chalon-sur-Saône, r. des Poilus-d'Orient ✆ 85 46 52 12
FORD Soreva, 4 av. Kennedy ✆ 85 46 49 45
LADA NISSAN Gar. C.E.D.A.F., Z.I. Verte à Chatenoy-le-Royal ✆ 85 46 49 56
PEUGEOT-TALBOT Nedey, rte d'Autun à Châtenoy-le-Royal ✆ 85 46 30 12
RENAULT SODIRAC, av. de l'Europe, Centre Commercial de la Thalie ✆ 85 46 25 89

Ⓜ Chalon-Pneus Zone Ind. Verte - Chatenoy-Le-Royal ✆ 85 46 45 77
Perret-Pneus, 40 rte de Lyon, N.6 à St Rémy ✆ 85 48 22 03
Piot-Pneu, r. P.-de-Coubertin, Zone Ind. ✆ 85 46 50 12

CHAMALIÈRES 63 P.-de-D. 73 ⑭ – voir à Clermont-Ferrand.

CHAMBÉRY Ⓟ 73000 Savoie 74 ⑮ G. Alpes du Nord – 54 896 h.

Voir Vieille ville★ AYZ: Château★ AZ, Place St Léger★ AZ, grilles★ de l'hôtel de Châteauneuf (rue Croix-d'Or) BZ – Diptyque★ dans la Cathédrale métropolitaine BY D – Crypte★ de l'église St-Pierre de Lémenc BX B – Musée savoisien★ BY M1.

✈ **de Chambéry-Aix-les-Bains : ✆ 79 54 46 05 au Bourget-du-Lac par ⑤ : 8 km.**

ℹ Office de Tourisme 24 bd de la Colonne ✆ 79 33 42 47 – A.C. 222 av. Comte-Vert ✆ 79 69 14 72.

Paris 538 ⑤ – Annecy 49 ⑤ – ♦Grenoble 55 ② – ♦Lyon 98 ⑤ – Torino 202 ② – Valence 125 ④.

Plan page ci-contre

🏨 **Gd Hôtel Ducs de Savoie,** 6 pl. Gare ✆ 79 69 54 54, Télex 320910 – 🛗 📺 ☎ 🚗. AE ⦿ E VISA AX **k**
fermé 10 au 24 juil. – **R** voir rest. **La Vanoise** ci-après – ☕ 34 – **50 ch** 260/500, 5 appartements 660.

🏨 **Le France** Ⓜ sans rest, 22 fg Reclus ✆ 79 33 51 18, Télex 309689 – 🛗 📺 ☎ 🚗 – 🏋 40 à 150. AE ⦿ E VISA AY **z**
☕ 30 – **48 ch** 220/340.

🏨 **Princes,** 4 r. Boigne ✆ 79 33 45 36 – 🛗 ▤ rest 📺 🛁wc 🚿wc ☎. AE ⦿ E VISA
R 120/340, enf. 80 – ☕ 28 – **45 ch** 220/340 – ½ p 340/390. AY **r**

🏨 **Lion d'Or** sans rest, pl. Gare ✆ 79 69 04 96 – 🛗 🛁wc 🚿wc ☎. AE ⦿ E VISA
☕ 22 – **39 ch** 160/265. AX **e**

✗✗✗ **La Vanoise** -Gd Hôtel Ducs de Savoie-, 6 pl. Gare ✆ 79 69 02 78 – ▤. AE ⦿ E VISA
fermé 10 au 24 juil. et dim. (sauf fêtes le midi) – **R** 130/300. AX **k**

✗✗✗ ✿ **Roubatcheff,** 6 r. Théâtre ✆ 79 33 24 91 – AE ⦿ E VISA BY **u**
fermé dim. soir et lundi – **R** (nombre de couverts limité - prévenir) 145/380
Spéc. Langoustines printanières (mai à sept.), Emietté de saumon à la citronnelle, Suprême de colvert aux baies roses. **Vins** Chignin, Mondeuse.

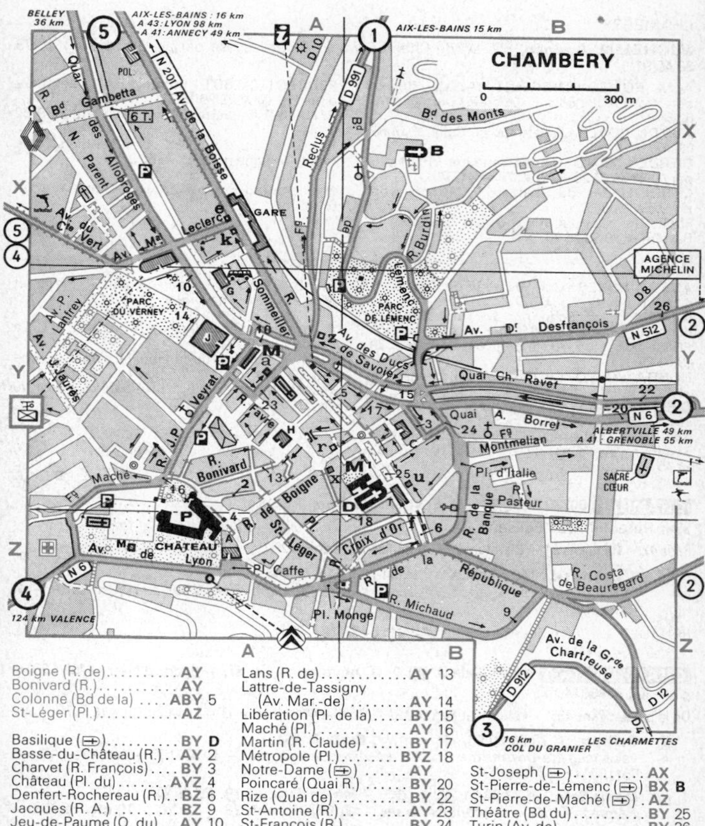

XX **St-Réal,** 10 r. St-Réal ✆ 79 70 09 33 – AE E VISA — AY **x**
fermé dim. et fériés – **R** 160/270.

XX **Chaumière,** 14 r. Denfert-Rochereau ✆ 79 33 16 26 – E VISA — BZ **f**
fermé 14 au 20 mars, 1er au 21 août, merc. soir de sept. à mai, sam. soir de juin à août et dim. – **R** 68/125 ₰.

X **Le Tonneau,** 2 r. St-Antoine ✆ 79 33 78 26 – AE E VISA. ✻ — AY **a**
fermé août et lundi – **R** 60/120 ₰.

SE : 2 km par D 4 - BZ – ✉ **73000** Chambéry :

Aux Pervenches ✻, **aux Charmettes** ✆ 79 33 34 26, ←, ✻ – ⋒wc ☎ **P**. ✻
fermé 6 au 31 août et vacances de fév. – **R** *(fermé dim. soir et merc.)* 50/180 – ☕ 15 – **13 ch** 80/130.

XXX **Mont Carmel, à Barberaz** ✆ 79 70 06 63, ←, ✻ – ✻ **P**. AE ◑ E VISA
fermé sept., dim. soir et lundi – **R** 150/300, enf. 80.

à La Motte Servolex N : 3 km par ⑤ – ✉ **73000** Chambéry :

Novotel Ⓜ, ✆ 79 69 21 27, Télex 320446, ✻, ✻ – ⊟ ▤ rest TV ☎ ♿ **P** – ✻ 230. AE ◑ E VISA
R grill carte environ 120, enf. 40 – ☕ 38 – **103 ch** 290/330.

Ibis Ⓜ, ✆ 79 69 28 36, Télex 320457, ✻ – ⊟ TV ⊟wc ☎ **P** – ✻ 30. E VISA
R carte 75 à 120 ₰, enf. 33 – ☕ 24 – **87 ch** 200/230.

à Voglans : par ⑤ : 9 km – ✉ **73420** Viviers-du-Lac :

Cerf Volant Ⓜ ✻, ✆ 79 54 40 44, Télex 980274, ←, ✻, ✻, ✻, ✻ – TV ☎ **P** – ✻ 40. AE ◑ E VISA. ✻ rest
R 110/190, enf. 60 – ☕ 40 – **30 ch** 300/400 – ½ p 320/400.

MICHELIN, Agence, 555 av. de Chambéry à St-Alban-Leysse par av. de Turin BY ✆ 79 33 45 91

ALFA ROMEO-INNOCENTI-MAZDA Chambéry Nord Auto, 83 r. E.-Ducretet par ⑤ ✆ 79 62 36 37
AUSTIN-ROVER Falletti, 35 pl. Caffe ✆ 79 33 63 45
CITROEN S.A.D., ZI des Landiers VRU Nord par ⑤ ✆ 79 62 25 90 N ✆ 79 54 41 77
CITROEN Gar. du Château, 11 av. de Lyon ✆ 79 69 39 08
FIAT Gar. Dubois, RN 6 rte de Challes à la Ravoire ✆ 79 85 76 76
PEUGEOT-TALBOT Comtet, Z.A.C. des Landiers par ⑤ ✆ 79 96 15 32
RENAULT Lapierre, 547 r. N.-Parent ✆ 79 62 08 44
V.A.G. Lain, Zone Ind. des Landiers, voie rapide urbaine nord, ✆ 79 62 37 91

Chamnord Equip'Auto, r. E.-Ducretet ✆ 79 69 48 35

Périphérie et environs

AUSTIN-ROVER Gar. Favre, rte de Challes, N 6 La Ravoire ✆ 79 33 07 27
CITROEN Gar. Schiavon, av. Turin, Bassens par N512 BY ✆ 79 33 03 53
FORD Madelon, 70 rte de Lyon, Cognin ✆ 79 69 09 27
HONDA, VOLVO Gar. Bonomi, N 6 à la Ravoire ✆ 79 72 95 06
OPEL Savauto, av. Chambéry à St-Alban-Leysse ✆ 79 33 30 63
RENAULT Lapierre, 282 av. de Chambéry à St-Alban-Leysse par av. de Turin BY ✆ 79 33 21 45
SAAB, TOYOTA Alpha-Savoie, r. Pierre et Marie Curie, La Ravoire ✆ 79 33 77 27

Piot-Pneu, Zone Ind. de la Trousse, N 6, La Ravoire ✆ 79 70 52 27
Savoy-Pneus, av. de la Houille Blanche, Zone Ind. Bissy ✆ 79 69 30 72
Tessaro-Cavasin, N 6 à St-Alban-Leysse ✆ 79 33 20 09

CHAMBLY 60230 Oise 55 ⑳ **G. Environs de Paris** – 6 218 h.
Voir Retable★ de l'Église.
Paris 42 – Beauvais 34 – Clermont 29 – Pontoise 22 – Senlis 28.

XX **L'Esthéria,** 140 r. A.-Caron ✆ 34 70 51 44 – VISA
fermé 10 juil. au 2 août, 1er au 15 fév., le soir (sauf vend. et sam.) et lundi – **R** 120/160.

RENAULT Lisi, 86 r. des Marchands ✆ 34 70 54 73

CHAMBON (Lac) ★★ 63 P.-de-D. 73 ⑬ **G. Auvergne** – alt. 877 – Sports d'hiver : 1 200/1 750 m ⛷9 – ✉ 63790 Murol.
De la plage : Paris 435 – ♦Clermont-Ferrand 37 – Condat 41 – Issoire 33 – Le Mont-Dore 18.

Grillon, ✆ 73 88 60 66, – wc ☎ P. E VISA
vacances de printemps-fin oct. et vacances de fév. – **R** 50/130 – 17 – **20 ch** 75/165 – 1/2 p 115/175.

Beau Site, ✆ 73 88 61 29, ←, – ch wc ☎ P. AE E VISA
Pâques-30 oct. et vacances de fév. – **R** 66/150, enf. 38 – 20 – **19 ch** 160/220 – 1/2 p 150/180.

Beau Cottage, ✆ 73 88 62 11, ← – wc P. VISA
fermé 1er oct. au 1er déc. – **R** 40/120, enf. 35 – 15 – **14 ch** 75/100 – 1/2 p 120/130.

Le CHAMBON-SUR-LIGNON 43400 H.-Loire 76 ⑧ **G. Vallée du Rhône** – 3 039 h. alt. 960.
Office de Tourisme pl. Marché ✆ 71 59 71 56.
Paris 568 – Annonay 50 – Lamastre 32 – Privas 84 – Le Puy 46 – ♦St-Étienne 62 – Yssingeaux 28.

Bel Horizon , chemin de Molle ✆ 71 59 74 39, Télex 305551, ←, , , – TV wc wc ☎ P. VISA. rest
1er juin-30 sept. – **R** 115, enf. 60 – 30 – **19 ch** 210/340 – 1/2 p 240/290.

Central, ✆ 71 59 70 67 – wc wc ☎
fermé 30 sept. au 30 oct., lundi soir et mardi du 1er nov. au 15 juin – **R** 55/200 – 20 – **25 ch** 90/200 – 1/2 p 145/200.

au Sud 3 km par D 151, rte de la Suchère et VO – ✉ 43400 Chambon-sur-Lignon :

Bois Vialotte , ✆ 71 59 74 03, ←, parc – wc wc ☎ P. rest
vacances de Printemps et 10 juin-30 sept. – **R** 65/100 – 24 – **17 ch** 95/185 – 1/2 p 135/200.

à l'Est : 3,5 km par D 157 et D 185 – ✉ 43400 Chambon-sur-Lignon :

Clair Matin , ✆ 71 59 73 03, ←, parc, , – TV wc wc ☎ P – 25. AE E VISA. rest
fermé 20 nov. au 20 déc. – **R** 90/150, enf. 40 – 28 – **30 ch** 230/280 – 1/2 p 230/258.

CITROEN Grand, 27 rte de St-Agrève ✆ 71 59 76 18
PEUGEOT-TALBOT Argaud, rte du Mazet ✆ 71 59 74 49 N
RENAULT Roux Ch., à le Sarzier ✆ 71 59 74 31 N ✆ 71 59 72 80

CHAMBON-SUR-VOUEIZE 23170 Creuse 73 ② G. Berry Limousin – 1 288 h.

Voir Église★.

Syndicat d'Initiative à la Mairie ✆ 55 82 11 36.

Paris 361 – Aubusson 39 – ◆Clermont-Ferrand 89 – Guéret 47 – Montluçon 25.

Estonneries, 41 av. Clemenceau ✆ 55 82 14 66, – wc wc ☎ Ⓟ. Ⓓ. *fermé 20 déc. au 1er mars, dim. soir et lundi soir (sauf hôtel en saison)* – **R** carte 90 à 170 – 22 – **12 ch** 200/260.

CHAMBORD 41 L.-et-Ch. 64 ⑦⑧ – 206 h. – ✉ **41250** Bracieux.

Voir Château★★★ (spectacle son et lumière★), G. Châteaux de la Loire.

18 des Bordes ✆ 54 87 72 13, au N par D 112 : 21 km.

Paris 174 – Blois 18 – Châteauroux 99 – ◆Orléans 45 – Romorantin-Lanthenay 40 – Salbris 54.

St-Michel , ✆ 54 20 31 31, , « Face au Château », – wc wc ☎ Ⓟ. E VISA. ch *fermé 12 nov. au 20 déc.* – **R** (dim. et fêtes prévenir) 90/170 – 25 – **38 ch** 130/320.

CHAMBORIGAUD 30530 Gard 80 ⑦ – 874 h.

Paris 707 – Alès 29 – Florac 54 – La Grand-Combe 19 – Nîmes 73 – Villefort 26.

XX **Les Camisards,** ✆ 66 61 47 93 – . E VISA. *fermé 15 janv. au 15 fév. et merc. sauf juil.-août* – **R** 70/190 , enf. 50.

CHAMBOULIVE 19450 Corrèze 75 ⑨ G. Berry Limousin – 1 218 h.

Paris 478 – Aubusson 92 – Bourganeuf 80 – Brive-la-Gaillarde 42 – Seilhac 9 – Tulle 23 – Uzerche 16.

Deshors Foujanet, ✆ 55 21 62 05, – wc wc ☎ Ⓟ. Ⓓ E VISA. rest *fermé oct. et vacances de fév.* – **R** 57/170 – 16 – **29 ch** 85/155 – 1/2 p 140/170.

CITROEN Gar. Meyrignac, ✆ 55 21 60 42 — **Gar. Verdier,** ✆ 55 21 60 69
FIAT Gar. Constanty, ✆ 55 21 61 54

CHAMBRAY 27 Eure 55 ⑰ – 383 h. – ✉ **27120** Pacy-sur-Eure.

Paris 95 – Evreux 18 – Louviers 22 – Mantes-la-Jolie 37 – ◆Rouen 52 – Vernon 18.

XXX ❀ **Le Vol au Vent,** ✆ 32 36 70 05 – Ⓓ E VISA *fermé 17 au 23 oct., janv., dim. soir, mardi midi et lundi* – **R** carte 170 à 250
Spéc. Belles de Bretagne en sabayon de cidre, Feuilleté de ris de veau aux morilles, Millefeuille aux fruits rouges (saison).

CHAMONIX-MONT-BLANC 74400 H.-Savoie 74 ⑧⑨ G. Alpes du Nord – 9 255 h. alt. 1 037 – Sports d'hiver : 1 035/3 795 m 12 34 – Casino : AY.

Env. E : Mer de glace★★★ et le Montenvers★★★ par chemin de fer électr. AY **– SE : Aiguille du midi ★★★ par téléphérique** AY **– (station intermédiaire : plan de l'Aiguille★★** BZ **) – NO : Le Brévent★★★ par téléphérique – (station intermédiaire : Planpraz★★)** AZ.

18 ✆ 50 53 06 28 N : 3 km BZ.

Tunnel du Mont-Blanc : Péage en 1987 aller simple : autos 65 à 130 F, camions 330 à 660 F - Tarifs spéciaux AR pour autos et camions.

Office de Tourisme pl. Triangle de l'Amitié ✆ 50 53 00 24 et réservation hôtelière ✆ 50 53 23 33, Télex 385022.

Paris 614 ② – Albertville 67 ② – Annecy 94 ② – Aosta 62 ② – Bern 172 ① – Bourg-en-Bresse 186 ② – ◆Genève 83 ② – Lausanne 114 ① – Mont-Blanc (Tunnel du) 7 ② – Torino 175 ②.

Plans pages suivantes

Alpina M, av. Mt-Blanc ✆ 50 53 47 77, Télex 385090, ← – ☎ – 250. AE Ⓓ E VISA AX **t** *1er juin-30 sept. et 15 déc.-15 avril* – **R** 120/240 , enf. 50 – 45 – **136 ch** 319/538, 9 appartements 666/846 – 1/2 p 308/445.

Mont-Blanc et rest. Le Matafan, pl. Église ✆ 50 53 05 64, Télex 385614, ←, , « Jardin », , – ☎ Ⓟ. AE Ⓓ E VISA AY **g** *fermé 15 oct. au 15 déc.* – **R** 140/250, enf. 60 – 50 – **46 ch** 341/590, 6 appartements 744 – 1/2 p 390/506.

Aub. du Bois Prin M , aux Moussoux ✆ 50 53 33 51, ← massif du Mont-Blanc, , « Chalet fleuri », – ☎ Ⓟ. AE Ⓓ E VISA AZ **a** *fermé 9 mai au 2 juin, 10 oct. au 15 déc. et merc. midi* – **R** 140/320 – **11 ch** 520/850 – 1/2 p 650/790.

❀ **Albert Ier** (Carrier) M, ✆ 50 53 05 09, Télex 380779, ←, « Jardin fleuri », , – ☎ Ⓟ. AE Ⓓ E VISA. rest AX **f** *fermé 18 avril au 11 mai et 23 oct. au 3 déc.* – **R** *(fermé merc. hors sais.)* 135/350 – 40 – **32 ch** 390/520 – 1/2 p 330/400
Spéc. Foie gras poêlé en gelée de tomate, Ravioli de homard à la crème d'ortie (juin-oct.), Pigeon rôti en croûte de sel. **Vins** Ripaille, Mondeuse.

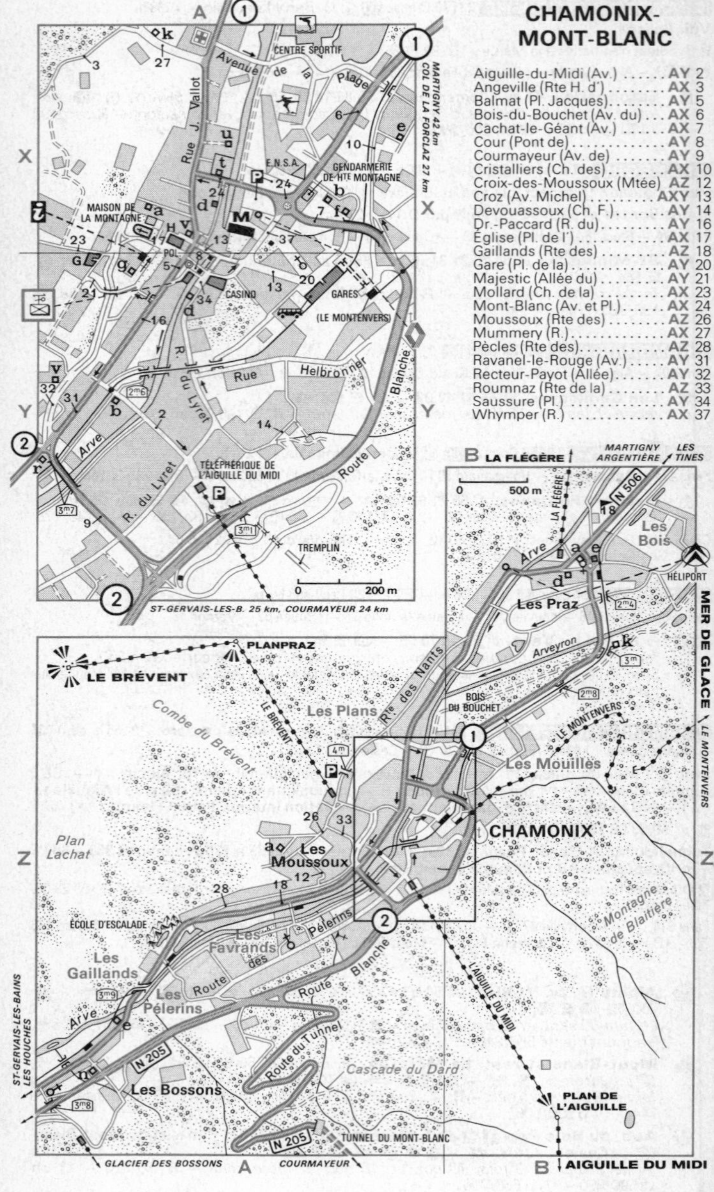

Routes enneigées

Pour tous renseignements pratiques, consultez les cartes Michelin **« Grandes Routes »** **998**, **999**, **916** ou **989**

RESSOURCES HÔTELIÈRES AUX ENVIRONS DE CHAMONIX ET SAINT GERVAIS

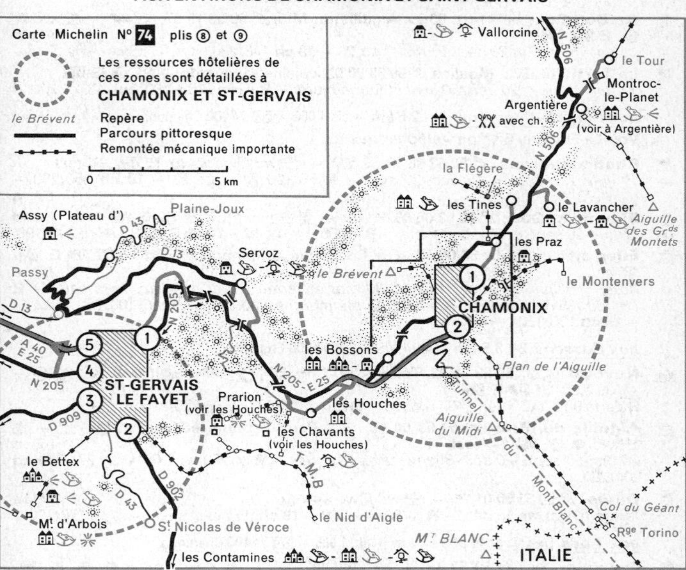

La Sapinière-Montana M, 102 r. Mummery 50 53 07 63, – AE E VISA. AX **k**
11 juin-24 sept. et 17 déc.-vacances de printemps – **R** 100/120 – 30 – **30 ch** 311/366 – 1/2 p 282/313.

Croix Blanche, 87 r. Vallot 50 53 00 11, <, – AE E VISA AX **v**
fermé 1er mai au 30 juin – **R** brasserie carte 80 à 150 – 30 – **38 ch** 204/318.

Hermitage et Paccard, r. Cristalliers 50 53 13 87, <, – wc AE E VISA AX **e**
1er juin-30 sept. et 19 déc.-25 avril – **R** 90/150, enf. 45 – 30 – **32 ch** 140/330, 3 appartements 500 – 1/2 p 260/335.

Le Prieuré M, allée Recteur Payot 50 53 20 72, <, – cuisinette wc – 100. AE E VISA AY **v**
fermé 1er oct. au 15 déc. – **R** 85/120, enf. 45 – 30 – **89 ch** 267/438 – 1/2 p 267/303.

Arve, 60 impasse des Anémones 50 53 02 31, <, – wc wc AE E VISA. rest AX **u**
hôtel fermé 13 nov. au 20 déc. – **R** *(fermé 18 avril au 11 juin et 18 sept. à mi-janv.)* 74 – 21 – **39 ch** 132/265 – 1/2 p 157/224.

Vallée Blanche sans rest, 36 r. du Lyret 50 53 04 50, < – cuisinette wc wc AE E VISA AY **d**
fermé 1er au 15 juin et 1er au 15 déc. – 25 – **20 ch** 195/285.

Arveyron, av. du Bouchet par ① : 2 km 50 53 18 29, <, – wc wc E VISA. rest BZ **k**
4 juin-18 sept. et 20 déc.-vacances de printemps – **R** 69/72 – 22 – **28 ch** 118/240 – 1/2 p 142/207.

Roma sans rest, 289 r. Ravanel-le-Rouge 50 53 00 62, <, – wc wc E VISA. AY **r**
fermé 15 au 25 juin et 15 oct. au 15 déc. – 18 – **33 ch** 160/248.

Aub. le Manoir, 10 r. du Bouchet 50 53 10 77, <, – wc . rest AX **b**
juin-début oct. et 15 déc.-30 avril – **R** (dîner seul) 80/100 – 22 – **24 ch** 240/250 – 1/2 p 227/237.

tourner →

Marronniers sans rest, 115 impasse de l'Androsace 50 53 05 73, ← – wc wc. E VISA. AX a
12 juin-18 sept. et 18 déc.-10 avril – **19 ch** 170/280.

Au Bon Coin sans rest, 80 av. Aiguille-du-Midi 50 53 15 67, ←, – wc ☎ P. E VISA. AY b
1er juil.-1er oct. et 20 déc.-1er mai – 20 – **20 ch** 148/230.

La Tartiffle, 87 r. Moulins 50 53 20 02, cuisine savoyarde – AE E VISA
1er juin-1er nov., 20 déc.-30 avril et fermé mardi – **R** carte 110 à 180, enf. 48. AX d

aux Praz-de-Chamonix N : 2,5 km – alt. 1 060 – ✉ **74400** Chamonix.

Voir La Flégère ←** par téléphérique BZ.

Rhododendrons, 50 53 06 39, ←, – wc wc P. E VISA. rest
1er juin-25 sept. et 15 déc.-20 avril – **R** 58/100 – 22 – **19 ch** 150/250 – 1/2 p 170/200. BZ a

Simond et Golf, 50 53 06 08, ←, – wc wc P. E VISA BZ d
15 juin-20 sept. et 26 déc.-1er mai – **R** 46/85 – 19 – **24 ch** 80/238 – 1/2 p 149/198.

Eden avec ch, 50 53 06 40, ←, **« Collection de minéraux »**, – AE E VISA. ch BZ e
hôtel : 1er juil.-30 sept., 15 déc.-30 mai et fermé mardi et merc. hors sais. – **R** *(1er juil.-15 oct., 15 déc.-30 mai et fermé mardi et merc. hors sais.)* 100/290 – 22 – **16 ch** 100/120.

aux Bossons S : 3,5 km – alt. 1 005 – ✉ **74400** Chamonix :

Novotel M, 50 53 26 22, Télex 385372, ←, , , – TV ☎ P – 30 à 60. AE E VISA
R carte 95 à 140 , enf. 43 – 36 – **89 ch** 298/360 – 1/2 p 275/315.

Aiguille du Midi, 50 53 00 65, ←, **« Parc ombragé et fleuri »**, , – wc ☎ P. VISA. rest AZ n
20 mai-20 sept., 20 déc.-3 janv., fév. et Pâques – **R** 84/250, enf. 65 – 27 – **50 ch** 204/280.

Dôme, 50 53 00 01, ← – wc wc P AZ e
fermé 1er oct. au 15 déc. – **R** 70/80 – 22 – **16 ch** (½ pens. seul.) – 1/2 p 170/190.

aux Tines par ① et N 506 : 4 km – alt. 1 085 – ✉ **74400** Chamonix :

Excelsior , 50 53 18 36, ←, , , – wc wc ☎ P. E VISA. rest
1er juin-20 sept. et 20 déc.-30 avril – **R** 75/155 – **60 ch** 205/543 – 1/2 p 187/351.

au Lavancher par ①, N 506 et VO : 6 km – alt. 1 100 – Sports d'hiver : voir à Chamonix – ✉ **74400** Chamonix.

Voir ←**.

Les Gentianes , 50 54 01 31, ←, , **« Jardin fleuri »** – wc wc P.
28 mai-24 sept., 17 déc.-5 janv. et 4 fév.-20 avril – **R** 100/125 – 35 – **14 ch** 122/290 – 1/2 p 140/245.

Beausoleil , 50 54 00 78, ←, , **« Jardin fleuri »**, – wc wc P. VISA. rest
fermé 20 sept. au 20 déc. – **R** 80/140, enf. 55 – 26 – **16 ch** 230/300 – 1/2 p 180/240.

CITROEN Greffoz, 1 273 rte des Praz 50 53 18 32
RENAULT Gar. du Bouchet, pl. Mont-Blanc 50 53 01 75

CHAMPAGNAC **15350** Cantal **76** ② – 1 411 h.

Paris 480 – Aurillac 78 – ♦Clermont-Ferrand 96 – Mauriac 22 – Ussel 43.

Le Lavendès , Château de Lavendès 71 69 62 79, , – wc ☎. E VISA.
fermé janv. et fév. – **R** *(fermé merc. d'oct à avril)* 93/190, enf. 50 – **7 ch** 232/310 – 1/2 p 215/260.

CHAMPAGNAC-DE-BELAIR **24** Dordogne **75** ⑤ – rattaché à Brantôme.

CHAMPAGNE-AU-MONT-D'OR **69** Rhône **74** ⑪ – rattaché à Lyon.

CHAMPAGNE-SUR-OISE **95660** Val-d'Oise **55** ⑳, **196** ⑥ – 3 110 h.

Paris 39 – Beauvais 39 – Chantilly 21 – Pontoise 20.

Épis d'Or, près Église (1) 34 70 25 92 – E VISA
fermé août, vacances de fév., dim. soir, jeudi soir et lundi – **R** 125.

PEUGEOT-TALBOT Bérenger (1)34 70 10 27

CHAMPAGNEY **70** H.-Saône **66** ⑦ – rattaché à Ronchamp.

CHAMPAGNOLE 39300 Jura 70 ⑤ G. Jura – 10 076 h.
Office de Tourisme à l'Hôtel de Ville ☎ 84 52 43 67.
Paris 424 ④ – •Besançon 74 ④ – Dole 60 ④ – •Genève 89 ② – Lons-le-Saunier 34 ③ – Pontarlier 43 ① – St-Claude 52 ②.

Ripotot, 54 r. Mar.-Foch **(e)** ☎ 84 52 15 45, parc, – ☎. AE ⓓ E VISA
avril-oct. – **R** voir rest. **Belle Époque** ci-après – 21 – **55 ch** 100/220.

La Vouivre M, NO : 2 km par D 5 et VO ☎ 84 52 10 44, , parc, , – TV wc wc ☎ – 30. VISA. rest
hôtel : 1er mai-15 déc., rest.: 1er juin-30 sept. – **R** 82/116, enf. 25 – 22 – **20 ch** 195/253 – ½ p 199/269.

Parc, 13 r. P.-Cretin **(v)** ☎ 84 52 13 20 – TV wc wc ☎ . AE ⓓ E VISA
fermé 17 au 24 avril, nov. et dim. hors sais. – **R** (dîner seul.) 55/150 – 22 – **20 ch** 170/250 – ½ p 160/210.

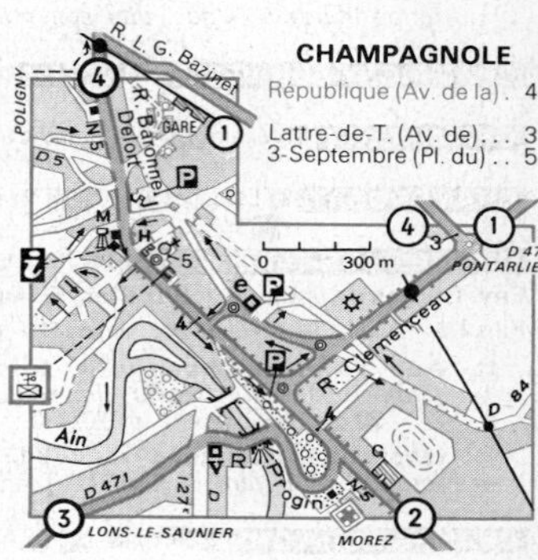

Pont de Gratteroche, par ④ : 5 km sur N 5 ☎ 84 51 70 46, , – wc ☎ . AE ⓓ E VISA
fermé 20 sept. au 5 oct., 24 déc. au 6 janv. et lundi d'oct. à juin – **R** 52/105 – 16 – **21 ch** 80/175 – ½ p 110/200.

Belle Epoque - Hôtel Ripotot, 54 r. Mar.-Foch **(e)** ☎ 84 52 28 86 – AE ⓓ E VISA
fév.-oct et fermé mardi soir et merc. sauf juil.-août – **R** 68/220, enf. 45.

Taverne de l'Epée, 2 r. Pont de l'Epée ☎ 84 52 03 85 – . E VISA
fermé 9 au 23 janv. et lundi – **R** 46/99, enf. 26.

rte de Genève par ② : 7,5 km – ✉ **39300** Champagnole :

Aub. des Gourmets avec ch, ☎ 84 52 01 64, ≤, – TV wc wc ☎ . E VISA
fermé 1er au 15 déc., 5 au 15 janv. et dim. soir sauf du 1er juil. au 30 sept. – **R** 79/230, enf. 45 – 30 – **7 ch** 190/240 – ½ p 260/300.

ALFA-ROMEO Gar. Cuynet, r. Baronne-Delort ☎ 84 52 09 78
OPEL Gar. Prost-Boucle, 22 r. Baronne-Delort ☎ 84 52 00 54
PEUGEOT-TALBOT Ganeval, av. de-Lattre-de-Tassigny ☎ 84 52 07 78
RENAULT Gar. Poix-Daude Frères, à Pont-du-Navoy par ③ ☎ 84 51 21 80
Girardot Pneus, r. de l'Egalité ☎ 84 52 21 52
Pneus-Maréchal, 44 r. de la Liberté ☎ 84 52 07 96

CHAMPAGNY-EN-VANOISE 73 Savoie 74 ⑱ G. Alpes du Nord – 444 h. alt. 1 250 – ✉ 73350 Bozel.
Voir Retable★ dans l'église.
Paris 628 – Chambéry 32 – Moûtiers 19.

Les Glières, ☎ 79 22 04 46, ≤, – wc wc ☎. E VISA
30 juin-30 sept. et 15 déc.-15 avril – **R** 60/110, enf. 30 – 25 – **20 ch** 230/291 – ½ p 217/309.

CHAMPDIEU 42 Loire 73 ⑰ – rattaché à Montbrison.

CHAMPEAUX 50 Manche 59 ⑦ – 324 h. – ✉ 50530 Sartilly.
Paris 360 – Avranches 17 – Granville 14 – St Lô 70.

Marquis de Tombelaine, sur D 911 ☎ 33 61 85 94, ≤, – . VISA
fermé 26 sept. au 6 oct., 5 au 30 janv., mardi soir et merc. sauf juil.-août – **R** 70/220.

CHAMPEIX 63320 P.-de-D. 73 ⑭ G. Auvergne – 1 166 h.
Paris 428 – •Clermont-Ferrand 30 – Condat 50 – Issoire 13 – Le Mont-Dore 38 – Thiers 56.

Promenade avec ch, ☎ 73 96 70 24 – E VISA. ch
fermé 11 au 18 avril, sept., Noël, dim. soir, mardi soir et merc. – **R** 65/200, enf. 45 – 22 – **7 ch** 100 – ½ p 140/180.

PEUGEOT Gar. Thiers, ☎ 73 96 73 18

CHAMPENOUX 54 M.-et-M. 62 ⑤ – rattaché à Nancy.

CHAMPIGNY 89370 Yonne 61 ⑬ – 1 424 h.

Paris 99 – Auxerre 76 – Fontainebleau 34 – Montereau-faut-Yonne 17 – Nemours 37 – Sens 19.

XXX **La Vieille France,** au Petit Chaumont O : 2,5 km ✆ 86 96 62 08, ⌂, ☂ – Ⓟ. ⓓ E VISA
fermé 14 nov. au 4 déc., dim. soir, mardi soir et merc. – **R** 100/150.

CHAMPIGNY-SUR-VESLE 51 Marne 56 ⑥ – rattaché à Reims.

CHAMPILLON 51 Marne 56 ⑯ – rattaché à Épernay.

CHAMPROSAY 91 Essonne 61 ①, 101 ㊲ – voir à Paris, Environs.

CHAMPS-SUR-TARENTAINE 15270 Cantal 76 ② – 1 030 h.

Env. Gorges de la Rhue★★ SE : 9 km, **G. Auvergne.**

Paris 476 – Aurillac 93 – ✦Clermont-Ferrand 92 – Condat 24 – Mauriac 37 – Ussel 37.

Aub. du Vieux Chêne Ⓜ ⛰, ✆ 71 78 71 64, ☂ – ⌂wc ⫽ ☎ Ⓟ. E VISA
fermé 1er janv. au 15 mars, dim. soir et lundi sauf juil.-août – **R** 65/170, enf. 50 – ☕ 24 – **20 ch** 120/210 – ½ p 170/190.

Host. de l'Artense, ✆ 71 78 70 15 – ⫽. AE E VISA
fermé 15 au 31 janv. – **R** 50/110 ♨, enf. 27 – ☕ 17 – **27 ch** 70/110 – ½ p 115.

CHAMPS-SUR-YONNE 89 Yonne 65 ⑤ – rattaché à Auxerre.

CHAMPTOCEAUX 49 M.-et-L. 63 ⑱ **G. Châteaux de la Loire** – 1 396 h. – ✉ 49270 St-Laurent-des-Autels – ⚙ (Loire-Atlantique).

Voir Site★ – Promenade de Champalud ⩽★★.

ℹ Syndicat d'Initiative à la Mairie ✆ 40 83 52 31.

Paris 358 – Ancenis 10 – Angers 64 – Beaupréau 30 – Cholet 50 – Clisson 34 – ✦Nantes 31.

Côte, ✆ 40 83 50 39 – TV ⌂wc ⫽wc ☎ – 🏔 50. ⓓ E VISA
fermé 20 déc. au 5 janv. et sam. du 15 oct. au 1er avril – **R** 50/185, enf. 35 – ☕ 18,50 – **30 ch** 133/201 – ½ p 125/155.

Chez Claudie, Le Cul du Moulin NO : 1 km sur D 751 ✆ 40 83 50 43 – ⫽wc ☎ Ⓟ. E VISA
fermé fév., dim. soir et lundi – **R** 80/150, enf. 50 – ☕ 20 – **12 ch** 150/170.

Voyageurs, ✆ 40 83 50 09 – ⌂wc ⫽wc. E VISA
fermé 11 nov. au 14 déc. – **R** *(fermé merc.)* 40/180 ♨, enf. 35 – ☕ 15 – **17 ch** 110/146 – ½ p 160/190.

XXX ✿ **Aub. de la Forge** (Pauvert), pl. des Piliers ✆ 40 83 56 23 – AE ⓓ E VISA
fermé 1er au 7 juil., oct., vacances de fév., dim. soir, mardi soir et merc. – **R** 115/168
Spéc. Savarin de langoustines aux brocolis, Civet de lamproie à la fondue de poireaux (janv. à mars), Pigeonneau rôti au jus de truffes. **Vins** Cabernet rouge, Chaume.

CHAMROUSSE 38 Isère 77 ⑤ **G. Alpes du Nord** – alt. 1 650 – Sports d'hiver : 1 400/2 250 m ⛡1 ⛷24, ⛸ – ✉ **38410** Uriage.

Env. E : Croix de Chamrousse ✳★★★ par téléphérique.

ℹ Office de Tourisme Le Recoin ✆ 76 89 92 65.

Paris 593 – Allevard 59 – Chambéry 80 – ✦Grenoble 29 – Uriage-les-Bains 19 – Vizille 28.

Hermitage, le Recoin ✆ 76 89 93 21, ⩽ – ☎ 🚗 – 🏔 30. VISA
23 déc.-10 avril – **R** 95/130 – ☕ 33 – **48 ch** 280/340 – ½ p 250/375.

CHANAC 48230 Lozère 80 ⑤ – 976 h. alt. 650.

Paris 592 – Espalion 77 – Florac 46 – Mende 21 – Rodez 90 – Sévérac-le-Château 46.

Voyageurs, ✆ 66 48 20 16, ☂ – ⫽wc Ⓟ. E VISA
fermé vacances de Noël, vend. soir et sam. du 1er nov. au 1er mars – **R** 48/100 ♨ – ☕ 16 – **18 ch** 85/130 – ½ p 120/140.

XX **La Lauze** ⛰ avec ch, Les Salelles, O : 6 km par N 88 ✆ 66 48 21 80, ⩽, ⌂, ☂ – ⌂wc Ⓟ
26 mars-2 oct. et fermé mardi, merc. et jeudi du 26 mars au 31 mai – **R** 100 – ☕ 30 – **4 ch** 160/225.

RENAULT Daudé, ✆ 66 48 20 99

CHANAS 38 Isère 76 ⑩, 77 ① – 1 486 h. – ✉ 38150 Roussillon.

Paris 516 – ♦Grenoble 85 – ♦Lyon 55 – ♦St-Etienne 74 – Valence 47.

Halte OK Ⓜ, sortie A7, sur D 519 ☎ 74 84 27 50, Télex 308975, – wc ☎ ♿ Ⓟ – 150. AE E VISA
R *(fermé sam. midi et dim.)* 75/220 ♁, enf. 45 – ☕ 25 – **42 ch** 210/245.

RENAULT Jay-Rolland, ☎ 75 31 00 37 — Dorcier, ☎ 74 84 28 73

CHANDAI 61 Orne 60 ⑤ – rattaché à L'Aigle.

CHANGÉ 72 Sarthe 65 ⑬ – rattaché au Mans.

CHANTELLE 03140 Allier 73 ④ **G. Auvergne** – 1 084 h.

Syndicat d'Initiative pl. Oscambre (saison) ☎ 70 56 62 37.

Paris 337 – Aubusson 109 – Gannat 17 – Montluçon 54 – Moulins 45 – St-Pourçain-sur-Sioule 14.

Poste, ☎ 70 56 62 12, – Ⓟ
fermé 27 sept. au 27 oct. – **R** 40/80 ♁, enf. 30 – ☕ 18 – **12 ch** 90/150 – ½ p 140.

PEUGEOT-TALBOT Gar. Arnaud, ☎ 70 56 66 54 — RENAULT Touzain, ☎ 70 56 61 55

CHANTEMERLE 05 H.-Alpes 77 ⑱ – rattaché à Serre-Chevalier.

CHANTEMESLE 95 Val-d'Oise 55 ⑱, 196 ③ – rattaché à La Roche-Guyon.

CHANTILLY 60500 Oise 56 ⑪, 196 ⑧ **G. Environs de Paris** – 10 208 h.

Voir Château★★ B : musée★★, parc★★, jardin anglais★ – Grandes Écuries★★ B : musée vivant du Cheval★.

Env. Site★ du château de la Reine-Blanche S : 5,5 km.

9 18 ☎ 44 57 04 43 N : 1,5 km par D 44 B ; 18 18 ☎ 44 21 26 00 à Lys-Chantilly par ③.

Office de Tourisme av. Mar.-Joffre ☎ 44 57 08 58.

Paris 50 ② – Beauvais 44 ⑤ – Clermont 25 ⑤ – Compiègne 44 ① – Meaux 48 ② – Pontoise 35 ④.

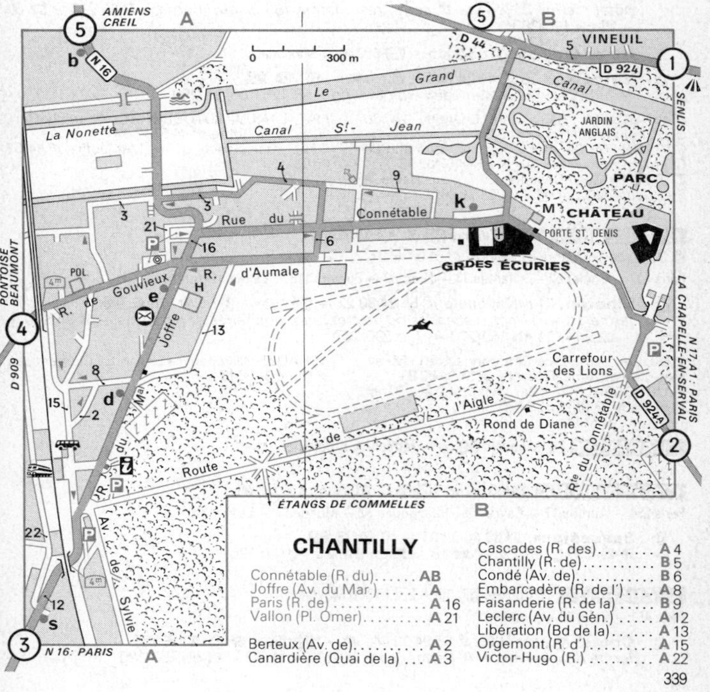

CHANTILLY

Connétable (R. du) .... AB
Joffre (Av. du Mar.) .... A
Paris (R. de) .... A 16
Vallon (Pl. Omer) .... A 21

Berteux (Av. de) .... A 2
Canardière (Quai de la) ... A 3
Cascades (R. des) .... A 4
Chantilly (R. de) .... B 5
Condé (Av. de) .... B 6
Embarcadère (R. de l') .... A 8
Faisanderie (R. de la) .... B 9
Leclerc (Av. du Gén.) ..... A 12
Libération (Bd de la) ..... A 13
Orgemont (R. d') .... A 15
Victor-Hugo (R.) .... A 22

Campanile ⚘, rte Creil par ⑤ ✆ 44 57 39 24, Télex 140065, ☂, ☂ – ⊟wc ☎ ♿ **P** – 🏛 30. VISA. ✗
R 63 bc/86 bc, enf. 38 – ☕ 24 – **50 ch** 200/220 – ½ p 287/330.

XXX **Relais Condé,** 42 av. Mar.-Joffre ✆ 44 57 05 75, ☂ – AE ⓓ E VISA — A **d**
fermé 15 au 31 juil., 24 janv. au 16 fév., dim. soir et lundi – **R** (dim. prévenir) 105/150.

XXX **Relais du Coq Chantant,** 21 rte de Creil ✆ 44 57 01 28. AE ⓓ E VISA — A **b**
R 89/277, enf. 55.

XX **Quatre Saisons,** 9 av. Gén.-Leclerc ✆ 44 57 04 65, ☂ – ▤. AE ⓓ E VISA
fermé 2 au 15 janv. et dim. soir d'oct. à avril – **R** 100 bc/120 bc. — A **s**

XX **Tipperary,** 6 av. Mar.-Joffre ✆ 44 57 15 96 – AE ⓓ E VISA — A **e**
R 88/290.

X **Château** avec ch, 22 r. Connétable ✆ 44 57 02 25, ☂ – ⊟ ⋔. E VISA — B **k**
fermé 2 au 22 fév., 16 au 31 août, lundi soir et mardi – **R** 70/170.

à Mongrésin par ② : 5 km – ✉ **60560** Orry-la-Ville :

Relais d'Aumale M, ✆ 44 54 61 31, Télex 155103, ☂, ☂, ✗ – ⇕ TV ⊟wc ☎ ♿ **P**. ⓓ E VISA
R 150/170 – ☕ 30 – **22 ch** 330/360 – ½ p 350/510.

X **Forêt,** ✆ 44 60 61 26, ☂, parc – E VISA
fermé lundi et mardi – **R** 140, enf. 68.

à Lys-Chantilly par ③ : 7 km – ✉ **60260** Lamorlaye.
Voir Abbaye de Royaumont** S : 1,5 km.

Host. du Lys ⚘, rond-point de la Reine ✆ 44 21 26 19, Télex 150298, ☂, ☂ – ⊟wc ⋔wc ☎ **P** – 🏛 100. AE ⓓ E VISA
R *(fermé 16 déc. au 1er janv.)* 138/154, enf. 45 – ☕ 35 – **35 ch** 285/385 – ½ p 290/508.

à Coye-la-Forêt SE : 8 km – ✉ **60580** Coye-la-Forêt :

XXX **Les Étangs,** ✆ 44 58 60 15, ☂, ☂ – AE ⓓ E VISA
fermé fév., lundi soir et mardi – **R** 112.

à Gouvieux par ④ : 3 km – 9 345 h. – ✉ **60270** Gouvieux :

Château de la Tour ⚘, ✆ 44 57 07 39, <, parc, ✗ – ⊟wc ☎ **P** – 🏛 40. AE E VISA
hôtel : fermé 25 juil. au 11 août ; rest.: fermé 18 juil. au 11 août – **R** 85/210 – ☕ 30 – **15 ch** 190/380.

rte de Creil par ⑤ : 3,5 km – ✉ **60740** St-Maximin :

XX **Verbois,** N 16 ✆ 44 24 06 22, ☂, ☂ – **P**. ⓓ VISA
fermé 15 fév. au 3 mars, dim. soir et lundi – **R** 125/150, enf. 90.

BMW-HONDA Saint-Merri Chantilly, 2A du Coq Chantant RN 16 ✆ 44 57 49 45
CITROEN Gd Gar. des Obiers, N 16 ZA du Coq Chantant à Gouvieux par ⑤ ✆ 44 57 02 98
CITROEN Gar. Desbois, 37 r. du Havre à Precy-sur-Oise par ④ ✆ 44 27 71 28
FIAT, **LANCIA-AUTOBIANCHI** Chantilly-Gar., 29 av. Mar.-Joffre ✆ 44 57 13 83
OPEL Gar. Sadell, 33 av. Mar.-Joffre ✆ 44 57 05 09

CHANTONNAY 85110 Vendée 67 ⑮ – 6 470 h.

ℹ Office de Tourisme pl. Liberté ✆ 51 94 46 51.
Paris 403 – Cholet 52 – ♦Nantes 73 – Niort 69 – Poitiers 118 – La Roche-sur-Yon 33.

Mouton, 31 r. Nationale ✆ 51 94 30 22 – TV ⊟wc ⋔wc ☎. AE E VISA
fermé 1er au 11 oct., vacances de nov. et lundi non fériés et hors sais. – **R** 55/140 ♂ – ☕ 24 – **11 ch** 160/220 – ½ p 230/267.

CITROEN Auto Sce-Chantonnaysien, 55 av. Mar.-de-Lattre-de-Tassigny ✆ 51 94 80 83
PEUGEOT-TALBOT Gar. Réau, 42 av. Batiot ✆ 51 94 30 23 N ✆ 51 94 36 70
RENAULT Villeneuve, 59 av. G. Clemenceau ✆ 51 94 31 86 N

CHAPARON 74 H.-Savoie 74 ⑯ – rattaché à Brédannaz.

CHAPEAUROUX 48600 Lozère 76 ⑯ G. Auvergne – alt. 745.

Paris 554 – Auroux 17 – Cayres 15 – Langogne 32 – Mende 67 – Le Puy 37.

Beauséjour, ✆ 66 46 32 01 – ⋔ **P**. E VISA
R 49/130 ♂, enf. 28 – ☕ 18 – **26 ch** 80/180 – ½ p 125.

La CHAPELLE 19 Corrèze 73 ⑪ – ✉ 19250 Meymac.

Paris 451 – Tulle 46 – Ussel 14.

Chatel ⚘, sur N 89 ✆ 55 94 22 64, ☂ – TV ⋔wc ☎ **P**. AE E VISA
fermé déc. et janv. – **R** *(fermé lundi)* 80/130 – ☕ 23 – **11 ch** 150/190.

CHAPELLE-BASSE-MER 44 Loire-Atl. 63 ⑱, 67 ④ – 3 560 h. – ✉ **44450** St-Julien-de-Concelles.

Paris 369 – Ancenis 21 – Clisson 17 – ♦Nantes 23.

XX **Pierre Percée,** RN 751 ☏ 40 06 33 09, ≤ – ▤. AE E VISA
fermé 15 au 31 oct., 15 au 28 fév., dim. soir et lundi – **R** 105/210, enf. 50.

RENAULT Gar. Terrien ☏ 40 06 31 52

RENAULT Gar. Central ☏ 40 06 33 79 N ☏ 40 03 64 04

La CHAPELLE-D'ABONDANCE 74 H.-Savoie 70 ⑱ **G. Alpes du Nord** – 552 h. alt. 1 020 – Sports d'hiver : 1 020/1 700 m ≴9, ⛷ – ✉ **74360** Abondance.

ℹ Syndicat d'Initiative ☏ 50 73 51 41.

Paris 602 – Annecy 109 – Châtel 5,5 – Évian-les-Bains 34 – Morzine 45 – Thonon-les-Bains 34.

Cornettes Ⓜ, ☏ 50 73 50 24, ≤, ✂ – |♦| cuisinette TV ⌂wc ☎ 🚗 Ⓟ. E VISA
20 mai-20 oct. et 20 déc.-20 avril – **R** 70/260 ♁ – ☕ 25 – **40 ch** 170/220 – ½ p 225/250.

L'Ensoleillé Ⓜ, ☏ 50 73 50 42, ≤ – |♦| ⌂wc ☎ Ⓟ. E VISA
15 juin-15 sept. et Noël-Pâques – **R** 70/225 – ☕ 25 – **35 ch** 170/220 – ½ p 170/250.

Le Chabi Ⓜ ⛰, ☏ 50 73 50 14, ≤, ☂, ⛱ – ⌂wc ⋒wc ☎ Ⓟ. E VISA
20 juin-15 sept. et 18 déc.-15 avril – **R** 80/120, enf. 55 – **21 ch** ☕160/260 – ½ p 250.

Vieux Moulin Ⓜ ⛰, rte Chevenne ☏ 50 73 52 52 – ⌂wc ⋒wc ☎ Ⓟ. E VISA.
✻ rest
10 mai-15 oct. et 15 déc.-15 avril – **R** *(fermé lundi)* 70/200, enf. 55 – ☕ 24 – **16 ch** 130/220 – ½ p 220.

Le Rucher ⛰, à la Pantiaz E : 1,5 km ☏ 50 73 50 23, ≤, ≤ – ⌂wc ⋒wc ☎ Ⓟ.
✻ rest
15 juin-15 sept. et 20 déc.-20 avril – **R** 58 – ☕ 17 – **22 ch** 120/240 – ½ p 150/220.

L'Alpage, ☏ 50 73 50 25, ≤ – ⋒wc Ⓟ. ✻ rest
15 juin-15 sept. et 20 déc.-15 avril – **R** 48/85 – ☕ 18 – **25 ch** 80/160 – ½ p 140/180.

CHAPELLE-DES-BOIS 25 Doubs 70 ⑯ – 217 h. alt. 1 080 – Sports d'hiver : ⛷ – ✉ **25240** Mouthe.

Paris 464 – Genève 70 – Lons-le-Saunier 69 – Pontarlier 50.

Les Mélèzes, ☏ 81 69 21 82, ≤ – ⋒wc. VISA
20 juin-15 sept. et 15 déc.-15 avril – **R** 65/95 ♁, enf. 30 – ☕ 20 – **9 ch** 110/220 – ½ p 150/190.

La CHAPELLE-EN-VALGAUDEMAR 05 H.-Alpes 77 ⑯ **G. Alpes du Nord** – 184 h. alt. 1 100 – ✉ **05800** St-Firmin.

Voir Les Oulles du Diables★ – Les Portes ≤★ sur le pic d'Olan – Cascade du Casset★ NE : 3,5 km.

ℹ Syndicat d'Initiative (juil.-août) ☏ 95 55 23 21 et à la Mairie (hors saison) ☏ 92 55 23 17.

Paris 653 – Gap 48 – ♦Grenoble 91 – La Mure 53.

Mont-Olan ⛰, ☏ 92 55 23 03, ≤, ≤ – ⋒wc Ⓟ. E VISA
25 mars-15 sept. – **R** 56/87 ♁, enf. 40 – ☕ 18,50 – **36 ch** 85/180 – ½ p 143/173.

La CHAPELLE-EN-VERCORS 26420 Drôme 77 ⑭ **G. Alpes du Nord** – 728 h. alt. 945 – Sports d'hiver au Col de Rousset : 1 255/1 700 m ≴1 ⛷.

ℹ Office de Tourisme ☏ 75 48 22 54.

Paris 605 – Die 40 – ♦Grenoble 62 – Romans-sur-Isère 45 – St-Marcellin 32 – Valence 63.

Bellier ⛰, ☏ 75 48 20 03, ☂, ≤ – ⌂wc ☎ Ⓟ. AE ⓓ E VISA
18 juin-25 sept. – **R** 75/195 – ☕ 22 – **12 ch** 80/270 – ½ p 210/310.

Sports, ☏ 75 48 20 39 – ⋒wc ☎ 🚗. E VISA. ✻ ch
1er fév.-12 nov. et fermé dim. soir hors sais. – **R** 54/80 – ☕ 15 – **16 ch** 74/170 – ½ p 106/150.

Nouvel H., ☏ 75 48 20 09, ≤ – 🚗. ✻
fermé 15 oct. au 26 déc. et 3 janv. au 3 fév. – **R** 58/92 ♁ – ☕ 17 – **35 ch** 84/225 – ½ p 158/248.

CITROEN Gar. Duclot ☏ 75 48 21 26 N

RENAULT Gar. Dherbassy ☏ 75 48 21 59

La CHAPELLE-VENDOMOISE 41330 L.-et-Ch. 64 ⑦ – 623 h.

Paris 194 – Blois 13 – ♦ Orléans 72 – ♦ Tours 76 – Vendôme 32.

XX **Flambée,** ☏ 54 20 16 04 – E VISA
fermé mardi soir et merc. – **R** 75/160.

Le CHAPUS 17 Ch.-Mar. 71 ⑭ – voir à Marennes (Bourcefranc-le-Chapus).

CHARAVINES 38850 Isère 74 ⑭ **G. Vallée du Rhône** – 1 189 h.

Voir Lac de Paladru★ N : 1 km.

Syndicat d'Initiative (juin-sept.) ✆ 76 06 60 31.

Paris 531 – Belley 49 – Chambéry 52 – ♦Grenoble 40 – La Tour-du-Pin 22 – Voiron 13.

Poste, ✆ 76 06 60 41, – wc wc ☎. AE VISA
fermé 1er nov. au 15 déc., dim. soir et lundi hors sais. – **R** 85/200, enf. 40 – 28 – **22 ch** 155/250 – ½ p 170/230.

au Nord : 1,5 km par D 50 – ✉ **38850** Charavines :

Beau Rivage, ✆ 76 06 61 08, ←, – wc wc ☎ P. E VISA
mars-nov. et fermé dim. soir et lundi sauf juil.-août – **R** 58/180, enf. 45 – 25 – **27 ch** 120/195 – ½ p 145/160.

Host. Lac Bleu, ✆ 76 06 60 48, ←, – wc wc P. E VISA. ch
15 mars-15 oct. et fermé lundi soir et mardi hors sais. – **R** 75/150 – 23 – **13 ch** 100/200 – ½ p 160/190.

PEUGEOT, TALBOT Gar. Lambert, ✆ 76 06 60 43

CHARBONNIÈRES-LES-BAINS 69 Rhône 74 ⑪ – rattaché à Lyon.

CHARBONNIÈRES-LES-VIEILLES 63 P.-de-D. 73 ④ – 866 h. alt. 618 – ✉ **63410** Manzat.

Voir Gour (lac) de Tazenat★ S : 2 km, G. Auvergne.

Paris 376 – Aubusson 84 – ♦Clermont-Ferrand 36 – Montluçon 72 – Riom 21 – Vichy 48.

Parc, ✆ 73 86 63 20, – .
fermé janv. – **R** 50/90 – 15 – **8 ch** 60/85 – ½ p 100.

MAZDA Gar. Marchand, ✆ 73 86 63 05

CHARENTON 58 Nièvre 65 ⑬ – rattaché à Pouilly-sur-Loire.

La CHARITÉ-SUR-LOIRE 58400 Nièvre 65 ⑬ **G. Bourgogne** – 6 422 h.

Voir Église N.-Dame★★ : ←★★ sur le chevet – Office de Tourisme 49 Grande-Rue (15 juin-15 sept.) et à l'Hôtel de Ville (hors saison) ✆ 86 70 16 12.

Paris 214 ① – Autun 127 ③ – Auxerre 95 ② – Bourges 51 ④ – Montargis 101 ① – Nevers 24 ③.

Terminus, 23 av. Gambetta **(s)** ✆ 86 70 09 61 – wc wc ☎ P. VISA.
fermé 20 au 27 juin, 24 déc. au 25 janv. et lundi – **R** 55/135, enf. 25 – 22 – **10 ch** 90/190.

Bon Laboureur, quai R. Mollot (Ile de la Loire) par ④ : 0,5 km ✆ 86 70 01 99, – wc wc. E VISA
R *(fermé fin sept. à Pâques, sam. et dim.)* (dîner seul.) 95/160 – 25 – **17 ch** 120/220.

Gd Monarque avec ch, 33 quai Clemenceau **(e)** ✆ 86 70 21 73, ← – wc ☎ . AE E VISA
fermé vacances de fév. et merc. du 15 nov. au 30 mars – **R** 91/250 – 24 – **9 ch** 160/235 – ½ p 299/314.

A la Bonne Foi, 91 r. C.-Barrère **(a)** ✆ 86 70 15 77 – E VISA
fermé 29 août au 10 sept., vac. de fév., dim. soir et lundi – **R** 80/210 .

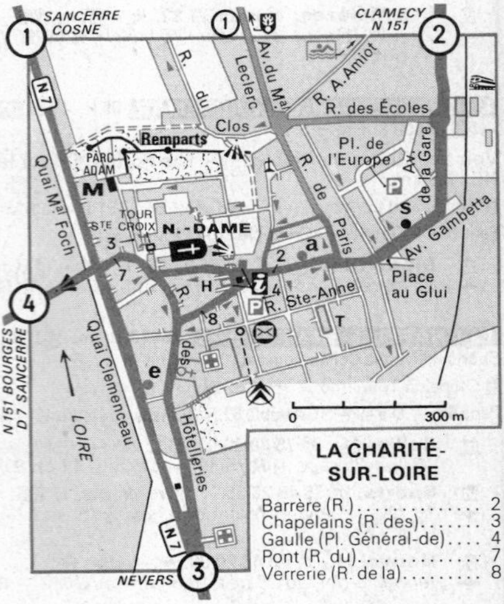

LA CHARITÉ-SUR-LOIRE

rte de Paris par ① : 5 km sur N 7 – ✉ **58400** La Charité-sur-Loire :

Castor Motel sans rest, ✆ 86 70 10 80 – wc wc P. AE E VISA
35 – **12 ch** 140/180.

CITROEN Gar. de la Mairie, pl. Gén.-de-Gaulle ✆ 86 70 18 00
PEUGEOT-TALBOT Merlin, N 7, rte de Nevers par ③ ✆ 86 70 13 03
PEUGEOT-TALBOT Gar. St Lazare, 53 av. Gambetta par ② ✆ 86 70 05 07 N

RENAULT Gar. Delamare, r. de Gérigny ✆ 86 70 15 82
RENAULT Gar. de Figueiredo, 26 av. Gambetta par ② ✆ 86 70 04 78

Pasquette, 21 r. Gén.-Auger ✆ 86 70 15 93

CHARLEVAL 27 Eure 55 ⑦ – 1 755 h. – ✉ 27380 Fleury-s-Andelle.

Voir Ruines de l'abbaye de Fontaine-Guérard★ SO : 5 km, G. Normandie Vallée de la Seine.

Paris 101 – Les Andelys 17 – Évreux 53 – Gournay-en-Bray 35 – Lyons-la-Forêt 10 – ♦Rouen 26.

XX **Charles IX,** ✆ 32 49 01 51 – AE ⓓ E VISA
fermé janv., mardi soir et merc. – **R** 52/200.

MAZDA Collemare, ✆ 32 49 01 01

☛ *Auf den **Michelin-Straßenkarten** im Maßstab 1 : 200 000 sind alle im Führer erwähnten Orte rot unterstrichen.*

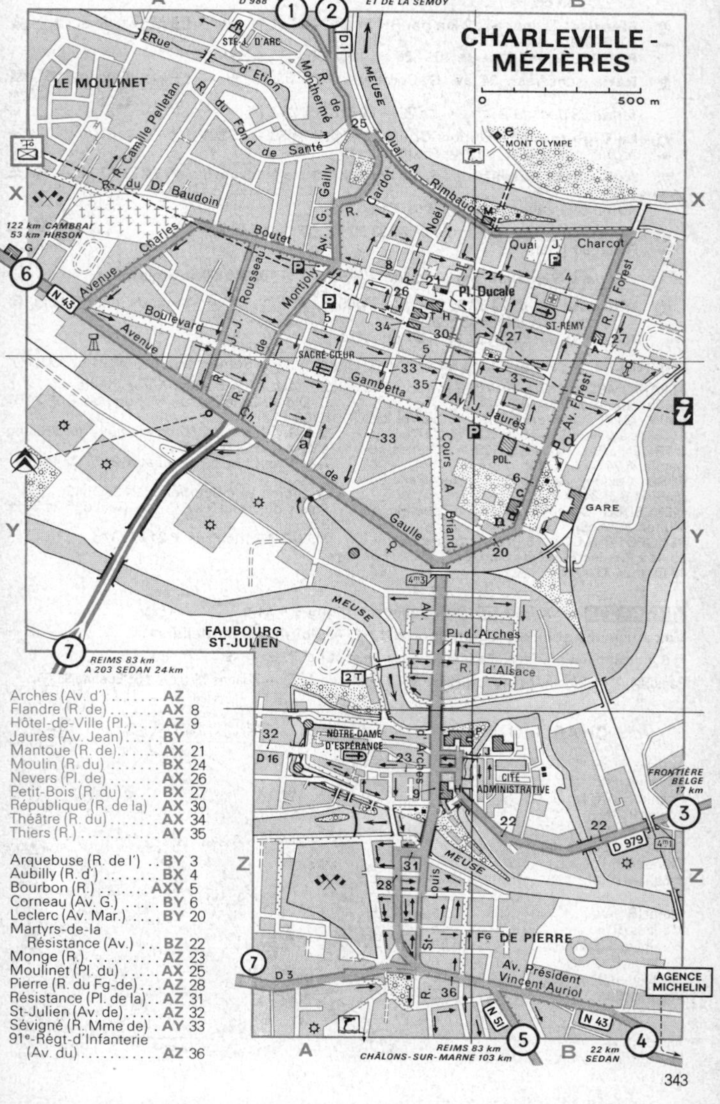

Arches (Av. d') . . . . AZ
Flandre (R. de) . . . . AX 8
Hôtel-de-Ville (Pl.) . . . . AZ 9
Jaurès (Av. Jean) . . . . . BY
Mantoue (R. de) . . . . AX 21
Moulin (R. du) . . . . BX 24
Nevers (Pl. de) . . . . AX 26
Petit-Bois (R. du) . . . . . BX 27
République (R. de la) . AX 30
Théâtre (R. du) . . . . AX 34
Thiers (R.) . . . . AY 35

Arquebuse (R. de l') . . BY 3
Aubilly (R. d') . . . . BX 4
Bourbon (R.) . . . . AXY 5
Corneau (Av. G.) . . . . . BY 6
Leclerc (Av. Mar.) . . . . BY 20
Martyrs-de-la Résistance (Av.) . . . BZ 22
Monge (R.) . . . . AZ 23
Moulinet (Pl. du) . . . . . AX 25
Pierre (R. du Fg-de) . . . AZ 28
Résistance (Pl. de la) . . AZ 31
St-Julien (Av. de) . . . . . AZ 32
Sévigné (R. Mme de) . AY 33
91e-Régt-d'Infanterie (Av. du) . . . . AZ 36

CHARLEVILLE-MÉZIÈRES P 08000 Ardennes 53 ⑱ **G. Champagne** – 61 588 h.

Voir Place Ducale★★ à Charleville ABX.

Office de Tourisme 2 r. Mantoue ✆ 24 33 00 17 – A.C. 10 cours A.-Briand ✆ 24 33 35 89.

Paris 226 ⑦ – Charleroi 89 ⑥ – Liège 153 ① – Luxembourg 128 ⑦ – ♦Metz 169 ⑦ – Namur 109 ⑥ – ♦Nancy 213 ⑦ – ♦Reims 84 ⑦ – St-Quentin 118 ⑥ – Sedan 24 ⑦.

Plan page précédente

Château Bleu M, 3 bd L. Pierquin à Warck ✉ 08000 Charleville-Mézières ✆ 24 56 18 19, – TV ☎ & P. AE E VISA.
R *(fermé lundi)* 170/270, enf. 50 – 40 – **13 ch** 260/390.

Le Relais du Square sans rest, 3 pl. Gare ✆ 24 33 38 76, Télex 841196 – TV wc wc ☎. AE E VISA BY d
22 – **49 ch** 160/230.

Fleuritel M, par ⑤ : 2 km par RN 51 ✆ 24 37 41 11, – TV wc ☎ & P – 30. E VISA
R 45/120 , enf. 35 – 19 – **35 ch** 190/205 – $^1/_2$ p 250/265.

Paris sans rest, 24 av. G.-Corneau ✆ 24 33 34 38 – wc wc . E VISA BY n
fermé 23 déc. au 2 janv. – 22 – **29 ch** 115/230.

La Cigogne, 40 r. Dubois-Crancé ✆ 24 33 25 39 – E VISA AY a
fermé dim. soir et lundi – **R** 60/150.

Aub. de la Forest, par ② : 4 km sur D 1 rte Nouzonville ✆ 24 33 37 55 – P. E VISA.
fermé dim. soir et lundi – **R** 55/120.

Mont-Olympe, r. Paquis ✆ 24 33 20 77, – AE E VISA BX e
R 65/190 , enf. 35.

à Villers-Semeuse par ④ : 5 km – 3 076 h. – ✉ **08340** Villers-Semeuse :

Mercure M, ✆ 24 37 55 29, Télex 840076, – ch rest TV ☎ & P – 25 à 160. AE E VISA
R 100/130, enf. 38 – 35 – **67 ch** 300.

MICHELIN, Agence, Z.I. de Mohon, r. C.-Didier, Villers-Semeuse par ④ ✆ **24 57 13 21**

ALFA-ROMEO-HONDA-SAAB Gar. Toury, 148 av. Ch.-Boutet ✆ 24 56 00 44
BMW, OPEL Ardennes Motors, centre cial Ayvelles à Villers Semeuse ✆ 24 58 22 73
CITROEN Gar. Froussart, 129 av. Charles-de-Gaulle ✆ 24 59 22 33
FORD Cailloux, ZAC du Bois Fortant Park. Euromarché ✆ 24 57 01 01
MERCEDES Covema, r. C.-Didier Zone Ind. de Mohon ✆ 24 58 17 65
PEUGEOT-TALBOT S.I.G.A., rte de Warnecourt à Prix-lès-Mézières par D3 AZ ✆ 24 37 37 45 ✆ 24 33 40 35
RENAULT Ardennes-Autos-Charleville, 2 r. C.-Didier, Zone Ind. de Mohon par ④ ✆ 24 37 58 58
V.A.G. Gar. Petit, 60 bd Pierquin rte d'Hirson à Warcq ✆ 24 56 40 07
Gar. Mary, 13 r. M.-Sembat ✆ 24 57 02 44

Legros, 87 r. Bourbon ✆ 24 33 31 13
Palais-du-Pneu, 7 av. Ch.-de-Gaulle ✆ 24 33 28 32
SO.NE.GO., rte Paris ✆ 24 37 23 45

CHARLIEU 42190 Loire 73 ⑧ **G. Vallée du Rhône** – 4 380 h.

Voir Ancienne abbaye★ : grand portail★★ E – Cloître des Cordeliers★ K.

Syndicat d'Initiative r. A.-Farinet (Pâques-fin sept.) ✆ 77 60 12 42.

Paris 384 ④ – Digoin 45 ④ – Lapalisse 56 ④ – Mâcon 77 ② – Roanne 19 ④ – ♦St-Étienne 96 ④.

CHARLIEU

Abbaye (Pl. de l') 2
Bouverie (Pl.) 3
Chanteloup (R.) 4
Écoles (R. des) 5
Farinet (R. André) 7
Gaulle (R. Charles-de) 9
Grenette (R.) 10
Jacquard (Bd) 12
Jaurès (R. Jean) 13
Morel (R. Jean) 14
Moulins (R. des) 15
République (Bd de la) 17
Rouillier (R. Ch.-H.) 19
St-Philibert (Pl.) 20
Valorge (Bd) 22

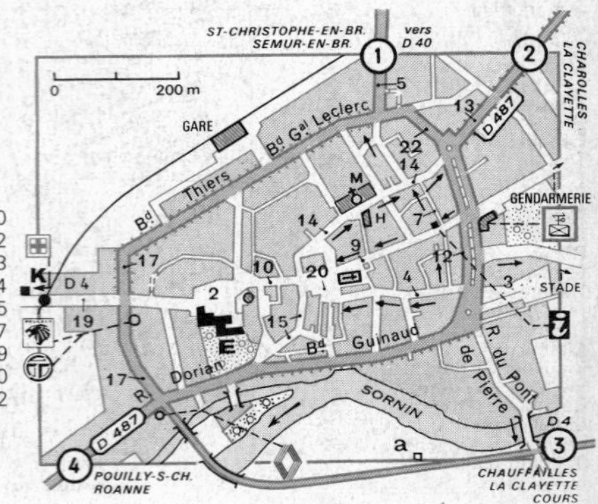

Pour bien lire les plans de villes, voir signes et abréviations p. 23.

Relais de l'Abbaye M, La Montalay **(a)** 77 60 00 88, Télex 307599 – wc – 100. AE E VISA
R 85/220, enf. 60 – 25 – **27 ch** 185/230 – ½ p 195/230.

Aub. du Moulin de Rongefer, rte de Pouilly, O : 2 km par D 4 et VO 77 60 01 57, – . AE E VISA
fermé 16 août au 12 sept., vacances de fév., lundi (sauf le midi du 1er sept. au 31 juil.) et mardi – **R** 105/210.

PEUGEOT-TALBOT Chirat, 77 60 16 22 RENAULT Saunier, 77 60 07 55

CHARMES 88130 Vosges 62 ⑤ G. Alsace et Lorraine – 5 457 h.

Paris 335 – Épinal 24 – Lunéville 35 – ♦Nancy 44 – Neufchâteau 58 – St-Dié 59 – Toul 54 – Vittel 41.

Dancourt avec ch, pl. Hôtel-de-Ville 29 38 03 09 – wc . E VISA
fermé 1er au 14 juil., 1er au 15 janv., sam. midi et vend. – **R** 69/220 – 18 – **10 ch** 125/180 – ½ p 210/250.

Central avec ch, r. Capucins 29 38 02 40, , – wc wc . E VISA
fermé 4 au 13 avril, 1er au 15 oct., dim. soir et lundi – **R** 76/225 – 18 – **10 ch** 85/161 – ½ p 158/210.

à Vincey SE : 4 km par N 57 – **88450** Vincey :

Relais de Vincey, 29 67 40 11, , , – wc wc . E VISA
fermé 8 au 31 août, 25 déc. au 3 janv., dim. soir (sauf hôtel) et sam. – **R** 80/200 – 22 – **28 ch** 120/280 – ½ p 190/250.

CHARMES-SUR-RHÔNE 07 Ardèche 77 ⑪⑫ – 1 550 h. – **07800** La Voulte-sur-Rhône.

Paris 575 – Crest 25 – Montélimar 38 – Privas 28 – St-Péray 11 – Valence 11.

La Vieille Auberge M avec ch, 75 60 80 10 – wc . AE E VISA
fermé 3 août au 3 sept., 2 au 9 janv., dim. soir et merc. – **R** 90/280, enf. 60 – 24 – **7 ch** 190/250 – ½ p 280.

CHARMETTES 73 Savoie 74 ⑮ – rattaché à Chambéry.

CHARNAY-LÈS-MÂCON 71 S.-et-L. 69 ⑲ – rattaché à Mâcon.

CHARNY 89120 Yonne 65 ③ – 1 620 h.

Paris 140 – Auxerre 49 – Cosne-sur-Loire 78 – Gien 47 – Joigny 27 – Montargis 35 – Sens 46.

Gare , 86 63 61 59 – wc . ch
fermé 1er au 8 sept., 15 déc. au 14 janv., dim. soir et lundi – **R** 45/100 – 15 – **12 ch** 120/165.

PEUGEOT Gar. Carpentier 86 63 65 99 RENAULT Hivon, 86 63 65 12
PEUGEOT-TALBOT Guérin, 86 63 61 81 N

CHAROLLES 71120 S.-et-L. 69 ⑰⑱ G. Bourgogne – 3 758 h.

Office de Tourisme Ancien Couvent des Clarisses, r. Baudinot (fermé Noël-Jour de l'An) 85 24 05 95.

Paris 369 ① – Autun 78 ⑤ – Chalon-sur-Saône 69 ① – Mâcon 53 ① – Moulins 83 ④ – Roanne 59 ③.

Moderne, av. Gare **(a)** 85 24 07 02, , – wc wc – 30. AE VISA
fermé fin déc. au 1er fév., dim. soir du 15 sept. au 30 juin et lundi sauf le soir du 15 juin à début oct. – **R** 85/220 – 25 – **18 ch** 110/290 – ½ p 280/350.

France sans rest, av. Gare **(e)** 85 24 06 66 – wc . E
fermé 15 déc. au 22 janv. et dim. soir hors sais. – 23 – **12 ch** 140/245.

Poste avec ch, av. Libération **(s)** 85 24 11 32 – wc . AE E VISA
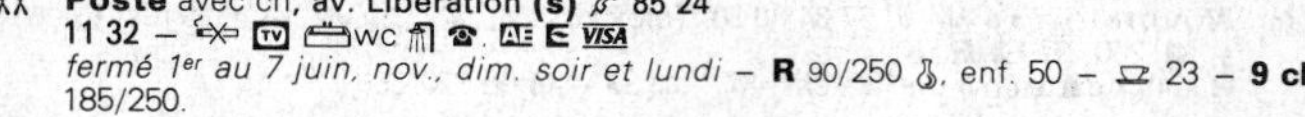
fermé 1er au 7 juin, nov., dim. soir et lundi – **R** 90/250, enf. 50 – 23 – **9 ch** 185/250.

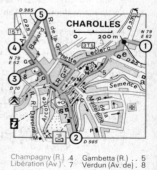

Champagny (R.) . 4 Gambetta (R.) .. 5
Libération (Av.) . 7 Verdun (Av. de) . 8

à Viry NE : 7 km – **71120** Charolles :

Le Monastère, 85 24 14 24 – VISA
fermé janv., mardi soir et merc. sauf juil.-août – **R** 76/155.

CITROEN Gar. Central, 85 24 08 54 N FORD Pluriel Modern gar., 85 24 01 36
CITROEN Moulin, par ③ 85 24 01 10

CHARQUEMONT 25140 Doubs 66 ⑱ – 2 265 h. alt. 900.

Paris 488 – Bâle 102 – Belfort 66 – ♦Besançon 75 – Montbéliard 48 – Pontarlier 60.

Poste, ☎ 81 44 00 20, ⛺, – wc wc ☎ P. E VISA
fermé nov. et lundi hors sais. – **R** 60/135 – 18 – **32 ch** 150/200 – 1/2 p 160/180.

Bois de la Biche avec ch, SE : 4,5 km par D 10E ☎ 81 44 01 82, ≤, – wc P. E VISA
fermé 15 nov. au 15 déc. et lundi de sept. à mai – **R** 75/140, enf. 43 – 16 – **3 ch** 140/190 – 1/2 p 140/150.

CITROEN Gar. Cassard, ☎ 81 44 01 06
PEUGEOT-TALBOT Gar. Central, ☎ 81 44 00 27 N
RENAULT Gar. Binetruy, ☎ 81 44 01 29 N

CHARROUX 86250 Vienne 72 ④ G. Poitou Vendée Charentes – 1 552 h.

Voir Abbaye St-Sauveur★ : tour★★, sculptures★★ du cloître, trésor★.

Paris 395 – Confolens 27 – Niort 75 – ♦Poitiers 53.

PEUGEOT-TALBOT Gar. Meunier, ☎ 49 87 50 05
RENAULT Gar. Fournier, ☎ 49 87 50 36 N ☎ 49 87 57 07

CHARTRES P 28000 E.-et-L. 60 ⑦⑧, 196 ㊲ G. Environs de Paris – 39 243 h. - Grand pélerinage des étudiants (fin avril-début mai).

Voir Cathédrale★★★ Y – **Vieux Chartres★** YZ – **Église St-Pierre★** Z – **≤★ sur l'église St-André, des bords de l'Eure** Y – **≤★ du Monument des Aviateurs militaires** Y **Z** – **Musée : émaux★** Y**M.**

Office de Tourisme 7 Cloître Notre-Dame ☎ 37 21 54 03 – A.C.O. 10 av. Jehan-de-Beauce ☎ 37 21 03 79.

Paris 88 ② – Évreux 77 ① – ♦Le Mans 115 ④ – ♦Orléans 77 ③ – Tours 140 ④.

Plan page ci-contre

Grand Monarque, 22 pl. Épars ☎ 37 21 00 72, Télex 760777, – TV ☎ . AE E VISA — Z e
R 176/262 – 31 – **54 ch** 237/400.

Mercure M sans rest, 8 av. Jehan-de-Beauce ☎ 37 21 78 00, Télex 780728 – TV ☎ P – 120. AE E VISA — Y n
40 – **47 ch** 340/360.

Poste, 3 r. Gén. Koenig ☎ 37 21 04 27, Télex 760533 – rest rest TV wc wc ☎ – 30. AE E VISA — Y v
R 78/115 , enf. 38 – 30 – **60 ch** 160/235 – 1/2 p 188/225.

Ibis M, 14 pl. Drouaise ☎ 37 36 06 36, Télex 783533 – TV wc ☎ P – 35. E VISA — X b
R carte 75 à 120 – 26 – **79 ch** 238/268.

La Vieille Maison, 5 r. au Lait ☎ 37 34 10 67 – AE E VISA — Y s
fermé 31 juil. au 7 août, 8 au 22 janv., dim. soir et lundi – **R** 160/280.

Henri IV, 31 r. Soleil-d'Or ☎ 37 36 01 55 – AE — Y a
fermé fév., lundi soir et mardi sauf fériés – **R** 165 bc/265.

Buisson Ardent, 10 r. au Lait ☎ 37 34 04 66 – AE E VISA — Y s
fermé dim. soir, mardi soir et merc. – **R** 69/185.

Normand, 24 pl. Épars ☎ 37 21 04 38 – E VISA — Z e
fermé lundi – **R** carte 100 à 190 .

Le Minou, 4 r. Mar. de Lattre de Tassigny ☎ 37 21 10 68 – E VISA. — YZ u
fermé 3 au 25 juil., 12 au 27 fév., dim. soir et lundi – **R** 59/110 .

à St-Prest par ① et D 6 : 8 km – ✉ **28300** St Prest :

Manoir du Palomino M , ☎ 37 22 27 27, ≤, « Dans un parc au bord de l'Eure », – TV wc wc ☎ P. E VISA
fermé janv. – **R** *(fermé dim. soir et lundi)* 120/195, enf. 50 – 35 – **12 ch** 150/350.

par ② : N 10 – ✉ **28630** Chartres :

Novotel M, à 4 km ☎ 37 34 80 30, Télex 781298, , , – rest TV ☎ – 200. AE E VISA
R snack carte environ 120, enf. 40 – 38 – **78 ch** 320/350.

à Thivars par ④ : 7,5 km N 10 – ✉ **28630** Chartres :

La Sellerie, ☎ 37 26 41 59 – P. VISA
fermé 27 juil. au 18 août, 7 au 21 janv., dim. soir de nov. à mars, lundi soir et mardi – **R** 110.

MICHELIN, Agence r. de Fontenay, Z.I. de Lucé par ⑤ ☎ **37 35 66 42**

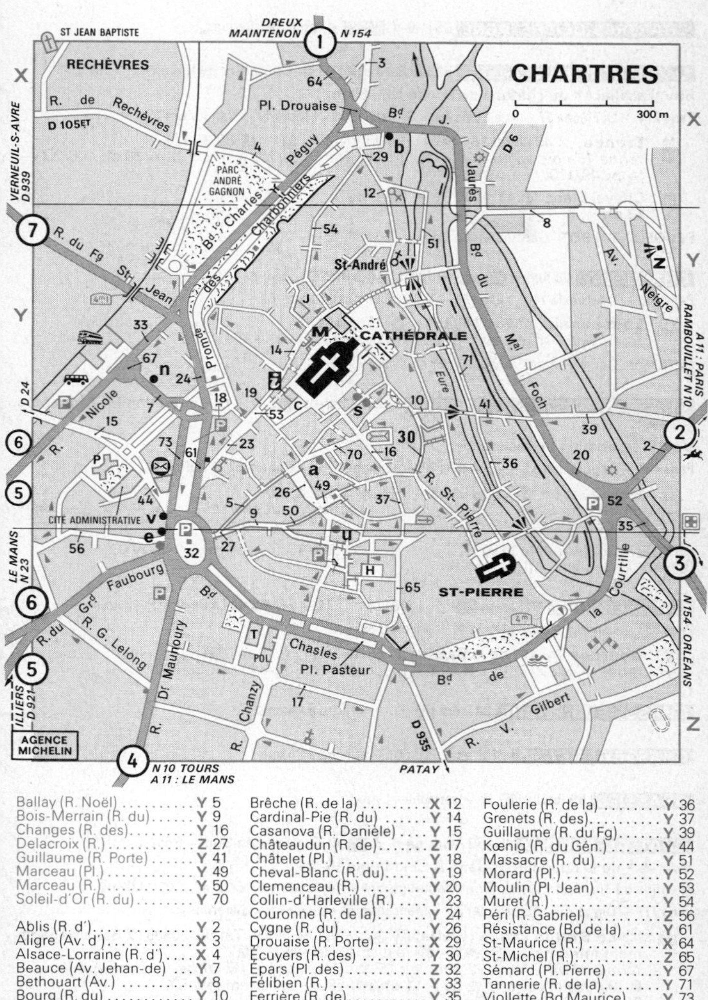

Ballay (R. Noël) . . . . Y 5
Bois-Merrain (R. du) . . . . . . Y 9
Changes (R. des) . . . . Y 16
Delacroix (R.) . . . . Z 27
Guillaume (R. Porte) . . . . . . Y 41
Marceau (Pl.) . . . . Y 49
Marceau (R.) . . . . Y 50
Soleil-d'Or (R. du) . . . . Y 70

Ablis (R. d') . . . . Y 2
Aligre (Av. d') . . . . X 3
Alsace-Lorraine (R. d') . . . . X 4
Beauce (Av. Jehan-de) . . . Y 7
Bethouart (Av.) . . . . Y 8
Bourg (R. du) . . . . Y 10
Brêche (R. de la) . . . . X 12
Cardinal-Pie (R. du) . . . . Y 14
Casanova (R. Danièle) . . . . Y 15
Châteaudun (R. de) . . . . Z 17
Châtelet (Pl.) . . . . Y 18
Cheval-Blanc (R. du) . . . . . . Y 19
Clemenceau (R.) . . . . Y 20
Collin-d'Harleville (R.) . . . . Y 23
Couronne (R. de la) . . . . Y 24
Cygne (R. du) . . . . Y 26
Drouaise (R. Porte) . . . . X 29
Écuyers (R. des) . . . . Y 30
Épars (Pl. des) . . . . Z 32
Félibien (R.) . . . . Y 33
Ferrière (R. de) . . . . Y 35
Foulerie (R. de la) . . . . Y 36
Grenets (R. des) . . . . Y 37
Guillaume (R. du Fg) . . . . Y 39
Kœnig (R. du Gén.) . . . . Y 44
Massacre (R. du) . . . . Y 51
Morard (Pl.) . . . . Y 52
Moulin (Pl. Jean) . . . . Y 53
Muret (R.) . . . . Y 54
Péri (R. Gabriel) . . . . Z 56
Résistance (Bd de la) . . . . . Y 61
St-Maurice (R.) . . . . X 64
St-Michel (R.) . . . . Z 65
Sémard (Pl. Pierre) . . . . Y 67
Tannerie (R. de la) . . . . Y 71
Viollette (Bd Maurice) . . . . . Y 73

BMW Thireau, 20 bd Foch, ✆ 37 34 82 76
CITROEN S.E.R.A.C., 12 r. Dieudonné Coste par ② ✆ 37 34 57 80 N
FIAT Gar. Saussereau, 84 r. du Grand-Faubourg ✆ 37 34 01 33
RENAULT Gar. Chartrains, ZUP Madeleine av. M. Proust par ② ✆ 37 34 86 84 N
RENAULT Ruelle, 104 r. fg-la-Grappe par ③ ✆ 37 28 51 19
V.A.G. Gar. Electric-Auto, av. d'Orléans, N 154 ✆ 37 28 07 35

Breton, 26 r. G. Fessard ✆ 37 21 18 98

Périphérie et environs

AUSTIN, ROVER Chartres-Auto-Sport, rte d'Illiers à Lucé ✆ 37 35 24 79
FORD Gar. Paris-Brest, 80 r. F.-Lépine à Luisant ✆ 37 28 13 88
MERCEDES-BENZ-SEAT B.S.A., 158 r. République à Lucé ✆ 37 35 88 80
OPEL Gar. Ouest, 43 r. Château d'Eau à Mainvilliers ✆ 37 36 37 87
PEUGEOT-TALBOT Gar. St-Thomas, rte d'Illiers à Lucé par ⑤ ✆ 37 34 00 85
RENAULT Gd gar. de Luce, 23 r. Kennedy à Lucé par ⑤ ✆ 37 34 00 99 N
TOYOTA Socalu, 5 r. de Fontenay à Lucé ✆ 37 28 02 40

Breton, 13 r. Fontenay Zone Ind. à Lucé ✆ 37 28 28 80
Marsat-Chartres-Pneus, 14 r. République à Lucé ✆ 37 35 86 94

CHARTRES-DE-BRETAGNE 35 I.-et-V. 63 ⑥ – rattaché à Rennes.

La CHARTRE-SUR-LE-LOIR 72340 Sarthe 64 ④ **G. Châteaux de la Loire** – 1 791 h.

Env. Escalier du château de Poncé NE : 8 km.**

Paris 214 – La Flèche 57 – ♦Le Mans 46 – St-Calais 29 – ♦Tours 40 – Vendôme 43.

France, ✆ 43 44 40 16, – wc wc ☎ P – 30. E VISA
fermé 15 nov. au 15 déc. – **R** (dim. prévenir) 60/200 – 18 – **28 ch** 105/200 – 1/2 p 140/170.

Cheval Blanc, ✆ 43 44 40 01 – wc
13 ch.

PEUGEOT-TALBOT Gar. Vallée du Loir, ✆ 43 44 41 12

CHASSELAY 69 Rhône 73 ⑩ – 1 708 h. – ✉ **69380** Lozanne.

Paris 446 – L'Arbresle 14 – ♦Lyon 21 – Villefranche-sur-Saône 15.

XX **Lassausaie,** ✆ 78 47 62 59 – P. AE VISA
fermé août, 15 fév. au 1er mars, mardi soir et merc. – **R** 90/270.

CITROEN Gar. du Mont-Verdun, ✆ 78 47 62 23

CHASSENEUIL-SUR-BONNIEURE 16260 Charente 72 ⑭⑮ **G. Poitou Vendée Charentes** – 3 185 h.

Voir Mémorial de la Résistance.

Paris 436 – Angoulême 33 – Confolens 30 – ♦Limoges 70 – Nontron 52 – Ruffec 40.

XX **Gare** avec ch, ✆ 45 39 50 36 – wc . E VISA
fermé 5 au 20 juil., 2 au 15 janv., dim. soir et lundi sauf fériés – **R** 48/250 – 17 – **12 ch** 70/160 – 1/2 p 140/180.

CITROEN Grugeau ✆ 45 39 50 17
RENAULT Gar. Sadat ✆ 45 39 50 19
RENAULT Linlaud ✆ 45 39 57 09

CHASSERADES 48 Lozère 80 ⑦ – 188 h. alt. 1 174 – ✉ **48250** La Bastide Puylaurent.

Paris 588 – Langogne 30 – Mende 41 – Villefort 39.

Sources , rte de la Bastide ✆ 66 46 01 14, ← – P. VISA
fermé 1er au 30 nov. – **R** 49/69 , enf. 28 – 18 – **10 ch** 98/150.

CHASSE-SUR-RHÔNE 38 Isère 74 ⑪ – rattaché à Vienne.

CHASSEY-LE-CAMP 71 S.-et-L. 69 ⑨ – rattaché à Chagny.

CHASSIEU 69 Rhône 74 ⑫ – rattaché à Lyon.

CHÂTEAU-ARNOUX 04160 Alpes-de-H.-P. 81 ⑯ **G. Alpes du Sud** – 5 662 h.

Voir ☼* de la chapelle St-Jean S : 2 km puis 15 mn.

Office de Tourisme 1 r. Victorin-Maurel (fermé après-midi hors saison) ✆ 92 64 02 64.

Paris 717 – Digne 25 – Forcalquier 30 – Manosque 39 – Sault 74 – Sisteron 14.

✿✿ **La Bonne Étape** (Gleize) M , ✆ **92 64 00 09, Télex 430605, « Bel aménagement intérieur »,** , – rest ☎ P. AE E VISA
fermé 20 au 28 nov., 2 janv. au 15 fév., dim. soir et lundi de mi-sept. à mi-juin – **R** 190/380 et carte – 65 – **11 ch** 380/550, 7 appartements 700
Spéc. Ravioli aux cèpes, Gâteau de mostelle au beurre d'orange, Agneau de Sisteron. **Vins** Châteauneuf du Pape, Palette.

à St-Auban SO : 3,5 km par N 96 – ✉ **04600** St Auban.

Voir Site* de Montfort S : 2 km.

Villiard sans rest, ✆ **92 64 17 42,** – wc wc P – 35. E VISA
fermé 18 déc. au 6 janv. et sam. en hiver – 28 – **20 ch** 160/350.

CITROEN Plantevin, 70 av. Gén. de Gaulle ✆ 92 64 06 15 N
VOLVO Gar. de la Durance, N 96 à St-Auban ✆ 92 64 17 37

CHÂTEAU-BERNARD 38 Isère 77 ⑭ – 131 h. – ✉ **38650** Monestier-de-Clermont.

Paris 598 – ♦Grenoble 36 – Monestier-de-Clermont 12.

au col de l'Arzelier N : 4 km – ✉ **38650** Monestier-de-Clermont.

Voir Site* de Prélenfrey N : 4 km, G. Alpes du Nord.

Deux Soeurs , ✆ 76 72 37 68, ← – wc wc P – 30. E VISA
R 62/138, enf. 45 – 20 – **24 ch** 140/170 – 1/2 p 172/185.

CHÂTEAUBERNARD 16 Charente 72 ⑤ – rattaché à Cognac.

CHÂTEAUBOURG 35220 I.-et-V. 59 ⑰⑱ – 2 486 h.

Paris 328 – Angers 109 – Châteaubriant 56 – Fougères 44 – Laval 53 – ♦Rennes 21.

Ar Milin' 🔇, ✆ 99 00 30 91, « Ancien moulin dans un parc au bord de la Vilaine », 🎾 – 📺 ☎ 🅟 – 🏛 60. AE ⓓ E VISA
fermé 10 déc. au 5 janv. – **R** 88/143, enf. 55 – ☕ 27 – **33 ch** 158/325 – ½ p 305.

à la Peinière E : 6 km par D 857 et D 106 – ✉ **35220** Châteaubourg :

Pen'Roc 🔇, ✆ **99 00 33 02, Télex 741457**, ♨, ⛱ – 📺 ⛀wc 🚿wc ☎ 🅟 – 🏛 30. AE ⓓ E VISA
fermé vacances de nov. et de fév. – **R** *(fermé dim. soir)* 72/180, enf. 48 – ☕ 21 – **15 ch** 153/247 – ½ p 200/280.

PEUGEOT-TALBOT Gar. Chevrel ✆ 99 00 31 12 CITROËN Gar. Brunet ✆ 99 00 31 16

CHÂTEAUBRIANT 𝕊 **44110** Loire-Atl. 63 ⑦⑧ **G. Bretagne** – 14 415 h.

Voir Château★.

🅘 Office de Tourisme 40 r. Château ✆ 40 81 04 53.

Paris 354 ① – Ancenis 48 ③ – Angers 71 ③ – La Baule 100 ④ – Cholet 92 ③ – Fougères 81 ① – Laval 67 ② – ♦Nantes 70 ④ – ♦Rennes 55 ⑤ – St-Nazaire 87 ④.

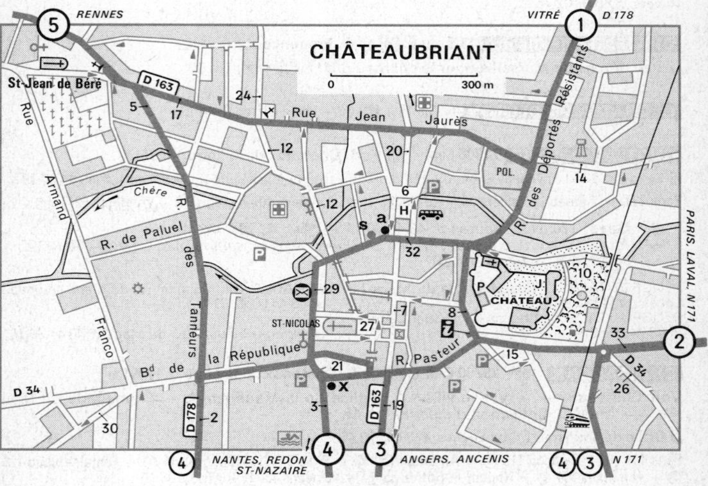

Briand (R. Aristide)	7	Denieul-et-Gatineau (R.)	12	Motte (Pl. de la)	21
Alsace-Lorraine (R. d')	2	Foch (R. Mar.)	14	Poterie (R. de la)	24
Barre (R. de la)	3	Gaulle (Pl. Ch. de)	15	St-Michel (R. du Fg)	26
Boispéan (R. du)	5	Gauthier-Grosdoy (R. A.)	17	St-Nicolas (Pl.)	27
Bréant (Pl. E.)	6	Grimaud (R. M.)	19	Victor-Hugo (Bd)	29
Château (R. du)	8	Môquet (R. Guy)	20	Vieille-Voie (R.)	30
Checheux (Fg)	10			11-Novembre (R. du)	32
				27-Otages (R. des)	33

Châteaubriant Ⓜ sans rest, **30 r. 11 Novembre (a)** ✆ **40 28 14 14** – 🛗 📺 ⛀wc 🚿wc ☎ 🅟 – 🏛 30. AE ⓓ E VISA
☕ 23 – **37 ch** 160/230.

Host. La Ferrière 🔇, par ④ : 1,5 km ✆ **40 28 00 28, Télex 701353**, ⛱ – ⛀wc ☎ 🅟 – 🏛 50 à 150. AE ⓓ E VISA
R *(fermé dim. soir du 1er nov. au 30 mars)* 70/160, enf. 60 – ☕ 35 – **25 ch** 200/290 – ½ p 230/260.

Armor sans rest, **19 pl. Motte (x)** ✆ **40 81 11 19** – 🛗 ⛀wc 🚿 ☎. AE ⓓ E VISA
☕ 18 – **20 ch** 70/150.

Le Poêlon d'Or, 30 bis r. du 11 Novembre **(s)** ✆ 40 81 43 33 – AE ⓓ E VISA
fermé vacances de Noël, de fév., sam. midi et dim. soir du 1er sept. au 30 juin – **R** 85/160 🍷, enf. 55.

tourner →

CITROEN Gar. Pinel Charles, rte St-Nazaire, Zone Ind. par ④ ✆ 40 81 00 07
FIAT-TOYOTA Arvor. Autom., r. A.-Franco ✆ 40 81 03 83
FORD Mérel, Zone Ind., 65 rte d'Ancenis ✆ 40 81 15 29
MAZDA Gar. du Centre, 15 bis r. St-Georges ✆ 40 81 19 89
PEUGEOT-TALBOT Charron, 42 r. M.-Grimaud par ③ ✆ 40 81 01 05
RENAULT SADAC, rte de St-Nazaire, Zone Ind. par ④ ✆ 40 81 26 84 **N** ✆ 40 81 23 32

Castel-Pneus, Z.I. r. du Prés. Kennedy ✆ 40 28 01 94

CHÂTEAU-CHINON

SP **58120** Nièvre **69** ⑥ **G. Bourgogne – 2 679 h.**

Voir Site★ – Calvaire ※★★ – Promenade du château★ – Vallée du Touron★ E.

Office de Tourisme r. Champlain (juin-sept.) ✆ 86 85 06 58.

Paris 281 – Autun 37 – Avallon 62 – Clamecy 68 – Moulins 92 – Nevers 66 – Saulieu 49.

- **Lion d'Or,** 10 r. Fossés ✆ **86 85 13 56** – wc. **E** VISA
  fermé dim. soir et lundi – **R** 50/195 – 13 – **10 ch** 65/150 – 1/2 p 90/115.
- **Au Vieux Morvan** avec ch, ✆ **86 85 05 01,** ← – wc ☎. **E** VISA
  R (dim. et fêtes, prévenir) 70/160 – 20 – **23 ch** 85/220 – 1/2 p 180/280.

CITROEN Gagnard, 53 r. de Nevers ✆ 86 85 07 80
PEUGEOT-TALBOT Jeannot-Roblin, 6 r. de Nevers ✆ 86 85 02 76
RENAULT Gar. Cottet, rte de Lormes ✆ 86 85 06 01

CHÂTEAU D'IF (Ile du)

13 B.-du-R. **84** ⑬ **G. Provence.**

au départ de Marseille pour le château d'If★★ (※★★★) 1 h 30.

Le CHÂTEAU D'OLÉRON

17 Ch.-Mar. **71** ⑭ – voir à Oléron (Ile d').

CHÂTEAU-DU-LOIR

72500 Sarthe **64** ④ **G. Châteaux de la Loire – 5 891 h.**

Syndicat d'Initiative 2 av. Jean-Jaurès (juin-15 sept.) et à la Mairie (hors saison) ✆ 43 44 00 38.

Paris 238 – Château-la-Vallière 20 – La Flèche 41 – ♦Le Mans 40 – ♦Tours 42 – Vendôme 59.

- **Gare,** 170 av. J.-Jaurès ✆ **43 44 00 14** – wc. **E** VISA. ✻ ch
  fermé 20 août au 4 sept., 17 déc. au 2 janv. et dim. sauf le midi en été – **R** 44/120 – 14,50 – **16 ch** 80/180.

PEUGEOT-TALBOT Boutellier, rte du Mans à Luceau ✆ 43 44 00 67
PEUGEOT-TALBOT Gachet, 63 av. Jean Jaurès ✆ 43 44 00 68
RENAULT Gar. Cosnier, rte du Mans à Luceau ✆ 43 44 00 92 **N**

Nourry-Pneus, 7 av. du Mans ✆ 43 44 36 16

CHÂTEAUDUN

SP **28200** E.-et-L. **60** ⑰ **G. Châteaux de la Loire – 16 094 h.**

Voir Château★★ A – **Vieille ville★** A **: église de la Madeleine★ – Promenade du Mail ←★** A **– Musée : Collection d'oiseaux★** A **M.**

Office de Tourisme 1 r. de Luynes ✆ 37 45 22 46.

Paris 131 ① – Alençon 115 ⑤ – Argentan 150 ⑤ – Blois 57 ③ – Chartres 44 ① – Fontainebleau 121 ② – ♦Le Mans 104 ⑤ – Nogent-le-Rotrou 55 ⑤ – ♦Orléans 48 ② – ♦Tours 96 ③.

Plan page ci-contre

- **Beauce** sans rest, **50 r. Jallans** ✆ **37 45 14 75** – TV wc wc ☎. **E** VISA — B **s**
  fermé 23 déc. au 2 janv. et dim. du 15 mai au 15 oct. – 22 – **24 ch** 105/220.
- **St-Michel** sans rest, **5 r. Péan** ✆ **37 45 15 70** – TV wc wc ☎. **E** VISA — A **a**
  18 – **19 ch** 90/225.
- **Armorial** sans rest, **59 r. Gambetta** ✆ **37 45 19 57** – wc ☎. **E** VISA — B **u**
  fermé vend. du 1er oct. au 1er mai – 17 – **16 ch** 85/175.
- **La Rose** avec ch, **12 r. Lambert-Licors** ✆ **37 45 21 83** – rest TV wc wc ☎. **E** VISA. ✻ ch — B **w**
  R 85/190 – 25 – **7 ch** 190/195 – 1/2 p 205/300.
- **Michel-Ange, 33 r. Fouleries** ✆ **37 45 23 72, « Ancienne cave dans la roche »** – **P**. AE **E** VISA — A **n**
  fermé 15 au 30 août, vacances de fév., dim. soir et lundi – **R** 130/280.
- **La Licorne,** 6 pl. 18-Octobre ✆ **37 45 32 32** – **E** VISA — A **e**
  fermé 13 au 24 juin, 3 au 13 oct., 22 déc. au 20 janv., mardi soir et merc. – **R** 55/142.

à Marboué **par ① sur N 10 : 5 km –** **28200** Châteaudun :

- **Toque Blanche,** ✆ **37 45 12 14** – AE **E** VISA. ✻
  fermé juil., Noël à Nouvel An, mardi soir et merc. – **R** 65/200.

CHÂTEAUDUN

Gambetta (R.) .... AB
République (R.) .... AB
18-Octobre (Pl. du) ...... A 18

Abas (R. Pte) .... A 2
Château (R. du) .... A 4
Dodun (Rue) .... A 5
Dunois (Pl. J.-de) .... A 6
Guichet (R. du) .... A 7
Huileries (R. des) .... A 8

Loyseau (R.) .... B 9
Luynes (R. de) .... A 10
Lyautey (R. Mar.) .... A 12
St-François (R.) .... B 13
St-Lubin (R.) .... A 14
St-Médard (R.) .... A 16

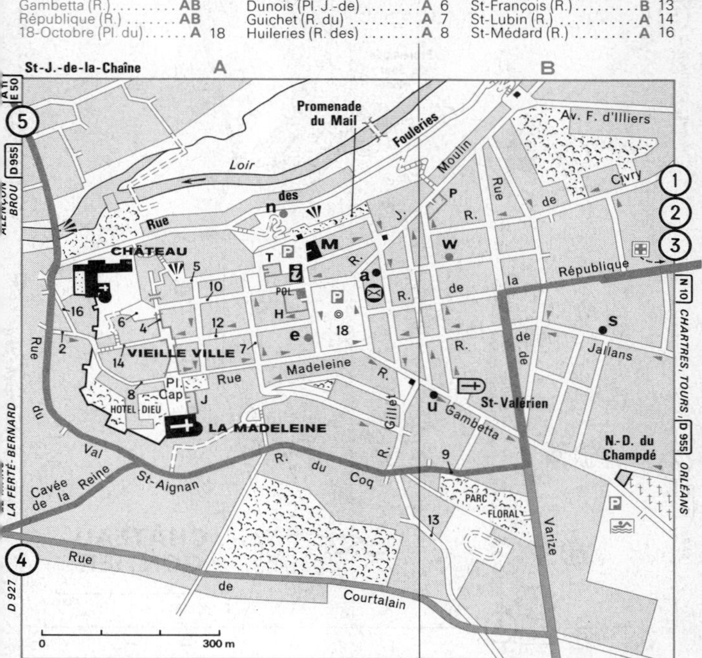

CITROEN Gar. Mourice-Rebours, 91 bd Kellermann par ② ☎ 37 45 10 87
PEUGEOT-TALBOT Gar. Lemasson, rte Chartres par ① ☎ 37 45 20 98
RENAULT Giraud, rte Tours à la Chapelle du Noyer par ③ ☎ 37 45 10 74

V.A.G. SNVRA, bd du 8-Mai ☎ 37 45 03 32
Central Pneu, N 10 ☎ 37 45 11 17
La Centrale du Pneu, 98 r. Varize ☎ 37 45 68 54

CHÂTEAU-FARINE 25 Doubs 66 ⑮ – rattaché à Besançon.

CHÂTEAUFORT 78 Yvelines 60 ⑩, 101 ㉒ – voir à Paris, Environs.

CHÂTEAUGIRON **35410** I.-et-V. 63 ⑦ **G. Bretagne** – 3 265 h.

Paris 337 – Angers 107 – Châteaubriant 42 – Fougères 51 – Nozay 64 – ♦Rennes 16 – Vitré 27.

Cheval Blanc et Château, ☎ 99 37 40 27 – wc ⋔ Ⓟ. E VISA
R *(fermé dim. soir)* 47/126 ♁, enf. 39 – ☕ 17 – **18 ch** 72/158 – ½ p 127/187.

Aubergade, ☎ 99 37 41 35 – VISA
fermé 3 au 23 août et 5 au 16 janv. – **R** 85/165.

CITROEN Gar. Pinel Charles, ☎ 99 37 41 54

CHÂTEAU-GONTIER <SP> **53200** Mayenne 63 ⑩ **G. Châteaux de la Loire** – 8 352 h.

Voir Intérieur★ de l'église St-Jean A.

Syndicat d'Initiative à l'Hôtel de Ville ☎ 43 07 07 10.

Paris 283 ② – Angers 43 ③ – Châteaubriant 56 ⑤ – Laval 31 ① – ♦Le Mans 80 ② – ♦Rennes 86 ⑤.

Plan page suivante

Parc H. sans rest, **46 av. Joffre** ☎ **43 07 28 41, parc,** ⛱, ⚔ – wc ☎ Ⓟ. E VISA — A **s**
fermé janv. – **22 ch** ☕220/280.

Cerf sans rest, **31 r. Garnier** ☎ **43 07 25 13** – wc ⋔wc ☎ Ⓟ. ⓞ E VISA — A **b**
☕ 14 – **22 ch** 78/118.

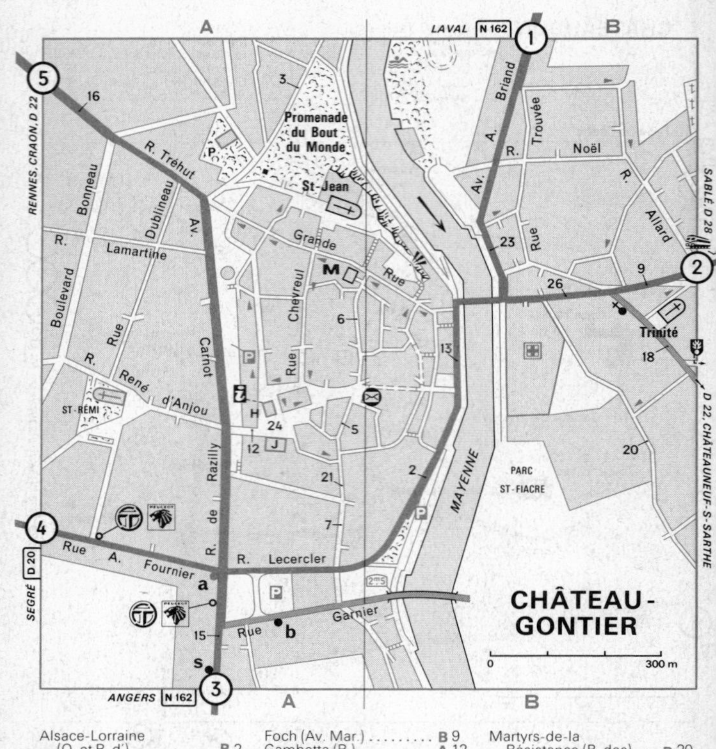

Alsace-Lorraine (Q. et R. d') .... B 2	Foch (Av. Mar.) .... B 9	Martyrs-de-la Résistance (R. des) ... B 20
Basse-du-Rocher (R.) .... A 3	Gambetta (R.) .... A 12	Olivet (R. d') .... A 21
Bourg-Roussel (R.) ...... A 5	Gaulle (Q. de) .... B 13	Pasteur (Q.) .... B 23
Bourré (R. J.) .... A 6	Joffre (Av. Mar.) .... A 15	République (Pl.) .... A 24
Cahour (R. A.) .... A 7	Leclerc (R. Div.) .... A 16	Thiers (R.) .... B 26
	Lemonnier (R. Gén.) ..... B 18	

XX **Prieuré,** à Azé, SE : 2 km, près Église ✆ 43 70 31 93, ☂, ⛱ – AE ⓓ E VISA
fermé le soir (sauf sam.) de nov. à fin fév., dim. soir et lundi sauf fériés – **R** 85/170 ♁.

XX **Host. Mirwault** ⛵ avec ch, N : 2 km par r. Basse-du-Rocher ✆ 43 07 13 17, ☂, « Au bord de la Mayenne », ⛱ – ⛀wc ⛆wc ☎ **P**. AE ⓓ E VISA. ⚘ ch
15 mars-1er nov. – **R** *(fermé vend. midi)* 60/245, enf. 40 – ☕ 25 – **10 ch** 150/260.

XX **La Brasserie** avec ch, av. Joffre ✆ 43 07 10 80 – ⛀wc ⛆ ☎. E VISA A **a**
fermé janv. et dim. – **R** 75/260 ♁ – **20 ch** ☕90/145 – 1/2 p 180.

PEUGEOT-TALBOT Gar. Fourmond Frères, 6 av. Mar.-Joffre ✆ 43 07 22 57
PEUGEOT-TALBOT Gar. Huchedé, 28 r. A.-Fournier ✆ 43 07 21 72

Cailleau, rte d'Angers à St-Fort, ✆ 43 70 31 09

CHÂTEAULIN 29150 Finistère 58 ⑮ **G. Bretagne** – 6 102 h.

Env. Enclos paroissial★★ de Pleyben E : 10 km.

Office de Tourisme quai Cosmao (15 juin-15 sept. et vacances de Printemps) ✆ 98 86 02 11 et à la Mairie (hors saison) ✆ 98 86 10 05.

Paris 550 – ✦Brest 49 – Carhaix-Plouguer 46 – Concarneau 53 – Douarnenez 26 – Landerneau 40 – Lorient 95 – Morlaix 56 – Quimper 31 – Vannes 144.

🏠 **Au Bon Accueil,** à Port Launay NE : 2 km par D 770 ✆ 98 86 15 77, <, ⛱ – ⛀wc ⛆wc ☎ ♿ **P** – 🏊 100. AE ⓓ E VISA. ⚘ ch
fermé 21 au 29 nov., janv., dim. soir et lundi du 15 sept. au 15 mai – **R** 54/170 ♁, enf. 35 – ☕ 20 – **59 ch** 87/185 – 1/2 p 159/223.

XX **Aub. Ducs de Lin** avec ch, S: 1,5 km par ancienne rte Quimper ✆ **98 86 04 20**, ← – wc P. E VISA. ch
fermé 19 sept. au 3 oct., 7 au 25 mars, dim. soir hors sais. et lundi – **R** 85/230 – 28 – **6 ch** 225.

CITROEN Gar. de Cornouaille, ✆ 98 86 04 40
PEUGEOT-TALBOT Ind. Autos Chateaulinoises ✆ 98 86 06 50
RENAULT Gar. de l'Aulne, ✆ 98 86 12 08 N
Simon-Pneus, ✆ 98 86 16 09

CHATEAUNEUF 21 Côte d'Or 65 ⑲ **G. Bourgogne** – 62 h. – ✉ **21320** Pouilly-en-Auxois.

Voir Site★ du village★ – Château★.

Paris 283 – Avallon 76 – Beaune 35 – ♦Dijon 42 – Montbard 69.

Host. du Château, ✆ **80 49 22 00**, ←, – wc wc ☎. AE E VISA
16 mars-13 nov. et fermé lundi soir et mardi sauf du 16 juin au 30 sept. – **R** 110/250, enf. 53 – 26 – **14 ch** 120/400 – 1/2 p 200/390.

CHATEAUNEUF 83 Var 84 ⑭ – rattaché à Nans-les-Pins.

CHÂTEAUNEUF-DU-FAOU 29119 Finistère 58 ⑯ **G. Bretagne** – 4 048 h.

Office de Tourisme pl. Marché (saison) ✆ 98 81 83 90.

Paris 527 – ♦Brest 65 – Carhaix-Plouguer 23 – Châteaulin 24 – Morlaix 51 – Quimper 36.

Relais de Cornouaille, rte Carhaix ✆ **98 81 75 36** – **E** VISA
fermé 1er au 30 oct. – **R** *(fermé dim. soir et sam.)* 45/140 – 15 – **8 ch** 70/80 – 1/2 p 110/120.

CHÂTEAUNEUF-DU-PAPE 84230 Vaucluse 81 ⑫ **G. Provence** – 2 060 h.

Voir ←★★ du château des Papes.

Office de Tourisme pl. Portail (fermé nov.) ✆ 90 83 71 08.

Paris 672 – Alès 78 – Avignon 18 – Carpentras 24 – Orange 13 – Roquemaure 10.

Le Logis d'Arnavel M, O : 3 km sur D 17 ✆ **90 83 73 22**, , – wc wc ☎ P – 50. AE E VISA
R 100/200, enf. 50 – 30 – **15 ch** 250/300 – 1/2 p 400/550.

XXX ✿ **Host. Château des Fines Roches** (Estevenin) M avec ch, S : 3 km par D 17 et voie privée ✆ **90 83 70 23, « Dans un domaine viticole, belle vue »**, – TV wc wc ☎ P – 50 à 80. E VISA.
fermé Noël à fin fév. et hôtel : dim. soir et lundi hors sais. ; rest. : lundi – **R** (nombre de couverts limité - prévenir) 195 – 55 – **7 ch** 490/650
Spéc. Filets de rouget au romarin, Carré d'agneau et son gâteau d'aubergines, Chariot de desserts. **Vins** Châteauneuf-du-Pape.

XXX **Mule-du-Pape,** ✆ **90 83 73 30**, ← – AE E VISA
fermé lundi soir et mardi – **R** 75/180, enf. 40.

CHÂTEAUNEUF-EN-THYMERAIS 28170 E.-et-L. 60 ⑦ – 2 339 h.

Paris 103 – Chartres 25 – Châteaudun 64 – Dreux 21 – ♦Le Mans 115 – Verneuil-sur-Avre 31.

XX **Écritoire** avec ch, ✆ **37 51 60 57** – wc . E VISA.
fermé 18 août au 7 sept., 23 janv. au 7 fév. et mardi – **R** 100/270 – 30 – **5 ch** 160/220.

à St-Jean-de-Rebervilliers N : 4 km par D 928 – ✉ **28170** Châteauneuf-en-Th. :

XXX **Aub. St-Jean,** ✆ **37 51 62 83**, , – P. AE E VISA
fermé 8 au 30 sept., 23 fév. au 16 mars, jeudi soir et vend. – **R** (nombre de couverts limité - prévenir) 140/190.

CHÂTEAUNEUF-LE-ROUGE 13 B.-du-R. 84 ③ – 1 071 h. – ✉ **13790** Rousset.

Paris 767 – Aix-en-Provence 12 – Aubagne 30 – Brignoles 52 – ♦Marseille 35 – Rians 30.

La Galinière, N7 ✆ **42 58 62 04**, , – TV wc ☎ P – 30. AE E VISA
R 75/380, enf. 50 – 30 – **21 ch** 125/305 – 1/2 p 180/235.

CHÂTEAUNEUF-LES-BAINS 63 P.-de-D. 73 ③ **G. Auvergne** – 374 h. – Stat. therm. (2 mai-sept.) – ✉ **63390** St-Gervais-d'Auvergne.

Office de Tourisme (mai-sept.) ✆ 73 86 67 86.

Paris 373 – Aubusson 82 – ♦Clermont-Ferrand 49 – Montluçon 55 – Riom 34 – Ussel 96.

Château, ✆ **73 86 67 01**, ← – wc wc. E VISA
28 mai-24 sept. – **R** 65/150, enf. 30 – 22 – **38 ch** 110/180 – 1/2 p 100/155.

CHÂTEAUNEUF-SUR-LOIRE 45110 Loiret 64 ⑩ G. Châteaux de la Loire – 6 029 h.

Voir Mausolée★ dans l'église St-Martial – Germigny-des-Prés : mosaïque★★ de l'église★ SE : 4,5 km.

Office de Tourisme pl. A.-Briand ✆ 38 58 44 79.

Paris 132 – Bourges 96 – Gien 39 – Montargis 46 – ♦Orléans 30 – Pithiviers 39 – Vierzon 86.

- **La Capitainerie,** Gde-Rue ✆ **38 58 42 16,** – wc wc ☎ P. E VISA
  fermé fév. – **R** *(fermé dim. soir hors sais. et lundi)* 140/160 – 22 – **14 ch** 160/230 – 1/2 p 242/277.
- **Nouvel H. du Loiret,** pl. A.-Briand ✆ **38 58 42 28** – wc wc ☎. AE ⓓ E VISA
  fermé janv. et dim. soir d'oct. à mai – **R** *(fermé dim. soir sauf juil.-août)* 69/145 – 22 – **21 ch** 89/188 – 1/2 p 176/255.
- XX **Aub. des Fontaines,** 1 r. Fontaines ✆ **38 58 44 10,** – E VISA
  fermé sept. et dim. soir – **R** (nombre de couverts limité, prévenir) carte 130 à 230.

RENAULT Carrascosa, 18 r. Bonne Dame ✆ 38 58 42 57

RENAULT Cabel, 123 av du Gatinais ✆ 38 58 42 11

CHÂTEAUNEUF-SUR-SARTHE 49330 M.-et-L. 64 ① – 2 555 h.

Office de Tourisme quai de la Sarthe ✆ 41 69 82 89.

Paris 275 – Angers 31 – Château-Gontier 26 – La Flèche 33.

- **Ondines** Ⓜ, ✆ **41 69 84 38,** ← – wc wc ☎ P – 50. AE E VISA
  R 58/165, enf. 36 – 24 – **30 ch** 89/257 – 1/2 p 236/373.
- XX **Sarthe** avec ch, ✆ **41 69 85 29,** ← – wc. E VISA. ch
  fermé 15 au 31 oct., 15 au 28 fév., dim. soir et lundi sauf juil.-août – **R** 55/175 – 18 – **7 ch** 90/180 – 1/2 p 150/200.

RENAULT Gar. Grosbois, 53 r. du Dr-Chailloux à Champigné ✆ 41 42 00 25

CHÂTEAURENARD 13160 B.-du-R. 81 ⑫ G. Provence – 11 072 h.

Voir Château féodal : ☀★ de la tour du Griffon.

Syndicat d'Initiative 27 av. Gén.-de-Gaulle ✆ 90 94 23 27.

Paris 695 – Avignon 10 – Carpentras 34 – Cavaillon 21 – ♦Marseille 96 – Nîmes 44 – Orange 41.

- **Provence,** 10 av. Georges-Perrier ✆ **90 94 01 20** – wc . E VISA
  fermé nov. – **R** *(fermé vend. soir et sam. midi)* 72/150 – 17 – **16 ch** 130/180 – 1/2 p 213/258.
- X **Les Glycines** avec ch, **14 av. V.-Hugo** ✆ **90 94 10 66** – rest wc ☎. AE ⓓ E VISA. ch
  fermé 15 au 28 fév. et lundi – **R** 65/140 – 22 – **10 ch** 110/180 – 1/2 p 150/180.
- X **Central** avec ch, **27 cours Carnot** ✆ **90 94 10 90** – wc wc . VISA. rest
  fermé 1er au 7 nov., 15 déc. au 1er fév., dim. du 30 sept. au 31 mars (sauf hôtel) et sam. – **R** 55/110 , enf. 40 – **15 ch** 100/200 – 1/2 p 120/160.

PEUGEOT-TALBOT Barde, 10 av. F.-Mistral ✆ 90 94 04 80

PEUGEOT-TALBOT Lafon, 10 r. Henri Brisson ✆ 90 94 12 04

RENAULT Châteaurenard-Autom., bd Genevet ✆ 90 94 24 98

Chato-Pneus, 37 av. Jean-Jaurès

CHÂTEAURENARD 45220 Loiret 65 ③ G. Bourgogne – 2 241 h.

Syndicat d'Initiative à la Mairie ✆ 38 95 21 84.

Paris 130 – Auxerre 60 – Gien 40 – Montargis 17 – Sens 43.

- XX **Le Sauvage** avec ch, **pl. République** ✆ **38 95 23 55** – . E VISA
  fermé 1er au 15 sept., vacances de fév., dim. soir et lundi – **R** 119/159, enf. 50 – 20 – **7 ch** 97/140 – 1/2 p 185/225.

CHÂTEAU-RENAULT 37110 I.-et-L. 64 ⑤⑥ G. Châteaux de la Loire (plan) – 6 170 h.

Voir ←★ des terrasses du château.

Syndicat d'Initiative Parc de Vauchevrier ✆ 47 29 54 43.

Paris 215 – Angers 118 – Blois 34 – Loches 60 – ♦Le Mans 86 – ♦Tours 30 – Vendôme 26.

- **Lurton** sans rest, **37 pl. J.-Jaurès** ✆ **47 56 80 26** – wc wc P. E VISA.
  fermé 15 au 30 sept. et dim. d'oct. à mars – 20 – **9 ch** 110/160.
- **Lion d'Or,** 166 r. République ✆ **47 29 66 50** – wc . ⓓ E VISA
  fermé 20 au 27 juin, 1er au 15 nov., 1er au 15 mars, dim. soir et lundi hors sais. sauf fériés – **R** 70/170 – 20 – **10 ch** 100/180 – 1/2 p 190/270.
- XX **Écu de France** avec ch, **pl. J.-Jaurès** ✆ **47 29 50 72** – wc wc . AE E VISA
  fermé janv., dim. soir et lundi midi sauf juil.-août – **R** 68/138 – 20 – **9 ch** 200/260.

au NE : 7 km sur N 10 – ✉ **41310** Villechauve (L.-et-Ch.) :

XX **Le Gastinais,** ✆ **54 80 33 30** – **P**. VISA
fermé merc. soir – **R** (dim. et fêtes - prévenir) 56/112 ♁, enf. 40.

RENAULT Tortay, 19 r. Gambetta ✆ 47 29 50 97

RENAULT Gar. Thorin, 24 r. de la République ✆ 47 56 90 90

CHÂTEAUROUX

P **36000** Indre **68** ⑧ **G. Berry Limousin** – **53 967 h.**

Voir Déols : clocher★ de l'ancienne abbaye, sarcophage★ dans l'église St-Etienne : 2 km par ①.

ℹ Office de Tourisme pl. de la Gare ✆ 54 34 10 74 – A.C. 57 r. Belle Isle ✆ 54 22 92 24.

Paris 267 ① – Blois 100 ⑧ – Bourges 67 ① – Châtellerault 99 ⑦ – Guéret 83 ④ – ♦Limoges 126 ⑤ – Montluçon 98 ③ – ♦Orléans 143 ① – Poitiers 120 ⑤ – ♦Tours 111 ⑦.

CHÂTEAUROUX

Gare (Av. de la) . . . . . BZ
J.-J.-Rousseau (Pl.) . . . . . AZ 6
St-Luc (R.) . . . . . BZ
Victor-Hugo (R.) . . . . . ABZ 17

Château-Raoul (R. du) . . . . . AY 2
Fournier (R. Alain) . . . . . BY 3
Gambetta (Pl.) . . . . . BZ 4
Grande (R.) . . . . . BY 5

Lafayette (Pl.) . . . . . BY 7
Ledru-Rollin (R.) . . . . . BZ 8
Notre-Dame (⊞) . . . . . AZ
Renan (R. Ernest) . . . . . AZ 13
République (Pl. de la) . . . . . AZ 14
St-André (⊞) . . . . . BZ
St-Christophe (Pl. et ⊞) . . . . . AY 15
St-Fiacre (R.) . . . . . BZ 16
St-Martial (⊞) . . . . . BY
Vrille (Bd de la) . . . . . AZ 18
8-Mai-1945 (R. du) . . . . . BZ 20
11-Novembre-1918 (R. du) . . . . . BZ 21

🏨 **Elysée H.** M sans rest, **2 r. République** ✆ **54 22 33 66** – ⫶ TV ⌂wc ☎. AE ⓓ E VISA. ✂ AZ **s**
☕ 35 – **18 ch** 250/350.

🏨 **Boischaut** sans rest, **135 av. La Châtre par ③** ✆ **54 22 22 34** – ⫶ TV ⌂wc ⌂wc ☎ **P**. E VISA
☕ 18 – **27 ch** 150/240.

🏨 **Christina** sans rest, **250 av. La Châtre par ③** ✆ **54 34 01 77** – ⫶ ⌂wc ⌂wc ☎ **P**. AE ⓓ E VISA
fermé 22 déc. au 5 janv. – ☕ 19 – **33 ch** 104/184.

tourner →

St-Hubert, 25 r. Poste ✆ 54 34 06 74 – TV wc ☎ BZ f
R Brasserie **12 ch**.

Le Parc, 148 av. Paris ✆ 54 34 36 83 – wc ☎ P BY a
fermé 1er nov. au 7 déc. – **R** *(fermé sam. hors sais.)* 52/130 – 22 – **27 ch** 90/160 – 1/2 p 170/190.

XXX **J. L. Dumonet,** 1 r. J. J. Rousseau ✆ 54 34 82 69. AE E VISA AZ s
fermé vacances de fév., dim. soir sauf juil.-août et lundi – **R** 120/310.

XX **La Ciboulette,** 42 r. Grande ✆ 54 27 66 28 – E VISA BY e
fermé 10 au 27 juil., 1er au 26 janv., dim., lundi et fériés – **R** 60/183.

rte de Paris près Céré par ① : 5 km – ✉ **36130** Déols :

Relais St-Jacques M, ✆ 54 22 87 10, Télex 751176, – TV wc ☎ ♿ P – 60 à 120. AE E VISA
fermé 25 au 31 déc. – **R** *(fermé dim.)* 80/180 – 30 – **46 ch** 260/290.

à la Forge de l'Isle par ③ : 6 km – ✉ **36330** Le Poinçonnet :

Aub. Arc en Ciel sans rest, ✆ 54 34 09 83 – wc wc ☎ P – 30 à 120. E VISA
17,50 – **27 ch** 100/190.

MICHELIN, Agence, Z.I., 19 bd d'Anvaux par ③ ✆ 54 22 23 31

CITROEN Maublanc, 28 av. de La Châtre ✆ 54 22 29 68 N ✆ 54 34 30 28
CITROEN Gar. Bisson, 76 bd des Marins ✆ 54 34 12 66
FORD Pabanel, 54 av. Gare ✆ 54 22 97 17
MERCEDES SAVIB, 150 r. Ampère ✆ 54 27 63 63
PEUGEOT-TALBOT Gd Gar. du Berry, 9 av. Argenton ✆ 54 22 35 88
RENAULT Sarraf, RN 20 les Aubrys à St-Maur par ⑤ ✆ 54 22 22 22 N

V.A.G. Caberry, La Poterie Rocade Sud ✆ 54 22 14 49 N ✆ 54 35 40 33

Central Pneu, 86 bd de Cluis ✆ 54 34 12 22
Chirault, Z.I. allée des Maisons Rouges ✆ 54 34 39 19 et r. Folie-Comtois ✆ 54 34 40 78
Fredon, 173 av. d'Argenton ✆ 54 34 23 30
Leseche, 1 bis av. de l'Ambulance ✆ 54 22 36 03
Récup-Auto, rte d'Issoudun à Déols ✆ 54 34 91 90

CHÂTEAU-THIERRY

SP **02400** Aisne 56 ⑭ **G. Champagne** – 14 920 h.

Voir Église St-Ferréol★ d'Essômes 2,5 km par ⑤.

Office de Tourisme 12 pl. Hôtel de Ville ✆ 23 83 10 14.

Paris 96 ① – Épernay 48 ③ – Meaux 50 ⑥ – ♦Reims 58 ① – Soissons 41 ① – Troyes 110 ④.

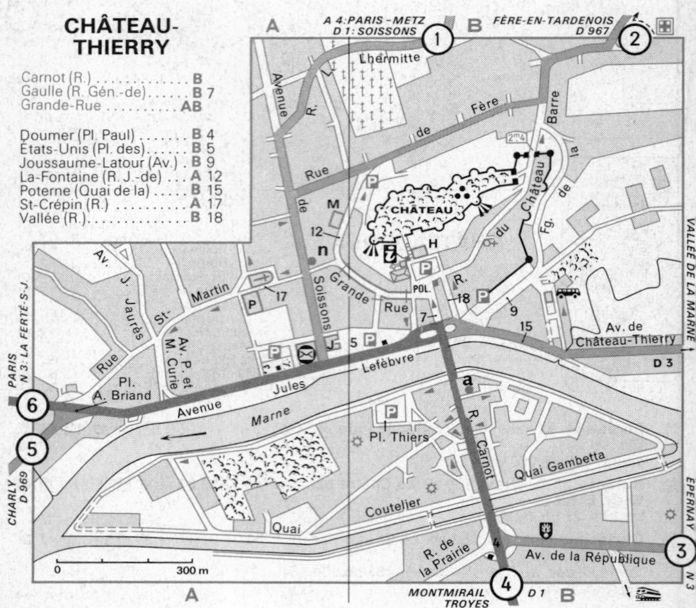

Ile de France, par ① : 2 km rte de Soissons ✆ 23 69 10 12, Télex 150666, – |♦| 📺 ⛀wc ⋒wc ☎ 🅿 – 40. AE ⓓ E VISA. *fermé Noël au 31 déc.* – **R** 60/225 – ☕ 24 – **56 ch** 210/300.

XX ❀ **Aub. Jean de la Fontaine,** 10 r. Filoirs ✆ 23 83 63 89 – AE ⓓ VISA **B a**
fermé août, 1er au 10 fév., dim. soir et lundi – **R** 150/280
Spéc. Timbale aux queues de langoustines, Rognons de veau flambés, Jambonnette de canard au sel. **Vins** Côteaux champenois.

X **St-Éloi** avec ch, 27 av. Soissons ✆ 23 83 02 33, – VISA. ch **A n**
fermé 1er au 20 oct., fév. et merc. – **R** 45/140, enf. 25 – ☕ 16 – **14 ch** 100/140.

BMW-OPEL Gar. Bachelet, av. Gén.-de-Gaulle à Essômes ✆ 23 83 21 78
CITROEN Aisne-Auto, 8 av. Montmirail par ④ ✆ 23 83 23 80
FIAT Gar. Rousselet, 15 av. de la République ✆ 23 83 03 32
FORD Gar. Desaubeau, N 3 à Chierry ✆ 23 83 00 86
MERCEDES-BENZ Gar. des Cordeliers, 8 r. de la Plaine, Zone Ind. ✆ 23 83 45 88
NISSAN Gar. Delattre, N 3, Blesmes ✆ 23 83 24 57 N ✆ 23 83 46 38
PEUGEOT-TALBOT Verdel, 18 av. Essômes par ⑤ ✆ 23 83 20 25
RENAULT Gds Gar. de l'Avenue, 51-58 av. Essômes par ⑤ ✆ 23 83 14 48 N ✆ 23 83 64 25
V.A.G. Gar. de la Prairie, Zone Ind. av. de l'Europe ✆ 23 83 24 42

La Centrale du Pneu, 38 av. de Paris par ⑥ ✆ 23 83 02 79

CHÂTEAU-VILLE-VIEILLE (Commune de)

05350 H.-Alpes **77** ⑲ – 268 h. alt. 1 400.

Voir Site★ de Château-Queyras, O : 2,5 km.

Env. Sommet-Bucher ✲★★ S : 13,5 km, G. Alpes du Sud.

Paris 719 – Briançon 40 – Gap 81 – Guillestre 21 – col d'Izoard 18.

Guilazur Ⓜ, à Ville-Vieille ✆ 92 45 74 09, ≤, – ⋒wc ☎ 🅿
20 mai-25 sept. et 18 déc.-30 avril – **R** 68/105 – ☕ 22 – **18 ch** 197 – 1/2 p 183/233.

RENAULT Gar. Berge, ✆ 92 45 73 63

CHÂTEL

74390 H.-Savoie **70** ⑱ **G. Alpes du Nord** – 1 024 h. alt. 1 235 – Sports d'hiver : 1 100/2 200 m 2 40 .

Voir Site★ – Pas de Morgins★ S : 3 km.

Env. Pic de Morclan ✲★★ par télécabine.

Office de Tourisme ✆ 50 73 22 44, Télex 385856.

Paris 570 – Annecy 114 – Évian-les-Bains 40 – Morzine 50 – Thonon-les-Bains 39.

Macchi Ⓜ, ✆ 50 73 24 12, ≤, – |♦| 📺 ☎ 🅿. E VISA. rest
20 juin-25 août et Noël-Pâques – **R** 65/120, enf. 40 – **32 ch** ☕ 240/300 – 1/2 p 360/400.

Fleur de Neige, ✆ 50 73 20 10, Télex 309029, ≤, , – |♦| ⛀wc ⋒wc ☎ 🅿. E VISA
4 juin-20 sept. et 18 déc.-17 avril – **R** 110/260 – ☕ 33 – **42 ch** 260/375 – 1/2 p 380.

Panoramic Ⓜ, ✆ 50 73 22 15, ≤, – |♦| ⛀wc 🅿. VISA.
16 juil.-20 août (sans rest.) et 17 déc.-Pâques (½ pension seul.) – **R** 73/145 – ☕ 28 – **28 ch** 240/280 – 1/2 p 235/395.

Belalp, ✆ 50 73 24 39, ≤ – ⛀wc ⋒wc ☎ 🅿. VISA
1er juil.-31 août et vacances de Noël aux vacances de printemps – **R** 62/165, enf. 46 – ☕ 25 – **30 ch** 195/285 – 1/2 p 215/290.

Le Choucas sans rest, ✆ 50 73 22 57 – ⋒wc 🅿
1er juin-30 sept. et Noël-Pâques – ☕ 20 – **14 ch** 155/195.

X **Ripaille,** au Linga ✆ 50 73 32 14 – E VISA
1er juin-30 sept., 1er déc.-20 avril et fermé lundi sauf vacances scolaires – **R** 59/140, enf. 45.

PEUGEOT-TALBOT Gar. Premat, ✆ 50 73 24 87 N

CHÂTELAILLON-PLAGE

17340 Char.-Mar. **71** ⑬ **G. Poitou Vendée Charentes** – 5 469 h. – Casino.

Office de Tourisme 1 allées du Stade (fermé oct.) ✆ 46 56 26 97.

Paris 477 – Niort 62 – Rochefort 21 – La Rochelle 12 – Surgères 28.

Domaine des Trois Iles Ⓜ , à la Falaise ✆ 46 56 14 14, Télex 791813, ≤, , parc, , – cuisinette 📺 ☎ ♿ 🅿 – 160. AE ⓓ E VISA. rest
R 145/220, enf. 70 – ☕ 35 – **39 ch** 380/460 – 1/2 p 340/390.

Majestic H., bd Libération ✆ 46 56 20 53 – ⛀wc ⋒wc ☎ . AE ⓓ E VISA. rest
fermé vacances de nov., de Noël, de fév., sam. et dim. d'oct. à mars – **R** (résidents seul.) 80/110 – ☕ 24 – **29 ch** 130/220 – 1/2 p 195/220.

Centre, 45 r. Marché ✆ 46 56 23 57 – ⋒wc 🅿. E VISA
fermé dim. soir et lundi midi d'oct. à Pâques – **R** 55/160 , enf. 40 – ☕ 20 – **26 ch** 90/190 – 1/2 p 150/200.

XX **Océan** avec ch, **121 bd République** ✆ **46 56 25 91** – wc wc. VISA. ✻ rest
fermé 17 déc. au 15 janv., dim. soir et lundi hors sais. – **R** 62/295 – 21 – **25 ch** 105/235 – ½ p 155/210.

XX **Armor,** au port de Plaisance ✆ **46 56 27 91,** – Ⓟ. VISA
15 mars-15 nov. et fermé mardi – **R** 140/190, enf. 80.

XX **Aub. Chez Yannick,** 23 bd Libération ✆ **46 56 25 08**
fermé 1er au 11 juin, lundi et mardi de sept. à juin – **R** 60/115.

CHÂTELARD 38 Isère 77 ⑥ – rattaché à Bourg d'Oisans.

Le CHÂTELET-EN-BRIE 77820 S.-et-M. 61 ② – 3 772 h.
Paris 59 – Fontainebleau 14 – Melun 12 – Montereau-Faut-Yonne 18 – Provins 42.

XX **Aub. Briarde,** aux Ecrennes par D 213 : 6 km ✆ **60 69 47 32** – AE ⦿ E VISA
fermé 1er au 15 août, vacances de fév., mardi soir et merc. – **R** 130/300, enf. 65.

*Les pastilles numérotées des plans de ville ①, ②, ③ sont répétées sur les **cartes Michelin** à 1/200 000. Elles facilitent ainsi le passage entre les **cartes** et les **guides Michelin**.*

CHÂTELGUYON 63140 P.-de-D. 73 ④ **G. Auvergne** – 3 649 h. – Stat. therm. (25 avril-5 oct.) – Casino: BZ.

Voir Gorges d'Enval★ 3 km par ③ puis 30 mn.

Office de Tourisme parc E.-Clementel (avril-5 oct.) ✆ 73 86 01 17 et r. du Lac à St-Hippolyte (hors saison) ✆ 73 86 01 17.

Paris 375 ① – Aubusson 99 ③ – ♦Clermont-Fd 20 ② – Gannat 28 ① – Vichy 47 ① – Volvic 12 ③.

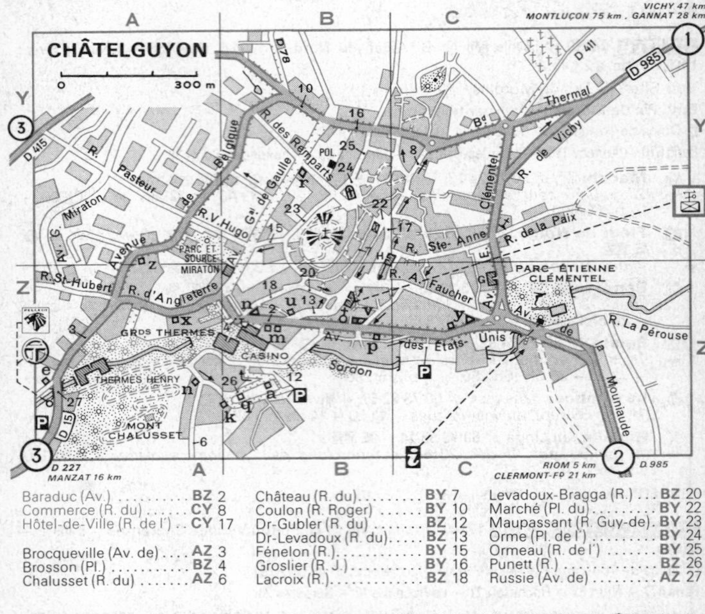

Baraduc (Av.) .... **BZ** 2	Château (R. du) .... **BY** 7	Levadoux-Bragga (R.) ... **BZ** 20
Commerce (R. du) ...... **CY** 8	Coulon (R. Roger) ...... **BY** 10	Marché (Pl. du) .... **BY** 22
Hôtel-de-Ville (R. de l') .. **CY** 17	Dr-Gubler (R. du) ...... **BZ** 12	Maupassant (R. Guy-de) . **BY** 23
	Dr-Levadoux (R. du) ..... **BZ** 13	Orme (Pl. de l') .... **BY** 24
Brocqueville (Av. de) .... **AZ** 3	Fénelon (R.) .... **BY** 15	Ormeau (R. de l') .... **BY** 25
Brosson (Pl.) .... **BZ** 4	Groslier (R. J.) .... **BY** 16	Punett (R.) .... **BZ** 26
Chalusset (R. du) ...... **AZ** 6	Lacroix (R.) .... **BZ** 18	Russie (Av. de) .... **AZ** 27

Pullman Splendid , r. Angleterre ✆ **73 86 04 80, Télex 990585,** ←, , **« Jardin ombragé en terrasses, thermes »,** – Ⓟ – 70. AE ⦿ E VISA ✻ rest AZ **x**
10 avril-15 nov. – **R** 120/200, enf. 80 – 42 – **82 ch** 340/676 – ½ p 630/900.

International , r. Punett ✆ **73 86 06 72,** ←, – . AE ⦿ E VISA ✻ rest ABZ **k**
27 avril-30 sept. – **R** 135/150, enf. 45 – 30 – **68 ch** 200/310 – ½ p 252/358.

Mont Chalusset , r. Punett ✆ **73 86 00 17,** ←, – – 30. AE ⦿ E. ✻ rest BZ **q**
2 mai-30 sept. – **R** 100/145, enf. 85 – 32 – **70 ch** 210/285 – ½ p 310/370.

Paris, 1 r. Dr Levadoux ✆ 73 86 00 12, – wc. rest BZ **u**
fermé 4 au 21 avril, 6 oct. au 19 nov., dim. soir et soirs de fêtes – **R** (prévenir) 82/200 – 26 – **62 ch** 169/266.

Hirondelles, av. États-Unis ✆ 73 86 09 11, – wc wc . AE VISA. rest BZ **p**
20 avril-8 oct. – **R** 59/125, enf. 45 – 20 – **53 ch** 105/225.

Thermalia, av. Baraduc ✆ 73 86 00 11, – wc wc . rest BZ **m**
début mai-5 oct. – **R** 95/165 – 22 – **49 ch** 120/230.

Bains, av. Baraduc ✆ 73 86 07 97, – wc . E VISA. rest BZ **m**
25 avril-30 sept. – **R** 72/114, enf. 30 – 19 – **36 ch** 141/190 – 1/2 p 207/292.

Printania, av. Belgique ✆ 73 86 15 09, – wc wc . VISA rest AY **z**
25 avril-2 oct. – **R** 91/129 – 21 – **34 ch** 130/248 – 1/2 p 270/333.

Établissement, av. Brocqueville ✆ 73 86 03 43, – wc wc . VISA. rest AZ **e**
24 avril-5 oct. – **R** 77/117 – **65 ch** 111/240 – 1/2 p 146/245.

Bellevue, r. Punett ✆ 73 86 07 62, ←, – wc . VISA. rest BZ **a**
24 avril-6 oct. – **R** 60/100 – 18 – **37 ch** 80/170.

Beau Site, 2 r. Chalusset ✆ 73 86 00 49, ←, – wc . rest AZ **n**
1er mai-30 sept. – **R** 68/150 – 18 – **31 ch** 110/195 – 1/2 p 185/230.

Univers, av. Baraduc ✆ 73 86 02 71 – wc wc . AE VISA BZ **v**
fermé 15 déc. au 5 janv. – **R** *(fermé lundi de Pâques au 5 oct. et dim. soir)* 85/160, enf. 38 – 17 – **40 ch** 77/220 – 1/2 p 154/220.

Régence, av. États-Unis ✆ 73 86 02 60 – wc wc . VISA. rest CZ **y**
24 avril-3 oct. – **R** 60/88 – 24 – **27 ch** 133/191 – 1/2 p 193/239.

Bérénice, av. Baraduc ✆ 73 86 09 86 – wc . rest BZ **n**
2 mai-5 oct. – **R** 65/120 – 20 – **11 ch** 110/230 – 1/2 p 173/257.

Paix, av. États-Unis ✆ 73 86 06 90, – wc . rest CZ **y**
25 avril-5 oct. – **R** 55/118, enf. 38 – 15 – **44 ch** 80/205.

Chante-Grelet, av. Gén.-de-Gaulle ✆ 73 86 02 05, – wc wc rest BY **r**
20 avril-5 oct. – **R** 78/130, enf. 45 – 20 – **35 ch** 120/210 – 1/2 p 160/220.

XX **La Grilloute**, av. Baraduc ✆ 73 86 04 17 – VISA BZ **v**
5 mai-5 oct. et fermé mardi sauf fêtes – **R** 75/120.

à St-Hippolyte par ② et bd Desaix : 2 km – ✉ **63140** Châtelguyon :

Le Cantalou, ✆ 73 86 04 67, ← – wc wc .
1er mars-1er nov. – **R** *(fermé dim. soir hors sais. et lundi)* 47/85 – 17 – **30 ch** 100/160 – 1/2 p 100/160.

PEUGEOT-TALBOT Gar. Thermal, ✆ 73 86 08 77

CHÂTELLERAULT 86100 Vienne 68 ④ G. Poitou Vendée Charentes – 36 110 h.

Voir Musée de l'automobile et de la technique★ AZ M1.

Office de Tourisme bd Blossac ✆ 49 21 05 47.

Paris 304 ① – Châteauroux 99 ② – Cholet 130 ⑤ – Poitiers 35 ④ – ♦Tours 70 ①.

Plan page suivante

✿ **Gd H. Moderne et rest. La Charmille** (Proust), 74 bd Blossac ✆ 49 21 30 11, Télex 791801 – rest TV wc wc . AE E VISA BY **n**
R *(fermé 20 au 27 oct., 20 janv. au 20 fév. et merc.)* carte 260 à 360 - **Grill** *(fermé 20 déc. au 3 janv. et dim.)* **R** carte 80 à 120 – 33 – **36 ch** 150/400
Spéc. Salade La Charmille, Filet de bar à la mousse de fenouil (mai à oct.), Chausson de pêches aux amandes. **Vins** Saumur-Champigny, Bourgueil.

Ibis M, av. C. Page, carrefour D 1-N 10 par ④ : 3 km ✆ 49 21 75 77, Télex 791488 – TV wc – 30 à 80. E VISA
R carte 75 à 120 – 23 – **72 ch** 202/241.

L'Escale sans rest, sortie Nord sur N 10 ✆ 49 21 13 50, – wc . E VISA
18 – **32 ch** 105/185.

XX **Croissant** avec ch, 19 av. J.-F. Kennedy ✆ 49 21 01 77 – wc . E VISA
fermé 20 déc. au 1er janv., lundi sauf hôtel et dim. soir – **R** 55/165 – 20 – **20 ch** 92/210. BZ **a**

à Naintré-les-Barres par ④ : 9 km sur N 10 – ✉ **86530** Naintré :

XX **La Grillade**, ✆ 49 90 03 42, – . E VISA
fermé dim. soir – **R** 66/96.

tourner →

CHÂTELLERAULT

Blossac (Bd de) . . . . **BY**
Cygne-Châteauneuf (R. du) . . . . **AY** 3
Dupleix (Pl.) . . . . **BY** 6
Grande-Rue de Châteauneuf . . . . **AZ** 8

Clemenceau (Av. G.) . . . . . . **BY** 2
Deschazeaux (R.) . . . . **BY** 4
Gaudeau-Lerpinière (R.) . . . **AY** 7
Kennedy (Av. J.F.) . . . . **BZ** 10
Leclerc (Av. Mar.) . . . . **BY** 12
Napoléon-1er (Quai) . . . . **AY** 13
Prés.-Roosevelt (Av.) . . . . . . **AZ** 15
St-Jacques (R. du Fg) . . . . . . **BZ** 16
St-Jacques (⊞) . . . . **BZ** 17

St-Jean-Baptiste (⊞) . . **BY**
St-Jean-l'Évangéliste (⊞) . . . **AZ**
Sully (Rue) . . . . **AZ** 21
Thuré (R. de) . . . . **AY** 23

Treuille (Av.) . . . . **BY** 24
Trois-Pigeons (R. des) . . . . **BZ** 25
Villeneuve (R. Chanoine-de) . . . . **AZ** 27

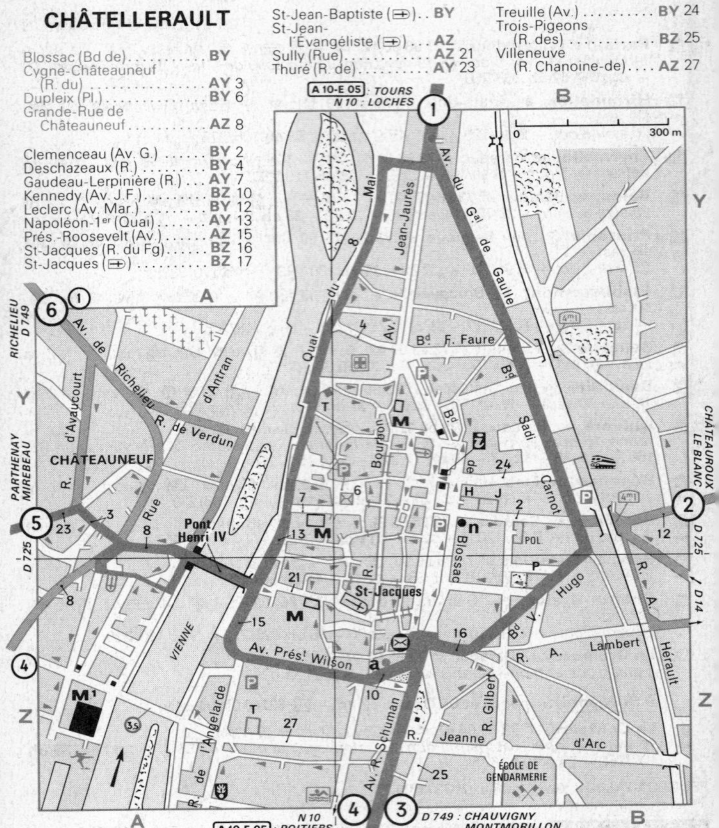

CITROEN Raison, 3 av. Honoré de Balzac ☎ 49 21 32 22
FIAT, TOYOTA Touzalin, 107 r. d'Antran ☎ 49 21 14 29
FORD Tardy, 40 bd d'Estrées ☎ 49 21 48 44
PEUGEOT-TALBOT Georget, 17 av. Honoré-de-Balzac, N 10, Sortie Sud par bd d'Estrées **AZ** ☎ 49 21 08 32
RENAULT SODAC-Chatellerault, l'Orée du Bois, N 10 Zone Sud par bd d'Estrées **AZ** ☎ 49 21 30 90

VAG Prestige Autos, 3 bis av. H.-de-Balzac ☎ 49 21 69 15

Comptoir du Pneu, 31 av. d'Argenson ☎ 49 23 36 07
Interpneus, Av. Robert Schumann ☎ 49 21 56 66
Interpneus, 124 av. Camille Page ☎ 49 21 58 22
Leroux, 44 bd V.-Hugo ☎ 49 21 11 42

CHATILLON-EN-BAZOIS 58110 Nièvre 65 ⑤ G. Bourgogne – 1 179 h.

Syndicat d'Initiative à la Mairie ☎ 86 84 14 76.

Paris 265 – Autun 62 – Clamecy 57 – Moulins 67 – Nevers 41.

France, r. Dr Duret ☎ **86 84 13 10** – wc Ⓟ. E VISA
fermé 20 déc. au 30 janv., dim. soir et lundi d'oct. à mars – **R** 60/135 ⅄, enf. 50 – 20 – **14 ch** 110/150 – ½ p 190/260.

PEUGEOT Gar. Decelle, ☎ 86 84 14 66
RENAULT Gar. Liger, ☎ 86 84 10 77
TOYOTA Gar. Gravier-Barbara, ☎ 86 84 14 41

CHÂTILLON-LA-BORDE 77 S.-et-M. 61 ②, 196 ⑯ – 167 h. – ✉ 77820 Le Châtelet-en-Brie.

Paris 61 – Coulommiers 46 – Fontainebleau 29 – Melun 11 – Provins 37 – Sens 62.

Aub. du Haut-Pavé, à la Borde : 2,5 km ☎ **(1) 60 66 54 53** – Ⓟ. E VISA
fermé août, 1er au 7 fév., le soir (sauf vend. et sam.) et merc. – **R** (dim. prévenir) 98/160.

CHÂTILLON-SUR-CHALARONNE 01400 Ain 74 ② G. Vallée du Rhône – 3 687 h.

Voir Triptyque★ dans l'Hôtel de Ville.

Office de Tourisme pl. Champ-de-Foire (fermé matin) ✆ 74 55 02 27.

Paris 417 – Bourg-en-Bresse 24 – ♦Lyon 54 – Mâcon 25 – Meximieux 34 – Villefranche-sur-Saône 27.

- **Chevalier Norbert,** av. C. Desormes ✆ 74 55 02 22 – rest wc. AE E VISA
  R *(fermé début janv. à début fév. et lundi d'oct. à mai)* 100/290, enf. 60 – 27 – **29 ch** 150/312.
- **de la Tour** avec ch, pl. République ✆ 74 55 05 12 – wc wc. E VISA.
  fermé 10 fév. au 15 mars, dim. soir hors sais. et merc. – **R** 80/240 – 22 – **12 ch** 100/240.

route de Marlieux SE : 2 km sur D 7 – ✉ **01400** Châtillon-sur-Chalaronne :

- **Aub. de Montessuy,** ✆ 74 55 05 14, ←, – P. E VISA
  fermé 1er au 7 oct., 3 janv. au 3 fév., lundi soir et mardi – **R** 85/190.

à Relevant S : 4 km par D 82 – ✉ **01990** St Trivier sur Moignans :

- **Chez Noëlle**, ✆ 74 55 32 90, , – wc wc. VISA
  fermé 30 janv. au 15 mars et merc. sauf le soir d'avril à oct. – **R** 80/200 – 22 – **7 ch** 175/220 – 1/2 p 260.

CITROEN Gar. de l'Hippodrome, ✆ 74 55 26 27

PEUGEOT-TALBOT Ambrosi, ✆ 74 55 00 73

RENAULT Chatillon Auto, ✆ 74 55 03 23 N

CHATILLON-SUR-CLUSES 74 H.-Savoie 74 ⑦ – 858 h. alt. 730 – ✉ **74300** Cluses.

Paris 579 – Annecy 63 – Genève 51 – Morzine 21 – St-Gervais-les-Bains 33.

- **Bois du Seigneur,** au col de Châtillon ✆ 50 34 27 40, ← – TV wc wc P. AE E VISA
  fermé 10 juin au 1er juil. et 28 nov. au 19 déc. – **R** *(fermé lundi)* 65/210, enf. 52 – 22 – **10 ch** 195/215 – 1/2 p 195/255.

CHÂTILLON-SUR-INDRE 36700 Indre 68 ⑥ G. Berry Limousin (plan) – 3 560 h.

Syndicat d'Initiative pl. Champfoire (juin-sept.) ✆ 54 38 74 19.

Paris 256 – Le Blanc 43 – Blois 76 – Châteauroux 48 – Châtellerault 64 – Loches 22.

- **Auberge de la Tour** avec ch, ✆ 54 38 72 17 – wc. E VISA
  fermé 15 déc. au 1er fév., dim. soir et lundi – **R** 60/150, enf. 43 – 20 – **11 ch** 110/230 – 1/2 p 200/300.
- **Promenade** avec ch, pl. Champ de Foire ✆ 54 38 71 95 – wc. E VISA
  fermé 1er nov. au 15 déc. et dim. – **R** 56/140 – 18 – **7 ch** 95/165 – 1/2 p 130/180.

CITROEN Cholet, ✆ 54 38 75 04

RENAULT Goullier, ✆ 54 38 71 09

Gar. Moderne, ✆ 54 38 75 27

CHATILLON-SUR-LOIRE 45360 Loiret 65 ② – 2 512 h.

Paris 161 – Auxerre 75 – Cosne-sur-Loire 29 – ♦Orléans 79 – Montargis 49.

- **Le Marois** M sans rest, 11 r. Champault ✆ 38 31 11 40 – wc.
  fermé fév. – 17 – **9 ch** 135/160.

PEUGEOT-TALBOT Gar. Lachaux, ✆ 38 31 45 22

RENAULT Gar. Theurier, ✆ 38 31 40 34

CHÂTILLON-SUR-SEINE 21400 Côte-d'Or 65 ⑧ G. Bourgogne – 7 963 h.

Voir Source de la Douix★ F – Musée★ M : trésor de Vix★★.

Syndicat d'Initiative pl. Marmont ✆ 80 91 13 19.

Paris 232 ⑤ – Auxerre 84 ⑤ – Avallon 75 ⑤ – Chaumont 58 ① – ♦Dijon 84 ③ – Langres 72 ① – Saulieu 80 ④ – Troyes 68 ⑥.

Plan page suivante

- **Côte d'Or**, r. Ronot (t) ✆ 80 91 13 29, , « Jardin ombragé » – wc. AE E VISA
  fermé 11 déc. au 17 janv., dim. soir et lundi sauf juil., août et fériés – **R** 72/198 – 33 – **10 ch** 160/330.
- **Sylvia H.** sans rest, 9 av. Gare par ⑥ ✆ 80 91 02 44, – wc wc P. E VISA
  20 – **21 ch** 72/185.

CITROEN Folléa Auto., av. E.-Hériot par ③ ✆ 80 91 19 63

FIAT Gar. Châtillonnais, 20 av. Gare ✆ 80 91 11 13

FORD Gar. Centre, 3 r. Marmont ✆ 80 91 15 41

OPEL Gar. du Val-de-Seine, 13 av. E.-Herriot ✆ 80 91 06 84

PEUGEOT-TALBOT Gar. Couasse, rte de Troyes par ⑥ ✆ 80 91 05 60

RENAULT SOCA, 14 bis av. Ed.-Herriot par ③ ✆ 80 91 14 04 N

VAG Gar. des Quatre Vallées ZI, rte de Troyes ✆ 80 91 12 82

Pneus-Service-Deschamps, 17 r. Courcelles-Prévoir ✆ 80 91 05 34

CHÂTILLON-SUR-SEINE

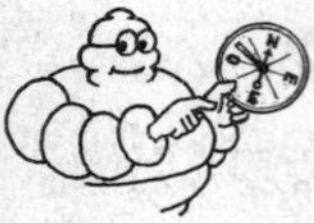

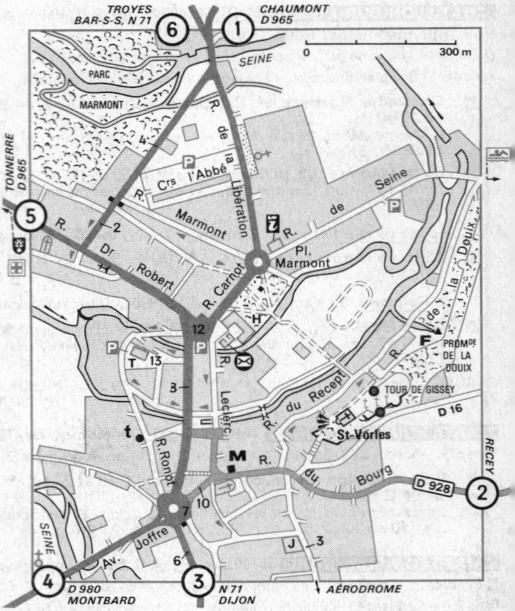

Les plans de villes sont orientés le Nord en haut

Pour bien lire les plans de villes, voir signes et abréviations p. 23.

Um diesen Führer bestens zu nutzen, siehe Erklärungen S. 40 bis 47.

La CHÂTRE <SP> **36400** Indre **68** ⑲ **G. Berry Limousin** – **5 142 h.**

Office de Tourisme square G.-Sand (15 juin-15 sept.) ✆ 54 48 22 64.

Paris 299 ① – **Bourges 68** ② – **Châteauroux 36** ① – **Guéret 54** ④ – **Montluçon 62** ③ – **Poitiers 138** ⑤ – **St-Amand-Montrond 49** ②.

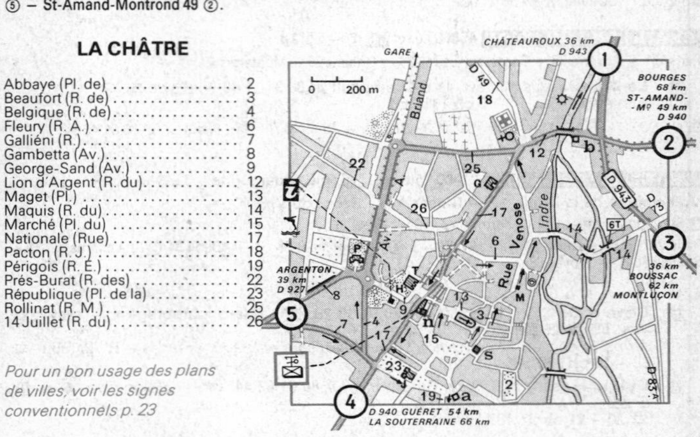

LA CHÂTRE

Pour un bon usage des plans de villes, voir les signes conventionnels p. 23

Les Tanneries M, pont Lion d'Argent **(b)** ✆ **54 48 21 00**, – TV wc ☎ P. AE ⓓ E VISA
R *(fermé janv., dim. soir et lundi d'oct. à mars)* 98/150, enf. 35 – 25 – **10 ch** 190/280 – ½ p 235/305.

Notre Dame sans rest, 4 pl. N.-Dame **(a)** ✆ **54 48 01 14** – TV wc wc ☎ P. AE ⓓ E VISA.
fermé 23 déc. au 2 janv. – 24 – **16 ch** 125/230.

XX **A l'Escargot,** pl. Marché **(s)** ☎ **54 48 03 85 – E VISA**
fermé vacances de fév., lundi soir et mardi – **R** 59/210 ₰.

X **Jardins de la Poste,** 10 r. Basse-du-Mouhet **(n)** ☎ **54 48 05 62 – AE ⓓ E VISA**
fermé 13 au 20 juin, 19 déc. au 17 janv., dim. soir et lundi sauf fériés – **R** 85/190.

X **Aub. du Moulin Bureau,** r. fg. St-Abdon S : 1 km par pl. de l'Abbaye ☎ 54 48 04 20, – **P. E VISA**
1er mars-18 nov. et fermé mardi soir et merc. sauf juil.-août – **R** 62/147.

à St-Chartier par ① et D 918 : 9 km – ✉ **36400** La Châtre.
Voir Vic : fresques★ de l'église SO : 2 km.

Château Vallée Bleue , rte Verneuil ☎ **54 31 01 91,** ←, **parc –** wc wc ☎ **P. E VISA**
fermé 15 janv. au 27 mars, dim. soir et lundi du 1er oct. à Pâques – **R** 95/245, enf. 50 – ☐ 27,50 – **15 ch** 140/290 – ½ p 195/260.

CITROEN Gar. Patry, par ④ ☎ 54 48 04 83 N
FORD Gar. Butte, Pont du Lion d'Argent ☎ 54 48 04 61
PEUGEOT-TALBOT Gar. de la Vallée Noire, rte de Châteauroux par ① ☎ 54 48 09 09
Chirault, ☎ 54 48 04 10
Récup-Auto, ☎ 54 48 04 62

CHAUBLANC 71 S.-et-L. **70** ② – rattaché à Verdun-sur-le-Doubs.

CHAUDES-AIGUES 15110 Cantal **76** ⑭ **G. Auvergne** (plan) – 1 267 h. alt. 750 – Stat. therm. (24 avril-15 oct.).

Office de Tourisme 1 av. G.-Pompidou (mai-15 oct.) ☎ 71 23 52 75.

Paris 534 – Aurillac 94 – Entraygues-sur-T. 62 – Espalion 56 – St-Chély-d'Apcher 29 – St-Flour 32.

Beauséjour, ☎ **71 23 52 37,** – wc wc ☎ **P** – 60. **AE ⓓ E VISA**
20 mars-30 oct. et fermé vend. soir et sam. (sauf du 1er mai au 15 oct. et vacances scolaires) – **R** 49/150, enf. 38 – ☐ 20 – **47 ch** 112/212 – ½ p 155/220.

Thermes, ☎ **71 23 51 18** – wc wc ☎. **E VISA**
24 avril-16 oct. – **R** 50/115 – ☐ 17 – **35 ch** 105/205.

Résidence sans rest, ☎ **71 23 51 89** – wc
fermé fév. et mardi de nov. à mars – ☐ 17 – **17 ch** 84/150.

XX **Aux Bouillons d'Or** M avec ch, ☎ **71 23 51 42** – wc ☎. **AE ⓓ E VISA.**
1er avril-30 nov. et fermé lundi soir et mardi sauf du 1er mai au 15 oct. – **R** 60/210 – ☐ 20 – **12 ch** 180/210 – ½ p 205/250.

CITROEN Gar. Moderne, ☎ 71 23 52 52
RENAULT Gascuel, ☎ 71 23 52 82

CHAUFFAILLES 71170 S.-et-L. **73** ⑧ – 4 868 h.

Syndicat d'Initiative au Château (15 juin-15 sept.) ☎ 85 26 07 06.

Paris 401 – Charolles 32 – ♦Lyon 78 – Mâcon 68 – Roanne 35.

Paix, 2 av. Gare ☎ **85 26 02 60** – wc wc – 25. **AE ⓓ E VISA**
fermé fév., dim. soir et lundi sauf juil.-août – **R** 100/250 – ☐ 20 – **19 ch** 77/200 – ½ p 120/160.

CHAUFFRY 77 S.-et-M. **61** ③ – rattaché à Coulommiers.

CHAUFOUR-LÈS-BONNIÈRES 78 Yvelines **55** ⑱, **196** ① – 300 h. – ✉ **78270** Bonnières-sur-Seine.

Paris 76 – Bonnières-sur-Seine 8 – Évreux 25 – Mantes-la-Jolie 19 – Vernon 10 – Versailles 61.

X **Au Bon Accueil** avec ch, N 13 ☎ **(1) 34 76 11 29** – **P. VISA**
fermé 13 juil. au 13 août et sam. – **R** 56/150 ₰ – ☐ 18 – **15 ch** 70/120.

X **Le Relais,** N 13 ☎ **(1) 34 76 11 33,** – **P. VISA**
fermé 2 au 9 oct., fév. et dim. – **R** 60/100.

CHAUMONT P 52000 H.-Marne **62** ⑪ **G. Champagne** – 28 429 h.

Voir Viaduc★ Z – **Basilique St-Jean-Baptiste★** Y E.

Syndicat d'Initiative pl. Gén-de-Gaulle ☎ 25 03 04 74 avec A.C. ☎ 25 03 02 10.

Paris 256 ⑤ – Auxerre 142 ④ – Épinal 125 ② – Langres 35 ③ – St-Dizier 74 ① – Troyes 94 ⑤.

Plan page suivante

Terminus-Reine, pl. Gén.-de-Gaulle ☎ **25 03 66 66, Télex 840920** – TV ☎ – 80. **AE ⓓ E VISA** Z a
R *(fermé dim. soir du 1er nov. à Pâques)* 62/230 ₰ – ☐ 22 – **63 ch** 175/310 – ½ p 200/350.

Le Grand Val, rte Langres par ③ : 2,5 km ☎ **25 03 90 35** – TV wc wc ☎ **P. AE ⓓ E VISA**
fermé dim. soir du 1er nov. au 1er avril – **R** 50/135 – ☐ 20 – **60 ch** 85/265.

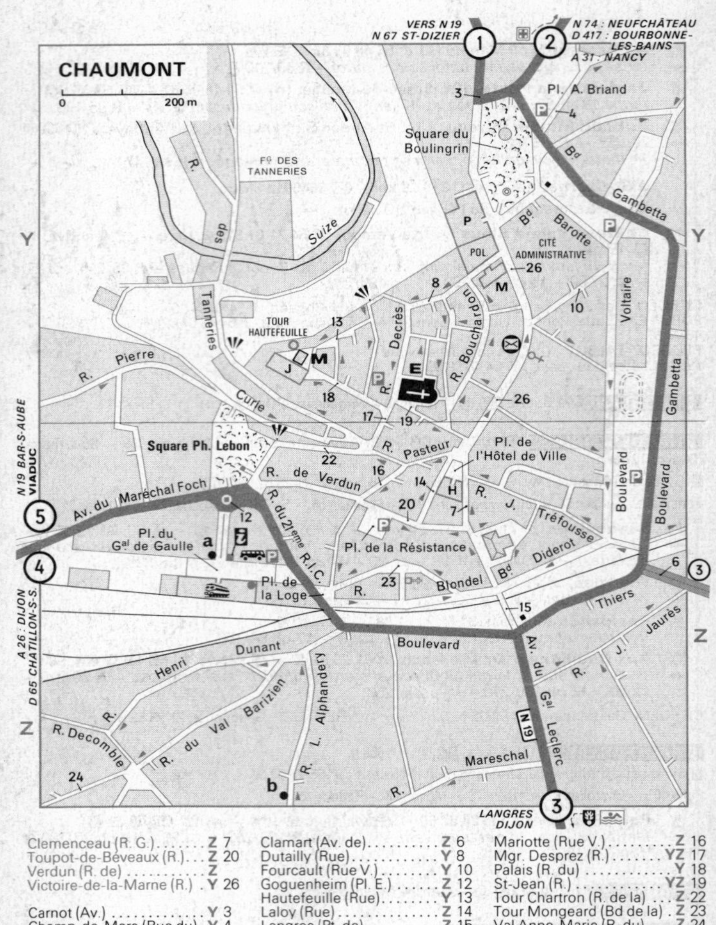

Clemenceau (R. G.) . . . . Z 7
Toupot-de-Béveaux (R.) . . . . Z 20
Verdun (R. de) . . . . Z
Victoire-de-la-Marne (R.) . Y 26

Carnot (Av.) . . . . Y 3
Champ-de-Mars (Rue du) . Y 4

Clamart (Av. de) . . . . Z 6
Dutailly (Rue) . . . . Y 8
Fourcault (Rue V.) . . . . Y 10
Goguenheim (Pl. E.) . . . . Z 12
Hautefeuille (Rue) . . . . Y 13
Laloy (Rue) . . . . Z 14
Langres (Pt. de) . . . . Z 15

Mariotte (Rue V.) . . . . Z 16
Mgr. Desprez (R.) . . . . YZ 17
Palais (R. du) . . . . Y 18
St-Jean (R.) . . . . YZ 19
Tour Chartron (R. de la) . . . Z 22
Tour Mongeard (Bd de la) . Z 23
Val Anne-Marie (R. du) . . . . Z 24

Étoile d'Or, rte de Langres par ③ : 2 km ✆ **25 03 02 23** – TV wc wc ☎ **P** – ◆ 60. **E** VISA
fermé oct., dim. soir et lundi midi – **R** 59/180 – 25 – **15 ch** 150/200.

Royal sans rest, **31 r. Mareschal** ✆ **25 03 01 08** – wc **P** Z **b**
fermé 1er au 30 août et dim. – 15 – **19 ch** 85/135.

AUSTIN ROVER-LANCIA-MERCEDES Gar. Diderot, rte de Neuilly ✆ 25 03 23 37
BMW, TOYOTA SODECO, 9 rte de Neuilly ✆ 25 03 49 04
CITROEN Montigny, 34 av. Gén.-Leclerc par ③ ✆ 25 03 74 79
FIAT Centre Autom., 21, 24 bd Thiers ✆ 25 03 36 11
FORD François Autos, N 19, rte de Langres ✆ 25 03 08 88 **N** ✆ 25 03 23 36
PEUGEOT-TALBOT Gar. Lorinet, rte de Neuilly par ③ ✆ 25 03 14 50
RENAULT Relais Paris-Bâle, rte Langres par ③, km 3 ✆ 25 03 72 22
V.A.G., Petitprêtre, 5 rte de Choignes ✆ 25 32 19 86

Garcia, 9 fg de la Maladière ✆ 25 03 12 52

Pour des repas simples à prix modiques choisissez les établissements marqués d'un losange

CHAUMONTEL 95 Val-d'Oise 56 ⑪, 196 ⑧ – rattaché à Luzarches.

CHAUMONT-EN-VEXIN 60240 Oise 55 ⑨ **G. Environs de Paris** – 2 697 h.

Voir Église★.

Country Club ✆ 44 49 00 81 NO : 2 km.

Paris 67 – Beauvais 29 – Gisors 9 – Magny-en-Vexin 18 – Mantes-la-Jolie 40 – Pontoise 32.

XX **Gd Cerf,** ✆ **44 49 00 57** – E VISA
fermé août, 4 au 19 janv. et lundi – **R** (déj. seul.) 54/140 ⅓, enf. 45.

PEUGEOT-TALBOT Gar. du Vexin, 7 r. de la République ✆ 44 49 00 01

RENAULT Gar. Chaumontois, ✆ 44 49 00 10

CHAUMONT-SUR-LOIRE 41 L.-et-Ch. 64 ⑯⑰ – 842 h. – ✉ **41150** Onzain.

Voir Château★★, G. Châteaux de la Loire.

Paris 198 – Amboise 17 – Blois 17 – Montrichard 18 – ♦Tours 41.

Host. Château, ✆ 54 20 98 04, ⛱, 🌳 – ⌂wc ☎ **P**. ⓞ E VISA. ✗ rest
mars-nov. – **R** 68 bc/220 ⅓, enf. 45 – ☕ 35 – **15 ch** 215/480 – ½ p 340/400.

RENAULT Gar. Lefebvre, ✆ 54 20 98 65

CHAUMONT-SUR-THARONNE 41 L.-et-Ch. 64 ⑨ **G. Châteaux de la Loire** – 905 h. – ✉ **41600** Lamotte-Beuvron.

Paris 166 – Blois 51 – ♦Orléans 35 – Romorantin-Lanthenay 33 – Salbris 26.

XXX **Croix Blanche** ⊛ avec ch, ✆ **54 88 55 12,** ⛱, 🌳 – ⌂wc ⋒wc ☎ **P**. AE ⓞ E VISA
fermé 18 janv. au 27 fév., mardi soir (sauf hôtel) et merc. – **R** (dim. et fêtes prévenir) 150/220, enf. 60 – ☕ 30 – **12 ch** 300/450 – ½ p 450/550.

RENAULT Brinet, ✆ 54 88 55 09

CHAUMOUSEY 88 Vosges 62 ⑮ – rattaché à Epinal.

CHAUNAY 86510 Vienne 72 ③ – 1 281 h.

Paris 380 – Angoulême 64 – Confolens 52 – Niort 56 – Poitiers 48.

Central, ✆ 49 59 25 04 – TV ⌂wc ⋒wc ☎ **P**. E VISA
fermé 1er au 21 fév. et dim. soir du 1er nov. au 31 mars – **R** 45/100 ⅓ – ☕ 17 – **15 ch** 70/165 – ½ p 140/190.

CHAUNY 02300 Aisne 56 ③④ – 14 016 h.

i Office de Tourisme pl. Hôtel de Ville ✆ 23 52 10 79.

Paris 123 – Laon 36 – Noyon 17 – St-Quentin 30 – Soissons 32.

à Ognes 1 km par D 338 – ✉ **02300** Chauny :

XX **Relais St-Sébastien,** ✆ **23 52 15 77** – VISA
fermé août, dim. soir et lundi soir – **R** 76 bc/225 bc.

RENAULT Charbonnier, 137 r. Pasteur ✆ 23 52 31 47 **N**

Ⓜ Dupont-Pneus, N 32 à Condren ✆ 23 57 00 58

CHAUSEY (Iles) 50 Manche 59 ⑦ **G. Normandie Cotentin.**

Voir Grande Ile★.

Accès par transports maritimes.

⛴ depuis Granville. En 1987 : mai-sept. 1 à 2 services quotidiens - Traversée 50 mn – 68 F (AR) par Vedettes Vertes Granvillaises 1 r. Le Campion ✆ 33 50 16 36 (Granville).

- mai à 1er oct. 1 à 2 services quotidiens et hors sais. 2 à 3 services hebdomadaires. Traversée 1 h - 65,50 F (AR) par Vedette Jolie France Gare Maritime ✆ 33 50 31 81 (Granville).

⛴ depuis St-Malo. En 1987 : mai-sept., 3 services hebdomadaires - Traversée 1 h 30 - 96 F (AR) par Vedettes Blanches Cale de Dinan Gare Maritime de la Bourse ✆ 99 56 63 21 (St-Malo).

La CHAUSSÉE-ST-VICTOR 41 L.-et-Ch. 64 ⑦ – rattaché à Blois.

CHAUSSIN 39120 Jura 70 ③ – 1 487 h.

Paris 364 – Beaune 53 – ♦Besançon 78 – Chalon-sur-S. 55 – ♦Dijon 52 – Dole 20 – Lons-le-Saunier 43.

Voyageurs "Chez Bach", pl. Gare ✆ **84 81 80 38,** ⛱ – ⌂wc ⋒wc ☎ **P**. E VISA
fermé 2 au 15 janv., dim. soir (sauf hôtel) et vend. soir de sept. à juin – **R** 50/180 ⅓ – ☕ 18 – **11 ch** 140.

CHAUVIGNY 86300 Vienne 68 ⑭⑮ **G. Poitou Vendée Charentes** (plan) – 6 426 h.

Voir Ville haute★ – Église St-Pierre★ : chapiteaux du choeur★★.

Syndicat d'Initiative à la Mairie ☎ 49 46 30 21.

Paris 334 – Bellac 63 – Le Blanc 37 – Châtellerault 30 – Montmorillon 26 – Poitiers 23 – Ruffec 74.

Lion d'Or, 8 r. Marché ☎ 49 46 30 28 – wc wc ☎ P. E VISA
fermé 15 déc. au 15 janv. et sam. du 1er nov. au 30 mars – **R** 66/160 – 20 – **27 ch** 110/220.

Beauséjour, 18 r. Vassalour ☎ 49 46 31 30, – wc P. E VISA
fermé 24 déc. au 2 janv. – **R** *(fermé vend. soir du 15 nov. au 15 mars)* 55/110, enf. 35 – 17 – **19 ch** 90/180.

CITROEN Gar. Menu, 48 rte St-Savin ☎ 49 46 37 88

RENAULT Chauvigny Automobiles, 49 rte de Poitiers ☎ 49 46 32 25

CHAVAGNES 49 M.-et-L. 64 ⑪ – 702 h. – ✉ **49380** Thouarcé.

Paris 309 – Angers 28 – Cholet 45 – Saumur 35.

Faisan, ☎ 41 54 31 23 – wc wc. E VISA
fermé 15 nov. au 20 déc., le midi en juil.-août, dim. soir et lundi – **R** 51/145, enf. 35 – 18,50 – **10 ch** 150/200 – 1/2 p 145/195.

CHAVANAY 42 Loire 77 ① – 1 858 h. – ✉ **42410** Pelussin.

Paris 509 – Annonay 27 – ♦St-Étienne 50 – Serrières 12 – Tournon 49 – Vienne 18.

XX **Alain Charles,** rte Nationale ☎ 74 87 23 02, , – E VISA
fermé 2 au 10 janv., mardi soir et merc. – **R** 67/198, enf. 50.

CITROEN Milamant, ☎ 74 87 23 37 N

PEUGEOT, TALBOT Gar. Jay, ☎ 74 87 23 10

Les CHAVANTS 74 H.-Savoie 74 ⑧ – rattaché aux Houches.

CHAVILLE 92 Hauts-de-Seine 101 ㉓ – voir à Paris, Environs.

CHAVOIRES 74 H.-Savoie 74 ⑥ – rattaché à Annecy.

La CHEBUETTE 44 Loire-Atl. 67 ④ – rattaché à Nantes.

CHEFFES 49 M.-et-L. 64 ① – 811 h. – ✉ **49125** Tiercé.

Voir Plafond★★★ de la salle des Gardes du château★ de Plessis-Bourré O : 4,5 km, G. Châteaux de la Loire.

Paris 279 – Angers 24 – Château-Gontier 33 – La Flèche 37.

Château de Teildras , ☎ 41 42 61 08, **Télex 722268**, <, **« Demeure du 16e s. dans un parc »** – P. AE ⓓ E VISA. rest
1er avril-30 oct. – **R** *(fermé mardi midi)* 200/300, enf. 150 – 50 – **11 ch** 530/895 – 1/2 p 630/1040.

Le CHEIX 63 P.-de-D. 73 ⑭ – alt. 682 – ✉ **63320** Champeix.

Voir Gorges de Courgoul★ SE : 5 km, G. Auvergne.

Paris 441 – Besse-en-Chandesse 8,5 – ♦Clermont-Ferrand 43 – Issoire 27 – Le Mont-Dore 33.

Relais des Grottes, ☎ 73 96 77 65, <, – P
fermé 18 au 28 avril, 15 nov. au 20 déc. et merc. hors sais. – **R** 50/140 – 16 – **10 ch** 85/140 – 1/2 p 115/120.

CHELLES 77 S.-et-M. 56 ⑫, 101 ⑲ – voir à Paris, Environs.

CHÉNAS 69 Rhône 74 ① **G. Vallée du Rhône** – 328 h. – ✉ **69840** Juliénas.

Paris 409 – Chauffailles 50 – Juliénas 5 – ♦Lyon 62 – Mâcon 17 – Villefranche-sur-Saône 35.

XX ✿ **Daniel Robin,** aux Deschamps ☎ 85 36 72 67, **Télex 351004**, <, , **« Terrasse et jardin ouvrant sur le vignoble »** – AE ⓓ E VISA
fermé début fév. à mi-mars, merc. et le soir sauf vend. et sam. – **R** 140/270
Spéc. Andouillette de Chénas aux fines herbes, Écrevisses du pays en gratin, Volailles de Bresse. **Vins** Chénas.

CHÊNEHUTTE-LES-TUFFEAUX 49 M.-et-L. 64 ⑫ – rattaché à Saumur.

CHÉNÉRAILLES 23130 Creuse 73 ① **G. Berry Limousin** – 701 h.

Voir Haut-relief★ dans l'église.

Paris 361 – Aubusson 19 – La Châtre 62 – Guéret 32 – Montluçon 44.

X **Coq d'Or** avec ch, ☎ 55 62 30 83 –
fermé 24 déc. au 30 janv., vend. soir et sam. – **R** 45/100 – 17 – **7 ch** 75/150.

CHENNEVIÈRES-SUR-MARNE 94 Val-de-Marne 61 ①, 101 ㉘ – voir à Paris, Environs.

CHENONCEAUX 37 I.-et-L. 64 ⑯ – 361 h. – ✉ **37150** Bléré.

Voir Château★★★, G. Châteaux de la Loire.

Syndicat d'Initiative r. Château (avril-sept.) ✆ 47 23 94 45.

Paris 234 – Amboise 12 – Château-Renault 35 – Loches 32 – Montrichard 9,5 – ♦Tours 35.

Bon Laboureur et Château, ✆ **47 23 90 02,** – wc wc ☎ . AE E VISA
mars-nov. – **R** 150/260 – 35 – **26 ch** 260/380 – $1/2$ p 440/560.

Renaudière ✆ **47 23 90 04,** **, parc** – wc wc . E VISA.
début-mars-mi-nov. et fermé dim. soir et lundi midi sauf fériés – **R** 65/140, enf. 40 – 18 – **12 ch** 95/245 – $1/2$ p 160/259.

Gâteau Breton, ✆ **47 23 90 14,** – E VISA
fermé 15 nov. au 1er fév. et mardi – **R** 40/80, enf. 36.

Garage Bodin, à Civray ✆ 47 23 92 03 ✆ 47 23 93 32

CHENÔVE 21 Côte-d'Or 66 ⑫ – rattaché à Dijon.

CHÉPY 80210 Somme 52 ⑥ – 348 h.

Paris 165 – Abbeville 16 – ♦Amiens 56 – Le Tréport 25.

Aub. Picarde, pl. Gare ✆ **22 26 20 78** – E VISA
fermé 1er au 28 août, 26 au 31 déc., vend. soir, sam. midi et dim. soir – **R** 65/185.

CITROEN Gar. Picardie, r. Centrale à Tours-en-Vimeu ✆ 22 26 20 36

PEUGEOT Gar. Turle ✆ 22 26 20 19
Leclere, r. d'Emonville ✆ 22 26 24 44

CHERBOURG 50100 Manche 54 ② **G. Normandie Cotentin** – 30 112 h. communauté urbaine 89 858 h. – Casino . BY.

Voir Fort du Roule ★ BZ – **Château de Tourlaville★ : parc★ 5 km par ①.**

✆ 33 44 45 48 par ② et D 122 : 7 km.

de Cherbourg-Maupertus ✆ 33 22 91 32 par ① : 13 km.

Office de Tourisme 2 quai Alexandre-III ✆ 33 43 52 02 avec A.C.O. ✆ 33 53 05 44 et Gare Maritime (15 mai-15 sept.) ✆ 33 44 39 92.

Paris 359 ② – ♦Brest 392 ② – ♦Caen 119 ② – Laval 213 ② – ♦Le Mans 266 ② – ♦Rennes 196 ②.

Plan page suivante

Mercure M, **Gare Maritime** ✆ **33 44 01 11, Télex 170613,** ≤ – TV ☎ – 25 à 50. AE E VISA — BX **s**
R 98, enf. 40 – 38 – **83 ch** 270/380.

Chantereyne M sans rest, **Port de Plaisance** ✆ **33 93 02 20, Télex 171137** – TV wc ☎ . AE E VISA. — AX **b**
fermé 16 déc. au 1er janv. – 28 – **50 ch** 260/285.

Louvre sans rest, **2 r. H.-Dunant** ✆ **33 53 02 28, Télex 171132** – TV wc wc ☎ . E VISA — AX **e**
fermé 24 déc. au 1er janv. – 20 – **42 ch** 105/280.

Climat de France M, **par ④ : 2 km** ✉ **50120 Équeurdreville** ✆ **33 93 42 94** – TV wc ☎ – 25. AE E VISA
R 55/120, enf. 35 – 21 – **42 ch** 225.

Angleterre sans rest, **8 r. P. Talluau** ✆ **33 53 70 06** – TV wc ☎. — AX **k**
23 – **24 ch** 130/230.

Beauséjour sans rest, **26 r. Gde Vallée** ✆ **33 53 10 30** – wc ☎. E VISA — AX **d**
17 – **27 ch** 67/245.

Moderna sans rest, **28 r. Marine** ✆ **33 43 05 30** – wc . E VISA — BX **a**
16 – **24 ch** 90/180.

Grandgousier, 21 r. de l'Abbaye ✆ **33 53 19 43** – E VISA — AX **t**
fermé 20 au 31 mars et 18 août au 4 sept. – **R** 95/125.

L'Ancre Dorée, 3 r. Bonhomme ✆ **93 93 98 38** – E VISA — AX **n**
fermé 26 juin au 12 juil., vacances de fév., sam. midi et lundi – **R** 85/149.

ALFA-ROMEO Manche Alfa, r. Vintras ✆ 33 43 45 30
BMW-LANCIA-AUTOBIANCHI Gar. Renouf, bd de l'Est à Tourlaville ✆ 33 20 44 78
CITROEN Gar. Ozenne, r. Marcel-Sambat à Equeurdreville-Hainneville par ④ ✆ 33 03 49 70
FORD Lemasson, bd Amiral Lemonnier ZI ✆ 33 43 05 22
NISSAN Relet, 15 Cité Fougères, ✆ 33 20 43 01
PEUGEOT-TALBOT Gar. de la Poste et de l'Horizon 47 r. du Val de Saire ✆ 33 20 37 54
RENAULT Coipel, 427 r. du 8 Mai Les Flamands à Tourlaville par ① ✆ 33 22 00 27

RENAULT Gar. Ecourtemer, 76 r. S.-Carnot, Octeville par ③ ✆ 33 53 27 35
RENAULT Gar. Marie, 95 r. Gén.-de-Gaulle, Equeurdreville par ④ ✆ 33 03 58 97
RENAULT Gar. Dessoude Lyons, bd de l'Est à Tourlaville par ① ✆ 33 44 00 01 ✆ 33 55 38 40
V.A.G. Gar. du Stade, r. des Industries ZI à Tourlaville ✆ 33 20 36 23

Cherbourg-Pneus, 12 r. Loysel ✆ 33 53 06 49
Destres, r. A.-Briand à Tourlaville ✆ 33 22 47 44
Francis-Pneus, bd de l'Est ZI à Tourlaville ✆ 33 20 45 60
Schmitt-Pneus, 13 r. du Maupas ✆ 33 44 05 42

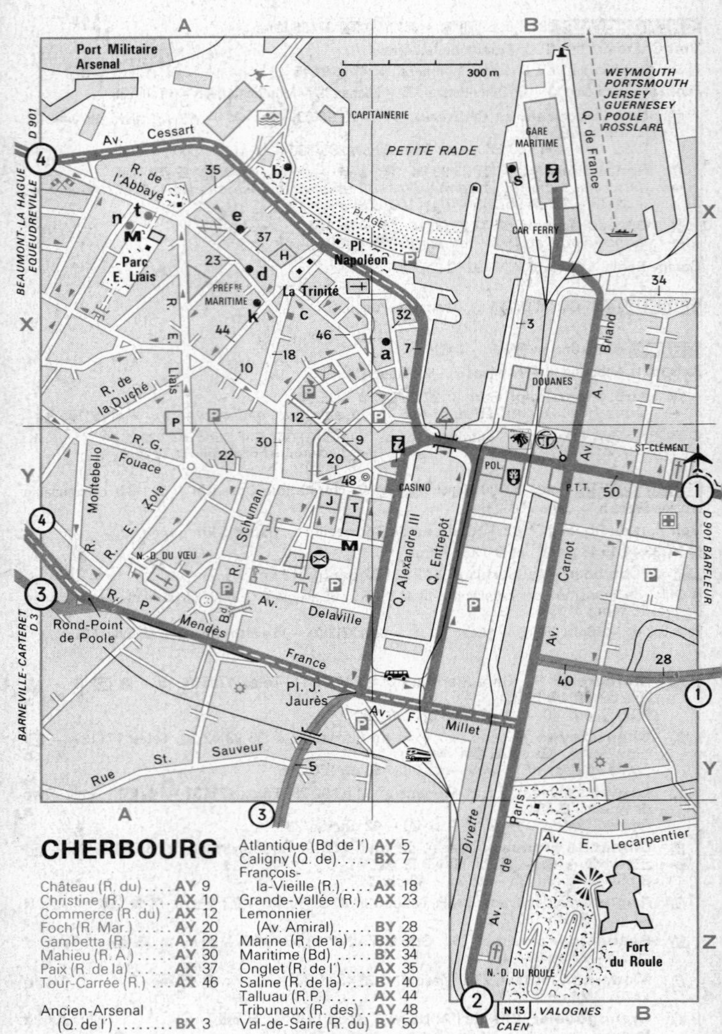

CHERBOURG

Château (R. du) . . . . AY 9
Christine (R.) . . . . . . AX 10
Commerce (R. du) . AX 12
Foch (R. Mar.) . . . . . AY 20
Gambetta (R.) . . . . . AY 22
Mahieu (R. A.) . . . . . AY 30
Paix (R. de la) . . . . . . AX 37
Tour-Carrée (R.) . . . AX 46

Ancien-Arsenal (Q. de l') . . . . BX 3
Atlantique (Bd de l') AY 5
Caligny (Q. de) . . . . . BX 7
François-la-Vieille (R.) . . . . AX 18
Grande-Vallée (R.) . AX 23
Lemonnier (Av. Amiral) . . . . . BY 28
Marine (R. de la) . . . BX 32
Maritime (Bd) . . . . . BX 34
Onglet (R. de l') . . . . AX 35
Saline (R. de la) . . . . BY 40
Talluau (R.P.) . . . . . . AX 44
Tribunaux (R. des) . . AY 48
Val-de-Saire (R. du) BY 50

To go a long way quickly, use **Michelin maps** *at a scale of 1: 1 000 000.*

Les CHÈRES 69 Rhône 74 ① – 814 h. – ✉ **69750** Chasseley.
Paris 443 – L'Arbresle 14 – ♦Lyon 21 – Meximieux 45 – Trévoux 10 – Villefranche-sur-Saône 11.

XX **Aub. du Pont de Morancé,** O : 1 km par D 100 ✉ 69480 Anse ✆ 78 47 65 14, « Jardin » – P. E VISA
fermé 19 fév. au 3 mars, mardi soir et merc. – **R** 65/195.

CHÉRISY 28 E.-et-L. 60 ⑦, 196 ㉕ – rattaché à Dreux.

CHÉROY 89690 Yonne 61 ⑬ – 1 024 h.
Paris 104 – Auxerre 67 – Fontainebleau 40 – Montargis 39 – Nemours 24 – Sens 22.

XX **Tour d'Argent,** ✆ 86 97 53 43, – VISA
fermé 15 au 22 juin, fév., lundi (sauf le midi en juil.-août) et mardi – **R** 62/130.

CHERRUEIX 35 I.-et-V. 59 ⑦ – 1 016 h. – ✉ **35120** Dol-de-Bretagne.

Paris 615 – Dinan 38 – Dol-de-Bretagne 13 – Pontorson 18 – ♦Rennes 66 – St malo 25.

XX **Parcs,** pl. Église ✆ 99 48 82 26 – AE ⓓ E VISA
fermé 15 au 30 nov., 5 janv. au 5 fév., dim. soir sauf juil.-août et merc. – **R** 92/230.

CHERVINGES 69 Rhône 74 ① – rattaché à Villefranche-sur-Saône.

Le CHEVALON 38 Isère 77 ④ – rattaché à Grenoble.

CHEVANCEAUX 17 Char.-Mar. 75 ② – 1 209 h. – ✉ **17210** Montlieu-la-Garde.

Paris 496 – Barbezieux 20 – ♦Bordeaux 63 – Jonzac 23.

X **Relais de Saintonge** avec ch, rte Bordeaux ✆ 46 04 60 66, 🌳 – **P**. E VISA
fermé vacances de fév. et merc. – **R** 48/130 – ☕ 15 – **7 ch** 78/98.

CHEVANNES 89 Yonne 65 ⑤ – rattaché à Auxerre.

CHEVIGNEY 25 Doubs 66 ⑯ – rattaché à Valdahon.

CHEVIGNY-FENAY 21 Côte-d'Or 66 ⑫ – rattaché à Dijon.

CHEVREUSE 78460 Yvelines 60 ⑨, 196 ㉙, 101 ㉛ **G. Environs de Paris** (plan) – 4 823 h.

Voir Site★ – Vallée de Chevreuse★.

Paris 40 – Étampes 45 – Longjumeau 23 – Rambouillet 19 – Versailles 16.

XX **Lou Basquou,** rte Madeleine ✆ (1) 30 52 15 77, ≤, 🌳 – **P**. VISA
fermé 16 août au 5 sept., merc. soir et jeudi – **R** 155.

PEUGEOT-TALBOT Baudouin, ✆ (1)30 52 15 07

RENAULT Follain, ✆ (1)30 52 15 05 **N**

CHEVRY 01 Ain 70 ⑮ – rattaché à Gex.

CHEYLADE 15 Cantal 76 ③ **G. Auvergne** – 424 h. alt. 950 – ✉ **15400** Riom-Ès-Montagnes.

Voir Cascade du Sartre★ S : 2,5 km.

Paris 507 – Aurillac 82 – Mauriac 51 – Murat 31 – St-Flour 56.

Gd H. de la Vallée, ✆ 71 78 90 04 – 🛁 🚿 **P**. ✂
fermé 4 au 12 mai et 22 au 30 oct. – **R** 65/75 🍷 – ☕ 15 – **15 ch** 70/115 – 1/2 p 115/135.

Le CHEYLARD 07160 Ardèche 76 ⑲ – 4 381 h.

Paris 602 – Aubenas 51 – Lamastre 21 – Privas 48 – Le Puy 77 – St-Agrève 25.

Provençal, 17 av. Gare ✆ 75 29 02 08 – ▤ rest TV 🛁wc 🚿wc. E VISA
fermé 2 au 18 oct., 18 déc. au 3 janv., dim. soir et lundi sauf juil.-août – **R** 50/140 🍷 – ☕ 20 – **9 ch** 110/170.

CITROEN Gar. des Cévennes ✆ 75 29 05 10 **N**

CHÉZERY-FORENS 01410 Ain 74 ⑤ – 337 h.

Paris 504 – Bellegarde-sur-Valserine 17 – Bourg-en-Bresse 88 – Gex 40 – Nantua 31 – St-Claude 44.

Commerce 🐌, ✆ 50 56 90 67 – 🚿
fermé 15 sept. au 8 oct. et merc. hors sais. – **R** 50/130 🍷 – ☕ 20 – **10 ch** 120 – 1/2 p 170.

CHILLEURS-AUX-BOIS 45 Loiret 60 ⑳ – 1 432 h. – ✉ **45170** Neuville-aux-Bois.

Paris 97 – Châteauneuf-sur-Loire 28 – Etampes 47 – ♦Orléans 28 – Pithiviers 15.

XX **Au Bon Laboureur,** 27 Gde Rue ✆ 38 39 87 21 – E VISA
fermé 15 août au 4 sept., 15 fév. au 3 mars, lundi soir et mardi – **R** 85/190.

CITROEN Gar. Johanet ✆ 38 39 87 11 **N**

CHINAILLON 74 H.-Savoie 74 ⑦ – rattaché au Grand-Bornand.

CHINDRIEUX 73310 Savoie 74 ⑮ – 951 h.

Env. Abbaye de Hautecombe★★ (chant grégorien) SO : 10 km, G. Alpes du Nord.

Paris 522 – Aix-les-Bains 17 – Bellegarde-sur-Valserine 38 – Bourg-en-Bresse 92 – Chambéry 33.

Relais de Chautagne, ✆ 79 54 20 27 – 🛁wc 🚿wc ☎ **P**
fermé 27 déc. au 15 fév. et lundi sauf juil.-août – **R** 65/180 🍷 – ☕ 20 – **15 ch** 125/150 – 1/2 p 190/200.

tourner →

XX **Colombié,** ✆ 79 54 20 13 – AE VISA. ✻
fermé 1er au 15 sept., 15 au 29 fév. et merc. du 1er sept. au 30 juin – **R** (week-ends prévenir) 100/178.

CITROEN Gar. de Chautagne, ✆ 79 54 20 32 RENAULT Gar. Bimet ✆ 79 54 20 22
N ✆ 79 87 43 76

CHINON SP **37500** I.-et-L. **67** ⑨ **G. Châteaux de la Loire** – **8 873 h.**

Voir Vieux Chinon★★ : Grand Carroi★★ A **B** – **Château★★ : <★★** A – **Quai Danton <★★** A.

Env. Château d'Ussé★★ 14 km par ①.

i Office de Tourisme 12 r. Voltaire ✆ 47 93 17 85 et route de Tours (15 juin-15 sept.) ✆ 47 93 39 66.

Paris 280 ① – Châtellerault 51 ③ – Poitiers 83 ③ – Saumur 29 ③ – Thouars 44 ③ – ♦Tours 48 ①.

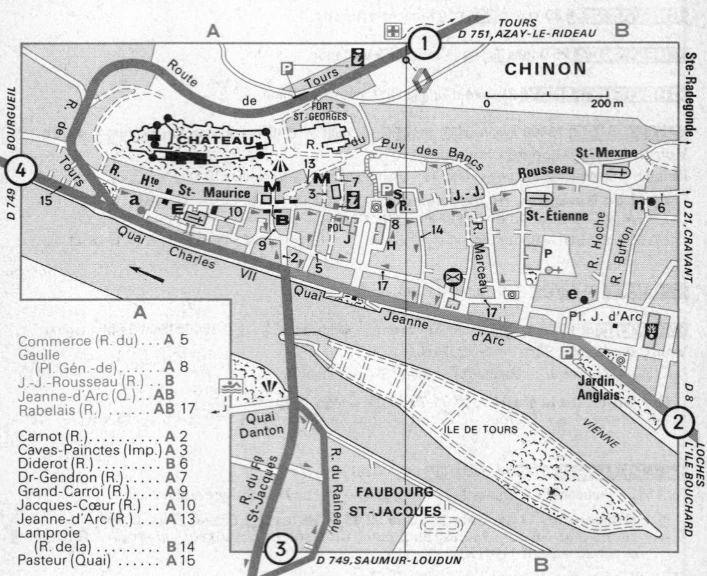

🏨 **Chris'Hôtel** sans rest, **12 pl. Jeanne d'Arc** ✆ **47 93 36 92** – wc wc ☎. AE ◐ E VISA — B **e**
☕ 25 – **40 ch** 150/300.

🏨 **France** sans rest, **47 pl. Gén. de Gaulle** ✆ **47 93 33 91** – wc wc ☎ 🚗. E VISA. ✻ — A **s**
fermé 1er déc. au 15 janv., sam. et dim. de nov. à mars – ☕ 25 – **26 ch** 150/270.

🏨 **La Giraudière** 🐎 sans rest, rte Savigny par ④ : 5 km ✉ 37420 Avoine ✆ 47 58 40 36, 🌳 – cuisinette wc wc ☎ P – 🏛 30. AE ◐ E VISA
fermé janv. et fév. – ☕ 20 – **24 ch** 210/355.

🏨 **Diderot** 🐎 sans rest, 4 r. Buffon ✆ 47 93 18 87 – wc wc ☎ ♿ P. E VISA. ✻ — B **n**
fermé 15 déc. au 15 janv. – ☕ 21 – **22 ch** 150/270.

XXX ✿ **Au Plaisir Gourmand** (Rigollet), 2 r. Parmentier ✆ 47 93 20 48 – ▤. E VISA
fermé 14 au 30 nov., 7 au 28 fév., dim. soir et lundi – **R** (nombre de couverts limité-prévenir) 145/260 — A **a**
Spéc. Carpe au vieux Chinon, St-Jacques à la nage (oct.-mars), Pruneaux en chemise (oct.-juin). **Vins** Chinon, Saumur-Champigny.

à Marçay par ③ et D 116 : 7 km – ✉ **37500** Chinon :

🏰 ✿ **Château de Marçay** 🐎, ✆ 47 93 03 47, Télex 751475, <, 🌳, **« Château 15e s., parc »**, 🏊, 🎾 – |♦| TV ☎ P – 🏛 40 à 150. AE VISA
R 195/295, enf. 35 – ☕ 52 – **34 ch** 500/1000, 4 appartements 1250 – ½ p 580/960
Spéc. Oeufs à la coque à notre façon, Filets de sole gratinés aux morilles, Tarte chaude aux pommes. **Vins** Chinon, Vouvray.

CITROEN S.A.R.V.A., 10 r. A.-Correch par r. des Courances ☎ 47 93 06 58 🅽 ☎ 47 93 27 36
FIAT Hallie, rte de Tours ☎ 47 93 27 36 🅽
PEUGEOT-TALBOT Gd Gar. du Chinonais, à St-Louans par ④ ☎ 47 93 28 29
RENAULT S.I.V.A., rte de Tours ☎ 47 93 05 27
RENAULT Gar. de la Gare, 8 pl. Gare ☎ 47 93 03 67

V.A.G. Gar. du Château, rte de Tours ☎ 47 93 04 65

Nourry Pneus, 6 pl. Denfert-Rochereau ☎ 47 93 32 08

CHISSAY-EN-TOURAINE 41 L.-et-Ch. 64 ⑯ – rattaché à Montrichard.

CHITENAY 41 L.-et-Ch. 64 ⑰ – 787 h. – ✉ **41120** Les Montils.

Voir Galerie des Illustres★★ du château de Beauregard★ N : 5 km, G. Châteaux de la Loire.

Paris 191 – Blois 12 – Châteauroux 88 – Contres 12 – Montrichard 24 – Romorantin-Lanthenay 38.

- **Aub. du Centre,** ☎ 54 70 42 11, – wc wc ☎ – 30. E VISA
  fermé fév. et lundi hors sais. – **R** 53/200 – 17 – **17 ch** 86/250 – ½ p 112/250.
- **La Clé des Champs** avec ch, ☎ **54 70 42 03,** – E VISA
  fermé 12 au 20 nov., début janv. à début fév., lundi soir et mardi – **R** 115/160 – 17 – **10 ch** 90/160.

CHOISY-AU-BAC 60 Oise 56 ②, 196 ⑩ – rattaché à Compiègne.

CHOLET 49300 M.-et-L. 67 ⑤⑥ **G. Châteaux de la Loire** – 54 862 h.

Voir Musées : d'Histoire et des guerres de Vendée★ Y M1, des Arts★ Y M2.

Office de Tourisme et A.C. pl. Rougé ☎ 41 62 22 35.

Paris 351 ① – Ancenis 47 ⑥ – Angers 61 ① – ♦Nantes 57 ⑤ – Niort 101 ② – Poitiers 127 ② – La Rochelle 125 ④ – La Roche-sur-Yon 65 ④ – Les Sables-d'Olonne 101 ④.

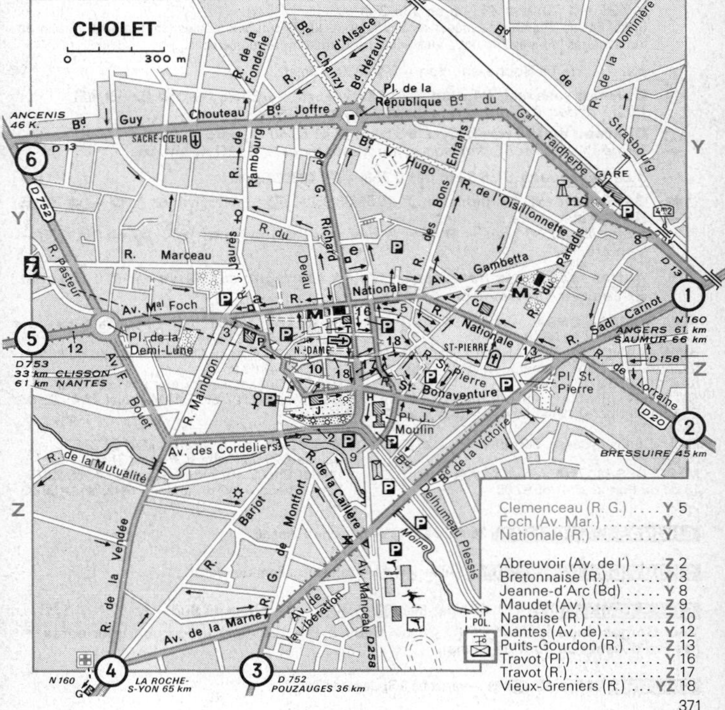

Fimotel M, av. Sables-d'Olonne par ④ ✆ 41 62 45 45, Télex 722298 – wc wc ☎ P – 25 à 80. AE O E VISA. rest
R 65/85, enf. 35 – 26 – **42 ch** 210/250.

Europe, 8 pl. Gare ✆ 41 62 00 97 – TV wc wc ☎ . AE O E VISA.
R voir rest. **James Baron** ci-après – 20 – **21 ch** 220/250. Y n

Gd H. Poste, 26 bd G.-Richard ✆ 41 62 07 20, Télex 722707 – TV wc wc ☎ P – 100. AE O E VISA Y e
R *(fermé 1er au 21 août, sam. soir et dim.)* 62/190 – 21 – **56 ch** 190/220.

Parc sans rest, 4 av. A.-Manceau ✆ 41 62 65 45 – wc wc ☎ P – 50. AE O E VISA Z x
25 – **52 ch** 150/223.

Campanile M, square Nvelle France (rocade sud) par bd Delhumeau-Plessis-Z- ✆ 41 62 86 79, Télex 720318 – TV wc ☎ – 40. VISA
R 63 bc/86 bc, enf. 38 – 24 – **43 ch** 200/220 – 1/2 p 287/330.

Commerce, 194 r. Nationale ✆ 41 62 08 97 – wc wc ☎. AE O E VISA Y a
fermé 1er au 21 août, sam. soir et dim. – R 48/75 – 15 – **14 ch** 90/195.

James Baron -Hôtel Europe-, 8 pl. Gare ✆ 41 62 00 97 – AE O E VISA. Y n
fermé sam. midi – R 95/200.

La Touchetière, Rd Point St-Léger par ⑥ : 1,5 km ✆ 41 62 55 03, – P. E VISA – *fermé dim. soir et lundi* – R 62/180 .

La Grange, r. St-Antoine O : 2 km par r. Mutualité - Z- ✆ 41 62 09 83 – P. AE E VISA – *fermé 15 juil. au 15 août, merc. en hiver, lundi en été, sam. midi et dim. soir* – R 65/130, enf. 45.

à Nuaillé par ① : 7,5 km – ✉ **49340** Trémentines :

Relais des Biches avec ch, pl. Église ✆ 41 62 38 99, , , – TV wc wc ☎ P. AE O VISA
R *(fermé dim.)* 70/200, enf. 40 – 28 – **13 ch** 220/280 – 1/2 p 290/320.

au Lac de Ribou par ② : 5 km – ✉ **49300** Cholet :

✿ **Le Belvédère** (Inagaki) M avec ch, ✆ 41 62 14 02, ←, – TV wc ☎ P – 25. AE O VISA. rest
fermé 26 juil. au 24 août, vacances de fév. et dim. soir (sauf fêtes) – R (prévenir) 93/195, enf. 70 – 25 – **8 ch** 235/270
Spéc. Bar au Champagne madérisé, Suprême de turbot rôti aux moules (sept. à avril), Gratin de fruits rouges (mi-mai à mi-oct.). **Vins** Saumur-Champigny, Savennières.

par ④ : rte La Roche-sur-Yon – ✉ **49300** Cholet :

Cormier sans rest, à 4,5 km ✆ 41 62 46 24, – wc wc ☎ P. O VISA
fermé 15 déc. à début janv. – 22 – **14 ch** 110/190.

Château de la Tremblaye, à 5,5 km ✆ 41 58 40 17, parc – P
fermé 1er au 15 août, dim. soir et lundi sauf fériés – R 62/170, enf. 58.

à La Tessoualle S : 6,5 km par D 258 – ✉ **49300** Cholet :

Garden Hôtel, 1 r. Industrie ✆ 41 56 38 95 – TV wc wc ☎ P – 30. E VISA. rest
fermé 1er au 30 août – R *(fermé dim. soir)* 49/150 – 18 – **25 ch** 165/235 – 1/2 p 215.

Autres ressources hôtelières : Voir à ***Mortagne-sur-Sèvre*** par ④ : 10 km et ***St-Laurent-sur-Sèvre*** par ③ : 12 km.

ALFA-ROMEO-HONDA Hall des Sports, 1 pl. République ✆ 41 62 08 48
BMW, LANCIA-AUTOBIANCHI Gar. de la Victoire, 5 av. de la Libération ✆ 41 58 30 81 N ✆ 41 62 58 97
CITROEN Cholet Automobiles, 14 av. E.-Michelet par ① ✆ 41 65 42 77 N ✆ 41 62 41 04
FIAT Chauvin-Besse, 30 bd Victoire ✆ 41 62 65 63
MERCEDES-MAZDA Gar. Crochet Cholet, ZI, 13 bd du Poitou ✆ 41 65 92 66
PEUGEOT-TALBOT Gar. Bussereau, 169 r. de Lorraine ✆ 41 62 52 44
RENAULT Autom. Choletaise, 17 bd du Poitou par ① ✆ 41 62 25 91
V.A.G. Dugast, Le Cormier ✆ 41 62 03 74
Gar. Merand, 27 av. Ed.-Michelet ✆ 41 62 06 71

Bossard, 15 r. St-Martin ✆ 41 62 29 53
Cailleau, 29 bd Richard ✆ 41 62 21 55
Cholet-Pneus, 169 r. de Lorraine ✆ 41 58 22 75
Perry-Pneus, 17 r. de la Jominière, ✆ 41 58 33 14

CHONAS-L'AMBALLAN 38 Isère 74 ⑪ – rattaché à Vienne.

CHOUVIGNY (Gorges de) 03 Allier 73 ④ – rattaché à Pont-de-Menat.

CIANS (Gorges du) ★★★ 06 Alpes-Mar. 81 ⑲, 195 ⑭ G. Alpes du Sud.
Voir Gorges supérieures★★★ (D 28 de Beuil à Pra d'Astier) et gorges inférieures★★ (de Pra d'Astier au Pont de Cians).

CIBOURE 64 Pyr.-Atl. 85 ② – rattaché à St-Jean-de-Luz.

CIERP-GAUD 31 H.-Gar. 86 ① – 944 h. – ✉ 31440 St-Béat.

Paris 862 – Lannemezan 38 – Luchon 16 – St-Gaudens 30 – ♦Toulouse 120.

✗ **La Bonne Auberge** avec ch, ✆ 61 79 54 47 – E VISA
fermé oct. – **R** 80 – ☕ 15 – **5 ch** 80/130 – $^1/_2$ p 140.

FIAT Gar. Fernandez, à Gaud ✆ 61 79 50 26 RENAULT Cassin, à Cierp ✆ 61 79 50 10

CIERZAC 17 Char.-Mar. 72 ⑫ – rattaché à Cognac.

CINQ CHEMINS 74 H.-Savoie 70 ⑰ – rattaché à Thonon les Bains.

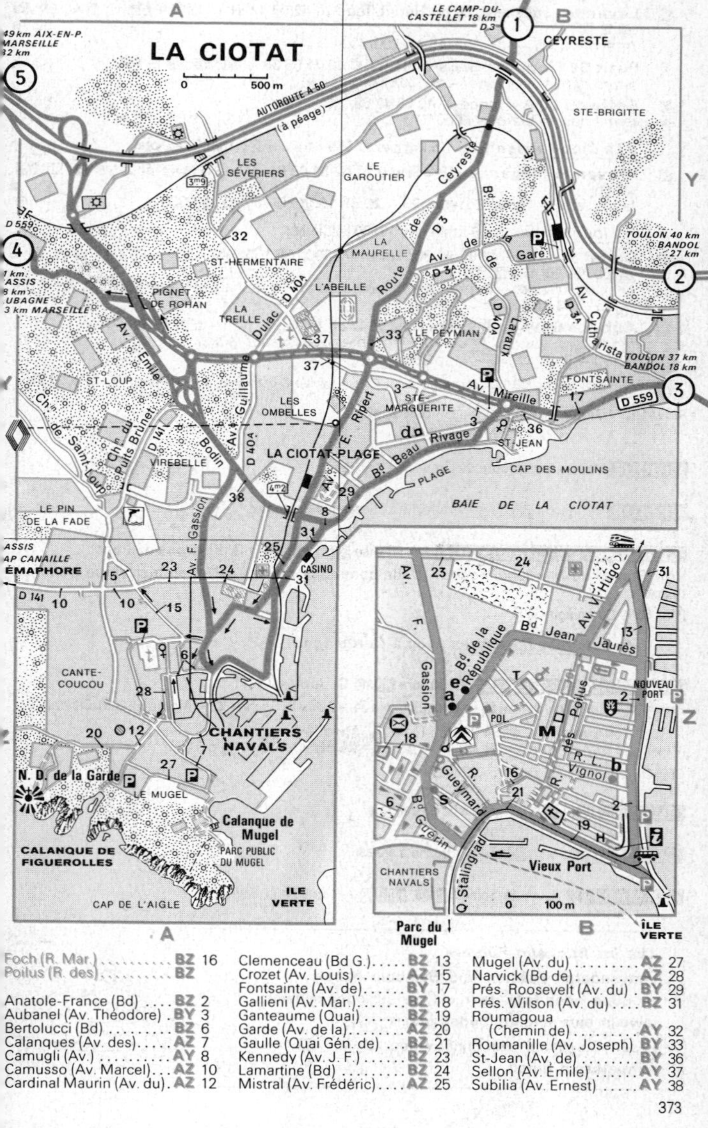

Foch (R. Mar.) .... BZ 16
Poilus (R. des) .... BZ

Anatole-France (Bd) .... BZ 2
Aubanel (Av. Théodore) . BY 3
Bertolucci (Bd) .... BZ 6
Calanques (Av. des) ..... AZ 7
Camugli (Av.) .... AY 8
Camusso (Av. Marcel) ... AZ 10
Cardinal Maurin (Av. du). AZ 12

Clemenceau (Bd G.) ..... BZ 13
Crozet (Av. Louis) ...... AZ 15
Fontsainte (Av. de) ...... BY 17
Gallieni (Av. Mar.) ...... BZ 18
Ganteaume (Quai) .... BZ 19
Garde (Av. de la) .... AZ 20
Gaulle (Quai Gén. de) ... BZ 21
Kennedy (Av. J. F.) ...... BZ 23
Lamartine (Bd) .... BZ 24
Mistral (Av. Frédéric) .... AZ 25

Mugel (Av. du) .... AZ 27
Narvick (Bd de) .... AZ 28
Prés. Roosevelt (Av. du) . BY 29
Prés. Wilson (Av. du) .... BZ 31
Roumagoua (Chemin de) .... AY 32
Roumanille (Av. Joseph) BY 33
St-Jean (Av. de) .... BY 36
Sellon (Av. Émile) .... AY 37
Subilia (Av. Ernest) ..... AY 38

La CIOTAT 13600 B.-du-R. 84 ⑭ **G. Provence** – 31 727 h. – Casino.

Voir Calanque de Figuerolles* SO : 1,5 km puis 15 mn AZ – Chapelle N.-D. de la Garde ≤** O : 2,5 km puis 15 mn AZ.

Env. Sémaphore ≤*** O : 5,5 km AZ.

Excurs. à l'Ile Verte ≤* en bateau 30 mn BZ.

Office de Tourisme 2 quai Ganteaume ✆ 42 08 61 32, Télex 420656.

Paris 805 ⑤ – Aix-en-Provence 49 ⑤ – Brignoles 60 ⑤ – ♦Marseille 32 ⑤ – ♦Toulon 37 ③.

Plan page précédente

La Rotonde sans rest, 44 bd République ✆ 42 08 67 50 – wc ☎. VISA — BZ a
19 – **32 ch** 130/210.

Lavandes sans rest, 38 bd République ✆ 42 08 42 81 – wc wc ☎. AE ⦿ E VISA — BZ e
1er avril-15 oct. – 25 – **15 ch** 200/300.

Petit St Trop, 23 r. E.-Barthélémy ✆ 42 71 66 33 – ▤. AE ⦿ E VISA — BZ s
fermé dim. soir et lundi – **R** 130/250.

Golfe, 14 bd A.-France ✆ 42 08 42 59, — BZ b
fermé nov. et mardi – **R** 60/110.

à La Ciotat-Plage NE : 1,5 km par D 559 - ABY – ✉ **13600** La Ciotat :

Provence Plage, 3 av. Provence ✆ 42 83 09 61, – wc wc ☎ Ⓟ. AE VISA. ch — BY d
fermé janv. – **R** 80/180 – 20 – **20 ch** 120/280 – 1/2 p 250/300.

le Liouquet par ③ : 6 km – ✉ **13600** La Ciotat :

Ciotel M, ✆ 42 83 90 30, Télex 441390, , , , – ▤ rest ☎ ♿ Ⓟ – 50. AE ⦿ E VISA.
1er mars-1er déc. – **R** *(fermé dim. soir sauf du 1er juin au 15 sept.)* 130/240, enf. 70 – 45 – **43 ch** 620/660.

Aub. Le Revestel avec ch, ✆ 42 83 11 06, ≤, – ☎. ch
fermé dim. soir du 1er oct. au 1er juin et merc. (sauf le soir du 1er juin au 1er oct.) – **R** 130 – **7 ch** 180 – 1/2 p 260.

CITROEN Gar. Léger, 53 bd République ✆ 42 08 41 69
RENAULT Gimenes, 87 av. Emile Ripert ✆ 42 83 90 10
La Ciotat-Pneus, r. Pasteur, ✆ 42 08 32 21

CIRQUE Voir au nom propre du cirque.

CIVAUX 86 Vienne 68 ⑭⑮ – rattaché à Lussac-les-Châteaux.

CLAIRIÈRE DE L'ARMISTICE ** 60 Oise 56 ③, 196 ⑪ **G. Environs de Paris.**

Voir Statue du Maréchal Foch – Dalle commémorative – Wagon historique (reconstitution).

Paris 89 – Compiègne 7.

Ressources hôtelières : voir à ***Compiègne***

CLAIRVAUX-LES-LACS 39130 Jura 70 ⑭ **G. Jura** – 1 432 h.

Paris 414 – Bourg-en-Bresse 83 – Champagnole 34 – Lons-le-Saunier 22 – Morez 36 – St-Claude 37.

Ethevenard, ✆ 84 25 82 21, – wc.
15 juin-17 sept. – **R** 48/70 – 16 – **26 ch** 70/100 – 1/2 p 115.

CITROEN Martelet, ✆ 84 25 82 52 N

CLAIX 38 Isère 77 ④ – rattaché à Grenoble.

CLAM 17 Char.-Mar. 71 ⑥ – rattaché à Jonzac.

CLAMART 92 Hauts-de-Seine 60 ⑩, 101 ㉔ – voir à Paris, Environs.

Die im Michelin-Führer
verwendeten Zeichen und Symbole haben – dünn oder **fett** gedruckt, in rot oder schwarz – jeweils eine andere Bedeutung.
Lesen Sie daher die Erklärungen (S. 40 - 47) aufmerksam durch.

CLAMECY 58500 Nièvre 65 ⑮ **G. Bourgogne** (plan) – 5 826 h.

Voir Église St-Martin★.

Office de Tourisme r. Grand-Marché (vacances de Printemps, juin-sept.) ☎ 86 27 02 51.

Paris 209 – Auxerre 43 – Avallon 38 – Bourges 103 – Cosne-sur-Loire 54 – ♦Dijon 143 – Nevers 69.

Host. de la Poste, 9 pl. E.-Zola ☎ **86 27 01 55** – VISA. ch
fermé 25 juin au 5 juil., 15 déc. au 15 janv., dim. soir hors sais. et lundi – **R** 60/130 – 22 – **17 ch** 75/180.

Grenouillère, 6 r. J.-Jaurès ☎ **86 27 31 78** – E VISA
fermé lundi – **R** 45/130.

CITROEN Rougeaux, av. H.-Barbusse ☎ 86 27 11 87
FIAT Gar. Michel, 43 rte de Pressures ☎ 86 27 00 48
PEUGEOT Gar. Chatelier, Pressures ☎ 86 27 30 04
RENAULT S.A.M.A.S., 22 rte de Pressures ☎ 86 27 02 78 N
RENAULT Gar. Duque, rte de Pressures ☎ 86 27 13 54
Coignet, Le Foulon, ☎ 86 27 19 38

CLAOUEY 33 Gironde 78 ①⑪ – ✉ **33950** Lège.

Paris 634 – Arcachon 54 – ♦Bordeaux 56 – Cap-Ferret 15 – Lacanau-Océan 43.

Aub. du Bassin, ☎ **56 60 70 22,** ←, – E VISA
fermé mi-déc. à mi-janv., mardi soir et merc. – **R** 58/155, enf. 38.

Le CLAUX 15 Cantal 76 ③ – 341 h. alt. 1 060 – ✉ **15400** Riom-ès-Montagne.

Paris 514 – Aurillac 50 – Mauriac 57 – Murat 24.

Peyre-Arse M, ☎ **71 78 93 32,** – wc P. E VISA
R 50/190, enf. 30 – 25 – **29 ch** 110/160 – 1/2 p 160.

Les CLAUX 05 H.-Alpes 77 ⑱ – rattaché à Vars.

CLAYE-SOUILLY 77410 S.-et-M. 56 ⑫, 196 ㉑ – 8 334 h.

Paris 41 – Meaux 15 – Melun 52 – Senlis 48.

La Grillade, 19 r. J.-Jaurès ☎ **(1) 60 26 00 68** – AE E VISA
fermé 20 août au 15 sept., 20 fév. au 5 mars, dim. soir et lundi – **R** carte 190 à 270.

La CLAYETTE 71800 S.-et-L. 69 ⑰⑱ **G. Bourgogne** – 2 712 h.

Voir Château de Drée★ N : 4 km.

Syndicat d'Initiative 6 pl. Fossés (Ascencion, Pentecôte, 15 juin-15 sept.) ☎ 85 28 16 35.

Paris 388 – Charolles 19 – Lapalisse 62 – ♦Lyon 97 – Mâcon 57 – Roanne 41.

Poste et Dauphin, ☎ **85 28 02 45** – wc . AE E VISA. ch
fermé 23 déc. au 25 janv., vend. soir, dim. soir et sam. (sauf juil.-août) – **R** 60/170, enf. 50 – 20 – **15 ch** 105/200 – 1/2 p 170/235.

Gare avec ch, ☎ **85 28 01 65,** , – wc wc P. E VISA. rest
fermé vend. soir de nov. à Pâques, dim. soir et lundi hors sais. – **R** 55/190 – 21 – **9 ch** 80/185 – 1/2 p 160/215.

PEUGEOT-TALBOT Gar. Jugnet, à Varennes-sous-Dun ☎ 85 28 03 60
RENAULT Éts Hermey, ☎ 85 28 04 81
Matequip, ☎ 85 28 11 46

CLÉCY 14570 Calvados 55 ⑪ **G. Normandie Cotentin** – 1 197 h.

18 de Clécy-Cantelou ☎ 31 69 72 72, SO par D 133A : 4 km.

Paris 275 – ♦Caen 37 – Condé-sur-Noireau 9,5 – Falaise 30 – Flers 21 – Vire 35.

Moulin du Vey , **E : 2 km par D 133, (Annexe Relais de Surosne à 3 km) ☎ 31 69 71 08,** ←, , « Parc au bord de l'eau » – P – 25 à 100. AE E VISA. rest
fermé 30 nov. au 26 déc. et 4 au 31 janv. – **R** *(fermé vend. midi du 15 oct. au 1er avril)* 105/280 – 30 – **19 ch** 250/350 – 1/2 p 325/350.

Site Normand avec ch, ☎ **31 69 71 05** – wc P. AE E VISA
fermé 1er janv. au 7 mars et lundi du 1er oct. au 1er avril – **R** 80/180, enf. 38 – 20 – **15 ch** 100/200 – 1/2 p 180/320.

PEUGEOT-TALBOT Pichon, ☎ 31 69 71 40

CLÉDEN-CAP-SIZUN 29 Finistère 58 ⑬ – 1 422 h. – ✉ **29113** Audierne.

Voir Pointe de Brézellec ←★ N : 2 km, G. Bretagne.

Paris 602 – Audierne 10 – Douarnenez 32 – Quimper 45.

L'Étrave, pl. Église ☎ **98 70 66 87** – VISA.
25 mars-2 oct. et fermé merc. – **R** (prévenir) 60/160, enf. 25.

CLÉDER 29233 Finistère 58 ⑤ – 3 928 h.

Paris 567 – •Brest 48 – Brignogan-Plage 22 – Morlaix 30 – St-Pol-de-Léon 9,5.

XX **Le Baladin,** 9 r. Armorique ✆ 98 69 42 48 – E VISA
fermé merc. soir – **R** 80/195, enf. 40.

CLELLES 38930 Isère 77 ⑭ – 319 h. alt. 766.

Paris 611 – Die 50 – Gap 75 – •Grenoble 49 – La Mure 32 – Serres 58.

Ferrat ⛰, ✆ 76 34 42 70, ≤, ⛱, ⛱, 🚘 – ⇔wc ⩎wc ☎ 🚗 P. E VISA
1er mars-11 nov. et fermé mardi hors sais. – **R** 88/130 ⅃ – ⊒ 25 – **16 ch** 200/280 – ½ p 190.

RENAULT Gar. du Trièves, ✆ 76 34 40 35 N

CLERGOUX 19 Corrèze 75 ⑩ – 390 h. – ✉ 19320 Marcillac-la-Croisille.

Paris 506 – Mauriac 46 – St-Céré 74 – Tulle 24 – Ussel 47.

Chammard, ✆ 55 27 84 04, 🚘 – ⩎ P.
15 juin-15 sept. – **R** 75/110 ⅃ – ⊒ 18 – **18 ch** 90/110 – ½ p 150/160.

CLERMONT SP 60600 Oise 56 ① **G. Environs de Paris** – 8 724 h.

Voir Église★ d'Agnetz O : 2 km par ④.

Office de Tourisme à l'Hôtel de Ville ✆ 44 78 19 70.

Paris 78 ③ – •Amiens 66 ① – Beauvais 26 ④ – Mantes-la-Jolie 98 ③ – Pontoise 55 ③.

CLERMONT OISE

République (R. de la) ... 12

Decuignières (Pl.) 2
Fontaines (R. des) 3
Fortin (R. E.) 5
Hôtel-de-Ville (Pl. de l') . 6
Martin du Gard (R.) 8
Paris (R. de) 9
St-Just (R.) 13
Viénot (R. P.) 15

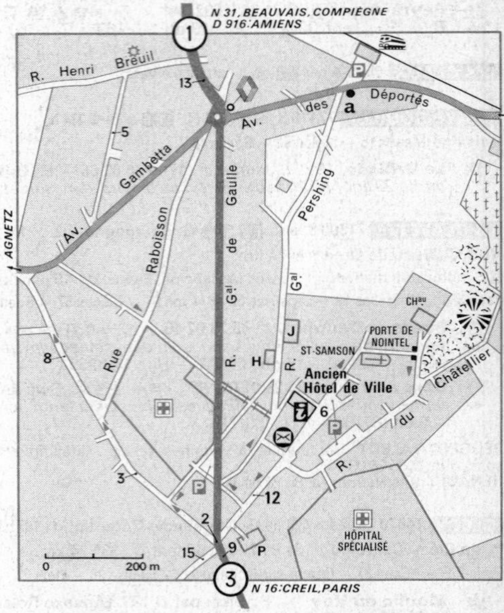

Clermotel, par ④ : 1 km ✆ 44 50 09 90, 🚘 – TV ⇔wc ⩎wc ☎ P – 🏊 30. E VISA
R *(fermé 22 déc. au 6 janv.)* 60/108 ⅃, enf. 36 – ⊒ 24 – **30 ch** 195/235.

PEUGEOT-TALBOT Carlier, av. des Déportés, rte Compiègne par ② ✆ 44 50 00 94
RENAULT SOCLA, Imp. Henri Barbusse ✆ 44 50 08 73

Fischbach Pneu, 64 r. de Paris à St-Just-en-Chaussée ✆ 44 78 51 36
Pneus Pour Tous, 134 r. de Paris à St-Just-en-Chaussée ✆ 44 51 56 94

CLERMONT-FERRAND P 63000 P.-de-D. 73 ⑭ **G. Auvergne** – 151 092 h.

Voir Le Vieux Clermont** BX : Basilique de N.-D.-du-Port** (choeur***) CX, Cathédrale** (vitraux**) BX, Fontaine d'Amboise* BX **E**, cour* de la maison de Savaron BX **B** – Jardin Lecoq* BCZ – Musée du Ranquet* BX **M1** – Escalier* dans la rue des Petits-Gras (n° 6) BX 53 – Le Vieux Montferrand* R : Hôtel de Fontfreyde*, Hôtel de Lignat*, Hôtel de Fontenilhes*, cour* de l'Hôtel Regin, Porte* de l'Hôtel d'Albiat, Bas-relief* de la Maison d'Adam et d'Ève – Belvédère du D 941A ≤** R – Av. Thermale ≤* RS – **Env.** Puy de Dôme ✻*** 15 km par ⑥.

18 des Volcans à Orcines ✆ 73 62 15 51 par ⑥ : 9 km – Circuit Automobile d'Auvergne S.

de Clermont-Ferrand-Aulnat ✆ 73 91 71 00 par ② et D 54 : 6 km.

✆ 73 92 50 50.

Office de Tourisme 69 bd Gergovia ✆ 73 93 30 20 et Gare S.N.C.F. ✆ 73 91 87 89 – A.C. pl. Galliéni ✆ 73 93 47 67.

Paris 400 ① – •Bordeaux 372 ⑥ – •Grenoble 286 ② – •Lyon 178 ② – •Marseille 459 ② – •Montpellier 364 ③ – Moulins 105 ① – •Nantes 452 ⑥ – •St-Étienne 147 ② – •Toulouse 397 ③.

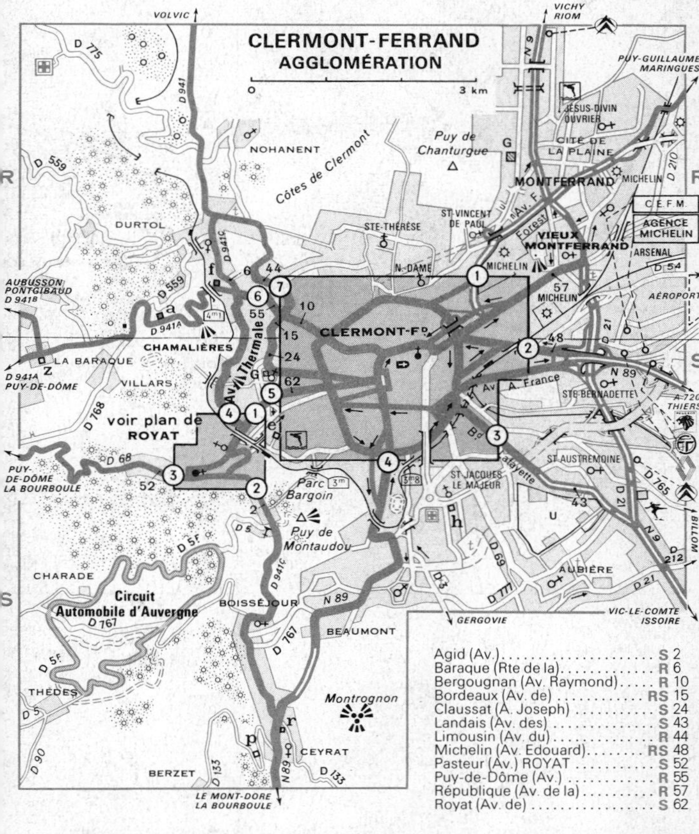

Agid (Av.)	S	2
Baraque (Rte de la)	R	6
Bergougnan (Av. Raymond)	R	10
Bordeaux (Av. de)	RS	15
Claussat (A. Joseph)	S	24
Landais (Av. des)	S	43
Limousin (Av. du)	R	44
Michelin (Av. Edouard)	RS	48
Pasteur (Av.) ROYAT	S	52
Puy-de-Dôme (Av.)	R	55
République (Av. de la)	R	57
Royat (Av. de)	S	62

Altéa Gergovie M, 82 bd Gergovia ✆ 73 93 05 75, Télex 392658 – rest – 240. AE VISA BZ **v**
La Retirade *(fermé Noël, sam. midi et dim.)* **R** 129/200, enf. 60 – 40 – **124 ch** 355/550.

Mercure Arverne M, pl. Delille ✆ 73 91 92 06, Télex 392741 – rest – 150. AE VISA CX **m**
R carte 115 à 200, enf. 37 – 37 – **57 ch** 320/350.

Gallieni et rest. Le Charade, 51 r. Bonnabaud ✆ 73 93 59 69, Télex 392779 – – 150. AE VISA AY **t**
R 105 bc/190 – 26 – **80 ch** 150/315 – $1/2$ p 240/336.

CLERMONT-FERRAND
0
500 m
A
B
V
X
Y
Z
PARC NATUREL DE MONTJUZET
20 km VOLVIC
93 km AUBUSSON
53 km LA BOURBOULE
R. Durtol
D 941
D 941A
Rue Paul Diomède
R. de Nohanent
Boulevard Lavoisier
Tiretaine
Boulevard
J.-B.
Dumas
St. Alyre
Rue de Blanzat
MAISON DES SPORTS
Pl. des Bughes
R. du Pont Naturel
R. de Serbie
R. H. Barbusse
Boulevard Berthelot
Rue Fontgiève
Rue G. Péri
R. A. Moinier
R. Montlosier
VIEUX CLERMONT
CATHÉDRALE
R. des Gras
Pl. Sugny
Av. F. Roosevelt
Rue Blatin
CHAMALIÈRES
3.5 km ROYAT
D 68
Av. de Montjoly
PL. DE JAUDE
R. St-Esprit
Rue Bonnabaud
Julien
Avenue
Bd Duclaux
R. G. Clemenceau
CENTRE JAUDE
R. Eugène-Gilbert
Boulevard Pasteur
Bd Ch. de Gaulle
Boulevard A. Briand
Pl. des Salins (Pl. Gambetta)
Av. Marx Dormoy
MAISON DES CONGRÈS
Bd Gergovia
LECOQ
Av. de la Libération
Boulevard Jean Jaurès
Bd Cote Bla
LE MONT-DORE 47 km
N 89

C
D
MOULINS 105 km
RIOM 15 km, VICHY 59 km
CITÉ
BAS CHAMPFLOUR
USINES
MICHELIN
Daubrée
Barbier
R. de Chanteranne
R. de Clos-Four
N 9
Place
du 1er Mai
République
USINES
MICHELIN
Dumas
POL.
SERVICES
ADMINISTRATIFS
V
Pl. des
Carmes-Déchaux
Rue H. Barbusse
R. Montlosier
R. des Jacobins
Avenue
Édouard
Michelin
R. Niel
R. Auger
X
R. du Port
N.-D. DU PORT
Pl. Delille
Châteaudun
N 89
AÉROPORT 6 km
THIERS 45 km
VICHY 58 km
ST-ÉTIENNE 147 km
LYON 178 km
Soviétique
Trudaine
Bd Bansac
Av. Grande Bretagne
Av. d'Italie
GARE
Av. de l'Union
SQUARE DE LA
JEUNE RÉSISTANCE
Carnot
Av. Carnot
Rue P. Collomp
Sablon
Av. des Paulines
Y
Bd Fleury
Rue de l'Oradou
La Fayette
Av. des
THÉÂTRE
DE VERDURE
Bd Gergovia
Avenue
Bd Poincaré
Blatin
Léon
Cote
Bd La Fayette
D 765
Z
N 9
Blum
ISSOIRE 37 km
ST-NECTAIRE 43 km
Boulevard
Viaduc
St-Jacques
D 69
C
D

Marmotel [M], Plateau St Jacques près du CHRU, bd W. Churchill ☎ 73 26 24 55, Télex 392204, ←, – rest TV wc ☎ P – 60. AE E VISA S h
R 69/120, enf. 39 – 23 – **51 ch** 190/252, 4 appartements 695 – 1/2 p 265/320.

Lafayette [M] sans rest, 53 av. Union Soviétique ☎ 73 91 82 27, Télex 393706 – TV wc ☎ P. AE E VISA DX n
21 – **50 ch** 180/270.

St-André et rest. l'Auvergnat [M], 27 av. Union Soviétique ☎ 73 91 40 40 – rest TV wc wc ☎. E VISA DX d
R *(fermé dim.)* 64/115, enf. 32 – 20 – **25 ch** 163/210 – 1/2 p 200/270.

Relais Arcade sans rest, 19 r. Colbert ☎ 73 93 25 66, Télex 990125 – TV wc wc ☎ – 25 à 120. E VISA AY q
24 – **67 ch** 190/230.

Lyon, 16 pl. Jaude ☎ 73 93 32 55 – rest TV wc wc ☎. E VISA ABY b
R carte 100 à 160 – 20 – **34 ch** 175/245.

Bordeaux sans rest, 39 av. F.-Roosevelt ☎ 73 37 32 32 – TV wc ☎. AE E VISA. AY w
21 – **32 ch** 140/235.

Albert-Élisabeth sans rest, 37 av. A.-Élisabeth ☎ 73 92 47 41 – wc wc ☎. AE E VISA CX v
18 – **40 ch** 105/230.

Gd H. Midi, 39 av. Union-Soviétique ☎ 73 92 44 98 – rest wc wc ☎. E VISA DX s
R 46/100, enf. 32 – 19 – **39 ch** 104/195 – 1/2 p 180/240.

Floride II [M] sans rest, cours R. Poincaré ☎ 73 35 00 20 – wc ☎ P. VISA CZ e
21 – **29 ch** 174/200.

Régina sans rest, 14 r. Bonnabaud ☎ 73 93 44 76 – wc ☎ AY x
fermé 15 déc. au 2 janv. – 18 – **27 ch** 70/180.

Le Damier sans rest, 47 bd J.B.-Dumas ☎ 73 91 87 52 – wc wc ☎. VISA CV a
17 – **22 ch** 115/190.

XXX **Vacher et Brasserie Gare Routière,** 69 bd Gergovia ☎ 73 93 13 32 – AE E VISA BZ
R (1er étage) carte 165 à 260 - **snack R** carte 55 à 100.

XXX **Jean-Yves Bath,** pl. Marché St Pierre (1er étage) ☎ 73 31 23 23, – . VISA. BX a
fermé 22 août au 11 sept., lundi midi et dim. – **R** carte 170 à 215.

XX **Clavé,** 10 r. St-Adjutor ☎ 73 36 46 30 – E VISA AX k
fermé sam. midi et dim. du 1er juil. au 1er sept. – **R** 120/280, enf. 30.

XX **Truffe d'Argent,** 1 r. H.-Michel ☎ 73 93 22 42, – AE E VISA AY r
fermé 1er au 10 janv., sam. midi et dim. soir – **R** 90 (sauf fêtes)/280.

X **Le Brezou,** 51 r. St-Dominique ☎ 73 93 56 71 – E VISA AX n
fermé 15 au 31 déc., sam. et dim. – **R** 63/110.

à Chamalières – 17 905 h. – ✉ **63400** Chamalières :

✿ **Radio** (Mioche) [M], 43 av.P.-Curie ☎ 73 30 87 83, ←, – TV ☎ P. E VISA Plan de Royat BY w
1er mars-14 nov. – **R** *(fermé dim. soir et lundi)* 190/390 – 40 – **27 ch** 290/470 – 1/2 p 420/460
Spéc. Saumon aux lentilles vertes du Puy, Filet de boeuf mariné, Blanc de volaille en boléro. Vins Boudes, Chanturgue.

Europe H. sans rest, 29 av. Royat ☎ 73 37 61 35 – TV wc wc ☎. E VISA AY a
26 – **34 ch** 170/265.

Chalet Fleuri, 37 av. Massenet ☎ 73 35 09 60, – wc wc ☎ P. E VISA. rest S e
1er avril-31 oct. et 1er nov.-31 mars – **R** 90/180 – 22 – **39 ch** 145/220.

à l'aéroport d'Aulnat par ② et D 54E – ✉ **63510** Aulnat :

Climat de France [M], ☎ 73 92 72 02 – TV wc ☎ P – 25. AE E VISA
R 55/100, enf. 40 – 22 – **42 ch** 210/230.

à Pérignat-les-Sarliève par ③ : 8 km – ✉ **63170** Aubière :

Host. St Martin, Château de Bonneval ☎ 73 79 12 41, ←, « Parc », – TV ☎ P – 25 à 250. AE E VISA
fermé vacances de nov., 23 au 30 déc. et vacances de fév. – **R** *(fermé dim. soir et lundi)* 160/280, enf. 45 – 28 – **20 ch** 200/450 – 1/2 p 450/700.

à Orcet par ③, N 9 et D 978 : 13 km – ✉ **63670** Le Cendre :

XX **Ma Bohême,** ✆ 73 79 12 46, « Roulottes aménagées », – Ⓟ. E VISA
fermé 1er au 12 août, dim. soir et lundi – **R** 120/320.

rte de La Baraque par ⑥ – ✉ **63830** Durtol :

XXX **L'Aubergade,** ✆ 73 37 84 64 – Ⓟ. E VISA R a
fermé 1er au 21 sept., 1er au 21 mars, dim. soir et lundi – **R** 95/220.

XXX ✿ **Aub. des Touristes** (Andrieux), ✆ 73 37 00 26 – Ⓟ. AE E VISA. R f
fermé 1er au 7 mai, 15 juil. au 15 août, vacances de fév., sam. midi et dim. – **R** 130/360
Spéc. Melon aux langoustines (juin à sept.), Pigeon aux choux, Crêpe fourrée aux fraises. **Vins** Chanturgue.

à La Baraque par ⑥ : 7 km – ✉ **63870** Orcines :

Relais des Puys, ✆ 73 62 10 51, – TV wc wc ☎ Ⓟ. AE E VISA. rest
fermé 1er déc. au 1er fév., dim. soir du 15 sept. au 1er juin et lundi midi – **R** 62/140 – 20 – **30 ch** 95/190 – 1/2 p 140/180. S z

à Orcines par ⑥ et D 941 – ✉ **63870** Orcines :

XX **Chez Pichon** avec ch, ✆ 73 62 10 05, – TV wc wc ☎ Ⓟ – 35. AE E VISA. rest
fermé janv. – **R** *(fermé dim. soir, soirs de fêtes et lundi)* 110/260, enf. 65 – 30 – **15 ch** 170/240 – 1/2 p 270/295.

par ⑥ sur D 941A : 10 km – ✉ **63870** Orcines :

XX **La Clef des Champs,** ✆ 73 62 10 69, – Ⓟ. AE E VISA
fermé 8 au 31 août, 16 janv. au 12 fév., dim. soir, soirs de fêtes et lundi – **R** 95/170.

au Col de Ceyssat par ⑥, D 941A et D 68 : 14 km – ✉ **63870** Orcines :

XX **Aub. des Gros Manaux,** ✆ 73 87 11 11, – AE E VISA
fermé 25 oct. au 9 nov., vacances de fév., mardi soir (sauf juil.-août) et merc. – **R** 80/200.

Autres ressources hôtelières :

Voir *Royat* par ⑤ : 4,5 km, *Ceyrat* par ④ : 6 km et *Montpeyroux* par ③ : 24 km.

MICHELIN, Agence régionale, r. Jules Verne, Z.I. du Brézet S (plan agglomération) ✆ 73 91 29 31 **MICHELIN, Centre d'Échanges et de Formation** r. Cugnot, Z.I. du Brézet R (plan agglomération) ✆ 73 92 91 55 **MICHELIN, Division Commerciale France,** r. Cugnot, ZI du Brézet ✆ 73 30 42 21

ALFA-ROMEO Domes-Auto, rte de Paris, la Plaine ✆ 73 24 67 72
AUSTIN, JAGUAR, MORRIS, ROVER, TRIUMPH Gar. Estager, 26 bd de Gaulle ✆ 73 93 41 65
BMW Gar. Gergovie, N 9, rte Issoire ✆ 73 79 11 41 N ✆ 73 23 23 23
CITROEN Succursale, 240 bd E.-Clémentel R ✆ 73 24 22 66 N ✆ 73 23 23 23 et 111 bd. G. Flaubert S ✆ 73 27 20 00
FIAT Gd Gar. d'Auvergne, 17 r. Bonnabaud ✆ 73 93 18 18
FIAT Gar. de la Source, bd J.-Moulin ✆ 73 91 02 02
FORD Dugat, 23 av. Agriculture ✆ 73 91 17 67
HONDA Gar. Priouret, 18 av. Mar.-Leclerc ✆ 73 92 40 28
LADA, TOYOTA, Bonaldi, 36 av. de Cournon, Zone Ind. à Aubière ✆ 73 26 34 48
LANCIA-AUTOBIANCHI Gar. Buire, 157 bd. G.-Flaubert ✆ 73 26 44 25
MAZDA-INNOCENTI Dafit, 11-13 bd Gustave-Flaubert, ✆ 73 92 43 39
MERCEDES-BENZ Centre Etoile Automobile, 33 av. du Roussillon N 9 à Aubière ✆ 73 26 34 50 N ✆ 73 91 01 01

OPEL Auvergne-Auto, 3 r. B.-Palissy, Z.I. du Brézet ✆ 73 91 76 56
PEUGEOT TALBOT Gar. de l'Université, 6 et 8 av. des Paulines CY ✆ 73 92 03 50
PEUGEOT-TALBOT SCA Clermontoise Automobile, 27 av. du Brézet S ✆ 73 92 14 12
RENAULT RNUR Succursale de Clermont-Fd, r. Blériot, Zone Ind. du Brézet RS ✆ 73 92 42 30
RENAULT Mondial-Gar., 24 av. Grande-Bretagne CX ✆ 73 91 35 14
V.A.G. Gar. Carnot, 10 r. de Bien Assis ✆ 73 91 70 46

Estager-Pneu, 238 bd Clémentel ✆ 73 23 15 15 et 11 av. J.-Claussat, Chamalières ✆ 73 37 36 05
Piot-Pneu, 80 av. du Brézet ✆ 73 92 13 50
Piot-Pneu, r. Gutenberg ZI du Brézet ✆ 73 91 10 20
Poughon-Pneus, 15 r. du Dr Nivet ✆ 73 92 12 48

Les hôtels ou restaurants agréables sont indiqués dans le guide par un signe rouge.
Aidez-nous en nous signalant les maisons où, par expérience, vous savez qu'il fait bon vivre.
Votre guide Michelin sera encore meilleur.

XXXXX ... X

CLERMONT-L'HÉRAULT 34800 Hérault 83 ⑤ G. Gorges du Tarn – 5 926 h.

Voir Église St-Paul★.

Office de Tourisme 9 r. René-Gosse ☎ 67 96 23 86.

Paris 801 – Béziers 44 – Lodève 20 – ◆Montpellier 41 – Pézenas 21 – St-Pons 74 – Sète 52.

Sarac sans rest, **rte de Béziers** ☎ **67 96 06 81** – wc wc ☎ P. E VISA.
fermé 15 déc. au 15 janv., sam. et dim. du 1er oct. au 1er mars – 19 – **22 ch** 150/170.

PEUGEOT-TALBOT Ryckwaert, rte Montpellier N 9 ☎ 67 96 07 31 N
RENAULT Diffusion-Auto-Clermontaise, rte Montpellier ☎ 67 96 03 42
RENAULT Bouzou, 11 bd Ledru-Rollin ☎ 67 96 01 17
Luchaire-Pneum., av. de Montpellier ☎ 67 96 00 62

CLICHY 92 Hauts-de-Seine 55 ⑳, 101 ⑮ – voir à Paris, Environs.

CLIMBACH 67 B.-Rhin 57 ⑲ – 514 h. – ✉ **67510** Lembach.

Paris 467 – Bitche 38 – Haguenau 28 – ◆Strasbourg 60 – Wissembourg 9.

Ange, ☎ **88 94 43 72** – wc wc ☎ P. ch
fermé 5 au 18 août et 11 nov. au 8 déc. – **R** *(fermé merc. soir et jeudi)* carte 80 à 130 – 15 – **15 ch** 110/120 – 1/2 p 140.

XX **Cheval Blanc** avec ch, ☎ **88 94 41 95,** – wc ☎. E VISA. ch
fermé 1er au 8 juil., 15 janv. au 20 fév., mardi soir et merc. – **R** 85/140 – 18 – **7 ch** 140 – 1/2 p 140.

CLISSON 44190 Loire-Atl. 67 ④ G. Poitou Vendée Charentes – 5 032 h.

Office de Tourisme pl. Minage (juil.-août) ☎ 40 54 02 95.

Paris 372 ⑤ – ◆Nantes 28 ⑤ – Niort 124 ② – Poitiers 150 ① – La Roche-sur-Yon 52 ②.

CLISSON

Bertin (R.) 2
Cacault (R.) 3
Clisson (R. O. de) 4
Dr-Boutin (R.) 6
Dimerie (R. de la) 7
Grand-Logis (R. du) 8
Halles (R. des) 12
Leclerc (Av. Gén.) 13
Nid-d'Oie (Pont de) 14
Nid-d'Oie (Rte de) 16
St-Jacques (R.) 18
Trinité (Gde-R. de la) 22
Vallée (R. de la) 23

NANTES, N 149
D 763, ANCENIS
VERTOU
AIGREFEUILLE D 117
BRESSUIRE, N 149
D 54, ST-JEAN-DE-MONTS
D 763, LA-ROCHE-S-YON POUZAUGES
Sèvre
Nantaise
Moine
Château
R. F. Albert
D 59
D 354
D 54
0 200 m

Ne cherchez pas au hasard un hôtel agréable et tranquille mais consultez les cartes p. 56 à 63.

Aub. de la Cascade , 28 rte de Gervaux **(h)** ☎ **40 54 02 41,** <, – wc P. E VISA.
fermé 1er au 15 oct., lundi (sauf hôtel) et dim. soir – **R** 45/125 – **10 ch** 70/150.

Gare, pl. Gare **(a)** ☎ **40 36 16 55** – wc wc ☎ – 100. E VISA
R *(fermé 6 au 26 juil.)* 56/125 – 18 – **34 ch** 90/195 – 1/2 p 153/258.

XXX ✿ **Bonne Auberge** (Poiron), 1 r. O.-de-Clisson **(e)** ☎ **40 54 01 90,** – AE VISA
fermé 7 au 31 août, 14 au 28 fév., dim. soir et lundi – **R** 72/270
Spéc. Sandre rôti crème de langouste, Sauvageons de Vendée beurre aux truffes, Feuillantine de poires au caramel. **Vins** Muscadet sur lie.

XX **La Vallée,** 1 r. La Vallée **(s)** ☎ **40 54 36 23,** <, – AE E VISA
fermé mardi soir et jeudi soir d'oct. à avril – **R** 58/195 .

CITROEN Méchinaud, ☎ 40 54 41 10
PEUGEOT-TALBOT Baudu, ☎ 40 54 00 67
RENAULT Clisson-Autos, à Gorges, ☎ 40 78 30 55 N
Perry Pneus, à Getigné ☎ 40 36 12 82

CLOHARS-CARNOËT 29121 Finistère 58 ⑫ – 3 428 h.

Paris 509 – Concarneau 31 – Lorient 22 – Quimper 48 – Quimperlé 10.

XX **La Brissandière,** rte de Lorient : 4 km ☎ **98 71 51 34** – AE E VISA
fermé fin sept. à fin oct., lundi soir et mardi – **R** 61/150.

CLOUANGE 57 Moselle 57 ③ – rattaché à Rombas.

CLOYES-SUR-LE-LOIR 28220 E.-et-L. 60 ⑯⑰ **G. Châteaux de la Loire** – 2 653 h.

Paris 143 – Blois 53 – Chartres 56 – Châteaudun 12 – ♦Le Mans 92 – ♦Orléans 61.

XXX ⊕ **Host. St-Jacques** (Le Bras) avec ch, r. Nationale ✆ 37 98 50 08, – wc wc . AE ⓓ E VISA
fermé 25 nov. à début fév., dim. soir et lundi sauf juil.-août et fériés – **R** 160/280, enf. 90 – 40 – **18 ch** 195/280 – ½ p 290/390
Spéc. Oeuf poché au salpicon de homard et saumon mariné aux herbes, Ragoût de rognon et ris de veau au Sauternes, Gibier (en saison). **Vins** Vouvray, Cheverny.

X **Dauphin,** r. J.-Chauveau ✆ 37 98 51 14 – VISA
fermé fév. – **R** *(fermé mardi soir et merc.)* 55/125.

CITROEN Gar. Val de Loir, ✆ 37 98 54 42 [N]
PEUGEOT-TALBOT Cassonnet, ✆ 37 98 51 90 [N] ✆ 37 98 62 71
RENAULT Gar. Chopard, ✆ 37 98 53 32

CLUNY 71250 S.-et-L. 69 ⑲ **G. Bourgogne** – 4 734 h.

Voir Anc. abbaye★ : clocher de l'Eau Bénite★★ – Clocher★ de l'église St-Marcel **B** – Musée Ochier★ **M**.

Env. Berzé-la-Ville : peintures murales★★ de la chapelle 13 km par ③ – Mt St-Romain ※★★15 km par ② – Prieuré★ de Blanot 10 km par ② – Château★ de Berzé-le-Châtel 10 km par ③.

Office de Tourisme 6 r. Mercière (fermé matin hors saison) ✆ 85 59 05 34.

Paris 389 ① – Chalon-sur-Saône 52 ① – Charolles 38 ③ – Mâcon 25 ③ – Montceau-les-Mines 42 ④ – Roanne 79 ③ – Tournus 37 ②.

🏨 ⊕ **Bourgogne** (Gosse), pl. Abbaye **(n)** ✆ 85 59 00 58, « Face à l'abbaye » – wc wc . AE ⓓ E VISA. rest
hôtel : fermé 15 nov. au 15 fév. et mardi sauf du 31 mai au 18 oct. – **R** *(fermé 15 nov. au 15 fév., merc. midi sauf du 31 mai au 18 oct. et mardi midi)* 180/330, enf. 100 – 38 – **14 ch** 320/410 – ½ p 410/540
Spéc. Foie gras frais de canard mi-cuit, Rôti de lotte aux pommes appétit, Canette de Barbarie aux baies roses. **Vins** Givry, Rully.

🏨 **Moderne,** par ③ : 1 km au pont de l'Etang ✆ 85 59 05 65 – wc wc [P] – 60. AE ⓓ E VISA
R *(fermé 15 nov. au 15 fév., dim. soir et lundi sauf du 15 juin au 15 sept.)* 100/220, enf. 55 – 22 – **15 ch** 120/250 – ½ p 250/430.

🏨 **Abbaye,** av. Gare **(e)** ✆ 85 59 11 14 – wc [P]. E VISA
2 mars-28 nov. et fermé hôtel : dim. soir d'oct. à avril ; rest. : dim. soir de sept. à juin et lundi midi – **R** 74/130 – 21 – **16 ch** 82/190 – ½ p 180/285.

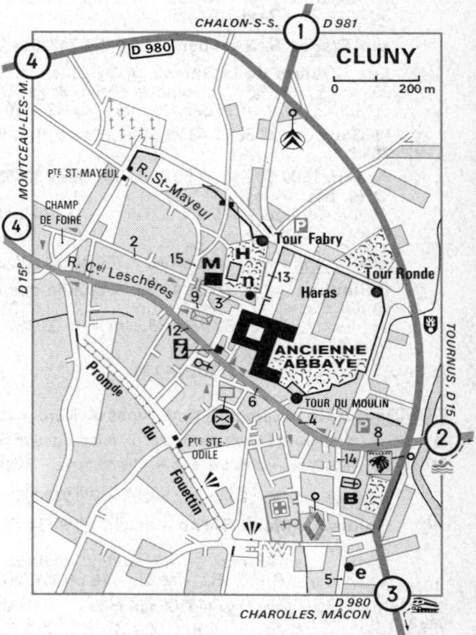

CLUNY

Lamartine (R.)	6	Levée (R. de la)	8
		Marché (Pl. du)	9
Avril (R. d')	2	Mercière (R.)	12
Conant (R.)	3	Pte-des-Prés (R.)	13
Filaterie (R.)	4	Prud'hon (R.)	14
Gare (Av. de la)	5	République (R.)	15

CITROEN Bay, ✆ 85 59 08 85
PEUGEOT Ponceblanc, ✆ 85 59 09 72
PEUGEOT, MERCEDES-BENZ Forest et Simon, à Salornay-sur-Guye par ④ ✆ 85 59 43 11
RENAULT Pechoux et Couratin, par ② ✆ 85 59 04 61 [N]
RENAULT Beaufort, ✆ 85 59 11 76

Lion d'Or

Si le nom d'un hôtel figure en petits caractères demandez, à l'arrivée, les conditions à l'hôtelier.

La CLUSAZ 74220 H.-Savoie **74** ⑦ **G. Alpes du Nord** – 1 687 h. alt. 1 100 – Sports d'hiver : 1 100/2 600 m 5 51.

Voir E : Vallon des Confins★ – Col de la Croix-Fry★ : ★ SO : 5 km.

Office de Tourisme 50 02 60 92, Télex 385125.

Paris 570 – Albertville 40 – Annecy 32 – Bonneville 26 – Megève 29 – Morzine 65.

Le Panorama sans rest, **50 02 42 12,** **montagnes** – cuisinette . VISA.
1er juil.-31 août et 20 déc.-vacances de printemps – 25 – **14 ch** 190/290, 13 studios.

Christiania, **50 02 60 60,** – wc wc . E VISA.
30 juin-16 sept. et 19 déc.-20 avril – **R** 70/130 – 23 – **30 ch** 150/250 – 1/2 p 170/280.

Sapins , **50 02 40 12,** , – wc wc . E VISA
15 juin-15 sept. et 18 déc.-vacances de printemps – **R** 64/76 – 27 – **27 ch** 165/310.

Aravis (annexe - 16 ch), **près Église (au Village)** **50 02 60 31,** , , – wc wc . rest
18 juin-6 sept. et 17 déc.-Pâques – **R** 58/130 – 24 – **41 ch** 122/255.

Nouvel H., **50 02 40 08** – wc wc . E VISA. rest
1er juil.-10 sept. et 20 déc.-20 avril – **R** 72/78 – 23 – **26 ch** 130/260 – 1/2 p 268.

Floralp, **50 02 41 46** – wc wc . rest
26 juin-15 sept. et 19 déc.-20 avril – **R** 60/85 – 25 – **22 ch** 140/240 – 1/2 p 165/210.

Savoie, **50 02 40 51** – wc wc . VISA
vacances de Noël-vacances de printemps – **R** 65/120 – 22 – **14 ch** 160/180.

Vieux Chalet avec ch, **rte Crêt du Merle** **50 02 41 53,** , , – wc wc . E VISA. ch
fermé 13 au 30 juin, 16 au 31 oct., mardi, merc. et jeudi hors sais. – **R** 74/195 , enf. 36 – 24 – **7 ch** 215/265.

aux Etages **S : 3 km par D 909** – **74220** La Clusaz :

Les Chalets de la Serraz M sans rest, **rte Col des Aravis : 1 km** **50 02 48 29,** , , , – cuisinette wc . AE E VISA
20 juin-20 sept. et 15 déc.-1er mai – 32 – **10 ch** 295/395, 3 chalets 620.

Le Gotty , **50 02 43 28,** – wc wc
28 ch.

Aravis 1500 M , **50 02 61 13, Télex 305551,** , , – cuisinette wc . VISA. rest
1er juil.-1er sept. et 15 déc.-20 avril – **R** 120, enf. 50 – 30 – **13 ch** 300, 5 appartements – 1/2 p 300.

aux Confins **E : 5 km par VO** – **74220** La Clusaz :

Bellachat , **50 02 40 50,** **chaîne des Aravis,** – ch wc wc . rest
1er juin-1er oct. et 20 déc.-30 avril – **R** 70/150, enf. 35 – 26 – **31 ch** 150/200 – 1/2 p 200/210.

RENAULT Gar. du Rocher, 50 02 40 38

CLUSES 74300 H.-Savoie **74** ⑦ **G. Alpes du Nord** – 15 906 h.

Syndicat d'Initiative Chalet Savoyard, pl. Allobroges 50 98 31 79.

Paris 576 – Annecy 64 – Bonneville 15 – Chamonix 42 – ♦Genève 45 – Megève 28 – Morzine 29.

à Magland **SE : 8 km par N 205** – **74300** Cluses :

Relais du Mont Blanc avec ch, **50 34 75 33,** , – wc . E VISA.
fermé 1er au 15 mai, 1er au 15 nov., dim. soir et lundi (sauf hôtel aux vacances scolaires) – **R** 100/180 – 25 – **18 ch** 124/260, 5 chalets – 1/2 p 188/250.

CITROEN Gar. Larrivaz, 17 av. République 50 98 12 41
FORD Gander, rte Sallanches 50 98 49 38
PEUGEOT-TALBOT Gar. Savoie, av. des Glières 50 98 82 88

RENAULT SECA, rte Scionzier 50 98 11 50
V.A.G Fillon, av. des Lacs, Scionzier 50 98 24 15

Vaillant, 3 fg St-Nicolas 50 98 63 80

COCURÈS 48 Lozère **80** ⑥ – rattaché à Florac.

For your travels in France, use along with this guide
– the **Michelin Green Guides** (Regions of France)
Picturesque scenery - buildings - scenic routes
– the **Michelin Maps** main road map (scale 1:1 000 000)
and the regional maps (scale 1:200 000)

COGNAC <SP> **16100** Charente **72** ⑫ **G. Poitou Vendée Charentes** – 20 995 h.

🅸 Office de Tourisme pl. J.-Monnet ✆ 45 82 10 71.

Paris 479 ⑥ – **Angoulême 44** ① – ♦**Bordeaux 119** ④ – **Libourne 93** ③ – **Niort 83** ⑥ – **Poitiers 128** ① – **La Roche-sur-Yon 174** ⑥ – **Saintes 26** ⑤.

COGNAC

Angoulême (R. d') .... Y 3
Armes (Place d') .... Y 4
Briand (R. A.) .... Y
Victor-Hugo (Av.) .... Z
14-Juillet (R. du) .... Z 26

Allées (R. des) .... Z 2
Bayard (R.) .... Z 5
Bazouin (R. Abel) .... Y 6
Boucher (R. Cl.) .... Y 8
Chalais (R. de) .... Z 9
Cordeliers (R. des) .... Y 10
Crouin (R. de) .... Y 12
François-1er (R.) .... Y 14

Grande-Rue .... Y 15
Isle-d'Or (R. de l') .... Y 16
Lattre-de-T. (R. de) .... Y 18
Lusignan (R. de) .... Y 20
Magdeleine (R.) .... Y 21
Martell (Pl. Ed.) .... Z 22
Monnet (Pl.) .... Z 23
Saulnier (R.) .... Y 25

🏨 **Le Valois** Ⓜ sans rest, **35 r. 14-Juillet** ✆ **45 82 76 00, Télex 790987** – ▤ ⇔wc ☎ ♿ Ⓟ. AE ⓞ E VISA Z **a**
fermé 17 déc. au 2 janv. et sam. du 1er nov. au 1er mai – ☕ 25 – **30 ch** 285/310.

🏨 **Moderne** sans rest, **24 r. E.-Mousnier** ✆ **45 82 19 53, Télex 793105** – 🛗 TV ⇔wc ☎ ♿ Ⓟ. ⓞ E VISA Z **b**
fermé 20 déc. au 4 janv. – ☕ 23 – **40 ch** 180/250.

tourner →

L'Étape, 2 av. Angoulême N 141 par ① ✆ 45 32 16 15 – wc wc ☎ P. E VISA
fermé 15 déc. au 15 janv. – **R** *(fermé dim.)* 54/120 ♁, enf. 35 – 18 – **22 ch** 98/210 – 1/2 p 175/250.

L'Auberge, 13 r. Plumejeau ✆ 45 32 08 70 – TV wc wc ☎ – 30. E VISA Z n
fermé 20 déc. au 10 janv. – **R** *(fermé sam.)* 70/170 ♁, enf. 60 – 20 – **22 ch** 150/230.

Orléans sans rest, 25 r. d'Angoulême ✆ 45 82 01 26 – wc wc ☎. E VISA
36 ch 100/200.

XXX **Pigeons Blancs** avec ch, 110 r. J.-Brisson ✆ 45 82 16 36, – wc wc ☎ P. AE E VISA. ch Y d
R *(fermé dim. soir)* 90/250, enf. 65 – 28 – **10 ch** 180/300 – 1/2 p 230/350.

XX **Le Coq d'Or,** 33 pl. François 1er ✆ 45 82 02 56 – AE E VISA Z e
fermé vacances de nov., vend. soir hors sais. et dim. – **R** 80/180 ♁, enf. 40.

à Châteaubernard par ① et D 15 : 3 km – ✉ **16100** Cognac :

XX **L'Échassier,** ✆ 45 32 29 04, – P. AE E VISA
fermé dim. – **R** 95/135, enf. 60.

à St-Laurent-de-Cognac par ⑤ : 6 km – ✉ **16100** Cognac :

Logis de Beaulieu , N 141 ✆ 45 82 30 50, ←, , parc – TV wc wc ☎ P. AE E VISA
R 110/200 – **21 ch** 100/450 – 1/2 p 230/380.

à Cierzac (17 Char.-Mar.) par ③ : 13 km D 731 :

XXX ✿ **Moulin de Cierzac** M avec ch, ✉ 17520 Archiac ✆ 45 83 01 32, , « Au bord de l'eau, parc » – wc ☎ P – 40. AE E VISA
fermé 25 janv. au 28 fév., lundi (sauf le soir en sais.) et dim. soir de nov. à mars – **R** 130/180 (sauf fêtes) – 30 – **10 ch** 190/390
Spéc. Petits gris d'Aunis (mai à nov.), Cassolette d'huîtres à la Fine Champagne (oct. à avril), Sole et ris de veau au beurre de langoustines.

BMW Gar. Grammatico, rte d'Angoulême ✆ 45 32 50 93
CITROEN Gar. Santuret, rte Angoulême à Châteaubernard par ① ✆ 45 32 27 50 N ✆ 45 90 40 76
MERCEDES-BENZ SO.CO.VA., 21 av. Angoulême ✆ 45 32 27 77
PEUGEOT-TALBOT Cognac Gar., Le Buisson Moreau à Châteaubernard par ① ✆ 45 32 25 29
RENAULT G.A.M.C., 242 av. Victor-Hugo par ① ✆ 45 32 18 93 N ✆ 46 96 40 76

Cognac-Pneus, 44 bd de Chatenay ✆ 45 35 08 96
Moyet-Pneus, rte Barbezieux ✆ 45 82 24 66
Rogeon-Pneus, rte d'Angoulême à Châteaubernard ✆ 45 35 32 50

COGOLIN 83310 Var 84 ⑰ G. Côte d'Azur – 5 647 h.

Office de Tourisme pl. République ✆ 94 54 63 18.

Paris 868 – Hyères 42 – Le Lavandou 31 – St-Tropez 9 – Ste-Maxime 13 – ♦Toulon 60.

Coq H. sans rest, pl. Gén.-de-Gaulle ✆ 94 54 63 14 – wc ☎ P. AE E VISA
fermé janv. – 25 – **18 ch** 200/270.

Clemenceau sans rest, pl. Gén.-de-Gaulle ✆ 94 54 62 67 – wc wc ☎. AE E VISA
fermé janv. – 21 – **30 ch** 132/254.

XX **Lou Capoun,** r. Marceau ✆ 94 54 44 57 –
fermé janv., dim. soir du 15 sept. au 15 avril et merc. (sauf le soir du 15 avril au 15 sept.) – **R** 80/110.

Aude, N 98, Valensole ✆ 94 54 54 21

COIGNIÈRES 78 Yvelines 60 ⑨, 196 ㉘ – 3 789 h. – ✉ 78310 Maurepas.

Paris 39 – Longjumeau 33 – Mantes-la-Jolie 42 – Rambouillet 13 – Versailles 18.

XXX ✿ **Aub. du Capucin Gourmand** (Lebrault), N 10 ✆ (1) 34 61 46 06, – P. AE E VISA
fermé dim. sauf fêtes – **R** carte 280 à 365
Spéc. Gratin d'huîtres et St-Jacques (oct. à mars), Marmite de homard aux pleurotes, Ris de veau au calvados.

XXX **La Maison d'Angèle,** 296 rte Nationale 10 ✆ (1) 34 61 64 62 – P. AE E VISA
fermé août, vacances de fév., dim. soir et lundi – **R** 200 bc/305.

CITROEN Gar. Collet, 21 rte Nationale 10 ✆ (1)30 50 11 30
CITROEN Succursale, av. des Prés, Z.A.S. à Montigny-le-Bretonneux ✆ (1)30 43 99 51
PEUGEOT-TALBOT Trujas, 5 av. Komarov, Zone Ind., Trappes ✆ (1)30 50 34 09
RENAULT Succursale, 2 av. Komarov, Zone Ind., Trappes ✆ (1)30 62 43 19

La Centrale du Pneu, 109-115 rte Nationale 10 ✆ (1)30 50 27 36

COL voir au nom propre du col.

COLIGNY 01270 Ain 70 ⑬ – 1 132 h.

Paris 412 – Bourg-en-Bresse 21 – Lons-le-Saunier 40 – Mâcon 45 – Tournus 54.

XX ❀ **Au Petit Relais** (Guy), ✆ 74 30 10 07, 常 – AE ◑ E VISA
fermé 1er au 24 juin, vacances de fév., mardi soir et merc. – **R** (nombre de couverts limité - prévenir) 90/270
Spéc. Cassolette de queues d'écrevisses au safran (juin à déc.), Bar à la mignonette, Volaille de Bresse pochée. **Vins** St-Véran, Brouilly.

à Moulin-des-Ponts S : 5,5 km sur N 83 – ✉ **01270** Coligny :

🏨 ❀ **Solnan** (Marguin) M, ✆ 74 51 50 78, 🌳 – TV ⇔wc ☎ 🚗 P – 🏛 40. E VISA
fermé janv., dim. soir et lundi hors sais. – **R** 95/260 – ☕ 24 – **16 ch** 230/400 – 1/2 p 230/300
Spéc. Feuilleté de foie gras d'oie, Volaille de Bresse au vin du Jura, Cassolette de langoustines (sept. à mai). **Vins** Chiroubles.

La COLLE-SUR-LOUP 06480 Alpes-Mar. 84 ⑨, 195 ㉟ **G. Côte d'Azur** – 4 749 h.

Voir Vallée du Loup★★ O : 2 km.

Paris 930 – Antibes 15 – Cagnes-sur-Mer 6 – Cannes 26 – Grasse 19 – ♦Nice 19 – Vence 8.

🏨 **Marc Hély** M 🐦 sans rest, SE : 0,8 km par D 6 ✆ 93 22 64 10, « Confortable villa dans un jardin » ≤ – TV ⇔wc ⋒wc ☎ P. AE E VISA
10 mars-30 oct. – ☕ 28 – **14 ch** 220/320.

XXX **Host. de l'Abbaye** avec ch, av. Libération ✆ 93 32 66 77, Télex 462304, 常, « Ancienne abbaye du 12e s. », 🏊, 🌳 – TV ⇔wc ☎ P – 🏛 50. AE ◑ E VISA
fermé janv. – **R** *(fermé dim. soir et lundi du 15 sept. au 15 mai)* 180/240, enf. 110 – ☕ 40 – **13 ch** 350/750 – 1/2 p 570/720.

XXX **La Belle Époque,** SE : 2 km par D 6 ✆ 93 20 10 92, 常, 🌳 – P. AE ◑ VISA
fermé 5 janv. au 15 fév. et lundi – **R** 165.

X **La Stréga,** SE : 1,5 km D 6 ✆ 93 22 62 37, 常 – P. E VISA
fermé 3 janv. au 28 fév., dim. soir (sauf juil.-août) et lundi – **R** 150.

Voir aussi 🏨 ❀ Mas d'Artigny à ***St-Paul***

Le COLLET 88 Vosges 62 ⑱ – rattaché à la Schlucht.

COLLEVILLE-MONTGOMERY 14 Calvados 54 ⑯ – rattaché à Ouistreham.

COLLIAS 30 Gard 80 ⑲ – 617 h. – ✉ **30210** Remoulins.

Paris 698 – Avignon 31 – Nîmes 29 – Uzès 11.

XX **Les Olivades,** ✆ 66 22 87 92, 常, 🌳 – P. AE VISA
fermé fév. et lundi d'oct. à juin – **R** 90/200.

COLLIOURE 66190 Pyr.-Or. 86 ⑳ **G. Pyrénées Roussillon** (plan) – 2 741 h.

Voir Site★★ – Retables★ dans l'église.

ℹ Syndicat d'Initiative pl. Mairie ✆ 68 82 15 47.

Paris 931 – Argelès-sur-Mer 6 – Céret 32 – ♦Perpignan 27 – Port-Vendres 4 – Prades 64.

🏨 **Casa Païral** 🐦 sans rest, face au parking ✆ 68 82 05 81, « Bel aménagement intérieur et jardin fleuri », 🏊 – ☎ P. VISA
1er avril-2 nov. – ☕ 31 – **24 ch** 265/460.

🏨 **Ambeille** M sans rest, rte Port-d'Avail ✆ 68 82 08 74, ≤ – ⇔wc ⋒wc ☎ P. 🚫
Pâques-fin sept. – ☕ 25 – **21 ch** 200/270.

🏨 **Madeloc** 🐦 sans rest, r. R.-Rolland ✆ 68 82 07 56, ≤ – ⇔wc ⋒wc ☎ P. AE ◑ E VISA
15 avril-15 oct. – ☕ 27 – **22 ch** 210/300.

🏨 **Méditerranée** M sans rest, av. A.-Maillol ✆ 68 82 08 60 – ⇔wc ⋒wc ☎ 🚗. ◑ VISA. 🚫
début mars-fin oct. – ☕ 27 – **23 ch** 180/255.

🏨 **Mas des Citronniers** sans rest, 22 av. République ✆ 68 82 04 82 – ⇔wc ⋒wc ☎ P. VISA
1er avril-10 nov. – ☕ 27 – **24 ch** 210/320.

🏨 **Le Bon Port,** rte Port-Vendres ✆ 68 82 06 08, ≤, 常, 🌳 – ⇔wc ⋒wc ☎ P. 🚫 rest
R 78/99 – ☕ 22 – **22 ch** 200/240 – 1/2 p 210/225.

🏨 **Les Caranques** 🐦, rte Port-Vendres ✆ 68 82 06 68, « Terrasses et ≤ vieux port » – ⋒wc ☎. VISA. 🚫
1er avril-10 oct. – **R** (résidents seul.) – ☕ 25 – **16 ch** 130/240 – 1/2 p 180/240.

🏨 **Les Terrasses** sans rest, r. Jean Bart ✆ 68 82 06 52, ≤ – ⇔wc ⋒wc ☎. AE E VISA
18 ch ☕ 112/258.

🏨 **Boramar** sans rest, r. Jean-Bart ✆ 68 82 07 06, ≤ – ⋒wc ☎. 🚫
25 mars-3 nov. – ☕ 19 – **14 ch** 140/230.

XXX **La Balette** (chambres prévues), rte Port-Vendres ✆ 68 82 05 07, ⛱, « Terrasses et ≤ vieux port » – **P**. VISA – *fermé 7 janv. au 7 fév., dim. soir et lundi sauf du 1er mai au 31 oct.* – **R** carte 200 à 290.

XX **La Bodega,** r. République ✆ 68 82 05 60 – ▤. AE ⓓ VISA
fermé 9 nov. au 23 déc., lundi soir et mardi du 15 sept. au 30 juin – **R** 75/185.

X Bona Casa avec ch, av. République ✆ 68 82 06 62 – ⋔ – **8 ch**.

X **Chiberta,** 18 av. Gén.-de-Gaulle ✆ 68 82 06 60 – VISA
1er avril-30 sept. et fermé lundi soir et mardi du 1er avril au 30 juin – **R** 57/78, enf. 32.

X **Le Puits,** r. Arago ✆ 68 82 06 24 – ⓓ E VISA
1er mars-12 nov. et fermé dim. soir et lundi (sauf du 15 juin au 15 sept.) – **R** 92.

RENAULT Gar. Daider, ✆ 68 82 08 34

COLLONGES-AU-MONT-D'OR 69 Rhône 74 ⑪ – rattaché à Lyon.

COLLONGES-LA-ROUGE 19 Corrèze 75 ⑨ **G. Périgord Quercy** (plan) – 379 h. – ✉ **19500** Meyssac – **Voir Village**★★ – **Saillac : tympan**★ **de l'église S : 4 km.**

Paris 508 – Aurillac 88 – Brive-la-Gaillarde 21 – Martel 19 – St-Céré 41 – Tulle 45.

🏠 **Relais St-Jacques de Compostelle** 🐦, ✆ 55 25 41 02, ⛱, 🌳 – ⌂wc ⋔ ☎. AE ⓓ E VISA
fermé 1er déc. au 1er fév., mardi soir et merc. d'oct. aux vacances de printemps – **R** 70/200, enf. 45 – ☕ 20 – **12 ch** 95/210 – 1/2 p 180/240.

COLMAR P 68000 H.-Rhin 62 ⑲ **G. Alsace et Lorraine** – 63 764 h.

Voir Retable d'Issenheim★★★ (musée d'Unterlinden★★) BY – Ville ancienne★★ BY : Maison Pfister★★ BY **K**, Église St-Martin★ BY **F**, Maison des Arcades★ BY **E**, Maison des Têtes★ BY **Y**, Ancienne Douane★ BY **N**, Ancien Corps de Garde★ BY **L** – Vierge au buisson de roses★★ et vitraux★ de l'église des Dominicains BY **B** – Quartier de la Krutenau★ BZ : Tribunal civil★ BY **J** – ≤★ du pont St-Pierre BZ **V** sur "la petite Venise" – Vitrail de la crucifixion★ de l'église St-Matthieu CY **D**.

✈ de Colmar-Houssen : T.A.T. ✆ 89 23 99 33 par ① : 3 km – **i** Office de Tourisme 4 r. Unterlinden ✆ 89 41 02 29, Télex 880242 – A.C. 58 av. République ✆ 89 41 31 56.

Paris 441 ⑥ – ♦Bâle 68 ③ – Freiburg 52 ② – ♦Nancy 140 ⑥ – ♦Strasbourg 71 ①.

Plan page ci-contre

🏨 **Terminus-Bristol,** 7 pl. Gare ✆ 89 23 59 59, Télex 880248 – 🛗 TV ☎ – 🧑‍🏫 30. AE ⓓ E VISA — AZ **g**
R voir rest. **Rendez-vous de Chasse** ci-après – **L'Auberge R** carte 110 à 160 🍷 – ☕ 40 – **70 ch** 300/750 – 1/2 p 410/500.

🏨 **Amiral** M sans rest, 11a bd Champ-de-Mars ✆ 89 23 26 25, Télex 880852 – 🛗 TV ⌂wc ⋔wc ☎ ♿ – 🧑‍🏫 60. AE ⓓ E VISA — BY **d**
☕ 38 – **40 ch** 250/450.

🏨 **Colbert** sans rest, 2 r. Trois-Épis ✆ 89 41 31 05 – 🛗 ▤ TV ⌂wc ⋔wc ☎. E VISA — AY **d**
☕ 21 – **50 ch** 150/198.

🏨 **Turenne** M sans rest, 10 rte Bâle ✆ 89 41 12 26, Télex 880959 – 🛗 TV ⌂wc ⋔wc ☎ 🚗. AE ⓓ E VISA — BZ **x**
☕ 20 – **85 ch** 150/260.

🏨 **St Martin** sans rest, 38 Gd rue ✆ 89 24 11 51 – 🛗 ⇹ TV ⌂wc ☎. ⓓ E VISA — BY **e**
fermé janv. – ☕ 28 – **23 ch** 190/400.

🏨 **Majestic,** 1 r. Gare ✆ 89 41 45 19 – 🛗 ⌂wc ⋔wc ☎. E VISA. 🐕 rest — AY **k**
fermé mi-déc. à mi-janv. – **R** *(fermé lundi soir et dim.)* 55/150 🍷, enf. 40 – ☕ 19 – **40 ch** 170/190.

🏠 **de la Fecht,** 1 r. Fecht ✆ 89 41 34 08, Télex 880650 – TV ⌂wc ⋔wc ☎ ♿ **P**. AE ⓓ E VISA. 🐕 rest — BX **u**
R 49/180 🍷, enf. 40 – ☕ 22 – **39 ch** 210/280 – 1/2 p 220/250.

🏠 **Arcade** M sans rest, 10 r. St Eloi ✆ 89 41 30 14, Télex 870553 – 🛗 TV ⋔wc ☎ ♿ – 🧑‍🏫 60. E VISA — CY **a**
☕ 24 – **48 ch** 175/225.

XXXX ✿✿ **Schillinger,** 16 r. Stanislas ✆ 89 41 43 17, « Décor élégant » – AE ⓓ E VISA
fermé 5 juil. au 1er août, dim. soir et lundi sauf fériés – **R** 220/390 et carte 🍷 — AY **n**
Spéc. Foie gras frais, Caneton au citron. **Vins** Pinot blanc.

XXX ✿ **Rendez-vous de Chasse** -Hôtel Terminus Bristol-, 7 pl. Gare ✆ 89 41 10 10 – AE ⓓ E VISA — AZ **g**
fermé dim. soir du 1er janv. au 13 mars – **R** 190/350
Spéc. Foie gras d'oie à la cuillère, Effeuillade de raie en vinaigrette, Selle de chevreuil en noisettes aux airelles (15 juil. au 31 déc.). **Vins** Pinot blanc, Riesling.

XXX ✿ **Fer Rouge** (Fulgraff), 52 Gd' Rue ✆ 89 41 37 24, « Vieille maison alsacienne » – AE ⓓ E VISA. 🐕 — BY **s**
fermé 31 juil. au 10 août, 8 au 29 janv., dim. soir et lundi – **R** 195/390, enf. 100
Spéc. Pot-au-feu d'escargots à l'étoile d'anis, Choucroute nouvelle et foie poêlé (oct. à mars), Civet de porc ivre de vin rouge lié au sang (oct. à mai). **Vins** Pinot blanc, Tokay Pinot gris.

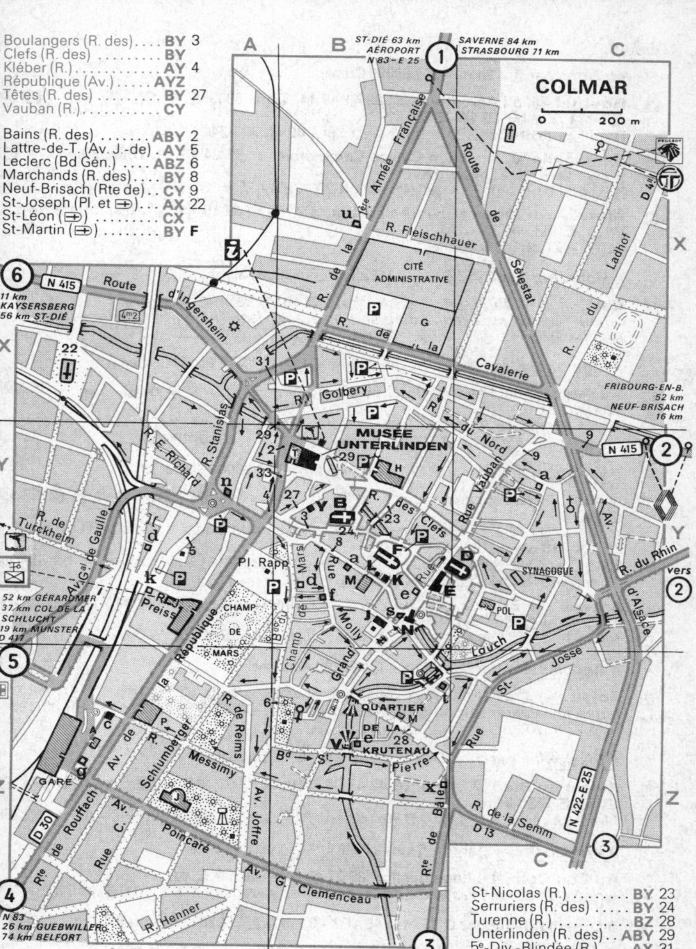

XXX **Maison des Têtes,** 19 r. Têtes ☎ 89 24 43 43, « Belle maison du 17e s., atmosphère locale » – AE ⓓ E VISA BY **y**
fermé 15 janv. au 15 fév., dim. soir et lundi – **R** 85/240.

XX **Da Alberto,** 24 r. Marchands ☎ 89 23 37 89, cuisine italienne, – E VISA BY **a**
fermé 8 au 29 août, dim. soir et lundi – **R** carte 140 à 210 ₰.

XX **Les Hortensias,** 6 r. Henner - AZ - ☎ 89 41 44 89, produits de la mer – AE ⓓ E VISA
fermé 5 août au 2 sept., 2 au 13 janv., sam. et dim. – **R** 135/230 ₰.

XX **Rapp** avec ch, 16 r. B.-Molly ☎ 89 41 62 10 – wc ☎. AE ⓓ E VISA BY **f**
fermé 20 déc. au 5 janv. – **R** *(fermé merc.)* 60/195 ₰, enf. 35 – 18 – **14 ch** 70/220 – ½ p 150/200.

X **Trois Poissons,** 15 quai Poissonnerie ☎ 89 41 25 21 – AE ⓓ E VISA BZ **t**
fermé 24 juin au 16 juil., 21 déc. au 3 janv., mardi soir et merc. – **R** 125/200.

X **Caveau St-Pierre,** 24 r. Herse ☎ 89 41 99 33, – E VISA BZ **e**
fermé 26 juin au 12 juil., vacances de Noël, de fév., dim. soir et lundi – **R** carte 85 à 170 ₰, enf. 45.

tourner →

au Nord par ① : 2 km – ✉ **68000** Colmar :

Novotel Ⓜ, à l'Aérodrome ✆ **89 41 49 14, Télex 880915**, ←, ☂, ⛱, 🌳 – TV ☎ Ⓟ – 🏊 30 à 60. AE ⓓ E VISA
R grill carte environ 120, enf. 40 – ☕ 38 – **66 ch** 300/340.

Campanile Ⓜ, direction Centre Commercial ✆ **88 24 18 18, Télex 880867** – TV ⊡wc ☎ ♿ Ⓟ – 🏊 25. VISA
R 63 bc/86 bc, enf. 38 – ☕ 24 – **42 ch** 200/220 – $^1/_2$ p 287/330.

Motel Azur sans rest, **50 rte Strasbourg** ✆ **89 41 32 15**, 🌳 – cuisinette ⊡wc ⫨ ☎ Ⓟ. E VISA. ✂
☕ 16 – **21 ch** 95/165.

à Horbourg par ② : 3,5 km – 3 582 h. – ✉ **68000** Colmar :

Cerf, ✆ **89 41 20 35**, 🌳 – ⊡wc ⫨wc ☎ Ⓟ. E VISA. ✂
fermé 18 janv. au 7 mars, dim. soir hors sais. (sauf hôtel) et lundi (sauf hôtel en sais.) – **R** 75/160 🍷 – ☕ 22 – **27 ch** 190/225 – $^1/_2$ p 170/220.

à Ingersheim par ⑥, rte St Dié : 4 km – 4 271 h. – ✉ **68000** Colmar :

Kuehn Ⓜ, quai Fecht ✆ **89 27 38 38**, ←, 🌳 – 🛗 ⊡wc ☎ ♿ Ⓟ – 🏊 40. E VISA ✂ rest
fermé 27 juin au 8 juil., 14 nov. au 9 déc., mardi soir de déc. à juin et merc. (sauf hôtel de juil. à nov.) – **R** 150/260, enf. 35 – ☕ 25 – **28 ch** 190/270.

à Wettolsheim par ⑤ et D 1bis II : 4,5 km – ✉ **68000** Colmar :

XXX ✿ **Aub. Père Florane** avec ch, ✆ **89 80 79 14**, 🌳 – TV ⊡wc ⫨wc ☎ Ⓟ. AE ⓓ E VISA. ✂ ch
fermé 1er au 15 juil., 13 nov. au 16 déc., dim. soir hors sais. et lundi – **R** 85/300 🍷 – ☕ 30 – **13 ch** 95/180
Spéc. Quatre foies gras de l'auberge, Symphonie de la mer à la crème d'oursins (1er oct.-15 mai), Gibier (juin à fév.). **Vins** Edelzwicker, Riesling.

Annexe : Le Pavillon Ⓜ 🐎, « **Collection de coquillages** » – TV ⊡wc ⫨wc ☎ ♿ Ⓟ. AE ⓓ E VISA. ✂ ch
fermé 1er au 15 juil. et 13 nov. au 16 déc. – ☕ 30 – **18 ch** 220/400.

à Andolsheim par ② : 6 km – ✉ **68280** Andolsheim :

Soleil 🐎, ✆ **89 71 40 53**, 🌳 – ⊡wc ⫨wc ☎ 🚗 Ⓟ. AE ⓓ VISA
fermé fév., mardi soir hors sais. et merc. – **R** 110/290 🍷 – ☕ 22 – **17 ch** 90/190 – $^1/_2$ p 220/320.

à Bischwihr par ② et D 111 : 8 km – ✉ **68320** Muntzenheim :

Relais du Ried Ⓜ 🐎, ✆ **89 47 47 06, Télex 870592**, 🌳 – TV ⊡wc ⫨wc ☎ Ⓟ AE ⓓ E VISA. ✂ rest
fermé 12 déc. au 12 janv. – **R** 80/160, enf. 33 – ☕ 22 – **60 ch** 180/210 – $^1/_2$ p 190/260

à Wintzenheim par ⑤ : 6 km – 6 740 h. – ✉ **68000** Colmar :

X **Au Bon Coin**, 4 r. Logelbach ✆ **89 27 48 04** – AE ⓓ E VISA
fermé 4 au 22 juil., vacances de fév., mardi soir et merc. – **R** 57/180 🍷, enf. 40.

à Logelheim SE par D 13 et D 45 - CZ - 9 km – ✉ **68280** Andolsheim :

X **Stoffel "A la Vigne"** 🐎 avec ch, ✆ **89 22 08 40** – AE ⓓ E VISA. ✂
fermé 20 juin au 11 juil., 20 au 31 déc., mardi soir et merc. – **R** 105/160 dîner à la carte – ☕ 22 – **7 ch** 90/150 – $^1/_2$ p 170.

au Sud, rte d'Herrlisheim : 10 km par N 422 et D 1 – ✉ **68420** Herrlisheim-près-Colmar :

Au Moulin Ⓜ 🐎 sans rest, ✆ **89 49 31 20** – 🛗 ⊡wc ☎ Ⓟ – 🏊 25. ✂
26 mars-13 nov. – ☕ 30 – **14 ch** 140/260.

AUTOBIANCHI-LANCIA Sem' Autos, 31 r. de la Semm ✆ 89 24 11 42
BMW J.M.S. Auto, 124 rte Neuf-Brisach ✆ 89 24 25 53
CITROEN Alsauto, 4 r. Timken, Zone Ind. Nord par ① ✆ 89 24 29 24 N
FIAT Auto-Market-Colmar, 124 rte de Neuf-Brisach ✆ 89 41 57 80
FORD Bolchert, 77 r. Morat ✆ 89 79 11 25
HONDA-LADA-SKODA Europe-Autos-Colmar, 101 rte Rouffach par ④ ✆ 89 41 10 13
MERCEDES Gar. Dietrich, à Ingersheim ✆ 89 27 04 77
OPEL Gangloff, 15 r. Stanislas ✆ 89 41 19 50
PEUGEOT-TALBOT Gar. Colmar Autom., 1 rte de Strasbourg, ✆ 89 41 43 88

RENAULT Gar. du Stade, 122 r. du Ladhof C ✆ 89 23 99 43 N
RENAULT Gar. Reech, 1 Gde-Rue, Horbourg-Wihr ✆ 89 41 26 40 N ✆ 89 24 44 41
RENAULT Gar. Reecht, 71 a Gde-Rue à Horbourg-Wihr ✆ 89 41 27 28
TOYOTA, VOLVO Auto-Hall, 84 rte de Neuf-Brisach ✆ 89 41 81 10
V.A.G. Gar. Dittel, 138 rte de Neuf-Brisach ✆ 89 41 47 15

Ⓜ Kautzmann, 64 r. Papeteries ✆ 89 41 06 24
Pneus et Services D.K 5 r. J.-Preiss ✆ 89 41 ... 01 et 11 r. des Frères-Lumière, Zone Ind. Nord ✆ 89 41 94 72

à Wintzenheim :

CITROEN Gar. Schaffhauser, 25 rte Rouffach par ⑤ ✆ 89 41 01 07 N ✆ 89 80 60 18

RENAULT Gar. Lauber, 6 r. Clemenceau par ⑤ ✆ 89 27 02 02

COLMARS **04370** Alpes-de-H.-P. 81 ⑧ **G. Alpes du Sud (plan)** – 314 h. alt. 1 235.

Voir Route★ du col de la Colle St Michel.

Paris 813 – Barcelonnette 44 – Cannes 129 – Digne 71 – Draguignan 109 – ♦Nice 124.

Le Chamois, ✆ 92 83 43 29, ≤, – wc wc ☎ P. E VISA. rest
22 mai-mi-oct. et Noël-Pâques – **R** 65/80, enf. 40 – 22 – **26 ch** 170/190 – 1/2 p 202/265.

COLOMARS **06** Alpes-Mar. 84 ⑨, 195 ㉖ – 1 714 h. – ✉ **06670** St-Martin-du-Var.

Paris 951 – Antibes 32 – Cannes 43 – Grasse 49 – Levens 22 – ♦Nice 17 – Vence 22.

Rédier M, ✆ 93 37 94 37, ≤, , « **Jardin fleuri,** » – TV wc wc ☎ P – 30. AE E VISA
fermé 2 au 31 janv. – **R** 80/300 – 30 – **27 ch** 320/350 – 1/2 p 320.

COLOMBEY-LES-DEUX-ÉGLISES **52330** H.-Marne 61 ⑲ **G. Champagne** – 347 h.

Voir Mémorial du Général-de-Gaulle et la Boisserie (musée).

Paris 229 – Bar-sur-Aube 15 – Châtillon-sur-Seine 62 – Chaumont 27 – Neufchâteau 70.

Dhuits M, N 19 ✆ 25 01 50 10 – TV wc ☎ P – 50. AE ① E VISA
fermé 20 déc. au 10 janv. – **R** 60/170 , enf. 40 – 24 – **30 ch** 180/210 – 1/2 p 210/260.

XX **Aub. Montagne** avec ch, ✆ 25 01 51 69, – wc wc P. AE E VISA ch
fermé 22 au 29 déc., mi-janv. à mi-fév., lundi soir et mardi de sept. à fin mai – **R** 70/250 – 26 – **9 ch** 90/200.

Garage Archambaux, ✆ 25 01 51 43

COLOMBIÈRES-SUR-ORB **34** Hérault 83 ④ – 339 h. – ✉ **34390** Olargues.

Paris 847 – Béziers 49 – Lodève 44 – ♦Montpellier 85 – St-Pons 29.

X **Aub. du Gravassou,** ✆ 67 95 81 46, , – P. E VISA
fermé 15 au 30 nov., 1er au 15 fév., le soir du 1er sept. au 14 juin et lundi – **R** 92/152 , enf. 40.

COLOMIERS **31** H.-Gar. 82 ⑦ – rattaché à Toulouse.

COLPO **56** Morbihan 63 ③ – 1 378 h. – ✉ **56390** Grandchamp.

Paris 449 – Auray 28 – Josselin 28 – Locminé 9 – Plumelec 14 – Pluvigner 18 – Vannes 19.

Aub. Korn er Hoët, ✆ 97 66 82 02 – wc ☎ P. E VISA
fermé 20 déc. au 20 janv., lundi (sauf le soir en juil.-août) et dim. soir hors sais. – **R** 70/200 – 20 – **17 ch** 90/220 – 1/2 p 140/200.

COLROY-LA-ROCHE **67** B.-Rhin 62 ⑧ – 431 h. – ✉ **67420** Saales.

Paris 400 – Lunéville 65 – St-Dié 31 – Sélestat 30 – ♦Strasbourg 62.

✿✿ **Host. La Cheneaudière** M, ✆ 88 97 61 64, Télex 870438, ≤, , « **Élégante hostellerie dans un jardin** », – rest TV ☎ P. AE ① E VISA
fermé janv. et fév. – **R** 220/390 et carte – 65 – **23 ch** 460/700, 4 appartements 1300 – 1/2 p 530/920
Spéc. Tartare de saumon sauvage, Foie gras fumé au bois de genevrier, Gibier (en saison). **Vins** Pinot blanc, Tokay Pinot gris.

RENAULT Gar. Wetta, St-Blaise-la-Roche ✆ 88 97 60 84 N

La COMBE **73** Savoie 74 ⑮ – rattaché à Aiguebelette (lac d').

COMBEAUFONTAINE **70120** H.-Saône 66 ⑤ – 490 h.

Paris 351 – Bourbonne-les-B. 37 – Épinal 85 – Gray 40 – Langres 51 – Luxeuil-les-B. 47 – Vesoul 24.

Balcon, ✆ 84 92 11 13 – wc wc . AE ① E VISA.
fermé 30 juin au 8 juil., 26 déc. au 12 janv., dim. soir et lundi – **R** 70/250 – 25 – **24 ch** 85/240 – 1/2 p 150/190.

La COMBE-DES-ÉPARRES **38** Isère 74 ⑬ – rattaché à Bourgoin-Jallieu.

COMBE-LAVAL ★★★ **26** Drôme 77 ③⑬ **G. Alpes du Nord.**

COMBLOUX 74920 H.-Savoie 74 ⑧ **G. Alpes du Nord** – 1 421 h. alt. 1 000 – Sports d'hiver : 1 000/1 853 m ⛷11 – **Voir La Cry** ** O : 3 km.

Office de Tourisme ☎ 50 58 60 49, Télex 385550.

Paris 595 – Annecy 65 – Bonneville 37 – Chamonix 35 – Megève 5 – Morzine 52 – St-Gervais-les-B. 8.

Ducs de Savoie Ⓜ, au Bouchet ☎ 50 58 61 43, ≤ Mt-Blanc, – ☎ Ⓟ – 30. AE ⓓ E VISA. rest
12 juin-20 sept. et 18 déc.-Pâques – **R** 120/180 – 37 – **50 ch** 300/420 – ½ p 280/370.

Coeur des Prés , ☎ 50 93 36 55, ≤ Aravis et Mt-Blanc, – wc ☎ Ⓟ – 40. VISA. rest
14 juin-18 sept. et 20 déc.-15 avril – **R** 95/160 – 30 – **34 ch** 210/320 – ½ p 245/300.

Ideal-Mont-Blanc , ☎ 50 58 60 54, ≤ Mt-Blanc, – TV wc ☎ Ⓟ. AE ⓓ E VISA
14 juin-15 sept. et 20 déc.-vacances de printemps – **R** 122/146 – 36 – **27 ch** 222/360 – ½ p 269/341.

Plein Soleil , ☎ 50 58 60 81, ≤ Mt-Blanc, – TV wc ☎ Ⓟ. AE E VISA. rest
19 juin-25 sept. et Noël-Pâques – **R** 114/140 – 31 – **27 ch** 315/331 – ½ p 240/310.

Aiguilles de Warens, ☎ 50 93 36 18 – wc wc ☎. AE ⓓ E VISA
21 juin-10 sept. et 21 déc.-15 avril – **R** 105/140 – 30 – **34 ch** 290/330 – ½ p 255/290.

L'Fredi, ☎ 50 93 30 19 – wc ☎ Ⓟ. VISA. rest
20 juin-20 sept. et 20 déc.-20 avril – **R** 87/102 – 26 – **18 ch** 125/230 – ½ p 215/250.

Édelweiss, ☎ 50 58 64 06, – wc ☎ Ⓟ. AE. rest
20 juin-15 sept. et 20 déc.-15 avril – **R** 75/125 – 20 – **25 ch** 170/260 – ½ p 180/235

à Gemoëns SE : 2 km – alt. 1 050 – ✉ **74920** Combloux :

Caprice des Neiges , D 909 ☎ 50 58 63 22, ≤ Aravis, – wc wc ☎ Ⓟ. VISA. rest
11 juin-18 sept. et 20 déc-15 avril – **R** 62/130 – 25 – **20 ch** 150/240 – ½ p 150/240

Les Aravis, D 909 ☎ 50 58 63 93, ≤ Aravis – ☎ Ⓟ.
15 juin-30 sept. et 26 déc.-Pâques – **R** 68/72 – 20 – **13 ch** 180 – ½ p 155/185.

au Haut-Combloux O : 3,5 km – ✉ **74920** Combloux :

Rond-Point des Pistes , ☎ 50 58 68 55, ≤ Mt-Blanc, – TV wc ☎ Ⓟ
20 juin-15 sept. et 20 déc.-15 avril – **R** 98/200 – 32 – **30 ch** 270/400 – ½ p 270/350.

CITROEN Gar. du Perret, ☎ 50 58 60 92

PEUGEOT-TALBOT Gar. des Cimes, ☎ 50 93 00 60

COMBOURG 35270 I.-et-V. 59 ⑯ **G. Bretagne** – 4 763 h – **Voir Château**★.

18 de St-Malo ☎ 99 58 96 69, au N par D 73 : 14 km.

Syndicat d'Initiative Maison de la Lanterne (juin-15 sept.) ☎ 99 73 13 93.

Paris 384 – Avranches 50 – Dinan 24 – Fougères 47 – ♦Rennes 37 – St-Malo 36 – Vitré 56.

Château et Voyageurs, pl. Châteaubriand ☎ 99 73 00 38, Télex 740901, – TV wc wc ☎ Ⓟ – 35. AE ⓓ E VISA
fermé 15 déc. au 25 janv. et dim. soir du 1er déc. au 28 fév. – **R** *(fermé dim. soir et lundi)* 57/250, enf. 37 – 26 – **32 ch** 80/320 – ½ p 160/300.

Lac, pl. Châteaubriand ☎ 99 73 05 65, ≤ – wc wc ☎ Ⓟ. AE ⓓ E VISA
fermé nov., dim. soir et vend. hors sais. – **R** 55/176 , enf. 50 – 22 – **30 ch** 88/240 – ½ p 127/204.

COMBREUX 45 Loiret 64 ⑩ **G. Châteaux de la Loire** – 183 h. – ✉ **45530** Vitry-aux-Loges.
Voir Étang de la Vallée★ NO : 2 km.

Paris 120 – Châteauneuf-sur-Loire 13 – Gien 49 – Montargis 36 – ♦Orléans 35 – Pithiviers 29.

L'Auberge , ☎ 38 59 47 63, , « Cadre campagnard », , , – wc wc ☎ Ⓟ – 30. E VISA
fermé 15 déc. au 15 janv. – **R** 85/160, enf. 35 – 30 – **21 ch** 195/300 – ½ p 260/300

Croix Blanche avec ch, ☎ 38 59 47 62, , – wc ☎. E VISA
fermé lundi soir et mardi – **R** 80/145 – 28 – **7 ch** 175/185.

COMMENTRY 03600 Allier 73 ③ **G. Auvergne** – 9 399 h.

Paris 332 – Aubusson 78 – Gannat 49 – Montluçon 15 – Moulins 67 – Riom 68.

St-Christophe Ⓜ sans rest, 30 bis r. Lavoisier ☎ 70 64 31 27, – wc wc ☎ Ⓟ. VISA
fermé 24 déc. au 4 janv. et sam. du 11 nov. à Pâques – 18 – **20 ch** 120/140.

CITROEN Gauvin, 16 r. Danton ☎ 70 64 33 32

Almeida-Pneus Service, 8 pl. du Champ de Foire ☎ 70 64 48 35

COMPIÈGNE <SP> 60200 Oise 56 ②, 196 ⑩ G. Flandres Artois Picardie – 43 311 h.

Voir Palais★★ : musée de la voiture★★ – Hôtel de ville★ H – Musées : Vivenel (vases grecs★★) M1, Figurine historique★ M.

Env. Forêt★★ : clairière de l'Armistice★★.

18 ✆ 44 40 15 73.

Office de Tourisme pl. Hôtel de Ville (fermé Noël et Jour de l'An) ✆ 44 40 01 00.

Paris 82 ⑥ – ♦Amiens 76 ⑦ – Arras 106 ⑦ – Beauvais 57 ⑥ – Douai 121 ⑦ – St-Quentin 64 ① – Soissons 38 ②.

COMPIÈGNE

Hôtel-de-Ville (Pl. de l') 12
Paris (R. de) 17
St-Corneille (R.) 20
Solferino (R.) 25

Austerlitz (R. d') 2
Bouchers (R. des) 3
Capucins (R. des) 4
Change (Pl. du) 5
Clemenceau (Av. G.) 6
Clermont (R. de) 9
Harlay (R. du) 10
Lombards (R. des) 13
Magenta (R.) 14
N.-D.-de-Bonsecours (R.) 15
Noyon (R. de) 16
Pierrefonds (R. de) 18
St-Antoine (R.) 19
St-Jacques (Pl.) 22
Sauvage (R. P.) 23
Soissons (R. de) 24
Sorel (R. du Prés.) 26
Sous-Préfecture (R. de la) 27
5e Dragons (Pl. du) 28
54e Rgt. d'Infanterie (Pl.) 30

Université M sans rest, 24 r. N.-D. Bonsecours (s) ✆ 44 23 27 27, Télex 155074 – ⧉ ✈ TV ⛀wc ☎ ♿ P – 🏛 30 à 100. AE ◑ E VISA
☕ 35 – **50 ch** 235/280.

Harlay sans rest, 3 r. Harlay (a) ✆ 44 23 01 50 – ⧉ TV ⛀wc ⋔wc ☎. AE ◑ E VISA
fermé 18 déc. au 5 janv. – ☕ 28 – **20 ch** 205/290.

XXX **Host. Royal Lieu** avec ch, 9 r. Senlis par ⑤ D 932A : 2 km ☎ 44 20 10 24, « Terrasse fleurie », parc – wc ☎ – 30. AE E VISA. ch
R 140/250 – 28 – **15 ch** 275, 3 appartements 385.

XX **La Rôtisserie-H. du Nord** avec ch, pl. Gare **(b)** ☎ 44 83 22 30 – wc ☎ – 30. E VISA
fermé août et dim. soir – **R** carte 230 à 310 – 23 – **20 ch** 200/240.

XX **France** avec ch, 17 r. E. Floquet **(n)** ☎ 44 40 02 74, Télex 150211 – wc wc ☎. AE E VISA
R 71/168, enf. 35 – 27,50 – **20 ch** 80/270 – 1/2 p 198/302.

X **Golden Horse,** 2 r. Bouvines **(e)** ☎ 44 23 20 56 – . E VISA
fermé août, dim. soir et lundi – **R** 75/118, enf. 45.

à Choisy-au-Bac par ② : 5 km – ✉ **60750** Choisy-au-Bac :

XX **Aub. des Étangs du Buissonnet,** ☎ 44 40 17 41, ←, , parc – . E VISA
fermé dim. soir et lundi – **R** carte 200 à 290.

Z.A.C. de Mercières par ⑤ et D 200 : 6 km – ✉ **60200** Compiègne :

Relais Impérial M, ☎ 44 20 11 11, Télex 155122 – ch wc ☎ – 50. AE E VISA
R *(fermé dim. soir)* 90/260, enf. 42 – 33 – **48 ch** 220/320 – 1/2 p 285/485.

à Rethondes par ② : 10 km – ✉ **60153** Rethondes.

Voir St-Crépin-aux-Bois : mobilier★ de l'église NE : 4 km.

XXX ✿ **Aub. du Pont** (Blot), ☎ 44 85 60 24 – VISA.
fermé 5 au 27 sept., 2 au 10 janv., dim. soir, lundi soir et mardi – **R** 135/260
Spéc. Millefeuille de crabe, Suprêmes de pigeonneau farcis au foie gras, Nougat glacé.

à Trosly-Breuil par ② : 11 km – ✉ **60350** Cuise-la-Motte :

XX **Aub. de la Forêt,** pl. Fêtes ☎ 44 85 62 30 – E VISA
fermé 8 août au 1er sept., 18 fév. au 8 mars, mardi soir et merc. – **R** 120/180.

en forêt de Compiègne - voir ressources hôtelières à ***St-Jean-aux-Bois, Vaudrampont, Vieux Moulin.***

ALFA-ROMEO St Germain Auto, 2 bis r. du Chevreuil ☎ 44 20 29 94
BMW-HONDA Saint Merri Auto, ZAC de Mercières av. H.-Adenot ☎ 44 86 50 00
CITROEN S.A.D.A.C., r. du Fonds Pernant ZAC de Mercières par r. de l'Abattoir ⑥ ☎ 44 83 28 28 N ☎ 44 83 28 83
FIAT SOVA, 24 r. du Bataillon de France ☎ 44 40 12 90
MERCEDES-BENZ SAFI 60, ZAC de Mercières ☎ 44 23 08 22 N ☎ 44 72 03 79
OPEL Saint-Merri-Auto, 9 r. de Clermont ☎ 44 83 27 17
PEUGEOT-TALBOT Safari-Compiègne, r. Cl.-Bayard par r. de l'Abattoir ☎ 44 20 19 63
RENAULT Guinard, av. Gén.-Weigand parr. de l'Abattoir ☎ 44 20 32 57 et 80 r. de Paris par ⑤
V.A.G. Éts Thiry, Centre Commercial de Venette ☎ 44 83 29 92

Bouvet, 6 r. Austerlitz ☎ 44 23 22 17
Charlier Pneu, rte de Noyon à Margny-les-Compiègne ☎ 44 83 38 69
Fischbach-Pneu, r. J.-de Vaucanson, ZAC de Mercières ☎ 44 20 20 22

COMPS-SUR-ARTUBY 83840 Var 84 ⑦ G. Alpes du Sud – 271 h. alt. 898.

Env. Balcons de la Mescla★★★ NO : 14,5 km.

Paris 893 – Castellane 28 – Draguignan 32 – Grasse 60 – Manosque 99.

Gd H. Bain, ☎ 94 76 90 06, ←, – wc wc ☎ . E VISA. ch
fermé 12 nov. au 24 déc. et jeudi du 15 oct. au 1er avril – **R** 60/150, enf. 45 – 20 – **17 ch** 120/195 – 1/2 p 170/208.

CONCARNEAU 29110 Finistère 58 ⑪⑮ G. Bretagne – 18 225 h.

Voir Ville Close★★ C – **Musée de la Pêche★** C **M1** – **Pont du Moros** ←★ B – **Fête des Filets bleus★ (fin août)** – de Quimper et Cornouaille ☎ 98 56 97 09 par ① : 8 km.

Office de Tourisme quai d'Aiguillon ☎ 98 97 01 44.

Paris 541 ① – ♦Brest 94 ① – Lorient 54 ① – Quimper 24 ① – St-Brieuc 131 ① – Vannes 103 ①.

Plan page ci-contre

Ty Chupen Gwenn M sans rest, plage Sables Blancs ☎ 98 97 01 43, ← – ☎. VISA A
fermé 1er au 8 mai, déc. et dim. de nov. à mars – 37 – **15 ch** 235/340.

Gd Hôtel sans rest, 1 av. P.-Guéguin ☎ 98 97 00 28 – wc C
27 mars-1er oct. – 19,50 – **33 ch** 120/255.

Les Halles sans rest, enclos de Servigny ☎ 98 97 11 41 – wc wc. E VISA C
fermé dim. soir hors sais. – 21 – **24 ch** 100/210.

Jockey sans rest, 11 av. P.-Gueguin ☎ 98 97 31 52 – wc . E VISA C
17 – **14 ch** 135/185.

Modern'H. sans rest, 5 r. Lin ☎ 98 97 03 36 – wc wc . B
25 – **19 ch** 120/270.

XXX ✿ **Le Galion** (Gaonac'h) avec ch, **15 r. St-Guénolé "Ville Close"** ✆ **98 97 30 16** – TV wc ☎. AE ◑ E VISA — C **e**
R 135/400 – ☕ 35 – **5 ch** 350/400
Spéc. Blanquette de langoustines aux asperges (saison), Paupiettes de sole au beurre de tomate, Soufflé aux fruits.

XX **La Gallandière,** 3 pl. Mairie ✆ 98 97 16 34 – E VISA — C **n**
fermé 25 juin au 10 juil., dim. soir et jeudi – **R** 85/280.

XX **La Coquille,** au nouveau port ✆ 98 97 08 52, ⛱ – AE ◑ E VISA — B **k**
fermé 25 avril au 10 mai, 20 déc. au 20 janv., dim. soir sauf juil.-août et lundi – **R** 120/250.

X **Chez Armande,** 15 r. Docteur Nicolas ✆ 98 97 00 76 – AE ◑ E VISA — C **d**
fermé 15 nov. au 15 déc., mardi soir et merc. – **R** 68/155.

tourner →

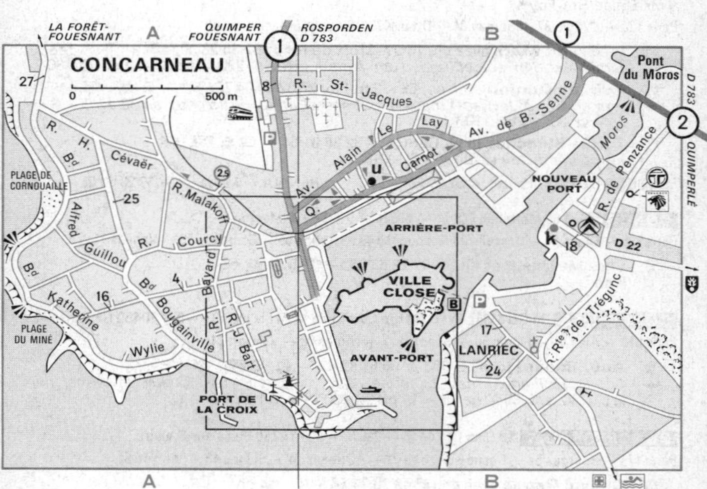

C

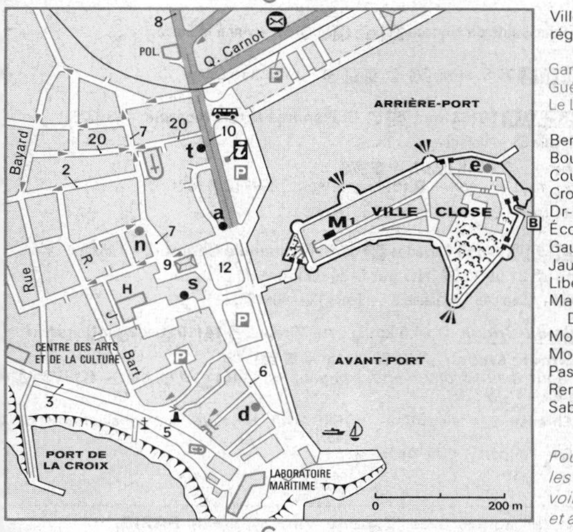

Ville close : Circulation réglementée l'été

Gare (Av. de la) . . . . **A** 8
Guéguin (Av. Pierre) . . **C** 10
Le Lay (Av. Alain) . . . . . **B**

Berthou (R. Joseph) . . . **C** 2
Bougainville (Bd) . . . . . **C** 3
Courbet (R. Amiral) . . . **A** 4
Croix (Quai de la) . . . . . **C** 5
Dr-P.-Nicolas (Av. du) . **C** 6
Écoles (R. des) . . . . **C** 7
Gaulle (Pl. Gén.-de) . . . **C** 9
Jaurès (Pl. Jean) . . . . . . **C** 12
Libération (R. de la) . . . **A** 16
Mauduit-Duplessis (R.) . . . . . . **B** 17
Moros (R. du) . . . . **B** 18
Morvan (R. Gén.) . . . . . **C** 20
Pasteur (R.) . . . . **B** 24
Renan (R. Ernest) . . . . . **A** 25
Sables-Blancs (R. des) **A** 27

Pour bien lire les plans de villes voir signes et abréviations p. 23.

à la plage du Cabellou par ② et C 22 : 5,5 km – ✉ **29110** Concarneau.

Voir Pointe du Cabellou ≤★.

Belle Étoile ⛰, ✆ 98 97 05 73, ≤, – 📺 ☎ Ⓟ. AE ⓓ E VISA. ✂ rest
hôtel : fermé fév. ; rest. : fermé 1er déc. au 28 fév. et mardi du 1er oct. à Pâques – **R** 145/270, enf. 90 – ☕ 50 – **30 ch** 590/850 – 1/2 p 590/750.

CITROEN Gar. Duquesne 4 r. du Moros ✆ 98 97 48 00
FORD Tilly, 106 av. Gare ✆ 98 97 35 00 N
PEUGEOT-TALBOT Gar. Nedelec, Zone Ind. du Moros ✆ 98 97 46 33
RENAULT Gar. de Penanguer, rte Quimper par ① ✆ 98 97 36 06

CONCHES-EN-OUCHE **27190** Eure 55 ⑯ **G. Normandie Vallée de la Seine** (plan) – 3 856 h.

Voir Église Ste-Foy★.

Paris 120 – L'Aigle 37 – Bernay 34 – Dreux 47 – Évreux 18 – ◆Rouen 60.

XX **La Grand'Mare** avec ch, 13 av. Croix de fer ✆ 32 30 23 30, – wc. VISA
fermé fév., dim. soir et lundi d'oct. à mars – **R** 120/230 – ☕ 21 – **9 ch** 75/130.

XX **Aub. du Donjon** avec ch, 55 r. Ste-Foy ✆ 32 30 04 75, – E VISA. ✂ ch
fermé nov., 26 fév. au 4 mars, mardi soir et merc. du 15 sept. au 30 avril – **R** 65/113 🍷 – ☕ 20 – **3 ch** 110.

XX **Toque Blanche,** 18 pl. Carnot ✆ 32 30 01 54 – AE E VISA. ✂
fermé mardi soir et lundi – **R** 98/180.

PEUGEOT-TALBOT Peuret, ✆ 32 30 23 09 N
RENAULT Marie, ✆ 32 30 23 50 N

CONCORET 56 Morbihan 59 ⑮ – 668 h. – ✉ **56430** Mauron.

Paris 395 – Dinan 50 – Josselin 33 – Loudéac 49 – Redon 55 – St-Brieuc 73 – Vannes 71.

X Chez Maxime avec ch, ✆ 97 22 63 04 – Ⓟ – 60
9 ch.

CONCOULES 30 Gard 80 ⑦ **G. Gorges du Tarn** – 241 h. alt. 635 – ✉ **30450** Génolhac.

Paris 616 – Alès 44 – Florac 56 – Génolhac 7 – Nîmes 88 – Villefort 11.

Aub. Beauséjour, D 906 ✆ 66 61 12 43 – Ⓟ. E VISA. ✂
hôtel : 15 mars-15 nov. et fermé merc. ; rest. : 1er fév.-15 nov. et fermé merc. – **R** 50/140, enf. 35 – ☕ 15 – **14 ch** 90/160 – 1/2 p 165/240.

CONCRESSAULT 18 Cher 65 ⑪⑫ – 216 h. – ✉ **18260** Vailly-sur-Sauldre.

Paris 179 – Bourges 57 – Cosne-sur-Loire 31 – ◆Orléans 74 – Salbris 43 – Vierzon 54.

XX **Cheval Rouge** avec ch, ✆ 48 73 71 56 – . ✂ ch
fermé 29 août au 6 sept., fév., lundi soir et mardi – **R** 145 dîner à la carte 🍷 – ☕ 2[illegible] – **4 ch** 150.

La CONDAMINE Principauté de Monaco 84 ⑩, 195 ㉗㉘ – voir à Monaco.

CONDÉ-STE-LIBIAIRE 77 S.-et-M. 56 ⑫, 196 ㉒ – rattaché à Esbly.

CONDÉ-SUR-L'ESCAUT **59163** Nord 53 ⑤ **G. Flandres Artois Picardie** – 13 672 h.

Paris 221 – Gent 74 – ◆Lille 53 – Valenciennes 13.

X **Host. du Berry,** ✆ 27 40 07 97 – E VISA
fermé 1er au 21 août et sam. – **R** (déjeuner seul.) 67/110 🍷, enf. 25.

CITROEN Gar. Kot, 211 rte de Bonsecours ✆ 27 40 09 46

CONDÉ-SUR-NOIREAU **14110** Calvados 55 ⑪ **G. Normandie Cotentin** – 7 257 h.

18 de Clécy-Cantelou ✆ 31 69 72 72, NO par D 36 : 9 km.

Paris 283 – Argentan 49 – ◆Caen 45 – Falaise 31 – Flers 12 – Vire 26.

à St-Germain-du-Crioult O : 4,5 km sur rte Vire – ✉ **14110** Condé-sur-Noireau :

X **Aub. St-Germain** avec ch, ✆ 31 69 08 10 – E VISA. ✂
fermé 4 au 9 août, 4 au 15 janv., vend. soir sauf juil.-août et dim. soir – **R** 56/95 🍷 – ☕ 14 – **5 ch** 90 – 1/2 p 120.

PEUGEOT-TALBOT Chrétien, 27 r. Vieux-Château ✆ 31 69 00 50
PEUGEOT-TALBOT Gar. Poupart, 1 bis r. de la Barge ✆ 31 69 00 99
RENAULT Sevestre, 2 r. Vaubaillon ✆ 31 69 0[illegible] 45

CONDOM ⟨SP⟩ **32100** Gers **79** ⑭ **G. Pyrénées Aquitaine** – 7 836 h.

Voir Cathédrale St-Pierre★ : Cloître★ H.

Syndicat d'Initiative pl. Bossuet ☎ 62 28 00 80.

Paris 674 ① – Agen 40 ② – Auch 44 ⑤ – Mont-de-Marsan 80 ⑦ – ♦Toulouse 109 ④.

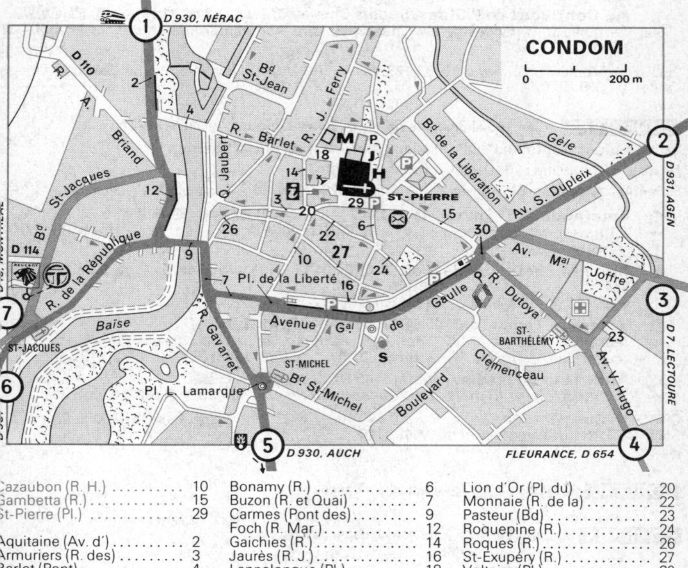

XXX **Table des Cordeliers** M avec ch, **r. des Cordeliers (s)** ☎ **62 28 03 68, « Salle gothique »**, ⛱, – rest TV wc ☎ ♿ P. ① E VISA
fermé 15 janv. au 15 fév., dim. soir et lundi d'oct. à juin – **R** 70/220 – 32 – **21 ch** 180/300 – $^1/_2$ p 282/382.

FIAT, FORD Calmels, 42 bd St-Jacques ☎ 62 28 01 67
PEUGEOT-TALBOT Durrieu, bd St-Jacques ☎ 62 28 00 53

RENAULT Rottier, pl. Voltaire ☎ 62 28 22 55
Rivière, 21 av. des Pyrénées ☎ 62 28 01 20
Solapneu, 7 av. Armagnac ☎ 62 28 01 91

CONDRIEU **69420** Rhône **74** ⑪ **G. Vallée du Rhône** – 3 158 h.

Voir Calvaire ≤★.

Paris 502 – Annonay 34 – ♦Lyon 40 – Rive-de-Gier 21 – Tournon 52 – Vienne 11.

Hôt. Beau Rivage (Mme Castaing) , ☎ **74 59 52 24, Télex 308946**, , **« Terrasse avec vue agréable sur le Rhône »**, – ☎ P. AE ① E VISA
fermé 5 janv. au 15 fév. – **R** 215/330 et carte – 50 – **22 ch** 260/520, 4 appartements 700
Spéc. Fricassée de volaille au vieux vinaigre, Blanc de St-Pierre et homard dans son coulis, Quenelle de brochet aux écrevisses. **Vins** Viognier, Saint-Joseph.

Autres ressources hôtelières :

Voir *Roches de Condrieu* S : 1 km.

CITROEN Milamant, ☎ 74 56 67 54

Gar. Baronnier, ☎ 74 59 50 16

Les CONFINS **74** H.-Savoie **74** ⑦ – rattaché à La Clusaz.

CONFLANS-STE-HONORINE **78700** Yvelines **55** ⑳, **101** ② **G. Environs de Paris** (plan) – 29 003 h. - Pardon national de la Batellerie (fin juin).

Voir ≤★ de la terrasse du parc.

Office de Tourisme 23 r. M.-Berteaux (fermé matin) ☎ (1) 39 72 66 91.

Paris 31 – Mantes-la-Jolie 40 – Poissy 11 – Pontoise 8 – St-Germain-en-Laye 13 – Versailles 28.

Campanile M, 91 r. Cergy - RN 184 ☎ (1) 39 19 21 00, Télex 699149, ⛱, — TV wc ☎ ♿ P – 25. E VISA
R 65/87 , enf. 38 – ☕ 24 – **51 ch** 200/220.

Au Bord de l'Eau, 15 quai Martyrs-de-la-Résistance ☎ (1) 39 72 86 51
fermé 1er au 28 août et lundi – **R** (déj. seul. sauf sam. : déj. et dîner) carte 145 à 245.

Au Confluent de l'Oise, 15 cours Chimay ☎ (1) 39 72 60 31, ← – P. AE ◑ VISA
fermé août, vacances de fév., merc. soir, dim. soir et lundi du 1er oct. au 1er mai – **R** 72/148.

PEUGEOT-TALBOT Conflans-Auto, 123 av. Carnot ☎ (1)39 19 79 14
RENAULT Ramond, 18 bd Salvator-Allende ☎ (1)39 19 21 36

CONFOLENS 16500 Charente 72 ⑤ G. Berry Limousin (plan) – 3 320 h.

Voir Le Vieux Confolens★ : Pont Vieux★, maison du duc d'Epernon★.

Office de Tourisme pl. Marronniers ☎ 45 84 00 77.

Paris 414 – Angoulême 63 – Bellac 38 – ♦Limoges 57 – Niort 103 – Périgueux 119 – Poitiers 72.

Émeraude, r. E.-Roux ☎ 45 84 12 77 – wc ☎. AE E VISA
fermé fév. et lundi hors sais. – **R** 48/150 , enf. 35 – 15 – **18 ch** 95/160 – 1/2 p 156/205.

Mère Michelet, rte de Niort ☎ 45 84 04 11 – wc ☎ P – 25 à 100. AE E VISA
R 55/110 – 14,50 – **23 ch** 80/220 – 1/2 p 165/220.

Vienne, r. Ferrandie ☎ 45 84 09 24, ⛱ – wc. E VISA.
fermé 22/10 au 11/11, 22/12 au 2/01, vend. soir et sam. de mars à juin et oct. ; sam. soir et dim. de nov. à fév. – **R** 50/125 – 15 – **15 ch** 75/132 – 1/2 p 127/163.

Aub. Tour de Nesle, r. Côte ☎ 45 84 03 70, ⛱ – E VISA
fermé 15 fév. au 15 mars, dim. soir et lundi de nov. à mars – **R** 65/155, enf. 30.

CITROEN David, ☎ 45 84 12 42
RENAULT Nord-Charente-Autom., ☎ 45 84 07 00
V.A.G. Ets Vergnaud, ☎ 45 84 00 79 N

CONLEAU 56 Morbihan 63 ③ – rattaché à Vannes.

CONNAUX 30 Gard 80 ⑲⑳ – rattaché à Bagnols-sur-Cèze.

CONNELLES 27430 Eure 55 ⑦ – 139 h.

Paris 113 – les Andelys 13 – Louviers 11 – ♦Rouen 38.

Moulin de Connelles , D 19 ☎ 32 59 82 54, ←, ⛱, parc, – TV ☎ P – 40. AE VISA. rest
fermé dim. soir et lundi – **R** 130/200 – **21 ch** 335/400, 6 appartements 620 – 1/2 p 465/750.

CONNERRÉ 72160 Sarthe 60 ⑭ G. Châteaux de la Loire – 2 636 h.

Paris 182 – Châteaudun 75 – Mamers 43 – ♦Le Mans 25 – Nogent-le-Rotrou 40 – St-Calais 27.

Aub. Tante Léonie, ☎ 43 89 00 24 – AE E VISA
fermé 5 au 25 janv. et mardi – **R** 70/240 .

Gare avec ch, N : 1,5 km par D 33 ☎ 43 89 00 02 – ch P – 25. E VISA
fermé 15 au 30 oct., 23 au 30 déc., dim. soir et vend. en hiver – **R** 58/115 – 19 – **12 ch** 88/183 – 1/2 p 135/160.

à Thorigné-sur-Dué SE : 4 km par D 302 – ✉ **72160** Connerré :

St-Jacques avec ch, ☎ 43 89 95 50, – wc wc ☎ ♿ P. ◑ VISA
fermé 6 janv. au 9 fév., 20 au 30 juin, dim. soir d'oct. à mai et lundi – **R** 70/220 – 30 – **10 ch** 130/260 – 1/2 p 190/270.

CITROEN Gar. Guérin, ☎ 43 89 00 51

CONQUES 12 Aveyron 80 ①② G. Gorges du Tarn (plan) – 404 h. – ✉ 12320 St-Cyprien-sur-Dourdou.

Voir Site★★ – Église Ste-Foy★★ : tympan du portail Ouest★★★ et trésor I ★★★ – Le Cendié ←★ O : 2 km par D 232 – Site du Bancarel ←★ S : 3 km par D 901.

Paris 620 – Aurillac 57 – Espalion 50 – Figeac 54 – Rodez 37.

Ste-Foy , ☎ 65 69 84 03, ⛱ – wc wc ☎. E VISA. rest
27 mars-6 nov. – **R** (nombre de couverts limité - prévenir) 105/160 – 32 – **19 ch** 180/380 – 1/2 p 300/500.

Aub. St-Jacques , ☎ 65 72 86 36, ⛱ – wc ☎. E VISA
fermé janv. et lundi du 15 nov. au 15 mars – **R** 50/105 , enf. 27 – 19 – **11 ch** 120/170 – 1/2 p 150/160.

Le CONQUET 29217 Finistère 58 ③ G. Bretagne – 2 011 h.

Voir Site★.

Syndicat d'Initiative pl. Ancienne Gare (15 juin-15 sept.) ☎ 98 89 11 31 et (hors saison) ☎ 98 89 10 65.

Paris 622 – ♦Brest 24 – Brignogan-Plage 57 – St-Pol-de-Léon 78.

Pointe Ste-Barbe ⑤, ☎ 98 89 00 26, ≤ mer et les îles – ⇔wc ⋒wc ☎ ℗. ⓓ E VISA. ✻ rest
fermé 2 janv. au 6 fév. – **R** *(fermé lundi du 15 sept. au 30 juin)* 72/332, enf. 50 – ☕ 22 – **33 ch** 135/280 – ½ p 231/300.

à la Pointe de St-Mathieu S : 4 km – ✉ **29217** Le Conquet.

Voir Phare ✻★★ – **Ruines de l'église abbatiale★.**

XX **Pointe St-Mathieu,** ☎ 98 89 00 19 – AE VISA
fermé fév., mardi (sauf juil.-août) et dim. soir – **R** 50/190.

RENAULT Gar. Taniou-le Goff ☎ 98 89 00 29

CONSOLATION (Cirque de) ★★ **25** Doubs 66 ⑰ G. Jura – alt. 793.

Voir La Roche du Prêtre ≤★★★ **du D 41 15 mn – Vallée du Dessoubre★ N.**

Paris 468 – Baume-les-Dames 53 – ♦Besançon 56 – Montbéliard 63 – Morteau 13.

X **Faivre** ⑤ avec ch, près D 39 à 6 km de Fuans ✉ **25390 Orchamps-Vennes** ☎ 81 43 55 38, ≤ – ☎ ℗. ⓓ E VISA. ✻
fermé 15 nov. au 15 déc., 15 au 31 janv. et mardi du 15 sept. au 15 juin sauf vacances scolaires – **R** 70/190, enf. 45 – ☕ 20 – **10 ch** 80/110 – ½ p 160/200.

Les CONTAMINES-MONTJOIE 74 H.-Savoie 74 ⑧ G. Alpes du Nord – 1 027 h. alt. 1 164 – Sports d'hiver : 1 164/2 500 m ⛷3 ⛷21, ⛷ – ✉ **74170** St Gervais.

Voir ≤★ **sur gorges de la Gruvaz NE : 5 km.**

Office de Tourisme pl. Mairie ☎ 50 47 01 58, Télex 385730.

Paris 607 – Annecy 96 – Bonneville 50 – Chamonix 34 – Megève 20 – St-Gervais-les-B. 8,5.

La Chemenaz et rest la Trabla Ⓜ ⑤, ☎ 50 47 02 44, ≤, ⛱, ⛱ – |$| ☎ ℗. E VISA
1er juin-25 sept. et 20 déc.-15 avril – **R** 90/110, enf. 50 – ☕ 35 – **38 ch** 410 – ½ p 310/330.

Gai Soleil Ⓜ ⑤, ☎ 50 47 02 94, ≤, ⛱ – ⇔wc ⋒wc ☎ ℗. E VISA. ✻ rest
15 juin-16 sept. et vacances de Noël-vacances de printemps – **R** 75/95 – ☕ 23 – **19 ch** 210/280 – ½ p 220/240.

Le Chamois, ☎ 50 47 03 43, ≤, ⛱ – cuisinette ⇔wc ⋒wc ☎ ℗
fin juin-début sept., vacances de Noël et vacances de Pâques – **R** (hiver seul.) 93/113 – ☕ 23 – **17 ch** 210/295 – ½ p 252/263.

Le Christiania et rest. Le Stem, ☎ 50 47 02 72, ≤, ⛱, ⛱, ⛱ – ⇔wc ☎ ℗. ✻ – *20 juin-31 août et 20 déc.-20 avril* – **R** 65 ₰, enf. 35 – ☕ 22 – **16 ch** 88/210 – ½ p 172/192.

Le Grizzli, ☎ 50 47 02 43, ≤ – ⇔wc ⋒wc ☎ ℗. ✻ ch
15 juin-10 sept. et 15 déc.-vacances de Printemps – **R** 74/110 – ☕ 23 – **21 ch** 180/270 – ½ p 165/235.

La Cordée ⑤, ☎ 50 47 03 97, ≤ – ⇔wc ⋒wc ☎ ℗. ✻
Noël-Pâques – **R** 40/100 ₰ – **15 ch** ☕125/220 – ½ p 220/270.

CONTAMINE-SUR-ARVE 74 H.-Savoie 74 ⑦ – 1 000 h. – ✉ **74130** Bonneville.

Paris 550 – Annecy 43 – Bonneville 8 – Chamonix 64 – ♦Genève 19 – Megève 50 – Morzine 49.

X **Tourne Bride** avec ch, ☎ 50 03 62 18 – E VISA
fermé 30 mai au 15 juin, 15 au 30 nov., dim. soir et lundi – **R** 75/130 – ☕ 18 – **7 ch** 80/105 – ½ p 120/150.

CONTES 06390 Alpes-Mar. 84 ⑩, 195 ⑰ G. Côte d'Azur – 4 992 h.

Voir Prédelle★ dans l'église.

Syndicat d'Initiative pl. A.-Ollivier (fermé matin) ☎ 93 79 13 99.

Paris 960 – Levens 22 – ♦Nice 18 – Sospel 32.

X **Cellier** avec ch, D 15 ☎ 93 79 00 64 – ⇔. E VISA
fermé 16 au 27 août, 24 au 31 déc. et dim. soir – **R** 80/130 ₰ – ☕ 17 – **6 ch** 130/160 – ½ p 147/207.

CONTEVILLE 27 Eure 55 ④ – 580 h. – ✉ **27210** Beuzeville.

Paris 180 – Évreux 85 – ♦Le Havre 42 – Honfleur 13 – Pont-Audemer 13 – Pont-l'Évêque 27.

XXX ✿ **Aub. Vieux Logis** (Louet), ☎ 32 57 60 16 – AE ⓓ E VISA
fermé 19 sept. au 1er oct., fév., merc. soir et jeudi – **R** (nombre de couverts limité - prévenir) carte 180 à 280
Spéc. Gelée de poulette au fenouil et foie gras, Persillade d'ailes de pigeon, Charlotte à l'ananas.

CONTIS-PLAGE 40 Landes 78 ⑮ – ✉ 40170 St-Julien-en-Born.
Paris 719 – ♦Bayonne 87 – Castets 30 – Mimizan 24 – Mont-de-Marsan 76.

Neptune sans rest, ✆ 58 42 85 28 – wc ☎ Ⓟ
juin-sept. – ☕ 20 – **16 ch** 125/225.

CONTRES 41700 L.-et-Ch. 64 ⑰ – 2 929 h.
Paris 201 – Blois 21 – Châteauroux 77 – Montrichard 21 – Romorantin-Lanthenay 26.

France, ✆ 54 79 50 14, Télex 750826, – TV wc wc ☎ ♿ Ⓟ – 30 à 40. E VISA.
fermé fév., jeudi soir et vend. de nov. à mars – **R** 70/170 – ☕ 24 – **40 ch** 190/245 – $^1/_2$ p 190/220.

La Botte d'Asperges, ✆ 54 79 50 49 – E VISA
fermé janv. et lundi de sept. à juin – **R** 65/160.

PEUGEOT-TALBOT Morin, ✆ 54 79 50 42
RENAULT Gar. Réunis, ✆ 54 79 50 70 N ✆ 54 71 32 71

CONTREVOZ 01 Ain 74 ⑭ – rattaché à Belley.

CONTREXÉVILLE 88140 Vosges 62 ⑭ **G. Alsace et Lorraine** – 4 582 h. – Stat. therm. (15 avril-sept.) – Casino: Y.
Office de Tourisme Galeries du Parc Thermal (avril-10 oct.) et à l'Hôtel de Ville (hors saison) ✆ 29 08 08 68.
Paris 339 ③ – Épinal 48 ① – Langres 67 ② – Luxeuil 71 ② – ♦ Nancy 76 ① – Neufchâteau 28 ③.

Cosmos, r. Metz ✆ 29 08 15 90, parc – TV ☎ Ⓟ – 25. AE ⓓ VISA. rest Y **u**
avril-oct. – **R** 168/194, enf. 100 – ☕ 33 – **81 ch** 274/324, 5 appartements 603 – $^1/_2$ p 454/465.

Gd H. Établissement, ✆ 29 08 17 30 – ☎. AE ⓓ E VISA. rest Z **e**
10 mai-20 sept. – **R** 158/163, enf. 100 – **Grill Relais Stanislas** *(1er mai - 27 sept.)* **R** 79/97, dîner à la carte – ☕ 31 – **29 ch** 123/312 – $^1/_2$ p 311/462.

Souveraine, dans le parc ✆ 29 08 09 59 – wc wc ☎. AE ⓓ E VISA. rest Y **r**
10 mai-20 sept. – **R** voir **Gd H. Établissement** – ☕ 31 – **31 ch** 123/312 – $^1/_2$ p 311/462.

Sources, r. Ziwer-Pacha ✆ 29 08 04 48 – wc wc ☎. AE E VISA. rest Z **x**
15 avril-30 sept. – **R** 80/150, enf. 40 – ☕ 22 – **37 ch** 97/243 – $^1/_2$ p 195/250.

Paris et Thermes, av. Gde-Duchesse-Wladimir ✆ 29 08 13 46 – cuisinette TV wc wc ☎ Ⓟ. E VISA. rest Z **s**
20 avril-20 sept. – **R** 110/220 – ☕ 30 – **78 ch** 125/300.

France, av. Roi-Stanislas ✆ 29 08 04 13 – wc wc ☎ Ⓟ. VISA. rest Z **z**
fermé 15 déc. au 15 janv. et lundi du 1er nov. au 15 mars – **R** 65/170 – ☕ 20 – **40 ch** 85/200 – $^1/_2$ p 270/320.

Beauséjour, r. Ziwer-Pacha ✆ 29 08 04 89, – wc ☎. AE VISA. rest Z **v**
16 avril-30 sept. – **R** 65/115, enf. 40 – ☕ 18 – **31 ch** 90/150.

par ③ et rte du Lac de la Folie : 1,2 km – ✉ 88140 Contrexéville :

Campanile , ✆ 29 08 28 28, Télex 960333, ←, – TV wc ☎ – 25 – **31 ch**.

CONTREXÉVILLE

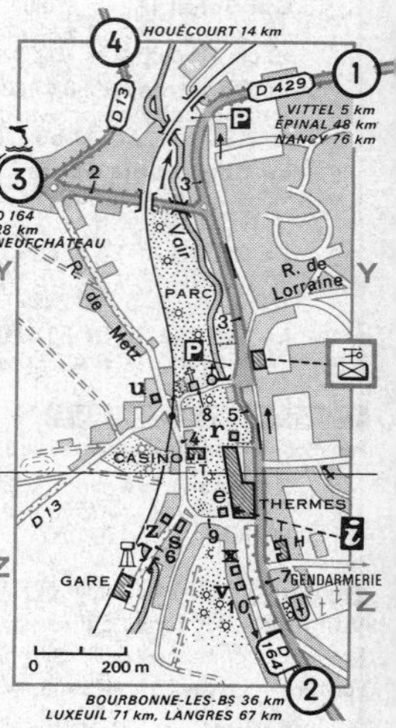

La COQUILLE 24450 Dordogne 72 ⑯ – 1 578 h.
Paris 443 – Brive-la-Gaillarde 98 – ♦Limoges 48 – Nontron 31 – Périgueux 53 – St-Yrieix-la-Perche 23.

Voyageurs, N 21 ✆ 53 52 80 13, , – wc ☎ Ⓟ. AE ⓓ E VISA
1er avril-31 oct. et fermé dim. soir et lundi midi sauf du 1er juin au 15 sept. – **R** 68/210 – ☕ 25 – **10 ch** 120/250 – $^1/_2$ p 200/250.

à Mavaleix S : 4,5 km par N 21, VO et voie privée – ✉ 24800 Thiviers :

Château de Mavaleix , ✆ 53 52 82 01, ←, parc – Ⓟ – 100. E VISA. rest
fermé 4 janv. au 7 fév. – **R** 85/170, enf. 50 – ☕ 30 – **22 ch** 330/360 – $^1/_2$ p 440/460.

PEUGEOT-TALBOT Fauriat ✆ 53 52 80 60
RENAULT Gar. Fayol, ✆ 53 52 81 35

CORBEIL-ESSONNES 91 Essonne 61 ①, 196 ㉜ – voir à Évry.

CORDES 81170 Tarn 79 ⑳ **G. Pyrénées Roussillon** (plan) – 1 044 h.

Voir Site★★ – Maisons gothiques★ (maison du Grand-Fauconnier★, maison du Grand-Veneur★).

Syndicat d'Initiative Maison du Grand Fauconnier (Pâques-oct.) ✆ 63 56 00 52.

Paris 679 – Albi 25 – Montauban 71 – Rodez 85 – ♦Toulouse 78 – Villefranche-de-Rouergue 47.

Grand Écuyer (Thuriès) ⑤, ✆ **63 56 01 03, < vallée, « Demeure gothique, bel intérieur »** – ☎ – 40. AE E VISA
Pâques-fin oct. – **R** *(fermé lundi sauf juil.-août)* carte 220 à 350 – ☕ 45 – **15 ch** 300/600 – ½ p 450
Spéc. Croustillant de turbot aux champignons, Y de foie gras chaud, Assiette de canard Gascogne. Vins Gaillac, Tursan.

Host. du Vieux Cordes M ⑤, ✆ **63 56 00 12,** – wc wc ☎. AE ⓓ E VISA
fermé fév. et lundi d'oct. à mai – **R** 65/180, enf. 50 – ☕ 30 – **21 ch** 230/360 – ½ p 210/320.

Cité ⑤, ✆ 63 56 03 53, <, – wc . ⓓ E VISA. rest
1er mars-15 nov. – **R** 60/160 – ☕ 26 – **8 ch** 170/210 – ½ p 250/260.

L'Esquirol, ✆ **63 56 02 40** – ⓓ E VISA
1er avril-11 nov. et fermé lundi soir et mardi sauf juil.-août – **R** 65/120, enf. 33.

PEUGEOT-TALBOT Barrié, ✆ 63 56 02 61

CORDON 74 H.-Savoie 74 ⑦⑧ – rattaché à Sallanches.

CORENC-MONTFLEURY 38 Isère 77 ⑤ – rattaché à Grenoble.

CORMEILLES-EN-PARISIS 95 Val d'Oise 55 ⑳, 101 – voir à Paris, Environs.

CORMEILLES-EN-VEXIN 95 Val-d'Oise 55 ⑲, 196 ⑤ – rattaché à Cergy-Pontoise.

CORMONTREUIL 51350 Marne 56 ⑯ – rattaché à Reims.

CORNAS 07 Ardèche 76 ⑳ – rattaché à St-Péray.

CORNEVILLE-SUR-RISLE 27 Eure 55 ⑤ – rattaché à Pont-Audemer.

CORNY-SUR-MOSELLE 57 Moselle 57 ⑬ – ✉ **57680** Noveant-sur-Moselle.

Paris 323 – ♦Metz 15 – ♦Nancy 47 – Pont-à-Mousson 16 – Verdun 63.

Au Gourmet Lorrain, r. Moselle ✆ **87 52 81 56** – ⓓ VISA
fermé jeudi – **R** 125/160.

CORPS 38970 Isère 77 ⑮⑯ **G. Alpes du Nord** – 505 h. alt. 937.

Voir Barrage★★, pont★ et lac★ du Sautet O : 4 km.

Env. Route★★ et Basilique N.-D.-de-la-Salette : site★, ☀★ N : 15 km.

Office de Tourisme (saison) ✆ 76 30 03 85.

Paris 626 – Gap 40 – ♦Grenoble 63 – La Mure 25.

Napoléon sans rest, ✆ **76 30 00 42** – wc wc
☕ 18 – **22 ch** 115/180.

Poste avec ch, ✆ **76 30 00 03,** – ch wc wc ☎ . E VISA
fermé 15 nov. au 15 janv. – **R** 75/250 – ☕ 23 – **20 ch** 150/320 – ½ p 180/250.

Le Tilleul, ✆ **76 30 00 43** – AE E VISA
fermé 1er nov. au 15 déc. et dim.soir de sept. à mars – **R** 50/105.

au NE : **4 km par rte La Salette et D 212c** – alt. 1 260 – ✉ **38970** Corps :

Boustigue H. ⑤, ✆ **76 30 01 03,** <, , , – wc wc Ⓟ. rest
mi-mai-mi-oct. et vacances de fév. – **R** 78/157, enf. 63 – ☕ 25 – **19 ch** 158/210 – ½ p 247/334.

CITROEN Gar. du Dauphiné, ✆ 76 30 01 10 N ✆ 76 30 00 28
RENAULT Rivière, ✆ 76 30 01 13 N

CORRÈZE 19800 Corrèze 75 ⑨ **G. Berry Limousin** – 1 414 h.

Paris 486 – ♦Limoges 91 – Tulle 20 – Ussel 51.

Seniorie M ⑤, ✆ **55 21 22 88,** , , , – cuisinette TV ☎ – 30. AE E VISA
fermé 3 janv. au 18 fév. – **R** *(fermé dim. soir et lundi sauf juil.-août)* 140/260 – ☕ 35 – **26 ch** 280/500 – ½ p 375/525.

CORSE 90 G. Corse – 293 287 h.

Relations avec le continent : 50 mn env. par avion, 5 à 10 h par bateau (voir à Marseille, Nice, Toulon).

Ajaccio P 2A Corse-du-Sud 90 ⑰ – 55 279 h. – Casino: Z – ✉ 20000 Ajaccio.

Voir Maison Bonaparte★ Z – Place d'Austerlitz Y : monument de Napoléon Ier★ Y N – Jetée de la Citadelle ≤★ Y – Place Gén.-de-Gaulle ≤★ Z.

Env. S : golfe d'Ajaccio★★ – Pointe de la Parata ≤★★ 12 km par ③ puis 30 mn.

Excurs. aux Iles Sanguinaires★★.

✈ d'Ajaccio-Campo dell'Oro : ☎ 95 21 07 07 par ② : 7 km.

🅸 Office de Tourisme 1 pl. Foch ☎ 95 21 40 87 – A.C. 41 cours Napoléon ☎ 95 21 14 07.

Bastia 153 ① – Bonifacio 140 ② – Calvi 159 ① – Corte 83 ① – L'Ile-Rousse 155 ①.

Plan page ci-contre

Campo dell'Oro M, rte aéroport par ② : 5 km ☎ 95 22 32 41, Télex 460087, ≤, « Jardin fleuri », – 250. AE E VISA. rest
R *(fermé 1er janv. au 1er mars)* 205, enf. 105 – **138 ch** 490/1120 – 1/2 p 490/730.

Albion M sans rest, 15 av. Gén.-Leclerc ☎ 95 21 66 70, Télex 460846 – AE E VISA Y **k**
fermé mars – 29 – **63 ch** 283/406.

Costa M sans rest, 2 bd Colomba ☎ 95 21 43 02, Télex 468080 – AE E VISA. Y **x**
26 – **53 ch** 264/364.

Napoléon M sans rest, 4 r. Lorenzo-Vero ☎ 95 21 30 01, Télex 460625 – 60. AE E VISA Z **s**
32 – **62 ch** 280/345.

San Carlu M sans rest, 8 bd Casanova ☎ 95 21 13 84, Télex 460158 – wc wc AE E VISA. Z **f**
fermé déc. – 30 – **44 ch** 276/302.

Fesch sans rest, 7 r. Fesch ☎ 95 21 50 52, Télex 460640 – wc wc AE E VISA Z **y**
fermé 19 déc. au 10 janv. – 28 – **77 ch** 260/325.

Impérial, 6 bd Albert-1er ☎ 95 21 50 62, Télex 460269, – wc wc AE VISA. rest Y **e**
27 mars-29 oct. – **R** 68/120, enf. 60 – 30 – **44 ch** 295/407 – 1/2 p 318/435.

Spunta Di Mare, rte aéroport ☎ 95 22 41 42, Télex 20090 – wc wc – 30. AE E VISA. rest Y **s**
fermé 20 déc. au 20 janv. – **R** 70 – 24 – **64 ch** 220/280 – 1/2 p 219/234.

Côte d'Azur, 12 cours Napoléon (1er étage) ☎ 95 21 50 24 – AE VISA
fermé 20 juin au 20 juil. et dim. – **R** 105/175. Z **b**

A Tinella, 86 r. Fesch ☎ 95 21 13 68 – AE E VISA Z **a**
fermé 1er au 15 oct. et lundi – **R** 100 bc.

Point "U", 59 bis r. Fesch ☎ 95 21 59 92 – VISA Z **t**
fermé avril et dim. – **R** carte 210 à 335.

U Scalone, 2 r. Roi de Rome ☎ 95 21 50 05 – E VISA Z **d**
fermé déc., sam. midi et dim. – **R** carte 130 à 190.

L'Amore Piattu, 8 pl. Ch. de Gaulle ☎ 95 51 00 53 – VISA
fermé oct. et dim. – **R** 200.

La Grange, 4 r. N.-Dame ☎ 95 21 25 32 – AE E VISA Z
1er mars-30 nov. et fermé lundi sauf juil.-août – **R** carte 135 à 215.

St-Hubert, 3 r. Col.-Colonna d'Ornano ☎ 95 23 23 78 – Y **u**

Pardi (chez Charlot), 60 r. Fesch ☎ 95 21 43 08 Z **q**
16 mars-21 déc. et fermé dim. – **R** 55 bc/100.

route des Sanguinaires – ✉ **20000** Ajaccio :

Eden Roc M, par ③ : 8 km ☎ 95 52 01 47, Télex 460486, ≤ golfe, – AE E VISA. rest
R 180/250 – **40 ch** 720/920 – 1/2 p 660/920.

Dolce Vita, par ③ : 8 km ☎ 95 52 00 93, Télex 460854, ≤, – ch AE E VISA. rest
15 mars-fin oct. – **R** 190, enf. 70 – 36 – **32 ch** 360/700 – 1/2 p 680/780.

Cala di Sole, par ③ : 6 km ☎ 95 52 01 36, ≤, – ch AE. rest
1er avril-30 sept. – **31 ch** (1/2 pens. seul.) – 1/2 p 370/445.

à Bastelicaccia par ②, N 196 et D 3 : 11 km – ✉ **20166** Porticcio :

Aub. Seta, ☎ 95 20 00 16, – AE VISA
fermé 2 janv. au 15 fév. et merc. – **R** carte 150 à 215.

Albert-1er (Bd) . . . . Y 2
Fesch (R. Cardinal) . . . . . Z
Grandval (Cours) . . . . . YZ
Napoléon (Cours) . . . . YZ
Premier-Consul (Av. du) Z 45

Alzo di Leva (R.) . . . . Y 3
Bévérini Vico (Av.) . . . . . Y 4
Biancamaria (R. du Cdt) Y 5
Bonaparte (R.) . . . . Z 6
Casanova (Bd Danielle) Z 8
Citadelle (Q. de la) . . . . . Z 13
Conseil-d'État (Av. du) . . Z 15
Dr-Noël-Fronchini (Crs) Y 16
Dr-Ramaroni (Av. du) . . Y 17
Fiorella (R. du Gén.) . . . . Z 19
Forcioli-Conti (R.) . . . . . . Z 20
Griffi (Square P.) . . . . . . Y 22
Lambroschini (R. Major) Z 24
Leclerc (Av. Gén.) . . . . . . Y 25
Letizia (R.) . . . . Z 26
Macchini (Av. Eugène) . Z 27
Madame-Mère (Bd) . . . . Y 29
Masséria (Bd) . . . . Y 32
Napoléon III (Av.) . . . . . YZ 37
Napoléon (Quai) . . . . Z 38
Notre-Dame (R.) . . . . Z 39
Ornano (Av. Col. d') . . . . Y 40
Paoli (Bd Dominique) . . Y 41
Pozzo-di-Borgo (R.) . . . . Z 44
Roi-de-Rome (R.) . . . . . . Z 46
Scamaroni (Bd Fred) . . . Y 49
Sébastiani (R.) . . . . Z 50
Sérafini (Av. Antoine) . . . Z 52
Sœur-Alphonse (R.) . . . . Z 53
St-Charles (R.) . . . . Z 54
St-Jean (Montée) . . . . . . Y 56
Stéphanopoli (R.) . . . . . . Z 57
Zévaco-Maire (R.) . . . . . . Z 60

MICHELIN, Agence, Zone Ind. du Vazzio par ② Y ✆ 95 22 08 51

ALFA-ROMEO, DATSUN-NISSAN Ajaccio-Technic-Autom., Résidence 1er Consul, r. Mar.-Lyautey ✆ 95 22 15 83
CITROEN Ajaccio-Nord-Autos, N 194, rte de Mezzavia par ① ✆ 95 20 46 46
FIAT Gar.Liberté, 4 r. du Dr. Dell-Pellegrino ✆ 95 23 10 73
LADA, HONDA Gar. Lombardi, r. Bonardi ✆ 95 22 43 85
PEUGEOT Gar. St-Joseph, ZI de Baléone à Sarrola-Carcopino par ① ✆ 95 20 25 40
RENAULT Ajaccio Autom., N 196, Vignetta, Campo del Oro ✆ 95 22 38 00
TOYOTA Gar. Emmanuelli, av. Prince-Impérial, ✆ 95 22 09 76

Autos-Pneus-Sce, rte Mezzavia, km 3 ✆ 95 22 64 40
Maison du Pneu, 6 r. M.-Bozzi ✆ 95 23 38 88

Algajola 2B H.-Corse 90 ⑬ – 228 h. – ✉ **20220** Ile-Rousse.
Voir Citadelle★ – Descente de Croix★ dans l'église.
Ajaccio 164 – Calvi 15 – L'Ile-Rousse 9.

Beau Rivage Ⓜ, ✆ 95 60 73 99, ← – wc ☎. ⅋
1er mai-30 sept. – **R** 80/100 – **26 ch** (½ pens. seul.) – ½ p 210/240.

Plage, ✆ 95 60 72 12, ← – wc Ⓟ. ⅋
3 mai-3 oct. – **R** *(fermé le midi sauf du 1er juil. au 15 sept.)* 70/80 – ☕ 15 – **36 ch** (½ pens. seul.) – ½ p 180/250.

Asco 2B H.-Corse 90 ⑭ – 116 h. alt. 620 – ✉ **20276** Asco.
Env. E : **Gorges★★.**
Ajaccio 125 – Bastia 64 – Corte 42.

Aullène 2A Corse-du-Sud 90 ⑦ – 176 h. alt. 850 – ✉ **20116** Aullène.
Ajaccio 70 – Bonifacio 88 – Corte 107 – Porto-Vecchio 61 – Propriano 43 – Sartène 34.

Poste, ✆ 95 78 61 21, ← – ⅋ rest
1er mai-30 sept. – **R** 80/95 🍷 – ☕ 20 – **20 ch** 95/160 – ½ p 170/200.

Barcaggio 2B H. Corse 90 ① – ✉ **20275** Ersa.
Ajaccio 210 – Bastia 57 – St-Florent 67.

La Giraglia sans rest, ✆ 95 35 60 54, ← La Giraglia, – wc wc ☎
20 avril-20 sept. – **23 ch** ☕300.

Barracone 2A Corse-du-Sud 90 ⑰ – rattaché à Cauro.

Bastelica 2A Corse-du-Sud 90 ⑥ – 796 h. alt. 770 – ✉ **20119** Bastelica.
Env. A 400 m du col de Mercujo : **belvédère★★** et **cirque★★** SO : 13,5 km.
Ajaccio 41 – Corte 62 – Propriano 71 – Sartène 84.

U Castagnetu , ✆ 95 28 70 71, ←, – wc Ⓟ. AE ⓓ VISA
fermé 1er nov. au 15 déc. et mardi sauf vacances scolaires – **R** 70/120 – ☕ 30 – **15 ch** 180/220 – ½ p 280/305.

Chez Paul, ✆ 95 28 71 59, – ⅋
R 45/75.

Bastelicaccia 2A Corse-du-Sud 90 ⑰ – rattaché à Ajaccio.

Bastia Ⓟ 2B H.-Corse 90 ③ – 45 081 h. – ✉ **20200** Bastia.
Voir Terra-Vecchia★★ Y : le vieux port★★ Z, chapelle de l'Immaculée Conception★ Y B – Terra-Nova★ Z : chapelle Ste-Croix★ Z K – Assomption de la Vierge★★ dans l'église Ste-Marie Z F – Église Ste-Lucie ←★★ NO par D31 X.
Env. ※★★★ de la Serra di Pigno 14 km par ③ – ←★★ du col de Teghime 10 km par ③.
✈ de Bastia-Poretta, Air France ✆ 95 36 03 21 par ② : 20 km.
ℹ Office de Tourisme pl. Saint-Nicolas ✆ 95 31 00 89.
Ajaccio 153 ② – Bonifacio 170 ② – Calvi 93 ③ – Corte 70 ② – Porto 135 ②.

Plan page ci-contre

Ostella Ⓜ, 4 km rte Ajaccio par ② ✆ 95 33 51 05, , – TV wc wc ☎ Ⓟ. ⓓ VISA
R (dîner seul.) (résidents seul.) 80/120, enf. 45 – ☕ 25 – **30 ch** 350 – ½ p 275/300.

Bonaparte sans rest, 45 bd Gén.-Graziani ✆ 95 34 07 10 – TV wc wc ☎. AE ⓓ E VISA X u
☕ 25 – **24 ch** 240/420.

tourner →

BASTIA

Campinchi (R. César) . . . . . Y
Gaudin (Bd Auguste) . . . . . Z
Napoléon (R.) . . . . Y 23
Paoli (Bd) . . . . YZ
Sari (Av. Émile) X
Sébastiani (Av. Mar.) . . . . XY 37

Carbuccia (R. Gén.) . . . . Z 2
Casale (R. Jean) . . . . Y 3
Docteur-Favale (Cours) . . . Z 6
Donjon (Pl. du) . . . . Z 7
Dragon (R. du) . . . . Z 8
Évêché (R. de l') . . . . Z 9
Guasco (Pl.) . . . . Z 13
Jardins (R. des) . . . . YZ 14
Landry (R. Adolphe) . . . . . . X 15
Letteron (R. Chanoine) . . . . Z 16
L.-de-Casabianca (R. Cdt) . X 18
Marine (R. de la) . . . . YZ 19
Neuve-St-Roch (R.) . . . . . . Y 25
Paroisse (R. de la) . . . . Z 28
Pierangeli (Cours H.) . . . . . Y 29
Pietri (Av. François) . . . . . XY 30
St-François (R.) . . . . Y 32
St-Jean (R.) . . . . Y 33
St-Roch (R.) . . . . Y 35
Salicetti
(R. du Conventionnel) . . Y 36
Terrasses (R. des) . . . . Y 38
Zéphyrs (R. des) . . . . Y 40

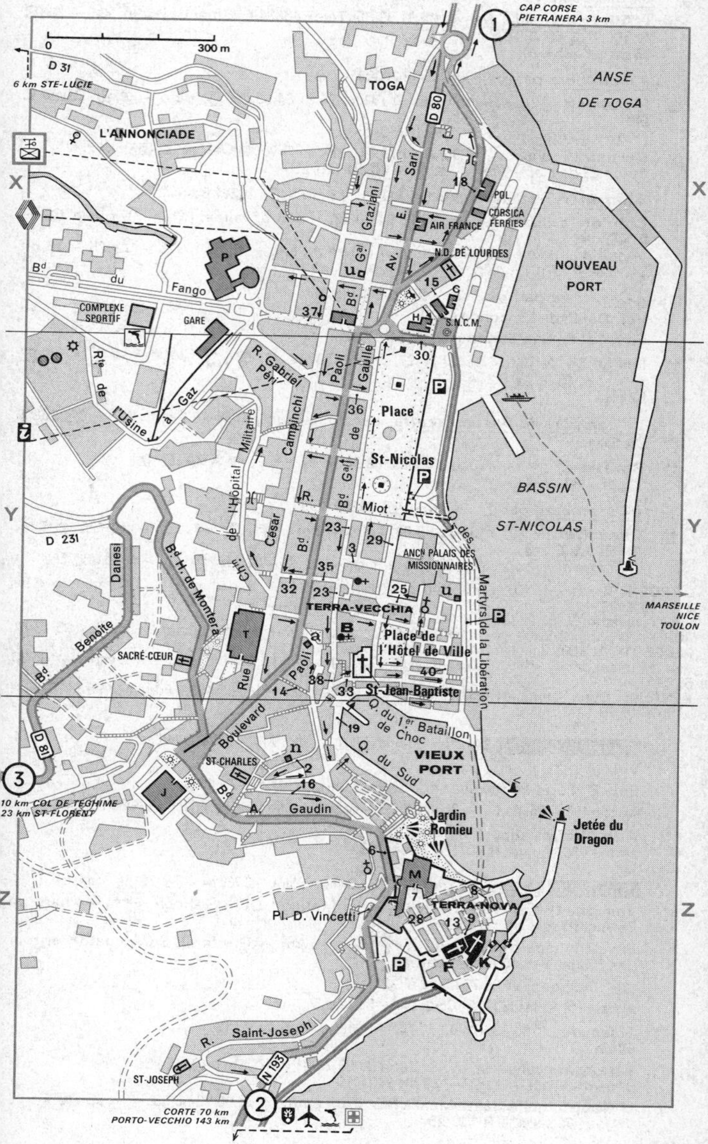

XXX **Chez Assunta,** pl. Neuve Fontaine ✆ 95 31 67 06, « Dans une ancienne chapelle » – AE E VISA Y a
fermé janv., fév. et dim. – **R** 85/120.

XX **Bistrot du Port,** r. Posta Vecchia ✆ 95 32 19 83 – Y u
fermé oct., le midi du 1er juil. au 30 sept. et dim. – **R** 160 bc/200 bc.

X **La Taverne,** 9 r. Gén.-Carbuccia ✆ 95 31 17 87 – AE E VISA. Z n
R 60/90.

à Palagaccio par ① : 2,5 km – ✉ **20200** Bastia :

L'Alivi M sans rest, ✆ 95 31 61 85, Télex 468349, ≤ mer et jardin, – TV
P – 60. E VISA
35 ch 335/520.

à Pietranera par ① : 3 km – ✉ **20200** Bastia :

Pietracap M sans rest, sur D 131 ✆ 95 31 64 63, ≤, , parc – P. AE E
VISA
1er avril-30 nov. – 30 – **23 ch** 350/450.

Cyrnea M sans rest, ✆ 95 31 41 71, ≤, – wc P. E VISA.
fermé 23 déc. au 1er fév. – 15 – **20 ch** 125/250.

à San Martino di Lota par ① et D 31 : 13 km – ✉ **20200** Bastia :

Coin de la Corniche , ✆ 95 31 40 98, ≤ mer et vallée, – wc P. AE
E VISA.
fermé janv., dim. soir et lundi sauf d'avril à sept. – **R** 70/100 – 25 – **16 ch**
140/220 – 1/2 p 175/205.

à Casatorra par ② : 9 km – ✉ **20600** Biguglia.

Voir Défilé de Lancone** SO.

Env. Col de San Stefano ** SO : 9 km.

Ibis M , N 193 ✆ 95 30 27 27, Télex 468744, ≤, , , , – ch TV
wc P – 80
62 ch.

à l'aéroport de Bastia-Poretta par ② : 20 km par N 193 et D 507 – ✉ **20290** Lucciana :

Poretta M sans rest, ✆ 95 36 09 54 – wc P. AE VISA.
25 – **30 ch** 270.

à Casamozza par ② : 20 km – ✉ **20290** Borgo :

Chez Walter M, ✆ 95 36 00 09, Télex 468141, , , , – TV wc
P. AE E VISA
R *(fermé dim. hors sais.)* 85/120, enf. 65 – 30 – **32 ch** 240/320 – 1/2 p 360/550.

CITROEN Corcitra, N 193, sortie Sud par ② ✆ 95 33 36 09
FIAT Corsauto, N 193 à Furiani ✆ 95 33 50 02
FORD Ets Schmitt, Zone Ind. ✆ 95 33 50 41
PEUGEOT-TALBOT Insulaire-Auto, N 193 Lupino à Furiani par ② ✆ 95 33 50 31 N ✆ 95 31 53 89
RENAULT Doria-Autom., N 193 Lupino par ② ✆ 95 33 09 28
RENAULT Ginanni, 35 r. C.-Campinchi ✆ 95 31 09 02 N ✆ 95 31 46 86

Ferrari, N 193 Précojo à Furiani ✆ 95 33 51 29
Marcelli, N 193 à Casamozza-Lucciana ✆ 95 36 00 28
Seddas-Pneus, N 193 à Furiani ✆ 95 33 50 49

Bavella (Col de) 2A Corse-du-Sud 90 ⑦ – alt. 1 243 – ✉ **20124** Zonza.

Voir ***.

Env. E : Forêt de Bavella** – Col de Larone ≤** NE : 13 km.

Ajaccio 100 – Bastia 132 – Bonifacio 76 – Porto-Vecchio 49 – Propriano 48 – Sartène 46.

X **Aub. du Bavella,** ✆ 95 57 43 87, ≤, –
1er mai-30 sept. – **R** 80/150 , enf. 35.

Bonifacio 2A Corse-du-Sud 90 ⑨ **G. Corse** (plan) – 2 736 h. – ✉ **20169** Bonifacio.

Voir Site*** – Vieille ville** – La Marine* : Col St-Roch ≤** – Phare de Pertusato * SE : 5 km.

Env. Ermitage de la Trinité ≤** NO : 6,5 km – Grotte du Sdragonato* et tour des falaises** 45 mn en bateau.

de Figari, ✆ 95 71 00 22 N : 21 km.

Ajaccio 140 – Bastia 170 – Corte 148 – Sartène 54.

Solemare, ✆ 95 73 01 06, ≤, – wc wc P
58 ch.

Étrangers sans rest, av. S. Bohn ✆ 95 73 01 09 – wc P. E VISA
1er avril-30 oct. – 23 – **30 ch** 140/210.

X **U Ceppu,** golfe Santa Manza NE : 6 km par D 58 ✆ 95 73 05 83, ≤ – AE VISA
1er juin-30 sept. – **R** 130/280.

à l'Ile Cavallo – ✉ **20169** Bonifacio.

Accès ✆ **95 73 02 70 (Centre d'Accueil de l'île) pour réservation bateau et départ quai Piantarella.**

Club des Pêcheurs, ✆ 95 70 36 39, Télex 460836, ≤ – ☎ – 25
14 ch.

Bussaglia 2A Corse-du-Sud 90 ⑮ – rattaché à Porto.

Calacuccia 2B H.-Corse 90 ⑮ – 418 h. alt. 830 – ✉ **20224** Calacuccia.

Voir Site★★ – Tour du lac de barrage★★ – Défilé de la Scala di Santa Régina★★ NE : 5 km – Casamaccioli ≤★ SO : 3 km – Chapelle St-Pancrace ≤★ NE : 4 km puis 15 mn.

Cala Rossa 2A Corse du Sud 90 ⑧ – rattaché à Porto-Vecchio.

Calenzana 2B H.-Corse 90 ⑭ – 1 623 h. – ✉ **20214** Calenzana.

Voir Église Ste-Restitute★ NE : 1 km.

Ajaccio 164 – Calvi 13 – L'Ile Rousse 28 – Porto 81.

Bel Horizon sans rest, ✆ **95 62 71 72,** ≤ – cuisinette.
avril-sept. – 20 – **13 ch** 150/170.

Les localités citées dans le **guide Michelin** *sont soulignées de rouge sur les* **cartes Michelin** *à 1/200 000.*

Calvi 2B H.-Corse 90 ⑬ – 3 636 h. – ✉ **20260** Calvi.

Voir Citadelle★ : fortifications★ – La Marine★.

Env. Belvédère N.-D. de-la-Serra ≤★★★ 6 km par ② – ★★ de la terrasse de l'église de Montemaggiore 11 km par ①.

Excurs. en bateau : Calvi-Girolata★★★.

de Calvi-Ste-Catherine : Air Inter ✆ 95 65 20 09, par ① : 7 km.

Office de Tourisme port de Plaisance ✆ 95 65 16 67.

Ajaccio 159 ① – Bastia 93 ① – Corte 96 ① – L'Ile-Rousse 24 ① – Porto 76 ①.

Le Magnolia sans rest, **pl. du Marché (s)** ✆ **95 65 19 16,** – ☎.
AE VISA.
R voir rest **Ile de Beauté** ci-après – 40 – **14 ch** 280/600.

Balanea sans rest, **6 r. Clemenceau (n)** ✆ **95 65 00 45, Télex 460540,** ≤ – wc ☎. AE E VISA
35 – **40 ch** 240/890.

Corsica, **par ①, N 197 et rte Pietra Major : 2,5 km** ✆ **95 65 03 64,** ≤, – wc wc.
1er mai-31 oct. – **R** (résidents seul.) – 15 – **48 ch** 220/250 – $^1/_2$ p 200/295.

Kallisté, av. Cdt-Marche (e) ✆ **95 65 09 81,** ≤, – wc wc ☎. AE VISA
mai- sept. – **R** 89/115 – 29 – **27 ch** 230/336 – $^1/_2$ p 239/320.

St-Érasme sans rest, **rte Ajaccio par ② : 0,8 km** ✆ **95 65 04 50,** ≤ – wc. AE
1er avril-15 oct. – 29 – **32 ch** 279/307.

tourner →

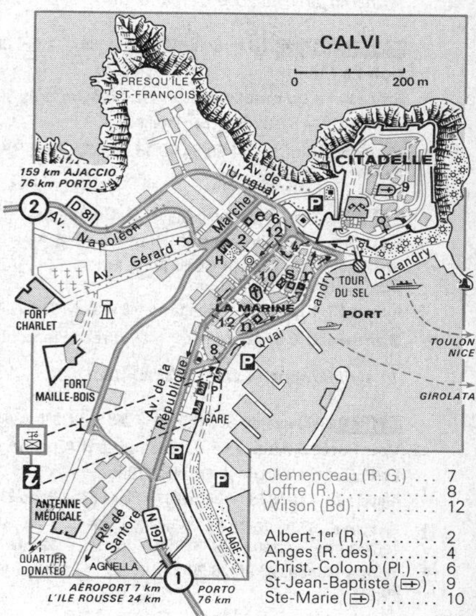

Résidence des Aloës sans rest, quartier Donatéo SO : 1,5 km 95 65 01 46, < golfe, – wc wc . AE E VISA
30 avril-1er oct. – 25 – **26 ch** 220/400.

Les Arbousiers sans rest, par ① : 0,5 km 95 65 04 47, < – wc
. AE VISA.
début mai-début oct. – 15 – **40 ch** 215/240.

Caravelle , à la plage par ① : 0,5 km par N 197 95 65 01 21, – wc. AE.
rest
15 avril-10 oct. – **R** 90, enf. 50 – 17 – **20 ch** 152/217 – 1/2 p 349/414.

XXX ❀ **Ile de Beauté** -Hôtel Le Magnolia-, quai Landry **(r)** 95 65 00 46, <, – AE
VISA.
1er mai-28 sept. et fermé merc. sauf juil.-août – **R** carte 245 à 295
Spéc. Huitres tièdes au citron vert, Fricassée de homard aux morilles, Civet de langouste à la crème de nicrosi. **Vins** vins de Corse.

Cap Corse (Tour du) ★★★ 2B H.-Corse 90 ①② – 123 km au départ de Bastia.

Cargèse 2A Corse-du-Sud 90 ⑯ – 898 h. – ✉ 20130 Cargèse.

Voir Église latine <★.

Ajaccio 51 – Calvi 108 – Corte 106 – Piana 20 – Porto 32.

Lentisques , plage du Pero N : 1,5 km 95 26 42 34, <, – wc wc
.
1er mai-30 sept. – 26 – **19 ch** 260 – 1/2 p 375/550.

La Spelunca sans rest, 95 26 40 12, < – wc .
Pâques-fin oct. – 25 – **20 ch** 200/280.

Thalassa , à la plage du Pero N : 1,5 km 95 26 40 08, <, – wc wc

15 mai-début oct. – **R** (résidents seul.) – 25 – **22 ch** 150/200 – 1/2 p 210.

Casamozza 2B H.-Corse 90 ③ – rattaché à Bastia.

Cauro 2A Corse-du-Sud 90 ⑰ – 595 h. – ✉ 20117 Cauro.

Ajaccio 22 – Sartène 64.

XX **Napoléon,** 95 28 40 78 – AE E VISA
fermé 1er déc. au 6 janv. et lundi sauf juil.-août – **R** 98.

à Barracone O : 3 km sur N 196 – ✉ 20117 Cauro :

XX **U Barracone,** 95 28 40 55, , « Cadre de verdure », – . AE VISA
fermé 15 janv. au 28 fév. et lundi du 15 sept. au 15 avril – **R** 95.

Centuri-Port 2B H.-Corse 90 ① – 195 h. – ✉ 20238 Centuri.

Voir La Marine★.

Env. ★★ du moulin Mattei NE : 6,5 km puis 30 mn.

Ajaccio 212 – Bastia 59 – St-Florent 60.

Vieux Moulin , 95 35 60 15, <, , , – wc
14 ch.

Corte 2B H.-Corse 90 ⑤ G. Corse (plan) – 5 446 h. – ✉ 20250 Corte.

Voir Site★ – Ville haute★ : belvédère ★ – Mosaïques★ dans l'hôtel de ville.

Env. ★★ du Monte Cecu N : 7 km – SO : Vallée★★ et forêt★ de la Restonica – SE : Vallée du Tavignano★.

Ajaccio 83 – Bastia 70 – Bonifacio 148 – Calvi 96 – L'Ile-Rousse 72 – Porto 86 – Sartène 141.

Sampiero Corso sans rest, av. Prés.-Pierucci 95 46 09 76 – wc wc .
AE VISA
1er avril-30 sept. – 22 – **31 ch** 180/200.

Evisa 2A Corse-du-Sud 90 ⑮ – 248 h. alt. 830 – ✉ 20126 Evisa.

Voir Forêt d'Aïtone★★ – Cascades d'Aïtone★★ NE : 3 km puis 30 mn.

Env. Col de Vergio <★★ NE : 10 km.

Ajaccio 72 – Calvi 99 – Corte 63 – Piana 33 – Porto 23.

Aïtone, 95 26 20 04, < vallée, – wc wc . AE E VISA
fermé nov. et déc. – **R** 70/120 – 25 – **32 ch** 120/300 – 1/2 p 180/500.

Scopa Rossa, 95 26 20 22, <, – wc wc
25 ch.

Favone 2A Corse du Sud 90 ⑦ – ✉ **20144** Ste Lucie-de-Porto-Vecchio.
Ajaccio 143 – Bastia 114 – Bonifacio 56.

U Dragulinu, 95 57 20 30, ←, – wc P. E VISA. rest
hôtel : 15 mars-15 oct. ; rest. : 20 mai-30 sept. – **R** 100/110 – 30 – **28 ch** 300/340 – 1/2 p 290/320.

Feliceto 2B H.-Corse 90 ⑭ – 145 h. – ✉ **20225** Muro.
Ajaccio 156 – Calvi 26 – Corte 73 – L'Ile-Rousse 19.

Gd H. "Mare E Monti", 95 61 73 06, ←, parc, , parc – wc wc. AE
1er mai-30 sept. – **R** 100/160 – 25 – **18 ch** 102/210 – 1/2 p 160/180.

Ferayola 2B H.-Corse 90 ⑭ – rattaché à Galéria.

Galéria 2B H.-Corse 90 ⑭ – 306 h. – ✉ **20245** Galéria.
Voir Golfe★.
Ajaccio 133 – Calvi 33 – Porto 50.

au Fango E : 6 km sur D 351 – ✉ **20245** Galéria :

A Farera sans rest, 95 62 01 87 – wc wc P. AE
mai-sept. – 25 – **12 ch** 180.

à Ferayola N : 14 km par D 351 et D 81 – ✉ **20260** Calvi :

Aub.de Ferayola, 95 62 01 52, ←, , – wc wc P. E VISA.
1er juin-30 sept. – **R** 70/80 – 25 – **10 ch** 160/250 – 1/2 p 205/225.

Golfe de la Liscia 2A Corse-du-Sud 90 ⑯ – ✉ **20111** Calcatoggio.
Voir Calcatoggio ←★ SE : 5 km.
Ajaccio 26 – Calvi 137 – Corte 96 – Vico 26.

Castel d'Orcino, à la pointe de Palmentojo 95 52 20 63, ← golfe, , – wc P. rest
1er avril-31 oct. – **R** grill (résidents seul.) carte 95 à 140 – 25 – **20 ch** 200/260.

L'Ile-Rousse 2B H.-Corse 90 ⑬ – 2 632 h. – ✉ **20220** l'Ile-Rousse.
Voir Ile de la Pietra★ : phare ←★ N : 2 km.
Syndicat d'Initiative pl. Paoli (avril-sept.) 95 60 04 35.
Ajaccio 155 – Bastia 69 – Calvi 24 – Corte 72.

La Pietra sans rest, rte du Port 95 60 01 45, ← mer et montagne – wc wc P. AE E VISA
1er avril-31 oct. – 30 – **40 ch** 250/450.

Funtana Marina M sans rest, 1 km par rte Monticelle 95 60 16 12, ← les îles, – wc wc P. AE E VISA.
fermé janv. et fév. – 25 – **29 ch** 315/350.

Cala di l'Oru M sans rest, bd Fogata 95 60 14 75, ← – wc wc P. E VISA
26 – **24 ch** 210/300.

Amiral M sans rest, bd Ch.-Marie Savelli 95 60 28 05, ← – wc wc P. VISA.
1er avril-31 oct. – 25 – **20 ch** 250/350.

Isola Rossa sans rest, rte du Port 95 60 01 32, ← – wc P. AE.
21 – **20 ch** 170/200.

Le Grillon, av. P.-Doumer 95 60 00 49 – wc P. AE.
1er mars-15 nov. – **R** 85/110, enf. 55 – 25 – **20 ch** 220/280 – 1/2 p 360.

California, rte du Port 95 60 01 13, ←
1er avril-29 sept. et fermé merc. – **R** 80 et carte le dim.

Le Laetitia, sur le Port 95 60 01 90, ←, – P.

à Monticello SE : 3 km – ✉ **20220** l'Ile-Rousse :

A Pastorella, 95 60 05 65, ← – wc. VISA
fermé nov., dim. soir et lundi du 1er déc. au 1er mars – **R** 90/110 – 28 – **14 ch** 170/200 – 1/2 p 225/300.

Macinaggio 2B H.-Corse 90 ① – ✉ **20248** Macinaggio.
Bastia 39.

U Libecciu, 95 35 43 22, – wc P. AE.
1er mars-14 oct. – **R** 70/82 – 20 – **14 ch** 180/300 – 1/2 p 230/260.

Monticello 2B H.-Corse 90 ⑬ – rattaché à l'Ile-Rousse.

Palagaccio 2B H.-Corse 90 ② – rattaché à Bastia.

Petreto-Bicchisano 2A Corse-du-Sud 90 ⑰ – 643 h. – ✉ **20140** Petreto-Bicchisano.
Ajaccio 50 – Sartène 36.

XX **France** avec ch, à **Bicchisano** ✆ 95 24 30 55, – **P**. AE E VISA.
15 mai-15 oct. – **R** 150/220, enf. 100 – ☐ 25 – **6 ch** 140 – 1/2 p 200/220.

Piana 2A Corse-du-Sud 90 ⑮ – 511 h. – ✉ **20115** Piana.
Voir Col de Lava ≤** S : 1 km.
Env. NO : Route de Ficajola ≤*** – Capo Rosso ≤** O : 9 km.
Ajaccio 71 – Calvi 92 – Évisa 33 – Porto 12.

Capo Rosso , ✆ 95 26 82 40, ≤ mer et golfe, – TV wc wc **P**. AE E VISA. ch
1er avril-15 oct. – **R** 100/200 – ☐ 30 – **60 ch** 300/550 – 1/2 p 380/510.

L'Horizon sans rest, rte Cargèse ✆ 95 26 80 07, ≤ – TV wc **P**. AE
1er avril-30 oct. – ☐ 25 – **17 ch** 170/260.

Continental sans rest, ✆ 95 26 82 02, – wc **P**
1er mai-30 sept. – ☐ 25 – **17 ch** 120/200.

Pietracorbara 2B H.-Corse 90 ② – 229 h. – ✉ **20233** Sisco.
Env. Sisco : chapelle St-Michel ≤** 30 mn, SO : 12 km.
Ajaccio 173 – Bastia 20.

Pietranera 2B H.-Corse 90 ②③ – voir à Bastia.

Pioggiola 2B H.-Corse 90 ⑬ – 34 h. – ✉ **20259** Pioggiola.

Aub. Aghjola , ✆ 95 61 90 48, – wc. AE E VISA. rest
1er avril-1er nov. – **R** carte environ 130, enf. 30 – **12 ch** 200/280 – 1/2 p 275/325.

Porticcio 2A Corse-du-Sud 90 ⑰ – ✉ **20166** Porticcio.
Ajaccio 17 – Sartène 80.

Sofitel M , ✆ 95 25 00 34, Télex 460708, ≤ golfe, , , , , – ch TV **P** – 150. AE E VISA. rest
Le Caroubier *(fermé 1er déc. au 9 janv.)* **R** carte 220 à 310 – **96 ch** (½ pens. seul.), 4 appartements – 1/2 p 1310/1460.

Le Maquis , ✆ 95 25 05 55, Télex 460597, ≤, , , , , – TV **P**. AE E VISA. rest
R carte 235 à 320, enf. 120 – **19 ch** ☐ 1080/1450, 3 appartements 2340 – 1/2 p 1160/1230.

Isolella, à Agnarello S : 4,5 km ✆ 95 25 41 36, ≤, – wc wc **P**. E VISA
R *(avril-oct.)* carte 150 à 235 – ☐ 22 – **32 ch** 220/260.

XX **Club,** plage de la Viva ✆ 95 25 00 42, ≤, – AE E VISA
R 120/200, enf. 65.

Porticciolo 2B H.-Corse 90 ② – ✉ **20228** Luri.
Ajaccio 178 – Bastia 25.

Caribou , à la Marine de Porticciolo ✆ 95 35 00 33, ≤, , , , – wc wc **P**. AE E VISA. rest
20 juin-20 sept. – **R** 210/300 – ☐ 30 – **20 ch** (½ pens. seul.) – 1/2 p 450/500.

Porto 2A Corse-du-Sud 90 ⑮ – ✉ **20150** Ota.
Voir La Marine*.
Env. Golfe de Porto*** : les Calanche*** – en vedette : SO : les Calanche**, NO : réserve de Scandola***, site* de Girolata.
Syndicat d'Initiative 9 rte de la Marine (avril-sept.) ✆ 95 26 10 55.
Ajaccio 83 – Bastia 135 – Calvi 76 – Corte 86 – Évisa 23.

Capo d'Orto M, ✆ 95 26 11 14, ≤, , – wc **P**. E VISA. rest
15 avril-30 sept. – **R** 80, enf. 50 – ☐ 22 – **30 ch** 203/215 – 1/2 p 203/290.

Le Porto, ✆ 95 26 11 20, ≤, – wc wc **P**. AE E VISA.
1er mai-30 sept. – **R** 80/150, enf. 50 – ☐ 25 – **30 ch** 230/290 – 1/2 p 230/270.

Bella Vista sans rest, ✆ 95 26 11 08, ≤, – cuisinette wc wc. E VISA
30 avril-10 oct. – ☐ 17 – **20 ch** 100/200.

Le Cyrnée, à la Marine ✆ 95 26 12 40, ≤, – wc wc
1er avril-fin sept. – **R** 90 – ☐ 20 – **10 ch** 180 – 1/2 p 220.

vers la plage de Bussaglia N : 6 km par D 81 et VO – 20147 Partinello :

L'Aiglon, 95 26 10 65, dans le maquis, – wc wc . E VISA.
1er mai-30 sept. – **R** 60/180 – 25 – **18 ch** 175/230 – 1/2 p 175/230.

Porto-Pollo 2A Corse-du-Sud 90 ⑱ – 20140 Petreto-Bicchisano.
Ajaccio 60 – Sartène 33.

Les Eucalyptus, 95 74 01 52, – wc . AE E VISA.
20 mai-1er oct. – **R** 70/105, enf. 42 – 20 – **27 ch** 230 – 1/2 p 175/215.

Kallisté, 95 74 02 38, – wc. VISA
1er avril-8 oct. – **R** 70/198, enf. 35 – 25 – **11 ch** 220/250 – 1/2 p 195/250.

Porto-Vecchio 2A Corse-du-Sud 90 ⑧ – 8 103 h. – 20137 Porto-Vecchio.
Env. Golfe de Porto-Vecchio★★ – Castello★ d'Arraggio ★★ N : 7,5 km.
de Figari 95 71 00 22 SO : 23 km.
Office de Tourisme pl. Hôtel de Ville 95 70 09 58.
Ajaccio 131 – Bastia 143 – Bonifacio 27 – Corte 121 – Sartène 63.

du Roi Théodore M, rte de Bastia : 2 km 95 70 14 94, Télex 460253, – 60. AE E VISA
hôtel : 1er mars-30 nov. ; rest. : 1er mai-31 oct. – **R** 180/240, enf. 90 – 40 – **37 ch** 520/680 – 1/2 p 680.

San Giovanni M, rte d'Arca SO : 3 km par D 659 95 70 22 25, « Parc », – wc wc . AE E VISA.
1er avril-30 oct. – **R** 100/110 – **26 ch** 237/370 – 1/2 p 405.

La Rivière M, rte de Muratello O : 6 km par D 368, VO, et D 159 95 70 10 21, parc, – wc . AE E VISA. rest
15 avril-début oct. – **R** (dîner seul.) 100 – **30 ch** 250/410 – 1/2 p 420.

Le Goëland sans rest, à la Marine 95 70 14 15, – wc wc .
30 – **21 ch** 120/230.

L'Aiglon sans rest, rte du Port 95 70 13 06 – wc .
20 mars-30 oct. – 22 – **16 ch** 156/205.

Roches Blanches, à la Marine 95 70 06 96, – wc .
1er mai-30 sept. – **R** 95 – 19 – **15 ch** 95/245.

Le Baladin et le Troubadour, 13 r. Gén.-Leclerc 95 70 08 62, – . AE E VISA
fermé 15 déc. au 1er fév., le midi du 1er juin au 1er sept., sam. midi et dim. du 1er sept. au 31 mai – **R** carte 185 à 270.

Lucullus, r. Gén.-de-Gaulle 95 70 10 17.

rte Cala Rossa NE : 7 km par N 198 et D 468 – 20137 Porto-Vecchio :

U Stagnolu avec ch, 95 70 02 07, golfe, – cuisinette wc . AE E VISA
hôtel : Pâques-oct. ; rest.:15 mai-15 sept. – **R** (du 15 juin au 15 sept. dîner seul.) 120/200 – 28 – **26 ch** 170/450 – 1/2 p 200/300.

à Cala Rossa NE : 10 km par N 198, D 568 et D 468 – 20137 Porto Vecchio :

Gd H. Cala Rossa, 95 71 61 51, Télex 460394, « Dans les pins, jardin, plage aménagée », – rest – 30. AE VISA.
15 avril-1er nov. – **R** carte 230 à 370 – **50 ch** 370/1070 – 1/2 p 1000.

PEUGEOT-TALBOT Piétri-Auto, rte de Bonifacio 95 70 07 32 N 95 71 21 21

RENAULT Balesi-Auto, N 198, La Poretta 95 70 15 55 N 95 70 21 43

Propriano 2A Corse-du-Sud 90 ⑱ – 3 098 h. – Stat. therm. (fermé déc.) aux Bains de Baracci – 20110 Propriano.
Voir Port★.
Syndicat d'Initiative 17 r. Gén.-de-Gaulle 95 76 01 49.
Ajaccio 73 – Bonifacio 67 – Corte 138 – Sartène 13.

Roc é Mare sans rest, 95 76 04 85, Télex 460962, golfe, – wc wc . AE E VISA
1er mai-30 sept. – 30 – **60 ch** 345/465.

Ollandini sans rest, rte Barraci NE : 2 km 95 76 05 10, – wc . AE .
mai-fin sept. – 25 – **51 ch** 280/380.

Les Résidences du Lido Beach M sans rest, av. Napoléon 95 76 17 74, – wc . AE E VISA.
30 – **15 ch** 340.

XX **Lido** avec ch, 95 76 06 37, ←, – wc . AE E VISA. ch
15 mai-fin sept. – **R** carte 165 à 245 – 30 – **17 ch** 255.

X **Le Cabanon,** av. Napoléon 95 76 07 76, ←, – AE E VISA
1er mars-1er oct. – **R** 95.

X **La Rascasse,** r. Pêcheurs 95 76 13 84, – AE E VISA
fermé 20 déc. au 15 janv., dim. et lundi – **R** 84/184.

PEUGEOT Casabianca, rte Corniche 95 76 00 91

RENAULT Vesperini, N 196 Arconcello 95 76 04 08

Quenza 2A Corse-du-Sud 90 ⑦ – 229 h. alt. 800 – ✉ **20122** Quenza.

Ajaccio 84 – Bonifacio 74 – Porto-Vecchio 47 – Sartène 44.

Sole e Monti, 95 78 62 53, ←, – wc wc P. AE VISA. rest
1er janv.-15 sept. – **R** 120/185 – **20 ch** 220/320.

Sagone 2A Corse-du-Sud 90 ⑯ – ✉ **20118** Sagone.

Voir Golfe de Sagone★.

Ajaccio 38 – Piana 33 – Porto 45.

Funtanella , O, rte Cargèse : 4 km par D 81 95 28 02 49, ←, , – cuisinette wc P. E VISA.
1er avril-30 sept. – **R** 70/104 – 28 – **20 ch** 187/240 – 1/2 p 226.

St-Florent 2B H.-Corse 90 ③ – 1 217 h. – ✉ **20217** St-Florent.

Voir Anc. cathédrale de Nebbio★★ – Vieille Ville★.

Ajaccio 176 – Bastia 23 – Calvi 70 – Corte 93 – L'Ile-Rousse 46.

Dolce Notte M sans rest, 95 37 06 65, ←, , – wc wc P. VISA
mars-oct. – 27 – **25 ch** 250/370.

Tettola M sans rest, N : 1 km sur D 81 95 37 08 53, ←, , , – cuisinette wc P. VISA
22 – **31 ch** 140/390.

XX **La Rascasse,** promenade des Quais 95 37 06 99, ←, , « Terrasse panoramique sur le port » – . AE E VISA
15 mars-15 oct. et fermé lundi sauf du 15 juin au 15 sept. – **R** carte 145 à 225.

au Nord 2 km par D 81 et voie privée – ✉ **20217** St-Florent :

Bungalows de Treperi sans rest, 95 37 02 75, ← mer et montagne, , , – cuisinette wc P
20 ch.

Santa-Maria-Sicché 2A Corse-du-Sud 90 ⑰ – 439 h. – ✉ **20190** Santa-Maria-Sicché.

Ajaccio 36 – Sartène 53.

Santa Maria, 95 25 72 65, ← – wc wc . AE .
fermé 15 déc. au 15 janv. – **R** 60/105 – 25 – **22 ch** 145/205 – 1/2 p 235/320.

San-Martino-di-Lota 2B H.-Corse 90 ② – voir à Bastia.

San Pellegrino 2B H.-Corse 90 ④ – ✉ **20213** Castellare di Casinca.

Ajaccio 147 – Bastia 34 – Corte 64 – Porto-Vecchio 115.

San Pellegrino (H. pavillonnaire) , à Folelli-Plage 95 36 90 61, Télex 460398, ←, parc, , , – cuisinette wc P. AE E VISA. rest
1er mai-10 oct. – **R** 90 – 22 – **105 ch** 220/320 – 1/2 p 236/276.

Sant'Antonino 2B H.-Corse 90 ⑬ – 79 h. – ✉ **20269** Aregno.

Voir ←★★ – Village★ – Aregno : église de la Trinité★ S : 5 km – Lavatoggio : ←★ de la terrasse de l'église SO : 5 km.

Env. Col de Salvi ←★★ SO : 6 km.

Sartène SP 2A Corse-du-Sud 90 ⑱ **G. Corse** (plan) – 3 184 h. – ✉ **20100** Sartène.

Voir Vieille ville★★ – Procession de Catenacciu★★ (vend. Saint) – Foce : belvédère ←★★ E : 5 km.

Ajaccio 86 – Bastia 178 – Bonifacio 54 – Corte 141.

Villa Piana M sans rest, rte Propriano 95 77 07 04, ←, parc, – wc P – 60. AE VISA.
15 mai-25 sept. – 21 – **32 ch** 230/270.

XX **Aub. Santa Barbara,** rte de Propriano ✆ 95 77 09 06, ←, 𐀀, 𐀀 – Ⓟ. AE E VISA
25 mars-mi-oct. – **R** 135 ♁.

X **La Chaumière,** 39 r. Capitaine Benedetti ✆ 95 77 07 13 – AE ⓪ VISA
fermé 1er janv. au 10 mars et lundi hors sais. – **R** 80.

RENAULT Gar. Le Rond-Point, r. J.-Nicoli ✆ 95 77 02 14

Soccia 2A Corse-du-Sud 90 ⑮ – 172 h. – ✉ **20125** Soccia.
Ajaccio 70 – Calvi 139 – Corte 99 – Vico 18.

U Paese ⑤, ✆ 95 28 31 92, ← – wc ☎ Ⓟ. ⚘
fermé 1er nov. au 20 déc. – **R** 75/90 ♁ – ☕ 18 – **22 ch** 137/183 – 1/2 p 180.

Solenzara 2A Corse-du-Sud 90 ⑦ – ✉ **20145** Solenzara.
Ajaccio 131 – Bastia 103 – Bonifacio 67 – Sartène 77.

Maquis et Mer sans rest, ✆ 95 57 42 37 – |‡| wc ⎈wc ☎ Ⓟ – 🏊 80. AE ⓪ E VISA
fermé nov. – ☕ 30 – **47 ch** 280/450.

Solenzara sans rest, ✆ 95 57 42 18, 𐀀 – wc ⎈wc Ⓟ. E VISA
☕ 20 – **33 ch** 130/210.

Speloncato 2B H.-Corse 90 ⑬ – 191 h. – ✉ **20281** Speloncato.
Voir ←★.
Ajaccio 150 – Calvi 32 – Corte 67 – L'Ile-Rousse 19.

Spelunca ⑤, ✆ 95 61 50 38 – ⎈wc
15 ch.

Tiuccia 2A Corse-du-Sud 90 ⑯ – rattaché à Golfe de la Liscia.

Venaco 2B H.-Corse 90 ⑤ – 747 h. alt. 600 – ✉ **20231** Venaco.
Voir Col de Bellagranajo ✳★★ N : 3 km – Pont du Vecchio ←★ S : 5 km.
Env. Col de Morello ←★★ SE : 14,5 km.
Ajaccio 71 – Corte 12 – Sartène 128.

Paesotel E Caselle ⑤, au SE : 5 km par D 43 ✆ 95 47 02 01, ←, « Pavillons dans le maquis », 🏊, 🎾 – cuisinette wc ⎈wc ☎ – 🏊 60. AE ⓪ E VISA
⚘ rest
1er mai-30 sept. – **R** carte 130 à 230 ♁ – ☕ 42 – **47 ch** 330/390.

Vero 2A Corse-du-Sud 90 ⑯ – 241 h. – ✉ **20133** Ucciani.
Ajaccio 27 – Cargèse 65 – Corte 62.

X **Aub. Mamy,** à La Vignole SO : 5 km sur N 193 ✆ 95 52 80 37 – Ⓟ
fermé mi-fév. à mi-mars, dim. soir et merc. – **R** (prévenir) carte 110 à 180.

Vico 2A Corse-du-Sud 90 ⑮ – 1 312 h. – ✉ **20160** Vico.
Voir Couvent St-François : christ en bois★ dans l'église conventuelle.
Ajaccio 52 – Calvi 121 – Corte 81.

U Paradisu ⑤, ✆ 95 26 61 62, ← – ⎈wc ☎. AE ⓪ VISA. ⚘ ch
R 85/125 – ☕ 25 – **23 ch** 190/225 – 1/2 p 212.

Vizzavona (Col de) 2B H.-Corse 90 ⑥ – alt. 1 161 – ✉ **20219** Vivario.
Voir Forêt★★.
Ajaccio 49 – Bastia 104 – Bonifacio 144 – Corte 34.

Monte d'Oro, ✆ 95 47 21 06, ←, ⑤ en forêt, 𐀀, 🎾 – ⎈wc Ⓟ – 🏊 40 à 60.
⚘ rest
1er juin-30 sept. – **R** 92/184 ♁, enf. 40 – ☕ 25 – **55 ch** 145/250 – 1/2 p 200/250.

Zicavo 2A Corse-du-Sud 90 ⑦ – 269 h. alt. 730 – ✉ **20132** Zicavo.
Ajaccio 63 – Bonifacio 114 – Corte 81 – Porto-Vecchio 87 – Sartène 60.

Tourisme, ✆ 95 24 40 06, ← – ⎈wc
15 ch.

Zonza 2A Corse-du-Sud 90 ⑦ – 1 503 h. alt. 784 – ✉ **20124** Zonza.
Ajaccio 91 – Aleria 56 – Bonifacio 67 – Corte 128 – Porto-Vecchio 40 – Sartène 37.

Incudine, ✆ 95 78 67 71, 𐀀 – wc Ⓟ. VISA
Pâques-fin oct. – **R** 75, enf. 50 – ☕ 24 – **10 ch** 180/240 – 1/2 p 185/220.

COSNE-D'ALLIER 03430 Allier 69 ⑫ **G. Auvergne** – 2 464 h.

Paris 307 – Montluçon 25 – Moulins 42 – St-Amand-Montrond 47 – St-Pierre-le-Moutier 51.

Globe, ✆ 70 07 50 26 – wc. E VISA
fermé dim. soir et lundi – **R** 48/120, enf. 25 – 15 – **8 ch** 70/140 – 1/2 p 140/160.

CITROEN Larnaud, 82 r. République ✆ 70 07 50 01

PEUGEOT-TALBOT Dubost, ✆ 70 07 57 07 N

COSNES-ET-ROMAIN 54 M.-et-M. 57 ② – rattaché à Longwy.

COSNE-SUR-LOIRE 58200 Nièvre 65 ⑬ **G. Bourgogne** – 11 084 h.

Office de Tourisme 17 r. A.-Baudin (saison) ✆ 86 28 11 85.

Paris 186 ① – Auxerre 74 ① – Bourges 62 ④ – Montargis 73 ① – Nevers 52 ③ – ♦Orléans 105 ①.

COSNE-SUR-LOIRE

St-Jacques (R. et) 22

Baudin (R. Alphonse) 2
Buchet-Desforges (R.) 4
Clemenceau (Pl. G.) 5
Donzy (R. de) 7
Frères-Gambon (R. des) 8
Gambetta (R.) 9
Gaulle (R. du Général-de) 12
Leclerc (R. du Général) 13
Moineau (Pl. J.) 14
Pêcherie (Pl. de la) 15
Pelletan (R. Eugène) 16
République (Bd de la) 17
Rousseau (R. W.) 18
St-Agnan (R.) 21
Victor-Hugo (R.) 24
Vieille-Route (R.) 25
14-Juillet (R. du) 26

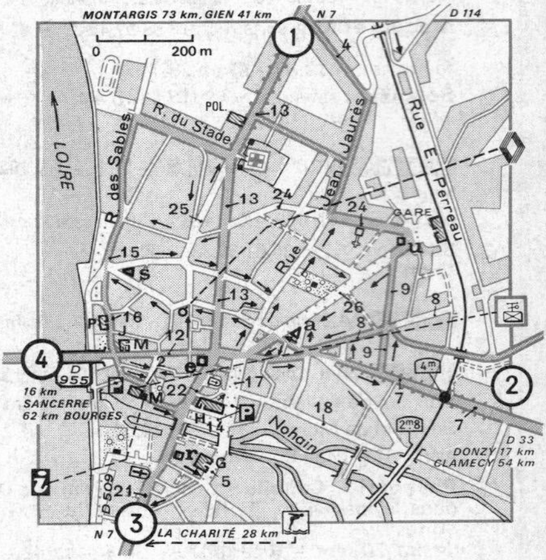

Pour un bon usage des plans de villes, voir les signes conventionnels p. 23.

Gd Cerf, 43 r. St-Jacques **(e)** ✆ 86 28 04 46 – wc wc. E VISA
fermé 10 déc. au 10 janv., dim. soir et lundi midi – **R** 45/140 – 14 – **20 ch** 70/180.

St-Christophe, pl. Gare **(u)** ✆ 86 28 02 01 – . E VISA
fermé vend. – **R** 60/165, enf. 57 – 18 – **15 ch** 60/90 – 1/2 p 138/143.

Sévigné, 16 r. du 14-juillet **(a)** ✆ 86 28 27 50 – AE E VISA
fermé 6 au 11 juin, 3 au 17 oct., dim. soir et lundi – **R** 75/135.

La Panetière, 18 pl. Pêcherie **(s)** ✆ 86 28 11 70 – AE VISA
fermé 24 au 30 avril et lundi – **R** 95/200.

Vieux Relais avec ch, 11 r. St-Agnan **(r)** ✆ 86 28 20 21, – wc wc . AE E VISA
fermé 14 fév. au 14 mars et vend. hors sais. – **R** 90/200, enf. 40 – 22 – **11 ch** 130/220.

rte de Cours NE : 2 km par D114 :

Aub. à la Ferme , ✆ 86 28 15 85, – wc
fermé 1er déc. au 31 janv. – **R** 90/135, enf. 45 – 22 – **11 ch** 175.

ALFA-ROMEO AUSTIN-ROVER Lacroix, 20 r. 14 Juillet ✆ 86 28 19 09
CITROEN Gar. GR.V., Chemin Rural du Grand Champ RN7 par ③ ✆ 86 28 53 66
FORD Gar. Vernaux, 43 rte de Villechaud ✆ 86 28 23 82 N ✆ 86 26 72 03
OPEL Doubre, 235 r. Frères Gambon ✆ 86 28 27 31 N
PEUGEOT-TALBOT Gds Gges du Cher RN 7 ✆ 86 26 60 18

RENAULT Gar. Séry, 25 bis r. Pasteur ✆ 86 28 15 47
RENAULT Ets Simonneau, 80 av. du 85e par ③ ✆ 86 28 27 34
SEAT Reynauto, 7 bis av. du 85e de Ligne ✆ 86 28 23 18

Cosne-Pneus, av. du 85ème de Ligne ✆ 86 28 23 70

COSTAROS 43490 H.-Loire 76 ⑰ – 498 h. alt. 1 070.

Paris 526 – Aubenas 72 – Cayres 5,5 – Langogne 23 – Le Puy 19.

Au Bec Fin, N 88 ✆ 71 57 16 22
fermé 10 juin au 10 juil. – **R** 57/95.

Le COTEAU 42 Loire 73 ⑦ – rattaché à Roanne.

La CÔTE-ST-ANDRÉ 38260 Isère 77 ③ **G. Vallée du Rhône** (plan) – 4 374 h.

Paris 531 – ♦Grenoble 49 – ♦Lyon 65 – La Tour-du-Pin 36 – Valence 84 – Vienne 41 – Voiron 30.

XX **France** avec ch, pl. Église ✆ 74 20 25 99 – ▤ rest ⋒wc ⇔. E VISA
fermé 2 au 10 août, 14 au 21 nov., 15 janv. au 8 fév., lundi (sauf fériés) et dim. soir – **R** 90/250 ♁ – ☕ 28 – **20 ch** 85/160 – ½ p 180.

CITROEN Mary, ✆ 74 20 50 99 PEUGEOT-TALBOT Marazzi, ✆ 74 20 32 33

COTIGNAC 83 Var 84 ⑤⑥ **G. Côte d'Azur** – 1 628 h. – ✉ **83570** Carcès.

ℹ Syndicat d'Initiative cours Gambetta (15 juin-15 sept.) ✆ 94 04 61 87.

Paris 836 – Brignoles 24 – Draguignan 36 – St-Raphaël 66 – Ste-Maxime 68 – ♦Toulon 70.

Lou Calen ⛰, 1 cours Gambetta ✆ 94 04 60 40, ≤, ☂, ⛱, ☗ – TV ⌂wc ☎. AE ⦿ E VISA
1er avril-1er nov. – **R** *(fermé merc. sauf du 1er juin au 31 août)* 95/220, enf. 60 – ☕ 35 – **12 ch** 230/420, 4 appartements 420 – ½ p 240/350.

XX **Mas de Cotignac,** S : 3 km sur D 13 (rte de Carcès) ✆ 94 04 66 57, ☂ – Ⓟ. E VISA
fermé fév. et merc. sauf juil.-août – **R** 89/138.

La COTINIÈRE 17 Char.-Mar. 71 ⑬⑭ – voir à Oléron (Ile d').

COU (Col de) 74 H.-Savoie 70 ⑰ – rattaché à Habère-Poche.

COUCHES 71490 S.-et-L. 69 ⑧ **G. Bourgogne** – 1 532 h.

Paris 325 – Autun 25 – Beaune 34 – Le Creusot 16 – Chalon-sur-Saône 28.

XX **Tour Bajole,** ✆ 85 45 54 54 – E VISA
fermé dim. soir et lundi – **R** 55/140 ♁, enf. 30.

COUCOURON 07470 Ardèche 76 ⑰ **G. Vallée du Rhône** – 671 h. alt. 1 139.

Paris 565 – Langogne 25 – Privas 86 – Le Puy 48.

Carrefour des Lacs, ✆ 66 46 12 70 – ⌂wc ⋒wc ☎ Ⓟ. E VISA
fermé 15 nov. au 25 déc. – **R** 55/130 ♁ – ☕ 17 – **19 ch** 100/180 – ½ p 150/165.

COUDEKERQUE BRANCHE 59 Nord 51 ④ – rattaché à Dunkerque.

Le COUGOU 44 Loire-Atl. 63 ⑮ – rattaché à Guenrouet.

COUHÉ 86700 Vienne 68 ⑬ – 2 004 h.

Paris 370 – Confolens 65 – Montmorillon 61 – Niort 56 – Poitiers 36 – Ruffec 30.

Chêne Vert, rte des Bons Enfants ✆ 49 59 20 42 – ⌂wc ⋒ ⇔. E VISA
R 58/88 ♁ – ☕ 17 – **10 ch** 90/130 – ½ p 130.

CITROEN Senelier, ✆ 49 59 22 30

COULANDON 03 Allier 69 ⑭ – rattaché à Moulins.

COULOMBS 28 E.-et-L. 60 ⑧, 196 ㉖ – rattaché à Nogent-le-Roi.

COULOMMIERS 77120 S.-et-M. 61 ③, 196 ㉔ – 12 251 h.

ℹ Office de Tourisme 11 r. Gén.-de-Gaulle ✆ (1) 64 03 88 09.

Paris 61 ④ – Châlons-sur-Marne 107 ③ – Château-Thierry 42 ② – Créteil 54 ④ – Meaux 29 ④ – Melun 46 ③ – Provins 38 ③ – Sens 76 ③.

Plan page suivante

X **Aub. de Montapeine,** 72 av. Strasbourg par ③ ✆ (1) 64 03 09 16, ☂ – AE E VISA
fermé 17 août à début sept., lundi (sauf fêtes), merc. soir et dim. soir – **R** 61/129 ♁.

à Boissy-le-Châtel par ② : 5 km – ✉ **77169** Boissy-le-Châtel :

Place, ✆ (1) 64 03 84 00 – ⋒wc ☎. VISA
fermé 15 août au 1er sept. – **R** *(fermé dim.)* 70 – ☕ 25 – **7 ch** 100/230.

à Chauffry par ② et D 66 : 8 km – ✉ **77169** Boissy-le-Châtel :

XXX **Taverne du Pot d'Étain,** ✆ (1) 64 20 42 08, ☂ – VISA
fermé fév., lundi soir et mardi – **R** 140/250.

COULOMMIERS

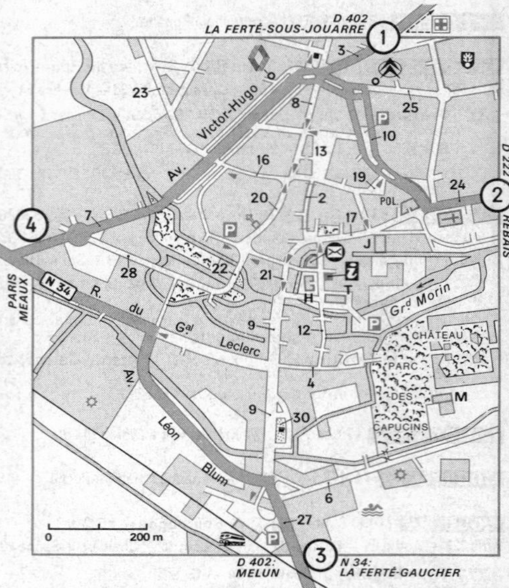

Benutzen Sie bitte immer die neuesten Ausgaben der Michelin-Straßenkarten und- Reiseführer.

CITROEN Gar. République, 11 av. République ✆ (1)64 03 81 00
PEUGEOT-TALBOT Riester, bd de la Marne, Zone Ind. par ③ ✆ (1)64 03 01 92
PEUGEOT-TALBOT Gar. Dehus, 2 av. de la Marne à Rebais ✆ 64 04 50 28
RENAULT Metz, 23 av. V.-Hugo ✆ (1)64 03 32 33 N ✆ (1)64 04 50 23
RENAULT Gar. du Faubourg, 21 r. du Fg St-Nicolas à Rebais ✆ 64 04 50 23

La Centrale du Pneu, 22 av. V.-Hugo ✆ (1)64 03 01 95

COULON **79510** Deux-Sèvres 71 ② **G. Poitou Vendée Charentes** – 1 662 h.
Voir Marais poitevin★ (promenade en barque★★, 1 h à 1 h 30).
Syndicat d'Initiative pl. Église (15 juin-15 sept.) ✆ 49 35 99 29.
Paris 417 – Fontenay-le-Comte 26 – Niort 11 – La Rochelle 59 – St-Jean-d'Angély 46.

XX **Central** avec ch, ✆ **49 35 90 20**, – . E VISA. ch
fermé 1er au 21 oct., 15 janv. au 15 fév., dim. soir et lundi – **R** 68/140 – 18 – **7 ch** 145/175.

XX **Au Marais** avec ch, **46 quai Louis-Tardy** ✆ **49 35 90 43**, ← – TV wc . VISA.
R *(fermé 20 déc. au 1er fév., dim. soir et lundi sauf juil.-août)* 150 – 23 – **11 ch** 230/260 – 1/2 p 360.

à la Sotterie SO : 3 km par D 123 – ✉ **79510** Coulon :

XX **Aub. de l'Écluse,** ✆ **49 35 90 42** – P. E VISA
fermé 15 au 28 nov., 1er au 21 janv., dim. soir et lundi sauf fêtes – **R** 90/160, enf. 45.

à la Garette S : 3 km par D 1 – ✉ **79270** Frontenay-Rohan-Rohan :

X **Mangeux de Lumas,** ✆ **49 35 93 42**, – AE VISA.
fermé 1er au 20 janv., 15 au 28 fév., lundi soir et mardi – **R** 65/195, enf. 50.

COULONGES-SUR-L'AUTIZE **79160** Deux-Sèvres 71 ① – 2 029 h.
Paris 418 – Bressuire 47 – Fontenay-le-Comte 18 – Niort 22 – Parthenay 35.

X **Citronnelle,** pl. Halles ✆ **49 06 17 67**, – E VISA
fermé dim. soir et lundi – **R** 48 bc/199.

PEUGEOT Gar. Relet ✆ 49 06 10 97
RENAULT Gar. Bouteiller ✆ 49 06 11 09

COUPIAC **12550** Aveyron 83 ② – 718 h.
Paris 710 – Albi 65 – Rodez 69 – St-Affrique 50.

Host. Renaissance , ✆ **65 99 78 44**, ← – wc . VISA
fermé sam. sauf juil.-août – **R** 55/135 – 17 – **10 ch** 100/130 – 1/2 p 130/160.

COURBEVOIE **92** Hauts-de-Seine 55 ⑳, 101 ⑭ – voir à Paris, Environs.

COURCHEVEL 73120 Savoie 74 ⑱ G. Alpes du Nord – Sports d'hiver : 1 300/2 700 m 10 54, .

De Courchevel 1850 : Paris 634 ① – Chambéry 97 ① – Moûtiers 24 ①.

à Courchevel 1850.

Voir ☼★.

Env. SO : Sommet de la Saulire ☼★★ télécabine puis téléphérique.

Office de Tourisme La Croisette ✆ 79 08 00 29, Télex 980083.

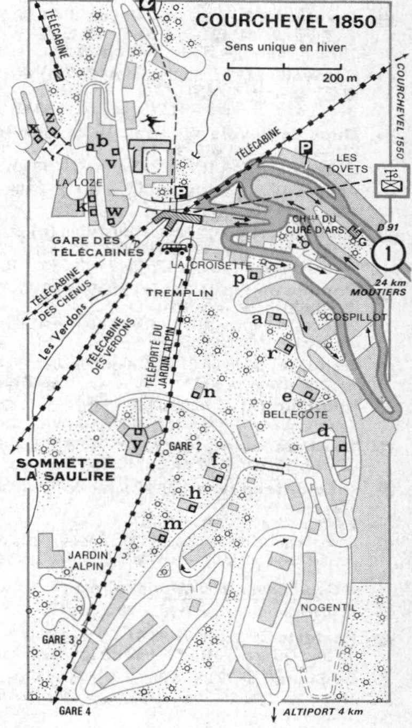

Byblos des Neiges Ⓜ, au jardin Alpin **(y)** ✆ 79 08 12 12, Télex 980580, ←, – 25 à 60. AE VISA rest
Noël-Pâques – **R** 280 – **Les Arches R** (dîner seul.) carte 330 à 440 – ☐ 85 – **69 ch** 2000/2980, 8 appartements – $^1/_2$ p 1600/1800.

Annapurna Ⓜ, rte Altiport ✆ 79 08 04 60, Télex 980324, ← la Saulire, – rest – 40. AE E VISA rest
mi-déc.-mi-avril – **R** 275 – **69 ch** (½ pens. seul.), 3 appartements – $^1/_2$ p 1360.

❀ **H. Pralong 2000** Ⓜ, rte Altiport ✆ 79 08 24 82, Télex 980231, ← cirque de montagnes, – 40. AE E VISA
19 déc.-10 avril – **R** 275 – **68 ch** (½ pens. seul.), 4 appartements – $^1/_2$ p 480/1265
Spéc. Fruits de mer à la nage de poissons de roche, Noisettes d'agneau marinées en venaison, Feuilleté à l'ananas confit. **Vins** Chautagne, Apremont.

Bellecôte Ⓜ, **(d)** ✆ 79 08 10 19, Télex 980421, ← vallée, , « Beau décor montagnard », – . AE E VISA
19 déc.-20 avril – **R** 250/270 – ☐ 70 – **54 ch** (pension seul.) – P 1000/1450.

Carlina , **(a)** ✆ 79 08 00 30, Télex 980248, ←, – . AE E VISA. rest
19 déc.-17 avril – **R** 175/230 – ☐ 50 – **52 ch** 550/1200 – $^1/_2$ p 650/1300.

Neiges Ⓜ, **(e)** ✆ 79 08 03 77, Télex 980463, ←, – – 25. AE E VISA.
Noël-Pâques – **R** 280 – **58 ch** (½ pens. seul.) – $^1/_2$ p 750/1000.

Lana Ⓜ, **(p)** ✆ 79 08 01 10, Télex 980014, ←, – . AE VISA. rest
18 déc.-18 avril – **R** 290/400, enf. 180 – **59 ch** (½ pens. seul.), 9 appartements – $^1/_2$ p 1040/1340.

Gd H. Rond-Point des Pistes, (b) ✆ 79 08 02 69, Télex 980847, ←, – . AE VISA. rest
19 déc.-11 avril – **R** 195/230 – ☐ 45 – **56 ch** (½ pens. seul.) – $^1/_2$ p 645/910.

Savoy Ⓜ, **(r)** ✆ 79 08 01 33, Télex 309187, ←, – . E VISA. rest
20 déc.-Pâques – **R** 200/220, enf. 60 – **40 ch** ☐590/1180 – $^1/_2$ p 560/840.

❀❀ **Chabichou** (Rochedy) Ⓜ, **(z)** ✆ 79 08 00 55, Télex 980416, ←, – . E VISA
15 déc.-20 avril – **R** 200/450 et carte, enf. 130 – **40 ch** (½ pens. seul.), 5 appartements – $^1/_2$ p 610/1040
Spéc. Soupe crémeuse d'huîtres aux champignons sauvages, Ravioles de homard au beurre de crustacés, Feuillantine de poire en millefeuille caramélisé. **Vins** Chignin, Mondeuse.

tourner →

La Sivolière [M] ⛰, NO : 1 km ✆ 79 08 08 33, Télex 309169, ←, « Intérieur aménagé avec goût » – TV ☎ 🚗. VISA. ✗
1er déc.-1er mai – **R** 80/250, enf. 80 – ☕ 60 – **25 ch** 710/1070.

La Loze [M] sans rest, **(w)** ✆ 79 08 28 25 – ⇅ TV ☎
26 ch.

Crystal 2000 [M] ⛰, rte Altiport ✆ 79 08 28 22, Télex 309170, ← montagnes, ☂ – ⇅ TV ☎ 🚗 Ⓟ – 🏛 60. AE ⓓ E VISA
19 déc.-10 avril – **R** 210 – **44 ch** (½ pens. seul.), 7 appartements – ½ p 455/760.

Caravelle [M] ⛰, au Jardin Alpin **(m)** ✆ 79 08 02 42, Télex 980821, ←, ☂, 🏊 – ⇅ TV ☎ – 🏛 45. VISA
début déc.-fin avril – **R** 210, enf. 50 – **60 ch** (½ pens. seul.) – ½ p 355/735.

Ducs de Savoie [M] ⛰, au Jardin Alpin **(f)** ✆ 79 08 03 00, Télex 980360, ←, ☂, 🏊 – ⇅ ☎ 🚗. VISA. ✗
22 déc.-15 avril – **R** 130/190, enf. 90 – **70 ch** (½ pens. seul.) – ½ p 770/1120.

Airelles [M] ⛰, au Jardin Alpin **(h)** ✆ 79 08 02 11, Télex 980190, ←, ☂ – ⇅ TV ☎ 🚗 – **44 ch**.

New Solarium ⛰, au Jardin Alpin **(n)** ✆ 79 08 02 01, Télex 309167, ←, ☂, 🏊 – ⇅ TV 🛁wc 🚿wc ☎. AE ⓓ VISA. ✗ rest
Noël-Pâques et 18 déc.-25 avril – **R** 180 – **70 ch** ☕500.

Pomme de Pin [M] ⛰, **(x)** ✆ 79 08 02 46, Télex 309162, ← vallée et montagnes – ⇅ TV 🛁wc ☎ 🚗. VISA
20 déc-15 avril – **R** 180/210 et voir rest. **Le Bateau Ivre** ci-après – ☕ 45 – **36 ch** 350/550 – ½ p 535/595.

Dahu, (v) ✆ 79 08 01 18, Télex 309189, ← – ⇅ 🛁wc 🚿wc ☎. E VISA. ✗
mi-déc.-fin avril – **R** 135/180 – ☕ 36 – **38 ch** 300/350.

Tournier, (k) ✆ 79 08 03 19 – TV 🛁wc ☎. AE ⓓ VISA. ✗
19 déc.-20 avril – **R** 285 – **30 ch** (½ pens. seul.) – ½ p 630/745.

Le Chamois sans rest, **(k)** ✆ 79 08 01 56, ← – cuisinette TV 🛁wc 🚿wc ☎
20 déc.-20 avril – **30 ch** ☕510/740, 8 studios.

XXX ✿ **Le Bateau Ivre** -Hôtel Pomme de Pin- (Jacob), **(x)** ✆ 79 08 02 46 – ▤. AE ⓓ E VISA
23 déc.-15 avril – **R** 350/450
Spéc. Surprise de St-Jacques (déc. à avril), Filets de rouget au beurre rouge (déc. à avril), Poire pochée et glace à la canelle. **Vins** Chignin, Mondeuse.

à Courchevel 1650 (Moriond) par ① : 3,5 km – ✉ **73120** Courchevel.
ℹ Office de Tourisme ✆ 79 08 03 29.

Portetta [M] ⛰, ✆ 79 08 01 47, ←, ☂ – ⇅ ☎. VISA. ✗ rest
15 déc.-20 avril – **R** 130 – **52 ch** (pension seul.) – P 350/460.

Le Signal, ✆ 79 08 26 36, ← – 🛁wc 🚿wc ☎. VISA. ✗ rest
fermé 25 avril au 25 juin, sam. et dim. du 15 sept. au 15 déc. – **R** 85/150 – **28 ch** ☕240/320.

à Courchevel 1550 par ① : 5,5 km – ✉ **73120** Courchevel.
ℹ Office de Tourisme ✆ 79 08 04 10.

Lamay [M] ⛰, ✆ 79 08 27 66, ← – ⇅ TV 🛁wc ☎ Ⓟ. ✗ rest
15 déc.-2 mai – **R** 110/125, enf. 45 – **35 ch** ☕380/650 – ½ p 770/1100.

L'Adret d'Ariondaz ⛰, ✆ 79 08 00 01, Télex 309168, ← – 🛁wc ☎. ⓓ E VISA. ✗
15 déc.-17 avril – **R** 90 – ☕ 25 – **33 ch** (½ pens. seul.) – ½ p 290/370.

au Praz-St-Bon par ① : 8 km – alt. 1 300 – ✉ **73120** Courchevel :

Peupliers [M], ✆ 79 08 41 47, ←, ☂ – ⇅ TV 🛁wc ☎ Ⓟ. E VISA. ✗ rest
1er juin-30 sept. et 15 déc.-6 mai – **R** 70/240 – ☕ 30 – **32 ch** 190/400 – ½ p 320/440.

COUR-CHEVERNY 41 L.-et-Ch. 64 ⑰⑱ – 2 130 h. – ✉ 41700 Contres.

Voir Château de Cheverny★★ : les appartements★★★ S : 1 km – Porte★ de la chapelle du Château de Troussay SO : 3,5 km, G. Châteaux de la Loire.

Paris 193 – Blois 13 – Bracieux 9 – Châteauroux 87 – Montrichard 28 – Romorantin-Lanthenay 28.

Trois Marchands, ✆ 54 79 96 44, ☂ – 🛁wc 🚿wc ☎ Ⓟ – 🏛 30. AE ⓓ E VISA
fermé 15 janv. au 1er mars, lundi d'oct. au 15 janv. et lundi midi de mars à juin – **R** 95/240, enf. 50 – ☕ 30 – **38 ch** 120/260 – ½ p 170/235.

St-Hubert, ✆ 54 79 96 60 – 🛁wc 🚿wc ☎ Ⓟ – 🏛 50. E VISA. ✗
fermé 1er déc. au 15 janv. et merc. hors sais. – **R** 85/200 – ☕ 24 – **20 ch** 155/210 – ½ p 240/310.

à la Gaucherie SE : 7 km sur D 765 – ✉ **41250** Bracieux :

XX **Aub. Fontaine aux Muses,** ✆ 54 79 98 80 – Ⓟ. E VISA
fermé mardi soir et merc. – **R** 150/300, enf. 60.

CITROEN Beaugrand, ✆ 54 79 96 41 PEUGEOT-TALBOT Duceau, ✆ 54 79 98 67

COURLANS 39 Jura 70 ⑭ – rattaché à Lons-le-Saunier.

COURLON-SUR-YONNE 89 Yonne 61 ⑬ – 747 h. – ✉ **89140** Pont-sur-Yonne.

Paris 102 – Auxerre 79 – Fontainebleau 37 – Montereau-Faut-Yonne 20 – Nemours 40 – Sens 23.

X **Aub. Bord de l'Yonne,** ✆ 86 66 84 82, – AE E VISA
fermé oct., lundi soir et mardi – **R** 105/160.

COURNON-D'AUVERGNE **63800** P.-de-D. 73 ⑭ – 17 013 h.

Paris 406 – ♦Clermont-Ferrand 11 – Issoire 29 – Le Mont-Dore 52 – Thiers 38 – Vichy 53.

Cep d'Or, au Pont SE : 1,5 km ✆ 73 84 80 02, – wc ☎ P. E VISA.
R 60/110 – 15 – **25 ch** 120/190 – $^1/_2$ p 180/220.

PEUGEOT-TALBOT Gar. Chambon, 58 av. de la Libération ✆ 73 84 47 41
RENAULT Gar. Bony, 23 av. Liberté ✆ 73 84 80 31

COURPIÈRE **63120** P.-de-D. 73 ⑯ **G. Auvergne** – 5 029 h.

Voir Église★.

Paris 395 – Ambert 39 – ♦Clermont-Ferrand 50 – Issoire 53 – Lezoux 21 – Thiers 16.

XX **Clef des Champs,** S : 3,5 km sur D 906 ✆ 73 53 01 83 – P. E VISA
fermé fév. et 27 juin au 4 juil. – **R** 52/120 , enf. 37.

CITROEN Gar. Brouillet, à Neronde sur Dore ✆ 73 53 17 28
PEUGEOT-TALBOT Fédide, 11 rte d'Ambert ✆ 73 53 10 88 N

COURRÉJAN 33 Gironde 71 ⑨ – rattaché à Bordeaux.

COURRY 30 Gard 80 ⑧ – rattaché à St-Ambroix.

COURS **69470** Rhône 73 ⑧ – 4 676 h.

Syndicat d'Initiative à la Mairie ✆ 74 89 71 80.

Paris 418 – L'Arbresle 53 – Chauffailles 17 – ♦Lyon 78 – Roanne 29 – Villefranche-sur-Saône 55.

XX **du Pavillon** avec ch, **au Col du Pavillon E : 4 km par D 64** ✆ **74 89 83 55,** , – wc P. E VISA. rest
fermé 10 au 20 janv. – **R** 69/198 – 23 – **7 ch** 77/103 – $^1/_2$ p 150/280.

X **Chalet des Tilleuls,** à Thel NE 8 km par D 64 ✆ 74 89 61 53, ← – P
fermé 15 au 30 sept. – **R** 180, enf. 45.

CITROEN Central Gar., ✆ 74 89 75 91 N
CITROEN Gar. Moderne, ✆ 74 89 75 50 N
PEUGEOT-TALBOT Pothier, ✆ 74 89 98 98 N ✆ 74 89 71 20
RENAULT Jalabert, ✆ 74 89 71 10

COUR-ST-MAURICE 25 Doubs 66 ⑰⑱ – 175 h. – ✉ **25380** Belleherbe.

Paris 484 – Baume-les-Dames 45 – ♦Besançon 65 – Montbéliard 44 – Maiche 11 – Morteau 40.

X **La Truite du Moulin,** à Moulin Bas E : 2 km sur D 39 ✆ 81 44 30 59, ← – P. VISA
fermé 28 juin au 10 juil., 20 oct. au 10 nov. et merc. – **R** 68/110.

COURSEULLES-SUR-MER **14470** Calvados 55 ① **G. Normandie Cotentin** – 2 992 h.

Voir Clocher★ de l'église de Bernières-sur-Mer E : 2,5 km – Tour★ de l'église de Ver-sur-Mer O : 5 km par D 514.

Env. Château★★ de Fontaine-Henry S : 6,5 km.

Office de Tourisme 54 r. Mer (Pâques-sept.) ✆ 31 37 46 80.

Paris 258 – Arromanches-les-Bains 13 – Bayeux 20 – Cabourg 34 – ♦Caen 18.

Crémaillère, ✆ 31 37 46 73, Télex 171952, ← – wc wc ☎ – 25. AE O E VISA
R 72/220, enf. 38 – 30 – **10 ch** 105/230 – $^1/_2$ p 150/230.

Annexe Gytan ( ) M sans rest, av. Combattante ✆ 31 37 95 96, – TV wc ☎ P – 30. AE O E VISA
30 – **34 ch** 230/260.

XXX **Pêcherie,** ✆ 31 37 45 84, – AE O E VISA
R 68/210, enf. 35.

XXX **Belle Aurore** avec ch, sur le port ✆ 31 37 46 23, ← – TV wc wc ☎. AE O E VISA
fermé fév. et lundi du 1er sept. au 31 mai – **R** 65/230, enf. 32 – 22 – **7 ch** 200/250 – $^1/_2$ p 180/210.

PEUGEOT-TALBOT Courseulles Gar., ✆ 31 37 94 13

COURTENAY 45320 Loiret 61 ⑬ – 3 150 h.

de Savigny sur Clairis ✆ 86 86 33 90 N : 7,5 km.

Office de Tourisme 1 pl. du Mail (mai-sept.) ✆ 38 97 00 60.

Paris 120 – Auxerre 54 – Nemours 44 – ♦Orléans 96 – Sens 26.

Gd. H. de l'Étoile, 1 r Nationale ✆ 38 97 41 71 – wc wc ☎ P. E VISA
fermé 20 oct. au 7 nov. et 10 au 30 janv. – **R** *(fermé mardi soir et merc.)* 67/110, enf. 30 – 18 – **17 ch** 130/200.

XX **Le Relais** avec ch, 26 r. Nationale ✆ 38 97 41 60 – TV wc ☎. AE ⓓ E VISA
fermé 14 nov. au 11 déc. et dim. soir (sauf hôtel en sais.) – **R** 125/170, enf. 40 – 30 – **8 ch** 225/300.

X **Le Raboliot,** pl. Marché ✆ 38 97 44 52 – E VISA
fermé 5 au 15 janv., lundi soir et jeudi – **R** 76/130.

Les Quatre Croix SE : 1,5 km par D 32 – ✉ **45320** Courtenay :

XXX ❀ **Aub. Clé des Champs** (Delion), 38 97 42 68 – P. E VISA
fermé 17 au 31 oct., 9 au 31 janv., mardi soir et mercredi – **R** (prévenir) 150/280
Spéc. Parfait de foie gras, Ris de veau à la crème de vanille, Grand dessert.

à Ervauville NO : 9 km par N 60, D 32 et D 34 – ✉ **45320** Courtenay :

XX **Le Gamin,** ✆ 38 87 22 02 – E.
fermé 24 déc. au 21 janv., dim. soir du 4 sept. au 1er mai, lundi et mardi – **R** (nombre de couverts limité - prévenir) 100/160.

COURTHEZON 84350 Vaucluse 81 ⑫ – 4 556 h.

Paris 668 – Avignon 20 – Carpentras 17 – Orange 9.

Porte des Princes, ✆ 90 70 70 26, – . E VISA
fermé fév. et lundi – **R** 50/140 – 18,50 – **8 ch** 75/130.

COUSIN (Vallée du) 89 Yonne 65 ⑯ – rattaché à Avallon.

COUSSAC-BONNEVAL 87 H.-Vienne 72 ⑰⑱ **G. Berry Limousin** – 1 605 h. – ✉ **87500** St-Yriex-la-Perche.

Voir Château★ – Lanterne des morts★.

Paris 448 – Brive-la-Gaillarde 67 – ♦Limoges 43 – St-Yrieix 11 – Uzerche 32.

XX **Voyageurs** avec ch, ✆ 55 75 20 24, – TV wc ☎. E VISA
fermé 21 au 28 nov., janv., dim. soir et lundi d'oct. à mai – **R** 55/180 – 23 – **9 ch** 180/210 – ½ p 165.

COUSTELLET 84 Vaucluse 81 ⑬ – ✉ **84220** Gordes.

Paris 708 – Apt 22 – Avignon 30 – Carpentras 26 – Cavaillon 9 – Sault 41.

X **Lou Revenent** avec ch (annexe **Les Oliviers** wc ☎), N 100 ✆ 90 76 91 21, , – rest P – 100. VISA
fermé 15 au 31 oct. et fév. – **R** *(fermé lundi)* 75/150 – 25 – **15 ch** 150/250.

COUTAINVILLE 50 Manche 54 ⑫ **G. Normandie Cotentin** – Casino – ✉ **50230** Agon-Coutainville.

✆ 33 47 03 31.

Office de Tourisme pl. 28-Juillet-1944 (15 juin-15 sept.) ✆ 33 47 01 46.

Paris 346 – Barneville-Carteret 48 – Carentan 48 – Cherbourg 77 – Coutances 13 – St-Lô 40.

Neptune sans rest, ✆ 33 47 07 66, ← – wc wc ☎. AE ⓓ E VISA
Pâques-31 oct. – 28 – **11 ch** 190/300.

PEUGEOT-TALBOT Central Gar. à Agon ✆ 33 47 00 22 RENAULT Huchet, ✆ 33 47 08 55

COUTANCES 50200 Manche 54 ⑫ **G. Normandie Cotentin** – 13 439 h.

Voir Cathédrale★★★ Z – Jardin public★ YZ.

Office de Tourisme r. Quesnel-Morinière ✆ 33 45 17 79.

Paris 332 ② – Avranches 46 ③ – Cherbourg 75 ⑤ – St-Lô 27 ② – Vire 58 ③.

Plan page ci-contre

Cositel M, par ④ : 1 km sur D44 ✆ 33 07 51 64, Télex 772003, – TV wc ☎ ♿ P – 200. AE ⓓ E VISA
R 76/158 – 29 – **40 ch** 201/280 – ½ p 218.

à Gratot par ④ et D 244 : 4 km – ✉ **50200** Coutances :

Voir Château★.

X **Le Tourne-Bride,** ✆ 33 45 11 00, – P
fermé vacances de Noël et dim. sauf juil.-août – **R** 45/120.

COUTANCES

St-Nicolas (R.) .... Y 30
Tancrède (R.) .... Y 32
Tourville (R.) .... Y 33

Albert-1er (Av.)........ Z 2
Croûte (R. de la) ...... Z 3
Daniel (R.) .... Y 5
Davy (Pl. G.)........... Z 6
Écluse-Chette (R.) .... Y 8
Encoignard (Bd) ...... Z 9
Foch (R. Mar.) .... Z 10
Gambetta (R.) .... Y 12
Herbert (R. G.) .... Z 13
Leclerc (Av. Division).. Y 15
Legentil-de-la-Galaisière (Bd) ..... Z 17
Milon (R.)............. Y 18
Montbray (R. G.-de) ... Z 20
Normandie (R. de) .... Y 21
Palais-de-Justice (R.) . Y 23
Paynel (Bd J.) .... Y 24
Quesnel-Morinière (R.)...... Z 26
République (Av. de la) Y 27
St-Dominique (R.) .... Y 29

Dans la liste des rues des plans de ville, les noms en rouge indiquent les principales voies commerçantes.

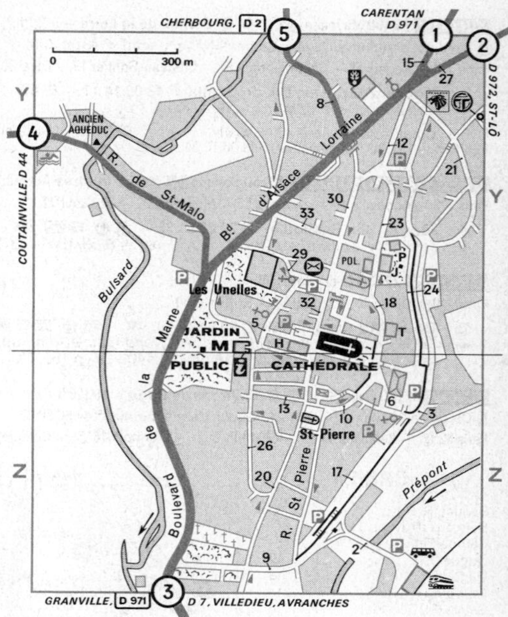

à Montpinchon SE : 13 km par D 7 et D 27 - Z – ✉ **50210** Cerisy-la-Salle :

Château de la Salle 🐎, ✆ 33 46 95 19, « Demeure ancienne dans un parc » – TV ☎ P. AE ⓓ E VISA
ouvert : 20 mars-2 nov., vend. et sam. en nov.-déc. – **R** 145/210 – ☕ 40 – **10 ch** 510/550 – ½ p 680/1020
Spéc. Civet du pêcheur au Sauternes, Ris de veau braisé à l'ancienne, Feuillantine de pommes.

AUSTIN, ROVER Bernard, rte Lessay ✆ 33 45 16 33 N
CITROEN Lebouteiller, rte de St-Lô, Zone Ind. par ② ✆ 33 45 12 70
PEUGEOT-TALBOT Lebailly-Horel, r. des Acacias ✆ 33 45 02 44

RENAULT Sodiam, rte de St-Lô par ② ✆ 33 07 42 55 N

Chanut, av. Div.-Leclerc ✆ 33 45 59 96
J. Mariette Stat. Sce du Pneu, 10 bd de la Marne ✆ 33 45 02 06

COUTRAS **33230** Gironde **75** ② – **6 440 h.**

Paris 527 – Bergerac 67 – Blaye 55 – ♦Bordeaux 49 – Jonzac 54 – Libourne 18 – Périgueux 77.

✕ **Tivoli,** r. Gambetta ✆ 57 49 04 97 – E VISA
fermé dim. soir et lundi – **R** 65/118 ♨.

à Rolland NE : 6 km par D 674 – ✉ **33230** Coutras :

Aub. la Rollandière 🐎, ✆ 57 49 11 63, ←, 🏞, étang, 🌳 – ⌂wc ⫪wc ☎ P
fermé avril et lundi – **R** 38/142 ♨ – ☕ 23,50 – **9 ch** 145/225 – ½ p 176/210.

CITROEN Debenat, Rte de Montpon, Zone Ind. ✆ 57 49 19 36 N

PEUGEOT-TALBOT Billard, rte d'Angoulème ✆ 57 49 12 67

COUZEIX **87** H.-Vienne **72** ⑦⑰ – rattaché à Limoges.

COYE-LA-FORÊT **60** Oise **56** ⑪, **196** ⑧ – rattaché à Chantilly.

COZ (Cap) **29** Finistère **58** ⑮ – rattaché à Fouesnant.

CRANSAC **12** Aveyron **80** ① **G. Gorges du Tarn** (plan) – **2 583 h.** – Stat. therm. (15 avril-21 oct.) – ✉ **12110** Aubin – ℹ Syndicat d'Initiative pl. J.-Jaurès ✆ 65 63 06 80.

Paris 611 – Aurillac 75 – Espalion 57 – Figeac 33 – Rodez 37 – Villefranche de Rouergue 37.

Parc 🐎, r. Gén. Artous ✆ 65 63 01 78, ←, parc – ⌂wc ⫪wc ☎ P
15 avril-20 oct. – **R** 58/80 ♨, enf. 30 – ☕ 20 – **27 ch** 80/200 – ½ p 127/195.

Host. du Rouergue, av. J. Jaurès ✆ 65 63 02 11, 🌳 – ⌂wc ⫪wc ☎. VISA
15 avril-15 oct. – **R** 52/130 ♨, enf. 35 – ☕ 20 – **16 ch** 80/165 – ½ p 125/190.

CRAON 53400 Mayenne 63 ⑨ **G. Châteaux de la Loire** – 5 021 h.

Syndicat d'Initiative r. Alain-Gerbault (15 juin-août) ✆ 43 06 10 14.

Paris 308 – Angers 56 – Châteaubriant 37 – Château-Gontier 19 – Laval 30 – ♦Rennes 67.

XX **Ancre d'Or,** 2 av. Ch. de Gaulle ✆ **43 06 14 11** – E VISA
fermé lundi soir et mardi – **R** 51/200 ₰.

FORD Lucat Automobile ✆ 43 06 00 01
PEUGEOT-TALBOT Boisseau, ✆ 43 06 10 94
RENAULT Gar. Lebascle, ✆ 43 06 17 29

CRÉCY-EN-PONTHIEU 80150 Somme 52 ⑦ **G. Flandres Artois Picardie** – 1 457 h.

Paris 178 – Abbeville 19 – ♦Amiens 55 – Montreuil 32 – St-Omer 72.

Maye, 13 r. St-Riquier ✆ **22 23 54 35** – ⋒ Ⓟ. E VISA. ✂ ch
fermé fév. et lundi du 15 sept. au 30 juin – **R** 50/120 – ☕ 16 – **11 ch** 100/155.

CRÉHEN 22130 C.-du-Nord 59 ⑤ – 1 476 h.

Paris 419 – Dinan 20 – Dinard 18 – St-Brieuc 50.

Deux Moulins, D 768 ✆ **96 84 15 40,** ⇌ – ⋒ Ⓟ. AE E VISA
fermé vacances de Noël et de fév., vend. soir et dim. soir de mi-sept. à juin – **R** 60/200 ₰, enf. 40 – ☕ 22 – **16 ch** 110/140 – $^1/_2$ p 150/170.

CREIL 60100 Oise 56 ①⑪ **G. Environs de Paris** – 36 128 h.

Office de Tourisme pl. Gén.-de-Gaulle (fermé matin) ✆ 44 55 16 07.

Paris 62 ③ – Beauvais 41 ① – Chantilly 8 ④ – Clermont 16 ① – Compiègne 38 ②.

CREIL

Barluet (R. H.) 3
Berteaux (R. M.) 4
Carnot (Pl.) 8
Dugué (Pl.) 12
Duguet (R. Ch.-A.) 13
Faubourg (Pl. du) 14
Gaulle (Pl. Gén.-de) 16
Marl (R. de) 17
Philippe (R. M.) 21
Ribot (R.) 23
Uhry (Av. J.) 27
8-Mai (Pl. du) 28

Pour un bon usage des plans de villes, voir les signes conventionnels p. 23.

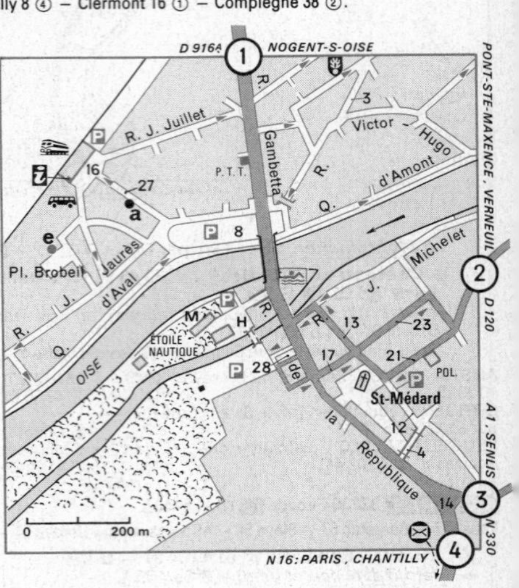

Martinez sans rest, 9 av. J.-Uhry **(a)** ✆ **44 55 00 39** – ⇔wc ⋒wc ☎. AE ⓓ VISA
☕ 20 – **31 ch** 175/240.

XX **Petite Alsace,** 8 pl. Ch. Brobeil **(e)** ✆ **44 55 28 89** – E VISA
fermé août, sam. midi, dim. soir et lundi – **R** 85 ₰.

à Nogent-sur-Oise par ① : 2 km – 17 369 h. – ✉ **60100** Creil :

Sarcus Ⓜ, 7 r. Châteaubriand ✆ **44 74 01 31, Télex 150047** – ⎮ TV ⇔wc ⋒wc ☎ Ⓟ – 50 à 200. AE ⓓ E VISA
fermé 20 juil. au 20 août – **R** *(fermé sam. midi et dim.)* 86/175 ₰ – ☕ 24 – **62 ch** 260/305 – $^1/_2$ p 354.

X **Host. des Trois Rois,** 113 r. Gén.-de-Gaulle ✆ **44 71 63 23,** ⇌, ⇌ – Ⓟ. VISA
fermé 15 juil. au 15 août, dim. soir et sam. – **R** 56/134 ₰.

ALFA-ROMEO, VOLVO Lemaire-Napoléon, 10 r. Clos Barrois, Zone Ind. Nogent-Villers ✆ 44 25 85 40
CITROEN Gd Gar. des Obiers, 38 av. du 8-Mai, Nogent-sur-Oise par ① ✆ 44 71 72 62
FORD Gar. Brie et Picardie, r. du Marais Sec, Zone Ind., Nogent-sur-Oise ✆ 44 55 39 40
PEUGEOT-TALBOT Gar. de la Cote, 83 r. Robert Schuman par ③ ✆ 44 25 54 84
RENAULT Palais Autom., 72 r. Gambetta par ① ✆ 44 55 02 42
V.A.G. Gar. Debuquoy, rte de Chantilly ✆ 44 25 11 50 N

Creil-Paris-Pneu, 2 rte de Creil, St-Leu-d'Esserent ✆ 44 56 62 56
Piot-Pneu, Z.A.E.T. St-Maximin ✆ 44 24 47 18

CRÉMIEU 38460 Isère 74 ⑬ **G. Vallée du Rhône** (plan) – 2 466 h.

Office de Tourisme à la Mairie (Pâques-fin août) ✆ 74 90 70 92.

Paris 488 – Belley 48 – Bourg-en-B. 59 – ♦Grenoble 83 – ♦Lyon 37 – La Tour-du-Pin 34 – Vienne 40.

X **Aub. de la Chaite** avec ch, ✆ 74 90 76 63 – wc **P**. AE ◑ E VISA
fermé déc., dim. soir d'oct. à avril et lundi – **R** 55/135, enf. 33 – ☕ 16 – **11 ch** 78/120.

CRÉON 33670 Gironde 75 ⑪ **G. Pyrénées Aquitaine** – 2 205 h.

Voir Ancienne abbaye★ de la Sauve E : 3 km.

Paris 594 – ♦Bordeaux 24 – Langon 31 – Libourne 21.

Château Camiac et St Denis M sans rest, par D 121, E : 3 km ✉ 33420 Camiac et St Denis ✆ 56 23 20 85, parc, « Bel aménagement contemporain », ⛱, ✂ – wc ☎ ♿ **P** – 180. AE VISA. ✂
1er mai-30 nov. – ☕ 35 – **13 ch** 200/250, 4 appartements 600.

CRESSENSAC 46 Lot 75 ⑱ – 639 h. – ✉ **46600** Martel.

Paris 507 – Brive-la-Gaillarde 20 – Cahors 83 – Gourdon 46 – Larche 17 – Sarlat-la-Canéda 46.

La Truffière, S : 5 km par N 20 ✆ 65 37 88 95, parc, – wc ☎ **P**. E VISA
1er mai-30 oct. et fermé dim. soir et lundi du 1er mai au 15 juin sauf fêtes – **R** 65/180 – ☕ 20 – **17 ch** 100/250 – 1/2 p 195/225.

XX **Chez Gilles** avec ch, N 20 ✆ 65 37 70 06 – wc wc ☎. AE ◑ E VISA
fermé merc. du 15 nov. au 30 avril – **R** 76/195 – ☕ 25 – **25 ch** 130/240 – 1/2 p 180/250.

CREST 26400 Drôme 77 ⑫ **G. Vallée du Rhône** – 7 844 h.

Voir Donjon★ : ※★ F.

Syndicat d'Initiative r. A.-Dumont ✆ 75 25 11 38.

Paris 590 ④ – Die 37 ① – Gap 132 ① – ♦Grenoble 117 ④ – Montélimar 38 ② – Valence 28 ④.

Agirond (Av.) 2
Archinard (R.) 3
Barbéyère (Mtée de la) 4
Barral (R. Maurice) 5
Belgique (Bd de) 6
Cordeliers (Escaliers des) 9
Dumont (R. Aristide) 10
Faure (Quai Maurice) 12
Gaulle (Pl. du Gén.-de) 13
Grivel (R. Roch) 15
Hôtel-de-Ville (R.) 16
Joubernon (Cours de) 17
Latune (Quai Henri) 18
Long (R. Maurice) 19
Loubet (R. Émile) 20
Pons (R. Paul) 23
Remparts (Ch. des) 24
République (R. de la) 26
St-François (R.) 28
Tour (R. de la) 30
Verdun (Cours de) 32

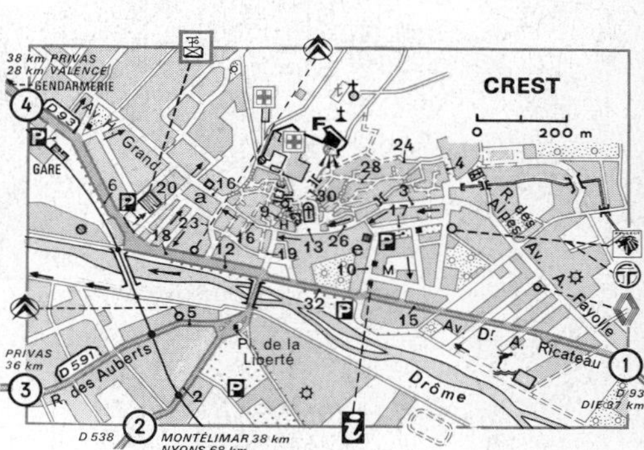

Gd Hôtel, 60 r. Hôtel de Ville **(a)** ✆ 75 25 08 17 – wc wc ☎. E VISA
fermé 23 déc. au 31 janv., dim. soir du 6 sept. au 14 juin, lundi soir de nov. à fin mars et lundi midi – **R** 65/160 – ☕ 20 – **20 ch** 85/225 – 1/2 p 160/250.

XX **Porte Montségur,** par ① : 0,5 km ✆ 75 25 41 48, – **P**. AE ◑ E VISA
fermé vacances de fév., lundi soir sauf juil.-août et merc. – **R** 60/220.

X **Kléber,** cours Joubernon **(e)** ✆ 75 25 11 69 – E VISA
fermé 28 août au 14 sept., 15 au 30 janv., dim. soir et lundi – **R** 62/150, enf. 40.

à Aouste-sur-Sye rte de Saou, E 3,5 km par D 93 – ✉ **26400** Crest :

X **Gare** avec ch, ✆ 75 25 14 12, – wc **P**. VISA. ✂ ch
fermé 1er au 15 sept., vend. soir et sam. – **R** 70/160 – ☕ 20 – **7 ch** 90/155 – 1/2 p 135/175.

CITROEN Gar. Bouvat, 26 quai Latune ✆ 75 25 11 94
CITROEN Rolland, rte de Grâne ✆ 75 25 01 13 N
PEUGEOT-TALBOT Gar. Fontayne, cours Joubernon ✆ 75 25 10 63

RENAULT Gar. Didier, av. Adrien Fayolle ✆ 75 25 10 85

Relais du Pneu, av. F.-Rozier, rte de Valence ✆ 75 25 44 51

CREST-VOLAND 73 Savoie 74 ⑰ **G. Alpes du Nord** – 310 h. alt. 1 230 – Sports d'hiver : 1 230/1 950 m 11 – ✉ **73590** Flumet.

Syndicat d'Initiative 79 31 62 57.

Paris 595 – Albertville 27 – Annecy 56 – Bonneville 51 – Chambéry 77 – Megève 14.

Caprice des Neiges, rte Saisies : 1 km 79 31 62 95, ← – wc P. E VISA. rest
1er juil.-10 sept. et Noël-Pâques – **R** 60/90, enf. 35 – 22 – **16 ch** 100/230 – 1/2 p 250/285.

Aravis, Au Cernix, S : 1,5 km par VO 79 31 63 81, ← Aravis – wc wc P
1er juil.-31 août, 20 déc.-4 janv. et 22 janv.-15 avril – **R** (pour résidents seul.) 72 – 17 – **17 ch** 171/190 – 1/2 p 170/185.

Les Bartavelles, 79 31 61 23, ← – wc P. rest
5 juil.-25 août et 16 déc.-vacances de printemps – **R** 66 – 19 – **18 ch** 106/182 – 1/2 p 205/225.

CRÊT-DE-CHATILLON 74 H.-Savoie 74 ⑯ **G. Alpes du Nord** – alt. 1 699.

Voir ★★★.

CRÉTEIL 94 Val-de-Marne 61 ①, 101 ㉗ – voir à Paris, Environs.

Le CREUSOT 71200 S.-et-L. 69 ⑧ **G. Bourgogne** – 32 309 h.

Syndicat d'Initiative avec A.C. 1 r. Mar.-Foch 85 55 02 46.

Paris 320 ② – Autun 29 ③ – Beaune 47 ① – Chalon-sur-Saône 39 ② – Mâcon 90 ②.

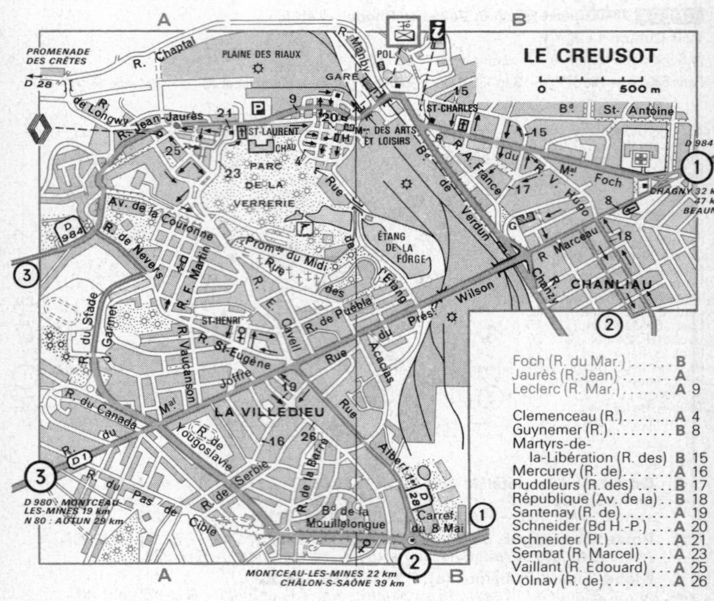

au Breuil par ① : 3 km – 3 415 h. – ✉ **71670** Le Breuil :

Moulin Rouge, 85 55 14 11, – wc wc P – 40. AE E VISA
fermé 20 déc. au 10 janv., dim. soir et vend. – **R** 80/200 – 28 – **33 ch** 220/300 – 1/2 p 220/350.

à Torcy par ② : 4 km – ✉ **71210** Montchanin :

Vieux Saule, 85 55 09 53, – E VISA
fermé dim. soir et lundi – **R** 83/240.

à Montchanin par ② : 8 km – ✉ **71210** Montchanin :

Novotel Ⓜ, ✆ 85 78 55 55, Télex 800588, ☂, ⛱, ⛟ – |‡| 📺 ☎ ♿ Ⓟ – 🏔 50 à 150. AE ⓓ E VISA
R snack carte environ 120, enf. 40 – ☕ 38 – **87 ch** 305/320.

CITROEN Broin, 77 rte de Montcenis par D984 A ✆ 85 55 20 09
FORD Gar. Lemonnier et Fuchey, 13 r. Mar.-Joffre ✆ 85 55 27 06
PEUGEOT-TALBOT Nedey-Guillemier, 57 r. de Chanzy ✆ 85 55 20 63
RENAULT Creusot-Gar., pl. Bozu ✆ 85 56 10 44
V.A.G. Gar. du Vieux Saule, à Torcy ✆ 85 56 20 72
Ⓜ Creusot-Pneus, 55 av. des Abattoirs ✆ 85 55 60 93
Goesin, 35 av. de la République ✆ 85 55 44 17

CREUTZWALD **57150** Moselle 57 ⑤ – 15 157 h.

Paris 375 – Forbach 26 – ♦Metz 50 – Saarbrücken 35 – Sarreguemines 38 – Saarlouis 17.

XX **Europe,** rte Saarlouis NE : 2 km N 33 ✆ 87 93 04 54 – Ⓟ.
X **Faisan d'Or,** rte Saarlouis NE : 2 km N 33 ✆ 87 93 01 36 – Ⓟ. E VISA
fermé août et lundi – **R** 88/210 ♁.
X **Aub. du Vieux Cerf,** 23 r. Houve ✆ 87 93 04 17 – AE ⓓ E VISA
fermé lundi soir, mardi soir et merc. – **R** 60/120 ♁.

CREUZIER-LE-NEUF 03 Allier 73 ⑤ – rattaché à Cusset.

CRÈVECOEUR-EN-AUGE 14 Calvados 54 ⑰ **G. Normandie Vallée de la Seine** – 515 h. – ✉ **14340** Cambremer.

Voir Manoir★.

Paris 191 – ♦Caen 29 – Falaise 32 – Lisieux 17.

X **La Galetière,** ✆ 31 63 04 28, ☂ – VISA
fermé lundi soir et mardi du 15 sept au 15 juin – **R** 62/94 ♁.

CREVOUX 05 H.-Alpes 77 ⑱ **G. Alpes du Sud** – 115 h. alt. 1 577 – Sports d'hiver : 1 650/2 100 m ⛷3 ⛷ – ✉ **05200** Embrun.

Paris 721 – Briançon 59 – Embrun 16 – Gap 54 – Guillestre 32.

Parpaillon ⛰, ✆ 92 43 18 08, ≤ – ⇔wc ⋒wc ☎ 🚗 Ⓟ. AE VISA. ✱ rest
fermé 10 au 30 nov. – **R** 65/90 ♁ – ☕ 22 – **28 ch** 140/198 – ½ p 140/236.

CRILLON **60** Oise 52 ⑰ – 420 h. – ✉ **60112** Milly-sur-Thérain.

Paris 93 – Aumale 36 – Beauvais 16 – Breteuil 34 – Gournay-en-Bray 18.

XX **La Petite France,** 5 rte de Gisors ✆ 44 81 01 13 – VISA
fermé 15 août au 8 sept., vacances de fév., dim. soir, lundi soir et mardi – **R** 53/98 ♁.

CRISENOY 77 S.-et-M. 61 ② – rattaché à Melun.

Les CROCS D'ARCONSAT 63 P.-de-D. 73 ⑥ – rattaché à Chabreloche.

La CROISETTE 74 H.-Savoie 74 ⑥ – rattaché à Salève (Mont).

Le CROISIC **44490** Loire-Atl. 63 ⑭ **G. Bretagne** – 4 365 h.

Voir Mont-Esprit ≤★ – Aquarium de la Côte d'Amour★ – ≤★ du Mont-Lénigo.

ℹ Office de Tourisme pl. Gare ✆ 40 23 00 70.

Paris 461 – La Baule 10 – Guérande 10 – ♦Nantes 84 – Le Pouliguen 7 – Redon 63 – Vannes 75.

Les Vikings Ⓜ ⛰ sans rest, à **Port-Lin** ✆ 40 62 90 03, ≤ côte et mer – |‡| 📺 ☎ ♿ 🚗. VISA
☕ 32 – **24 ch** 315/460.

Les Nids ⛰, 83 bd Gén.-Leclerc à **Port-Lin** ✆ 40 23 00 63, « Jardin fleuri » – ⇔wc ⋒wc ☎. E VISA
30 mars-18 avril et 29 avril-30 sept. – **R** 85/212, enf. 48 – ☕ 22 – **28 ch** 105/270 – ½ p 166/238.

L'Estacade, 4 quai Lénigo ✆ 40 23 03 77 – ⇔wc. ⓓ E VISA
fermé 15 nov. au 20 déc. – **R** *(fermé merc. du 1er oct. au 30 mars)* 60/250, enf. 41 – ☕ 17 – **10 ch** 95/170 – ½ p 148/195.

XXX **Océan** avec ch, à **Port-Lin** ✆ 40 62 90 03, ≤ côte et mer – 📺 ⇔wc ☎. VISA
R carte 150 à 280 – ☕ 28 – **15 ch** 275/300.

XX **Bretagne,** sur le Port ✆ 40 23 00 51 – AE E VISA
1er mars-11 nov., 20 déc.-5 janv. et fermé merc. sauf juil.-août – **R** 95/290.

CITROEN Gar. Rochard, ✆ 40 62 90 32
RENAULT Deleplanque, ✆ 40 23 02 09

CROISSY-BEAUBOURG 77 S.-et-M. 61 ② – 1 555 h. – ✉ **77183** Marne-la-Vallée.
Paris 28 – Lagny-sur-Marne 10 – Meaux 30 – Melun 34.

XX **Host. de l'Aigle d'Or,** 8 r. de Paris ☏ (1) 60 05 31 33, 🏕, 🌳 – P. AE ⓪ E VISA
fermé dim. soir et lundi – **R** 150/340.

CROIX 59 Nord 51 ⑯ – rattaché à Roubaix.

CROIX (Col des) 88 Vosges 66 ⑦ – rattaché au Thillot.

La CROIX-BLANCHE 71 S.-et-L. 69 ⑲ – ✉ **71960** Pierreclos.
Paris 407 – Charolles 41 – Cluny 12 – Mâcon 14 – Roanne 84.

XX **Relais du Mâconnais** avec ch, N 79 ☏ 85 36 60 72, 🏕, 🌳, 🎾 – ⌂wc ☎ P. AE ⓪ E VISA
fermé début janv. à début fév., dim. soir et lundi hors sais. – **R** 100/260 – ☕ 26 – **12 ch** 130/230 – ½ p 250/300.

CROIX-FRY (Col de la) 74 H.-Savoie 74 ⑦ – rattaché à Manigod.

CROIX-MARE 76 S.-Mar. 52 ⑬ – rattaché à Yvetot.

La CROIX-VALMER 83420 Var 84 ⑰ **G. Côte d'Azur** – 2 064 h.
Paris 877 – Brignoles 65 – Draguignan 52 – Le Lavandou 27 – Ste-Maxime 16 – ♦Toulon 62.

🏨 **Parc** 🐦 sans rest, E : 1 km par D 93 ☏ 94 79 64 04, ⩽, parc – |♦| ⌂wc ⋒wc ☎ P. ⓪ VISA. ✂
1er avril-15 oct. – ☕ 27 – **33 ch** 195/340.

XX **St-Laurent,** ☏ 94 79 74 61, ⩽, 🏕 – E VISA
fermé déc., janv., sam. midi en sais et merc (sauf le soir en sais.) – **R** 90/140.

à Gigaro SE : 5 km par D 93 et VO – ✉ **83420** La Croix-Valmer :

🏨 **Souleias** M 🐦, ☏ 94 79 61 91, Télex 970032, ⩽ mer et îles, 🏕, « Au faîte d'une colline dominant le littoral », 🏊, 🌳, 🎾 – ☎ P – 🏛 50. AE ⓪ E VISA. ✂ rest
15 mars-3 nov. – **R** 180/240 – ☕ 50 – **40 ch** 600/980 – ½ p 410/700.

🏨 **Les Moulins de Paillas** M 🐦, ☏ 94 79 71 11, Télex 970987, 🏕, 🏊, 🏖, 🎾 – ☎ P. VISA
6 mai-30 sept. – **R** 170 🍷 – **30 ch** ☕570/650 – ½ p 430/480.

🏨 **Gigaro** M 🐦, ☏ 94 79 60 35, 🏊, 🏖, 🌳, 🎾 – ☎ P. VISA
6 mai-30 sept. – **R** voir **Les Moulins de Paillas** – **38 ch** ☕500/690 – ½ p 400/520.

CROS-DE-CAGNES 06 Alpes-Mar. 84 ⑨, 195 ㉖ – rattaché à Cagnes.

Le CROTOY 80550 Somme 52 ⑥ **G. Flandres Artois Picardie** – 2 351 h. – Casino.
Voir Butte du Moulin ⩽★.
Env. Parc ornithologique du Marquenterre★★ NO : 10 km par D 104.
ℹ Office de Tourisme Digue J.-Noiret (mai-sept.) ☏ 22 27 81 97.
Paris 184 – Abbeville 21 – Berck-Plage 28 – Montreuil 35 – St-Valéry-sur-Somme 13 – Le Tréport 40.

XX Baie, ☏ 22 27 81 22.

CROUTELLE 86 Vienne 67 ⑲ – rattaché à Poitiers.

CROZANT 23 Creuse 68 ⑱ **G. Berry Limousin** – 732 h. – ✉ **23160** St-Sébastien.
Voir Ruines du château★.
Paris 329 – Argenton-sur-C. 32 – La Châtre 48 – Guéret 40 – Montmorillon 76 – La Souterraine 30.

🏠 **Lac** 🐦, E : 1 km par D 72 et D 30 ☏ 55 89 81 96, ⩽ – ⌂wc ⋒ P. ✂ ch
◆ *1er mai-1er oct. et fermé lundi du 1er mai au 15 juin* – **R** 45/105 🍷 – ☕ 20 – **10 ch** 130/190 – ½ p 160/210.

XX **Aub. de la Vallée,** ☏ 55 89 80 03 – VISA
◆ *fermé 2 janv. au 2 fév., lundi soir et mardi du 1er oct. au 30 juin* – **R** (dim. prévenir) 48/190 🍷, enf. 25.

CROZON 29160 Finistère 58 ④ **G. Bretagne** – 7 904 h.
Voir Retable★ de l'église.
Env. Pointe de Dinan ✵★★ SO : 6 km.
ℹ Office de Tourisme pl. Église ☏ 98 27 21 65 et bd de la Plage à Morgat (juin-15 sept.) ☏ 98 27 07 92.
Paris 588 – ♦Brest 57 – Châteaulin 34 – Douarnenez 46 – Morlaix 76 – Quimper 55.

au Fret N : 5,5 km par D 155 et D 55 – ✉ **29160** Crozon :

🏨 **Host. de la Mer,** ✆ 98 27 61 90, ≤, – wc wc. E VISA. rest
10 mai-12 oct. – **R** 84/250, enf. 50 – 26 – **26 ch** 175/250 – 1/2 p 200/253.

Voir aussi ressources hôtelières de ***Morgat*** S : 3 km par D 887

Prat-Pneus, rte Châteaulin ✆ 98 27 12 51

CUCHERON (Col du) 38 Isère 77 ⑤ – rattaché à St-Pierre-de-Chartreuse.

CUCUGNAN 11 Aude 86 ⑧ – 113 h. – ✉ **11350** Tuchan.

Voir Col Grau de Maury ** S : 2,5 km – Site du château de Quéribus* SE : 3 km.**

Env. Château de Peyrepertuse* NO : 7 km, G. Pyrénées Roussillon.**

Paris 915 – Carcassonne 100 – Limoux 77 – ♦Perpignan 40 – Quillan 50.

✕ **Aub. de Cucugnan,** ✆ 68 45 40 84, « Grange aménagée » – Ⓟ. E VISA
fermé 1er au 15 sept. et merc. du 1er janv. au 31 mars – **R** 75 bc/190 bc.

CUCURON 84 Vaucluse 84 ③ **G. Provence** – 1 409 h. – ✉ **84160** Cadenet.

Paris 745 – Aix-en-Provence 34 – Apt 26 – Avignon 67 – Manosque 35.

🏨 **L'Étang** Ⓜ, ✆ 90 77 21 25, – wc
fermé 20 déc. au 10 janv., 15 au 25 fév. et merc. sauf juil.-août – **R** 100/200 – 25 – **8 ch** 165 – 1/2 p 210/280.

CUISEAUX 71480 S.-et-L. 70 ⑬ – 1 816 h.

Paris 398 – Chalon-sur-S. 57 – Lons-le-Saunier 25 – Mâcon 57 – Orgelet-le-Bourget 29 – Tournus 47.

✕✕ **Nord** avec ch, ✆ 85 72 71 02 – wc ☎ Ⓟ. E VISA. rest
fermé jeudi (sauf hôtel en juil.-août) et vend. midi – **R** 78/190 – 20 – **18 ch** 80/350.

✕✕ **Commerce** avec ch, ✆ 85 72 71 79 – wc wc ☎ Ⓟ. E VISA
fermé 20 au 27 juin, 3 au 10 oct., dim. soir hors sais. et lundi – **R** 50/180 – 18,50 – **9 ch** 100/141 – 1/2 p 169/194.

CUISERY 71290 S.-et-L. 70 ⑫ – 1 678 h.

Paris 370 – Bourg-en-Bresse 46 – Lons-le-Saunier 48 – Mâcon 37 – St-Amour 39 – Tournus 8.

✕✕✕ **Host. Bressane** avec ch, ✆ 85 40 11 63 – wc ☎ Ⓟ. AE VISA
fermé 20 au 30 juin, 12 déc. au 19 janv., mardi soir d'oct. à juin et merc. – **R** 90/250 – 30 – **15 ch** 150/300.

PEUGEOT-TALBOT Gar. Guyonnet, ✆ 85 40 14 36 N

CULAN 18270 Cher 69 ⑪ **G. Berry Limousin** – 1 055 h.

Voir Château*.

Paris 301 – Bourges 69 – La Châtre 29 – Guéret 68 – Montluçon 33 – St-Amand-Montrond 25.

🏨 **Poste,** ✆ 48 56 66 57 – wc wc. rest
fermé 3 janv. au 14 fév. et lundi – **R** 40/140 – 17,50 – **14 ch** 75/170.

PEUGEOT-TALBOT Plaveret M., Place du Champ de Foire ✆ 48 56 64 10

RENAULT Gar. du Pavillon, ✆ 48 56 61 54 N ✆ 48 56 62 67

La CURE 39 Jura 70 ⑯ – rattaché aux Rousses.

CUREBOURSE (Col de) 15 Cantal 76 ⑫⑬ – rattaché à Vic-sur-Cère.

Le CURTILLARD 38 Isère 77 ⑥ – alt. 1 012 – Sports d'hiver à Sept Laux-Le Pleynet : 1 450/2 100 m 9 – ✉ **38580** Allevard.

Paris 588 – Allevard 15 – ♦Grenoble 53 – Pinsot 8.

🏨 **Curtillard** Ⓜ, ✆ 76 97 50 82, ≤, – cuisinette wc wc Ⓟ – 70. E VISA.
1er juin-15 sept. et vacances de Noël-vacances de printemps – **R** 65/125, enf. 42 – 29 – **24 ch** 154/234 – 1/2 p 219/350.

🏨 **Baroz** , ✆ 76 97 50 81, ≤, – cuisinette wc wc ☎ Ⓟ. VISA. ch
20 juin-début sept. et fin déc.-Pâques – **R** 55/120 – 18 – **21 ch** 84/147 – 1/2 p 150/170.

CUSSAY 37 I.-et-L. 68 ⑤ – rattaché à Ligueil.

CUSSET 03300 Allier 73 ⑤ **G. Auvergne** – 14 876 h.

ℹ Syndicat d'Initiative r. S.-Arloing (juil.-août matin seul.) ✆ 70 31 39 41.

Paris 346 ② – Lapalisse 23 ② – Moulins 54 ② – Vichy 3 ①.

CUSSET

🏠 **Globe,** 1 r. Pasteur ✆ 70 97 82 31 – wc wc ☎ Ⓟ – 30. AE ⓓ E VISA
fermé janv., vend. (sauf hôtel) et dim. soir hors sais. – **R** 55/150 ♁, enf. 35 – **19 ch** ☕140/160 – ½ p 190. Z **b**

XX **Taverne Louis XI,** près Église ✆ 70 98 39 39 Z **a**
fermé 3 au 24 oct., vacances de fév., dim. soir et lundi – **R** 125/220.

à Creuzier-le-Neuf par ② : 5,5 km – ✉ **03300** Cusset :

X **Bon Accueil** avec ch, N 209 ✆ 70 98 06 01 – Ⓟ. E VISA
fermé 20 janv. au 20 fév., dim. soir et merc. d'oct. au 31 mars – **R** 42/160 – ☕ 15,50 – **6 ch** 80/86 – ½ p 150/165.

Ⓜ Gouillardon Gaudry, 26-28 r. Bartins ✆ 70 97 63 63

CUSTINES 54670 M.-et-M. 57 ⑭ – 2 843 h.

Paris 312 – ♦Metz 45 – ♦Nancy 13 – Pont-à-Mousson 18 – Toul 32.

🏠 **H. des Vallées** sans rest, NO : 2 km D 40 ✆ 83 49 39 56 – wc wc ☎ Ⓟ. AE E VISA
fermé 20 déc. au 4 janv. – ☕ 18 – **36 ch** 90/210.

DABO 57850 Moselle 62 ⑧ **G. Alsace et Lorraine** – 2 946 h.

Voir Site★ – Rocher de Dabo ✻★ SE : 2 km.

ℹ Syndicat d'Initiative pl. Église (27 juin-4 sept.) ✆ 87 07 47 51 et à la Mairie (hors saison) ✆ 87 07 40 12.

Paris 452 – Haguenau 63 – ♦Metz 116 – Sarrebourg 21 – Saverne 25 – ♦Strasbourg 49.

🏠 **Belle Vue** 🐴, ✆ 87 07 40 21, ← – wc wc Ⓟ. VISA. ✻
fermé janv. – **R** 57/120 ♁, enf. 36 – ☕ 20 – **15 ch** 90/180 – ½ p 140/185.

Garage Erb, à Schaeferhof ✆ 87 07 41 11 N

DACHSTEIN 67 Bas-Rhin 62 ⑨ – 936 h. – ✉ **67120** Molsheim.

Paris 477 – Molsheim 5 – Saverne 28 – Sélestat 36 – ♦Strasbourg 21.

XX **Aub. de la Bruche,** ✆ 88 38 14 90, 🏠 – ⓓ E VISA ✻
fermé 23 janv. au 15 fév., dim. soir du 1er nov. au 1er avril et sam. midi – **R** 110/150 ♁.

La DAILLE 73 Savoie 74 ⑲ – rattaché à Val-d'Isère.

Dans ce guide
un même symbole, un même caractère,
imprimés en rouge ou en noir, en maigre ou en **gras**
n'ont pas tout à fait la même signification
Lisez attentivement les pages explicatives (p. 16 à 23).

DAMBACH-LA-VILLE 67650 Bas-Rhin 62 ⑨ **G. Alsace et Lorraine** – 652 h.
Syndicat d'Initiative pl. Marché ✆ 88 92 41 05.
Paris 428 – Obernai 19 – Saverne 58 – Sélestat 9 – ♦Strasbourg 46.

Au Raisin d'Or, ✆ 88 92 48 66 – wc ☎. E VISA
R *(fermé 15 déc. au 31 janv., merc. soir et jeudi)* 50/130 ₰, enf. 25 – 18 – **10 ch** 190.

CITROEN Gar. Elter ✆ 88 92 40 57 N ✆ 88 92 46 29 — **Gar. Mangin,** ✆ 88 92 40 40

DAMGAN 56750 Morbihan 63 ⑬ – 905 h.
Paris 456 – Muzillac 9,5 – Redon 47 – La Roche-Bernard 25 – Vannes 26.

L'Albatros, bd Océan ✆ 97 41 16 85, ← – wc ☎ P. E VISA
15 mars-30 sept. – **R** (résidents seul.) – 17 – **24 ch** 125/250 – ½ p 134/198.

DAMMARIE-LES-LYS 77 S.-et-M. 61 ②, 196 ㊺ – rattaché à Melun.

Le località sottolineate in rosso sulle **carte stradali Michelin**
in scala 1/200 000 figurano in questa guida.
Approfittate di questa informazione,
utilizzando una carta di edizione recente.

DAMPIERRE-EN-YVELINES 78720 Yvelines 60 ⑨, 196 ㉙, 101 ㉛ **G. Environs de Paris** – 898 h.
Voir Château★★ – Vaux de Cernay★ SO : 4 km.
Paris 44 – Coignières 11 – Longjumeau 27 – Rambouillet 16 – Versailles 18.

au Nord : 3 km par D 91, carrefour D 13 – ✉ **78460** Chevreuse :

XX **La Puszta** avec ch, ✆ (1) 34 61 18 35, , cuisine hongroise, « Décor rustique hongrois, jardin » – wc P. AE ⓓ E VISA. ch
fermé lundi soir et mardi – **R** 173 – 30 – **5 ch** 340/370.

DAMPRICHARD 25450 Doubs 66 ⑱ – 1 907 h. alt. 825.
Paris 503 – ♦Bâle 95 – Belfort 67 – ♦Besançon 82 – Montbéliard 49 – Pontarlier 67.

Lion d'Or, ✆ 81 44 22 84 – TV wc wc ☎ P – 100. ⓓ E VISA
fermé 1er oct. au 1er nov., dim. soir et lundi midi hors sais. – **R** 65/170, enf. 35 – 20 – **16 ch** 110/260 – ½ p 160/286.

Les DAMPS 27 Eure 55 ⑦ – rattaché à Pont-de-l'Arche.

DAMVILLERS 55150 Meuse 57 ① – 717 h.
Paris 288 – Bar-le-Duc 82 – Longuyon 27 – ♦Metz 75 – Sedan 66 – Verdun 26.

X **Croix Blanche** avec ch, ✆ 29 85 60 12 – . AE ⓓ E VISA
fermé fév. et lundi (sauf hôtel en juil.-août) – **R** 50/130 – 16 – **9 ch** 70/135 – ½ p 140/180.

CITROEN Gar. Iori, ✆ 29 85 60 25 N

DANCHARIA 64 Pyr.-Atl. 85 ② – rattaché à Aïnhoa.

DANGÉ-ST-ROMAIN 86220 Vienne 68 ④ – 2 877 h.
Paris 291 – Le Blanc 59 – Châtellerault 16 – Chinon 53 – Loches 40 – Poitiers 49 – ♦Tours 57.

X **La Crémaillère,** 56 rte Nationale ✆ 49 86 40 24 – AE ⓓ E VISA
fermé 15 au 31 oct. et merc. – **R** 58/255 ₰.

RENAULT Judes, ✆ 49 86 40 39 — **Semam Sud Ouest,** ✆ 49 86 43 12

DANJOUTIN 90 Ter.-de-Belf. 66 ⑧ – rattaché à Belfort.

DANNEMARIE 68210 H.-Rhin 66 ⑨ – 1 939 h.
Paris 523 – ♦Bâle 43 – Belfort 24 – Colmar 59 – ♦Mulhouse 27 – Thann 27.

X **Wach,** ✆ 89 25 00 01 – E VISA
fermé 16 au 23 août, 25 déc. au 12 janv. et lundi – **R** (déj. seul.) 48/140.

X **Ritter,** face gare ✆ 89 25 04 30, , , – P. E VISA
fermé 19 au 30 déc., vacances de fév., lundi soir et mardi – **R** 45/180 ₰, enf. 30.

FORD Gar. Central, ✆ 89 25 00 33 N
PEUGEOT-TALBOT Gar. Ingold, ✆ 89 25 00 23
RENAULT Gar. Raab, ✆ 89 25 02 71 N

DAVÉZIEUX 07 Ardèche 76 ⑩ – rattaché à Annonay.

DAX 40100 Landes **78** ⑥⑦ **G. Pyrénées Aquitaine** – 19 636 h. – Stat. therm. : Atrium – Casino : B.

Office de Tourisme et A.C. pl. Thiers ☏ 58 74 82 33.

Paris 734 ① – •Bayonne 53 ⑤ – •Bordeaux 146 ① – Mont-de-Marsan 52 ② – Pau 80 ③.

DAX

Carmes (R. des) .... B 6
Liberté (Av. de la) .... A 16
Verdun (Cours de) .... B 38

Augusta (Cours J.) .... B 2
Baignots (Allée des) .... B 3
Borda (Pl.) .... B 4
Bouvet (Pl. C.) .... B 5
Chanoine-Bordes (Pl.) .... B 7
Chanzy (R.) .... B 8
Clemenceau (Av. G.) .... A 10
Ducos (Pl. R.) .... B 11
Foch (Cours Mar.) .... B 12
Foch (R. Mar.) ST-PAUL-LÈS-DAX .... A 13
Fusillés (R. des) .... B 14
Gaulle (Espl. Gén.-de) .... B 15
Manoir (Bd Y. du) .... A 19
Milliés-Ladroix (Bd E.) .... B 20
Pasteur (Cours) .... B 23
Résistance (Av. de la) .... A 24
Sablar (Av. du) .... B 25
St-Pierre (Pl.) .... B 26
St-Pierre (R.) .... B 27
St-Vincent (R.) .... B 28
St-Vincent-de-Paul (Av.) .... B 30
St-Vincent-de-Paul (Av.) ST-PAUL-LÈS-DAX .... A 32
Sully (R.) .... B 35
Tuilleries (Av. des) .... B 36
Victor-Hugo (Av.) .... B 39

Splendid, cours Verdun ☏ 58 74 59 30, ≤, ⛱, 🌳 – ▮ TV – 🏛 50. AE ◑ E. ✻ rest B **a**
1er mars-27 nov. – **R** 120/250, enf. 60 – ☕ 35 – **170 ch** 230/280, 11 appartements 400 – 1/2 p 343/503.

du Lac M, au Lac de Christus à St-Paul-lès-Dax ✉ 40990 St Paul-lès-Dax ☏ 58 91 84 84, Télex 560690, ≤, ⛱, 🌳 – ▮ cuisinette TV ☎ ♿ P – 🏛 30 à 300. ◑ E VISA. ✻ A **t**
R 85/154, enf. 37 – ☕ 24 – **250 ch** 178/251 – 1/2 p 244/342.

Gd Hôtel, r. Source ☏ 58 74 84 58 – ▮ cuisinette ▤ rest TV ☎ P – 🏛 50 à 150. ◑ E VISA. ✻ B **d**
R 76/135, enf. 37 – ☕ 19 – **138 ch** 165/228, 7 appartements 337 – 1/2 p 249/278.

Parc, 1 pl. Thiers ☏ 58 74 86 17, Télex 540481, ≤ – ▮. AE ◑ E VISA. ✻ rest
R *(fermé 20 déc. au 30 janv. et dim.)* 80/150, enf. 50 – ☕ 35 – **40 ch** 240/380 – 1/2 p 450/550. B **e**

Dax-Thermal M ⛱, bd Carnot ☏ 58 90 19 40, ≤, ⛱ – ▮ ⊟wc ☎ ♿ P – 🏛 40. AE ◑ E. ✻ rest A **m**
R 85/155 🍷, enf. 40 – ☕ 25 – **128 ch** 210/250 – 1/2 p 284.

Régina et Tarbelli M, bd Sports ☏ 58 74 84 58 – ▮ cuisinette TV ⊟wc ⋒wc ☎ P. ◑ E VISA. ✻ B **d**
1er mars-30 nov. – **R** 69/135, enf. 37 – ☕ 18 – **171 ch** 137/276 – 1/2 p 201/303.

Relais des Thermes M, av. Mar.-Foch à St-Paul-lès-Dax ✉ 40990 St-Paul-lès-Dax ☏ 58 91 64 37, 🌳 – ▮ TV ⊟wc ⋒wc ☎ P – 🏛 100. ◑ E VISA. ✻ ch
fermé 20 déc. au 1er fév. et hôtel : dim. soir du 1er nov. au 1er mai – **R** *(fermé lund du 1er nov. au 1er mai)* 65/200 – ☕ 22 – **20 ch** 165/250 – 1/2 p 230/270. A **f**

Vascon, pl. Fontaine-Chaude ✆ 58 74 12 14 – wc · 3 avril-18 déc. – **R** (résidents seul.) 60 – 18 – **30 ch** 130/180 – 1/2 p 210. B **u**

Nord sans rest, 68 av. St-Vincent-de-Paul ✆ 58 74 19 87 – wc *fermé 16 déc. au 9 janv.* – 16 – **19 ch** 90/110. B **s**

Bois de Boulogne, O : 1 km par allée des Baignots ✆ 58 74 23 32, ≤, – . VISA *fermé oct., dim. soir et lundi hors sais.* – **R** 60/120. A **n**

Galliéni, 38 cours Galliéni ✆ 58 90 18 30 – AE E VISA *fermé 15 au 30 mars* – **R** 100/160, enf. 60. B **j**

Aub. des Pins avec ch, 86 av. F.-Planté (Village des Pins) ✆ 58 74 22 46, – wc wc . VISA *fermé fév. et sam. en déc.-janv.* – **R** 47/180, enf. 30 – 12 – **15 ch** 76/150 – 1/2 p 120/180. A **w**

Fin Gourmet, 3 r. Pénitents ✆ 58 74 04 26 – E VISA *fermé 20 déc. au 15 fév.* – **R** 58/180. B **x**

Taverne Karlsbraü, 11 av. G.-Clemenceau ✆ 58 74 19 60 – AE E VISA *fermé 16 juin au 3 juil. et mardi du 15 juin au 15 sept.* – **R** 54/87. B **h**

à l'ouest par ⑤ : rte Bayonne – ✉ 40990 St-Paul-lès-Dax :

Relais des Plages Ⓜ avec ch, 3 km ✆ 58 91 78 86, – wc . VISA *fermé mi-nov. à mi-déc.* – **R** *(fermé lundi)* 60/180 – 18,50 – **10 ch** 145/180.

La Chaumière, 7 km ✆ 58 91 79 81 – *fermé 1er au 18 mars, 1er au 15 nov., lundi soir et mardi hors sais.* – **R** 100/200.

CITROEN S.A.A.D., ZAC du Sablar, r. des Prairies ✆ 58 74 62 62
FIAT Debibié, 145 av. V.-de-Paul ✆ 58 74 88 74
OPEL-GM Duprat-Desclaux, rte Bayonne, St-Paul-lès-Dax ✆ 58 91 78 04
PEUGEOT-TALBOT Dax-Auto, rte Bayonne, St-Paul-lès-Dax par ④ ✆ 58 91 77 42
RENAULT Autom. Landaises, av. du Sablar ✆ 58 74 83 44 N
V.A.G. Gar. Ducasse, rte d'Orthez à Narrosse ✆ 58 74 44 58

Frey, 122 av. V.-de-Paul ✆ 58 74 08 40
Morès, Z.I N° 1, rte de Saint-Pandelon ✆ 58 74 94 66

DEAUVILLE 14800 Calvados 55 ③ G. Normandie Vallée de la Seine – 4 769 h. – Casinos: été AZ, et hiver AZ.

Voir Mont Canisy ≤★ 5 km par ③ puis 20 mn.

New-Golf ✆ 31 88 20 53 S : 3 km par D 278 AZ.

de Deauville-St-Gatien : ✆ 31 88 31 28 S : 3 km BY.

Office de Tourisme pl. Mairie ✆ 31 88 21 43, Télex 170220.

Paris 207 ② – ♦Caen 47 ③ – Évreux 102 ② – ♦Le Havre 74 ② – Lisieux 30 ② – ♦Rouen 91 ②.

Plan page suivante

Normandy, 38 r. J.-Mermoz ✆ 31 88 09 21, Télex 170617, ≤, , , – ch 120. AE E VISA. rest **La Potinière R** 210 – 40 – **298 ch** 1340/1440, 22 appartements. AZ **h**

Royal, bd E.-Cornuché ✆ 31 88 16 41, Télex 170549, ≤, , – 190. AE E VISA *31 mars-15 oct.* – **R** 200, enf. 120 – **L'Etrier R** carte 260 à 380, enf. 120 – 40 – **293 ch** 1060/1500, 17 appartements – 1/2 p 1040/1690. AZ **y**

Hélios sans rest, 10 r. Fossorier ✆ 31 88 28 26, Télex 170053, – wc . AE E VISA. *fermé 2 janv. au 15 fév.* – 30 – **44 ch** 300/390. AZ **t**

Marie-Anne sans rest, 142 av. République ✆ 31 88 35 32 – wc wc . AE E VISA *fermé 15 nov. au 9 déc. et 25 fév. au 9 mars* – 28 – **24 ch** 170/400. AZ **k**

Continental sans rest, 1 r. Désiré-Le-Hoc ✆ 31 88 21 06 – wc wc . AE E VISA *15 mars-15 nov.* – **49 ch** 148/319. BZ **n**

La Fresnaye sans rest, 81 av. République ✆ 31 88 09 71 – wc . AE E VISA 26 – **14 ch** 150/450. AZ **r**

Résidence sans rest, 55 av. République ✆ 31 88 07 50 – wc wc **16 ch**. BZ **m**

Ciro's, prom. Planches ✆ 31 88 18 10, Télex 171873, ≤, – AE E VISA **R** 180. AZ **a**

Le Kraal, pl. Marché ✆ 31 88 30 58, , produits de la mer – AE E VISA *fermé 10 janv. au 10 fév. et lundi (sauf vacances scolaires) hors sais.* – **R** carte 210 à 305. BZ **s**

Le Spinnaker, 52 r. Mirabeau ✆ 31 88 24 40 – VISA. *fermé 15 nov. au 15 déc. et 19 au 29 janv.* – **R** carte 200 à 300. BZ **v**

DEAUVILLE

Fracasse (R. A.) . . . . AZ
Gambetta (R.) . . . . BY 9
Le-Hoc (R. D.) . . . . BZ 24
Morny (Pl. de) . . . . BZ 28
République (Av. de la) ABZ
Blanc (R. E.) . . . . AZ 4
Colas (R. E.) . . . . AZ 5
Fossorier (R. R.) . . . . AZ 8
Gaulle (Av. Gén.-de) . . . AZ 10
Gontaut-Biron (R.) . . . . AYZ 13
Hoche (R.) . . . . AZ 20
Laplace (R.) . . . . AZ 23
Le Marois (R.) . . . . AZ 25
Marine (Q. de la) . . . . . . BY 26

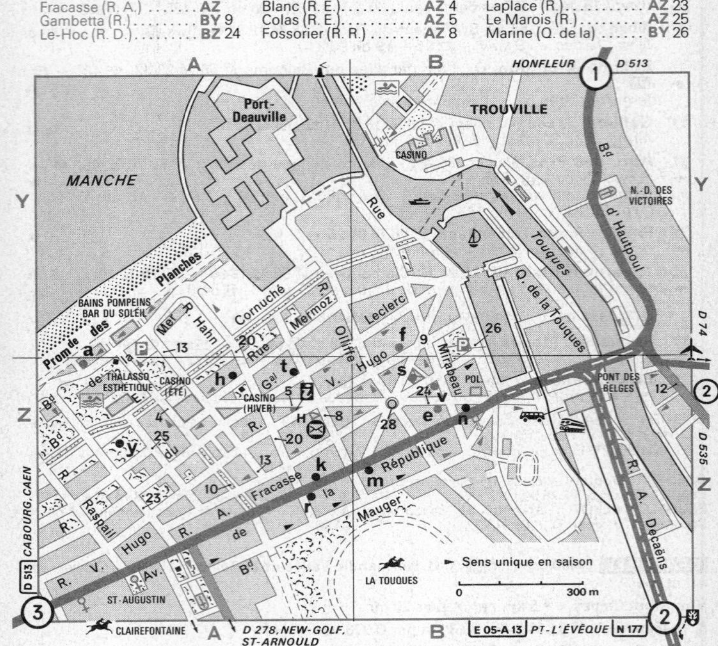

XX **Chez Camillo,** 13 r. Désiré-Le-Hoc ℘ **31 88 79 78** – AE ⓓ E VISA — BZ **e**
fermé 14 au 28 fév. et merc. sauf juil.-août – **R** carte 185 à 340.

XX **Yearling,** 38 av. Hocquart-de-Turtot ℘ **31 88 33 37** – AE ⓓ E VISA
fermé 2 janv. au 15 fév., lundi et mardi sauf du 14 juil. au 31 août – **R** 96/170. — par D 278 AZ

X **L'Espérance** avec ch, 32 r. Victor Hugo ℘ **31 88 26 88,** – wc. E VISA. ch
fermé 6 au 19 juin, 21 au 27 nov., merc. soir et jeudi sauf juil.-août – **R** 90/160 – 20 – **10 ch** 140/220 – 1/2 p 250/320. — BY **f**

à Touques par ② : 2,5 km – ✉ **14800** Deauville :

XX **Relais du Haras,** 23 r. Louvel et Brière ℘ **31 88 43 98** – AE ⓓ VISA
fermé 25 juin au 5 juil. et 15 au 31 janv. – **R** 200/240.

X **Le Village** avec ch, 64 r. Louvel et Brière ℘ **31 88 01 77** – TV wc wc. E VISA
Pâques-fin sept. et fermé merc. midi sauf juil.-août – **R** 85/200, enf. 60 – 20 – **8 ch** 220 – 1/2 p 235/345.

au New-Golf S : 3 km par D 278 - AZ – ✉ **14800** Deauville :

Golf , ℘ **31 88 19 01, Télex 170448, alt. 100,** , « Au milieu du golf, campagne deauvillaise », , – TV – 120. AE ⓓ E VISA
1er avril-15 nov. – **R** 175, enf. 95 – 40 – **166 ch** 720/920 – 1/2 p 515/675.

à St-Arnoult S : 2,5 km par D 278 – ✉ **14800** Deauville :

Campanile M, ℘ **31 87 54 54, Télex 171962,** – ch TV wc – 40. E VISA
R 62 bc/84 bc, enf. 37 – 23 – **42 ch** 195/215.

à l'aéroport Deauville St-Gatien E : 7 km par D 74 – ✉ **14130** Pont-l'Évêque :

XX **Rest. Aéroport,** ℘ **31 88 38 75,** – AE ⓓ E VISA
fermé 10 janv. au 1er mars, mardi soir et merc. – **R** 110/160.

Autres Ressources hôtelières :

Voir aussi *Blonville*.

ALFA-ROMEO-OPEL-LANCIA Gar. de la Plage, 26 r. Gén.-Leclerc ☎ 31 88 28 67 N
CITROEN SDA, 40 rte de Paris par ② ☎ 31 88 85 44
FORD Bastien, 22 r. Fracasse ☎ 31 88 04 31
PEUGEOT-TALBOT SODEVA, rte de Paris par ② ☎ 31 88 66 22
RENAULT Les Autom. Deauvillaises, rte de Paris par ② ☎ 31 88 21 34

Callac, 23 r. Oliffe ☎ 31 88 36 32

DECAZEVILLE **12300 Aveyron 80 ① G. Gorges du Tarn – 9 204 h.**

Office de Tourisme pl. Wilson ☎ 65 43 06 27.

Paris 605 – Aurillac 68 – Figeac 28 – Rodez 37 – Villefranche-de-Rouergue 38.

France, pl. Cabrol ☎ **65 43 00 07** – ch rest wc wc . AE E VISA
R *(fermé lundi)* 63/150, enf. 25 – 22 – **24 ch** 150/215 – ½ p 180.

PEUGEOT-TALBOT Cassan, 47 av. P.-Ramadier ☎ 65 43 06 06 N ☎ 65 43 20 94
RENAULT S.A.D.A.R., Zone Ind. des Prades ☎ 65 43 24 38
V.A.G. Gar. Romiguière, 26 av. Victor-Hugo ☎ 65 43 04 44

Sigal, pl. G.-Abraham ☎ 65 43 02 33

DECIZE **58300 Nièvre 69 ④⑤ G. Bourgogne – 7 522 h.**

Office de Tourisme à l'Hôtel de Ville ☎ 86 25 03 23 et pl. St-Just (sais.).

Paris 272 ① – Autun 78 ② – Bourbon-Lancy 38 ② – Château-Chinon 53 ② – Clamecy 75 ① – Digoin 66 ② – Moulins 33 ③ – Nevers 34 ①.

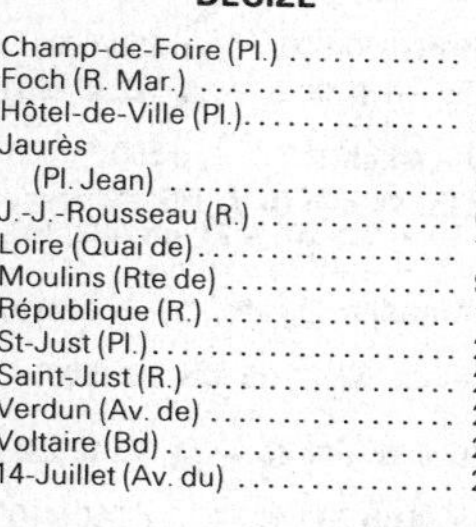

DECIZE

Champ-de-Foire (Pl.) 2
Foch (R. Mar.) 3
Hôtel-de-Ville (Pl.) 4
Jaurès (Pl. Jean) 5
J.-J.-Rousseau (R.) 6
Loire (Quai de) 7
Moulins (Rte de) 9
République (R.) 12
St-Just (Pl.) 20
Saint-Just (R.) 21
Verdun (Av. de) 22
Voltaire (Bd) 24
14-Juillet (Av. du) 25

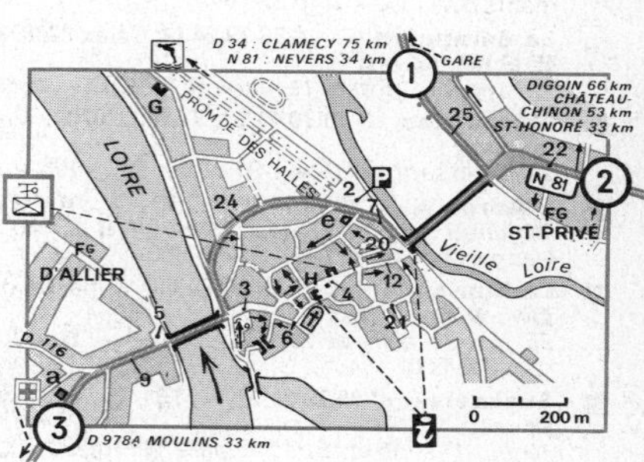

Gd H. Commerce, 1 pl. Champ de foire **(e)** ☎ **86 25 05 31** – wc. E VISA
R 55/120 – 20 – **14 ch** 80/150 – ½ p 150/230.

Le Charolais, 33 bis rte Moulins **(a)** ☎ **86 25 22 27** – E VISA
fermé 19 sept. au 3 oct., 25 au 31 janv., dim. soir et lundi – **R** 98/230.

CITROEN Dallois 109 bis av. Verdun par ② ☎ 86 25 15 88
FORD Ronsin, 50 av. Verdun ☎ 86 25 08 91
OPEL Gar. Girault Roy, 12 bd Voltaire ☎ 86 25 01 58
PEUGEOT-TALBOT Becouse-Autom., rte Moulins par ③ ☎ 86 25 13 32
RENAULT SAVRAL, N 81 à St Léger des Vignes par ① ☎ 86 25 09 73 N
V.A.G. Gar. Boiteau, 8 av. du 14-Juillet ☎ 86 25 06 12

Bill Pneum, Les Champs Monares rte de Moulins ☎ 86 25 14 39

DELLE **90100 Ter.-de-Belf. 66 ⑧ – 6 898 h.**

Office de Tourisme av. Gén.-de-Gaulle (fermé matin) ☎ 84 36 03 06.

Paris 501 – ♦Bâle 51 – Belfort 19 – Montbéliard 18.

National avec ch, **à la Gare** ☎ **84 36 03 97**, – wc wc – 30. E VISA.
R *(fermé dim. soir et lundi)* 75/180 – 25 – **8 ch** 155/225 – ½ p 250/265.

DELME **57590 Moselle 57 ⑭ – 698 h.**

Paris 363 – Château-Salins 13 – ♦Metz 32 – ♦Nancy 35 – Pont-à-Mousson 32 – St-Avold 41.

A la Douzième Borne, ☎ **87 01 30 18** – TV . AE E VISA
R 45/170, enf. 40 – **19 ch** 90/150 – ½ p 115/175.

Pneus Diffusion, ☎ 87 01 36 83

DEMOISELLES (Grotte des) ★★★ **34 Hérault 80 ⑯⑰ G. Gorges du Tarn.**

DÉSAIGNES **07 Ardèche 76 ⑲ – rattaché à Lamastre.**

DESCARTES 37160 I.-et-L. 68 ⑤ G. Poitou Vendée Charentes – 4 357 h.

Syndicat d'Initiative à la Mairie (fermé après-midi hors saison) ✆ 47 59 70 50.

Paris 290 – Châteauroux 91 – Châtellerault 23 – Chinon 52 – Loches 31 – ♦Tours 56.

Moderne M, 15 r. Descartes ✆ **47 59 72 11** – wc ☎ – 50. E VISA.
fermé 24 au 31 déc., fév. et dim. soir – **R** 42/120 – 22 – **11 ch** 160/180 – 1/2 p 150/190.

Aub. de l'Islette, à Lilette (86 Vienne) O : 3 km par D 58 et D 5 ✉ 37160 Descartes (37 I.-et-L.) ✆ **47 59 72 22** – wc wc ♿ P – 30. E VISA
fermé 15 déc. au 15 janv. et sam. hors sais. – **R** 43/100 – 14 – **18 ch** 60/165.

CITROEN Gar. Dain, 34 r. Boylesve ✆ 47 59 85 80 N

RENAULT Chabauty, 12 av. de la gare ✆ 47 59 70 40

Les DEUX-ALPES (Alpes de Mont-de-Lans et de Vénosc) 38860 Isère 77 ⑥ G. Alpes du Nord – alt. 1 644 Alpe de Vénosc, 1 660 m Alpe de Mont-de-Lans – Sports d'hiver : 1 650/3 560 m 8 53.

Voir Belvédère de la Croix★.

Office de Tourisme ✆ 76 79 22 00, Télex 320883 et réservations hôtelières ✆ 76 79 24 38.

De l'Alpe de Vénosc : Paris 637 – Le Bourg-d'Oisans 25 – La Grave 26 – ♦Grenoble 74 – Col du Lautaret 37.

La Farandole M, ✆ **76 80 50 45, Télex 320029,** ← massif de la Muzelle, – TV ☎ P – 50. AE E VISA
25 juin-11 sept. et 3 déc.-4 mai – **R** 170/260, enf. 80 – **46 ch** 380/830, 14 appartements 800/1500 – 1/2 p 520/720.

La Bérangère , ✆ **76 79 24 11, Télex 320878,** ←, , – TV ☎ P – 25. AE E VISA. rest
juil.- août et 15 déc.-1er mai – **R** 160/280 – 35 – **59 ch** 350/500 – 1/2 p 350/520.

Marmottes, ✆ **76 79 21 91, Télex 320700,** ←, , – ☎ ♿ – 50. E VISA. rest
20 juin-5 sept. et 20 déc.-30 avril – **R** 185/195 – 30 – **45 ch** 350 – 1/2 p 550.

L'Adret , ✆ **76 79 24 30,** ←, , , , – TV ☎ P. E VISA. rest
18 juin-9 sept. et 17 déc.-1er mai – **R** 90/140, enf. 70 – 25 – **21 ch** 280/380, 4 appartements 530 – 1/2 p 290/460.

La Mariande , ✆ **76 80 50 60,** ← massif de la Muzelle, , , – wc wc ☎ P. rest
25 juin-31 août et 20 déc.-25 avril – **R** 160/180 – 32 – **25 ch** 280/500 – 1/2 p 350/500.

Edelweiss, ✆ **76 79 21 22,** ←, , , – wc ☎ P – 30. E VISA. rest
10 juin-11 sept. et 18 déc.-2 mai – **R** 110/220 – 40 – **34 ch** 280/440 – 1/2 p 260/410.

Chalet Mounier , ✆ **76 80 56 90, Télex 308411,** , – wc ☎. VISA. rest
26 juin-5 sept. et 1er déc.-1er mai **R** 96/205 – **37 ch** 200/460 – 1/2 p 196/360.

Souleil'Or M , ✆ **76 79 24 69,** ← – wc ☎ P. VISA. rest
22 juin-6 sept. et 20 déc.-17 avril – **R** 110/130 – **41 ch** 290/350 – 1/2 p 255/395.

Mélèzes, ✆ **76 80 50 50,** ← – wc ☎ P. rest
15 déc.-30 avril – **R** 87/160 – 24 – **32 ch** 215/290.

Muzelle-Sylvana, ✆ **76 80 50 93** – wc wc ☎ P – 30. E VISA. rest
15 déc.-15 avril – **R** 120/140 – 30 – **30 ch** 250/350 – 1/2 p 240/380.

Cairn, ✆ **76 80 52 38,** – wc ☎ P. rest
15 juin-10 sept., 20 déc.-1er mai – **R** 90 – 30 – **23 ch** 210/250 – 1/2 p 275/290.

Le Provençal, ✆ **76 80 52 58** – wc ☎ P. rest
30 juin-7 sept. et 20 déc.-1er mai – **R** (résidents seul.) – 26 – **18 ch** 220/260 – 1/2 p 280.

DHUIZON 41 L.-et-Ch. 64 ⑧ – 1 057 h. – ✉ 41220 La Ferté-St-Cyr.

Paris 173 – Beaugency 22 – Blois 28 – Orléans 43 – Romorantin-Lanthenay 27.

XX **Aub. Gd Dauphin** avec ch, ✆ **54 98 31 12,** – P. E VISA
fermé 10 janv. au 26 fév., mardi soir et merc. sauf juil.-août – **R** 64/220, enf. 39 – 25 – **9 ch** 100/150.

DIE SP 26150 Drôme 77 ⑬⑭ G. Alpes du Sud (plan) – 4 047 h.

Voir Mosaïque★ dans l'hôtel de ville.

Office de Tourisme pl. St-Pierre ✆ 75 22 03 03.

Paris 627 – Gap 95 – ♦Grenoble 99 – Montélimar 75 – Nyons 83 – Sisteron 99 – Valence 65.

La Petite Auberge, av. Sadi-Carnot (face gare) ✆ **75 22 05 91,** – TV wc wc ☎ P. VISA
fermé 4 au 12 sept. et 15 déc. au 15 janv., dim. soir et lundi sauf juil.-août – **R** 75/180 – 25 – **13 ch** 90/180 – 1/2 p 155/210.

Relais de Chamarges, rte Valence : 1 km ✆ **75 22 00 95,** ←, ⛱, 🅣 – ⛀wc ⛂wc ☎ **P**
fermé 25 janv. au 1er mars, dim. soir et lundi de nov. à mars – **R** 55/170 ⅃ – ☕ 23 – **10 ch** 160.

St-Dominque, 44 r. C.-Buffardel ✆ **75 22 03 08,** 🅣 – cuisinette ⛀wc ☎ 🚗. **E** VISA. ✗ rest
fermé nov. – **R** *(fermé sam. de janv. à mai)* 50/103 ⅃, enf. 35 – ☕ 20 – **26 ch** 155/190 – ½ p 225/240.

CITROEN Gar. des Alpes, ✆ 75 22 01 89
FORD Mocellin, ✆ 75 22 04 97 **N**
PEUGEOT-TALBOT Gar. du Viaduc, ✆ 75 22 01 47
PEUGEOT-TALBOT Querol, ✆ 75 22 06 47
RENAULT Favier, ✆ 75 22 02 11
Gar. Bouffier, ✆ 75 22 01 55

DIEFMATTEN 68 H.-Rhin **66** ⑨ – 232 h. – ✉ **68780** Sentheim.
Paris 535 – Belfort 24 – Colmar 49 – ♦Mulhouse 21 – Thann 17.

XXX ✿ **Cheval Blanc** (Schlienger), ✆ **89 26 91 08,** ⛱, 🅣 – **P**. AE ⦿ **E** VISA
fermé 18 juil. au 2 août, 7 au 23 fév., lundi et mardi – **R** 150/340 ⅃, enf. 75
Spéc. Tête et pieds de porc en gelée "Mère Thérèse", Médaillons de langouste, Emincé de rognon de veau aux spaetzle. **Vins** Kaefferkopf, Pinot noir.

DIENNE 15 Cantal **76** ③ **G. Auvergne** – 396 h. alt. 1 050 – ✉ **15300** Murat.
Paris 517 – Allanche 22 – Aurillac 56 – Condat 31 – Mauriac 52 – Murat 10 – St-Flour 35.

Poste, ✆ **71 20 80 40** – ⛀wc ⛂ **P**. **E** VISA. ✗ ch
fermé 10 nov. au 20 déc. – **R** 60/80 ⅃, enf. 50 – ☕ 18 – **10 ch** 100/140 – ½ p 125/135.

DIEPPE SP **76200** S.-Mar. **52** ④ **G. Normandie Vallée de la Seine** – 35 360 h. – Casino: Municipal AY.

Voir Église St-Jacques★ BY – Boulevard de la Mer ←★ par ⑤ – Chapelle N.-D.-de-Bon-Secours ←★ BY – Musée du château : ivoires★ AZ.

⛳18 ✆ 35 84 25 05 par ⑥ : 2 km.

🚗 ✆ 35 98 50 50.

i Office de Tourisme bd Gén.-de-Gaulle ✆ 35 84 11 77 et Rotonde plage (juil.-août) ✆ 35 84 28 70.

Paris 169 ③ – Abbeville 64 ① – Beauvais 104 ③ – ♦Caen 168 ③ – ♦Le Havre 104 ③ – ♦Rouen 61 ③.

Plan page suivante

La Présidence Ⓜ, **1 bd Verdun** ✆ **35 84 31 31, Télex 180865,** ← – |♦| ▤ rest TV ☎ ♿ 🚗 – 🏛 150. AE ⦿ **E** VISA — AY **z**
R (4e étage) grill carte 100 à 210 ⅃ – ☕ 33 – **88 ch** 220/445.

Aguado Ⓜ sans rest, **30 bd Verdun** ✆ **35 84 27 00,** ← – |♦| TV ☎. VISA. ✗ — BY **s**
☕ 28 – **56 ch** 273/330.

Univers, 10 bd Verdun ✆ **35 84 12 55, Télex 770741,** ←, « **Beau mobilier ancien** » – |♦| TV ☎ – 🏛 30. AE ⦿ **E** VISA — AY **f**
fermé 10 déc. au 1er fév. – **R** 95/195, enf. 40 – ☕ 30 – **28 ch** 230/385 – ½ p 325/495.

Plage sans rest, **20 bd Verdun** ✆ **35 84 18 28, Télex 180485,** ← – |♦| TV ⛀wc ⛂wc ☎. VISA. ✗ — AY **n**
☕ 23 – **40 ch** 163/251.

Windsor, 18 bd Verdun ✆ **35 84 15 23,** ← – |♦| ▤ rest ⛀wc ☎ **P** – 🏛 40. AE ⦿ **E** VISA — AY **a**
fermé 18 déc. au 22 janv. – **R** *(fermé dim. soir d'oct à mai)* 80/250, enf. 32 – ☕ 24 – **46 ch** 150/265.

Epsom sans rest, **11 bd Verdun** ✆ **35 84 10 18,** ← – |♦| TV ⛀wc ⛂wc ☎ – 🏛 40. AE **E** VISA — AY **s**
fermé fév. – ☕ 25 – **28 ch** 220/250.

Select H. sans rest, **1 r. Toustain** ✆ **35 84 14 66** – |♦| ⛀wc ☎. AE **E** VISA — AZ **v**
☕ 19 – **24 ch** 116/220.

XX ✿ **La Mélie** (Brachais), **2 Gde r. Pollet** ✆ **35 84 21 19** – AE ⦿ **E** VISA — BY **d**
fermé nov., fév., dim. soir et lundi – **R** 85/120
Spéc. Filet de barbue la Mélie, Marmite poletaise, Crépon à la normande.

XX **Armorique, 17 quai Henri-IV** ✆ **35 84 28 14** – VISA — BY **t**
fermé 1er au 15 juin, 15 au 31 oct., dim. soir et lundi – **R** carte 135 à 275.

XX **Marmite Dieppoise, 8 r. St-Jean** ✆ **35 84 24 26** – **E** VISA — BY **k**
fermé 20 juin au 2 juil., 24 déc. au 15 janv., jeudi soir, dim. soir et lundi – **R** 90/160.

XX **Le Sully, 97 quai Henri-IV** ✆ **35 84 23 13** – **E** VISA — BY **h**
fermé mardi soir et merc. – **R** 50/110.

X **La Musardière, 61 quai Henri-IV** ✆ **35 82 94 14** – **E** VISA — BY **e**
fermé 15 fév. au 8 mars, mardi midi et lundi – **R** 100/171.

X **Port, 99 quai Henri-IV** ✆ **35 84 36 64** – AE **E** VISA — BY **h**
fermé 10 janv. au 15 fév. et jeudi – **R** 63/96.

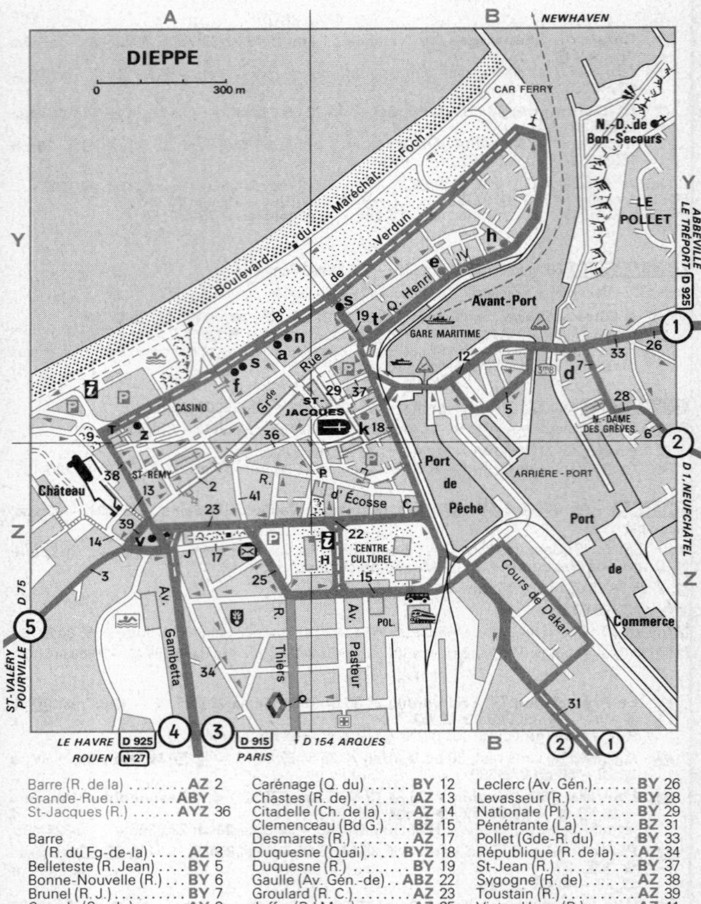

Barre (R. de la) . . . . AZ 2
Grande-Rue . . . . ABY
St-Jacques (R.) . . . . . . AYZ 36

Barre
(R. du Fg-de-la) . . . . . AZ 3
Belleteste (R. Jean) . . . . BY 5
Bonne-Nouvelle (R.) . . . BY 6
Brunel (R. J.) . . . . BY 7
Canada (Sq. du) . . . . AY 9
Carénage (Q. du) . . . . . . BY 12
Chastes (R. de) . . . . AZ 13
Citadelle (Ch. de la) . . . . AZ 14
Clemenceau (Bd G.) . . . BZ 15
Desmarets (R.) . . . . AZ 17
Duquesne (Quai) . . . . . BYZ 18
Duquesne (R.) . . . . BY 19
Gaulle (Av. Gén.-de) . . ABZ 22
Groulard (R. C.) . . . . AZ 23
Joffre (Bd Mar.) . . . . AZ 25
Leclerc (Av. Gén.) . . . . . . BY 26
Levasseur (R.) . . . . BY 28
Nationale (Pl.) . . . . BY 29
Pénétrante (La) . . . . BZ 31
Pollet (Gde-R. du) . . . . . BY 33
République (R. de la) . . . AZ 34
St-Jean (R.) . . . . BY 37
Sygogne (R. de) . . . . AZ 38
Toustain (R.) . . . . AZ 39
Victor-Hugo (R.) . . . . AZ 41

à Martin Église par ② ; 6,5 km – ✉ **76370** Neuville-Lès-Dieppe :

XX **Aub. Clos Normand** avec ch, ☎ 35 82 71 01, « Jardin en bordure de rivière » – wc ☎ Ⓟ. AE E VISA.
hôtel : fermé 15 nov. au 28 fév., lundi et mardi ; rest.: fermé 15 déc. au 15 janv., lundi soir et mardi – **R** carte 125 à 220 – ☕ 24 – **9 ch** 200/310.

aux Vertus par ④ : 3,5 km sur N 27 – ✉ **76550** Offranville :

XXX ✿ **La Bucherie** (Delaunay), ☎ **35 84 83 10** – Ⓟ. AE ⓓ E VISA
fermé 15 au 30 sept., 15 au 25 janv., dim. soir et lundi – **R** (nombre de couverts limité - prévenir) 110/240
Spéc. Saumon norvégien mariné à l'aneth, Fricassée de ris de veau au homard et truffes, L'assiette douceur.

CITROEN Ets Leprince, Zone Ind., voie La Pénétrante **BZ** ☎ 35 84 16 77 N
FORD Gar. de la Plage, 4 r. Bouzard ☎ 35 84 10 36
LANCIA Thiers Auto, 2 r. Thiers ☎ 35 40 16 40
NISSAN-DATSUN Gar. Gosse, 1 r. J.-Flouest ☎ 35 84 21 49
PEUGEOT-TALBOT Laffillé, Zone Ind., voie La Pénétrante **BZ** ☎ 35 82 24 50
RENAULT Gds Gar. Normandie, 33 r. Thiers ☎ 35 82 23 40
V.A.G. Picard, Zone Ind. à Neuville-lès-Dieppe ☎ 35 82 02 16

Léveillard Pneus, 7 quai Trudaine ☎ 35 84 17 00

CONSTRUCTEUR : Alpine, av. de Bréauté ☎ **35 84 37 21**

DIEULEFIT **26220** Drôme **81** ② **G. Vallée du Rhône** – **2 990 h.**

Office de Tourisme pl. Abbé-Magnet ☎ 75 46 42 49.

Paris 633 – Crest 37 – Montélimar 27 – Nyons 31 – Orange 58 – Pont-St-Esprit 61 – Valence 72.

Les Brises, rte Nyons : 2 km ☎ 75 46 41 49, – rest
fermé janv., mardi soir et merc. sauf juil.-août – **R** 58/140 – 19 – **6 ch** 90 – ½ p 150.

Relais du Serre avec ch, rte Nyons : 3 km ☎ 75 46 43 45 – wc ☎ P. AE E VISA – *fermé fév. et lundi du 16 sept. au 14 juin* – **R** 60/180 – 30 – **7 ch** 140/180 – ½ p 170/190.

au Poët-Laval O : 5 km par D 540 – ✉ **26160** La Bégude-de-Mazenc – **Voir Site★.**

✿ **Les Hospitaliers** (Morin) M, ☎ 75 46 22 32, < vallée, , « Au vieux village », – ☎ P – 30. AE E VISA
1er mars-15 nov. – **R** 170/350 – 60 – **20 ch** 370/640
Spéc. Feuilleté d'asperges (1er avril-15 juin), Carré d'agneau, Gâteau au chocolat. **Vins** Valréas.

CITROEN Chauvin, ☎ 75 46 44 47
PEUGEOT Henry, ☎ 75 46 43 59 N ☎ 75 46 33 31
RENAULT Gar. Benoit, ☎ 75 46 32 33

DIGNAC **16** Charente **72** ⑭ – rattaché à Angoulême.

DIGNE P **04000** Alpes-de-H.-P. **81** ⑰ **G. Alpes du Sud** – **16 391 h. alt. 608** – **Stat. therm. (6 avril-28 oct.).**

Env. Courbons : <★ de l'église 6 km par ③ – <★ du Relais de télévision 8 km par ③.

Office de Tourisme et Accueil de France (Informations et réservations d'hôtels, pas plus de 5 jours à l'avance) le Rond-Point ☎ 92 31 42 73, Télex 430605 et A.C. ☎ 92 31 29 26.

Paris 742 ③ – Aix-en-Provence 112 ③ – Antibes 139 ② – Avignon 143 ③ – Cannes 134 ② – Carpentras 140 ③ – Gap 86 ③ – ♦Grenoble 182 ③ – ♦Nice 152 ② – Valence 203 ③.

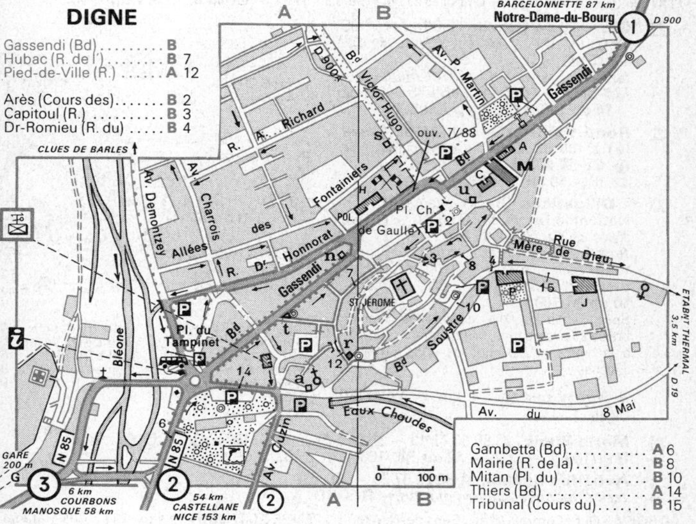

✿ **Grand Paris** (Ricaud), 19 bd Thiers ☎ 92 31 11 15, – TV ☎ – 25. AE VISA **A a**
R *(fermé janv., fév., dim. soir et lundi hors sais.)* 145/300, enf. 80 – 42 – **27 ch** 220/360, 5 appartements 560
Spéc. Mousseux de poireaux, Carré d'agneau rôti à la moutarde à l'ancienne, Charlotte aux fruits de saison. **Vins** Lirac, Rians.

Ermitage Napoléon, bd Gambetta par ② ☎ 92 31 01 09 – TV wc wc ☎ P – 100. AE E VISA
15 mars-31 oct. – **R** *(fermé sam. midi et lundi midi)* 120/150 – **60 ch** 300/550 – ½ p 250/350.

Mistre, 63 bd Gassendi ☎ 92 31 00 16 – wc wc ☎ – 80. AE VISA
fermé 10 déc. au 10 janv. – **R** *(fermé sam. sauf juil.-août)* 125/240 – 32 – **19 ch** 250/350 – ½ p 350/380. **A n**

Central sans rest, 26 bd. Gassendi ✆ 92 31 31 91 – wc ☎. E VISA — A t
☕ 20 – **22 ch** 90/220.

Coin Fleuri, 9 bd V.-Hugo ✆ 92 31 04 51, – wc . AE VISA — B s
1er mars-31 oct. – **R** *(fermé dim. hors sais.)* 56/170 – ☕ 22 – **15 ch** 90/220 – ½ p 170/300.

Le Petit St-Jean, 14 cours Arès ✆ 92 31 30 04 – — B u
fermé 25 déc. au 1er fév. – **R** *(fermé dim. soir de nov. à mars)* 60/110 – ☕ 14 – **18 ch** 65/120 – ½ p 140/160.

XX **Ghiotti** avec ch, 6 r. Pied-de-Ville ✆ 92 31 30 90 – . E VISA. ch — A r
fermé 3 au 31 janv. dim. soir et lundi sauf juil. et août – **R** (nombre de couverts limité - prévenir) 110/190 – ☕ 23 – **10 ch** 86/130 – ½ p 155/210.

aux Sieyes par ③ : 2 km – ✉ **04000** Digne :

St-Michel, ✆ 92 31 45 66 – wc ☎ P. VISA. rest
R 70/120 , enf. 60 – ☕ 22 – **21 ch** 140/200 – ½ p 200.

ALFA-ROMEO-FIAT Liotard, quartier des Sièyes, rte Marseille ✆ 92 31 05 56 N ✆ 92 31 66 20
CITROEN Autos Hory, quartier de la Tour, rte Marseille par ③ ✆ 92 31 31 24
FORD SOVRA, Zone Ind. St-Christophe ✆ 92 32 09 13
OPEL Meyran, 77 av. Verdun par ③ ✆ 92 31 02 47
PEUGEOT-TALBOT S.D.A.D., quartier St-Christophe, rte Marseille par ③ ✆ 92 31 06 11
RENAULT Gar. Hte Provence, quartier de la Tour, rte Marseille par ③ ✆ 92 31 25 86 N ✆ 92 31 56 39
V.A.G. Digne-Autos, quart. St-Christophe, N 85 ✆ 92 31 12 48

Ayme-Pneus, ZI de Sr-Christophe ✆ 92 31 34 67

DIGOIN 71160 S.-et-L. 69 ⑯ G. Bourgogne – 11 341 h.

Office de Tourisme 6 r. Guilleminot (juin-15 oct.) ✆ 85 53 00 81.

Paris 338 ① – Autun 67 ① – Charolles 25 ② – Moulins 56 ④ – Roanne 55 ③ – Vichy 71 ④.

Gare, 79 av. Gén. de Gaulle **(s)** ✆ 85 53 03 04, – rest wc P. E VISA
fermé mi-janv. à mi-fév. et merc. sauf juil.-août – **R** 95/280, enf. 45 – ☕ 32 – **14 ch** 190/300 – ½ p 230/300.

Rond Point sans rest, **24 pl. Grève (e)** ✆ **85 53 38 04** – wc wc ☎ P. AE E VISA
☕ 18 – **18 ch** 110/190.

XX ✿ **Diligences** (Beck) avec ch, **14 r. Nationale (a)** ✆ **85 53 06 31** – wc wc P. AE E VISA
fermé 2 au 11 mai, 2 nov. au 7 déc., lundi soir et mardi – **R** (dim. et fêtes prévenir) 80/260 , enf. 80 – ☕ 25 – **10 ch** 80/180
Spéc. Parfait aux foies de volailles, Saumon braisé au champagne, Filets mignons de veau à la crème et aux morilles. **Vins** St-Véran, Juliénas.

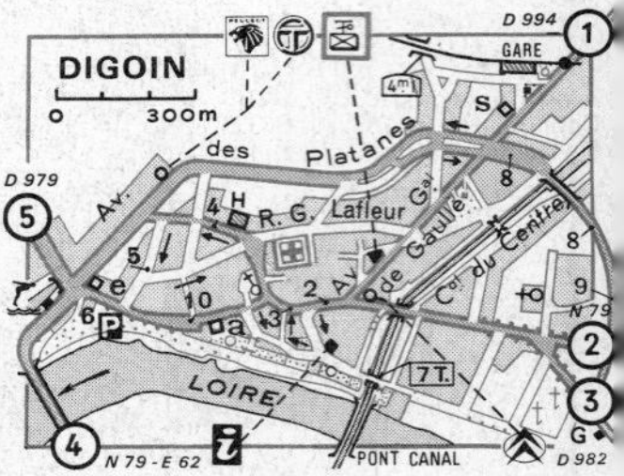

à Neuzy par ① : 4 km – ✉ **71160** Digoin :

Merle Blanc, ✆ 85 53 17 13 – wc wc ☎ P – 40. E VISA. ch
R 51/160 – ☕ 20 – **12 ch** 140/180 – ½ p 192/210.

X **Aub. des Sables,** ✆ 85 53 07 64 – P. VISA
fermé vacances de fév. et lundi – **R** 60/180 .

DIGOIN

Gaulle (Av. Gén.-de)		Crots (R. des)	4
Nationale (R.)	10	Dombe (R. de la)	5
		Grève (Pl. de la)	6
Bartoli (R.)	2	Launay (Av. de)	8
Centre (R. du)	3	Moulin (R. Jean)	9

CITROEN Gar. Central, 2 av. Gén.-de-Gaulle ✆ 85 53 08 37
CITROEN Martel, rte Vichy à Molinet (Allier) par ④ ✆ 85 53 11 04
FORD Narbot, 68 r. Bartoli ✆ 85 53 04 38 N ✆ 85 53 32 77
PEUGEOT Brechat, Chavannes à Molinet (Allier) par ④ ✆ 85 53 01 10
PEUGEOT-TALBOT Henry, 19 av. des Platanes ✆ 85 53 03 15

Gouillardon-Gaudry, La Fontaine St-Martin Molinet ✆ 85 53 12 21

DIJON P **21000** Côte-d'Or 66 ⑫ **G. Bourgogne** – 145 569 h.

Voir Palais des Ducs et des États de Bourgogne★ DY: **Tour Philippe-le-Bon** ≤★, **Musée des Beaux-Arts★★** (salle des Gardes★★★) – **Rue des Forges★** DY – **Église N.-Dame★** DY – **plafonds★** du Palais de Justice DY**J** – **Chartreuse de Champmol★** : **Puits de Moïse★★** A**V** – **Église St-Michel★** DY – **Jardin de l'Arquebuse★** CY – **Rotonde★★** de la crypte★ dans la cathédrale CY – **Musée Archéologique★** CY**M2**.

18 de Bourgogne ✆ **80 35 71 10 par ①: 10 km.**

i Office de Tourisme et Accueil de France (Informations, change et réservations d'hôtels, pas plus de 5 jours à l'avance) pl. Darcy ✆ 80 43 42 12, Télex 350912 et 34 r. Forges ✆ 80 30 35 39 – A.C. 4 r. Montmartre ✆ 80 41 61 35.

Paris 313 ⑦ – Auxerre 149 ⑦ – ♦Bâle 244 ③ – ♦Besançon 104 ③ – ♦Clermont-Ferrand 282 ④ – ♦Genève 199 ③ – ♦Grenoble 296 ④ – ♦Lyon 192 ④ – ♦Reims 284 ① – ♦Strasbourg 338 ③.

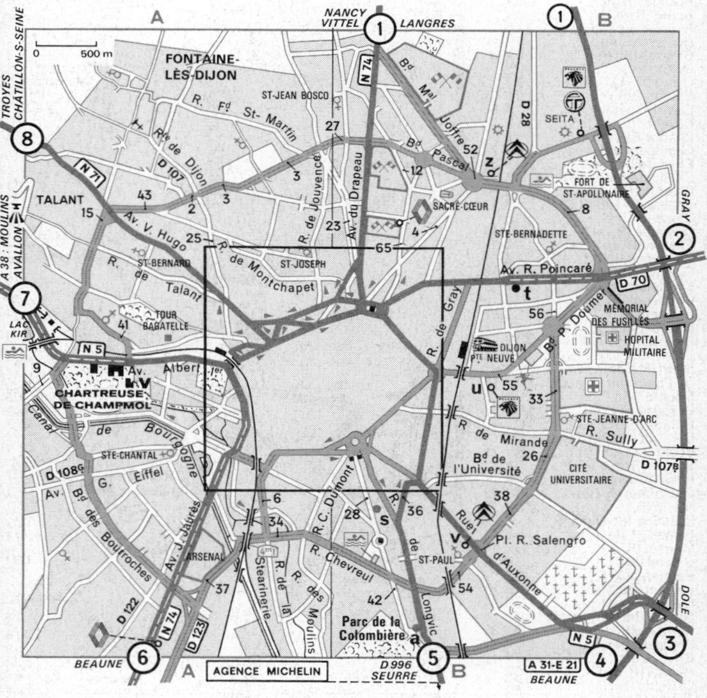

DIJON

Répertoire des rues, voir pages suivantes.

La Cloche M, 14 pl. Darcy ✆ 80 30 12 32, Télex 350498, « jardin intérieur » – ascenseur ch ▤ ch TV ☎ P – 60. AE ① E VISA CY **f**
R voir rest. **Jean-Pierre Billoux** ci-après – ☕ 45 – **76 ch** 460/600, 4 appartements 1000.

Altéa Château Bourgogne M, 22 bd Marne ✆ 80 72 31 13, Télex 350293, ⛱, 🏊, 🌳 – ascenseur ch ▤ TV ☎ ♿ 🚗 – 40 à 150. AE ① E VISA EX **z**
Château Bourgogne R 145 bc/280, enf. 50 – ☕ 40 – **123 ch** 360/460 – $^1/_2$ p 550/590.

tourner →

DIJON

Darcy (Pl.) . . . . CY
Foch (Av. Mar.) . . . . CY 24
Liberté (R. de la) . . . . CY

Aiguillotes (Bd des) . . . . . . A 2
Albert-1er (Av.) . . . . CY
Allobroges (Bd des) . . . . . . A 3
Arquebuse (R. de l') . . . . . CY
Audra (R.) . . . . CY
Auxonne (R. d') . . . . EZ
Baudin (R. J.-B.) . . . . EYZ
Berbisey (R.) . . . . CYZ
Berlier (R.) . . . . EY
Bossuet (R. et Pl.) . . . . . CDY
Bourg (R. du) . . . . DY
Bourroches (Bd des) . . . . . A
Briand (Av. A.) . . . . EX 4
Brosses (Bd de) . . . . CY 5
Buffon (R.) . . . . DY
Cabet (R. P.) . . . . EY
Carnot (Bd) . . . . EY
Castel (Bd du) . . . . A 6
Cellerier (R. J.) CX
Chabot-Charny (R.) . . . . DYZ
Champagne (Bd de) . . . . . EX 7
Champollion (R.) . . . . B 8
Chanoine-Kir (Bd) . . . . A 9
Charrue (R.) . . . . DY 10
Châteaubriand (R.) . . . . . . B 12
Chevreul (R.) . . . . AB
Chouette (R. de la) . . . . . . DY 14
Citeaux (R. du Petit) . . . . . CZ
Clemenceau (Bd G.) . . . . . EX
Clomiers (Bd des) . . . . A 15
Condorcet (R.) . . . . CY
Courtépée (R.) . . . . DX
Daubenton (R.) . . . . CZ
Davoust (R.) . . . . EY
Devosge (R.) . . . . CDY
Diderot (R.) . . . . EY
Dijon (Rte de) . . . . A
Dr-Chaussier (R.) . . . . CY 16
Doumer (Bd P.) . . . . B
Drapeau (Av. du) . . . . B
Dubois (Pl. A.) . . . . CY 20
Dumont (R. Ch.) . . . . DZ
École-de-Droit (R.) . . . . . . DY 21
Égalité (R. de l') CX
Eiffel (Av. G.) . . . . A
Fauconnet (R. Gén.) . . . . . AB 23
Févret (R.) . . . . DZ
Fontaine-lès-Dijon (R.) . . . A 25
Forges (R. des) . . . . DY
Fremiet (R. A.) . . . . DX
Gabriel (Bd) . . . . B 26
Gagnereaux (R.) . . . . DX
Gallieni (Bd Mar.) . . . . AB 27
Garibaldi (Av.) . . . . DX
Gaulle (Crs Gén.-de) . . . . DZ
Godrans (R. des) . . . . DY 30
Grangier (Pl.) . . . . DY 31
Gray (R. de) . . . . EY
Hôpital (R. de l') . . . . CZ
Ile (R. de l') . . . . CZ
Jaurès (Av. J.) . . . . CZ
J.-J.-Rousseau (R.) . . . . . . DY
Jeanne-d'Arc (Bd) . . . . B 33
Jeannin (R.) . . . . DEY
Joffre (Bd Mar.) . . . . B
Jouvence (R. de) . . . . DX
Kennedy (Bd J.) . . . . A 34
Libération (Pl. de la) . . . . . DY 35
Longvic (R. de) . . . . DEZ
Magenta (R.) . . . . EZ 36
Maillard (Bd) . . . . A 37
Mansart (Bd) . . . . B 38
Manutention (R. de la) . . . CZ
Marceau (R.) . . . . DX
Mariotte (R.) . . . . CY
Marne (Bd de la) . . . . EX
Metz (R. de) . . . . EY
Michelet (R.) . . . . CY 40
Mirande (R. de) . . . . EY
Monge (R.) . . . . CY
Montchapet (R. de) CX
Moulins (R. des) . . . . A
Mulhouse (R. de) . . . . EXY
Musette (R.) . . . . DY
Ouest (Bd de l') . . . . A 41
Parc (Cours du) . . . . B 42
Parmentier (R.) . . . . EX
Pascal (Bd) . . . . B
Pasteur (R.) . . . . DYZ
Perrières (R. des) . . . . CY
Piron (R.) . . . . DY
Poincaré (Av. R.) . . . . B
Pompon (Bd F.) . . . . A 43
Potet (R. du Petit) . . . . DY 44
Préfecture (R. de la) . . . . . DY
Raines (R. du Fg) . . . . . . CYZ
Rameau (R.) . . . . DY 47
République (Pl. de la) . . . . DX
Rolin (Quai N.) . . . . CZ
Roses (R. des) CX
Roussin (R. Amiral) . . . . . . DY
St-Bénigne (Pl.) . . . . CY 50
St-Bernard (Pl.) . . . . DY 51
St-Exupéry (Pl.) . . . . B 52
St-Martin (R. Fd) . . . . A
Ste-Anne (R.) . . . . DYZ

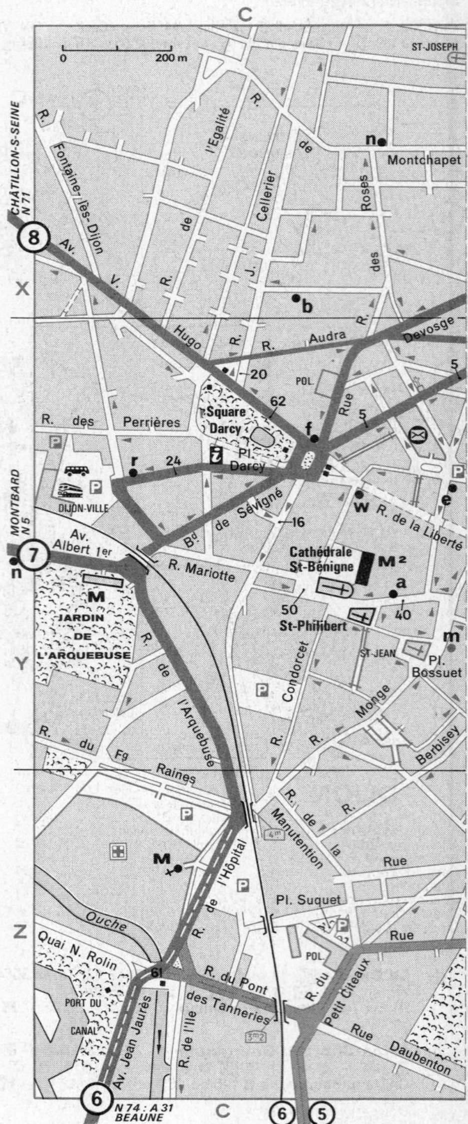

DU PLAN DE DIJON

Salengro (Pl. R.) .... **B**
Sambin (R.) .... **DX**
Schuman (Bd R.) .... **B** 54
Sévigné (Bd) .... **CY**
Stearinerie (R. de la) .... **A**
Strasbourg (Bd de) .... **B** 55
Sully (R.) .... **B**
Suquet (Pl.) .... **CZ**
Talant (R. de) .... **A**
Tanneries (R. Pt-des) .... **CZ**

Thiers (Bd) .... **EY**
Tivoli (R. de) .... **CDZ**
Transvaal (R. du) .... **CDZ**
Trémouille (Bd de la) .... **DX**
Trimolet (Bd) .... **B** 56
Turgot (R.) .... **DZ**
Université (Bd de l') .... **B**
Vaillant (R.) .... **DY** 57
Vannerie (R.) .... **DY**
Vauban (R.) .... **DY**

Verdun (Bd de) .... **EX** 60
Verrerie (R.) .... **DY**
Victor-Hugo (Av.) .... **CXY**
Voltaire (Bd) .... **EYZ**
Wilson (Pl.) .... **DZ**
1er-Mai (Pl. du) .... **CZ** 61
1re-Armée-Fse (Av.) .... **CY** 62
26e-Dragons (R. du) .... **EX** 65
30-Octobre (Pl. du) .... **EY**

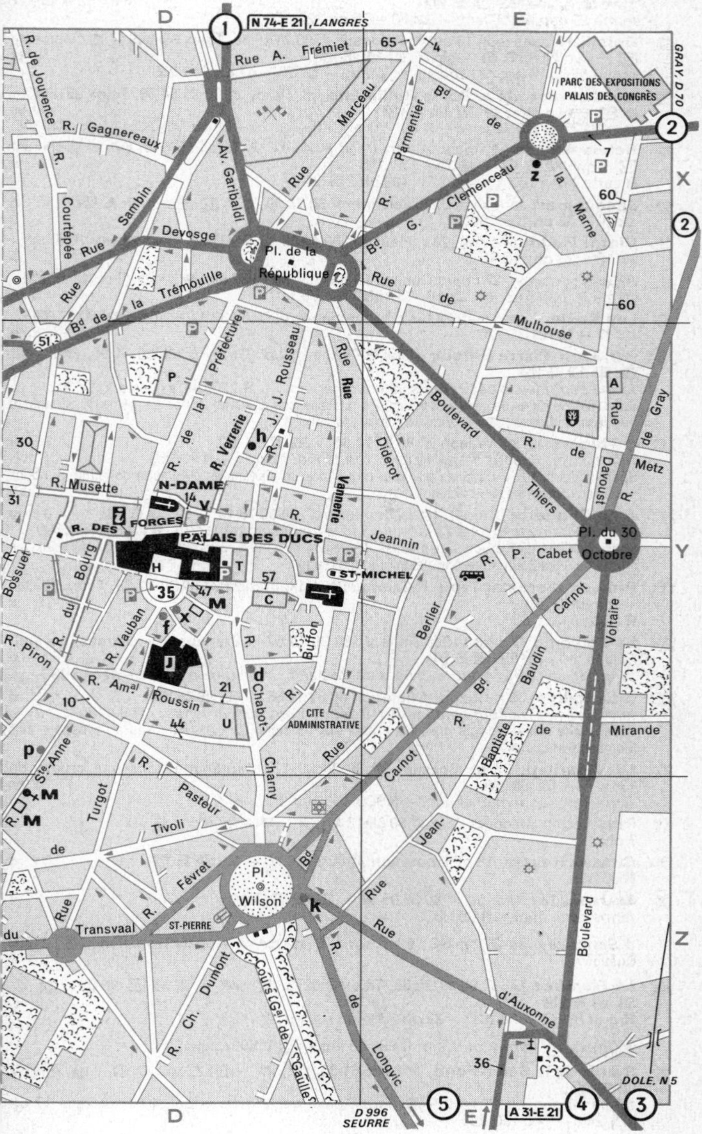

Chapeau Rouge, 5 r. Michelet ✆ 80 30 28 10 – ⎮ TV ☎. AE ⓓ E VISA. rest
R 160/200 bc – ☐ 38 – **30 ch** 290/505, 3 appartements 910 – 1/2 p 400/465 CY **a**
Spéc. Velouté d'escargots au pistou, Salade de langoustines au pamplemousse, Rognon de veau à la moutarde. **Vins** Santenay, Fixin.

Central Urbis M, 3 pl. Grangier ✆ 80 30 44 00, Télex 350606 – ⎮ ≡ rest TV wc wc ☎ ♿ – 30 à 60. AE ⓓ E VISA CY **e**
R Rôtisserie *(fermé dim.)* carte 125 à 205, enf. 60 – ☐ 28 – **90 ch** 220/265.

Jura sans rest, 14 av. Mar.-Foch ✆ 80 41 61 12, Télex 350485, – ⎮ TV wc wc ☎ ♿. AE ⓓ E VISA CY **r**
fermé 20 déc. au 15 janv. – ☐ 30 – **75 ch** 220/350.

Grésill'H. sans rest, 16 av. R.-Poincaré ✆ 80 71 10 56, Télex 350549 – ⎮ cuisinette TV wc wc ☎ Ⓟ – 25. AE ⓓ E VISA B **t**
fermé 15 au 24 août et 26 déc. au 4 janv. – ☐ 23 – **47 ch** 200/250.

Nord et rest. de la Porte Guillaume, pl. Darcy ✆ 80 30 58 58, Télex 351554 – ⎮ TV wc wc ☎. AE ⓓ E VISA CY **w**
fermé 22 déc. au 12 janv. – **R** 90/170, enf. 40 – ☐ 24 – **29 ch** 145/265 – 1/2 p 245/365.

Relais Arcade M, 15 av. Albert 1er ✆ 80 43 01 12, Télex 350515, – ⎮ ≡ rest TV wc ☎ ♿ Ⓟ – 25 à 120. VISA CY **n**
R carte 110 à 150 – ☐ 27 – **128 ch** 210/240.

Jacquemart sans rest, 32 r. Verrerie ✆ 80 73 39 74 – TV wc ☎. E VISA DY **h**
☐ 20 – **32 ch** 105/230.

Victor Hugo sans rest, 23 r. Fleurs ✆ 80 43 63 45 – wc wc ☎. VISA. CX **b**
☐ 18 – **23 ch** 110/190.

Allées sans rest, 27 cours Gén.-de-Gaulle ✆ 80 66 57 50, – ⎮ wc ☎. E VISA
fermé 1er au 15 août – ☐ 18 – **37 ch** 115/175. B **s**

Les Rosiers sans rest, 22 bis r. Montchapet ✆ 80 55 33 11 – wc ☎. AE E VISA
☐ 17 – **10 ch** 90/170. CX **n**

XXXX **Jean-Pierre Billoux** -Hôtel la Cloche-, 14 pl. Darcy ✆ 80 30 11 00, – ≡ Ⓟ. AE ⓓ E VISA CY **f**
fermé début fév. à début mars, dim. soir et lundi – **R** 220/360 et carte
Spéc. Salade de ris de veau aux poireaux frits, Paillasson de langoustines, Suprême de pintade au foie de canard et aux câpres. **Vins** St-Romain, Monthélie.

XXX **Thibert,** 10, pl. Wilson ✆ 80 67 74 64 – ≡. AE E VISA DZ **k**
fermé 1er au 15 août, 1er au 15 janv., lundi midi et dim. – **R** 90/250
Spéc. Petits choux verts farcis aux escargots, Ailes de pigeons en crépinette de laitue, Bonbons glacés aux chocolats noir et blanc.

XXX **La Chouette** (Breuil), 1 r. la Chouette ✆ 80 30 18 10 – AE ⓓ E VISA DY **v**
fermé 29 juin au 13 juil., 13 janv. au 3 fév., lundi soir et mardi – **R** carte 185 à 300
Spéc. Feuilleté d'escargots aux morilles, Médaillon de lotte à la moutarde, Rognon de veau à la moutarde. **Vins** Bourgogne-Aligoté, Bourgogne rouge.

XXX **Pré aux Clercs et Trois Faisans,** 13 pl. Libération ✆ 80 67 11 33, Télex 350394 – AE ⓓ E VISA DY **x**
R 90/260, enf. 60.

XXX **La Toison d'Or,** 18 r. Ste-Anne ✆ 80 30 73 52, « Demeures anciennes, caveau-musée » – Ⓟ. AE ⓓ E VISA DY **p**
fermé 31 juil. au 22 août, vacances de fév., sam. midi, dim. et fériés – **R** 115/190.

XXX **Le Rallye,** 39 r. Chabot-Charny ✆ 80 67 11 55 – AE ⓓ E VISA DY **d**
fermé mi-juil. à début août, mi-fév. à début mars, dim. et fériés – **R** 80/180
Spéc. Petite salade de foie gras, Lotte rôtie aux échalotes, Brioche d'agneau à l'estragon. **Vins** Meursault, Mercurey.

XX **Le Vinarium,** 23 pl. Bossuet ✆ 80 30 36 23, « aménagé dans une crypte du 13e s. » – AE ⓓ VISA CY **m**
fermé fév., lundi midi et dim. – **R** 100/150, enf. 50.

XX Parc avec ch, 49 cours Parc ✆ 80 65 18 41, , – ☎ – 100 B **a**
7 ch.

X **Chasse Royale,** 15 pl. Libération ✆ 80 30 13 45 – AE ⓓ E VISA DY **f**
R 90/115.

X **St Jean,** 13 r. Monge ✆ 80 30 06 64 – AE ⓓ E VISA
fermé sam. midi – **R** 75/96.

à Sennecey-lès-Dijon SE : 5 km sur N 5 par rte de Neuilly-les-Dijon – ✉ **21800** Quétigny :

La Flambée M, ✆ 80 47 35 35, Télex 350273, , – ⎮ ≡ TV ☎ Ⓟ – 25. AE ⓓ E VISA
R grill 78/88 – ☐ 37 – **22 ch** 330/405 – 1/2 p 305/425.

à Chevigny Fenay par ⑤ et D 996 : 9 km – ✉ **21600** Longvic :

Relais de la Sans-Fond, ✆ 80 36 61 35, , – TV wc ☎ Ⓟ – 25 à 80. AE E VISA
fermé 24 déc. au 1er janv. – **R** *(fermé dim. soir)* 65/115, enf. 40 – ☐ 22 – **17 ch** 125/240 – 1/2 p 190/250.

à Chenôve par ⑥ et D 122A : 7 km – 19 528 h. – ✉ **21300** Chenôve :

Fimotel M, vers accès autoroute Lyon ✆ 80 52 20 33, Télex 351312 – ⏏ TV ⌂wc ☎ ♿ P – 🏛 30. AE E VISA
R 59/78 🍷, enf. 34 – ☕ 25 – **40 ch** 240/260.

à Marsannay-la-Côte par ⑥ : 8 km – 5 942 h. – ✉ **21160** Marsannay-la-Côte :

Novotel M, rte Beaune ✆ 80 52 14 22, Télex 350728, ⛱, ⛲, 🌳 – ▤ rest TV ☎ ♿ P – 🏛 25 à 120. AE ⓓ E VISA
R grill carte environ 120, enf. 40 – ☕ 38 – **123 ch** 305/350.

XXX ✲ **Gourmets** (Perreaut), 8 r. Puits de Têt (près église) ✆ 80 52 16 32, ⛱, 🌳 – AE ⓓ E VISA
fermé janv., dim. soir hors sais. et lundi – **R** 128/260
Spéc. Saumon fumé, Frivolité de caille, Filet de sole au poivre vert. **Vins** Rosé de Marsannay, Bourgogne-les-Favières.

à Perrigny-lès-Dijon par ⑥ : 9 km – ✉ **21160** Marsannay-la-Côte :

Ibis M, rte Beaune ✆ 80 52 86 45, Télex 351510 – TV ⌂wc ☎ ♿ P. E VISA
R *(fermé dim.)* carte 75 à 120 🍷, enf. 35 – ☕ 25 – **48 ch** 199/230.

au Lac Kir par ⑦ : 4 km – ✉ **21370** Plombières-les-Dijon :

XX Le Cygne, ✆ 80 41 02 40, ← – ▤.

à Velars-sur-Ouche O : 12 km par ⑦, N 5, D 10 et D 10F – ✉ **21370** Plombières-les-Dijon :

XXX ✲ **Aub. Gourmande** (Barbier), ✆ 80 33 62 51, ⛱ – P. VISA
fermé lundi (hors sais.) et dim. soir – **R** 90/180, enf. 88
Spéc. Saumon grillé sauce béarnaise, Coq au vin, Nougat glacé. **Vins** Rosé de Marsannay.

au NO par ⑧ :

Castel Burgond M, à 4 km sur N 71 ✉ 21121 Fontaines-les-Dijon ✆ 80 56 59 72, Télex 350490 – TV ⌂wc ☎ ♿ P. AE ⓓ VISA
R voir rest. **Trois Ducs** ci-après – ☕ 19 – **22 ch** 178/198.

La Bonbonnière ⛰ sans rest, à Talant : 3 km, 24 r. Orfèvres (près église) ✉ 21240 Talant ✆ 80 57 31 95, 🌳 – ⏏ ⌂wc ⛆wc ☎ P. E VISA
fermé dim. soir du 15 nov. au 15 mars – ☕ 24 – **18 ch** 165/243.

XX **Trois Ducs** -Hôtel Castel Burgond-, à 4 km sur N 71 ✉ 21121 Fontaines-les-Dijon ✆ 80 56 59 75, ⛱ – P. AE ⓓ E VISA
fermé dim. soir et lundi – **R** 130/260, enf. 50.

MICHELIN, Agence régionale, 10 r. de Romelet par ⑤ A ✆ **80 67 35 38**

CITROEN Succursale, Impasse Chanoine-Bardy B z ✆ 80 71 81 42
CITROEN Gar. Bartman, 154 r. Auxonne B v ✆ 80 66 46 73
FIAT Gar. Sodia, 2 av. R.-Poincaré ✆ 80 71 14 12
FORD Gar. Montchapet, 12 r. Gagnereaux ✆ 80 73 41 11
PEUGEOT Gar. Château-d'Eau, 1 bd Fontaine-des-Suisses B u ✆ 80 65 40 34 N ✆ 80 31 35 41
PEUGEOT-TALBOT Bourgogne Autom, Nord r. de Cracovie Zone Ind. Nord B ✆ 80 73 81 16
RENAULT Succursale, 139 av. J.-Jaurès A ✆ 80 52 51 34 N
RENAULT Segelle, 5 bd de l'Europe à Quetigny par D 107B B ✆ 80 46 02 54
V.A.G. Gd gar. Diderot, 4 r. Diderot ✆ 80 65 46 01
VOLVO Gar. du Transvaal, 25 r. du Transvaal ✆ 80 67 71 51
Gar. Lignier, 3 r. Gds-Champs ✆ 80 66 39 05 N

◉ Madica-Pneus, 29 r. Mulhouse ✆ 80 72 32 77

Périphérie et environs

BMW Gar. Massoneri, Impasse des Charrières à Quetigny ✆ 80 46 01 51
CITROEN Succursale, rte de Beaune à Marsannay-la-Côte par ⑥ ✆ 80 52 11 20
FORD Gar. Lignier, N. 5 à Crimolois ✆ 80 47 33 24 N ✆ 80 66 39 05
LANCIA, MERCEDES-BENZ Gar. Gremeau, 65 rte de Beaune à Chenove ✆ 80 52 11 66
OPEL Gar. Heinzlé, r. Prof.-L.-Neel, Zone Ind. à Longvic ✆ 80 66 52 78
PEUGEOT-TALBOT Bourgogne Autom., SUD 5 rte Beaune à Chenove par ⑥ ✆ 80 52 21 20
PORSCHE-MITSUBISHI-SEAT Auto Centre Est, 67 rte de Beaune à Chenove ✆ 80 52 60 10
RENAULT Maréchal, 47 RN 74 à Marsannay-la-Côte par ⑥ ✆ 80 52 12 15
RENAULT Succursale, 11 bd du Grand Marché à Quetigny ✆ 80 46 04 15
TOYOTA Gar. Nello Cheli, 22 rte de Dijon à Chenove ✆ 80 52 51 78
V.A.G. Gd gar. Diderot, imp. P. Langevin à Chenove ✆ 80 52 33 52

◉ Briday Pneus, 11 r. A.-Becquerel, Zone Ind. à Chenove ✆ 80 52 54 70
Métifiot, 1 r. de l'Escaut, Zone Ind. à St-Apollinaire ✆ 80 71 21 40
Piot-Pneu, rte de Gray, St-Apollinaire ✆ 80 71 36 66

Pour des repas simples à prix modiques
choisissez les établissements marqués d'un losange

DINAN

22100 C.-du-N. 59 ⑮ G. Bretagne – 14 157 h.

Voir Vieille ville★ BY : Tour de l'Horloge ★★ BZ E, Jardin anglais ≤★★ BY – Place des Merciers★ BZ 33, rue du Jerzual★ BY 28, Promenade de la Duchesse Anne ≤★ BZ – Château★ : ★ AZ – Lanvallay ≤★ 2 km par ②.

de St-Malo ✆ 99 58 96 69, par ② N 176 : 19 km.

Office de Tourisme 6 r. Horloge ✆ 96 39 75 40.

Paris 397 ② – Alençon 180 ② – Avranches 67 ② – Flers 140 ② – Fougères 71 ② – Lorient 153 ③ – ◆Rennes 51 ② – St-Brieuc 60 ③ – St-Malo 29 ① – Vannes 118 ③.

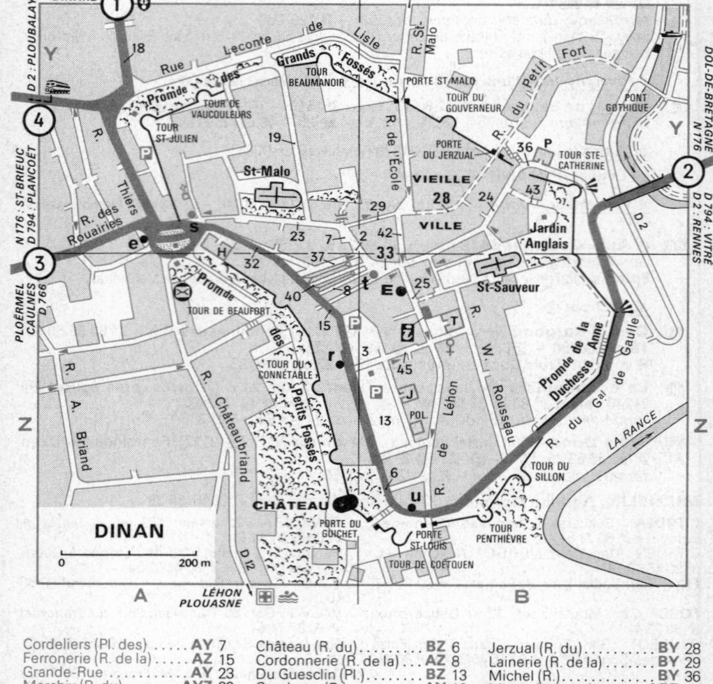

Cordeliers (Pl. des) ..... **AY** 7	Château (R. du) .... **BZ** 6	Jerzual (R. du) .... **BY** 28
Ferronerie (R. de la) ..... **AZ** 15	Cordonnerie (R. de la) ... **AZ** 8	Lainerie (R. de la) .... **BY** 29
Grande-Rue .... **AY** 23	Du Guesclin (Pl.) .... **BZ** 13	Michel (R.) .... **BY** 36
Marchix (R. du) .... **AYZ** 32	Gambetta (R.) .... **AY** 18	Mittrie (R. de la) .... **ABZ** 37
Merciers (Pl. des) ...... **BYZ** 33	Garaye	Petit-Pain (R. du) .... **AZ** 40
	(R. Comte de la) ...... **AY** 19	Poissonnerie (R. de la) .. **BY** 42
Apport (R. de l') .... **ABY** 2	Haute-Voie (R.) .... **BY** 24	Rempart (R. du) .... **BY** 43
Champ (Pl. du) .... **ABZ** 3	Horloge (R. de l') .... **BZ** 25	Ste-Claire (R.) .... **BZ** 45

D'Avaugour M, 1 pl. du Champ Clos ✆ 96 39 07 49, – wc. AE E VISA — AZ **r**
R 110/150 – 30 – **27 ch** 255/360 – 1/2 p 375.

Bretagne, 1 pl. Duclos ✆ 96 39 46 15 – wc wc. AE E VISA — AYZ **e**
R 60/120 – 21 – **45 ch** 159/236 – 1/2 p 208.

Les Alleux M, rte Ploubalay par ④ : 1 km ✆ 96 85 16 10, Télex 741280, – wc – 30 à 70. E VISA
fermé janv. et fév. – **R** *(fermé dim. soir et vend. du 15 oct. au 15 mars)* 60/130, enf. 35 – 22 – **36 ch** 190/230 – 1/2 p 185/260.

Remparts sans rest, 6 r. Château ✆ 96 39 10 16 – wc wc. E VISA — BZ **u**
fermé 20 déc. au 10 janv. – 19,50 – **34 ch** 68/210.

France, 7 pl. 11 Novembre (face gare) par ④ ✆ 96 39 22 56 – wc wc. E VISA
fermé 20 déc. au 3 janv. et sam. – **R** 58/130, enf. 40 – 19 – **14 ch** 100/205 – 1/2 p 180/250.

XX **Mère Pourcel,** 3 pl. Merciers ✆ 96 39 03 80, « Maison bretonne du 15e s. » – AE ⓓ E VISA. ✻ BZ t
fermé 31 déc. au 1er mars et lundi – **R** 70/215.

XX ✿ **Caravelle** (Marmion), 14 pl. Duclos ✆ 96 39 00 11 – AE ⓓ AY s
fermé 15 oct. au 5 nov. et merc. du 5 nov. au 10 juil. – **R** carte 210 à 305
Spéc. Homard rôti au beurre salé, Potée de palourdes, langoustines et raie (Pâques-15 oct.), Filets de sole aux huîtres et artichauts.

CITROEN Gar. Jago, Zone Ind. par ④ ✆ 96 39 04 91
FORD Dinannaise-Autom., rte de Ploubalay ✆ 96 39 64 95
RENAULT S.A.D.A. Renault Dinan, Zone Ind. 14 bd de Preval à Quevert ✆ 96 39 34 83 N
V.A.G. Meyer, rte de Ploubalay à Taden ✆ 96 39 12 71

VOLVO Gar. Jobin, 105 r. de Brest ✆ 96 39 66 28

Desserey-Pneus, ZA des Alleux, rte de Ploubalay à Taden ✆ 96 39 61 18
La Station du Pneu, Zone Ind. ✆ 96 85 10 62

DINARD 35800 I.-et-V. 59 ⑤ G. Bretagne – 10 016 h. – Casino: BY.

Voir Pointe du Moulinet ← BY – Grande Plage ou Plage de l'Écluse★ BY – Promenade du Clair de Lune★ BYZ – Pointe de la Vicomté ←** par avenue Vicomté BZ 2 km – La Rance** en bateau – St-Lunaire : pointe du Décollé ←** et grotte des Sirènes★ 4,5 km par ② – Usine marémotrice de la Rance : digue ←★ SE : 4 km.**

Env. Pointe de la Garde Guérin★ : ✻ par ② : 6 km puis 15 mn.**

18 de St-Briac-sur-Mer ✆ 99 88 32 07 par ② : 7,5 km.

de Dinard-Pleurtuit-St-Malo : T.A.T. ✆ 99 46 15 76 par ① : 5 km.

Office de Tourisme 2 bd Féart ✆ 99 46 94 12, Télex 950470.

Par ① : Paris 417 – Dinan 22 – Dol-de-Bretagne 27 – Lamballe 47 – ♦Rennes 72.

Plan page suivante

Gd Hôtel et rest. Le Georges V, 46 av. George-V ✆ 99 46 10 28, Télex 740522, ←, – | TV ☎ P. AE E VISA. ✻ rest BY v
1er avril-31 sept. – **R** 130/200, enf. 65 – **100 ch** 400/800 – 1/2 p 580/880.

Reine Hortense sans rest, 19 r. Malouine ✆ 99 46 54 31, ← St-Malo, – TV ☎ P. AE ⓓ E VISA BY e
25 mars-15 nov. – 50 – **10 ch** 700/850.

Émeraude-Plage, 1 bd Albert-1er ✆ 99 46 15 79 – | TV wc ☎ . ✻ BY z
26 mars-30 sept. – **R** (dîner seul.) 80/110 – 21 – **54 ch** 160/400 – 1/2 p 200/315.

Plage et rest. Le Trezen, 3 bd Féart ✆ 99 46 14 87, Télex 740358 – | TV wc ☎. AE E VISA BY s
fermé 31 janv. à mi-mars – **R** *(fermé merc.)* 58/201 – 18,50 – **18 ch** 239/307 – 1/2 p 194/324.

Roche Corneille, 4 r. G.-Clémenceau ✆ 99 46 14 47 – | TV wc wc ☎. AE E VISA. ✻ ch BY u
mars-oct. – **R** *(fermé lundi)* 88/150 – 24 – **26 ch** 170/307 – 1/2 p 218/294.

Balmoral sans rest, 26 r. Mar.-Leclerc ✆ 99 46 16 97 – | wc wc ☎. E VISA BY b
fermé 3 janv. au 1er mars, dim. soir et lundi de nov. à avril – 22 – **31 ch** 220/260.

Vieux Manoir sans rest, 21 r. Gardiner ✆ 99 46 14 69, « Jardin » – TV wc wc ☎ P. AE E VISA. ✻ AY d
15 mars-15 oct. et vacances scolaires – 22 – **26 ch** 320.

Altaïr, 18 bd Féart ✆ 99 46 13 58, – wc wc ☎. AE ⓓ E VISA BY k
fermé 15 déc. au 15 janv. et merc. sauf vacances scolaires – **R** 68/262, enf. 55 – 20 – **21 ch** 210/280 – 1/2 p 200/240.

Mont St-Michel, 54 bd Lhotelier ✆ 99 46 10 40 – wc wc ☎. AE E VISA AY f
15 mars-15 nov. – **R** 57/129, enf. 35 – 20 – **27 ch** 210/250 – 1/2 p 170/195.

Les Alizés, 11 pl. Gare ✆ 99 46 80 80 – TV wc wc ☎. E VISA AZ t
fermé 8 janv. au 15 fév. – **R** *(fermé lundi hors sais.)* 55/210, enf. 55 – 20 – **20 ch** 180/260 – 1/2 p 180/210.

Les Tilleuls, 36 r. Gare ✆ 99 46 18 06, Télex 740802, – TV wc wc ☎. E VISA. ✻ rest AZ v
hôtel : fermé 20 déc. au 20 janv. ; rest. : fermé 20 déc. au 30 janv. et dim. du 15 nov. au 30 mars – **R** 60/150 – 21 – **32 ch** 180/230 – 1/2 p 200/210.

XX **Prieuré** avec ch, 1 pl. Gén.de-Gaulle ✆ 99 46 13 74, ← – wc ☎. E VISA BZ n
fermé déc., janv., dim. soir hors sais. et lundi – **R** 62/155 – 20 – **8 ch** 160/240 – 1/2 p 210/230.

XX **Host. Le Petit Robinson** avec ch, SE : 3 km sur D 114 ✉ 35780 La Richardais ✆ 99 46 14 82 – TV wc wc ☎ P. AE ⓓ E VISA
fermé 16 nov. au 5 déc., vacances de fév., lundi (sauf le soir en juil.-août) et dim. soir hors sais. – **R** 60/140 , enf. 40 – 22 – **7 ch** 210/230 – 1/2 p 200/210.

DINARD

Féart (Bd) .... BYZ
Leclerc (R. Mar.) .... BYZ 16

Abbé Langevin (R.) ...... AY 2
Albert-1er (Bd) .... BY 3
Boutin (Pl. J.) .... BY 4
Clemenceau (R. G.) ...... BY 6
Coppinger (R.) .... BY 7
Corbinais (R. de la) ...... AZ 8
Croix-Guillaume (R. de la) AZ 10
Douet-Fourchet (R. des) . AZ 12
Gaulle (Pl. du Gén.-de) .. BZ 13
Giraud (Av. du Gén.) ..... BZ 15
Lhotellier (Bd) .... AY 17
Malouine (R. de la) .... BY 18
Pichot (R.) .... BZ 19
Prés. Wilson (Bd) .... BY 20
Renan (R. E.) .... AY 21
République (Pl. de la) ... BY 22
St-Lunaire (R. de) .... AY 25
Vernet (R. Y.) .... BY 26

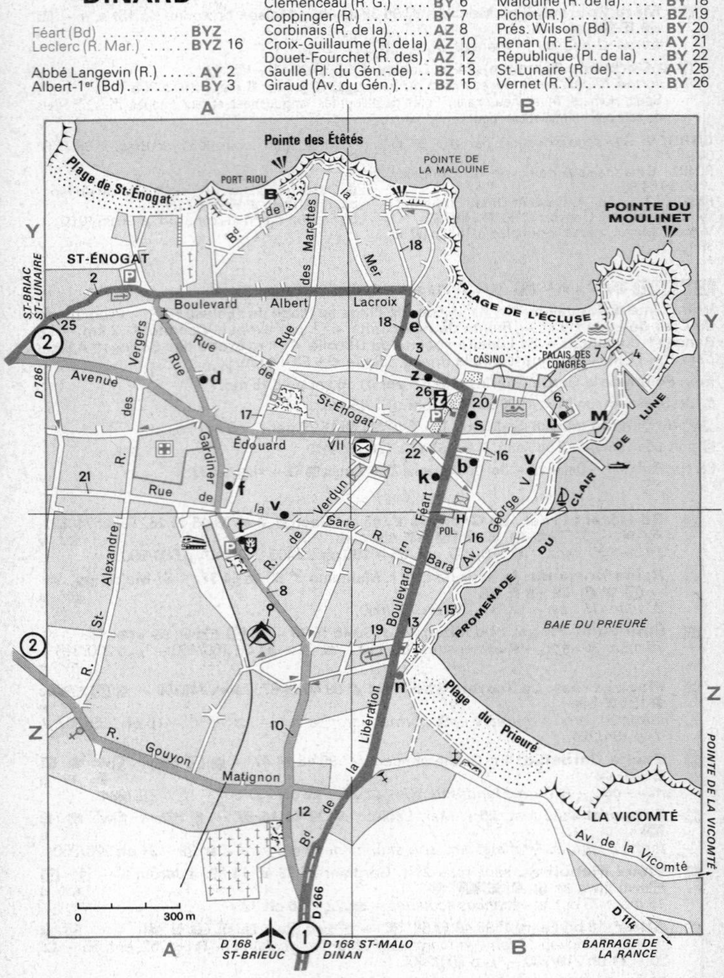

à la Jouvente SE : 7 km par D 11 - BZ et D 5 - – ✉ **35730** Pleurtuit :

Manoir de la Rance sans rest, ☎ **99 88 53 76**, ←, « **Parc fleuri** » – wc ☎ **P**. VISA
fermé janv. et fév. – ☕ 35 – **6 ch** 250/460.

AUSTIN, ROVER, TRIUMPH Gar. Parc, 10 r. Y.-Verney ☎ 99 46 13 38
CITROEN Gar. Kopp, 21 r. de la Corbinais, ☎ 99 46 13 43 N
PEUGEOT-TALBOT Gar. de la Rive Gauche, ZA l'Hermitage à la Richardais par ① ☎ 99 46 75 78 N ☎ 99 88 44 27

RENAULT Martin, Z.A. l'Hermitage par ① ☎ 99 46 10 69

Emeraude Pneumatiques, La Fourberie à St-Lunaire ☎ 99 46 11 26

DIOU **36** Indre 68 ⑨ – rattaché à Issoudun.

DIVES-SUR-MER **14** Calvados 54 ⑰ – rattaché à Cabourg.

DIVONNE-LES-BAINS 01220 Ain 70 ⑯ G. Jura (plan) – 4 783 h. – Stat. therm. – Casino.

18 ✆ 50 20 07 19 O : 2 km.

Syndicat d'Initiative r. des Bains ✆ 50 20 01 22.

Paris 499 – Bourg-en-Bresse 112 – ♦Genève 19 – Gex 7,5 – Lausanne 50 – Nyon 13.

Les Grands Hôtels, ✆ 50 20 06 63, Télex 385716, ≤, « Parc ombragé », – 120. AE E VISA. rest
R 190/250 – **135 ch** 540/955, 7 appartements – ½ p 170.

Château de Divonne, ✆ 50 20 00 32, Télex 309033, ≤ lac et Mt-Blanc, « Dans un parc, terrasse » – 60. VISA
fermé 4 janv. au 15 mars – **R** 220/390 – 58 – **23 ch** 475/970, 5 appartements 1150/1580 – ½ p 580/1830
Spéc. Foie gras et choux en ravioles, Rouget barbet à la fondue de fenouil, Pigeon en vessie. **Vins** Mondeuse, Arbois.

Mont-Blanc-Favre M, rte Grilly ✆ 50 20 12 54, ≤ lac et Mt-Blanc, – wc wc
1er avril-1er nov. – **R** *(fermé merc.)* (déj. seul.) 100/200 – 25 – **18 ch** 95/240.

Coccinelles sans rest, rte Lausanne ✆ 50 20 06 96, ≤, – wc wc . E VISA
20 – **22 ch** 90/210.

Jura sans rest, rte Arbère ✆ 50 20 05 95, – wc wc . AE E VISA
fermé 20 nov. au 20 déc. – 20 – **24 ch** 200.

La Truite sans rest, 25 Gde-Rue ✆ 50 20 04 41, – wc wc . AE E VISA
20 – **23 ch** 85/230.

Champagne, av. Genève ✆ 50 20 13 13, ≤, – . VISA
fermé 20 au 30 juin, 1er au 10 oct., 23 déc. au 15 janv., jeudi midi et merc. – **R** carte 125 à 240.

Bellevue-rest. Marquis avec ch, par av. d'Arbère, ≤, – wc wc . AE E VISA
fermé 20 déc. au 15 fév. – **R** *(fermé mardi midi et lundi)* 180/260 – 30 – **15 ch** 200/340 – ½ p 280/350.

Provençal avec ch, r. Genève ✆ 50 20 01 87, – . AE E VISA
fermé 1er au 15 juil., 15 au 28 fév., dim. soir et lundi – **R** 110/210 – 22 – **12 ch** 70/100 – ½ p 160/180.

Aub. Vieux Bois, rte Gex : 1 km ✆ 50 20 01 43, , – . AE E VISA
fermé 21 au 27 juin, 27 sept. au 3 oct., fév., dim. soir et lundi – **R** 68/195 , enf. 60.

Mouton Noir avec ch, Gde-Rue ✆ 50 20 12 69 – wc wc. ch
fermé déc., janv., dim. soir et lundi – **R** 68/150 – 15 – **9 ch** 65/145.

OPEL Gar. des Alpes, ✆ 50 20 00 59 N — RENAULT Clatot, ✆ 50 20 07 05

DIZY 51 Marne 56 ⑯ – rattaché à Epernay.

DOLANCOURT 10 Aube 61 ⑱ – rattaché à Bar-sur-Aube.

DOL-DE-BRETAGNE

Châteaubriand (Pl.) ... 7
Grande-rue-des-Stuarts ... 10
Le Jamptel (R.) ... 12

Briand (Av. Aristide) ... 2
Carmes (R. des) ... 3
Cathédrale (Pl. de la) ... 4
Ceinte (R.) ... 6
Écoles (R. des) ... 8
Mairie (Pl. de la) ... 13
Normandie (Bd de) ... 14
Paris (R. de) ... 15
Saint-Malo (R. de) ... 17
Touliers (Pl.) ... 19

Pour bien lire les plans de villes voir signes et abréviations p. 23.

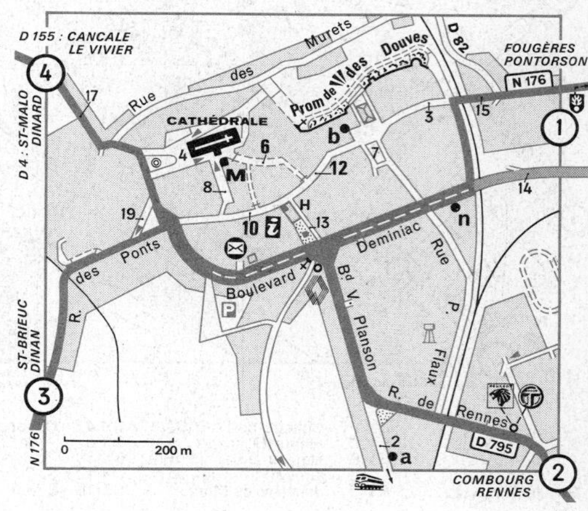

DOL-DE-BRETAGNE 35120 I.-et-V. 59 ⑥ G. Bretagne – 4 974 h.

Voir Cathédrale★★ – Promenade des Douves★ : ≤★ – Mont-Dol ※★ 4,5 km par ④.

18 de St-Malo ✆ 99 58 96 69, par ③ N 176 : 11 km.

Office de Tourisme 3 Grande Rue des Stuarts (juin-sept.) ✆ 99 48 15 37.

Paris 374 ① – Alençon 154 ① – Dinan 26 ③ – Fougères 51 ① – ♦Rennes 54 ② – St-Malo 24 ④.

Plan page précédente

Logis Bresche Arthur, 36 bd Deminiac **(n)** ✆ 99 48 01 44, Télex 741369, – TV wc wc ☎ P. AE E VISA
R 59/145, enf. 44 – 32 – **24 ch** 220/250 – 1/2 p 220/250.

Bretagne, pl. Châteaubriand **(b)** ✆ 99 48 02 03 – wc. E VISA
fermé oct. – **R** *(fermé sam. de nov. à mars)* 50/90 ♁, enf. 31 – 15 – **29 ch** 62/160 – 1/2 p 133/200.

Gare avec ch, 21 av. A.-Briand **(a)** ✆ 99 48 00 44, – wc. AE E VISA.
R 55/160 ♁, enf. 38 – 19 – **13 ch** 99/210 – 1/2 p 140.

Les Roches Douves, 80 r. Dinan par ③ ✆ 99 48 10 40 – AE E VISA
fermé dim. soir et lundi sauf fériés – **R** 85/200, enf. 38.

PEUGEOT-TALBOT Gar. Bonnot, ✆ 99 48 01 80

RENAULT Gar. Hocquart Claude, ✆ 99 48 02 12

Une réservation confirmée par écrit est toujours plus sûre.

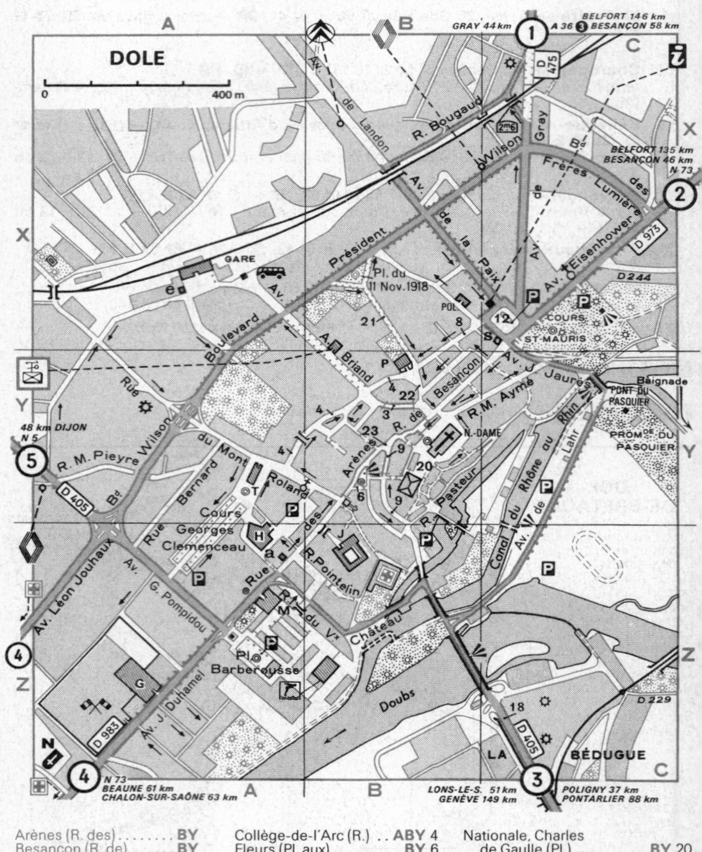

DOLE 39100 Jura 70 ③ G. Jura – 27 694 h.

Voir Le Vieux Dole★ BY – **Grille★ en fer forgé de l'église St-Jean-l'Evangéliste** AZ **N.**

Office de Tourisme 6 pl. Grévy ✆ 84 72 11 22 et chalet d'accueil rte Paris (15 juin-15 sept.) ✆ 84 72 05 41 – A.C. Derrière l'Abattoir ✆ 84 72 30 62.

Paris 369 ① – ♦Besançon 58 ① – Chalon-sur-Saône 63 ④ – ♦Dijon 48 ⑤ – ♦Genève 149 ③ – Lons-le-Saunier 51 ③.

Plan page ci-contre

Gd H. Chandioux, pl. Grévy ✆ 84 79 00 66, Télex 360498 – TV ☎ P – 70. AE E VISA CX s
R *(fermé 15 au 29 déc., dim. soir et lundi sauf fériés)* 150/360 – **30 ch** 270/425 – 1/2 p 360/440.

La Chaumière M, 346 av. Genève par ③ : 3 km ✆ 84 79 03 45, – TV wc wc ☎ P – 25. VISA
fermé 18 au 26 juin, 16 déc. au 16 janv., sam. du 15 sept. au 1er juil. et dim. (sauf hôtel du 1/7 au 15/9) – **R** 95/200, enf. 65 – 28 – **18 ch** 240/330 – 1/2 p 320/420.

XX **Clemenceau,** 62 bis r. Arènes ✆ 84 79 16 47 – AE E VISA AZ a
fermé 15 juil. au 1er août, 22 déc. au 4 janv., dim. et lundi – **R** 80/200 ₰, enf. 50.

X **Buffet Gare,** ✆ 84 82 00 48 – VISA AX e
R 52/147 ₰.

à Mont-Roland par ⑤ : 5 km par N5 et VO – ✉ **39100** Dole :

Chalet du Mont-Roland, ✆ 84 72 04 55, ← – wc ☎ P – 200. E VISA
R *(fermé dim. soir)* 55/120 ₰, enf. 50 – 15 – **16 ch** 95/170 – 1/2 p 165/205.

à Parcey par ③ : 10 km sur N 5 – ✉ **39100** Dole :

XX **As de Pique,** S : 1,5 km ✆ 84 71 00 76, – P. AE E VISA
fermé 2 au 12 janv., dim. soir et lundi hors sais. – **R** 72/195.

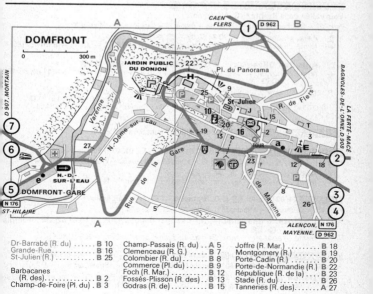

BMW-FORD Gar. Jacquot, 53 av. Georges Pompidou ✆ 84 72 37 55
CITROEN Jeanperin, 2 av. de Gray ✆ 84 82 34 23 N
CITROEN Bongain, 8 av. Landon ✆ 84 72 07 97
FIAT Est-Autom., 155 av. Eisenhower ✆ 84 82 19 01
FORD Gar. Sussot, 52 av. Eisenhower ✆ 84 82 12 06
PEUGEOT, TALBOT S.C.A.D., 32 av. de Lattre de Tassigny par ① ✆ 84 82 07 79
RENAULT Cone Autom., 8 bd Wilson ✆ 84 82 67 67 N
RENAULT Roy, 4 r. C.-de-Persan ✆ 84 72 24 69
Jeanblanc, 34 av. Eisenhower ✆ 84 72 27 44
Piquet, 104 av. Jacques Duhamel ✆ 84 82 00 89 N
R.-Lehmann, 42 av. Mar.-Juin ✆ 84 72 61 77

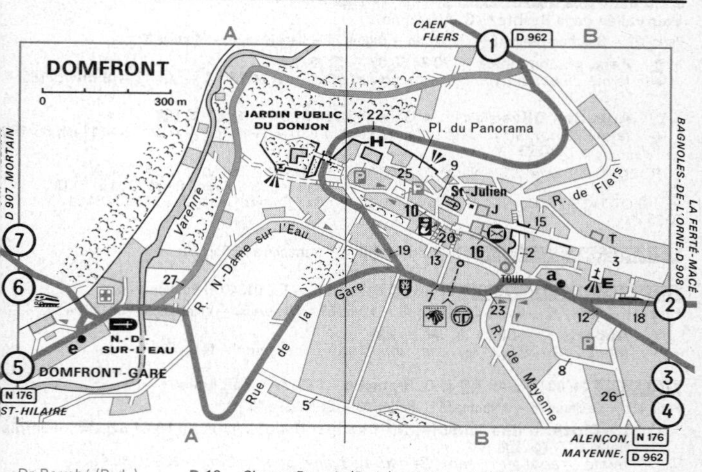

Dr-Barrabé (R. du) .... B 10
Grande-Rue.............. B 16
St-Julien (R.)............ B 25

Barbacanes (R. des)............. B 2
Champ-de-Foire (Pl. du) . B 3
Champ-Passais (R. du) .. A 5
Clemenceau (R. G.) ...... B 7
Colombier (R. du) .... B 8
Commerce (Pl. du) .... B 9
Foch (R. Mar.) .... B 12
Fossés-Plisson (R. des) .. B 13
Godras (R. de) .... B 15
Joffre (R. Mar.) .... B 18
Montgomery (R.) .... B 19
Porte-Cadin (R.) .... B 20
Porte-de-Normandie (R.) . B 22
République (R. de la) .... B 23
Stade (R. du) .... B 26
Tanneries (R. des)........ A 27

DOMFRONT 61700 Orne 59 ⑩ **G. Normandie Cotentin** – 4 553 h.
Voir Site★ – Église N.-D-sur-l'Eau★ A – Jardin du donjon ☀★ A – Croix du Faubourg ☀★ B E – Centre ancien★.
Syndicat d'Initiative 52 r. Dr Barrabé (saison) ✆ 33 38 53 97.
Paris 251 ③ – Argentan 53 ② – Avranches 66 ⑤ – Fougères 58 ⑤ – Mayenne 35 ④ – Vire 40 ⑦.

Plan page précédente

Poste, r. Foch ✆ 33 38 51 00 – wc ☎ 🚗 P. AE O E VISA — B a
fermé 15 janv. au 28 fév., dim. soir et lundi du 1er oct. au 31 mai – **R** 62/185 ₰ – ☕ 20 – **29 ch** 70/195 – 1/2 p 170/280.

France, r. Mt-St-Michel ✆ 33 38 51 44, 🍴, ✂ – TV ⋔ ☎ P. E VISA — A e
fermé 6 janv. au 13 fév. – **R** *(fermé lundi soir et mardi du 15 sept. au 15 juin)* 55/130 ₰ – ☕ 20 – **22 ch** 100/210 – 1/2 p 150/230.

CITROEN Savary, rte de la Ferté ✆ 33 38 66 28
PEUGEOT-TALBOT Champ, 22 r. des Fossés
Plissons ✆ 33 38 42 35
RENAULT Fossey par ③, 86 r. Mar. Foch ✆ 33 38 53 35 N

DOMFRONT-EN-CHAMPAGNE 72 Sarthe 60 ⑬ – 720 h. – ✉ **72240** Conlie.
Paris 214 – Alençon 44 – Laval 76 – ♦Le Mans 18 – Mayenne 56.

Midi, D 304 ✆ 43 20 52 04 – E VISA
fermé fév., dim. soir, mardi soir et lundi – **R** 75/200 ₰, enf. 42.

DOMMARTIN-LÈS-REMIREMONT 88 Vosges 62 ⑯ – rattaché à Remiremont.

DOMME 24250 Dordogne 75 ⑰ **G. Périgord Quercy** (plan) – 910 h.
Voir Promenade des Falaises ☀★★★ – La bastide ★ – Grottes★.
Syndicat d'Initiative pl. Halle (avril-oct.) ✆ 53 28 37 09.
Paris 551 – Cahors 52 – Fumel 57 – Gourdon 26 – Périgueux 75 – Sarlat-la-Canéda 13.

✿ **Esplanade (Gillard)** 🐦, ✆ **53 28 31 41,** ≤ – wc ⋔wc ☎. AE VISA
1er fév.-3 nov. et hôtel fermé dim. soir et lundi en fév. et mars – **R** *(fermé dim. soir en fév. et mars et lundi d'oct. à mai)* 100/270 – ☕ 32 – **19 ch** 190/380 – 1/2 p 250/350
Spéc. Escalope de foie de canard aux raisins et verjus, Filet de sole farci à la crème d'huîtres et caviar, Chaud-froid de fraises (mai à oct.). **Vins** Bergerac, Cahors.

DOMPAIRE 88270 Vosges 62 ⑮ – 881 h.
Paris 350 – Épinal 19 – Lunéville 63 – Luxeuil-les-Bains 60 – ♦Nancy 63 – Neufchâteau 55 – Vittel 24.

Commerce avec ch, ✆ **29 36 50 28,** 🍴 – wc ⋔wc ☎. AE O E VISA
fermé 20 déc. au 10 janv. – **R** *(fermé dim. soir et lundi sauf juil.-août)* 50/220 ₰ – ☕ 20 – **11 ch** 120/160 – 1/2 p 120/150.

DOMPIERRE-SUR-BESBRE 03290 Allier 69 ⑮ – 4 050 h.
Voir Vallée de la Besbre★, G. Auvergne.
Paris 322 – Bourbon-Lancy 18 – Decize 45 – Digoin 26 – Lapalisse 36 – Moulins 32.

Paix, pl. Commerce ✆ **70 34 50 09** – ⋔ ☎. ✂
fermé 25 oct. au 15 nov., dim. soir et lundi – **R** 55/150 ₰ – ☕ 19 – **9 ch** 75/185 – 1/2 p 130/170.

Aub. de l'Olive avec ch, r. Gare ✆ **70 34 51 87** – ⋔ ☎. E VISA
fermé 15 nov. au 15 déc. et jeudi d'oct. à juin – **R** 47/156 ₰ – ☕ 16 – **11 ch** 65/160 – 1/2 p 120/223.

CITROEN Gar. Burtin, 223 r. Nat ✆ 70 34 50 37 N
PEUGEOT-TALBOT Bujon, 172 r. Nat, ✆ 70 34 50 10
RENAULT Bailly, ✆ 70 34 52 34 N
Cannet, 78 r. Nationale ✆ 70 34 51 61 N
Gar. Cartier, Sept-Fons ✆ 70 34 54 84

DOMPIERRE-SUR-MER 17 Char.-Mar. 71 ⑫ – rattaché à La Rochelle.

DOMPIERRE-SUR-VEYLE 01 Ain 74 ③ – 745 h. – ✉ **01240** St-Paul-de-Varax.
Paris 441 – Belley 72 – Bourg-en-Bresse 16 – ♦Lyon 53 – Nantua 50 – Villefranche-sur-Saône 50.

Aubert, ✆ **74 30 31 19,** 🍴 – VISA
fermé 20 au 29 juil., fév., dim. soir, merc. soir et jeudi – **R** 80/160.

DONGES 44480 Loire-Atl. 63 ⑮ **G. Bretagne** – 6 988 h – **Voir Église★.**
Paris 427 – La Baule 28 – ♦Nantes 51 – Redon 43 – St-Nazaire 16.

La Closerie des Tilleuls, N : 1 km par D 4 et V O ✆ **40 88 67 82,** 🍴, **« Jardin fleuri »** – P. VISA. ✂
fermé 14 août au 1er sept., 24 déc. au 3 janv., sam. et dim. – **R** 80/180.

DONON (Col du) 67 B.-Rhin 62 ⑧ **G. Alsace et Lorraine** – alt. 727 – ✉ **67130** Schirmeck.
Paris 397 – Lunéville 56 – St-Dié 50 – Sarrebourg 40 – Sélestat 53 – ♦Strasbourg 59.

Donon 🐦, ✆ **88 97 20 69,** ≤, 🍴, 🍴 – wc ⋔wc P – *fermé 15 nov. au 15 déc. et jeudi hors sais.* – **R** 60/150 – ☕ 20 – **21 ch** 140/170 – 1/2 p 180/200.

DONZENAC **19270** Corrèze 75 ⑧ **G. Périgord Quercy** – 1 947 h.

Syndicat d'Initiative (juil.-août) et à la Mairie (hors saison) 55 85 72 33.

Paris 477 – Brive-la-Gaillarde 9,5 – Limoges 83 – Tulle 28 – Uzerche 26.

rte de Limoges sur N 20 :

Soph' Motel M, à 10 km 55 84 51 02, parc, – ch wc P – 30. E VISA. rest
R 73/190, enf. 42 – 30 – **24 ch** 250/310 – 1/2 p 250/310.

Relais Bas Limousin, à 6 km 55 84 52 06, – wc wc P. E VISA.
fermé dim. soir hors sais. – **R** 56/200 – 22 – **20 ch** 85/190 – 1/2 p 125/210.

La Maleyrie, à 5 km 55 84 50 67, – wc P. VISA
20 mars-15 nov. – **R** 45/110 – 18 – **15 ch** 70/160 – 1/2 p 110/155.

PEUGEOT-TALBOT Gar. Chanourdie, 55 85 78 76 N 55 85 65 56

DONZÈRE **26290** Drôme 81 ① **G. Vallée du Rhône** – 4 322 h.

Paris 621 – Aubenas 47 – Montélimar 13 – Nyons 41 – Orange 39 – Pont-St-Esprit 23 – Valence 60.

Roustan, 75 51 61 27, – wc wc E VISA
fermé 31 janv. au 28 fév. dim. soir et lundi – **R** 85/160 – 28 – **11 ch** 168/220 – 1/2 p 220/240.

N : 2,5 km par D 144 et VO – **26780** Malataverne :

Host. Mas des Sources avec ch, 75 51 74 18, – wc P. VISA
fermé 15 janv. au 1er mars, merc. du 1er sept. au 15 juin et dim. soir – **R** 140/185, enf. 70 – 50 – **4 ch** 380/400.

DONZY **58220** Nièvre 65 ⑬ **G. Bourgogne** – 1 890 h.

Paris 203 – Auxerre 65 – Château-Chinon 87 – Clamecy 37 – Cosne-sur-Loire 17 – Nevers 49.

Ermitage M, 86 39 30 62 – wc wc P. VISA
fermé vacances de Noël, de fév. et vend. hors sais. – **R** (diner seul.) carte 90 à 130 – 25 – **20 ch** 200/230.

Gd Monarque avec ch, près Église 86 39 35 44 – wc P.
fermé dim. soir et lundi hors sais. – **R** 50/160 – 20 – **17 ch** 100/200.

Talvanne, 86 39 35 61 – E VISA
fermé vend. soir sauf juil.-août – **R** 65/140.

Le DORAT **87210** H.-Vienne 72 ⑦ **G. Berry Limousin** – 2 421 h.

Voir Collégiale St-Pierre.**

Office de Tourisme pl. Collégiale (mai-oct.) 55 60 76 81.

Paris 374 – Bellac 12 – Le Blanc 49 – Guéret 68 – Limoges 53 – Poitiers 74.

Bordeaux, 39 pl. Ch.-de-Gaulle 55 60 76 88 – wc. VISA. ch
fermé janv. et dim. soir (sauf l'hôtel de juin à nov.) – **R** 46/125 – 18 – **10 ch** 75/135 – 1/2 p 190/230.

La Promenade avec ch, 3 av. Verdun 55 60 72 09 – P. AE E VISA. ch
fermé 1er au 21 sept., 15 au 22 fév., dim. soir et lundi – **R** 47/150 – 13,50 – **8 ch** 80/110 – 1/2 p 115/125.

CITROEN Laguzet, 55 60 72 79

DORDIVES **45680** Loiret 61 ⑫ – 1 951 h.

Paris 95 – Montargis 18 – Nemours 15 – Orléans 89 – Sens 45.

César sans rest, 8 r. République 38 92 73 20 – wc wc P. E VISA
18 – **24 ch** 90/230.

DORRES **66** Pyr.-Or. 86 ⑯ **G. Pyrénées Roussillon** – 156 h. alt. 1 450 – **66760** Bourg-Madame – **Voir Angoustrine : Retables* dans l'église O : 5 km.**

Paris 883 – Ax-les-Thermes 58 – Bourg-Madame 10 – Perpignan 110 – Prades 67.

Marty, 68 30 07 52, – P. rest
fermé 11 nov. au 20 déc. – **R** 59 bc/100 – 19 – **34 ch** 100/160 – 1/2 p 180/195.

DOUAI SP **59500** Nord 53 ③ **G. Flandres Artois Picardie** – 44 515 h.

Voir Beffroi* BY **D** – **Musée* dans l'ancienne Chartreuse*** AX **M.**

Env. Centre historique minier de Lewarde* SE : 8 km par ②.

de Thumeries 20 86 58 98 par ① et D 8 : 15 km.

Office de Tourisme 70 pl. d'Armes 27 87 26 63 – A.C. 155 pl. Armes 27 88 90 79.

Paris 193 ④ – Amiens 89 ④ – Arras 26 ④ – Beauvais 165 ④ – Charleville-Mézières 148 ③ – Lens 22 ⑤ – Lille 38 ⑤ – St-Quentin 73 ③ – Tournai 38 ① – Valenciennes 44 ①.

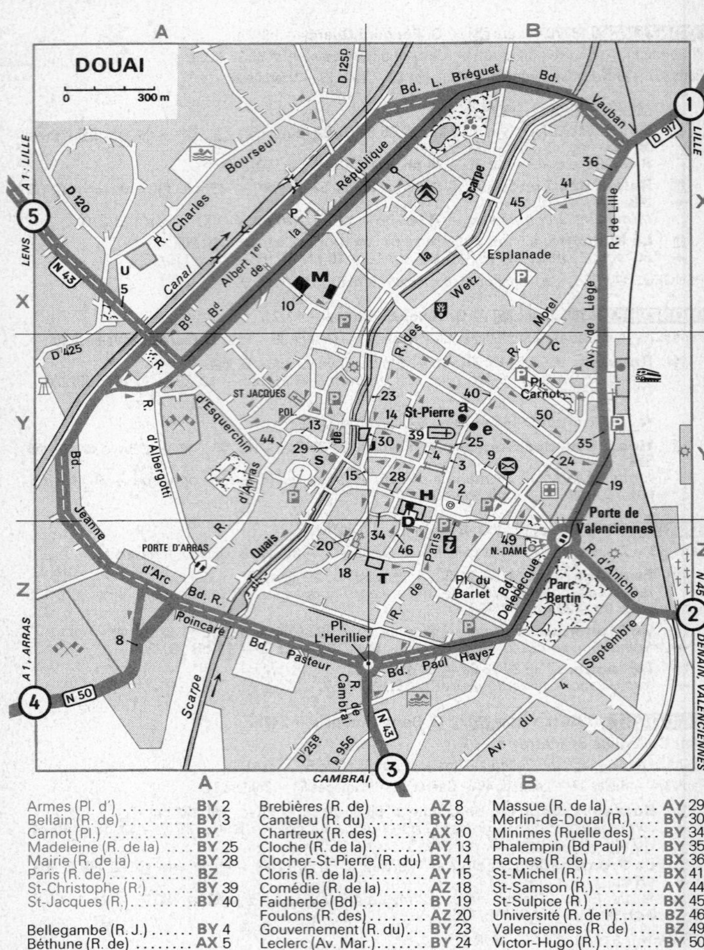

Armes (Pl. d') .... BY 2
Bellain (R. de) .... BY 3
Carnot (Pl.) .... BY
Madeleine (R. de la) .... BY 25
Mairie (R. de la) .... BY 28
Paris (R. de) .... BZ
St-Christophe (R.) .... BY 39
St-Jacques (R.) .... BY 40

Bellegambe (R. J.) ...... BY 4
Béthune (R. de) .... AX 5
Brebières (R. de) .... AZ 8
Canteleu (R. du) .... BY 9
Chartreux (R. des) .... AX 10
Cloche (R. de la) .... AY 13
Clocher-St-Pierre (R. du) BY 14
Cloris (R. de la) .... AY 15
Comédie (R. de la) .... AZ 18
Faidherbe (Bd) .... BY 19
Foulons (R. des) .... AZ 20
Gouvernement (R. du) ... BY 23
Leclerc (Av. Mar.) .... BY 24
Massue (R. de la) .... AY 29
Merlin-de-Douai (R.) .... BY 30
Minimes (Ruelle des) ... BY 34
Phalempin (Bd Paul) .... BY 35
Raches (R. de) .... BX 36
St-Michel (R.) .... BX 41
St-Samson (R.) .... AY 44
St-Sulpice (R.) .... BX 45
Université (R. de l') ...... BZ 46
Valenciennes (R. de) .... BZ 49
Victor-Hugo (R.) .... BY 50

La Terrasse, 8 terrasses St-Pierre ✆ 27 88 70 04 – TV wc wc ☎ – 30. AE VISA – **R** 145/340, enf. 75 – 27 – **30 ch** 170/310. BY **a**

Gd Cerf, 46 r. St-Jacques ✆ 27 88 79 60 – wc wc ☎ P – 30 à 200. AE E VISA – **R** *(fermé dim. soir)* 77/160 – **39 ch** 120/225. BY **e**

Au Turbotin, 9 r. Massue ✆ 27 87 04 16 – AE E VISA AY **s**
fermé août, dim. soir, soirs de fêtes et lundi – **R** 70 (sauf sam.)/148.

Buffet Gare, ✆ 27 88 99 26 – AE E VISA BY
fermé sam. soir et dim. soir – **R** 55/170.

par ④ : 7 km sur N 50 – ✉ **62117** Brébières :

Air Accueil, ✆ 21 50 02 66 – P. AE VISA – *fermé dim. soir* – **R** 180 bc/250 bc.

CITROEN Cabour, 884 r. de la République ✆ 27 87 36 22
FIAT C.A.D.O., 124 av. R.-Salengro à Sin-le-Noble ✆ 27 88 82 28
FORD Paty, N 17 Le Raquet à Lambres ✆ 27 87 30 63
LADA, SKODA, TOYOTA Gar. du Nord, rte de Cambrai à Ferin ✆ 27 88 55 09
PEUGEOT-TALBOT Nord Distribution Autos, 537 rte Cambrai par ③ ✆ 27 87 22 76
RENAULT Gd Gar. Douaisien, rte Cambrai par ③ ✆ 27 87 29 72
V.A.G. Gar. Carlier, 36 N 17 à Lambres-lez-Douai ✆ 27 98 50 65

Europneus, 5 r. de Warenghien ✆ 27 87 00 63 et 174 av. R.-Salengro à Sin-le-Noble ✆ 27 88 69 70

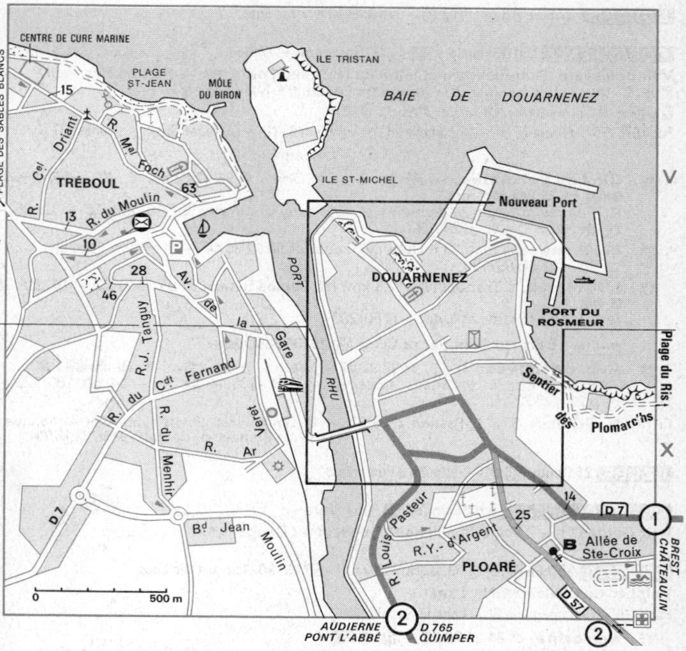

CENTRE DE CURE MARINE
PLAGE ST-JEAN
MÔLE DU BIRON
ILE TRISTAN
BAIE DE DOUARNENEZ
POINTE DE LEYDÉ
PLAGE DES SABLES BLANCS
TRÉBOUL
R. Cel Driant
R. Mal Foch
R. du Moulin
ILE ST-MICHEL
Nouveau Port
PORT RHU
DOUARNENEZ
PORT DU ROSMEUR
Av. de la Gare
R. J. Tanguy
R. du Cdt Fernand
R. du Menhir
R. Ar Veret
Sentier des Plomarc'hs
Plage du Ris
D 7
Bd Jean Moulin
R. Louis Pasteur
R.Y.-d'Argent
PLOARÉ
Allée de Ste-Croix
BREST CHÂTEAULIN
D 57
AUDIERNE PONT L'ABBÉ
D 765 QUIMPER
0 500 m

DOUARNENEZ
TRÉBOUL PLOARÉ

Anatole-France (R.) . . . Y 2
Duguay-Trouin (R.) . . . Y 18
Jaurès (R. Jean) . . . . . YZ
Jean-Bart (R.) . . . . Y 24
Voltaire (R.) . . . . Y 62

Barré (R. J.) . . . . YZ 7
Berthelot (R.) . . . . Z 8
Brossolette (R. P.) . . . . V 10
Croas-Men (R. du) . . . . V 13
Croas-Talud (R.) . . . . . . X 14
Curie (R. du Professeur) V 15

Grand-Port (Quai du) . . Y 20
Laënnec (R.) . . . . X 25
Lamennais (R.) . . . . Z 27
La-Tour-d'Auvergne (R.) . . . . V 28
Marine (R. de la) . . . . . . Y 32
Michel (R. L.) . . . . Y 36
Monte-au-Ciel (R.) . . . . Z 37
Péri (Pl. Gabriel) . . . . . . Y 42
Petit-Port (Quai du) . . . Y 43
Pont-Neuf (R. du) . . . . . V 46
Port (R. du) . . . . Y 47
Stalingrad (Pl.) . . . . Z 56
Vaillant (Pl. E.) . . . . Y 59
Victor-Hugo (R.) . . . . Z 60
Yser (Quai de l') . . . . . . V 63

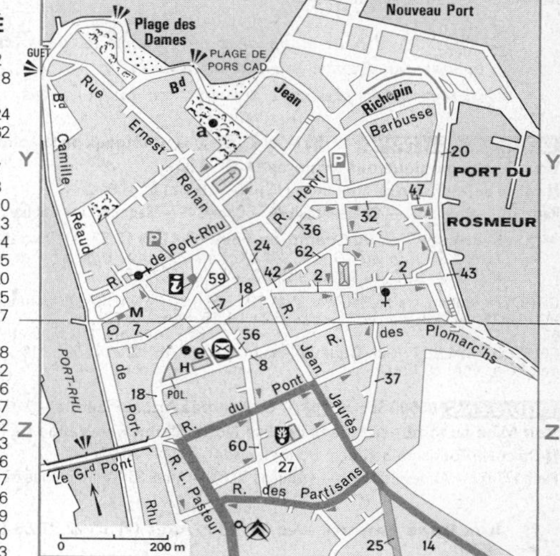

In this guide,
a symbol or a character, printed in red or black in light or bold type, does not have the same meaning.
Please read the explanatory pages carefully (pp. 22 to 29).

DOUAINS 27 Eure 55 ⑰, 196 ① – rattaché à Pacy-sur-Eure.

DOUARNENEZ 29100 Finistère 58 ⑭ **G. Bretagne** – 17 813 h.

Voir Boulevard Jean-Richepin et jetée du Nouveau Port ≤★ Y – Port du Rosmeur★ Y – Ploaré : tour★ de l'église X B – Pointe de Leydé ≤★ NO : 5 km V.

Office de Tourisme 2 r. Dr Mével ☎ 98 92 13 35.

Paris 575 ① – ♦Brest 75 ① – Châteaulin 26 ① – Lorient 88 ② – Quimper 22 ② – Vannes 137 ②.

Plan page précédente

Clos de Vallombreuse M, 7 r. E. d'Orves ☎ 98 92 63 64, ≤, – TV wc ☎ ♿ P. E VISA. rest Y **a**
R *(Pâques-fin sept. et fermé jeudi sauf le midi en été)* 95/210, enf. 55 – 35 – **21 ch** 280/300 – ½ p 290/390.

Bretagne sans rest, 23 r. Duguay-Trouin ☎ 98 92 30 44 – wc wc ☎ 20 – **27 ch** 99/190. Z **e**

L'Armorial, à Tréboul NO : 2,5 km, rte Sables Blancs ☎ 98 74 31 77 – P. AE E VISA
fermé 2 au 15 janv. et lundi – **R** 80/200.

par ② **:** 5 km rte Quimper et VO – **29100** Douarnenez :

Aub. de Kervéoc'h, ☎ 98 92 07 58, parc – wc wc ☎ P. E VISA.
Pâques-15 oct. et vacances scolaires – **R** 80/230 – 24 – **14 ch** 180/220 – ½ p 230/250.

CITROEN Belbéoch, 33 r. L.-Pasteur ☎ 98 92 29 00

Douarnenez Pneus, Imp. des Armoriques, ZA de Brehuel, rte de Brest ☎ 98 92 15 99

DOUBS 25 Doubs 70 ⑥ – rattaché à Pontarlier.

DOUBS (Vallée du) ★★ 25 Doubs 66 ⑱ **G. Jura.**

Voir Gorges★★ – Lac de Chaillexon★★ et saut du Doubs★★★.

DOUCIER 39 Jura 70 ⑭⑮ **G. Jura** – 202 h. – **39130** Clairvaux-les-Lacs.

Voir Lac de Chalain★★ N : 4 km.

Paris 418 – Champagnole 21 – Lons-le-Saunier 26.

Sarrazine, ☎ 84 25 70 60 – P. E VISA
Pâques-15 nov. et fermé mardi soir et merc. hors sais. – **R** 66/165 ♀, enf. 46.

RENAULT Garage Gaillard, ☎ 84 25 70 94

Si vous devez faire étape dans une station ou dans un hôtel isolé, prévenez par avance, ***surtout en saison.***
Une réservation confirmée par écrit est toujours plus sûre.

DOUÉ-LA-FONTAINE 49700 M.-et-L. 67 ⑧ **G. Châteaux de la Loire** – 6 855 h.

Voir Parc zoologique des Minières★★ O : 2 km.

Office de Tourisme pl. Fontaines (15 juin-15 sept.) ☎ 41 59 20 49.

Paris 310 – Angers 41 – Châtellerault 84 – Cholet 49 – Saumur 17 – Thouars 26.

France, 17 pl. du Champ-de-Foire ☎ 41 59 12 27 – wc ☎. VISA
fermé 28 juin au 10 juil., 24 déc. au 20 janv., dim. soir et luni sauf juil.-août – **R** 48/145 – 21 – **18 ch** 95/180 – ½ p 150/200.

CITROEN Belien, rte de Saumur ☎ 41 59 12 59
PEUGEOT Hayot, rte de Saumur ☎ 41 59 18 57
PEUGEOT, TALBOT Gar. Darteuil-lesaint, 20 r. de Cholet ☎ 41 59 11 00

RENAULT Bouchet, 11 rte de Montreuil ☎ 41 59 10 72
RENAULT Chaillou, 49 r. de Cholet ☎ 41 59 10 55 N ☎ 41 59 12 16

DOULLENS 80600 Somme 52 ⑧ **G. Flandres Artois Picardie** – 7 897 h..

Voir Mise au tombeau★ dans l'église Notre-Dame F – Vallée de l'Authie★ par ④.

Office de Tourisme Beffroi, r. Bourg (saison) ☎ 22 77 00 07.

Paris 177 ③ – Abbeville 41 ④ – ♦Amiens 30 ③ – Arras 35 ① – Péronne 54 ② – St-Omer 83 ⑤.

Plan page ci-contre

Aux Bons Enfants avec ch, 23 r. Arras **(f)** ☎ 22 77 06 58 – P. E VISA. ch
R *(fermé sam.)* 65/125 – 18 – **8 ch** 80/160.

Le Sully avec ch, **45 r. Arras (u)** ☎ 22 77 10 87 – ☎. VISA
fermé 22 juin au 7 juil. et merc. – **R** 50/110 ♀ – 15 – **7 ch** 85/150.

PEUGEOT-TALBOT Vasseur, ZI Le Marais Sec par ① ☎ 22 77 08 04
RENAULT Gar. Moderne, 55 av. Flandres-Dunkerque par ① ☎ 22 77 02 77

RENAULT Roger, 32 r. A.-Tempez ☎ 22 77 08 42

DOULLENS

Arras (R. d') 3
Bourg (R. du) 6
Commandement-Unique (R. du) 9
Tempez (R. André) 23

Andrieu (Pl.) 2
Boucheries (R. des) 5
Clemenceau (R. G.) 7
Dehée (Bd E.) 12
Foch (Av. du Mar.) 13
Haig (R. du Mar.) 15
Leclerc (Av. du Gén.) 16
Milner (Bd Lord) 18
Neuf-Moulins (R. des) 19
Pont-St-Ladre (R. du) 21

Les plans de villes sont orientés le Nord en haut.

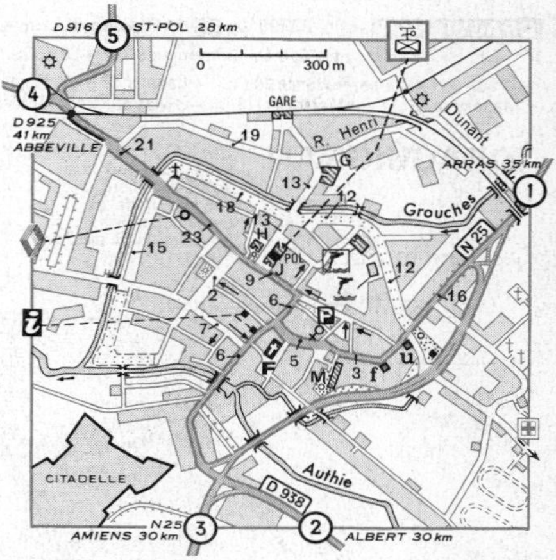

DOURDAN 91410 Essonne 60 ⑨, 196 ㊶ **G. Environs de Paris** – 8 057 h.

Voir Place du Marché aux grains★.

Office de Tourisme pl. Gén.-de-Gaulle ☏ (1) 64 59 86 97.

Paris 54 – Chartres 42 – Étampes 18 – Évry 41 – ♦Orléans 79 – Rambouillet 22 – Versailles 37.

- ❀ **Host. Blanche de Castille,** pl. Halles ☏ (1) 64 59 68 92, Télex 604902, – TV ☎ P – 40 à 100. AE ⓓ E VISA
  R 150/220 – 38 – **40 ch** 310/360
  Spéc. Foie gras d'oie, Fricassée de homard, Duo de rognons et ris de veau au Xérès.
- XX **Pot d'Argent,** 2 r. St-Germain ☏ (1) 64 59 40 20, – E VISA
  fermé 15 au 22 juin, 28 sept. au 5 oct., 31 oct. au 9 nov., 24 déc. au 3 janv., vac. de fév., lundi soir et mardi – **R** 140/240.

CITROEN Ménard, Zone Ind. de la Gaudrée ☏ (1)64 59 64 00
LANCIA-AUTOBIANCHI Huberty, rte d'Étampes, D 836 ☏ (1)64 59 66 65
PEUGEOT Gar. Côte de Liphard, 10 rte Liphard ☏ (1)64 59 71 86
RENAULT Lesage, 30 av. de Paris ☏ (1)64 55 70 83

DOURLERS 59228 Nord 53 ⑥ – 623 h.

Paris 214 – Avesnes-sur-Helpe 8 – ♦Lille 95 – Maubeuge 13 – Le Quesnoy 26 – Valenciennes 42.

- XX **Aub. du Châtelet,** Les Haies à Charmes S : 1 km sur N 2 ✉ 59440 Avesnes-sur-Helpe ☏ 27 61 06 70, – P. AE ⓓ VISA.
  fermé 15 août au 15 sept., 2 au 10 janv., dim. et fêtes le soir et merc. – **R** (nombre de couverts limité - prévenir) 95 bc/300 bc, enf. 75.

DOUSSARD 74 H.-Savoie 74 ⑯ – rattaché à Bout-du-Lac.

DOUVAINE 74140 H.-Savoie 70 ⑯ – 2 740 h.

Paris 557 – Annecy 62 – Annemasse 17 – Bonneville 31 – ♦Genève 17 – Thonon-les-Bains 16.

- **Poste** sans rest, ☏ 50 94 01 19 – wc wc ☎. E VISA
  18 – **17 ch** 145/190.
- XXX **Aub. Gourmande,** à Massongy E : 2 km par N 5 ✉ 74140 Douvaine ☏ 50 94 16 97, <, – P. AE ⓓ E VISA
  fermé vacances de nov., de fév., jeudi midi et merc. – **R** 95/260.
- XX **Couronne** avec ch, ☏ 50 94 10 62, – wc wc ☎ P. AE ⓓ E VISA
  fermé 25 sept. au 18 oct. – **R** 98/245 – 20 – **13 ch** 155/198 – ½ p 245/265.
- X **Écaille d'Argent** avec ch, à Tougues NO : 4 km par D 20 ✉ 74140 Douvaine ☏ 50 94 04 16, <, – P. E VISA
  1er mars-30 oct. et fermé mardi et merc. sauf juil.-août – **R** carte 120 à 170 – 16 – **7 ch** 75/80.

DOUVRES LA DÉLIVRANDE 14440 Calvados 54 ⑯ – 3 080 h.

Paris 241 – Bayeux 26 – ♦Caen 16 – Deauville 44.

- X **Aub. du Relais,** 11 rte Caen ☏ 31 37 29 82 – E VISA.
  fermé 14 au 30 juin, 8 au 30 nov., 24 au 28 déc., mardi soir et merc. – **R** 70/130.

DRACY-LE-FORT 71 S.-et-L. 69 ⑨ – rattaché à Chalon-sur-Saône.

DRAGUIGNAN <SP> **83300** Var **84** ⑦ **G. Côte d'Azur** – **28 194 h.**

Office de Tourisme et A.C. 9 bd Clemenceau ✆ 94 68 63 30.

Paris 861 ② – **Aix-en-Provence 106** ② – **Cannes 59** ② – **Digne 113** ④ – **Fréjus 29** ② – **Grasse 56** ① – **Manosque 89** ③ – ♦**Marseille 118** ② – ♦**Nice 89** ② – ♦**Toulon 82** ②.

DRAGUIGNAN

Cisson (R.) .... YZ 3
Clemenceau (Bd) .... Z 4
Clément (R. P.) .... Z 5
Gay (Pl. C.) .... Y 6
Grasse (Av. de) .... Y 8
Joffre (Bd Mar.) .... Z 9
Juiverie (R. de la) .... Y 12
Leclerc (Bd Gén.) .... Z 14
Marchands (R. des) .... Y 15
Marché (Pl. du) .... Y 16
Martyrs-de-la-R. (Bd des) Z 17
Marx-Dormoy (Bd) .... Z 18
Mireur (R. F.) .... Y 19
Observance (R. de l') .... Y 20
Repos (Bd du) .... Z 22
République (R. de la) .... Z 23
Rosso (Av. P.) .... Z 24

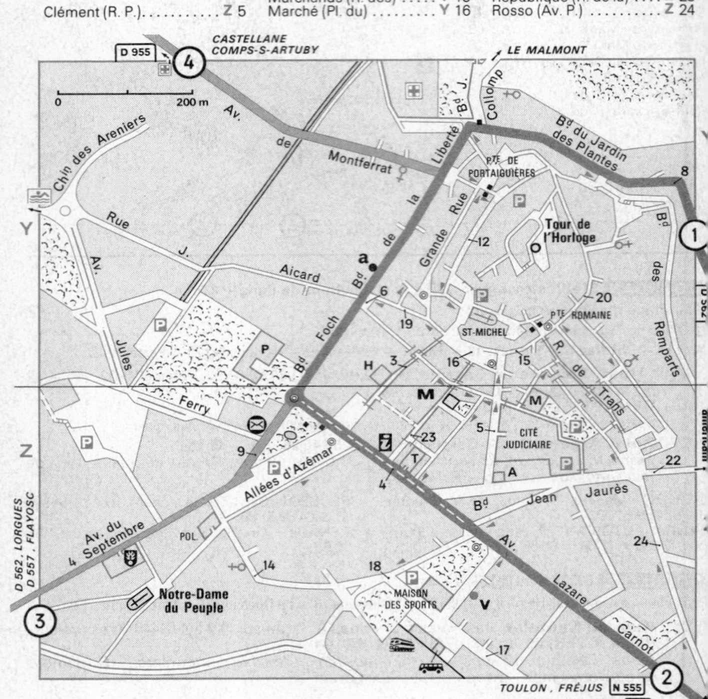

Parc sans rest, **21 bd Liberté** ✆ **94 68 53 84**, – wc wc . AE E VISA — Y a
25 – **20 ch** 210/280.

Les 2 Cochers, 7 bd G.-Péri ✆ **94 68 13 97**, – E VISA — Z v
fermé 15 au 31 août, lundi et le soir du mardi au jeudi – **R** 80.

à Flayosc par ③ et D 557 : 7 km – ✉ **83780** Flayosc :

Provençal, ✆ **94 70 41 44** –
fermé 12 nov. au 10 déc., dim. soir et lundi midi – **R** 52/105, enf. 40 – 15 – **12 ch** 80/125 – 1/2 p 145/175.

Vieille Bastide avec ch, ✆ **94 70 40 57**, ←, , , – wc wc . E VISA
fermé vacances de fév. et lundi de sept. à mai – **R** 60/200 – 25 – **8 ch** 210 – 1/2 p 200.

Oustaou, ✆ **94 70 42 69**, – E VISA
fermé 15 au 29 juin, 12 au 26 oct., vacances de fév., mardi soir et merc. – **R** 60/120.

FORD Gar. d'Azur, 748 rte de Lorgues ✆ 94 68 18 71
PEUGEOT-TALBOT Gar. Labrette, 386 av. P.-Brossolette par ③ ✆ 94 68 14 20
RENAULT S.A.M.V.A., quartier de la Foux par ② ✆ 94 68 15 64

Forni-Pneu, Vulcopneu, 24 bd Carnot ✆ 94 68 06 83 et Zone Ind. les Incapis ✆ 94 67 13 53

Le DRAMONT 83 Var 84 ⑧ – rattaché à Agay.

DRAVEIL 91 Essonne 61 ①, 101 ㊱ – voir à Paris, Environs.

DREUIL-LÈS-AMIENS 80 Somme 52 ⑧ – rattaché à Amiens.

DREUX ⟨SP⟩ **28100** E.-et-L. 60 ⑦, 196 ㉕ **G. Normandie Vallée de la Seine** – 33 760 h.
Voir Beffroi★ AY B – Vitraux★ de la chapelle royale AY.
Office de Tourisme 4 r. Porte-Chartraine ✆ 37 46 01 73.
Paris 82 ② – Alençon 110 ⑥ – Argentan 112 ⑥ – ♦Caen 165 ⑥ – Chartres 35 ④ – Évreux 42 ⑥ – ♦Le Havre 154 ⑥ – ♦Le Mans 140 ④ – Mantes-la-Jolie 44 ① – ♦Orléans 112 ④.

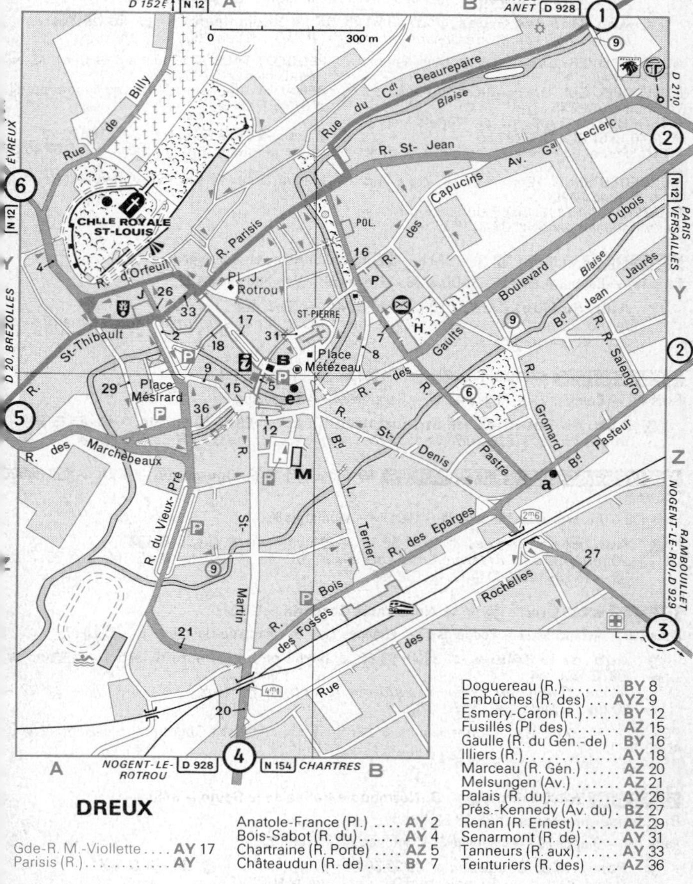

Dogueureau (R.) . . . . BY 8
Embûches (R. des) . . . AYZ 9
Esmery-Caron (R.) . . . . . . BY 12
Fusillés (Pl. des) . . . . AZ 15
Gaulle (R. du Gén.-de) . BY 16
Illiers (R.) . . . . AY 18
Marceau (R. Gén.) . . . . . AZ 20
Melsungen (Av.) . . . . . . AZ 21
Palais (R. du) . . . . AY 26
Prés.-Kennedy (Av. du) . BZ 27
Renan (R. Ernest) . . . . . . AZ 29
Senarmont (R. de) . . . . . . AY 31
Tanneurs (R. aux) . . . . . . AY 33
Teinturiers (R. des) . . . . AZ 36

Gde-R. M.-Viollette . . . . AY 17
Parisis (R.) . . . . AY

Anatole-France (Pl.) . . . . AY 2
Bois-Sabot (R. du) . . . . . AY 4
Chartraine (R. Porte) . . . . AZ 5
Châteaudun (R. de) . . . . . BY 7

Bec Fin, 8 bd Pasteur ✆ 37 42 04 13 – TV wc ⋒wc ☎. E VISA — BZ **a**
fermé dim. – **R** 55/110 – ☕ 23 – **25 ch** 110/260 – ½ p 235.

H. de l'Aub. Normande sans rest, 12 pl. Métézeau ✆ 37 50 02 03 – TV ⋒wc ☎. E VISA — AZ **e**
☕ 20 – **16 ch** 180/255.

XX **Vallée Verte** avec ch, à Vernouillet par D 311 ✉ 28500 Vernouillet ✆ 37 46 04 04 – ⋒wc ☎. E VISA. ch
fermé 5 au 29 août, 26 déc. au 5 janv., dim. soir et lundi – **R** 85/160, enf. 50 – ☕ 20 – **12 ch** 90/160 – ½ p 160/220.

à Chérisy par ② : 4,5 km – ✉ **28500** Vernouillet :

XX **Vallon de Chérisy,** ✆ 37 43 70 08, 🌳 – VISA
fermé 10 au 31 janv. et merc. – **R** carte 140 à 195 ₰, enf. 45.

à Écluzelles par ③ : 5,5 km – ✉ **28500** Vernouillet :

XX **L'Aquaparc,** ✆ 37 43 74 75, ≤, 🌳 – **P**. AE ⓓ E VISA
fermé fév., dim. soir et lundi – **R** 130/170, enf. 65.

à Ste-Gemme-Moronval par ② N 12 puis D 308 2 : 6 km – ✉ **28500** Vernouillet :

XX **L'Escapade,** ✆ 37 43 72 05 – **P**. VISA
fermé 15 au 28 fév., dim. soir et lundi – **R** 138/159.

par rte de Montreuil ①, D 928 et D 116 : 8,5 km – ✉ **28500** Vernouillet :

XXX **Aub. Gué des Grues,** ✆ 37 43 50 25, 🌳, « Jardin fleuri » – **P**. AE ⓓ VISA
fermé lundi soir et mardi sauf juil.-août – **R** 150/230, enf. 60.

AUSTIN-ROVER Gar. de l'Ouest, 51 av. Fenots ✆ 37 46 11 45
BMW, OPEL-GM Dreux Autom., bd Europe à Vernouillet ✆ 37 46 37 43
CITROEN C.O.D.A.C., 64 av. Fenots par ⑥ ✆ 37 46 12 51 **N** ✆ 37 82 97 55
FORD Perrin, bd Europe à Vernouillet ✆ 37 46 23 31
MERCEDES-BENZ Gar. Avenue, Zone Ind. Nord ✆ 37 46 17 98
PEUGEOT C.A.D., C. Cial Plein Sud r. du Pressoir Vernouillet par ④ ✆ 37 46 17 25
PEUGEOT-TALBOT Touchard et Girot, 49 av. Gén.-Leclerc ✆ 37 42 12 72
RENAULT Chanoine, N 12, Les Fenots par ⑥ ✆ 37 46 17 35 **N**

Ⓜ Boin, N 154 à Serazereux ✆ 37 65 22 22
Dubreuil Pneus, 9 pl. du Vieux Pré ✆ 37 46 04 11
Marsat Dreux Pneus, 27 av. des Fenots ✆ 37 50 03 60

DROSNAY 51 Marne **61** ⑧ – 154 h. – ✉ **51290** St-Rémy-en-Bouzemont.

Paris 197 – Bar-sur-Aube 47 – St-Dizier 36 – Troyes 59 – Vitry-le-François 22.

XX **Aub. du Haut Jard,** ✆ 26 72 58 48, 🌳 – AE E VISA
fermé 22 août au 14 sept., 7 fév. au 7 mars, lundi soir, merc. soir et mardi – **R** 100/230 , carte dim. soir.

DRUSENHEIM 67410 B.-Rhin **57** ⑳ – 4 309 h.

Paris 492 – Brumath 21 – Haguenau 17 – Saverne 52 – ♦Strasbourg 27.

XXX **Aub. du Gourmet,** rte Strasbourg SO : 1 km ✆ 88 53 30 60, 🌳 – **P**. AE E VISA
fermé 15 juil. au 10 août, 1er au 9 fév., mardi soir et merc. – **R** 85/170 ₰.

DRUYES-LES-BELLES-FONTAINES 89 Yonne **65** ⑭ **G. Bourgogne** – 309 h. – ✉ **89560** Courson.

Paris 199 – Auxerre 33 – Clamecy 20 – Gien 74 – Montargis 86.

🏠 **Aub. des Sources,** ✆ 86 41 55 14 – ⇔wc ⋒wc ☎ **P**. AE E VISA
20 mars-20 déc. et fermé lundi sauf du 10 juin au 10 sept. – **R** 67/152, enf. 39 – ☕ 16 – **17 ch** 145/200 – ½ p 205/254.

DUCEY 50220 Manche **59** ⑧ **G. Normandie Cotentin** – 2 165 h.

Paris 306 – Avranches 11 – Fougères 37 – ♦Rennes 71 – St-Hilaire-du-Harcouët 16 – St-Lô 67.

🏠 **Aub. de la Sélune,** ✆ 33 48 53 62, « Jardin en bordure de rivière » – ⇔wc ☎ ⓓ E VISA. ⛔
fermé 20 janv. au 20 fév. et lundi du 1er oct. au 1er mars – **R** 55/130 ₰ – ☕ 22 – **20 ch** 170/190 – ½ p 152/162.

PEUGEOT-TALBOT Gar. Pautret Hebert, ✆ 33 48 50 74
RENAULT Gar. Lefort, ✆ 33 48 51 11

Ⓜ Lefrançois St-Quentin sur le Homme ✆ 33 58 15 31

DUCLAIR 76480 S.-Mar. **55** ⑥ **G. Normandie Vallée de la Seine** – 3 487 h.

Bac: renseignements ✆ 35 37 53 11.

Paris 159 – Dieppe 59 – Lillebonne 32 – ♦Rouen 20 – Yvetot 20.

XX **Parc,** rte de Caudebec ✆ 35 37 50 31, ≤, 🌳, parc – **P**. AE ⓓ E VISA
fermé 20 déc. au 20 janv., dim. soir et lundi – **R** 120/170.

XX **Poste** avec ch, 286 quai Libération ✆ 35 37 50 04, ≤ – cuisinette TV ⇔wc ⋒wc ☎ – 🏛 25. AE E VISA. ⛔
fermé 1er au 15 juil., vacances de nov., de fév., lundi (sauf hôtel) et dim. soir sauf fériés – **R** 60/150 – ☕ 21 – **20 ch** 130/160 – ½ p 160/170.

Die **Michelin-Karten** sind stets auf dem aktuellsten Stand, sie informieren genauestens über Streckenverlauf und Straßenzustand.

DUINGT 74 H.-Savoie **74** ⑥ **G. Alpes du Nord** – 446 h. – ✉ **74410** St-Jorioz.

Voir Site★.

Paris 552 – Albertville 33 – Annecy 12 – Megève 48 – St-Jorioz 3,5.

- **Clos Marcel,** ✆ **50 68 67 47,** ←, « jardin au bord du lac », – wc wc ☎ **P**. rest
  Pâques-1er oct. – **R** 95/150, enf. 45 – 20 – **15 ch** 135/275.
- **Bains,** ✆ **50 68 66 48,** – wc wc **P**. **E**
  fermé 31 oct. au 30 nov. et merc. de fin sept. à fin avril – **R** 65/120 – 20 – **24 ch** 150/180 – 1/2 p 140/170.
- **Aub. du Roselet** M avec ch, ✆ **50 68 67 19,** – TV wc ☎ **P** – 40. VISA
  15 fév.-30 oct. et fermé merc. sauf du 15 mai au 15 sept. – **R** 105/220 – 26 – **14 ch** 270 – 1/2 p 255/280.

DUNKERQUE SP **59** Nord **51** ③④ **G. Flandres Artois Picardie** – 73 282 h. Communauté urbaine 206 752 h – Casino: à Malo-les-Bains.

Voir Port★★ : ←★★ du phare – Musées : Art Contemporain★★ CDY **M3, Beaux-Arts★** CDZ **M1.**

Office de Tourisme Beffroi ✆ 28 66 79 21 et 18 Digue de Mer (juil.-août) ✆ 28 63 61 34 – A.C. 2 r. Amiral-Ronarc'h ✆ 28 66 70 68.

Paris 291 ② – ♦Amiens 145 ② – ♦Calais 43 ③ – Ieper 54 ② – ♦Lille 73 ② – Oostende 55 ①.

DUNKERQUE

Berteaux (Av. M.) . . . . **AX** 10
Bonpain (Pl. de l'Abbé) . . **BX** 13
Cambon (Bd P.) . . . . **BX** 17
Clemenceau (R.) ST-POL **AX** 22
Coquelle (R. Félix) . . . . . . **BX** 24
Darses (Chaussée des) . . **AX** 25
Jaurès (R. Jean) . . . . **BX** 39
Lille (R. de) . . . . **BX** 45
Malo (R. Célestin) . . . . . . **BX** 50
Pasteur (R.) . . . . **BX** 56
République (R. de la) . . . . **AX** 61
Waldeck-Rousseau (R.) . **BX** 73

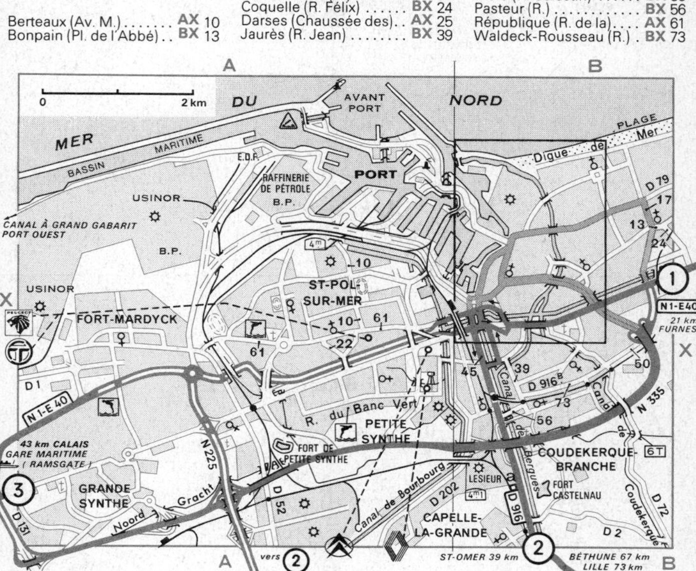

à Dunkerque 01 – ✉ **59140 :**

- **Europ'H.,** 13 r. Leughenaer ✆ **28 66 29 07, Télex 120084** – rest TV ☎ – 25 à 300. AE **E** VISA — CY **s**
  Le Mareyeur *(fermé dim. soir et lundi)* **R** 105 – **Europ Grill** *(fermé dim.)* **R** 84bc/99bc, enf. 45 – 35 – **130 ch** 229/305, 4 appartements 368.
- **Altéa Reuze** M sans rest, **2 r. J.-Jaurès** ✆ **28 59 11 11, Télex 110587,** ← **ville et port** – TV ☎ – 40 à 120 — CZ **r**
  122 ch.
- **Borel** M sans rest, **6 r. L'Hermitte** ✆ **28 66 51 80, Télex 820050** – TV wc ☎. AE **E** VISA — CY **u**
  27 – **40 ch** 240/279.
- **Richelieu** (Buffet gare), **pl. Gare** ✆ **28 66 52 13** – AE **E** VISA — CZ
  fermé dim. soir et fériés le soir – **R** 115/295, enf. 90.
- **Aux Ducs de Bourgogne, 29 r. Bourgogne** ✆ **28 66 78 69** – AE — CZ **h**
  fermé dim. soir et lundi soir – **R** 80/210.

DUNKERQUE

Albert-1er (R.) .... CZ 2
Alexandre-III (Bd) .... CZ 3
Clemenceau (R.) .... CZ 21
Digue de Mer .... DY
Faidherbe (Av.) .... DY
Geeraert (Av. Adolphe) .. DY
Jean-Bart (Pl.) .... CZ 41
Malo (Av. Gaspard) ...... DY 49
Thiers (R.) .... CZ 65
Turenne (Pl.) .... DY 67

Arbres (R. des) .... CDY 6
Asseman (Pl. P.) .... DY 8
Bergues (R. du Canal-de) CZ 9
Bollaert (Pl. Émile) ...... CZ 12
Calonne (Pl.) .... DZ 16
Carton Lurat (Av.) .... DZ 18
Écluse-de-Bergues (R.) . CZ 26
Fusiliers-Marins (R.) .... CZ 30
Gare (Pl. de la) .... CZ 32
Gaulle (Pl. du Gén.-de) .. CZ 33
Hermitte (R. l') .... CY 35
Hollandais (Quai des) ... CZ 36
Hôtel de Ville (R. de l') ... DY 37
Jardins (Quai des) .... CZ 38
Jaurès (R. Jean) .... CZ 40
Jeu-de-Paume (R. du) ... CZ 42
Leughenaer (R. du) ..... CY 44
Lille (R. de) .... CZ 45
Magasin-Général (R.) ... CZ 48
Mar.-de-France (Av. des) DY 52
Minck (Pl. du) .... CY 53
Paris (R. de) .... CZ 54
Prés.-Poincaré (R. du) ... CZ 57
Prés.-Wilson (R. du) ..... CZ 58
Quatre-Écluses (Quai) .. CZ 59
République (Av. de la) ... DY 60
Sainte-Barbe (Bd) .... CZ 63
Valentin (Pl. C.) .... CZ 68
Verley (Bd Paul) .... DY 69
Victoire (Pl. et R. de la) . CDY 70
Victor-Hugo (Bd) .... CZ 72

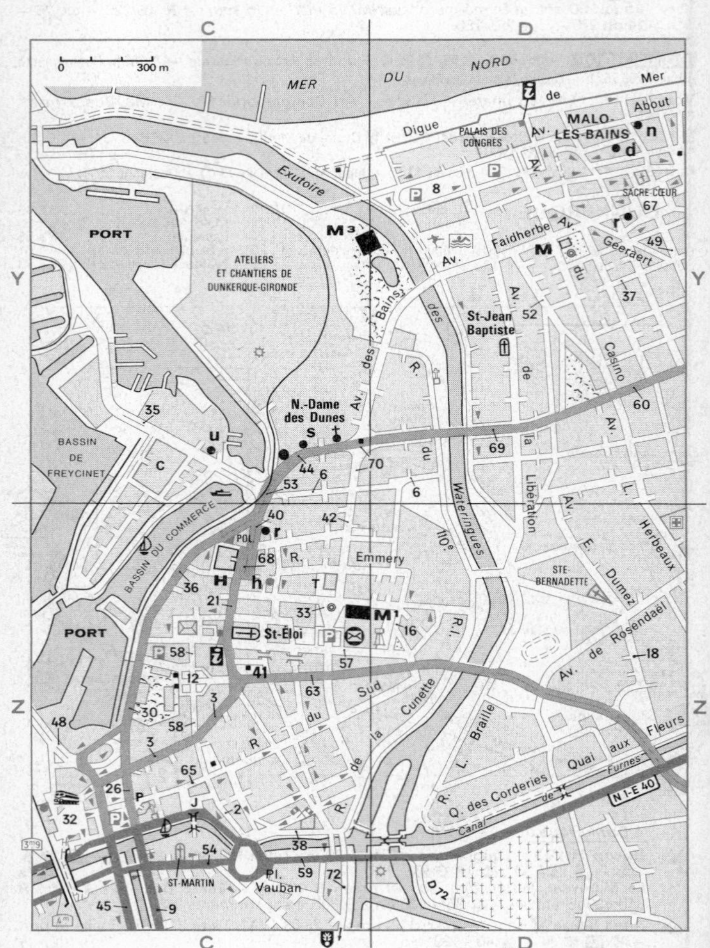

Les **guides Rouges,** les **guides Verts** et les **cartes Michelin** sont complémentaires. Utilisez les ensemble.

à Malo-les-Bains (Dunkerque 02) – ✉ 59240 Dunkerque :

Hirondelle, 46 av. Faidherbe ✆ 28 63 17 65 – wc wc ☎ – 40. E VISA
R *(fermé 16 août au 5 sept., vacances de fév., dim. soir et lundi)* 50/240 – 22 – **33 ch** 140/190. DY r

Trianon sans rest, 20 r. Colline ✆ 28 63 39 15 – wc. VISA
17 – **13 ch** 100/150. DY d

Au Rivage, 7 r. Flandre ✆ 28 63 19 62 – wc wc ☎ – 60. AE E VISA
fermé 16 sept. au 14 oct. (sauf hôtel en semaine), 1er au 8 janv., vend. sauf juil.-août et dim. soir – **R** 45/200 – 15 – **14 ch** 85/155. DY n

à Coudekerque-Branche SE : 4 km sur D 916 – 24 133 h. – ✉ 59210 Coudekerque-Branche :

XXX **Soubise,** 49 rte Bergues ✆ 28 64 66 00 – P. AE E VISA
fermé 1er au 22 août, 21 déc. au 4 janv., dim. soir et lundi – **R** 145/260, enf. 66. BX a

à Teteghem par ① et D 204 : 6 km – 5 265 h. – ✉ 59229 Teteghem :

XXXX ✿ **La Meunerie (Delbé)** M avec ch, SE : 2 km par D 4 ✆ 28 26 01 80, Télex 132253 – rest TV wc P. AE E VISA
fermé 23 déc. au 23 janv., dim. soir et lundi – **R** 170/350 – 45 – **8 ch** 350/630
Spéc. Langoustines aux mini-légumes (printemps), Bar au coulis de Sauternes (mai-oct.) Pâtisseries.

au Lac d'Armbouts-Cappel S : 7 km par D 916 et D 252B - A – ✉ 59380 Bergues :

Mercure M, ✆ 28 60 70 60, Télex 820916, – TV wc wc ☎ P – 30 à 120. AE E VISA
R 80 bc/120 bc, enf. 40 – 35 – **64 ch** 215/335.

Campanile, ✆ 28 64 64 70, Télex 132294, – TV wc ☎ P – 30. E VISA
R 64 bc/84 bc, enf. 37 – 23 – **39 ch** 195/215.

ALFA-ROMEO Diffusion Auto Dunkerquoise, 69 r. Bel air ✆ 28 20 42 00
BMW Munter, rte de Bergues à Coudekerque Branche ✆ 28 64 30 00
FIAT Patfoort, 9 r. du Leughenaer ✆ 28 66 51 12
FORD Flandres-Auto, 70 r. de Lille ✆ 28 25 06 00
LANCIA-AUTOBIANCHI Malesieux et Fils, r. Hilaire Vanmerisse Rosendael ✆ 28 63 58 17
MERCEDES-BENZ-SEAT Gar. de la Verrerie, 39 r. de la Verrerie ✆ 28 64 21 30
OPEL-GM Gén. Autom. du Westhock, 15 r. du Jeu de Mail ✆ 28 61 89 40
RENAULT Renault-Dunkerque, 561 av. de la Villette ✆ 28 25 25 11
Wauquier, quai Wilson à St-Pol-sur-Mer ✆ 28 64 82 37

La Clinique du Pneu, 12 quai des 4 Écluses ✆ 28 64 62 70
Renova-Pneu, 47 r. Abbé Choquet ✆ 28 24 36 15

Périphérie et environs

AUSTIN, ROVER Littoral-Autom., r. Samaritaine, Zone Ind. à St-Pol-sur-Mer ✆ 28 64 66 20
CITROEN Sté Dunkerquoise-Cabour, 715 av. de Petite-Synthe ✆ 28 61 64 00 N ✆ 28 68 61 44
PEUGEOT-TALBOT Gar. Dubus, 59 quai Wilson à St-Pol-sur-Mer ✆ 28 60 34 34
TOYOTA Gibon, 7 quai Wilson à St-Pol-sur-Mer ✆ 28 64 39 07
V.A.G. Toussaint, r. Samaritaine à St-Pol-sur-Mer ✆ 28 64 16 55

Flandres-Pneus, 70 r. A.-Guenin à Rosendaël ✆ 28 63 66 64
Hamez, 98 r. A. Mahieu à Rosendaël ✆ 28 63 52 01 et 11 rte Mardyck à Grande-Synthe ✆ 28 27 41 55
Littoral Pneus Service, r. A.-Carrel à Petite-Synthe ✆ 28 60 02 00
Pneus et Services D.K., 16 r. Samaritaine à St-Pol-sur-Mer ✆ 28 64 76 74
Réform-Pneus, r. Albeck, Zone Ind. à Petite-Synthe ✆ 28 61 43 10

DUN-LE-PALESTEL 23800 Creuse 68 ⑱ – 1 293 h.

Syndicat d'Initiative r. des Sabots (saison matin seul.) ✆ 55 89 00 75 et à la Mairie ✆ 55 89 01 30.

Paris 340 – Aigurande 22 – Argenton-sur-Creuse 39 – La Châtre 48 – Guéret 27 – La Souterraine 18.

Joly, ✆ 55 89 00 23 – wc ☎. E VISA. rest
fermé 5 au 25 oct., 1er au 15 mars, dim. soir et lundi midi – **R** 45/180, enf. 25– 18 – **14 ch** 80/180 – 1/2 p 130/170.

France, rte Argenton ✆ 55 89 07 72, – P. AE E VISA
fermé 1er au 15 oct., 1er au 15 fév. et sam. sauf juil.-août – **R** 50/120 – 15 – **16 ch** 76/160 – 1/2 p 130/180.

CITROEN Chambraud, ✆ 55 89 01 78
RENAULT Constantin, ✆ 55 89 01 26

DURAS 47120 L.-et-G. 75 ⑬ G. Pyrénées Aquitaine – 1 244 h.

Paris 575 – Agen 81 – Marmande 23 – Ste-Foy-la-Grande 21.

Host. des Ducs, ✆ 53 83 74 58, , – wc wc ☎ P. E VISA
R *(fermé dim. soir et lundi sauf juil.-août)* 65/200, enf. 45 – 25 – **15 ch** 130/230 – 1/2 p 200/250.

Aub. du Château, ✆ 53 83 70 58, – . AE E VISA
fermé 1er au 15 déc. et merc. du 1er sept. au 30 juin – **R** 65/160, enf. 50 – 25 – **10 ch** 125/145 – 1/2 p 150/160.

DURFORT 30 Gard 80 ⑰ – 388 h. – ✉ **30170** St-Hippolyte-du-Fort.

Paris 730 – Alès 25 – Florac 79 – Ganges 23 – Nîmes 51.

X **Le Real,** O : sur D 982 ✆ 66 77 50 68, 🏕 – P
fermé 23 au 30 juin, 23 au 30 sept. dim. soir et lundi – **R** *(déj. seul. de fin sept. à mi-juin)* 75/160 🍷.

DURTAL 49430 M-et-L. 64 ② **G. Châteaux de la Loire** – 3 240 h.

Syndicat d'Initiative à la Mairie (saison) ✆ 41 76 30 24.

Paris 255 – Angers 34 – La Flèche 13 – Laval 65 – Saumur 51.

XX **Boule d'Or,** 19 av. d'Angers ✆ 41 76 30 20 – P. E VISA
fermé 9 août au 3 sept., 23 fév. au 4 mars, dim. soir et merc. – **R** 47/140 🍷.

DURY 80 Somme 52 ⑱ – rattaché à Amiens.

DUTTLENHEIM 67 Bas-Rhin 62 ⑨ – 2 036 h. – ✉ **67120** Molsheim.

Paris 484 – Molsheim 8 – Saverne 36 – Sélestat 32 – ♦Strasbourg 19.

XX **Guy Schall,** à la Gare N : 2,5 km ✆ 88 38 45 92, 🏕 – P. VISA
fermé dim. soir – **R** 175/250 🍷.

CITROEN Gar. Rohfritsch, ✆ 88 50 80 27

EAUZE 32800 Gers 82 ③ **G. Pyrénées Aquitaine** – 4 338 h.

Syndicat d'Initiative pl. Cathédrale ✆ 62 09 85 62.

Paris 718 – Aire-sur-l'Adour 38 – Auch 52 – Condom 29 – Mont-de-Marsan 52.

X **Aub. Guinlet** avec ch, **NE : 5 km par D 931 et D 29** ✆ **62 09 85 99,** 🏕, 🏊, 🎾 – ☎ P. 🚫
R 45/130 🍷 – ☕ 12 – **7 ch** 165.

à Manciet SO : 9 km – ✉ **32370** Manciet :

XX **La Bonne Auberge** avec ch, ✆ **62 08 50 04** – TV 🛁wc 🚿wc ☎. AE ⓓ VISA. 🚫
fermé dim. soir – **R** 70/220 – ☕ 25 – **13 ch** 150/220 – 1/2 p 190/220.

à Bourrouillan SO par D 931 et D 109 : 15 km – ✉ **32370** Manciet :

XX **Moulin du Comte** avec ch, ✆ **62 09 06 72,** 🏊, 🌳 – 🛁wc P. AE
fermé janv., fév. et lundi d'oct. à mai – **R** 75/160, enf. 55 – ☕ 22 – **10 ch** 200/220 – 1/2 p 185/200.

CITROEN Fitte J.P., à Manciet ✆ 62 08 50 15
CITROEN Réquena, ✆ 62 09 95 90
FIAT Fourteau, ✆ 62 09 80 04
PEUGEOT, TALBOT Ducos, ✆ 62 09 86 21
RENAULT Junca, ✆ 62 09 83 23 N ✆ 62 09 71 01
RENAULT Gourgues, ✆ 62 09 93 15
Solapneu, ✆ 62 09 81 52

ÉBERSHEIM 67 B.-Rhin 62 ⑲, 87 ⑥ – 1 597 h. – ✉ **67600** Sélestat.

Paris 435 – Colmar 30 – Séléstat 6,5 – St Dié 49 – ♦Strasbourg 41.

XX **Relais des Vosges,** ✆ 88 85 70 01 – P. VISA
fermé dim. soir et lundi – **R** carte 100 à 220, enf. 40.

ÉBREUIL 03450 Allier 73 ④ **G. Auvergne** – 1 224 h.

Voir Église St-Léger★.

Syndicat d'Initiative à la Mairie (juil.-août) ✆ 70 90 71 33.

Paris 354 – Aigueperse 18 – Aubusson 105 – Gannat 10 – Montluçon 58 – Moulins 66 – Riom 31.

🏠 **Commerce,** ✆ **70 90 72 66,** 🌳 – 🛁wc 🚿 ☎. 🚫 ch
fermé oct. et lundi sauf juil.-août – **R** 65/160 🍷 – ☕ 18 – **22 ch** 90/200 – 1/2 p 200.

CITROEN Jarles, ✆ 70 90 71 88
PEUGEOT-TALBOT Pouzadoux, ✆ 70 90 72 05

ÉCHALLON 01 Ain 74 ④⑤ – 462 h. alt. 760 – ✉ **01490** St-Germain-de-Joux.

Voir Site★ du lac Génin O : 3 km, G. Jura.

Paris 491 – Bellegarde-sur-V. 17 – Bourg-en-Bresse 62 – Nantua 18 – Oyonnax 13 – St-Claude 29.

🏠 **Poncet** , au Crêt N : 1,5 km ✆ **74 76 48 53,** ≤, 🌳 – 🛁wc 🚿wc ☎ 🚗 P. E VISA. 🚫 ch
fermé 15 au 30 mars, 1er nov. au 20 déc., 11 au 21 janv. et mardi sauf vacance scolaires – **R** 60/200 – ☕ 20 – **17 ch** 75/240 – 1/2 p 145/190.

XX **Aub. de la Semine** avec ch, ✆ **74 76 48 75,** ≤, 🏕, 🌳 – 🚿 P. E VISA. 🚫 res
fermé lundi – **R** 55/150 🍷 – ☕ 15 – **10 ch** 80/100 – 1/2 p 131/141.

ÉCHENEVEX 01 Ain 70 ⑮ – rattaché à Gex.

Les ÉCHETS 01 Ain 74 ② – ✉ 01700 Miribel.

Paris 457 – L'Arbresle 28 – Bourg-en-Bresse 45 – ♦Lyon 17 – Meximieux 28 – Villefranche-sur-S. 26.

XXX ✿ **Douillé** avec ch, ✆ 78 91 80 05, ☂, ⛱ – ▭wc ☎ 🚗 P. E VISA
fermé 8 au 31 août, lundi soir et mardi – **R** 150/280 – ☕ 45 – **8 ch** 230/290
Spéc. Salade de haricots verts aux écrevisses et chanterelles (saison), Millefeuille de saumon, Fricassée de volaille à la crème. **Vins** St-Véran, Chiroubles.

XXX **Marguin** avec ch, ✆ 78 91 80 04, ☂, ⛱ – ▭wc ☎ P. AE ◑ E VISA. ✂ ch
fermé 30 août au 8 sept., 3 au 21 janv., mardi soir et merc. – **R** 85/265 – ☕ 32 – **9 ch** 145/290.

ECHIGEY 21 Côte-d'Or 66 ⑫ – rattaché à Genlis.

ECHIROLLES 38 Isère 77 ⑤ – rattaché à Grenoble.

ÉCLUZELLES 28 E.-et-L. 60 ⑦, 196 ㉕ – rattaché à Dreux.

ÉCOLE VALENTIN 25 Doubs 66 ⑮ – rattaché à Besançon.

ÉCOMMOY 72220 Sarthe 64 ③ – 4 150 h.

Paris 219 – Château-la-Vallière 39 – La Flèche 35 – ♦Le Mans 21 – St-Calais 44 – ♦Tours 61.

🏠 **Commerce,** 19 pl. République ✆ 43 42 10 34 – 🚿 🚗. AE E VISA
✦ *fermé fév. et lundi* – **R** 55/180, enf. 30 – ☕ 20 – **13 ch** 92/141 – ½ p 160/210.

CITROEN Pichon, 15 rte du Mans ✆ 43 42 11 04 N

PEUGEOT, TALBOT Glinche, rte du Mans ✆ 43 42 10 43 N

ÉCOUCHÉ 61 Orne 60 ② – rattaché à Argentan.

ÉCOUEN 95 Val d'Oise 56 ⑪, 101 ⑥ – voir à Paris, Environs.

ÉGLETONS 19300 Corrèze 75 ⑩ – 5 912 h. alt. 650.

ℹ Syndicat d'Initiative 9 r. B.-de-Ventadour (juin-15 sept.) ✆ 55 93 04 34.

Paris 456 – Aubusson 77 – ♦Limoges 101 – Mauriac 53 – Tulle 31 – Ussel 29.

🏠 **Ibis** M, rte d'Ussel par N 89 : 1,5 km ✆ 55 93 25 16, Télex 590946, ⛱, ✂ – TV ▭wc ☎ ♿ P – 👥 30. E VISA
R carte 75 à 120 🍷, enf. 35 – ☕ 25 – **41 ch** 200/235.

CITROEN Gar. Courteix, rte de Bordeaux N 89 ✆ 55 93 07 64

FORD Gar. Lachaud, rte de Tulle ✆ 55 93 14 33

ÉGLISENEUVE-D'ENTRAIGUES 63850 P.-de-D. 76 ③ – 783 h. alt. 952.

Paris 467 – Besse-en-Chandesse 17 – ♦Clermont-Ferrand 67 – Issoire 52 – Le Mont-Dore 42.

🏠 **d'Entraigues,** ✆ 73 71 90 09 – ✂ ch
✦ *fermé 10 nov. au 20 déc.* – **R** 60/90 – ☕ 18 – **20 ch** 78/100 – ½ p 115/120.

ÉGUILLES 13 B.-du-R. 84 ③ – rattaché à Aix-en-Provence.

EGUISHEIM 68 H.-Rhin 62 ⑱⑲ **G. Alsace et Lorraine** – 1 438 h. – ✉ 68420 Herrlisheim.

Voir Village★ – Route des Cinq Châteaux★ SO : 3 km.

Paris 445 – Belfort 71 – Colmar 6,5 – Gérardmer 52 – Guebwiller 21 – ♦Mulhouse 39 – Rouffach 10.

🏠 **Aub. Alsacienne,** ✆ 89 41 50 20 – ▭wc 🚿wc ☎ P. ✂ ch
fermé 15 déc. au 1er fév. – **R** *(fermé lundi soir et mardi)* (dîner seul.) carte 85 à 145 🍷 – ☕ 23 – **20 ch** 120/230.

XX ✿ **Le Caveau,** ✆ 89 41 08 89 – AE ◑ E VISA
fermé 1er au 9 juil., 15 janv. au 1er mars, merc. soir et jeudi – **R** (nombre de couverts limité - prévenir) carte 135 à 275 🍷, enf. 70
Spéc. Tarte à l'oignon, Cuisses de grenouilles au Riesling, Choucroute du Caveau. **Vins** Riesling, Tokay Pinot Gris.

ÉGUZON 36270 Indre 68 ⑱ **G. Berry Limousin** – 1 364 h.

Voir Site★ du barrage NE : 4 km.

ℹ Syndicat d'Initiative r. A.-Bassinet (vacances de Printemps et 14 juin-15 sept.) ✆ 54 47 43 69.

Paris 319 – Aigurande 27 – Châteauroux 50 – Guéret 48 – ♦Limoges 85 – Montmorillon 63.

🏠 **Pont des Piles,** NE : 3 km par D 45 ✆ 54 47 43 33, ≤ – ▭wc ☎ P. E VISA
✦ *fermé 9 au 17 oct., janv., dim. soir et lundi sauf juil.-août* – **R** 45/95 🍷 – ☕ 15 – **11 ch** 75/150 – ½ p 135/210.

CITROEN Fradet, ✆ 54 47 40 08 N

ELBEUF **76500** S.-Mar. **55** ⑥ **G. Normandie Vallée de la Seine** – **17 362 h.**

🅸 Office de Tourisme 28 r. Henry ✆ 35 77 03 78.

Paris 130 ⑥ – **Bernay 43** ④ – **Évreux 38** ② – ♦**Le Havre 82** ⑤ – **Lisieux 67** ④ – ♦**Rouen 20** ⑤.

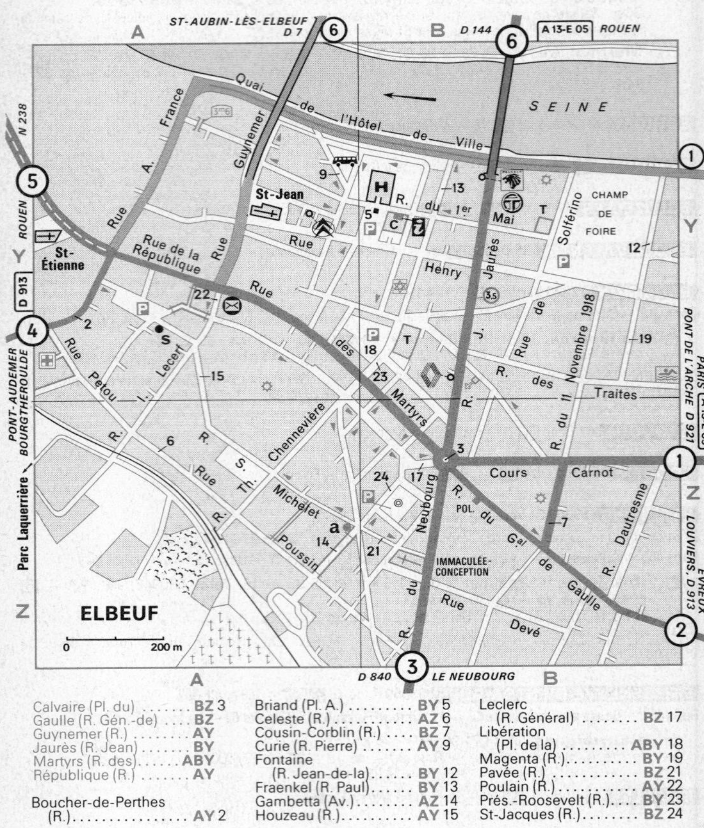

🏠 **Agriculture** sans rest, 7 r. Convention ✆ 35 77 15 09 – 🛁wc 🚿wc ☎. AE E VISA
☕ 18 – **16 ch** 140/180. AY **s**

✕✕ **Les Chandeliers, 2 cours Gambetta** ✆ **35 77 69 21** – **E** VISA AZ **a**
fermé dim. soir et lundi – **R** 95/135.

CITROEN S.E.M.V.A., 40 bis r. Henry ✆ 35 77 06 65
FORD S.E.D.R.A., 40 r. J.-Jaurès ✆ 35 81 05 22
OPEL Étienne, 26 r. J.-Jaurès ✆ 35 77 44 77
PEUGEOT-TALBOT S.E.C.A., 2 r. J.-Jaurès ✆ 35 77 46 87
RENAULT Duval Autom., 44 r. J.-Jaurès ✆ 35 81 31 55

V.A.G. Gar. du Cours Carnot, rte de Tourville à Cléon ✆ 35 81 68 77 **N** ✆ 35 64 70 63

Ⓜ Comptoir Elbeuvien du Pneu, 1 r. Mar.-de-Lattre-de-Tassigny ✆ 35 81 06 22
Subé-Pneurama, 23 r. de Roanne ✆ 35 81 04 47

ELINCOURT-STE-MARGUERITE **60157** Oise **56** ② – **634 h.**

Paris 96 – **Beauvais 63** – **Compiègne 15** – **Montdidier 27** – **Noyon 22** – **Roye 22** – **St-Just-en-C. 34.**

🏛 **Château de Bellinglise** 🐴, ✆ **44 76 04 76, Télex 155048,** ←, « **Demeure du 16e s. dans un parc** », 🎾 – 🛗 📺 ☎ 🅟 – 🏛 100. AE ⓓ E VISA. ✻
R 175 – ☕ 48 – **47 ch** 400/850 – ½ p 670/770.

☛ *To go a long way quickly, use* ***Michelin maps*** *at a scale of 1: 1 000 000.*

ELNE **66200** Pyr.-Or. 86 ⑳ **G. Pyrénées Roussillon** – 6 202 h – **Voir Cloître★★**.

Syndicat d'Initiative pl. République (juin-sept. et matin hors saison) ☎ 68 22 05 07.

Paris 921 – Argelès-sur-Mer 7 – Céret 29 – ♦Perpignan 14 – Port-Vendres 17 – Prades 51.

Le Carrefour, 1 av. P.-Reig ☎ 68 22 06 08 – wc wc. ch
1er avril-30 sept. – **R** 65/120 – 20 – **20 ch** 105/270 – $^1/_2$ p 160/185.

CITROEN Gar. Falguéras, 8 bd Evadés de France ☎ 68 22 07 58
CITROEN Mary, rte de Perpignan ☎ 68 22 01 01 N
CITROEN Subiros, rte d'Alenya, Zone Ind. ☎ 68 22 07 02 N
RENAULT Martre, rte de Perpignan ☎ 68 22 23 00
V.A.G. Gar. Bécus, 38 av. P.-Reigt ☎ 68 22 05 90

ÉLOISE **74** H.-Savoie 74 ⑤ – rattaché à Bellegarde-sur-Valserine.

EMBRUN **05200** H.-Alpes 77 ⑰⑱ **G. Alpes du Sud** – 5 813 h. alt. 870 – **Voir Cathédrale N.-Dame★ : trésor★ – Peintures murales★ dans la chapelle des Cordeliers.**

Office de Tourisme pl. Gén.-Dosse ☎ 92 43 01 80.

Paris 705 – Barcelonnette 56 – Briançon 49 – Digne 97 – Gap 38 – Guillestre 22 – Sisteron 82.

Notre-Dame, av. Gén.-Nicolas ☎ 92 43 08 36, – wc. AE E VISA
fermé nov. – **R** 55/115 – 18 – **15 ch** 95/195.

Lac, au Plan d'Eau SO : 1,5 km ☎ 92 43 11 08, – P
6 juin-début sept. – **R** 65/90, enf. 40.

Sur N 94 rte Gap : SO : 3 km – ✉ **05200** Embrun :

Les Bartavelles M, ☎ 92 43 20 69, **Télex 401480**, ←, , , – P – 30 à 60. AE E VISA
R *(fermé 15 nov. au 15 déc.)* 82/220 – 30 – **43 ch** 255/325.

PEUGEOT, TALBOT Gar. Esmieu, ☎ 92 43 04 18 N
RENAULT Dusserre-Bresson, à Baratier ☎ 92 43 02 79 N
RENAULT Espitallier, rte du Lycée ☎ 92 43 02 49

EMERAINVILLE **77184** S.-et-M. 61 ②, 101 ㉙, 196 ㉑ – 2 453 h.

Paris 25 – Meaux 32 – Melun 35 – Lagny-sur-Marne 14.

Fimotel M, Sortie Val Maubuée ZI Pariest bd Beaubourg ☎ 60 17 88 39, **Télex 693274** – TV P – 60. AE E VISA
R 65/80, enf. 34 – 25 – **40 ch** 270/280.

Au Faisan Doré, sur D 406 à Malnoue Emerainville ☎ 64 61 71 90, – P. AE E VISA
fermé août, dim. soir et lundi – **R** carte 190 à 290, enf. 50.

ENCAMP Principauté d'Andorre 86 ⑭, 43 ⑥ – voir à Andorre.

ENCAUSSE-LES-THERMES **31** H.-Gar. 86 ① – 523 h. – ✉ **31160** Aspet.

Paris 802 – Luchon 51 – St-Gaudens 11 – St-Girons 42 – Sauveterre 8 – ♦Toulouse 101.

Marronniers avec ch, ☎ 61 89 17 12, – P
fermé 2 janv. au 1er fév., dim. soir et lundi d'oct. à Pâques – **R** 52/120 – 19 – **11 ch** 70/120 – $^1/_2$ p 120.

ENGENTHAL-LE-BAS **67** B.-Rhin 62 ⑧ – rattaché à Wangenbourg.

ENGHIEN-LES-BAINS **95** Val-d'Oise 55 ⑳, 101 ⑤ – voir à Paris, Environs.

ENGLOS **59** Nord 51 ⑮ – rattaché à Lille.

ENSISHEIM **68190** H.-Rhin 66 ⑩ **G. Alsace et Lorraine** – 5 780 h.

Paris 467 – Colmar 24 – Guebwiller 13 – ♦Mulhouse 15 – Thann 25.

Couronne avec ch, 47 r. 1ère Armée Française ☎ 89 81 03 72, « Maison du 17e s. » – TV wc. AE E VISA
fermé 11 au 28 juil. (sauf hôtel), dim. soir et lundi – **R** 160/320, enf. 50 – 35 – **12 ch** 225/260.

ENTRAIGUES **84** Vaucluse 81 ⑫ – rattaché à Sorgues.

ENTRAYGUES-SUR-TRUYÈRE **12140** Aveyron 76 ⑫ **G. Gorges du Tarn** (plan) – 1 586 h.

Voir Pont gothique★ – Rue Basse★.

Env. SE : Gorges du Lot★★ – Barrage de Couesque★ N : 8 km.

Syndicat d'Initiative 30 Tour-de-Ville (vacances de Printemps, mai-fin sept.) ☎ 65 44 56 10.

Paris 612 – Aurillac 49 – Figeac 71 – Mende 128 – Rodez 47 – St-Flour 95.

Truyère [M], ✆ 65 44 51 10, ≤ – |‡| ⇔wc ☎ **P** – 30. E VISA. ✻ rest
mars-oct. et fermé lundi – **R** 60/155 ♂, enf. 40 – ☕ 20 – **26 ch** 150/210 – ½ p 217/247.

Deux Vallées, ✆ 65 44 52 15 – |‡| ⇔wc ⋒wc ☎ 🚗. VISA
R 43/88 ♂ – ☕ 22 – **18 ch** 130/160 – ½ p 160/190.

RENAULT Marty, 21 av. du Pt de Truyère ✆ 65 44 51 14

ENTRECHAUX 84 Vaucluse 81 ③ – rattaché à Vaison la Romaine.

ENTRE-LES-FOURGS 25 Doubs 70 ⑦ – rattaché à Jougne.

ENVEITG 66 Pyr.-Or. 86 ⑯ – 616 h. alt. 1 200 – ✉ 66760 Bourg-Madame.

Paris 875 – Andorre-la-Vieille 60 – Ax-les-Thermes 49 – Font-Romeu 17 – •Perpignan 106.

Transpyrénéen ⛰, ✆ 68 04 81 05, ≤, ⛱, 🌳 – ⇔wc ⋒wc ☎ ♿ **P**. AE ⓓ E VISA. ✻ rest
30 mai-30 sept. et 20 déc.-30 avril – **R** 68/110 – ☕ 23 – **38 ch** 110/260 – ½ p 180/240.

ENVERMEU 76630 S.-Mar. 52 ⑤ **G. Normandie Vallée de la Seine** – 1 629 h.

Voir Choeur★ de l'église.

Paris 162 – Blangy 34 – Dieppe 15 – Neufchâtel-en-Bray 27 – •Rouen 72 – Le Tréport 28.

Aub. Caves Normandes, rte St-Nicolas ✆ 35 85 71 28 – **P**. E VISA
fermé mi-déc. à mi-janv., dim. soir et lundi – **R** 55/84.

ÉPAGNETTE 80 Somme 52 ⑦ – rattaché à Abbeville.

ÉPERNAY SP 51200 Marne 56 ⑯ **G. Champagne** – 28 876 h.

Voir Caves de Champagne★ BYZ – Musée municipal★ BY **M** – Côte des Blancs★ par ③.

ℹ Office de Tourisme et A.C. 7 av. Champagne ✆ 26 55 33 00.

Paris 141 ④ – Châlons-sur-Marne 34 ② – Château-Thierry 48 ④ – Meaux 95 ③ – •Reims 26 ① – Soissons 72 ① – Troyes 94 ③.

Plan page ci-contre

Berceaux, 13 r. des Berceaux ✆ 26 55 28 84, Télex 842717 – |‡| ⇔wc ⋒wc ☎ – 30. AE ⓓ E VISA AZ **a**
R *(fermé dim. soir)* 130/280, enf. 65 – ☕ 28 – **29 ch** 227/385 – ½ p 378/432.

Champagne sans rest, 30 r. E.-Mercier ✆ 26 55 30 22, Télex 842068 – |‡| TV ⇔wc ⋒wc ☎. AE ⓓ E VISA AZ **v**
☕ 31 – **30 ch** 200/220.

St Pierre sans rest, 14 av. P. Chaudon ✆ 26 54 40 80 – ⋒. AE E VISA AZ **s**
fermé 8 au 31 août et dim. – ☕ 19,50 – **15 ch** 67/108.

Le Manoir de Champagne, 19 av. Champagne ✆ 26 55 04 45, Télex 842039, ⛱, parc – **P**. AE ⓓ E VISA BZ **u**
fermé merc. sauf fêtes – **R** 100/150.

L'Étiquette, 19 avenue Champagne ✆ 26 55 04 45 – AE ⓓ E VISA BZ **e**
fermé dim. sauf fêtes – **R** 53 ♂, enf. 27.

La Terrasse, 7 quai Marne ✆ 26 55 26 05 – AE E VISA BY **d**
fermé 1er au 21 fév., dim. soir et lundi – **R** 53/130 ♂.

à Dizy par ① : 3 km – ✉ **51200** Epernay :

Aub. du Relais, ✆ 26 55 25 11 – **P**. VISA
fermé 15 au 31 août, 15 au 28 fév., lundi soir et mardi – **R** 52/140.

à Champillon par ① : 6 km – ✉ **51160** Ay :

❀ **Royal Champagne** [M] ⛰, N 51 ✆ 26 52 87 11, Télex 830111, ≤ vallée de la Marne, 🌳 – ☎ **P**. AE ⓓ E VISA
fermé 4 au 26 janv. – **R** 290/350, enf. 90 – ☕ 40 – **25 ch** 400/800
Spéc. Trois saumons panachés en sauce tiède, Marée rôtie au thym, Carré d'agneau à l'ail doux. **Vins** Chouilly, Cumières.

à Vinay par ③ : 6 km – ✉ **51200** Épernay :

❀ **La Briqueterie** [M] ⛰, ✆ 26 54 11 22, Télex 842007, 🌳 – TV ☎ **P** – 45. AE ⓓ E VISA
fermé 22 au 27 déc. – **R** carte 210 à 330, enf. 105 – ☕ 44 – **42 ch** 330/580
Spéc. Foie gras frais, Turbot à la moutarde, Filet de boeuf au Bouzy. **Vins** Chouilly, Cumières.

à Vauciennes-la-Chaussée par ④ : 7 km – ✉ **51200** Épernay :

Aub. de la Chaussée avec ch, ✆ 26 58 40 66 – **P**
fermé 19 août au 9 sept. et lundi soir – **R** 45/100 ♂ – ☕ 14 – **9 ch** 70/180 – ½ p 130/210.

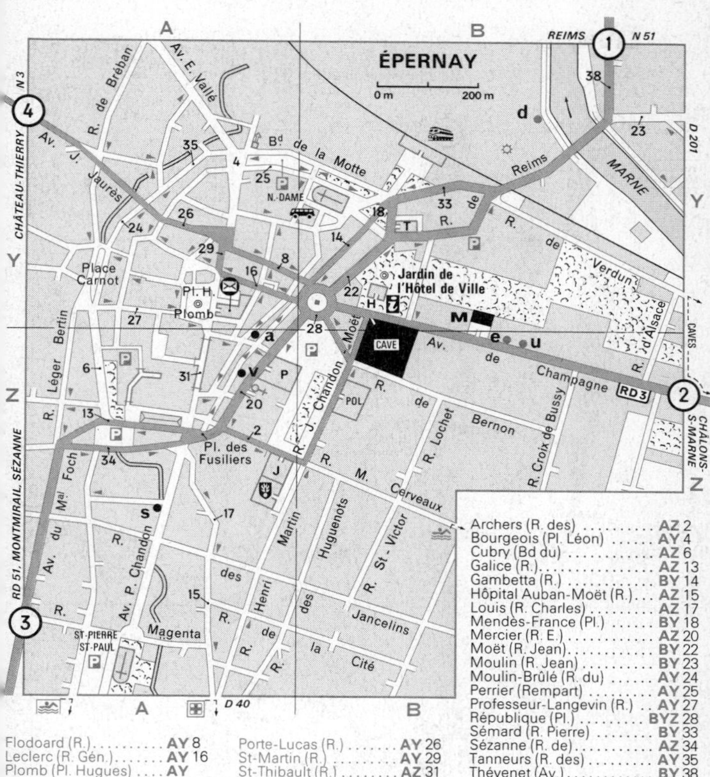

BMW-SEAT Guimier, 4-6 r. Placet ✆ 26 55 32 25 N ✆ 26 51 52 09
CITROEN Gar. Ardon, rte de Reims à Dizy par ① ✆ 26 53 15 11
FIAT Magenta-Automobiles, 64 av. A.-Thévenet à Magenta ✆ 26 51 04 56
FORD Rebeyrolle, 7 quai de la Villa ✆ 26 53 12 65
LANCIA-AUTOBIANCHI Star Auto, 5 av. Ernest Valle ✆ 26 53 22 70 N ✆ 26 55 23 22
MERCEDES, TOYOTA Gar. Ténédor, 1 pl. Martyrs-Résistance ✆ 26 51 97 77

OPEL Gar. Quénardel, 10 av. A.-Thevenet à Magenta ✆ 26 54 03 80
PEUGEOT-TALBOT Gar. Beuzelin, 71 av. Thévenet à Magenta par ① ✆ 26 51 10 66
RENAULT Automotor, 100 av. Thevénet à Magenta par ① ✆ 26 53 07 11

Guillemin, 6 r. G.-Cagneaux à Magenta ✆ 26 55 27 47
La Centrale du Pneu, 25 av. de Champagne ✆ 26 55 28 58

ÉPINAL P 88000 Vosges 62 ⑯ G. Alsace et Lorraine – 40 954 h.

Voir Vieille ville★ : Basilique★ BZ **E – Parc du château★** BZ **– Musée : Vosges et Imagerie★★** AZ.

18 ✆ 29 34 65 97, par ② à 3 km du centre.

Office de Tourisme 13 r. Comédie ✆ 29 82 53 32 – A.C. 10 r. C.-Gelée ✆ 29 35 18 14.

Paris 361 ⑥ – Belfort 97 ④ – Colmar 94 ② – ♦Mulhouse 110 ④ – ♦Nancy 69 ⑥ – Vesoul 84 ④.

Plan page suivante

Mercure M, **13 pl. E.-Stein ✆ 29 35 18 68, Télex 960277** – ascenseur TV wc ☎ ♿ P – 30 à 150. AE ⦿ E VISA — AZ **e**
Mouton Blanc R 115 , enf. 39 – ☕ 35 – **45 ch** 346/390 – ½ p 340.

Le Colombier M sans rest, **104 fg Ambrail** BZ **✆ 29 35 50 05, Télex 960141** – ascenseur TV wc ☎ P – 30. AE ⦿ E VISA
fermé 29 juil. au 28 août, et 23 déc. au 9 janv. – ☕ 22 – **32 ch** 180/267.

Bristol sans rest, **12 av. Gén. de Gaulle ✆ 29 82 10 74** – wc ☎ garage. AE ⦿ E VISA — AY **b**
fermé 24 déc. au 3 janv. – ☕ 20 – **46 ch** 105/240.

ÉPINAL

Bons-Enfants (Quai des) . . AZ 6
États-Unis (R. des) . . . . AY
Léopold-Bourg (R.) . . . . . AY 21
170e-Régt-d'Inf. (R. du) . . BY 30
Abbé-Friesenhauser (R.) . BZ 2
Ambrail (Fg d') . . . . BZ 3
Ambrail (R. d') . . . . BZ 4
Boegner (R. du Pasteur) . . . BZ 5
Boulay-de-la-Meurthe (R.) AY 7
Carnot (Pont-Sadi) . . . . AZ 8
Entre-Deux-Portes (R.) . . BYZ 12
Gaulle (Av. du Gén.-de) . . . AY 14
Gelée (R. Claude) . . . . BZ 15
Lagarde (Pl.) . . . . AZ 19
Lattre (Av. Mar.-de) . . . . . . AY 20
Lyautey (R. Mar.) . . . . AY 23
Maix (R. de la) . . . . BZ 25
Poincaré (R. Raymond) . . . . BY 26
Vieux-Moulins (Pl. des) . . . BY 28
Vosges (Pl. des) . . . . BZ 29

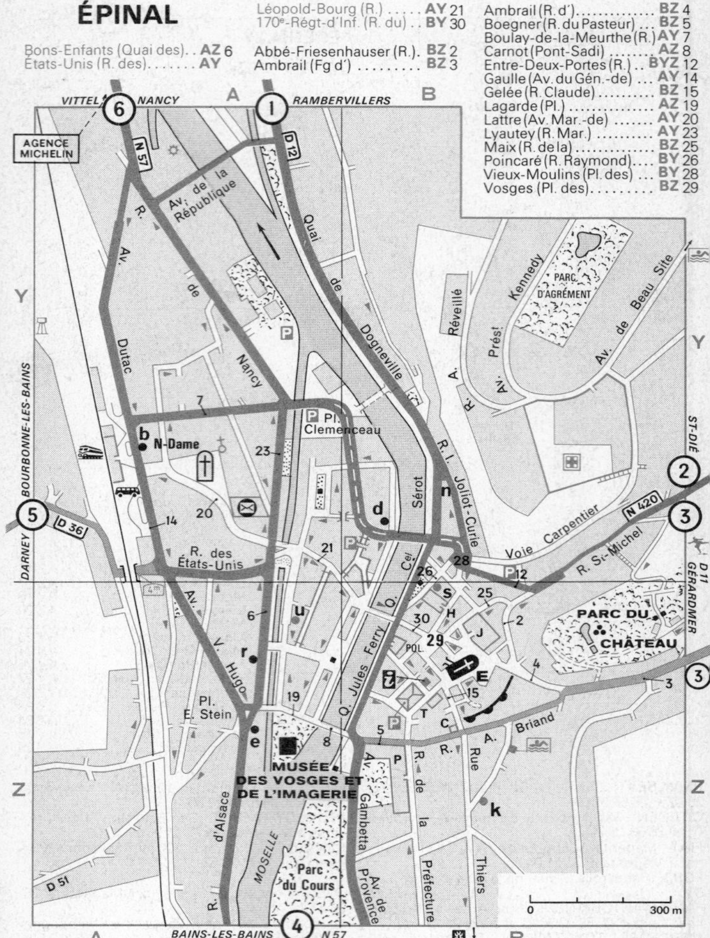

Ibis M, quai Mar. de Contades ☏ 29 64 28 28, Télex 850053 – ≡ TV ⇔wc ☎ ♿ – 120. **E** VISA BY **d**
R carte 75 à 120 ♁, enf. 39 – ☕ 28 – **60 ch** 235/260 – 1/2 p 276/290.

Azur sans rest, **54 quai des Bons-Enfants** ☏ **29 64 05 25** – ⋔wc ☎ AZ **r**
☕ 15 – **20 ch** 58/180.

XXX ✿ **Les Abbesses** (Aiguier), 23 r. Louvière ☏ 29 82 53 69 – AE ① **E** VISA BZ **k**
fermé 3 au 17 janv., 16 au 31 août, dim. soir et lundi – **R** 200/340
Spéc. Saucisson de foie gras fumé, Sandre rôti aux écailles de pommes de terre, Desserts d'hier et d'aujourd'hui. **Vins** Côtes de Toul.

XXX ✿ **Relais des Ducs de Lorraine** (Obriot), 16 quai Colonel-Sérot ☏ 29 34 39 87 – VISA – *fermé 15 au 30 août, 1er au 8 mars, dim. soir et lundi* – **R** 150/320 BY **n**
Spéc. Dos de sandre au gris de Toul, Feuilleté de St-Jacques arc en ciel (1er oct. au 15 avril), Rognon de veau rôti au poivre. **Vins** Côtes de Toul.

X **Le Petit Robinson,** 24 r. R.-Poincaré ☏ 29 34 23 51 – VISA BZ **s**
fermé 15 juil. au 15 août et dim. – **R** 68/150 ♁.

X **Les Ptit' Bouch',** 6 r. Petites Boucheries ☏ 29 82 54 70 – AE ① **E** VISA AZ **u**
fermé 10 au 17 avril, 1er au 21 août, Noël au Jour de l'An, sam. midi, dim. et fériés – **R** 52/150 ♁.

à Chaumousey par ⑤ et D 460 : 8,5 km – ✉ **88390** Darnieulles :

XX **Le Calmosien,** ✆ 29 66 80 77 – AE ⓓ E VISA
fermé dim. soir et lundi – **R** 120/190, enf. 39.

à Golbey par ⑥ : 5 km sur N 57 – 8 900 h. – ✉ **88190** Golbey :

Motel Côte Olie et rest La Mansarde M, ✆ 29 34 28 28, Télex 961011, – TV ⇔wc ☎ P – 40. AE ⓓ E VISA
R *(fermé dim. soir)* 59/157 ₰, enf. 28 – ☕ 25 – **24 ch** 228/248.

MICHELIN, Agence, Voie B, Z.I. à Golbey par ⑥ ✆ **29 34 39 29**

CITROEN Anotin, Zone Ind., Golbey par ⑥ ✆ 29 34 42 87 N ✆ 29 34 55 54
FORD Gds Gar. Spinaliens, 17 r. Mar.-Lyautey ✆ 29 82 47 47
LANCIA-AUTOBIANCHI Thietry, 40 quai Dogneville ✆ 29 34 06 51
PEUGEOT-TALBOT Epinal-Autom., 91 r. d'Alsace ✆ 29 82 05 94
PEUGEOT-TALBOT Habonnel Autom., 31 av. de Beaulieu à Golbey par ⑥ ✆ 29 34 45 54 N

RENAULT Succursale, 58 r. d'Alsace ✆ 29 33 01 01 N

Louis-Pneus, 15 r. Mar. Lyautey ✆ 29 35 42 08 Centre Comm. Chavelot, r. d'Épinal ✆ 29 34 02 12
Malnoy-Pneus, 13 av. de la Fontenelle ✆ 29 82 22 93
SGM Distribution, 47 av. de la Fontenelle ✆ 29 34 21 53

L'ÉPINE 51 Marne 56 ⑱ – rattaché à Châlons-sur-Marne.

L'ÉPINE 85 Vendée 67 ① – voir à Noirmoutier.

EPPE-SAUVAGE 59 Nord 53 ⑦ **G. Flandres, Artois, Picardie** – 231 h. – ✉ **59132** Trélon.
Paris 219 – Avesnes-sur-Helpe 26 – Charleroi 40 – Hirson 27 – •Lille 120 – Maubeuge 30.

XX **La Goyère,** ✆ 27 61 80 11 – E VISA
fermé vacances de fév., mardi soir et merc. – **R** 55/148 ₰, enf. 45.

EQUEMAUVILLE 14 Calvados 55 ③ – rattaché à Honfleur.

ERDEVEN 56 Morbihan 63 ① – 2 169 h. – ✉ **56410** Étel.
Voir Alignements de Kerzerho★ SE : 1 km – Dolmen de Crucuno★ SE : 4 km, **G. Bretagne.**
Paris 492 – Auray 14 – Carnac 8,5 – Lorient 28 – Quiberon 21 – Quimperlé 47 – Vannes 32.

Château de Keravéon ⟡, NE : 1,5 km par D 105 et VO ✆ 97 55 68 55, « Château du 18e s. dans un parc », ⛱ – ⫼ P. E VISA. ✈ rest
début mai-15 sept. – **R** 172/225 – ☕ 46 – **19 ch** 595/700 – ½ p 500/562.

Le Narbon M ⟡, rte Plage ✆ 97 55 67 55 – TV ⇔wc ☎ ♿ P. AE ⓓ E VISA
fermé dim. du 15 oct. au 1er mai – **R** 75/240 – ☕ 25 – **22 ch** 220/270 – ½ p 352/377.

Aub. du Sous-Bois ⟡, NO : 1 km rte Pont-Lorois ✆ 97 55 66 10, Télex 950581, – TV ⫙wc ☎ P. AE ⓓ E VISA
20 mars-15 oct. – **R** *(fermé le midi sauf dim. et juil.-août)* 61/99, enf. 49 – ☕ 26 – **22 ch** 230/260 – ½ p 260.

Voyageurs, r. Océan ✆ 97 55 64 47 – ⫙wc ☎ P. E VISA. ✈ ch
1er avril-30 sept. et fermé mardi hors sais. – **R** 46/130 – ☕ 18 – **20 ch** 180/200 – ½ p 144/180.

ERIGNÉ 49 M.-et-L. 63 ⑳ – rattaché à Angers.

ERMENONVILLE 60950 Oise 56 ⑫, 196 ⑨ **G. Environs de Paris** – 778 h.
Voir Parc★ – Forêt d'Ermenonville★ – Abbaye de Chaalis★ N : 3 km – Mer de Sable★ N : 3 km – Clocher★ de l'église de Montagny-Ste-Félicité E : 4 km.
Paris 47 – Beauvais 65 – Compiègne 45 – Meaux 24 – Senlis 14 – Villers-Cotterêts 35.

Le Prieuré sans rest, ✆ 44 54 00 44, « Demeure 18e s. », – TV ⇔wc ⫙wc ☎ P. AE ⓓ E VISA
☕ 30 – **10 ch** 350/400.

XX **Aub. Croix d'Or** avec ch, ✆ 44 54 00 04, – ⇔ ⫙ P. E VISA
fermé janv., dim. soir en déc. et fév. (sauf hôtel) et lundi – **R** 88, enf. 50 – ☕ 19 – **11 ch** 120/170 – ½ p 180.

à Ver-sur-Launette S : 3 km par D 84 – ✉ **60950** Ermenonville :

XX **Rabelais,** ✆ 44 54 01 70 – AE E VISA
fermé 1er août au 2 sept., lundi soir et merc. – **R** 150/190, enf. 52.

ERMITAGE DU FRÈRE JOSEPH 88 Vosges 62 ⑰ – rattaché à Ventron.

ERNÉE **53500** Mayenne 59 ⑲ **G. Normandie Cotentin** – 6 132 h.

Paris 303 – Domfront 46 – Fougères 20 – Laval 30 – Mayenne 24 – Vitré 29.

XX **Grand Cerf** avec ch, **19 r. A.-Briand** ✆ **43 05 13 09** – TV wc ☎. E VISA. ch
fermé 5 au 15 fév. et lundi hors sais. – **R** 56/125 – ☕ 20 – **11 ch** 94/184.

CITROEN Gar. Lory, 14 bd Duvivier ✆ 43 05 11 89 N
PEUGEOT Garnier, 8 rte de Fougères ✆ 43 05 11 60
RENAULT Sadon, 29 av. A.-Briand ✆ 43 05 16 68 N
Roulette Pneus, 1 rte de Laval ✆ 43 05 20 56

ERQUY **22430** C.-du-N. 59 ④ **G. Bretagne** – 3 426 h.

Voir Cap d'Erquy ★ NO : 3,5 km puis 30 mn.

Office de Tourisme bd Mer ✆ 96 72 30 12.

Paris 455 – Dinan 47 – Dinard 40 – Lamballe 23 – ♦ Rennes 102 – St-Brieuc 35.

Brigantin sans rest, **square Hôtel de Ville** ✆ **96 72 32 14** – wc wc ☎. E VISA
☕ 20 – **23 ch** 102/215.

XX **L'Escurial, bd Mer** ✆ **96 72 31 56,** ← – AE E VISA
fermé 1er au 15 oct., 3 au 15 janv., dim. soir et lundi hors sais. sauf fêtes – **R** 70/285 bc, enf. 80.

CITROEN Gar. Clerivet, ✆ 96 72 14 20
RENAULT Gar. Thomas, ✆ 96 72 30 37

ERSTEIN **67150** B.-Rhin 62 ⑩ – 8 172 h.

Paris 513 – Colmar 49 – Molsheim 27 – St-Dié 68 – Sélestat 25 – ♦Strasbourg 24.

Agneau, 50 r. 28 Novembre ✆ **88 98 02 12** – ch
fermé 4 au 23 juil. – **R** *(fermé merc.)* 40/50 – ☕ 15 – **9 ch** 75/100 – 1/2 p 120/130.

PEUGEOT, TALBOT Busche, r. de la Dordogne ✆ 88 98 23 87
PEUGEOT-TALBOT Gar. Louis, rte de Lyon, ✆ 88 98 07 13
RENAULT Fechter, 10 r. Gén.-de-Lattre ✆ 88 98 04 24

ERVAUVILLE **45** Loiret 61 ⑬ – rattaché à Courtenay.

ESBLY **77450** S.-et-M. 56 ⑫, 196 ㉒ – 4 227 h.

Paris 44 – Coulommiers 23 – Lagny 11 – Meaux 9 – Melun 50.

à Condé-Ste-Libiaire SE : 2,5 km – ✉ **77450** Esbly :

XX **Vallée de la Marne,** quai Marne ✆ (1) 60 04 31 01, ←, , – P. AE VISA
fermé 1er au 26 août, vacances de fév., lundi soir et mardi – **R** 110/200.

PEUGEOT, TALBOT Luce et Riester, ✆ (1) 60 04 34 21

Les ESCALDES Principauté d'Andorre 86 ⑭, 43 ⑥ – voir à Andorre.

L'ESCARÈNE **06440** Alpes-Mar. 84 ⑲, 195 ⑰ **G. Côte d'Azur** – 1 424 h.

Voir Gorges du Paillon★ SE.

Env. Lucéram : site★, retables★★ et trésor★ dans l'église N : 7 km.

Paris 953 – Contes 10 – ♦Nice 21 – St-Martin-Vésubie 54 – Sospel 22.

X **Host. Castellino** avec ch, ✆ **93 79 50 11,** ←, – . AE E VISA.
fermé merc. – **R** 80/220, enf. 45 – ☕ 20 – **9 ch** 120/250 – 1/2 p 150/250.

ESCHBACH-AU-VAL **68** H.-Rhin 62 ⑱ – rattaché à Munster.

ESCLIMONT **78** Yvelines 60 ⑧⑨, 196 ㊴ – rattaché à Ablis.

ESCONAC **33** Gironde 71 ⑨⑩ – rattaché à Cambes.

ESCOS **64** Pyr.-Atl. 78 ⑧ – 256 h. – ✉ **64270** Salies-de-Béarn.

Paris 774 – Cambo-les-Bains 47 – Orthez 28 – Pau 69 – Peyrehorade 15 – St-Jean-Pied-de-Port 52.

Relais des Voyageurs, ✆ **59 38 42 39,** – wc wc. E VISA
fermé 15 déc. au 15 janv., dim. soir et lundi du 16 sept. au 14 juin – **R** 50/160, enf. 35 – ☕ 17 – **9 ch** 110/190 – 1/2 p 130/200.

ESCRINET (Col de l') **07** Ardèche 76 ⑲ – rattaché à Privas.

ESNANDES **17** Char.-Mar. 71 ⑫ **G. Poitou Vendée Charentes** – 1 370 h. – ✉ **17137** Nieul-sur-Mer – **Voir Église★.**

Paris 478 – Fontenay-le-Comte 40 – Luçon 28 – La Rochelle 12.

XX **Paix,** ✆ **46 01 32 02,** , – P
fermé dim. soir et lundi sauf juil.-août – **R** 60/220.

ESPALION 12500 Aveyron 80 ③ **G. Gorges du Tarn** (plan) – 4 883 h – **Voir Église de Perse★ SE : 1 km – Chapelle romane★ de St-Pierre-de-Bessuéjouls O : 4 km par D 556.**

Office de Tourisme à la Mairie ✆ 65 44 05 46.

Paris 590 – Aurillac 76 – Figeac 92 – Mende 94 – Millau 79 – Rodez 30 – St-Flour 88.

- **Moderne,** bd Guizard ✆ 65 44 05 11 – wc wc. E VISA
  fermé 10 nov. au 10 déc., dim. soir et lundi sauf juil.-août – **R** 80/200 – 22 – **29 ch** 95/250 – 1/2 p 180/215.
- **Central** sans rest, av. Gare ✆ 65 44 05 25, – wc. E VISA
  1er avril-31 oct. – 20 – **26 ch** 85/195.
- **Le Méjane,** 8 r. Méjane ✆ 65 48 22 37 – AE E VISA
  fermé 6 au 10 juin, 3 au 31 janv., dim. soir et merc. sauf du 10 juil. au 31 août – **R** 56/165.
- **Soleil d'Or,** pl. St-Georges ✆ 65 44 03 30 – VISA
  fermé oct. et lundi – **R** 45/115.

CITROEN Cadars, av. de St-Côme ✆ 65 44 00 73

ESPELETTE 64540 Pyr.-Atl. 85 ③ **G. Pyrénées Aquitaine** – 1 411 h.

Paris 791 – ♦Bayonne 20 – Biarritz 23 – Cambo-les-Bains 5,5 – Pau 119 – St-Jean-de-Luz 25.

- **Euzkadi,** ✆ 59 29 91 88, – wc wc. E VISA
  fermé 15 nov. au 15 déc., 20 fév. au 1er mars, mardi sauf juil.-août et lundi – **R** 60/135, enf. 28 – 20 – **32 ch** 130/160 – 1/2 p 190.

L'ESPÉROU 30 Gard 80 ⑯ **G. Gorges du Tarn** – alt. 1 230 – ✉ **30570** Valleraugue.

Paris 665 – Alès 95 – Mende 85 – Millau 98 – Nîmes 111 – Le Vigan 30.

- **La Source** ✆ 67 82 60 35, – wc.
  fin juin-fin sept., Noël-mars et Pâques – **R** 69/120 – 23 – **10 ch** 172/190 – 1/2 p 256/264.

ESPIAUBE 65 H.-Pyr. 85 ⑲ – rattaché à St-Lary-Soulan.

ESQUIÈZE-SÈRE 65 H.-Pyr. 85 ⑱ – rattaché à Luz-St-Sauveur.

ESTAING 12190 Aveyron 80 ③ **G. Gorges du Tarn** – 666 h.

Syndicat d'Initiative à la Mairie (juin-sept.) ✆ 65 44 70 32.

Paris 600 – Aurillac 66 – Conques 40 – Espalion 10 – Figeac 75 – Rodez 41.

- **Aux Armes d'Estaing,** ✆ 65 44 70 02 – wc. VISA
  1er mars-15 nov. – **R** 45/120 – 16 – **47 ch** 85/150 – 1/2 p 140/180.
- **Rainaldy,** ✆ 65 44 70 03, – rest
  1er avril-1er oct. – **R** 45/110, enf. 30 – 16 – **16 ch** 58/94 – 1/2 p 115/125.

RENAULT Rigal, ✆ 65 44 70 09

ESTAING 65 H.-Pyr. 85 ⑰ **G. Pyrénées Aquitaine** – 91 h. alt. 1 000 – ✉ **65400** Argelès-Gazost.
Voir Lac d'Estaing★ S : 4 km.

Paris 826 – Argelès-Gazost 11 – Arrens 6, 5 – Laruns 43 – Lourdes 24 – Tarbes 44.

- **Lac** avec ch, au Lac S : 4 km ✆ 62 97 06 25, ←, –
  Pâques-30 nov. – **R** 70/120 – 20 – **11 ch** 85/125 – 1/2 p 135/145.

ESTENG 06 Alpes-Mar. 81 ⑧⑨, 195 ② – alt. 1 800 – ✉ **06470** Guillaumes.

Paris 775 – Barcelonnette 39 – Castellane 81 – Digne 119 – ♦Nice 122 – St-Martin-Vésubie 97.

- **Relais de la Cayolle** , ✆ 93 05 51 33, ←, – . rest
  mars-oct. – **R** 63/110, enf. 35 – 20 – **17 ch** 95/110 – 1/2 p 155/160.

L'ESTEREL (Massif de) ★★★ 83 Var 84 ⑧ **G. Côte d'Azur** – NE de St-Raphaël.

ESTÉRENÇUBY 64 Pyr.-Atl. 85 ③ – rattaché à St-Jean-Pied-de-Port.

ESTIVAREILLES 03 Allier 69 ⑫ – rattaché à Montluçon.

ESTRABLIN 38 Isère 74 ⑫ – rattaché à Vienne.

ÉTABLES-SUR-MER 22680 C.-du-N. 59 ③ **G. Bretagne** – 2 039 h.

18 des Ajoncs d'Or ✆ 96 71 90 74 O : 9 km.

Office de Tourisme 9 r. République ✆ 96 70 65 41.

Paris 466 – Guingamp 28 – Lannion 55 – Paimpol 28 – St-Brieuc 17.

à N. D.-de-L'Espérance N : 2,5 km sur D 786 – ✉ **22680** Étables-sur-Mer :

- **La Colombière** avec ch, ✆ 96 70 61 64, Télex 905405, ←, , « Jardin ombragé dominant la mer » – wc. VISA. rest
  fermé lundi soir et mardi du 15 sept. au 15 juin – **R** 85/230, enf. 65 – 46 – **5 ch** 280/400 – 1/2 p 310/395.

Les ÉTAGES **74** H.-Savoie **74** ⑦ – rattaché à la Clusaz.

ÉTAIN **55400** Meuse **57** ⑫ **G. Alsace et Lorraine** – 3 811 h.

A.C. 7 pl. Martinique ✆ 29 87 11 12.

Paris 287 – Briey 24 – Longwy 46 – ♦Metz 47 – Stenay 55 – Verdun 20.

Sirène, r. Prud'homme-Havette ✆ 29 87 10 32 – wc wc **P**. E VISA. ch
fermé 23 déc. au 1er fév. et lundi – **R** 60/180 – 16 – **26 ch** 65/150 – 1/2 p 170/180.

RENAULT Beauguitte et Cao, ✆ 29 87 12 90 **N**

ÉTAMPES <SP> **91150** Essonne **60** ⑩, **196** ㊷ **G. Environs de Paris** – 19 491 h.

Voir Cathédrale N.-Dame★ A **B.**

Office de Tourisme Maison Anne-de-Pisseleu (matin seul.) ✆ (1) 64 94 84 07.

Paris 50 ① – Chartres 61 ⑦ – Évry 40 ① – Melun 43 ② – ♦Orléans 68 ⑤ – Versailles 52 ①.

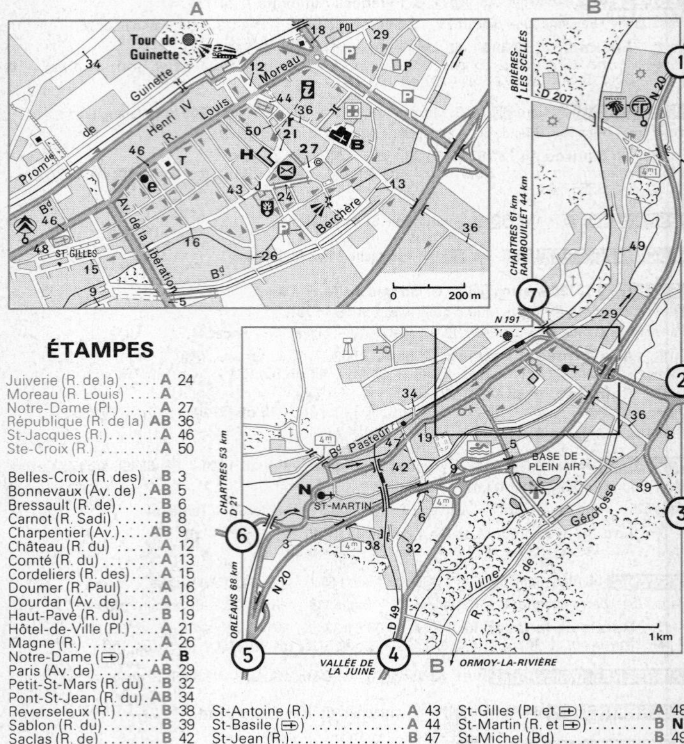

ÉTAMPES

Juiverie (R. de la) ..... A 24
Moreau (R. Louis) ..... A
Notre-Dame (Pl.) ..... A 27
République (R. de la) AB 36
St-Jacques (R.) ..... A 46
Ste-Croix (R.) ..... A 50

Belles-Croix (R. des) .. B 3
Bonnevaux (Av. de) . AB 5
Bressault (R. de) ..... B 6
Carnot (R. Sadi) ..... B 8
Charpentier (Av.) .... AB 9
Château (R. du) ..... A 12
Comté (R. du) ..... A 13
Cordeliers (R. des) .... A 15
Doumer (R. Paul) ..... A 16
Dourdan (Av. de) ..... A 18
Haut-Pavé (R. du) ..... B 19
Hôtel-de-Ville (Pl.) .... A 21
Magne (R.) ..... A 26
Notre-Dame (⊕) ..... A B
Paris (Av. de) ..... AB 29
Petit-St-Mars (R. du) .. B 32
Pont-St-Jean (R. du) . AB 34
Reverseleux (R.) ..... B 38
Sablon (R. du) ..... B 39
Saclas (R. de) ..... B 42

St-Antoine (R.) ..... A 43
St-Basile (⊕) ..... A 44
St-Jean (R.) ..... B 47

St-Gilles (Pl. et ⊕) ..... A 48
St-Martin (R. et ⊕) ..... B N
St-Michel (Bd) ..... B 49

L'Europe "A l'Escargot", 71 r. St-Jacques ✆ (1) 64 94 02 96 – wc AE E VISA. ch A e
fermé 20 juin au 28 juil. – **R** *(fermé merc.)* 43/60 – 15 – **24 ch** 75/160 – 1/2 p 137/197.

Le Gd Monarque, 1 pl. Romanet ✆ (1) 64 94 29 90 – AE E VISA A r
fermé vacances de fév., dim. soir et lundi – **R** 75/140, enf. 60.

AUSTIN, ROVER Gar. St-Pierre, rte de Pithiviers ✆ (1)64 94 90 00
CITROEN Sté Ind. Autom., 146 r. St-Jacques ✆ (1)64 94 01 81
PEUGEOT, TALBOT J. Auclert, ZI 12 r. des Rochettes à Morigny ✆ (1)64 94 16 72

Central Pneu, 9 r. Rochettes, Zone Ind. à Morigny-Champigny ✆ (1) 64 94 94 44
Etampes Pneus, 69 av. de Paris ✆ (1) 64 94 28 82

ÉTANG-DES-MOINES 59 Nord 53 ⑯ – rattaché à Fourmies.

ÉTANG-SUR-ARROUX 71190 S.-et-L. 69 ⑦ – 1 874 h.

Env. Uchon : site★ et ☼★★ du signal SE : 11 km, G. Bourgogne.

Paris 308 – Autun 17 – Chalon-sur-Saône 62 – Decize 66 – Digoin 50 – Mâcon 102.

XX **Host. du Gourmet** avec ch, rte Toulon ✆ 85 82 20 88 – wc wc ☎. AE E VISA
fermé janv., dim. soir et lundi de sept. à mai – **R** 65/200 – 22 – **12 ch** 110/160 – 1/2 p 180/200.

RENAULT Raffin, r. d'Autun ✆ 85 82 21 48 N

ETEL 56410 Morbihan 63 ① **G. Bretagne** – 2 699 h.

Voir Rivière d'Etel ★ – Site ★ de la chapelle St Cado N : 5 km puis 15 mn.

Paris 491 – Lorient 30 – Quiberon 26 – Vannes 35.

Trianon, 14 r. Mar. Leclerc ✆ 97 55 32 41, – wc wc ☎ P – 40. AE E VISA
fermé 15 déc. au 15 janv. – **R** *(fermé lundi midi et sam. hors sais.)* 50/160, enf. 35 – 25 – **22 ch** 140/260 – 1/2 p 180/250.

ÉTOILE-SUR-RHÔNE 26 Drôme 77 ⑫ – 2 897 h – ✉ **26800** Portes-lès-Valence.

Paris 573 – Crest 17 – Privas 33 – Valence 12.

X **Le Vieux Four,** pl. Centre ✆ 75 60 72 21, – E VISA.
fermé 1er au 22 août, 2 au 9 janv., dim. soir et lundi – **R** 65/160.

RENAULT Gar. Gontard, ✆ 75 60 60 03

ÉTOUVELLES 02 Aisne 56 ⑤ – rattaché à Laon.

ETRÉAUPONT 02580 Aisne 53 ⑯ – 955 h.

Paris 182 – Avesnes 25 – Hirson 15 – Laon 44 – St-Quentin 51.

Le Clos du Montvinage M, N 2 ✆ 23 97 91 10, – TV wc wc ☎ P. AE E VISA
R voir rest. **Aub. du Val d'Oise** ci-après – 35 – **17 ch** 190/280 – 1/2 p 305/500.

X **Aub. du Val d'Oise,** N 2 ✆ 23 97 40 18 – AE E VISA
R *(dim. soir et lundi midi)* 52 bc/250.

ÉTRETAT 76790 S.-Mar. 52 ⑪ **G. Normandie Vallée de la Seine** – 1 577 h. – Casino: A.

Voir Falaise d'Aval★★★ A : 1 h – Falaise d'Amont★★ B.

18 ✆ 35 27 04 89 A.

Office de Tourisme pl. Hôtel de Ville (15 juin-15 sept.) ✆ 35 27 05 21.

Paris 208 ③ – Bolbec 28 ③ – Fécamp 17 ② – ♦Le Havre 28 ④ – ♦Rouen 86 ②.

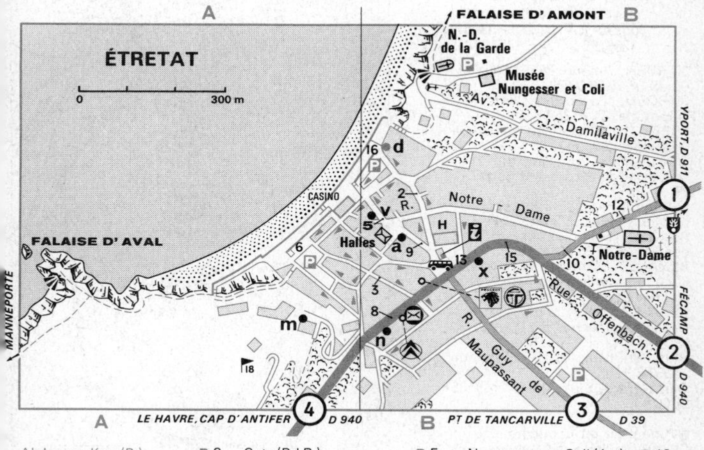

Dormy House , rte du Havre ℘ 35 27 07 88, ≤ falaises et la mer, parc – wc wc ☎ – 30. VISA. rest — A **m**
25 mars-14 nov. – **R** 130/160 – 35 – **32 ch** 180/400 – 1/2 p 220/350.

Falaises sans rest, bd René-Coty ℘ 35 27 02 77 – wc wc ☎. — B **v**
20 – **24 ch** 125/220.

Welcome , av. Verdun ℘ 35 27 00 89, – wc wc ☎ . E VISA. rest — B **x**
fermé fév. et merc. – **R** 75/206 – 20 – **21 ch** 185/206 – 1/2 p 185/198.

Angleterre, av. George-V ℘ 35 27 01 65 – wc. — B **n**
fermé 20 sept. au 30 oct., mardi soir et merc. du 1er nov. au 1er juin – **R** 60/160 – 15 – **16 ch** 120/170 – 1/2 p 160/190.

L'Escale avec ch, pl. Mar.-Foch ℘ 35 27 03 69 – . ch — B **a**
fermé déc., janv., mardi soir et merc. – **R** 63/90 – 15 – **11 ch** 95/160.

Roches Blanches, r. Abbé-Cochet ℘ 35 27 07 34, ≤ – E VISA — B **d**
fermé oct., janv., mardi et jeudi hors sais. et merc. – **R** 65/140.

CITROEN Gar. Enz, ℘ 35 27 04 69 — PEUGEOT, TALBOT Capron, ℘ 35 27 03 98

ETSAUT 64490 Pyr.-Atl. 85 ⑯ – 104 h. alt. 600 – Paris 858 – Jaca 51 – Oloron-Ste-M. 36 – Pau 69.

Pyrénées, ℘ 59 34 88 62, – wc wc . VISA
fermé 15 nov. au 20 déc. – **R** 58/100 , enf. 35 – 17 – **16 ch** 95/155 – 1/2 p 160/180.

ÉTUZ 70 H.-Saône 66 ⑮ – 382 h. – ✉ **70150** Marnay.
Paris 418 – ♦Besançon 15 – Combeaufontaine 46 – Gray 39 – Vesoul 41.

Vieille Auberge, à Cussey sur l'Ognon S : 1 km par D 1 ✉ 25870 Geneuille ℘ 81 57 78 35 – wc wc ☎ – 25. E VISA
fermé 12 au 18 sept., 18 janv. au 7 fév., dim. soir et lundi – **R** 69/160 , enf. 40 – 16,50 – **8 ch** 115/180 – 1/2 p 160/200.

La Sablière, rte Cussey-sur-l'Ognon ℘ 81 57 78 50, , – . E VISA
fermé dim. soir et merc. – **R** 190/260, enf. 60.

EU 76260 S.-Mar. 52 ⑤ **G. Normandie Vallée de la Seine** – 8 712 h.

Voir Église★ – Mausolées★ dans la chapelle du Collège K.

Office de Tourisme 41 r. P.-Bignon ℘ 35 86 04 68.

Paris 167 ② – Abbeville 32 ① – Blangy 21 ② – Dieppe 31 ④ – ♦Rouen 92 ④ – Le Tréport 4,5 ⑥.

Relais, 1 pl. Albert-1er (s) ℘ 35 86 14 88 – wc wc ☎ . VISA
fermé 30 août au 18 sept. et 31 janv. au 14 fév. – **R** *(fermé dim. soir et lundi)* 55/95 – 20 – **14 ch** 120/225 – 1/2 p 145/200.

CITROEN Amand, 18 pl. Gén.-de-Gaulle ℘ 35 86 00 89
CITROEN Lechevin, 205 rte du Tréport par ② ℘ 35 86 30 13
FORD Gar. Obry, 2 rte de Paris à Gamaches (80) ℘ 22 26 11 17
OPEL Gar. de Picardie, 141 chaussée de Picardie ℘ 35 86 11 99
PEUGEOT-TALBOT Roussel, 21 bd Victor-Hugo ℘ 35 86 56 44
PEUGEOT-TALBOT Vassard, 22 r. des Belges ℘ 35 86 34 16
RENAULT Carrosserie Eudoise, Zone Ind. rte de Mers par ⑦ ℘ 35 86 11 44 N ℘ 35 86 38 50
RENAULT Hardy, 2 bis r. Ch.-de-Gaulle à Gamaches par ⑤ ℘ 22 30 92 78
VAG Boutleux, 19 r. République ℘ 35 86 31 95
Gar. Gérard, 6 pl. Albert-1er ℘ 35 86 00 45

Comptoir du Caoutchouc, 91 r. Ch.-de-Gaulle à Gamaches (80) ℘ 22 26 11 23
Morelle, 7 r. des Belges ℘ 35 86 29 12

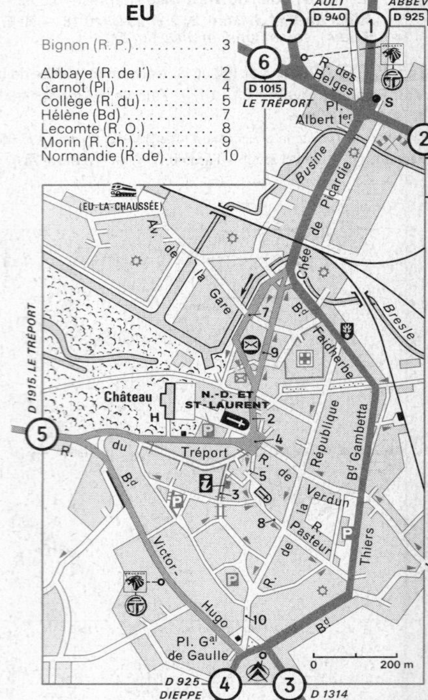

EUGÉNIE-LES-BAINS 40 Landes 82 ① – 408 h. – Stat. therm. (mars-nov.) – ✉ **40320** Geaune.
Paris 731 – Aire-sur-l'Adour 14 – Dax 69 – Mont-de-Marsan 26 – Orthez 53 – Pau 53.

Les Prés d'Eugénie et le Couvent des Herbes (Guérard) M, 58 51 19 01, Télex 540470, « Demeure du XIXe s. élégamment décorée - parc », – 1er mars-30 nov. – **R** (menu minceur, résidents seul.) 205/325 – **rest. Michel Guérard** (nbre de couverts limité-prévenir) **R** 430/450 et carte, enf. 80 – 80 – **28 ch** 1012, 7 appartements 1334
Spéc. Salade de homard et de morue douce, Lapereau "Chabrol" au bouillon de Pomerol, Soufflé à la pêche de Caraman. **Vins** Côtes de Gascogne, Tursan blanc.

Le Couvent des Herbes M (ouverture prévue en juin), « Couvent du 18e s. » **8 ch** 805.

Relais des Champs, 58 51 18 00, – wc. VISA. rest
15 mars-15 nov. – **R** *(fermé lundi)* 60/125, enf. 35 – 24 – **32 ch** 210/250 – 1/2 p 210/250.

ÉVIAN-LES-BAINS 74500 H.-Savoie 70 ⑰ **G. Alpes du Nord** – 6 133 h. – Stat. therm. (fév.-fin nov.) – Casino: B.

Voir Lac Léman★★★ – **Royal Golf Club 50 75 14 00 SO : 2,5 km** – **50 66 50 50.**

Office de Tourisme et Accueil de France (Informations et réservations d'hôtels, pas plus de 5 jours à l'avance), pl. d'Allinges 50 75 04 26, Télex 385661.

Paris 578 ③ – Annecy 84 ③ – Chamonix 109 ③ – ♦Genève 42 ③ – Montreux 38 ①.

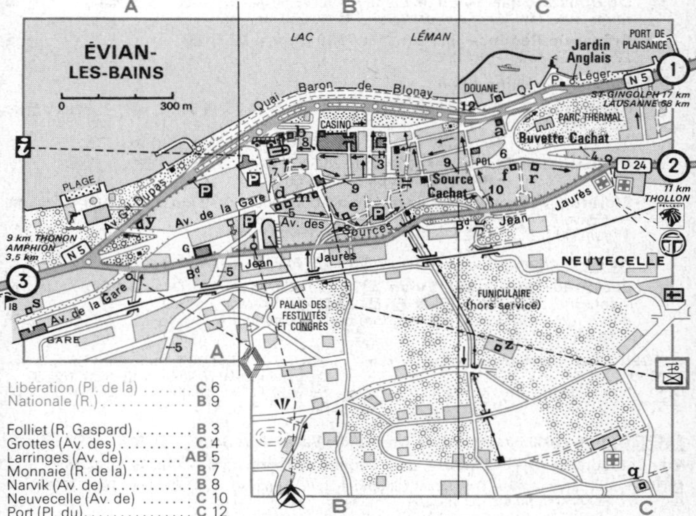

Libération (Pl. de la) . . . . C 6
Nationale (R.) . . . . B 9

Folliet (R. Gaspard) . . . . B 3
Grottes (Av. des) . . . . C 4
Larringes (Av. de) . . . . AB 5
Monnaie (R. de la) . . . . B 7
Narvik (Av. de) . . . . B 8
Neuvecelle (Av. de) . . . . C 10
Port (Pl. du) . . . . C 12

Royal, 50 75 14 00, Télex 385759, lac et montagnes, parc, – 30 à 60. VISA. rest — C **z**
fermé 15 déc. au 15 fév. – **R** 260 – 65 – **129 ch** 1250/1880, 29 appartements – 1/2 p 870/1140.

La Verniaz et ses Chalets, rte Abondance 50 75 04 90, Télex 385715, parc, « Châlets isolés dans la verdure : jolie vue », – 30. VISA. rest — C **q**
fermé fin nov. à début fév. – **R** 180/280 – 45 – **35 ch** 480/900, 5 chalets 900/2 000 – 1/2 p 550/750
Spéc. Terrine chaude de truite saumonée, Filet de charolais à la broche, Soufflé chaud aux griottes et kirsch. **Vins** Marin, Mondeuse.

Bourgogne (Riga) M, 73 r. Nationale 50 75 01 05 – wc. VISA — B **d**
fermé 1er nov. au 2 déc. – **R** *(fermé dim. soir et lundi du 16 sept. au 30 juin)* 135/260 – 30 – **24 ch** 424
Spéc. Foie gras de canard, Bavarois de brochet sauce homardine, Feuilleté de pigeon. **Vins** Crépy, Ripaille.

Bellevue, face au Port 50 75 01 13, – wc wc. VISA. rest
21 mai-21 sept. – **R** 130/160 – **50 ch** 300/415. — C **f**

Plage, av. Gén.-Dupas ✆ 50 75 29 50, ≤ – |‡| ⇔wc ☎ – 🏃 40. AE ⓓ VISA. ✗ rest A y
R 120/250 – ☕ 27 – **39 ch** 180/340 – ½ p 380.

Terrasse, 10 r. B.-Moutardier ✆ 50 75 00 67 – |‡| TV ⇔wc ⫪wc ☎ 🚗. VISA. ✗ rest C r
R 75/90 – **29 ch** ☕220/320 – ½ p 280.

Continental sans rest, 65 r. Nationale ✆ 50 75 37 54 – |‡| ⇔wc ⫪wc ☎. AE E VISA B m
1er mai-30 sept. – ☕ 20 – **29 ch** 95/210.

Palais sans rest, 69 r. Nationale ✆ 50 75 00 46 – |‡| ⇔wc ⫪wc ☎ 🚗. AE ⓓ E VISA. ✗ B d
fermé 3 nov. au 22 déc. et dim. hors sais. – ☕ 26 – **40 ch** 105/250.

Palmiers, 28 av. des Sources ✆ 50 75 03 16, 🌳 – ⇔wc ⫪wc. ✗ B e
28 mars-30 oct. – **R** (déj. seul.) (résidents seul.) – ☕ 17 – **24 ch** 90/190 – ½ p 125/175.

Terminus sans rest, av. Gare ✆ 50 75 15 07, ≤ – ⇔wc ⫪ ☎ A s
1er avril-31 oct. – ☕ 17 – **18 ch** 95/215.

XXXX ✿ **Toque Royale,** au Casino ✆ 50 75 03 78, Télex 385759 – ▤ Ⓟ. AE ⓓ E VISA. ✗ B
R (dîner seul.) 180/260
Spéc. Foie gras d'oie en terrine mariné aux épices, Omble chevalier meunière (16 déc. au 14 oct.), Pigeon de bresse mijoté à l'ail doux.

XX **Da Bouttau,** quai Baron de Blonay ✆ 50 75 02 44, ☂ – AE ⓓ E VISA B b
fermé janv. fév., lundi soir et mardi – **R** 150/250, enf. 70.

X **Brasserie Régence,** pl. Port ✆ 50 75 13 75, ≤ – AE E VISA C a
27 mars-20 sept. – **R** 80/165.

hors de l'agglomération :

Panorama Ⓜ, Grande-Rive par ① : 1,8 km ✆ 50 75 14 50, ≤, 🌳 – ⇔wc ⫪wc ☎. E VISA. ✗ ch
30 avril-1er oct. – **R** 62/130 – ☕ 20 – **29 ch** 200/230 – ½ p 190/205.

Cygnes, Grande-Rive par ① : 1,5 km ✆ 50 75 01 01, ≤, ☂ – ⇔wc ⫪ ☎
1er juin-15 sept. – **R** 84/145 – **45 ch** ☕200/260.

Florida 🐦 sans rest, à Milly par rte d'Abondance ② : 2 km ✆ 50 75 00 44, ≤, 🌳 – ⇔wc ⫪wc ☎ Ⓟ. VISA
1er juin-30 sept. – ☕ 22 – **14 ch** 170/280.

rte de Thollon par ② : 7 km – alt. 825 – ✉ **74500** Évian-les-Bains :

Les Prés Fleuris sur Evian Ⓜ 🐦, ✆ 50 75 29 14, Télex 309545, ≤ lac et montagnes, ☂, 🌳 – TV ☎ Ⓟ. AE ⓓ E VISA. ✗ rest
début juin- début oct. – **R** (nombre de couverts limité - prévenir) 200/320 – ☕ 55 – **12 ch** 700/1200.

CITROEN Roch Automobiles, bd Jaurès ✆ 50 75 13 99
OPEL Giroud, Petite-Rive, Maxilly-sur-Léman ✆ 50 75 13 00
PEUGEOT, TALBOT Impérial-Gar., 9 av. d'Abondance ✆ 50 75 01 90 N ✆ 50 26 27 99
RENAULT Gar. Sautenet, av. Gare ✆ 50 75 00 32

ÉVREUX Ⓟ 27000 Eure 55 ⑯⑰ G. Normandie Vallée de la Seine – 48 653 h.

Voir Cathédrale★ BZ – Châsse★★ dans l'église St-Taurin AZ B – Musée★★ BZ M.

ℹ Office de Tourisme 35 r. Dr.-Oursel (Chambre de Commerce) ✆ 32 38 21 61, Télex 770581 – A.C.O. 6 r. Borville-Dupuis ✆ 32 33 03 84.

Paris 102 ② – Alençon 114 ③ – Beauvais 98 ② – ♦Caen 121 ④ – Chartres 77 ③ – ♦Le Havre 111 ④ – Laval 205 ③ – Lisieux 72 ④ – ♦Le Mans 149 ③ – ♦Rouen 55 ①.

Plan page ci-contre

Normandy, 37 r. E.-Feray ✆ 32 33 14 40 – TV ⇔wc ⫪wc ☎ Ⓟ – 🏃 40. AE ⓓ E VISA BY n
R *(fermé août et dim.)* 65/170 – ☕ 26 – **26 ch** 250/300 – ½ p 350/400.

L'Orme sans rest, 13 r. Lombards ✆ 32 39 34 12 – ⇔wc ⫪wc ☎. AE E VISA. ✗ BY t
☕ 23 – **42 ch** 140/270.

Gambetta Ⓜ sans rest, 61 bd Gambetta ✆ 32 33 37 71 – TV ⇔wc ⫪wc ☎. ⓓ E VISA. ✗ BZ a
☕ 21 – **32 ch** 125/230.

Grenoble sans rest, 17 r. St-Pierre ✆ 32 33 07 31 – ⇔wc ⫪ ☎ 🚗. E VISA. ✗ BY d
fermé vacances de printemps et de Noël – ☕ 20 – **19 ch** 98/229.

Ibis Ⓜ, r. W. Churchill par ② : 3 km ✆ 32 38 16 36, Télex 172748, ☂ – ⇔wc ☎ ♿ Ⓟ – 🏃 35. E VISA
R *(fermé dim. midi)* carte 75 à 120, enf. 40 – ☕ 20 – **60 ch** 220/250.

Climat de France Ⓜ, Zone Tertiaire de la Madeleine par ③ ✆ 32 31 10 47, Télex 770516, ☂ – TV ⇔wc ☎ ♿ Ⓟ. AE E VISA
R 55/95 🍷, enf. 35 – ☕ 24 – **44 ch** 230.

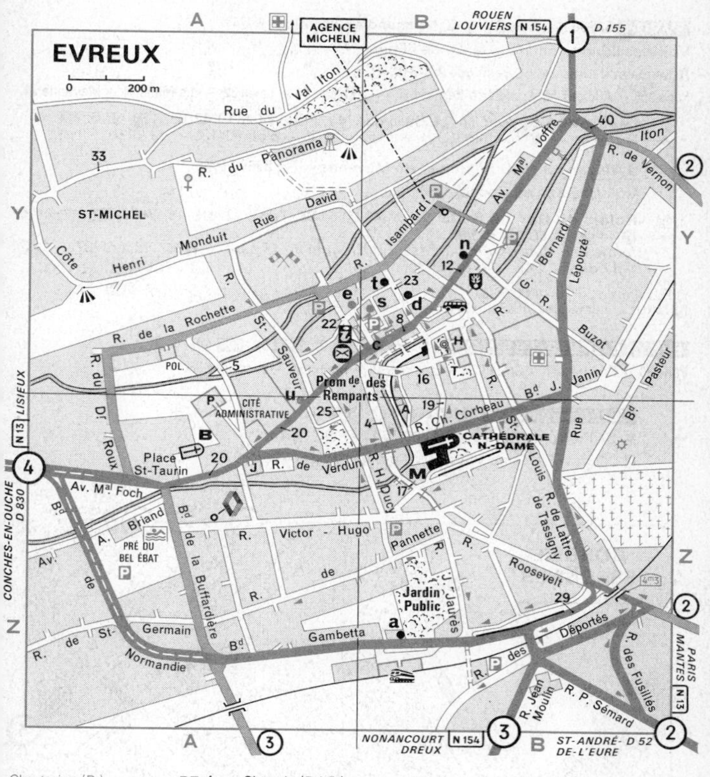

Chartraine (R.) .... BZ 4
Dr-Oursel (R.) .... BY 8
Grenoble (R. de) .... BY 16
Harpe (R. de la) .... BZ 17
Joséphine (R.) .... AZ 20
Chauvin (Bd G.) .... AY 5
Ferray (R. Édouard) .... BY 12
Horloge (R. de l') .... BZ 19
Leclerc (R. Mar.) .... AY 22
Lombards (R. des) .... BY 23
Meilet (R. du) .... AZ 25
Résistance (Bd de la) .... BZ 29
St-Michel (R. de) .... AY 33
Vigor (R.) .... BY 40

XXX **France** avec ch, 29 r. St-Thomas ✆ 32 39 09 25 – TV wc wc ☎. AE ⓓ VISA. ch – **R** *(fermé dim. soir et lundi)* 196/320 – 23 – **14 ch** 115/215. AY **e**

XX **Le Kélan,** 87 r. Joséphine ✆ 32 33 05 70 – **E** VISA AYZ **u**
fermé 14 juil. au 12 août, merc. soir et dim. sauf fêtes – **R** 58/150 **Brasserie R** carte 115 à 185.

X **Vieille Gabelle,** 3 r. Vieille-Gabelle ✆ 32 39 38 54 – **E** VISA BY **s**
fermé dim. soir et lundi – **R** 85/185.

à Parville : rte de Lisieux 4 km – ✉ **27180** St Sébastien de Morsent :

XX **Aub. de Parville,** ✆ 32 39 36 63, – ⓟ. **E** VISA
fermé dim. soir, merc. soir et lundi sauf fériés – **R** 100/195, enf. 65.

MICHELIN, Agence, angle r. Isambard et r. 28e-R.I. BY ✆ 32 39 16 60

ALFA-ROMEO INNOCENTI MAZDA Sté Joffre-Autom., Zone Ind. n° 1 r. Gay Lussac ✆ 32 39 54 63 **N** ✆ 32 38 70 13
AUSTIN, ROVER G.C.A. Autom., Zone Ind. n° 1, r. de Cocherel ✆ 32 39 40 73
CITROEN Succursale, rte Orléans par ③ ✆ 32 28 32 54 **N** ✆ 32 33 57 46
FIAT Normandy-Gar., rte d'Orléans à Angerville-la-Campagne ✆ 32 28 81 50
FORD Gar. Hôtel de Ville, 4 r. G.-Bernard ✆ 32 39 58 63
MERCEDES-BENZ Blondel, à Angerville ✆ 32 28 27 45
OPEL Gar. de Paix de Coeur, 101 av. A.-Briand, Gravigny ✆ 32 33 16 15
PEUGEOT-TALBOT Gar. Ouest, N 154, rte Rouen à Normanville par ① ✆ 32 39 38 78 **N** ✆ 32 37 76 04
RENAULT Succursale, 2 r. Jacquard, Zone Ind. n° 2 par ③ ✆ 32 28 81 47 et 13 bis r. Victor Hugo ✆ 32 28 81 47 **N** ✆ 32 35 40 17
Gar. Carrère, 16 bis r. Lepouze ✆ 32 39 33 49

Dubreuil Pneus, 20 r. A.-Briand ✆ 32 33 02 13
Marsat-Comptoir du Pneu, 54 av. Foch ✆ 32 33 42 43
Royer, 23 r. G.-Bernard ✆ 32 33 06 72

ÉVRON **53600** Mayenne **60** ⑪ **G. Normandie Cotentin** – 6 774 h.

Voir Basilique★ : chapelle N.-D.-de l'Épine★★.

Syndicat d'Initiative pl. Basilique ✆ 43 01 63 75.

Paris 258 – Alençon 59 – La Ferté-Bernard 90 – La Flèche 66 – Laval 32 – ♦Le Mans 64 – Mayenne 24.

✕ **Les Coevrons** avec ch, pl. Basilique (4 r. Prés) ✆ **43 01 62 16** – AE E VISA
R *(fermé vend. soir)* 48/160, enf. 30 – 17 – **6 ch** 90/135 – 1/2 p 130.

à Mézangers **NO : 7 km par rte Mayenne** – ✉ **53600** Evron.

Voir Château du Rocher★ 30 mn.

Relais du Gué de Selle, ✆ **43 90 64 05, Télex 722615**, ←, – TV wc ☎
P – 30. AE E VISA
fermé fév., dim. soir et lundi sauf du 15 juin au 15 sept. – **R** 65/173, enf. 37 – 21 – **17 ch** 200/242 – 1/2 p 182/255.

OPEL Pottier, ✆ 43 01 60 56 N
RENAULT Lemercier, ✆ 43 01 60 10

V.A.G. Chauvat, ✆ 43 01 60 44 N

ÉVRY CORBEIL-ESSONNES **91** Essonne **61** ①, **196** ㉜, **101** ㊲

Paris 33 – Chartres 81 – Créteil 22 – Étampes 40 – Melun 24 – Versailles 36.

Corbeil-Essonnes **91100** Essonne – 38 081 h.

St-Pierre du Perray ✆ **(1) 60 75 17 47 NE : 5 km.**

Office de Tourisme pl. Vaillant-Couturier ✆ (1) 64 96 23 97.

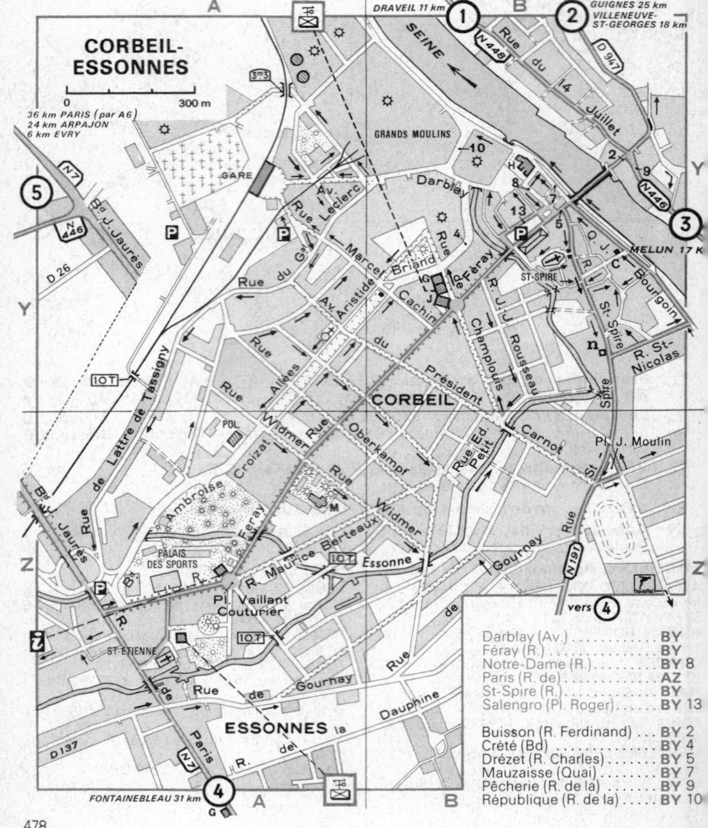

Central H., 68 r. St-Spire ✆ (1) 60 88 06 06, Télex 601650 – ▯ TV ⇔wc ⋒wc ☎ Ⓟ – 80. AE E VISA. ch BY **n**
R *(fermé août, sam. et dim.)* 80 ⅁ – ☕ 24 – **48 ch** 190/295.

Campanile, O : 1,5 km par D 26, av. P. Maintenant ✆ (1) 60 89 41 45, Télex 600934, – TV ⇔wc ☎ ♿ Ⓟ – 50. VISA
R 63 bc/86 bc, enf. 38 – ☕ 24 – **50 ch** 200/220 – 1/2 p 287/330.

CITROEN Corbeil-Essonnes Automobiles, 33 av. 8 Mai 1945 par ⑤ N 446 ✆ (1)60 89 21 10
PEUGEOT-TALBOT Desrues, 29 bd J.-Kennedy par ④ ✆ (1)60 88 20 90
RENAULT Gd Gar. Féray, 46 av. 8-Mai-1945 par ⑤ N 446 ✆ (1)60 88 92 20 N ✆ (1)60 46 34 19

Coursaux-Pneus, 116 bd J.-Kennedy ✆ (1)60 88 07 09
Piot-Pneu, 80 bd de Fontainebleau ✆ (1)60 89 15 25

Évry P **91000** Essonne **G. Environs de Paris** – 29 578 h.

Voir Agora★.

9 18 du Coudray ✆ (1) 64 93 81 76 par ④ : 7,5 km.

Paris 33 – Chartres 84 – Créteil 22 – Etampes 40 – Melun 24 – Versailles 36.

Novotel Paris Évry M, par autoroute A6 sortie Corbeil Centre et Nord (Evry Z.I.) ✆ (1) 60 77 82 70, Télex 600685, , , – ▯ TV ☎ ♿ Ⓟ – 400. AE E VISA
R carte environ 120, enf. 42 – ☕ 38 – **179 ch** 360/380.

Balladins, Pl. G.-Crémieux - Quartier Épinettes ✆ (1) 64 97 21 21 – TV ⋒wc ☎ ♿ Ⓟ. AE E VISA
R 50/75 ⅁ – ☕ 20 – **28 ch** 164.

EXCENEVEX 74 H.-Savoie **70** ⑰ **G. Alpes du Nord** – 461 h. – ✉ **74140** Douvaine.

Syndicat d'Initiative (fermé après-midi) ✆ 50 72 81 27.

Paris 566 – Annecy 72 – Bonneville 41 – Douvaine 10 – ♦Genève 27 – Thonon-les-Bains 13.

Les Crêtes, ✆ 50 72 81 05, ≤ lac, , – ▯ ⋒wc Ⓟ – 30. E VISA
15 mars-30 nov., fermé dim. soir et lundi hors sais. – **R** 100/200 – ☕ 35 – **33 ch** 160/350 – 1/2 p 220/260.

Léman, ✆ 50 72 81 17, – ⋒wc Ⓟ. VISA. rest
hôtel : Pâques-1er nov. et fermé mardi et merc. ; rest. : 15 mars-23 déc. et fermé merc. – **R** 70/160 – ☕ 18 – **23 ch** 140/275 – 1/2 p 145/180.

Plage , ✆ 50 72 81 12, ≤, , , – ⇔wc ⋒ Ⓟ. E VISA.
25 mars-6 nov. – **R** 74/88, enf. 65 – ☕ 20 – **24 ch** 175/195.

EXCIDEUIL 24160 Dordogne **75** ⑥⑦ **G. Périgord Quercy** – 1 584 h..

Paris 463 – Brive-la-Gaillarde 63 – ♦Limoges 68 – Périgueux 35 – Thiviers 19.

Fin Chapon, pl. Château ✆ 53 62 42 38, – ⇔wc ⋒ . E VISA. ch
fermé 15 déc. au 15 janv., dim. soir et lundi d'oct. à mai – **R** 55/170 – ☕ 22 – **10 ch** 110/160 – 1/2 p 165/195.

EYBENS 38 Isère **77** ⑤ – rattaché à Grenoble.

EYGALIÈRES 13810 B.-du-R. **84** ① **G. Provence** – 1 427 h.

Paris 705 – Avignon 28 – Cavaillon 13 – ♦Marseille 81 – St-Rémy-de-Pr. 12 – Salon-de-Pr. 27.

Mas de la Brune , N : 1,5 km par D 74A ✆ 90 95 90 77, , « Belle demeure du 16e s., parc » – TV ⇔wc ☎ Ⓟ. AE VISA. rest
fermé janv. et fév. – **R** 160/250 – **11 ch** ☕500/800 – 1/2 p 570/800.

Crin Blanc M , E : 3 km sur D 24B ✆ 90 95 93 17, ≤, , , , – ch ⇔wc Ⓟ
15 mars-31 oct. – **R** *(fermé lundi)* 120/180 – ☕ 35 – **10 ch** 250 – 1/2 p 245/445.

Aub. Provençale, ✆ 90 95 91 00, – VISA
fermé nov., fév., jeudi midi et merc. – **R** 160/200.

CITROEN Gar. Barrouyer, ✆ 90 95 90 83

EYMET 24500 Dordogne **75** ⑭ **G. Périgord Quercy** – 2 493 h.

Paris 583 – Bergerac 25 – ♦Bordeaux 95 – Marmande 33 – Périgueux 72 – Villeneuve-sur-Lot 51.

Château, r. Couvent ✆ 53 23 81 35 – ⋒ . E VISA
fermé janv. – **R** 78/130 ⅁ – ☕ 18 – **12 ch** 80/120 – 1/2 p 140/150.

CITROEN Bello, ✆ 53 23 80 31
PEUGEOT-TALBOT Jauberthie, ✆ 53 23 80 46
RENAULT Toffoli, ✆ 53 23 82 60

EYMOUTIERS 87120 H.-Vienne 72 ⑲ **G. Berry Limousin** – 2 635 h.

Voir Croix reliquaire★ dans l'église.

Paris 416 – Aubusson 55 – Guéret 63 – ♦Limoges 45 – Tulle 74 – Ussel 69.

XX **Pré l'Anneau,** Pont de Nedde ☎ 55 69 12 77, ←, ☂ – Ⓟ. ✗
fermé 10 janv. au 10 fév., dim. soir et lundi – **R** 75/110 ₺, enf. 50.

CITROEN Gar. Lavaud 1 promenade des sports ☎ 55 69 14 78
PEUGEOT TALBOT Gar. Chemartin, bd Victor-Hugo ☎ 55 69 14 79
PEUGEOT TALBOT Gar. Memery, 5 rte de Limoges ☎ 55 69 11 13
RENAULT Gar. Coignac, av. de la Paix ☎ 55 69 14 73

EYNE 66 Pyr.-Or. 86 ⑯ – rattaché à Saillagouse.

Les EYZIES-DE-TAYAC 24620 Dordogne 75 ⑯ **G. Périgord Quercy** – 750 h.

Voir Musée national de Préhistoire★★ – Grotte du Grand Roc★★ : ←★ – Grotte de Font-de-Gaume★.

ℹ Syndicat d'Initiative pl. Mairie (15 mars-oct.) ☎ 53 06 97 05.

Paris 534 – Brive-la-Gaillarde 62 – Fumel 64 – Lalinde 37 – Périgueux 45 – Sarlat-la-Canéda 21.

🏨 ✿✿ **Centenaire** (Mazère) Ⓜ, ☎ 53 06 97 18, Télex 541921, ☂, ⛱, ⚞ – 📺 ☎ 🚗 Ⓟ. ◑ E VISA
1er avril-début nov. – **R** *(fermé mardi midi)* 165/380 et carte – ☕ 47 – **24 ch** 220/450, 4 appartements 650
Spéc. Risotto au foie gras aux truffes et langoustines, Ravioles d'escargots à l'oie fumée, Croustades de pigeon aux cèpes et cuisses confites. **Vins** Bergerac, Cahors.

🏨 ✿ **Cro-Magnon** Ⓜ, ☎ 53 06 97 06, Télex 570637, ☂, « Jardin fleuri, terrasse ombragée, ⛱ » – ☎ Ⓟ. AE ◑ E VISA. ✗ rest
29 avril-10 oct. – **R** 110/300 – ☕ 35 – **24 ch** 250/380, 3 appartements 620 – $^1/_2$ p 260/350
Spéc. Escalope de foie de canard, Petit ragoût de champignons, Pigeonneau au verjus. **Vins** Clos de Gamot, Sigoulès.

🏨 **Les Glycines,** ☎ 53 06 97 07, ←, ☂, « Parc fleuri », ⛱ – 🛁wc ☎ Ⓟ. AE E VISA. ✗ rest
26 mars-3 nov. – **R** 95/260 – ☕ 32 – **25 ch** 250/270 – $^1/_2$ p 260/280.

🏨 **Moulin de la Beune** Ⓜ 🐌 sans rest, ☎ 53 06 94 33, ⚞ – 🛁wc 🚿wc ☎ Ⓟ. E VISA
26 mars-3 nov. – ☕ 28 – **20 ch** 185/250.

🏨 **Centre,** ☎ 53 06 97 13, ☂, ⚞ – 🛁wc ☎. E VISA
15 mars-11 nov. – **R** 70/300, enf. 45 – ☕ 22 – **18 ch** 150/190 – $^1/_2$ p 250/280.

🏠 **Les Roches** sans rest, rte Sarlat ☎ 53 06 96 59, ⚞ – 🚿wc ☎ Ⓟ. ✗
Pâques-15 oct. – ☕ 20 – **19 ch** 170/180.

CITROEN Gar. de la Patte-d'Oie, ☎ 53 06 97 29
RENAULT Dupuy, ☎ 53 06 97 32

ÈZE 06 Alpes-Mar. 84 ⑩, 195 ㉗ **G. Côte d'Azur** (plan) – 2 064 h. – ✉ **06360** Èze-Village.

Voir Site★★ (village perché) – Jardin exotique ✳★★★ – Les rues d'Eze★ – Belvédère d'Eze ←★★ O : 4 km.

ℹ Syndicat d'Initiative à la Mairie ☎ 93 41 03 03.

Paris 944 – Cap-d'Ail 7 – Menton 18 – Monte-Carlo 8 – ♦Nice 12.

🏨 ✿ **Château Eza** 🐌, ☎ 93 41 12 24, Télex 470382, ☂, « Terrasses dominant la baie » – ▤ 📺 ☎ Ⓟ. AE ◑ E VISA. ✗ ch
1er avril-1er nov. – **R** carte 335 à 500 – ☕ 60 – **6 ch** 1000/2500, 3 appartements
Spéc. Filet de pageot grillé aux oignons rouges et julienne d'orange confite, Filet d'agneau à la crème d'ail, Douceur d'ananas frais aux pêches blanches.

🏨 **Hermitage du Col d'Èze,** NO : 2,5 km par D 46 et Gde Corniche ☎ 93 41 00 68, ← – 🛁wc 🚿 ☎ Ⓟ. AE ◑ VISA. ✗ rest
fermé 20 déc. au 1er janv. et 18 au 28 fév. – **R** *(1er mars-12 nov. et fermé merc. midi et lundi)* 70/135 – ☕ 19 – **14 ch** 140/210 – $^1/_2$ p 230/290.

XXXX ✿ **Château de la Chèvre d'Or** 🐌 avec ch, r. Barri ☎ 93 41 12 12, Télex 970839, « Site pittoresque dominant la mer », ⛱ – 📺 🛁wc ☎. AE ◑ E VISA
1er mars-30 nov. – **R** *(fermé merc. en mars)* 290 dîner à la carte, enf. 120 – ☕ 70 – **5 ch** 1100/1700, 3 appartements 1950
Spéc. Huîtres chaudes au Champagne, Filets de rouget grillés au vin de Musigny, Carré d'agneau des Alpilles. **Vins** Bellet.

XXX **Richard Borfiga,** pl. de Gaulle ☎ 93 41 05 23 – AE ◑ VISA
fermé lundi du 15 sept. au 31 mai – **R** 160/270.

XX **Le Grill du Château,** ☎ 93 41 00 17, ←, ☂ – VISA
fermé 1er nov. au 15 mars et lundi – **R** carte 150 à 240, enf. 60.

XX **Troubadour,** ☎ 93 41 19 03 – E VISA
fermé 20 nov. au 24 déc., vacances de fév., dim. soir et merc. sauf juil.-août – **R** 95/200.

ÈZE-BORD-DE-MER 06360 Alpes-Mar. 84 ⑩, 195 ㉗ G. Côte d'Azur.

Paris 944 – Beaulieu 3 – Cap d'Ail 5 – Menton 18 – ♦Nice 13.

Cap Estel M, ☎ 93 01 50 44, Télex 470305, ←, « Parc, 🏊, 🏊 » – ascenseur ch ☎ & P. E VISA. rest
1er fév.-31 oct. – **R** 350 – **37 ch** (½ pens. seul.), 9 appartements – ½ p 1300/1700.

X **Cap Roux,** Basse Corniche ☎ 93 01 50 17 – AE ⓓ E VISA
fermé 20 oct. au 20 nov. et merc. d'oct. à mai – **R** 50/120 ₺.

ÉZY-SUR-EURE 27 Eure 55 ⑰, 196 ⑬ – rattaché à Anet.

FABRÉGAS 83 Var 84 ⑮ – rattaché à La Seyne-sur-Mer.

FALAISE 14700 Calvados 55 ⑫ **G. Normandie Cotentin** – 8 820 h.

Voir Château★ A – **Église de la Trinité★** A.

Office de Tourisme 32 r. G.-Clemenceau ☎ 31 90 17 26.

Paris 223 ③ – Argentan 23 ③ – ♦Caen 34 ① – Flers 43 ⑤ – Lisieux 49 ① – St-Lô 79 ①.

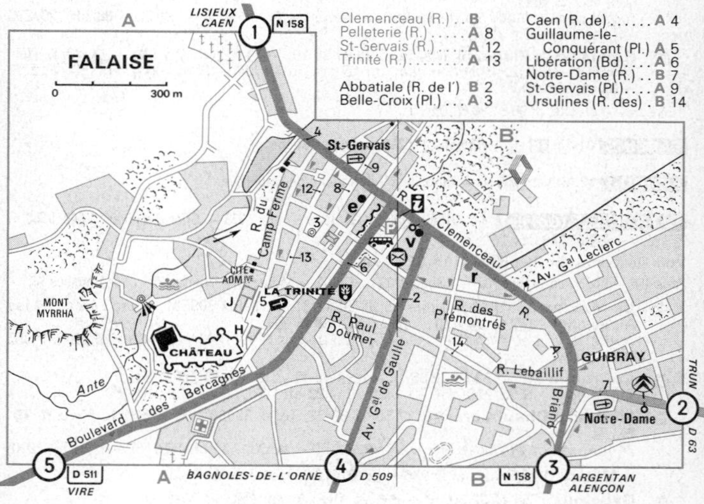

Normandie, 4 r. Amiral-Courbet ☎ 31 90 18 26 – wc wc ☎ A **e**
R *(fermé dim.)* 55/75 ₺ – ☕ 17 – **28 ch** 125/185 – ½ p 140/175.

Poste, 38 r. G.-Clemenceau ☎ 31 90 13 14 – wc wc ☎. AE E VISA B **v**
fermé 17 au 24 oct., 20 déc. au 15 janv., lundi (sauf hôtel) et dim. soir – **R** 55/155 – ☕ 21 – **18 ch** 95/190 – ½ p 188/236.

XX **La Fine Fourchette,** 52 r. G.-Clemenceau ☎ 31 90 08 59 – E VISA B **r**
fermé 1er au 10 oct., 1er au 22 fév., mardi soir et merc. soir hors sais. – **R** 60/168.

CITROEN Gar. Lepy, rte de Trun ☎ 31 90 16 25
FORD-VOLVO Cornu, pl. Reine-Mathilde ☎ 31 90 11 53 N ☎ 31 90 11 57
PEUGEOT-TALBOT Falaise-Autos., rte d'Argentan Nle 158 par ③ ☎ 31 90 04 89
RENAULT Gar. de la Poste, 34 r. G.-Clemenceau ☎ 31 90 01 00 N
V.A.G. Lacoudrée, 51 av. Hastings ☎ 31 90 19 69

Le FALGOUX 15 Cantal 76 ② – 292 h. alt. 930 – Sports d'hiver : 1 110/1 400 m ⛷2 – ✉ **15380** Anglards de Salers.

Env. Cirque du Falgoux★★ SE : 6 km – Pas de Peyrol★★ SE : 12 km, **G. Auvergne.**

Paris 504 – Aurillac 51 – Mauriac 33 – Murat 34 – Salers 14.

Voyageurs et Touristes, ☎ 71 69 51 59, ← – wc
fermé nov. – **R** 55/110 ₺ – ☕ 14 – **16 ch** 65/86 – ½ p 120.

Routes enneigées

Pour tous renseignements pratiques, consultez les cartes Michelin **« Grandes Routes »** 998, 999, 915 ou 989.

FALICON 06950 Alpes-Mar. 84 ⑩, 195 ㉖ **G. Côte d'Azur** – 1 065 h.

Voir Terrasse ≤★.

Env. Mont Chauve d'Aspremont ☀★★ N : 8,5 km puis 30 mn.

Paris 943 – Aspremont 10 – Colomars 15 – Levens 17 – ♦Nice 10 – Sospel 44.

✗ **Bellevue,** ☎ 93 84 94 57, ≤, 余 – E VISA
fermé 26 oct. au 1er nov., dim. soir (sauf hôtel) et lundi – **R** *(déj. seul. du 1er nov. au 15 mai)* 106/128.

FALLIÈRES 88 Vosges 62 ⑯ – rattaché à Remiremont.

Le FAOU 29142 Finistère 58 ⑤ **G. Bretagne** – 1 574 h.

Voir Site★ – Retables★ dans l'église de Rumengol E : 2,5 km – Quimerc'h ≤★ SE : 4,5 km.

Syndicat d'Initiative 10 r. Gén.-de-Gaulle (saison) ☎ 98 81 03 65.

Paris 561 – ♦Brest 30 – Carhaix-P. 56 – Châteaulin 16 – Landerneau 22 – Morlaix 49 – Quimper 41.

Vieille Renommée M, pl. Mairie ☎ 98 81 90 31 – |♦| TV ⌂wc ⌂wc ☎ – 40 à 150. E VISA
fermé déc. et lundi (sauf juil.-août et fériés) – **R** 70/190 – ☕ 22 – **38 ch** 120/230 – 1/2 p 145/180.

Relais de la Place, pl. Mairie ☎ 98 81 91 19 – TV ⌂wc ⌂wc ☎ – 40. E VISA
fermé 23 sept. au 16 oct. et sam. du 15 oct. au 1er juil. – **R** 70/185, enf. 50 – ☕ 20 – **35 ch** 80/190.

RENAULT Kervella, ☎ 98 81 90 69 N

FAREINS 01 Ain 74 ① – rattaché à Villefranche-sur-Saône.

FARROU 12 Aveyron 79 ⑩ – rattaché à Villefranche-de-Rouergue.

La FAUCILLE (Col de) ★★ 01 Ain 70 ⑮ **G. Jura** – alt. 1 323 – Sports d'hiver : 1 000/1 550 m 1 10 – ✉ **01170** Gex.

Voir Descente sur Gex (N 5) ≤★★ SE : 2 km.

Paris 485 – Bourg-en-Bresse 132 – ♦Genève 28 – Gex 11 – Morez 27 – Nantua 75 – Les Rousses 18.

La Mainaz , S : 1 km par N5 ☎ 50 41 31 10, Télex 309501, ≤ lac Léman et les Alpes, – TV ☎ P – 25. AE E VISA
fermé 15 juin au 1er juil. et 1er nov. au 20 déc. – **R** 100/200 – ☕ 40 – **25 ch** 297/355 – 1/2 p 435.

Couronne , ☎ 50 41 32 65, ≤ – ⌂wc ⌂wc ☎ P. AE E VISA
fermé nov. – **R** 75/220, enf. 30 – ☕ 22 – **22 ch** 140/200 – 1/2 p 210/250.

La Petite Chaumière , ☎ 50 41 30 22, Télex 309081, ≤ – ⌂wc ⌂wc ☎ P. E VISA
1er juin-15 oct. et 15 déc.-15 avril – **R** 70/120 – ☕ 23 – **34 ch** 165/185 – 1/2 p 180/200.

à Mijoux O : 8,5 km par D 936 – ✉ **01410** Chézery-Forens :

Gabelou, ☎ 50 41 32 50, ≤ – ⌂wc ⌂wc ☎ P. VISA. rest
1er juin-15 oct. et 15 déc.-20 avril – **R** 65/110 – ☕ 25 – **21 ch** 120/235 – 1/2 p 160/225.

Vallée , ☎ 50 41 32 13 – ⌂wc ⌂wc ☎ P – 60. E VISA
1er juin-5 nov. et 15 déc.-23 avril – **R** 55/120, enf. 30 – ☕ 21 – **13 ch** 110/212 – 1/2 p 160/250.

Egravines M , ☎ 50 41 30 65, ≤ – ⌂wc ☎ P. VISA. ch
1er juil.-31 août et 17 déc.-15 avril – **R** 85/140 – ☕ 29 – **16 ch** 166/235 – 1/2 p 205/266.

La FAUTE-SUR-MER 85 Vendée 71 ⑪ – rattaché à Aiguillon-sur-Mer.

FAUVILLE EN CAUX 76640 S.-Mar. 52 ⑫ – 1 751 h.

Paris 184 – Bolbec 15 – Fécamp 20 – ♦Rouen 50 – St Valéry-en-Caux 27 – Yvetot 13.

✗ **Normandie,** ☎ 35 96 72 33 – P. E VISA
fermé 1er au 21 janv., 1er au 15 sept., et mardi – **R** *(déj. seul en semaine)* 68/125.

La FAVÈDE 30 Gard 80 ⑦ – rattaché à La Grand-Combe.

FAVERGES 74210 H.-Savoie 74 ⑯⑰ **G. Alpes du Nord** – 6 330 h.

Office de Tourisme pl. M.-Piquand ☎ 50 44 60 24.

Paris 565 – Albertville 19 – Annecy 26 – Megève 34.

Florimont M, NE : 2,5 km sur N 508 (rte Albertville) ☎ 50 44 50 05, Télex 309369, ≤, 余, – |♦| TV ⌂wc ☎ ♿ P – 30. AE E VISA
R 65/250, enf. 40 – ☕ 26 – **27 ch** 270 – 1/2 p 300.

Parc, rte Albertville ☎ 50 44 50 25, 余, – TV ⌂wc ⌂wc ☎ P. E VISA.
fermé 1er au 15 mai, 23 déc. au 8 janv. – **R** *(fermé vend. soir, sam. midi, dim. soir sauf vacances scolaires)* 75/200, enf. 45 – ☕ 28 – **12 ch** 160/280 – 1/2 p 180/240.

à Vesonne NO : 5 km par D 282 puis rte de Montmin – ✉ **74210** Faverges :

Bon Repos, sur D 42 ✆ 50 44 50 92, ≤, 🌳, – **P**. AE ⓓ E VISA
fermé 1er au 15 janv. – **R** 48/130 ♁, enf. 45 – ☕ 19 – **14 ch** 105/115 – ½ p 140.

au Tertenoz SE : 4 km par D 12 et VO – ✉ **74210** Faverges :

Gay Séjour 🌙, ✆ **50 44 52 52,** ≤, 🌳 – ⊟wc ⋔wc ☎ **P** – 🏛 30. AE ⓓ E VISA.
fermé 15 au 31 oct., 28 déc. au 28 janv., dim. soir et lundi (sauf vacances scolaires et du 15 avril au 15 sept.) – **R** 100/250 – ☕ 35 – **12 ch** 150/320 – ½ p 300/350.

PEUGEOT-TALBOT Gar. de l'Étoile, ✆ 50 27 3 27
RENAULT Gar. Fontaine, ✆ 50 44 51 09

FAVERGES-DE-LA-TOUR 38 Isère 74 ⑭ – rattaché à La Tour du Pin.

La FAVIÈRE 83 Var 84 ⑯ – rattaché au Lavandou.

FAVIÈRES 80 Somme 52 ⑥ – 403 h. – ✉ **80120** Rue.
Paris 181 – Abbeville 23 – ♦Amiens 66 – Berck-Plage 28 – Le Crotoy 5.

La Clé des Champs, ✆ 22 27 88 00 – ⓓ E VISA
fermé 9 janv. au 10 fév., dim. soir et lundi sauf juil.-août – **R** 65/150, enf. 40.

FAYENCE 83440 Var 84 ⑦, 195 ㉒ **G. Côte d'Azur** – 2 652 h.
Voir ≤★ de la terrasse de l'église.
ℹ Syndicat d'Initiative pl. Léon-Roux ✆ 94 76 20 08.
Paris 901 – Castellane 55 – Draguignan 35 – Fréjus 34 – Grasse 27 – St-Raphaël 37.

Moulin de la Camandoule 🌙, SO : 3 km par D 19 et chemin N.-D.-des-Cyprès ✆ 94 76 00 84, ≤, 🌳, « Ancien moulin à huile », parc, 🏊 – TV ⊟wc ⋔wc ☎ **P**. ⓓ E VISA
15 mars-1er nov. et 15 nov.-2 janv. – **R** 130/210 – ☕ 35 – **11 ch** 200/410 – ½ p 300/550.

Les Oliviers M sans rest, quartier Ferrage ✆ 94 76 13 12 – ⊟wc ⋔wc ☎ **P**
fermé 15 au 25 mai, 12 nov. au 15 déc. et 15 au 25 janv. – ☕ 27 – **23 ch** 210/290.

France, pl. République ✆ 94 76 00 14, 🌳 – E VISA
15 fév.-15 nov. et fermé mardi soir et merc. hors sais. – **R** (prévenir) 70/150.

Le FAYET 74 H.-Savoie 74 ⑧ – rattaché à St-Gervais-les-Bains.

FAYL-BILLOT 52500 H.-Marne 66 ④ **G. Jura** – 1 524 h.
Voir École nationale d'Osiériculture et de Vannerie.
Paris 327 – Bourbonne-les-Bains 29 – Chaumont 61 – ♦Dijon 80 – Gray 46 – Langres 26 – Vesoul 49.

Cheval Blanc avec ch, pl. Barre ✆ 25 88 61 44 – ⊟wc. E VISA
fermé 1er au 15 oct., 5 au 25 janv., dim. soir (sauf hôtel) de janv. à mars et lundi – **R** 51/150 ♁ – ☕ 17 – **9 ch** 67/140 – ½ p 125/200.

FAY-SUR-LIGNON 43430 H.-Loire 76 ⑱ **G. Vallée du Rhône** – 480 h. alt. 1 180.
Voir ≤★ du cimetière.
Env. St-Clément : ≤★★ SE : 7 km par D 262 et D 247 – Mont Mézenc ✳★★★ S : 12 km.
ℹ Syndicat d'Initiative à la Mairie ✆ 71 59 51 63.
Paris 585 – Aubenas 80 – Langogne 69 – Le Puy 46 – St-Agrève 22 – ♦St-Étienne 78.

du Lignon sans rest, ✆ 71 59 51 44 – 🚗. ✂ – ☕ 18 – **7 ch** 80/90.

RENAULT Debard, ✆ 71 59 54 80 **N** ✆ 71 59 74 76

FÉAS 64 Pyr.-Atl. 85 ⑤ – rattaché à Oloron-Ste-Marie.

FÉCAMP 76400 S.-Mar. 52 ⑫ **G. Normandie Vallée de la Seine** – 21 696 h. – Casino: AZ.
Voir Église de la Trinité★★ BZ – Musées : Bénédictine★ AY, municipal★ BZ **M** – Chapelle N.-D.-du-Salut ✳★★ N : 2 km BY.
ℹ Office de Tourisme pl. Bellet ✆ 35 28 20 51 et au Front de Mer (15 juin-sept.) ✆ 35 29 16 34.
Paris 205 ③ – ♦Amiens 162 ② – ♦Caen 115 ③ – Dieppe 64 ① – ♦Le Havre 40 ③ – ♦Rouen 71 ②.

Plan page suivante

Poste, 4 av. Gambetta ✆ 35 29 55 11 – ⊟wc ⋔wc ☎ 🚗 – 🏛 40. E VISA
R *(Pâques-30 nov. et fermé dim.)* (dîner seul.) 68/135 – ☕ 20 – **36 ch** 160/260 – ½ p 193/275. BY **v**

Angleterre, 93 r. Plage ✆ 35 28 01 60 – TV ⊟wc ⋔wc ☎. AE ⓓ E VISA AY **b**
R 55/150 – ☕ 18 – **30 ch** 100/270 – ½ p 200.

Mer sans rest, 89 bd Albert 1er ✆ 35 28 24 64, ≤ – ⊟wc ☎. ✂ AYZ **r**
fermé 24 déc. au 2 janv. – ☕ 18 – **8 ch** 96/215.

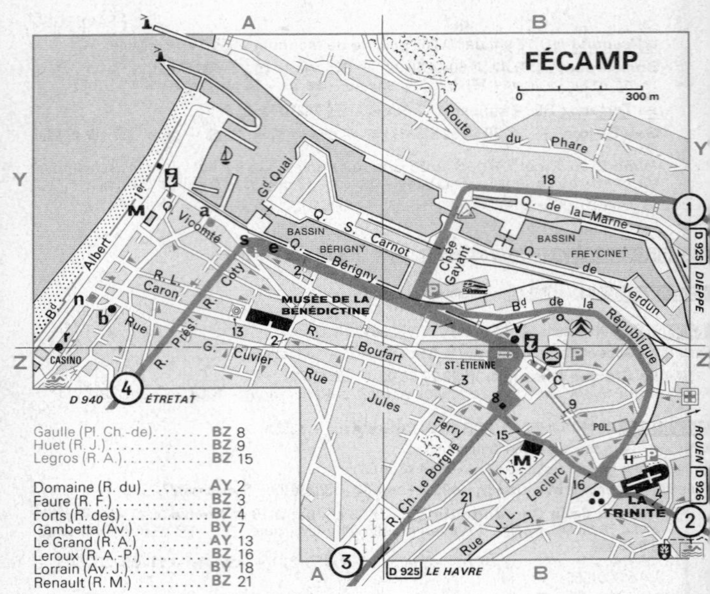

XXX **Viking,** 63 bd Albert 1er ✆ 35 29 22 92, ≤ – E VISA — AY **n**
fermé lundi – **R** 88/220, enf. 45.

XXX **Aub. de la Rouge** M avec ch, par ③ : 2 km ✆ 35 28 07 59, – rest TV wc ☎ **P**. AE E VISA
fermé vacances fév. – **R** *(fermé dim. soir et lundi)* 80/220, enf. 35 – 20 – **8 ch** 220/250 – 1/2 p 260/300.

XX **Le Maritime,** 2 pl. N.-Selles ✆ 35 28 21 71 – E VISA — AY **s**
R (1er étage) 70/185, enf. 45.

XX **La Marine,** 23 quai Vicomté ✆ 35 28 15 94 – AE E VISA — AY **a**
fermé 1er au 20 janv., mardi soir et merc. – **R** 75/180, enf. 35.

X **L'Escalier,** 101 quai Berigny ✆ 35 28 26 79 – E VISA — AY **e**
fermé 25 oct. au 6 nov., dim. soir et lundi hors sais. – **R** 75/140.

CITROEN Fécamp Autom., 45 bd de la République ✆ 35 29 25 72
FORD Lefebvre, 15 r. Prés.-Coty ✆ 35 28 05 75
PEUGEOT, TALBOT Lachèvre, rte du Havre à St-Léonard par ③ ✆ 35 28 20 30 N ✆ 35 27 72 03
RENAULT S.E.L.C.O., 209 r. Gustave Couturier par ② ✆ 35 28 24 02
V.A.G. Ledoult, D 925 à St-Léonard ✆ 35 28 00 22
VOLVO Gar. Lair, 22 pl. Bigot ✆ 35 28 09 44

Brument, 6 rte de Valmont ✆ 35 28 28 81
Comptoir du Pneu, 8 et 10 r. Ch.-Le-Borgne ✆ 35 28 14 99

La FÉCLAZ 73 Savoie 74 ⑮ **G. Alpes du Nord** – alt. 1 350 – Sports d'hiver : 1 350/1 550 m 7, – ✉ **73230** St-Alban-Leysse.

Syndicat d'Initiative Les Déserts (mi juin-mi sept. et mi déc.-mi avril) ✆ 79 25 80 49.

Paris 557 – Aix-les-Bains 26 – Annecy 40 – Chambéry 19 – Lescheraines 14.

Bon Gîte , ✆ 79 25 82 11, ≤, parc, , , – cuisinette wc ☎ **P** – 30. E VISA
18 juin-12 sept. et Noël-Pâques – **R** 75/135, enf. 50 – 31 – **28 ch** 110/270, 6 appartements 430/506 – 1/2 p 162/222.

Central et Terrasses Fleuries, ✆ 79 25 81 68, ≤ – **P**. rest
1er juil.-31 août, 1er déc.-30 avril – **R** 65/85, enf. 40 – 18 – **25 ch** 80/200 – 1/2 p 160/220.

au Col de Plainpalais E : 4 km par D 913 et D 912 – Sports d'hiver 1180/1500 m 2 – ✉ **73230** St-Alban-Leysse :

Plainpalais , ✆ 79 25 81 79, ≤, – wc wc ☎ **P**. E VISA. rest
21 mai-30 sept. et 15 déc.-vacances de Pâques – **R** 82/140, enf. 40 – 27 – **20 ch** 178/252 – 1/2 p 176/225.

FEGERSHEIM 67 B.-Rhin 62 ⑩ – rattaché à Strasbourg.

FELLETIN 23500 Creuse 73 ① G. Berry Limousin – 3 130 h.
Paris 389 – Aubusson 12 – ♦ Clermont-Ferrand 96 – Ussel 48.

XX **Gare** avec ch, ✆ 55 66 48 29 – wc. AE ◑ E VISA. rest
mars-nov. – **R** 97/250 – 24 – **11 ch** 100/250 – ½ p 130/225.

FENESTRELAY 18 Cher 69 ① – rattaché à Bourges.

La FÈRE 02800 Aisne 56 ④ G. Flandres Artois Picardie – 3 925 h.
Voir Musée Jeanne-d'Aboville★.
Syndicat d'Initiative Musée d'Aboville (juin-oct. après-midi seul.) ✆ 23 56 29 05.
Paris 136 – Laon 24 – Noyon 29 – St-Quentin 23 – Soissons 42 – Vervins 50.

à Vendeuil N : 7 km sur N 44 – ✉ 02800 La Fère :

L'Aub. de Vendeuil, ✆ 23 07 85 85 – TV wc ☎ ♿ P – 25. AE ◑ E VISA
R 80 bc/200 bc, enf. 48 – 25 – **22 ch** 250/260 – ½ p 240/340.

RENAULT Gar. Central, 33 r. de la République ✆ 23 56 22 39

FÈRE-CHAMPENOISE 51230 Marne 61 ⑥ – 2 435 h.
Paris 132 – Châlons-sur-Marne 36 – Épernay 37 – Sézanne 21 – Troyes 66 – Vitry-le-François 44.

France, ✆ 26 42 40 24 – P. E VISA
fermé 15 au 30 août et lundi – **R** 45/150 – 20 – **10 ch** 75/160 – ½ p 110.

FÈRE-EN-TARDENOIS 02130 Aisne 56 ⑭⑮ – 3 295 h.
Voir Château de Fère★ : Pont monumental★★ N : 3 km, G. Champagne.
Syndicat d'Initiative r. E.-Moreau-Nélaton ✆ 23 82 31 57.
Paris 110 – Château-Thierry 26 – Laon 54 – ♦Reims 45 – Soissons 26.

au Nord 3 km par D 967 – ✉ 02130 Fère-en-Tardenois :

✿ **Host. du Château** (Blot) par rte forestière, ✆ 23 82 21 13, Télex 145526, <, « Belle demeure du 16e s., parc », – TV ☎ ♿ P – 30. AE ◑ E VISA
fermé 1er janv. au 1er mars – **R** (nombre de couverts limité - prévenir) 250/380 – 50 – **14 ch** 550/800, 9 appartements 830/1200 – ½ p 1000/1200
Spéc. Salade de saumon mariné, Suprême de sandre au Chigny les roses, Aiguillettes de pigeonneau aux girolles. Vins Coteaux champenois.

XX **Aub. du Connétable**, sur D 967 ✆ 23 82 24 25, – AE ◑
fermé lundi – **R** 72/250, enf. 45.

CITROEN Automat, ✆ 23 82 20 21
PEUGEOT-TALBOT Dumont, 6 r. Gambetta ✆ 23 82 22 05
RENAULT Huguenin, av. Courvoisier ✆ 23 82 21 85
Fischbach Pneu, 47 r. J.-Lefèbvre ✆ 23 82 36 06

FERNEY-VOLTAIRE 01210 Ain 70 ⑯ G. Jura – 6 400 h.
de Genève-Cointrin : Air France ✆ 50 31 33 30 S : 4 km.
Paris 535 – Bellegarde-sur-Valserine 36 – Bourg-en-Bresse 117 – ♦Genève 7 – Gex 10 – Nyon 23.

Voir plan agglomération de Genève

Pullman Ferney Genève M, av. Jura ✆ 50 40 77 90, Télex 309071, – TV ☎ ♿ P – 25. AE ◑ E VISA. rest BU k
R 140/195, enf. 60 – 45 – **122 ch** 395/435 – ½ p 435.

Novotel M, par D 35 ✆ 50 40 85 23, Télex 385046, – rest TV ☎ ♿ P – 120. AE ◑ E VISA AU x
R grill carte environ 120, enf. 40 – 38 – **79 ch** 330/360.

Campanile M, Chemin de la Planche Brûlée ✆ 50 40 74 79, Télex 380957, – TV wc ☎ ♿ P – 40. VISA. AU e
R 63 bc/86 bc, enf. 38 – 24 – **42 ch** 200/220 – ½ p 287/330.

Bellevue, 5 r. Gex ✆ 50 40 58 68, – AU s
fermé 15 oct. au 15 nov. et 31 déc. au 7 janv. (sauf hôtel) – **R** *(fermé dim. soir et sam.)* 57/116 – 17 – **12 ch** 75/168.

XXX ✿ **Le Pirate** (Bechis), av. Genève ✆ 50 40 63 52 – P. AE ◑ E VISA BU r
fermé 10 au 31 juil., 23 déc. au 5 janv., lundi midi et dim. – **R** (nombre de couverts limité - prévenir) 260/300
Spéc. Marbré de loup et saumon marinés, Ravioli à la crème de langoustines, Damier de nouillettes fraîches et homard.

X **Chanteclair**, 13 r. de Versoix ✆ 50 40 79 55 – E VISA
fermé 5 au 25 juil., 24 déc. au 3 janv., dim. et lundi – **R** 98/210.

PEUGEOT-TALBOT Gar. Chevalley, à Ornex ✆ 50 41 65 29
RENAULT Auto Service ✆ 50 40 59 52
V.A.G. Gar. Dunand, ✆ 50 40 61 94

FERRETTE 68480 H.-Rhin **66** ⑨⑩ **G. Alsace et Lorraine** – 727 h.

Voir Site★ – Ruines du Château ≤★.

Syndicat d'Initiative 38 r. Château ✆ 89 40 40 01.

Paris 529 – Altkirch 19 – ♦Bâle 27 – Belfort 47 – Colmar 79 – Montbéliard 46.

à Moernach O : 5 km par D 473 – ✉ **68480** Ferrette :

XX **Au Raisin** avec ch, ✆ 89 40 80 73 – ⋒ **P**. **E** VISA. ✻ rest
fermé 3 au 19 oct., 1er au 16 mars et merc. – **R** 66/165 ₰, enf. 40 – ☕ 20 – **5 ch** 90/120.

à Lutter SE : 8 km par D 23 – ✉ **68480** Ferrette :

XX **Aub. Paysanne** avec ch, r. Principale ✆ 89 40 71 67 – ⇔wc ☎ **P**. **E** VISA
fermé 14 au 28 fév. et lundi – **R** 68/195 ₰ – ☕ 18,50 – **7 ch** 95/165 – ½ p 154/164.

RENAULT Fritsch, ✆ 89 40 41 41

FERRIÈRE-AUX-ÉTANGS **61** Orne **60** ① – rattaché à Flers.

La FERRIERE-SUR-RISLE **27760** Eure **54** ⑲⑳ **G. Normandie Vallée de la Seine** – 309 h.

Paris 134 – Bernay 20 – Evreux 32 – ♦Rouen 70.

Croissant, ✆ 32 30 70 13 – TV ⋒wc ☎. **E** VISA
fermé 1er au 8 oct., 10 janv. au 10 fév., dim. soir et lundi – **R** 60/120 ₰ – ☕ 20 – **15 ch** 70/185 – ½ p 445/785.

La FERTÉ-BERNARD **72400** Sarthe **60** ⑮ **G. Châteaux de la Loire** – 10 053 h.

Voir Église N.-D.-des Marais★★ B.

Syndicat d'Initiative Cour du Sauvage, r. Carnot (15 juin-15 sept.) ✆ 43 93 25 85.

Paris 163 ③ – Alençon 56 ⑥ – Chartres 76 ③ – Châteaudun 64 ③ – ♦Le Mans 49 ③ – Mortagne-au-Perche 40 ⑦.

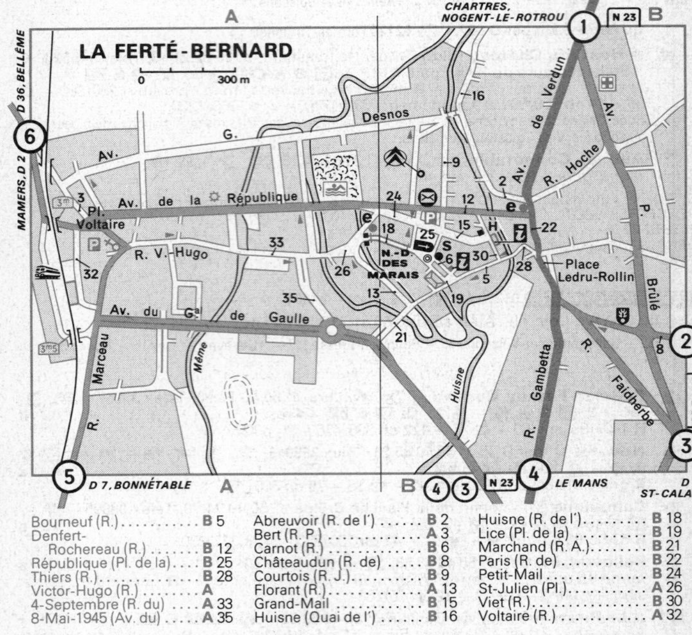

Bourneuf (R.)	B 5
Denfert-Rochereau (R.)	B 12
République (Pl. de la)	B 25
Thiers (R.)	B 28
Victor-Hugo (R.)	A
4-Septembre (R. du)	A 33
8-Mai-1945 (Av. du)	A 35
Abreuvoir (R. de l')	B 2
Bert (R. P.)	A 3
Carnot (R.)	B 6
Châteaudun (R. de)	B 8
Courtois (R. J.)	B 9
Florant (R.)	A 13
Grand-Mail	B 15
Huisne (Quai de l')	B 16
Huisne (R. de l')	B 18
Lice (Pl. de la)	B 19
Marchand (R. A.)	B 21
Paris (R. de)	B 22
Petit-Mail	B 24
St-Julien (Pl.)	A 26
Viet (R.)	B 30
Voltaire (R.)	A 32

St-Jean sans rest, 13 r. R.-Garnier ✆ 43 93 12 83 – TV ⇔wc ⋒wc ☎. **E** VISA — B s
fermé dim. soir du 31 oct. au 1er avril – ☕ 19 – **15 ch** 80/190.

XX **Perdrix** avec ch, 2 r. Paris ✆ 43 93 00 44 – ✻ rest ⋒ 🚗. AE ⓓ VISA — B e
fermé mardi – **R** 87/200, enf. 67 – ☕ 19 – **10 ch** 98/140.

XX **Dauphin,** 3 r. d'Huisne ✆ 43 93 00 39 – **E** VISA — A e
fermé 15 août au 15 sept., dim. soir et merc. – **R** 80.

CITROEN Brion, 2 r. Virette ✆ 43 93 00 37
PEUGEOT-TALBOT Gar. de la Rocade, 41 av. de-Gaulle par ④ ✆ 43 93 01 36
RENAULT Gd Gar. Fertois, av. Verdun par ① ✆ 43 93 05 10 N ✆ 43 71 35 59
V.A.G. Botras, 15 r. Faidherbe ✆ 43 93 03 03
Botras, 15 r. Faidherbe ✆ 43 93 03 03
Perry Pneus, La Chapelle-du-Bois-La Petite Cibole ✆ 43 93 90 44

La FERTÉ-IMBAULT 41 L.-et-Ch. 64 ⑲ – 1 104 h. – ✉ **41300** Salbris.

Paris 192 – ♦Orléans 65 – Romorantin-Lanthenay 17 – Vierzon 23.

Aub. A La Tête de Lard avec ch, ✆ **54 96 22 32** – rest P. E VISA
fermé 26 août au 6 sept., 14 fév. au 6 mars, dim. soir et lundi sauf fériés – **R** 65/190 – 18 – **10 ch** 80/90 – 1/2 p 150.

La FERTÉ-MACÉ 61600 Orne 60 ①② G. Normandie Cotentin – 7 391 h.

Office de Tourisme 13 r. Victoire ✆ 33 37 10 97.

Paris 236 ② – Alençon 46 ④ – Argentan 33 ② – Domfront 22 ⑤ – Falaise 39 ① – Flers 25 ⑥ – Mayenne 41 ④.

Nouvel H. et rest. Céleste, 6 r. Victoire **(n)** ✆ 33 37 22 33 – wc wc ☎. E VISA
fermé oct., janv., dim. soir et lundi – **R** 54/220, enf. 35 – 20 – **18 ch** 70/155 – 1/2 p 150/170.

Tire-Bouchon, 13 r. Barre **(b)** ✆ 33 37 38 21 – E VISA
fermé dim. soir et merc. soir – **R** 54/158.

par ④ : 2 km par D 916 :

Aub. d'Andaines M, ✆ 33 37 20 28, ≤, – wc wc ☎ P – 40 à 150. E VISA
R *(fermé dim. soir du 1er nov. au 1er avril)* 52/180 – 35 – **15 ch** 160/210 – 1/2 p 190/225.

à St-Michel-des-Andaines par ⑤ : 4,5 km – ✉ **61600** La Ferté-Macé :

Hautvie (R. d')	8	Barre (R. de la)	5
Leclerc (Pl. du Gén.)	9	Hamonic (Bd A.)	6
République (Pl.)	13	Prés.-Coty (Av. du)	12
		Sorbiers (Av. des)	14
Amand-Macé (R.)	3	Teinture (R. de la)	16

La Bruyère, ✆ 33 37 22 26, – wc wc P. E VISA
fermé 15 déc. au 15 janv., vend. soir, sam. et dim. du 1er nov. au 31 mars – **R** 60/140, enf. 35 – 20 – **20 ch** 150/190 – 1/2 p 165.

CITROEN Gar. Central, 74 r. Dr-Poulain ✆ 33 37 09 11 N
PEUGEOT-TALBOT Derouet, 76 r. Dr-Poulain ✆ 33 37 16 33
RENAULT Dubourg, 9 r Dr-Poulain ✆ 33 37 20 97
RENAULT Guillochin, rte de Paris par ② ✆ 33 37 07 11 N

La FERTÉ-SAINT-AUBIN 45240 Loiret 64 ⑨ G. Châteaux de la Loire – 5 498 h.

9 18 ✆ 38 76 57 33 sur D 18 à l'Ouest : 3,5 km.

Syndicat d'Initiative pl. Halle (15 mai-15 sept.) ✆ 38 64 67 93.

Paris 152 – Blois 54 – ♦Orléans 21 – Romorantin-Lanthenay 47 – Salbris 35.

Perron, 9 r. Gén.-Leclerc ✆ **38 76 53 36, Télex 782485** – TV wc wc ☎ P. AE E VISA
fermé 10 au 28 janv. – **R** 87/130, enf. 50 – 25 – **20 ch** 195/242 – 1/2 p 195/235.

Ferme de la Lande, NE : 2,5 km par rte Marcilly ✆ **38 76 64 37, « Ferme aménagée »** – P. VISA
fermé merc. sauf juil.-août – **R** 125/159, enf. 60.

Les Brémailles en Sologne, N : 3 km sur N 20 ✆ **38 76 56 60,** , parc – P. E VISA
fermé lundi soir et mardi – **R** 84/128, enf. 56.

Aub. de L'Écu de France, 6 r. Gén.-Leclerc ✆ **38 76 52 20,** – P. AE E VISA
fermé jeudi – **R** 79/300.

CITROEN Gorin, N 20 Sud ✆ 38 76 50 36
FIAT, LANCIA, AUTOBIANCHI Gar. Gidoin, N 20 ✆ 38 76 51 17
G.M. Bouthinon, 6 r. des 29 Fusillés ✆ 38 76 52 32 **N** ✆ 38 64 60 41
RENAULT Gar. Viet, RN 20 ✆ 38 76 53 14

La FERTÉ-ST-CYR **41220** L.-et-Ch. **64** ⑧ – **774 h.**

Paris 165 – Beaugency 14 – Blois 31 – •Orléans 35 – Romorantin 35.

St Cyr, ✆ **54 87 90 51,** – wc ☎ **P**. **AE** **E** **VISA**. rest
fermé 19 au 26 sept., 15 janv. au 1er mars, lundi (sauf le soir du 15 juin au 15 sept.) et dim. soir – **R** 58/150, enf. 35 – 20 – **18 ch** 115/195 – 1/2 p 197/220.

La FERTÉ-SOUS-JOUARRE **77260** S.-et-M. **56** ⑬, **196** ㉔ – **7 020 h.**

Voir Jouarre : crypte★ de l'abbaye : 3 km par ⑤, G. Environs de Paris.

Syndicat d'Initiative 26 pl. Hôtel de Ville ✆ 60 22 63 43.

Paris 66 ⑥ – Melun 63 ⑤ – •Reims 82 ① – Troyes 117 ③.

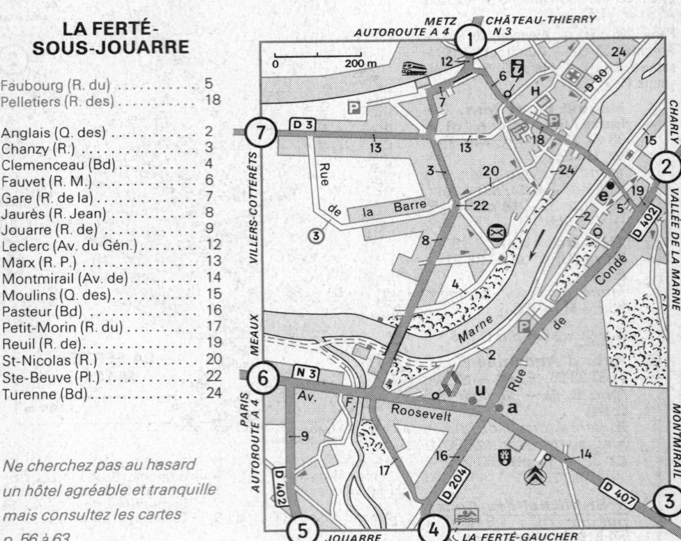

Ne cherchez pas au hasard un hôtel agréable et tranquille mais consultez les cartes p. 56 à 63

XXXX ✿✿ **Aub. de Condé** (Tingaud), 1 av. Montmirail **(a)** ✆ (1) 60 22 00 07 – **P**. **AE** **E** **VISA**
fermé lundi soir et mardi – **R** 250/400 et carte, enf. 50
Spéc. Aumônière de saumon fumé au caviar, Salade de langoustines et foie de canard, Poularde de Bresse à la briarde.

XX **Bec Fin** avec ch, 1 quai Anglais **(e)** ✆ (1) 60 22 01 27 – wc wc ☎. **AE** **E** **VISA**
fermé 16 août au 5 sept., 15 fév. au 4 mars, mardi soir et merc. – **R** 75/130 – 25 – **11 ch** 130/180.

XX **Le Relais,** 4 av. F-Roosevelt **(u)** ✆ (1) 60 22 02 03, – **P**. **AE** **E** **VISA**
fermé merc. soir et jeudi – **R** carte 150 à 220.

CITROEN Gar. du Parc, 10 av. Montmirail ✆ (1)60 22 90 00
RENAULT SOGAL, 12 av. F.-Roosevelt ✆ (1)60 22 39 54
Maassen, 1 bis r. de la République ✆ (1)60 22 09 95
Pezzetta Dememe, 42 av. F.-Roosevelt ✆ (1)60 22 02 06

FEURS **42110** Loire **73** ⑱ **G. Vallée du Rhône** – **8 103 h.**

Syndicat d'Initiative 3 r. V.-de-Laprade ✆ 77 26 05 27.

Paris 429 – •Lyon 68 – Montbrison 27 – Roanne 39 – •St-Étienne 39 – Thiers 68 – Vienne 89.

La Sauzée, 30 av. J.-Jaurès ✆ **77 26 07 22** – cuisinette wc ☎ **P**. rest
fermé 15 oct. au 15 nov., mardi soir et merc. – **R** 60/150 – 22 – **30 ch** 95/220.

L'Astrée sans rest, 2 chemin du Bout du Monde ✆ **77 26 54 66** – wc ☎ **P** **AE** **E** **VISA**
30 – **17 ch** 110/190.

XX **Chalet Boule d'Or,** rte Lyon ☎ 77 26 20 68, 🏞 – P. E VISA
fermé 8 au 30 août, 16 janv. au 7 fév., dim. soir et lundi sauf fériés – **R** 68 (sauf sam.)/220.

XX **Chapeau Rouge,** 21 rte de Verdun ☎ 77 26 02 56 – AE ⊙ E VISA
fermé mardi soir et merc. sauf juil.-août – **R** 70/250 ♁, enf. 65.

XX **Commerce,** 2 r. Loire ☎ 77 27 04 67, 🏞 – ▤. AE E VISA
◆ *fermé 7 au 15 juin, 23 janv. au 6 fév., mardi soir et merc.* – **R** 60/200 ♁.

XX **Au Deux Savoi,** 3 r. Camille Pariat ☎ 77 26 00 11 – VISA
◆ *fermé 1er au 16 sept., 2 au 21 janv., dim. soir et jeudi en hiver* – **R** 55/145.

ALFA-ROMEO, SEAT Gar. Cheminal, 15 r. de la Loire ☎ 77 26 08 14 N ☎ 77 26 24 63
FIAT Boichon, 9 r. de la Minette ☎ 77 26 15 96
FORD Gar. du Forez, 6 r. Victor-Hugo ☎ 77 26 15 14
PEUGEOT-TALBOT Gge Faure, 16 rte de Lyon ☎ 77 26 03 65

RENAULT Rhône Loire Distribution Auto, rte de St-Etienne ☎ 77 26 45 12 N ☎ 77 26 42 47
V.A.G. Rel. du Soleil, rte de St-Etienne ☎ 77 26 26 82

Ⓜ Feurs-Pneus, rte de Valeille, Zone Ind. des Artisans ☎ 77 26 39 98

FEYTIAT 87 H.-Vienne 72 ⑱ – rattaché à Limoges.

FIGEAC <SP> 46100 Lot 79 ⑩ **G. Périgord Quercy** – 10 511 h.

Voir Le vieux Figeac★ : hôtel de la Monnaie★ M1 – Vallée du Célé★ par ⑤.

ℹ Office de Tourisme pl. Vival ☎ 65 34 06 25.

Paris 577 ⑥ – Aurillac 67 ① – Brive-la-Gaillarde 91 ⑥ – Cahors 69 ⑤ – Rodez 65 ② – Villefranche-de-Rouergue 36 ③.

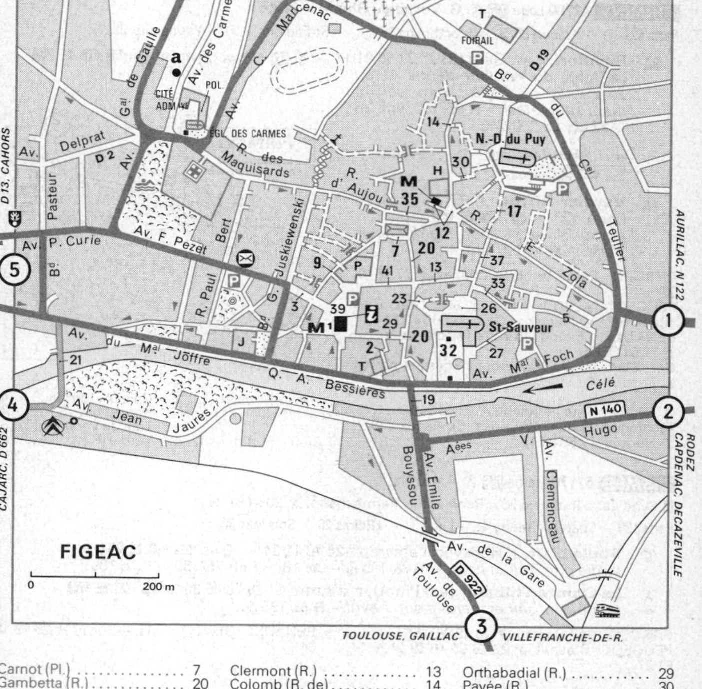

Carnot (Pl.)	7	Clermont (R.)	13	Orthabadial (R.)	29
Gambetta (R.)	20	Colomb (R. de)	14	Pavée (R.)	30
		Delzhens (R.)	17	Raison (Pl. de la)	32
Balène (R.)	2	Gambetta (Pont)	19	Roquefort (R.)	33
Barthal (R.)	3	Guâ (Pont)	21	Séguier (R.)	35
Canal (R. du)	5	Herbes (Pl. aux)	23	Tomfort (R.)	37
Caviale (R.)	9	Michelet (Pl. E.)	26	Vival (Pl.)	39
Champollion (Pl. et Imp.)	12	Monastère (R. du)	27	11-Novembre (R. du)	41

des Carmes Ⓜ, Enclos des Carmes **(a)** ☎ **65 34 20 78, Télex 520794**, – ☎ Ⓟ – 40. AE ◑ E VISA
fermé 15 déc. au 15 janv., dim. soir et sam. du 1er oct. au 1er mai – **R** 95/190 bc, enf. 50 – ☕ 30 – **32 ch** 255/280.

Pont du Pin sans rest, 3 allées V. Hugo par ② ☎ **65 34 12 60** – wc wc ☎. VISA
☕ 22 – **24 ch** 100/250.

à St-Julien-d'Empare par ② : 10 km – ✉ **12700** Capdenac-Gare (Aveyron).
Voir Capdenac : site★ et ≤★ d'une terrasse proche de l'église N : 4 km.

Aub. la Diège ☎ **65 64 70 54**, – wc ☎ Ⓟ. E VISA
fermé 24 déc. au 24 janv. – **R** *(fermé vend. soir et sam. de sept. à mai)* 58/180 🍷, enf. 40 – ☕ 22 – **15 ch** 88/215 – ½ p 146/258.

à Cardaillac par ⑥ et D 15 : 9,5 km – ✉ **46100** Figeac :

Chez Marcel, ☎ **65 40 11 16**
fermé lundi sauf du 14 juil. au 25 août – **R** 65/175 🍷.

ALFA-ROMEO-HONDA Chabbaud, 9 av. F.-Pezet ☎ 65 34 24 03
CITROEN Gar. Jean-Jaurès, 31 av. J.-Jaurès ☎ 65 34 06 67
MERCEDES-BENZ, V.A.G. Reveillac, 38 av. J. Loubet ☎ 65 34 18 78
RENAULT S.A.F.D.A., rte de Cahors, Zone Ind. par ⑤ ☎ 65 34 00 23 N ☎ 65 34 41 35
RENAULT Central Gar., 16 av. Ch.-de-Gaulle à Capdenac Gare par ② ☎ 65 64 74 78

Quercy-Auvergne-Pneus, 21 av. G.-Pompidou ☎ 65 34 20 30
Tout Pour le Pneu, av. d'Aurillac ☎ 65 34 11 44

FILLÉ 72 Sarthe 64 ③ – rattaché à Guécélard.

FIRMINY 42700 Loire 76 ⑧ **G. Vallée du Rhône** – 24 356 h.
Paris 521 ② – Ambert 85 ⑤ – Montbrison 39 ⑤ – ♦St-Étienne 12 ② – Yssingeaux 39 ③.

Pavillon, 4 av. Gare **(a)** ☎ **77 56 91 11** – wc wc ☎ Ⓟ. AE ◑ E VISA
La Table du Pavillon *(fermé 11 au 25 juil., 22 au 28 fév., dim. soir et lundi sauf fêtes)* – **R** 95/190, enf. 35 – **22 ch** ☕ 200/240.

au Pertuiset par ④ : 5 km – ✉ **42240** Unieux :

Verdier Riffat, ☎ **77 35 71 11**, ≤ Loire, – Ⓟ. ◑ E VISA
fermé 24 au 31 août, mardi soir et merc. – **R** 67/190, enf. 40.

CITROEN Barel, 10 bd St-Charles ☎ 77 56 12 22
PEUGEOT-TALBOT Masson, ZAC des Bruneaux, 82 r. V.-Hugo par ③ ☎ 77 56 14 32
RENAULT Durand, 16 r. de la Tour-de-Varan ☎ 77 56 35 66
Gar. Sias, 1 r. du Vigneron à Fraisses par ④ ☎ 77 56 00 73

Saumet, 1 rte de Roche ☎ 77 56 04 78
Technique Pneus, ZAC des Bruneaux, 78 r. V.-Hugo ☎ 77 56 30 12

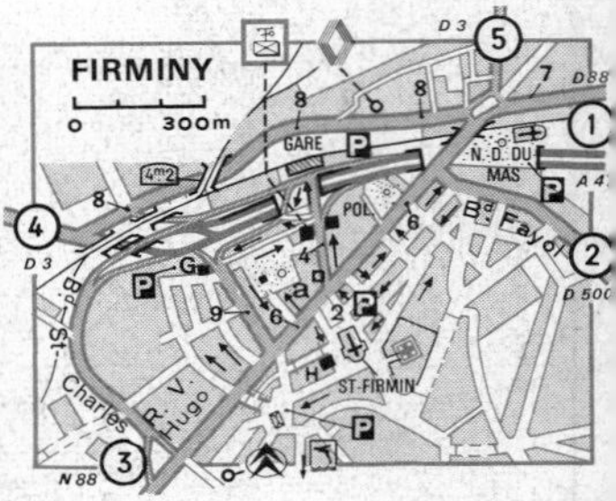

FISMES 51170 Marne 56 ⑤ – 4 818 h.
Syndicat d'Initiative 28 r. René-Letilly (fermé matin) ☎ 26 04 81 28.
Paris 129 – Château-Thierry 41 – Laon 34 – ♦Reims 26 – Soissons 30.

Boule d'Or, r. Hildevert Lefèvre ☎ **26 78 11 24** – wc. AE ◑ E VISA
fermé dim. soir et lundi – **R** 68/195 🍷 – ☕ 18 – **7 ch** 75/160 – ½ p 159.

Le Comte Thibault (ex. Pinot), r. d'Ardre ☎ **26 78 05 30** – Ⓟ. AE E VISA
fermé dim. soir et mardi d'oct. à avril – **R** 55/195 🍷.

CITROEN Gar. Bagieu, ☎ 26 78 06 82
PEUGEOT Crochet, ☎ 26 78 05 46 N ☎ 26 04 81 21
RENAULT Obert, 7 r. Marie-Boivin ☎ 26 78 18 04

FITOU 11510 Aude 86 ⑨⑩ – 542 h.
Paris 881 – Carcassonne 87 – Narbonne 38 – ♦Perpignan 27.

Cave d'Agnès, ☎ **68 45 75 91** – Ⓟ. E VISA
19 mars-2 oct. et fermé merc. – **R** 67/86 🍷, enf. 42.

FIXIN 21 Côte-d'Or 66 ⑫ **G. Bourgogne** – 883 h. – ✉ **21220** Gevrey-Chambertin.
Paris 317 – Beaune 30 – ♦Dijon 11 – Dole 64.

XX **Chez Jeannette** avec ch, ✆ **80 52 45 49**, – . AE ⓓ E VISA
fermé 23 déc. au 26 janv. et jeudi – **R** 65/180 , enf. 40 – ☕ 23 – **11 ch** 72/150.

FLAGY 77 S.-et-M. 61 ⑬ – rattaché à Montereau.

FLAINE 74 H.-Savoie 74 ⑧ **G. Alpes du Nord** – alt. 1 600 – Sports d'hiver : 1 600/2 500 m 2 26 – ✉ **74300** Cluses.

Office de Tourisme ✆ 50 90 80 01, Télex 385662.

Paris 604 – Annecy 79 – Bonneville 42 – Chamonix 66 – Megève 49 – Morzine 48.

Totem M , ✆ **50 90 80 64**, ← – . AE ⓓ E VISA
juil.-août et déc.-avril – **R** 170/220 – **54 ch** ☕260/460 – ½ p 415/495.

Gradins Gris , ✆ **50 90 81 10**, ← – wc ☎ – 30 à 50. AE ⓓ E VISA. rest
15 déc.-15 avril – **R** 110 – **49 ch** (½ pens. seul.) – ½ p 430/450.

FLAVIGNY-SUR-MOSELLE 54 M.-et-M. 62 ⑤ – rattaché à Nancy.

FLAYOSC 83 Var 84 ⑦ – rattaché à Draguignan.

☛ *Les pastilles numérotées des plans de ville ①, ②, ③ sont répétées sur les* **cartes** *Michelin à 1/200 000.*
Elles facilitent ainsi le passage entre les **cartes** *et les* **guides** *Michelin.*

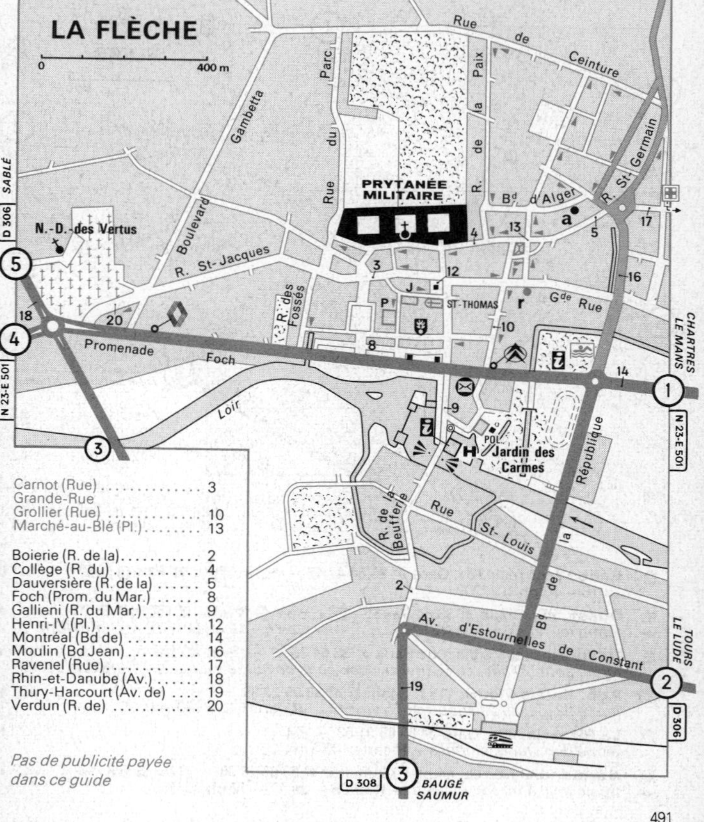

Carnot (Rue) 3
Grande-Rue
Grollier (Rue) 10
Marché-au-Blé (Pl.) 13

Boierie (R. de la) 2
Collège (R. du) 4
Dauversière (R. de la) 5
Foch (Prom. du Mar.) 8
Gallieni (R. du Mar.) 9
Henri-IV (Pl.) 12
Montréal (Bd de) 14
Moulin (Bd Jean) 16
Ravenel (Rue) 17
Rhin-et-Danube (Av.) 18
Thury-Harcourt (Av. de) 19
Verdun (R. de) 20

Pas de publicité payée dans ce guide

La FLÈCHE <SP> 72200 Sarthe 64 ② G. Châteaux de la Loire – 16 421 h.

Voir Prytanée militaire★ – Boiseries★ de la chapelle N.-D.-des-Vertus – Parc zoologique du Tertre Rouge★ 5 km par ② puis D 104.

Syndicat d'Initiative à l'Hôtel de Ville ✆ 43 94 00 27 et Maison du Tourisme bd Montréal (juil.-août) ✆ 43 94 49 82.

Paris 242 ① – Angers 52 ④ – Châteaubriant 105 ④ – Laval 69 ⑤ – ♦Le Mans 42 ① – ♦Tours 72 ②.

Plan page précédente

Le Relais Cicero et rest. l'Estagnier, 18 bd d'Alger **(a)** ✆ 43 94 14 14, « Belle décoration intérieure », – rest wc wc ☎. E VISA
début mars-fin déc. – **R** 120/140 – 30 – **20 ch** 280/400 – 1/2 p 300/350.

Vert Galant avec ch, 70 Gde-Rue **(r)** ✆ 43 94 00 51 – ☎. E VISA.
fermé 20 déc. au 10 janv. et jeudi – **R** 60/175 – 20 – **10 ch** 80/150 – 1/2 p 150/190.

AUSTIN, ROVER Gar. Gambetta, 51 bd Gambetta ✆ 43 94 06 20
CITROEN Bastard, bd de Montréal ✆ 43 94 01 41
FORD Bouttier, av. de Verdun ✆ 43 94 04 08
PEUGEOT-TALBOT Gar. Rhin-et-Danube, av. Rhin-et-Danube par ⑤ ✆ 43 94 01 73
RENAULT SALFA, 24 bd Latouche ✆ 43 94 04 35 N ✆ 43 34 38 56

V.A.G. Gar. Clerfond, la Jalêtre, av. Rhin et Danube ✆ 43 94 10 48
Gar. Boistard, rte du Lude ✆ 43 94 09 59 N ✆ 43 94 11 36

Gar. Robles, bd Rhin et Danube ✆ 43 45 20 38

FLERS 61100 Orne 60 ① G. Normandie Cotentin – 19 405 h.

Office de Tourisme pl. Gén.-de-Gaulle ✆ 33 65 06 75.

Paris 237 ② – Alençon 71 ③ – Argentan 44 ② – ♦Caen 57 ① – Fougères 79 ④ – Laval 87 ④ – Lisieux 95 ① – St-Lô 69 ① – St-Malo 138 ④ – Vire 31 ⑥.

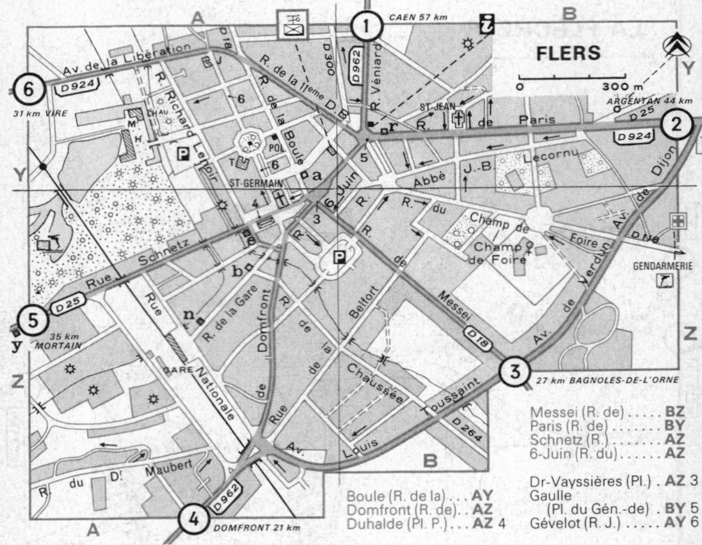

Galion sans rest, 22 r. Gare ✆ 33 64 47 47 – wc wc ☎. VISA — AZ **b**
18 – **30 ch** 101/200.

Ouest, 14 r. Boule ✆ 33 64 32 43 – wc ☎. E VISA. ch — AY **a**
fermé fév. et sam. – **R** 55/125, enf. 40 – 17 – **12 ch** 80/220 – 1/2 p 150/210.

Oasis sans rest, 3 bis r. de Paris ✆ 33 64 95 80 – wc ☎. VISA — BY **r**
fermé août, 20 déc. au 5 janv. et week-ends de nov. à avril – 17 – **31 ch** 90/190.

Aub. Relais Fleuri, 115 r. Schnetz ✆ 33 65 23 89 — AZ **y**
fermé 23 juil. au 23 août, sam. soir, dim. – **R** carte 140 à 190, enf. 25.

La Pizzeria, 60 r. Gare ✆ 33 65 31 53 – VISA — AZ **n**
fermé dim., lundi et fériés – **R** carte 100 à 160.

Normandie avec ch, 44 pl. P.-Duhalde ✆ 33 65 23 38 – wc. E VISA. — AZ **e**
fermé juil., dim. soir et vend. – **R** 53/95 – 17 – **12 ch** 75/155.

à Ferrière-aux-Étangs par ③ : 10 km – ✉ 61450 La Ferrière-aux-Étangs :

XX **Aub. de la Mine,** le Gué-Plat ✆ 33 66 91 10 – Ⓟ. VISA
fermé 28 juil. au 11 août, 4 au 24 fév., dim. soir et merc. – **R** 70/130, enf. 40.

CITROEN S.A.C.O.A., 17 r. d'Athis ✆ 33 65 22 53
FORD Granger, 59 r. Messei ✆ 33 65 08 55
OPEL Bedouelle, 29 r. Abbé-Lecornu ✆ 33 65 22 21
RENAULT Groussard, rte Domfront, Zone Ind. par ④ ✆ 33 65 77 55 N
V.A.G. Masseron, 184 r. H. Véniard à St-Georges-des-Groseilliers ✆ 33 65 24 88
Alexandre, 58 bis r. de Messei ✆ 33 65 02 15
Clabeaut-Pneu, av. Louis-Toussaint ✆ 33 65 26 18
Grosos, Le Tremblay ✆ 33 65 29 60

FLÊTRE 59 Nord 51 ④ – 662 h. – ✉ 59190 Hazebrouck.
Paris 254 – Dunkerque 40 – ♦ Lille 36 – St-Omer 33.

XX **Vieille Poutre,** ✆ 28 40 19 52 – Ⓟ. E VISA
fermé août, vacances de fév., dim. soir et lundi – **R** 190/240.

FLEURAC 16 Charente 72 ⑬ – rattaché à Jarnac.

FLEURANCE 32500 Gers 82 ⑤ **G. Pyrénées Aquitaine** – 6 089 h.
Syndicat d'Initiative à la Mairie ✆ 62 06 10 01 et 100 r. Pasteur (juin-août) ✆ 62 06 27 80.
Paris 704 – Agen 47 – Auch 24 – Castelsarrasin 59 – Condom 29 – Montauban 70 – ♦Toulouse 83.

Le Fleurance et rest. Cusinato M, rte Agen : 2 km ✆ 62 06 14 85, ←, – wc Ⓟ – 30. AE E VISA
hôtel : fermé 15 déc. au 25 janv. – **R** *(fermé 15 déc. au 15 janv., dim. soir et lundi sauf juil.-août)* 80/280 – 25 – **23 ch** 170/320.

Le Relais M sans rest, rte Auch ✆ 62 06 05 08 – wc wc Ⓟ. E VISA
fermé 20 janv. au 15 fév. – 15,50 – **25 ch** 105/160.

PEUGEOT Carol, av. Pyrénées ✆ 62 06 11 81 N ✆ 62 06 00 90

FLEURIE 69820 Rhône 74 ① **G. Vallée du Rhône** – 1 151 h.
Env. La Terrasse ✻★★ près du col du Fût d'Avenas O : 10 km.
Paris 413 – Bourg-en-Bresse 48 – Chauffailles 46 – ♦Lyon 58 – Mâcon 21 – Villefranche-sur-Saône 31.

Grands Vins M sans rest, S : 1 km par D 119ᴱ ✆ 74 69 81 43, ←, – wc Ⓟ. E VISA.
fermé 5 déc. au 20 janv. – 27 – **20 ch** 260/310.

XXX ✿✿ **Aub. du Cep** (Cortembert), pl. de l'Eglise ✆ 74 04 10 77, – AE E VISA
fermé 31 juil. au 9 août, 12 déc. au 12 janv., dim. soir et lundi sauf fériés – **R** (prévenir) 200/400 et carte
Spéc. Mousseline de sandre et grenouilles, Fricassée de volaille au Fleurie, Gibiers (oct.-nov.). Vins Fleurie, Beaujolais blanc.

FLEURINES 60 Oise 56 ① – 1 649 h. – ✉ 60700 Pont-Ste-Maxence.
Paris 55 – Beauvais 51 – Clermont 26 – Compiègne 31 – Roye 59 – Senlis 6,5.

XX ✿ **Vieux Logis** (Nivet) avec ch, ✆ 44 54 10 13, – wc. AE E VISA
fermé vacances de fév., dim. soir et lundi – **R** carte 200 à 300 – 30 – **3 ch** 220
Spéc. Foie gras chaud au miel, Cul de lapin à la bière (sept. à avril), Talibur à la poire.

FLEURVILLE 71 S.-et-L. 69 ⑲⑳ – 464 h. – ✉ 71260 Lugny.
Paris 376 – Cluny 24 – Mâcon 17 – Pont-de-Vaux 5 – St-Amour 40 – Tournus 13.

Château de Fleurville, ✆ 85 33 12 17, ←, parc, – wc Ⓟ. AE E VISA. rest
fermé fév. (sauf week-ends) et 15 nov. au 25 déc. – **R** *(fermé lundi midi)* 120/230, enf. 55 – 33 – **14 ch** 330.

XX **Le Fleurvil** avec ch, ✆ 85 33 10 65 – wc Ⓟ. E VISA
fermé 15 nov. au 15 déc., 1ᵉʳ au 7 juin, lundi soir d'oct. à juin et mardi – **R** 80/170 – 20 – **10 ch** 85/170.

à St-Oyen-Montbellet N : 3 km par N6 – ✉ 71260 Lugny :

XX **La Chaumière** avec ch, ✆ 85 33 10 41, , parc – wc wc Ⓟ. E VISA
fermé jeudi midi et merc. – **R** 80/180, enf. 40 – 20 – **12 ch** 120/160.

FLEURY-SUR-ORNE 14 Calvados 55 ⑪ – rattaché à Caen.

FLÉVIEU 01 Ain 74 ⑭ – ✉ 01470 Serrières-de-Briord.
Paris 486 – Belley 31 – Bourg-en-B. 56 – ♦Lyon 66 – Meximieux 33 – Nantua 71 – La Tour-du-Pin 34.

X **Mille,** ✆ 74 36 71 20,
fermé oct., lundi soir et mardi soir – **R** 55/100.

FLORAC <SP> **48400** Lozère 80 ⑥ **G. Gorges du Tarn** (plan) – 2 104 h.

Office de Tourisme av. J.-Monestier (fermé matin saison et après-midi hors saison) ✆ 66 45 01 14.

Paris 623 – Alès 71 – Mende 39 – Millau 83 – Rodez 122 – Le Vigan 72.

- **Gd H. Parc,** ✆ 66 45 03 05, ←, « Parc » – wc wc ☎ P – 80. AE O E VISA. ch
  15 mars-1er déc. et fermé dim. soir (sauf hôtel) et lundi hors sais. – **R** 65/160 – 20 – **58 ch** 100/220 – 1/2 p 170/290.
- **Central et Poste,** ✆ 66 45 00 01, – wc wc. AE E VISA.
  fermé 8 janv. au 20 fév. et vend. d'oct. à juin – **R** 55/69, enf. 35 – 17 – **27 ch** 110/150 – 1/2 p 130/145.
- **Gorges du Tarn** sans rest, ✆ 66 45 00 63 – wc P.
  29 avril-30 sept. – 18 – **31 ch** 90/190.

à Cocurès NE : 5,5 km – alt. 600 – ✉ **48400** Florac :

- **La Lozerette** , par N 106 et D 998 ✆ 66 45 06 04 – wc wc P.
  1er juin-30 sept. – **R** 75/100 – 20 – **17 ch** 125/175 – 1/2 p 165/200.

PEUGEOT-TALBOT Pascal, ✆ 66 45 00 65

FLORENSAC **34510** Hérault 83 ⑮ – 3 152 h.

Paris 804 – Agde 9,5 – Béziers 24 – Lodève 55 – Mèze 16 – ♦Montpellier 50 – Pezenas 14.

- XX ✿ **Léonce** (Fabre) avec ch, pl. République ✆ 67 77 03 05 – wc. AE O E VISA.
  fermé 18 sept. au 7 oct., vacances de fév., dim. soir sauf juil.-août et lundi – **R** 105/240 – 22 – **18 ch** 110/180
  Spéc. Foie de canard cuit dans sa graisse, Tartare de poisson de mer en feuille de saumon mariné, Poitrine de pigeon et sa sauce au Banyuls. **Vins** Picpoul de Pinet, Faugères.

FLORENT-EN-ARGONNE 51 Marne 56 ⑲ – rattaché à Ste-Menehould.

La FLOTTE 17 Char.-Mar. 71 ⑫ – voir à Ré (Ile de).

FLUMET **73590** Savoie 74 ⑦ **G. Alpes du Nord** – 727 h. alt. 1 000 – Sports d'hiver : 1 000/2 030 m 13.

Altiport de Megève-Mont d'Arbois ✆ **50 21 41 33 E : 15 km.**

Office de Tourisme "Le Dodécagone" ✆ 79 31 61 08.

Paris 589 – Albertville 21 – Annecy 50 – Chambéry 71 – Megève 10.

- **Host. Parc des Cèdres,** ✆ 79 31 72 37, ←, , « parc » – TV wc wc P. AE O E VISA
  21 mai-17 oct. et 17 déc.-vacances de Pâques – **R** 78/165, enf. 38 – 27 – **23 ch** 135/260 – 1/2 p 170/220.

à St-Nicolas-la-Chapelle SO : 1,2 km par N 212 – ✉ **73590** Flumet :

- **L'Eau Vive** , au village ✆ 79 31 60 46, ←, – wc wc ☎ . rest
  11 mai-3 oct., 20 déc.- 5 avril et fermé mardi hors sais. – **R** 59/89, enf. 45 – 20 – **15 ch** 140/200 – 1/2 p 145/175.
- **Vivier** M, sur N212 ✆ 79 31 73 79, ←, – wc wc ☎ P. E VISA. rest
  fermé 15 au 30 nov. – **R** 65/85, enf. 35 – 21 – **20 ch** 163/188 – 1/2 p 180.

Garage Joly, ✆ 79 31 71 86

FOIX P **09000** Ariège 86 ④⑤ **G. Pyrénées Roussillon** – 10 064 h.

Voir Site★ – ★ de la tour du château A **– Route Verte★★ O par D17** A.

Env. Rivière souterraine de Labouiche★ NO : 6,5 km par D1.

Office de Tourisme avec A.C. 45 cours G.-Fauré ✆ 61 65 12 12.

Paris 785 ① – Andorre-la-Vieille 103 ② – Auch 143 ① – Barcelona 264 ② – Carcassonne 80 ① – Castres 114 ① – ♦Perpignan 136 ② – St-Gaudens 90 ③ – Tarbes 154 ③ – ♦Toulouse 82 ①.

Plan page ci-contre

- **Audoye,** 6 pl. G.-Duthil ✆ 61 65 52 44, ←, – wc ☎ – 50. AE O E VISA B d
  fermé 15 déc. au 15 janv. et sam. en hiver – **R** 55/150, enf. 40 – 20 – **37 ch** 120/250 – 1/2 p 205/210.
- **Pyrène** M sans rest, par ② : 2 km sur N 20 ✆ 61 65 48 66, , , – TV wc ☎ P. E VISA
  fermé 20 déc. au 5 janv. et dim. hors sais. – 22 – **20 ch** 160/260.
- **Host. Barbacane,** 1 av. Lerida ✆ 61 65 50 44, ← – wc ☎ . AE O E VISA
  27 mars-1er nov. et vacances de Noël – **R** *(fermé 1er au 15 nov.)* 85/250, enf. 45 – 25 – **21 ch** 150/320 – 1/2 p 315/420. A e
- XX **Camp du Drap d'Or,** 21 r. N. Peyrevidal ✆ 61 02 87 87 – AE O E VISA A n
  fermé 18 au 25 oct. et dim. sauf le midi de Pâques au 15 oct. – **R** 99, enf. 33.
- X **XIXe Siècle,** 2 r. Delcassé ✆ 61 65 12 10, – E VISA B r
  fermé 1er fév. au 15 mars et sam. hors sais. – **R** 65/150.

FOIX

Bayle (R.) . . . . B
Delcassé (R. Th.) . . . . . B 4
Marchands (R. des) . . . B 12
St-James (R.) . . . . A 22

Alsace-Lorraine (Av.) . . . . . . B 2
Chapeliers (R. des) . . . A 3
Delpech (R. Lt P.) . . . . . A 5
Duthil (Pl.) . . . . B 6
Fauré (Av. G.) . . . . AB 7
Labistour (R. de) . . . . . . B 8
Lazéma (R.) . . . . A 9
Lérida (Av. de) . . . . A 10
Préfecture (R. de la) . . . A 14
Rocher (R. du) . . . . A 20
St-Volusien (Pl.) . . . . . . A 23
Salenques (R. des) . . . . A 24

Les plans de villes sont orientés le Nord en haut.

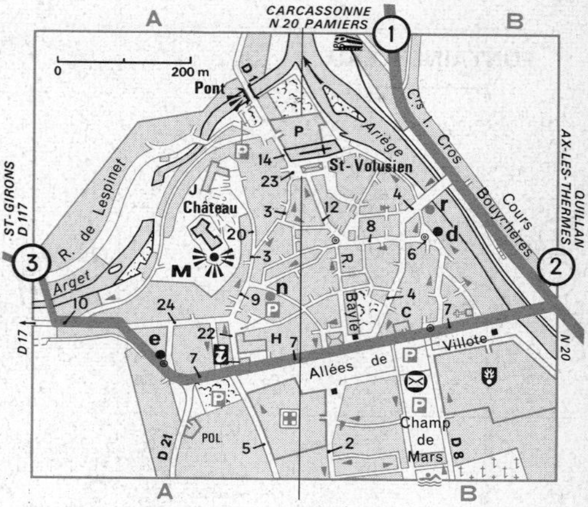

au Sud par ② : 7 km bifurcation N 20 et D 117 – ✉ **09260** St-Paul-de-Jarrat :

XX **La Charmille** avec ch, ✆ **61 64 17 03**, – wc ☎ **P**. **E** VISA. ch
fermé 25 sept. au 8 oct., 15 déc. au 10 fév. et lundi – **R** 55/200 – ☕ 18 – **10 ch** 100/220.

CITROEN Grau, N 20, Peyssales par ② ✆ 61 65 50 66
PEUGEOT, TALBOT Stival-Auto, N 20, Zone Ind. de Labarre par ① ✆ 61 65 42 22
RENAULT Autorama, rte d'Espagne par ② ✆ 61 65 32 22
V.A.G. Marhuenda, 16 bis av. Mar.-Leclerc ✆ 61 02 74 44

Central Pneu, 33 av. Mar.-Leclerc ✆ 61 65 01 68
Lautier Pneus, 16 av. de Barcelone ✆ 61 65 01 41

FOLLAINVILLE **78** Yvelines **55** ⑱, **196** ③ – rattaché à Mantes-la-Jolie.

FONCILLON **17** Char.-Mar. **71** ⑫ – rattaché à Royan.

FONSEGRIVES **31** H.-Gar. **82** ⑧ – rattaché à Toulouse.

FONTAINEBLEAU **77300** S.-et-M. **61** ②⑫, **196** ㊺㊻ **G. Environs de Paris** – 18 753 h.

Voir Palais★★★ ABZ – Jardins★ ABZ – Musée napoléonien d'Art et d'Histoire militaire : collection de sabres et d'épées★ AY **M1** – Forêt★★★ – Gorges de Franchard★★ par ⑥ : 5 km.

Env. Site★ de Moret-sur-Loing, 10 km par ③.

18 ✆ **(1) 64 22 22 95** par ⑤ : 1,5 km.

Office de Tourisme 31 pl. N.-Bonaparte ✆ (1) 64 22 25 68.

Paris 65 ⑦ – Auxerre 104 ④ – Châlons-sur-Marne 158 ③ – Chartres 105 ⑦ – Meaux 76 ① – Melun 18 ① – Montargis 51 ④ – ♦Orléans 88 ⑤ – Sens 53 ③ – Troyes 118 ③.

Plan page suivante

❀ **Aigle Noir** M, 27 pl. Napoléon ✆ **(1) 64 22 32 65, Télex 694080**, « Bel aménagement intérieur », – TV ☎ & – 100. AE ● **E** VISA AZ **a**
Le Beauharnais R 190/260 – ☕ 70 – **57 ch** 585/885, 5 appartements 1065 – ½ p 885/1030
Spéc. Saumon Oscar de Milosz, Caneton rouennais aux groseilles, Soufflé citron vert.

Legris et Parc, 36 r. Parc ✆ **(1) 64 22 24 24**, – TV wc wc ☎ – 25 à 100. **E** VISA BZ **e**
fermé 20 déc. au 28 janv. – **R** *(fermé dim. soir d'oct. à mai)* 75/125 – ☕ 25 – **30 ch** 200/300 – ½ p 210/345.

Napoléon, 9 r. Grande ✆ **(1) 64 22 20 39, Télex 691652**, – TV wc wc ☎ – 100. AE ● **E** VISA BZ **n**
fermé mars – **R** *(fermé dim. soir du 1er nov. au 31 mars)* 130/240, enf. 60 – ☕ 30 – **49 ch** 300/450 – ½ p 320/420.

Londres, pl. Gén.-de-Gaulle ✆ **(1) 64 22 20 21**, ←, – wc wc ☎ **P**. AE **E** VISA AZ **r**
fermé 21 déc. au 1er fév. – **R** 115/260 – ☕ 27 – **22 ch** 160/350.

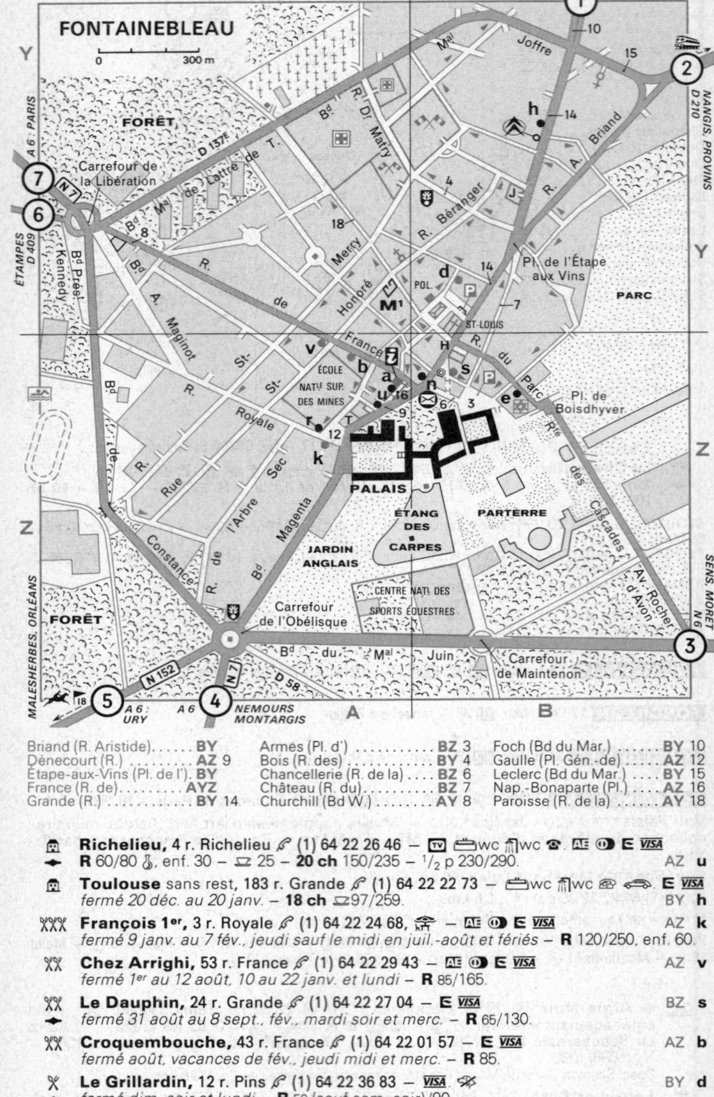

Briand (R. Aristide) ...... **BY**
Dénecourt (R.) .... **AZ** 9
Étape-aux-Vins (Pl. de l'). **BY**
France (R. de)........... **AYZ**
Grande (R.) .... **BY** 14
Armes (Pl. d') .... **BZ** 3
Bois (R. des) .... **BY** 4
Chancellerie (R. de la) .... **BZ** 6
Château (R. du) .... **BZ** 7
Churchill (Bd W.) .... **AY** 8
Foch (Bd du Mar.) .... **BY** 10
Gaulle (Pl. Gén.-de) ...... **AZ** 12
Leclerc (Bd du Mar.) ...... **BY** 15
Nap.-Bonaparte (Pl.) ..... **AZ** 16
Paroisse (R. de la) .... **AY** 18

Richelieu, 4 r. Richelieu ✆ (1) 64 22 26 46 – TV wc wc ☎. AE ◑ E VISA
R 60/80 ♁, enf. 30 – ☕ 25 – **20 ch** 150/235 – ½ p 230/290. AZ **u**

Toulouse sans rest, 183 r. Grande ✆ (1) 64 22 22 73 – wc wc ☎. E VISA
fermé 20 déc. au 20 janv. – **18 ch** ☕97/259. BY **h**

XXX **François 1er,** 3 r. Royale ✆ (1) 64 22 24 68, – AE ◑ E VISA AZ **k**
fermé 9 janv. au 7 fév., jeudi sauf le midi en juil.-août et fériés – **R** 120/250, enf. 60.

XX **Chez Arrighi,** 53 r. France ✆ (1) 64 22 29 43 – AE ◑ E VISA AZ **v**
fermé 1er au 12 août, 10 au 22 janv. et lundi – **R** 85/165.

XX **Le Dauphin,** 24 r. Grande ✆ (1) 64 22 27 04 – E VISA BZ **s**
fermé 31 août au 8 sept., fév., mardi soir et merc. – **R** 65/130.

XX **Croquembouche,** 43 r. France ✆ (1) 64 22 01 57 – E VISA AZ **b**
fermé août, vacances de fév., jeudi midi et merc. – **R** 85.

X **Le Grillardin,** 12 r. Pins ✆ (1) 64 22 36 83 – VISA. BY **d**
fermé dim. soir et lundi – **R** 50 (sauf sam. soir)/90.

à Avon par ② – ✉ **77210** Avon :

Fimotel M, 46 av. F.-Roosevelt ✆ (1) 64 22 30 21, Télex 693072, – TV
wc ☎ ♿ P – 25. AE ◑ E VISA
R 60/78 ♁, enf. 34 – ☕ 28 – **67 ch** 255/270.

à Ury par ⑤ : 10 km – ✉ **77116** Ury :

Novotel M, NE par N 152 et VO ✆ (1) 64 24 48 25, Télex 600153, ←, , ,
, – rest TV ☎ ♿ P – 110. AE ◑ E VISA
R grill carte environ 120, enf. 48 – ☕ 38 – **127 ch** 365/395.

Autres ressources hôtelières :

Voir *Vulaines-sur-Seine* par ② : 5 km, *Samois-sur-Seine* par ② : 8 km, *Barbizon* par ⑦ : 9,5 km.

ALFA-ROMEO, LADA, TOYOTA Ile-de-France-Auto, 86 r. de France ✆ (1)64 22 31 59
AUSTIN, ROVER, JAGUAR Gar. St-Antoine 111 r. de France ✆ (1)64 22 31 88
BMW D.A.B., 30 bd Maginot ✆ (1)64 22 82 82
CITROEN Sud-Auto, 177 r. Grande ✆ (1)64 22 10 60 N
FIAT Rucheton, 27 av. F.-Roosevelt à Avon ✆ (1)64 22 24 19
FORD Gar. François 1er 9 r. Chancellerie ✆ (1)64 22 20 34
LANCIA-AUTOBIANCHI, HONDA Gar. Europe, 2 av. F.-Roosevelt à Avon ✆ (1)64 22 38 71
MERCEDES SAFI 77, 7 r. Dénecourt, ✆ (1)64 22 25 65
PEUGEOT, TALBOT S.B.A., 29 av. Gén.-de-Gaulle à Avon par ② ✆ (1)60 72 21 79
RENAULT Gar. Centre, 56 av. de Valvins à Avon par ② ✆ (1)60 72 25 75
RENAULT Gar. du Viaduc, 40 r. du Viaduc à Avon par ② ✆ 64 22 37 78

Forum Pneus, 65-67 r. de France ✆ (1)64 22 25 85

FONTAINE-CHAALIS

60 Oise 56 ⑫, 196 ⑨ – 366 h. – ✉ **60300** Senlis.

Voir Boiseries★ de l'église de Baron E : 4 km, G. Environs de Paris.

Paris 49 – Beauvais 62 – Compiègne 40 – Meaux 31 – Senlis 9 – Villers-Cotterets 34.

XX **Aub. de Fontaine** avec ch, ✆ **44 54 20 22**, – wc wc ☎. VISA. ch
fermé fév., mardi soir et merc. – **R** 99/220 – 20 – **8 ch** 180/280.

FONTAINE-DE-LA-PESCALERIE

46 Lot 79 ⑨ – rattaché à Cabrerets.

FONTAINE-DE-VAUCLUSE

84 Vaucluse 81 ⑬ **G. Provence** (plan) – 606 h. – ✉ **84800** L'Isle-sur-la-Sorgue.

Voir La Fontaine de Vaucluse★★★ 30 mn – Collection Casteret★ au monde souterrain de Norbert Casteret.

Syndicat d'Initiative pl. Église (vacances de Printemps-nov.) ✆ 90 20 32 22.

Paris 704 – Apt 33 – Avignon 30 – Carpentras 21 – Cavaillon 17 – Orange 48.

XX **Parc** avec ch, ✆ **90 20 31 57**, ≤, , **« Terrasse au bord de l'eau »**, – wc wc ☎ P. AE E
15 fév.-1er nov. et fermé merc. (sauf hôtel d'oct. à mars) – **R** 95/223, enf. 45 – 25 – **12 ch** 210 – 1/2 p 272/377.

XX **Host. du Château,** ✆ **90 20 31 54**, ≤, , **« Au bord de l'eau »** – AE E VISA
fermé fév. et mardi – **R** 75/198.

X **Philip,** ✆ **90 20 31 81**, ≤, , **« Au pied des Cascades »**
1er avril-30 sept. – **R** 80/180.

FONTAINE-LE-DUN

76740 S.-Mar. 52 ⑬ – 831 h.

Paris 188 – Dieppe 24 – ♦Le Havre 79 – ♦Rouen 49 – St-Valéry-en-Caux 16 – Yvetot 28.

à Bourg-Dun **N : 7 km par D 142 et D 237 – G. Normandie Vallée de la Seine –** ✉ **76740** Fontaine-le-Dun.

Voir Tour★ de l'église.

X **Aub. du Dun,** sur D925 ✆ **35 83 05 84** – P. VISA.
fermé 23 oct. au 10 nov., Noël, 15 fév. au 5 mars, dim. soir et lundi – **R** 79/145.

FONTAINE-STANISLAS

88 Vosges 62 ⑯ – rattaché à Plombières.

FONTENAI-SUR-ORNE

61 Orne 60 ② – rattaché à Argentan.

FONTENAY-LE-COMTE

SP 85200 Vendée 71 ① **G. Poitou Vendée Charentes** – 16 650 h.

Voir Clocher★ de l'église N.-Dame AY **B.**

Office de Tourisme quai Poey-d'Avant ✆ 51 69 44 99.

Paris 438 ① – Cholet 76 ① – La Rochelle 49 ④ – La Roche-sur-Yon 56 ⑤.

Plan page suivante

Rabelais, rte Parthenay ✆ **51 69 86 20**, Télex 701737, ≤, , parc, – TV wc wc ☎ P – 100. E VISA — BZ **a**
R grill 60/85, enf. 39 – 25 – **43 ch** 240/280 – 1/2 p 220.

XX **Chouans Gourmets,** 6 r. Halles ✆ **51 69 55 92** – AE E VISA — AY **e**
fermé 27 juin au 11 juil., vacances de fév., dim. soir et lundi sauf fêtes – **R** 72/175, enf. 33.

à Velluire par ④, D 938 ter et VO : 11 km – ✉ **85770** Vix :

XX **Aub. de la Rivière** avec ch, ✆ **51 52 32 15**, ≤ – wc. VISA
fermé fév., vacances de nov., dim. soir (sauf hôtel) et lundi sauf juil.-août – **R** 60/180 – 25 – **12 ch** 110/250 – 1/2 p 152/207.

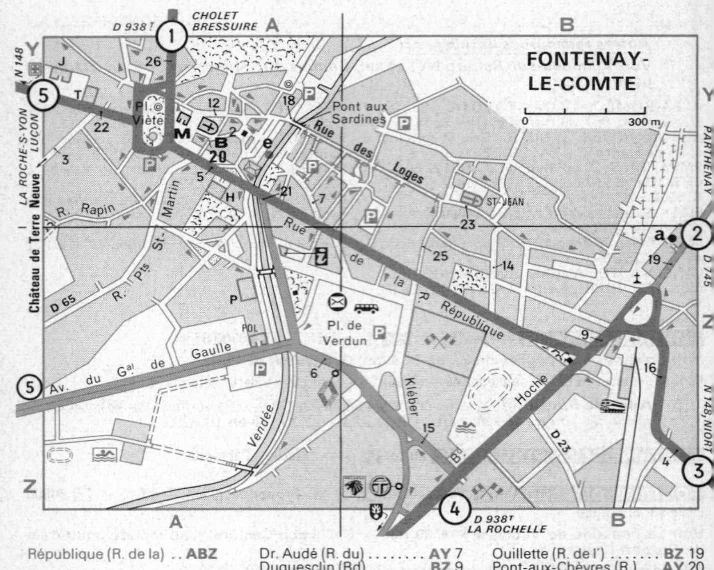

République (R. de la) .. **ABZ**	Dr. Audé (R. du) .... **AY** 7	Ouillette (R. de l') .... **BZ** 19
	Duguesclin (Bd) .... **BZ** 9	Pont-aux-Chèvres (R.)... **AY** 20
Belliard (Pl.)............ **AY** 2	Guillemet (R.) .... **AY** 12	Pont-Neuf .... **AY** 21
Brisson (R. B.)........... **AY** 3	Jacobins (R. des) .... **BZ** 14	Rabelais (R.) .... **AY** 22
Capitale (Bd de la) ...... **BZ** 4	Marceau (Av.) .... **BZ** 15	St-Jean (R.) .... **BY** 23
Clemenceau (R. G.) ..... **AY** 5	Niort (R. de) .... **BZ** 16	St-Nicolas (R.).......... **BZ** 25
Chail (Bd du) .... **AZ** 6	Orfèvres (R. des) .... **AY** 18	Tiraqueau (R.) .... **AY** 26

CITROEN Les Gar. Murs, Zone Ind., 67 r. de l'Ancienne capitale du Bas Poitou par ③ ✆ 51 69 06 76
FIAT-HONDA Gar. Leboeuf, 86 r. de la République ✆ 51 69 30 98
PEUGEOT-TALBOT Fontenay-Automobiles, 24 r. Kléber ✆ 51 69 85 15

RENAULT Fontenaysienne Diffusion Auto, allée du Chail ✆ 51 69 49 74
V.A.G. Gar. Couturier, av. Gén.-de-Gaulle ✆ 51 69 92 67 **N** ✆ 51 69 05 77

Aubert, rte de Niort ✆ 51 69 30 79

FONTENAY-TRÉSIGNY **77610** S.-et-M. **61** ②, **196** ㉞㉟ – **3 640 h.**

Paris 53 – Coulommiers 23 – Meaux 30 – Melun 26 – Provins 39 – Sézanne 66.

Le Manoir, E : 4 km par N 4 et D 402 ✆ **(1) 64 25 91 17, Télex 690635, ←, parc, « Belle décoration intérieure »**, – 30. AE VISA
26 mars-15 nov. – **R** *(fermé mardi)* carte 190 à 265 – 40 – **12 ch** 400/600, 3 appartements 1000 – ½ p 650/850.

✕ **Le Relais,** ✆ **(1) 64 25 90 41**
fermé 15 juil. au 2 août, mardi soir et merc. – **R** 73.

FONTEVRAUD-L'ABBAYE **49590** M.-et-L. **67** ⑨ **G. Châteaux de la Loire – 1 850 h.**

Voir Abbaye★★ – Église St-Michel★.

Syndicat d'Initiative à la Mairie (juin-15 sept.) ✆ 41 51 71 21.

Paris 294 – Angers 69 – Chinon 21 – Loudun 19 – Poitiers 74 – Saumur 16 – Thouars 36.

Croix Blanche, 7 pl. Plantagenets ✆ 41 51 71 11, – wc wc – 40
fermé 14 nov. au 2 déc. et 16 janv. au 4 fév. – **R** 48/130 – 20 – **22 ch** 85/265 – ½ p 124/184.

✕✕ ❀ **La Licorne,** allée Ste Catherine ✆ 41 51 72 49, – AE VISA
fermé 30 août au 7 sept., janv., dim. soir et lundi sauf fêtes – **R** (prévenir) carte 185 à 265
Spéc. Ravioli de langoustines, Escalope de sandre au vin de Chinon, Mousse au Grand-Marnier. **Vins** Saumur-Champigny, Chinon.

✕ **Abbaye,** 8 av. Roches ✆ 41 51 71 04 – . VISA
fermé 3 au 28 oct., 31 janv. au 26 fév., mardi soir et merc. – **R** 53 bc/100 .

FONT-ROMEU 66120 Pyr.-Or. 86 ⑯ G. Pyrénées Roussillon – 3 136 h. alt. 1 800 – Sports d'hiver : 1 850/2 204 m 1 24, – Casino – **Voir Ermitage★ (camaril★★) et calvaire ★★ de Font-Romeu NE : 2 km puis 15 mn.**

Office de Tourisme av. E.-Brousse 68 30 02 74, Télex 500802.

Paris 998 – Andorre-la-Vieille 77 – Ax-les-Thermes 66 – Bourg-Madame 18 – ♦Perpignan 88.

Carlit H., 68 30 07 45, – cuisinette wc. E VISA
1er juin-1er oct. et 20 déc.-15 avril – **R** 60/160, enf. 55 – 30 – **58 ch** 245/335 – 1/2 p 250/315.

L'Orée du Bois M sans rest, 68 30 01 40, ← – wc wc. AE VISA
19 – **37 ch** 180/215.

Gd Tétras M, 68 30 01 20 – wc wc. AE E VISA
15 juin-5 oct., 1er au 10 nov. et 15 déc.-10 mai – **R** voir rest. **la Potinière** – 21 – **36 ch** 150/245 – 1/2 p 160/203.

Sun Valley M, 68 30 21 21, ← – wc. AE E VISA.
fermé 2 mai au 11 juin et 1er oct. au 16 déc. – **R** 67 bc – 20 – **45 ch** 225/285 – 1/2 p 240.

Clair Soleil M, rte Odeillo : 1 km 68 30 13 65, ← montagnes et four solaire, , – wc. AE E VISA
15 mai-15 oct. et 15 déc.-15 avril – **R** 75/90 – 21 – **31 ch** 115/230 – 1/2 p 170/225.

Y Sem Bé , 68 30 00 54, ← Cerdagne – wc wc. E VISA
fin mai-15 oct. et 15 déc.-fin avril – **R** 70/125, enf. 40 – 25 – **27 ch** 110/250 – 1/2 p 150/220.

Pyrénées , 68 30 01 49, ← Cerdagne, – wc wc. E VISA
1er juin-30 sept. et 19 déc.-15 avril – **R** 60/100, enf. 45 – 25 – **37 ch** 170/220 – 1/2 p 180/230.

Les Cimes sans rest, 68 30 17 77, ←, – cuisinette wc. E VISA
1er juil.-31 août et 20 déc.-30 mars – 30 – **23 ch** 125/315.

XX **La Potinière** -Hôtel Gd Tétras-, 68 30 11 56 – E VISA
15 juin-5 oct., vacances de nov. et 15 déc.-5 mai – **R** 70/145, enf. 45.

à Odeillo SO : 3 km par D 29 – alt. 1 596 – ✉ **66120** Font-Romeu :

Coq Hardi, 68 30 11 02, ← – wc wc. AE E VISA. rest
1er juil.-15 nov. et 15 déc.-31 mai – **R** 60/125, enf. 45 – 23 – **25 ch** 165/230 – 1/2 p 180/215.

Romarin, 68 30 09 66, ← Cerdagne, – wc wc. VISA
fermé 1er au 15 mai et 15 nov. au 15 déc. – **R** 55 bc/76 bc, enf. 28 – **16 ch** 139/195 – 1/2 p 179/215.

à Targasonne O : 4 km par D 10 E et D 618 – ✉ **66120** Font-Romeu :

La Tourane , 68 30 15 03, ← – wc
fermé 1er nov. au 15 déc. – **R** 60 bc/100, enf. 35 – 20 – **30 ch** 120/160 – 1/2 p 135/160.

à Via S : 5 km par D 29 – ✉ **66120** Font-Romeu :

L'Oustalet , 68 30 11 32, ←, – wc wc. E VISA. rest
fermé 1er au 20 mai et 1er nov. au 15 déc. – **R** 60/90, enf. 40 – 20 – **29 ch** 130/194 – 1/2 p 152/200.

FONTVIEILLE 13990 B.-du-R. 83 ⑩ G. Provence – 3 432 h.

Voir Moulin de Daudet ←★ – Chapelle St-Gabriel★ N : 5 km.

Syndicat d'Initiative à la Mairie 90 97 70 01.

Paris 724 – Arles 10 – Avignon 30 – ♦Marseille 92 – St-Rémy-de-Pr. 18 – Salon-de-Pr. 37.

❀ **La Regalido** (Michel) M , 90 97 60 22, Télex 441150, , « Jardin fleuri » – . AE E VISA
fermé fin nov. au 1er fév. – **R** *(fermé lundi sauf le soir en sais. et mardi midi)* (nombre de couverts limité - prévenir) 200/380, enf. 120 – 60 – **14 ch** 550/1100 – 1/2 p 480/800
Spéc. Gratin de moules aux épinards, Nage de loup à l'huile d'olive, Tranche de gigot en casserole et à l'ail. **Vins** Côteaux-des-Baux, Châteauneuf-du-Pape.

La Peiriero M sans rest, av. Baux 90 97 76 10, , – – 40 **40 ch**.

Valmajour , rte d'Arles 90 97 62 33, ←, « Parc », , – wc wc . AE E VISA. rest
fermé 5 janv. au 10 fév. – **R** *(fermé jeudi midi et merc. hors sais.)* 80/130 , enf. 50 – 36 – **28 ch** 190/300, 4 appartements 420 – 1/2 p 280/300.

A la Grâce de Dieu , av. Tarascon 90 97 71 90, , – wc . AE E VISA. rest
fermé 5 janv. au 15 mars et merc. hors sais. – **R** 110/140 – 35 – **10 ch** 260/300 – 1/2 p 260/280.

Laetitia, r. Lion 90 97 72 14, – wc
1er mars-15 nov. – **R** *(fermé le midi de juin au 15 nov.)* 65/95 – 18 – **9 ch** 110/165 – 1/2 p 130/160.

XX **Le Patio,** ✆ 90 97 73 10, ⛱, « Bergerie provençale » – AE ⓓ E VISA
fermé 4 janv. au 8 fév., mardi soir et merc. – **R** 140/225.

XX **Le Homard,** r. Nord ✆ 90 97 75 34, ⛱ – AE ⓓ E VISA. ✕
fermé 15 nov. au 25 déc., 5 janv. au 15 fév. et sam. hors sais. – **R** 69/150.

rte de Tarascon NO : 5,5 km, par D 33 – ✉ **13150** Tarascon :

Mazets des Roches Ⓜ, ✆ 90 91 34 89, ←, ⛱, parc, 🏊, 🎾 – ▤ ch 📺 wc wc ☎ Ⓟ – 🏛 50. AE ⓓ E VISA
Pâques-mi-oct. – **R** 100, enf. 70 – ☕ 36 – **24 ch** 380/520 – 1/2 p 280/390.

FORBACH

SP **57600** Moselle **57** ⑥ **G. Alsace et Lorraine** – **27 321 h.**

🅘 Office de Tourisme à l'Hôtel de Ville ✆ 87 85 02 43.

Paris 386 ② – ♦Metz 60 ② – St-Avold 23 ② – Sarreguemines 19 ② – Saarbrücken 9 ①.

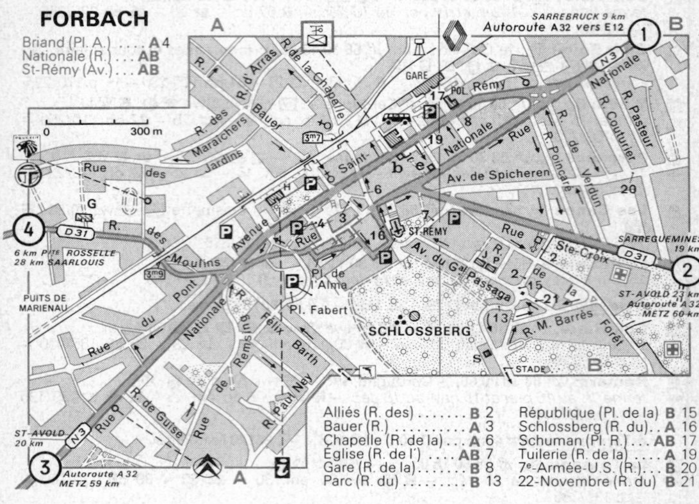

Alliés (R. des) . . . . B 2
Bauer (R.) . . . . A 3
Chapelle (R. de la) . . . A 6
Église (R. de l') . . . . AB 7
Gare (R. de la) . . . . . . B 8
Parc (R. du) . . . . B 13
République (Pl. de la) B 15
Schlossberg (R. du) . . A 16
Schuman (Pl. R.) . . . AB 17
Tuilerie (R. de la) . . . . A 19
7e-Armée-U.S. (R.) . . . B 20
22-Novembre (R. du) B 21

Poste sans rest, 57 r. **Nationale** ✆ **87 85 08 80** – wc wc ☎ Ⓟ. E VISA. ✕
☕ 20 – **29 ch** 128/158. A **e**

Berg sans rest, **50** av. **St-Rémy** ✆ **87 85 09 12** – wc ☎ Ⓟ – 🏛 50. E VISA A **b**
☕ 23 – **21 ch** 135/175.

XX **du Schlossberg,** 13 r. Parc ✆ 87 87 88 26, parc – Ⓟ. AE ⓓ E VISA. ✕ B **s**
fermé mardi soir et merc. – **R** 125/210.

à Stiring-Wendel par ①: 3 km – 13 583 h. – ✉ **57350** Stiring-Wendel

XX **Bonne Auberge,** ✆ 87 87 52 78 – Ⓟ. AE E VISA. ✕
fermé 1er au 21 juil., 26 déc. au 3 janv., lundi soir et mardi – **R** 198.

à Rosbruck par ③ : 6 km – ✉ **57800** Freyming-Merlebach :

XXX **Aub. Albert Marie,** 1 r. Nationale ✆ 87 04 70 76 – Ⓟ. VISA
fermé dim. soir et lundi – **R** carte 150 à 310.

AUSTIN, ROVER, TRIUMPH Gar. du Centre, 105 r. Nationale à Morsbach ✆ 87 85 06 70
CITROEN Gar. Herber, 210 r. Nationale ✆ 87 85 11 89 🅽
FORD Lehmann Autom., 143 r. Nationale à Stiring-Wendel ✆ 87 87 42 10
MERCEDES Gar. de l'Europe et de l'Autoroute 294 et 300 r. Nationale, ✆ 87 85 31 74
OPEL S.A.M.A., Carr. de l'Europe ✆ 87 87 87 14
PEUGEOT TALBOT Est-Autom., r. Schoeser ✆ 87 85 11 23
RENAULT Pierrard, 3 av. St-Rémy ✆ 87 85 40 65 🅽
V.A.G. Jacob, r. St-Guy ✆ 87 87 35 50
Ⓜ A.P.S 4B r. Nationale à Stiring-Wendel ✆ 87 87 56 94
Berwald, 21 av. Spicheren et ZI de la Heid à Stiring-Wendel ✆ 87 87 40 54
Leclerc-Pneus, Carr. du Schoeneck ✆ 87 85 78 40
Leclerc-Pneus, carr. de l'Europe, Zone Ind. ✆ 87 85 46 26

FORCALQUIER

SP **04300** Alpes-de-H.-Pr **81** ⑮ **G. Alpes du Sud** (plan) – **3 790 h.**

Voir Site★ – Cimetière★ – ✻★ de la terrasse N.-D. de Provence – Prieuré de Salagon★ S : 4 km – 🅘 Office de Tourisme pl. Bourguet ✆ 92 75 10 02.

Paris 771 – Aix-en-Provence 67 – Apt 42 – Digne 49 – Manosque 23 – Sisteron 44.

Host. des Deux Lions, 11 pl. Bourguet ✆ 92 75 25 30 – TV wc wc. AE VISA
1er mars-15 nov. et fermé dim. soir et lundi hors sais. – **R** 125/180, enf. 50 – 30 – **18 ch** 160/280 – 1/2 p 200/270.

Aub. Charembeau, E : 3,5 km par N 100 ✆ 92 75 05 69, ≤, – cuisinette wc. rest
15 fév.-15 nov. – **R** *(fermé lundi)* (résidents seul.) carte 95 à 160 – 25 – **11 ch** 175/220 – 1/2 p 178/200.

FOREST-SUR-MARQUE 59 Nord 51 ⑯ – rattaché à Roubaix.

FORÊT voir au nom propre de la forêt.

La FORÊT 33 Gironde 71 ⑨ – rattaché à Bordeaux.

La FORÊT-FOUESNANT 29133 Finistère 58 ⑮ **G. Bretagne** – 2 149 h.

de Quimper et de Cornouaille ✆ 98 56 97 09.

Office de Tourisme 2 r. du Port ✆ 98 56 94 09.

Paris 543 – Carhaix-Plouguer 66 – Concarneau 9,5 – Pont-l'Abbé 23 – Quimper 16 – Quimperlé 35.

Manoir du Stang, N : 1,5 km accès par D 783 et chemin privé ✆ 98 56 97 37, « Beau manoir dans un parc fleuri, étangs », – 50.
2 mai-30 sept. – **R** 200/220 – 42 – **26 ch** 360/650.

Espérance, pl. église ✆ 98 56 96 58, – wc. E VISA. rest
25 mars-30 sept. – **R** 52/170, enf. 35 – 20 – **30 ch** 75/214 – 1/2 p 136/194.

Aub. St-Laurent, E : 2,5 km rte Concarneau (par la côte) ✆ 98 56 98 07, –
Pâques-fin sept., week-ends et vacances scolaires – **R** 60/120.

FORÊT-SUR-SÈVRE 79380 Deux-Sèvres 67 ⑯ – 796 h..

Paris 373 – Bressuire 16 – ♦Nantes 95 – Niort 61 – La Roche-sur-Yon 73.

Aub. du Cheval Blanc, ✆ 49 80 86 35 – AE E VISA
fermé 1er au 7 août, 1er au 7 sept., 1er au 7 fév. et sam. – **R** 58/100, enf. 35.

FORGE-DE-L'ISLE 36 Indre 68 ⑧ – rattaché à Châteauroux.

FORGES-LES-EAUX 76440 S.-Mar. 55 ⑧ **G. Normandie Vallée de la Seine** – 3 756 h – Stat. therm. – Casino.

Office de Tourisme parc Hôtel de Ville ✆ 35 90 52 10.

Paris 116 – Abbeville 71 – ♦Amiens 70 – Beauvais 50 – ♦Le Havre 118 – ♦Rouen 42.

Aub. du Beau Lieu, rte de Gournay-en-Bray : 2 km ✆ 35 90 50 36, – AE E VISA
fermé 16 au 27 janv., vacances de fév., lundi en juil.-août, lundi soir, mardi soir et merc. soir hors sais. – **R** 95/200.

Paix avec ch, 17 r. Neufchatel ✆ 35 90 51 22, – AE E VISA
fermé 15 déc. au 15 janv., dim. soir et lundi hors sais. – **R** 56/120, enf. 45 – 16 – **6 ch** 85/115 – 1/2 p 135.

aux Thermes et Casino :

Continental, ✆ 35 09 80 12 – wc. AE E VISA
R voir rest. **Le Cardinal** ci-après – 26 – **49 ch** 160/220.

Le Cardinal -Hôtel Continental-, au Casino ✆ 35 09 80 12, parc – AE E VISA. – **R** 155/350.

par rte de Dieppe :

Relais du Bois des Fontaines, ✆ 35 09 85 09, – wc. AE E VISA
fermé fév. et merc. du 1er oct. au 1er avril – **R** 135 bc/160 – 30 – **10 ch** 230/290.

RENAULT Gar. du Parc, ✆ 35 90 52 83 ✆ 35 90 58 94
Parin Pneus, ✆ 35 90 51 17

FORT-MAHON-PLAGE 80790 Somme 51 ⑪ – 962 h. – Casino.

Paris 200 – Abbeville 35 – ♦Amiens 82 – Berck-Plage 20 – Étaples 29 – Montreuil 28.

Terrasse, ✆ 22 27 70 19, ≤ – wc. E VISA
fermé 2 janv. au 15 mars – **R** 70/150, enf. 25 – 22 – **32 ch** 180/320 – 1/2 p 160/180.

Victoria, ✆ 22 27 71 05 – wc
R *(fermé jeudi sauf vacances scolaires)* 60/160, enf. 40 – 15 – **18 ch** 90/135 – 1/2 p 140/180.

Aub. du Fiacre, à Routhiauville SE : 2 km par rte de Rue ✉ 80120 Rue ✆ 22 27 76 30, « Ancienne ferme aménagée », – AE E VISA
fermé fév., lundi soir et mardi sauf juil.-août – **R** 70/155.

La FOSSETTE 83 Var 84 ⑯⑰ – rattaché au Lavandou.

FOS-SUR-MER 13270 B.-du-R. 84 ⑪ **G. Provence** – 9 446 h – **Voir Bassins de Fos★.**

Office de Tourisme av. J.-Jaurès ✆ 42 47 71 96.

Paris 752 – Aix-en-Provence 56 – Arles 41 – ♦Marseille 51 – Martigues 11 – Salon-de-Provence 30.

Mas de Cantegrillet sans rest, N : 2,5 km par N 568 ✆ 42 05 03 27, – wc wc **P**
fermé 22 déc. au 10 janv. – 27 – **12 ch** 135/210.

Azur M sans rest, 20 av. J.-Moulin ✆ 42 05 20 50 – TV wc wc ☎ **P**. E VISA.
fermé 20 déc. au 2 janv. et dim. d'oct. à mars – 28 – **16 ch** 175/255.

XX **Lou Pescadou** M avec ch, Grande Plage ✆ 42 05 41 22, ← – wc wc ☎. AE E VISA.
R *(fermé sam. et dim.)* 105 – 30 – **10 ch** 250/280.

FOUDAY 67 B.-Rhin 62 ⑧ **G. Alsace et Lorraine** – 253 h. – ✉ **67130** Schirmeck.

Paris 401 – St-Dié 32 – Saverne 61 – Sélestat 35 – ♦Strasbourg 57.

Chez Julien, N 420 ✆ 88 97 30 09, , – wc wc ☎ **P**. E VISA
fermé 1er au 20 oct., 1er au 18 mars, lundi soir et mardi sauf juil.-août – **R** 50/160 – 20 – **12 ch** 132/162 – ½ p 140.

FOUESNANT 29170 Finistère 58 ⑮ **G. Bretagne** – 5 430 h.

Office de Tourisme 5 r. Armor ✆ 98 56 00 93.

Paris 546 – Carhaix-Plouguer 69 – Concarneau 13 – Quimper 15 – Quimperlé 39 – Rosporden 18.

Armorique (annexe : - 12 ch wc wc), 33 r. de Cornouaille ✆ 98 56 00 19, – wc wc **P**. E VISA.
fin mars-début oct. et fermé lundi midi sauf juil.-août – **R** 65/165 – 23 – **25 ch** 105/225 – ½ p 175/245.

Le Roudou, rte St-Evarzec ✆ 98 56 01 26, – wc wc **P**. E. rest
Pâques-30 sept. et fermé lundi hors sais. – **R** 58/95 – 18 – **20 ch** 152/172 – ½ p 168/185.

Orée du Bois sans rest, 4 r. Kergoadig ✆ 98 56 00 06 – wc. E VISA
fermé 20 déc. au 1er fév. et dim. en hiver – 22 – **15 ch** 96/195.

Arvor, pl. Église ✆ 98 56 00 35, – **P**. E VISA.
fermé nov. et jeudi d'oct. à fin mars – **R** *(en hiver déj. seul.)* 49/180 – 18 – **12 ch** 95/180 – ½ p 145/165.

XXX **L'Huîtrière,** rte St-Evarzec ✆ 98 56 06 62, Fruits de mer – **P**.
juil.-août et fermé mardi – **R** (dîner seul.) 120/300.

au Cap Coz SE : 2,5 km par VO – ✉ **29170** Fouesnant :

Pointe Cap Coz , ✆ 98 56 01 63, ← – wc . VISA. rest
2 avril-28 sept. et fermé merc. – **R** 79/150 – 23 – **24 ch** 126/252 – ½ p 135/214.

Bellevue, ✆ 98 56 00 33, ←, – wc wc ☎ **P**. E VISA.
15 mars-fin oct. – **R** 62/95 – 23 – **21 ch** 98/220 – ½ p 149/270.

à la Pointe de Mousterlin SO : 6 km par D 145 et D 134 – ✉ **29170** Fouesnant :

Pointe Mousterlin , ✆ 98 56 04 12, ←, , – wc wc ☎ **P**. E VISA.
1er mai-30 sept. – **R** 98/175, enf. 55 – 25 – **67 ch** 108/320 – ½ p 156/330.

PEUGEOT-TALBOT Gar. Merrien, ✆ 98 56 00 17

RENAULT Bourhis, ✆ 98 56 02 65 N ✆ 98 56 80 24

FOUGÈRES SP 35300 I.-et-V. 59 ⑱ **G. Bretagne** – 25 131 h.

Voir Château★★ AY – **Église St-Sulpice★** AY – **Jardin public★** : ←★ AY – **Vitraux★** de **l'église St-Léonard** AY.

Office de Tourisme pl. A.-Briand ✆ 99 94 12 20.

Paris 323 ③ – Avranches 40 ⑥ – Laval 50 ② – ♦Le Mans 129 ② – ♦Rennes 48 ④ – St-Malo 76 ⑤.

Plan page ci-contre

Mainotel M , par ② : 1,5 km sur N 12 ✆ 99 99 81 55, Télex 730956, – wc ☎ **P** – 35 à 400. E VISA
R *(fermé dim. soir)* 60/190, enf. 38 – 25 – **50 ch** 165/260 – ½ p 210/260.

H. Voyageurs sans rest, 10 pl. Gambetta ✆ 99 99 08 20 – wc wc ☎. AE E VISA BY e
fermé 20 au 30 déc. et sam. du 1er nov. au 1er mars – 18 – **37 ch** 120/170.

Balzac sans rest, 15 r. Nationale ✆ 99 99 42 46 – wc wc ☎ . E VISA BY a
18 – **22 ch** 119/189.

Commerce, pl. Gd-Marché ✆ 99 94 40 40 – wc wc ☎. E VISA. ch BZ n
fermé 20 déc. au 5 janv. – **R** *(fermé dim. hors sais.)* 48/85 – 18 – **25 ch** 110/250 – ½ p 140/180.

XX **Rest. Voyageurs,** 10 pl. Gambetta ✆ 99 99 14 17 – . AE VISA BY e
fermé 17 au 31 août, dim. soir et sam. sauf juil.-août – **R** (nombre de couverts limité -prévenir) 65/150.

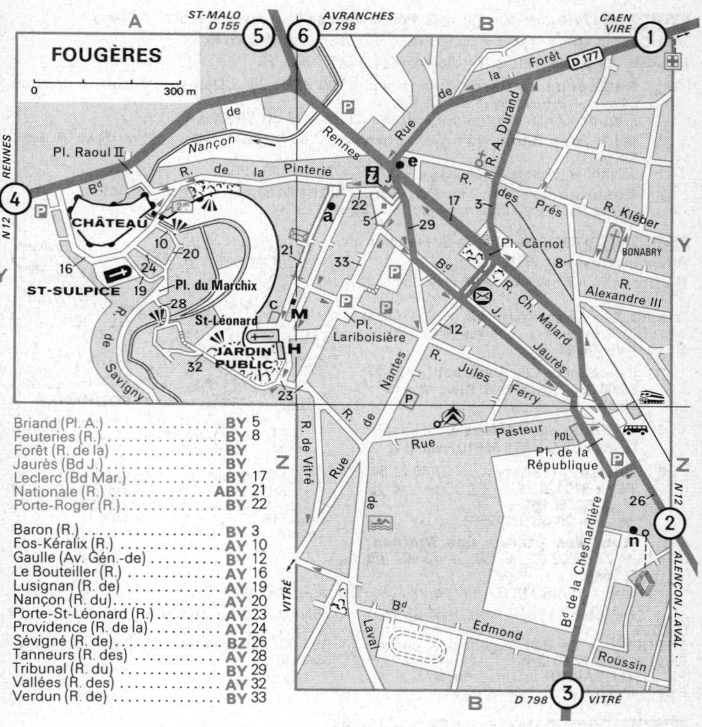

à la Templerie par ② : 11 km – ✉ **35133** Fougères :

XX **Chez Galloyer "La Petite Auberge",** sur N 12 ✆ 99 95 27 03 – **P**. **E** VISA
fermé août, dim. et lundi – **R** (prévenir) 85/155.

ALFA ROMEO Gar. Davenel, 64 bd de Rennes ✆ 99 99 37 41
CITROEN Gar. S.A.D.R.A.F., 17 bis r. Pasteur ✆ 99 99 11 92 **N** ✆ 99 99 40 88
FIAT Gar. du Centre, Z.A. Le Parc, rte de Rennes à Lecousse ✆ 99 94 42 00
FORD Gar. Gilbert, ZAC La Guénaudière II ✆ 99 99 66 95
OPEL Gar. Baudriller, 19 bis r. Charles-Malard ✆ 99 99 92 94
PEUGEOT-TALBOT Armorique Autos, 100 rte d'Ernée par ② ✆ 99 99 03 08 **N** ✆ 99 99 40 88
RENAULT Gar. Guilmault, pl. du Grand Marché ✆ 99 94 40 20
V.A.G Gar. Mouton, 3 r. du Gén.-Chanzy ✆ 99 94 31 31
VOLVO Gar. Gaillard, 26 r. du Docteur Bertin ✆ 99 99 07 60
Ⓜ Maison du Pneu, 10 et 12 bd St-Germain ✆ 99 99 01 70
SOS Pneus, ZAC la Guénaudière rte de Paris ✆ 99 99 44 92

FOUGEROLLES **70220** H.-Saône **66** ⑥ – **4 328 h.**

Paris 367 – Épinal 47 – Luxeuil-les-Bains 9 – Plombières-les-Bains 11 – Remiremont 24 – Vesoul 39.

XX ✿ **Au Père Rota** (Kuentz), ✆ **84 49 12 11** – **P**. AE ⓓ **E** VISA
fermé 21 nov. au 14 déc., vacances de fév., dim. soir et lundi sauf fériés – **R** 115/220
Spéc. Nage de turbot et crustacés au vin jaune, Aiguillettes de canard aux chanterelles (saison), Crêpes fourrées aux griottines. **Vins** Champlitte.

FOULAIN **52** H.-Marne **62** ⑪⑫ – **535 h.** – ✉ **52800** Nogent-en-Bassigny.

Paris 267 – Bourbonne-les-Bains 44 – Châtillon-sur-Seine 63 – Chaumont 11 – Langres 24.

XX **Chalet** avec ch, ✆ **25 31 11 11** – wc. AE ⓓ **E** VISA
fermé lundi du 15 sept. au 15 juin – **R** 50/150 ₰, enf. 32 – ☕ 20 – **12 ch** 75/165 – ½ p 180/230.

DATSUN, LADA, SKODA Maitre, ✆ 25 31 10 16

Um diesen Führer bestens zu nutzen, siehe Erklärungen S. 40 bis 47.

FOURAS 17450 Char.-Mar. 71 ⑬ **G. Poitou Vendée Charentes** – 3 297 h. – Casino.

Voir Donjon ✻★ – ℹ Office de Tourisme Fort Vauban ✆ 46 84 60 69.

Paris 484 – Châtelaillon-Plage 17 – Rochefort 14 – La Rochelle 27.

- **Résidence Le Parc** sans rest, ✆ **46 84 61 26,** « Demeure ancienne dans un parc » – wc wc. AE VISA
  Pâques-22 mai et 1er juin-fin sept. – ☕ 32 – **16 ch** 190/375.
- **Gd H. des Bains,** 15 r. Gén.-Bruncher ✆ **46 84 03 44,** – wc wc ☎. rest
  20 mai-26 sept. – **R** 71/100 – ☕ 18 – **36 ch** 140/223.
- **Roseraie** sans rest, 2 av. Port-Nord ✆ **46 84 64 89,** – wc wc
  fermé 20 déc. au 20 janv. – ☕ 16 – **20 ch** 120/140.

FOURMIES 59610 Nord 53 ⑯ **G. Flandres Artois Picardie** – 15 599 h.

ℹ Office de Tourisme pl. Verte (15 janv.-15 déc.) ✆ 27 60 40 97.

Paris 202 ③ – Avesnes-sur-Helpe 16 ③ – Charleroi 61 ① – Guise 34 ③ – Hirson 13 ② – ♦Lille 116 ③ – Vervins 28 ③.

- **Providence,** 12 r. Verpraet **(a)** ✆ 27 60 06 25 – TV wc wc ☎
  15 ch.

à l'Etang des Moines E : 2 km par D 964 et VO – ✉ **59610** Fourmies :

- **Ibis** M sans rest, ✆ **27 60 21 54,** Télex 810172, ← – TV wc ☎ P – 30. E VISA
  ☕ 29 – **30 ch** 230/260.
- **Aub. des Étangs des Moines,** ✆ 27 60 02 62, ←, – P. AE E VISA
  fermé 15 déc. au 20 janv., dim. soir et vend. – **R** 87 bc/160.

Clavon (R. Xavier)	2	République (Pl.)	8
Cousin-Corbier (R.)	3	Rouets (R. des)	12
Gaulle (Av. Ch.)	4	St-Louis (R.)	13
Jaurès (R. J.)	5	Verpraet (R. Édouard)	17
Legrand (R. Th.)	7		

CITROEN Losson, 13 r. A.-Renaud par ① ✆ 27 59 90 27
CITROEN La Centrale Automobile, ch. des Blés par ② ✆ 27 60 22 21
PEUGEOT-TALBOT Gar. Legrand, 4 av. Prés.-Kennedy par ② ✆ 27 60 02 23
RENAULT Gar. Cohidon, 51 r. des Etangs ✆ 27 60 43 27
RENAULT Gar. Prévost, 2 r. Ed.-Verpraet ✆ 27 60 06 16

Le FOUSSERET 31430 H.-Gar. 82 ⑯ – 1 375 h.

Paris 756 – Auch 68 – Foix 74 – Pamiers 63 – St-Gaudens 41 – St-Girons 51 – ♦Toulouse 56.

- **Voyageurs,** ✆ 61 87 73 06, – . E.
  fermé 15 août au 15 sept., dim. soir et sam. – **R** 75/160 – ☕ 15 – **8 ch** 55/100 – 1/2 p 115.

La FOUX 83 Var 84 ⑰ – rattaché à Port-Grimaud.

FRAÏSSE-SUR-AGOUT 34330 Hérault 83 ③ **G. Gorges du Tarn** – 266 h. alt. 790.

ℹ Syndicat d'Initiative à la Mairie (juil.-août) ✆ 67 97 61 14.

Paris 750 – Castres 58 – Lacaune 31 – Lodève 71 – ♦Montpellier 114.

- **Aub. de l'Espinousse,** ✆ 67 97 63 10, – wc wc ☎ P. AE E VISA
  1er mars-15 déc. – **R** 60/220, enf. 40 – ☕ 18 – **20 ch** 135/180 – 1/2 p 195/220.

FRANCESCAS 47 L.-et-G. 79 ⑭ – 601 h. – ✉ **47600** Nérac.

Paris 665 – Agen 31 – Condom 18 – Nérac 13 – ♦Toulouse 137.

- **Pot aux Roses,** ✆ 53 65 41 59 – AE E VISA
  fermé 22 juin au 8 juil., dim. soir hors sais. et merc. – **R** (nombre de couverts limité-prévenir) 89/137, enf. 55.

FRANCEVILLE-PLAGE 14 Calvados 55 ② – voir à Merville.

La FRANQUI 11 Aude 86 ⑩ **G. Pyrénées Roussillon** – ✉ **11370** Leucate.

Paris 880 – Carcassonne 86 – Leucate 5 – Narbonne 37 – ♦Perpignan 39 – Port-la-Nouvelle 19.

- **Plage,** face plage ✆ 68 45 70 23, ← – wc wc. AE E VISA
  mai-oct. – **R** 60/120 – ☕ 20 – **32 ch** 160/220 – 1/2 p 180.

La FREISSINOUSE 05 H.-Alpes 81 ⑥ – 334 h. alt. 970 – ✉ **05000** Gap.

Paris 678 – Clelles 67 – Die 87 – Gap 9 – La Saulce 22 – Serres 34 – Sisteron 52.

- **Azur,** D 994 ✆ 92 57 81 30, ←, – wc wc P. E VISA
  fermé 1er au 15 déc. – **R** 60/100 – ☕ 16 – **45 ch** 120/240 – 1/2 p 150/200.

FRÉJUS 83600 Var 84 ⑧, 195 ㉝ G. Côte d'Azur – 32 698 h.

Voir Quartier épiscopal★★ C : baptistère★★, cloître★★, cathédrale★ – Ville romaine★ A : arènes★ – **Parc zoologique★ N : 5 km par ③.**

18 de Valescure ☎ 94 82 40 46, NE : 8 km – 🚗 ☎ 93 99 50 50.

i Office de Tourisme pl. Calvini ☎ 94 51 53 87 et Fréjus-Plage av. Libération (Pâques-sept.) ☎ 94 51 48 42.

Paris 871 ③ – Brignoles 63 ③ – Cannes 36 ④ – Draguignan 29 ③ – Hyères 75 ②.

FRÉJUS

Fleury (R. de) . . . . **C** 28
Formigé (Pl.) . . . . **C** 29
Grisolle (R.) . . . . **C** 37
Jaurès (R. Jean) . . . . **C**
Liberté (Pl. de la) . . . . **C** 42
Montgolfier (R.) . . . . **C** 45
Sieyès (R.) . . . . **C** 52

Agachon (Av. de l') . . . . **A** 2
Alger (Bd) . . . . **B** 5
Aubenas (R. Joseph) . . . . . **C** 7
Beausset (R. du) . . . . **C** 9
Bidoure (R. Martin) . . . . **C** 10
Blazy (R. du Cap.) . . . . **AC** 12
Brosset (Av. du Gén.) . . . . . **A** 13
Camelin (R. de) . . . . **C** 15
Carrara (R. Jean) . . . . **A** 16
Clemenceau (R. G.) . . . . **C** 19
Coucourdin (Chemin de) . . . **A** 22
Craponne (R.) . . . . **C** 23
Decuers (Bd S.) . . . . **AC** 24
Donnadieu (R.) . . . . **B** 25
Einaudi (R. Albert) . . . . **A** 26
Fabre (Av. Hippolyte) . . . . . **B** 27
Gallus . . . . **C** 30
Garros (R. Roland) . . . . **B** 32
Girardin (R.) . . . . **C** 35
Glacière (Pl. de la) . . . . **C** 36
Libération (Bd de la) . . . . . . **B** 40
Papin (R. Denis) . . . . **B** 46
Potiers (R. des) . . . . **C** 48
Reynaude (R.) . . . . **C** 49
Verdun (Av. de) . . . . **AC** 53
Vernet
(Esplanade Paul) . . . . . **AC** 54
Victor-Hugo (Av.) . . . . **B** 56
XVe-Corps (Av. du) . . . . **A** 59

FRÉJUS-ST-RAPHAËL

FRÉJUS CENTRE

Voir plan St-Raphaël 3 km

ST-RAPHAËL

Coty
(Promenade R.) **B** 20
Gaulle
(Av. Gén.-de) . . **B** 33
Leclerc (Av. Mar.) **B** 39
Mimosas
(Bd des) . . . . . . **B** 43
Myrtes (Av. des) **B** 45
Poincaré
(Av. Raymond) **B** 47
Rivière
(Av. Théodore) **B** 50
Valescure
(Av. de) . . . . **B** 57

XX **Le Vieux Four** avec ch, 57 r. Grisolle ☎ **94 51 56 38, « intérieur rustique »** – wc ☎. **E** VISA. ch **C a**
fermé 25 oct. au 15 nov., dim. soir et merc. hors sais. – **R** (prévenir) 150/235, enf. 70 – ☕ 21 – **8 ch** 170/250 – ½ p 330/530.

XX **Le Caquelon,** r. Pie Bertagna ☏ 94 52 31 96 – E VISA C r
fermé lundi soir et mardi soir d'oct. à mai – **R** 80/140, enf. 60.

XX **Les Potiers,** 135 r. Potiers ☏ 94 51 33 74 – VISA C s
fermé 15 nov. au 20 déc., 15 au 25 fév., sam. midi et merc. – **R** (dîner seul. en saison) 135/190.

XX **Cave Blanche,** pl. Calvini ☏ 94 51 25 40 – AE ⓓ E VISA C b
fermé 15 janv. au 15 mars et lundi – **R** 110/180.

XX **Lou Calen,** 9 r. Desaugiers ☏ 94 52 36 87 – ▤. AE C n
fermé vacances de nov., de fév. et merc. – **R** 145.

à Fréjus-Plage AB – ✉ **83600** Fréjus :

Palmiers sans rest, bd Libération ☏ 94 51 18 72, ≤ – ⇕ ⌂wc ⋒wc ☏. AE E VISA B k
1er mars-1er nov. – **50 ch** ☐ 350.

Il était une fois ⛰, r. F.-Mistral ☏ 94 51 21 26, ⛱ – ▤ rest TV ⌂wc ⋒wc ☏ Ⓟ – ⛺ 100. E VISA A u
R (dîner seul. et pour résidents) 88, enf. 45 – ☕ 23 – **20 ch** 180/270 – ½ p 198/256.

H. Oasis ⛰ sans rest, r. H.-Fabre ☏ 94 51 50 44 – ⌂wc ⋒wc ☏ Ⓟ. ✱ B h
mars-oct – ☐ 23 – **27 ch** 178/267.

Lion d'Or sans rest, 164 r. Priol et Laporte ☏ 94 52 17 31 – ⋒wc ☎. E VISA. ✱
☕ 18 – **11 ch** 200/220. B t

XX **Toque Blanche,** 384 av. V.-Hugo ☏ 94 52 06 14 – ▤. AE ⓓ E VISA B v
fermé 25 oct. au 1er déc. et lundi – **R** 130/180.

ALFA-ROMEO-INNOCENTI-MAZDA Corfou, angle N 7 et rte de Bagnols ☏ 94 51 49 82
BMW JPV Autom., N 7 à 83 Puget-sur-Argens ☏ 94 45 20 21 N ☏ 94 51 03 56
CITROEN Gar. Bacchi, 151 av. Verdun ☏ 94 51 52 65
FORD Gar. Vagneur, 449 bd de la Mer ☏ 94 51 38 39
PEUGEOT Dejean, 1370 av. de Lattre-de-Tassigny ☏ 94 51 33 00

Ⓜ Omnica, 238 av. de Verdun ☏ 94 51 01 54
Piot-Pneu, Lotissement Ind. La Palud ☏ 94 51 29 20

Le FRENEY-D'OISANS 38142 Isère 77 ⑥ – 180 h. alt. 900.

Voir Barrage du Chambon SE : 2 km – Gorges de l'Infernet* SO : 2 km, G. Alpes du Nord** – Paris 623 – Bourg-d'Oisans 12 – La Grave 16 – ♦Grenoble 61.

Cassini, ☏ 76 80 04 10, ≤, ⛱ – ⋒wc ☏ 🚗. VISA
28 mai-9 oct. et 17 déc.-vacances de printemps – **R** 68/200 – ☐ 23 – **15 ch** 100/240 – ½ p 164/210.

à Mizoën NE : 3 km – ✉ **38142** Le Freney d'Oisans :

Panoramique Ⓜ ⛰, ☏ 76 80 06 25, ≤ montagne et vallée, ⛱, ⛱ – ⌂wc ⋒wc ☎ Ⓟ. ✱ rest
1er juin-30 sept. et 1er fév.-30 avril – **R** 85/120 – **10 ch** ☐ 200 – ½ p 160/180.

FRESNAY-EN-RETZ 44 Loire-Atl. 67 ② – 877 h. – ✉ 44580 Bourgneuf-en-Retz.

Paris 421 – Challans 25 – ♦Nantes 39 – La Roche-sur-Yon 58 – St-Nazaire 39.

XX **Le Colvert,** ☏ 40 21 46 79 – AE ⓓ E VISA. ✱
fermé 22 déc. au 3 janv. et vacances de fév. dim. soir, mardi soir et merc. – **R** 95/198.

FRESNAY-SUR-SARTHE 72130 Sarthe 60 ⑫⑬ G. Normandie Cotentin – 2 692 h.

ℹ Syndicat d'Initiative pl. de Bassum (saison) ☏ 43 34 88 04.

Paris 234 – Alençon 20 – Laval 71 – Mamers 30 – ♦Le Mans 38 – Mayenne 58.

Ronsin, 5 av. Charles-de-Gaulle ☏ 43 97 20 10 – ⌂wc ⋒wc ☏ 🚗. AE ⓓ E VISA – *fermé dim. soir et lundi midi du 15 sept. au 15 juin* – **R** 46/145 ♂, enf. 36 – ☐ 22 – **12 ch** 106/220 – ½ p 150/230.

CITROEN Goupil, ☏ 43 97 20 08
PEUGEOT-TALBOT Dallier, ☏ 43 97 20 34
RENAULT Labbé, ☏ 43 97 20 85

FRESNES-LÈS-MONTAUBAN 62 P.-de-C. 53 ③ – 454 h. – ✉ 62490 Vitry-en-Artois.

Paris 180 – Arras 14 – Cambrai 39 – Douai 12 – ♦Lille 40.

XX **La Frenaie,** ☏ 21 50 17 19 – Ⓟ. AE E VISA
fermé 10 au 25 juil., dim. soir et lundi – **R** 68/110 ♂.

Le FRET 29 Finistère 58 ④ – rattaché à Crozon.

FRÉVENT 62270 51 ⑬ G. Flandres Artois Picardie – 4 301 h.

Paris 192 – Abbeville 41 – ♦Amiens 43 – Arras 39 – St Pol-sur-Ternoise 13.

Amiens, 7 rte Doullens ☏ 21 03 65 43 – TV ⌂wc ⋒ ☎. AE E VISA
R 55/150, enf. 30 – ☐ 20 – **10 ch** 120/180 – ½ p 185/240.

RENAULT Mercier, ☏ 21 04 21 97

FROENINGEN 68 H.-Rhin 66 ⑨ – rattaché à Mulhouse.

FROMENTINE 85 Vendée 67 ① – ✉ **85550** La Barre-de-Monts.
Paris 454 – Challans 24 – ♦Nantes 69 – Noirmoutier-en-l'Ile 24 – Pornic 41 – La Roche-sur-Yon 63.

Plage, ✆ 51 68 52 05 – wc. E VISA. rest
hôtel : 26 mars-16 oct. et fermé lundi de Pâques au 15 juin (sauf vacances scolaires) – **R** *(1er mai-11 sept. et fermé dim. soir et lundi de mai au 19 juin)* 52/135 – 19 – **17 ch** 86/180 – 1/2 p 160/193.

FRONTIGNAN 34110 Hérault 83 ⑯⑰ **G. Gorges du Tarn** – 14 961 h.
Office de Tourisme Rond-Point de l'Esplanade ✆ 67 48 33 94.
Paris 782 – Lodève 72 – ♦Montpellier 22 – Sète 7.

à La Peyrade SO : 3 km sur N 112 – ✉ **34110** Frontignan :

Vila sans rest, ✆ 67 48 77 42 – wc ☎ Ⓟ. AE E VISA
20 – **30 ch** 110/200.

au Nord-Est 4 km sur N 112 – ✉ **34110** Frontignan :

Host. de Balajan, ✆ 67 48 13 99, – TV wc ☎ Ⓟ – 45. VISA. rest
fermé 26 déc. au 3 janv., fév. et lundi midi – **R** 60/200 – 27 – **20 ch** 140/338 – 1/2 p 162/252.

à l'Est : 7,5 km par rte littorale D 60 – ✉ **34110** Frontignan :

L'Escale, Les Aresquiers ✆ 67 78 14 86, ←, , produits de la mer – E VISA
fermé 1er janv. au 15 mars et le soir en nov. et déc. – **R** 90/380.

CITROEN Vernhet, av. des Vignerons ✆ 67 48 11 92

La FRUITIÈRE 65 H.-Pyr. 85 ⑰ – rattaché à Cauterets.

FUANS 25 Doubs 66 ⑰ – rattaché à Orchamps-Vennes.

FUISSÉ 71 S.-et-L. 69 ⑲ **G. Bourgogne** – 355 h. – ✉ **71960** Pierreclos.
Voir Roche de Solutré★ NO : 4 km.
Paris 402 – Charolles 55 – Chauffailles 59 – Mâcon 8,5 – Villefranche-sur-Saône 45.

Pouilly Fuissé, ✆ 85 35 60 68, – E VISA
fermé 29 août au 7 sept., mi-fév. à mi-mars, mardi soir et merc. – **R** (sam. et dim. prévenir) 55/130.

FUMEL 47500 L.-et-G. 79 ⑥ – 6 659 h.
Voir Église★ de Monsempron O : 2 km, G. Pyrénées Aquitaine.
Env. Château de Bonaguil★★ NE : 8 km, G. Périgord Quercy.
Syndicat d'Initiative pl. G.-Escande (juil.-août matin seul.) ✆ 53 71 13 70.
Paris 592 – Agen 56 – Bergerac 74 – Cahors 48 – Montauban 76 – Villeneuve-sur-Lot 27.

Vistorte (annexe - 8 ch wc), 77 av. E.-Zola ✆ 53 71 01 21, , – wc Ⓟ
fermé janv. et dim. soir – **R** 49/87 – 20 – **20 ch** 95/170 – 1/2 p 175.

à Touzac E : 7,5 km – ✉ **46700** Puy-l'Évêque :

La Source Bleue , ✆ 65 36 52 01, ←, , « Parc au bord du Lot » – wc ☎ Ⓟ. VISA. rest
25 mars-15 oct. et fermé mardi soir sauf hôtel – **R** 95/195 – 25 – **10 ch** 200/350 – 1/2 p 220/310.

à Montcabrier (Lot) NE : 12 km par D 911, D 673 et D 58 – ✉ **46700** Puy-l'Évêque :

Relais de la Dolce M , ✆ 65 36 53 42, parc, , – wc ☎ Ⓟ. AE E VISA. rest
15 mars-15 oct. – **R** carte 155 à 300 – **12 ch** 455.

CITROEN Calassou, rte de Périgueux, Zone Ind. ✆ 53 71 01 80
MERCEDES-BENZ Gras, 4 av. de la Gare, Monsempron-Libos ✆ 53 71 01 16
PEUGEOT-TALBOT Cousset, Montayral ✆ 53 71 03 58
Solapneu, rte Villeneuve, Condezaygues ✆ 53 71 01 50

Si vous écrivez à un hôtel à l'étranger,
joignez à votre lettre un coupon réponse international
(disponible dans les bureaux de poste).

La FUSTE 04 Alpes-de-H.-P. 81 ⑮ – rattaché à Manosque.

FUTEAU 55 Meuse 56 ⑲ – 160 h. – ✉ 55120 Clermont-en-Argonne.

Paris 234 – Bar-le-Duc 42 – Ste-Ménehould 13 – Verdun 40.

XXX **L'Orée du Bois** avec ch, à Courupt S : 1 km ✆ 29 88 28 41, ←, – wc ☎ Ⓟ. E VISA
fermé janv., dim. soir et mardi – **R** 65/180 – 25 – **7 ch** 195/245 – 1/2 p 330/350.

CITROEN Gar. Noël-Bievelot, à Les Islettes ✆ 29 88 28 20

FUVEAU 13710 B.-du-R. 84 ③ – 4 029 h.

Paris 769 – Aix-en-Provence 14 – ♦Marseille 38 – St-Maximin-la-Ste-Baume 28.

XX **Mas d'Aurumy,** rte Gréasque ✆ 42 58 71 24 – Ⓟ
fermé août et merc. – **R** (déj. seul.) 100 bc.

GABAS 64 Pyr.-Atl. 85 ⑯ **G. Pyrénées Aquitaine** – alt. 1 020 – ✉ **64440** Laruns.

Voir Pic de la Sagette ←** E : 2 km et télécabine – Lac de Bious Artigues : ←* SO : 4,5 km.

Paris 821 – Argelès-Gazost 58 – Eaux-Bonnes 16 – Laruns 14 – Pau 51.

Vignau, ✆ 59 05 34 06, – Ⓟ.
fermé 15 nov. au 15 déc. – **R** 46/120 – 14 – **16 ch** 75/115 – 1/2 p 142/172.

GABRIAC 12 Aveyron 80 ③ – 470 h. – ✉ **12340** Bozouls.

Paris 603 – Espalion 13 – Mende 88 – Rodez 27 – St-Geniez-d'Olt 19 – Sévérac-le-Château 34.

Bouloc, ✆ 65 44 92 89, – wc Ⓟ. E VISA
fermé 30 sept. au 1er nov. et merc. sauf juil.-août – **R** 48/150 – 18 – **13 ch** 100/180 – 1/2 p 140/180.

GACÉ 61230 Orne 60 ④ – 2 352 h.

Office de Tourisme à la Mairie ✆ 33 35 50 24.

Paris 170 – L'Aigle 27 – ♦Alençon 46 – Argentan 27 – Bernay 42 – Falaise 41 – Lisieux 45.

Le Morphée sans rest, r. Lisieux ✆ 33 35 51 01, – TV wc ☎ Ⓟ. AE ⓓ E VISA
fermé janv. et fév. – 25 – **10 ch** 220/280.

PEUGEOT-TALBOT Gar. Anjou, ✆ 33 35 53 35

RENAULT Gar. Duchesne, ✆ 33 35 60 84

La GACILLY 56200 Morbihan 63 ⑤ – 2 164 h.

Paris 404 – Châteaubriant 66 – Dinan 87 – Ploërmel 30 – Redon 16 – ♦Rennes 58 – Vannes 55.

France (Annexe Square -16 ch- wc☎), ✆ 99 08 11 15 – wc ☎ Ⓟ. E VISA. rest
fermé 24 au 31 déc. – **R** 40/98 – 16 – **42 ch** 75/190 – 1/2 p 170/270.

RENAULT Gar. Moderne, ✆ 99 08 10 37 N

GAGES-LE-HAUT 12 Aveyron 80 ③ – rattaché à Rodez.

GAILLAC 81600 Tarn 82 ⑨⑩ **G. Pyrénées Roussillon** – 10 654 h.

Office de Tourisme pl. Libération ✆ 63 57 14 65.

Paris 680 ① – Albi 22 ② – Cahors 89 ① – Castres 49 ③ – Montauban 50 ⑥ – ♦Toulouse 54 ⑤.

Plan page ci-contre

Occitan sans rest, pl. de la Gare **(a)** ✆ 63 57 11 52 – wc. AE E VISA
25 – **13 ch** 100/200.

XX **Le Vigneron,** par ⑤ : 1,5 km ✆ 63 57 07 20, – Ⓟ. E VISA
fermé dim. soir et lundi sauf juil.-août – **R** 55/175, enf. 35.

CITROEN Joulié, 40 av. St-Exupéry ✆ 63 57 11 88
PEUGEOT-TALBOT Capmartin, 83 av. Ch. de Gaulle par ② ✆ 63 57 08 48
RENAULT Gaillac-Auto, av. St-Exupéry par ⑤ ✆ 63 57 17 50 N ✆ 63 33 35 06

Deldossi, 92 r. J.-Rigal ✆ 63 57 03 29
François, 24 bd Gambetta ✆ 63 57 13 96

La GAILLARDE 83 Var 84 ⑱ – rattaché aux Issambres.

La GALÈRE 06 Alpes-Mar. 84 ⑧, 195 ㉞ – rattaché à Théoule.

GALGON 33 Gironde 71 ⑧, 75 ⑫ – rattaché à Libourne.

GALIMAS 47 L.-et-G. 79 ⑮ – rattaché à Agen.

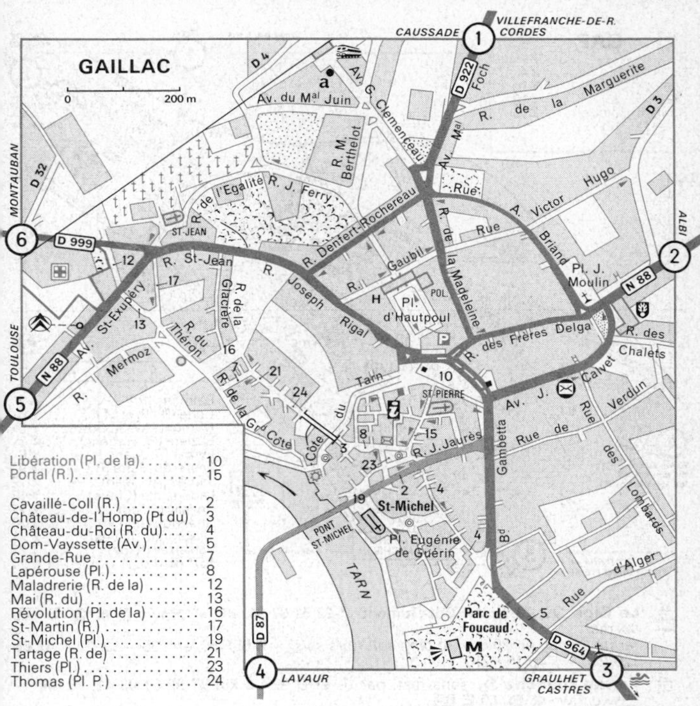

GALLARDON **28320** E.-et-L. **60** ⑧, **196** ㊴ **G. Environs de Paris** – **2 101 h.**

Voir "Silhouette" (église et tour)★ – Choeur★ de l'église.

Paris 76 – Ablis 13 – Chartres 21 – Dreux 37 – Épernon 11 – Maintenon 12 – Rambouillet 18.

XX **Commerce,** **pl. Église** ☎ **37 31 00 07** – VISA
fermé 1er au 21 sept., 15 au 28 fév., dim. soir, mardi soir et lundi – **R** carte 135 à 275.

GANGES **34190** Hérault **80** ⑯ **G. Gorges du Tarn** – **3 584 h.**

Voir Gorges de la Vis★★ SO : 3 km.

Office de Tourisme plan de l'Ormeau (saison) ☎ 67 73 84 79.

Paris 753 – Alès 48 – Béziers 96 – Lodève 51 – ♦Montpellier 45 – Nîmes 64 – Le Vigan 17.

Poste sans rest, **8 plan Ormeau** ☎ **67 73 85 88** – wc wc ☎
18 – **25 ch** 80/150.

à St-Laurent-le-Minier **O : 5 km par D 25** – ✉ **30440** Sumène :

XX **Le Fournil,** ☎ **67 73 91 65** – E VISA
fermé 25 nov. au 1er déc., dim. soir hors sais. et lundi – **R** 90/200.

CITROEN Cayrel, ☎ 67 73 81 30 N ☎ 67 73 92 93
PEUGEOT-TALBOT Jourdan, ☎ 67 73 81 65

GAP P **05000** H.-Alpes **77** ⑯ **G. Alpes du Sud** – **31 271 h. alt. 733.**

☎ **92 51 50 50.**

Office de Tourisme 5 r. Carnot ☎ 92 51 57 03 – A.C. 5 ter r. Capitaine-de-Bressan ☎ 92 53 62 00.

Paris 667 ① – Alès 212 ④ – Avignon 169 ④ – ♦Grenoble 105 ① – Montélimar 153 ④.

Plan page suivante

La Grille, 2 pl. F.-Euzière ☎ **92 53 84 84** – TV wc wc ☎. AE E VISA
fermé 5 déc. au 5 janv. – **R** *(fermé dim. soir et lundi)* 60/155 , enf. 40 – 24 – **30 ch** 170/250. Z r

Mokotel M sans rest, par ③ : **2,5 km (près piscine), rte Marseille** ☎ **92 51 57 82** – TV wc wc ☎ P – 25. AE E VISA
18 – **27 ch** 160/220.

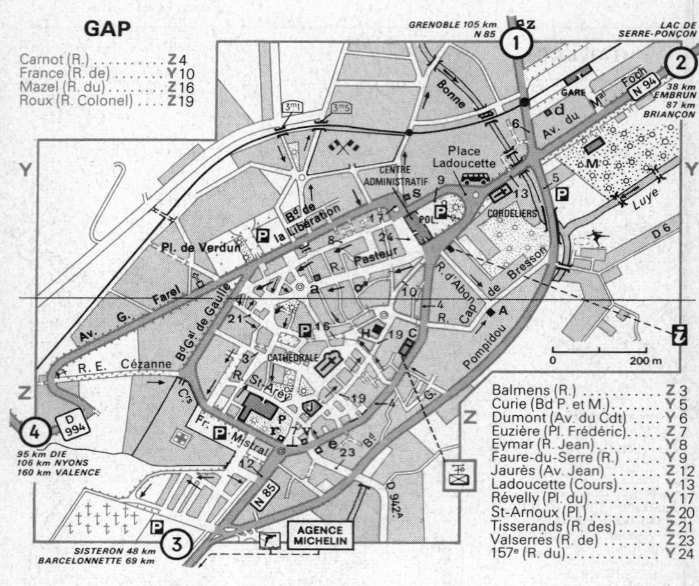

Le Clos 🌲, 20 ter av. Cdt-Dumont ☎ 92 51 37 04, ⛱ – ⛾wc 🚿 ☎ Ⓟ. E VISA. 🐕 rest — Y, z
fermé 25 oct. au 25 nov. et dim. soir hors sais. – **R** 65/150, enf. 35 – ☕ 21 – **42 ch** 120/210 – ½ p 160/210.

Ferme Blanche 🌲 sans rest, par ① et D 92 : 2 km ☎ 92 51 03 41, ←, ⛱ – ⛾wc 🚿wc ☎ Ⓟ. AE E VISA
☕ 18,50 – **30 ch** 100/180.

Paix sans rest, 1 pl. F.-Euzière ☎ 92 51 03 29 – 🛗 ⛾wc 🚿wc ☎. E VISA — Z v
fermé 20 oct. au 18 nov. – ☕ 20 – **25 ch** 120/200.

La Roseraie, par ① et D 92 : 2 km ☎ 92 51 43 08, ←, ☂ – Ⓟ. AE ⓓ E VISA
fermé dim. soir et lundi – **R** 100/260.

le Patalain, 7 r. Alpes ☎ 92 52 30 83 – ⓓ E VISA — Y d
fermé 1er au 18 juil., 25 déc. au 1er janv., sam. midi et vend. – **R** 82/160.

Carré Long, 32 r. Pasteur ☎ 92 51 13 10 – AE ⓓ E VISA — Y a
fermé mai, 25 au 31 oct., dim., lundi et fériés – **R** 80/180, enf. 45.

La Musardière, 3 pl. Révelly ☎ 92 51 56 15 – AE ⓓ E VISA — Y s
fermé 19 juin au 1er juil., 16 au 30 oct. et lundi sauf fériés – **R** carte 135 à 180.

Pique Feu, par ③ : 2,5 km, (près piscine) rte Marseille ☎ 92 52 16 06, ☂ – Ⓟ. E VISA
fermé 27 mars au 11 avril, 2 au 10 oct., 24 déc. au 1er janv., dim. soir et lundi midi – **R** 57/91, enf. 42.

La Petite Marmite, 79 r. Carnot ☎ 92 51 14 20 – E VISA — Z e
fermé 23 déc. au 3 janv. – **R** 60/85.

MICHELIN, Agence, rte St-Jean par ③ et D 900B ☎ 92 51 63 32

ALFA-ROMEO, DATSUN Alpes-Sport-Autom. Zone Ind. les Fauvins ☎ 92 51 18 65
AUSTIN, ROVER Gar. de Verdun, 4 r. P.-Bert, pl. de Verdun ☎ 92 51 26 18
BMW, FIAT Transalp-Auto, av. d'Embrun ☎ 92 52 02 57
CITROEN Autom. Gap et Alpes, 62 av. d'Embrun par ② ☎ 92 53 88 11
FORD Gar. Europ-Auto, rte de Briançon ☎ 92 52 05 46
LANCIA-AUTOBIANCHI Gar. Rouit, rte Marseille Fontreyne ☎ 92 51 18 26
OPEL Provensal, cours Victor-Hugo ☎ 92 51 02 95
PEUGEOT, TALBOT Éts Brotons, France-Alpes, rte Marseille par ③ ☎ 92 52 15 17
RENAULT Gap-Autom., 90 av. d'Embrun par ② ☎ 92 53 96 96 🅽
SEAT Gar. Calderone et Pascal, rte de St-Jean ☎ 92 51 58 82
V.A.G. Gar. Alpes-Service, rte de Briançon ☎ 92 52 25 56

Ⓜ Barneaud-Pneus, rte de Barcelonnette ☎ 92 51 00 59
Meizenq-Pneus, 74 av. d'Embrun ☎ 92 52 22 33
Piot-Pneu, av. d'Embrun ☎ 92 52 20 28

Évitez de fumer au cours du repas :
vous altérez votre goût et vous gênez vos voisins.

GARABIT (Viaduc de) ★★ 15 Cantal 76 ⑭ **G. Auvergne** – alt. 835 – ✉ **15390** Loubaresse.
Env. Belvédère de Mallet ≤★★ SO : 13 km puis 10 mn.
Paris 514 – Aurillac 88 – Mende 71 – Le Puy 100 – St-Flour 12.

- **Panoramic,** N 9 rte de Clermont ✉ 15100 St-Flour ✆ 71 23 40 24, ≤ lac, , , – |‡| ⇔wc ⋒wc ☎ Ⓟ. E VISA
  1er avril-1er nov. – **R** 50/150, enf. 40 – ☕ 18 – **29 ch** 120/220 – $^1/_2$ p 180/200.
- **Garabit H.,** ✆ 71 23 42 75, ≤, – |‡| ⇔wc ⋒wc ☎ Ⓟ – 35. E VISA
  1er avril-15 oct. – **R** 50/165 – ☕ 22 – **47 ch** 155/285 – $^1/_2$ p 168/262.
- **Beau Site,** N 9 ✆ 71 23 41 46, ≤ viaduc et lac, , , – cuisinette ⇔wc ⋒wc ☎ Ⓟ – 30. E VISA
  1er avril-1er nov. – **R** 45/150 ♁, enf. 30 – ☕ 20 – **16 ch** 130/160, 3 studios 180/260 – $^1/_2$ p 145/160.
- **Viaduc,** ✆ 71 23 43 20, ≤, – ⇔wc ⋒wc ☎ Ⓟ. E VISA
  1er avril-1er nov. – **R** 45/130 – ☕ 19 – **20 ch** 90/160 – $^1/_2$ p 120/230.

La GARDE 04 Alpes-de-H.-P. 81 ⑱ – rattaché à Castellane.

La GARDE 48 Lozère 76 ⑮ – rattaché à St-Chély-d'Apcher.

La GARDE-FREINET 83 Var 84 ⑰ **G. Côte d'Azur** – 1 402 h. – ✉ **83310** Cogolin.
Paris 855 – Brignoles 47 – Hyères 55 – ♦Toulon 73 – St-Tropez 20 – Ste-Maxime 23.

- ✗ **La Faücado,** ✆ 94 43 60 41, – ⓓ E VISA
  fermé 15 janv. au 5 mars – **R** 135/220 carte le dim. midi.

GARDE-GUÉRIN 48 Lozère 80 ⑦ – rattaché à Villefort.

La GARENNE-COLOMBES 92 Hauts-de-Seine 55 ⑳, 101 ⑭ – voir à Paris, Environs.

GARETTE 79 Deux-Sèvres 71 ② – rattaché à Coulon.

GARGAN (Mont) 87 H.-Vienne 72 ⑲ **G. Berry Limousin – Voir** ✲★★.

GASSIN 83 Var 84 ⑰ **G. Côte d'Azur** – 2 017 h. – ✉ **83990** St Tropez.
Voir Boulevard circulaire ≤★ – Moulins de Paillas ✲★★ SE : 3,5 km.
Paris 875 – Brignoles 67 – Le Lavandou 32 – St-Tropez 7,5 – Ste-Maxime 15 – Toulon 73.

- ✗✗ **Aub. la Verdoyante,** N : 2 km ✆ 94 56 16 23, ≤, – E VISA
  fin mars-mi nov. – **R** carte 135 à 220.

GASTES 40 Landes 78 ⑬ – rattaché à Parentis-en-Born.

GATTIÈRES 06 Alpes-Mar. 84 ⑨, 195 ㉖ **G. Côte d'Azur** – 2 051 h. – ✉ **06510** Carros.
ℹ Syndicat d'Initiative r. Torrin-et-Grassi ✆ 93 08 60 09.
Paris 940 – Antibes 32 – Cannes 43 – La Gaude 7 – ♦Nice 24 – St-Martin-Vésubie 51 – Vence 10.

- ✗✗ **Aub. de Gattières,** ✆ 93 08 60 05 – E VISA
  fermé 15 janv. au 28 fév. et merc. – **R** 120/200.
- ✗ Panoramic, au N : 1,5 km par D 2209 ✆ 93 08 60 56, ≤, , , .

La GAUCHERIE 41 L.-et-Ch. 64 ⑱ – rattaché à Cour-Cheverny.

GAUCHIN-LÉGAL 62 P.-de-C. 53 ① – rattaché à Bruay-en-Artois.

GAVARNIE 65 H.-Pyr. 85 ⑱ **G. Pyrénées Aquitaine** – 169 h. alt. 1 357 – ✉ **65120** Luz-St-Sauveur.
Voir Cirque de Gavarnie★★★ S : 3 h ½. – Pic de Tantes ✲★★ SO : 11 km.
ℹ Syndicat d'Initiative ✆ 62 92 49 10 – Paris 853 – Lourdes 51 – Luz-St-Sauveur 20 – Tarbes 71.

- **Taillon,** ✆ 62 92 48 20, ≤ – ⋒ Ⓟ. ch
  fermé 8 nov. au 20 déc. – **R** 65/100 ♁ – ☕ 20 – **20 ch** 170 – $^1/_2$ p 150/250.
- ✗ **La Ruade,** ✆ 62 92 48 49, « Décor montagnard »
  15 juin-1er oct. – **R** 55/75 ♁, enf. 35.

à Gèdre N par D 921 : 8,5 km – ✉ **65120** Luz-st-Sauveur :

- **Brèche de Roland,** ✆ 62 92 48 54, ≤, – ⇔wc ⋒wc ☎ Ⓟ. rest
  1er juin-1er oct. et 20 déc.-Pâques – **R** 65 – ☕ 22 – **24 ch** 170/220 – $^1/_2$ p 160.

GAVRINIS (Ile) 56 Morbihan 63 ⑫ **G. Bretagne.**
Voir Cairn★★ 15 mn en bateau de Larmor-Baden.

GÈDRE 65 H.-Pyr. 85 ⑱ – rattaché à Gavarnie.

GÉMENOS 13420 B.-du-R. 84 ⑭ G. Provence – 4 548 h.

Voir Parc de St-Pons★ E : 3 km – Aubagne : musée de la Légion Etrangère★ O : 5 km.

Paris 792 – Aix-en-Provence 36 – Brignoles 48 – ♦Marseille 23 – ♦Toulon 50.

Relais de la Magdeleine, ✆ 42 82 20 05, ⩽, 🌳, 🐎 dans un parc, 🏊 – ☎ 🅟 – 🏋 45. E VISA
15 mars-1er nov. – **R** 180/200 – 🍵 60 – **20 ch** 350/600 – ½ p 450/550.

Fer à Cheval, pl. Mairie ✆ 42 82 21 19 – AE ⓓ E VISA
fermé août, dim. soir et sam. – **R** carte 175 à 265.

GEMOËNS 74 H.-Savoie 74 ⑧ – rattaché à Combloux.

GENAS 69 Rhône 74 ⑫ – rattaché à Lyon.

GENÇAY 86160 Vienne 68 ⑭ G. Poitou Vendée Charentes – 1 709 h.

Paris 367 – Confolens 47 – Montmorillon 39 – Niort 77 – Poitiers 25.

Du Guesclin, r. Carnot ✆ 49 59 33 53 – 🛁wc 🚿wc ♿. VISA. ✂
fermé 20 déc. au 5 janv. et dim. soir – **R** 42/87 🍷 – 🍵 15,50 – **10 ch** 80/145.

CITROEN Bouzier, ✆ 49 59 31 11

GÉNÉRARGUES 30 Gard 80 ⑰ – rattaché à Anduze.

Le GENESTOUX 63 P.-de-D. 73 ⑬ – rattaché au Mont-Dore.

GENÈVE p. 1

GENÈVE Suisse 74 ⑥, 217 ⑪ G. Suisse – 157 406 h. 364627 – Casino – ☎ Genève et les environs : de France 19-41-22 ; de Suisse 022.

Voir Bords du Lac ⩽★★★ – Parcs★★ BU B : Mon Repos, la Perle du Lac et Villa Barton – Jardin Botanique★ : jardin de rocaille★★ BV E – Cathédrale★ : ✳★★ FY F – Monument de la Réformation★ FYZ D – Palais des Nations★ ⩽★★ BU – Parc de la Grange★ GY – Parc des Eaux-Vives★ CV – Vaisseau★ de l'église du Christ-Roi BV N – Boiseries★ au musée des Suisses au service étranger BU M12 – Musées : Art et Histoire★★★ GZ, Ariana★★ BU M9, Histoire naturelle★★ GZ, Petit Palais – musée d'Art Moderne★ GZ M1, Collections Baur★ (dans hôtel particulier) GZ M2, Instruments de musique★ GZ M3.

Excurs. en bateau sur le lac. Rens. Cie Gén. de Nav., Jardin Anglais ✆ 21.25.21 – Mouettes genevoises, 8 quai du Mt-Blanc ✆ 32.29.44 – Swiss Boat, 4 quai du Mont-Blanc ✆ 32.47.47.

🏌18 à Cologny ✆ 35.75.40 - CU ; 🏌18 Country Club du Bossey ✆ 50 43 75 25, par rte de Troinex - BV – ✈ de Genève-Cointrin ✆ 99.31.11 AU.

ℹ Office de Tourisme gare Cornavin ✆ 32.53.40 et Tour de l'Île ✆ 28.72.33 - A.C. Suisse, 10 bd Théâtre ✆ 28.07.66 - T.C. Suisse, 9 r. P.-Fatio ✆ 37.12.12.

Paris 537 ⑦ – Bern 154 ② – Bourg-en-B. 109 ⑦ – Lausanne 63 ② – ♦Lyon 156 ⑦ – Torino 252 ⑥.

Plans : Genève p. 2 à 5

Les prix sont donnés en francs suisses

1° - *Rive droite (Gare Cornavin - Les Quais - B.I.T.)*

Richemond, jardin Brunswick ✉ 1201 ✆ 31 14 00, Télex 22598, ⩽, 🌳 – 🛗 ▤ ch 📺 ☎ – 🏋 50. AE ⓓ E VISA. ✂ rest — FY **u**
R voir rest. **Le Gentilhomme** ci-après – **L'Omnibus R** carte 45 à 95 🍷 – **Le Jardin R** carte 45 à 85 🍷 – 🍵 18 – **74 ch** 270/450, 30 appartements 700.

Noga Hilton Ⓜ, 19 quai Mt-Blanc, ✉ 1201 ✆ 31 98 11, Télex 289704, ⩽ lac et Mt-Blanc, 🌳, 🏊 – 🛗 ✈ ch ▤ 📺 ☎ ♿ – 🏋 850. AE ⓓ E VISA — GY **y**
R voir rest. **Le Cygne** ci-après – **La Grignotière R** carte 50 à 70 🍷 – **Le Bistroquai R** carte environ 30 🍷 – 🍵 17,50 – **296 ch** 265/480, 20 appartements.

Rhône Ⓜ, quai Turrettini ✉ 1201 ✆ 31 98 31, Télex 22213, ⩽ – 🛗 ✈ ch ▤ 📺 ☎ ♿ 🚗 – 🏋 40 à 150. AE ⓓ E VISA. ✂ rest — EY **r**
R carte 80 à 110 🍷 et voir rest. **Le Neptune** ci-après – 🍵 18 – **280 ch** 170/500, 8 appartements.

Président Ⓜ, 47 quai Wilson, ✉ 1211 ✆ 31 10 00, Télex 22780, ⩽ lac – 🛗 ✈ ch ▤ ch 📺 ☎ 🚗 🅟 – 🏋 25 à 80. AE ⓓ E VISA. ✂ rest — GX **d**
R carte 70 à 135 🍷 – **La Palmeraie R** carte environ 70 – 🍵 19 – **160 ch** 225/355, 30 appartements.

Les Bergues, 33 quai Bergues ✉ 1201 ✆ 31 50 50, Télex 23383, ⩽ – 🛗 ▤ ch 📺 ☎ – 🏋 40 à 350. AE ⓓ E VISA — FY **k**
R voir rest **Amphitryon** ci-après – **Le Pavillon R** carte 55 à 75 🍷 – 🍵 17 – **113 ch** 255/455, 10 appartements.

Beau Rivage, 13 quai Mont-Blanc, ✉ 1201 ✆ 31 02 21, Télex 23362, ⩽ lac, 🌳 – 🛗 ▤ rest 📺 ☎ 🅟 – 🏋 30 à 200. AE ⓓ E VISA. ✂ rest — FY **d**
R voir rest. **Le Chat Botté** ci-après – **Le Quai 13 R** carte 45 à 75 🍷 – 🍵 17 – **115 ch** 200/420, 6 appartements.

Ramada Renaissance M, 19 r. Zurich ✉ 1201 ℘ 31 02 41, Télex 289109 – ch TV ☎ – 150. AE ◑ E VISA. rest FX **s**
La Toquade R carte 45 à 70 – **La Cortille R** (dîner seul.) 57/75 – **Café Ragueneau R** carte 40 à 55 – 20 – **211 ch** 240/290, 8 appartements.

Paix, 11 quai Mont-Blanc, ✉ 1201 ℘ 32 61 50, Télex 22552, ← – rest TV ☎ – 80. AE ◑ E VISA. rest FY **s**
R carte 65 à 105, enf. 18 – 17 – **75 ch** 165/380, 15 appartements.

Bristol M, 10 r. Mont-Blanc, ✉ 1201 ℘ 32 38 00, Télex 23739 – rest TV ☎ – 40 à 120. AE ◑ E VISA FY **w**
R carte 60 à 95 – 18 – **100 ch** 190/325, 5 appartements 550.

Pullman Rotary M, 18 r. Cendrier, ✉ 1201 ℘ 31 52 00, Télex 289999, – rest TV ☎. AE ◑ E VISA. rest FY **t**
R 35/100 – 18 – **94 ch** 180/400.

Warwick M, 14 r. Lausanne, ✉ 1201 ℘ 31 62 50, Télex 23630 – TV ☎ – 25 à 300. AE ◑ E VISA FY **n**
R *(fermé sam., dim. et fériés)* carte 60 à 95 **169 ch** 195/340.

Angleterre, 17 quai Mt-Blanc, ✉ 1201 ℘ 32 81 80, Télex 22668, ← – rest TV ☎ GY **t**
60 ch, 6 appartements.

Berne, 26 r. Berne, ✉ 1201 ℘ 31 60 00, Télex 22764 – TV ☎ – 30 à 100. AE ◑ E VISA. rest FY **x**
R 28 – **84 ch** 145/220, 4 appartements 300 – $^1/_2$ p 121/173.

Cornavin sans rest, 33 bd James-Fazy, ✉ 1211 ℘ 32 21 00, Télex 22853 – TV ☎. AE ◑ E VISA EY **t**
125 ch 110/190.

Ambassador, 21 quai Bergues, ✉ 1201 ℘ 31 72 00, Télex 23231 – TV ☎ – 40. AE ◑ E VISA FY **p**
R 40/46 – **88 ch** 95/230.

Amat-Carlton M, 22 r. Amat, ✉ 1202 ℘ 31 68 50, Télex 27595 – cuisinette TV ☎. AE ◑ E VISA FX **a**
R *(fermé dim. du 15 juin au 15 sept. et sam.)* carte 30 à 60, enf. 10 – **123 ch** 145/250.

Cristal M sans rest, 4 r. Pradier, ✉ 1201 ℘ 31 34 00, Télex 289926 – TV wc wc ☎ – 30. AE ◑ E VISA FY **e**
79 ch 110/200.

Eden M, 135 r. Lausanne ✉ 1211 ℘ 32 65 40, Télex 23962 – TV wc wc ☎. AE ◑ E VISA BU **e**
R 24 – **56 ch** 125/170.

Savoy, 8 pl. Cornavin, ✉ 1201 ℘ 31 12 55, Télex 27951 – TV wc wc ☎. AE ◑ E VISA EY **y**
R *(fermé dim.)* carte 35 à 60 – **48 ch** 107/200 – $^1/_2$ p 131/174.

Alba sans rest, 19 r. Mt-Blanc, ✉ 1201 ℘ 32.56.00, Télex 023930 – TV wc ☎. AE ◑ E VISA FY **a**
54 ch 135/185.

Suisse sans rest, 10 pl. Cornavin, ✉ 1201 ℘ 32 66 30, Télex 23868 – TV wc wc ☎. AE ◑ E VISA EY **y**
60 ch 110/160.

Midi M, pl. Chevelu, ✉ 1201 ℘ 31 78 00, Télex 23482, – rest TV wc wc ☎. AE ◑ E VISA FY **r**
R carte 35 à 60 – **85 ch** 110/155.

Astoria sans rest, 6 pl. Cornavin, ✉ 1211 ℘ 32 10 25, Télex 22307 – TV wc wc ☎. AE ◑ E VISA EY **y**
62 ch 85/135.

Moderne sans rest, 1 r. Berne, ✉ 1201 ℘ 32 81 00, Télex 289738 – TV wc wc ☎. AE ◑ E VISA FY **v**
55 ch 50/120.

Lido sans rest, 8 r. Chantepoulet, ✉ 1201 ℘ 31 55 30 – wc wc ☎. AE ◑ E VISA FY **v**
31 ch 58/105.

XXXXX ❀ **Le Gentilhomme** -Hôtel Richemond, jardin Brunswick, ✉ 1201 ℘ 31 14 00, Télex 22598 – . AE ◑ E VISA. FY **u**
R 95/125
Spéc. Saumon et rouget marinés aux oignons nouveaux, Gratin de homard breton aux chanterelles, Suprême de pigeon de Bresse au miel et basilic. **Vins** Yvorne.

XXXX ❀ **Le Chat Botté** -Hôtel Beau Rivage, 13 quai Mont-Blanc, ✉ 1201 ℘ 31 65 32, Télex 23362, ←, – P. AE ◑ E VISA. FY **d**
fermé vacances de Noël, de printemps, sam., dim. et fériés – **R** carte 80 à 115
Spéc. Filets de rouget et galette de pommes de terre, Pigeon de Bresse farci à l'aubergine, Nougatine aux fruits frais. **Vins** Pinot gris, Yvorne.

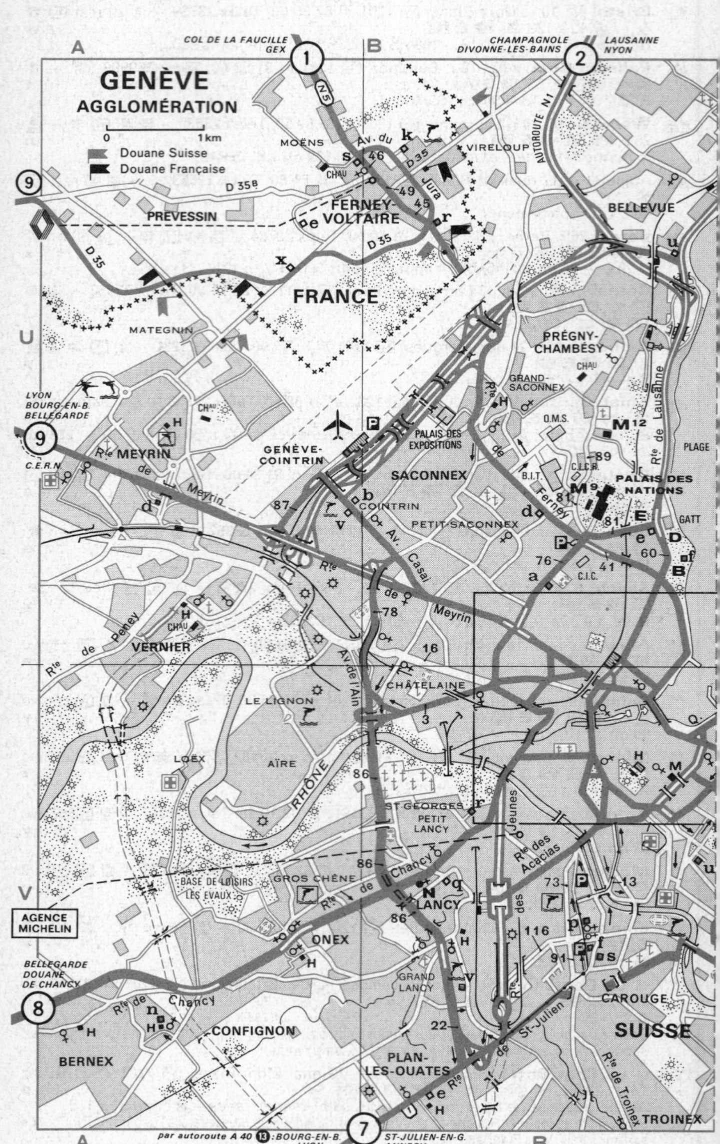
GENÈVE
AGGLOMÉRATION
0
1 km
Douane Suisse
Douane Française
COL DE LA FAUCILLE
GEX
CHAMPAGNOLE
DIVONNE-LES-BAINS
LAUSANNE
NYON
MOËNS
VIRELOUP
AUTOROUTE N1
PREVESSIN
FERNEY-VOLTAIRE
BELLEVUE
FRANCE
MATEGNIN
PRÉGNY-CHAMBÉSY
GRAND-SACONNEX
O.M.S.
LYON
BOURG-EN-B.
BELLEGARDE
C.E.R.N.
MEYRIN
Rte de Meyrin
GENÈVE-COINTRIN
PALAIS DES EXPOSITIONS
SACONNEX
COINTRIN
PETIT-SACONNEX
PALAIS DES NATIONS
GATT
PLAGE
B.I.T.
C.I.C.R.
C.I.C.
Rte de Lausanne
Av. Casaï
VERNIER
Rte de Peney
CHÂTELAINE
LE LIGNON
Av. de l'Ain
LOËX
AÏRE
RHÔNE
ST GEORGES
PETIT LANCY
GROS CHÊNE
BASE DE LOISIRS LES EVAUX
ONEX
LANCY
Rte de Chancy
Rte des Acacias
Rte des Jeunes
AGENCE MICHELIN
BELLEGARDE
DOUANE DE CHANCY
CONFIGNON
BERNEX
GRAND LANCY
CAROUGE
SUISSE
PLAN-LES-OUATES
Rte de St-Julien
Rte de Troinex
TROINEX
par autoroute A 40 13 : BOURG-EN-B. LYON
ST-JULIEN-EN-G. ANNECY

PLAN DE GENÈVE

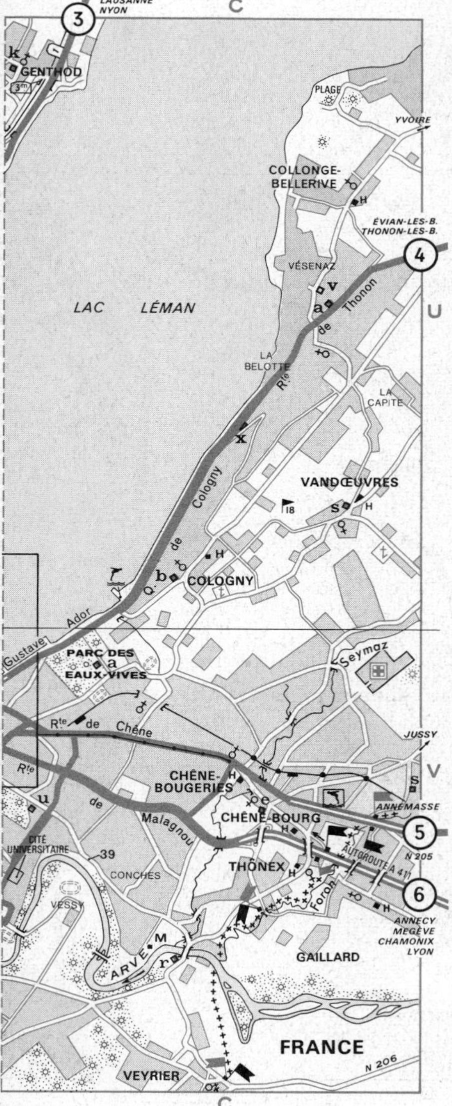

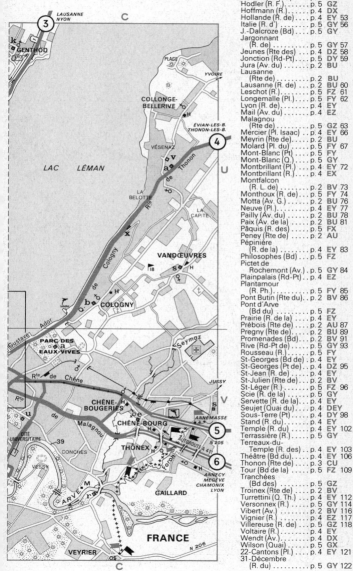

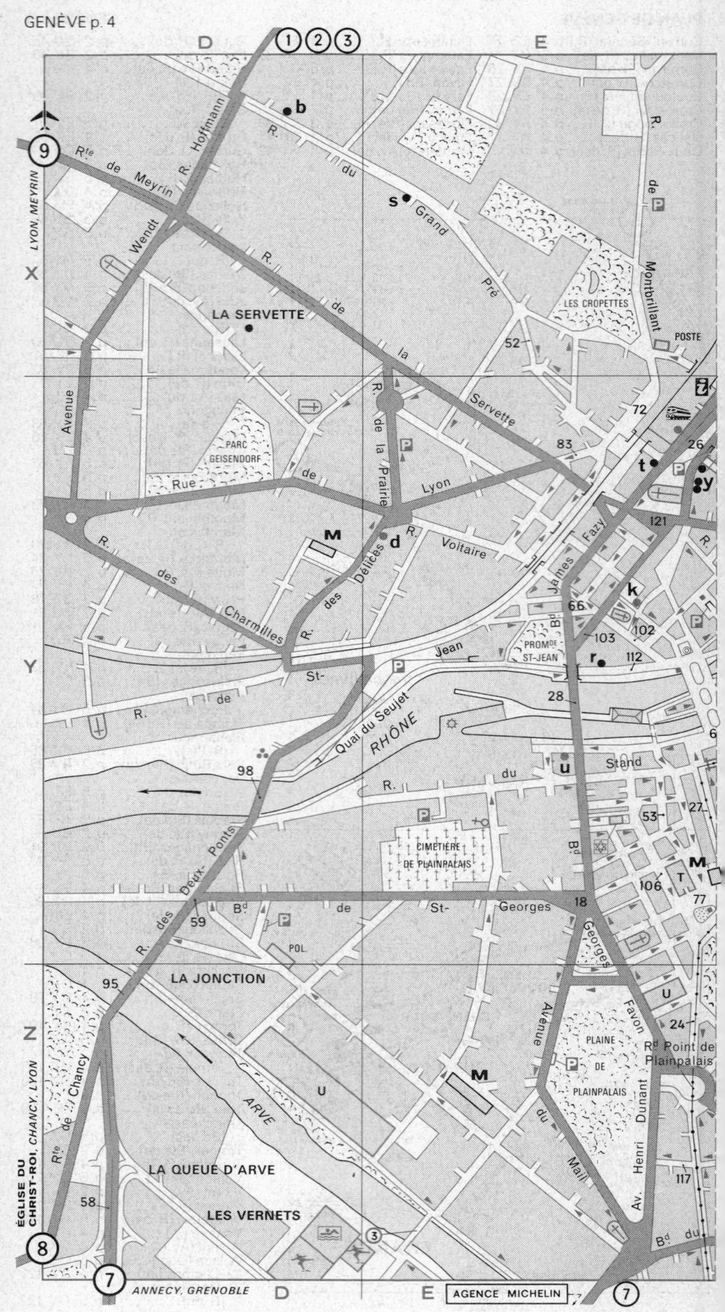
D
E
LYON, MEYRIN
Rte de Meyrin
R. Hoffmann
Wendt
R. du Grand Pré
R. de la Servette
LA SERVETTE
LES CROPETTES
R. de Montbrillant
POSTE
Avenue
PARC GEISENDORF
Rue de Lyon
R. de la Prairie
R. Voltaire
R. des Charmilles
R. des Délices
Bd James Fazy
PROMDE ST-JEAN
R. de St-Jean
Quai du Seujet
RHÔNE
R. du Stand
CIMETIÈRE DE PLAINPALAIS
Bd de St-Georges
R. des Deux-Ponts
POL.
LA JONCTION
Georges
Avenue du Mail
Favon
PLAINE DE PLAINPALAIS
Rd Point de Plainpalais
Av. Henri Dunant
ARVE
LA QUEUE D'ARVE
LES VERNETS
Rte de Chancy
ÉGLISE DU CHRIST-ROI, CHANCY, LYON
ANNECY, GRENOBLE
AGENCE MICHELIN
Bd du
X
Y
Z

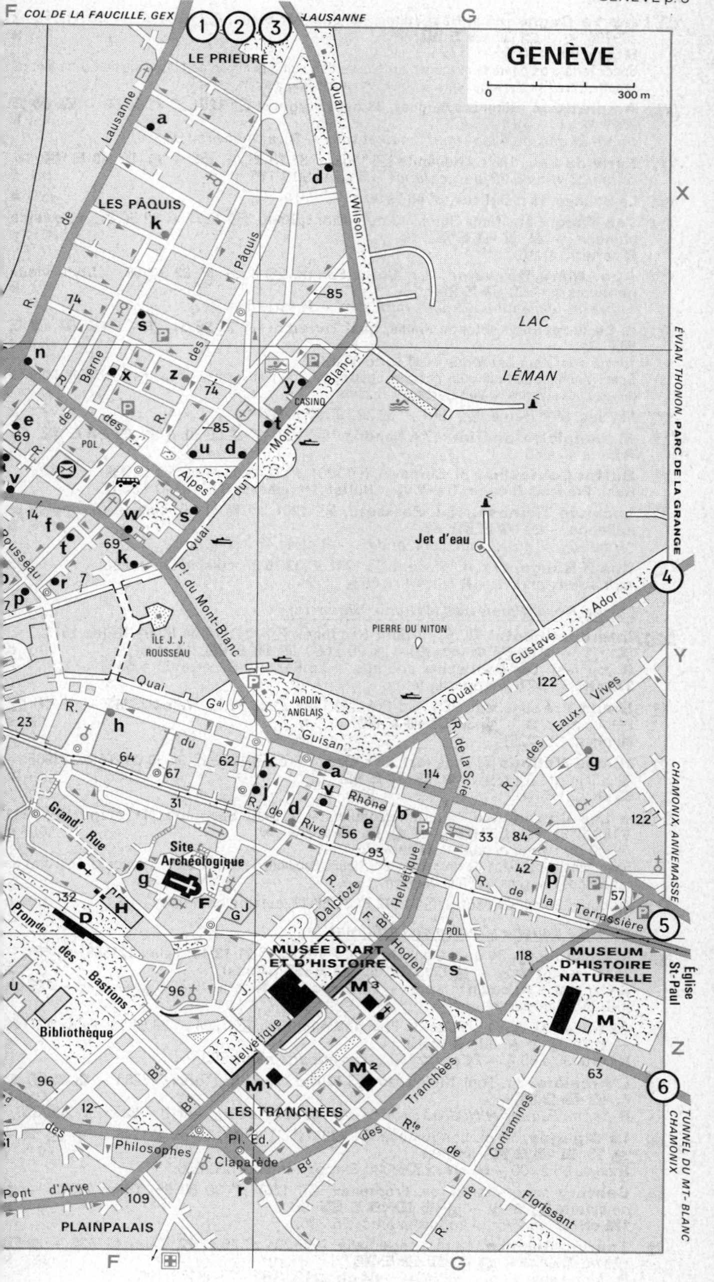

GENÈVE
0
300 m
COL DE LA FAUCILLE, GEX
LAUSANNE
LE PRIEURÉ
LES PÂQUIS
LAC
LÉMAN
CASINO
Jet d'eau
PIERRE DU NITON
ÎLE J. J. ROUSSEAU
JARDIN ANGLAIS
Quai Gustave Ador
Quai du Mont-Blanc
Quai Wilson
Pt du Mont-Blanc
Site Archéologique
Grand' Rue
Promde des Bastions
Bibliothèque
MUSÉE D'ART ET D'HISTOIRE
MUSEUM D'HISTOIRE NATURELLE
LES TRANCHÉES
Pl. Ed. Claparède
PLAINPALAIS
Église St-Paul
ÉVIAN, THONON, PARC DE LA GRANGE
CHAMONIX, ANNEMASSE
TUNNEL DU MT-BLANC CHAMONIX
R. de Rive
Rhône
R. de la Terrassière
Rte de Florissant
R. des Eaux Vives
R. de la Scie
Bd Helvétique
R. de Berne
R. des Alpes
R. de Lausanne
R. des Pâquis
Philosophes
Pont d'Arve

XXXX ✿✿ **Le Cygne** -Hôtel Noga Hilton, 19 quai Mt-Blanc, ✉ 1201 ☎ 31 98 11, Télex 289704, ≤ – ▤. AE ⓓ E VISA. ✗ GY **y**
R carte 80 à 120 ♁
Spéc. Tartare de daurade et rouget aux algues, Bar cuit à la fumée de bois, Aiguillettes de filet de canette rôti à l'ail et sauge. **Vins** Satigny, Coteau de Rougemont.

XXXX **Amphitryon** -Hôtel Les Bergues, 33 quai Bergues, ✉ 1201 ☎ 31 50 50 – AE ⓓ E VISA. ✗ FY **k**
fermé 23 déc. au 4 janv., dim. midi et sam. – **R** carte environ 90.

XXX **Perle du Lac,** 128 r. Lausanne ✉ 1202 ☎ 31 79 35, ≤, 佘 – Ⓟ. AE ⓓ E VISA. ✗
fermé 22 déc. au 22 janv. et lundi – **R** carte 90 à 115. BU **f**

XXX Le Bouhec, 18 r. Délices, ☎ 45 73 00 EY **d**

XXX **Tsé Yang** -Hôtel Noga Hilton, 19 quai Mont-Blanc, ✉ 1201 ☎ 32 50 81, ≤, cuisine chinoise – ▤. AE ⓓ E VISA. ✗ GY **y**
R carte 70 à 110.

XXX **Aub. Mère Royaume,** 9 r. Corps-Saints, ✉ 1201 ☎ 32 70 08, « Style vieux genevois » – AE ⓓ E VISA EY **k**
fermé mi-juil. à mi-août, sam. midi, dim. – **R** carte 60 à 90 ♁.

XXX ✿ **Le Neptune** -Hôtel du Rhône, quai Turrettini, ☎ 31 98 31, 佘 – ▤. AE ⓓ E VISA. ✗ EY **r**
fermé sam., dim. et fériés. – **R** carte 80 à 120 ♁
Spéc. Mitonnée de truffes aux pommes boulangère, Tourteau au coulis de tomates acidulé, Mignon de veau aux écrevisses. **Vins** Dardagny, Bursins.

XXX Fin Bec, 55 r. Berne, ✉ 1201 ☎ 32 29 19, 佘 – ▤ FX **k**

XX **Mövenpick-Cendrier,** 17 r. Cendrier, ✉ 1201 ☎ 32 50 30 – ▤. AE ⓓ E VISA. ✗
R carte 40 à 65. FY **f**

XX **Buffet Cornavin,** 3 pl. Cornavin, ✉ 1201 ☎ 32 43 06 – AE ⓓ E VISA EY
Rest. Français R carte 50 à 70 ♁ – **Buffet (1ere classe) R** carte 40 à 60 ♁.

X **Locanda Ticinese,** 13 r. Rousseau, ✉ 1201 ☎ 32 31 70, cuisine tessinoise et italienne – AE ⓓ E VISA. ✗ FY **b**
fermé 20 juil. au 10 août, sam. et dim. – **R** carte 45 à 60 ♁.

X **Boeuf Rouge,** 17 r. A.-Vincent ✉ 1201 ☎ 32 75 37, cuisine lyonnaise FY **z**
fermé sam. et dim. – **R** carte 40 à 65 ♁.

2o - *Au Nord (Palais des Nations, Servette) :*

🏨🏨🏨🏨 **Intercontinental** Ⓜ ♨, 7 petit Saconnex ✉ 1211 ☎ 34 60 91, Télex 23130, ≤, 佘, ⛱ – |☰| ▤ TV ☎ 🚗 Ⓟ – 🏛 25 à 600. AE ⓓ E VISA. ✗ rest BU **d**
R voir rest. **Les Continents** ci-après – **La Pergola R** carte 50 à 60 ♁ – ☕ 17 – **377 ch** 230/340, 42 appartements.

🏨 **Grand Pré** sans rest, 35 r. Gd-Pré, ✉ 1202 ☎ 33 91 50, Télex 23284 – |☰| ✈ TV 🛁wc 🚿wc ☎ – 🏛 30. AE ⓓ E VISA EX **s**
80 ch ☕125/225.

🏨 **H. des Nations** Ⓜ sans rest, 62 r. Grand Pré ✉ 1202 ☎ 34 30 03, Télex 23965 – |☰| cuisinette TV 🛁wc ☎. AE ⓓ E VISA DX **b**
63 ch ☕115/180.

XXXX ✿ **Les Continents** -Hôtel Intercontinental, 7 petit Saconnex (1er étage) ✉ 1211 ☎ 34 60 91, Télex 23130 – ▤ Ⓟ. AE ⓓ E VISA. ✗ BU **d**
fermé dim. midi et sam. – **R** carte 75 à 110
Spéc. Vinaigrette tiède de rouget aux artichauts, Papillote de filet de truite saumonée, Foie gras de canard poêlé au gros sel. **Vins** Dardagny, Lully.

XXX Fu Lung, 30 av. G.-Motta, ✉ 1202 ☎ 34 56 27, cuisine chinoise – Ⓟ BU **a**

3o - *Rive gauche (Centre des affaires) :*

🏨🏨🏨🏨 **Métropole** Ⓜ, 34 quai Gén.-Guisan, ✉ 1204 ☎ 21 13 44, Télex 421550, ≤, 佘 – |☰| ▤ rest TV ☎ ♿ – 🏛 50 à 200. AE ⓓ E VISA. ✗ rest GY **a**
R voir rest. **L'Arlequin** ci-après – **Le Grand Quai R** carte 45 à 70 ♁ – ☕ 16 – **125 ch** 210/340, 6 appartements.

🏨 **Armures** Ⓜ ♨, 1 r. Puits-St-Pierre, Vieille Ville ✉ 1204 ☎ 28 91 72, Télex 421129 – |☰| ▤ TV ☎ ♿. AE ⓓ E VISA FY **g**
R carte 30 à 60 ♁ – **24 ch** ☕190/215, 4 appartements 380.

🏨 **L'Arbalète,** 3 r. Tour-Maîtresse, ✉ 1204 ☎ 28 41 55, Télex 427293 – |☰| ▤ TV ☎ ♿. AE ⓓ E VISA GY **v**
R *(fermé Pâques et Noël au Jour de l'An)* carte 35 à 65 ♁, enf. 8 – **32 ch** ☕205/350.

🏨 **La Cigogne,** 17 pl. Longemalle ✉ 1204 ☎ 21 42 42, Télex 421748 – |☰| TV ☎ – 🏛 25. AE ⓓ E VISA. ✗ rest FGY **j**
R carte 65 à 100 – **50 ch** ☕205/380, 8 appartements 520/680.

🏨 **Century** sans rest, 24 av. Frontenex, ✉ 1207 ☎ 36 80 95, Télex 23223 – |☰| cuisinette TV ☎ Ⓟ – 🏛 35. AE ⓓ E VISA. ✗ GY **p**
125 ch ☕155/275, 14 appartements 275/315.

🏨 **Touring Balance,** 13 pl. Longemalle, ✉ 1204 ☎ 28 71 22, Télex 427634 – |☰| TV 🛁wc 🚿wc ☎ – 🏛 40. AE ⓓ E VISA GY **k**
R *(fermé sam. et dim.)* 38/40 ♁ – **64 ch** ☕120/180 – ½ p 152/195.

XXXX ❀ **Parc des Eaux-Vives,** 82 quai Gustave-Ador, ✉ 1207 ✆ 35 41 40, « Agréable situation dans un grand parc, belle vue » – Ⓟ. AE ⓓ E VISA CV a
fermé 1er janv. au 15 fév. et lundi – **R** 75/125 ♁
Spéc. Consommé d'écrevisses et de cuisses de grenouilles (saison), Filets de féra aux groseilles (saison), Truite saumonée du lac (saison). **Vins** Yvorne, Dezalay.

XXXX ❀ **L'Arlequin** -Hôtel Métropole, 34 quai Gén.-Guisan, ✉ 1204 ✆ 21 13 44, Télex 421550 – ▤. AE ⓓ E VISA. ✈ GY a
fermé 15 juil. au 10 août, sam. dim. et fériés – **R** 65/110 ♁
Spéc. Terrine de pigeonneau et ris de veau (sept. à avril), Tagliatelles de la mer crème d'oursins (sept. à avril), Terrine de foie de canard (sept. à avril). **Vins** Dardagny, Peissy.

XXX Via Veneto, 10 r. Tour Maitresse, ✉ 1204 ✆ 21 65 93 – ▤ GY d

XXX **Roberto,** 10 r. P.-Fatio, ✉ 1204 ✆ 21 80 34, cuisine italienne – ▤. AE E VISA
fermé sam. soir et dim. – **R** carte 60 à 85 ♁. GY e

XXX ❀❀ **Le Béarn** (Goddard), 4 quai Poste, ✉ 1204 ✆ 21 00 28 – AE ⓓ E VISA
fermé 16 juil. au 21 août, 21 au 28 fév., sam. (sauf le soir de fin sept. à avril) et dim. – **R** 80/120 et carte EY u
Spéc. Soufflé de truffes fraîches (déc. à fév.), Lasagnes de grenouilles aux herbes potagères, Croustillants de langoustines aux poireaux frits. **Vins** Dardagny, Côte de Russin.

XXX **Mövenpick Fusterie,** 40 r. Rhône, ✉ 1204 ✆ 21 88 55, 斎 – ▤. AE ⓓ E VISA
Baron de la Mouette R carte 45 à 80 ♁. FY h

XX **La Coupole,** 116 r. Rhône ✉ 1204 ✆ 35 65 44 – ▤. E VISA GY b
fermé dim. et fériés – **R** carte 50 à 75 ♁.

XX **Sénat,** 1 r. E.-Yung, ✉ 1205 ✆ 46 58 10, 斎 – AE ⓓ E VISA FZ r
fermé sam. midi et dim. – **R** 35/78 ♁, enf. 16.

XX **Cavalieri,** 7 r. Cherbuliez, ✉ 1207 ✆ 35 09 56, cuisine italienne – ▤. AE ⓓ E VISA GY g
fermé juil. et lundi – **R** carte 55 à 80 ♁, enf. 20.

XX **Café Alexandre,** 7 av. Dumas ✉ 1206 ✆ 47 74 22 – ▤ BV u
fermé 16 juil. au 14 août, sam., dim. et fériés – **R** 38/48 ♁, enf. 15.

XX Parc Bertrand, 62 rte Florissant, ✉ 1206 ✆ 47 59 57, 斎 CV u

Environs

route de Lausanne au bord du lac - BCU :

à Bellevue : 6 km - BU – ✉ **1293** Bellevue :

🏨 **La Réserve** Ⓜ ⛵, 301 rte de Lausanne ✆ 74 17 41, Télex 419117, ≤, 斎, « Bel ensemble dans un parc près du lac, port aménagé », ⛱, ✂ – ⎈ 📺 ☎ ♿ Ⓟ – 🏛 80. AE ⓓ E VISA BU u
La Closerie **R** carte 75 à 105 – ☕ 25 – **117 ch** 250/360, 25 appartements.

XXX ❀ **Tsé Fung,** 301 rte de Lausanne ✆ 74 17 41, cuisine chinoise, 斎, 🛥 – ▤ Ⓟ. AE ⓓ E VISA. ✈ BU u
R carte 90 à 115
Spéc. Canard laqué pékinois, Aileron de requin impérial, Marmite mongole. **Vins** Dardagny.

à Genthod : 7 km – ✉ **1294** Genthod :

XX ❀ **Rest. du Château de Genthod** (Leisibach), 1 rte Rennex ✆ 74 19 72, 斎, 🛥 – E VISA CU k
fermé 14 au 22 août, 20 déc. au 10 janv., dim. et lundi – **R** 40/75 ♁
Spéc. Cuisses de grenouilles au Riesling (mars à mai), Fricassée de porc à la genevoise, Omble-chevalier (juin à août). **Vins** Russin, Féchy.

vers la Savoie et bord du lac - CU :

à Cologny : 3,5 km -CU – ✉ **1223** Cologny :

XXXX ❀ **Aub. du Lion d'Or** (Large), au Village ✆ 36 44 32, 斎, « Situation dominant le lac et Genève, terrasse » – Ⓟ. AE ⓓ E VISA CU b
fermé 18 déc. au 18 janv., sam. et dim. – **R** carte 85 à 115
Spéc. Loup poché à la vapeur d'algues, Langoustines au gingembre, Médaillon de boeuf à l'Armagnac. **Vins** Lully.

X **Pavillon de Ruth,** 86 quai Cologny ✆ 52 14 38, ≤, 斎 – Ⓟ. AE E CU x
1er mars-20 déc. et fermé jeudi – **R** carte 50 à 65 ♁.

à Vandoeuvres : 5,5 km - CU – ✉ **1253** Vandoeuvres :

XXX **Cheval Blanc,** ✆ 50 14 01, 斎, cuisine italienne – AE E VISA. ✈ CU s
fermé 1er au 21 juil., Noël au Jour de l'An, dim. et lundi – **R** carte 50 à 75 ♁.

à Vésenaz : 6 km par rte de Thonon - CU – ✉ **1222** Vésenaz :

🏠 **La Tourelle** sans rest, 26 rte Hermance ✆ 52 16 28, parc – 🛁wc 🚿wc ☎ Ⓟ. AE ⓓ E VISA CU v
fermé 15 déc. au 12 fév. – **24 ch** ☕100/140.

XXX **Chez Valentino,** 63 rte Thonon ✆ 52 14 40, 斎, cuisine italienne, 🛥 – Ⓟ. AE E VISA. ✈ CU a
fermé 21 déc. au 26 janv., mardi et merc. – **R** carte 65 à 95 ♁.

à Anières : 12 km – ✉ 1247 Anières :

XXX **Le Léman,** 287 rte d'Hermance ☎ 51 20 20, ≤ lac et Jura, 🍴 – P. AE ⓓ E VISA
fermé fév., sam. midi, dim. soir et lundi – **R** carte 50 à 80 🍷, enf. 30.

par route de Chêne - CV :

à Chêne-Bourg : 4,5 km - CV – ✉ 1225 Chêne-Bourg :

XX **Le Gabelou,** 16 r. Gothard ☎ 48 62 57 – AE ⓓ E VISA — CV e
fermé 15 juil. au 7 août, dim. et lundi – **R** 55 bc/75 🍷.

à Thônex : 4 km - CV – ✉ 1226 Thônex :

XX Chez Cigalon, Douane Pierre à Bochet, 39 rte Ambilly ☎ 49 97 33, 🍴 – P — CV s

à Jussy : 11 km - CV – ✉ 1254 Jussy :

X **Aub. Vieux Jussy,** ☎ 59 11 10, 🍴 – ⓓ E VISA
fermé fév. et merc. – **R** carte 35 à 70 🍷, enf. 15.

à Veyrier : 5 km - CV – ✉ 1255 Veyrier :

XX **Pont de Sierne,** 2 rte Pas de l'Échelle ☎ 84 16 66, ≤, 🍴 – ▤. AE ⓓ E VISA
fermé fév. et dim. du 1er oct. au 1er juin – **R** carte 65 à 95, enf. 25. — CV r

par route de St-Julien - BV :

à Carouge : 3 km par r. Carouge - BV – ✉ 1227 Carouge :

XX Olivier de Provence, 13 r. J.-Dalphin ☎ 42 04 50, 🍴 — BV p

XX **La Cassolette,** 31 r. J.-Dalphin ☎ 42 03 18 — BV f
fermé 1er au 21 août, sam. et dim. – **R** (nombre de couverts limité - prévenir) 55/90.

X **Aub. Communale,** 39 r. Ancienne ☎ 42 22 88, 🍴 — BV s
fermé lundi soir et mardi – **R** carte 40 à 60 🍷, enf. 15.

à Troinex : 5 km - BV – ✉ 1256 Troinex :

XX La Chaumière, r. Fondelle ☎ 84 30 66, 🍴, 🚗 – P.

au Grand-Lancy : 3 km - BV – ✉ 1212 Lancy :

XXX ✿ **Marignac** (Pelletier), 32 av. E.-Lance ☎ 94 04 24, parc, 🍴 – ▤ P. E VISA
fermé dim. et lundi – **R** 55/115 — BV v
Spéc. Saumon cru au gros sel et aneth, Croûte briochée landaise Jacques Lacombe, Canette sauvagine aux olives. Vins Coteaux de Lully, Côtes de Russin.

au Plan-les-Ouates : 5 km - BV – ✉ 1228 Plan-les-Ouates :

🏠 **Plan-les-Ouates** sans rest, 135 rte St-Julien ☎ 94 92 44 – 🛗 ⛀wc ☎. AE ⓓ E VISA – *fermé 23 déc. au 7 janv.* – ☕ 6 – **22 ch** 42/98. — BV e

à Landecy : 7,5 km par ⑦ – ✉ 1257 Landecy :

XXX ✿ **Au Fer à Cheval** (Ruprecht), 37 rte Prieur ☎ 71 10 78, 🍴 – ⓓ E VISA
fermé fév., merc. midi et mardi – **R** 70/95
Spéc. Rillettes d'aile de raie aux aromates (juin à oct.), Râble de lapin farci aux champignons des bois et foie gras (juin à oct.), Turbot grillé (mars à janv.). Vins Gamay, Dardagny.

par route de Chancy - ABV :

au Petit Lancy : 3 km - BV – ✉ 1213 Petit Lancy :

🏨 ✿ **Host. de la Vendée et rest. Pont Rouge,** 28 chemin Vendée ☎ 92 04 11, Télex 421304, 🍴 – 🛗 TV ☎ P – 🎪 80. AE ⓓ E VISA — BV q
fermé Pâques (sauf hôtel) et 24 déc. au 7 janv. – **R** *(fermé sam. midi et dim.)* 68/100 🍷 – **34 ch** ☕95/200
Spéc. Terrine de homard, Marée bretonne panachée, Filet et cuisse de lapin à la moutarde de Meaux. Vins Lully, Dardagny.

X **Le Curling,** chemin Fief-de-Chapitre ☎ 93 62 44, 🍴 – AE ⓓ E VISA — BV r
fermé 18 juil. au 9 août et dim. sauf fêtes – **R** carte 35 à 60 🍷.

à Confignon : 6 km - AV – ✉ 1232 Confignon :

XX **Aub. de Confignon,** 6 pl. Église ☎ 57 19 44, 🍴, 🚗 – **R** 40/60. — AV n

à Cartigny par ⑧ : 12 km – ✉ 1236 Cartigny :

XX **L'Escapade,** 31 r. Trably ☎ 56 12 07, 🍴, 🚗 – P. AE ⓓ E VISA
fermé 4 au 18 sept., 20 déc. au 9 janv., dim. et lundi – **R** 80/100.

vers le Jura - AUV :

à Cointrin : par route de Meyrin : 4 km - ABU – ✉ 1216 Cointrin :

🏨 **Penta** M, 75 av. L. Casaï ☎ 98 47 00, Télex 27044 – 🛗 ⇆ ch ▤ TV ☎ 🚗 P – 🎪 25 à 700. AE ⓓ E VISA. ✗ rest — AU v
R 17/34 🍷, enf. 13 – ☕ 18 – **320 ch** 145/225 – ½ p 198/238.

🏠 **Hôtel 33,** 82 av. L.-Casaï ☎ 98 02 00, Télex 27991, 🍴 – 🛗 TV ⛀wc ☎ P. AE ⓓ E VISA – **R** *(fermé dim. et fériés)* 25/60 🍷 – **32 ch** ☕90/155. — ABU b *à l'Aéroport de Cointrin* : 4 km - AU – ✉ **1215** Genève :

XX **Rôt. Plein Ciel,** ✆ 98 22 88, ≤ – ▤. AE ⓓ E VISA AU
R carte 70 à 90.

à Meyrin : 5 km – ✉ **1217** Meyrin :

X Levant, 43 r. Cardinal Journet, ✆ 82 51 14, 🏖 – Ⓟ AU **d**

à Peney-Dessus O : 10 km par rte de Peney - AUV – ✉ **1242** Satigny :

XX **Domaine de Châteauvieux** 🐌 avec ch, ✆ 53 14 45, ≤, 🏖, 🌳 – ⊟wc ☎ Ⓟ.
AE ⓓ E VISA. ✂ rest
fermé 24 déc. au 25 janv. – **R** *(fermé sam. midi, dim. soir et lundi)* 74/94 – **20 ch**
☕ 110/180.

MICHELIN, (S.A. des Pneumatiques Michelin) 14 r. Marziano BV ✆ **43.45.50,** case postale CH - 1211 Genève 24, Télex 22733 + Pneumiclin-Gve.

GENILLÉ 37 I.-et-L. 64 ⑯ **G. Châteaux de la Loire** – 1 420 h. – ✉ **37460** Montrésor.
Paris 236 – Ambroise 32 – Blois 54 – Loches 11 – Montrichard 21 – ♦Tours 45.

XX **Agnès Sorel** avec ch, ✆ **47 59 50 17,** 🏖 – 🚗 Ⓟ. VISA. ✂ ch
fermé fév., dim. soir et lundi – **R** 100/230 – ☕ 25 – **4 ch** 150/250.

GENIN (Lac de) 01 Ain 74 ④ – rattaché à Oyonnax.

GENISSIEUX 26 Drôme 77 ② – 1 417 h. – ✉ **26750** Romans-sur-Isère.
Paris 559 – ♦Grenoble 88 – Romans-sur-Isère 7 – Valence 18.

🏠 **La Chaumière,** Pl. Champs de Mars ✆ **75 02 77 97** – |$| ⊟wc ⋒wc ☎. VISA
➔ *fermé 24 déc. au 20 janv.* – **R** 50 bc/100 🍷 – ☕ 18 – **15 ch** 125/215 – ½ p 175/195.

GENLIS 21110 Côte d'Or 66 ⑫⑬ – 4 960 h.
Paris 330 – Auxonne 15 – ♦Dijon 17 – Dole 31 – Gray 51.

🏠 **Gare,** ✆ 80 31 30 11 – ⋒ Ⓟ. AE ⓓ E VISA
➔ *fermé 4 au 28 août, 25 au 31 déc. et dim. soir* – **R** 50/150, enf. 30 – ☕ 18 – **19 ch**
85/115 – ½ p 140.

à Izier NO : 5 km par D 109ʲ – ✉ **21110** Genlis :

XX **Aub. d'Izier,** ✆ 80 31 26 39, 🏖 – Ⓟ. AE ⓓ E VISA
fermé lundi – **R** 90/210, enf. 45.

à Échigey S : 8 km par D 25 et D 34 – ✉ **21110** Genlis :

XX **Place** avec ch, ✆ **80 29 74 00,** 🌳 – ⊟wc ⋒ ☎ Ⓟ. ⓓ E VISA. ✂ ch
➔ *fermé 31 août au 8 sept., 30 janv. au 1er mars, dim. soir et lundi* – **R** 65/190 – ☕ 22
– **14 ch** 95/180 – ½ p 130/180.

CITROEN Genlis Autom., ✆ 80 31 25 77
PEUGEOT-TALBOT Gar. Bourbon, ✆ 80 31 35 41 N
RENAULT Côte-d'Or Auto., ✆ 80 37 81 04

GENNES 49350 M.-et-L. 64 ⑫ **G. Châteaux de la Loire** – 1 888 h.
Voir Église** de Cunault SE : 2,5 km – Église* de Trèves-Cunault SE : 3 km.
ℹ Syndicat d'Initiative à la Mairie (15 juin-15 sept.) ✆ 41 51 93 52.
Paris 287 – Angers 31 – Bressuire 63 – Cholet 61 – La Flèche 45 – Saumur 16.

🏨 **Aux Naulets d'Anjou** 🐌, r. Croix-de-Mission ✆ **41 51 81 88,** ≤, 🏖, 🌳 –
⊟wc ☎ Ⓟ. E VISA. ✂ rest
fermé 22 déc. au 1er mars – **R** *(fermé lundi)* 120/160, enf. 50 – ☕ 30 – **20 ch**
200/250 – ½ p 270/300.

XX **Host. Loire** avec ch, ✆ **41 51 81 03,** 🌳 – ⊟wc ⋒wc Ⓟ
fermé 28 déc. au 10 fév., lundi soir et mardi sauf fêtes – **R** 88/130 – ☕ 20 – **11 ch**
110/280 – ½ p 160/250.

GENNEVILLIERS 92 Hauts-de-Seine 55 ⑳, 101 ⑮ – voir à Paris, Environs.

GÉNOLHAC 30450 Gard 80 ⑦ **G. Gorges du Tarn** – 850 h.
ℹ Syndicat d'Initiative à la Mairie ✆ 66 61 10 55 et Maison de Pays (saison) ✆ 66 61 18 82.
Paris 623 – Alès 37 – Florac 49 – La Grand-Combe 27 – Nîmes 81 – Villefort 18.

🏠 **Mont Lozère,** D 906 ✆ **66 61 10 72** – ⋒wc Ⓟ. ⓓ E VISA. ✂
➔ *2 fév.-2 nov. et fermé mardi sauf juil.-août* – **R** 50/120 🍷, enf. 30 – ☕ 16 – **15 ch**
90/160 – ½ p 143/155.

GENOUILLAC 23350 Creuse 68 ⑲ – 783 h.

Paris 327 – La Châtre 27 – Guéret 27 – Montluçon 55.

Relais d'Oc, ☎ 55 80 72 45 – ⓓ E VISA. ✱ ch
21 mars-30 nov. et fermé dim. soir et lundi – **R** 55/200 ⅃ – ☕ 25 – **7 ch** 120/220 – 1/2 p 130/180.

GENTILLY 94 Val-de-Marne – voir à Paris, Environs.

GÉRARDMER 88400 Vosges 62 ⑰ **G. Alsace et Lorraine** – 9 647 h. alt. 665 – Sports d'hiver : 870/1 130 m ⛷14 – Casino: AZ – **Voir Lac★ – Saut des Cuves★** E : 3 km par ①.

🅸 Office de Tourisme pl. Déportés ☎ 29 63 08 74, Télex 961408.

Paris 400 ③ – Belfort 77 ② – Colmar 52 ① – Épinal 41 ③ – St-Dié 30 ① – Thann 56 ②.

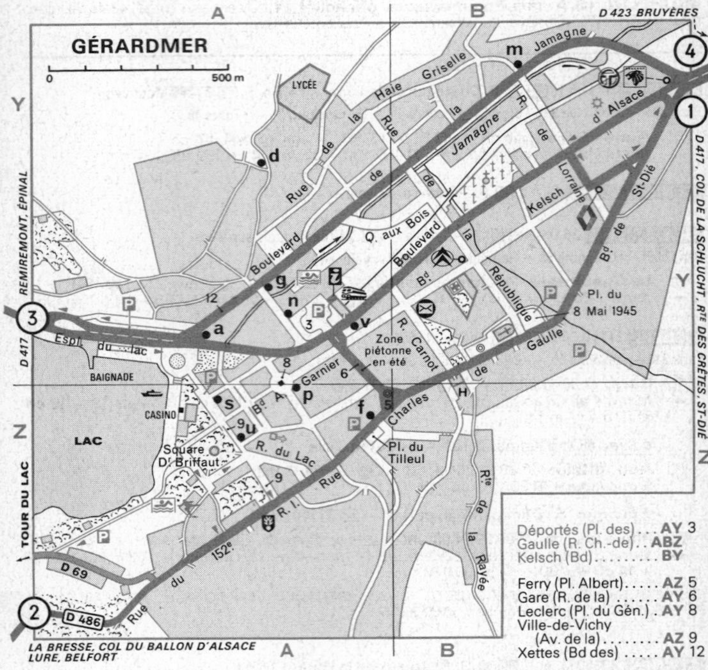

Gd Hôtel Bragard, pl. Tilleul ☎ 29 63 06 31, Télex 960964, « ⛱, parc » – 🛗 📺 ☎ 🅿 – 🏛 25 à 60. AE ⓓ E VISA — AZ **f**
fermé nov. – **R** 85/230, enf. 60 – ☕ 35 – **61 ch** 290/460, 3 appartements 740 – 1/2 p 360/450.

✿ **Réserve** (Marchal), esplanade du Lac ☎ 29 63 21 60, Télex 961509, ← – 📺 ☎ 🅿. AE ⓓ E VISA — AY **a**
fermé mi-nov. à mi-déc. – **R** 70/200, enf. 45 – ☕ 25 – **32 ch** 180/308 – 1/2 p 220/278
Spéc. Escargots en cassolette, Jambon de montagne braisé au vin d'Alsace, Vacherin aux fruits.

Jamagne, 2 bd de la Jamagne ☎ 29 63 36 86, Télex 961139, ⛱, ⛱ – 🛗 ☎ 🅿 – 🏛 60. ⓓ E VISA. ✱ — AY **g**
1er avril-15 oct. et 24 déc.-28 fév. – **R** 82/88 ⅃, enf. 42 – ☕ 25 – **50 ch** 180/255 – 1/2 p 200/260.

Paix, 6 av. Ville-de-Vichy ☎ 29 63 38 78, ⛱ – 📺 🛁wc 🚿wc ☎ 🅿. E VISA. ✱ rest — AZ **s**
R 70/220 ⅃, enf. 55 – ☕ 25 – **25 ch** 160/250 – 1/2 p 185/230.

Viry et rest. l'Aubergade, pl. Déportés ☎ 29 63 02 41, ⛱ – 📺 🛁wc 🚿wc ☎. AE ⓓ E VISA — AY **n**
R *(fermé vend. hors sais.)* 58/180 ⅃, enf. 45 – ☕ 25 – **18 ch** 160/240 – 1/2 p 185/225.

Bains sans rest, 16 bd Garnier ☎ 29 63 08 19, ⛱ – 🛁wc 🚿wc ☎ 🅿. E VISA
fermé 1er nov. au 20 déc. et du lundi au vend. en janv. et mars – ☕ 24 – **57 ch** 150/230. — AZ **p**

Relais de la Mauselaine, au pied des pistes SE : 2,5 km rte de la Rayée - BZ
29 63 05 74, ← – wc. E VISA.
fermé 15 au 22 mars, et 1er oct. au 15 déc. – **R** 58/180 – 23 – **15 ch** 205 – 1/2 p 215.

Parc, 12 av. Ville de Vichy **29 63 32 43**, – wc wc. E VISA AZ **u**
27 mars-fin sept., vacances de fév. et week-ends de janv. et mars – **R** 65/130 – 21 – **36 ch** 95/240 – 1/2 p 130/210.

Route Verte, 61 bd Jamagne **29 63 12 97, Télex 960187** – wc wc. AE E VISA. rest BY **m**
R 45/160 – 25 – **35 ch** 100/220 – 1/2 p 155/195.

Liserons, 5 bd Kelsch **29 63 02 61** – TV wc wc. VISA. rest AY **v**
fermé 1er oct. au 15 déc. et merc. hors sais. – **R** 80/110 – 22 – **12 ch** 160/300 – 1/2 p 180/200.

Chalet du Lac, par ③ : 1 km rte Épinal **29 63 38 76**, ← lac, – wc. E VISA
fermé oct. – **R** *(fermé vend. hors sais. sauf vacances scolaires)* 65/220 – 20 – **11 ch** 105/240 – 1/2 p 200/270.

L'Abri sans rest, rte Miselle **29 63 02 94**, ←, – wc. VISA. AY **d**
fermé 25 oct. au 10 nov. et merc. sauf vacances scolaires – 21 – **14 ch** 110/205.

Écho de Ramberchamp sans rest, à **Ramberchamp O : 1,5 km par D 69** **29 63 02 27**, ←, – . AZ
fermé 15 nov. au 20 déc. et lundi sauf juil.-août – 17,50 – **16 ch** 82/115.

au Col de Martimpré par ① et D 8 : 5 km – **88400** Gérardmer :

XX **Bonne Auberge de Martimprey** avec ch, **29 63 19 08**, – wc. AE E VISA
fermé 5 nov. au 15 déc., mardi soir et merc. du 15 sept. au 15 avril – **R** 60/80 – 25 – **11 ch** 125/230 – 1/2 p 158/196.

aux Bas Rupts par ② : 4 km – alt. 800 – **88400** Gérardmer :

XXX ✿ **Host. Bas-Rupts** (Philippe) avec ch, **29 63 09 25, Télex 960992**, ←, , – TV wc wc. AE VISA
fermé 5 au 17 déc. – **R** (dim. et fêtes prévenir) 110/320, enf. 60 – 35 – **18 ch** 250/450 – 1/2 p 280/420
Spéc. Marmite du pêcheur, Fricassée de ris et rognon de veau au fumet d'alisier, Civet de joues de marcassin. **Vins** Riesling, Pinot noir.

Annexe Chalet Fleuri M, ←, – TV wc
fermé 5 au 17 déc. – 35 – **14 ch** 350/450 – 1/2 p 360/420.

XX **La Belle Marée,** **29 63 06 83**, ←, produits de la mer – . AE VISA
fermé 27 juin au 7 juil., dim. soir hors sais. et lundi – **R** 65/200, enf. 40.

à Xonrupt-Longemer E : 6 km par D 417 – **88400** Gérardmer.
Voir Lac de Longemer* SE : 2 km.
Env. Roche du diable ←** SE : 6 km puis 15 mn.

XX **Lac de Longemer** avec ch, **29 63 37 21**, ←, , – wc wc. AE E VISA
fermé 12 nov. au 20 déc. – **R** 74/220, enf. 42 – 25 – **22 ch** 200/230 – 1/2 p 170/230.

au Grand Valtin E : 10 km par ① et D 23 – **88230** Fraize :

XX **Louisière,** **29 60 91 39**, ←, , « Auberge rustique » –
fermé 11 nov. au 27 déc., merc. soir et jeudi – **R** (nombre de couverts limité - prévenir) carte 175 à 230.

CITROEN Auto-Gar. Géromois, 31 bd Kelsch 29 63 35 77
FORD Gar. Lahache, 22 r. 152e-R.-I. 29 63 01 79 N
PEUGEOT-TALBOT Gar. Thiébaut, La Croisette 29 63 14 50
RENAULT Gar. Lorraine, 60 bd Kelsch 29 63 01 95

GERMIGNY 58 Nièvre 69 ③ – rattaché à Pougues-les-Eaux.

GERMINY-L'ÉVÊQUE 77 S.-et-M. 56 ⑬, 196 ㉓ – rattaché à Meaux.

Les GETS 74260 H.-Savoie 74 ⑧ **G. Alpes du Nord** – 1 097 h. alt. 1 170 – Sports d'hiver : 1 172/1 850 m 2 28 – **Voir** Mont Chéry ** O par télésiège.
Office de Tourisme 50 79 75 55, Télex 385026.
Paris 587 – Annecy 86 – Bonneville 37 – Chamonix 64 – ◆Genève 52 – Megève 50 – Thonon-les-B. 37.

Marmotte M, **50 79 75 39**, ←, – cuisinette TV . E VISA. rest
2 juil.-28 août et 18 déc.-9 avril – **R** (résidents seul.) – 33 – **45 ch** (½ pen. seul.) – 1/2 p 450/520.

Le Labrador M, rte Turche **50 79 74 53**, ←, , – TV wc . AE VISA.
1er juil.-30 sept. et 15 déc.-15 avril – **R** 120/135 – **22 ch** 400/440 – 1/2 p 320/340.

Mont Chéry [M], 50 79 74 55, <, , – rest TV wc P. E VISA. – *1er juil.-31 août et 15 déc.-20 avril* – **R** 78/130, enf. 45 – **26 ch** 260/470.

Alpages [M], rte Turche 50 79 82 79, < – TV wc P. AE E VISA *1er juil.-31 août et 17 déc.-20 avril* – **R** 110/210, enf. 80 – 35 – **20 ch** 550 – 1/2 p 320/620.

Ours Blanc [M], 50 79 14 66, < – wc P. E VISA. *15 déc.-15 avril* – **15 ch** (½ pens. seul.) – 1/2 p 360/470.

Le Crychar [M] sans rest, 50 79 72 84, <, – TV wc . E VISA. *juil.-août et 15 déc.-fin vacances de printemps* – 35 – **12 ch** 290/420.

Lion d'Or sans rest, 50 79 70 06, <, – wc wc P. VISA *2 juil.-30 sept. et 17 déc.-20 avril* – 28 – **21 ch** 115/330.

Alpina , 50 79 80 22, < – wc wc . *25 juin-8 sept. et 20 déc.-fin vacances de printemps* – **R** 72/100, enf. 50 – 22 – **29 ch** 190/230.

Régina, 50 79 74 76, < – wc wc . E VISA. rest *20 déc.-17 avril* – **R** 80/98, enf. 40 – 24 – **23 ch** 195/250 – 1/2 p 240/280.

Maroussia , à La Turche 50 79 71 06, < – wc wc P. E VISA. rest *hôtel : fermé fin avril au 18 juin ; rest. : ouvert 18 juin-17 sept. et 17 déc.-fin avril* – **R** 70/110 – 26 – **22 ch** 240/280.

GEVREY-CHAMBERTIN 21220 Côte-d'Or 66 ⑫ G. Bourgogne – 2 582 h.

Office de Tourisme pl. Mairie (15 mai-15 sept.) 80 34 38 40.

Paris 313 – Beaune 27 – ♦Dijon 12 – Dole 62.

Grands Crus [M] sans rest, 80 34 34 15, « Jardin fleuri » – P *fermé 1er déc. au 25 fév.* – 27 – **24 ch** 210/295.

Les Terroirs [M] sans rest, rte Dijon 80 34 30 76, « Belle décoration intérieure », – TV wc wc P. AE E VISA *fermé 21 déc. au 18 janv.* – 30 – **23 ch** 220/420.

XXX ❀ **La Rôtisserie du Chambertin,** 80 34 33 20, « Caves anciennes aménagées, petit musée » – P. VISA *fermé 31 juil. au 8 août, fév., dim. soir et lundi* – **R** (nombre de couverts limités - prévenir) carte 225 à 315, enf. 80
Spéc. Fricassée de grenouilles et d'escargots, Gigot de poulette aux morilles sauce au vin jaune, Coq au vin à l'ancienne. **Vins** Bourgogne aligoté, Gevrey-Chambertin.

XXX ❀ **Les Millésimes** (Sangoy), 25 r. Église 80 51 84 24, « Cave aménagée, belle décoration intérieure » – P. AE E VISA *fermé début janv. à début fév., merc. midi et mardi* – **R** (nombre de couverts limités-prévenir) 175/385
Spéc. Petite salade de foie gras poêlé, Assiette fantaisie de poisson au cerfeuil, Aumonière de suprême de pigeonneau.

PEUGEOT TALBOT Jouan, 80 34 30 62

GEX 01170 Ain 70 ⑮⑯ G. Jura (plan) – 4 868 h. alt. 628.

Paris 496 – ♦Genève 17 – Lons-le-Saunier 96 – Pontarlier 113 – St-Claude 44.

Parc, av. Alpes 50 41 50 18, – wc wc P. E VISA. ch *fermé 18 au 29 sept., 15 déc. au 10 fév., dim. soir et lundi* – **R** 170/260 – 30 – **20 ch** 100/300 – 1/2 p 220/330.

XXX **Aub. des Chasseurs** avec ch, à Echenevex S : 4 km - alt. 650 50 41 54 07, <, , « Terrasse fleurie, jardin », – wc P *fermé 4 janv. au 10 mars, dim. soir et lundi de sept. à juin et lundi midi en juil.-août* – **R** (prévenir) 165/280 – 38 – **11 ch** 160/360.

X **Le Florimont** avec ch, N : 6 km par N 5 50 41 53 34, <, – P. VISA. *fermé 15 au 31 mai, 1er au 15 oct. et mardi* – **R** 125/145 – 18 – **6 ch** 60/120 – 1/2 p 140/200.

à Chevry S : 7 km par D 984c – 01170 Gex :

XX **Aub. Gessienne,** 50 41 01 67, – P *fermé 31 juil. au 15 août, 1er au 22 fév., dim. et lundi* – **R** 96/195.

AUSTIN-ROVER-TOYOTA-VOLVO Jordan-Meille, à Sauverny 50 41 18 14
CITROEN S.A.D.A.G., N 5 à Cessy 50 41 55 17 N
FORD Piron, Le Martinet Cessy 50 41 50 94
MAZDA Gar. Dago, Le Martinet Cessy 50 41·55 52
RENAULT Gar. Modernes, Les Vertes Campagnes 50 41 54 24 N

GIAT 63620 P.-de-D. 73 ⑫ – 1 268 h. alt. 779.

Paris 413 – Aubusson 37 – ♦Clermont-Ferrand 69 – Le Mont-Dore 55 – Montluçon 80 – Ussel 43.

Commerce, 73 21 72 38, – . VISA **R** *(fermé lundi)* (prévenir) 40/120 , enf. 30 – 16 – **13 ch** 80/120 – 1/2 p 100/120.

CITROEN Gar. Simonnet, 73 21 72 86 N 73 21 74 96
RENAULT Gar. Richin, 73 21 72 16 N

GIEN 45500 Loiret 65 ② G. Châteaux de la Loire – 16 445 h.

Voir Château★ : musée de la Chasse★★ M – Pont ≤★.

Office de Tourisme r. Anne-de-Beaujeu (mai-oct.) ✆ 38 67 25 28.

Paris 152 ① – Auxerre 87 ② – Bourges 76 ③ – Cosne 41 ② – ♦Orléans 64 ④ – Vierzon 73 ③.

GIEN

Gambetta (R.) 6
Thiers (R.) 21
Victor-Hugo (R.) 22

Beaujeu (R. Anne-de) 2
Briqueteries (R. des)
Château (Pl. du) 3
Clemenceau (R. Georges) 5
Hôtel-de-Ville (R. de l') 7
Jeanne-d'Arc (R.) 9
Joffre (Q. du Mar.)
Leclerc (Av. Général) 12
Lenoir (Quai)
Louis-Blanc (R.) 13
Marienne (R. Adjudant) 14
Montbricon (R. de)
Noé (R. de)
Paris (R. de)
Paul-Bert (R.) 16
Président-Wilson (Av. du) 17
République (Av. de la) 18
Verdun (R. de)

Une voiture bien équipée, possède à son bord des cartes Michelin à jour.

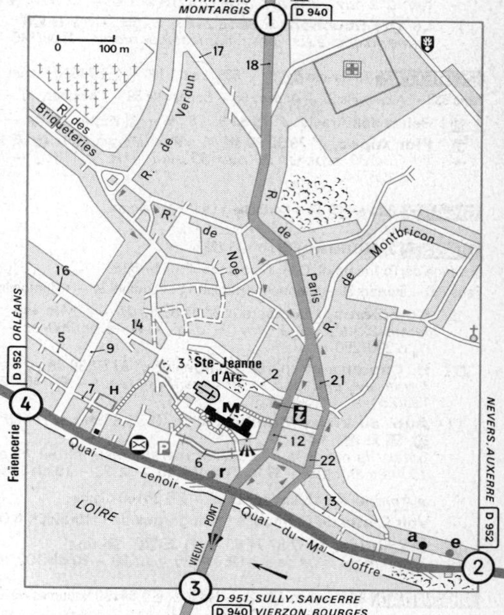

Rivage, 1 quai Nice **(a)** ✆ 38 67 20 53, ≤ – TV ⇔wc ☎ P. AE ① E VISA
R *(fermé 8 fév. au 1er mars)* 80/245 – ⊐ 31 – **19 ch** 215/265, 3 appartements 520
Spéc. Feuilleté d'escargots au Sancerre, Saumon et mousseline de brochet au homard, Délice glacé au praslin. **Vins** Pouilly-Fumé, Menetou-Salon.

Sanotel M sans rest, **21 quai Sully par ③ ✆ 38 67 61 46, Télex 783683,** ≤, – |♦| TV ⇔wc ☎ ♿ P – 60. ① E VISA
⊐ 25 – **58 ch** 215/260.

Beau Site et La Poularde avec ch, **13 quai Nice (e) ✆ 38 67 36 05** – ☎. AE ① E VISA
fermé 28 août au 5 sept., 1er au 15 janv. et dim. soir – **R** 67/230 – ⊐ 26 – **10 ch** 195/260 – 1/2 p 290.

Loire, 18 quai Lenoir **(r)** ✆ 38 67 00 75 – VISA.
fermé 1er au 15 sept., 3 au 24 fév., mardi soir et merc. – **R** 65/150.

La Marmite, rte Paris par ① ✆ 38 67 37 23
fermé août, 24 déc. au 1er janv., dim. et fêtes – **R** (déj. seul.) 59/90 ⅄.

BMW, LANCIA, AUTOBIANCHI Gar. Réunis de Gien, 58 rte de Paris ✆ 38 67 09 63
CITROEN S.A.G.V.R.A., rte Bourges, Poilly-lez-Gien, par ③ ✆ 38 67 30 82 N ✆ 38 67 07 33
FORD Borla, 61 av. de la République ✆ 38 67 35 85
PEUGEOT, TALBOT S.A.G., rte Bourges, Poilly-lez-Gien, par ③ ✆ 38 67 35 43

RENAULT Reverdy, rte Bourges, Poilly-lez-Gien, par ③ ✆ 38 67 28 98
RENAULT Prieur, 102 r. G.-Clemenceau, par ④ ✆ 38 67 15 32
V.A.G. Relais St-Christophe, 91 rte d'Orléans ✆ 38 67 34 02

Pneu-Service, r. J.-César ✆ 38 67 42 08

GIENS 83 Var 84 ⑯ **G. Côte d'Azur** – ✉ **83400** Hyères – **Voir Ruines du château** ✲★★ X.
Paris 867 – Carqueiranne 13 – Draguignan 91 – Hyères 12 – La Londe-des-Maures 18 – ♦Toulon 27.

Voir plan de Giens à Hyères

Relais du Bon Accueil ⑤, ☏ **94 58 20 48**, ←, ☂, « **Jardin fleuri** » – wc wc ☎ Ⓟ. E VISA X **s**
fermé 15 nov. au 15 déc. – **R** 120/270, enf. 60 – ☕ 30 – **10 ch** 300/350 – ½ p 300/400.

Le Tire Bouchon, ☏ 94 58 24 61, ←, ☂ – ⓓ E VISA X **a**
fermé 15 déc. au 31 janv., mardi soir et merc. – **R** 68/145.

La GIETTAZ 73 Savoie 74 ⑦ – 535 h. alt. 1 100 – ✉ **73590** Flumet.
Paris 583 – Albertville 27 – Annecy 56 – Bonneville 39 – Chambéry 76 – Flumet 6 – Megève 16.

Relais des Aravis, ☏ 79 32 91 78, ← – wc ☎ Ⓟ – **27 ch**.

Flor'Alpes, ☏ 79 32 90 88, ←, ☂ – wc wc Ⓟ. E VISA. ✗ rest
1er juin-30 sept. et 20 déc.-30 avril – **R** 60/110 ⚲ – ☕ 17 – **11 ch** 90/130 – ½ p 125/140.

GIGARO 83 Var 84 ⑰ – rattaché à La Croix-Valmer.

GIGNAC 34150 Hérault 83 ⑥ – 3 228 h.
ℹ Office de Tourisme pl. Gén.-Claparède ☏ 67 57 58 83.
Paris 790 – Béziers 50 – Clermont-l'Hérault 11 – Lodève 24 – ♦Montpellier 30 – Sète 44.

Commerce, 1 bd Pasteur ☏ **67 57 50 97** – wc 🚗
fermé 22 déc. au 1er fév. et dim. – **R** 75 bc/260 bc – ☕ 20 – **17 ch** 90/200 – ½ p 200/250.

XXX **H. Capion** avec ch, rte Montpellier ☏ **67 57 50 83** – wc ☎. AE ⓓ E VISA
fermé fév., dim. soir et lundi sauf juil.-août – **R** 145/178, enf. 45 – ☕ 35 – **8 ch** 120/280 – ½ p 300/363.

XX **Aub. du Vieux Moulin** avec ch, O : 1,5 km par N 109 ☏ **67 57 52 77** – wc ☎ Ⓟ. AE E VISA. ✗
hôtel : fermé 1er au 15 oct. et mardi ; rest.: fermé 1er oct. au 1er déc., 10 janv. au 10 mars et mardi – **R** 70/210, enf. 45 – ☕ 23 – **10 ch** 135/210 – ½ p 185.

à Aniane NE : 5 km sur D 32 – ✉ **34150** Gignac.
Voir Grotte de Clamouse★★ et gorges de l'Hérault★ NO : 4 km, G. Gorges du Tarn.

Clamouse, ☏ 67 57 71 63 – ⋔. E VISA. ✗ rest
fermé merc. hors sais. – **R** 60/175 – ☕ 20 – **10 ch** 102/166 – ½ p 130/163.

GIGONDAS 84 Vaucluse 81 ② – 648 h. – ✉ **84190** Beaumes-de-Venise.
Paris 667 – Avignon 39 – Nyons 31 – Orange 18 – Vaison-la-Romaine 15.

Les Florets ⑤, 1,5 km par VO ☏ **90 65 85 01**, ☂ – wc wc ☎. AE ⓓ E VISA
fermé janv., fév. et merc. – **R** 100/155 ⚲, enf. 50 – ☕ 28 – **15 ch** 200/240 – ½ p 205/230.

à Montmirail S : 6 km par D 7 et rte Vacqueyras – ✉ **84190** Beaumes-de-Venise.
Voir Clocher★ de la chapelle N.-D. d'Aubune SE : 5 km, G. Provence.

Montmirail Ⓜ ⑤, ☏ **90 65 84 01**, ⛱, ☂ – wc wc ☎ Ⓟ. AE ⓓ E VISA
début mars-fin nov. – **R** 110/190 – ☕ 29 – **46 ch** 245/390 – ½ p 260/280.

GIMBELHOF 67 B.-Rhin 57 ⑲ – rattaché à Lembach.

GIMEL-LES-CASCADES 19 Corrèze 75 ⑨ **G. Berry Limousin.**
Voir Site★ – Cascades★★ dans le parc Vuillier – Trésor★ de l'église : châsse de St Etienne★★.

GIMONT 32200 Gers 82 ⑥ **G. Pyrénées Aquitaine** – 2 950 h.
⛳9 Las Martines ☏ 62 07 27 12, à l'Est par N 124 : 23 km.
ℹ Syndicat d'Initiative (juil.-août) ☏ 62 67 77 87.
Paris 742 – Agen 85 – Auch 26 – Castelsarrasin 59 – Montauban 70 – St-Gaudens 73 – ♦Toulouse 53.

Château Larroque ⑤, rte Toulouse ☏ **62 67 77 44**, Télex 531135, ←, ☂, « **Parc** », ✗ – ☎ Ⓟ – 🎓 30 à 200. AE ⓓ VISA
fermé 1er janv. au 2 fév. – **R** 140/240, enf. 60 – ☕ 42 – **15 ch** 330/570 – ½ p 460.

XX **Coin du Feu** (chambres prévues), bd Nord ☏ **62 67 71 56** – Ⓟ. E VISA
R 78 bc/200 ⚲, enf. 50.

GINASSERVIS 83 Var 84 ④ – 779 h. – ✉ **83560** Rians.
Paris 785 – Aix-en-Provence 50 – Brignoles 49 – Draguignan 67 – Manosque 24.

Le Bastier ⑤, O : 2 km par rte St-Paul ☏ **94 80 11 78**, ←, ☂, parc, ⛱, ✗ – TV wc ☎ ♿ – 🎓 500. AE ⓓ E VISA
fermé 10 janv. au 28 fév. – **R** 93/300 – ☕ 36 – **24 ch** 260/370 – ½ p 430.

GINCLA 11 Aude 86 ⑰ – 35 h. – ✉ 11140 Axat.
Paris 849 – Carcassonne 73 – Quillan 22.

Gd Duc , ✆ 68 20 55 02 – wc wc ☎ P. E VISA
1er avril-30 nov. – **R** *(fermé merc. midi sauf du 15 juin au 30 nov.)* 55/200 – 24 – **10 ch** 160/210 – 1/2 p 175/245.

GIROMAGNY 90200 Ter.-de-Belf. 66 ⑧ **G. Alsace et Lorraine** – 3 694 h.
Syndicat d'Initiative à la Mairie ✆ 84 27 14 18 et Parc du Paradis des Loups (juin-sept. matin seul.) ✆ 84 27 18 80.
Paris 437 – Belfort 12 – Lure 30 – Masevaux 21 – ♦Mulhouse 46 – Thann 41 – Le Thillot 32.

Saut de la Truite avec ch, **N : 7 km D 465 - alt. 701** ✆ **84 29 32 64**, ←, – wc P. AE ① E VISA. ch
fermé déc., janv., jeudi soir et vend. hors sais. – **R** 65/150 – 20 – **7 ch** 90/150 – 1/2 p 150.

GIRONDE-SUR-DROPT 33 Gironde 79 ② – rattaché à La Réole.

GIROUSSENS 81 Tarn 82 ⑨ – rattaché à Lavaur.

GISORS 27140 Eure 55 ⑧⑨ **G. Normandie Vallée de la Seine** – 8 859 h.
Voir Château fort★★ Y – **Église St-Gervais et St-Protais**★ Z **E.**
Office de Tourisme pl. Carmélites ✆ 32 55 20 28.
Paris 70 ③ – Beauvais 32 ② – Évreux 66 ④ – Mantes-la-J. 38 ③ – Pontoise 36 ③ – ♦Rouen 58 ⑤.

GISORS

Cappeville (R.) .... Y 6
Dauphine (R.) .... Z 10
Frères-Planquais (R. des) .... YZ 23
Paris (R. de) .... Z
Vienne (R. de) .... YZ 34

Argilières (R. des) .... Y 2
Baléchoux (R.) .... Z 3
Blanmont (Pl. de) .... YZ 4
Caroline (Pl.) .... Z 7
Chambord (R. de) .... Z 8
Champ-Fleury (R. du Grand) .... Z 9
Dieppe (R. de) .... Z 12
Durand (R. P.) .... Z 14
Epte (R. de l') .... Y 16
Fontaines (R. des) .... YZ 22
Gare (Av. de la) .... Y 24
Hospice (R. de l') .... Z 25
Libération (R. de la) .... Z 26
Monument (Av. du) .... Y 27
Neaufles (R. du Fg-de) .... Z 28
Ometeau-Ferré (Av. de l') .... Y 29
St-Gervais (R.) .... Z 30
St-Ouen (R.) .... Z 32
Troësne (R. de) .... Y 33
Vierge-Dorée (Pt de la) .... Z 35

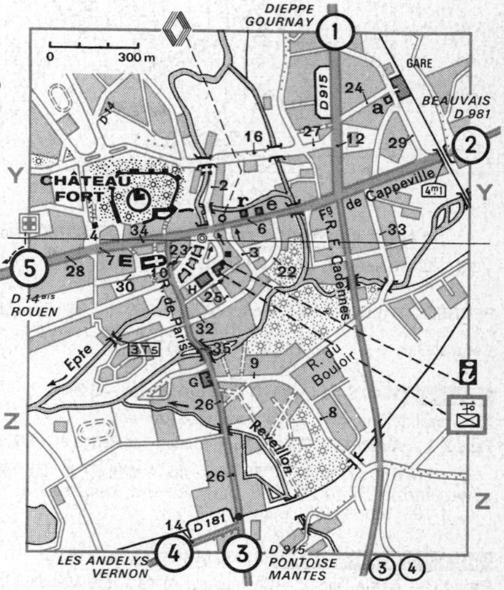

Moderne, pl. Gare ✆ 32 55 23 51 – wc wc ☎ P. E VISA — Y a
R *(fermé 13 juil. au 10 août, 20 déc. au 10 janv., dim. soir et lundi)* 49/84 – 20 – **30 ch** 125/240.

Le Cappeville, 17 r. Cappeville ✆ 32 55 11 08 – AE E VISA — Y e
fermé 25 août au 15 sept., 5 au 20 janv., mardi soir et merc. – **R** 75/210.

Host. des 3 Poissons, 13 r. Cappeville ✆ 32 55 01 09 – E VISA — Y r
fermé juin, lundi soir et mardi – **R** 68/140.

à Bazincourt-sur-Epte N : 5,5 km – ✉ **27140** Gisors :

Château de la Rapée , ✆ 32 55 11 61, ←, « Parc » – wc ☎ P – 30. AE ① VISA.
fermé 16 août au 1er sept., 12 janv. au 1er mars, mardi soir d'oct. à Pâques et merc. – **R** 120/160 – 35 – **9 ch** 280/400 – 1/2 p 390/480.

PEUGEOT-TALBOT SCAG, Trie-Château (Oise) par ② ✆ 44 49 75 11
RENAULT Gar. Dumorlet, 38 rte de Dieppe par ① ✆ 32 55 22 56
RENAULT Gar. Chales, 3 r. Cappeville ✆ 32 55 21 66

Berry-Pneus, 24 fg Cappeville ✆ 32 55 27 64
Bertault, 4 r. Pré-Nattier ✆ 32 55 17 51

GIVORS 69700 Rhône 74 ⑪ **G. Vallée du Rhône** – 20 554 h.

Paris 482 ② – ♦Lyon 22 ② – Rive-de-Gier 15 ⑤ – Vienne 12 ②.

à Loire-sur-Rhône par ④ : 5 km – ✉ 69700 Givors :

XX **Camerano,** ☎ 78 73 20 07 – E VISA
fermé août, dim. soir et lundi – **R** 80/265.

PEUGEOT-TALBOT Gar. Moret, 31 r. de Dobëln, les Vernes par ① ☎ 78 73 01 69
Central Gar., 9 r. Victor-Hugo ☎ 78 73 00 88

Ⓜ Comptoir du Pneu, 16 r. M.-Cachin ☎ 78 73 15 13

GIVRY 71640 S.-et-L. 69 ⑨ **G. Bourgogne** – 3 280 h.

ℹ Bureau de Tourisme Halle Ronde (18 juin-août).

Paris 353 – Autun 48 – Chagny 15 – Chalon-sur-Saône 9 – Mâcon 67 – Montceau-les-Mines 37.

Halle, pl. Halle ☎ 85 44 32 45 – ⇔ ⋒ ☎. AE ⓓ E VISA. ✻
fermé 16 au 29 août, 7 au 28 nov., dim. soir et lundi – **R** 50/165 – ☕ 20 – **10 ch** 100/165.

GIVRY-EN-ARGONNE 51330 Marne 56 ⑲ – 545 h.

Paris 233 – Bar-le-Duc 33 – Châlons-sur-M. 44 – Ste-Ménehould 16 – Verdun 60 – Vitry-le-François 35.

L'Espérance, ☎ 26 60 00 08 – ⋒
fermé dim. soir – **R** 45/180 ♫, enf. 30 – ☕ 20 – **7 ch** 85/150 – ½ p 120/160.

GLANDELLES 77 S.-et-M. 61 ⑫ – rattaché à Nemours.

GLÉNIC 23 Creuse 72 ⑩ – rattaché à Guéret.

GLUGES 46 Lot 75 ⑱⑲ – rattaché à Martel.

GOLBEY 88 Vosges 62 ⑯ – rattaché à Épinal.

GOLDBACH 68 H.-Rhin 66 ⑨ – 134 h. alt. 650 – ✉ 68760 Willer-sur-Thur.

Env. Grand Ballon ✻ ★★★ N : 8,5 km, **G. Alsace et Lorraine.**

Paris 448 – Colmar 51 – Gérardmer 52 – Thann 7,5 – Le Thillot 41.

Goldenmatt ⚘, par Col Amic N : 4 km ☎ 89 82 32 86, ← – ⋒wc ☎ Ⓟ. ✻ rest
Pâques-15 nov. – **R** 85/190 ♫ – ☕ 38 – **12 ch** 120/270 – ½ p 190/270.

GOLFE-JUAN 06 Alpes-Mar. 84 ⑨, 195 ㉟㊴ G. Côte d'Azur – ✉ 06220 Vallauris.
Office de Tourisme 84 av. Liberté ✆ 93 63 73 12.
Paris 907 – Antibes 5 – Cannes 6 – Grasse 21 – ♦Nice 27.

Le Petit Trianon M sans rest, 18 av. Liberté ✆ 93 63 70 51 – wc ☎. E VISA.
fermé 15 nov. au 15 déc. – 29 – **14 ch** 300/370.

Beau Soleil, impasse Beausoleil par N 7 ✆ 93 63 63 63, – wc wc ☎. E VISA.
24 mars-9 oct. – **R** (pour résidents seul.) 85 – 22 – **30 ch** 195/295 – 1/2 p 250.

M'Hôtel Lauvert M sans rest, impasse des Hameaux de Beausoleil par N 7 ✆ 93 63 46 06, – cuisinette wc ☎
15 janv.-15 oct. – 21 – **28 ch** 295.

Les Jasmins sans rest, N 7 ✆ 93 63 80 83, Télex 970935, – wc wc ☎ – 30. AE E VISA
fermé nov. – 20 – **37 ch** 158/427.

De Crijansy, av. J.-Adam ✆ 93 63 84 44, – wc wc – 25. E VISA.
fermé 15 oct. au 20 déc. – **R** 105/300 – 27 – **20 ch** 225/250 – 1/2 p 225/252.

Palm H., 17 av. Palmeraie ✆ 93 63 72 24, – wc wc ☎. VISA
R 120 – 25 – **24 ch** 230/250 – 1/2 p 250/280.

Golfe sans rest, bd Plage ✆ 93 63 71 22, – wc wc ☎. AE VISA
fermé nov. – 25 – **19 ch** 250/300.

XX ❀ **Tétou,** à la plage ✆ 93 63 71 16, –
fermé 15 oct. au 20 déc., 1er au 25 mars, merc. du 25 mars au 15 oct. et le soir du 20 déc. au 28 fév. – **R** carte 330 à 480
Spéc. Bouillabaisse, Langoustes grillées, Poissons "mode Maison". Vins Bellet, Bandol.

XX **Nounou,** à la plage ✆ 93 63 71 73, – . AE
fermé 12 nov. au 26 déc., le soir de janv. à mars et jeudi – **R** 150/300.

XX **Bistrot du Port,** au port ✆ 93 63 70 64 – . E VISA.
fermé déc.,janv., dim. soir et lundi sauf juil.-août – **R** (dîner seul. en juil.-août) 185.

XX **Chez Christiane,** au port ✆ 93 63 72 44, – AE E VISA
fermé 25 oct. au 20 déc. et mardi hors sais. – **R** (déj. seul. du 1er janv. au 19 mars) 180/350.

XX **Relais Impérial** avec ch, 21 r. L.-Chabrier ✆ 93 63 70 36, – wc . AE E VISA
fermé 12 nov. au 19 déc. – **R** 85/130 – 17 – **10 ch** 160/190 – 1/2 p 222/292.

X **Bruno,** au port ✆ 93 63 72 12, – AE VISA
fermé 15 nov. au 15 déc. et merc. – **R** 60/120.

GOMETZ-LE-CHATEL 91 Essonne 60 ⑩, 196 ㉚, 101 ㉝ – 1 408 h. – ✉ 91940 Les Ulis.
Paris 33 – Chartres 58 – Evry 31 – Rambouillet 26.

XX **Four à Pain,** 83 rte Chartres ✆ (1) 60 12 30 10 – VISA.
fermé 2 au 11 avril, 1er au 23 août, 23 déc. au 2 janv., lundi soir et dim. – **R** (nombre de couverts limité - prévenir) 124.

GONCELIN 38570 Isère 77 ⑤⑥ – 1 467 h.
Voir Château du Touvet★ O : 1 km, G. Alpes du Nord.
Paris 567 – Albertville 60 – Allevard 10 – Chambéry 29 – ♦Grenoble 28.

XX **Clos du Château,** ✆ 76 71 72 04, – E VISA
fermé août, dim. soir, lundi et soirs de fêtes – **R** 100/230, enf. 65.

GONFREVILLE L'ORCHER 76 S.-Mar. 52 ⑪ – rattaché au Havre.

GORDES 84220 Vaucluse 81 ⑬ G. Provence – 1 607 h.
Voir Site★ – Château : cheminée★, musée Vasarely★ – Abbaye de Sénanque★★ NO : 4 km – Pressoir★ dans le musée des Moulins à huile S : 5 km.
Office de Tourisme pl. Château (avril-sept.) ✆ 90 72 02 75.
Paris 716 – Apt 20 – Avignon 38 – Carpentras 34 – Cavaillon 17 – Sault 35.

Domaine de l'Enclos M, rte de Sénanque ✆ 90 72 08 22, Télex 432119, le Lubéron, – TV ☎. AE VISA.
fermé 3 janv. au 28 fév. – **R** *(fermé lundi)* 220 bc/380 – 60 – **5 ch** 820/980, 7 appartements 1280/2280 – 1/2 p 630/1390.

La Mayanelle, ✆ 90 72 00 28, le Lubéron, « Beau mobilier » – wc wc ☎. AE E VISA
fermé 2 janv. au 1er mars – **R** *(fermé mardi)* carte 120 à 190, enf. 60 – 30 – **10 ch** 190/290 – 1/2 p 280/370.

Le Gordos sans rest, rte Cavaillon : 1,5 km ✆ 90 72 00 75, – TV wc wc ☎
début mars-fin oct. – 29 – **15 ch** 265/325.

Aub. de Carcarille, E : 2,5 km sur D 2 ✆ **90 72 02 63**, – wc ☎ Ⓟ. ch
fermé 25 nov. au 28 déc. et vend. – **R** 75/130 – 20 – **11 ch** 190/230 – 1/2 p 220/340.

Gacholle, N : 1,5 km par D 15 ✆ **90 72 01 36**, ←, – wc ☎ Ⓟ. E VISA.
fermé janv. et fév. – **R** (dîner seul. pour résidents) carte 120 à 155 – 30 – **11 ch** 270/310 – 1/2 p 420/490.

au NO : **2 km par rte abbaye de Senanque** – ✉ **84220** Gordes :

XXX ✿ **Les Bories** (Rousselet) avec ch, ✆ **90 72 00 51, « Pittoresque aménagement dans des constructions primitives en pierres »** – wc ☎ ♿ Ⓟ.
fermé 20 nov. au 31 déc. – **R** *(fermé dim. soir, lundi soir, mardi soir et merc.)* (nombre de couverts limité - prévenir) carte 210 à 300 – 50 – **4 ch** 350/500
Spéc. Bourride de baudroie au safran, Gibier (15 oct. au 28 fév.), Nougat glacé au coulis d'abricot.
Vins Bonnieux, Châteauneuf-du-Pape.

GORGES voir au nom propre des gorges.

GORRON **53120** Mayenne **59** ⑲⑳ – 2 892 h.

Paris 264 – Alençon 74 – Domfront 28 – Fougères 32 – Laval 47 – Mayenne 22.

XX **Bretagne** avec ch, ✆ **43 08 63 67**, – TV wc ⋒wc ☎ Ⓟ. E VISA
fermé 2 au 20 janv., lundi (sauf hôtel) et dim. soir du 15 oct. au 15 avril – **R** 58/118 – 20 – **12 ch** 84/195 – 1/2 p 130/195.

GORZE **57** Moselle **57** ⑬ **G. Alsace et Lorraine** – 1 254 h. – ✉ **57130** Ars-sur-Moselle.

Paris 314 – Jarny 20 – ♦Metz 19 – Pont-à-Mousson 21 – St-Mihiel 42 – Verdun 52.

XX **Host. du Lion d'Or** avec ch, ✆ **87 52 00 90**, – wc ⋒wc. E VISA
fermé vacances de fév., dim. soir et lundi du 1er oct. au 1er avril – **R** 88/240, enf. 50 – 20 – **10 ch** 90/140 – 1/2 p 180/200.

GOSNAY **62** P.-de-C. **51** ⑭ – rattaché à Béthune.

GOUAREC **22570** C.-du-N. **58** ⑱ – 1 209 h.

Voir Collection de minéraux★ au moulin de Bothoa SE : 5 km, G. Bretagne.

Paris 473 – Carhaix-Plouguer 31 – Guingamp 46 – Loudéac 37 – Pontivy 28 – St-Brieuc 51.

Blavet, ✆ **96 24 90 03**, – TV wc ⋒wc Ⓟ. E VISA
fermé 19 au 26 déc., fév., dim. soir et lundi sauf juil.-août – **R** 65/300 – 25 – **15 ch** 110/320 – 1/2 p 145/330.

CITROEN Darcel, ✆ 96 24 91 49 N — RENAULT Martin B., ✆ 96 24 90 28 N

GOUESNACH **29** Finistère **58** ⑮ – 1 487 h. – ✉ **29118** Bénodet.

Paris 556 – Bénodet 6 – Concarneau 23 – Pont-l'Abbé 16 – Quimper 13 – Rosporden 28.

Aux Rives de l'Odet, ✆ **98 54 61 09**, – wc ⋒wc ☎ Ⓟ. E VISA
fermé 23 sept. au 1er nov., vacances de fév. et lundi du 1er nov. au 31 mai – **R** 70/90 – 15 – **35 ch** 85/180.

La GOUESNIÈRE **35** I.-et-V. **59** ⑥ – 908 h. – ✉ **35350** St-Méloir-des-Ondes.

Paris 385 – Dinan 23 – Dol-de-Bretagne 12 – Lamballe 57 – ♦Rennes 61 – St-Cast 36 – St-Malo 12.

✿ **Gare** (Tirel-Guerin), à la Gare N : 1,5 km D 76 ✆ **99 89 10 46**, **Télex 740896**, – TV ☎ ♿ Ⓟ – 150. AE ⓓ VISA
fermé 19 déc. au 20 janv. et dim. soir du 1er oct. au 1er avril – **R** (dim. et fêtes prévenir) 95/200, enf. 60 – 27 – **53 ch** 140/240, 5 appartements 500 – 1/2 p 180/235
Spéc. Salade de foie gras et truffes, Homard aux lasagnes, Petit ragoût de rognons et ris de veau.

GOUJOUNAC **46** Lot **79** ⑦ **G. Périgord Quercy** – 184 h. – ✉ **46250** Cazals.

Paris 582 – Cahors 28 – Gourdon 32 – Villeneuve-sur-Lot 50.

X **Host. de Goujounac** avec ch, ✆ **65 36 68 67**, – ⋒
fermé oct., vacances de fév. et lundi de nov. à mars – **R** 60 bc/165 bc, enf. 35 – 15 – **7 ch** 80/100 – 1/2 p 120.

GOULETS (Grands) **26** Drôme **77** ③④ **G. Alpes du Nord.**

Voir Gorges★★★.

GOUMOIS 25 Doubs 66 ⑱ – 126 h. – ✉ **25470** Trévillers.

Voir Corniche de Goumois★★, G. Jura.

Paris 514 – ♦Besançon 95 – Bienne 44 – Montbéliard 53 – Morteau 48.

- ❀ **Taillard** 🐎, ✆ 81 44 20 75, alt. 605, ←, 🏞, 🌳 – 📺 ⛀wc ⛆wc ☎ 🚗 Ⓟ. AE ⓓ E VISA
  fin fév.-fin nov. et fermé merc. en mars, oct. et nov. – **R** 90/260, enf. 50 – ☕ 26 – **17 ch** 135/260 – ½ p 220/270
  Spéc. Caquelon de morilles à la crème, Rognon de veau à l'ancienne, Râble de lapereau à la ciboulette. Vins Arbois, Arlay.
- **Moulin du Plain** 🐎, N : 5 km ✆ 81 44 41 99, ← – ⛀wc ⛆wc Ⓟ. E VISA. ✻ rest
  28 fév.-15 nov. – **R** 70/128 &, enf. 38 – ☕ 21 – **22 ch** 105/178 – ½ p 175/195.

GOUPILLIÈRES 14 Calvados 55 ⑪ – rattaché à Thury-Harcourt.

GOURDON <SP> **46300** Lot 75 ⑱ **G. Périgord Quercy** (plan) – 5 076 h.

Voir Rue du Majou★ – Cuve baptismale★ dans l'église des Cordeliers – Esplanade ✻★ – Grottes de Cougnac★ NO : 3 km.

ℹ Office de Tourisme allées République (fermé après-midi hors saison) ✆ 65 41 06 40.

Paris 552 – Bergerac 96 – Brive-la-Gaillarde 66 – Cahors 46 – Figeac 66 – Périgueux 97.

- **Host. de la Bouriane,** pl. Foirail ✆ 65 41 16 37, 🌳 – |♦| ▤ rest ⛀wc ⛆wc ☎ Ⓟ. E VISA. ✻ ch
  fermé 2 janv. au 15 mars – **R** *(fermé lundi sauf le soir de juil. à sept. et dim. soir d'oct. à juin)* 62/190 – ☕ 24 – **21 ch** 180/230 – ½ p 210/220.
- **Bissonnier et Bonne Auberge,** bd Martyrs ✆ 65 41 02 48 – |♦| ▤ rest ⛆wc ☎ Ⓟ. E VISA. ✻ ch
  fermé déc. – **R** *(fermé vend. soir du 1er janv. au 15 mars)* 55/170 – ☕ 23 – **25 ch** 145/250 – ½ p 190/210.
- **Promenade** sans rest, **bd Galiot de Genouilhac** ✆ **65 41 05 41** – ⛀wc ⛆wc ☎ 🚗. AE
  ☕ 22 – **15 ch** 90/165.
- ✕ **Terminus** avec ch, av. Gare ✆ 65 41 03 29, 🏞, 🏊, 🌳 – ⛆wc. AE ⓓ E VISA
  fermé 25 oct. au 10 nov. et lundi hors sais. – **R** 58/185 &, enf. 48 – ☕ 22 – **13 ch** 125/180 – ½ p 170/200.

CITROEN Cassagnès, rte de Cahors, ✆ 65 41 12 03
RENAULT S.A.B.A.G., rte du Vigan, ✆ 65 41 10 24

Ⓜ Quercy Pneus, rte de Salviac ✆ 65 41 00 71

GOURETTE 64 Pyr.-Atl. 85 ⑰ **G. Pyrénées Aquitaine** – alt. 1 400 – Sports d'hiver : 1 400/2 400 m ⛷2 ⛷22 – ✉ **64440** Laruns.

Voir Site★ – Col d'Aubisque ✻★★ N : 4 km.

ℹ Office de Tourisme pl. Sarrières (déc.-avril) ✆ 59 05 12 17, Télex 570317.

Paris 827 – Argelès-Gazost 34 – Eaux-Bonnes 8 – Laruns 14 – Lourdes 47 – Pau 51.

- **Boule de Neige** Ⓜ 🐎, ✆ 59 05 10 05, ← – 📺 ⛀wc ⛆wc ☎. E VISA. ✻
  10 juil.-31 août et 20 déc.-Pâques – **R** 64/170 – ☕ 21 – **18 ch** 240/251 – ½ p 207/212.
- **Pene Blanque** Ⓜ, ✆ 59 05 11 29, ←, 🏞 – 📺 ⛀wc ⛆wc ☎ Ⓟ. E VISA. ✻ rest
  1er juil.-31 août et 20 déc.-Pâques – **R** 65/141, enf. 35 – ☕ 22 – **20 ch** 157/240.

GOURGUE 65 H.-Pyr. 85 ⑨ – rattaché à Capvern-les-Bains.

GOURIN **56110** Morbihan 58 ⑰ **G. Bretagne** – 5 186 h.

ℹ Syndicat d'Initiative pl. Victoire (juil.-août) ✆ 97 23 66 33 et à la Mairie (hors saison) ✆ 97 23 40 37.

Paris 511 – Carhaix-Plouguer 20 – Concarneau 44 – Pontivy 55 – Quimper 43 – Vannes 98.

- **La Chaumière,** 3 r. Libération ✆ **97 23 43 02** – ⛀wc ⛆wc. ✻ ch
  fermé 1er au 8 mai, 20 sept. au 15 oct., 24 déc. au 2 janv. et sam. du 1er juil. au 28 sept. – **R** 54/160 &, enf. 30 – ☕ 24 – **11 ch** 74/170 – ½ p 130/180.

Ⓜ Parchemin-Pneus, ✆ 97 23 44 66

GOURNAY-EN-BRAY **76220** S.-Mar. 55 ⑧ **G. Normandie Vallée de la Seine** – 6 515 h.

ℹ Syndicat d'Initiative 4 Porte de Paris ✆ 35 90 28 34.

Paris 95 ③ – Amiens 75 ① – Les Andelys 37 ④ – Beauvais 30 ② – Dieppe 74 ⑦ – Gisors 25 ③ – ♦Rouen 50 ⑤.

Plan page suivante

- **Le Cygne** Ⓜ sans rest, **20 r. Notre Dame (e)** ✆ **35 90 27 80** – |♦| ✈ 📺 ⛀wc ⛆wc ☎ Ⓟ. AE ⓓ E VISA. ✻
  ☕ 25 – **30 ch** 140/230.

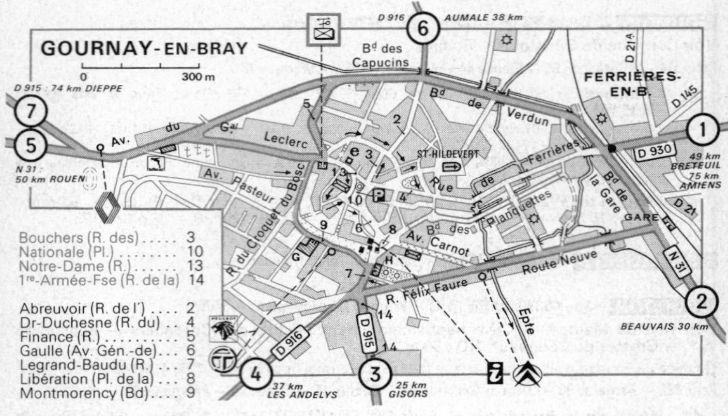

BMW MAZDA SEAT Gar. Guinard, 52 av. Gén.-Leclerc ℘ 35 90 01 46
CITROEN Central Gar., 30 r. F.-Faure ℘ 35 90 00 75
PEUGEOT-TALBOT Normandie Autom., 9 bd Montmorency ℘ 35 90 04 53

RENAULT Gournay-Autos, av. Gén.-Leclerc ℘ 35 90 04 77 **N** ℘ 35 90 27 77
Mouquet r. des Bouchers ℘ 35 90 01 50

GOUVIEUX **60** Oise **56** ⑪, **196** ⑦⑧ – rattaché à Chantilly.

GOUZON **23230** Creuse **73** ① **G. Berry Limousin** – 1 387 h.

Paris 354 – Aubusson 29 – La Châtre 55 – Guéret 31 – Montluçon 34.

- **Beaune,** ℘ 55 62 20 01 – wc. E VISA
  R 60/160 – 16 – **13 ch** 70/130 – 1/2 p 130/200.

Le GRALLET **17** Char.-Mar. **71** ⑮ – rattaché à St-Palais-sur-Mer.

GRAMAT **46500** Lot **75** ⑲ **G. Périgord Quercy** – 3 838 h.

Office de Tourisme pl. République (Pentecôte-fin sept.) ℘ 65 38 73 60.

Paris 544 – Brive-la-Gaillarde 57 – Cahors 56 – Figeac 35 – Gourdon 39 – St-Céré 20.

- **Lion d'Or,** pl. République ℘ **65 38 73 18,** – wc wc. VISA
  fermé 15 déc. au 15 janv. – **R** *(fermé lundi de mi-nov. à mi-fév.)* 78/230 – 30 – **15 ch** 220/330 – 1/2 p 300/330.
- **Centre,** pl. République ℘ **65 38 73 37** – wc wc. E VISA
  fermé 14 au 20 nov., 17 au 23 janv., vacances de fév. et sam. hors sais. – **R** 65/220, enf. 33 – 22 – **14 ch** 130/200 – 1/2 p 200/250.
- **Le Relais Gourmand** avec ch, 2 av. Gare ℘ **65 38 83 92,** – . VISA
  fermé 15 janv. au 15 fév., dim. soir du 1er nov. au 30 mars et lundi sauf juil.-août – **R** 60/150 – 20 – **11 ch** 85/180 – 1/2 p 115/160.

à Lavergne NE : 4 km par D 677 – ✉ **46500** Gramat :

- **Le Limargue,** ℘ 65 38 76 02 – **P**. VISA
  fermé 15 au 31 oct. et merc. hors sais. – **R** 60/150, enf. 40.

NO : 4,5 km par N 140 – ✉ **46500** Gramat :

- **Château de Roumégouse** , ℘ **65 33 63 81, Télex 532592,** , parc – **P**. AE E VISA
  Pâques-2 nov. – **R** *(fermé mardi)* 125/275, enf. 60 – 50 – **11 ch** 250/670 – 1/2 p 510/660.

RENAULT Blaya-Barat, ℘ 65 38 72 15
Lalba Pneus ℘ 65 38 77 61

GRAMBOIS **84** Vaucluse **84** ③ – 709 h. – ✉ **84240** La Tour-d'Aigues.

Paris 762 – Aix-en-Prov. 34 – Apt 39 – Avignon 84 – Forcalquier 36 – Lourmarin 24 – Manosque 23.

- **Host. des Tilleuls,** D 956 ℘ **90 77 93 11,** – **P**
  fermé 23 juin au 5 juil., mardi soir et merc. – **R** 54/100.

This symbol indicates restaurants serving a plain meal at a moderate price.

Le GRAND-BORNAND 74450 H.-Savoie 74 ⑦ **G. Alpes du Nord** – 1 695 h. alt. 950 – Sports d'hiver : 1 000/2 100 m 1 36.

Office de Tourisme pl. Église 50 02 20 33, Télex 385907.

Paris 583 – Albertville 46 – Annecy 32 – Bonneville 23 – Megève 35.

Les Saytels, 50 02 20 16, – wc . E VISA. rest
juin-sept. et déc.-avril – **R** 83/130, enf. 34 – 32 – **29 ch** 197/367 – 1/2 p 207/295.

Les Glaïeuls, au télécabine la Joyère 50 02 20 23 – wc wc . E. rest
15 juin-15 sept. et 19 déc.-20 avril – **R** 60/185 – **19 ch** 155/238 – 1/2 p 172/215.

Croix St-Maurice, 50 02 20 05 – wc wc
25 juin-10 sept. et Noël-vacances de printemps – **R** *(fermé en été)* 72/95 – 22 – **21 ch** 142/210 – 1/2 p 185/250.

Everest H., rte Chinaillon : 1 km 50 02 20 35, – . rest
25 juin-début sept. et Noël-Pâques – **R** 56/60 – 18 – **17 ch** 110/160 – 1/2 p 140/170.

au Chinaillon N : 5,5 km par D 4 – alt. 1 280 – **74450** Grand-Bornand :

Le Cortina, 50 27 00 22, montagnes et pistes – wc wc . E VISA. rest
1er juil.-31 août et 18 déc.-vacances de printemps – **R** 70/210, enf. 40 – 26 – **30 ch** 210/250 – 1/2 p 270/280.

L'Alpage avec ch, 50 27 00 49, – wc wc . E VISA
Noël-Pâques – **R** 80/150, enf. 40 – 25 – **11 ch** 180/200 – 1/2 p 220/260.

GRANDCAMP-MAISY 14450 Calvados 54 ③ – 1 356 h.

Paris 298 – ♦Caen 57 – Cherbourg 71 – St-Lô 38.

Duguesclin, 31 22 64 22, , – wc wc . VISA
fermé 20 au 26 oct. et 15 janv. au 6 fév. – **R** 50/150 – 20 – **30 ch** 50/200 – 1/2 p 150/250.

Mer avec ch, 31 22 60 56, – wc. E VISA
fermé fév., lundi soir et mardi hors sais. – **R** 58/175 – 20 – **4 ch** 160.

GRAND COLOMBIER 01 Ain 74 ⑤ **G. Jura** – alt. 1 534.

Voir ✻★★★ – **Point de vue du Grand Fenestrez★★ S : 5 km.**

La GRAND-COMBE 30110 Gard 80 ⑦⑧ – 8 452 h.

Paris 721 – Alès 14 – Aubenas 80 – Florac 57 – Nîmes 58 – Vallon-Pont-d'Arc 55 – Villefort 44.

à La Favède SO : 2,5 km par D 283 – **30110** La Grand-Combe :

Aub. Cévenole , 66 34 12 13, , parc, , – wc wc . E VISA. ch
15 mars-15 nov. – **R** 140/230 – 40 – **16 ch** 240/550 – 1/2 p 380/630.

au NO : 6 km par rte de Florac – **30110** La Grand Combe :

Lac, 66 34 12 85, – . VISA. ch
fermé 10 au 25 nov. et fév. – **R** *(fermé vend. hors sais.)* 50/160 , enf. 38 – 16 – **12 ch** 70/130 – 1/2 p 110/180.

Escoffier-Pneus, quartier des Beaumes les Salles du Gardon 66 34 17 21

La GRANDE-MOTTE 34280 Hérault 83 ⑧ **G. Gorges du Tarn** (plan) – 3 939 h. – Casino.

Club de la Grande-Motte 67 56 05 00.

Office de Tourisme pl. 1er octobre-1974 67 56 62 62.

Paris 754 – Aigues-Mortes 11 – Lunel 16 – ♦Montpellier 20 – Nîmes 44 – Palavas-les-F. 15 – Sète 53.

Altéa M, r. Port 67 56 90 81, Télex 480241, littoral, , – – 60 à 100. E VISA. rest
hôtel : mars-déc. ; rest.: mars.-nov. et fermé dim. soir et lundi midi du 1er oct. au 30 nov. – **R** 135/160, enf. 100 – 40 – **135 ch** 300/560 – 1/2 p 420/525.

Azur M sans rest, **esplanade de la Capitainerie** 67 56 56 00, , – wc wc – 40. E VISA.
fermé 1er déc. au 31 janv. – 30 – **20 ch** 295/460.

Europe M sans rest, **près de la Poste** 67 56 62 60, – wc wc . VISA.
1er avril-8 oct. – 26 – **34 ch** 220/300.

Alexandre-Amirauté, esplanade de la Capitainerie 67 56 63 63, , – . E VISA.
fermé vacances de nov., 9 janv. au 17 fév., dim. soir et lundi du 15 sept. au 15 juin – **R** 170/300, enf. 65.

L'Amiral, av. Casino 67 56 65 53, – E VISA
fermé 15 déc. au 1er fév. – **R** 65/120.

Le GRAND-PRESSIGNY 37350 I.-et-L. 68 ⑤ **G. Poitou Vendée Charentes** – 1 185 h.

Voir Musée de Préhistoire★ dans le château.

Paris 292 – Le Blanc 43 – Châteauroux 77 – Châtellerault 29 – Loches 33 – ♦Tours 67.

XX **Espérance** avec ch, **rte Descartes** ✆ **47 94 90 12** – wc **P**. AE VISA. ch
fermé 6 au 30 janv. et lundi sauf fériés – **R** 67/270 , enf. 30 – ☕ 28 – **10 ch** 150 – ½ p 180/200.

X **Aub. Savoie-Villars** avec ch, **pl. Savoie-Villars** ✆ **47 94 96 86** – wc. VISA
fermé fév., mardi soir et merc. de sept. à mai – **R** 58/125, enf. 40 – ☕ 22 – **7 ch** 105/170 – ½ p 155.

CITROEN Viet, ✆ 47 94 90 25 RENAULT Jouzeau, ✆ 47 94 95 08

GRAND-QUEVILLY 76 S.-Mar. 55 ⑥ – rattaché à Rouen.

GRAND-VABRE 12 Aveyron 76 ⑪ – 528 h. – ✉ **12320** St-Cyprien-sur-Dourdou.

Paris 615 – Aurillac 51 – Entraygues-sur-Truyère 23 – Figeac 52 – Rodez 42 – Villefranche-de-R. 63.

Gorges du Dourdou, ✆ **65 69 83 03,** – wc ☎. E VISA
fermé déc. et janv. – **R** 60/150 – ☕ 20 – **18 ch** 140/180 – ½ p 170/190.

GRAND VALTIN 88 Vosges 62 ⑱ – rattaché à Gérardmer.

GRANE 26 Drôme 77 ⑫ – 1 232 h. – ✉ **26400** Crest.

Paris 590 – Crest 8 – Montélimar 31 – Privas 28 – Valence 29.

XXX **Giffon** avec ch, ✆ **75 62 60 64,** – rest TV wc wc ☎. AE E VISA
fermé 17 nov. au 6 déc., dim. soir et lundi d'avril à oct. – **R** 120/220, enf. 45 – ☕ 22 – **9 ch** 160/200.

GRANGES-LES-BEAUMONT 26 Drôme 77 ② – rattaché à Romans-sur-Isère.

GRANGES-LES-VALENCE 07 Ardèche 77 ⑫ – rattaché à Valence.

GRANGES-SAINTE-MARIE 25 Doubs 70 ⑥ – rattaché à Malbuisson.

Les GRANGETTES 25 Doubs 70 ⑥ – 144 h. alt. 900 – ✉ **25160** Malbuisson.

Paris 450 – ♦Besançon 70 – Champagnole 42 – Morez 57 – Pontarlier 12.

Bon Repos, ✆ **81 89 41 89,** ←, – wc **P**. E VISA.
26 mars-1er oct., 20 déc.-10 mars et fermé mardi soir et merc. hors sais. – **R** 49/120 – ☕ 17 – **32 ch** 83/138 – ½ p 152/190.

GRANS 13450 B.-du-R. 84 ② – 3 095 h.

Paris 727 – Aix-en-Provence 35 – Arles 41 – ♦ Marseille 52 – Salon de Provence 5,5.

XX **Aub. les Eyssauts,** rte St-Chamas ✆ **90 55 93 24,** – **P**. AE E VISA.
fermé vacances de fév., dim. soir et lundi – **R** 90/200, enf. 60.

GRANVILLE 50400 Manche 59 ⑦ **G. Normandie Cotentin** – 15 015 h. – Casino: Z.

Voir Site★ – Le tour des remparts★ : place de l'Isthme ←★ Z – **Pointe du Roc : site★** Y.

✆ 33 50 23 06 à Bréville par ① : 5,5 km ; de Bréhal ✆ 33 51 58 88 par ① : 15 km.

Office de Tourisme 15 r. G.-Clemenceau ✆ 33 50 02 67.

Paris 349 ② – Avranches 26 ③ – ♦Caen 107 ② – Cherbourg 104 ① – Coutances 29 ① – St-Lô 56 ① – Vire 56 ②.

Plan page ci-contre

Bains, 19 r. G.-Clemenceau ✆ **33 50 17 31, Télex 170600,** ← – wc wc ☎. AE E VISA Z n
La Potinière **R** 76/162 – ☕ 26 – **56 ch** 130/297 – ½ p 232/337.

Michelet sans rest, **5 r. J.-Michelet** ✆ **33 50 06 55** – wc wc ☎. E VISA
☕ 18 – **20 ch** 85/190. Z u

Clemenceau sans rest, **1 r. G.-Clemenceau** ✆ **33 50 19 87** – wc wc ☎. AE E VISA Z e
fermé janv. – ☕ 17 – **20 ch** 90/240.

XX **Normandy-Chaumière** avec ch, **20 r. Dr-Paul-Poirier** ✆ **33 50 01 71,** – TV wc . E VISA. ch Z a
fermé vacances de Noël, mardi soir et merc. sauf juil.-août – **R** 68/147 – **7 ch** ☕180/236 – ½ p 160/199.

XX **Le Phare,** 11 r. Port ✆ **33 50 12 94,** ← – AE E VISA Y s
fermé 15 au 30 sept., 20 déc. au 30 janv., merc. soir et jeudi – **R** 63/240 .

XX **La Gentilhommière,** 152 r. Couraye ✆ **33 50 17 99** – E VISA Y a
fermé 19 au 25 sept., vacances de fév., dim. soir et lundi – **R** (nombre de couverts limité - prévenir) 59/150 .

GRANVILLE

Clemenceau (R. G.) . Z 3
Couraye (R.) . . . . Z
Juifs (R. des) . . . . . . Z
Lecampion (R.) . . . . . Z
Leclerc (R. Gén.) . . . Y
Poirier (R. Paul) . . . . . Z 15

Briand (Av. A.) . . . . . Y 2
Desmaisons (R. C.) . Z 4
Estouteville (R. d') . . Y 6
Foch (Pl. Mar.) . . . . . Z 7
Granvillais (R. des Amiraux) . Z 8
Hauteserves (Bd d') . . . . Z 9
Hérel (R. de) . . . . Y 10
Parvis (Mtée du) . . . . Z 12
Platriers (R. des) . . . . Z 14
St-Sauveur (R.) . . . . . Z 16
Ste-Geneviève (R.) . . Z 17
Saintonge (R.) . . . . . . Z 18
Terreneuviers (Bd) . . Y 21

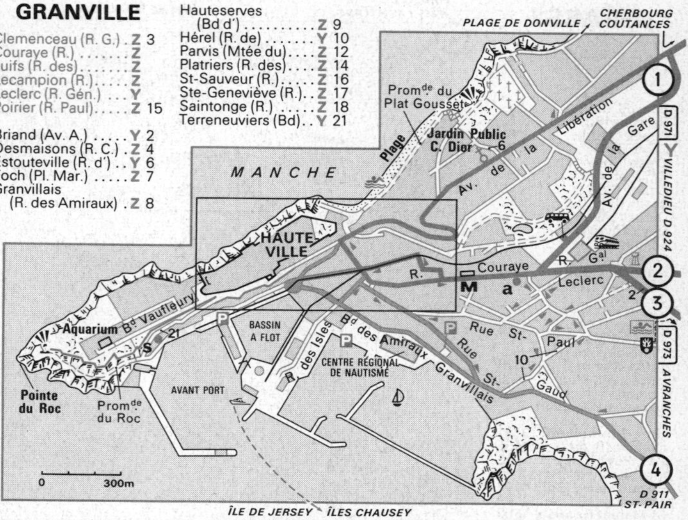

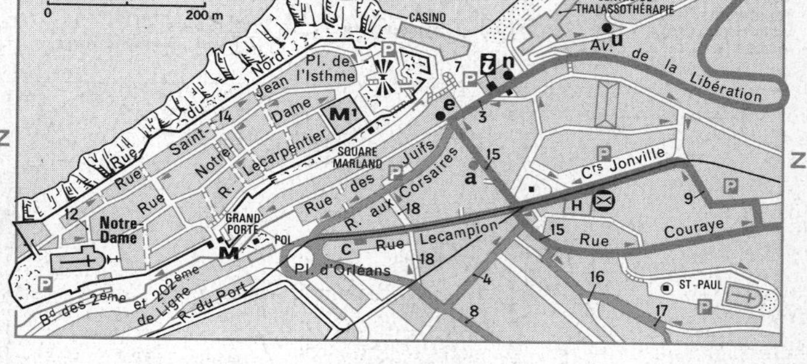

à Bréville-sur-Mer par ① : 5 km – ✉ **50290** Bréhal :

La Mougine des Moulins à Vent sans rest, sur D 971 ✆ 33 50 22 41, ←, « Jardin fleuri » – TV wc ☎ ℗. AE ◑ E VISA – 26 – **7 ch** 265/350.

Aub. des Quatre Routes, ✆ 33 50 20 10 – wc ☎. E VISA. ch
hôtel ouvert : Pâques-30 sept.; rest.: fermé 7 au 28 déc., 2 au 23 mars et merc. sauf juil.-août – **R** 42/110 – 16 – **7 ch** 140/190 – 1/2 p 150/180.

ALFA-ROMEO, DATSUN Depince, rte de Longueville à Bréville ✆ 33 50 30 39 N
AUSTIN, FIAT, ROVER Deneux, 63 av. Matignon ✆ 33 50 02 12
CITROEN Manche Auto, Zone Ind. par ② ✆ 33 50 69 76 N ✆ 33 70 84 24
FIAT Gar. de la Côte, 190 rte Coutances, Donville ✆ 33 50 08 50
FORD Gar. Gosselin, Zone Ind., r. du Mesnil ✆ 33 50 43 42

PEUGEOT-TALBOT Roussel, rte de Villedieu-les-Poëles par ② ✆ 33 50 11 92 N
RENAULT S.O.R.E.V.A, av. des Vendéens par ③ ✆ 33 90 64 99 N
V.A.G. Central-Auto, 25 av. de la Libération ✆ 33 50 34 27

La Maison du Pneu, Zone Ind. ✆ 33 50 02 55

GRASSE SP **06130** Alpes-Mar. 84 ⑧, 195 ㉔ **G. Côte d'Azur** – **38 360 h.**

Voir Vieille ville★: Place du Cours ★ Z, musée d'Art et d'Histoire de Provence★ Z M1: ←★ – Toiles★ de Rubens dans l'anc. cathédrale Z B – Salle Fragonard★ dans la Villa-Musée Fragonard Z M3 – Parc de la Corniche ←★★ 30 mn X – Jardin de la Princesse Pauline ←★ X K – Env. Montée au col du Pilon ←★★ 9 km par ④.

18 de Valbonne ✆ 93 42 00 08 SE : 11 km.

Office de Tourisme 3 pl. Foux ✆ 93 36 03 56, Télex 470871.

Paris 908 ② – Cannes 17 ② – Digne 117 ④ – Draguignan 56 ③ – ♦Nice 42 ②.

GRASSE

Jeu-de-Ballon (Bd) YZ
Ossola (R. Jean) .... Z 38
Thiers (Av.) .... Y

Barri (Pl. du) .... Z 4
Bellevue (Bd) .... X 5
Charabot (Bd) .... Y 6
Conte (R. D.) .... Y 7
Cresp (Cours H.) .... Z 8
Croisset (Av. de) .... X 9
Crouët (Bd J.) .... X 10
Droite (R.) .... Y 12
Dunant (Av. H.) ...... X 13
Duval (Av. M.) .... X 14
Fontette (R. de) ..... Y 15
Foux (Pl. de la) ...... Y 17
Fragonard (Bd) ...... Z 18
Gaulle (Av. Gén.-de) X 20
Gazan (R.) .... Z 22
Jaurès (Pl. Jean) .... Y 23
Journet (R. M.) .... YZ 26
Juin (Av. Mar.) ...... Y 27
Lattre-de-Tassigny (Av. Mar.-de) ...... X 28
Leclerc (Bd Mar.) .... X 30
Libération (Av.) ..... X 32
Mougins-Roquefort (R.) .... Z 33
Onze-Novembre (R.) X 34
Oratoire (R. de l') .... Y 35
Petit-Puy (Pl. du) .... Z 42
Prés.-Kennedy (Bd). X 45
Reine-Jeanne (Bd) . X 48
Rothschild (Bd de) .. X 49
St-Martin (Traverse) Z 50
Sémard (Av. P.) ...... X 53
Tracastel (R.) .... Z 57
Touts-Petits (Trav.) .. Z 58
Victor-Hugo (Bd) .. XZ 59
Victoria (Av.) .... X 60

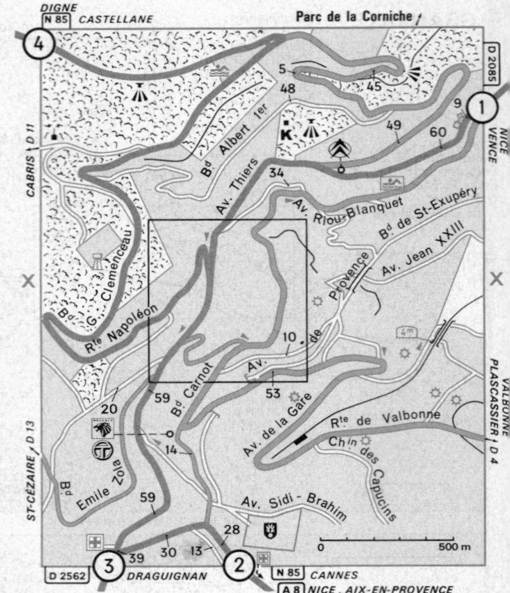

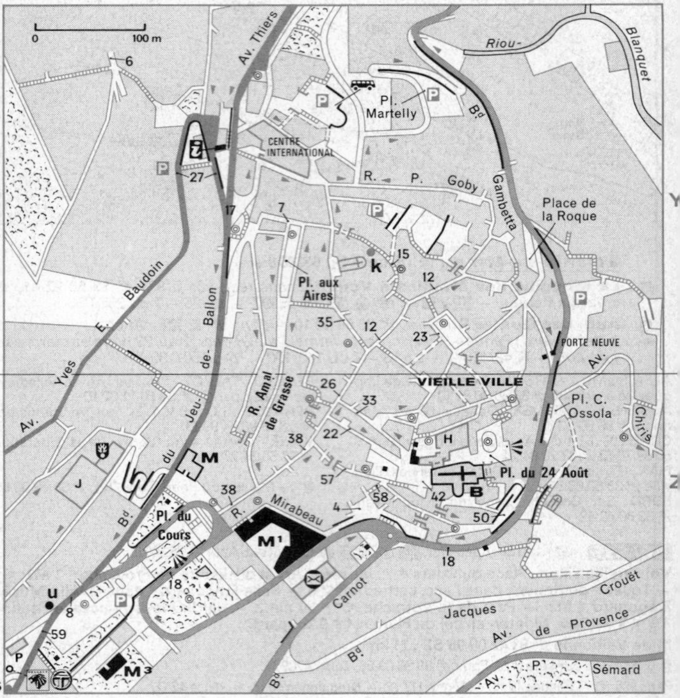

100 m
Av. Thiers
Riou-
Blanquet
Pl. Martelly
Bd Gambetta
CENTRE INTERNATIONAL
R. P. Goby
Place de la Roque
Pl. aux Aires
Av. Yves E. Baudoin
Jeu-de-Ballon
PORTE NEUVE
Av. Chiris
VIEILLE VILLE
R. Amal de Grasse
Pl. C. Ossola
Pl. du 24 Août
Pl. du Cours
R. Mirabeau
Bd du
Bd Carnot
Bd Jacques Crouët
Av. de Provence
Av. P. Sémard

Panorama Ⓜ sans rest, 2 pl. Cours ☎ **93 36 80 80, Télex 970908** – 🛗 TV ⛀wc 🚿wc ☎. **E** VISA **Z u**
☕ 25 – **36 ch** 245/300.

XX **Amphitryon,** 16 bd V.-Hugo ☎ **93 36 58 73** – ▤. AE ⓓ **E** VISA **Z s**
fermé août, 24 déc. au 4 janv., dim. et fêtes – **R** 96/204.

X **Maître Boscq,** 13 r. Fontette ☎ **93 36 45 76** **Y k**
fermé 30 oct. au 8 nov., lundi hors sais. et dim. – **R** 48/92, enf. 48.

à Magagnosc par ① : 5 km – ✉ **06520** Magagnosc.

Voir ←★ **du cimetière de l'église St-Laurent.**

XX **Chantecler,** ☎ **93 36 20 64,** ←, 🌂 – **E** VISA
fermé vacances de nov. et merc. – **R** 75/135.

X **La Petite Auberge** avec ch, ☎ **93 42 75 32,** ← – 🚿 Ⓟ. **E** VISA
fermé juil. et vacances de fév. – **R** *(fermé merc. et le soir en hiver)* 67/100 🍷 – **5 ch**
(½ pens. seul.) – ½ p 140/160.

route de Cannes : 3 km par ② – ✉ **06130** Grasse :

Ibis Ⓜ, ☎ **93 70 70 70, Télex 462682,** 🌂, 🏊, 🎾 – 🛗 ▤ TV ⛀wc ☎ Ⓟ – 🏔 25 à 70. AE **E** VISA
R carte 75 à 120, enf. 35 – ☕ 28 – **65 ch** 260/300.

route de Cannes : 5 km par ② – ✉ **06130** Grasse :

XX **Les Arômes** avec ch, ☎ **93 70 42 01,** 🌂, 🌳 – TV ⛀wc ☎ Ⓟ. **E** VISA
fermé 1er déc. au 1er fév. – **R** *(fermé sam. sauf le soir en juil.-août)* 75/160 🍷, enf. 40 – ☕ 22 – **7 ch** 200 – ½ p 170/190.

à St Jacques par ③ : 3 km – ✉ **06130** Grasse :

XX **La Serre,** 20 av. F.-Raybaud ☎ **93 70 80 89** – AE ⓓ **E** VISA
fermé 1er au 11 nov., fév., dim. soir et lundi – **R** 80/180.

à Cabris : 5 km par D 4 X – ✉ **06530** Peymeinade.

Voir Site★ – ←★★ **des ruines du château.**

Horizon 🐦, ☎ **93 60 51 69,** ← – ⛀wc 🚿wc ☎. AE ⓓ. ✗ ch
mi mars-mi oct. – **R** 80 – ☕ 28 – **18 ch** 220/250 – ½ p 220/240.

XX **Le Vieux Château,** ☎ **93 60 50 12,** 🌂
fermé 1er au 12 déc., fév., mardi soir et merc. sauf juil.-août – **R** 130/175, enf. 68.

à Plascassier SE : 6 km par D 4 - X – ✉ **06130** Grasse :

Les Mouliniers, ☎ **93 60 10 37,** 🌂 – ⛀ 🚿wc Ⓟ. VISA
R *(fermé 20 déc. au 5 janv.)* 60 bc/150 🍷 – ☕ 20 – **9 ch** 120/150 – ½ p 150/180.

XX Quo Vadis 🐦 avec ch, ☎ **93 60 10 08,** ←, 🌂 – ▤ ch ⛀wc ☎ Ⓟ – **6 ch.**

XX **Relais de Sartoux** 🐦 avec ch, rte Valbonne ✉ **06370 Mouans-Sartoux** ☎ **93 60 10 57,** 🌂, 🏊, 🌳 – ⛀wc ☎ Ⓟ. ⓓ **E** VISA
fermé 1er au 20 nov., 1er au 15 fév. et merc. du 15 sept. au 15 juin – **R** 90/130 – ☕ 22 – **12 ch** 220 – ½ p 220/280.

à Opio E : 6,5 km par D 7 - X.

Env. Gourdon : site★★**, place** ←★★**, château : musée de peinture naïve**★**, jardins** ←★★ **N : 10 km.**

Mas des Géraniums 🐦, rte San Peyre ✉ **06650 Le Rouret** ☎ **93 77 23 23,** ←, 🌂, 🌳 – 🚿 Ⓟ
fév.-sept. – **R** *(fermé dim. soir)* 75/150 – ☕ 25 – **7 ch** 90/120 – ½ p 145/160.

CITROEN Victoria Gar., 19 av. Victoria, rte de Nice ☎ 93 36 64 64
PEUGEOT-TALBOT Gar. Licastro, rte Draguignan à Peymeinade par ③ ☎ 93 09 02 56 et av. Ste-Lorette
PEUGEOT-TALBOT Grasse-Autom., gar. St-Christophe 6 bd E.-Zola ☎ 93 36 36 50

Ⓜ Europneu, 17 bd Gambetta ☎ 93 36 33 70
Massa-Pneus, 97 av. Georges Pompidou ☎ 93 70 06 33
Tosello, Le Moulin de Brun ☎ 93 70 16 48

GRATOT 50 Manche 54 ⑫ – rattaché à Coutances.

Le GRAU-DU-ROI 30240 Gard 83 ⑧ **G. Provence** – 4 204 h.

🅸 Office de Tourisme bd Front-de-Mer ☎ 66 51 67 70, Télex 485024.

Paris 755 – Aigues-Mortes 6 – Arles 53 – Lunel 21 – ♦Montpellier 26 – Nîmes 47 – Sète 59.

Acacias, 21 r. Égalité ☎ **66 51 40 86,** 🌂 – ⛀wc 🚿wc ☎ ♿. **E** VISA. ✗ ch
20 mars-29 oct. – **R** 80/180, enf. 53 – ☕ 27 – **27 ch** 140/237.

Splendid H., bd. Front de Mer ☎ **66 51 41 29,** ←, 🌂 – 🛗 cuisinette ⛀wc 🚿wc ☎. ✗ – *Pâques-oct.* – **R** 60/140 – ☕ 25 – **35 ch** 230/240 – ½ p 220/240.

Nouvel H. sans rest, quai Colbert ☎ **66 51 41 77,** ← – 🚿wc ☎. ✗
1er avril-30 sept. – ☕ 22 – **21 ch** 170/250.

X **Le Palangre,** 56 quai Ch.-de-Gaulle ☎ **66 51 76 30,** 🌂
15 fév.-15 nov. et fermé mardi sauf du 15 avril au 15 sept. – **R** 75/190.

à Port Camargue S : 3 km par D 62B – ✉ **30240** Grau-du-Roi :

Le Spinaker (Cazals) M, pointe Môle ✆ **66 51 54 93**, <, – rest wc ☎ P. E VISA
fermé 14 au 26 nov., 8 janv. au 14 fév., dim. soir et lundi sauf juil.-août – **R** 230/350, enf. 70 – 45 – **21 ch** 339 – ½ p 324/404
Spéc. Feuilleté de St-Jacques au Noilly (oct. à fin mars), Sauté de crevettes au gingembre, Chariot de pâtisseries. **Vins** Costières du Gard.

Le Chabian M, ✆ **66 51 44 33**, **Télex 480806**, <, – ☎ P – 50 à 160. E VISA
16 mars-25 oct. – **R** 100/140, enf. 50 – 37 – **107 ch** 345/430 – ½ p 510.

L'Amarette, Centre Commercial Camargue 2 000 ✆ **66 51 47 63**, <
fermé déc., janv. et merc. sauf juil.-août – **R** 140/200.

GRAUFTHAL 67 B.-Rhin 57 ⑰ – rattaché à Petite-Pierre.

GRAULHET 81300 Tarn 82 ⑩ **G. Pyrénées Roussillon** – 13 649 h.
Syndicat d'Initiative square Foch ✆ 63 34 75 09.
Paris 699 ① – Albi 37 ② – Castelnaudary 60 ④ – Castres 30 ③ – Gaillac 19 ① – ♦Toulouse 58 ⑤.

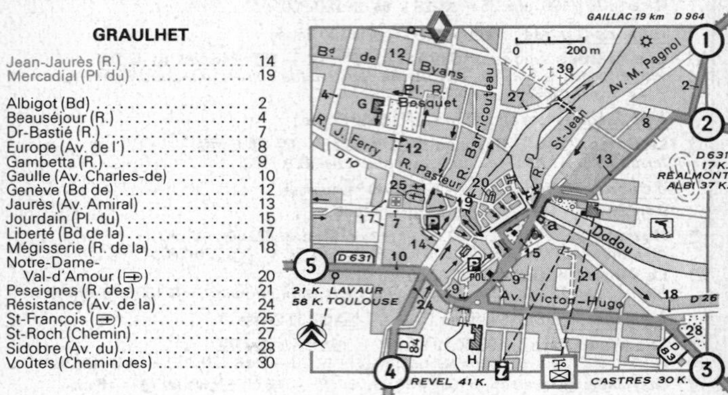

Le Grandgousier M, 6 pl. Jourdain (a) ✆ **63 34 50 32**, **Télex 521235** – TV wc ☎. E VISA. rest
R *(fermé dim.)* 60/120 – 22 – **21 ch** 190/240 – ½ p 240.

La Rigaudié, E : 1,5 km par D26 ✆ **63 34 50 07**, – P. AE E VISA.
fermé août, 23 déc. au 2 janv., dim. soir et sam. – **R** 90/200.

ALFA-ROMEO, OPEL Gar. Joffre, 3 r. Mégisserie ✆ 63 34 50 22
CITROEN Graulhet Autom., 47 ter av. Ch.-de-Gaulle ✆ 63 34 51 44
FIAT Gar. Miquel, 9A rue Colonel Naudy ✆ 63 34 64 72
FORD Gar. Arquier, 15 bis av. de l'Europe ✆ 63 34 70 41
PEUGEOT-TALBOT S.I.V.A., rte de Réalmont par ② ✆ 63 34 70 22
RENAULT Grigolato, Au Rhin et Danube ✆ 63 34 66 43
Solapneu, 47 av. Ch. de Gaulle ✆ 63 34 54 24

La GRAVE 05320 H.-Alpes 77 ⑦ **G. Alpes du Nord** – 453 h. alt. 1 450 – Sports d'hiver : 1 450/3 200 m 1 5 – **Voir Situation**** – **Téléphérique** <*** – **Combe de Malaval*** O : 6 km – **Env. Oratoire du Chazelet** <*** NO : 6 km – Office de Tourisme ✆ 76 79 90 05.
Paris 639 – Briançon 39 – Gap 126 – ♦Grenoble 77 – Col du Lautaret 11 – St-Jean-de-Maurienne 66.

La Meijette, ✆ **76 79 90 34**, <, – wc wc ☎ P. rest
1er juin-30 sept., 4 fév.-20 avril et fermé mardi en juin et sept. – **R** 80/110 – 22 – **22 ch** 160/280 – ½ p 190/250.

RENAULT Gar. Pic, ✆ 76 79 91 38 N

GRAVESON 13690 B.-du-R. 80 ⑳ **G. Provence** – 2 276 h.
Paris 703 – Avignon 13 – Carpentras 41 – Cavaillon 28 – ♦Marseille 102 – Nîmes 37.

Mas des Amandiers sans rest, rte d'Avignon : 1,5 km ✆ **90 95 81 76**, – wc ☎ P – 40. AE E VISA
1er mars-1er nov. – 25 – **21 ch** 195/270.

Cadran Solaire sans rest, ✆ **90 95 71 79**, – wc wc ☎ P. AE E VISA – *fermé vacances de fév.* – 20 – **12 ch** 120/185.

RENAULT Gar. Eletti et Massacèse, ✆ 90 95 74 27

GRAY 70100 H.-Saône 66 ⑭ G. Jura – 8 313 h.

Voir Collection de dessins★ de Prud'hon au musée Baron-Martin M.

Syndicat d'Initiative Ile Sauzay ✆ 84 65 14 24.

Paris 361 ⑤ – ♦Besançon 46 ③ – ♦Dijon 49 ⑤ – Dole 44 ④ – Langres 56 ① – Vesoul 58 ②.

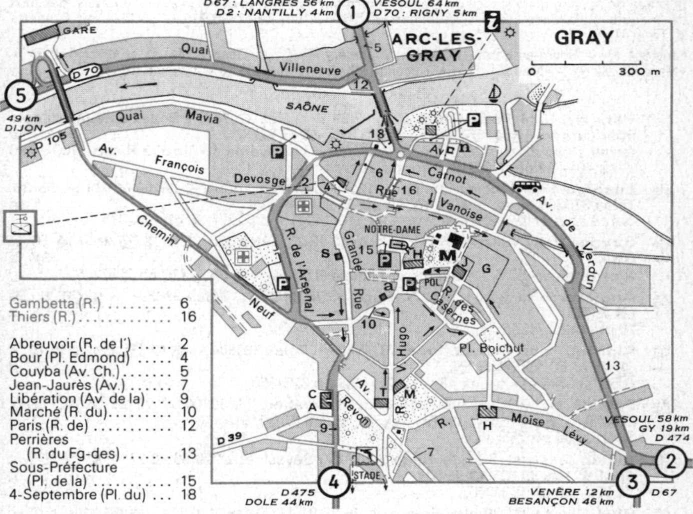

Le Fer à Cheval M sans rest, 9 av. Carnot **(n)** ✆ 84 65 32 55 – wc ☎ P. AE ⓓ E VISA
fermé 24 déc. au 3 fév. – ☕ 18 – **46 ch** 130/195.

XX **Relais de la Prévôté,** r. Marché **(a)** ✆ 84 65 10 08, « Demeure du 16e s. » – E VISA – *fermé janv., dim. soir du 15 oct. au 4 avril et lundi* – **R** 85/145.

X **Cratô,** 65 Grande Rue **(s)** ✆ 84 65 11 75 – E VISA
fermé 23 déc. au 2 janv., le midi du 12 au 31 août et merc. – **R** 70/110 ♨.

à Rigny par ① D 70 et D 2 : 5 km – ✉ **70100** Gray :

Château de Rigny 🐎, ✆ 84 65 25 01, Télex 362926, « Parc aménagé en bordure de la Saône », 🏊, 🎾 – TV ☎ 🚗 P. AE ⓓ E VISA. ✱ rest
fermé 6 au 30 janv. – **R** 150/230 – ☕ 38 – **24 ch** 280/480.

FORD Bailly, Chaussée d'Arc ✆ 84 65 07 06
PEUGEOT-TALBOT Gar. Boffy, à Arc les Gray par ① ✆ 84 64 80 79
RENAULT Autom. de la Saône, à Ancier par ② ✆ 84 65 48 77

La GRÉE-PENVINS 56 Morbihan 63 ⑬ – voir à Sarzeau.

GRENADE-SUR-L'ADOUR 40270 Landes 82 ① – 2 132 h.

Office de Tourisme à la Mairie ✆ 58 45 91 14.

Paris 721 – Aire-sur-l'Adour 18 – Mont-de-Marsan 15 – Orthez 51 – St-Sever 14 – Tartas 33.

XXX ✿ **Pain Adour et Fantaisie** (Oudill), 7 pl. Tilleuls ✆ 58 45 18 80, 🍽 – E VISA
fermé 2 janv. au 15 fév. et lundi (sauf le soir en juil.-août) – **R** 130/240, enf. 60
Spéc. Tourte de ris de veau braisés au Jurançon, Civet de cuisses de caneton, Dentelle au chocolat amer.

X **France** avec ch, pl. Tilleuls ✆ 58 45 19 02 – wc ⋔ ☎. E VISA. ✱ ch
fermé 5 au 20 janv. et mardi du 15 sept. au 30 juin – **R** 50/140, enf. 35 – ☕ 15 – **8 ch** 80/135 – 1/2 p 120/145.

PEUGEOT, TALBOT Gar. de l'Adour, ✆ 58 45 91 45
RENAULT Gar. Dargelos, ✆ 58 45 92 62 N ✆ 58 45 94 68

GRENDELBRUCH 67 B.-Rhin 62 ⑧⑨ – 972 h. – ✉ **67190** Mutzig.

Voir Signal de Grendelbruch ✻★ SO : 2 km puis 15 mn, G. Alsace et Lorraine.

Paris 421 – Erstein 32 – Molsheim 22 – Obernai 16 – Sélestat 39 – ♦Strasbourg 42.

La Couronne, rte Schirmeck ✆ 88 97 40 94 – wc ⋔ P
fermé 24 oct. au 30 nov. – **R** 45/125 ♨ – ☕ 20 – **11 ch** 110/185.

GRENOBLE P 38000 Isère 77 ⑤ G. Alpes du Nord – 159 503 h. com. urbaine 394 789 h.

Voir Site*** – Fort de la Bastille ** par téléphérique CV – Vieille ville* CVX : Palais de Justice* CV J – Patio* de l'hôtel de ville DY – Crypte* de l'église St-Laurent CV D – Musées : Peinture et sculpture** DX M1, Dauphinois* CV M2.

de Grenoble-St-Geoirs ✆ 76 65 48 48 par ⑩ : 45 km – ✆ 76 47 50 50.

Office de Tourisme et Accueil de France (Informations, change et réservations d'hôtels, pas plus de 5 jours à l'avance) 14 r. République ✆ 76 54 34 36, Télex 980718 – A.C. 4 pl. Grenette ✆ 76 44 41 54.

Paris 564 ⑩ – Bourg-en-Bresse 142 ⑩ – Chambéry 55 ③ – •Genève 144 ③ – •Lyon 104 ⑩ – •Marseille 282 ⑩ – •Nice 334 ⑦ – •St-Étienne 139 ⑩ – Torino 235 ③ – Valence 100 ⑩.

Plans pages suivantes

Park H., 10 pl. Paul-Mistral ✆ 76 87 29 11, Télex 320767, « Beaux aménagements intérieurs » – AE E VISA — DY **w**
fermé 1er au 22 août et 24 déc. au 2 janv. – **La Taverne de Ripaille R** carte 100 à 190 – 40 – **56 ch** 590/910, 3 appartements.

Lesdiguières (École Hôtelière), 122 cours Libération ✉ 38100 ✆ 76 96 55 36, Télex 320306, parc – AE E VISA. rest — T **m**
fermé août et 19 déc. au 4 janv. – **R** 110/140 – 27 – **36 ch** 221/395.

Savoie, 52 av. Alsace-Lorraine ✆ 76 46 00 20, Télex 320635 – 50. E VISA — BX **s**
R carte 100 à 150 – **Taverne de Savoie R** 57, – 25 – **110 ch** 205/225.

Angleterre sans rest, 5 pl. V.-Hugo ✆ 76 87 37 21, Télex 320297 – AE E VISA — CX **z**
70 ch 245/425.

Alpotel, 12 bd. Mar.-Joffre ✆ 76 87 88 41, Télex 320884 – wc – 25 à 150. AE E VISA — CY **d**
R 55 (sauf fêtes) , enf. 43 – 35 – **88 ch** 325/360.

Patrick H. M sans rest, 116 cours Libération ✉ 38100 ✆ 76 21 26 63, Télex 320320 – wc – 30. AE E VISA — T **a**
31 – **60 ch** 255/350.

Belalp sans rest, 8 av. V.-Hugo ✉ 38170 Seyssinet ✆ 76 96 10 27 – wc wc AE E VISA — ST **h**
20 – **30 ch** 163/240.

Rive Droite M, 20 quai France ✆ 76 87 61 11, Télex 320232 – wc wc – 30. AE VISA — BV **u**
fermé août, 24 déc. au 2 janv. – **R** *(fermé sam. midi et dim.)* 70/125 , enf. 40 – 30 – **56 ch** 205/270 – 1/2 p 290/345.

Porte de France M sans rest, 27 quai C.-Bernard ✆ 76 47 39 73 – wc wc. AE E VISA — BV **k**
26 – **40 ch** 150/220.

Alpes M sans rest, 45 av. F.-Viallet ✆ 76 87 00 71 – wc wc . VISA — BX **z**
18 – **42 ch** 177/212.

Bastille M sans rest, 25 av. Félix Viallet ✆ 76 43 10 27 – wc wc . E VISA — BX **b**
18 – **54 ch** 161/218.

Tilleuls M sans rest, 236 cours Libération ✆ 76 09 17 34 – wc . E VISA. — T **s**
fermé 10 au 30 août et 24 déc. au 2 janv. – 17 – **39 ch** 175/205.

Gallia sans rest, 7 bd Mar.-Joffre ✆ 76 87 39 21 – wc wc . AE E VISA — CY **s**
fermé août – 22 – **35 ch** 110/245.

Institut sans rest, 10 r. Barbillon ✆ 76 46 36 44 – wc wc . AE E VISA — BX **f**
22 – **51 ch** 110/220.

Ibis M, 5 r. Miribel ✆ 76 47 48 49, Télex 320890, – rest wc wc – 25 à 30. E VISA — CX **e**
R carte 75 à 120 , enf. 39 – 26 – **71 ch** 223/250.

Patinoires sans rest, 12 r. Marie Chamoux ✉ 38100 ✆ 76 44 43 65, Télex 308703 – wc wc . AE E VISA — DY **b**
19 – **35 ch** 156/218.

Stendhal sans rest, 5 r. Dr-Mazet ✆ 76 46 21 44 – wc wc . E VISA — BX **x**
fermé 1er au 20 août et 24 déc. au 3 janv. – 20 – **38 ch** 100/220.

Lux sans rest, 6 r. Crépu ✆ 76 46 41 89 – wc . E VISA. — BX **a**
18 – **27 ch** 86/210.

XXX **Thibaud,** 25 bd A.-Sembat ✆ 76 43 01 62 – . AE E VISA — CY **n**
R 80/210.

XXX ⚘ **Poularde Bressane** (Piccinini), 12 pl. P.-Mistral ✆ 76 87 08 90 – . AE E VISA — DY **w**
fermé août, 23 au 30 déc., sam. midi et dim. sauf fériés – **R** 118/158
Spéc. Poularde de Bresse en vessie, Ravioli de crustacés, Rouget doré à l'huile d'olive et citron. Vins Chignin, Mondeuse.

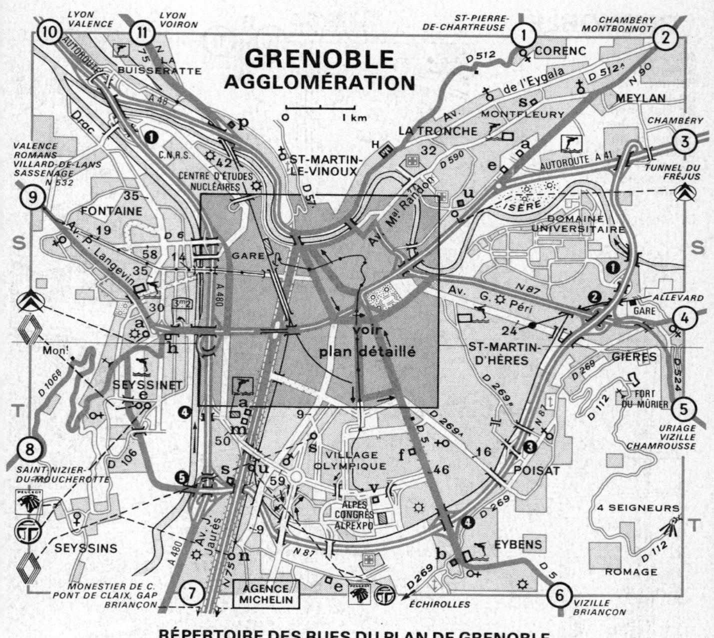

RÉPERTOIRE DES RUES DU PLAN DE GRENOBLE

Blanchard (R.) CX
Bonne (R. de) CX 10
Foch (Bd Mar.) BY
Grande-Rue CX
Grenette (Pl.) CX
Lafayette (R.) CX
Poulat (R. F.) CX 48
V.-Hugo (Pl.) CX

Abbé-Grégoire (R.) AY
Aimon-de-Chissé (R.) DV
Albert-1er (Av.) CY
Alliés (R. des) BZ
Allobroges (Quai) DV 2
Alma (R. de l') DX
Als.-Lorr. (Av.) BX
Ampère (R.) AY
Arago (R.) AV
Augereau (R.) BY
Balzac (R.) BZ
Bart (R. J.) DZ
Bayard (R.) DX 4
Belgrade (R.) CX 5
Berriat (Cours) BX
Berthelot (Av.) CZ
Beyle-Stendhal (R.) CX 6
Bir-Hakeim (Pl.) DX 7
Bistesi (R. J.) CY 8
Bizanet (R.) DV
Blum (Av. L.) T 9
Boissieux (R.) BY
Bouchayer (R.) AZ
Bourget (R. P.) CZ
Briand (Av. A.) FONTAINE S 14
Briand (Pl. A.) BV
Brosse (Q. Cl.) CV 15
Cachin (Av. M.) T 16
Casimir-Périer (R.) CX 17
Champollion (R.) DX 18
Chanrion (R. J.) DX

Charrel (R.) AY
Chorier (R. N.) AY
Claudel (R. P.) DZ
Cl.-Bernard (Q.) BV
Clemenceau (Bd) DY
Condillac (R.) CX
Condorcet (R.) BY
Créqui (Quai) BX
Croizat (Av. A.) FONTAINE S 19
Croizat (Av. A.) ST-MARTIN D'H S 24
Denf.-Roch. (R.) BX 25
Déportés-du-11-Nov.-43 (R.) CZ
Diables-Bleus (Bd des) DY
Diderot (R.) AX
Dr-Bordier (R.) CZ
Dr-Calmette (R.) AY
Dr-Girard (Pl.) DV
Dr-Mazet (R.) BX 26
Dormoy (R. M.) AX
Drac (R. du) AY
Driant (Bd Col.) DY
Dubedout (Pl.) BX 27
Eaux-Claires (R.) AZ
Esclangon (R.) AVX
Esplanade BV
Eygala (Av. de l') S
Fantin-Latour (R.) DY 28
Faure (R. E.) DX
Flandrin (R. J.) DX
Flaubert (R. G.) CZ
Fourier (R.) DX 29
France (Q. de) BV
France (R. A.) AZ
Fr.-Desaire (Bd) S 30
Gambetta (Bd) BX
Gautier (Pl. F.) AX
Gay-Lussac (R.) DZ
Genin (R. Cl.) DY
Graille (Q. de) BV
Grd-Sablon (Chem.) DVX
Grande-Rue LA TRONCHE S 32

Gueymard (R.) BV
Haxo (R.) DY
Hébert (R.) DX 33
Herbes (Pl. aux) CV 34
Hoche (R.) CY
Irvoy (R.) BY
Jaurès (Av. J.) ECHIROLLES T
Jaurès (Crs J.) BX
Jay (Quai S.) CV
J.-d'Arc (Av.) DY
Joffre (Bd Mar.) CY
Joliot-Curie (Bd) S 35
Jongkind (Quai) DV
Jouhaux (R. L.) DYZ
Jouvin (Quai) CV
Lachmann (R.) DV
Lafontaine (Crs) CX
Lagrange (R. L.) BZ
Lakanal (R.) BY
Langevin (Av. P.) S
Lanoyerie (R.) BY
Lavalette (Pl.) CV 36
Leclerc (Bd Mar.) DV
Lesdiguières (R.) CX
L'Herminier (R.) DV 37
Libération (Crs) BZ
Liberté (R.) CX 38
Lyautey (Bd) CY
Lyon (Rte de) BV
Malakoff (R.) DX
Malherbe (Av.) DZ
Mallifaud (R.) DY
Mangin (R. Gén.) BZ
Marceau (R.) BY
Martyrs (R. des) S 42
Mérimée (R. P.) CZ
Mistral (Pl. Paul) DY
Montorge (R.) CX 43
Mortillet (R. de) DV
Mounier (Quai) CV 44
Moyrand (R.) DY
N.-Dame (Pl.) CV
Pain (Bd Jean) DXY
Pasteur (Pl.) CY
Péguy (R. Ch.) ABZ
Péri (Av. G.) S

Péri (R. G.) BXY 45
Perrière (Quai) CV
Perrot (Av. J.) T 46
Ponsard (R.) DZ
Poste (R.) CX 47
Prés.-Carnot (R. du) CX 49
Prévost (R. J.) BY
Randon (Av.) DV
Raspail (R.) AY
Rey (Bd Ed.) BX
Rey (R. Joseph) BY
Reynier (R. A.) T 50
Rhin-et-Danube (Av.) AZ
Rivet (Pl. G.) CY
St-André (Pl.) CV 53
St-Bruno (Pl.) AX
St-Ferjus (R.) DX
Ste-Claire (Pl.) CX
Salengro (Bd) AZ
Sémard (R. P.) AX
Sembat (Bd A.) CY
Servan (R.) DX
Sidi-Brahim (R.) BZ
Stalingrad (R.) CZ
Strasbourg (R.) CY 54
Tarze (R. H.) AV
Taulier (R. F.) CV 55
Thiers (R.) BY
Thomas (R. R.) AX
Très-Cloîtres (R.) DV 56
Turenne (R.) BY
Vallier (Bd J.) AY
Valmy (Av. de) DY
Vaucanson (Pl.) CX 57
Vercors (Av. du) FONTAINE S 58
Vercors (R. du) AX
Verdun (Pl. de) CDX
Verlaine (Av. P.) T 59
Viallet (Av. F.) BX
Vicat (R.) CX 64
Villars (R.) DX 65
Voltaire (R.) CDX 66
Zola (R. Émile) CZ

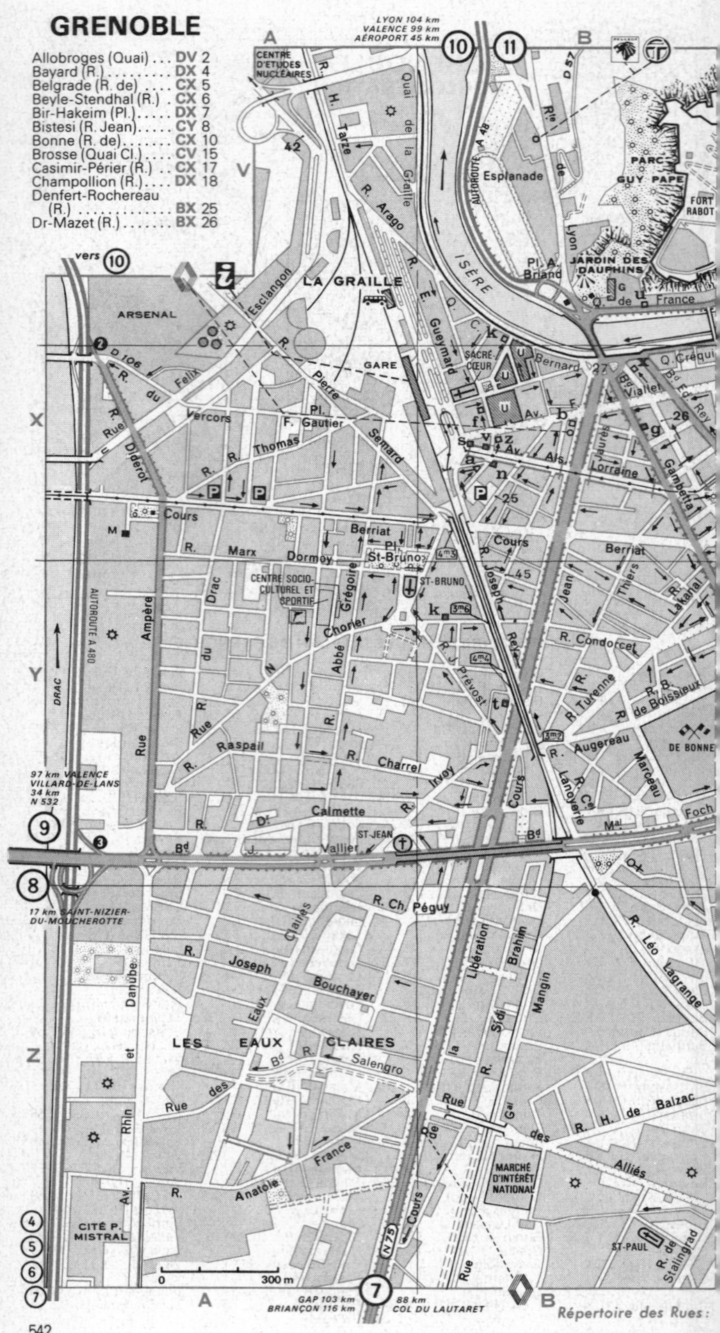
GRENOBLE
Allobroges (Quai) . . . DV 2
Bayard (R.) . . . . DX 4
Belgrade (R. de) . . . . . . CX 5
Beyle-Stendhal (R.) . CX 6
Bir-Hakeim (Pl.) . . . . . DX 7
Bistesi (R. Jean) . . . . . CY 8
Bonne (R. de) . . . . CX 10
Brosse (Quai Cl.) . . . . CV 15
Casimir-Périer (R.) . . CX 17
Champollion (R.) . . . . DX 18
Denfert-Rochereau (R.) . . . . BX 25
Dr-Mazet (R.) . . . . BX 26
LYON 104 km
VALENCE 99 km
AÉROPORT 45 km
CENTRE D'ETUDES NUCLÉAIRES
PARC GUY PAPE
FORT RABOT
Esplanade
ISÈRE
JARDIN DES DAUPHINS
Pl. A. Briand
LA GRAILLE
ARSENAL
GARE
SACRÉ-CŒUR
Q. Créqui
Cours Berriat
Pl. St-Bruno
ST-BRUNO
CENTRE SOCIO-CULTUREL ET SPORTIF
AUTOROUTE A 480
DRAC
DE BONNE
97 km VALENCE
VILLARD-DE-LANS 34 km
N 532
17 km SAINT-NIZIER-DU-MOUCHEROTTE
ST-JEAN
Bd J. Vallier
R. Ch. Péguy
R. Léo Lagrange
LES EAUX CLAIRES
Bd R. Salengro
R. H. de Balzac
Bd des Alliés
MARCHÉ D'INTÉRÊT NATIONAL
CITÉ P. MISTRAL
ST-PAUL
R. de Stalingrad
GAP 103 km
BRIANÇON 116 km
88 km COL DU LAUTARET
Répertoire des Rues :

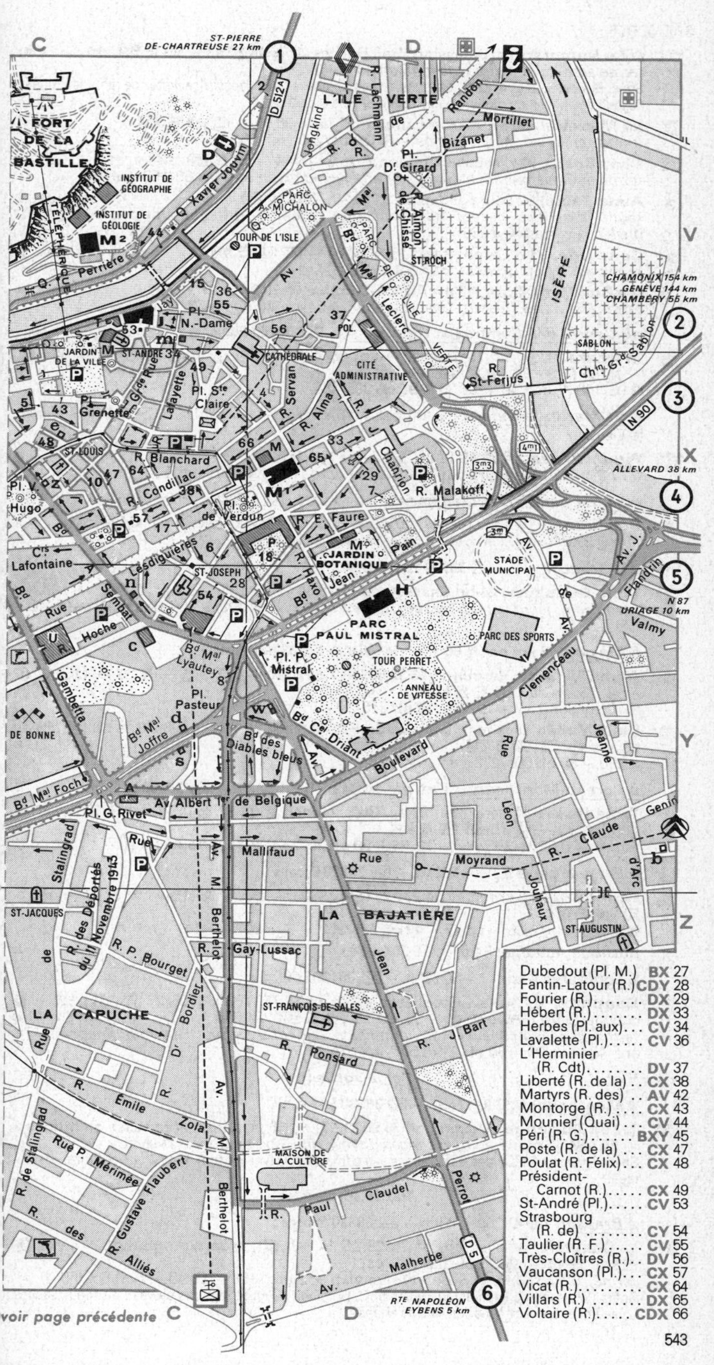

ST-PIERRE DE-CHARTREUSE 27 km
C
D
V
X
Y
Z
FORT DE LA BASTILLE
INSTITUT DE GÉOGRAPHIE
INSTITUT DE GÉOLOGIE
TÉLÉPHÉRIQUE
M2
Q. Xavier Jouvin
Q. Perrière
D 512A
L'ILE VERTE
R. Lachmann
Jongkind
de Randon
Mortillet
Bizanet
Pl. Dr Girard
R. Aimon de Chissé
PARC A. MICHALON
TOUR DE L'ISLE
Bd Mal Leclerc
PARC DE L'ILE VERTE
ST-ROCH
ISÈRE
CHAMONIX 154 km
GENÈVE 144 km
CHAMBERY 55 km
SABLON
Chin Gd Sablon
R. St-Ferjus
N 90
ALLEVARD 38 km
Pl. N.-Dame
CATHÉDRALE
ST-ANDRÉ
JARDIN DE LA VILLE
Pl. Grenette
Pl. Ste Claire
R. Servan
R. Alma
CITÉ ADMINISTRATIVE
POL.
R. Chenoise
Lafayette
R. J.-J. Rousseau
ST-LOUIS
R. Blanchard
R. Condillac
Pl. V. Hugo
Pl. de Verdun
R. E. Faure
R. Malakoff
Crs Lafontaine
Lesdiguières
ST-JOSEPH
JARDIN BOTANIQUE
Jean Pain
STADE MUNICIPAL
Av. J. Flandrin
N 87
URIAGE 10 km
Bd Rue Hoche
A. Sembat
Gambetta
R. Haxo
PARC PAUL MISTRAL
TOUR PERRET
ANNEAU DE VITESSE
PARC DES SPORTS
Av. de Valmy
Clemenceau
Pl. P. Mistral
Bd Mal Lyautey
Pl. Pasteur
Bd Mal Joffre
DE BONNE
Bd des Diables bleus
Bd Cel Driant
Boulevard
Rue Léon Jouhaux
Jeanne d'Arc
Bd Mal Foch
Pl. G. Rivet
Av. Albert 1er de Belgique
Stalingrad
Mallifaud
Rue Moyrand
R. Claude Genin
ST-JACQUES
R. des Déportés du 11 Novembre 1943
LA BAJATIÈRE
ST-AUGUSTIN
Av. M. Berthelot
R. Gay-Lussac
R. P. Bourget
Jean Perrot
LA CAPUCHE
R. Dr Bordier
ST-FRANÇOIS-DE-SALES
R. J. Bart
R. Ponsard
R. Émile Zola
R. de Stalingrad
Rue P. Mérimée
R. Gustave Flaubert
R. des Alliés
MAISON DE LA CULTURE
R. Paul Claudel
Av. Malherbe
D 5
RTE NAPOLÉON EYBENS 5 km
voir page précédente

XXX ⊛ **Le Pommerois** (Bouissou), 1 pl. Herbes ☎ 76 44 30 02 – AE E VISA. ※ CV **m**
fermé sam. midi, lundi et le midi en août – **R** 205
Spéc. Raviole au ragoût de St-Jacques et huîtres (nov. à mai), Fausses caillettes de pintade, Rouelle de lapereau et filet de pigeonneau en salmis. **Vins** Mondeuse.

XX **La Madelon,** 55 av. Alsace-Lorraine ☎ 76 46 36 90 – AE ⓓ E VISA BX **n**
fermé sam. midi, dim. et fériés – **R** 130 bc/250, enf. 65.

XX **Chat Botté,** 22 r. Nicolas Chorier ☎ 76 21 16 44 – AE E VISA. ※ BY **k**
fermé août, sam. midi et lundi soir en hiver, dim. en été – **R** 85/150, enf. 30.

X **A ma Table,** 92 cours J.-Jaurès ☎ 76 96 77 04 – VISA BY **t**
fermé 1er août au 1er sept., sam. midi, dim. et lundi – **R** (nombre de couverts limité - prévenir) carte 140 à 200.

X **Concorde,** 9 bd Gambetta ☎ 76 46 63 64 – AE ⓓ E VISA BX **g**
fermé août, dim. soir et lundi – **R** 55/100 ₰.

X **Au Bon Petit Coin,** 48 av. Alsace-Lorraine ☎ 76 87 54 27 – VISA BX **v**
fermé 15 juil. au 15 août, 15 au 31 janv., dim. soir et lundi – **R** 70/150.

au Centre des Congrès et Alpexpo - T – ✉ **38100** Grenoble :

Mercure Ⓜ, ☎ 76 09 54 27, Télex 980470, ←, parc, piscine – ascenseur ≡ TV ☎ ♿ garage Ⓟ – 60 à 180. AE ⓓ E VISA. ※ rest T **v**
R 95/120 ₰, enf. 45 – ☐ 36 – **98 ch** 335/385.

à St-Martin-le-Vinoux : 2 km par A 48 et N 75 - S – 5 251 h. – ✉ **38950** St-Martin-le-Vinoux :

XXX **Pique-Pierre,** ☎ 76 46 12 88, parc – ≡ Ⓟ. AE E VISA S **p**
fermé mi-juil. à début août, dim. soir et lundi – **R** 138/218, enf. 50.

au Nord par D 57 rte Clémencière - S : 4 km – ✉ **38950** St-Martin-le-Vinoux :

Bellevue Ⓜ sans rest, ☎ 76 87 68 17, ← – wc wc ☎ Ⓟ. E VISA. ※
fermé 23 déc. au 2 janv. – ☐ 19 – **19 ch** 135/200.

à la Tronche - S – ✉ **38700** La Tronche :

XXX **Trois Dauphins,** 24 bd Chantourne ☎ 76 54 49 73, parc – ≡ Ⓟ. E VISA S **u**
fermé sam. (sauf le midi de sept. à juin) et dim. – **R** 120/200 – **Snack R** carte 105 à 170 ₰.

à Meylan : 3 km par N 90 - S – 14 606 h. – ✉ **38240** Meylan :

Alpha Ⓜ, 34 av. Verdun ☎ 76 90 63 09, Télex 980444, parc, piscine – ascenseur ≡ rest TV ☎ Ⓟ – 25 à 80. AE ⓓ E VISA S **e**
R 105 bc, enf. 35 – ☐ 33 – **60 ch** 315/340.

Belle Vallée sans rest, 2 av. Verdun ☎ 76 90 42 65, Télex 308873 – ≡ TV wc ☎ garage Ⓟ. AE ⓓ E VISA S **a**
☐ 30 – **30 ch** 205/270.

à Corenc-Montfleury : 3 km par av. Mar.-Randon - S – ✉ **38700** La Tronche :

Trois Roses Ⓜ sans rest, 32 av. Grésivaudan ☎ 76 90 35 09, Télex 980593, – ascenseur TV ☎ Ⓟ – 75. AE ⓓ E VISA S **s**
fermé 24 déc. au 1er janv. – ☐ 28 – **50 ch** 260/320, 8 appartements 565.

à Eybens par D 5 - T – 5 853 h. – ✉ **38320** Eybens :

Fimotel Ⓜ, à 2 km ☎ 76 24 23 12, Télex 980371, parc – ascenseur wc ☎ ♿ Ⓟ – 25. AE ⓓ E VISA T **f**
R 59/80 ₰, enf. 36 – ☐ 27 – **42 ch** 235/250 – $^1/_2$ p 300.

X Rustique Auberge, 5 km ☎ 76 25 24 70 T **b**

à Échirolles 4 km - T – 37 501 h. – ✉ **38130** Échirolles :

Dauphitel Ⓜ, av. Grugliasco ☎ 76 23 24 72, Télex 980612, parc, piscine, tennis – ascenseur cuisinette TV wc ☎ Ⓟ – 60. AE ⓓ E VISA. ※ rest T **e**
fermé 20 déc. au 3 janv. – **R** *(fermé sam. midi et dim. midi ; en août dîner seul.)* 74, enf. 40 – ☐ 20 – **68 ch** 210/250 – $^1/_2$ p 304.

Par la sortie ② :

à Montbonnot : 7 km N 90 – ✉ **38330** St-Ismier

XXX ⊛ **Les Mésanges** (Achini), ☎ 76 90 21 57, ←, parc, « Jardin et terrasse ombragés » – AE VISA – *fermé août, vacances de fév., dim. soir et lundi* – **R** 95/280
Spéc. Foie gras frais, Nage de poissons à la citronnelle, Gibier (saison). **Vins** Chignin, Crozes-Hermitage.

Par la sortie ⑥ :

à Bresson par D 269C : 8 km – ✉ **38320** Eybens :

XXXX ⊛ **Chavant** avec ch, ☎ 76 25 15 14, ←, parc, « Jardin ombragé » – ≡ TV wc ☎ Ⓟ – 35. AE VISA. ※ rest
fermé 25 au 31 déc. – **R** *(fermé sam midi et merc.)* 158 – ☐ 40 – **7 ch** 550/680
Spéc. Chausson de saumon au Tullins frais, Dominos de ris et rognons de veau aux deux sauces, Caille Émile Chavant. **Vins** Abymes de Mians.

Par la sortie ⑦ :

à Pont-de-Claix : 8 km – 11 937 h. – ✉ 38800 Pont-de-Claix :

Le Villancourt sans rest, cours St-André ✆ 76 98 18 54 – wc wc ☎ P. AE ⊙ E VISA.
☕ 19 – **30 ch** 155/210.

Globe avec ch, 1 cours St-André ✆ 76 98 05 25, Télex 980881, – wc wc ☎ . E VISA. ch
R *(fermé dim. soir)* 110/340 – ☕ 25 – **10 ch** 140/160 – 1/2 p 219/234.

à Claix par D 269 : 10,5 km – 5 548 h. – ✉ 38640 Claix :

Les Oiseaux , ✆ 76 98 07 74, ←, , , – wc wc ☎ P. E VISA.
– *fermé 15 nov. au 15 déc., sam. soir et dim. midi du 1er oct. à Pâques* – **R** 78/165 , enf. 45 – ☕ 25 – **20 ch** 155/325 – 1/2 p 230/350.

à Varces : 13 km – 5 735 h. – ✉ 38760 Varces :

L'Escale avec ch, ✆ 76 72 80 19, , « Jardin ombragé » – TV wc wc ☎ P. AE ⊙ E VISA
fermé janv., mardi en été, dim. soir et lundi en hiver – **R** 95/360 – ☕ 60 – **12 ch** 250/490.

à St-Paul-de-Varces par N 75 et D 107 : 17 km – ✉ 38760 Varces :

Aub. Messidor, ✆ 76 72 80 64, – AE E VISA
fermé fév., mardi soir et merc. – **R** 118/230.

Par la sortie ⑩ :

A 48 - Echangeur Voreppe : 12 km – ✉ 38340 Voreppe :

Novotel M, ✆ 76 50 81 44, Télex 320273, ←, , parc, – TV ☎ P – 180. AE ⊙ E VISA
R grill carte environ 120, enf. 40 – ☕ 38 – **114 ch** 325.

Par la sortie ⑪ :

au Chevalon : 11,5 km – ✉ 38340 Voreppe :

La Petite Auberge, ✆ 76 50 08 03, – P. E VISA
fermé 10 au 30 août, dim. soir et lundi – **R** 185.

MICHELIN, Agence régionale, r. A. Bergès, Z.A., Le Pont de Claix par ⑦ ✆ **76 98 51 54**

ALFA-ROMEO Gar. St-Christophe, 65 bd Gambetta ✆ 76 87 50 71
FIAT Strada, 34-36 av. Félix Viallet ✆ 76 46 19 99
GM-OPEL Porte Ouest Automobile, 63 bd Joseph-Vallier ✆ 76 96 39 26
HONDA Gar. du Stade, 5 av. Jeanne-d'Arc ✆ 76 54 28 38
LANCIA-AUTOBIANCHI Gar. du Quai, 13 quai Cl.-Bernard ✆ 76 87 46 63
OPEL Éts Raymond, 56 bd Foch ✆ 76 87 21 34
PEUGEOT-TALBOT Bernard, 237 cours Libération T u ✆ 76 09 43 54
PEUGEOT-TALBOT Bastille, 51-53 rte de Lyon BV ✆ 76 46 71 67
RENAULT Succursale, 150 r. Stalingrad T s ✆ 76 40 41 42 N
RENAULT Galtier, 73 cours Libération BZ ✆ 76 96 69 27 22 cours Jean-Jaurès ✆ 76 47 52 72
RENAULT Splendid-Gar., 4 r. E.-Delacroix DV ✆ 76 42 74 72
SAAB Villeneuve-Auto, 8 av. Marie Reynoard ✆ 76 40 57 56
VOLVO Gar. Jeanne d'Arc, 7 r. Condamine à Gières ✆ 76 54 08 92

Gonthier Frères, 47 bd Clemenceau ✆ 76 44 30 71
La Station-du-Pneu, 5 r. Génissieu ✆ 76 46 63 63
Piot-Pneu, 27 bd Mar.-Foch ✆ 76 46 69 83
Tessaro-Pneus, 86 cours J.-Jaurès ✆ 76 46 00 91

Périphérie et environs

BMW Royal SA, 1 bis bd des Alpes à Meylan ✆ 76 60 90 10
CITROEN Filiale, Ricou-Auto, 28 bd de la Chantourne à La Tronche S ✆ 76 42 46 36 N
CITROEN S.A.D.A. 38 av. J-Jaurès à Eybens par ⑥ ✆ 76 24 20 63
CITROEN Gar. Jourdan, 30 av. de la Houille Blanche à Seyssinet-Pariset S a ✆ 76 21 07 45
DATSUN-NISSAN Autostyl, Rocade Sud Z.I. à ST-Martin d'Hères ✆ 76 62 81 81
FIAT Strada, 104 av. G.-Péri à St-Martin-d'Hères ✆ 76 42 38 18
FORD Sud Alpes Autom., U2, r. du Béal à St-Martin-d'Hères ✆ 76 25 75 45
MAZDA Sudautos, 78 cours J.-Jaurès à Échirolles ✆ 76 23 30 63
MERCEDES-BENZ, TOYOTA G.S.M., 117 av. G.-Péri à St-Martin-d'Hères ✆ 76 54 42 18
OPEL Majestic, 109 av. G.-Péri à St-Martin-d'Hères ✆ 76 42 38 18
PEUGEOT-TALBOT Pulicari, 18 av. de Grenoble à Seyssinet-Pariset T e ✆ 76 96 63 67
RENAULT Esso-Service du Moucherotte, 117 cours J.-Jaurès à Échirolles T n ✆ 76 09 16 24
RENAULT Lambert, 24 av. de Romans à Sassenage par ⑨ ✆ 76 27 40 62
RENAULT Renault Percevalière, 11 r. de la Tuilerie à Seyssinet-Pariset T e ✆ 76 48 57 99
V.A.G. Alpes-Sport-Auto, 111 av. G.-Péri à St-Martin-d'Hères ✆ 76 54 52 36 N ✆ 76 77 01 01
V.A.G. Guillaumin, 13 av. V.-Hugo à Échirolles ✆ 76 23 20 81

Gonthier-Frères, 131 av. G.-Péri à St-Martin-d'Hères ✆ 76 54 36 83
La Station-du-Pneu, 39 bd P.-Langevin à Fontaine ✆ 76 26 32 45 et rte de Lyon à St-Martin-le-Vinoux ✆ 76 75 07 66
Piot-Pneu, 96 cours J.-Jaurès à Échirolles ✆ 76 09 11 95
Piot-Pneu, 11 r. C. Kilian à St-Martin Vinoux ✆ 76 87 21 44
Piot-Pneu, av. G. Péri à St-Martin d'Hères ✆ 76 54 36 72
SODA-Pneu, 1 r. du 19 Mars 1962 à Échirolles ✆ 76 22 25 27

GRÉOLIÈRES 06 Alpes-Mar. 81 ⑲, 195 ㉔ G. Côte d'Azur – 311 h. alt. 820 – ✉ 06620 Le Bar-sur-Loup.

Voir Retable de St-Etienne★ dans l'église – Cluse de Gréolières★ O : 5 km par D2.

Paris 845 – Castellane 47 – Grasse 29 – ♦Nice 49 – Vence 27.

Domaine du Foulon, SE : 4 km par rte de Gourdon ✆ 93 59 95 02, ←, parc – wc wc ☎ Ⓟ – 40. E VISA
fermé 15 nov. au 15 déc., lundi soir et mardi – **R** 67/88 – 20 – **14 ch** 170 – 1/2 p 170.

GRÉOLIÈRES-LES-NEIGES 06 Alpes-Mar. 81 ⑲, 195 ㉔ – alt. 1 450 – Sports d'hiver : 1 430/1 830 m 10 – ✉ 06620 Le Bar-sur-Loup.

Paris 849 – Castellane 51 – Grasse 47 – ♦Nice 67 – Vence 45.

Alpina, ✆ 93 59 70 19, ← – cuisinette wc wc ☎
15 juin-7 sept., 20 déc.-15 avril – **R** *(fermé jeudi en été)* 57/92 – 24 – **9 ch** 250/290 – 1/2 p 184/260.

GRÉOUX-LES-BAINS 04800 Alpes-de-H.-Pr 84 ④⑤ G. Alpes du Sud – 1 637 h. – Stat. therm. (fév.-20 déc.) – Casino – Syndicat d'Initiative pl. Hôtel de ville ✆ 92 78 01 08.

Paris 785 – Aix-en-Provence 51 – Brignoles 58 – Digne 62 – Manosque 15 – Salernes 53.

Villa Borghèse M, ✆ 92 78 00 91, Télex 401513, – TV ☎ Ⓟ – 80. AE E VISA. rest
1er mars-30 nov. – **R** 125/210 – 35 – **70 ch** 310/490 – 1/2 p 330/440.

La Crémaillère M, rte Riez ✆ 92 74 22 29, Télex 420347, – TV ☎ Ⓟ. AE E VISA. rest
fermé 15 déc. au 15 fév. – **R** 173/297, enf. 57 – 38 – **54 ch** 368.

Lou San Peyre M, rte Riez ✆ 92 78 01 14, – TV wc ☎ Ⓟ. AE E VISA. rest
1er mars-25 nov. – **R** 84/172 – 22 – **47 ch** 236.

Gd Jardin, ✆ 92 74 24 74, parc – TV wc wc ☎ Ⓟ. E VISA.
20 mars-30 nov. – **R** 70/135, enf. 30 – 20 – **90 ch** 140/200.

Alpes, ✆ 92 74 24 24, – wc ☎ Ⓟ. E VISA.
20 mars-10 nov. – **R** 70/132 , enf. 38 – 20 – **42 ch** 140/210.

RENAULT Gallégo, ✆ 92 78 00 50

GRESSE-EN-VERCORS 38 Isère 77 ⑭ G. Alpes du Nord – 204 h. alt. 1 250 – Sports d'hiver : 1 260/1 700 m 11 – ✉ 38650 Monestier-de-Clermont.

Voir Col de l'Allimas ←★ S : 2 km.

Syndicat d'Initiative à la Mairie ✆ 76 34 33 40.

Paris 609 – Clelles 19 – ♦Grenoble 47 – Monestier-de-Clermont 14 – Vizille 43.

Le Chalet M, ✆ 76 34 32 08, ←, – wc wc ☎ Ⓟ – 40. AE E.
11 mai-17 oct., 22 déc-vacances de printemps – **R** 67/200, enf. 42 – 22 – **31 ch** 130/250 – 1/2 p 210/250.

Rochas, ✆ 76 34 31 20 – ☎. E.
fermé nov. – **R** 85/160 , enf. 45 – 30 – **8 ch** 140/180 – 1/2 p 165.

GRÉSY-SUR-AIX 73 Savoie 74 ⑮ – rattaché à Aix-les-Bains.

GRÉSY-SUR-ISÈRE 73740 Savoie 74 ⑯ – 587 h.

Env. Site★★ et ←★★ du château de Miolans★ SO : 7 km, G. Alpes du Nord.

Paris 574 – Aiguebelle 13 – Albertville 19 – Chambéry 36 – St-Jean-de-Maurienne 47.

La Tour de Pacoret, NE : 1,5 km par D 201 ✉ 73460 Frontenex ✆ 79 37 91 59, ← vallée et montagnes, – ch wc wc ☎ Ⓟ. AE E VISA.
1er mars-30 sept., week-ends de mars et avril et fermé mardi – **R** (nombre de couverts limité - prévenir) carte 110 à 165 – 28 – **10 ch** 190/315 – 1/2 p 220/280.

Commerce, ✆ 79 37 91 61 – . AE E VISA.
fermé lundi soir – **R** 60/120 , enf. 25 – 18 – **13 ch** 85/120 – 1/2 p 120/160.

La GRIÈRE 85 Vendée 71 ⑪ – rattaché à la Tranche.

GRIGNAN 26230 Drôme 81 ② G. Provence (plan) – 1 147 h.

Voir Château★★ : ★.

Syndicat d'Initiative Grande Rue (saison) ✆ 75 46 56 75.

Paris 632 – Crest 47 – Montélimar 28 – Nyons 23 – Orange 44 – Pont-St-Esprit 37 – Valence 71.

Sévigné sans rest, ✆ 75 46 50 97 – wc wc ☎ . E VISA
fermé 20 nov. au 5 janv. et mardi hors sais. – 25 – **20 ch** 130/265.

CITROEN Ferretti, ✆ 75 46 51 78

RENAULT Monier, ✆ 75 46 51 24 N ✆ 75 46 53 28

GRIGNY 91 Essonne 61 ①, 101 ㊱ – voir Paris, Environs.

GRIMAUD 83 Var 84 ⑰ **G. Côte d'Azur** – 2 911 h. – ✉ **83310** Cogolin.

Office de Tourisme pl. des Écoles ✆ 94 43 26 98.

Paris 865 – Brignoles 57 – Hyères 45 – Le Lavandou 34 – St-Tropez 10 – Ste-Maxime 13 – Toulon 63.

La Boulangerie M, O : 3 km par D 14 et V.O. ✆ **94 43 23 16**, ←, parc, – wc ☎ P
1er avril-1er oct. – **R** 170/190 – 37 – **10 ch** 445/655 – 1/2 p 455/655.

Coteau Fleuri, ✆ **94 43 20 17**, ←, – wc wc. AE E VISA
hôtel : fermé nov. et fév. – **R** *(mi-mai-mi-oct. et fermé merc. sauf du 1er juil. au 15 sept.)* 175 – 38 – **14 ch** 325/370.

XXX ❀ **Les Santons** (Girard), ✆ **94 43 21 02**, « **Cadre provençal** » – . AE E VISA
20 mars-fin oct. et fermé merc. (sauf le soir de juin à août et fêtes) – **R** 265/385
Spéc. Panaché de poissons en petite bourride, Agneau de Sisteron rôti aux herbes de Provence, Gibier (saison). **Vins** Gassin, Bandol.

X **Café de France**, ✆ **94 43 20 05**, – VISA
1er fév.-31 oct. et fermé mardi – **R** 85.

Sécurité-Pneus, N98, St-Pons-les-Mures ✆ 94 56 36 02

GRISOLLES **82170** T.-et-G. 82 ⑦ – 2 619 h.

Paris 675 – Auch 76 – Castelsarrasin 29 – Gaillac 61 – Montauban 24 – ♦Toulouse 30.

Relais des Garrigues, N 20 ✆ **63 67 31 59**, – wc P – 40. VISA
R 70/190, enf. 30 – 28 – **27 ch** 90/190 – 1/2 p 275/390.

RENAULT Gar. Catazzo, ✆ 63 30 33 39 N ✆ 63 30 32 39

GRIVE 38 Isère 74 ⑬ – rattaché à Bourgoin-Jallieu.

GROIX (Ile de) ★ **56590** Morbihan 58 ⑫ **G. Bretagne** – 2 605 h.

Voir Site★ de Port-Lay – Trou de l'Enfer★.

Accès : Transports maritimes pour **Port-Tudy** (en été **réservation indispensable** pour le passage des véhicules).

depuis **Lorient**. En 1987 : juin-sept., 2 à 8 services quotidiens ; hors saison, 2 à 4 services quotidiens - Traversée 45 mn – Voyageurs 64 F (AR), autos aller 132 à 312 F par Cie Morbihannaise de Navigation, bd A.-Pierre ✆ **97 21 03 97**.

Syndicat d'Initiative Port Tudy (vacances de Printemps, juil.-sept.) ✆ 97 05 53 08.

XX **Ty Mad** avec ch, au port ✆ **97 05 80 19**, ← – wc. E VISA. rest
avril-oct. – **R** 50/220, enf. 50 – 20 – **12 ch** 95/200 – 1/2 p 155/220.

X **Aub. du Pêcheur**, r. Gén. de Gaulle ✆ **97 05 80 14** – E VISA
fermé sam. et dim. en hiver sauf vacances scolaires – **R** 55/105 , enf. 38.

GROLÉJAC 24 Dordogne 75 ⑰ – 541 h. – ✉ **24250** Domme.

Paris 548 – Gourdon 13 – Périgueux 78 – Sarlat la Caneda 12.

Le Grillardin, ✆ **53 28 11 02**, , – wc wc P. AE.
fermé 3 au 10 oct. et merc. de fin sept. à début avril – **R** 55/130 – 20 – **14 ch** 100/175 – 1/2 p 120/165.

GROSLÉE 01 Ain 74 ⑭ – 267 h. – ✉ **01680** Lhuis.

Paris 496 – Belley 21 – Bourg-en-B. 68 – ♦Lyon 70 – La Tour-du-Pin 27 – Vienne 74 – Voiron 44.

X **Penelle**, à Port de Groslée SO : 1 km sur D 19 ✆ **74 39 71 01**, ←, – P
fermé 4 janv. au 10 fév., lundi soir et mardi – **R** 58/170.

GROTTE voir au nom propre de la grotte.

GROUIN (Pointe du) 35 I.-et-V. 59 ⑥ – rattaché à Cancale.

GRUISSAN **11430** Aude 86 ⑩ **G. Pyrénées Roussillon** – 1 594 h – Casino.

Syndicat d'Initiative Les Hublots du Port ✆ 68 49 03 25.

Paris 856 – Carcassonne 72 – Narbonne 14.

Corail M, au port ✆ **68 49 04 43**, ← – ch wc ☎ P. AE E VISA
15 fév.-5 nov. – **R** 52/135 – 25 – **32 ch** 200/260 – 1/2 p 200/250.

La Plage sans rest, à la Plage ✆ **68 49 00 75** – .
Pâques-fin sept. – **17 ch** 180.

XX **Le Chebek**, au port ✆ **68 49 02 58**, – AE E VISA
fermé janv., fév., dim. soir et lundi – **R** 110/220.

X **L'Estagnol**, au village ✆ **68 49 01 27**, – AE E VISA
mars-oct. – **R** 75/135.

GUCHAN 65 H.-Pyr. 85 ⑲ – 122 h. alt. 750 – ✉ **65170** St-Lary.
Paris 856 – Arreau 8 – Lannemezan 35 – St-Gaudens 62 – Tarbes 65.

Moderne sans rest, ☎ 62 39 90 10, ≤ – wc ☎ **P**.
fermé 20 oct. au 10 déc. – ☕ 17 – **24 ch** 114/165.

GUEBERSCHWIHR 68 H.-Rhin 62 ⑱⑲ **G. Alsace et Lorraine** – 727 h. – ✉ **68420** Herrlisheim près Colmar – Paris 452 – Colmar 11 – Guebwiller 18 – ♦Mulhouse 43 – ♦Strasbourg 85.

Relais du Vignoble et rest. Belle vue M, ☎ 89 49 22 22, ≤, – wc ☎ **P** – 40. **E** VISA
fermé 1er fév. au 8 mars – **R** *(fermé jeudi)* 80/180, enf. 35 – ☕ 22 – **30 ch** 180/300 – 1/2 p 200/250.

GUEBWILLER SP 68500 H.-Rhin 62 ⑱ **G. Alsace et Lorraine** – 11 083 h.
Voir Église St-Léger★ : façade Ouest★★ AE – Église N.-Dame★ BB – Hôtel de Ville★ AH – Vallée de Guebwiller★★ NO.
Office de Tourisme 5 pl. St-Léger ☎ 89 76 10 63.
Paris 466 ③ – Belfort 55 ③ – Colmar 26 ① – Épinal 113 ④ – ♦Mulhouse 23 ③ – ♦Strasbourg 100 ①.

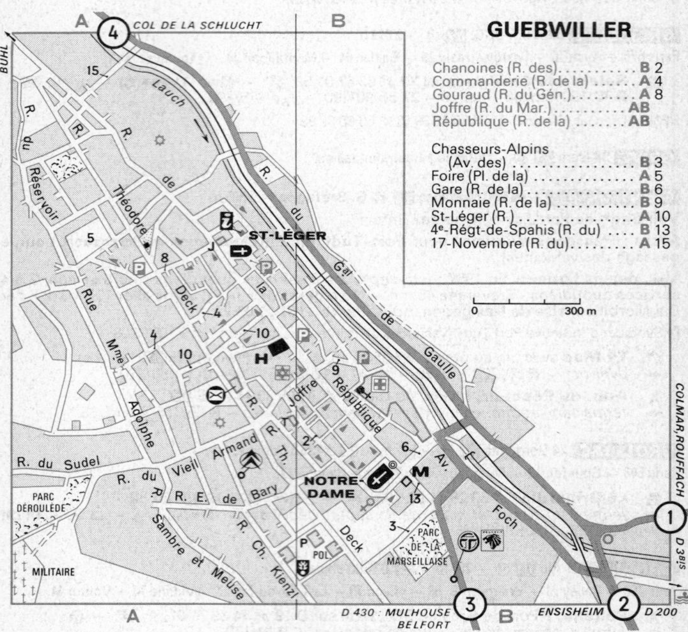

à Murbach par ④ et D 40II : 5,5 km – ✉ **68530** Buhl – **Voir** Église★★.

St-Barnabé, ☎ 89 76 92 15, Télex 881036, ≤, « Maison fleurie dans le vallon, jardin », – wc wc ☎ **P** – 25. **E** VISA. rest
fermé 10 janv. au 3 mars, dim. soir et lundi hors sais. – **R** 165/280 – ☕ 30 – **27 ch** 185/280 – 1/2 p 285/520.

à Jungholtz par ③ et D 51 : 6 km – ✉ **68500** Guebwiller :

Résidence Les Violettes, à Thierenbach ☎ 89 76 91 19, ≤, – TV wc wc ☎ **P** – 25. AE **E** VISA
fermé 4 janv. au 6 fév., lundi soir et mardi sauf hôtel en sais. – **R** 155/320 – ☕ 35 – **12 ch** 220/420.

Aub. de Thierenbach M, à Thierenbach ☎ 89 76 93 01, – wc ☎ **P**. AE **E** VISA
fermé 15 déc. au 15 janv. et lundi hors sais. – **R** 90/160, enf. 45 – ☕ 25 – **16 ch** 190/300 – 1/2 p 260.

XX **Biebler** avec ch, ☎ 89 76 85 75, – **P**. AE **E** VISA. ch
fermé jeudi soir et vend. – **R** 65/165, enf. 45 – ☕ 19 – **12 ch** 75/140 – 1/2 p 165.

à Hartmannswiller par ③ et D 5 : 7 km – ✉ **68500** Guebwiller :

Meyer, sur D 5 ✆ 89 76 73 14, ⛱, ⛬ – ⇹ ch ⛀wc ⛆wc ☎ Ⓟ. ⓓ E VISA. ⛊ ch
R *(fermé 25 au 31 mars, 15 au 31 janv. et vend.)* 80/250 ⅓, enf. 40 – ☕ 25 – **18 ch** 140/220 – $^1/_2$ p 175/250.

CITROEN Klein, 10 a r. Lucerne ✆ 89 76 81 34 N
OPEL Gar. Mickeler, 4 pl. 17-Novembre à Soultz-Haut-Rhin ✆ 89 76 82 83 N
PEUGEOT, TALBOT Gar. Muller, 2 r. Marne à Soultz-Haut-Rhin ✆ 89 76 95 63

PEUGEOT-TALBOT Gar. du Parc, 11 rte Soultz ✆ 89 76 83 15
RENAULT Gar. Valdan, Pénétrante N 83 par ① ✆ 89 76 27 27

GUÉCÉLARD 72 Sarthe 64 ③ – 1 667 h. – ✉ **72230** Arnage.
Paris 216 – Château-Gontier 73 – La Flèche 25 – Malicorne-sur-Sarthe 22 – ♦Le Mans 17.

XX **La Botte d'Asperges,** N 23 ✆ 43 87 12 03 – E VISA
fermé 1er au 15 juil. 1er au 15 fév., merc. soir et jeudi – **R** 62/180.

à Fillé N : 4 km G. Châteaux de la Loire – ✉ **72210** La Suze-sur-Sarthe :

XX **Aub. du Rallye,** ✆ 43 87 14 08, ⛱, ⛬ – Ⓟ. ⓓ VISA
fermé 22 août au 5 sept., 1er au 28 fév., dim. soir et lundi – **R** 90/155.

GUÉMENÉ-PENFAO **44290** Loire-Atl. 63 ⑯ – 4 480 h.
Paris 385 – Châteaubriant 38 – ♦Nantes 62 – Redon 20 – ♦Rennes 61 – St-Nazaire 57.

Le Chalet ⛺, r. Moulins ✆ 40 79 23 38, ⛬ – Ⓟ. AE E VISA
fermé 15 au 28 fév. – **R** *(fermé merc. du 1er oct. au 30 mars)* 50/120 ⅓, enf. 38 – ☕ 16 – **14 ch** 69/95 – $^1/_2$ p 105.

GUENROUET 44 Loire-Atl. 63 ⑮ – 2 270 h. – ✉ **44530** St-Gildas-des-Bois.
Paris 402 – ♦Nantes 54 – Nozay 28 – Redon 21 – La Roche-Bernard 29 – St-Nazaire 40.

au Cougou NO : 5 km par D 102 – ✉ **44530** St-Gildas des Bois :

XX **Paradis des Pêcheurs** ⛺ avec ch, ✆ 40 87 64 10, ⛬ – Ⓟ. ⛊
fermé 12 au 31 oct., 15 janv. au 10 fév., dim. soir et lundi – **R** 50/200, enf. 50 – ☕ 14 – **6 ch** 70/90 – $^1/_2$ p 110.

GUÉRANDE **44350** Loire-Atl. 63 ⑭ **G. Bretagne** – 9 475 h.
Voir Le tour des remparts★ – Collégiale St-Aubin★ **B.**
ℹ Syndicat d'Initiative pl. Marché au Bois ✆ 40 24 96 71.
Paris 455 ② – La Baule 6 ② – ♦Nantes 77 ② – St-Nazaire 20 ② – Vannes 65 ①.

GUÉRANDE

St-Aubin (Pl.) 17
St-Michel (R.)

Bizienne (Fg) 2
Brière (R. de la) 3
Capucins (R. des) 5
Jean-XXIII (Pl.) 6
Marché-aux-Bois (Pl.) 8
Marhallé (Pl.) 10
Peupliers (R. des) 12
Pourieux (Bd) 13
Psalette (Pl. de la) 14
St-Armel (Fg) 16
St-Michel (Fg) 19
Ste-Anne (Fg) 21
Ste-Anne (Pl.) 22
Sauliniers (R. des) 24
Sœurs-Grises (R. des) 25
Tricot (R. du) 27
Vannetaise (R.) 29

Les plans de villes sont orientés le Nord en haut.

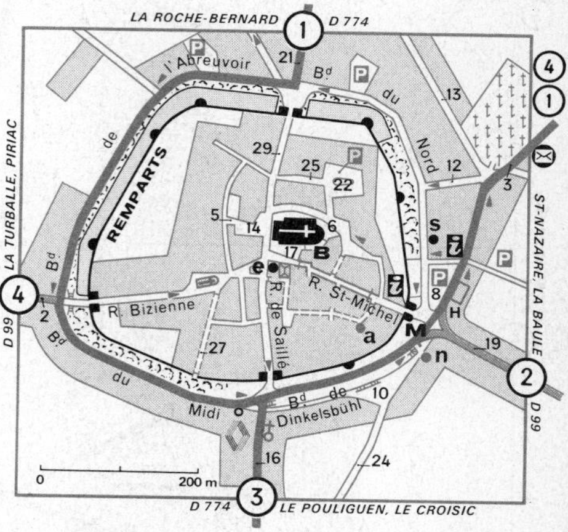

Les Remparts Ⓜ, bd Nord **(s)** ✆ 40 24 90 69 – ⛀wc ⛆wc ☎. AE ⓓ E VISA
R *(fermé 12 nov. au 10 janv., dim. soir et lundi sauf juil.-août)* 85/200 – ☕ 24 – **8 ch** 210/250 – $^1/_2$ p 240/260.

Roc Maria sans rest, 1 r. Halles **(e)** ✆ 40 24 90 51, « Maison du 15e s. » – ⛀wc. AE ⓓ E VISA
1er avril-3 nov. – ☕ 20 – **9 ch** 165/190.

XXX **La Collégiale,** 63 fg Bizienne par ④ ✆ 40 24 97 29, « Jardin fleuri » – AE ⓪
1er avril-30 sept. et fermé merc. midi et mardi – **R** (déj. seul. en juil.-août) carte 240 à 390.

XX **Fleur de Sel,** 9 r. Juiverie **(a)** ✆ 40 24 79 39 – E VISA.
fermé 10 au 25 oct., 10 au 20 fév., dim. soir hors sais. et merc. – **R** 74/110.

X **Ti Marok,** 3 pl. Marhallé **(n)** ✆ 40 24 92 08, **cuisine marocaine**
fermé 28 sept. au 29 oct. et du lundi au jeudi (sauf fériés) du 16 sept. au 14 mai – **R** carte 95 à 120.

CITROEN Mercier, 2 r. Letilly par ① ✆ 40 24 90 35
PEUGEOT-TALBOT Cottais, rte la Turballe par ④ ✆ 40 24 90 39
RENAULT Guyot, bd du 19 Mars 1962 par ① ✆ 40 24 92 19
RENAULT Gar. de la Promenade, 3 bd Midi ✆ 40 24 91 39

La GUERCHE-DE-BRETAGNE 35130 I.-et-V. 63 ⑧ **G. Bretagne** – **4 075 h.**

Paris 325 – Angers 82 – Châteaubriand 29 – Château-Gontier 45 – Laval 40 – ♦Rennes 41 – Vitré 22.

La Calèche , av. Gén.-Leclerc ✆ 99 96 20 36, – P. E VISA
fermé 28 sept. au 10 oct., 24 au 31 déc., dim. soir et vend. (sauf hôtel en sais.) – **R** 45/140 – 20 – **13 ch** 75/160 – ½ p 165/180.

CITROEN Lebreton, 17 pl. de Champ de Foire ✆ 99 96 21 20
RENAULT Gar. Suhard, 2 r. du 8-Mai ✆ 99 96 20 56
Billon Pneus, 24 r. 8-Mai ✆ 99 96 22 51

GUÉRET

Ancienne-Mairie (R. de l') . Z 4
Grande-Rue . Z 15
Piquerelle (Pl.) . Y 22

Allende (R. Salvador) . Y 2
Bonnyaud (Pl.) . Z 5
Corneille (R. Pierre) . Y 7
Ducouret (R.) . Z 9
Gane (Rond-Point de la) . Y 12
Grand (R. Alfred) . Y 13
Jaurès (R. Jean) . Z 16
Londres (R. de) . Y 17
Musset (R. Alfred-de) . Y 19
Pasteur (Av.) . YZ 20
Poitou (Av. du) . Y 23
Rollinat (R. Maurice) . Y 25
Roosevelt (R. Franklin) . Y 26
St-Pardoux (Bd) . Y 28
Verdun (R. de) . Z 29
Zola (Bd Émile) . Y 30

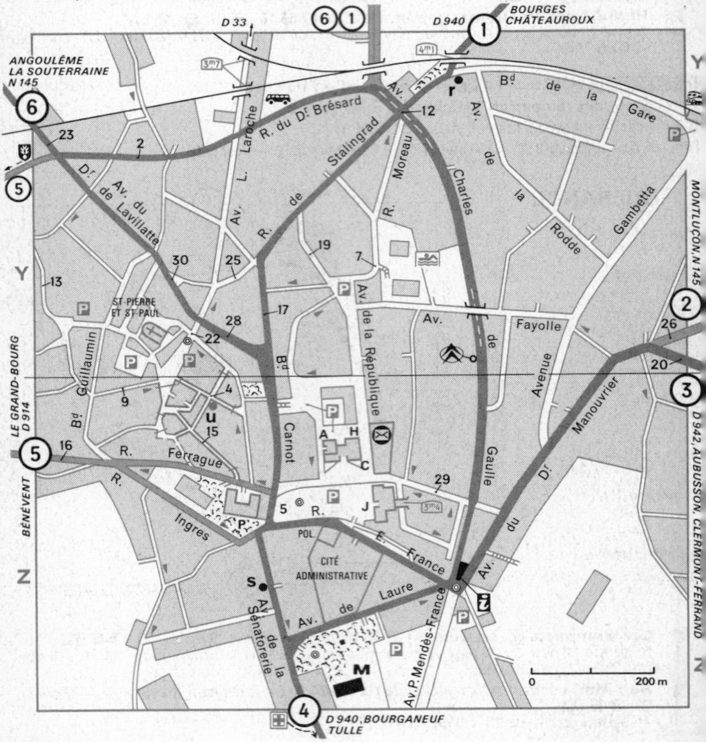

GUÉRET [P] **23000** Creuse **72** ⑨ **G. Berry Limousin** – 16 621 h.
Voir Salle du Trésor d'orfèvrerie★ du musée Z **M.**
Office de Tourisme 1 av. Ch.-de-Gaulle ☎ 55 52 14 29 – A.C. Cité Administrative ☎ 55 52 26 51.
Paris 349 ① – Bourges 122 ① – Châteauroux 83 ① – Châtellerault 153 ⑥ – ♦Clermont-Ferrand 132 ③ – ♦Limoges 82 ④ – Montluçon 65 ② – Poitiers 142 ⑥ – Tulle 137 ④ – Vierzon 141 ①.

Plan page ci-contre

Auclair, 19 av. Sénatorerie ☎ 55 52 01 26, – wc wc P – 30. AE ⓓ E VISA Z s
fermé 15 janv. au 15 fév. – **R** *(fermé dim. soir et lundi midi sauf juil.-août)* 55/160, enf. 45 – 22 – **34 ch** 100/255 – ½ p 127/232.

Nord, 1 bd Gare ☎ 55 52 71 85 – P. E VISA. Y r
fermé 25 juil. au 13 août, 19 au 31 déc., sam. soir et dim. – **R** 54/105 – 17 – **33 ch** 68/150.

L'Univers avec ch, 8 r. Ancienne-Mairie ☎ 55 52 02 03 – . E VISA Z u
fermé 30 juin au 13 juil. et lundi – **R** 52/170 – 21 – **7 ch** 74/115 – ½ p 150/160.

à Laschamps de Chavanat par ① : 5 km sur D 940 – ✉ **23000** Guéret :

Chez Peltier, ☎ 55 52 02 40 – P
fermé juil. et sam. – **R** (déj. seul.) 40/115.

à Glénic par ① : 9 km – ✉ **23380** Ajain :

Moulin Noyé , ☎ 55 52 09 11, Télex 580064, <, , – wc wc P. AE VISA
fermé lundi – **R** 58/180, enf. 45 – 28 – **32 ch** 96/185 – ½ p 210/250.

à Ste Feyre par ③ : 7 km – ✉ **23000** Guéret :
Voir Château du Théret★ SE : 3 km.

Touristes, ☎ 55 80 00 07 – E VISA
fermé mardi soir et merc. sauf juil.-août – **R** 59/180.

ALFA-ROMEO Gar. Andrieu, 2 rue du Sénéchal ☎ 55 52 19 38
CITROEN Devaut, 21 av. Ch.-de-Gaulle ☎ 55 52 48 52
FIAT-LANCIA-AUTOBIANCHI Gar. Bellevue, Le Verger RN 145 à Sainte Feyre ☎ 55 52 43 65
PEUGEOT-TALBOT Daraud, ancienne N 145 à Ste-Feyre par ② ☎ 55 52 52 00
RENAULT Gar. St-Christophe, rte de Paris à Cherdemont par ① ☎ 55 52 15 78 N

Gaudon-Pneus, 25 av. Gambetta ☎ 55 52 00 36
Godignon-Martin-Pneus, Z.A. rte d'Anzeme ☎ 55 52 01 65

La GUÉRINIÈRE 85 Vendée **67** ① – voir à Noirmoutier.

GUERLESQUIN 29248 Finistère **58** ⑦ – 1 839 h.
Paris 525 – Carhaix-P. 43 – Guingamp 39 – Lannion 32 – Morlaix 25 – Plouaret 18 – Quimper 81.

Monts d'Arrée, ☎ 98 72 80 44 – wc wc. E VISA
fermé 14 déc. au 6 janv. – **R** *(fermé dim. soir et fériés)* 60/130 – 19 – **24 ch** 120/220 – ½ p 140/190.

GUÉTHARY 64 Pyr.-Atl. **78** ⑪⑱ **G. Pyrénées Aquitaine** – 1 042 h. – ✉ **64210** Bidart.
Syndicat d'Initiative à la Mairie ☎ 59 26 56 60.
Paris 787 – ♦Bayonne 15 – Biarritz 9 – Pau 123 – St-Jean-de-Luz 6.

✿ **Brikétenia** (Ibarboure), ☎ 59 26 51 34, <, – TV wc P. AE ⓓ VISA.
fermé 15 nov. au 15 déc. et mardi d'oct. à juin – **R** 120/220, enf. 50 – 30 – **21 ch** 220/300 – ½ p 250/280
Spéc. Marinade de magret parfumé aux herbes, Saumon de l'Adour en papillote (15 fév.-15 juin), Foie de canard chaud aux agrumes. **Vins** Jurançon, Madiran.

Pereria , ☎ 59 26 51 68, <, , « Beau jardin ombragé » – wc P. E VISA. rest
1er mars-1er nov. – **R** 65/140 – 14,50 – **30 ch** 60/200 – ½ p 200/255.

Madrid avec ch, ☎ 59 26 52 12, – . VISA. ch
Pâques-fin sept. – **R** 60/135 – 18 – **7 ch** 90/150 – ½ p 155/190.

RENAULT Gar. Labourd, ☎ 59 26 50 52

Le GUÉTIN 18 Cher **69** ③ – ✉ **18150** La Guerche-sur-l'Aubois.
Paris 249 – Bourges 57 – La Guerche-sur-l'Aubois 10 – Nevers 11 – St-Pierre-le-Moutier 27.

Aub. du Pont-Canal, D 976 ☎ 48 80 40 76 – VISA
fermé 2 nov. au 14 déc., le soir d'oct. à Pâques et lundi sauf juil.-août – **R** 66/170, enf. 46.

GUEUGNON 71130 S.-et-L. 69 ⑰ – 10 456 h.

Paris 342 – Autun 51 – Bourbon-Lancy 26 – Digoin 16 – Mâcon 87 – Montceau-les-Mines 28.

Commerce, 1 r. La Fontaine ✆ 85 85 23 23 – ⧉ ⌂wc ⋔wc ☎ ⇌. E VISA
fermé oct. – **R** 80/150 🍷 – ☕ 28 – **27 ch** 120/300 – ½ p 150/200.

Centre, 34 r. Liberté ✆ 85 85 21 01 – ⌂wc ⋔wc ☎ ⓟ. E VISA
fermé 11 au 31 juil. et dim. soir – **R** 55/150 🍷, enf. 40 – ☕ 17 – **17 ch** 90/180 – ½ p 120/140.

XXX **Relais Bourguignon** avec ch, 47 r. Convention ✆ 85 85 25 23 – ⌂wc ⋔ ☎ ⇌ ⓟ. AE ⓓ E VISA
fermé 1er au 23 août, vacances de fév., dim. soir et lundi – **R** 75/230 – ☕ 25 – **8 ch** 120/150.

CITROEN Milli, rte de Digoin ✆ 85 85 06 02 N
PEUGEOT-TALBOT Vadrot, 31 r. du 8-Mai ✆ 85 85 24 31
RENAULT Hermey, 48 r. de la Liberté ✆ 85 85 20 42
Goesin, 11 r. J.-Bouveri ✆ 85 85 25 40

GUEYNARD 33 Gironde 71 ⑧ – rattaché à St-André-de-Cubzac.

GUICHEN 35580 I.-et-V. 63 ⑥ – 5 366 h.

Paris 364 – Châteaubriant 48 – Ploermel 50 – Redon 46 – ♦Rennes 19.

Commerce, 34 r. Gén.-Leclerc ✆ 99 57 01 14, 🌳 – ⌂wc ⋔wc ☎ ⓟ. E VISA. ✻
fermé 7 au 27 août – **R** *(fermé sam.)* 47/130 🍷 – ☕ 19 – **16 ch** 95/192 – ½ p 140/189.

GUIDEL 56520 Morbihan 58 ⑫ – 6 079 h.

Voir St-Maurice : Site★ et ≤★ du pont NO : 5 km, G. Bretagne.

Paris 501 – Concarneau 39 – Lorient 12 – Moëlan-sur-Mer 13 – Quimperlé 12 – Vannes 68.

La Châtaigneraie M ⛰ sans rest, O : 1,5 km par D 162 ✆ 97 65 99 93, « Manoir dans un parc » – TV ⓟ. E VISA. ✻
☕ 35 – **10 ch** 330.

GUIGNES 77 S.-et-M. 61 ② – 1 978 h. – ✉ 77390 Verneuil-l'Étang.

Paris 47 – Coulommiers 32 – Meaux 42 – Melun 15 – Provins 41.

XX **Les Grouettes,** ✆ (1) 64 06 00 07, ≤, 🌳, parc – ⓟ. AE ⓓ E VISA. ✻
fermé août, dim. soir et lundi – **R** (nombre de couverts limité - prévenir) 210/300.

GUIGNIÈRE 37 I.-et-L. 64 ⑭⑮ – rattaché à Tours.

GUILLAUMES 06470 Alpes-Mar. 81 ⑨⑲, 195 ③ G. Alpes du Sud – 546 h. alt. 819.

Voir Gorges de Daluis★★ : ≤★★ au S à hauteur des tunnels.

ℹ Syndicat d'Initiative à la Mairie ✆ 93 05 50 13.

Paris 837 – Barcelonnette 63 – Castellane 57 – Digne 95 – Manosque 136 – ♦Nice 98.

Renaissance, ✆ 93 05 50 12, 🌳 – ⓟ. AE
fermé 1er nov. au 20 déc. – **R** 70/85 – ☕ 18 – **18 ch** 85/110 – ½ p 140/145.

GUILLESTRE 05600 H.-Alpes 77 ⑱ G. Alpes du Sud – 2 009 h. alt. 1 000.

Voir Pied-la-Viste ≤★ E : 2 km – Peyre-Haute ≤★ S : 4 km puis 15 mn – Porche★ de l'église.

ℹ Syndicat d'Initiative pl. Salva ✆ 92 45 04 37.

Paris 713 – Barcelonnette 49 – Briançon 35 – Digne 119 – Gap 60.

Barnières II M ⛰, ✆ 92 45 04 87, ≤ vallée et montagnes, 🏊, 🌳, 🎾 – ⧉ ☎ ⓟ. E VISA. ✻
fermé 15 oct. au 15 déc. – **R** 80/160, enf. 50 – ☕ 26 – **46 ch** 250 – ½ p 230/240.

Barnières I ⛰, ✆ 92 45 05 07, ≤ vallée et montagnes, 🏊, 🌳, 🎾 – ⌂wc ☎ ⓟ. E VISA. ✻ rest
1er juin-30 sept. – **R** 80/160, enf. 50 – ☕ 26 – **35 ch** 200/240 – ½ p 220/230.

Catinat Fleuri, ✆ 92 45 07 62, 🏊, 🌳 – ⌂wc ⋔wc ☎ ⓟ. E VISA
R 55/85 – ☕ 23 – **19 ch** 200/230 – ½ p 165/185.

X **Epicurien,** ✆ 92 45 20 02 – E VISA
fermé 10 au 27 mai, 8 au 30 nov. et mardi sauf juil.-août – **R** carte 120 à 180.

à Risoul S : 2 km – Sports d'hiver 1 850/2 571 m ⚡17 ⛷ – ✉ 05600 Guillestre

La Bonne Auberge ⛰, ✆ 92 45 02 40, ≤ Pelvoux – ⌂wc ⋔wc ⓟ. ✻ rest
1er juin-20 sept., 20 déc.-3 janv. et 1er fév.-15 mars – **R** 75 – ☕ 19 – **36 ch** 160/175 – ½ p 160/175.

à Mont-Dauphin-Gare NO : 4 km par D 902^A et N 94 – alt. 900 – ✉ **05600** Guillestre.

Voir Charpente★ de la caserne Rochambeau.

✕ **Gare** avec ch, ✆ **92 45 03 08** – ⋒ ☎ **P**. AE VISA
fermé sam. du 1er mai au 30 juin et du 1er sept. au 20 déc. – **R** 60/130 ⅆ – ☕ 18 – **22 ch** 93/160 – 1/2 p 140.

à La Maison du Roy NE : 5,5 km par D 902 – ✉ **05600** Guillestre :

La Maison du Roy, ✆ **92 45 08 34**, ≤, ⛱, ✗ – ⎓wc ☎ **P**. **O E** VISA. ✗ ch
fermé 1er au 8 mai et nov. – **R** 59/130 ⅆ – ☕ 24 – **32 ch** 155/296 – 1/2 p 225/250.

PEUGEOT-TALBOT Gar. du Tourisme, à Mont-Dauphin ✆ 92 45 07 09

PEUGEOT-TALBOT Gar. du Guil, Le Villard ✆ 92 45 03 05 **N**

GUILLIERS **56490** Morbihan **63** ④ – 1 252 h.

Paris 412 – Dinan 59 – Lorient 88 – Ploërmel 13 – ♦Rennes 67 – Vannes 58.

Relais du Porhoët, ✆ **97 74 40 17** – ⎓wc ⋒wc ☎ **P**. AE **O E** VISA
R 60/160 ⅆ – ☕ 20 – **13 ch** 140/180 – 1/2 p 170/260.

GUILVINEC **29115** Finistère **58** ⑭ **G. Bretagne** – 4 108 h.

Paris 576 – Douarnenez 40 – Pont-l'Abbé 11 – Quimper 31.

✕✕ **Centre** avec ch, r. Penmarch ✆ **98 58 10 44**, ⛱ – ⎓wc ⋒wc **P**. **E** VISA
fermé fév. et lundi de nov. à mars – **R** 55/240, enf. 40 – ☕ 20 – **18 ch** 94/172 – 1/2 p 150/195.

GUINGAMP ⟨SP⟩ **22200** C.-du-N. **59** ② **G. Bretagne** – 9 519 h.

Voir Basilique★ B.

ℹ Office de Tourisme 2 pl. Vally (avril-sept.) ✆ 96 43 73 89.

Paris 483 ③ – ♦Brest 113 ⑦ – Carhaix-Plouguer 47 ⑥ – Lannion 32 ⑦ – Morlaix 55 ⑦ – Pontivy 61 ④ – St-Brieuc 31 ③.

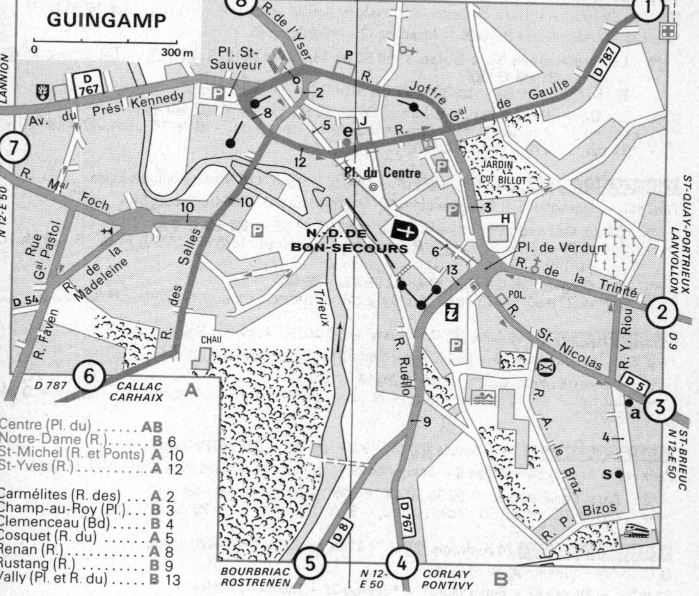

D'Armor M sans rest, **44 bd Clemenceau** ✆ **96 43 76 16** – ⎓wc ⋒wc ☎. AE **O** VISA. ✗ B **s**
☕ 22 – **23 ch** 165/190.

Hermine M, **1 bd Clemenceau** ✆ **96 21 02 56** – ⋒wc ☎. VISA B **a**
R grill (fermé mai et dim.) 65/85 ⅆ, enf. 50 – ☕ 25 – **12 ch** 120/160.

XXX **Relais du Roy** avec ch, pl. Centre 96 43 76 62 – TV wc wc – 30. AE E VISA. rest A e
fermé vacances de Noël et dim. d'oct. à avril sauf fêtes – **R** 85/250, enf. 70 – 40 – **7 ch** 300/350.

CITROEN Kerambrun, ZAC de Bellevue à Ploumagoar par ③ 96 43 79 07
FORD Gar. du Vally, pl. du Vally 96 43 97 84
PEUGEOT, TALBOT Landrau Autom., Zone Ind. de Locmenard à Graces par ⑥ 96 43 85 59
RENAULT Menguy, 9 r. Carmélites 96 43 70 40
SEAT, VOLVO Prestige Auto, ZI de Bellevue à Ploumagoar 96 43 75 25

Desserrey-Pneus, Zone Ind. de Graces-Guingamp 96 43 96 82
Yven-Coetmeur, 34 r. St-Nicolas 96 43 73 85

GUISE 02120 Aisne 53 ⑮ **G. Flandres Artois Picardie** – 6 296 h. – **Voir Château★.**
Paris 173 – Avesnes 39 – Cambrai 47 – Hirson 38 – Laon 38 – St-Quentin 27.

Champagne Picardie M sans rest, 41 r. A. Godin 23 60 43 44, – TV wc wc P – 30. E VISA.
fermé 23 déc. au 2 janv. – 21 – **14 ch** 115/195.

X **Guise** avec ch, 103 pl. Lesur 23 61 17 88 – E VISA
fermé 15 au 31 juil. – **R** *(fermé dim. soir et vend.)* 60/130 – 16 – **8 ch** 85/182 – 1/2 p 140.

PEUGEOT-TALBOT Donnay Autom, 35 r. de Flavigny 23 61 09 43

GUÎTRES 33 Gironde 75 ② **G. Pyrénées Aquitaine** – 1 377 h. – **33230** Coutras.
Syndicat d'Initiative à la Mairie 57 69 10 34 et av. Gare (mai-sept. après-midi seul.) 57 69 11 48.
Paris 527 – Angoulême 84 – Blaye 46 – ♦Bordeaux 46 – Libourne 16 – St-André-de-Cubzac 24.

Bellevue sans rest, 57 69 12 81 – wc P.
fermé 15 sept. au 5 oct. et 8 au 29 fév. – 17 – **11 ch** 70/110.

GUJAN-MESTRAS 33470 Gironde 78 ② **G. Pyrénées Aquitaine** – 8 600 h.
Voir Parc ornithologique du Teich★ E : 5 km.
Office de Tourisme 41 av. de Lattre-de-Tassigny (fermé après-midi hors saison) 56 66 12 65.
Paris 633 – Andernos-les-Bains 26 – Arcachon 12 – ♦Bordeaux 48.

La Guérinière M, à Gujan 56 66 08 78, Télex 541270, – TV wc P – 50. AE E VISA
R 150/250, enf. 80 – 30 – **27 ch** 310/350 – 1/2 p 320/435.

X **La Coquille** avec ch, à Gujan 56 66 08 60, – . AE VISA
fermé 15 janv. au 15 fév., dim. soir et lundi hors sais. – **R** 68/160, enf. 40 – 20 – **11 ch** 120/170 – 1/2 p 160/170.

GUNDERSHOFFEN 67 B-Rhin 57 ⑲ – 2 653 h. – **67110** Niederbronn-les-Bains.
Paris 457 – Haguenau 15 – Sarreguemines 62 – ♦Strasbourg 47 – Wissembourg 34.

XX **Chez Gérard** avec ch, à la Gare 88 72 91 20 – AE E VISA
fermé 28 juil. au 11 août – **R** *(fermé mardi soir et merc.)* 70/200 – 18 – **4 ch** 70 – 1/2 p 140.

XX **Au Cygne,** 35 Gd Rue 88 72 96 43 – E VISA
fermé 29 août au 12 sept., fin fév. à début mars, dim. soir et lundi – **R** 85/150.

GYÉ-SUR-SEINE 10 Aube 61 ⑱ – 493 h. – **10250** Mussy-sur-Seine.
Paris 208 – Bar-sur-Aube 40 – Châtillon-sur-Seine 24 – Tonnerre 51 – Troyes 44.

X **Voyageurs** avec ch, 25 38 20 09 –
fermé 1er au 15 fév. et merc. – **R** (dim. et fêtes prévenir) 62/140 – 18 – **9 ch** 85/107.

HABÈRE-LULLIN 74 H.-Savoie 70 ⑰ – 395 h. alt. 850 – **74420** Boëge.
Paris 566 – Annecy 60 – Boëge 6 – Bonneville 29 – ♦Genève 31 – Lullin 10 – Thonon-les-Bains 23.

Aux Touristes, 50 39 50 42, <, – P. E VISA.
fermé 15 oct. au 20 déc. et merc. – **R** 60/155 – 20 – **20 ch** 120/145 – 1/2 p 145.

HABÈRE-POCHE 74 H.-Savoie 70 ⑰ – 511 h. alt. 945 – **74420** Boëge.
Office de Tourisme 50 39 54 46.
Paris 568 – Annecy 62 – Bonneville 31 – ♦Genève 33 – Thonon-les-Bains 21.

Chardet M, à Ramble 50 39 51 46, <, – wc wc P. ch
15 juin-1er oct., 15 déc.-15 avril – **R** 78/130 – 22 – **30 ch** 145/200 – 1/2 p 170/190

X **Le Tiennolet,** 50 39 51 01, – AE E VISA
fermé 31 mai au 26 juin, 27 sept. au 29 oct., mardi soir et merc. sauf vacances scolaires – **R** 90/200.

au Col de Cou NO : 4 km – ✉ **74420** Boëge.
Voir ≤★, G. Alpes du Nord.

Le Gai Logis ⛰, ☎ 50 39 52 35, ≤, 🌳 – **P**. **E** VISA. ✻ rest
11 juin-1er oct. et 20 déc.-18 avril – **R** 70/140 🍷, enf. 40 – ☕ 20 – **11 ch** 90/180 – 1/2 p 165/190.

L'HABITARELLE 48 Lozère **76** ⑯ – ✉ **48170** Châteauneuf-de-Randon.
Paris 578 – Langogne 19 – Mende 28 – Le Puy 61.

Poste et Voyageurs, ☎ 66 47 90 05, 🌳 – wc 🚗. **E** VISA
fermé 20 déc. au 31 janv. vend. soir et sam. midi du 1er oct. au 30 avril – **R** 43/120, enf. 25 – ☕ 16 – **23 ch** 73/134 – 1/2 p 102/130.

HAGENTHAL-LE-BAS 68 H.-Rhin **66** ⑩ – 777 h. – ✉ **68220** Hegenheim.
18 privé de Bâle ☎ 89 68 50 91, N : 2 km.
Paris 547 – Altkirch 27 – ♦Bâle 12 – Colmar 74 – ♦Mulhouse 40.

Jenny avec ch, NE : 2,5 km par D 12B près golf ☎ 89 68 50 09, 🌳, 🌳 – wc **P**. ◑ **E** VISA
fermé 9 janv. au 9 fév. – **R** *(fermé merc.)* 85/230 🍷, enf. 30 – ☕ 20 – **10 ch** 85/145 – 1/2 p 145/165.

HAGETMAU 40700 Landes **78** ⑦ **G. Pyrénées Aquitaine** – 4 514 h.
Syndicat d'Initiative pl. République (fermé après-midi sauf juil.-août) ☎ 58 79 38 26.
Paris 737 – Aire-sur-l'Adour 34 – Dax 45 – Mont-de-Marsan 29 – Orthez 25 – Pau 57 – Tartas 35.

Le Jambon avec ch, r. Carnot ☎ 58 79 32 02, 🌳 – wc wc 🚗. **E** VISA
fermé 1er au 15 oct. et lundi – **R** 60/140 🍷 – ☕ 10,50 – **10 ch** 80/180 – 1/2 p 150.

Relais Basque avec ch, r. P.-Duprat ☎ 58 79 30 64 – wc. **E** VISA. ✻ ch
fermé 4 au 22 août et vend. – **R** 45 bc/110 🍷 – ☕ 14 – **6 ch** 75/125.

CITROEN Lacourrège, ☎ 58 79 31 80
PEUGEOT, TALBOT Maurin, ☎ 58 79 58 58 **N**
RENAULT Labadie, ☎ 58 79 38 11

HAGUENAU SP **67500** B.-Rhin **57** ⑲ **G. Alsace et Lorraine** – 29 715 h.
Voir Boiseries★ de l'église St-Nicolas BY.
Office de Tourisme 1 pl. J.-Thierry ☎ 88 73 30 41.
Paris 479 ④ – Baden-Baden 43 ② – Épinal 149 ④ – Karlsruhe 64 ② – Lunéville 117 ④ – ♦Nancy 138 ④ – St-Dié 122 ④ – Sarreguemines 76 ⑥ – ♦Strasbourg 32 ④.

Plan page suivante

Europe, 15 av. professeur-R.-Leriche, par ④ ☎ 88 93 58 11, Télex 880566, 🏊 – |‡| ▤ rest wc wc ☎ **P** – 🏛 25. AE ◑ **E** VISA
R 48/200 🍷, enf. 40 – ☕ 22 – **83 ch** 150/250.

National, pl. Gare ☎ 88 93 85 70 – |‡| wc wc ☎. VISA — AZ a
R *(fermé lundi sauf fériès)* 72/190 🍷, enf. 30 – ☕ 20 – **26 ch** 110/180.

Barberousse, 8 pl. Barberousse ☎ 88 73 31 09, 🌳 – **E** VISA — AY k
fermé 26 juil. au 15 août, vacances de fév., dim. soir et lundi – **R** 50/150 🍷, enf. 38.

à Schweighouse-sur-Moder par ⑤ : 4 km – 4 134 h. – ✉ **67590** Schweighouse-sur-Moder :

Aub. Cheval Blanc avec ch, 46 r. Gén. de Gaulle ☎ 88 72 76 96, 🌳 – wc wc **P**. **E** VISA. ✻ ch
fermé 7 au 30 août, 26 déc. au 9 janv., dim. soir et sam. – **R** 58/170 🍷, enf. 50 – ☕ 22 – **14 ch** 95/150.

par ⑥ 1 km sur N 62 – ✉ **67500** Hagueneau

Climat de France, ☎ 88 73 06 66 – TV wc ☎ ♿ **P**. **E** VISA
R 57/150 🍷, enf. 37 – ☕ 20 – **26 ch** 205/239 – 1/2 p 235/262.

à Marienthal SE par D 48 – ✉ **67500** Haguenau :

Relais Princesse Maria Leczinska, 1 r. Rothbach ☎ 88 93 70 39, 🌳 – AE ◑ **E** VISA
fermé 19 sept. au 4 oct., 1er au 22 fév., mardi midi et lundi – **R** 100/240.

CITROEN Sodifa, 88 rte Bischwiller BZ ☎ 88 93 38 88 **N**
FIAT Gloeckler, 1 bd Europe ☎ 88 73 41 00
FORD Gar. Wolff, 91 rte de Bischwiller ☎ 88 93 12 13
PEUGEOT-TALBOT Nord-Alsace-Autom., 121a rte Strasbourg par ④ ☎ 88 93 90 90
RENAULT Grasser, 134 rte Weitbruch par D 48 BZ ☎ 88 93 02 29 **N**

VAG Gar. Schwartz, rte de Marienthal ☎ 88 93 67 76

Alsace-Pneus, 4 chemin des Prairies ☎ 88 73 30 79
Kautzmann, 105 rte de Strasbourg ☎ 88 93 11 38
Pneus et Services D.K. 2 rte de Strasbourg ☎ 88 93 93 59

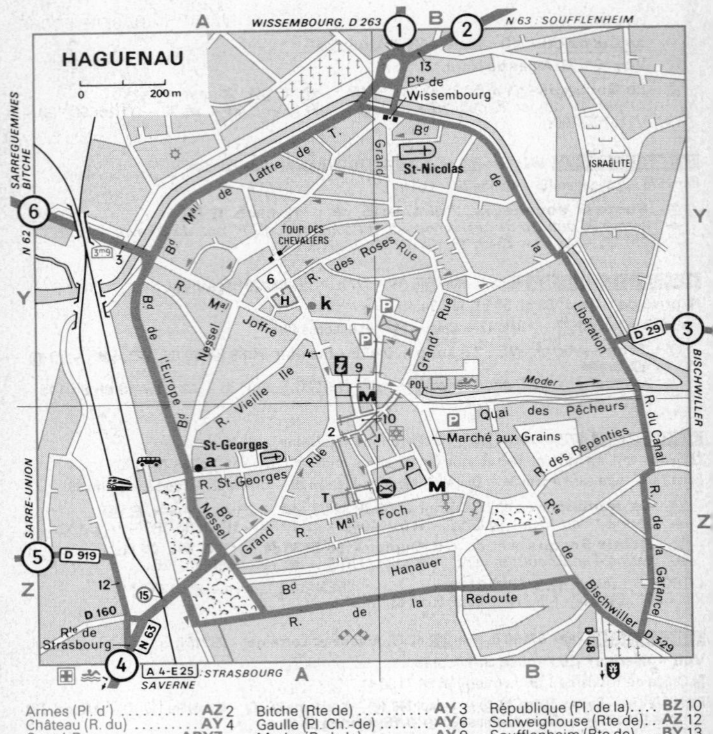

Armes (Pl. d') . . . . **AZ** 2
Château (R. du) . . . . **AY** 4
Grand-Rue. . . . . **ABYZ**
Bitche (Rte de) . . . . **AY** 3
Gaulle (Pl. Ch.-de) . . . . **AY** 6
Moder (R. de la) . . . . **AY** 9
République (Pl. de la). . . . **BZ** 10
Schweighouse (Rte de). . **AZ** 12
Soufflenheim (Rte de) . . . **BY** 13

HAM 80400 Somme 53 ⑬ **G. Flandres Artois Picardie** – 6 399 h.

Paris 126 – ✦Amiens 67 – Noyon 20 – Péronne 24 – Roye 26 – St-Quentin 20 – Soissons 56.

Valet, 58 r. Noyon ✆ 23 81 10 87 – TV wc wc. E VISA
R *(fermé 8 au 23 août et 20 déc. au 5 janv., sam. et dim.)* 43/58 – 17 – **25 ch** 60/180.

France, pl. Hôtel-de-Ville ✆ 23 81 00 22 – AE E VISA
fermé vacances de fév., dim. soir et lundi – **R** 80/210, enf. 60.

CITROEN Gar. de Picardie, 7 r. de Noyon ✆ 23 81 01 86

V.A.G. Gar. Valet, 26 rte de Paris à Muille-Villette ✆ 23 81 02 56

HAMBYE 50650 Manche 54 ⑬ **G. Normandie Cotentin** – 1 241 h.

Voir Ruines de l'abbaye★★ S : 5 km.

Paris 324 – Coutances 23 – Granville 29 – St-Lô 26 – Tessy-sur-Vire 15 – Villedieu-les-Poêles 17.

Les Chevaliers avec ch, au bourg D 13 ✆ 33 90 42 09 – E VISA
fermé fév., dim. soir et lundi du 15 sept. au 15 juin – **R** (nombre de couverts limité - prévenir) 50/120 – 14 – **6 ch** 75/80.

HAMEAU du SOLEIL 06 Alpes-Mar. 84 ⑨, 195 ㉕ – rattaché à Cagnes-sur-Mer.

HANAU (Étang de) 57 Moselle 57 ⑰ – rattaché à Philippsbourg.

HARDELOT-PLAGE 62 P.-de-C. 51 ⑪ **G. Flandres Artois Picardie** – ✉ 62152 Neufchâtel Hardelot.

18 ✆ 21 83 73 10, E : 1 km.

Paris 233 – Arras 109 – Boulogne-sur-Mer 15 – Montreuil 31 – Le Touquet-Paris-Plage 23.

Le Régina [M], av. François-1er ✆ 21 83 81 88 – 🛗 TV ⇔wc ⋒wc ☎ ♿ P – 🏊 70. ⓓ E VISA. ✗ rest
fermé 6 déc. au 9 fév. – **R** *(fermé dim. soir et lundi sauf juil.-août)* 72/98 – ☕ 19,50 – **40 ch** 206/230 – ½ p 205/310.

Écusson, av. François-1er ✆ 21 83 71 52 – 🛗 TV ⇔wc ⋒wc ☎ P – 🏊 50. AE ⓓ E VISA
fermé 10 janv. au 20 fév. – **R** *(fermé dim. soir du 1er oct. au 31 mars)* 75/180 🍼, enf. 35 – ☕ 30 – **20 ch** 145/277 – ½ p 263/363.

HARTMANNSWILLER 68 H.-Rhin 66 ⑨ – rattaché à Guebwiller.

HASPARREN 64240 Pyr.-Atl. 85 ③ **G. Pyrénées Aquitaine** – 5 611 h.

Env. Grottes d'Oxocelhaya et d'Isturits★★ SE : 11 km.

Paris 779 – ♦Bayonne 24 – Cambo-les-B. 10 – Pau 103 – Peyrehorade 32 – St-Jean-Pied-de-Port 33.

Tilleuls, pl. Verdun ✆ 59 29 62 20 – ⋒wc ☎. E VISA. ✗
fermé janv., dim. soir (sauf hôtel) vend. soir et sam. midi – **R** 60/100 – ☕ 17 – **12 ch** 125/150 – ½ p 200/270.

Argia, r. Dr.-J.-Lissart ✆ 59 29 60 24 – ⇔wc ⋒wc ☎. AE E VISA
fermé nov. et lundi sauf juil.-août – **R** 47/170 🍼 – ☕ 16 – **21 ch** 80/145 – ½ p 156/221.

HASPRES 59198 Nord 53 ④ – 2 700 h.

Paris 196 – Avesnes-sur-Helpe 24 – Cambrai 17 – ♦Lille 62 – Valenciennes 17.

Aub. St Hubert, ✆ 27 25 70 97 – P. AE ⓓ E VISA
fermé août, dim. soir et lundi sauf fériés – **R** 55/150.

HAULCHIN 59 Nord 53 ④ – rattaché à Valenciennes.

HAUT-COMBLOUX 74 H.-Savoie 74 ⑧ – rattaché à Combloux.

HAUTELUCE 73620 Savoie 74 ⑰⑱ **G. Alpes du Nord** – 707 h. alt. 1 193 – Sports d'hiver au Col des Saisies : 1 450/1 950 m ⛷18, ⛷.

Env. Signal de Bisanne ✳★★ O : 11 km.

HAUTERIVES 26390 Drôme 77 ② **G. Vallée du Rhône** – 1 105 h.

Voir Le Palais Idéal★.

Paris 531 – ♦Grenoble 73 – ♦Lyon 71 – Valence 47 – Vienne 41.

Le Relais, ✆ 75 68 81 12, 🌳 – ⇔ ⋒wc ☎ P. ✗ rest
fermé mi-janv. à fin fév., dim. (sauf juil.-août) et lundi (sauf hôtel en juil.-août) – **R** 50/160 – **17 ch** ☕80/150.

Les HAUTES-RIVIÈRES 08 Ardennes 53 ⑲ **G. Champagne** – 2 354 h. – ✉ **08800** Monthermé.

Voir Croix d'Enfer ≤★ S : 1,5 km par D 13 puis 30 mn – Vallon de Linchamps★ N : 4 km.

Paris 247 – Charleville-Mézières 22 – Dinant 55 – Sedan 45.

Les Saisons, ✆ 24 53 40 94 – AE ⓓ VISA
fermé fév., dim. soir et lundi sauf fériés – **R** 57/200 🍼, enf. 35.

HAUTEVILLE-LOMPNES 01110 Ain 74 ④ – 4 905 h. alt. 815 – Sports d'hiver : 900/1 200 m ⛷3 ⛷ – **Voir** Chute et gorges de l'Albarine★, **G. Jura.**

ℹ Syndicat d'Initiative à l'Ancienne Mairie ✆ 74 35 39 73.

Paris 481 – Aix-les-Bains 60 – Belley 33 – Bourg-en-Bresse 52 – ♦Lyon 84 – Nantua 31.

La Chapelle 🐌, r. Chapelle ✆ 74 35 20 11, 🌲 – ⇔wc ⋒ ☎ P. E VISA
fermé vacances de nov. et de printemps et merc. sauf vacances scolaires – **R** 70/130 🍼, enf. 50 – ☕ 20 – **20 ch** 116/198 – ½ p 152/199.

Villa Corbet, r. des Fontanettes ✆ 74 35 30 04 – ⇔ ch ☎ P. ✗
fermé nov. – **R** 54/70 🍼 – ☕ 17 – **8 ch** 85/115 – ½ p 130.

au col de la Lèbe rte de Belley : 9 km – alt. 905 m – ✉ **01260** Champagne-en-Valromey.

Aub. du Col de la Lèbe 🐌 avec ch, ✆ 79 87 64 54, ≤, 🌳, 🌲 – ⋒ P. E VISA. ✗ ch
fermé 20 au 30 juin, 20 au 30 sept., 15 au 30 nov., 5 au 15 janv., mardi (sauf juil.-août) et lundi – **R** 89/160 dîner à la carte – ☕ 17 – **7 ch** 93/135 – ½ p 160/180.

CITROEN Gar. Deschombeck, ✆ 74 35 30 45
FORD Gar. Standard, ✆ 74 35 35 56
PEUGEOT-TALBOT Gar. Jean Miguet, ✆ 74 35 35 74
RENAULT Gar. Depierre, ✆ 74 35 31 15 N
RENAULT Gge de l'Albarine, ✆ 74 35 35 63
Gar. Lay, ✆ 74 35 37 80

HAUT-KOENIGSBOURG 67 B.-Rhin 62 ⑱⑲ **G. Alsace et Lorraine** – alt. 755.
Voir Château★★ : ☼★★.

Le HAVRE <SP> **76600** S.-Mar. 55 ③ **G. Normandie Vallée de la Seine** – 197 730 h.
Voir Port★★ EZ – **Quartier moderne★** EFYZ : **intérieur★★ de l'église St-Joseph★** EZ, **pl. de l'Hôtel-de-Ville★** FY **47**, **Av. Foch★** EFY – **Fort de Ste-Adresse ☼★★** EY **E** – **Bd Président-Félix-Faure : table d'Orientation ☼★ à Ste-Adresse** A **F** – **Musée des Beaux-Arts★** EZ **M1.**
18 ☎ **35 46 36 11 N par ① : 10 km.**
✈ **du Havre-Octeville ☎ 35 46 09 81,** A.
Office de Tourisme et Accueil de France (Informations et réservations d'hôtels, pas plus de 5 jours à l'avance) Forum Hôtel-de-Ville ☎ 35 21 22 88, Télex 190369 – A.C.O. 49 r. Racine ☎ 35 42 39 32.
Paris 203 ④ – ♦Amiens 179 ③ – ♦Caen 107 ④ – ♦Lille 284 ③ – ♦Nantes 380 ④ – ♦Rouen 87 ③.

- **Bordeaux** M sans rest, 147 r. L.-Brindeau ☎ **35 22 69 44, Télex 190428** – TV ☎. AE ⓓ E VISA. FZ **v**
  ☕ 35 – **31 ch** 260/425.
- **Mercure** M, **Chaussée d'Angoulême ☎ 35 21 23 45, Télex 190749** – TV ☎ ♿ – 200. AE ⓓ E VISA GZ **b**
  R carte 110 à 185 ♂, enf. 45 – ☕ 37 – **96 ch** 405/445.
- **Le Marly** sans rest, **121 r. Paris ☎ 35 41 72 48** – TV ☎. AE ⓓ E VISA FZ **n**
  ☕ 24 – **37 ch** 220/300.

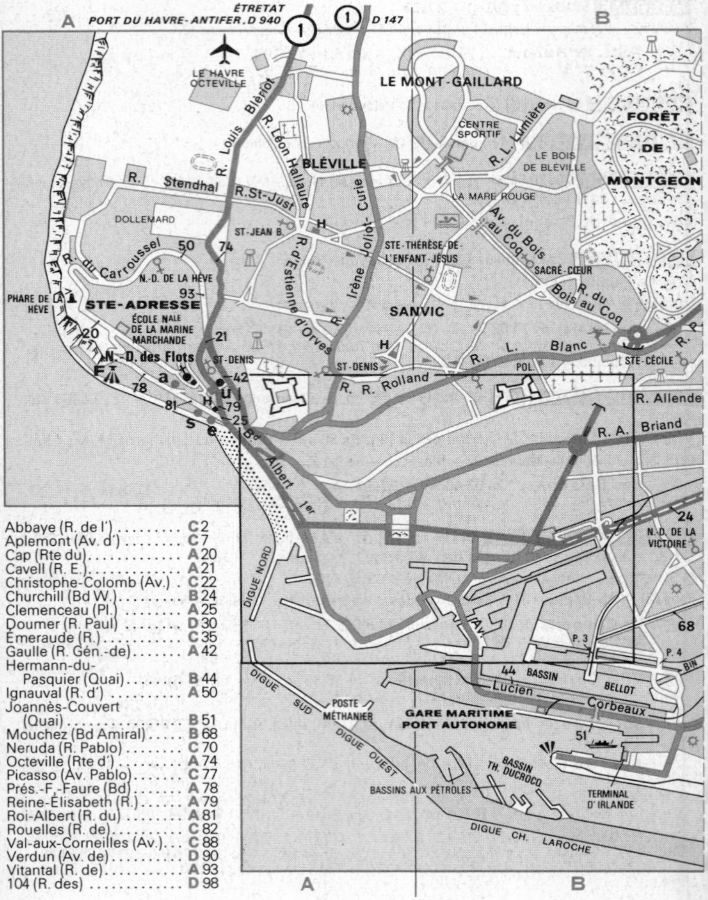

Abbaye (R. de l') .... C 2
Aplemont (Av. d') .... C 7
Cap (Rte du) .... A 20
Cavell (R. E.) .... A 21
Christophe-Colomb (Av.) . C 22
Churchill (Bd W.) .... B 24
Clemenceau (Pl.) .... A 25
Doumer (R. Paul) .... D 30
Émeraude (R.) .... C 35
Gaulle (R. Gén.-de) .... A 42
Hermann-du-Pasquier (Quai) .... B 44
Ignauval (R. d') .... A 50
Joannès-Couvert (Quai) .... B 51
Mouchez (Bd Amiral) .... B 68
Neruda (R. Pablo) .... C 70
Octeville (Rte d') .... A 74
Picasso (Av. Pablo) .... C 77
Prés.-F.-Faure (Bd) .... A 78
Reine-Élisabeth (R.) .... A 79
Roi-Albert (R. du) .... A 81
Rouelles (R. de) .... C 82
Val-aux-Corneilles (Av.) .... C 88
Verdun (Av. de) .... D 90
Vitantal (R. de) .... A 93
104 (R. des) .... D 98

France et Bourgogne, 21 cours République ✆ 35 25 40 34 – 🛗 TV wc wc ☎ – 🏔 50. AE ⓞ E VISA — HZ **z**
R *(fermé sam. sauf fêtes)* 78/115 – ☕ 22 – **31 ch** 186/255.

Astoria, 13 cours République ✆ 35 25 00 03, Télex 190075 – 🛗 TV wc wc ☎. AE ⓞ E VISA — HZ **z**
R 44/68 – ☕ 20 – **36 ch** 160/250 – $^1/_2$ p 225.

Parisien sans rest, 1 cours République ✆ 35 25 23 83 – 🛗 TV wc wc ☎. AE ⓞ E VISA — HZ **e**
fermé 20 déc. au 5 janv. – ☕ 20 – **22 ch** 116/222.

Foch sans rest, 4 r. Caligny ✆ 35 42 50 69 – 🛗 wc wc ☎. AE E VISA. — EZ **b**
☕ 20 – **33 ch** 90/220.

Bauza sans rest, 15 r. G.-Braque ✆ 35 42 27 27 – TV wc wc ☎. E VISA. — FY **p**
☕ 19,50 – **26 ch** 89/225.

Celtic sans rest, 106 r. Voltaire ✆ 35 42 39 77 – TV wc ☎. E VISA — FZ **k**
☕ 23 – **14 ch** 140/190.

H. Petit Vatel sans rest, 86 r. L.-Brindeau ✆ 35 41 72 07 – wc wc ☎. VISA. — FZ **t**
– ☕ 18 – **29 ch** 170/200.

Voltaire sans rest, 14 r. Voltaire ✆ 35 41 30 91 – TV wc ☎. E VISA — EZ **q**
☕ 20 – **24 ch** 95/190.

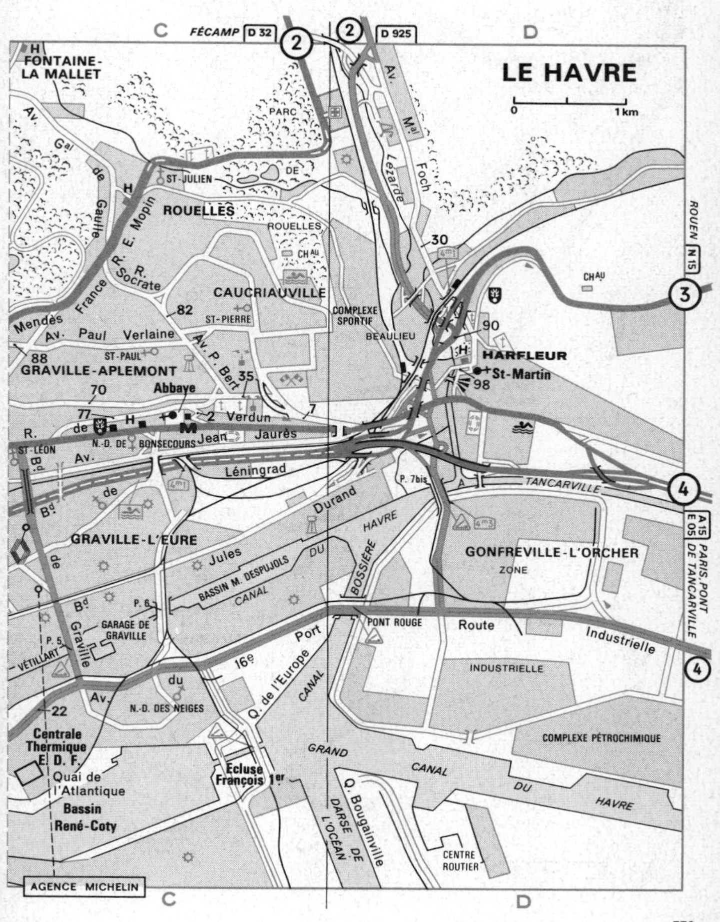

LE HAVRE

Briand (R. A.) .... **HY**
Delavigne (R. C.) ...... **GHY**
Étretat (R. d') .... **EY**
Joffre (R. Maréchal) .... **GHY**
Paris (R. de) .... **FZ**
République
(Cours de la) .... **HY**

Albert-1er (Bd) .... **EY**
Alma (R. de l') .... **EY** 3
Anatole-France (R.) ...... **GY**
Anfray (R.) .... **GZ** 5
Angoulême
(Chaussée d') .... **GZ** 6
Archinard
(Av. du Général) ...... **GZ** 9
Aviateur-Guérin (R.) .... **HZ**
Barre
(Chaussée de la) ..... **GZ** 10
Bellanger (R. F.) .... **EY**
Bellot (R.) .... **HZ**
Bisson (R. F.) .... **GY** 13
Bougainville (R.) .... **HY**
Braque (R. G.) .... **EFY**
Bretagne (R. de) ...... **FGZ** 14
Brindeau (R. L.) .... **EFZ** 15
Bourse (Pont de la) .... **FZ** 17
Cavée-Verte (R. de la) .. **EFY**
Chevalier-de-la
Barre (Cours) .... **HZ** 18
Churchill (Bd W.) .... **HZ** 24
Clemenceau (Bd) .... **EZ**
Cochet (R.) .... **EY**
Colbert (Quai) .... **HZ**
Corbeaux (Av. L.) .... **GZ**
Coty (Av. René) .... **FGY**
Courbet (R. Amiral) ...... **HZ**
Cronstadt (R. de) .... **GY**
Delaroche (R. M.) .... **FY** 28
Delavigne (Quai C.) ...... **GZ** 29
Demidoff (R.) .... **HY**
Docteur-Boissière
(R. du) .... **EFY**
Drapiers (R. des) .... **FZ** 32
Faidherbe
(R. du Général) ..... **FGZ** 36
Faure (R. Félix) .... **FGY**
Faure (R. P.) .... **FY**
Féré (Quai Michel) .... **FZ** 37
Fort (R. du) .... **EY**
Flaubert (R. G.) .... **FGY**
Foubert (R.) .... **EY** 39
François-1er (Bd) .... **EFZ**
Gallieni (R. du Mar.) .... **GY** 40

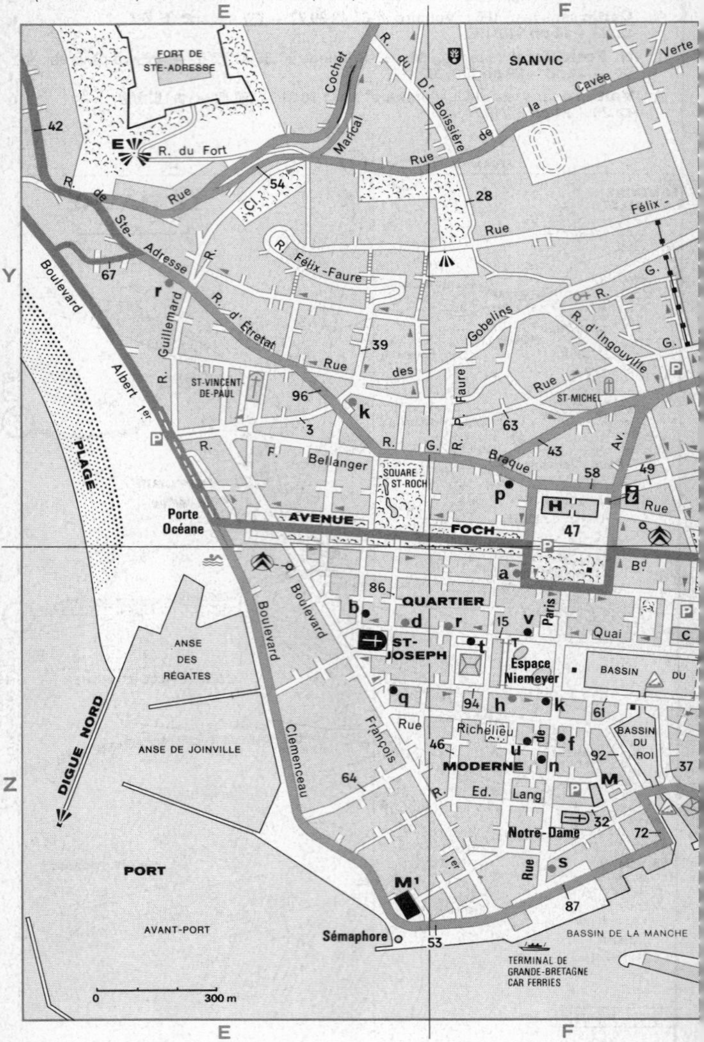

Gaulle
(R. du Général-de) . . . EY 42
Genestal (R. H.) . . . . FY 43
George-V (Quai) . . . . . . FGZ
Gobelins (R. des) . . . . . . EFY
Guillemard (R.) . . . . EY
Hélène (R.) . . . . HY
Honegger (R. A.) . . . . FZ 46
Hôtel-de-Ville
(Pl. de l') . . . . FYZ 47
Huet (R. A.-A.) . . . . FY 49
Ingouville (R. d') . . . . FY
Kennedy
(Chaussée J.) . . . . EFZ 53
Labourdonnais (R. de) . . EY 54
Lafaurie (R. G.) . . . . FGY
Laffite (R. Ch.) . . . . HZ 56
Lamblardie (Quai) . . . . . FGZ 57
Lang (R. Ed.) . . . . FZ

Leclerc
(Av. du Général) . . . . . . FY 58
Leblond (R. Ph.) . . . . HY 60
Lecesne (R. Jules) . . . . GYZ
Lesueur (R.) . . . . GHY
Le Testu (Quai G.) . . . . FZ 61
Louer (R. J.) . . . . FY 63
Mailleraye (R. de la) . . . . . EZ 64
Marceau (R.) . . . . HZ
Marical (R. Cl.) . . . . EY
Massillon (R.) . . . . HY 65
Maupassant (R. G.-de) . . EY 67
Mouchez
(Bd de l'Amiral) . . . . . . HZ
Neustrie (R. de) . . . . HY 71
Notre-Dame (Quai) . . . . . FZ 72
Pasteur (R.) . . . . HY 75
Renan (R. Ernest) . . . . . GY
Richelieu (R.) . . . . EFZ

Rouelle
(R. du Général) . . . . . . HY 84
Rousseau (R. J.-J.) . . . . . HY
Sagne (Quai de la) . . . . . . HZ
Ste-Adresse (R.) . . . . EY
Sarrail
(R. du Général) . . . . . GYZ
Séry (R.) . . . . EZ 86
Southampton (Quai) . . . . FZ 87
Strasbourg (Bd de) . . . . FGZ
Tellier (R. J.) . . . . HY
Tourneville (R. de) . . . . GHY
Videcoq (Quai) . . . . FZ 92
Voltaire (R.) . . . . EFZ 94
Wilson
(R. du Président) . . . . . EY 96
24e-Territorial
(Chaussée du) . . . . EZ 97
329e (R. du) . . . . GHY

Richelieu sans rest, 132 r. Paris ✆ 35 42 38 71 – wc wc ☎. E VISA FZ f
19,50 – **20 ch** 81/170.

Séjour Fleuri sans rest, 71 r. E.-Zola ✆ 35 41 33 81 – wc. VISA FZ u
15 – **29 ch** 80/130.

XXX **Le Monaco** avec ch, 16 r. Paris ✆ 35 42 21 01 – rest rest wc ☎. AE E VISA FZ s
fermé 14 au 28 fév. – **R** *(fermé lundi d'oct. à mai sauf fériés)* 95/250 – 20 – **10 ch** 100/230.

XX **Le Petit Bedon,** 39 r. L.-Brindeau ✆ 35 41 36 81 – AE E VISA EZ d
fermé 14 au 31 juil., 1er au 15 fév. et dim. soir – **R** 79/150.

XX **Cambridge,** 90 r. Voltaire ✆ 35 42 50 24, produits de la mer – AE E VISA FZ h
fermé 15 juil. au 15 août, 25 déc. au 2 janv., sam. midi et dim. – **R** 120/158.

XX **Lescalle,** 39 pl. H. de Ville ✆ 35 43 07 93 – AE E VISA FZ a
fermé août, dim. soir et lundi – **R** carte 115 à 160, enf. 45.

XX **La Petite Auberge,** 32 r. Ste-Adresse ✆ 35 46 27 32 – E VISA EY r
fermé août, vacances de fév., dim. soir et lundi sauf fêtes – **R** 80/140.

XX **Buffet Gare,** 28 cours République ✆ 35 26 54 33 – AE VISA HZ k
R 76.

X **Guimbarde,** 61 r. L.-Brindeau ✆ 35 42 15 36 – E VISA FZ r
fermé août, lundi midi et dim. – **R** 68/175.

X **Bonne Hôtesse,** 98 r. Président-Wilson ✆ 35 21 31 73 – E VISA EY k
fermé 1er au 29 août, dim. soir et lundi – **R** 50/80.

à Ste-Adresse - A – 8 212 h. – ✉ **76310** Ste-Adresse :

Phares sans rest, 29 r. Gén. de Gaulle ✆ 35 46 31 86 – wc wc ☎. E VISA
fermé 24 déc. au 2 janv. – 19 – **26 ch** 98/165. A u

XXX **Beau Séjour,** 3 pl. Clemenceau ✆ 35 46 19 69, Télex 172221, ← – . AE E VISA A e
R 98/225.

XXX **Nice-Havrais,** 6 pl. F.-Sauvage ✆ 35 46 14 59, ← – AE E VISA A a
fermé lundi en août, dim. soir et lundi soir – **R** 150/300, enf. 85.

XX **Yves Page,** 7 pl. Clemenceau ✆ 35 46 06 09 – AE E VISA A s
fermé 15 août au 6 sept., 10 fév. au 1er mars, dim. soir et lundi – **R** 120/250.

à Gonfreville l'Orcher D – 10 345 h. – ✉ **76700** Harfleur :

Campanile M, Z.A.C. Camp Dolent ✆ 35 51 43 00, Télex 771609, – TV wc ☎ P – 25. VISA
R 63 bc/86 bc, enf. 38 – 24 – **49 ch** 200/220 – $^1/_2$ p 287/330.

au Hode E : 18 km D 982 - D – ✉ **76430** St-Romain-de-Colbosc :

XXX **Dubuc,** ✆ 35 20 06 97 – P. AE E VISA
fermé 1er au 22 août, 14 au 21 mars, dim. soir et lundi – **R** 190/290.

MICHELIN, Agence, 43 r. Desmarais C ✆ 35 25 22 20

ALFA-ROMEO-SEAT Gar. des Halles, 14 bis r. Berthelot ✆ 35 24 08 64
AUSTIN, ROVER Girardey, 19 r. des Magasins Généraux ✆ 35 26 62 26
BMW Auto 76, 91 r. J.-Lecesne ✆ 35 22 69 69
CITROEN Succursale, 86 r. Ch.-Laffitte HZ ✆ 35 21 21 21 N
CITROEN Bailleau et Auber, 10 r. J.-Lecesne FY ✆ 35 42 22 31
CITROEN Succursale, 203 bd François 1er EZ ✆ 35 21 21 21 N
FIAT S.N.D.A., 220 bd de Graville ✆ 35 53 27 27
FORD Cazaux Autom., 32 r. Lamartine ✆ 35 53 13 60
FORD Lesueur, 53 cours République ✆ 35 25 41 16
FORD Palfray, r. A.-Lecomte, Octeville par ① ✆ 35 46 36 19
MERCEDES Lamartine Autom., 10, 12 r. Lamartine ✆ 35 24 46 06
PEUGEOT Lebigre, Hameau Café Blanc, Octeville par ① ✆ 35 46 36 45
PEUGEOT, TALBOT S.I.A. du Havre, 94 r. Denfert-Rochereau HZ ✆ 35 25 25 05
RENAULT Succursale, 239 à 273 bd de Graville C ✆ 35 26 81 21
RENAULT Thomine, 18 r. Michelet GY ✆ 35 21 02 33
TOYOTA Carrosserie-Océane, 370 bd Aristide Briand ✆ 35 26 66 43
V.A.G. Le Troadec, 447 r. Curie Zone Emploi Montgaillard ✆ 35 48 00 55
VAG Le Troadec, 93 r. Lesueur ✆ 35 22 45 05
VOLVO Lem-Automobiles, 113 bd Leningrad ✆ 35 53 33 33

Central-Pneu, 26 r. Lesueur ✆ 35 22 40 14
Legay-Pneus, 34 r. Fleurus ✆ 35 25 07 89
Nicol-Pneus, 12 r. Dumé-d'Aplemont ✆ 35 25 32 85 23 quai Georges V ✆ 35 41 75 89
Norais-Pneus, 203 bd Graville ✆ 35 26 50 68
Rénov' Pneus, 141 bd Amiral-Mouchez ✆ 35 26 64 64

Aimer la nature,
c'est respecter la pureté des sources, la propreté des rivières, des forêts, des montagnes...
c'est laisser les emplacements nets de toute trace de passage.

HAYBES 08 Ardennes 53 ⑱ G. Champagne – 2 145 h. – ✉ 08170 Fumay.
Paris 247 – Charleville-Mézières 35 – Fumay 2,5 – Givet 20 – Rocroi 21.

St-Hubert, ✆ 24 41 11 38 – wc ⋒. E VISA. ⋘
R 55/150 ♁, enf. 45 – ☕ 20 – **19 ch** 90/200 – ½ p 155/180.

Robinson ⋙, SE : 1 km par VO ✆ 24 41 11 73, ≤ – ℗. ⊕ E VISA. ⋘
fermé 20 déc. au 5 janv., vend. soir, sam. soir et lundi – **R** 55/180 – ☕ 18 – **9 ch** 75 – ½ p 140/155.

XX **Ermitage Moulin Labotte** ⋙ avec ch, E : 2 km par D 7 et VO ✆ 24 41 13 44, ⛱, parc – wc ⋒ ℗
R 130/160 – ☕ 20 – **8 ch** 100/200 – ½ p 190.

La HAYE-DU-PUITS 50250 Manche 54 ⑫ – 1 798 h.
Voir Mont Castre ≤★ E : 5 km puis 30 mn.
Env. Abbatiale★★ de Lessay S : 8 km, G. Normandie Cotentin.
ℹ Syndicat d'Initiative r. Emile-Poirier (saison) ✆ 33 46 01 42 et à la Mairie (hors saison) ✆ 33 46 00 04.
Paris 334 – Barneville-Carteret 19 – Carentan 24 – Coutances 29 – St-Lô 44 – Valognes 26.

XX **Gare** ⋙ avec ch, ✆ 33 46 04 22, ⛱ – VISA
fermé 15 déc. au 15 janv., vend. soir et sam. d'oct. à mars – **R** 48/105 – ☕ 23 – **12 ch** 75/120 – ½ p 145/175.

CITROEN Hardel, à St-Symphorien-le-Valois ✆ 33 46 03 55
PEUGEOT Leclerc, ✆ 33 46 01 99
RENAULT Beuve, ✆ 33 46 02 88

HAZEBROUCK 59190 Nord 51 ④ – 20 494 h.
Env. Cassel : site★ et jardin public ⁂★★ NO : 14 km, G. Flandres Artois Picardie.
ℹ A.C. 31 pl. Gén.-de-Gaulle ✆ 28 41 92 66.
Paris 239 ② – Armentières 28 ② – Arras 59 ④ – Dunkerque 41 ① – Ieper 34 ① – ♦Lille 42 ②.

HAZEBROUCK

Église (Grande-Rue de l') 8
Gaulle (Pl. du Général-de) 12
Leclerc (R. du Mar.) 14
Nationale (R.) 19

Aire (R. d') 2
Clef (R.) 3
Clocher (R. du) 4
Donckèle (R.) 6
Dunkerque (R. de) 7
Gare (R. de la) 10
Haute-Loge (Av. de la) 13
Masson-Beau (Av.) 15
Merville (R. de) 16
Moulin (R. du) 18
Notre-Dame (R.) 20
Pont (R. du) 22
Rivage (R. du) 23
Salengro (Place Roger) 25
Verdun (R. de) 26
Vieux-Berquin (R. de) 28

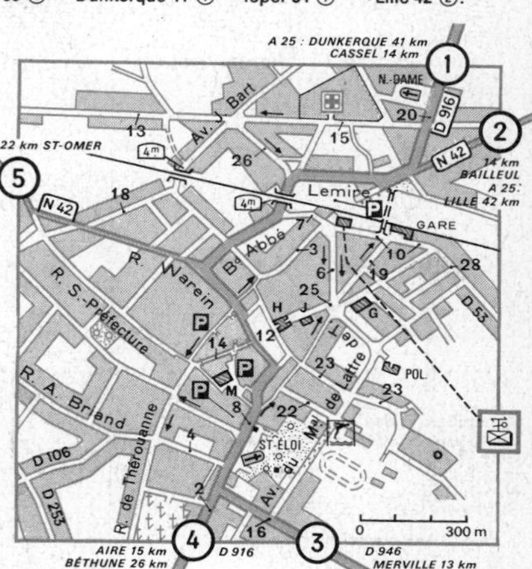

à Longue Croix NO : 8 km par N 42 et D 238 – ✉ 59190 Hazebrouck :

XX ✿ **Aub. de la Longue Croix** (Maerten), ✆ 28 40 03 30, ⛱ – ℗. ⋘
fermé 22 au 30 juin, début déc. à début janv., dim. soir, lundi soir, fêtes le soir et mardi – **R** (nombre de couverts limité-prévenir) (dîner sur réservation seul.) carte 175 à 260
Spéc. Saumon d'Ecosse au lard caramélisé, Ragoût de homard aux petits légumes, Martiniquais.

à La Motte au Bois par ③ : 5,5 km – ✉ 59190 Hazebrouck :

XXX **Aub. de la Forêt** avec ch, ✆ 28 48 08 78 – wc ⋒wc ☎. E VISA
fermé mi-déc à mi-janv., dim. soir, fériés le soir et lundi – **R** 105/210 – ☕ 25 – **13 ch** 120/220 – ½ p 200/240.

CITROEN Caron Dodon, 88 rte de Borre par ② ✆ 28 41 83 73
FORD Gar. Hazebrouckois, 216 r. du Vieux Berquin ✆ 28 41 40 08
OPEL-GM Watel Automobiles, 3 r. d'Aire ✆ 28 41 83 26 N
PEUGEOT-TALBOT Gar. Delaire-Dubus, 28 rte de Borre par ② ✆ 28 48 03 17
RENAULT Gar. de la Lys, 223 r. Notre-Dame par ① ✆ 28 41 87 85
V.A.G. Auto-Expo, av. de St-Omer ✆ 28 41 55 46

⊛ François-Pneus, 199 r. de Merville ✆ 28 41 59 46

HÉDÉ **35630** I.-et-V. **59** ⑯ **G. Bretagne** – 470 h.

Paris 369 – Avranches 64 – Dinan 29 – Dol-de-Bretagne 31 – Fougères 49 – ♦Rennes 23.

XX **Host. Vieux Moulin** avec ch, N 137 ✆ 99 45 45 70, ≤ – ⊟wc ☎ Ⓟ. ◑ E VISA
fermé 23 déc. au 31 janv., dim. soir et lundi – **R** 70/190, enf. 40 – ☕ 23 – **12 ch** 155/200 – ½ p 180/230.

XX **Vieille Auberge,** N 137 ✆ 99 45 46 25, ⛱, **« Cadre rustique, jardin »** – Ⓟ. AE ◑ E VISA – *fermé 21 au 29 août, 9 janv. au 6 fév., dim. soir et lundi* – **R** 85/135.

PEUGEOT TALBOT Modern-Gar., 21 r. des Forges ✆ 99 45 45 69

RENAULT Delacroix, N 137 ✆ 99 45 46 23

HEM **59** Nord **51** ⑯ – rattaché à Roubaix.

HENDAYE **64700** Pyr.-Atl. **85** ① **G. Pyrénées Aquitaine** – 11 112 h.

Voir Grand crucifix★ dans l'église St-Vincent BY B – Corniche basque★★ par ①.

ℹ Office de Tourisme 12 r. Aubépines ✆ 59 20 00 34.

Paris 807 ② – Pau 141 ② – St-Jean-de-Luz 14 ② – S.Sébastiàn 23 ③.

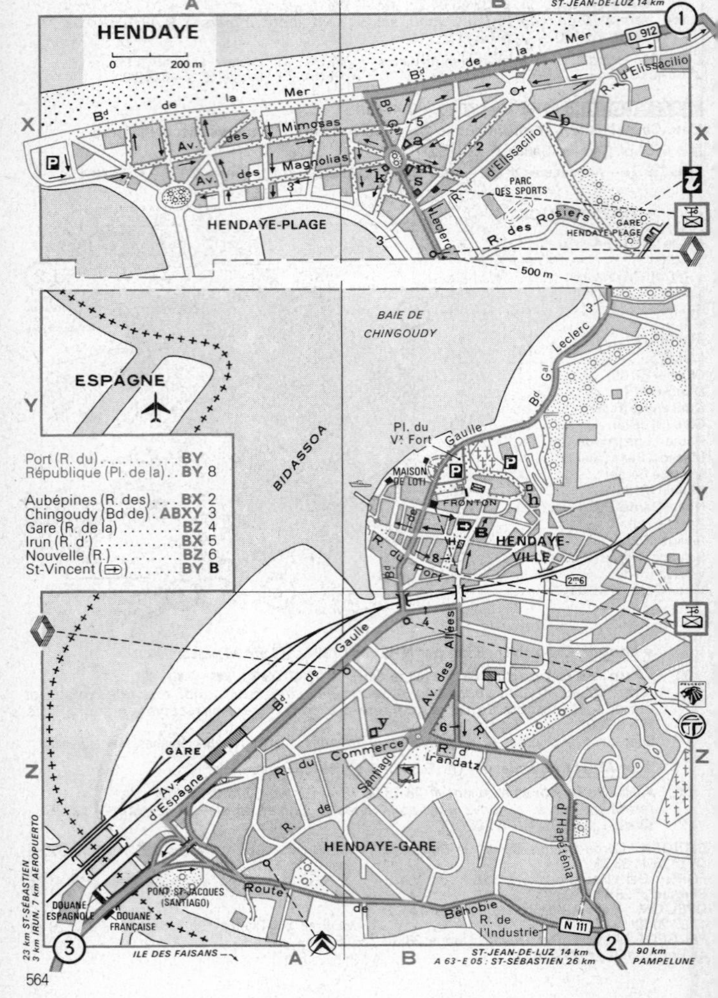

à Hendaye Plage :

Pohoténia, rte Corniche par ① ✆ **59 20 04 76,** – wc wc ☎ **P**. VISA.
fermé janv. – **R** 100/140 – 20 – **52 ch** 160/220 – 1/2 p 210/230.

Paris sans rest, Rond-Point ✆ **59 20 05 06,** – wc wc. AE E VISA
début mai-1er oct. – 23 – **39 ch** 130/270. BX **a**

Liliac sans rest, Rond-Point ✆ **59 20 02 45** – wc wc. AE E VISA
1er avril-30 oct. – 24 – **22 ch** 250/275. BX **m**

Abbadie sans rest, 12 r. Elissacilio ✆ **59 20 05 49,** – wc. AE E VISA
15 juin-30 sept. – 20 – **30 ch** 170/210. BX **b**

XX **Gitanilla** avec ch, 52 bd Leclerc ✆ **59 20 04 65,** – wc ☎. AE E VISA. ch
fermé 15 oct. au 30 nov., dim. soir et lundi – **R** 90 – 20 – **7 ch** 140/240 – 1/2 p 170/230. BX **s**

à Hendaye Ville :

Chez Antoinette, pl. Pellot ✆ **59 20 08 47,** – **P**. E VISA. ch
15 juin-15 sept. – **R** 90/95, enf. 35 – 17 – **24 ch** 105/160 – 1/2 p 170/230. BY **h**

Sud-Américain, r. Othatz ✆ **59 20 75 98** – wc ☎ **P**. E VISA. rest BZ **y**
20 mai-20 sept. – **R** 56/105 – 18 – **37 ch** 95/195 – 1/2 p 125/135.

à Biriatou par ② et D 258 : 4 km – ✉ **64700** Hendaye :

XXX ❀ **Bakéa (François)** avec ch, ✆ **59 20 76 36,** <, , « Terrasse ombragée sur la vallée » – wc wc **P**. AE E VISA. ch
1er mai-30 sept. – **R** 100/160 – 25 – **15 ch** 200/260 – 1/2 p 255/375
Spéc. Terrine de foie gras frais, Paupiettes de saumon (1er mai-30 juin), Pigeonneau en cocotte. **Vins** Irouléguy, Jurançon.

CITROEN Gar. de la Place, 41 r. de Santiago ✆ 59 20 00 86
OPEL Pivot, 16 rte Behobie ✆ 59 20 03 93
PEUGEOT, TALBOT Laguillon, 23 av. de la Gare BZ ✆ 59 20 70 86 et Z.I. Joncaux, r. Industrie ✆ 59 20 18 63
RENAULT Hendaye-Autos, 49 bd de-Gaulle ✆ 59 20 78 61 N
RENAULT Gar. Bidassoan, bd Gén.-Leclerc ✆ 59 20 00 23

HÉNIN-BEAUMONT 62110 P.-de-C. 51 ⑮ – 26 212 h.

Syndicat d'Initiative 174 r. Pasteur ✆ 21 75 08 07.

Paris 196 – Arras 26 – Béthune 30 – Douai 12 – Lens 9 – ♦Lille 32.

Novotel, échangeur Autoroute A1 ✉ **62950 Noyelles-Godault** ✆ **21 75 16 01,** **Télex 110352,** , – rest ☎ **P** – 50 à 120. AE E VISA
R grill carte environ 120, enf. 40 – 38 – **79 ch** 325/345.

Campanile M, à Noyelles-Godault, N 43 ✉ **62950 Noyelles-Godault** ✆ **21 76 26 26, Télex 134109,** – wc ☎ **P** – 50. VISA
R 63 bc/86 bc, enf. 38 – 24 – **42 ch** 200/220 – 1/2 p 287/330.

FIAT Hanot-Mariani, bd Darchicourt Z.I. Sud ✆ 21 20 44 40
PEUGEOT-TALBOT Beaumont-Automobiles, Zone Ind., bd Darchicourt ✆ 21 75 16 50
RENAULT Sandrah, 1230 rte de Douai ✆ 21 75 03 78 N ✆ 21 20 29 15
V.A.G. Gar. St-Christophe, 195 r. Libération à Montigny-en-Gohelle ✆ 21 20 22 04
François-Pneus, 83 rte Nle à Montigny-en-Gohelle ✆ 21 20 29 51

HENNEBONT 56700 Morbihan 63 ① G. Bretagne – 13 103 h.

Voir Tour-clocher★ de la basilique N.-D.-de-Paradis.

Paris 482 – Concarneau 59 – Lorient 10 – Pontivy 48 – Quiberon 42 – Quimperlé 26 – ♦Rennes 137 – Vannes 46.

X **France** avec ch, 17 av. Libération ✆ **97 36 21 82** – . E VISA
fermé 10 oct. au 1er nov., vacances de fév., dim. soir et sam. – **R** 64/154 , enf. 45 – 18 – **25 ch** 83/105 – 1/2 p 165/177.

au Sud par D 781 : 4 km sur rte de Port Louis – ✉ **56700** Hennebont :

❀❀ **Château de Locguénolé et Résidence de Kernavien**, ✆ **97 76 29 04,** **Télex 950636,** <, « Dans un parc en bordure de rivière », , – ☎ **P** – 150. AE E VISA. rest
1er mars-14 nov. – **R** *(fermé lundi en mars, oct. et nov.)* 190/460 et carte, enf. 95 – 47 – **31 ch** 430/1020, 4 appartements 1580 – 1/2 p 520/820
Spéc. Galette de sarrasin au crabe et au tourteau, Marinière de moules et coquillages au thym frais, Joues de morue poêlées à la ratatouille.

à Brandérion E : 7 km par N 165 – ✉ **56700** Hennebont :

L'Hermine sans rest, ✆ **97 32 92 93** – wc wc **P**. VISA
15 mars-1er nov. – 24 – **9 ch** 290/310.

RENAULT Gar. Jean-Hello, 66-68 av. République ✆ 97 36 21 17 N
Jubin-Pneus, ZI Ker André, r. Denis Papin ✆ 97 36 16 88

HERBAULT 41190 L.-et-Ch. 64 ⑥ – 1 005 h.

Paris 197 – Blois 16 – Château-Renault 18 – Montrichard 36 – Vendôme 26.

XX **Trois Marchands,** ✆ 54 46 12 18 – ◐ E VISA
fermé 1er au 30 déc., lundi soir et mardi – **R** 58/168.

CITROEN Hallouin, ✆ 54 46 13 13

RENAULT Beauclair, ✆ 54 46 12 16

Les HERBIERS 85500 Vendée 67 ⑮ **G. Poitou Vendée Charentes** – 12 494 h.

Voir Mont des Alouettes ≤** **N : 2 km.**

ℹ Office de Tourisme centre du Lavoir (fermé matin) ✆ 51 91 07 67 et Antenne d'Eté, Mont des Alouettes (juil.-août) ✆ 51 67 18 39.

Paris 376 – Bressuire 47 – Chantonnay 27 – Cholet 25 – Clisson 34 – La Roche-sur-Yon 40.

Aloé Form H. M, **rte Cholet** ✆ **51 66 80 30, Télex 710772,** , **parc,** , – TV wc ☎ ♿ – 30 à 1 000 – **30 ch.**

Relais, 18 r. Saumur ✆ **51 91 01 64** – TV wc wc ☎ P – 30 à 100. E VISA
fermé 1er au 20 sept. et sam. hors sais. – **R** 45/110 – 18 – **28 ch** 80/145 – ½ p 155/200.

X **Mont des Alouettes,** N : 2 km N 160 ✆ **51 67 02 18,** ≤ – P. E VISA
fermé 10 au 24 oct., 8 au 21 fév. et lundi soir – **R** 52/150.

CITROEN Martineau, 40 av. G.-Clemenceau ✆ 51 91 07 50
PEUGEOT-TALBOT Gar. du Bocage, rte de Cholet ✆ 51 91 04 12 N
RENAULT Herbretaise Autos, 2 r. de l'Industrie ✆ 51 91 01 71
RENAULT Gar. des Alouettes, 75 r. Saumur ✆ 51 91 05 46

Gar. **Vrignaud,** la Tisonnière ✆ 51 91 08 87 N ✆ 51 66 95 31

Metayer Pneus, ZA de la Buzenière ✆ 51 91 19 08

HÉRISSON (Cascades du) *** 39 Jura 70 ⑮ **G. Jura.**

Ressources hôtelières : voir à Bonlieu et à Ilay.

HERM 40 Landes 78 ⑯ – 617 h. – ✉ **40180** Dax.

Paris 726 – Bayonne 51 – Castets 15 – Dax 17 – Mont-de-Marsan 65.

Paix , rte Magescq ✆ **58 91 52 17,** – wc wc P. E VISA. rest
fermé janv. et lundi hors sais. – **R** 50/180 – 14 – **10 ch** 100/120 – ½ p 135/150.

Poste , ✆ **58 91 51 51** – P
fermé fév. – **R** 58/105, enf. 35 – 17 – **8 ch** 80/130 – ½ p 130/140.

HERMENT 63470 P.-de-D. 73 ⑫ – 363 h. alt. 823.

Paris 419 – Aubusson 48 – ♦Clermont-Ferrand 55 – Le Mont-Dore 43 – Montluçon 92 – Ussel 43.

Souchal, rte Giat ✆ **73 22 10 55** – TV wc wc ☎ P. AE ◐ E VISA
R 45/130 – 17,50 – **18 ch** 75/150 – ½ p 120/140.

HESDIN

Ponts sur la Canche (de la R. Fréville à la rue de l'Ancien Temple charge maxi : 9 t sur 2 essieux.

Armes (Pl. d') . . . . A 3
Arras (R. d') . . . . B 4
Paroisse (R. de la) . . AB 26
St-Omer (R. de) . . . . . A 31
Tripier (R. du Gén.) . . . B 34

Ancien Temple (R.) . . A 2
Bassins (Av. des) . . . . B 5
Bras-d'Or (R. du) . . . . B 6
Brebion (Bd L.) . . . . . . A 7
Catteau (R. H.) . . . . . . A 8
Charles-Quint (R.) . . AB 10
Clemenceau (R. G.) . . B 12
Domont (Bd) . . . . B 14
Fressin (R.) . . . . A 16
Fréville (R.) . . . . B 17
Jacquemont (R.) . . . AB 21
Leclerc (Av. du Gén.) B 22
Lereuil (R.) . . . . A 24
Pavillon-Doré (R. du) . A 28
République (Av. de) . A 29
Richelieu (Bd) . . . . A 30
Sébastopol (Bd) . . . . . B 32
Stade (Av. du) . . . . B 33
Union (R. de l') . . . . . . A 36
8-Mai (Pl. du) . . . . A 37
11-Novembre (Bd du) B 38

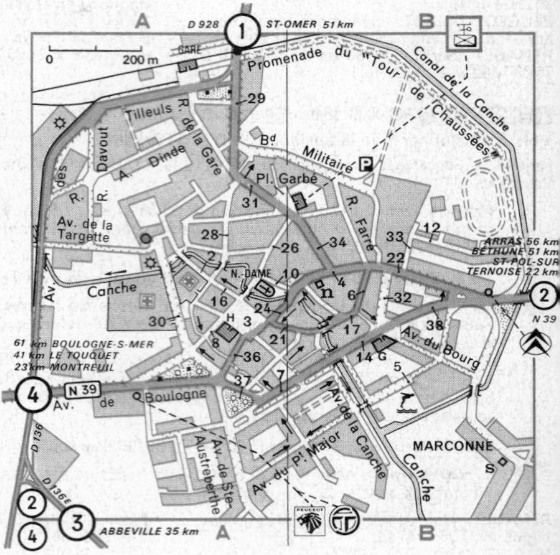

HÉROUVILLE-ST-CLAIR 14 Calvados 55 ⑫ – rattaché à Caen.

HESDIN 62140 P.-de-C. 51 ⑫⑬ **G. Flandres Artois Picardie** – 3 031 h.
Paris 195 ③ – Abbeville 35 ③ – Arras 56 ② – Boulogne-sur-Mer 61 ④ – ♦Lille 89 ②.

Plan page ci-contre

Trois Fontaines, 16 rte Abbeville à Marconne ✆ 21 86 81 65, – rest wc ♿ Ⓟ. AE E VISA — B s
R 76/151 ꝭ, enf. 35 – ☕ 22 – **10 ch** 220/240 – ½ p 180.

Flandres, 22 r. Arras ✆ 21 86 80 21 – wc ⑪ Ⓟ. E VISA — B n
fermé 18 déc. au 7 janv. – **R** 57/180 ꝭ – ☕ 25 – **14 ch** 90/250.

CITROEN Ficheux, 33 av. Mar.-Leclerc ✆ 21 86 91 74
PEUGEOT-TALBOT Gar. Faustin, 24 av. de Boulogne ✆ 21 86 92 96
RENAULT Gar. Hesdinois, 5 av. Arras, Marconne par ② ✆ 21 86 96 44 N
Au pneu Hesdinois, rte de St.-Pol ✆ 21 86 83 97
La Maison du Pneu, 3 pl. Garbé ✆ 21 86 86 19

HESDIN L'ABBÉ 62 P.-de-C. 51 ⑪ – rattaché à Boulogne-sur-Mer.

HÉSINGUE 68 H.-Rhin 66 ⑩ – rattaché à St Louis.

HEUDICOURT-SOUS-LES-CÔTES 55 Meuse 57 ⑫ – rattaché à St. Mihiel.

HINSINGEN 67 B.-Rhin 57 ⑯ – 96 h. – ✉ **67260** Sarre-Union.
Paris 406 – St-Avold 35 – Sarrebourg 37 – Sarreguemines 22 – ♦Strasbourg 90.

La Grange du Paysan, ✆ 88 00 91 83, spécialités alsaciennes – Ⓟ. E VISA
fermé lundi – **R** 59/178 ꝭ, enf. 32.

HIRMENTAZ 74 H.-Savoie 70 ⑰ – rattaché à Bellevaux.

HIRSON 02500 Aisne 53 ⑯ **G. Flandres Artois Picardie** – 11 788 h.
Office de Tourisme 3 r. Guise ✆ 23 58 03 91.
Paris 192 ④ – Avesnes-sur-Helpe 31 ① – Cambrai 69 ① – Charleville-Mézières 53 ③ – St-Quentin 65 ① – Vervins 18 ④.

Feutry avec ch, 86 av. Gare (u) ✆ 23 58 16 45 – ⑪
17 ch.

au SO par D 963 et D 36 : 7 km – ✉ **02140** Vervins :

Domaine du Tilleul M, ✆ 23 98 48 00, parc, – TV ☎ ♿ Ⓟ – 50. AE ① E VISA
R 140/190, enf. 100 – ☕ 30 – **30 ch** 280/340 – ½ p 350/500.

FORD Gar. Moderne, 78 r. Ch.-de-Gaulle ✆ 23 58 10 62 N ✆ 23 58 29 88
Joncourt Guy Pneus, 47 bis r. Ch.-de-Gaulle ✆ 23 58 00 90

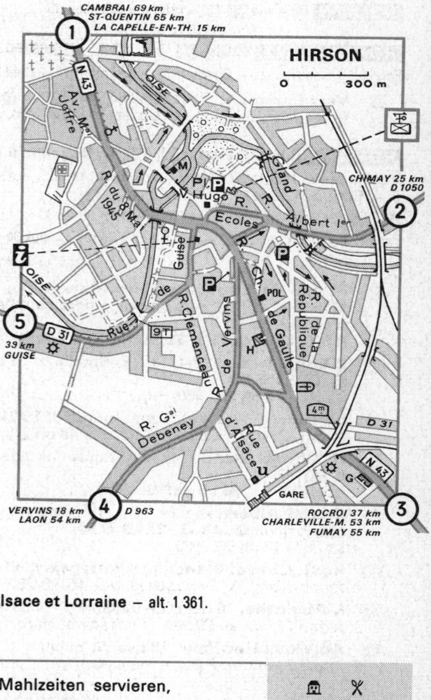

HIRSON
0 300 m
CAMBRAI 69 km
ST-QUENTIN 65 km
LA CAPELLE-EN-TH. 15 km
CHIMAY 25 km D 1050
ROCROI 37 km
CHARLEVILLE-M. 53 km
FUMAY 55 km
VERVINS 18 km
LAON 54 km
D 963
39 km GUISE
D 31
N 43
Av. Mal Joffre
R. du 8 Mai 1945
Pl. V. Hugo
R. Ecoles
Grand R.
R. Albert Ier
R. de Guise
Rue de
R. Clemenceau
R. de Vervins
R. Ch. de Gaulle
R. de la République
R. Gal Debeney
Rue d'Alsace
OISE
GARE
POL.

HIRTZBACH 68 H.-Rhin 66 ⑨ – rattaché à Altkirch.

Le HODE 76 S.-Mar. 55 ④ – rattaché au Havre.

Le HOHNECK 88 Vosges 62 ⑱ **G. Alsace et Lorraine** – alt. 1 361.
Voir ✳★★★.

Restaurants, die preiswerte Mahlzeiten servieren, sind mit einer Raute gekennzeichnet.

HOHRODBERG 68 H.-Rhin 62 ⑱ G. Alsace et Lorraine – alt. 750 – ✉ 68140 Munster.

Voir ≤★★.

Paris 435 – Colmar 27 – Gérardmer 37 – Guebwiller 47 – Munster 7,5 – Le Thillot 57.

- **Roess** ♨, ☎ 89 77 36 00, ≤ vallée et montagnes, ⛱ – ⦀ ⛀wc ⋒wc ☎ ♿ Ⓟ – 🏛 40. E VISA. ✻ ch
  fermé 7 nov. au 17 déc. – **R** 75/155 🍷 – ☕ 20 – **31 ch** 135/220 – 1/2 p 180/220.
- **Panorama** ♨, ☎ 89 77 36 53, ≤ vallée et montagnes – ⛀wc ⋒wc ☎ Ⓟ. E VISA. ✻ rest
  fermé 11 janv. au 5 fév. et merc. midi sauf juil.-août – **R** 68/140, enf. 28 – ☕ 20 – **15 ch** 110/200 – 1/2 p 150/180.

Le HOHWALD 67 B.-Rhin 62 ⑨ G. Alsace et Lorraine – 407 h. – Sports d'hiver : 600/1 050 m ⛷3 – ✉ 67140 Barr.

Env. Le Neuntelstein ≤★★ N : 6 km puis 30 mn – Champ du Feu ✻★★ SO : 14 km.

Paris 430 – Lunéville 87 – Molsheim 30 – St-Dié 46 – Sélestat 26 – ♦Strasbourg 47.

- **Gd Hôtel** ♨, ☎ 88 08 31 03, ≤, parc, ✂ – ⦀ Ⓟ – 🏛 45. AE ⓓ E VISA. ✻ rest
  fermé 15 nov. au 20 déc. et 5 janv. au 3 fév. – **R** 64/215, enf. 40 – ☕ 30 – **72 ch** 138/330 – 1/2 p 209/450.
- **Marchal** ♨, ☎ 88 08 31 04, ≤, ⛱ – ⛀wc ⋒wc ☎ Ⓟ. E VISA. ✻ rest
  fermé 5 nov. au 25 déc., 3 au 10 mars et mardi – **R** 70/130 🍷 – ☕ 20 – **17 ch** 120/230 – 1/2 p 160/200.
- **Aub. de l'Ilsbach** ♨, SE : 2 km par D 425 ☎ 88 08 31 47, ⛱, ⛱ – Ⓟ
  fermé 1er au 25 déc. et mardi – **R** 48/150 🍷, enf. 38 – **8 ch** ☕120/200 – 1/2 p 165/200.
- **Petite Auberge,** ☎ 88 08 33 05 – E VISA
  fermé 1er au 30 janv., merc. soir et jeudi – **R** 50/130 🍷.

au col du Kreuzweg SO : 5 km par D 425 – ✉ 67140 Barr :

- **Zundelkopf** ♨, ☎ 88 08 30 41, ≤, ⛱ – ⛀wc ⋒
  fermé 7 nov. au 15 déc. et 9 au 21 mars – **R** (pour résidents seul.) – ☕ 23 – **22 ch** 110/210 – 1/2 p 150/180.

HOLNON 02 Aisne 53 ⑬ – rattaché à St-Quentin.

HONDAINVILLE 60 Oise 55 ⑩ – 318 h. – ✉ 60250 Mouy.

Paris 67 – Beauvais 22 – Chantilly 30 – Clermont 11 – Creil 23 – L'Isle-Adam 34.

- **Vert Pommier,** ☎ 44 56 53 60, ⛱, ✂ – Ⓟ. VISA
  fermé 1er au 29 août, 24 déc. au 1er janv., dim. soir et lundi – **R** 100 bc.

HONFLEUR 14600 Calvados 55 ③④ G. Normandie Vallée de la Seine – 8 376 h.

Voir le vieux Honfleur★★ : Vieux bassin★★ AZ, église Ste-Catherine★ AY et clocher★ AY B – Côte de Grâce★★ AY : calvaire ✻★★.

ℹ Office de Tourisme 33 cours Fossés ☎ 31 89 23 30.

Paris 199 ① – ♦Caen 63 ② – ♦Le Havre 57 ① – Lisieux 34 ② – ♦Rouen 76 ①.

Plan page ci-contre

- **Ferme St-Siméon et son Manoir** ♨, rte A.-Marais ☎ 31 89 23 61, Télex 171031, ≤, ⛱, « Parc ombragé dominant l'estuaire », ✂ – ⦀ TV ☎ ♿ Ⓟ – 🏛 30. E VISA. ✻ ch
  R 310/460 – ☕ 65 – **33 ch** 840/1660, 5 appartements 1810.
- **L'Ecrin** ♨ sans rest, 19 r. E.-Boudin ☎ 31 89 32 39, ⛱ – ⇹ TV ⛀wc ⋒wc ☎ Ⓟ. AE ⓓ E VISA — AZ k
  ☕ 26 – **16 ch** 250/460.
- **La Tour** M sans rest, 3 quai Tour ☎ 31 89 21 22 – ⦀ TV ⛀wc ☎. E VISA. ✻
  fermé 20 nov. au 28 déc. – ☕ 23 – **48 ch** 245/275. — BZ r
- **H. Cheval Blanc** sans rest, 2 quai Passagers ☎ 31 89 13 49, ≤ – ⛀wc ⋒wc ☎. E VISA. ✻ — AY d
  fermé janv. – **35 ch** ☕246/450.
- **Castel Albertine** sans rest, 19 cours Albert-Manuel ☎ 31 98 85 56, ⛱ – TV ⛀wc ⋒wc ☎ 🚗 Ⓟ. AE ⓓ E VISA — AZ e
  ☕ 36 – **12 ch** 260/520.
- **Rest. Cheval Blanc,** quai Passagers ☎ 31 89 39 87, ≤ – VISA — AY d
  fermé 4 janv. au 6 mars et jeudi – **R** 120/260.
- **L'Absinthe,** 10 quai Quarantaine ☎ 31 89 39 00, ⛱ – AE ⓓ E VISA — BZ v
  fermé 12 nov. au 20 déc., lundi soir et mardi hors sais. – **R** 118/277.
- **Au Vieux Honfleur,** 13 quai St-Étienne ☎ 31 89 15 31, ≤, ⛱ – AE ⓓ E VISA
  fermé 3 janv. au 2 fév. et merc. sauf du 1er juil. au 15 sept. – **R** carte 170 à 280. — AZ u
- **L'Ancrage,** 12 r. Montpensier ☎ 31 89 00 70, ≤ – E VISA — AZ a
  fermé janv., mardi soir sauf juil.-août et merc. – **R** 80/120 🍷.

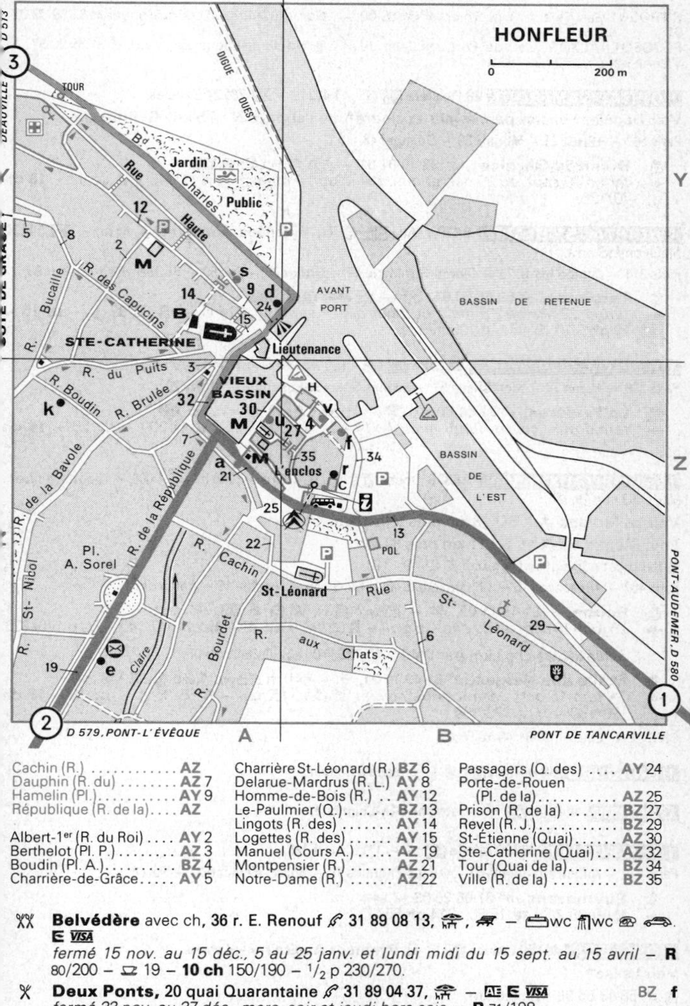

Cachin (R.) . . . . **AZ**
Dauphin (R. du) . . . . **AZ** 7
Hamelin (Pl.) . . . . **AY** 9
République (R. de la) . . . . **AZ**

Albert-1er (R. du Roi) . . . . **AY** 2
Berthelot (Pl. P.) . . . . **AZ** 3
Boudin (Pl. A.) . . . . **BZ** 4
Charrière-de-Grâce . . . . . **AY** 5
Charrière St-Léonard (R.) **BZ** 6
Delarue-Mardrus (R. L.) **AY** 8
Homme-de-Bois (R.) . . **AY** 12
Le-Paulmier (Q.) . . . . **BZ** 13
Lingots (R. des) . . . . **AY** 14
Logettes (R. des) . . . . . . **AY** 15
Manuel (Cours A.) . . . . . **AZ** 19
Montpensier (R.) . . . . . . **AZ** 21
Notre-Dame (R.) . . . . **AZ** 22
Passagers (Q. des) . . . . **AY** 24
Porte-de-Rouen (Pl. de la) . . . . **AZ** 25
Prison (R. de la) . . . . **BZ** 27
Revel (R. J.) . . . . **BZ** 29
St-Étienne (Quai) . . . . . . **AZ** 30
Ste-Catherine (Quai) . . . **AZ** 32
Tour (Quai de la) . . . . **BZ** 34
Ville (R. de la) . . . . **BZ** 35

XX **Belvédère** avec ch, **36 r. E. Renouf** ✆ **31 89 08 13**, 帀, 帀 – ⇔wc ⋒wc ☎ ⇔. **E** VISA
fermé 15 nov. au 15 déc., 5 au 25 janv. et lundi midi du 15 sept. au 15 avril – **R** 80/200 – ☐ 19 – **10 ch** 150/190 – ½ p 230/270.

X **Deux Ponts,** 20 quai Quarantaine ✆ **31 89 04 37**, 帀 – AE **E** VISA BZ **f**
fermé 23 nov. au 27 déc., merc. soir et jeudi hors sais. – **R** 71/198.

X **Au P'tit Mareyeur,** 4 r. Haute ✆ **31 98 84 23** – **E** VISA AY **s**
fermé 1er janv. au 15 fév., vend. midi et jeudi – **R** 100.

à Equemauville par ② : 3,5 km – ✉ **14600** Honfleur :

X **Le Marélot,** ✆ **31 89 37 68**, 帀 – **E** VISA
fermé dim. soir hors sais. et lundi – **R** 72/150.

à Pennedépie O : 5 km par D 513 AY – ✉ **14600** Honfleur :

X **Moulin St-Georges,** ✆ **31 89 12 00**, 帀
fermé 1er au 15 déc., 8 au 30 janv., mardi soir et merc. – **R** carte 105 à 155.

à Barneville par ②, D 62 et D 279 : 6 km – ✉ **14600** Honfleur :

⌂ **Aub. de la Source** ⤳, ✆ **31 89 25 02**, ≤, 帀, 帀 – TV ⇔wc ⋒wc ☎ P. VISA.
15 fév.-15 nov. et fermé merc. sauf hôtel en juil.-août – **R** 108 – **13 ch** (½ pens. seul.) – ½ p 210/240.

HONFLEUR

CITROEN Gar. Thiers, 17 pl. Thiers ✆ 31 89 08 01

PEUGEOT-TALBOT Gar. du Port, rte Jean de Vienne par ①. ✆ 31 89 16 13

Gar. du Cours, 16 cours Manuel ✆ 31 89 02 02

Honfleur-Pneus, Zone Ind. ✆ 31 89 20 37

HÔPITAL-CAMFROUT 29 Finistère 58 ⑤ – 1 422 h. – ✉ **29224** Daoulas.

Voir Daoulas : enclos paroissial★ et cloître★ de l'abbaye N : 4,5 km, G. Bretagne.

Paris 567 – ♦Brest 25 – Morlaix 59 – Quimper 48.

Diverres-Bernicot, ✆ 98 20 01 01 – wc. AE E VISA
fermé 19 sept. au 20 oct. et dim. soir d'oct. à mi-avril – **R** 52/145 – 17 – **18 ch** 70/135.

L'HÔPITAL-ST-BLAISE 64 Pyr.-Atl. 85 ⑤ **G. Pyrénées Aquitaine** – 64 h. – ✉ **64130** Mauléon-Licharre.

Paris 814 – Cambo-les-B. 75 – Oloron-Ste-Marie 17 – Orthez 36 – Pau 50 – St-Jean-Pied-de-Port 53.

Touristes, ✆ 59 66 53 04, – . E VISA
fermé 22 fév. au 16 mars et lundi du 1er sept. au 30 juin – **R** 35/98 – 15 – **10 ch** 70/115 – 1/2 p 105/125.

L'HÔPITAL-SUR-RHINS 42 Loire 73 ⑧ – ✉ **42132** St-Cyr-de-Favières.

Paris 399 – ♦Lyon 78 – Montbrison 57 – Roanne 9 – ♦St-Étienne 70 – Thizy 20.

Le Favières, ✆ 77 64 80 30, – wc wc . E VISA
fermé dim. soir et lundi midi du 1er oct. au 30 avril – **R** 59/200 – 20 – **14 ch** 102/170.

Les HÔPITAUX-NEUFS **25370** Doubs 70 ⑦ **G. Jura** – 265 h. alt. 1 000 – Sports d'hiver 900/1 463 m 29, .

Voir Le Morond ★ SO : 3 km puis télésiège.

Env. Mont d'Or ★★ S : 11 km puis 30 mn.

Syndicat d'Initiative Métabief ✆ 81 49 13 81.

Paris 452 – ♦Besançon 76 – Champagnole 46 – Morez 56 – Mouthe 18 – Pontarlier 18.

Robbe, ✆ 81 49 11 05, – wc wc . E VISA. rest
25 juin-10 sept. et 20 déc.-15 avril – **R** 52/80 – 18 – **20 ch** 100/140 – 1/2 p 170/220

à Métabief O : 3 km par D 49 – ✉ **25370** Les Hôpitaux-Neufs :

Étoile des Neiges, ✆ 81 49 11 21, ← – ch wc wc . E VISA.
1er juin-15 oct., vacances de nov. et 16 déc.-15 mai – **R** 65/86 – 18 – **15 ch** 128/160 – 1/2 p 176/199.

CITROEN Drezet, ✆ 81 49 10 56

HORBOURG 68 H.-Rhin 62 ⑲ – rattaché à Colmar.

L'HORME 42 Loire 73 ⑲ – rattaché à St-Chamond.

L'HOSPITALET **09390** Ariège 86 ⑮ – 171 h. alt. 1 436.

Paris 844 – Andorre-la-Vieille 43 – Ax-les-Thermes 18 – Bourg-Madame 37 – Foix 60.

Puymorens, ✆ 61 05 20 03 –
R 65/85 – 15,50 – **14 ch** 65/90.

HOSSEGOR **40150** Landes 78 ⑰ **G. Pyrénées Aquitaine** – Casino.

Voir Le lac★.

18 ✆ 58 43 56 99 SE : 0,5 km.

Office de Tourisme pl. Pasteur ✆ 58 43 72 35.

Paris 757 – ♦Bayonne 25 – ♦Bordeaux 167 – Dax 35 – Mont-de-Marsan 83.

Beauséjour , av. Genets par av. Tour-du-Lac ✆ 58 43 51 07, , , – . VISA. rest
1er mai-15 oct. – **R** 160/180 déj. à la carte, enf. 100 – 40 – **45 ch** 265/430 – 1/2 p 395/420.

Ermitage , allée Pins-Tranquilles ✆ 58 43 52 22, , – wc wc
hôtel : Pâques-20 sept. ; rest. : 1er juin-20 sept. – **R** (dîner seul.) (résidents seul.) 96 enf. 40 – 28 – **12 ch** 232.

Plage , ✆ 58 43 50 12, ←, – wc . E VISA. rest
10 mai-31 oct. – **R** 90/120, enf. 45 – 28 – **26 ch** 300/350 – 1/2 p 280/350.

Hélianthes sans rest, av. Côte-d'Argent ✆ 58 43 52 19, – wc wc
VISA
25 mars-12 oct. – 21 – **19 ch** 150/230.

XX **Huitrières du Lac** avec ch, av. Touring-Club ✆ **58 43 51 48,** ≤ – ⊟wc ⋔wc ☎ Ⓟ. VISA. ✻
15 fév.-15 nov. et fermé merc. hors sais. (sauf fêtes et vacances scolaires) – **R** 95/230 – ⊐ 18 – **9 ch** 160/220 – ½ p 200/220.

XX L'Amiral, av. P.-Lahary ✆ **58 43 51 85.**

PEUGEOT-TALBOT Gar. de l'Avenue, ✆ 58 43 50 38

HOUAT (Ile d') 56 Morbihan 63 ⑫ G. Bretagne – 390 h. – ✉ **56170** Quiberon.

Accès par Transports maritimes.

⛴ **depuis Quiberon.** En 1987 : saison 5 à 7 services quotidiens ; hors saison 1 à 2 services quotidiens - Traversée 1 h. – 64 F (AR) - Renseignements : Cie Morbihannaise de Navigation, ✆ 97 50 06 90 (Quiberon).

La Sirène Ⓜ ✆, ✆ **97 30 68 05,** – TV ⊟wc ⋔wc ☎. E VISA
15 fév.-15 nov. – **R** 90/149, enf. 37 – **12 ch** (½ pens. seul.) – ½ p 265/308.

X **Iles** avec ch, ✆ **97 30 68 02,** ≤ – AE ⓓ E VISA. ✻ rest
15 avril-15 sept. – **R** 60/120 – ⊐ 20 – **10 ch** 85/110 – ½ p 180/220.

Les HOUCHES 74310 H.-Savoie 74 ⑧ G. Alpes du Nord – 1 766 h. alt. 1 008 – Sports d'hiver : 1 000/1 960 m 2 13.

Voir Bellevue ✻★★ SO par téléphérique puis Nid d'Aigle ≤★★ par tramway du Mont-Blanc – Env. Parc du Balcon de Merlet★★ : ≤★★ NE : 9 km puis 30 mn.

ℹ Office de Tourisme pl. Église ✆ 50 55 50 62, Télex 385000.

Paris 606 – Annecy 85 – Bonneville 48 – Chamonix 8 – Megève 28.

Aub. Beau Site et rest. Le Pèle Ⓜ, ✆ **50 55 51 16,** ≤, – TV ⊟wc ☎ Ⓟ. AE ⓓ E VISA. ✻ rest
fermé Pâques à fin avril, 1er au 15 juin, fin sept. au 19 déc. et le midi en mai sauf week-ends – **R** 80/140, enf. 38 – ⊐ 25 – **18 ch** 161/257.

Chris-Tal, ✆ **50 54 50 55,** ≤, – ⊟wc ⋔wc ☎ Ⓟ. VISA
10 mai-10 oct., vacances de Noël, 15 janv.-15 avril et fermé merc. hors sais. – **R** 65/100, enf. 40 – ⊐ 25 – **28 ch** 200/265 – ½ p 190/235.

Bellevarde, ✆ **50 55 51 85,** ≤, – ⊟wc ☎ Ⓟ. VISA. ✻ ch
10 juin-15 sept. et 20 déc.-20 avril – **R** 50/150, enf. 39 – ⊐ 22 – **28 ch** 210/270.

aux Chavants O : 4 km – ✉ **74310** Les Houches :

Schuss ✆, ✆ **50 54 40 75,** ≤, **« Jardin fleuri »** – Ⓟ. VISA. ✻ rest
15 juin-15 sept. – **R** (dîner seul.) 65/95, enf. 45 – ⊐ 25 – **9 ch** 95/190 – ½ p 163/190.

au Prarion par télécabine – alt. 1 890 – Sports d'hiver : 1 600/1 900 m 2 13 – ✉ **74170** St-Gervais – **Voir ✻★★ 30 mn.**

Le Prarion ✆, alt.1 860 ✆ **50 93 47 01, ✻ sur sommets, glaciers et vallée,** – ⋔wc ☎
1er juil.-4 sept. et 20 déc. à fin vacances de Pâques – **R** 83/176 – ⊐ 32 – **19 ch** 83/378 – ½ p 230/412.

HOUDAN 78550 Yvelines 60 ⑧, 196 ⑭ G. Environs de Paris (plan) – 2 973 h.

ℹ Syndicat d'Initiative à la Mairie ✆ (1) 30 59 60 19.

Paris 62 – Chartres 51 – Dreux 21 – Évreux 47 – Mantes-la-Jolie 27 – Rambouillet 28 – Versailles 41.

XXX ✿ **La Poularde** (Vandenameele), N 12 ✆ **(1) 30 59 60 50,** – Ⓟ – 25. AE E VISA. ✻
fermé vacances de fév., merc. soir et jeudi du 1er sept. au 30 avril – **R** 150/300
Spéc. Consommé galimafré au lut, Poêlée de homard aux racines fondantes, Cane au miel.

XX **Plat d'Étain** avec ch, r. Paris ✆ **(1) 30 59 60 28** – ⊟wc ☎. E VISA. ✻ ch
fermé lundi soir et mardi – **R** 87/175 – ⊐ 25 – **7 ch** 170/280.

XX **Welcome Auberge,** O : 0,7 km sur N 12 ✆ **(1) 30 59 60 34** – Ⓟ. VISA. ✻
fermé 15 au 30 nov., mardi soir et merc. – **R** 125.

à Maulette E : 2 km sur N 12 – ✉ **78550** Houdan :

X **La Bonne Auberge,** rte Paris ✆ **(1) 30 59 60 84,** – Ⓟ. ⓓ E VISA
fermé 18 août au 4 sept., merc. et jeudi – **R** 55/140 ₰, enf. 36.

PEUGEOT-TALBOT Guillemin, à Maulette ✆ (1) 30 59 60 37

HOUDELAINCOURT 55130 Meuse 62 ② – 370 h.

Paris 259 – Bar-le-Duc 39 – ◆Nancy 64 – Neufchâteau 34 – St-Dizier 54 – Toul 41.

XX **Aub. du Père Louis** avec ch, ✆ **29 89 64 14,** – ⋔wc ☎ Ⓟ. AE ⓓ E VISA. ✻ ch
fermé 1er au 9 août, 26 au 31 déc., dim. soir et lundi – **R** 70/250 ₰ – ⊐ 17 – **8 ch** 92/180 – ½ p 200/220.

HOUILLES 78 Yvelines 55 ⑳, 196 ⑯ – voir à Paris, Environs.

HOULGATE 14510 Calvados 55 ② G. Normandie Vallée de la Seine – 1 784 h – Casino.

Voir Falaise des Vaches Noires★ au NE.

18 de Beuzeval ✆ 31 91 06 97.

Office de Tourisme bd Belges ✆ 31 91 33 09 et r. d'Axbridge (juil.-août) ✆ 31 91 06 28.

Paris 219 – ♦Caen 28 – Deauville-Trouville 15 – Lisieux 30 – Pont-L'Évêque 23.

XX **H. 1900** avec ch, 17 r. Bains ✆ **31 91 07 77** – wc wc ☎. AE ⓓ E VISA. ✻ ch
fermé 4 janv. au 6 fév., lundi soir et mardi hors sais. sauf vacances scolaires – **R** 60/180 – 22 – **18 ch** 100/250 – 1/2 p 150/230.

Le HOURDEL 80 Somme 52 ⑥ G. Flandres Artois Picardie – ✉ **80410** Cayeux-sur-Mer.

Paris 190 – Abbeville 27 – ♦Amiens 72 – Dieppe 58 – Le Tréport 30.

X **Le Parc aux Huîtres** avec ch, ✆ 22 26 61 20 – rest . E VISA. ✻ ch
fermé 15 déc. au 15 janv., mardi soir et merc. du 10 sept. au 15 juin – **R** 70/195, enf. 45 – 20 – **7 ch** 110/160 – 1/2 p 140/170.

HOURTIN 33990 Gironde 71 ⑰ G. Pyrénées Aquitaine – 3 598 h.

Office de Tourisme r. Écoles (juin-sept.) ✆ 56 09 15 57.

Paris 555 – Andernos-les-Bains 53 – ♦Bordeaux 62 – Lesparre-Médoc 17 – Pauillac 26.

Le Dauphin M, pl. Église ✆ **56 09 11 15**, , – wc wc ☎. ⓓ E VISA. ✻ rest
1er juin-30 sept. – **R** 64/142 , enf. 37 – 20 – **20 ch** 182/210 – 1/2 p 175/198.

CITROEN Galharret, ✆ 56 09 11 18

HUELGOAT 29218 Finistère 58 ⑥ G. Bretagne (plan) – 2 090 h.

Voir Site★★ – Rochers★★ – Forêt★ – Gouffre★ E : 2 km puis 15 mn – Roche cintrée <★ E : 1 km puis 15 mn – Env. St-Herbot : clôture★★ de l'église★ SO : 7 km.

Office de Tourisme pl. Mairie (15 juin-15 sept.) ✆ 98 99 72 32 et à la Mairie (hors saison) ✆ 98 99 71 55.

Paris 521 – Carhaix-Plouguer 22 – Châteaulin 36 – Landerneau 47 – Morlaix 29 – Quimper 56.

An Triskell sans rest, rte Pleyben ✆ **98 99 71 85**, – . AE VISA
fermé 15 nov. au 15 déc. – 21 – **11 ch** 115/145.

à Locmaria-Berrien-Gare SE : 7 km par D 764 – ✉ **29218** Huelgoat :

XX **Aub de la Truite** avec ch, ✆ **98 99 73 05**, <, meubles bretons, – wc
fermé 2 janv. au 1er mars, dim. soir et lundi sauf juil.-août – **R** (dim. prévenir) 115/300 dîner à la carte – 20 – **6 ch** 95/160.

HUEZ 38 Isère 77 ⑥ – rattaché à Alpe d'Huez.

HUNINGUE 68 H.-Rhin 66 ⑩ – rattaché à St-Louis.

HYÈRES 83400 Var 84 ⑮⑯ G. Côte d'Azur – 41 739 h.

Voir <★ de la place St-Paul Y 49 – Jardins Olbius Riquier★ V – <★ du parc St-Bernard Y – Chapelle N.-D. de Consolation★ V N : verrières★, <★ de l'esplanade S : 3 km – Sommet du Fenouillet ★ NO : 4 km puis 30 mn.

18 de Valcros ✆ 94 66 81 02 par ① : 16 km.

Toulon-Hyères ✆ 94 57 41 93 SE : 4 km V.

Office de Tourisme Rotonde J.-Salusse, av. Belgique ✆ 94 65 18 55, Télex 400280 et Chalet, av. Toulon (15 juin-15 sept.) ✆ 94 65 33 40.

Paris 855 ③ – Aix-en-Provence 99 ③ – Cannes 122 ③ – Draguignan 80 ③ – ♦Toulon 18 ③.

Plan page ci-contre

Du Portalet sans rest, 4 r. Limans ✆ **94 65 39 40** – wc wc . VISA — Y r
18 – **18 ch** 85/180.

Mozart sans rest, 26 av. A.-Denis ✆ **94 65 09 45** – wc ☎ — Y t
18 – **13 ch** 100/185.

XX **Le Delfin's,** 7 r. Roux-Seigneuret ✆ **94 65 04 27** – AE ⓓ E VISA — Y u
fermé 1er au 15 déc., dim. et fêtes hors sais. – **R** 65/150.

X **Asia,** 28 av. A.-Denis ✆ **94 65 01 95**, Cuisine vietnamienne – ✻ — Y t
fermé 1er au 15 oct., 1er au 15 fév. et merc. – **R** carte 70 à 80.

Hyères-Plage SE : 5 km - X – ✉ **83400** Hyères :

Pins d'Argent M , ✆ **94 57 63 60**, parc, , – wc wc ☎ – 30. AE E VISA — X f
R *(fermé dim. soir et lundi sauf juil.-août)* 85 – 35 – **20 ch** 240/415.

Thalassa sans rest, ✆ **94 57 24 85** – TV wc ☎ . AE ⓓ E VISA — X e
25 – **22 ch** 250/300.

Rose des Mers sans rest, ✆ **94 58 02 73**, <, – wc . ✻ — X k
1er avril-1er oct. – 25 – **18 ch** 280.

HYÈRES GIENS

Denis (Av. A.) . . . . . Y
Dr-Perron (Av.) . . . . Z 13
Gambetta (Av.) . . . . Z
Gaulle (Av. de) . . . . Y 17
Iles-d'Or (Av.) . . . . . Z

Barbacane (R.) . . . . Y 2
Barruc (R.) . . . . Y 3
Belgique (Av. de) . . Y 4
Bourgneuf (R.) . . . . Y 5
Carqueiranne (Rte de) . . . . X 6
Chateaubriand (Bd) . . . . Y 7
Clemenceau (Pl.) . . Y 9
Clotis (Av. J.) . . . . . Z 10
Costebelle (Mtée) . . V 12
Foch (Av. Mar.) . . . . Z 15
Godillot (Av. A.) . . . V 18
Herriot (Bd E.) . . . . X 20
Lattre-de-T. (Av.) . . V 22
Lefebvre (Pl. Th.) . . Z 23
Madrague (Rte) . . . . X 26
Mangin (Av. Gén.) . . . . Y 28
Massillon (Pl. et R.) . . . . Y 29
Millet (Av. E.) . . . . . Z 32
Moulin-Premier-Roubaud (Ch.) . . V 33
Noailles (Mtée de) . Y 35
Palyvestre (Ch. du) V 36
Paradis (R. de) . . . . Y 37
Plages (Rd-Pt) . . . . X 39
Plaine-de-Bouisson (Ch.) X 40
Provence (R.) . . . . . Z 41
Rabaton (R.) . . . . . . Y 42
République (Pl.) . . . Y 43
Riquier (Av. O.) . . . . V 44
Roubaud (Ch.) . . . . . V 45
St-Bernard (R.) . . . . Y 46
St-Esprit (R.) . . . . . Y 47
St-Hilaire (Av.) . . . . V 48
St-Louis (church) . . . . . Y K
St-Paul (Pl., R.) . . . . Y 49
Ste-Catherine (R.) . . . . Y 50
Ste-Claire (R.) . . . . . Y 51
Strasbourg (Crs) . . . Y 52
Victoria (Av.) . . . . . . Z 53
11-Novembre (Pl.) V 56
15e-Corps-d'Armée (Av. du) . . . . V 57

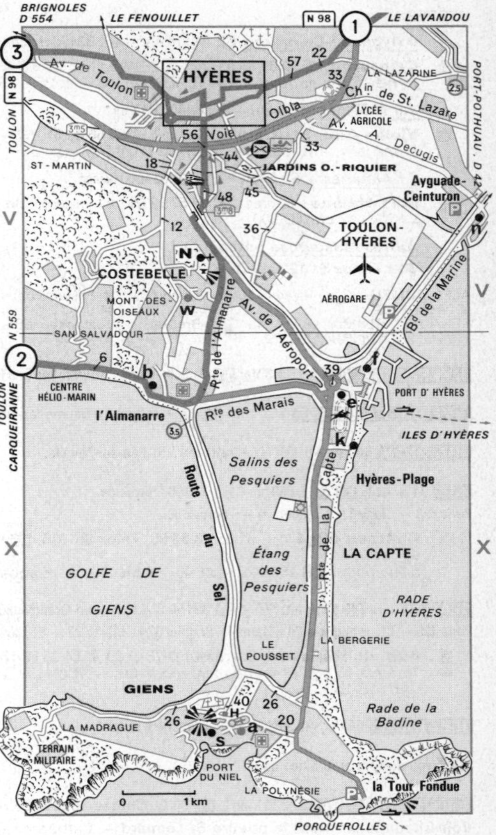

BRIGNOLES D 554
LE FENOUILLET
N 98
LE LAVANDOU
HYÈRES
Av. de Toulon
LA LAZARINE
Chin de St. Lazare
Olbia
LYCÉE AGRICOLE
Av. A. Decugis
PORT-POTHUAU D 42
TOULON N 98
Voie
ST-MARTIN
JARDINS O.-RIQUIER
Ayguade-Ceinturon
TOULON-HYÈRES
COSTEBELLE
MONT-DES-OISEAUX
AÉROGARE
Bd de la Marine
N 559
SAN SALVADOUR
Av. de l'Aéroport
Rte de l'Almanarre
CENTRE HÉLIO-MARIN
l'Almanarre
Rte des Marais
PORT D'HYÈRES
ILES D'HYÈRES
TOULON CARQUEIRANNE
Route du Sel
Salins des Pesquiers
Hyères-Plage
Rte de la Capte
LA CAPTE
GOLFE DE GIENS
Étang des Pesquiers
RADE D'HYÈRES
LE POUSSET
LA BERGERIE
GIENS
Rade de la Badine
LA MADRAGUE
TERRAIN MILITAIRE
PORT DU NIEL
LA POLYNÉSIE
la Tour Fondue
0 1 km
PORQUEROLLES

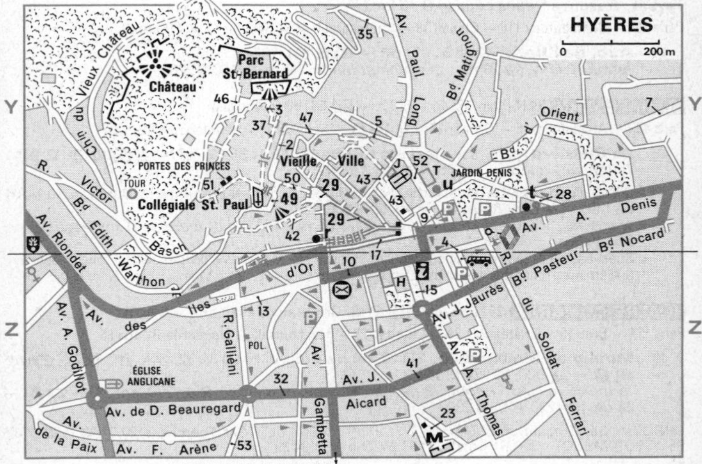

à Ayguade-Ceinturon SE : 4 km - V – ✉ 83400 Hyères :

Ceinturon, ✆ 94 66 33 63, – wc ⋔wc ☎. Ⓓ E VISA. ch V n
fermé 15 oct. au 15 nov. – **R** 70/120, enf. 40 – 25 – **15 ch** 165/250 – 1/2 p 200/250.

sur N 98 par ① : 6 km – ✉ 83400 Hyères :

XX **Vieille Aub. St-Nicolas** avec ch, ✆ 94 66 40 01, – wc ☎ Ⓟ – 50. VISA
fermé janv. – **R** *(fermé lundi)* carte 170 à 285 – 25 – **10 ch** 180/220.

à l'Almanarre S : 6 km - X – ✉ 83400 Hyères :

Port-Hélène sans rest, ✆ 94 57 72 01, ← – cuisinette ⋔wc ☎ Ⓟ. E VISA X b
20 – **12 ch** 150/300.

Autres ressources hôtelières :

Voir *Giens* S : 12 km (X).

ALFA-ROMEO Gar. Rivarel, 10 av. Nocart, ✆ 94 65 16 96
RENAULT SERMA, 18 av. du Gén.-Brosset ✆ 94 65 33 05 N ✆ 94 57 24 79

Pasero-Pneus, Pont de la Vilette ✆ 94 57 69 44
Vulcopneu Leca, av. G.-St-Hilaire ✆ 94 57 56 10

HYÈRES (Iles d') ★★★ 83 Var 84 ⑯⑰ – voir à Porquerolles et à Port-Cros.

HYÈVRE-PAROISSE 25 Doubs 66 ⑰ – rattaché à Baume-les-Dames.

IBARRON 64 Pyr.-Atl. 85 ② – rattaché à St-Pée-sur-Nivelle.

IGÉ 71 S.-et-L. 70 ⑪ – 669 h. – ✉ 71960 Pierreclos.

Paris 393 – Cluny 11 – Mâcon 14 – Tournus 30.

Château d'Igé , ✆ 85 33 33 99, Télex 351915, , – ☎ Ⓟ. AE Ⓓ E VISA. rest
5 fév.-5nov. – **R** 180/320 – 45 – **6 ch** 450/550, 6 appartements 650/800.

ILAY 39 Jura 70 ⑮ – alt. 777 – ✉ 39150 St-Laurent-en-Grandvaux.

Paris 429 – Champagnole 20 – Lons-le-Saunier 37 – Morez 22 – St-Claude 38.

Aub. du Hérisson, Carrefour D 75-D 39 ✆ 84 25 58 18, – Ⓟ. ch
15 mars-15 oct. et fermé merc. hors sais. – **R** 65/130 – 16 – **14 ch** 78/150 – 1/2 p 115/150.

ILBARRITZ 64 Pyr.-Atl. 78 ⑪⑱ – rattaché à Bidart.

ILE voir au nom propre de l'Ile.

L'ILE BOUCHARD 37220 I.-et-L. 68 ④ **G. Châteaux de la Loire** – 1 796 h.

Voir Chapiteaux★ dans le prieuré St-Léonard – Cathèdre★ dans l'église St-Maurice – Tavant : fresques★ dans l'église O : 3 km.

Paris 282 – Châteauroux 116 – Chinon 18 – Chatellerault 48 – Saumur 42 – ♦Tours 48.

XX **Aub. de l'Ile,** ✆ 47 58 51 07, – AE E VISA.
fermé 10 janv. au 28 fév., dim. soir et lundi – **R** carte 160 à 220.

ILLHAEUSERN 68 H.-Rhin 62 ⑲ – 557 h. – ✉ 68150 Ribeauvillé.

Paris 439 – Artzenheim 15 – Colmar 17 – St-Dié 51 – Sélestat 13 – ♦Strasbourg 60.

La Clairière M sans rest, rte Guémar ✆ 89 71 80 80, – TV ☎ Ⓟ. E VISA
fermé janv. et fév. – 36 – **24 ch** 320/480.

XXXXX ✿✿✿ **Aub de l'Ill** (Haeberlin), ✆ 89 71 83 23, , « **Élégante installation au bord de l'Ill,** ← **jardins fleuris** » – . AE Ⓓ E VISA
fermé fév., 27 juin au 5 juil., lundi (sauf le midi en été) et mardi – **R** (prévenir) carte 330 à 430
Spéc. Salade de joue de porc aux lentilles et foie d'oie, Mousseline de grenouilles "Paul Haeberlin", Colvert aux pêches des vignes et champignons (15 août au 1er fév.). Vins Sylvaner, Pinot blanc.

ILLIERS-COMBRAY 28120 E.-et-L. 60 ⑰ **G. Châteaux de la Loire** – 3 453 h..

Paris 114 – Brou 13 – Châteaudin 29 – Chartres 25 – ♦Le Mans 95 – Nogent-le-Rotrou 35.

Moulin de Montjouvin, SO : 2 km rte Brou ✆ 37 24 32 32, , , – wc Ⓟ – 300. AE Ⓓ E VISA
fermé 28 juil. au 11 août, 19 déc. au 1er janv. et merc. – **R** 65/270, enf. 40 – 20 – **22 ch** 185/220 – 1/2 p 230.

CITROEN Gar. Troquet, ✆ 37 24 00 53
PEUGEOT-TALBOT Gar. Ringuède, ✆ 37 24 33 41

RENAULT Gar. Thomas, ✆ 37 24 33 33 N ✆ 37 21 94 39

ILLIERS-L'ÉVÊQUE 27770 Eure 60 ⑦ – 617 h.

Paris 95 – Dreux 14 – Évreux 30 – Nonancourt 9 – Verneuil-sur-Avre 30 – Vernon 44.

Aub. de la Lisière Normande, ✆ 37 48 11 05, – wc wc
R *(fermé dim. soir et lundi)* 61/152 – 23 – **10 ch** 85/160 – 1/2 p 133/215.

ILLKIRCH-GRAFFENSTADEN 67 B.-Rhin 62 ⑩ – rattaché à Strasbourg.

IMPHY 58160 Nièvre 69 ④ – 4 930 h.

Paris 251 – Château-Chinon 64 – Decize 23 – La Machine 23 – Nevers 11 – St-Pierre-le-Moutier 22.

Château de Marigny, N : 1,5 km sur N 81 ✆ 86 68 71 87, – Ⓟ. E VISA
fermé dim. soir et lundi – **R** 90/150, enf. 60.

CITROEN Imphy-Auto, RN81 à Sauvigny-les-Bois ✆ 86 68 74 86
PEUGEOT-TALBOT Gar. Jarno, 4 r. Paul Vaillant Couturier ✆ 86 68 73 45
RENAULT Gge Bruhat, 95 r. Paul Vaillant Couturier, ✆ 86 68 74 85

IMSTHAL 67 B.-Rhin 57 ⑰⑱ – rattaché à La Petite-Pierre.

INGERSHEIM 68 H.-Rhin 87 ⑰ – rattaché à Colmar.

INGRANDES 49123 M.-et-L. 63 ⑲ **G. Châteaux de la Loire** – 1 450 h.

Voir S : Route★ de Montjean-sur-Loire à St-Florent-le-Vieil (D 210).

Syndicat d'Initiative à la Mairie ✆ 41 39 20 21.

Paris 326 – Ancenis 21 – Angers 32 – Châteaubriant 55 – Château-Gontier 58 – Cholet 48.

Chez Baudouin, au pont rive gauche ✉ 49410 St Florent-le-Vieil ✆ 41 39 20 25, ← – Ⓟ. E VISA
fermé merc. d'oct. à mars – **R** 68/135, enf. 37.

INNENHEIM 67 B.-Rhin 62 ⑨ – 862 h. – ✉ **67880** Krautergersheim.

Paris 487 – Molsheim 11 – Obernai 10 – Sélestat 30 – ♦Strasbourg 20.

Au Cep de Vigne, N 422 ✆ 88 95 75 45, – wc Ⓟ – 100. E VISA.
fermé 15 au 28 fév. – **R** *(fermé lundi)* 80/155 – 20 – **23 ch** 125/200.

INOR 55 Meuse 56 ⑩ – 214 h. – ✉ **55700** Stenay.

Paris 249 – Carignan 17 – Longwy 64 – Sedan 27 – Verdun 53.

Faisan Doré , ✆ 29 80 35 45, , – wc Ⓟ. E VISA. ch
R 38/180 – 17,50 – **13 ch** 170/200 – 1/2 p 180.

CITROEN Champeaux, à Stenay ✆ 29 80 31 19

L'ISERAN (Col de) 73 Savoie 74 ⑲ **G. Alpes du Nord** – alt. 2 770 – ✉ **73150** Val-d'Isère.

Voir ←★ – Belvédère de la Tarentaise ✳★★ NO : 3,5 km puis 15 mn – Belvédère de la Maurienne ←★ S : 3,5 km.

Paris 685 – Bonneval-sur-Arc 14 – Chambéry 148 – Lanslebourg-Mont-Cenis 33 – Val d'Isère 16.

ISIGNY-SUR-MER 14230 Calvados 54 ⑬ **G. Normandie Cotentin** – 3 159 h.

Paris 299 – Bayeux 31 – ♦Caen 59 – Carentan 11 – Cherbourg 61 – St-Lô 28.

France, 17 r. E.-Demagny ✆ 31 22 00 33 – cuisinette wc wc Ⓟ – 25. E VISA
15 fév.-15 nov. et fermé vend. soir et sam. midi hors sais. sauf fériés – **R** 70/90, enf. 40 – 25 – **19 ch** 100/220 – 1/2 p 180/230.

PEUGEOT Etasse, ✆ 31 22 02 52 N
RENAULT Isigny Gar., ✆ 31 22 02 33 N

L'ISLE-ADAM 95290 Val-d'Oise 55 ⑳, 196 ⑥ **G. Environs de Paris** – 9 479 h.

Voir Chaire★ de l'église St-Martin.

Office de Tourisme 1 av. Paris ✆ (1) 34 69 09 76.

Paris 37 ② – Beauvais 42 ① – Chantilly 23 ① – Pontoise 13 ③ – Taverny 11 ③.

Plan page suivante

Relais Fleuri, 61 bis r. St-Lazare **(r)** ✆ (1) 34 69 01 85, , – VISA
fermé août, lundi soir et mardi – **R** 100/150.

à Parmain : 2 km – 4 561 h. – ✉ **95620** Parmain :

Aub. de Jouy, chemin de Halage **(e)** ✆ (1) 34 73 03 42, ←, – Ⓟ. AE VISA
fermé 16 au 30 sept., 15 déc. au 3 janv., merc. soir et jeudi – **R** 125.

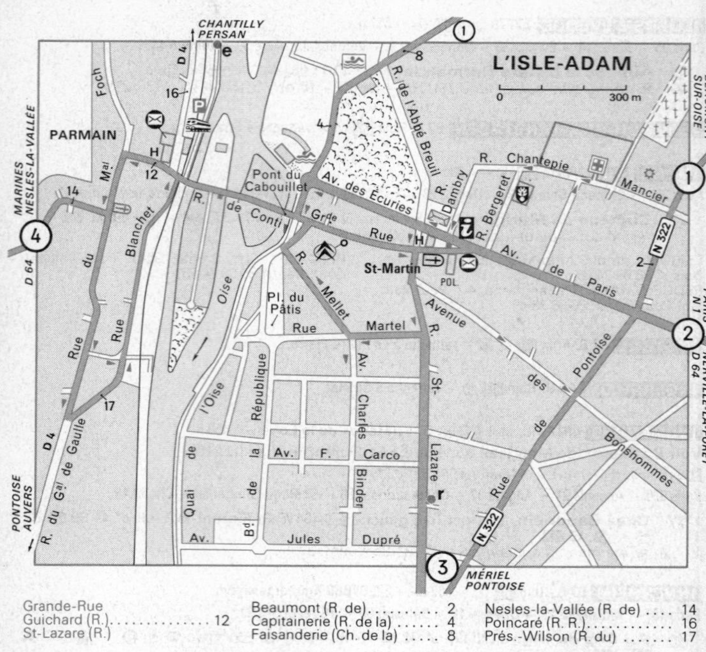

Grande-Rue
Guichard (R.) 12
St-Lazare (R.)

Beaumont (R. de) 2
Capitainerie (R. de la) 4
Faisanderie (Ch. de la) 8

Nesles-la-Vallée (R. de) 14
Poincaré (R. R.) 16
Prés.-Wilson (R. du) 17

CITROEN Crocqfer, 6 Gde-Rue ℘ (1) 34 69 00 01
CITROEN Ets Lagabrielle, rte de Clermont à Persan au Nord par D 4 ℘ (1) 34 70 19 05
FORD Hauviller, 59 et 61 r. St-Lazare ℘ (1) 34 69 00 91

PEUGEOT-TALBOT Pétillon, 12 r. de Beaumont par ① ℘ (1) 34 69 01 13
RENAULT Gar. Ile de France, 60 av. de Paris par ② ℘ (1) 34 69 05 66
RENAULT Gge Truber, r. Quindeau à Persan au Nord par D4 ℘ (1) 34 70 92 20

L'ISLE-D'ABEAU 38 Isère 74 ⑬ – rattaché à Bourgoin-Jallieu.

L'ISLE-DE-NOÉ 32 Gers 82 ④ – 564 h. – 32300 Mirande.
Paris 718 – Auch 21 – Condom 44 – Tarbes 57.

Aub. de Gascogne avec ch, ℘ 62 64 17 05 – E VISA.
fermé 5 au 12 juil., 2 nov. au 2 déc., mardi soir et merc. – **R** 75/150 – 18 – **7 ch** 80/150 – 1/2 p 150.

L'ISLE-JOURDAIN 32600 Gers 82 ⑥⑦ – 4 365 h.
Las Martines ℘ 62 07 27 12, au N : 4,5 km.
Paris 708 – Auch 43 – Montauban 57 – Toulouse 35.

Host. du Lac M, O : 1 km sur N 124 ℘ 62 07 03 91, ←, – wc – 30. E VISA
fermé 2 au 9 janv. et lundi du 1er sept. au 1er mai – **R** 49 bc/180 – 30 – **28 ch** 160/200 – 1/2 p 230/320.

CITROEN Gar. de l'Esplanade, ℘ 62 07 02 57
PEUGEOT-TALBOT Rigal, ℘ 62 07 03 16
N ℘ 62 07 05 58
RENAULT Gar. Gascogne-Sce, ℘ 62 07 13 07

L'ISLE-SUR-LA-SORGUE 84800 Vaucluse 81 ⑫⑬ **G. Provence** (plan) – 13 205 h.
Voir Décoration intérieure★ de l'église – Église★ du Thor O : 5 km.
Office de Tourisme pl. Église ℘ 90 38 04 78.
Paris 697 – Apt 32 – Avignon 23 – Carpentras 17 – Cavaillon 10 – Orange 41.

Araxe H. M sans rest, E : 1,5 km sur N 100 (rte d'Apt) ℘ 90 38 40 00, – wc. AE VISA
25 – **28 ch** 280/350.

Les Névons sans rest, ℘ 90 20 72 00, – wc wc – 25. AE E VISA.
fermé 14 déc. au 15 janv. – 30 – **24 ch** 210/290.

à l'Est : 4 km sur D 25 (rte Fontaine-de-Vaucluse) – ✉ **84800** L'Isle-sur-la-Sorgue :

XX **Rascasse d'Argent**, ✆ 90 20 33 52, poissons – Ⓟ. E VISA
fermé lundi – **R** 57/160.

au SE : 6 km par N 100 – ✉ **84800** L'Isle-sur-la-Sorgue :

Mas des Grès, ✆ 90 20 32 85, ⛱, ⛱, – ⇔wc ☎ Ⓟ. AE ⓓ E VISA
fermé jan. et fév. – **R** (dîner seul.)(résidents seul.) – ☕ 30 – **9 ch** 230/330 – ½ p 340/420.

au SO : 2 km par rte Caumont – ✉ **84800** L'Isle-sur-la-Sorgue :

XX **Mas de Cure Bourse** avec ch, ✆ 90 38 16 58, ⛱, « Dans un parc au milieu des vergers », ⛱ – TV ⇔wc – 🏛 50. AE ⓓ E VISA
fermé 10 au 31 oct., 16 au 30 janv., lundi midi en juil.-août, dim. soir et lundi de sept. à juin – **R** 134/168 – ☕ 30 – **6 ch** 260/310 – ½ p 410/460.

au Nord : 6 km sur D 938 – ✉ **84740** Velleron :

Host. La Grangette, ✆ 90 20 00 77, ⛱, dans la campagne, ←, parc, ⛱, 🎾 – TV ⇔wc ⛲wc ☎ Ⓟ – 🏛 30. AE ⓓ VISA
R 130/325 – ☕ 45 – **17 ch** 340/520 – ½ p 370/410.

CITROEN Roquebrune, rte d'Apt ✆ 90 38 18 48 **N**
PEUGEOT-TALBOT Éts Joly, rte de Carpentras ✆ 90 20 62 85
PEUGEOT-TALBOT Gar. Manni, 7 quai de la Charité ✆ 90 38 00 97
RENAULT Gar. de la Sorgue, 9 av. 4-Otages ✆ 90 38 00 41
Ⓜ Magnan-Pneus, Zone Ind., rte du Thor ✆ 90 38 00 89

ISOLA 2000 06 Alpes-Mar. **81** ⑩, **195** ⑤ **G. Alpes du Sud** – alt. 2 000 – Sports d'hiver : 1 800/2 610 m 1 21 – ✉ **06420** St-Sauveur-s.-Tinée.

Voir Vallon de Chastillon★ O.

ℹ Office de Tourisme (27 juin-5 sept., 19 déc.-23 avril) ✆ 93 23 15 15, Télex 461666.

Paris 828 – Barcelonnette 92 – ♦Nice 94 – St-Martin-Vésubie 60.

Le Chastillon Ⓜ, ✆ 93 23 10 60, Télex 970507, ← – ⇅ TV ☎ 🚗 – 🏛 40 à 150. AE ⓓ E VISA. ⚘ rest
mi-déc.-mi-avril – **R** 120 – **45 ch** (½ pens. seul.), 3 appartements – ½ p 650/690.

Pas du Loup Ⓜ, galerie marchande ✆ 93 23 11 71, Télex 970507, ←, ⛱ – ⇅ TV ⇔wc ☎ – 🏛 70. AE ⓓ E VISA. ⚘ rest
mi déc.-mi avril – **R** 110 – **96 ch** (½ pens. seul.) – ½ p 450/550.

ISPAGNAC 48320 Lozère **80** ⑥ **G. Gorges du Tarn** – 601 h.

Paris 618 – Florac 9,5 – Mende 35 – Millau 73.

Le Vallon, ✆ 66 44 21 24, ⛱ – ⇔wc ⛲wc ☎ Ⓟ. ⚘ rest
fermé janv., vend. soir et sam. midi – **R** 40/120 – ☕ 18 – **15 ch** 113/129 – ½ p 160/195.

à Molines O : 1,5 km sur D 907B – ✉ **48320** Ispagnac :

X **Le Lys**, ✆ 66 44 23 56
1er mai-30 sept. – **R** 96/162.

ISPES 40 Landes **78** ⑬ – rattaché à Biscarosse.

Les ISSAMBRES 83380 Var **84** ⑱ **G. Côte d'Azur**.

Paris 881 – Draguignan 39 – St-Raphaël 13 – Ste-Maxime 10 – Toulon 83.

à San-Peire-sur-Mer – ✉ **83380** Les Issambres :

Provençal, ✆ 94 96 90 49, ←, ⛱ – ⇔wc ⛲ ☎ Ⓟ. ⓓ E VISA
25 mars-2 oct. – **R** *(fermé jeudi midi)* 100/180 – ☕ 30 – **28 ch** 195/280 – ½ p 232/300.

au Parc des Issambres – ✉ **83380** Les Issambres :

La Quiétude, ✆ 94 96 94 34, ←, ⛱, ⛱, – ⇔wc ⛲wc ☎ Ⓟ. E VISA
15 fév.-15 oct. – **R** 67/128, enf. 45 – ☕ 23 – **20 ch** 145/205 – ½ p 186/216.

Pointe des Issambres – ✉ **83380** Les Issambres :

XX **La Réserve** avec ch, ✆ 94 96 90 41, ←, ⛱, – ⇔wc ⛲wc ☎ Ⓟ. E VISA
fin mars-fin sept. et fermé merc. – **R** 160/300, enf. 65 – ☕ 38 – **8 ch** 220/350 – ½ p 340/400.

à la Calanque des Issambres – ✉ **83380** Les Issambres :

X **Chante-Mer**, au village ✆ 94 96 93 23, ⛱ – ▤. ⓓ
fermé vacances de nov., janv., dim. soir et lundi – **R** 80/130.

tourner →

à La Gaillarde – ✉ **83606** Fréjus :

Host. Caravelle sans rest, ✆ 94 81 24 03, ≤, – wc . VISA.
26 mars-16 oct. – ☕ 25 – **10 ch** 235/295.

ISSOIRE 63500 P.-de-D. 73 ⑭⑮ **G. Auvergne** – 15 383 h.

Voir Église St-Austremoine★★ : chevet★★ B.

Syndicat d'Initiative à l'Hôtel de Ville ✆ 73 89 03 54 et pl. Gén.-de-Gaulle (15 juin-15 sept.) ✆ 73 89 15 90.

Paris 431 ① – Aurillac 127 ③ – ♦Clermont-Ferrand 37 ① – ♦Lyon 191 ① – Millau 212 ③ – Le Puy 93 ③ – Rodez 189 ③ – ♦St-Étienne 162 ① – Thiers 56 ① – Tulle 179 ①.

Le Pariou, 18 av. Kennedy **(e)** ✆ 73 89 22 11, – wc wc ☎ Ⓟ – 30
29 ch.

Floride sans rest, rte Solignat S : 1 km par D 32 ✆ 73 89 04 25 – TV wc ☎ Ⓟ. VISA
fermé 15 déc. au 15 janv. – ☕ 18 – **19 ch** 135/170.

Terminus sans rest, 15 av. Gare **(n)** ✆ 73 89 22 34 – wc wc
fermé 1er au 22 mai, vacances de Noël et dim. hors sais. – ☕ 16 – **15 ch** 95/145.

Tourisme sans rest, 13 av. Gare **(n)** ✆ 73 89 23 68 – .
fermé oct. – ☕ 15 – **13 ch** 110/160.

Le Relais, 1 av. Gare **(a)** ✆ 73 89 16 61 – AE E VISA.
fermé 15 au 31 oct., 1er au 15 fév., dim. soir et lundi midi hors sais. – **R** 49/120 ₰.

Le Relax, 11 r. du 8 Mai ✆ 73 89 21 26 – AE E VISA
fermé lundi soir – **R** 85/170.

Berbiziale (R.) . 2
Châteaudun (R. de) 5
Gambetta (R.) . 8
Pont (R. du) . . 10
Ponteil (R. du) . 12
République (Place de la) 13
Buisson (Bd A.) 3
Cibrand (Bd J) 6
Manlière (Bd) 9
S.-Préfecture (Bd de la) . . 15
Triozon-Bayle (Bd) 16

à Parentignat par ② : 4 km – ✉ **63500** Issoire.

Voir Château★.

Tourette , ✆ 73 55 01 78, – wc wc ☎ Ⓟ – 25. E VISA. ch
fermé vacances de nov. de Noël, de fév., vend. soir et sam. du 15 sept. au 30 juin – **R** 58/160 ₰ – ☕ 18,50 – **31 ch** 116/185 – ½ p 162/185.

au Broc par ③ : 5 km – ✉ **63500** Issoire :

Host. les Vigneaux avec ch, N 9 ✆ 73 89 10 90, ≤ – Ⓟ. AE E VISA
fermé dim. soir et lundi – **R** 66/140, enf. 35 – ☕ 18 – **8 ch** 125/135.

CITROEN Arverne-Autom., rte Clermont par ① ✆ 73 55 07 07
FORD Guidat, 49 rte de St Germain ✆ 73 89 16 51
PEUGEOT-TALBOT Gar. Morette, 66 av. Kennedy ✆ 73 55 02 44
RENAULT S.I.C.R.A., rte de Clermont par ① ✆ 73 89 22 56 N ✆ 73 89 54 17
V.A.G. Issoire-Autos, rte de St-Germain-Lembron ✆ 73 89 23 08
Estager-Pneu, 33 bd Triozon-Bayle ✆ 73 89 18 39 et 63 bd Kennedy ✆ 73 89 18 83

ISSONCOURT 55 Meuse 56 ⑳ – 63 h. – ✉ **55220** Souilly.

Paris 264 – Bar-le-Duc 28 – St-Mihiel 29 – Verdun 24.

Relais de la Voie Sacrée avec ch, N 35 ✆ 29 70 70 46, – wc ☎ Ⓟ. E VISA
fermé 19 déc. au 30 janv., dim. soir du 11 nov. à Pâques et lundi – **R** 65/220 ₰, enf. 35 – ☕ 20 – **7 ch** 140/170 – ½ p 220/250.

ISSOUDUN 36100 Indre 68 ⑨ **G. Berry Limousin** – 15 166 h.

Voir Musée St-Roch : arbre de Jessé★ dans la chapelle et apothicairerie★ AB M.

Office de Tourisme pl. St-Cyr ✆ 54 21 74 57.

Paris 247 ① – Bourges 38 ② – Châteauroux 29 ⑤ – ♦Tours 125 ① – Vierzon 34 ①.

Plan page ci-contre

France et rest. Les Trois Rois, 3 r. P.-Brossolette ✆ 54 21 00 65, Télex 751422, – TV wc wc ☎ ♿. AE E VISA A **s**
R 50/225 ₰ – ☕ 30 – **24 ch** 180/260 – ½ p 250/350.

Berry sans rest, 88 r. P.-Brossolette ✆ 54 21 20 51 – wc . E VISA A **e**
fermé vacances de Noël et dim. soir hors sais. – ☕ 30 – **16 ch** 100/220.

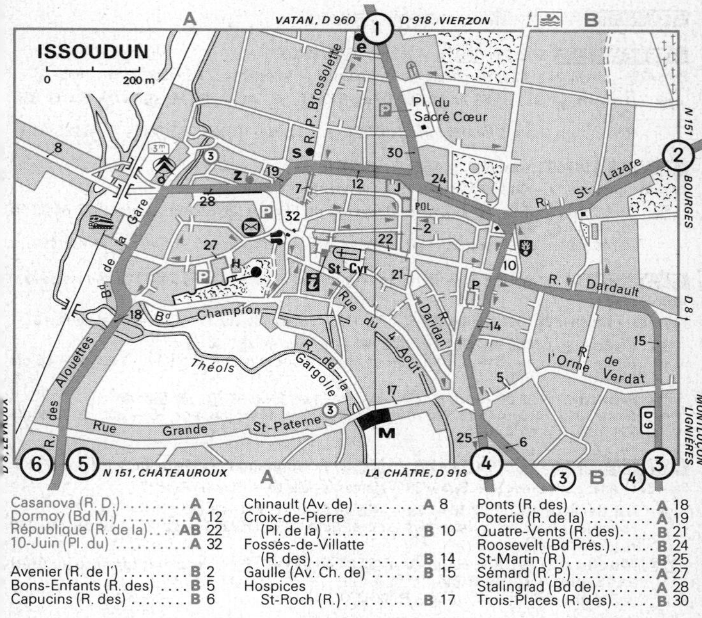

Casanova (R. D.) . . . . A 7
Dormoy (Bd M.) . . . . A 12
République (R. de la) . . . . AB 22
10-Juin (Pl. du) . . . . A 32

Avenier (R. de l') . . . . B 2
Bons-Enfants (R. des) . . . . B 5
Capucins (R. des) . . . . B 6

Chinault (Av. de) . . . . A 8
Croix-de-Pierre (Pl. de la) . . . . B 10
Fossés-de-Villatte (R. des) . . . . B 14
Gaulle (Av. Ch. de) . . . . B 15
Hospices St-Roch (R.) . . . . B 17

Ponts (R. des) . . . . A 18
Poterie (R. de la) . . . . A 19
Quatre-Vents (R. des) . . . . . B 21
Roosevelt (Bd Prés.) . . . . . . B 24
St-Martin (R.) . . . . B 25
Sémard (R. P.) . . . . A 27
Stalingrad (Bd de) . . . . A 28
Trois-Places (R. des) . . . . . . B 30

XXX ✿ **La Cognette (Nonnet)** avec ch (annexe 🏨 Ⓜ 🐎), **bd Stalingrad (z)** ✆ **54 21 21 83,** 🌳 – 📺 ☎ 🚗 – 🏊 30. AE ⓓ E VISA — A z
fermé 16 au 24 août (sauf hôtel) et 2 au 30 janv. – **R** *(fermé dim. soir et lundi sauf fériés)* (prévenir) 150/350 – ☕ 40 – **11 ch** 250/550, 3 appartements 950 – $^1/_2$ p 400/600
Spéc. Chausson d'escargots à la crème d'ail, Turbot à l'échalote, Filet mignon au thé et à la badiane.
Vins Reuilly, Quincy.

à Diou **par ① : 12 km – ✉ 36260 Reuilly :**

XX **L'Aubergeade,** rte Issoudun ✆ **54 49 22 28, parc** – **P. E VISA**
fermé 16 au 31 août, 22 déc. au 2 janv., merc. soir et dim. soir – **R** 90 bc/125.

CITROEN Gar. Lexteriat, 38 bd de Stalingrad ✆ 54 21 02 28
OPEL-GM Poy J., 79 r. des Alouettes ✆ 54 21 23 53 N
PEUGEOT-TALBOT Gar. Lamy, rte de Châteauroux à St-Aoustrille par ⑤ ✆ 54 21 03 24
RENAULT Cousin, rte de Bourges N 151 par ② ✆ 54 21 06 92 N
Ⓟ Central-Pneu, rte Bourges N 151 ✆ 54 21 02 68
Giraud, 38 av. Chinault ✆ 54 21 27 33

ISTRES 13800 B.-du-R. 84 ① G. Provence – 30 360 h.

ℹ Office de Tourisme 30 allées J.-Jaurès ✆ 42 55 51 15.

Paris 742 – Arles 41 – ♦Marseille 57 – Martigues 15 – St-Rémy-de-P. 39 – Salon-de-Provence 20.

🏨 **Baumes** Ⓜ, **rte Pierre du Pebro** ✆ **42 55 02 63** – 🛁wc 🚿wc ☎ **P.** AE ⓓ E VISA
R *(fermé sam. midi et dim. soir)* 45/300, enf. 35 – ☕ 20 – **26 ch** 175/250 – $^1/_2$ p 305.

🏨 **Le Castellan** Ⓜ sans rest, **pl. Ste-Catherine** ✆ **42 55 13 09** – 🛁wc **P.** 🐕
☕ 18 – **17 ch** 145/170.

🏨 **Aystria-Tartugues** Ⓜ sans rest, **chemin de Tartugues** ✆ **42 56 44 55** – 🛁wc ☎ **P.** 🐕 – ☕ 19 – **10 ch** 160/190.

🏨 **Peyreguet** sans rest, **bd J.J. Prat** ✆ **42 55 04 52** – 🚿wc ☎ **P.** ⓓ E
☕ 17 – **25 ch** 90/135.

🏨 **Escale** sans rest, **bd Ed. Guizonnier** ✆ **42 55 01 88,** 🌳 – 🛁wc 🚿wc ☎ **P.** VISA
☕ 18 – **20 ch** 92/140.

XX **St-Martin,** Port des Heures Claires, SE : 3 km ✆ **42 56 07 12,** 🏖 – 📺. E VISA. 🐕
fermé nov., mardi soir et merc. – **R** 140/180.

XX **Mazet de Pepi,** r des Baumes ✆ **42 55 42 43,** 🏖 – **P.** AE ⓓ E VISA. 🐕
fermé 25 juil. au 15 août, dim. soir et lundi – **R** 140.

CITROEN Gar. Clavel, bd J.-J.-Prat ✆ 42 55 00 65
Ⓟ Morcel, 12 ch. de Tivoli ✆ 42 56 34 46

ITTENHEIM 67 B.-Rhin 62 ⑨ – rattaché à Strasbourg.

ITTERSWILLER 67 B.-Rhin 62 ⑨ – 262 h. – ✉ 67140 Barr.
Paris 429 – Erstein 24 – Mittelbergheim 4 – Molsheim 24 – Sélestat 14 – ♦Strasbourg 41 – Villé 13.

Arnold M, ✆ 88 85 50 58, Télex 870550, ≤, – TV ☎ P – 60. E VISA. ch
R Winstub Arnold *(fermé lundi)* 100/240 – 30 – **27 ch** 280/385 – 1/2 p 285/310.

ITTEVILLE 91760 Essonne 61 ①, 196 ㊸ – 3 546 h.
Paris 48 – Arpajon 12 – Corbeil-Essonnes 19 – Étampes 19 – Melun 33.

XX **Aub. de l'Épine,** N : 3 km, au domaine de l'Épine (29 r. Gén.-Leclerc) ✆ 64 93 10 75, – P. E VISA
fermé 7 août au 1er sept., 1er au 18 fév., lundi soir, mardi soir et merc. – **R** 135/160.

ITXASSOU 64 Pyr.-Atl. 85 ③ **G. Pyrénées Aquitaine** – 1 297 h. – ✉ **64250** Cambo-les-Bains.
Voir Église★.
Paris 793 – Bayonne 24 – Cambo-les-B. 4,5 – Pau 118 – St-Jean-de-Luz 32 – St-Jean-Pied-de-Port 31.

Chêne, ✆ 59 29 75 01, ≤, – wc P. rest
fermé 2 janv. au 28 fév., lundi soir et mardi d'oct. à juin – **R** 55/140 – 18 – **16 ch** 130/160 – 1/2 p 185.

Fronton, ✆ 59 29 75 10, ≤, – wc wc P. VISA. ch
fermé 1er janv. au 15 fév. et merc. hors sais. – **R** 52/168, enf. 35 – 19 – **15 ch** 124/195 – 1/2 p 161/199.

IVRY-LA-BATAILLE 27540 Eure 55 ⑰, 196 ⑬ **G. Normandie Vallée de la Seine** – 2 065 h.
Paris 82 – Anet 7,5 – Dreux 24 – Évreux 35 – Mantes-la-Jolie 24 – Pacy-sur-Eure 17.

Gd St-Martin, ✆ 32 36 41 39 – wc . E VISA. ch
fermé 22 au 30 août, janv., dim. soir et lundi – **R** 120/250 – 21 – **10 ch** 140/250 – 1/2 p 260/380.

XXX **Moulin d'Ivry,** 10 r. Henri-IV ✆ 32 36 40 51, ≤, , « Jardin et terrasse au bord de l'Eure » – P. AE E VISA
fermé fév. dim. soir et lundi – **R** 130/200.

IZERNORE 01580 Ain 74 ④ – 975 h.
Paris 480 – Bourg-en-Bresse 39 – ♦Lyon 96 – Nantua 9,5 – Oyonnax 15.

Michaillard, ✆ 74 76 96 46 – wc ☎ P. ch
fermé 1er au 15 sept. – **R** 50/130 , enf. 32 – 18 – **13 ch** 78/160 – 1/2 p 130/180.

IZIER 21 Côte-d'Or 66 ⑫ – rattaché à Genlis.

IZOARD (Col d') 05 H.-Alpes 77 ⑱ **G. Alpes du Sud** – alt. 2 360.
Voir Belvédères ✻★★ 15 mn – Casse Déserte★★ S : 2 km – Paris 700 – Briançon 22.

JALLAIS 49510 M.-et-L. 67 ⑥ – 3 167 h.
Paris 342 – Ancenis 38 – Angers 50 – Cholet 17 – ♦Nantes 58 – Saumur 67.

Vert Galant, 1 r. J.-de-Saymond ✆ 41 64 20 22 – wc wc ☎ – 50. AE E VISA. ch
R *(fermé vend. soir hors sais.)* 59/240 , enf. 38 – 20 – **25 ch** 100/220 – 1/2 p 140/205.

La JALOUSIE 14 Calvados 55 ⑫ – rattaché à Caen.

JANZÉ 35150 I.-et-V. 63 ⑦ – 4 507 h.
Paris 336 – Châteaubriant 32 – Laval 63 – Redon 64 – ♦Rennes 25 – Vitré 30.

X **Lion d'Or,** 30 r. A.-Briand ✆ 99 47 03 21 – E VISA
fermé 27 août au 13 sept., vacances de fév., dim. soir et lundi – **R** 48/120 .

VAG Gar. Brunet ✆ 99 47 03 05

JARCY 91 Essonne 61 ①, 196 ㉘ – voir à Varennes-Jarcy.

JARGEAU 45150 Loiret 64 ⑩ – 3 389 h.
Club du Val de Loire ✆ 38 59 25 15 NO : 3 km.
Office de Tourisme (15 juin-15 sept.) ✆ 38 59 83 42.
Paris 149 – Châteauneuf-sur-Loire 8 – ♦Orléans 19 – Pithiviers 38 – Romorantin-Lanthenay 70.

Cygne, à St-Denis-de-l'Hôtel N : 1 km ✉ 45550 St Denis-de-l'Hôtel ✆ 38 59 02 43 – wc ☎ P. E VISA
fermé 1er au 15 nov. et vend. soir – **R** 40/102 – 14,50 – **12 ch** 68/130.

FORD Perronnet, ✆ 38 59 71 55 N PEUGEOT-TALBOT Mousset, ✆ 38 59 70 06

60 years of Michelin

MADE IN THE UK

Last year marked 60 years of tyre production in the UK by Michelin, the tyre group founded in France in 1890.

By 1905, a Michelin sales office had been established in London. The timing was appropriate: that year the UK had 32,000 motor vehicles whereas a decade earlier there had been fewer than 3,000 motor vehicles the world over.

With the growth of the automotive industry came the development of an indispensable product – the tyre. To a great extent, the performance, roadholding and speed capabilities of today's vehicles could not have been attained without the advance of tyre technology, most of it due to Michelin innovation.

Thus the establishment of a Michelin factory at Stoke-on-Trent in 1927 has meant more to UK motoring and road haulage than meets the eye.

As in the case of the automotive industry in general, Michelin survived several years of global economic depression and, by 1935, its Stoke factory was again setting the pace, producing a range of tyres that were durable, flexible and capable of running at greatly reduced pressures.

Right off the ground.

The wheel does not leave the ground.

These were the Real Low Pressure tyres that gave considerably better roadholding than conventional tyres of the day and coped much more effectively with the problem of heat generation. By reducing pressures by more than a third, these Michelin tyres heralded a new standard in vehicle performance and driving comfort.

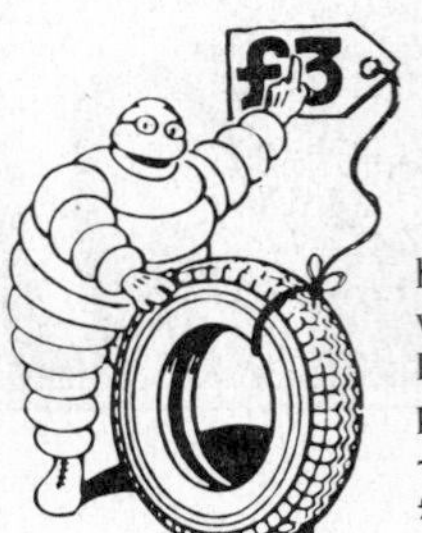

Mid-way through the Thirties, the outlook for motoring was bright. Mr Hore-Belisha, Minister of Transport, announced a new five-year road building plan. Car prices were down to almost half those of ten years before and there were more than 75 makes to choose from. In addition, road tax was 15/- per horse power, petrol 1/6 a gallon and a good tyre – a Michelin – could be bought for under £3 for a small family saloon.

60 years of
Michelin
MADE IN THE UK

Across the Channel, Michelin was producing another "first", a steel cord truck tyre called the Metallic. Putting steel cord into a tyre at that early date – 1937 – was a technological breakthrough. The advent of the Second World War, however, put paid to immediate plans to start production of the Metallic at the Stoke factory. But Michelin's progress in the UK could be measured in other ways. Stoke-made tyres could carry 30-ton vehicles through the blazing heat of the Syrian desert and there was the Pilot tyre giving improved steering, stability and roadholding. Driving a car fitted with Pilot tyres was said to be like driving on rails.

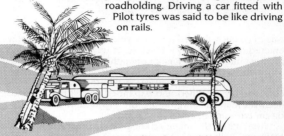

The Syrian Desert Bus.

For British industry, the Second World War required continuous effort beyond the call of duty. Tyres were vital, strategic products and Michelin, along with other British tyre manufacturers, battened down the hatches and produced as they had never done before. Tyres were produced at desperately short notice, often in special types and sizes for new military vehicles, and in the face of shortages and other difficulties. Michelin's war effort did not stop at tyres. Vehicles were also assembled and between 1941 and 1944, under the Lease Lend agreement, 4,765 military vehicles were built.

Michelin made its contribution to the post-war recovery programme by taking up the reins of progress. The first step in 1948 was to start production of the Metallic at Stoke.

In the same year Michelin developed a tyre that was to revolutionise the tyre industry. This was the radial, the type of tyre now used on virtually all cars, trucks, buses and coaches. By replacing the crossply design, the radial has changed the face – and the pace – of vehicle operation, providing greater reliability, higher mileage, better performance, increased speed, improved braking and more grip on the road. By 1953, Michelin was producing in the UK a range of radial tyres for cars and trucks. The Michelin X widened the gap between Michelin and its commercial competitors – it gave the company a technological lead that

Michelin Metallic.

was to go unchallenged for many years. Significantly, a new word had entered our vocabulary – tubeless. In terms of truck tyre technology, tubeless radials were a major breakthrough, providing benefits such as weight saving, cool running and fewer component parts.

Today the factory that was established at Stoke in 1927, now considerably modified and expanded, is still the headquarters of Michelin manufacturing in the UK. Production at Stoke is centred on car tyres and semi-finished goods.

The other UK manufacturing operations are in Burnley (est. 1960) and Ballymena (1969), producing truck tyres, and in Dundee (1972), producing car tyres.

CONVENTIONAL ASSEMBLY
(SIX COMPONENTS)

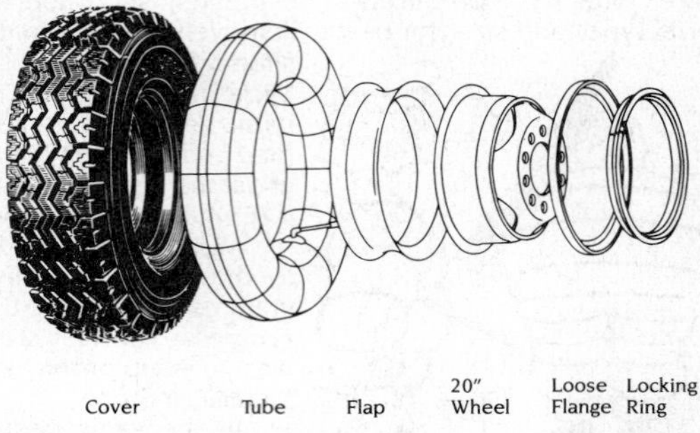

Cover
Tube
Flap
20″ Wheel
Loose Flange
Locking Ring

MICHELIN TRUCK X TUBELESS ASSEMBLY
(TWO COMPONENTS)

Cover
22.5″ Wheel with Drop Centre Rim (15° taper)

A network of 22 Commercial Distribution Centres throughout the UK and Eire provides a high level of local customer contact and service and the company's commercial headquarters is based in Harrow, near London.

The Michelin Training & Information Centre, regarded as the best of its kind in UK industry, was established in London in 1980 as a service to customers. It provides three principal services: training adapted to specific needs; reciprocal exchange of information; joint research on common problems and their solutions.

Michelin Training
& Information Centre,

One aspect of Michelin, not always generally appreciated, is that the company runs a major publishing operation. The Michelin Group, including its UK commercial headquarters' tourism department, produces 65,000 maps and guides every working day and is Europe's largest publisher in this field.

1927 – 1987:

60 years of hard work and dedication which helped Michelin become the leader of Britain's tyre industry. With annual sales at the £600 million mark, Michelin in the UK currently employs more than 11,000 people throughout its manufacturing, commercial and distribution divisions.

D·I·A·M·O·N·D

J·U·B·I·L·E·E

MICHELIN RADIALS FOR SUPERB PERFORMANCE AND ROADHOLDING

New generation Michelin radials are for drivers who enjoy their motoring and who look for the best possible performance from their cars. Whether in the fast lane or just cruising, you can be sure that Michelin radials will complement your car's performance with exceptional control and steering response and optimal roadholding. You might also appreciate the extra value of good mileage and fuel economy as well as the subtle sporting looks of our low profile range.

MX

are car tyres with safe, sure handling, comfort and reliability.

MXL

radials, with their stylish wide section, give extra grip and stability along with improved fuel economy.

MXV

high speed, high performance radials provide outstanding braking power, precision handling and excellent grip with rapid water dispersal to prevent aquaplaning at speed.

MXW

radials are ideal for the powerful saloon car with their high acceleration capability and outstanding braking power, extra comfort, quiet running and high speed stability.

MXX

radials for the ultra high performance sports cars give an extremely high level of grip, braking power, high torque transmission and reliability.

TDX-E

are high efficiency radials designed for fuel economy and extra ride comfort with a built-in security factor – limited "run-on" capability after a deflation.

TRX

offer a unique radial tyre and rim combination with sustained high speed performance, exceptional steering response and remarkable comfort.

Michelin radials are not only a pleasure to drive and to behold, their quality ensures maximum reliability for confident motoring at speed.

MICHELIN MAPS & GUIDES

At the end of the last century, motor cars were still a rarity, horse power still meant a flying mane, steel-bound wheels and a hard ride. But if motor cars were rare, route maps were almost unheard of and hotel and restaurant guide books simply did not exist.

The development of the pneumatic tyre was the one factor without which the motor car would have remained a noisy, slow and cumbersome toy with little future. The pneumatic tyre gave life to the motor car which at last made possible fast long-distance travel for the masses. André Michelin, one of the founders of Michelin, sensed the need for accurate information and in 1900, published the first Hotel and Restaurant Guide for France.

The whole range of Michelin maps and guides available today stems from this first publication.

HOTEL AND RESTAURANT GUIDES

This Hotel and Restaurant Guide to Great Britain and Ireland is one of a world famous range of similar publications. The complete list is: Benelux, France, Germany, Great Britain and Ireland, Italy, Main Cities Europe, Spain and Portugal, Paris and London.

These guides are all prepared to the same standards and published annually. Easily understood symbols give details of the size and grade of the hotel or restaurant and the varying facilities available (see the reference pages at the front of this guide).

In addition, there is a guide for the visitor to France who prefers the open air life, Camping and Caravaning in France, also revised annually.

GREEN TOURIST GUIDES

The first Michelin touring guides appeared before the First World War. In those days, they did not have a standard format; the shape and binding varied from guide to guide. Some of the earliest guides were of places to which even today a visit is an adventure. The guide of the 'Sunny Countries' featured parts of North Africa and Southern Europe.

Within a year of Armistice Day, a special series of tourist books – the Guides to the Battlefields – was published and these are now collectors' items. Through words and pictures depicting the horror and destruction at Amiens and Arras, Lille, the Marne Campaigns and Rheims, Soissons, the Somme, Verdun, Ypres and Yser, a multitude of visitors were helped to appreciate fully what had happened.

Today there are guides to many important cities: Paris, London, Rome, New York. To countries: Canada, Portugal, Spain, Austria, Germany, Greece, Italy, Belgium-Luxembourg, Switzerland and Holland. France is covered by six regional guides in English and twenty in the French language. For Great Britain there are The West Country and Scotland. In the USA, New England. All the guides, with the familiar green covers, are to a uniform standard.

All Green Tourist Guides are revised regularly (but not necessarily annually).

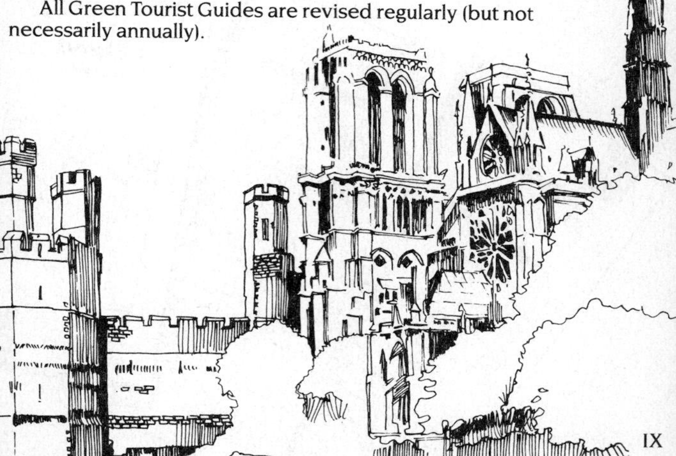

MAPS

The Michelin archives contain many maps produced by the Company shortly after the first Michelin Red Guide, in other words, some 80 years ago. Like the Guide, the early maps were of France. However, as the coverage of the guides spread to cover the Mediterranean area and the British Isles, so did the maps. Indeed, in those areas that have never been blessed with motorways, an old Michelin map is still quite usable (if you ignore the size of the towns and villages), because they were produced with such accuracy

The range and scope of Michelin maps increase constantly and today cover the whole of Western Europe and Africa. Indeed, the Michelin Africa maps are the only true motoring maps of that vast continent.

Setting aside the rather special maps of specific areas, geological regions of France, city environs, historic events etc., the map range divides into three categories: main roads, regional maps and detailed maps. A single sheet map covers Europe from east to west and as far north as Bergen. There are main road maps of the whole of Western Europe. The biggest expansion in new Michelin maps, at this time, is of the regional maps. The British Isles are covered by five maps. There are 17 regional maps covering the whole of France. Spain and Portugal, the Benelux countries, Switzerland and Austria are already in the series and the next countries to be included are Italy and West Germany. The detailed maps are primarily of France, the country being covered in 37 sheets.

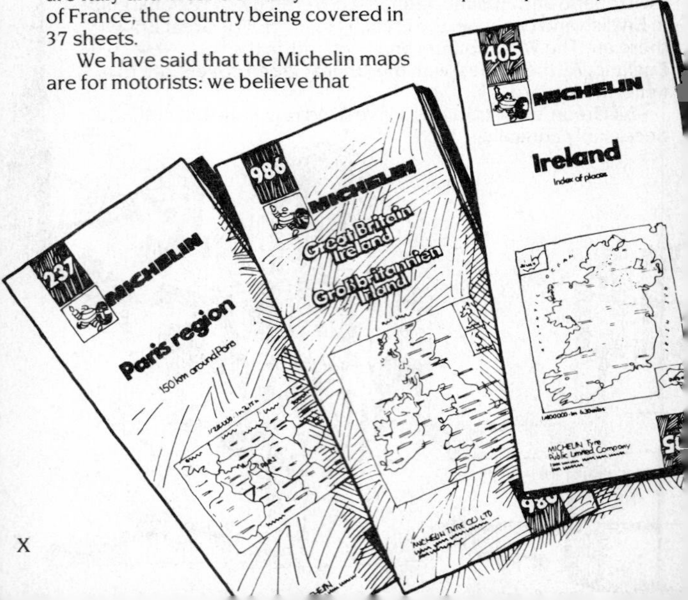

We have said that the Michelin maps are for motorists: we believe that

they are the only maps designed and produced specifically with the driver in mind. They are famous not only for what they include but also for what is omitted. There is none of the clutter, so often associated with some other maps, which can make reference so difficult. On regional maps there is a generous overlap from sheet to sheet so that no town or place is on the fold.

'Motorist' does of course mean every type of driver from tourist to businessman. Truck drivers need good maps too. Michelin maps cater for all drivers. Recommended hotels and restaurants are cross-referenced in the appropriate Red Guide. Places of natural beauty and other tourist attractions are also indicated.

We could go on, but suffice it to say that we believe that our maps and guides, like our tyres, are the best. Changes are never made for cosmetic reasons only, but rather as a consequence of our regular reviews, constant research and the help we receive from our customers.

EUROPE

GREAT BRITAIN

AUSTRIA
BENELUX
FRANCE
GERMANY
GREECE
IRELAND
ITALY
PORTUGAL
SPAIN
SWITZERLAND
YUGOSLAVIA

AFRICA

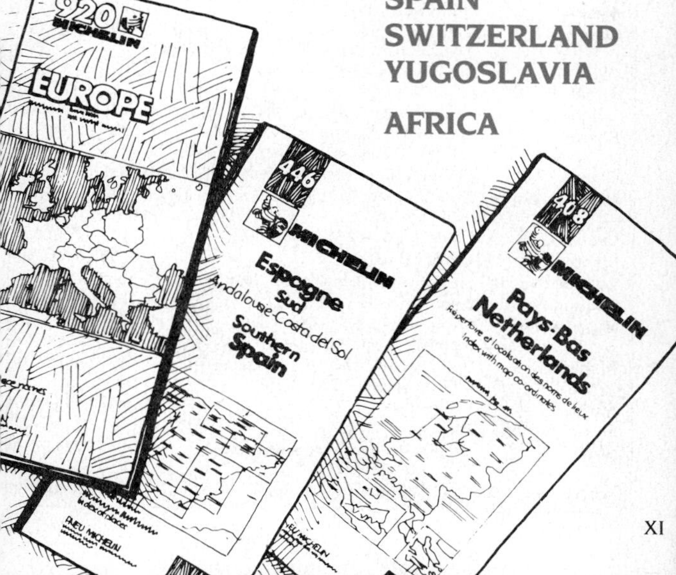

THE MICHELIN ORGANISATION
IN THE UNITED KINGDOM & EIRE

HEAD OFFICE
Stoke-on-Trent ST4 4EY 0782 48101

COMMERCIAL OFFICE
London
Davy House, Lyon Road,
Harrow, Middlesex,
HA1 2DQ 01 861 2121

MICHELIN TRAINING & INFORMATION CENTRE
London
170 Stewart's Road,
SW8 4UL 01 720 0611

EIRE OFFICE
Dublin 4 Spilmak Place, Bluebell
Industrial Estate, Naas Road,
Dublin 12, Eire 0001 509096

COMMERCIAL DISTRIBUTION CENTRES

Aberdeen	Wellington Road, AB9 2JZ	0224 875075
Bedford	Hammond Road, Elms Farm Industrial Estate, MK41 0LG	0234 271100
Belfast	Mallusk Park, 40 Mallusk Road, Newtownabbey, Co. Antrim, BT38 8PX	023 1342616
Birmingham	Valepits Road, Garrett's Green, B33 0YD	021 784 7900
Bridgend	Brackla Industrial Estate, Mid Glamorgan, CF31 2AG	0656 62343
Bristol	Pennywell Road, BS5 0UB	0272 559802
Chester	Sandycroft Industrial Estate, Glendale Avenue, Sandycroft, Deeside, CH5 2QP	0244 537373
Chester-le-Street	Drum Road Industrial Estate, Drum Road, DH3 2AF	091 410 7762
Colchester	97 Gosbecks Road, CO2 9JT	0206 578451
Exeter	Kestrel Way, Sowton Industrial Estate, EX2 7LH	0392 77246
Glasgow	60 Cunningham Road, Rutherglen, G73 1PP	041 643 2101
High Wycombe	Thomas Road, Wooburn Green, Bucks, HP10 0PE	06285 27472
Leeds	Gelderd Road, LS12 6EU	0532 793911
Lincoln	Tritton Road, LN6 7RX	0522 684023
London (North)	Eley's Estate, Angel Road, N18 3DQ	01 803 7341
London (South)	Deer Park Road, SW19 3UD	01 540 9034
Manchester	Ferris Street, Off Louisa Street, Openshaw, M11 1BS	061 223 3274
Preston	Unit 20, Roman Way, Longridge Road, Ribbleton, PR2 5BB	0772 651411
Sheffield	12 Tinsley Park Close, S9 5DE	0742 433264
Southampton	Test Lane, SO1 9JX	0703 872344
Stoke	Jamage Road Industrial Estate, Talke Pits, ST7 1QF	0782 771211
Worcester	Blackpole Trading Estate, WR3 8TJ	0905 55626

JARNAC 16200 Charente **72** ⑫ **G. Poitou Vendée Charentes** – 4 917 h.
Office de Tourisme pl. Château ✆ 45 81 09 30.
Paris 452 – Angoulême 29 – Barbezieux 27 – ♦Bordeaux 112 – Cognac 15 – Jonzac 38 – Ruffec 53.

XX **Château,** pl. Château ✆ 45 81 07 17 – E VISA
fermé 15 août au 10 sept., vacances de fév., sam. midi, dim. soir et lundi – **R** 72/134 dîner à la carte.

à Bourg-Charente O : 6 km par N 141 et VO – ✉ **16200** Jarnac :

XX La Ribaudière, ✆ 45 81 30 54, ←, 🍽, 🍽 – Ⓟ.

à Fleurac NE : 10 km par N 141 et D 157 – ✉ **16200** Jarnac :

Domaine de Fleurac ⑤, ✆ 45 35 82 17, ←, 🍽, « Parc » – ⇔wc ☎ Ⓟ – 🏊 40. AE VISA
fermé dim. soir sauf juil.-août – **R** 120/150 , enf. 60 – ☕ 28 – **18 ch** 160/350 – 1/2 p 320/360.

RENAULT Tournat, ✆ 45 81 10 63
RENAULT Gar. Vitrac, à Souillac ✆ 45 81 07 66
Gar. Yvonnet, ✆ 45 81 17 91

JAUNAY-CLAN 86130 Vienne **68** ⑬⑭ – 4 630 h.
Voir Peintures murales★ du château de Dissay NE : 5 km, **G. Poitou Vendée Charentes.**
Paris 323 – Châtellerault 21 – Chinon 67 – Parthenay 50 – Poitiers 13 – Saumur 84 – Thouars 59.

Centre, pl. Fraternité ✆ 49 52 05 45 – ⇔ ⋒ Ⓟ. AE ⓓ
fermé sam. soir (sauf hôtel) et dim. – **R** 48/89 , enf. 25 – ☕ 17 – **24 ch** 79/135 – 1/2 p 130/140.

JAUSIERS 04 Alpes-de-H.-P. **81** ⑧ **G. Alpes du Sud** – 1 049 h. alt. 1 220 – ✉ **04400** Barcelonnette – Paris 744 – Barcelonnette 8 – Digne 95 – Guillestre 41 – St-Étienne-de-Tinée 50 – St-Paul 14.

Bel Air, ✆ 92 81 06 35 – ⋒wc ☎ Ⓟ.
hôtel : fermé 15 au 31 mai et 15 nov. au 15 déc. ; rest. : fermé 1er mai au 15 juin et 1er oct. au 15 déc. – **R** (dîner seul.) 62/65 – ☕ 19 – **15 ch** 120/190 – 1/2 p 142/150.

JAVRON 53 Mayenne **60** ① – 1 299 h. – ✉ **53250** Javron-les-Chapelles.
Paris 226 – Alençon 36 – Bagnoles-de-l'Orne 25 – ♦Le Mans 67 – Mayenne 25.

XXX **La Terrasse,** ✆ 43 03 41 91 – ⓓ E VISA.
fermé 10 au 24 sept., oct., 2 au 16 janv., lundi et mardi – **R** 87/164, enf. 40.

PEUGEOT-TALBOT Gar. Goupy, ✆ 43 03 40 39

JERSEY (Ile de) ★★ Ile **54** ⑤
Accès : Transports maritimes pour St-Hélier (réservation indispensable).

⛴ depuis **St-Malo.** En 1987 : par cargo pour les autos (1 service hebdomadaire) - Aller 500 F - par hydroglisseur pour les voyageurs (5 services quotidiens en saison, 2 services quotidiens hors saison) - Traversée 1 h - 210 F (AR dans la journée) Renseignements : Morvan fils, gare maritime ✆ 99 56 42 29 (St-Malo) – par car-ferry (2 services quotidiens en saison, 3 à 5 départs hebdomadaires hors saison) - Traversée 2 h 30 - Autos : aller 440 à 650 F ; Voyageurs : 190 F à 205 F (AR dans la journée). Renseignements : Emeraude Ferries, gare maritime du Naye ✆ 99 81 61 46 (St-Malo) Plusieurs de ces services assurent une liaison avec **Guernesey.**

⛴ depuis **St-Malo.** En 1987 : de mai à sept., 1 service quotidien - Traversée 1 h - 210 F (AR dans la journée), par Vedettes Armoricaines, gare maritime de la Bourse ✆ 99 56 48 88 et de mars à nov., 1 à 3 départs quotidiens - Traversée 1 h 15 - 210 F (AR dans la journée), par Vedettes Blanches, gare maritime de la Bourse ✆ 99 56 63 21.

⛴ depuis **Granville.** En 1987 : de mars à mi nov., 1 service quotidien suivant marées - Traversée 1 h 30 - 190 F (AR dans la journée) par Vedettes Armoricaines, 12 r. G.-Clemenceau ✆ 33 50 77 45 et avril à fin sept., 1 service quotidien - Traversée 1 h 20 - 210 F (AR dans la journée) par Vedettes Vertes Granvillaises, 1 r. Le Campion ✆ 33 50 16 36.

⛴ Pour **Gorey.** En 1987 depuis **Carteret :** de mars à nov., 1 à 2 services quotidiens suivant marées - Traversée 30 mn - 215 F (AR dans la journée) par Service Maritime, Carteret ✆ 33 53 87 21.

⛴ depuis **Portbail.** En 1987 : de mars à nov., 1 service quotidien -Traversée 50 mn - 190 F (AR dans la journée) par Service Maritime Carteret ✆ 33 04 86 71.

Service aérien avec Paris (Charles-de-Gaulle) ✆ (1) 45 35 61 61 et Dinard ✆ 99 46 22 81 par Jersey Européan Airways, avec Cherbourg ✆ 33 22 91 32 et Dinard ✆ 99 56 42 29 par Aurigny Air Services et – avec Deauville ✆ 31 88 31 28.

Curiosités et ressources hôtelières - v. Guide Rouge Michelin : **Great Britain and Ireland**

JOB 63990 P.-de-D. **73** ⑯ **G. Auvergne** – 1 065 h. alt. 630.
Paris 429 – Ambert 9 – Chalmazel 28 – ♦Clermont-Ferrand 83 – Thiers 48.

Voyageurs, ✆ 73 82 07 54 – ⇔ 🚗. VISA
fermé 2 au 25 janv. et merc. – **R** 50/130 – ☕ 18 – **17 ch** 80/150 – 1/2 p 195/225.

JOIGNY 89300 Yonne 65 ④ G. Bourgogne – 10 488 h.

Voir Vierge au sourire★ dans l'égl. St-Thibault A E – Côte St-Jacques ≤★ 1,5 km par D 20 A.

Office de Tourisme quai H.-Ragobert ✆ 86 62 11 05.

Paris 146 ⑤ – Auxerre 27 ③ – Gien 74 ⑤ – Montargis 59 ⑤ – Sens 30 ⑥ – Troyes 76 ②.

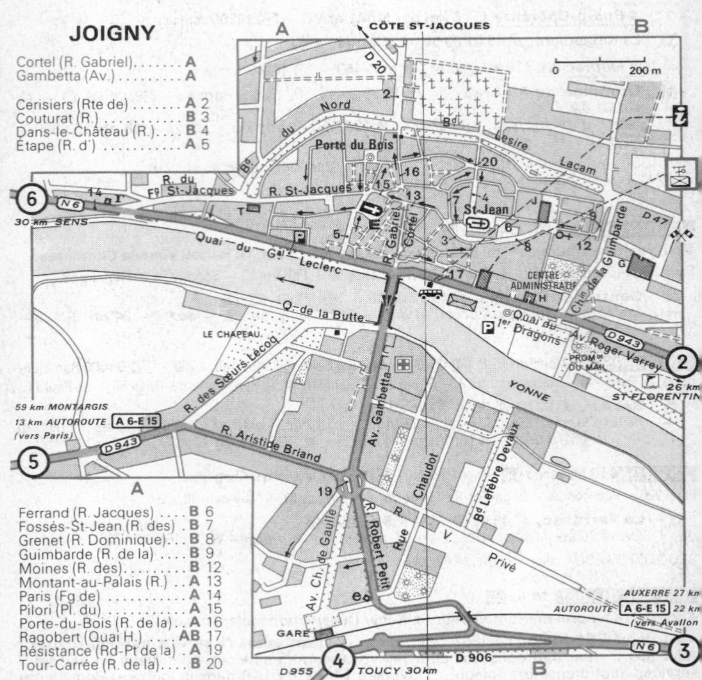

❀❀❀ **A la Côte St-Jacques** (Lorain) M, 14 fg Paris ✆ **86 62 09 70, Télex 801458, ≤, « Belle décoration intérieure »**, – ch TV ☎ P – 40. AE ⓓ E VISA A r
fermé 2 janv. au 2 fév. – **R** (dim. prévenir) 450 et carte – 70 – **14 ch** 505/1400, 3 appartements 2240
Spéc. Bar fumé à la crème de caviar, Canard rôti aux lentilles, Trois desserts au chocolat à la menthe fraîche. **Vins** Chablis.

❀ **Modern'H Frères Godard** M, **av. Robert-Petit ✆ 86 62 16 28, Télex 801693,** – TV ☎ P – 30. AE ⓓ E VISA A e
R (dim. et fêtes prévenir) 175/290, enf. 100 – 30 – **22 ch** 285/320
Spéc. Chartreuse d'écrevisses (saison), Canard à la Gaston Godard, Maillotine. **Vins** Bourgogne aligoté, Coulanges la Vineuse.

CITROEN Joigny Automobile, N 6 à Champlay par ③ ✆ 86 62 06 45
OPEL Blondeau, 6 fg Paris ✆ 86 62 05 02
PEUGEOT-TALBOT Gd Gar. de Paris, 24 fg Paris par ⑥ ✆ 86 62 12 25
RENAULT S.A.J.A., rte de Migennes par ② ✆ 86 62 22 00 N
V.A.G. Autom. Fournet, 29 r. Aristide Briand ✆ 86 62 09 21
Jeandot, 9 av. R.-Petit ✆ 86 62 18 84

JOINVILLE 52300 H.-Marne 62 ① G. Champagne – 5 091 h.

Syndicat d'Initiative r. A.-Briand (juil.-août) ✆ 25 94 17 90.

Paris 236 – Bar-sur-Aube 47 – Chaumont 43 – Neufchâteau 51 – St-Dizier 31 – Toul 73 – Troyes 93.

Nord, r. C.-Gillet ✆ 25 94 10 97 – wc wc . AE E VISA
hôtel : fermé lundi ; rest. : fermé 1er au 21 oct., dim. soir et lundi – **R** 55/135 , enf 40 – 18 – **17 ch** 80/165.

XXX **Soleil d'Or** avec ch, 9 r. Capucins ✆ 25 96 15 66 – rest wc wc ☎. AE E VISA
fermé 8 au 28 fév., dim. soir et lundi – **R** 90/220 – 25 – **11 ch** 140/190.

XX **Poste** avec ch, pl. Grève ✆ 25 94 12 63 – wc wc ☎. AE E VISA
fermé 10 janv. au 10 fév. et jeudi du 15 oct. au 15 avril – **R** 75/180, enf. 40 – 22 – **11 ch** 75/170.

à Autigny-le-Grand N : 6 km sur N 67 – ✉ **52300** Joinville :

XX **Host. Moulin de la Planchotte** avec ch, ✆ 25 94 84 39, ≤, parc, – TV wc ☎ P. AE E VISA
fermé 10 au 31 oct. – **R** *(fermé lundi hors sais.)* 50/330 bc – 20 – **4 ch** 230.

RENAULT Roux, 25 av. de Lorraine ✆ 25 96 01 93 N

JOINVILLE-LE-PONT 94 Val-de-Marne 61 ①, 101 ㉗ – voir à Paris, Environs.

JONZAC 17500 Char.-Mar. 71 ⑥ **G. Poitou Vendée Charentes** – 4 873 h.

Syndicat d'Initiative pl. Château ✆ 46 48 04 11.

Paris 512 – Angoulême 56 – ♦Bordeaux 85 – Cognac 34 – Libourne 80 – Royan 58 – Saintes 41.

Le Club sans rest, pl. Église ✆ 46 48 02 27 – wc wc ☎. E VISA. 18 – **15 ch** 90/190.

à Clam N : 6 km – ✉ **17500** Jonzac.

Voir Abside★ de l'église de Marignac N : 4 km.

XX **Vieux Logis,** ✆ 46 70 25 11, – P. E VISA
fermé 15 nov. au 10 déc. et lundi sauf juil.-août – **R** 85/110.

CITROEN Mallet, ✆ 46 48 00 04
PEUGEOT-TALBOT Belot, ✆ 46 48 08 77
RENAULT Gar. Martin et Fils, ✆ 46 48 06 11
N ✆ 46 48 16 62

Service pneus Jonzacais, au bourg à St-Germain-de-Lusignan ✆ 46 48 33 80

JOSSELIN 56120 Morbihan 63 ④ **G. Bretagne** – 2 740 h.

Voir Château★★ B – Basilique N.-D.-du-Roncier★ B B.

Syndicat d'Initiative pl. Congrégation (vacances de Printemps, juil.-août, fermé matin juin et sept.) ✆ 97 22 36 43.

Paris 421 ② – Dinan 75 ① – Lorient 73 ④ – ♦Rennes 72 ② – St-Brieuc 75 ⑤ – Vannes 42 ④.

JOSSELIN

Beaumanoir (R.) . . . . . . A
Le-Berd (R. G.) . . . . . . B 12
Trente (R. des) . . . . . . B 30

Briend (R. Lucien) . . . B 2
Chapelle (R. de la) . . . A 3
Clisson (R. O. de) . . . . B 4
Coteaux (R. des) . . . . A 5
Devins (R. des) . . . . . . A 6
Douves-du-Lion-d'Or (R.) . . . . A 7
Duchesse-Anne (Pl. de la) . . . . B 8
Fontaine (Ch. de la) . . B 9
Gaulle (R. Gén.-de) . . A 10
Glatinier (R.) . . . . A 13
Notre-Dame (Pl.) . . . . B 14
Rohan (Pl. A.-de) . . . . B 17
St-Jacques (R.) . . . . . . B 18
St-Martin (Pl.) . . . . . . A 20
St-Martin (R.) . . . . A 22
St-Michel (R.) . . . . B 23
St-Nicolas (R. et Pl.) . . B 24
Ste-Croix (Pont) . . . . . A 27
Ste-Croix (R.) . . . . A 28
Texier (R. Alphonse) . A 29
Vierges (R. des) . . . . . B 32

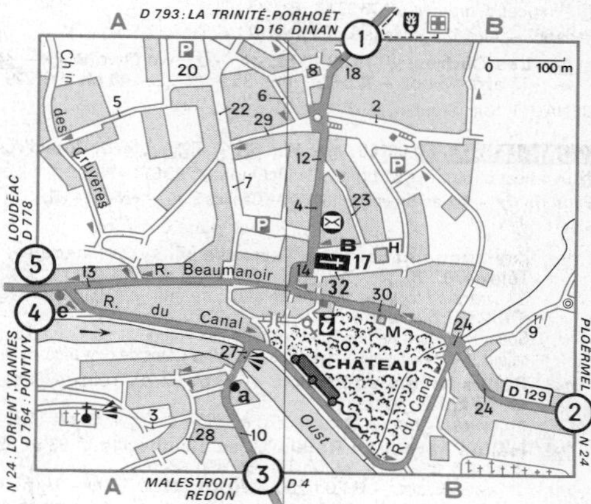

Château, 1 r. Gén.-de-Gaulle ✆ 97 22 20 11, ≤ château – TV wc wc ☎. P. E VISA — A a
fermé fév. et lundi du 15 oct. au 1er avril – **R** 60/160 – 24 – **36 ch** 105/240 – 1/2 p 165/230.

XX **Commerce** avec ch, 9 r. Glatinier ✆ 97 22 22 08, ≤ – wc wc. AE E VISA
fermé mars et merc. – **R** 90/189, enf. 39 – 21 – **7 ch** 160/240 – 1/2 p 207/297. — A e

CITROEN Gar. Joubard, par ④ ✆ 97 22 23 04

PEUGEOT-TALBOT Gar. Chouffeur, Z.I. de la Rochette par ④ ✆ 97 22 22 80

JOUCAS 84 Vaucluse 81 ⑬ – 210 h. – ✉ **84220** Gordes.
Paris 721 – Apt 15 – Avignon 42 – Carpentras 30 – Cavaillon 21.

✿ **Mas des Herbes Blanches** M, N: 2,5 sur D 102 A (rte de Murs) ✆ 90 05 79 79, Télex 432045, ≤ le Lubéron, ... – TV ☎ P – 30. AE E VISA
1er mars-15 nov. – **R** 195 (déj.) et carte 250 à 370 – ☕ 55 – **18 ch** 670/1150 – 1/2 p 610/925
Spéc. Tian de St-Jacques tièdes à la fondue de tomates, Fricassé de homard aux pâtes fraîches, Nougat glacé. **Vins** Côtes-du-Lubéron, Côtes-de-Provence.

Phebus M, rte Murs ✆ 90 72 07 04, Télex 650697, ≤ le Lubéron, « Dans la garrigue », ... – TV ☎ & P. E VISA. rest
1er avril-10 oct. – **R** 180/380 – ☕ 60 – **16 ch** 580/650 – 1/2 p 820/1130.

Host. des Commandeurs, ✆ 90 05 78 01, ≤ – wc ☎ P. E VISA
R 70/110 – ☕ 20 – **14 ch** 110/165 – 1/2 p 185/235.

JOUÉ-LÈS-TOURS 37 I.-et-L. 64 ⑮ – rattaché à Tours.

JOUGNE 25 Doubs 70 ⑦ G. Jura – 866 h. alt. 1 010 – Sports d'hiver : 900/1 380 m 11 –
✉ **25370** Les Hôpitaux-Neufs.
Paris 454 – ♦Besançon 78 – Champagnole 48 – Lausanne 47 – Morez 58 – Pontarlier 20.

Poste, ✆ 81 49 12 37, ≤, – wc ☎. E VISA. rest
1er juil.-15 sept. et 20 déc.-6 avril – **R** 55/140 – ☕ 22 – **15 ch** 100/165 – 1/2 p 140/170.

Bonjour, ✆ 81 49 10 45, ≤ – wc wc . VISA.
15 juin-10 sept. et 20 déc.-15 avril – **R** 55/150, enf. 38 – ☕ 20 – **18 ch** 110/160 – 1/2 p 145/190.

Suchet, N 57 ✆ 81 49 10 38 – P. AE E VISA
fermé 1er au 20 juin, 12 sept. au 25 oct. et vend. du 25 oct. au 15 déc. et du 10 avril au 1er juin – **R** 53/85 – ☕ 17,50 – **16 ch** 85/155 – 1/2 p 135/150.

à Entre-les-Fourgs SE : 4,5 km par D 423 – ✉ **25370** Les Hôpitaux-Neufs :

Les Petits Gris, ✆ 81 49 12 93, ≤, – wc wc. E VISA. ch
fermé 19 sept au 8 oct. – **R** *(fermé merc.)* 53/130 – ☕ 22 – **16 ch** 125/170 – 1/2 p 155/195.

La JOUVENTE 35 I.-et-V. 59 ⑥ – rattaché à Dinard.

JOUY-SUR-EURE 27 Eure 55 ⑰ – rattaché à Pacy-sur-Eure.

JOYEUSE 07260 Ardèche 80 ⑧ G. Vallée du Rhône – 1 410 h.
Syndicat d'Initiative ✆ 75 39 56 76.
Paris 652 – Alès 52 – Mende 97 – Privas 52.

Les Cèdres, ✆ 75 39 40 60, – wc wc ☎ P – 50. AE E VISA
15 avril-15 oct. – **R** 57/99, enf. 35 – ☕ 22 – **40 ch** 200/249 – 1/2 p 225/300.

RENAULT Gar. Duplan, ✆ 75 39 43 91

JUAN-LES-PINS 06160 Alpes-Mar. 84 ⑨, 195 ㉟㊴ G. Côte d'Azur – Casino: Eden Beach B.
Syndicat d'Initiative 51 bd Ch.-Guillaumont ✆ 93 61 04 98.
Paris 915 ② – Aix-en-Provence 160 ② – Cannes 9 ③ – ♦Nice 24 ①.

Plan page ci-contre

✿✿ **Juana et rest. La Terrasse** M, la Pinède av. G.-Gallice ✆ 93 61 08 70, Télex 470778, ... – TV ☎ P — B f
31 mars-31 oct. – **R** (dîner seul. en juil.-août) carte 370 à 550 – ☕ 65 – **45 ch** 670/2300, 5 appartements
Spéc. Poupeton de fleur de courgette aux langoustines, Carré d'agneau à la fleur de thym et aux caïeux, Millefeuille aux fraises des bois. **Vins** Côtes de Provence, Bellet.

Belles Rives, bd Baudoin ✆ 93 61 02 79, Télex 470984, ≤, – TV ☎. AE E VISA. rest — B d
fin mars-10 oct. – **R** carte 220 à 330 – ☕ 75 – **40 ch** 1100/1900 – 1/2 p 1120/2050.

Hélios et rest Le Relais M, av. Dautheville ✆ 93 61 55 25, Télex 970906, – TV ☎ – 60. AE VISA. rest — A b
1er avril-16 oct. – **R** 200/260 – **70 ch** ☕800/1600 – 1/2 p 710/1030.

Beauséjour sans rest, av. Saramartel ✆ 93 61 07 82, – TV P. AE VISA — B n
1er mai-oct. – ☕ 45 – **30 ch** 580/990.

Mimosas sans rest, r. Pauline ✆ 93 61 04 16, « Parc, beaux arbres, » – P — A c
26 mars-3 oct. – ☕ 35 – **34 ch** 360/490.

Passy sans rest, 15 av. Louis-Gallet ✆ 93 61 11 09 – TV ☎. E VISA — A k
19 mars-30 sept. – ☕ 30 – **36 ch** 360/460.

Welcome sans rest, 7 av. Dr-Hochet ✆ 93 61 26 12, – ☎ P. AE E
VISA – *1er mars-1er nov.* – ☕ 30 – **30 ch** 320/430. — B y

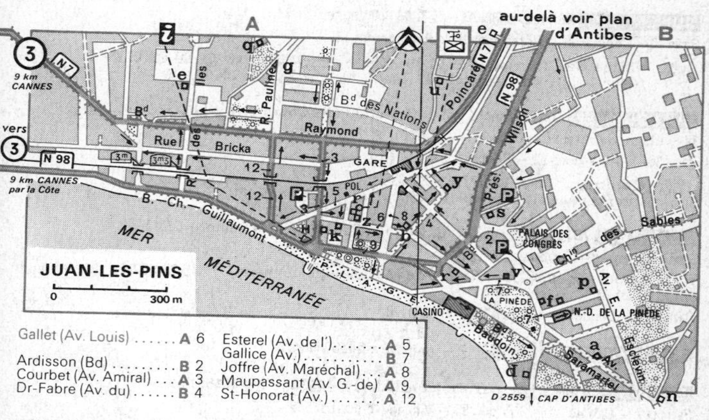

Gallet (Av. Louis) . . . . . . A 6

Ardisson (Bd) . . . . B 2
Courbet (Av. Amiral) . . . A 3
Dr-Fabre (Av. du) . . . . . . B 4

Esterel (Av. de l') . . . . A 5
Gallice (Av.) . . . . B 7
Joffre (Av. Maréchal) . . . A 8
Maupassant (Av. G.-de) A 9
St-Honorat (Av.) . . . . A 12

Ste-Valérie, r. Oratoire ✆ 93 61 07 15, – wc wc ✆. AE E VISA. rest
Pâques-15 oct. – **R** 95 – 25 – **32 ch** 330/470 – ½ p 310/370. B p

Astor sans rest, 30 bd R. Poincaré ✆ 93 61 07 38, Télex 470049, – cuisinette TV wc ✆ – 80. AE E VISA
30 – **38 ch** 430/500. B e

Alexandra, r. Pauline ✆ 93 61 01 36, – wc wc ✆. E VISA. rest
25 mars-10 oct. – **R** 88/110, enf. 35 – 26 – **20 ch** 125/390 – ½ p 215/300. A g

Courbet sans rest, 33 av. Amiral-Courbet ✆ 93 61 15 94 – wc wc ✆. AE E VISA
Pâques-1er oct. – **27 ch** 350/500. A k

Les Orangers, 65 chemin Fournel Badine ✆ 93 61 23 16, – wc wc ✆. E VISA.
15 mars-20 oct. – **R** 90 – 28 – **28 ch** 300/450 – ½ p 220/300. B u

Palais des Congrès sans rest, 4 av. Palmiers ✆ 93 61 04 29 – wc wc ✆. AE E VISA.
1er fév.-31 oct. – 27 – **18 ch** 220/390. B s

Juan Beach, 5 r. Oratoire ✆ 93 61 02 89, – wc wc ✆.
26 mars-5 oct. – **R** 105 – 20 – **28 ch** 210/270. B f

Emeraude, av. Saramartel ✆ 93 61 09 67, – ch wc wc ✆. AE E VISA
fermé 15 nov. au 31 janv. – **R** (dîner seul.) 120, enf. 60 – 22 – **22 ch** 400 – ½ p 280/350. B a

Mexicana sans rest, 20 r. Dr-Dautheville ✆ 93 61 31 34 – wc ✆. E VISA
13 – **15 ch** 224. B r

Eden H. sans rest, 16 av. L.-Gallet ✆ 93 61 05 20 – wc wc ✆
5 fév.-5 nov. – 16 – **17 ch** 130/270. A z

Cécil, r. Jonnard ✆ 93 61 05 12, – ch wc ✆. E VISA. rest
fermé 15 oct. au 10 janv. – **R** (pour résidents seul.) 68 – 22 – **21 ch** 123/239 – ½ p 158/199. A r

XX ✿ **Aub. de l'Esterel** (Plumail) avec ch, 21 r. des Iles ✆ 93 61 08 67, – wc ✆
fermé 1er nov. au 1er déc. et 1er au 8 fév. – **R** *(fermé dim. soir et lundi)* 145/215, enf. 65 – 20 – **15 ch** 170/240 – ½ p 255/295 A e
Spéc. Daube de lotte et pied de veau en gelée, Chartreuse de sardines aux moules, Tartelette à la noix de coco et au citron.

XX **Le Perroquet,** av. G.-Gallice ✆ 93 61 02 20 – E VISA
fermé 1er nov. au 7 janv., mardi soir et merc. sauf juil. à sept. – **R** 98/130. B v

CITROEN Gar. St-Charles, 6 r. St-Charles ✆ 93 61 08 16

JULIÉNAS 69840 Rhône 74 ① G. Vallée du Rhône – 642 h.

Paris 409 – Bourg-en-Bresse 55 – ♦Lyon 65 – Mâcon 17 – Villefranche-sur-Saône 38.

des Vignes sans rest, rte de St Amour : 0,5 km ✆ 74 04 43 70 – wc wc ✆. E VISA
22 – **20 ch** 150/210.

X **Chez la Rose** avec ch, pl. Marché ✆ 74 04 41 20 – . E VISA. ch
fermé 8 au 20 janv. et mardi – **R** 60/100, enf. 35 – 20 – **12 ch** 79/130.

JULIENRUPT 88 Vosges 62 ⑰ – ✉ 88120 Vagney.

Paris 401 – Epinal 39 – Gérardmer 15 – Remiremont 13.

Vallée de Cleurie, ☎ 29 61 10 00, ← – wc wc ☎ P. AE ⓓ E VISA
fermé 4 au 25 janv. – **R** 68/300 ♁, enf. 50 – 22 – **15 ch** 90/200 – 1/2 p 145/250.

JULLOUVILLE 50610 Manche 59 ⑦ **G. Normandie Cotentin** – 948 h.

Syndicat d'Initiative sur CD 911 (juil.-août) ☎ 33 61 82 48.

Paris 354 – Avranches 22 – Granville 8 – St-Lô 64.

XXX **Casino,** ☎ 33 61 82 82, ← – E VISA
fermé janv., fév. et mardi du 15 sept. au 1er juin – **R** 130/180, enf. 60.

JUMIÈGES 76118 S.-Mar. 55 ⑤ **G. Normandie Vallée de la Seine** – 1 634 h.

Voir Ruines de l'abbaye***.

Bacs: de Jumièges ☎ 35 37 24 23 ; de Mesnil-sous-Jumièges ☎ 35 23 88 05 ; de Yainville ☎ 35 37 21 06.

Paris 166 – Caudebec-en-Caux 15 – ♦Rouen 28.

JUNGHOLTZ 68 H.-Rhin 66 ⑨ – rattaché à Guebwiller.

Les JUNIES 46 Lot 79 ⑦ **G. Périgord Quercy** – 250 h. – ✉ 46150 Catus.

Paris 587 – Cahors 24 – Gourdon 35 – Villeneuve-sur-Lot 56.

XX **La Ribote,** La Mouline sur D 660 : 2 km ☎ 65 36 25 55, , – P. AE ⓓ E VISA
fermé 5 janv. au 1er mars et merc. du 15 sept. au 1er juil. – **R** 70/200.

JURANÇON 64 Pyr.-Atl. 85 ⑥ – rattaché à Pau.

JUVIGNY-SOUS-ANDAINE 61 Orne 60 ① – 1 015 h. – ✉ 61140 Bagnoles-de-l'Orne.

Paris 240 – Alençon 50 – Argentan 49 – Bagnoles-de-l'Orne 9,5 – Domfront 11 – Mayenne 38.

Forêt, ☎ 33 38 11 77 – P
fermé janv. – **R** 42/90 ♁ – 18 – **19 ch** 85/115.

XX **Au Bon Accueil** avec ch, ☎ 33 38 10 04 – wc ☎ . E VISA
fermé fév., mardi soir et merc. sauf juil.-août – **R** 60/200 – 22 – **8 ch** 200/260 – 1/2 p 250.

JUVISY-SUR-ORGE 91 Essonne 61 ① – voir à Paris, Environs.

KAYSERSBERG 68240 H.-Rhin 62 ⑱ **G. Alsace et Lorraine** (plan) – 2 712 h.

Voir Église* : retable** – Hôtel de ville* – Pont fortifié* – Maison Brief*.

Office du Tourisme à la Mairie ☎ 89 78 22 78.

Paris 430 – Colmar 11 – Gérardmer 52 – Guebwiller 35 – Munster 26 – St-Dié 46 – Sélestat 26.

Résidence Chambard M , r. Gén.-de-Gaulle ☎ 89 47 10 17, Télex 880272 – ☎ P – 25. AE ⓓ E VISA
fermé 1er au 15 déc. et 1er au 21 mars – **R** voir rest. **Chambard** ci-après – **20 ch** 340/480.

Remparts M sans rest, ☎ 89 47 12 12, ←, – TV wc ☎ P – 25. AE E VISA
23 – **30 ch** 190/260.

Arbre vert (annexe Belle Promenade M 14 ch), r. Haute-du-Rempart ☎ 89 47 11 51 – wc wc ☎. E VISA.
fermé 15 janv. au 28 fév. – **R** *(fermé lundi)* 80/195, enf. 39 – 25 – **36 ch** 165/260 – 1/2 p 228/260.

XXX ✿ **Chambard** -Hôtel Résidence Chambard- (Irrmann), r. Gén.-de-Gaulle ☎ 89 47 10 17, Télex 880272 – P. AE ⓓ E VISA
fermé 1er au 15 déc., 1er au 21 mars, dim. soir et lundi sauf fériés – **R** 180/300
Spéc. Foie gras frais en boudin, Navarin de homard aux cèpes, Mousse Chambard. Vins Riesling, Tokay pinot gris.

XX **Lion d'Or,** r. Gén.-de-Gaulle ☎ 89 47 11 16 – E VISA
fermé 10 janv. au 15 fév., mardi soir du 15 oct. au 1er mai et merc. – **R** 75/230, enf 55.

X **Château** avec ch, r. Gén.-de-Gaulle ☎ 89 78 24 33 – wc . E VISA
fermé 28 juin au 7 juil., 10 janv. au 2 fév., merc. soir du 1er nov. au 1er avril et jeudi – **R** 55/155 ♁ – 20 – **12 ch** 85/230 – 1/2 p 138/208.

à Kientzheim E : 3 km par D 28 – ✉ 68240 Kaysersberg.

Voir Pierres tombales* dans l'église.

Host. Abbaye d'Alspach , ☎ 89 47 16 00 – wc wc ☎ P. E VISA. ch
fermé 8 janv. au 20 fév. – **R** *(fermé merc. soir et jeudi soir)* (dîner seul.) carte 80 à 120 ♁ – 30 – **20 ch** 130/250.

PEUGEOT-TALBOT Hiltenfinck, ☎ 89 78 23 08

KERSAINT 29 Finistère 58 ③ – rattaché à Ploudalmézeau.

KIENTZHEIM 68 H.-Rhin 62 ⑱⑲ – rattaché à Kaysersberg.

KIFFIS 68 H.-Rhin 66 ⑳ – 214 h. – ✉ 68480 Ferrette.

Paris 541 – Altkirch 31 – ♦Bâle 34 – Belfort 59 – Colmar 90 – Montbéliard 58.

X **Aub. du Jura** avec ch, ☏ 89 40 33 33, ←, – wc ☎ P. E VISA.
fermé 29 août au 19 sept., fév. et lundi – **R** 55/160 – 16 – **8 ch** 175/195 – 1/2 p 135/150.

KLINGENTHAL 67 B.-Rhin 62 ⑨ – rattaché à Obernai.

Le KREMLIN-BICÊTRE 94 Val-de-Marne 101 ㉖ – voir à Paris, Environs.

KREUZWEG (Col du) 67 B.-Rhin 62 ⑧⑨ – rattaché au Hohwald.

KRUTH 68820 H.-Rhin 62 ⑱ – 1 002 h.

Voir Cascade St-Nicolas★ SO : 3 km par D 13B1, **G. Alsace et Lorraine.**

Paris 428 – Colmar 62 – Gérardmer 38 – Thann 18 – Le Thillot 32.

Aub. de France, rte Oderen ☏ 89 82 28 02, – wc wc ☎ P. AE ① E VISA
fermé 23 au 30 juin, 2 nov. au 10 déc. et jeudi – **R** 48/110 , enf. 33 – 20 – **16 ch** 95/140 – 1/2 p 130.

RENAULT Gar. Rothra, ☏ 89 82 26 90 N

LABABAN 29 Finistère 58 ⑭ – rattaché à Pouldreuzic.

LABALME 01 Ain 74 ④ – rattaché à Cerdon.

LABAROCHE 68910 H.-Rhin 62 ⑱ – 1 483 h. alt. 750.

Paris 435 – Colmar 14 – Gérardmer 51 – Munster 25 – St-Dié 52.

Tilleul M , ☏ 89 49 84 46, – wc wc ☎ P
fermé 5 janv. au 5 fév. – **R** 58/80 – 25 – **32 ch** 120/180 – 1/2 p 170.

XX **Aub. La Rochette** avec ch, rte des Trois Epis ☏ 89 49 80 40, ←, – wc ☎ P. AE E VISA. ch
fermé janv. et merc. de nov. à avril – **R** 75/140 , enf. 35 – 25 – **8 ch** 180/220 – 1/2 p 178/192.

PEUGEOT Gar. Girard, à Correaux ☏ 89 49 82 68 N ☏ 89 49 82 76

RENAULT Robino, ☏ 89 49 80 52 N

LABARTHE-INARD 31 H.-Gar. 86 ② – 614 h. – ✉ 31800 St-Gaudens.

Paris 783 – Boussens 15 – St-Gaudens 9,5 – St-Girons 34 – ♦Toulouse 81.

Host. du Parc, N 117 ☏ 61 89 08 21, , – wc ☎ P. VISA
fermé mi-janv. à fin fév. et lundi du 1er oct. au 30 juin sauf fêtes – **R** 60/190 – 20 – **14 ch** 130/200.

ALFA-ROMEO Auto Sprint, RN 117 ☏ 61 95 12 14

LABARTHE-SUR-LÈZE 31 H.-Gar. 82 ⑱ – 2 110 h. – ✉ 31120 Portet-sur-Garonne.

Paris 724 – Muret 6 – Pamiers 45 – ♦Toulouse 20.

XX **Poêlon,** ☏ 61 08 68 49, – VISA.
fermé dim. soir – **R** 155.

LABASTIDE-BEAUVOIR 31 H.-Gar. 82 ⑲ – 536 h. – ✉ 31450 Montgiscard.

Paris 728 – Carcassonne 79 – Castres 56 – Pamiers 56 – ♦Toulouse 23.

X **Aub. du Courdil,** ☏ 61 81 82 55, – P. E VISA
fermé janv. et merc. – **R** 53/150 .

LABASTIDE-MURAT 46240 Lot 75 ⑱ **G. Périgord Quercy** – 732 h..

Paris 568 – Brive-la-Gaillarde 74 – Cahors 34 – Figeac 47 – Gourdon 22.

Climat de France M , ☏ 65 21 18 80, – TV wc ☎ . AE ① E VISA
fermé janv. – **R** 55/100 , enf. 35 – 25 – **20 ch** 220/250 – 1/2 p 185/270.

CITROEN Bessières, ☏ 65 31 10 26

RENAULT Courdesses, ☏ 65 31 10 03

LABATUT 40 Landes 78 ⑦ – 1 034 h. – ✉ 40300 Peyrehorade.

Paris 769 – ♦Bayonne 46 – Dax 27 – Mont-de-Marsan 74 – Orthez 20 – Sauveterre-de-Béarn 23.

XX **Aub. du Bousquet,** N117 ☏ 58 98 18 24, – P. AE ① E VISA
fermé janv., lundi soir et mardi sauf vacances scolaires – **R** 50/200, enf. 30.

LABÈGE 31 H.-Gar. 82 ⑱ – rattaché à Toulouse.

LABLACHÈRE 07230 Ardèche 80 ⑧ – 1 392 h.

Paris 655 – Alès 49 – Mende 94 – Privas 55 – Pont-St-Esprit 71.

Le Commerce, ✆ 75 36 61 80, – ⋔
fermé 15 au 30 sept. – **R** 50/150 – ☕ 15 – **20 ch** 90/135 – ½ p 115/135.

à Maison-Neuve : Sud 8 km par D 104 – ✉ **07230** Lablachère :

Relais de la Vignasse ⋟, ✆ 75 39 31 91, ≤, – wc ⋔wc ☎ Ⓟ. E VISA. ⋟ rest
fermé 15 au 30 nov. et 15 au 28 fév. – **R** 60/190, enf. 35 – ☕ 25 – **20 ch** 175/280 – ½ p 230/270.

LABOUHEYRE 40210 Landes 78 ④ – 2 850 h.

Paris 671 – Biscarrosse 37 – ♦Bordeaux 83 – Castets 42 – Mimizan 28 – Mont-de-Marsan 53.

Unic Ⓜ, rte de Bordeaux ✆ **58 07 00 55** – ⋔wc ☎. ⓓ E VISA
fermé janv., dim. soir et lundi sauf juil.-août – **R** 65 bc/115 bc – ☕ 20 – **9 ch** 150/200 – ½ p 220/250.

MERCEDES-BENZ, V.A.G. Gar. Lafargue, ✆ 58 07 00 41

PEUGEOT-TALBOT Gar. Sentaurens ✆ 58 07 01 12

LAC voir au nom propre du lac.

LACANAU-OCÉAN 33680 Gironde 71 ⑱ **G. Pyrénées Aquitaine.**

Voir Lac de Lacanau★ E : 5 km.

⛳18 de l'Ardilouse ✆ 56 03 25 60, E : 2 km.

Paris 592 – Andernos-les-Bains 42 – Arcachon 83 – ♦Bordeaux 59 – Lesparre-Médoc 52.

Étoile d'Argent, ✆ 56 03 21 07, – ⋔wc ☎ Ⓟ. E VISA
fermé 1er déc. au 20 janv. – **R** 50/120 ₰, enf. 35 – ☕ 28 – **19 ch** 120/160 – ½ p 180/200.

PEUGEOT-TALBOT Barre, ✆ 56 03 53 07
RENAULT Brun J.-Pierre, ✆ 56 03 20 12

RENAULT Brun Philippe, à Lacanau-Médoc ✆ 56 03 52 10

LACAPELLE-MARIVAL 46120 Lot 75 ⑲⑳ **G. Périgord Quercy** – 1 337 h.

ℹ Office de Tourisme Château (saison) ✆ 65 40 81 11.

Paris 564 – Aurillac 67 – Cahors 65 – Figeac 20 – Gramat 20 – Rocamadour 31 – Tulle 81.

Terrasse, ✆ 65 40 80 07, – wc ⋔wc ☎. AE ⓓ E VISA. ⋟ rest
1er avril-20 déc. – **R** 80/190 ₰, enf. 42 – ☕ 23 – **23 ch** 120/240 – ½ p 180/220.

CITROEN Carrayrou, ✆ 65 40 80 09 Ⓝ

LACAUNE 81230 Tarn 83 ③ **G. Gorges du Tarn** – 3 422 h. alt. 800 – Casino.

ℹ Syndicat d'Initiative pl. Esplanade (15 juin-15 sept.) ✆ 63 37 04 98.

Paris 721 – Albi 68 – Béziers 86 – Castres 47 – Lodève 84 – Millau 78 – ♦Montpellier 126.

H. Fusiès, r. République ✆ 63 37 02 03 – wc ⋔ ☎ – 30. AE ⓓ E VISA
fermé 20 déc. au 20 janv., vend. soir et dim. soir en hiver – **R** 52/290 ₰, enf. 52 – ☕ 22 – **50 ch** 75/250 – ½ p 240/270.

Calas Le Glacier, pl. Vierge ✆ 63 37 03 28, – ⋔wc ☎. AE ⓓ E VISA
fermé 21 janv. au 21 fév., vend. soir et sam. midi d'oct. à Pâques – **R** 47/178 ₰, enf. 30 – ☕ 16 – **20 ch** 98/160.

CITROEN Milhau, ✆ 63 37 06 08

PEUGEOT-TALBOT Gar. Moderne, ✆ 63 37 00 16 Ⓝ

LACAVE 46 Lot 75 ⑱ – 249 h. – ✉ **46200** Souillac.

Voir Grottes★ – Site★ du château de Belcastel O : 2,5 km, G. Périgord Quercy.

Paris 533 – Brive-La-Gaillarde 49 – Cahors 63 – Gourdon 26 – Rocamadour 12 – Sarlat-La-Canéda 41.

Château de la Treyne ⋟, O : 3 km par D 43 et voie privée ✆ 65 32 66 66, ≤, , « Dans un parc dominant la Dordogne », , – wc ⋔wc Ⓟ. AE ⓓ E VISA
1er avril-15 nov. – **R** (½ pens. seul.) **12 ch** – ½ p 850/1050.

Pont de l'Ouysse ⋟ avec ch, ✆ 65 37 87 04, ≤, – wc ☎ Ⓟ. ⓓ E VISA
1er mars-11 nov. et fermé lundi du 15 sept. au 15 juin – **R** 120/250 – ☕ 35 – **11 ch** 250/350 – ½ p 300/350.

LACOURTENSOURT 31 H.-Gar. 82 ⑧ – rattaché à Toulouse.

LACQ 64 Pyr.-Atl. 85 ⑥ **G. Pyrénées Aquitaine** – 564 h. – ✉ **64170** Artix.

Voir Exploitation de gisements de gaz naturel.

Paris 771 – Aire-sur-L'Adour 57 – Oloron-Ste-M. 33 – Orthez 16 – Pau 25 – St-Jean-Pied-de-Port 86.

LACROST 71 S.-et-L. 69 ⑳ – rattaché à Tournus.

LACROUZETTE 81 Tarn 83 ① **G. Gorges du Tarn** – 1 955 h. – ✉ **81210** Roquecourbe.
Paris 740 – Albi 58 – Castres 16 – Lacaune 40 – Montredon-Labessonnie 19 – Vabre 15.

Relais du Sidobre, ✆ 63 50 60 06, – rest wc wc – 100. VISA
R 60/180, enf. 35 – 20 – **22 ch** 135/230 – ½ p 125/134.

LADON 45 Loiret 61 ⑪ – 1 102 h. – ✉ **45270** Bellegarde.
Paris 110 – Châteauneuf-sur-Loire 30 – Gien 43 – Montargis 16 – ♦Orléans 55 – Pithiviers 29.

Cheval Blanc, ✆ 38 95 51 79, – . E VISA
fermé dim. soir et lundi – **R** 55/125 – 20 – **9 ch** 85/125.

CITROEN Gar. Central, ✆ 38 95 50 11

PEUGEOT-TALBOT Gar. du Parc, ✆ 38 95 50 13 N

LAFFREY 38 Isère 77 ⑤ **G. Alpes du Nord** – 211 h. alt. 910 – ✉ **38220** Vizille.
Voir Prairie de la Rencontre★ (monument Napoléon) au Sud – ≤★ de la chapelle du Sapey NE : 4 km puis 15 mn.
Syndicat d'Initiative (juil.-août) ✆ 76 73 10 21.
Paris 587 – ♦Grenoble 24 – La Mure 14 – Vizille 7,5.

Humblot, ✆ 76 73 14 18, – E VISA.
fermé 16 nov. au 6 déc. et mardi du 1er oct. au 31 mai – **R** 55/110 , enf. 35.

Parc avec ch, ✆ **76 73 12 98,** , **parc** – . AE E VISA
rest. : fermé oct., mardi soir et merc. du 1/11 au 1/3 ; hôtel : fermé 1er nov. au 1er mars sauf vacances scolaires – **R** 55/95 – 17 – **11 ch** 100/135 – ½ p 110/125.

LAGARRIGUE 47 L.-et-G. 79 ⑭ – rattaché à Aiguillon.

LAGNY-SUR-MARNE 77400 S.-et-M. 56 ⑫, 196 ㉑㉒, 101 ⑳ **G. Environs de Paris** – 18 268 h – **Voir Galerie★ du château de Guermantes S : 3 km par D 35** BZ.
Office de Tourisme 5 cours Abbaye ✆ (1) 64 30 68 77.
Paris 33 ③ – Meaux 21 ② – Melun 42 ③ – Provins 60 ② – Senlis 51 ①.

LAGNY SUR-MARNE

Gambetta (R.) .... **AYZ**
Marchés (R. des) .... **BZ** 10
St-Denis (R.) .... **BYZ**
Vacheresse (R.) .... **ABZ**

Chemin-de-Fer (R. du) .... **BY** 2
Delambre (R.) .... **BY** 3
Foch (R. Mar.) .... **BY** 4
Galliéni (Bd du Mar.) .... **BZ** 5
Gare (R. de la) .... **AY** 6
Gaulle (Bd du Gén.-de) .. **AZ** 7
Le Paire (R. J.) .... **AYZ** 8
St-Laurent (R.) .... **BZ** 16

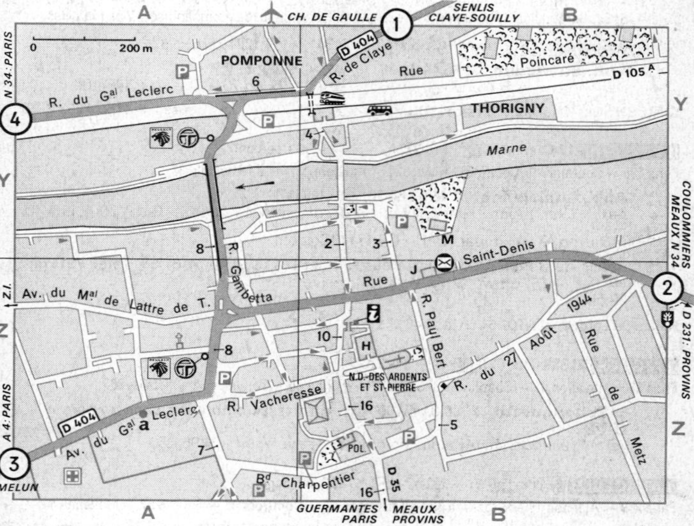

Egleny, 13 av. Gén. Leclerc ✆ **64 30 52 69,** – AE E VISA — AZ **a**
fermé 1er au 15 août, fév., merc. soir et jeudi – **R** carte 235 à 335, enf. 40.

à St Thibault-des-Vignes, vers Torcy : 3 km par D 404 – ✉ **77400** Lagny-sur-Marne :

🏨 **Relais Bleus** Ⓜ, ✆ 64 02 02 44, Télex 693908, – TV ⇔wc ☎ ♿ Ⓟ. E VISA. ✂ rest
R 65/160, enf. 41 – **44 ch** 260.

à Montévrain par ② : 3 km – ✉ **77144** Montévrain :

XX **Bonne Auberge,** ✆ (1) 64 30 25 09 – AE E VISA
fermé 4 au 26 juil., vacances de Noël, lundi soir et mardi – **R** 140/230.

CITROEN Yvois, 57 av. Leclerc à St-Thibault-des-Vignes par ③ ✆ (1)64 30 53 67
FORD Gar. Jamin, 34 av. Gén.-Leclerc ✆ (1)64 30 02 90 N
PEUGEOT-TALBOT Métin Marne, 2 av. du Gén.-Leclerc, Pomponne ✆ (1)64 30 30 30
PEUGEOT-TALBOT Queillé, 34 r. J.-Le-Paire ✆ (1)64 30 06 74
PEUGEOT-TALBOT Queille, 127-129 r. Gén.-Leclerc par ③ ✆ (1)64 30 06 74
La Centrale du Pneu, Zone ind., 6-8 r. Claude Chappe ✆ (1)64 30 55 00

LAGUIAN 32 Gers 85 ⑨ – 250 h. – ✉ **32170** Miélan.

Voir Puntous de Laguian ※** **O : 2 km, G. Pyrénées Aquitaine.**

Paris 783 – Aire-sur-l'A. 63 – Auch 44 – Lannemezan 49 – Mirande 19 – St-Gaudens 78 – Tarbes 29.

XX **Host. des Puntous,** O : 1,5 km ✆ 62 67 52 51 – Ⓟ. E VISA
R 41/120 ♃, enf. 35.

LAGUIOLE 12210 Aveyron 76 ⑬ **G. Gorges du Tarn** – 1 235 h. alt. 1 004 – Sports d'hiver : 1 200/1 407 ⛷9 ⛷.

Voir Église ※★.

Paris 566 – Aurillac 82 – Espalion 24 – Mende 85 – Rodez 56 – St-Flour 64.

🏨 **Gd Hôtel Auguy,** ✆ 65 44 31 11 – |♯| ⇔wc ⋒wc ☎ 🚗. VISA
fermé 19 au 29 avril, 3 nov. au 25 déc., dim. soir et lundi du 15 sept. au 15 juin sauf vacances scolaires – **R** 66/140 ♃ – ☕ 16 – **31 ch** 130/200 – ½ p 137/170.

🏨 **Régis,** ✆ 65 44 30 05 – TV ⇔wc ⋒wc ☎ Ⓟ. E VISA
fermé 30 mai au 11 juin, 15 au 22 oct. et vend. sauf vacances scolaires – **R** 59/105 ♃ – ☕ 16 – **15 ch** 110/225 – ½ p 160/170.

XXX ✿✿ **Michel Bras** Ⓜ avec ch, ✆ 65 44 32 24 – |♯| TV ⇔wc ⋒wc ☎ 🚗. AE VISA. ✂
27 mars-16 oct. et fermé dim. soir et lundi sauf juil.-août et lundi midi en juil.-août – **R** (nombre de couverts limité - prévenir) 120/370 et carte – ☕ 40 – **13 ch** 170/380
Spéc. Gargouillou de légumes nouveaux, Volailles, Assiette de gourmandises. **Vins** Marcillac.

à Soulages-Bonneval O : 5 km par D 541 – ✉ **12210** Laguiole :

⌂ **Aub. du Moulin,** ✆ 65 44 32 36, ≤, – ⋒ Ⓟ. E VISA
(fermé janv.) – **R** 45/150 ♃, enf. 30 – ☕ 15 – **12 ch** 70/110 – ½ p 148/166.

CITROEN Gar. Charles, ✆ 65 44 34 40
RENAULT Gar. Troussillie, ✆ 65 44 32 21 N

La LAIGNE 17 Char.-Mar. 71 ② – 272 h. – ✉ **17170** Courçon.

Paris 435 – Fontenay-le-Comte 39 – Niort 30 – Rochefort 44 – La Rochelle 33.

XX **Aub. Aunisienne,** ✆ 46 01 64 70, – Ⓓ E VISA
fermé 15 au 31 janv. lundi soir et mardi soir (sauf juil.-août) – **R** 52/190 ♃, enf. 40.

à Benon O : 4 km par N 11 – ✉ **17170** Courçon :

🏨 Relais de Benon Ⓜ, carrefour N 11 et D 116 ✆ 46 01 61 63, Télex 791172, , – TV ⇔wc ☎ Ⓟ – 250
30 ch.

Relais de Laigne, ✆ 46 01 64 66 N ✆ 46 07 28 36

LAIGNES 21330 Côte-d'Or 65 ⑦ – 1 008 h.

Paris 230 – Avallon 62 – Chatillon-sur-Seine 17 – ✦Dijon 88 – Tonnerre 32 – Troyes 66.

XX **L'Echauguette,** ✆ 80 81 47 69, , « Terrasse ombragée dans un parc » – Ⓟ. E VISA
fermé vacances de fév., dim. soir et lundi sauf fériés – **R** 95/250.

LALACELLE 61 Orne 60 ② – 282 h. – ✉ **61320** Carrouges.

Paris 209 – Alençon 19 – Argentan 35 – Carrouges 12 – Domfront 42 – Falaise 57 – Mayenne 42.

XX **La Lentillère** avec ch, E : 1,5 km sur N 12 ✆ 33 27 38 48, – ⇔ ☎ 🚗 Ⓟ. Ⓓ E VISA
fermé fév., lundi (sauf juil.-août) et dim. soir – **R** 50/210, enf. 35 – ☕ 15,50 – **8 ch** 85/120 – ½ p 140/170.

LALINDE 24150 Dordogne 75 ⑮ – 2 954 h.

Paris 556 – Bergerac 22 – Brive-La-Gaillarde 99 – Cahors 89 – Périgueux 59 – Villeneuve-sur-Lot 60.

La Forge, pl. Victor Hugo ✆ 53 24 92 24 – wc wc ☎. AE ① E VISA
fermé hôtel : dim. soir d'oct. à Pâques; rest : lundi sauf juil.-août et fériés – **R** 80/250, enf. 40 – ☕ 25 – **21 ch** 210/235 – 1/2 p 305/331.

Château avec ch, r. **Verdun** ✆ **53 61 01 82,** ←, – wc ☎. ① E VISA
1er mars-15 nov. et fermé vend. sauf juil.-août – **R** 95/215 – ☕ 28 – **8 ch** 140/220 – 1/2 p 145/195.

CITROEN Groupierre, ✆ 53 61 03 67
PEUGEOT-TALBOT Arbaudie, ✆ 53 61 00 22 N
RENAULT Vergnolles, ✆ 53 61 16 16 N

LALLEYRIAT 01 Ain 74 ④ – 142 h. alt. 843 – ✉ **01130** Nantua.

Paris 486 – Bourg-en-Bresse 58 – Genève 57 – Nantua 12 – Oyonnax 24.

Aub. Gentianes, ✆ 74 75 31 80 – P. E VISA
fermé 1er au 24 janv., 25 juin au 5 juil., dim. soir et lundi – **R** 75/170 ♨, enf. 55.

LALOUVESC 07520 Ardèche 76 ⑨ **G. Vallée du Rhône** – 487 h. alt. 1 050.

Voir ✳★.

Paris 556 – Annonay 25 – Lamastre 27 – Privas 83 – St-Agrève 31 – Tournon 42 – Yssingeaux 43.

Beau Site, ✆ 75 67 82 14, ← montagnes – wc wc ☎. AE ① VISA
Pâques-fin sept. – **R** 58/125, enf. 36 – ☕ 18 – **33 ch** 105/210 – 1/2 p 150/200.

Relais du Monarque, ✆ 75 67 80 44, ← montagnes, – wc ☎. AE ① E VISA
1er mai-15 oct. – **R** 65/155, enf. 50 – ☕ 20 – **20 ch** 105/220 – 1/2 p 200/280.

Vivarais, ✆ 75 67 81 41 – . E VISA
R 58/150, enf. 25 – ☕ 20 – **16 ch** 85/145 – 1/2 p 155/190.

LAMAGDELAINE 46 Lot 79 ⑧ – rattaché à Cahors.

LAMALOU-LES-BAINS 34240 Hérault 83 ④ **G. Gorges du Tarn** – 2 813 h. – Stat. therm. (15 janv.-15 déc.) – Casino.

Voir Église de St-Pierre-de-Rhèdes★ SO : 1,5 km.

Office de Tourisme av. Charcot ✆ 67 95 64 17.

Paris 841 – Béziers 39 – Lacaune 54 – Lodève 38 – ♦Montpellier 80 – St-Affrique 79 – St-Pons 37.

Paix , ✆ 67 95 63 11, – TV wc wc ☎ ♿ P – 25. E VISA
1er mars-1er déc. – **R** 65/100 – ☕ 18,50 – **30 ch** 95/200 – 1/2 p 165/235.

Gd H. Mas, ✆ 67 95 62 22, parc, – cuisinette wc wc ☎ ♿ P. ① E VISA
fermé 2 janv. au 25 fév. – **R** 45/165, enf. 35 – ☕ 17,50 – **49 ch** 100/195 – 1/2 p 160/220.

Belleville, av. Charcot ✆ 67 95 61 09, – wc wc ☎ ♿ P – 40. E VISA
R 67/154 ♨, enf. 40 – ☕ 19 – **44 ch** 80/180 – 1/2 p 125/160.

Commerce sans rest, ✆ 67 95 63 14 – wc wc ☎
fermé 1er déc. au 31 janv. – ☕ 16,50 – **24 ch** 72/130.

aux Aires E : 4 km par D 160 – ✉ **34600** Bédarieux :

Grange, ✆ 67 95 68 45 – P. E VISA
fermé 2 au 15 nov., 1er au 20 fév., dim. soir et lundi du 30 sept. au 30 mars – **R** 55/155 ♨, enf. 40.

PEUGEOT-TALBOT Gd Gar. des Cévennes, ✆ 67 95 64 22 N

LAMASTRE 07270 Ardèche 76 ⑲ **G. Vallée du Rhône** – 3 068 h..

Env. Ruines du château de Rochebloine ←★★ 12 km par ⑥ puis 15 mn.

Office de Tourisme av. Boissy-d'Anglas (Pâques-oct.) ✆ 75 06 48 99.

Paris 581 ① – Privas 56 ③ – Le Puy 73 ⑤ – ♦St-Étienne 94 ⑤ – Valence 40 ② – Vienne 91 ①.

Château d'Urbilhac , par ③ : 2 km ✆ 75 06 42 11, ← montagnes, , parc, , – wc wc ☎ P. AE ① E VISA. ✻ rest
1er mai-10 sept. – **R** 160/250 – ☕ 50 – **12 ch** 300/500 – 1/2 p 450.

LAMASTRE

Bancel (R. D.) . 2
Charras (R. F.) 3
Descours (Av.) 4
Serres (Av. O.-de) . 5

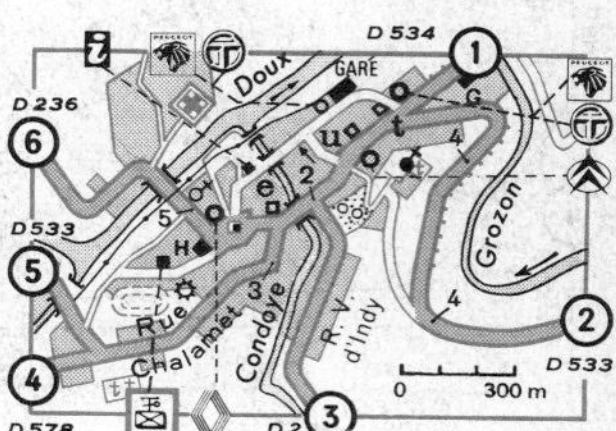

tourner →

Midi (Perrier), pl. Seignobos **(e)** ✆ 75 06 41 50, – wc wc ☎ ♿ – 25. AE ◑ E VISA
1er mars-15 déc. et fermé dim. soir et lundi de sept. à juin sauf fériés – **R** 140/320, enf. 90 – ☕ 35 – **18 ch** 150/280 – 1/2 p 280/310
Spéc. Salade tiède aux foies de canard, Pain d'écrevisses sauce Cardinal (saison), Soufflé glacé aux marrons. **Vins** St-Péray, St-Joseph.

Commerce, pl. Rampon **(u)** ✆ 75 06 41 53, – wc wc ☎. ◑ VISA. ch
1er mars-1er nov. – **R** 60/250, enf. 35 – ☕ 20 – **25 ch** 95/245 – 1/2 p 145/200.

Négociants, pl. Rampon **(t)** ✆ 75 06 41 34, – wc wc ☎. AE ◑ E VISA
fermé déc. et janv. – **R** 50/135 – ☕ 15 – **29 ch** 80/200 – 1/2 p 115/190.

à Desaignes NO : 7 km par ⑤ – ✉ **07570** Desaignes :

Voyageurs, ✆ 75 06 61 48, – wc P. E VISA
15 mars-30 sept. – **R** 47/150 – ☕ 17 – **20 ch** 95/210 – 1/2 p 120/200.

CITROEN Perrin, ✆ 75 06 30 25
FIAT-LANCIA-AUTOBIANCHI Gar. Montabonnel, ✆ 75 06 53 94 N ✆ 75 06 56 22
FORD Ferraton, ✆ 75 06 41 56 N
PEUGEOT-TALBOT Rugani, ✆ 75 06 42 20 N
PEUGEOT-TALBOT Traversier, ✆ 75 06 42 12 N
RENAULT Chareyre-Autos, ✆ 75 06 43 32 N

LAMATH 54 M.-et-M. 62 ⑥ – rattaché à Lunéville.

Demandez chez le libraire le catalogue des cartes et guides Michelin

LAMBALLE 22400 C.-du-N. 59 ④⑭ **G. Bretagne** – 4 867 h.

Voir Haras★.

Office de Tourisme 2 pl. Martray (juin-sept.) ✆ 96 31 05 38.

Paris 432 ② – Dinan 40 ② – Pontivy 63 ③ – Redon 114 ② – ✦Rennes 81 ② – St-Brieuc 21 ④ – St-Malo 55 ① – Vannes 105 ③.

LAMBALLE

Bario (R.) 3
Cartel (R. Ch.) 8
Dr-A.-Calmette (R. du) 15
Martray (Pl. du) 32
Val (R. du) 43

Augustins (R. des) 2
Beloir (Pl. du) 4
Boucouets (R. des) 7
Caunelaye (R. de la) 9
Champ-de-Foire (Pl. du) 12
Charpentier (R. Y.) 14
Dr-Lavergne (R. du) 16
Foch (R. Mar.) 19
Gesle (Ch. de la) 23
Grand Boulevard (R. du) 24
Hurel (R. du Bg) 25
Jeu de Paume (R. du) 26
Leclerc (R. Gén.) 29
Marché (Pl. du) 30
N.-Dame (R.) 33
Poincaré (R.) 34
St-Jean (R.) 37
St-Lazare (R.) 38
Villedeneu (R.) 45

Les Alizés M, Zone Industrielle, par ④ : 2 km ✆ 96 31 16 37, Télex 740719, ⚘, ⚘ – ▤ rest TV ⊟wc ☎ ♿ Ⓟ – 🏛 120. AE ⓓ E VISA. ✗ rest
R *(fermé sam. midi et dim. soir sauf juil.-août)* 70/180, enf. 38 – ☕ 26 – **32 ch** 195/245.

Angleterre, 29 bd Jobert **(a)** ✆ 96 31 00 16, Télex 740994 – ⇕ TV ⊟wc ⋔wc ☎. AE ⓓ E VISA
R *(fermé dim. soir et lundi midi du 1er oct. au 1er avril sauf fêtes)* 60/160 ⚗, enf. 40 – ☕ 25 – **35 ch** 70/230.

La Tour d'Argent (Annexe 🏨 M ⚘ ⚘ - 16 ch), 2 r. Dr-Lavergne **(b)** ✆ 96 31 01 37 – ⊟wc ⋔wc ☎. AE ⓓ E VISA
fermé sam. sauf juil.-août – **R** *(fermé 18 juin au 3 juil.)* 62/150 ⚗, enf. 48 – ☕ 21 – **30 ch** 90/250 – 1/2 p 220/280.

à la Poterie E : 3,5 km par D 28 – ✉ **22400** Lamballe :

Aub. Manoir des Portes ⚘, ✆ 96 31 13 62, ⚘, ⚘ – TV ⊟wc ☎ Ⓟ – 🏛 25. AE ⓓ E VISA. ✗ rest
fermé 2 janv. au 28 fév. – **R** *(fermé lundi sauf le soir en sais.)* 95/150, enf. 60 – ☕ 30 – **16 ch** 240/400 – 1/2 p 355/380.

CITROEN Armor-Auto, Zone Ind. par ④ ✆ 96 31 04 32
PEUGEOT-TALBOT Gar. Léna, 26 r. Dr Lavergne, par ④ ✆ 96 31 01 40
RENAULT Gar. Le Moal et Poirier, 1 r. Bouin ✆ 96 31 02 83 N

Ⓜ Andrieux Pneus, rte de St-Brieuc ✆ 96 31 05 33
Desserrey-Pneus, rte de Dinard ✆ 96 31 03 11

LAMBESC 13410 B.-du-R. 84 ② G. Provence – 5 353 h.

Paris 730 – Aix-en-Provence 21 – Apt 38 – Cavaillon 30 – ♦Marseille 51.

XXX **Moulin de Tante Yvonne,** r. Raspail ✆ 42 92 72 46, « Ancien moulin à huile du 15e s »
fermé août, 15 janv. au 15 fév., mardi, merc. et jeudi – **R** (prévenir) carte 180 à 240.

PEUGEOT-TALBOT Gar. Favre-Nicolin, N 7 ✆ 42 92 94 94

LAMOTTE-BEUVRON 41600 L.-et-Ch. 64 ⑨ – 4 405 h.

ℹ Syndicat d'Initiative à la Mairie ✆ 54 88 00 28.

Paris 171 – Blois 59 – Gien 57 – ♦Orléans 36 – Romorantin-Lanthenay 40 – Salbris 20.

Monarque, av. H.-de-Ville ✆ 54 88 04 47 – ⋔wc Ⓟ. AE ⓓ E VISA
fermé 16 au 25 août, 1er fév. au 1er mars, mardi soir et merc. – **R** 69/210, enf. 45 – ☕ 19 – **12 ch** 98/199 – 1/2 p 176/203.

XX **Host de la Cloche** avec ch, av. République ✆ 54 88 02 20, ⚘ – Ⓟ. AE ⓓ E VISA
fermé lundi soir (hors sais.) et mardi – **R** 56/151, enf. 38 – ☕ 23 – **6 ch** 65/105.

au Rabot NO : 8 km par N 20 – ✉ **41600** Lamotte-Beuvron :

Motel des Bruyères, N 20 ✆ 54 88 05 70, ⚘, ⚘, ⚘, ⚘ – TV ⊟wc ⋔wc ☎ ♿ Ⓟ – 🏛 80. ⓓ VISA
R 65/140, enf. 44 – ☕ 22 – **48 ch** 93/230 – 1/2 p 200/337.

CITROEN Germain, 15 av. Hôtel de Ville ✆ 54 88 04 49
PEUGEOT-TALBOT Labé, 29 av. Vierzon ✆ 54 88 07 70

RENAULT Gar. du Stade, 68 av. d'Orléans ✆ 54 88 08 88 N ✆ 54 88 06 16
V.A.G. Gar. Gorin, 14 ter av. de la République ✆ 54 88 00 21

LAMOURA 39 Jura 70 ⑮ – 379 h. alt. 1 156 – Sports d'hiver : 1 160/1 450 m ⛷10 ⛷ – ✉ 39310 Septmoncel.

Paris 483 – ♦Genève 48 – Gex 31 – Lons-le-Saunier 78 – St-Claude 17.

La Spatule, ✆ 84 41 20 23, ≤ – ⊟wc ⋔wc ☎ Ⓟ. E VISA. ✗
mi-juin-fin sept. et mi-déc.-fin avril – **R** 75/110 – ☕ 22 – **25 ch** 140/185 – 1/2 p 150/180.

Dalloz, ✆ 84 41 21 45, ≤ – ⋔wc ☎. ✗ ch
22 mai-1er oct. et 10 déc.-vacances de printemps – **R** 52/115 ⚗ – ☕ 18 – **27 ch** 86/162 – 1/2 p 122/152.

LAMPAUL-PLOUARZEL 29 Finistère 58 ③ – 1 583 h. – ✉ 29229 Plouarzel.

Paris 619 – ♦Brest 24 – Ploudalmézeau 15.

XXX ✿ **Aub. du Kruguel** (Quesnel), ✆ 98 84 01 66, ⚘ – Ⓟ. E VISA. ✗
fermé 1er au 15 oct., 1er au 21 fév., dim. soir, jeudi midi et merc. – **R** 130/210
Spéc. Salade tiède de la mer, Saumon frais au gros sel, Chariot de desserts.

Restaurants, die preiswerte Mahlzeiten servieren, sind mit einer Raute gekennzeichnet.

LAMURE-SUR-AZERGUES 69870 Rhône 73 ⑨ – 1 065 h.

Paris 444 – Chauffailles 26 – ♦Lyon 52 – Roanne 56 – Tarare 36 – Villefranche-sur-Saône 30.

Ravel, ℰ 74 03 04 72, – wc. AE E VISA
fermé nov. et vend. d'oct. à mai – **R** 62/160 – 18 – **10 ch** 85/160 – ½ p 150/180.

LANCIEUX 22770 C.-du-N. 59 ⑤ **G. Bretagne** – 1 156 h.

Voir Ploubalay : château d'eau ** S : 4 km.

Paris 423 – Dinan 21 – Dol-de-Bretagne 32 – Lamballe 40 – St-Brieuc 60 – St-Cast 19 – St-Malo 18.

Mer, r. Plage ℰ **96 86 22 07** – wc wc P. E VISA
fermé janv. et fév. – **R** *(fermé dim. soir du 2 nov. au 1er mars)* 58/165, enf. 30 – 20 – **20 ch** 90/220 – ½ p 135/170.

RENAULT Popovic, 14 r. Nat ℰ 96 86 22 28

LANÇON-PROVENCE 13 B.-du-R. 84 ② – rattaché à Salon-de-Provence.

LANCRANS 01 Ain 74 ⑤ – rattaché à Bellegarde-sur-Valserine.

LANDERNEAU 29220 Finistère 58 ⑤ **G. Bretagne** – 15 531 h – **Voir Enclos paroissial★ de Pencran S : 3,5 km** Z – **d'Iroise** ℰ **98 85 16 17 SE : 5 km par r. J.-L.-Rolland** Z.

Office de Tourisme Pont de Rohan ℰ 98 85 13 09.

Paris 581 ⑤ – ♦Brest 20 ④ – Carhaix-Plouguer 62 ② – Morlaix 44 ⑤ – Quimper 63 ③.

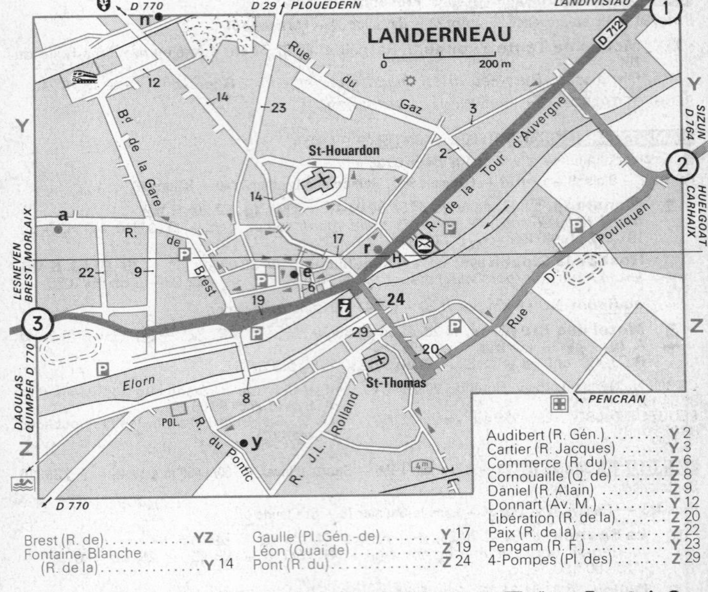

Rue	Carreau	N°
Brest (R. de)	YZ	
Fontaine-Blanche (R. de la)	Y	14
Gaulle (Pl. Gén.-de)	Y	17
Léon (Quai de)	Z	19
Pont (R. du)	Z	24
Audibert (R. Gén.)	Y	2
Cartier (R. Jacques)	Y	3
Commerce (R. du)	Z	6
Cornouaille (Q. de)	Z	8
Daniel (R. Alain)	Z	9
Donnart (Av. M.)	Y	12
Libération (R. de la)	Z	20
Paix (R. de la)	Z	22
Pengam (R. F.)	Y	23
4-Pompes (Pl. des)	Z	29

Clos du Pontic M, r. Pontic ℰ **98 21 50 91, parc** – TV wc wc P – 50. E VISA — Z y
R *(fermé sam. midi, dim. soir et lundi)* 75/250 – 22 – **32 ch** 180/250 – ½ p 200/220.

Belle Aurore sans rest, 13 r. Commerce ℰ **98 21 62 62** – wc. E VISA — Z e
fermé dim. du 1er oct. au 31 mai – 24 – **14 ch** 159/187.

Orient Express sans rest, 25 r. Kennedy ℰ **98 21 63 21** – wc P. E VISA
fermé Noël au Jour de l'An, vend., sam. et dim. du 1er oct. au 31 mai – 26 – **11 ch** 135/200. — Y n

XXX ✿ **L'Amandier** (Simon) avec ch, 55 r. de Brest ℰ **98 85 10 89** – TV wc wc. AE E VISA. rest — Y a
R *(fermé dim. soir et lundi)* 92/345 – 20 – **8 ch** 150/260 – ½ p 240/320
Spéc. Rillettes de tourteau, Marmite de l'Atlantique sauce safranée, Assiette de desserts.

XX **Mairie,** 9 r. Tour-d'Auvergne ℰ **98 85 01 83** – E VISA — Y r
fermé 15 nov. au 1er déc. et mardi – **R** 48/150, enf. 40.

à La Roche Maurice par ① et C1 : 5 km – ✉ **29220** Landerneau.
Voir Enclos paroissial★.

XX **Aub. Vieux Château,** ✆ 98 20 40 52 – E VISA
fermé 25 fév. au 15 mars, 3 au 22 nov. et lundi en juil.-août – **R** (déj. seul., sauf vend. et sam. en sais. : déj. et dîner) 110/220 ♁, enf. 55.

PEUGEOT-TALBOT Automobiles-de-l'Elorn, rte de Sizun par ② ✆ 98 21 41 80
RENAULT S.A.G.A., 4 r. de la Marne par ④ ✆ 98 85 01 26 N
V.A.G. Gar. Le Lannier, 4 et 30 bd Gare ✆ 98 85 00 29 N
Velghe, 27 bis r. Hervé de Guebriant ✆ 98 85 01 56

LANDERSHEIM 67 B.-Rhin 62 ⑨ – 111 h. – ✉ **67700** Saverne.
Paris 462 – Haguenau 35 – Molsheim 22 – Saverne 13 – ♦Strasbourg 25.

XXX ✿ **Aub du Kochersberg,** ✆ 88 69 91 58, – ▤ P. AE ① E VISA
fermé 2 au 24 août, vacances de fév., dim. soir, fériés le soir, mardi et merc. – **R** (déj. à partir de 13 h. en semaine) 190/320
Spéc. Millefeuille de foie de canard aux truffes, Suprême de pigeonneau rôti, Feuilleté chaud au Munster. **Vins** Pinot noir.

LANDEVANT 56690 Morbihan 63 ② – 1 794 h.
Paris 477 – Auray 15 – Hennebont 14 – Lorient 23 – Vannes 33.

XX **La Forestière,** O : rte Nostang : 1 km par D 33 ✆ 97 56 90 55, – VISA
fermé 2 au 20 oct., fév., dim. soir et lundi – **R** 98/180, enf. 65.

LANDÉVENNEC 29 Finistère 58 ④⑤ **G. Bretagne** – 377 h. – ✉ **29127** Plomodiern.
Voir Site★ – Belvédère ≤★.
Paris 582 – ♦Brest 52 – Châteaulin 33 – Douarnenez 45 – Morlaix 70 – Quimper 54.

Beau Séjour, ✆ 98 27 70 65, ≤, – wc wc ☎ P. E VISA.
fermé 5 janv. au 15 fév. et lundi d'oct. au 15 juin – **R** 75/200 – ☕ 27 – **25 ch** 130/220 – ½ p 185/230.

LANDIVISIAU 29230 Finistère 58 ⑤ **G. Bretagne** – 8 057 h.
Voir Porche★ de l'église St-Thivisiau – Lampaul-Guimiliau : enclos paroissial★, intérieur★★ de l'église★ SE : 4 km.
Office de Tourisme Forum de l'Hôtel de Ville ✆ 98 68 03 50.
Paris 560 – ♦Brest 38 – Landerneau 16 – Morlaix 22 – Quimper 72 – St-Pol-de-Léon 23.

Léon, 3 pl. Champ-de-Foire ✆ 98 68 00 11, Télex 940333 – TV wc wc ☎ P **44 ch**.

Étendard sans rest, 8 r. Gén.-de-Gaulle ✆ 98 68 06 60 – TV wc wc ☎ P. ① E VISA.
fermé Noël-Jour de l'An – ☕ 20 – **28 ch** 130/213.

CITROEN Gar. Palut, 47 av. de la Libération ✆ 98 68 22 82
Simon-Pneus, 7 allée de la Croix ✆ 98 68 13 88

LANESTER 56 Morbihan 63 ① – rattaché à Lorient.

LANFROICOURT 54 M.-et-M. 57 ⑭ – 119 h. – ✉ **54760** Leyr.
Paris 328 – Custines 16 – ♦Metz 43 – ♦Nancy 20 – Pont-à-Mousson 30.

XXX **Aub. des Capucines,** ✆ 83 31 81 18, , – P
fermé 1er au 14 août, 14 au 28 fév., mardi et merc. – **R** 120/250, enf. 60.

LANGEAC 43300 H.-Loire 76 ⑤ **G. Auvergne** – 4 733 h.
Office de Tourisme pl. A.-Briand (juin-sept.) ✆ 71 77 05 41.
Paris 492 – Brioude 29 – Mende 95 – Le Puy 41 – St-Chély-d'Apcher 62 – St-Flour 51.

à Reilhac N : 3 km par D 585 – ✉ **43300** Langeac :

Val d'Allier, ✆ 71 77 02 11 – wc wc ☎ P. E VISA. rest
R *(fermé dim. soir et sam. du 15 oct. au 15 mars)* 58/105 ♁ – ☕ 22 – **21 ch** 110/200 – ½ p 185/265.

CITROEN Flandy, 34 r. de la République ✆ 71 77 05 14 N
PEUGEOT-TALBOT Gar. Arsac, 77 av. Mar.-de-Lattre-de-Tassigny ✆ 71 77 02 89
RENAULT S.A.M.V.A.L., rte du Puy ✆ 71 77 04 07

LANGEAIS 37130 I.-et-L. 64 ⑭ G. Châteaux de la Loire – 4 142 h.

Voir Château★★ : appartements★★★ – Parc★ du château de Cinq-Mars-la-Pile NE : 5 km par N 152.

Syndicat d'Initiative à la Mairie (Pâques-15 sept.) ☏ 47 96 58 22.

Paris 259 – Angers 83 – Château-la-Vallière 31 – Chinon 31 – Saumur 41 – ♦Tours 25.

- ✿ **Hosten et rest. Langeais,** 2 r. Gambetta ☏ 47 96 82 12 – TV ⇔wc ☎ ⇔. AE ① E VISA
  fermé 20 juin au 10 juil., 10 janv. au 10 fév., lundi soir et mardi – **R** carte 180 à 250 – ☕ 35 – **12 ch** 220/310
  Spéc. Blanquette de sole et turbot, Langouste en "Petite Folie", Crêpes au coulis de cassis. **Vins** Chinon, Vouvray.

à St-Michel-sur-Loire SO : 5 km sur N 152 – ✉ **37130** Langeais :

- **Aub. de la Bonde,** ☏ 47 96 83 13 – ⇔wc ⋒ ☎ Ⓟ. E VISA
  fermé 15 déc. au 15 janv. et sam. de déc. à avril sauf fériés – **R** 61/150 ⅄ – ☕ 18 – **13 ch** 100/260 – $1/2$ p 150/200.

CITROEN Vincent, ☏ 47 96 86 68
PEUGEOT-TALBOT Denis, ☏ 47 96 80 49
RENAULT Balester et Exposito, ☏ 47 96 82 10
Robles, ZI Nord ☏ 47 96 81 60

LANGOGNE 48300 Lozère 76 ⑰ G. Gorges du Tarn – 4 025 h. alt. 912.

Voir Intérieur★ de l'église.

Office de Tourisme 15 bd Capucins (vacances scolaires) ☏ 66 69 01 38.

Paris 559 – Alès 106 – Aubenas 62 – Mende 49 – Le Puy 42 – Villefort 49.

- **Voyageurs,** rte Nîmes ☏ 66 69 00 56 – ⇔wc ⋒wc ☎. VISA
  fermé 20 déc. au 27 janv. – **R** *(fermé dim. hors sais.)* 48/135 ⅄ – ☕ 18 – **14 ch** 115/235 – $1/2$ p 230/250.

CITROEN Philip, 20 av. Foch ☏ 66 69 05 82
RENAULT Blanquet, 69 av. Foch ☏ 66 69 11 55 N
Prouhèze, 43 av. Foch ☏ 66 69 09 30
R.I.P.A., Z.I. ☏ 66 69 05 45

LANGON SP 33210 Gironde 79 ② G. Pyrénées Aquitaine – 6 308 h.

Office de Tourisme allées J.-Jaurès ☏ 56 62 34 00.

Paris 626 – Bergerac 79 – ♦Bordeaux 47 – Libourne 52 – Marmande 38 – Mont-de-Marsan 83.

- **Modern,** 3 pl. Gén.-de-Gaulle ☏ 56 63 06 65 – ⇔wc ⋒wc ☎ Ⓟ. AE ① E VISA
  R brasserie *(fermé merc.)* carte 60 à 110 ⅄ – ☕ 17 – **14 ch** 100/160.
- XXX ✿ **Claude Darroze** M avec ch, 95 cours Gén.-Leclerc ☏ 56 63 00 48, ☂ – TV ⇔wc ⋒wc ☎ ⇔ Ⓟ. AE ① E VISA. ✂ ch
  fermé 15 oct. au 4 nov. et 4 au 24 janv. – **R** 150/320 – ☕ 35 – **18 ch** 165/320
  Spéc. Foie gras de canard, Assiette des poissons du marché, Agneau de lait du Médoc (nov. à juin). **Vins** Graves, Sauternes.
- XX **Grangousier,** 2 rte d'Auros ☏ 56 63 30 59, ☂ – Ⓟ. AE ① VISA
  R 65/175 ⅄, enf. 45.

CITROEN Gar. d'Aquitaine, N 113 à Toulenne ☏ 56 63 55 37
MERCEDES SOGIDA, 41 cours Sadi Carnot ☏ 56 62 30 52
PEUGEOT-TALBOT Doux et Trouillot, 50 r. J.-Ferry ☏ 56 63 50 47
RENAULT Sade Langon, Mazères ☏ 56 63 44 69
Comptoir Aquitain du Pneu, 11 r. du 11-Novembre ☏ 56 62 31 14
Saphore, 40 cours de Lattre-de-Tassigny ☏ 56 63 02 02

LANGRES SP 52200 H.-Marne 66 ③ G. Champagne – 11 147 h.

Voir Site★★ – Cathédrale★ Y E.

Office de Tourisme pl. Bel'Air ☏ 25 87 03 32.

Paris 300 ④ – Auxerre 156 ④ – ♦ Besançon 102 ③ – Chaumont 35 ④ – ♦Dijon 68 ③ – Dole 99 ③ – Épinal 115 ① – ♦Nancy 136 ① – Troyes 138 ④ – Vesoul 75 ②.

Plan page ci-contre

- **Gd H. Europe,** 23 r. Diderot ☏ 25 87 10 88 – ⇔wc ⋒wc ☎ Ⓟ. AE ① E VISA
  fermé 2 au 16 mai, 2 au 24 oct. et hôtel fermé dim. – **R** *(fermé lundi sauf le soir de juin à sept. et dim. soir)* 55/135 – ☕ 22 – **28 ch** 150/200 – $1/2$ p 155/180. Z **e**
- **Cheval Blanc,** 4 r. Estrés ☏ 25 87 07 00 – ⇔wc ⋒wc ☎ ⇔. AE ① E VISA
  fermé 1er au 7 déc., janv., mardi soir et merc. midi – **R** 58/155, enf. 42 – ☕ 21 – **23 ch** 110/300. Z **a**
- **Lion d'Or,** rte Vesoul ☏ 25 87 03 30, ≤, ☂ – ⇔wc ⋒wc ☎ Ⓟ. AE E VISA
  fermé fin déc. à fin janv., vend. soir et sam. midi sauf juil.-août – **R** 52/160 ⅄, enf. 32 – ☕ 18 – **14 ch** 120/180. Z **s**
- **Poste** sans rest, 10 pl. Ziégler ☏ 25 87 10 51 – ⇔ ⋒wc ☎ Ⓟ. E VISA Y **u**
  fermé 24 sept. au 3 oct., 5 au 28 nov., 5 au 14 mars et dim. hors sais. – ☕ 25 – **35 ch** 75/200.

LANGRES

Diderot (R.) . . . . YZ
Roussat (R. Jean) . . . . Y 35
Ziegler (Pl.) . . . . Y 45

Aubert (R.) . . . . Y 2
Barbier-d'Aucourt (R.) . . . . Y 3
Belle-Allée (La) . . . . . Y 4
Boulière (R.) . . . . Y 5
Canon (R.) . . . . Y 6
Chavannes (R. des) . . Z 10
Chlore (R. C.) . . . . Y 12
Coutellerie (R. de la) . Y 13
Crémaillère (R. de la) . Y 14
Croisette (R. de la) . . . Y 15
Denfert-Rochereau (R.) . . . . Z 16
Durand (R. Pierre) . . . Y 17
Gambetta (R.) . . . . Y 18
Grand-Bie (R. du) . . . . Y 19
Grand-Cloître (R. du) . Y 20
Grouchy (Pl. Col. -de) Z 21
Jenson (Pl.) . . . . Z 23
Lambert-Payen (R.) . . Y 24
Leclerc (R. Général) . . Y 25
Longe-Porte (R.) . . . . X 27
Mance (Square J.) . . . . Y 28
Marne (R. de la) . . . . . Y 29
Minot (R.) . . . . Z 31
Morlot (R. Card.) . . . . Y 32
Roger (R.) . . . . Y 33
St.-Didier (R.) . . . . Y 36
Terreaux (R. des) . . . . Y 37
Tournelle (R. de la) . . . Y 39
Turenne (R. de) . . . . . . Y 41
Ursulines (R. des) . . . . Y 43
Walferdin (R.) . . . . Y 44

PORTES :

Boulière . . . . Y
Gallo-Romaine . . . . . . Y
Henri-IV . . . . Y
Hôtel-de-Ville . . . . Y
Moulins . . . . Z
Neuve . . . . Y

TOURS :

Longe-Porte X
Navarre et d'Orval . . . Z
Petit-Saut X
Piquante X
St-Ferjeux . . . . Z
St-Jean X

A 31-E 21 7 CHAUMONT-N 19 4
D 74 : VITTEL NEUFCHÂTEAU 1
0 200 m
PORTE DE LONGE-PORTE
TOUR ST-JEAN
TOUR PIQUANTE
R. Tassel
TOUR DU Pt SAUT
REMPARTS
Pl. de Verdun
PORTE DE L'H. DE VILLE
PORTE GALLO-ROMAINE
POL.
PORTE BOULIÈRE
PORTE NEUVE
Pl. Diderot
PORTE HENRI IV
Diderot
Bd Mal de Lattre de Tassigny
St-Martin
TOURS DE NAVARRE ET D'ORVAL
Tour St-Ferjeux
Porte des Moulins
Pl. des Etats-Unis
REMPARTS
PROMENADE DE BLANCHE FONTAINE
N 19
A 31-E 21 6 DIJON 3
N 74
VESOUL 2

✕ **Aub. Jeanne d'Arc** avec ch, **26 r. Gambetta** ✆ **25 87 03 18** – wc ☎ Z **r**
fermé 15 oct. au 15 nov., lundi soir et mardi midi – **R** 55/110 – 18 – **9 ch** 85/100.

à Sts-Geosmes **par ③ : 4 km** – ✉ **52200** Langres :

✕✕ **Aub. des Trois Jumeaux** avec ch, ✆ **25 87 03 36**, – wc wc ☎. **E** VISA
fermé janv., dim. soir du 1er nov. au 1er avril et lundi – **R** 60/200 – 22 – **10 ch** 120/160 – 1/2 p 250.

CITROEN Lingon, rte Dijon à Sts-Geosmes par ③ ✆ 25 87 11 83
FORD Noirot Autom., rte de Dijon à Sts-Geosmes, ✆ 25 87 29 19
PEUGEOT-TALBOT Gar. Berthier, rte de Dijon à Sts-Geosmes par ③ ✆ 25 87 02 13
PEUGEOT-TALBOT Gar. Bel-Air, bd de-Lattre-de-Tassigny ✆ 25 87 02 28

V.A.G. Europe Gar., rte Chaumont ✆ 25 87 03 78

Langres Pneus, 1 av. Cap.-Baudoin ✆ 25 87 36 31

LANGRUNE-SUR-MER **14830 Calvados** 54 ⑯ **G. Normandie Cotentin** – **1 349 h.**
Syndicat d'Initiative à la Mairie ✆ 31 97 31 36 et (juil.-août) ✆ 31 97 32 77.
Paris 254 – Arromanches 20 – Bayeux 27 – Cabourg 30 – ◆Caen 16.

L'Océanide, ✆ **31 96 32 50** – wc ☎ **P**. AE **E** VISA
fermé 8 janv. aux vacances de fév. et mardi d'oct. à mai sauf vacances scolaires – **R** 60/145 – 22 – **20 ch** 115/220 – 1/2 p 188/236.

PEUGEOT-TALBOT Gar. Bourdon, ✆ 31 97 02 45 N

LANGUEUX **22 C.-du-N.** 59 ③ – **rattaché à St-Brieuc.**

LANNEMEZAN 65300 H.-Pyr. 85 ⑨⑲ – 7 403 h.

de Lannemezan et Capvern-les-Bains ☎ 62 98 01 01 par ② : 4 km.

Syndicat d'Initiative pl. République (fermé matin hors saison) ☎ 62 98 08 31.

Paris 824 ④ – Auch 66 ② – Bagnères-de-Luchon 54 ② – St-Gaudens 30 ② – Tarbes 35 ④.

Pyrénées, rte Tarbes **(u)** ☎ 62 98 01 53, Télex 532807 – wc wc ☎ P. AE E VISA
R 60/150, enf. 35 – 25 – **30 ch** 200/270 – 1/2 p 200/250.

CITROEN Gd Gar. du Plateau, rte de Tarbes par r. Clemenceau ☎ 62 98 05 91
OPEL Gar. des Pyrénées, 13 ter rte de Tarbes ☎ 62 98 01 87
PEUGEOT-TALBOT Laffitte, 610 r. G.-Clemenceau ☎ 62 98 33 34
RENAULT Auto-Sce-des-4-Vallées, 500 r. Alsace-Lorraine ☎ 62 98 03 88 N
V.A.G. Dambax, 430 r. du 8-Mai-1945 ☎ 62 98 35 45

Ibos, 227 rte La Barthe, Zone Ind. ☎ 62 98 09 78
Laborie, 538 r. du 8-Mai-1945 ☎ 62 98 01 67

LANNILIS 29214 Finistère 58 ④ – 3 939 h.

Paris 601 – ♦Brest 23 – Brignogan 24 – Landerneau 30 – Lesneven 17 – Morlaix 63 – Quimper 91.

à Paluden N : 2 km par D 13 – ✉ **29214** Lannilis :

Relais de l'Aber, rte Plouguerneau ☎ 98 04 01 21, ← – AE E. ✻
fermé 5 au 12 sept., 8 au 26 nov. et lundi – **R** 46/121 ₰, enf. 27.

CITROEN Gar. Ségalen, ☎ 98 04 02 32 N

LANNION 22300 C.-du-N. 59 ① G. Bretagne – 17 228 h.

Voir Maisons anciennes★ (pl. Gén.-Leclerc Y 17) – Église de Brélévenez★ Y.

de St-Samson ☎ 96 23 87 34, par ① et D 11 : 9,5 km.

de Lannion : T.A.T. ☎ 96 48 42 92 N par ① : 2 km.

Office de Tourisme quai d'Aiguillon ☎ 96 37 07 35.

Paris 515 ③ – ♦Brest 95 ⑤ – Lorient 151 ③ – Morlaix 38 ⑤ – Quimper 117 ⑤ – St-Brieuc 63 ③.

Plan page ci-contre

Porte de France sans rest, 5 r. J.-Savidan ☎ 96 46 54 81 – TV wc wc ☎ ♿ P. VISA – 20 – **9 ch** 180/230. Z u

Bretagne, 32 av. Gén.-de-Gaulle ☎ 96 37 00 33 – wc ☎ – **28 ch**. Z a

L'Arrivée sans rest, 15 rte Ploubezre ☎ 96 37 00 67 – wc ☎ Z s
fermé 20 déc. au 4 janv. – 18 – **12 ch** 80/120.

Le Serpolet, 1 r. F.-Le Dantec ☎ 96 46 50 23 – VISA. ✻ Y e
fermé 25 sept. au 10 oct., 13 au 28 mars, dim. soir hors sais. et lundi – **R** 58/170 ₰, enf. 48.

rte Perros Guirec par ① : 3 km – ✉ **22300** Lannion :

Climat de France , ☎ 96 48 70 18, – TV wc ☎ ♿ P – 40. AE E VISA
R 55/81 ₰, enf. 35 – 21 – **47 ch** 200.

au Yaudet par ⑤ et D 88A : 8,5 km – ✉ **22300** Lannion :

Genêts d'Or, ☎ 96 35 24 17 – P. E VISA. ✻ rest
fermé 15 janv. au 15 mars (sauf rest. du 1er au 15 mars) et lundi de sept. à mai – **R** 65/130 – 18 – **14 ch** 85/135 – 1/2 p 145/165.

AUSTIN, ROVER Gar. le Morvan, 69 rte de Tréguier ☎ 96 37 03 84
CITROEN Gar. Landais, rte de Morlaix par r. des Frères-Lagadec Z ☎ 96 37 04 33 N ☎ 96 37 21 05
DATSUN-NISSAN Gar. Philippe, rte de Morlaix, Ploulec'h ☎ 96 37 08 81
FORD Gar. Corre, rte de Perros-Guirec ☎ 96 48 45 41
OPEL Gar. Guillou, rte de Guingamp ☎ 96 37 09 88
PEUGEOT-TALBOT Gd Gar. de Lannion, rte de Perros-Guirec par ① ☎ 96 48 52 71
RENAULT Gar. des Côtes d'Armor, rte de Guingamp par r. St-Nicolas Z ☎ 96 37 00 23 N

Desserrey-Pneus, rte de Perros-Guirec ☎ 96 48 44 11
Trégor Pneus, rte du Rusquet ☎ 96 48 58 36

LANNION

Augustins (R. des) . . . . Z 3
Centre (Pl. du) . . . . Y 5
Pont-Blanc (R. Geoffroy-de) . . . . Z 25

Aiguillon (R. d') . . . . Z 2
Buzulzo (R. de) . . . . Z 4
Chapeliers (R. des) . . . . Y 6
Cie-Roger-Barbé (R.) . . . . . Y 7
Coudraie (R. de la) . . . . Y 8
Du Guesclin (R.) . . . . Z 9
Frères-Lagadec (R. des) . . . Z 12
Keriavily (R. de) . . . . Z 14
Kermaria (R. et Pont) . . . . . . Z 16
Le-Dantec (R. F.) . . . . Y 18
Letaillandier (R. E.) . . . . Z 20
Mairie (R. de la) . . . . Y 21
Palais-de-Justice (Allée du) . . . . Z 24
Pors an Prat (R. de) . . . . Y 26
Roud Ar Roc'h (R. de) . . . . . . Z 28
St-Malo (R. de) . . . . Z 29
St-Nicolas (R.) . . . . Z 30
Trinité (R. de la) . . . . Y 32

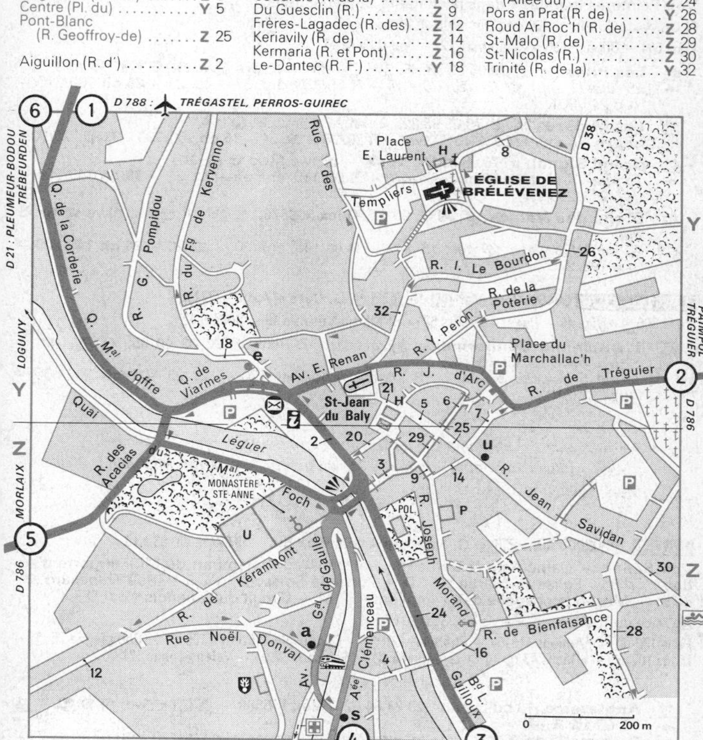

LANS-EN-VERCORS 38 Isère 77 ④ – 1 127 h. alt. 1 020 – Sports d'hiver : 1 400/1 880 m ≴15 ⛷ – ✉ 38250 Villard-de-Lans – ℹ Office de Tourisme pl. Église ☏ 76 95 42 62, Télex 308471.
Paris 578 – ♦Grenoble 27 – Villard-de-Lans 9 – Voiron 41.

Au Bon Accueil, D 531 ☏ 76 95 42 02, – wc wc ☎ P. E VISA
fermé fin avril à début mai, 17 au 24 déc., vend. soir et sam. hors sais. – **R** 68/190 – 25 – **12 ch** 120/160 – 1/2 p 170/179.

La Source, à Bouilly SO : 3 km par D 531 ☏ **76 95 42 52,** ←, – wc wc ☎ P. rest – *1er juil.-31 août, Noël au Jour de l'An, vacances de fév.-vacances de printemps* – **R** 60/92 – 25 – **17 ch** 200/250 – 1/2 p 165/195.

CITROEN Gar. des Gorges, ☏ 76 95 42 24 N

LANSLEBOURG-MONT-CENIS 73480 Savoie 77 ⑨ G. Alpes du Nord – 552 h. alt. 1 400 – Sports d'hiver : 1 400/2 800 m ≴1 ≴22.
ℹ Office de Tourisme de Val Cenis ☏ 79 05 23 66, Télex 980213.
Paris 661 – Briançon 87 – Chambéry 124 – St-Jean-de-Maurienne 54 – Torino 93 – Val-d'Isère 49.

Alpazur, ☏ 79 05 93 69 – wc wc ☎ P. AE E VISA. rest
1er juin-20 sept. et 20 déc.-20 avril – **R** 100/230 – 32 – **24 ch** 250/350 – 1/2 p 250/380.

Relais des 2 Cols, ☏ 79 05 92 83, ←, – wc wc ☎. VISA
mai-fin sept. et 20 déc.-15 avril – **R** 65/130 – 22 – **30 ch** 130/230 – 1/2 p 140/200.

Les Marmottes, ☏ 79 05 93 67 – wc . E VISA
10 juin-20 sept. et 20 déc.-25 avril – **R** 65/110 – 22 – **20 ch** 95/175 – 1/2 p 138/170.

LANSLEVILLARD 73 Savoie 77 ⑨ G. Alpes du Nord – 371 h. alt. 1 479 – Sports d'hiver (voir à Lanslebourg-Mont-Cenis) – ✉ 73480 Lanslebourg.

Voir Peintures murales★ dans la chapelle St-Sébastien.

Office de Tourisme (20 déc.-fin avril) ✆ 79 05 92 43.

Paris 664 – Briançon 90 – Chambéry 127 – Val-d'Isère 46.

Les Prais, ✆ 79 05 93 53, ←, – wc wc. E VISA. rest
25 juin-11 sept. et 18 déc.-20 avril – **R** 65/180, enf. 37 – 23 – **25 ch** 180/210 – ½ p 249/301.

Les Mélèzes M, ✆ 79 05 93 82, ←, – wc ☎ P.
25 juin-31 août et 20 déc.-20 avril – **R** 70/98 – 24 – **16 ch** 150/190 – ½ p 170/208.

Grand Signal, ✆ 79 05 91 24, ←, – wc wc ☎ P. VISA
15 juin-15 sept. et 20 déc.-17 avril – **R** 60/110, enf. 35 – 24 – **18 ch** 143/204 – ½ p 223/258.

Étoile des Neiges, ✆ 79 05 90 41, Télex 309678, ←, – wc wc ☎ P. E VISA
20 juin-15 sept. et 20 déc.-15 avril – **R** 68/140, enf. 30 – 20 – **24 ch** 140/200 – ½ p 195/278.

LANTOSQUE 06450 Alpes-Mar. 84 ⑱, 195 ⑰ G. Côte d'Azur – 772 h.

Paris 966 – ♦Nice 49 – Puget-Théniers 53 – St-Martin-Vésubie 15 – Sospel 42.

XX **L'Ancienne Gendarmerie** avec ch, D 2565 ✆ 93 03 00 65, ←, – wc wc. AE.
fermé 5 nov. au 5 janv. – **R** *(fermé lundi)* 115/170 – 25 – **9 ch** 200/330 – ½ p 230/310.

Au moment de chercher un hôtel ou un restaurant, soyez efficace. Sachez utiliser les noms soulignés en rouge sur les cartes Michelin *à 1/200 000. Mais ayez une carte à jour !*

LAON P 02000 Aisne 56 ⑤ G. Flandres Artois Picardie – 29 074 h. alt. 83 à 18.

Voir Site★★ – Cathédrale N-Dame★★ : nef★★★ CYZ **– Rempart du Midi et porte d'Ardon★** CZ **R – Église St-Martin★** AZ **D – Porte de Soissons★** AZ **E – Rue Thibesard ←★** BZ 51 **– Musée et chapelle des Templiers★** CZ **M – Circuit du Laonnois★ par D 7** X.

Office de Tourisme pl. Parvis ✆ 23 20 28 62.

Paris 139 ⑤ – ♦Amiens 118 ⑥ – Charleroi 121 ① – Charleville-Mézières 105 ① – Compiègne 75 ⑤ – Mons 107 ① – ♦Reims 47 ③ – St-Quentin 45 ① – Soissons 37 ⑤ – Valenciennes 123 ①.

Plan page ci-contre

Angleterre, 10 bd Lyon ✆ 23 23 04 62, Télex 145580 – wc ☎ P – 30. AE E VISA CY **e**
R *(fermé 23 au 30 déc., dim. d'oct. à Pâques et sam. midi)* 65/120, enf. 50 – 22 – **28 ch** 120/270.

Les Chevaliers, 3 r. Serurier ✆ 23 23 43 78 – wc. E VISA. rest
fermé 13 au 22 août, 23 au 28 déc., 14 au 29 fév. – **R** *(fermé week-ends)* 55/65 – 21 – **15 ch** 131/210. BY **s**

Commerce sans rest, 13 pl. Gare ✆ 23 79 10 38 – wc. E VISA
fermé 20 déc. au 2 janv. et dim. de nov. à mars – 18,50 – **25 ch** 100/195. BY **n**

XXX **La Petite Auberge**, 45 bd Brossolette ✆ 23 23 02 38 – AE E VISA. BY **a**
fermé 1er au 20 août, dim. soir et sam. – **R** 120/235.

XX **Bannière de France** avec ch, 11 r. F.-Roosevelt ✆ 23 23 21 44 – wc wc ☎ – 100. AE E VISA. BY **t**
fermé 20 déc. au 15 janv. – **R** 92/200, enf. 45 – 24 – **19 ch** 95/265 – ½ p 200/350.

XX **Le Châtelain**, 35 r. Châtelaine ✆ 23 79 69 69 – AE E VISA BZ **v**
fermé lundi – **R** 59/110.

XX **Chenizelles**, 1 r. Bourg ✆ 23 23 02 34 – AE E VISA BZ **u**
fermé lundi soir – **R** 59/120, enf. 45.

à Etouvelles par ⑤ : 7 km – ✉ 02000 Laon :

XX **Au Bon Accueil**, ✆ 23 20 62 09, – P
fermé vacances de fév. et merc. – **R** 75 bc/200.

ALFA-ROMEO Sport-Tourisme, 54 bd Gras-Brancourt ✆ 23 79 42 44
CITROEN Gar. Bema, rte de Belgique à Chambry par ① ✆ 23 23 43 43
FIAT Gar. Colbeaux, 5 pl. V.-Hugo ✆ 23 23 08 78
FORD S.I.C.B., 121 av. Mendes France ✆ 23 79 14 08
PEUGEOT-TALBOT Tuppin, 132 av. Mendes France ✆ 23 23 50 36
RENAULT S.O.D.A.L. av. Mendès-France par ① ✆ 23 23 24 35
V.A.G. Gar. St-Marcel, 45 bd Gras-Brancourt ✆ 23 23 41 72
VOLVO S.E.G. Petetin, rte de Fismes à Bruyères Montberault ✆ 23 24 70 36

Fischbach Pneu, 10 bd Gras-Brancourt ✆ 23 23 02 27

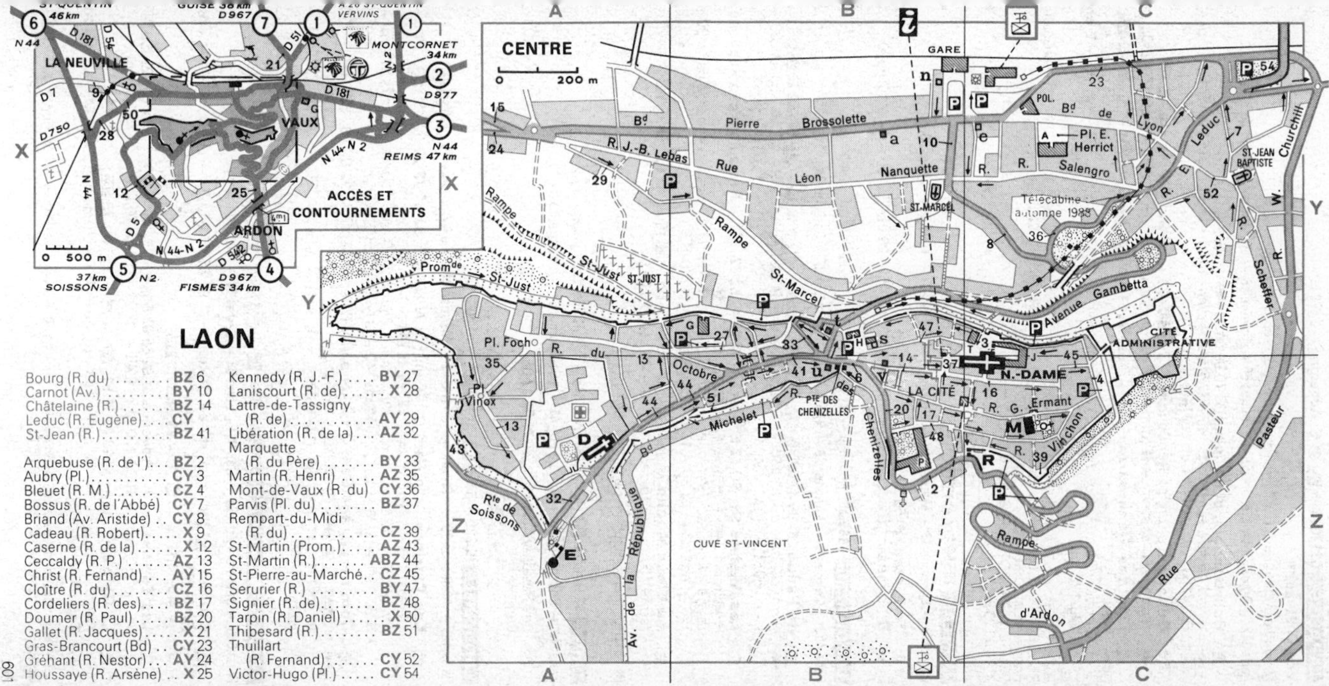

LAON

- Bourg (R. du) .... BZ 6
- Carnot (Av.) .... BY 10
- Châtelaine (R.) .... BZ 14
- Leduc (R. Eugène) .... CY
- St-Jean (R.) .... BZ 41

- Arquebuse (R. de l') .... BZ 2
- Aubry (Pl.) .... CY 3
- Bleuet (R. M.) .... CZ 4
- Bossus (R. de l'Abbé) .... CY 7
- Briand (Av. Aristide) .... CY 8
- Cadeau (R. Robert) .... X 9
- Caserne (R. de la) .... X 12
- Ceccaldy (R. P.) .... AZ 13
- Christ (R. Fernand) .... AY 15
- Cloître (R. du) .... CZ 16
- Cordeliers (R. des) .... BZ 17
- Doumer (R. Paul) .... BZ 20
- Gallet (R. Jacques) .... X 21
- Gras-Brancourt (Bd) .... CY 23
- Gréhant (R. Nestor) .... AY 24
- Houssaye (R. Arsène) .... X 25
- Kennedy (R. J.-F.) .... BY 27
- Laniscourt (R. de) .... X 28
- Lattre-de-Tassigny (R. de) .... AY 29
- Libération (R. de la) .... AZ 32
- Marquette (R. du Père) .... BY 33
- Martin (R. Henri) .... AZ 35
- Mont-de-Vaux (R. du) .... CY 36
- Parvis (Pl. du) .... BZ 37
- Rempart-du-Midi (R. du) .... CZ 39
- St-Martin (Prom.) .... AZ 43
- St-Martin (R.) .... ABZ 44
- St-Pierre-au-Marché .... CZ 45
- Serurier (R.) .... BY 47
- Signier (R. de) .... BZ 48
- Tarpin (R. Daniel) .... X 50
- Thibesard (R.) .... BZ 51
- Thuillart (R. Fernand) .... CY 52
- Victor-Hugo (Pl.) .... CY 54

LAPALISSE 03120 Allier 73 ⑥ **G. Auvergne** – 3 673 h.

Voir Château★★.

Syndicat d'Initiative pl. Ch.-Bécaud (15 juin-20 sept.) ✆ 70 99 08 39.

Paris 342 – Digoin 45 – Mâcon 125 – Moulins 50 – Roanne 48 – St-Pourçain-sur-Sioule 31.

Bourbonnais, pl. 14-Juillet ✆ 70 99 04 11, – E VISA
fermé 15 nov. au 1er déc., 10 au 25 mars, dim. soir du 1er nov. au 1er avril et lundi – **R** 50/150 – 18 – **11 ch** 85/140.

Galland avec ch, pl. République ✆ 70 99 07 21 – wc wc. E VISA
fermé janv. et merc. – **R** (dim. et fêtes - prévenir) 60/210 – 20 – **8 ch** 140/230.

Lion des Flandres avec ch, r. Prés.-Roosevelt ✆ 70 99 06 75 – . E VISA. ch
fermé 15 au 31 déc., 15 au 31 janv. et lundi – **R** 60/160 , enf. 42 – 20 – **7 ch** 120/170.

FIAT Gar. Rollet, 7 pl. 14 Juillet ✆ 70 99 08 66
PEUGEOT-TALBOT Cantat-Bardon, 41 r. Prdt Roosevelt ✆ 70 99 00 77
PEUGEOT-TALBOT Gar. Gabard, rte de Verdun ✆ 70 99 26 99
RENAULT Dupereau, 88 av. Ch.-de-Gaulle ✆ 70 99 01 01 N

LAPLEAU 19550 Corrèze 76 ① – 516 h.

Paris 473 – Égletons 18 – Mauriac 27 – Neuvic 18 – Pleaux 32 – Tulle 50 – Ussel 39.

Touristes, ✆ 55 27 52 06, –
R *(fermé dim. d'oct. à Pâques)* 65/110 – 15 – **20 ch** 75/100 – 1/2 p 110/120.

LAPOUTROIE 68650 H.-Rhin 62 ⑱ – 1 911 h.

Paris 422 – Colmar 19 – Munster 29 – Ribeauvillé 21 – St-Dié 37 – Sélestat 34.

du Faudé, ✆ 89 47 50 35, , , – wc wc – 60. AE E VISA
fermé 12 nov. au 10 déc. et 9 au 20 mars – **R** 65/180, enf. 40 – **27 ch** 110/200 – 1/2 p 150/210.

Les Alisiers , SO : 3 km par VO ✆ 89 47 52 82, , « Restaurant panoramique, ≤ vallon », – wc wc . AE E VISA
fermé 14 nov. au 19 déc. et 18 au 29 avril – **R** *(fermé lundi soir et mardi)* carte 90 à 170 , enf. 45 – 30 – **15 ch** 220/250 – 1/2 p 170/250.

Au Vieux Moulin M sans rest, ✆ 89 47 56 55 – wc . E VISA
fermé 15 nov. au 15 déc. – 19 – **20 ch** 150/170.

RENAULT Batot, Hachimette ✆ 89 47 54 44

LAPTE 43 H.-Loire 76 ⑧ – 1 163 h. alt. 848 – ✉ 43200 Yssingeaux.

Paris 561 – Bourg-Argental 40 – Le Puy 41 – ♦St-Étienne 61 – Yssingeaux 14.

Les Peupliers avec ch, ✆ 71 59 37 68 –
8 ch.

LAQUEUILLE 63820 P.-de-D. 73 ⑬ – 402 h. alt. 1 000.

Paris 425 – Aubusson 79 – ♦Clermont-Ferrand 42 – Mauriac 71 – Le Mont-Dore 15 – Ussel 44.

Les Clarines, à la Gare O : 3 km par N 89 et D 82 ✆ 73 22 00 43, , – rest wc wc . AE E VISA
fermé 19 au 29 avril, 15 nov. au 26 déc., 2 janv. au 7 fév. et jeudi en mars et avril – **R** 80/150, enf. 38 – 22 – **14 ch** 140/250 – 1/2 p 228/262.

Commerce, à la Gare O : 3 km par N 89 et D 82 ✆ 73 22 00 03, , – TV wc . E VISA
fermé oct. et dim. soir hors sais. – **R** 45/120 – 20 – **14 ch** 100/210 – 1/2 p 150/200.

LARAGNE-MONTÉGLIN 05300 H.-Alpes 81 ⑤ – 3 647 h.

Paris 686 – Barcelonnette 88 – Gap 39 – Sault 63 – Serres 17 – Sisteron 17.

Chrisma M sans rest, rte de Grenoble ✆ 92 65 09 36, – wc wc . E VISA
1er avril-fin oct. – 30 – **19 ch** 170/225.

Les Terrasses, av. Provence ✆ 92 65 08 54, ≤, , – wc . AE E VISA
1er mai-30 sept. – **R** 70/120 , enf. 45 – 21 – **17 ch** 70/200.

Le Globe, pl. Aires ✆ 92 65 15 81, – wc . E VISA
fermé janv., dim. soir et sam. d'oct. à juin – **R** 68/110 , enf. 45 – 25 – **10 ch** 131/150 – 1/2 p 150/175.

CITROEN Gar. des Alpes, ✆ 92 65 04 79
RENAULT Lambert, ✆ 92 65 00 05 N
Bernaudon-Pneus, ZA Le Plan ✆ 92 65 16 91

LARCEVEAU 64 Pyr.-Atl. 85 ④ – 424 h. – ✉ 64120 St-Palais.
Paris 806 – ♦Bayonne 69 – Pau 86 – St-Jean-Pied-de-Port 16 – St-Palais 15.

Espellet, ✆ 59 37 81 91, ≤, – rest wc wc P. VISA. rest
fermé 1er au 20 déc. et mardi sauf juil., août et fériés – **R** 40/100 – 16 – **19 ch** 60/145 – 1/2 p 125/140.

PEUGEOT, TALBOT Gar. Thambo, ✆ 59 37 80 37 N

LARCHE 04540 Alpes-de-H.-Pr 81 ⑨ **G. Alpes du Sud** – 91 h alt. 1 700 – Sports d'hiver : 1 400/1 800 m 3.
Paris 762 – Barcelonnette 26 – Cuneo 74 – Digne 113 – Guillestre 45 – St-Étienne-de-Tinée 68.

Paix, ✆ 92 84 31 35, ≤ – wc P. VISA
18 juin-30 sept. et 20 déc.-20 avril – **R** 70/120, enf. 35 – 22 – **22 ch** 125/210 – 1/2 p 150/200.

LARCHE 19600 Corrèze 75 ⑧ – 1 170 h..
Paris 498 – Brive-la-Gaillarde 11 – Cahors 100 – Périgueux 62 – Sarlat-la-Canéda 40 – Tulle 40.

Les Glycines, ✆ 55 85 30 12, ≤, – wc wc
fermé 20 déc. au 20 janv. – **R** *(fermé dim. soir hors sais.)* 50/130 – 15 – **10 ch** 60/160 – 1/2 p 140.

Le LARDIN-ST-LAZARE 24 Dordogne 75 ⑦ – 2 041 h. – ✉ 24570 Condat.
Paris 490 – Brive-la-Gaillarde 27 – Lanouaille 38 – Périgueux 46 – Sarlat-la-Canéda 36.

Sautet, ✆ 53 51 27 22, ≤, « Jardin fleuri », , – TV wc wc P – 80 à 150. E VISA. rest
fermé 23 déc. au 9 janv., dim. du 1er oct. au 31 mars et sam. sauf le soir du 1er avril au 30 sept. – **R** 75/220, enf. 55 – 30 – **34 ch** 130/300 – 1/2 p 190/245.

Aub. de l'Aérodrome, à l'aérodrome de Condat-sur-Vézère S : 3 km par D 704 et VO ✆ 53 51 27 80, ≤, – P. AE E VISA
fermé dim. soir et mardi soir d'oct. à mai et lundi – **R** 120/280, enf. 45.

LARDY 91510 Essonne 60 ⑩, 196 ㊷ – 3 028 h.
Paris 48 – Arpajon 9 – Corbeil-Essonnes 23 – Étampes 13 – Évry 29 – Fontainebleau 44.

Aub. de l'Espérance, Gde-Rue (pl. Église) ✆ (1) 64 56 40 82 – AE E VISA
fermé dim. soir et lundi – **R** 135.

LARGENTIÈRE 07110 Ardèche 80 ⑧ **G. Vallée du Rhône** – 2 478 h.
Syndicat d'Initiative (saison) ✆ 75 39 14 28.
Paris 646 – Aubenas 16 – Alès 64 – Privas 46.

Le Chêne Vert , à Rocher N : 4 km par D 5 ✆ 75 88 34 02, ≤, – wc wc P. E VISA. rest
15 mars-15 nov. – **R** 55/150, enf. 42 – 22 – **15 ch** 120/230 – 1/2 p 150/200.

CITROEN Gar. Olek, ✆ 75 39 17 47 RENAULT Gar. Soboul, ✆ 75 39 13 66

LARRAU 64 Pyr.-Atl. 85 ⑭ – 298 h. alt. 636 – ✉ 64560 Licq-Athérey.
Paris 837 – Oloron-Ste-Marie 42 – Pau 75 – St-Jean-Pied-de-Port 70 – Sauveterre-de-Béarn 67.

Despouey , ✆ 59 28 60 82, , – P.
fermé 15 nov. au 31 janv. – **R** 55/80 , enf. 40 – 15 – **15 ch** 90/150 – 1/2 p 120/150.

LARUNS 64440 Pyr.-Atl. 85 ⑯ – 1 465 h.
Paris 807 – Argelès-Gazost 48 – Lourdes 51 – Oloron-Ste-Marie 32 – Pau 37.

Aub. Bellevue, ancienne rte Pau ✆ 59 05 31 58, ≤, – P. VISA
fermé 2 janv. au 15 fév., mardi soir et merc. sauf vacances scolaires – **R** 60/120.

LASALLE 30460 Gard 80 ⑰ – 1 040 h.
Paris 735 – Alès 30 – Florac 71 – ♦Montpellier 60 – Nîmes 64 – St-Jean-du-Gard 18 – Le Vigan 43.

des Camisards, ✆ 66 85 20 50, – wc wc . E VISA
avril-oct. – **R** 65/90 , enf. 38 – 18 – **20 ch** 98/225 – 1/2 p 165/190.

Parc, ✆ 66 85 27 17, , – . VISA
hôtel : ouvert Pâques-1er nov. et fermé 15 au 30 sept., mardi et merc. sauf juil.-août – **R** *(fermé 15 au 30 sept., 15 déc. au 28 fév., mardi soir et merc. sauf juil.-août)* (déj. seul. d'oct. à mi-mai) 50 bc/88 – 15 – **8 ch** 80/110 – 1/2 p 115/120.

LASCHAMPS-DE-CHAVANAT 23 Creuse 72 ⑩ – rattaché à Guéret.

LATILLE 86 Vienne 68 ⑬ – 1 239 h. – ✉ 86190 Vouillé.
Paris 348 – Châtellerault 48 – Parthenay 31 – Poitiers 26 – St-Maixent-l'École 37 – Saumur 84.

Centre, ✆ 49 51 88 75 – wc wc – 30
fermé 1er au 15 janv. – **R** 55/120 – 15 – **12 ch** 68/131 – 1/2 p 105/130.

LATOUR-DE-CAROL 66 Pyr.-Or. 86 ⑯ – 436 h. alt. 1 248 – ✉ **66760** Bourg-Madame.
Paris 873 – Andorre la Vieille 58 – Ax-les-Thermes 47 – Font-Romeu 19 – ♦Perpignan 108.

XX ✿ **La Valdotène** (Laffargue), à Yravals, S : 0,5 km ✆ 68 04 84 46 – ▤. AE ⓓ VISA. ✗
fermé 25 sept. au 24 oct. et mardi hors sais. – **R** (nombre de couverts limité - prévenir) 150/300, enf. 100
Spéc. Foie gras de canard au vieux Banyuls, Filet de loup aux poireaux confits, Pigeonneau à la royale. **Vins** Côtes du Roussillon.

LATRONQUIÈRE 46210 Lot 75 ⑳ – 654 h. alt. 650.
Paris 560 – Aurillac 45 – Cahors 87 – Figeac 28 – Lacapelle-Marival 22 – St-Céré 28 – Sousceyrac 12.

Tourisme, ✆ 65 40 25 11 – ⇕ ⇔wc ⋔wc ☎. VISA. ✗ rest
fermé janv. et fév. – **R** 60/150 – ☕ 25 – **28 ch** 150/200 – ½ p 160/190.

CITROEN Jauliac, ✆ 65 40 25 12

La LATTE (Fort) 22 C.-du-N. 59 ⑤ **G. Bretagne** – ✉ **22240** Pléherel.
Voir Site★★ – ☼★★.
Paris 451 – Matignon 14.

LATTES 34 Hérault 83 ⑦ – rattaché à Montpellier.

LAURIÈRE 24 Dordogne 75 ⑥ – rattaché à Périgueux.

LAURIS 84360 Vaucluse 84 ② – 1 810 h.
Paris 730 – Aix-en-Provence 38 – Apt 23 – Avignon 54 – Cadenet 6 – Cavaillon 27 – Manosque 54.

XX **La Chaumière** ⛰ avec ch, ✆ **90 08 20 25,** ≤ **vallée de la Durance,** ⛱ – ⇔wc ⋔wc ☎. AE ⓓ E VISA
fermé 5 janv. au 15 fév. – **R** *(fermé merc. midi et mardi)* 152/260 – ☕ 30 – **12 ch** 200/275 – ½ p 245/290.

CITROEN Gaillardon, ✆ 90 08 22 81 N

LAUTARET (Col du) 05 H.-Alpes 77 ⑦ **G. Alpes du Nord** – alt. 2 058 – ✉ **05220** Le Monêtier-les-Bains.
Voir ☼★★ – Jardin alpin★.
Env. Col du Galibier ☼★★★ N : 7,5 km.
Paris 650 – Briançon 28 – ♦Grenoble 88 – Lanslebourg-Mont-Cenis 81 – St-Jean-de-Maurienne 55.

Glaciers ⛰, ✆ 92 24 42 21, ≤ – ⇔wc ☎ 🚗 ⓟ. E VISA
1er juin-30 sept. – **R** 70, enf. 40 – ☕ 24 – **40 ch** 100/225 – ½ p 175/215.

LAUTENBACH 68610 H.-Rhin 62 ⑱ **G. Alsace et Lorraine** – 1 372 h.
Voir Église★.
Paris 461 – Colmar 34 – Gérardmer 53 – Guebwiller 8 – ♦Mulhouse 31.

XX **A la Truite,** à Lautenbach-Zell ✉ 68610 Lautenbach ✆ 89 76 32 57, ⛱ – ⓟ. AE ⓓ E VISA
fermé 27 juin au 3 juil., 24 au 30 oct., vacances de fév., jeudisoir et vend. – **R** 70/143 ♨, enf. 30.

LAUTERBOURG 67630 B.-Rhin 57 ⑳ – 2 467 h.
Paris 519 – Haguenau 41 – Karlsruhe 23 – ♦Strasbourg 63 – Wissembourg 19.

XXX ✿ **La Poêle d'Or** (Gottar), 35 r. Gén. Mittelhauser ✆ 88 94 84 16, ⛱ – AE ⓓ E VISA
fermé 29 juil. au 6 août, 7 janv. au 6 fév., vend. midi et jeudi – **R** carte 200/340 ♨
Spéc. Salade au foie gras et noisette de ris de veau, Ravioli de langoustines, Chaudron de homard à la bordelaise. **Vins** Riesling.

LAVAGNAC 33 Gironde 75 ⑫ – ✉ **33350** Castillon-la-Bataille.
Paris 590 – Bergerac 55 – ♦Bordeaux 40 – Langon 38 – Libourne 16 – Marmande 49.

Chez Clovis, ✆ 57 47 16 03, ⛱ – ⋔ ⓟ
fermé 15 nov. au 3 déc., 15 fév. au 5 mars et lundi hors sais. – **R** 80/135 – ☕ 15 – **15 ch** 90/110 – ½ p 195/205.

LAVAL Ⓟ 53000 Mayenne 63 ⑩ **G. Normandie Cotentin** – 53 766 h.
Voir Vieux château★ : charpente★★ du donjon, musée d'art naïf★ – Vieille ville★ Y – Les quais★ – Jardin de la Perrine★ YZ – Chevet★ de la basilique X.
⛳9 ✆ 43 53 48 70 N : 7 km par Quai B.-de Gavre X.
ℹ Office de Tourisme pl. du 11-Nov. ✆ 43 53 09 39 – A.C.O. 7 pl. J.-Moulin ✆ 43 56 47 84.
Paris 278 ① – Angers 74 ④ – ♦Caen 144 ① – ♦Le Havre 249 ① – ♦Le Mans 84 ① – ♦Nantes 130 ⑤ – Poitiers 210 ④ – ♦Rennes 75 ⑦ – ♦Rouen 236 ① – St-Nazaire 154 ⑤.

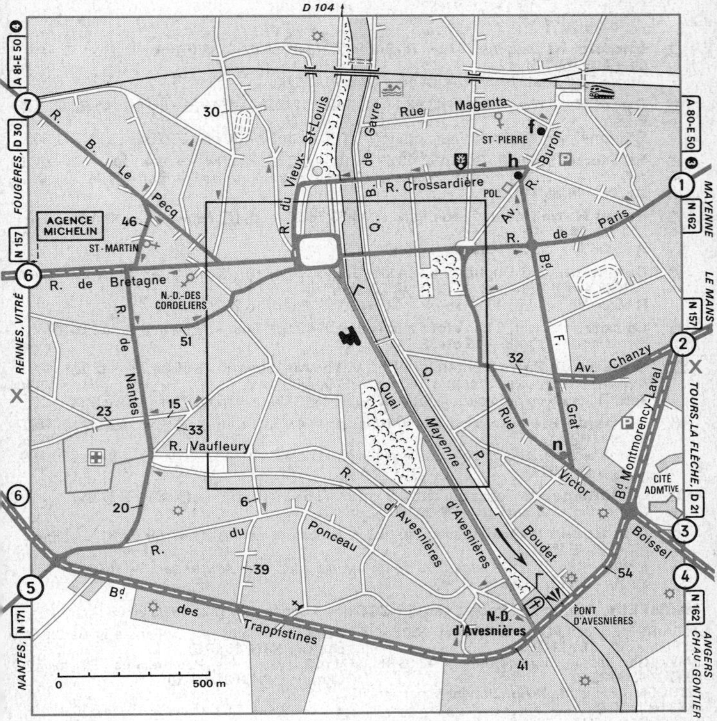

LAVAL

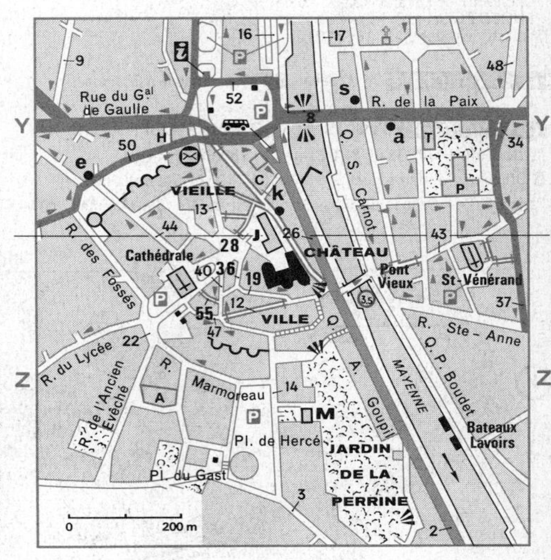

Déportés (R. des) . . . Y 13
Gaulle (R. Gén.-de) . Y
Paix (R. de la) . . . . . . Y

Avesnières (Q. d') . . Z 2
Avesnières (R. d') . . Z 3
Bourg-Hersent (R.) . X 6
Briand (Pont A.) . . . . Y 8
Britais (R. du) . . . . . . Y 9
Chapelle (R. de) . . . . Z 12
Douanier-Rousseau (R.) . . . Z 14
Étaux (R. des) . . . . . . X 15
Gambetta (Quai) . . . Y 16
Gavre (Q. B. de) . . . . Y 17
Grande-Rue . . . . Z 19
Gué-d'Orger (R.) . . . X 20
Hardy-de-Lévaré (Pl.) . . . . . . Z 22
Haut-Rocher (R.) . . . X 23
Jehan-Fouquet (Q.) . Y 26
La Trémoille (Pl. de la) . . . . Z 28
Macé (R. J.) . . . . X 30
Mans (R. du) . . . . X 32
Messager (R.) . . . . X 33
Moulin (Pl. J.) . . . . Y 34
Orfèvres (R. des) . . . Z 36
Paradis (R. de) . . . . . Z 37
Picardie (R. de) . . . . . X 39
Pin-Doré (R. de) . . . . Z 40
Pont-d'Avesnières (Bd du) . . . . X 41
Pont-de-Mayenne (R. du) . . . . Z 43
Renaise (R.) . . . . Y 44
St-Martin (R.) . . . . . . X 46
Serruriers (R. des) . . Z 47
Solférino (R.) . . . . Y 48
Souchu-Servinière (R.) . . . . . Y 50
Suhard (R. Cardinal) . . . . X 51
Strasbourg (R. de) . . . . Y 52
Tisserands (Bd des) . . . . X 54
Trinité (R. de la) . . . . Z 55

Impérial H. sans rest, 61 av. R.-Buron ✆ 43 53 55 02 – wc wc ☎ . AE E VISA. X h
fermé 24 déc. au 1er janv. – 18 – **34 ch** 145/260.

Ouest H., 3 r. J.-Ferry ✆ 43 53 11 71, Télex 721028 – wc wc ☎ P. AE E VISA Y s
R *(fermé sam. et dim.)* (dîner seul.) 50/150 – 20 – **30 ch** 100/250 – 1/2 p 250/300.

St-Pierre, 95 av. R.-Buron ✆ 43 53 06 10 – wc wc ☎ . VISA X f
fermé 16 août au 1er sept., 24 déc. au 5 janv. et sam. de nov. à mai – **R** 45/150 – 18 – **14 ch** 115/200.

Grand H. de Paris, 22 rue Paix ✆ 43 53 76 20 – wc wc ☎ – 200. AE E VISA. rest Y a
R 55/95 – 22 – **40 ch** 130/250.

Campanile, bd Duguesclin, ZA de Grenoux par ⑥ : 3 km ✆ 43 69 04 00, Télex 722633 – wc ☎ P – 50. VISA
R 63 bc/86 bc, enf. 38 – 24 – **42 ch** 200/220 – 1/2 p 287/330.

Le Zeff sans rest, 2 carrefour aux Toiles ✆ 43 53 17 68 – wc ☎. AE E VISA Y e
fermé août – 18 – **18 ch** 78/140.

XXX ✿ **Bistro de Paris** (Lemercier), 67 r. Val de Mayenne ✆ 43 56 98 29 – E VISA. Y k
fermé 8 au 20 août, sam. midi et dim. – **R** 90/200
Spéc. Truite aux noix et roquefort, Ballotine de pigeon, Parfait au calvados. **Vins** Savennières.

XX **Gerbe de Blé** avec ch, 83 r. V.-Boissel ✆ 43 53 14 10 – wc. AE E VISA. ch X n
R *(fermé 5 au 26 janv., dim. soir et lundi)* 125/220, enf. 100 – 48 – **8 ch** 275/390 – 1/2 p 420/480.

XX **La Rousine,** rte Tours par ③ : 3,5 km ✆ 43 53 03 10, – P. AE E VISA
fermé dim. soir et lundi – **R** 65/160 , enf. 32.

XX **A la Bonne Auberge** avec ch, 168 r. Bretagne par ⑥ ✆ 43 69 07 81 – wc wc ☎. E VISA
fermé 1er au 22 août, vacances de fév., vend. soir, dim. soir et sam. – **R** 60/120 – 20 – **15 ch** 130/240.

MICHELIN, Agence, r. Robert Vauxion ZAC des Alignés par ⑥ ✆ **43 69 00 09**

ALFA-ROMEO VOLVO Gar. Chassay, 330 rte de Rennes ✆ 43 69 19 69
BMW Gar. Bassaler, bd de Buffon ✆ 43 53 31 59 N ✆ 43 69 32 32
CITROEN Brilhault, 137 r. Bretagne par ⑥ ✆ 43 69 19 00 N
MERCEDES-BENZ Patard, rte du Mans à Bonchamp les Laval ✆ 43 53 17 58
PEUGEOT Gd Gar. du Maine, av. de Paris, St-Berthevin par ⑥ ✆ 43 69 09 81
RENAULT Hardy, av. de Paris à St-Berthevin par ⑥ ✆ 43 69 26 69 N
V.A.G. Gar. des Pommeraies, 36 rte de Mayenne ✆ 43 53 08 04 N

Sodipneus, 4 r. du Laurier ✆ 43 53 10 04
Tricard, rte Rennes, St-Berthevin ✆ 43 69 15 08

Le LAVANCHER 74 H.-Savoie 74 ⑨ – rattaché à Chamonix.

Le LAVANDOU 83980 Var 84 ⑯ G. Côte d'Azur – 4 275 h.

18 de Valcros ✆ 94 66 81 02 par ② : 15 km.

Office de Tourisme quai G.-Péri ✆ 94 71 00 61, Télex 400555.

Paris 878 ② – Cannes 103 ① – Draguignan 78 ① – Ste-Maxime 42 ① – ♦Toulon 41 ②.

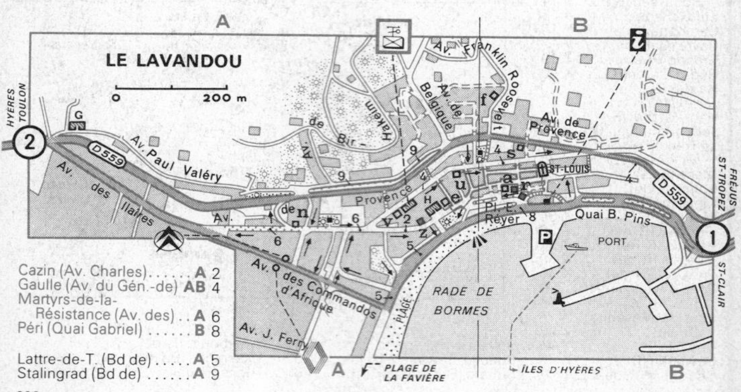

Espadon sans rest, pl. E.-Reyer ☎ 94 71 00 20, ← – |$| ⌂wc ☎ A e
fermé 15 déc. au 31 janv. – ☕ 25 – **22 ch** 330/350.

La Petite Bohème ⚘, av. F.-Roosevelt ☎ 94 71 10 30, ☂, ☂ – ⌂wc ⌂wc ☎. E VISA. ⚘ rest B f
mai-oct. – **R** 95/115 – ☕ 25 – **19 ch** 180/280 – 1/2 p 210/260.

La Lune sans rest, av. Gén.-de-Gaulle ☎ 94 71 04 20 – |$| ⌂wc ⌂wc ☎. AE ⊕ E VISA. ⚘ A v
mai-fin oct. – ☕ 25 – **24 ch** 300/350.

L'Escapade, chemin du Vannier ☎ 94 71 11 52, ☂ – ⌂wc ⌂wc ☎. VISA. ⚘
fermé 15 nov. au 20 déc. – **R** *(fermé dim.)* (dîner seul.) 90/110, enf. 50 – ☕ 23 – **16 ch** 150/250. B s

La Ramade M, 16 r. Patron-Ravello ☎ 94 71 20 40 – |$| ⌂wc ⌂wc ☎. AE ⊕ E VISA B a
fermé 15 nov. au 15 janv. – **R** *(fermé jeudi de sept. à mai)* 68/132 – ☕ 25 – **21 ch** 280/300 – 1/2 p 234/257.

Neptune sans rest, av. Gén.-de-Gaulle ☎ 94 71 01 01 – ⌂wc ⌂wc ☎. AE ⊕ E VISA A u
☕ 18 – **35 ch** 168/221.

Terminus sans rest, pl. Gare Autobus ☎ 94 71 00 62 – ⌂wc ⌂wc ☎. E VISA
☕ 17 – **25 ch** 120/200. A n

XXX ✿ **Au Vieux Port,** quai G.- Péri ☎ 94 71 00 21, ☂ – ▤. AE ⊕ E VISA B r
11 mars-10 janv. et fermé mardi de nov. à mars – **R** 160/320
Spéc. Filets de rouget rôtis à l'huile d'olive, Aiguillettes de St-Pierre au coulis de poivrons doux, Ragoût de homard en carapace à la sauge. **Vins** Cannet-des-Maures, Gassin.

XX **Le Grill,** 22 r. Patron-Ravello ☎ 94 71 06 43, ← – ⊕ E VISA B r
1er fév.-30 oct. et fermé mardi hors sais. – **R** 110/160.

XX **La Bouée,** 2 av. Ch.-Cazin ☎ 94 71 11 88 – ▤. AE ⊕ E VISA A z
fermé 24 déc. au 1er fév. et merc. sauf le soir en sais. – **R** 87/140, enf. 45.

à la Favière S : 2 km - A – ✉ **83230** Bormes-les-Mimosas :

Plage, ☎ 94 71 02 74, ☂, ☂ – ⌂wc ⌂wc ☎ P
30 mars-15 oct. – **R** 72/123, enf. 54 – ☕ 22 – **45 ch** 200/265 – 1/2 p 205/260.

à St-Clair par ① : 3 km – ✉ **83980** Le Lavandou :

Belle Vue ⚘, ☎ 94 71 01 06, ←, ☂ – ⌂wc ⌂wc ☎. E VISA. ⚘
fin mars-oct. – **R** 130/200 – ☕ 40 – **19 ch** 250/550.

L'Orangeraie M sans rest, ☎ 94 71 04 25 – cuisinette ▤ ⌂wc ⌂wc ☎ P. AE ⊕ E VISA
début mai-fin sept. – ☕ 32 – **20 ch** 225/375.

Roc H. ⚘ sans rest, ☎ 94 71 12 07, ← – ⌂wc ⌂wc ☎ P. ⚘
27 mars-20 oct. – ☕ 26 – **26 ch** 270/340.

Flots Bleus et Mar é Souléou ⚘, ☎ 94 71 00 93, ←, ☂, ⛺ – ⌂wc ⌂wc ☎ P. ⚘ rest
début avril-fin sept. – **R** 69/123 – ☕ 22 – **42 ch** 133/262.

La Bastide sans rest, ☎ 94 71 01 56, ☂ – ⌂wc ☎ P. AE ⊕ E
fermé 30 nov. au 15 déc. – **15 ch** ☕ 195/245.

à La Fossette-Plage par ① : 3 km – ✉ **83980** Le Lavandou :

83 Hôtel M, ☎ 94 71 20 15, ← côte et mer, ☂, ⛱, ⛱, ☂ – |$| ⇌ ▤ TV ☎ P. ⊕ E VISA. ⚘
début avril-fin sept. – **R** (dîner seul.) (grill le midi) 160/220 – ☕ 52 – **28 ch** 680/950 – 1/2 p 600/650.

CITROEN Gar. des Maures, ☎ 94 71 14 93
MERCEDES-BENZ, RENAULT Gar. St-Christophe, ☎ 94 71 14 90
PEUGEOT-TALBOT Central-Gar., av. Mar.-Juin par av. Jules-Ferry A ☎ 94 71 10 68

LAVARDAC 47230 L.-et-G. 79 ⑭ **G. Pyrénées Aquitaine** – 2 573 h.
Paris 646 – Agen 31 – Casteljaloux 25 – Houeillés 24 – Marmande 49 – Nérac 7.

Chaumière d'Albret, rte Nérac ☎ 53 65 51 75, ☂, ☂ – ⌂ P. AE E VISA. ⚘ ch
fermé 2 au 17 oct. et vacances de fév. – **R** *(fermé dim. soir et lundi hors sais.)* 43/140 ♁ – ☕ 16 – **7 ch** 80/135 – 1/2 p 118/146.

LAVAUR 81500 Tarn 82 ⑨ **G. Pyrénées Roussillon** – 8 264 h.
Voir Cathédrale St-Alain★.
Syndicat d'Initiative à la Mairie ☎ 63 58 06 71 et 22 Grand'Rue (saison) ☎ 63 58 02 00.
Paris 703 – Albi 48 – Castelnaudary 59 – Castres 39 – Montauban 57 – ♦Toulouse 37.

Central H., 7 r. Alsace-Lorraine ☎ 63 58 04 16 – ⌂. ⚘ ch
fermé 15 au 30 sept. – **R** 70/100 ♁ – ☕ 22 – **10 ch** 121/165 – 1/2 p 145.

à Giroussens NO : 10 km par D 87 – ✉ **81500** Lavaur :

XX **L'Échauguette** avec ch, ✆ 63 41 63 65, – wc. AE ① E VISA
fermé 15 au 30 sept., 1er au 21 fév. et lundi – **R** 55/230 – ☕ 20 – **5 ch** 130/170.

à St-Lieux-lès-Lavaur NO : 11 km par D 87 et D 631 – ✉ **81500** Lavaur :

Host. du Château de St-Lieux, ✆ 63 41 60 87, parc, – TV wc P – 30
R 78/165, enf. 50 – ☕ 25 – **12 ch** 150/200 – 1/2 p 200.

ALFA-ROMEO, FIAT Barboule et Laval, 4 et 5 av. G.-Péri ✆ 63 58 08 16
CITROEN Lavaur Autom., 14 av. G.-Péri ✆ 63 41 43 63
PEUGEOT-TALBOT S.I.V.A., 20 av. G.-Péri ✆ 63 58 03 51
RENAULT Rossoni, La Gravette, rte Toulouse ✆ 63 58 07 20
RENAULT Bana, rte de Castres ✆ 63 58 05 35
V.A.G. Rigal, rte de Castres ✆ 63 58 03 83
Lavaur Pneus, rte Castres ✆ 63 58 25 48

LAVAVEIX-LES-MINES 23 Creuse 72 ⑩ – 1 034 h. – ✉ **23150** Ahun.
Voir Moutier d'Ahun : boiseries de l'église NO : 4 km, G. Berry Limousin.**
Paris 372 – Aubusson 17 – Bourganeuf 36 – Gouzon 20 – Guéret 25 – Montluçon 54 – Pontarion 26.

France, ✆ 55 62 42 26 – P.
fermé 20 déc. au 10 janv. et vend. – **R** (dîner seul. pour résidents) 55/65 – ☕ 15 – **15 ch** 77/93.

LAVEISSIÈRE 15 Cantal 76 ③ – 623 h. alt. 930 – ✉ **15300** Murat.
Paris 512 – Aurillac 45 – Condat 36 – Le Lioran 6 – Murat 5,5.

Le Vallagnon, ✆ 71 20 02 38, ≤, – wc wc ☎ P. E VISA
fermé 1er au 8 mai, 15 nov. au 1er déc., dim. soir et lundi midi de déc. à mars – **R** 50/130, enf. 40 – ☕ 20 – **30 ch** 102/148 – 1/2 p 135/165.

Cheval Blanc, ✆ 71 20 02 51, – wc. AE ① E VISA
1er juin-15 sept. et 15 déc.-vacances de printemps – **R** 55/90, enf. 30 – ☕ 20 – **20 ch** 100/170 – 1/2 p 150/170.

Bellevue, ✆ 71 20 01 22, ≤, – wc P. rest
1er juin-15 sept., vacances scolaires et week-ends – **R** 52/80, enf. 35 – ☕ 18 – **23 ch** 90/150 – 1/2 p 125/145.

LAVERGNE 46 Lot 75 ⑲ – rattaché à Gramat.

LAVIGNOLLE 33 Gironde 78 ② – rattaché au Barp.

LAVIOLLE 07 Ardèche 76 ⑱ – 148 h. alt. 680 – ✉ **07530** Antraigues-sur-Volane.
Paris 649 – Aubenas 21 – Lamastre 51 – Mezilhac 8 – Privas 42 – Le Puy 72.

Plantades, rte Antraigues S : 2 km D 578 ✆ 75 38 71 58, ≤, – P
fermé 12 nov. au 20 déc. – **R** 52/90 – ☕ 16 – **10 ch** 80/105 – 1/2 p 110/130.

LAVOÛTE-SUR-LOIRE 43 H.-Loire 76 ⑦ **G. Vallée du Rhône** – 614 h. – ✉ **43800** Vorey.
Voir Christ* dans l'église – Château de Lavoûte-Polignac : souvenirs de famille*.
Paris 501 – Ambert 68 – Brioude 62 – Le Puy 13 – ♦St-Étienne 75.

Nouvel H. Accarion, ✆ 71 08 50 08, – P. rest
1er avril-30 sept. – **R** 40/120 – ☕ 18 – **30 ch** 90/170 – 1/2 p 170/200.

LAYRAC 47 L.-et G. 79 ⑮ – rattaché à Agen.

La LÉCHÈRE 73 Savoie 74 ⑰ **G. Alpes du Nord** – Stat. therm. (11 avril-23 oct.) – ✉ **73260** Aigueblanche.
Office de Tourisme (avril-oct.) ✆ 79 22 51 60.
Paris 605 – Albertville 21 – Celliers 19 – Chambéry 68 – Moûtiers 6.

Radiana, ✆ 79 22 61 61, ≤, parc – wc wc ☎ P. E VISA. rest
18 avril-22 oct. – **R** 100/150 – ☕ 25 – **80 ch** 150/380 – 1/2 p 250/430.

La Darentasia et Sabaudia, ✆ 79 22 50 55 – cuisinette wc ☎. E VISA. rest
fermé déc. – **R** 70/180 – **45 ch** ☕170/270.

à Bellecombe-St-Laurent SE : 1 km sur D 97 – ✉ **73260** Aigueblanche :

Bergerie, ✆ 79 24 29 64 – wc ☎ P. VISA
fermé sam. en nov. – **R** 70/180, enf. 50 – ☕ 20 – **40 ch** 140/200 – 1/2 p 175/185.

La carta stradale Michelin è costantemente aggiornata
ed evita sorprese sul vostro itinerario.

Les LECQUES 83 Var 84 ⑭ G. Côte d'Azur – ✉ 83270 St-Cyr-sur-Mer.

Office de Tourisme ✆ 94 26 13 46.

Paris 814 – Bandol 10 – Brignoles 56 – La Ciotat 8 – ♦Marseille 39 – ♦Toulon 29.

- **Gd Hôtel** ✆, ✆ 94 26 23 01, Télex 400165, ←, « Parc fleuri », – P. AE E VISA. rest
30 avril-9 oct. – **R** 130/205, enf. 65 – 35 – **58 ch** 425/610 – 1/2 p 285/470.
- **Chanteplage** M, ✆ 94 26 16 55, ← – wc. VISA
hôtel : 1er avril-20 oct. ; rest. : 15 juin-15 sept. – **R** 80 – 25 – **20 ch** 208/350 – 1/2 p 245/265.
- **Petit Nice**, ✆ 94 32 00 64, – wc P. VISA. rest
fermé 15 déc. au 14 janv. et merc. du 1er nov. au 31 mars – **R** (résidents seul.) – 17 – **29 ch** 104/245 – 1/2 p 149/270.
- **Pins,** à La Madrague SE : 1,5 km ✆ 94 26 28 36, ← – wc P
1er avril-30 sept. – **R** (résidents seul.) – 24 – **20 ch** 185/218 – 1/2 p 177/197.
- **Tapis de Sable** sans rest, rte Madrague ✆ 94 26 26 34, ← – wc wc P. E VISA
mars-oct. – **16 ch** 250/290.
- **Le Boucanier,** à la Madrague : 1,5 km ✆ 94 26 49 45, ←, – AE E VISA
fermé 10 janv. au 15 mars, dim. soir du 15 mars au 15 juin et lundi du 15 juin au 15 oct. – **R** 85/132, enf. 45.

PEUGEOT-TALBOT Gar. Iori, à St-Cyr-sur-Mer ✆ 94 26 23 80

Marro, Quartier Banette à St-Cyr-sur-Mer ✆ 94 26 31 09

LECTOURE 32700 Gers 82 ⑤ G. Pyrénées Aquitaine – 4 424 h.

Voir Site★ – Promenade du bastion ←★.

Syndicat d'Initiative Cour Hôtel de Ville ✆ 62 68 76 98.

Paris 693 – Agen 36 – Auch 35 – Condom 23 – Montauban 74 – ♦Toulouse 94.

- **De Bastard,** r. Lagrange ✆ 62 68 82 44, – wc wc P – 60. AE E VISA
fermé 1er janv. au 28 fév. dim. soir et lundi hors sais. – **R** 60 bc/165, enf. 40 – 21 – **30 ch** 170/205 – 1/2 p 260.
- **Bouviers,** 8 r. Montebello ✆ 62 68 71 69 – AE E VISA
fermé 10 au 30 oct. et lundi – **R** 56/156, enf. 45.
- **Le Gascogne** avec ch, rte Agen ✆ 62 68 77 57, – P. E VISA. ch
fermé 15 déc. au 15 janv. et lundi – **R** 50/150 – 20 – **5 ch** 120/150 – 1/2 p 170/280.

LEGÉ 44650 Loire-Atl. 67 ⑬ – 3 485 h.

Paris 422 – Cholet 61 – Clisson 34 – ♦Nantes 40 – La Roche-sur-Yon 30 – Les Sables-d'Olonne 51.

- **Cheval Blanc,** pl. du Gén.-Charette ✆ 40 04 99 29
R 48/155, enf. 26 – 19 – **7 ch** 81/105 – 1/2 p 145.
- **Étoile d'Or,** r. Chaussée ✆ 40 04 97 29 – P. AE E VISA
fermé 1er au 21 sept. et lundi – **R** 52/175, enf. 28.

PEUGEOT-TALBOT Gar. Chevalier-Serre, 26 r. de la Chaussée ✆ 40 04 97 09 N

RENAULT Gar. Charrier, ✆ 40 04 91 56

LELEX 01 Ain 70 ⑮ – 203 h. alt. 900 – Sports d'hiver : 900/1 680 m 1 9 – ✉ 01410 Chezery-Forens.

Paris 516 – Bourg-en-Bresse 100 – Gex 28 – Morez 37 – Nantua 43 – St-Claude 32.

- **Crêt de la Neige**, ✆ 50 20 90 15, ←, – wc P. E VISA. rest
25 juin-11 sept. et 18 déc.-15 avril – **R** 62/140 – 20 – **30 ch** 110/230 – 1/2 p 158/210.
- **Centre,** ✆ 50 20 90 81, ← – wc P. E VISA. rest
fermé 18 avril au 1er juin, sam. et dim. du 15 sept. au 15 déc. – **R** 65/135, enf. 35 – 22 – **21 ch** 160/195.
- **Mont-Jura**, ✆ 50 20 90 53 – wc wc P. rest
1er mai-27 oct., 15 déc.-11 avril et fermé dim. soir et lundi hors sais. – **R** 65/160 – 19 – **14 ch** 90/170 – 1/2 p 180/210.

LEMBACH 67510 B.-Rhin 57 ⑲ G. Alsace et Lorraine – 1 539 h.

Env. Château de Fleckenstein★★ NO : 7 km.

Syndicat d'Initiative 45 rte Bitche ✆ 88 94 43 16.

Paris 461 – Bitche 32 – Haguenau 24 – Niederbronn-les-B. 19 – ♦Strasbourg 56 – Wissembourg 15.

- **Au Heimbach** sans rest, ✆ 88 94 43 46 – wc wc P
28 – **12 ch** 120/236.
- **Vosges du Nord** sans rest, 59 rte Bitche ✆ 88 94 43 41 – wc wc.
fermé 17 au 31 août et lundi – 15 – **8 ch** 135/160.

XXX ❀ **Aub. Cheval Blanc** (Mischler), ✆ **88 94 41 86**, 🚗 – **P**. AE E VISA. ✂
fermé 4 au 22 juil., 6 au 28 fév., lundi et mardi – **R** 120/270
Spéc. Farandole des foies d'oie chauds, Turbot au sabayon d'oursins, Noisettes de chevreuil à la moutarde de fruits rouges (juin à fév.). **Vins** Auxerrois.

à Gimbelhof **N : 10 km par D 3 et RF – ✉ 67510** Lembach :

Ferme Gimbelhof 🐦, ✆ **88 94 43 58**, ≤ – **P**. E
fermé 15 nov. au 26 déc. – **R** *(fermé lundi et mardi)* 48/150 🍼 – ☕ 12 – **7 ch** 56/76 – 1/2 p 87.

BMW, CITROEN Gar. Weisbecker, ✆ 88 94 41 96 **N**

LENS SP **62300** P.-de-C. **51** ⑮ – **38 307 h.**

Env. Mémorial canadien de Vimy★ 9 km par ④, G. Flandres Artois Picardie.

i A.C. 8 pl. Roger-Salengro ✆ 21 28 34 89.

Paris 199 ④ – **Arras 18** ④ – **Béthune 18** ⑤ – **Douai 22** ② – **♦Lille 34** ① – **St-Omer 66** ⑤.

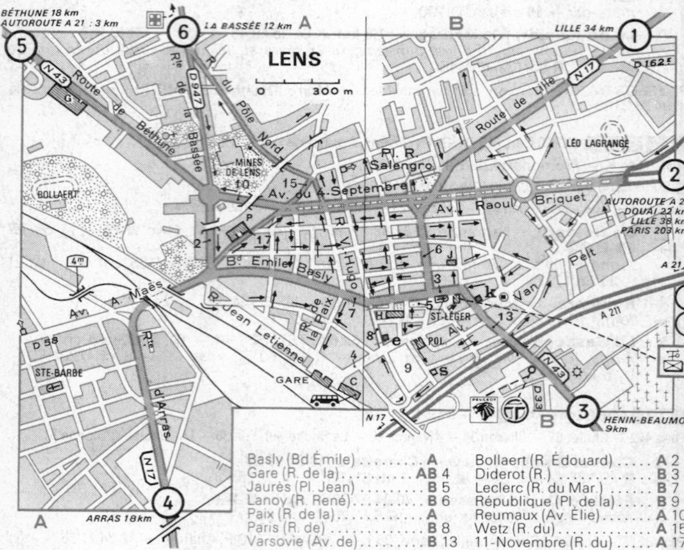

Lensotel et rest. L'Escarpolette, Centre commercial Lens 2 par ⑥ : 3,5 km ✉ **62880 Vendin-le-Viel** ✆ **21 78 64 53, Télex 120324**, 🌳, 🏊, 🚗 – TV ☎ **P** – 🏛 50 à 100. AE ⓓ E VISA
R 90/140, enf. 35 – ☕ 30 – **70 ch** 270/300.

Lutetia sans rest, **29 pl. République** ✆ **21 28 02 06** – ⊟wc ⋒wc ☎. AE. ✂
☕ 17,50 – **23 ch** 76/155. B **s**

Au Péché Mignon, 15 av. de Varsovie ✆ **21 43 34 82** – ▤. AE E VISA B **k**
fermé août et dim. soir – **R** 78/110 🍼, enf. 35.

Chez Robert, 13 r. Paris ✆ **21 28 07 29** – AE ⓓ E VISA B **e**
fermé dim. – **R** 80/180, enf. 60.

ALFA-ROMEO Arauto, 44 rte de Lille, Loison ✆ 21 70 61 63
AUSTIN-ROVER Gar. Verdier, 2 ter rte de Lille à Loison ✆ 21 70 62 66
BMW Basile, 148 rte Lille à Loison ✆ 21 78 45 45
CITROEN SO.CA.LE., 2 rte Béthune, Loos-en-Gohelle par ⑤ ✆ 21 70 15 76 **N**
FIAT Delambre, 42 rte Arras ✆ 21 28 32 06
FIAT Hanot-Mariani, 26 et 47 r. du Vieux Château à Carvin ✆ 21 37 04 98
FORD Lallain, Rd-Pt Bollaert ✆ 21 28 43 21
MERCEDES-BENZ, OPEL Thirion, 60 av. A.-Maes ✆ 21 43 01 96
PEUGEOT-TALBOT S.A.C.I., 52 r. Douai ✆ 21 08 22 00
PEUGEOT-TALBOT Wantiez, N à Loison par ① ✆ 21 70 17 65
RENAULT Evrard, 75 av. J.-Jaurès à Liévin par D 58 A ✆ 21 43 42 44
RENAULT Guilbert-Lens, 50 rte de Lille, Loison par ① ✆ 21 70 19 68
SEAT Artois Autom., 79 av. Van-Pelt ✆ 21 28 38 07

ⓜ Debove, 275 bd H.-Martel, Avion ✆ 21 28 02 25
François Pneus, 16 r. de Lille à Annay ✆ 21 70 62 05
La Maison du Pneu, 346 rte de Lille ✆ 21 78 62 78

LENT 01 Ain 74 ③ – rattaché à Bourg-en-Bresse.

LENTILLY 69 Rhône 73 ⑲ – 2 539 h. – ✉ **69210** L'Arbresle.
Voir Couvent d'Eveux* O : 5 km, **G. Vallée du Rhône.**
Paris 454 – L'Arbresle 7,5 – •Lyon 20 – Villefranche-sur-Saône 25.

Relais de la Diligence avec ch, N 7 ☎ 74 01 71 26, – wc wc ☎ P. E VISA
fermé dim. soir et lundi midi – **R** 60/170 &, enf. 45 – ☐ 20 – **10 ch** 140/160.

LÉON 40550 Landes 78 ⑯ – 1 363 h.
Voir Courant d'Huchet* en barque NO : 1,5 km, **G. Pyrénées Aquitaine.**
Syndicat d'Initiative à l'Hôtel de ville (juil.-août) ☎ 58 48 76 03.
Paris 727 – Castets 14 – Dax 28 – Mimizan 41 – Mont-de-Marsan 74 – St-Vincent-de-Tyrosse 30.

Lac , au Lac NO : 1,5 km ☎ 58 48 73 11, ← – wc.
1er avril-1er oct. – **R** 55/100 – ☐ 20 – **16 ch** 90/150 – ½ p 157/175.

CITROEN Ducasse, ☎ 58 48 73 10
RENAULT Modern'Gar. ☎ 58 48 74 34

LÉPIN-LE-LAC 73 Savoie 74 ⑮ – rattaché à Aiguebelette (Lac d').

LÉRINS (Iles de) 06 Alpes-Mar. 84 ⑨ – voir à Ste-Marguerite et à St-Honorat.

LESCAR 64 Pyr.-Atl. 85 ⑥ – rattaché à Pau.

LESCHERAINES 73340 Savoie 74 ⑯ **G. Alpes du Nord** – 425 h. alt. 650.
Paris 567 – Aix-les-Bains 27 – Albertville 54 – Annecy 27 – Chambéry 28.

Joly, rte Col de Plainpalais ☎ 79 63 30 45, – P. E VISA
R 55/130 – ☐ 23 – **21 ch** 100/115 – ½ p 175.

LESCONIL 29138 Finistère 58 ⑭ **G. Bretagne.**
Office de Tourisme pl. Résistance (juil.-août) ☎ 98 87 86 99.
Paris 574 – Douarnenez 42 – Guilvinec 10 – Loctudy 8 – Pont-l'Abbé 9 – Quimper 29.

Dunes, ☎ 98 87 83 03, ← – wc wc ☎ P – 50. AE E VISA.
26 mars-20 oct. – **R** 72/270 &, enf. 35 – ☐ 26 – **50 ch** 150/260 – ½ p 200/260.

Plage, ☎ 98 87 80 05 – wc wc ☎ P – 25. AE E VISA. rest
Pâques-15 oct. – **R** *(fermé dim. soir et lundi sauf du 15 juil. au 30 août)* 85/290, enf. 50 – ☐ 28 – **28 ch** 165/200 – ½ p 245/260.

Atlantic, ☎ 98 87 81 06, « Jardin fleuri », – wc wc ☎ P. AE E.
fermé fév. – **R** 60/180, enf. 35 – ☐ 20 – **23 ch** 165/240 – ½ p 170/235.

LESCUN 64 Pyr.-Atl. 85 ⑮ **G. Pyrénées Aquitaine** – 208 h. alt. 900 – ✉ **64490** Bedous.
Voir ** 30 mn – Paris 858 – Lourdes 90 – Oloron-Ste-Marie 36 – Pau 69.

Pic d'Anie , ☎ 59 34 71 54, ←, – wc ☎. ch
1er avril-20 sept. – **R** 60/150, enf. 50 – ☐ 20 – **19 ch** 130/220 – ½ p 150/180.

LESMONT 10 Aube 61 ⑧ – 281 h. – ✉ **10500** Brienne-le-Château.
Paris 183 – Bar-sur-Aube 33 – St-Dizier 54 – Troyes 31 – Vitry-le-François 43.

Aub. Munichoise, D 960 ☎ 25 92 45 33, – AE E VISA
fermé 15 sept. au 15 oct., 1er au 15 mars, mardi soir et merc. – **R** 90/170.

CITROEN Relais Champagne, D 960 ☎ 25 92 46 29 N
RENAULT Millon, D 960 ☎ 25 92 45 13 à Brienne-le-Château ☎ 25 92 80 59

LESNEVEN 29260 Finistère 58 ④⑤ – 7 087 h.
Voir Le Folgoët : église** SO : 2 km, **G. Bretagne.**
Paris 586 – •Brest 26 – Landerneau 15 – Morlaix 48 – Quimper 78 – St-Pol-de-Léon 32.

Breiz Izel sans rest, 25 r. Four ☎ 98 83 12 33 – wc wc.
fermé 24 sept. au 14 oct. – ☐ 17 – **24 ch** 75/140.

au Pont-du-Châtel NE : 4 km par D 110 – ✉ **29260** Lesneven :

Week-End, ☎ 98 25 40 57 – wc ☎ P. E VISA.
fermé janv. et lundi midi – **R** 60/160 &, enf. 40 – ☐ 17 – **12 ch** 130/155 – ½ p 142/183.

CITROEN Crauste-Guilliec, 31 r. Gén.-de-Gaulle ☎ 98 83 00 34
RENAULT Colliou, 7 bis r. Jérusalem ☎ 98 83 01 50

La gratuité du garage, à l'hôtel, est souvent réservée aux usagers du guide Michelin. Présentez votre guide de l'année.

LESQUIN 59 Nord 51 ⑯ – rattaché à Lille.

LESTELLE-BÉTHARRAM 64 Pyr.-Atl. 85 ⑦ **G. Pyrénées Aquitaine** – 1 293 h. – ✉ **64800** Nay.

Paris 792 – Laruns 35 – Lourdes 16 – Nay 8,5 – Oloron-Ste-Marie 45 – Pau 23.

- **Touristes,** ✆ 59 71 93 05, – wc. E VISA
fermé 3 janv. au 25 fév. et lundi d'oct. à juin – **R** 52 bc/180, enf. 30 – 20 – **14 ch** 77/170 – 1/2 p 150/175.
- **Central** avec ch, ✆ 59 71 92 88, – wc. AE VISA
fermé lundi et mardi hors sais. – **R** 48 bc/150 – 20 – **16 ch** 72/164 – 1/2 p 128/150.

au SE : 3 km par N 637 et rte des Grottes – ✉ **64800** Nay :

- **Le Vieux Logis**, ✆ 59 71 94 87, <, « parc » – wc P. E VISA
hôtel : début mars-1er nov.; rest : début mars-3 janv. – **R** 80/140 – 22 – **15 ch** 130/170 – 1/2 p 200/230.

LETRAZ 74 H.-Savoie 74 ⑥ – rattaché à Sevrier.

LEUCATE 11370 Aude 86 ⑩ **G. Pyrénées Roussillon** – 1 968 h.

Voir <* **du sémaphore du Cap E : 2 km.**

Syndicat d'Initiative Centre Commercial du Port ✆ 68 40 91 31.

Paris 880 – Carcassonne 86 – Narbonne 37 – •Perpignan 34 – Port-la-Nouvelle 19.

- **Jouve** M avec ch, **sur la Plage** ✆ **68 40 02 77**, <, – wc. E VISA. ch
1er avril-31 oct. – **R** *(fermé lundi sauf juil.-août)* 65/126 – 21 – **7 ch** 210/262.

LEUGNY 89 Yonne 65 ④ – 333 h. – ✉ **89130** Toucy.

Paris 169 – Auxerre 21 – Avallon 58 – Clamecy 35 – Cosne-sur-Loire 52 – Joigny 39.

- **Aub. Cheval Blanc** avec ch, ✆ 86 47 61 09 – E VISA
fermé 5 au 31 janv. et merc. – **R** 52/150 – 15 – **3 ch** 64/90 – 1/2 p 100.

LEVALLOIS-PERRET 92 Hauts-de-Seine 196 ⑲ – voir à Paris, Environs.

LEVENS 06 Alpes-Mar. 84 ⑲, 195 ⑯ **G. Côte d'Azur** – 1 800 h. – ✉ **06670** St-Martin-du-Var.

Voir <*.

Syndicat d'Initiative à la Mairie ✆ 93 79 70 22.

Paris 953 – Antibes 44 – Cannes 54 – •Nice 23 – Puget-Théniers 48 – St-Martin-Vésubie 37.

- **La Vigneraie**, SE : 1,5 km ✆ 93 79 70 46, – wc wc P. E VISA
fin janv.-14 oct. – **R** 70/120 – 18 – **18 ch** 100/150 – 1/2 p 150/170.
- **Malausséna,** ✆ 93 79 70 06 – wc. E VISA. ch
fermé 1er nov. au 10 déc. – **R** 60/150 – 20 – **12 ch** 155/230.
- **Les Santons,** ✆ 93 79 72 47, < – E VISA.
fermé 27 juin au 6 juil., 3 au 12 oct., 2 janv. au 6 fév., dim. soir, lundi soir, mardi soir et merc. – **R** (prévenir) 80/220.

FORD Gar. de la Fanga, quartier de la Fanga ✆ 93 91 70 06

LEVERNOIS 21 Côte-d'Or 69 ⑨ – rattaché à Beaune.

LEVIER 25270 Doubs 70 ⑥ – 1 843 h. alt. 717.

Paris 432 – •Besançon 47 – Champagnole 36 – Pontarlier 20 – Salins-les-Bains 23.

- **Guyot,** ✆ 81 49 50 56, , parc, – cuisinette wc P – 30
fermé 11 nov. au 11 déc. – **R** *(dim. soir hors sais.)* 45/105 – 15 – **35 ch** 70/250 – 1/2 p 130/165.

CITROEN, MERCEDES Cassani, ✆ 81 89 53 45 PEUGEOT Cordier Ch., ✆ 81 89 52 06

LÉVIGNAC 31530 H.-Garonne 82 ⑦ – 1 080 h.

Paris 698 – Auch 54 – Montauban 47 – •Toulouse 27.

- **D'Azimont**, SO : 8,5 km par D 17 via Ségoufielle ✆ 61 85 61 13, Télex 532467, <, , parc, , – TV P – 70. AE E VISA
R *(fermé mardi)* 135/250 – 50 – **18 ch** 500/670.

LEVROUX 36110 Indre 68 ⑧ G. Berry Limousin – 3 126 h.

Paris 256 – Blois 76 – Châteauroux 21 – Châtellerault 96 – Loches 63 – Vierzon 47.

Cloche et St-Jacques, r. Nationale ✆ 54 35 70 43 – wc wc. VISA. ch
fermé 1er fév. au 1er mars, lundi soir et mardi – **R** 59/220 – 25 – **28 ch** 115/230.

CITROEN Bailly, ✆ 54 35 70 30
PEUGEOT-TALBOT Bottin, 15 r. Gambetta ✆ 54 35 70 28
RENAULT Tranchant, ✆ 54 35 71 45

LÉZARDRIEUX 22740 C.-du-N. 59 ② G. Bretagne – 1 859 h.

Voir Phare du Bodic : plate-forme ←★ NE : 3 km.

Paris 500 – Guingamp 32 – Lannion 28 – Paimpol 5 – St-Brieuc 51 – Tréguier 10.

Pont sans rest, ✆ 96 20 10 59 – wc wc. E VISA
18,50 – **15 ch** 120/190.

CITROEN Gar. Corle, r. Saint-Christophe ✆ 96 20 10 28 N

LÉZIGNAN-CORBIÈRES 11200 Aude 83 ⑬ – 7 681 h.

Office de Tourisme pl. République ✆ 68 27 05 42.

Paris 868 – Carcassonne 38 – Narbonne 21 – Prades 109.

Tassigny et rest. Tournedos, pl. de-Lattre-de-Tassigny ✆ 68 27 11 51 – wc wc. VISA
fermé sept., lundi (sauf hôtel) et dim. soir – **R** 53 bc/99 bc – 18 – **20 ch** 108/169.

FORD Attard H., 12 av. Gén.-de-Gaulle ✆ 68 27 02 42 N
LANCIA-AUTOBIANCHI Gar. Bernada, 42 av. Wilson ✆ 68 27 00 35 N ✆ 68 27 01 17
PEUGEOT-TALBOT Belmas, Zone Ind. de Gaujac, rte de Fabrézan ✆ 68 27 01 66
RENAULT Lézignan-Auto, 63 av. G.-Clemenceau ✆ 68 27 02 93
Condouret, 35 av. Mar.-Joffre ✆ 68 27 01 72

LEZOUX 63190 P.-de-D. 73 ⑮ G. Auvergne – 4 793 h.

Env. Moissat-Bas : Châsse de St-Lomer★★ dans l'église S : 5,5 km.

Syndicat d'Initiative à la Mairie ✆ 73 73 01 00.

Paris 396 – Ambert 59 – ◆Clermont-Ferrand 27 – Issoire 43 – Riom 26 – Thiers 16 – Vichy 42.

Voyageurs avec ch, pl. Hôtel-de-Ville ✆ 73 73 10 49 – wc. E VISA. ch
fermé 15 sept. au 20 oct., vacances de fév. dim. soir et lundi – **R** 68/190 – 17 – **10 ch** 95/180.

à Bort-l'Étang SE : 8 km par D 223 et D 115 – ✉ 63190 Lezoux :

Château de Codignat, O : 1 km ✆ 73 68 43 03, ←, parc, – TV. AE E VISA
mars-début nov. – **R** *(fermé mardi midi et jeudi midi sauf fêtes)* 235/295 – 55 – **13 ch** 450/990, 3 appartements 1450 – 1/2 p 560/875.

CITROEN Mercier, ✆ 73 73 10 34
PEUGEOT-TALBOT Rozière, ✆ 73 73 10 98

LIANCOURT 60140 Oise 56 ① – 6 112 h.

Paris 72 – Beauvais 35 – Chantilly 19 – Compiègne 32 – Creil 10 – Senlis 20.

Host. Parc avec ch, av. Ile-de-France ✆ 44 73 04 99, – TV wc wc. AE E VISA. ch
R *(fermé lundi en août et dim. soir)* 67/125 – 25 – **14 ch** 130/270.

LIBOURNE SP 33500 Gironde 75 ⑫ G. Pyrénées Aquitaine – 23 312 h.

Office de Tourisme pl. A.-Surchamp ✆ 57 51 15 04.

Paris 574 ⑤ – Agen 131 ③ – Angoulême 97 ② – Bergerac 61 ③ – ◆Bordeaux 31 ④ – Mont-de-Marsan 135 ③ – Pau 199 ③ – Périgueux 90 ② – Royan 116 ⑤ – Saintes 112 ⑤.

Plan page suivante

Chanzy avec ch, 16 r. Chanzy ✆ 57 51 05 15 – . AE E VISA. ch CY **a**
fermé 3 au 23 août, 24 déc. au 3 janv., sam. soir et dim. – **R** 57/120 – 17 – **4 ch** 90/120.

au Port du Noyer par ④ – ✉ 33500 Libourne :

Climat de France M, ✆ 57 51 41 41, Télex 541707, – TV wc – 100. E VISA
R 62/98, enf. 40 – 24 – **42 ch** 235/262.

à Galgon par ① et D 18E : 11,8 km – ✉ 33133 Galgon :

Clo-Luc, ✆ 57 84 36 16, – . AE E VISA
fermé mardi – **R** 50/95.

22

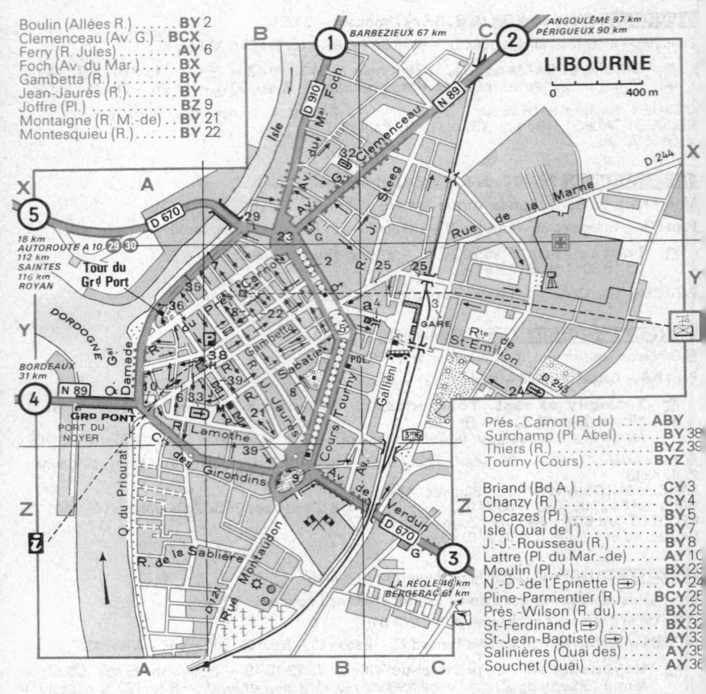

à l'aérodrome d'Artigues par ② et N 89 : 12 km – ✉ **33570** Artigues de Lussac :

XX **Aérodrome,** ℘ 57 24 31 44 – Ⓟ VISA
fermé 1er au 8 sept., fév. et mardi – **R** 85/135, enf. 50.

CITROEN Libourne Autom., 140 av. Ch.-de-Gaulle par ③ ℘ 57 51 62 18
FIAT Maltord, 12 av. G.-Clemenceau ℘ 57 51 61 88
FORD Solica, rte Bordeaux à Arveyres ℘ 57 51 34 96
PEUGEOT-TALBOT Agence Centrale Autom. Libournaise 142 av. Gén.-de-Gaulle par ③ ℘ 57 51 40 81
RENAULT Bastide, Zone Ind. Ballastière, rte d'Angoulème par ① ℘ 57 51 52 53 **N**
V.A.G. Europe-Auto, av. Gén.-de-Gaulle ℘ 57 51 43 85

Central-Pneu, 113 av. G.-Pompidou ℘ 57 51 24 24
Comptoir Libournais du Pneu, 77 av. G.-Clemenceau ℘ 57 51 17 09
Da Silva, av. Libération à Port du Noyer ℘ 57 51 54 56
Inter-Pneu, 9 quai des Salinières ℘ 57 51 03 22

LICQ-ATHÉREY **64560** Pyr.-Atl. **85** ⑮ – **250 h.**

Paris 827 – Oloron-Ste-Marie 32 – Pau 65 – St-Jean-Pied-de-Port 60 – Sauveterre-de-Béarn 48.

Touristes, ℘ 59 28 61 01, ≤, – wc wc Ⓟ – 40
R 60/150 – 22 – **20 ch** 100/220 – 1/2 p 160/200.

LIEPVRE **68660** H.-Rhin **62** ⑱ – **1 536 h.**

Paris 414 – Colmar 36 – Ribeauvillé 23 – St-Dié 30 – Sélestat 14.

Aux Deux Clefs, rte de Rombach-le-Franc ℘ 89 58 93 29, – wc AE E VISA. ch
fermé 24 juin au 2 juil. (sauf hôtel) et 20 déc. au 15 janv. – **R** *(fermé sam. midi et vend.)* carte 130 à 170, enf. 50 – 21 – **11 ch** 155/210 – 1/2 p 180/250.

Élisabeth, à **La Vancelle** NE : 2,5 km par VO ✉ **67600 Sélestat** ℘ **88 57 90 61**, – wc wc Ⓟ – 25. E VISA. rest
fermé janv. – **R** *(fermé merc. soir et jeudi)* 75/140, enf. 36 – 20 – **12 ch** 110/180 – 1/2 p 140/170.

XX **A la Vieille Forge,** à **Bois l'Abbesse** E : 3 km rte Sélestat ℘ **89 58 92 54** – Ⓟ. AE E VISA
fermé 15 juin au 1er juil., 16 nov. au 2 déc., lundi soir et mardi – **R** 95/195.

RENAULT Gar. André, ℘ 89 58 90 29 **N** ℘ 89 58 90 86
TOYOTA, VOLVO Gerber, ℘ 89 58 92 03

LIESSIES 59 Nord 53 ⑥ G. Flandres Artois Picardie – 515 h. – ✉ **59740** Solre-le-Château.
Voir Lac du Val Joly★ E : 5 km.
Paris 216 – Avesnes-sur-Helpe 14 – Charleroi 45 – Hirson 24 – Maubeuge 24.

Château de la Motte ⑤, S : 1 km par VO ✆ 27 61 81 94, ≤, parc – ⋒wc ☎ Ⓟ – 🏔 50. E VISA
fermé 24 déc. au 31 janv. et dim. soir – **R** (dîner sur commande) 78/140 – ☕ 20 – **10 ch** 104/200.

LIEUREY **27560** Eure 55 ⑭ – 1 083 h.
Paris 159 – Bernay 18 – Évreux 57 – Lisieux 28 – Pont-Audemer 15 – Pont-l'Évêque 27.

XX **Bras d'Or** avec ch, ✆ **32 57 91 07**, 🌳 – 🛁wc ⋒ ☎ Ⓟ. ✂
fermé 15 janv. au 15 fév. et lundi – **R** 89/128 🍷 – ☕ 22 – **13 ch** 110/210.

CITROEN Testu, ✆ 32 57 93 47
RENAULT Deschamps, ✆ 32 57 91 77 N
RENAULT Gar. Lidor, ✆ 32 57 90 67

LIFFRÉ **35340** I.-et-V. 59 ⑰ – 4 206 h.
Paris 348 – Avranches 65 – Dinan 64 – Fougères 30 – Mont-St-Michel 57 – ♦Rennes 17 – Vitré 27.

La Reposée Ⓜ, SO : 2 km N 12 ✆ **99 68 31 51**, 🌳, « Parc », 🎾 – ☎ Ⓟ – 🏔 30 à 150. AE E VISA
fermé 21 au 28 déc. et dim. soir – **R** 65/230 – ☕ 20 – **25 ch** 110/250 – 1/2 p 205/265.

XXX ✿ **Hôtellerie Lion d'Or** (Demonceau), face église ✆ **99 68 31 09**, « Jardin » – AE E VISA
fermé dim. soir et lundi – **R** 120/230
Spéc. Spirales de poissons marinés, Cassolette de queues de langoustines à la menthe, Bar à la vapeur d'algues.

à La Bouëxière SE : 7 km par D 528 et D 106 – ✉ **35340** La Bouëxière :

XX **Fontaine aux Perles**, ✆ **99 00 91 50** – AE E VISA
fermé 15 fév. au 7 mars, dim. soir et lundi – **R** (prévenir) 85/148, enf. 50.

PEUGEOT, TALBOT Gar. Malle Michel, ✆ 99 68 65 65
RENAULT Gar. Ribulé-Boulais, ✆ 99 68 31 36

LIGNY-EN-BARROIS **55500** Meuse 62 ② – 5 709 h.
ℹ A.C. 12 r. Gén.-de-Gaulle ✆ 29 78 40 67.
Paris 236 – Bar-le-Duc 16 – Neufchâteau 57 – St-Dizier 32 – Toul 46.

Nouvel H. Ⓜ sans rest, pl. Église ✆ **29 78 01 22** – |♦| 🛁wc ☎. E VISA. ✂
fermé 25 déc. au 15 janv., et sam. du 1er nov. au 28 fév. – ☕ 20 – **26 ch** 140/185.

X **Syracuse**, 29 r. États-Unis ✆ **29 78 48 70** – AE E VISA
fermé 8 au 16 oct., 24 déc. au 16 janv., dim. soir et vend. – **R** 80 bc/280 bc.

LIGNY-LE-CHÂTEL **89144** Yonne 65 ⑤ G. Bourgogne – 1 020 h.
Paris 183 – Auxerre 25 – Sens 59 – Tonnerre 27 – Troyes 63.

Relais St Vincent ⑤, ✆ **86 47 53 38** – 🛁wc ☎ ♿ Ⓟ. AE ⓓ E VISA
fermé fév. – **R** (dîner seul.) 60/100 🍷 – ☕ 23 – **10 ch** 160/260 – 1/2 p 230/320.

XX **Aub. du Bief**, ✆ **86 47 43 42**, 🌳 – Ⓟ. AE ⓓ E VISA
fermé janv., lundi soir et mardi – **R** 105/260, enf. 45.

LIGUEIL **37240** I.-et-L. 68 ⑤ G. Châteaux de la Loire – 2 426 h.
Paris 277 – Le Blanc 55 – Châteauroux 78 – Châtellerault 36 – Chinon 53 – Loches 18 – ♦Tours 57.

à Cussay SO : 3,5 km – ✉ **37240** Ligueil :

Aub. du Pont Neuf, ✆ **47 59 66 37**, 🌳 – ⋒wc Ⓟ. E VISA
fermé fév. et lundi – **R** 50/160 🍷 – ☕ 16 – **10 ch** 90/150 – 1/2 p 130/140.

PEUGEOT-TALBOT Gar. Tourne, ✆ 47 59 60 27 N ✆ 47 59 61 77
RENAULT Gar. Chapet, ✆ 47 59 64 10 N

LILETTE **86** Vienne 68 ⑤ – rattaché à Descartes (I.-et-L.).

Participez à notre effort permanent de mise à jour

Adressez-nous vos remarques et vos suggestions.

Cartes et guides Michelin
46 avenue de Breteuil - 75341 Paris Cedex 07

LILLE P 59000 Nord 51 ⑯ G. Flandres Artois Picardie – 157 632 h. communauté urbaine 1 072 802 h.

Voir Le Vieux Lille★ EFY : Vieille Bourse★★ FY, Hospice Comtesse★ (voûte en carène★★) FY **B**, rue de la Monnaie ★ FY 142, demeure de Gilles de la Boé★ FY **E** – Église St-Maurice★ FY **K** – Citadelle★ BUV – Porte de Paris★ FZ **D** – ≤★ du beffroi FZ **H** – Musée des Beaux-Arts★★ FZ **M1**.

des Flandres ✆ 20 72 20 74 par ② : 4,5 km HS ; du Sart ✆ 20 72 02 51 par ② : 7 km JS ; de Brigode à Villeneuve d'Ascq ✆ 20 91 17 86 par ③ : 9 km KT ; de Bondues ✆ 20 23 20 62 par ① : 9,5 km HS.

de Lille-Lesquin, ✆ 20 87 92 00 par ④ : 8 km JU – ✆ 20 74 50 50.

Office de Tourisme et Accueil de France (Informations et réservations d'hôtels, pas plus de 5 jours à l'avance) Palais Rihour ✆ 20 30 81 00, Télex 110213 et Gare S.N.C.F. – A.C. 13 r. Faidherbe ✆ 20 55 29 44.

Paris 219 ④ – Bruxelles 116 ② – Gent 71 ② – Luxembourg 312 ④ – ♦Strasbourg 544 ④.

Plans pages suivantes

Novotel M, 116 r. Hôpital Militaire ✉ 59800 ✆ 20 30 65 26, Télex 160859 – TV ☎ ♿ – 30. AE ⓓ E VISA — EY **s**
R 70 bc/100 , enf. 39 – ☕ 42 – **102 ch** 445/480.

Royal, 2 bd Carnot ✉ 59800 ✆ 20 51 05 11, Télex 820575 – TV ☎ ♿ – 30. AE ⓓ E VISA. rest — FY **h**
R *(fermé sam., dim. et fériés)* carte environ 120 – ☕ 37 – **102 ch** 270/395.

Bellevue sans rest, 5 r. J.-Roisin ✉ 59800 ✆ 20 57 45 64, Télex 120790 – TV ☎ – 100. AE VISA — FY **z**
☕ 38 – **80 ch** 295/430.

Carlton sans rest, 3 r. Paris ✉ 59800 ✆ 20 55 24 11, Télex 110400 – TV ☎ – 30 à 80. AE ⓓ E VISA — FY **n**
☕ 35 – **65 ch** 300/400.

Ibis M, av. Ch. St-Venant ✉ 59800 ✆ 20 55 44 44, Télex 136950, – TV wc ☎ ♿ – 25 à 90. E VISA — FY **a**
R carte 75 à 120 , enf. 39 – ☕ 25 – **151 ch** 265/285.

Paix sans rest, 46 bis r. Paris ✉ 59800 ✆ 20 54 63 93 – TV wc ☎. E VISA. — FY **r**
fermé 24 déc. au 2 janv. – ☕ 21 – **36 ch** 135/250.

Nord-Motel sans rest, 46 r . Fg-d'Arras par ⑤ ✆ 20 53 53 40 – wc wc ☎ . E VISA — HU **a**
☕ 17 – **80 ch** 140/215.

Univers sans rest, 19 pl. Reignaux ✉ 59800 ✆ 20 06 99 69 – TV wc wc ☎. E VISA — FY **k**
☕ 22 – **56 ch** 140/265.

Urbis M sans rest, 21 r. Lepelletier ✉ 59800 ✆ 20 06 21 95, Télex 136846 – TV wc ☎ ♿. E VISA — FY **s**
☕ 25 – **60 ch** 250/280.

Minerva sans rest, 28 r. A.-France ✉ 59800 ✆ 20 55 25 11 – TV wc wc ☎. AE ⓓ E VISA — FY **e**
fermé 1er au 17 août – ☕ 19 – **42 ch** 125/200.

XXX ✿✿ **Flambard** (Bardot), 79 r. d'Angleterre ✉ 59800 ✆ 20 51 00 06, « Maison 17e s. du Vieux Lille » – AE ⓓ VISA — EY **r**
fermé août, 3 au 10 janv., dim. soir et lundi – **R** 200/420 et carte
Spéc. Langoustines grillées à l'oeuf (mai à fin sept.), Tranche de saumon rôtie (mars à fin juin), Agneau des Alpilles rôti (janv. à fin mai).

XXX ✿ **A L'Huîtrière,** 3 r. Chats-Bossus ✉ 59800 ✆ 20 55 43 41 – . AE ⓓ E VISA
fermé 22 juil. au 31 août, dim. soir et fériés le soir – **R** carte 220 à 320 — FY **g**
Spéc. Produits de la mer, Sole au four farcie de crevettes grises, Blanc de turbot à la moutarde.

XXX ✿ **Paris,** 52 bis r. Esquermoise ✉ 59800 ✆ 20 55 29 41 – AE ⓓ E VISA — EY **f**
fermé début août à début sept. et dim. soir – **R** 176
Spéc. Foie gras de canard, Queues de langoustines au chou, Gibier (saison).

XXX ✿✿ **Le Restaurant** (Mme Arabian), 1 pl. Sébastopol ✉ 59800 ✆ 20 54 23 13 – AE ⓓ E VISA — EZ **k**
fermé sam. midi, dim. et fêtes – **R** 180/350 et carte, enf. 50
Spéc. St-Jacques aux chicons (oct. à mars), Pigeonneau aux deux cuissons et aux girolles, Chariot de desserts.

XXX **Le Compostelle,** 4 r. St-Etienne ✉ 59800 ✆ 20 54 02 49, « Ancienne demeure seigneuriale du 16es. » – . AE ⓓ E VISA — EFY **t**
fermé dim. (sauf le midi du 1er oct. au 1er mai) – **R** 170.

XXX **La Belle Époque** (The Queen Victoria), 10 r. Pas (1er étage) ✉ 59800 ✆ 20 54 51 28, « Cadre 1900 » – . AE ⓓ E VISA — EY **n**
fermé dim. soir – **R** carte 225 à 340.

XXX **Le Club,** 16 r. Pas ✉ 59800 ✆ 20 57 01 10 – AE ⓓ E VISA — EY **n**
fermé 8 au 28 août, 19 déc. au 3 janv., dim. (sauf le midi de sept. à juin) et lundi – **R** 105/180.

XXX **Le Varbet,** 2 r. Pas ✉ 59800 ✆ 20 54 81 40 – AE ⓓ VISA — EFY **t**
fermé 1er au 11 avril, 11 juil. au 15 août, dim., lundi et feriés – **R** 120/250.

XX **La Devinière,** 61 bd Louis XIV ✉ 59800 ✆ 20 52 74 64 – ▤. AE ⓓ E VISA DV t
fermé 8 au 16 août et dim. – **R** (prévenir) 149/248.

XX **Le Gastronome,** 69 r. Hôpital Militaire ✉ 59800 ✆ 20 54 47 43, « Caves du 17e s. » – AE ⓓ E VISA EY u
fermé début août à début sept. et dim. – **R** 110/260.

XX **La Laiterie,** 138 av. Hippodrome : à Lambersart NO : 2 km ✉ 59130 Lambersart ✆ 20 92 79 73, ⛱, ⛱ – ⓟ. AE ⓓ E VISA AV s
fermé dim. soir et lundi – **R** 120 bc/250.

XX **Charlot II,** 26 bd J.B.Lebas ✆ 20 52 53 38, produits de la mer – AE ⓓ E VISA FZ m
fermé août, sam. midi, dim. soir et lundi – **R** 110/190 bc.

XX **La Salle à Manger,** 91 r. Monnaie ✆ 20 06 44 25 – VISA EFY m
fermé 1er août au 1er sept., sam. midi et dim. – **R** 150/200.

XX **Lutterbach,** 10 r. Faidherbe ✉ 59800 ✆ 20 55 13 74 – AE ⓓ E VISA FY n
fermé 11 juil. au 14 août – **R** 58/95, enf. 50.

XX **Le Féguide,** pl. Gare ✉ 59800 ✆ 20 06 15 50 – AE ⓓ E VISA FY
fermé dim. soir – **R** 99/200 🍷 - **Brasserie R** 60 /65 🍷.

XX **Alcide,** 5 r. Débris St-Étienne ✉ 59800 ✆ 20 55 06 61 – AE ⓓ E VISA FY v
fermé juil., vacances de fév., vend. soir, dim. soir et sam. – **R** 72/105 🍷.

XX **La Petite Taverne,** 9 r. Plat ✉ 59800 ✆ 20 54 79 36 – AE ⓓ E VISA. ✻ FZ w
fermé 15 juil. au 15 août, mardi soir et merc. – **R** 88/190.

X **La Coquille,** 60 r. St-Étienne ✉ 59800 ✆ 20 54 29 82, Maison du 17e s. – VISA EY e
fermé 1er au 28 août, 2 au 10 janv., lundi midi et dim. – **R** 98/160 🍷.

X **A la Bascule,** 12 r. Cambrai ✆ 20 52 44 55 – AE ⓓ E VISA CX d
fermé dim. – **R** 79/113.

X **Chez Bernard,** 65 r. de la Barre ✉ 59800 ✆ 20 57 26 71 – AE E VISA EY a
fermé 14 juil. au 15 août, vacances de fév., sam. midi, lundi soir et dim. – **R** 165/240.

à Villeneuve d'Ascq E : 4,5 km par D 941 – 59 868 h. – ✉ **59650** Villeneuve d'Ascq.
Voir Musée d'Art moderne** KT **M2**.

🏠 **Campanile,** av. Canteleu, La Cousinerie ✆ 20 91 83 10, Télex 133335 – TV ⛀wc ☎ ♿ ⓟ. VISA KT b
R 63 bc/86 bc, enf. 38 – ☕ 24 – **50 ch** 200/220 – ½ p 287/330.

XX **Vieille Forge,** 160 r. Lannoy au Recueil ✆ 20 05 50 75, ⛱, ⛱ – ⓟ. AE ⓓ E VISA KT e
fermé merc. soir et lundi – **R** 130/200 🍷, enf. 50.

XX **Le Chantilly,** 98 av. Flandre ✆ 20 72 40 30 – ⓟ. AE ⓓ E VISA JS d
fermé juil., vend. soir et sam. – **R** 85/150 🍷.

à Bondues par ① : 8,5 km sur N 17 – 8 860 h. – ✉ **59910** Bondues :

XX **Val d'Auge,** 44 rte Nationale ✆ 20 46 26 87 – ⓟ. AE VISA
fermé vacances de printemps, août, dim. soir, mardi soir et merc. – **R** 98/150.

à Marcq-en-Barœul par ② : 4,5 km – 35 520 h. – ✉ **59700** Marcq-en-Barœul.
Voir Château du Vert-Bois*.

🏨 **Holiday Inn** Ⓜ, av. Marne ✆ 20 72 17 30, Télex 132785, 🏊 – 🛗 ⇔ ch ▤ TV ☎ ♿ ⓟ – 🏛 25 à 400. AE ⓓ E VISA JS s
Grill La Braise **R** carte environ 150, enf. 40 - **Coffee shop R** 75 🍷, enf. 40 – ☕ 35 – **125 ch** 370/405.

XX **Septentrion,** Parc du château Vert-Bois N : 1,5 km par N 17 ✆ 20 46 26 98, « Dans un parc » – ⓟ. AE ⓓ VISA JS n
fermé août, vacances de fév., dim. soir, jeudi soir et lundi – **R** carte 140 à 240.

à Loos SO : 4 km par D 941 – 21 537 h. – ✉ **59120** Loos :

XX ✿ **L'Enfant Terrible** (Desplanques), 25 r. Mar.-Foch ✆ 20 07 22 11 – VISA. ✻ GU u
R 80 bc/300
Spéc. Foie gras poché au vin de pêche, Crabe chaud à la graine de moutarde, Escalope de saumon fumé à la minute.

à l'Aéroport de Lille-Lesquin par ④ : 8 km - JU – ✉ **59810** Lesquin :

🏨 **Holiday Inn** Ⓜ 🐦 sans rest, ✆ 20 97 92 02, Télex 132051, 🏊 – 🛗 ⇔ ▤ TV ☎ ♿ ⓟ – 🏛 25 à 1 000. AE ⓓ E VISA HU r
Grill La Flamme **R** 98/150, enf. 31 - **Snack Angus R** carte 70 à 105 🍷, enf. 31 – ☕ 36 – **212 ch** 370/438.

🏨 **Novotel Lille Aéroport** Ⓜ, ✆ 20 97 92 25, Télex 820519, ⛱, 🏊 – ▤ rest TV ☎ ⓟ – 🏛 25 à 200. AE ⓓ E VISA HU t
R snack carte environ 120, enf. 40 – ☕ 38 – **92 ch** 395/420.

🏠 **Climat de France** 🐦, ✆ 20 97 00 24 – TV ⛀wc ☎ ♿ ⓟ. AE E VISA HU e
R 53/93 🍷, enf. 34 – ☕ 23 – **41 ch** 230/260.

à La Neuville par ⑤, D549, D 925, D 62 et C 3 : 18 km – ✉ **59239** Thumeries :

XX **Leu Pindu,** 1 r. Gén.-de-Gaulle ✆ 20 86 57 59, « Jardin à l'orée de la forêt » – ⓟ – 🏛 40. E VISA – *fermé août, dim. et fêtes* – **R** (déj. seul.) 80/102.

LILLE ROUBAIX TOURCOING

Arras (R. du Fg-d') ...... **HU** 9
Bois (Av. du) .... **GT** 27
Carnot (Bd)
  MOUVAUX .... **JS** 35
Carnot (R.)
  WATTRELOS.......... **LS** 36
Chanzy (R.)............. **JU**
Clemenceau (Bd) HEM .. **KS**
Clemenceau (Bd)
  MARCQ.............. **HS**
Clemenceau (R.)
  WATTIGNIES .... **HU** 42
Colbert (R.)............. **KT**
Courbet (R. Gén.) ...... **GU** 52
Croix (R. de)............ **KS** 56
Defaux (R. J.-B.).......... **JT** 59
Delescaux (R. Henri) .... **GT** 62
Déportés (R. des) .... **LS** 63
Doumer (R. Paul) .... **GU**
Dunkerque (Av. de) ...... **GT**
Fg-des-Postes (R. du) ... **GU** 76
Flandre (Av. de).......... **JS** 79
Foch (R. Mar.)
  LOOS................. **GU**
Foch (Av. Mar.)
  MARCQ .... **HJS** 80
Gambetta (R.) .... **JU** 83
Gaulle (R. Gén.-de)
  LA MADELEINE....... **HS** 85
Gaulle (R. Gén.-de)
  MONS............... **JT** 86
Gaulle (R. Gén.-de)
  WATTIGNIES .... **GU** 87
Grand-Rue .... **LR** 89
Guesde (R. J.) HEM ..... **KS**
Guesde (R. J.) LYS ...... **LS** 92
Guesde (R. J.)
  WATTRELOS .... **LS**
Hem (R. d') .... **KS**
Jacquart (R.)............ **JT** 104
Jaurès (Av.)
  RONCHIN............ **HU**
Lalau (R.)................ **HS** 113
Lambert (Av. Oscar) .... **GU** 116
Lannoy (R. de) LILLE.... **JT** 117
Lattre-de-T. (Av. de) .... **GS**
Lebas (R. J.-B.) .... **LS** 120
Leclerc (R. Gén.) HEM .. **KS** 122
Leclerc (R. Gén.) LYS ... **LS** 123
Leclerc (R. Gén.)
  ST-ANDRÉ........... **GS**
Legrand (R. Pierre) ..... **HT** 126
Lille (R. de) LANNOY ... **LS** 127
Lille (R.) MARQUETTE .. **HS** 128

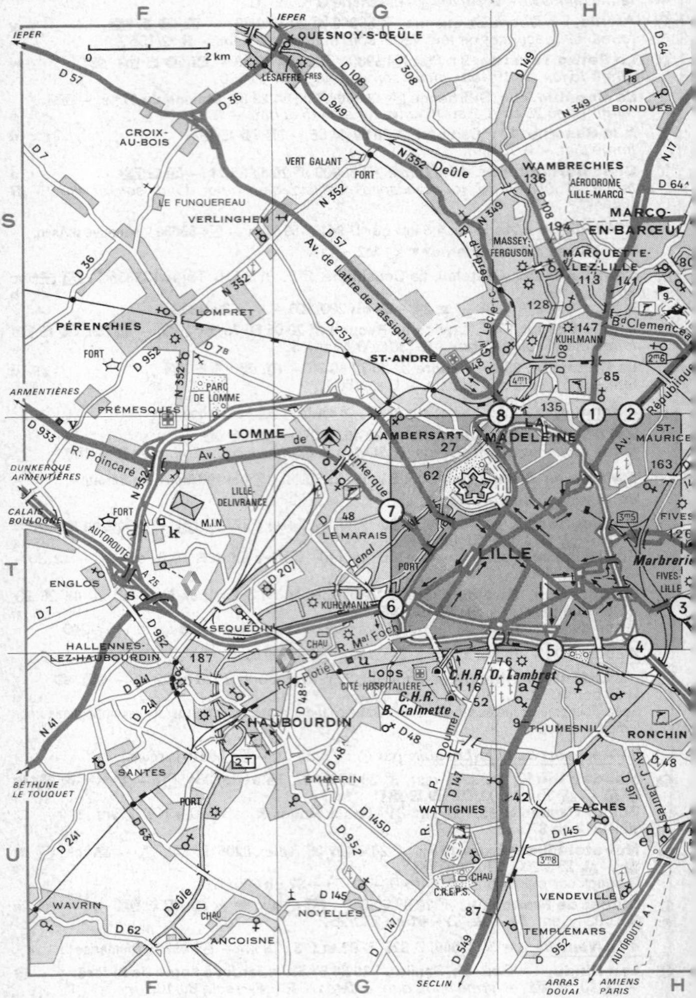

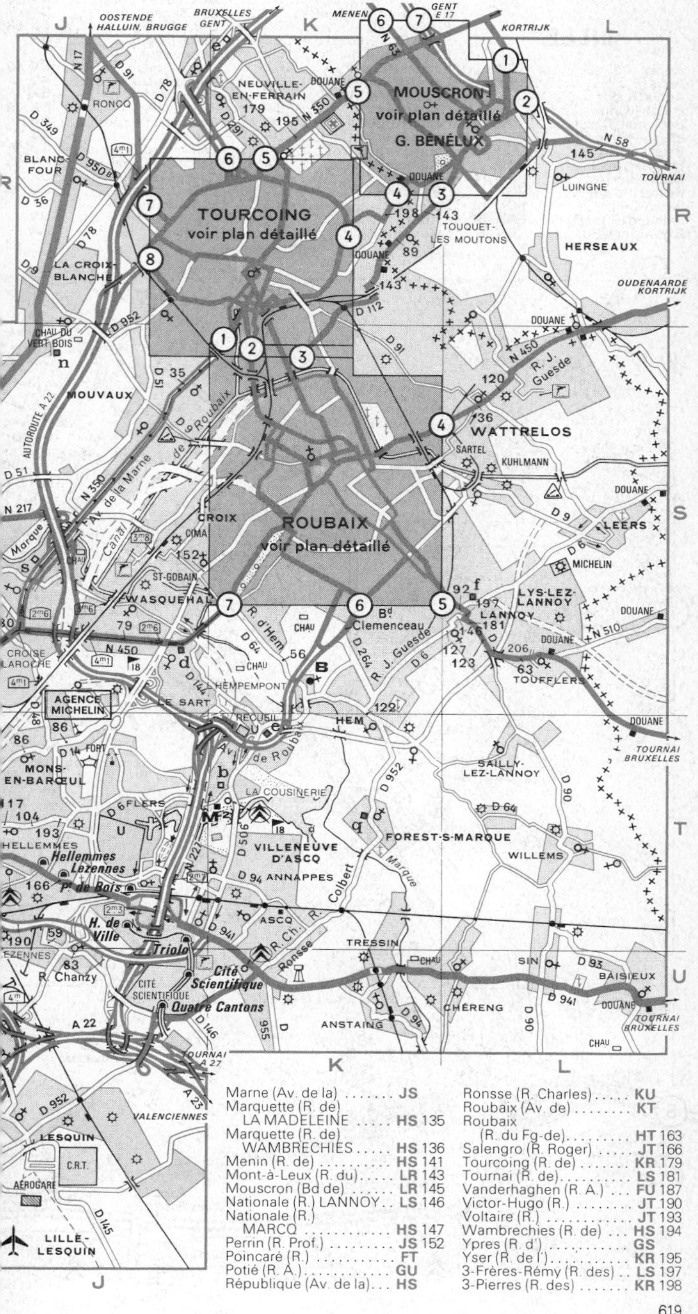

Marne (Av. de la) .... **JS**
Marquette (R. de) LA MADELEINE ..... **HS** 135
Marquette (R. de) WAMBRECHIES ..... **HS** 136
Menin (R. de) .... **HS** 141
Mont-à-Leux (R. du) ..... **LR** 143
Mouscron (Bd de) .... **LR** 145
Nationale (R.) LANNOY .. **LS** 146
Nationale (R.) MARCQ .... **HS** 147
Perrin (R. Prof.) .... **JS** 152
Poincaré (R.) .... **FT**
Potié (R. A.) .... **GU**
République (Av. de la) ... **HS**
Ronsse (R. Charles) ..... **KU**
Roubaix (Av. de) .... **KT**
Roubaix (R. du Fg-de) .... **HT** 163
Salengro (R. Roger) ...... **JT** 166
Tourcoing (R. de) .... **KR** 179
Tournai (R. de) .... **LS** 181
Vanderhaghen (R. A.) ... **FU** 187
Victor-Hugo (R.) .... **JT** 190
Voltaire (R.) .... **JT** 193
Wambrechies (R. de) ... **HS** 194
Ypres (R. d') .... **GS**
Yser (R. de l') .... **KR** 195
3-Frères-Rémy (R. des) .. **LS** 197
3-Pierres (R. des) .... **KR** 198

LILLE

Alsace (Bd) .... CDX
Arras (R. d') CX
Artois (R. d') CX
Ballon (R. du) .... DU
Bapaume (R. de) .... CX 12
Bassée (R. de la) ...... AVX
Bateliers (R. des) ...... CU 13
Becquart (Av.) .... ABU
Beethoven (Av.) .... AX 14
Belfort (Bd de) .... DX
Bernos (R.) .... DV 18
Béthune (R. du Fg de) ... AX 19
Bigo-Danel (Bd) .... BV 21
Blanqui (R.) .... DV 22
Boilly (R.) .... DV 25
Bois (Av. du) .... ABU
Bonte (R. Auguste) ...... AU
Buisson (R. du) .... DU
Cambrai (R. de) .... CDX
Carrel (R. Armand) .... DX 38
Churchill (Av. W.) .... CU
Colbert (R.) .... BV
Colpin (R. du Lt) .... BUV 45
Cordonnier (R. Denis) .... DX 51
Coubertin (Bd P. de) ..... CDU
Courmont (R.) .... CX 53
Cuvier (Av.) .... BV 57
Debierre (R. Ch.) .... DV 58
Défenseurs de Lille (Bd) .... CDX 60
Delescaux (Av. H.) .... AU
Destrée (Av. Julien) ..... DV 65
Dr-Calmette (Bd) .... DV 67
Dorez (Pl. B.) .... BX 68
Douai (R. de) .... CDX
Dubuisson (Bd Émile) .... DV 69
Dunkerque (Av. de) ...... AV
Esquermes (R. d') .... BX
Fébvrier (Pl. J.) .... CX 78
Gambetta (R. Léon) ...... BV
Gand (R. de) .... CU
Gaulle (R. du Gén.-de) .. CU 85
Guérin (R. Camille) ...... DV 90
Guesde (R. Jules) .... BX
Halle (R. de la) .... CU 93
Hippodrome (Av. de l') .... AUV
Isly (R. d') .... ABX

Jacquet (R. Eugène) . . . **DV**
Javary (R.) . . . . **DV** 105
Jouhaux (Av. L.) . . . . **BV**
Justice (R. de la) . . . . **BX** 110
Lagrange (Av. Léo) . . . . **AV** 112
Lamarck (R.) . . . . **DV** 115
Lambret (Av. Oscar) . . . **AX** 116
Lebas (Bd J.-B.) . . . . . . **CVX** 119
Leclerc (Pl. Mar.) . . . . . . **BV**
Le Corbusier (R.) . . . . . **CDV** 124
Lefèvre (R. G.) . . . . **DV** 125
Legrand (R. P.) . . . . **DV**
Lille (R. de) . . . . **BU**
Long Pot (R. du) . . . . . **DVX**
Lorraine (Bd de la) . . . **ABV**
Louvière (R. de la) . . . . . **DU**
Marronniers
(Allée des) . . . . **BU** 137
Marx-Dormoy (Av.) . . . . **AV** 138
Maubeuge (R. de) . . . . . **DX** 139
Max (Av. Adolphe) . . . . . **BU** 140
Metz (Bd de) . . . . **BX**
Montebello (Bd) . . . . **BX**
Moselle (Bd de la) . . . **AVX**
Mottez (R. F.) . . . . **DV** 144
Nationale (R.) . . . . **BCV**
Palissy (R. B.) . . . . **DV** 150
Perrin (Av. J.) . . . . **DX**
Pont Neuf (R. du) . . . . . . **CU** 154
Postes (R. des) . . . . . . **BCX**
Prés.-Hoover (Bd du) . . **DV** 155
Prés. Kennedy
(Av. du) . . . . **CDV**
Princesse (R.) . . . . **BU** 156
République
(Av. de la) . . . . **DU**
Roland (R.) . . . . **ABV**
Roubaix (R. du Fg de) . . **DV**
Royale (R.) . . . . **BUV**
St-Armand (R.) . . . . **DX** 165
St-Gabriel (R.) . . . . **DV**
Schuman (Bd Robert) . . **BU**
Solférino (R.) . . . . **BCVX**
Strasbourg (Bd de) . . . **BCX**
Toul (R. de) . . . . **BV** 178
Trévise (R. de) . . . . **CDX**
Turenne (R. de) . . . . . . **ABV**
Valenciennes (R. de) . . . **DX** 185
Vauban (Bd) . . . . **BV**
Verdun (Bd de) . . . . **DX** 189
Victor-Hugo (Bd) . . . . . **BCX**
Voltaire (R.) . . . . **BCU** 192
43e-Rég.-d'Infanterie
(Av. du) . . . . **BV** 199

LILLE

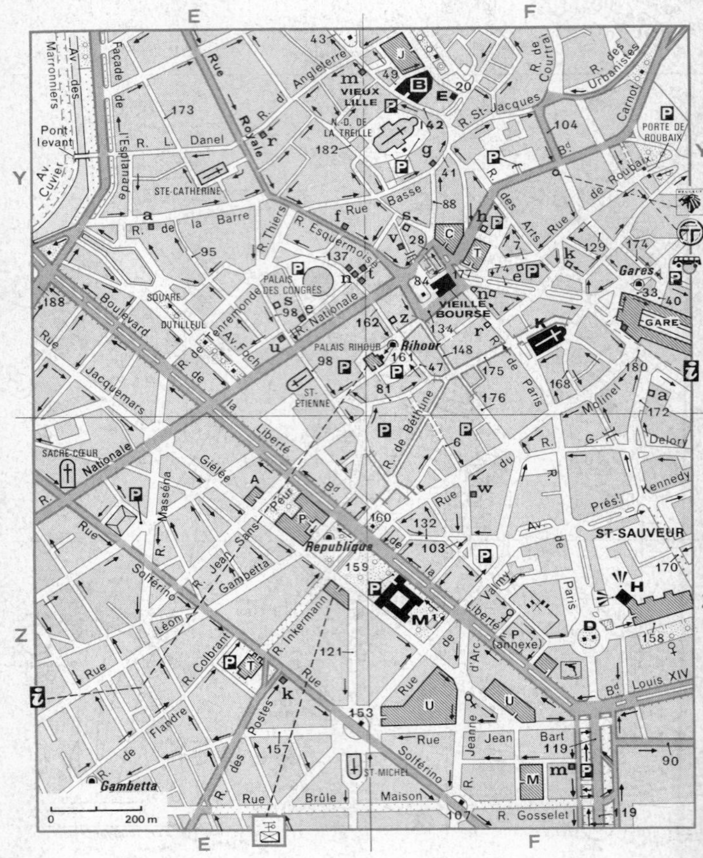

E
F
Y
Z
Av. des Marronniers
Pont levant
Av. Cuvier
Façade de l'Esplanade
R. L. Danel
Rue Royale
R. d'Angleterre
VIEUX LILLE
N.-D. DE LA TREILLE
R. St-Jacques
R. de Courtrai
R. des Urbanistes
Carnot
PORTE DE ROUBAIX
Bd
R. de Roubaix
STE-CATHERINE
R. de la Barre
Rue Basse
R. Thiers
R. Esquermoise
R. des Arts
Gares
GARE
PALAIS DES CONGRÈS
SQUARE DUTILLEUL
Boulevard
R. de Tenremonde
Av. Foch
R. Nationale
VIEILLE BOURSE
PALAIS RIHOUR
Rihour
ST-ETIENNE
R. de Béthune
R. de Paris
Molinel
R. G. Delory
Rue Jacquemars
Giélée
Liberté
SACRÉ-CŒUR
Nationale
R. Masséna
Rue Jean Sans-Peur
République
Bd de la Liberté
Prés. Kennedy
Av.
ST-SAUVEUR
Rue Solférino
R. Léon Gambetta
R. Colbrant
R. Inkermann
R. Valmy
Rue de Paris
P (annexe)
Bd Louis XIV
Rue de Flandre
R. des Postes
Rue Jeanne d'Arc
Rue Jean Bart
ST-MICHEL
Rue Brûle Maison
R. Gosselet
Gambetta
0
200 m

à Englos par ⑥ : 7,5 km par échangeur de Lomme – ✉ **59320** Haubourdin :

Novotel Lille Lomme M, au Sud-Est ✆ **20 07 09 99, Télex 132120,** – rest – 30 à 300. AE ⓓ E VISA
R grill carte environ 120, enf. 40 – 38 – **118 ch** 340/380. FT **s**

Mercure Lille Lomme M, au N : 1 km par N 352 ✆ **20 92 30 15, Télex 820302,** – rest wc wc – 25 à 200. AE ⓓ E VISA
R 98 bc/120 bc, enf. 45 – 34 – **90 ch** 225/320 – ½ p 357/430. FT **k**

à Prémesques par ⑦ : 10 km – ✉ **59840** Pérenchies :

XXX ✿ **Armorial** (Lepelley), **sur D 933** ✆ **20 08 84 24, Télex 136220,** <, **« Parc et pièces d'eau »** – AE ⓓ VISA – *fermé 25 juil. au 12 août, 9 au 27 janv., dim. soir, mardi soir, merc. et fériés le soir* – **R** 190/350 FT **v**
Spéc. Salade océane, Emincé de lotte au safran, Tarte chaude aux pommes.

MICHELIN, Agence régionale, r. des Châteaux, Z.I de la Pilaterie à Wasquehal JS ✆ 20 98 40 48

CITROEN Succursale, 145 r. Wazemmes BX ✆ 20 30 87 96 N
CITROEN Gar. Janssens, 20 r. de Mulhouse CX ✆ 20 52 71 28
CITROEN Gar. St-Christophe, 20 r. Bonté-Pollet AX ✆ 20 93 69 31
HONDA Philippe Mecano Soudure, r. de la Pointe ZI à Seclin ✆ 20 97 13 29
MERCEDES-ALFA-ROMEO Philippe Mercedes, ZI à Seclin ✆ 20 90 88 00
PEUGEOT-TALBOT S.I.A.-Nord, 50 bd Carnot FY ✆ 20 06 92 04
RENAULT Crépin, 95 r. de Douai DX ✆ 20 52 52 48
V.A.G. Gar. Continental, 289 r. Gambetta ✆ 20 03 81 72
S.I.A. Nord, 225 r. Clemenceau à Wattignies ✆ 20 95 92 52

Dewitte, 20 r. d'Isly ✆ 20 93 50 54
Laloyer, 62 r. Abélard ✆ 20 53 40 34
Matthys, 10 r. Colbert ✆ 20 57 49 31
Multy-Pneus, 32 bis r. Charles-Quint ✆ 20 30 97 79
Pneus et Services D.K, 148 bis r. d'Esquermes ✆ 20 93 71 36
Vulcanord, 177 r. d'Artois, 30 r. L.-Bergot ✆ 20 52 48 41

Périphérie et environs

ALFA-ROMEO, FERRARI Auto 2000, 96 allée Gabriel à Marcq-en-Baroeul ✆ 20 72 26 00
BMW Autolille, 873 av. de la République à Marcq en Baroeul ✆ 20 72 90 72
CITROEN Cabour, 449 av. de Dunkerque à Lomme GT ✆ 20 92 33 62 N ✆ 20 78 82 29
CITROEN Villeneuve Automobiles, La Cousinerie à Villeneuve d'Ascq KT ✆ 20 91 27 62
CITROEN Fayen, 186 r. des Fusillés à Villeneuve d'Ascq KU ✆ 20 41 23 05
FIAT France Auto, angle bd Ouest r. Fives à Villeneuve-d'Ascq ✆ 20 04 01 30
FORD Flandres autos Sud, Face Novotel Lesquin à Faches Thumesnil ✆ 20 60 13 13
FORD Flandres-Autom, 70 r. Louis-Delos à Marcq-en-Baroeul ✆ 20 55 07 70
MERCEDES-BENZ C.I.C.A., 1033 av. République à Marcq-en-Baroeul ✆ 20 72 39 39 N ✆ 20 07 19 57
OPEL-GM Eurauto, Centre Commercial, rte de Sequedin à Englos ✆ 20 93 73 73
RENAULT Succursale, 140 av. République à La Madeleine DU ✆ 20 55 54 55 N
RENAULT Gar. de l'Heurtebise, 162 r. A.-Potié à Haubourdin GTU ✆ 20 07 27 44 et Centre Commercial à Englos FT ✆ 20 09 25 55 N ✆ 20 07 19 57
RENAULT Gar. Wacrenier, bd Hentges à Seclin par N 49 GU ✆ 20 90 12 32
TOYOTA Autodis, 116 r. Jules Guesde à Villeneuve d'Ascq ✆ 20 04 33 33
V.A.G. Gar. du Château, av. Champollion à Villeneuve d'Ascq ✆ 20 47 30 00

François-Pneus, 331 av. du Gén.-de-Gaulle à Hallennes ✆ 20 07 70 44
Prévost, 322 r. Gén.-de-Gaulle, à Mons-en-Baroeul ✆ 20 04 88 08
Reform'Pneus, 261 bis av. République à La Madeleine ✆ 20 55 52 70 et r. de la Croix-Bougard, Centre Routier à Lesquin ✆ 20 87 90 60
Rénova-Pneu, Zone Ind. Séclin, r. Mont Templemars à Noyelles Séclin ✆ 20 90 65 54
Wattelle, 111 r. Gén.-de-Gaulle à La Madeleine ✆ 20 55 67 55

LILLEBONNE

LILLEBONNE 76170 S.-Mar. 55 ④⑤ **G. Normandie Vallée de la Seine** – 9 675 h.

Bac: de Quillebeuf : renseignements ✆ **32 57 51 05.**

Syndicat d'Initiative 4 r. Pasteur (15 mars-oct.) ✆ 35 38 08 45.

Paris 187 ④ – Bolbec 8 ① – ♦Le Havre 37 ④ – Honfleur 40 ④ – Lisieux 62 ④ – ♦Rouen 52 ②.

France, 1 bis r. République (a) ✆ 35 38 04 88, – wc AE E VISA
fermé sam. (sauf août et fêtes) et dim. soir – **R** 78/150 – 16 – **20 ch** 63/165 – ½ p 150/260.

à Norville par ③ et D 81 : 10 km – ✉ **76330** N.-D.-de-Gravenchon.

Voir Château d'Etelan★ S : 1 km.

X **Aub. de Norville** avec ch, ✆ **35 39 91 14** – VISA
fermé janv. – **R** *(fermé sam. midi et vend.)* 52/100 – 18 – **10 ch** 110/135.

LILLEBONNE
Gambetta (R. L.) . . 2
Havre (R. du) 3
Messager (R. H.) . 4
Pasteur (R.) 5

FIAT, LANCIA-AUTOBIANCHI Evrard, 15 r. Pasteur ✆ 35 38 00 68
PEUGEOT-TALBOT Raimbourg, 8 r. Dr-Léonard ✆ 35 38 05 22
RENAULT Legay, av. R.-Coty par ② ✆ 35 38 39 53 N
RENAULT Dajon, 23 ter r. Thiers ✆ 35 38 01 47

LIMERZEL 56 Morbihan 63 ④ – 1 229 h. – ✉ 56220 Malansac.

Paris 433 – ♦ Nantes 85 – Ploërmel 42 – Redon 30 – Vannes 37.

XX **Aub. Limerzelaise,** ✆ 97 66 20 59, – E VISA
fermé 12 au 30 nov., 15 au 31 janv., lundi soir et mardi – **R** 85/280, enf. 50.

LIMOGES P 87000 H.-Vienne 72 ⑰ G. Berry Limousin – 144 082 h.

Voir Cathédrale★ BZ B – Église St-Michel-des-Lions★ AY D Cour du temple★ AY 49 – Musées : A. Dubouché★★ (porcelaines) AY, Municipal★ BZ M – 18 ✆ **55 30 21 02 par ④ : 3 km.**

✈ **de Limoges-Bellegarde : ✆ 55 00 10 37 par ⑥ : 10 km.**

i Office de Tourisme et Accueil de France (Informations et réservations d'hôtels, pas plus de 5 jours à l'avance) bd Fleurus ✆ 55 34 46 87, Télex 580705 et Aire de Repos Grossereix (juil.-août) – A.C. 33 bd L.-Blanc ✆ 55 34 32 06.

Paris 396 ① – Angoulême 103 ⑥ – ♦Bordeaux 220 ⑥ – ♦Clermont-Ferrand 178 ② – ♦Dijon 416 ② – Montluçon 137 ② – ♦Montpellier 432 ④ – ♦Nantes 303 ⑥ – Poitiers 119 ⑦ – ♦Toulouse 310 ④.

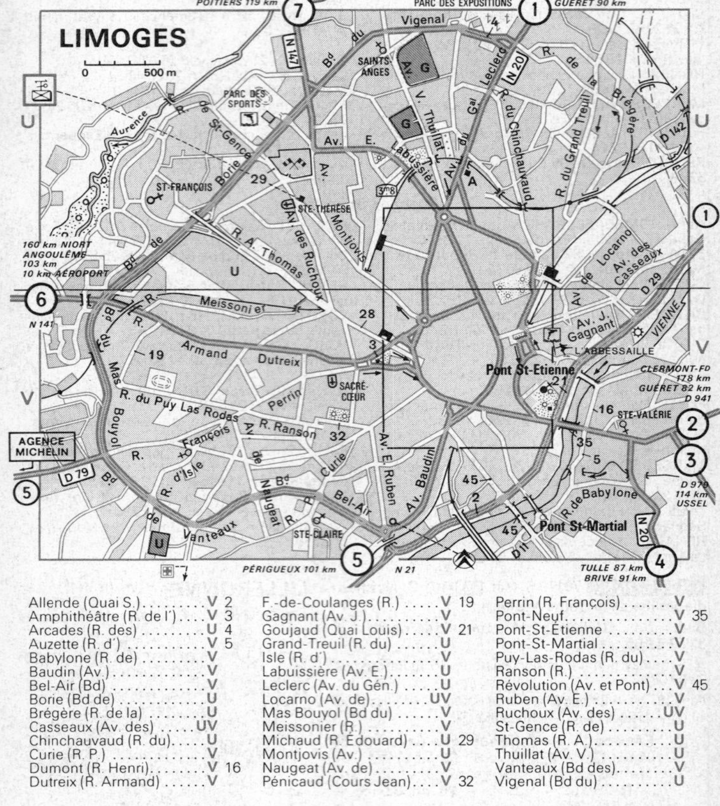

Allende (Quai S.) . . . . V 2
Amphithéâtre (R. de l') . . . . V 3
Arcades (R. des) . . . . U 4
Auzette (R. d') . . . . V 5
Babylone (R. de) V
Baudin (Av.) V
Bel-Air (Bd) V
Borie (Bd de) . . . . U
Brégère (R. de la) . . . . U
Casseaux (Av. des) . . . . . UV
Chinchauvaud (R. du) . . . . . U
Curie (R. P.) V
Dumont (R. Henri) . . . . V 16
Dutreix (R. Armand) V
F.-de-Coulanges (R.) . . . . . V 19
Gagnant (Av. J.) V
Goujaud (Quai Louis) . . . . . V 21
Grand-Treuil (R. du) . . . . . . U
Isle (R. d') V
Labuissière (Av. E.) . . . . . . U
Leclerc (Av. du Gén.) . . . . . U
Locarno (Av. de) . . . . UV
Mas Bouyol (Bd du) V
Meissonier (R.) V
Michaud (R. Édouard) . . . . . U 29
Montjovis (Av.) . . . . U
Naugeat (Av. de) V
Pénicaud (Cours Jean) . . . . V 32
Perrin (R. François) V
Pont-Neuf . . . . V 35
Pont-St-Étienne V
Pont-St-Martial V
Puy-Las-Rodas (R. du) V
Ranson (R.) V
Révolution (Av. et Pont) . . . V 45
Ruben (Av. E.) V
Ruchoux (Av. des) . . . . UV
St-Gence (R. de) . . . . U
Thomas (R. A.) . . . . U
Thuillat (Av. V.) . . . . U
Vanteaux (Bd des) V
Vigenal (Bd du) . . . . U

Royal Limousin M sans rest, pl. République ✆ **55 34 65 30, Télex 580771** – TV ☎ – 100 à 200. AE ⊕ E VISA — BY **u**
☕ 37 – **75 ch** 295/505.

Luk H. M, 29 pl. Jourdan ✆ **55 33 44 00, Télex 580704** – TV wc ☎ – 40. AE ⊕ E VISA. — BY **x**
fermé 22 au 28 fév. – **R** *(fermé sam. midi et dim.)* 50/100, enf. 30 – **56 ch** ☕ 240/305 – 1/2 p 290/315.

Caravelle M sans rest, 21 r. A.-Barbès ✆ **55 77 75 29, Télex 580733** – TV wc wc ☎ . E VISA — BX **x**
☕ 35 – **39 ch** 170/300.

LIMOGES

Clocher (R. du) .... **AY** 13
Consulat (R. du) .... **AY** 15
Jaurès (R. Jean) ...... **ABYZ** 25
République (Pl. de la) ... **BY** 43

Aine (Pl. d') .... **AY**
Arènes (R. des) .... **AY**
Bac (R. Théodore) ...... **BX**
Bancs (Pl. des) .... **AZ**
Barbès (R. Armand) ..... **BX**
Baudin (Av.) .... **AZ**
Bénédictins (Av. des) ... **BY**
Berthet (R. Élie) .... **ABY** 8
Boucherie (R. de la) ...... **AZ** 10
Bugeaud (Cours) ...... **BY**
Carnot (Bd) .... **ABY**
Carnot (Pl. Sadi) .... **BX**
Châteauroux (R. de) ..... **BX**
Chénieux (R. François) .. **AX**
Chinchauvaud (R. du) ... **BX**
Cité (Bd de la) .... **BYZ**
Combes (R. des) .... **AY**
Corderie (Bd de la) ...... **BZ**
Dubouché (R. A.) .... **AY**
Dumas (Av. Georges) ... **BZ**
Dussoubs (Pl. D.) .... **AY**
Ferrerie (R.) .... **AY** 17
Fleurus (Bd) .... **BY**
Fontaines-des-Barres (Pl) **AY** 18
Gambetta (Bd) .... **AZ**
Garibaldi (Av.) .... **AX**
Gaulle (Av. Gén.-de) .... **BY**
Gay-Lussac (Cours) ..... **BX**
Guesde (R. Jules) ...... **BZ** 22
Hte-de-la-Comedie (R.) . **AY** 24
Haute-Vienne (R.) ...... **AZ**
Isly (R. d') .... **BY**
Jacobins (Pl. des) .... **BZ**
Jourdan (Pl.) .... **BY**
Lemoine (Av. G. et V.) ... **AX**
Libération (Av. de la) .. **ABY**
Louis-Blanc (Bd) .... **BZ**
Louvrier-de-Lajolais (R.) . **AY** 27
Marceau (Pl.) .... **BX**
Maupas (R. du) .... **BY**
Mauvendière (R. de la) .. **AY** 28
Midi (Av. du) .... **AZ**
Montmailler (R.) .... **AY**
Neuve-St-Étienne (R.) .. **BZ** 31
Perin (R. Georges) ...... **BY** 34
Petiniaud-Beaupeyrat (R) **AZ**
Pont-St-Martial (R. du) .. **BZ**
Porte-Panet (R.) .... **BZ** 37
Porte-Tourny (R.) .... **BY** 38
Préfecture (R. de la) ..... **AY** 39
Présidial (Pl.) .... **AY**
Rafilhoux (R.) .... **BY** 42
St-Martial (R.) .... **BY** 46
Tarrade (Av. A.) .... **AX**
Temple (Cours du) .... **AY** 49
Tourny (Carrefour) ...... **BY** 50
Turgot (R.) .... **AY**
Vergniaud (Cours) ..... **BXY**
Victor-Hugo (Bd) .... **AY**
Vigne-de-Fer (R.) .... **AZ** 51
Wilson (Pl.) .... **BYZ**

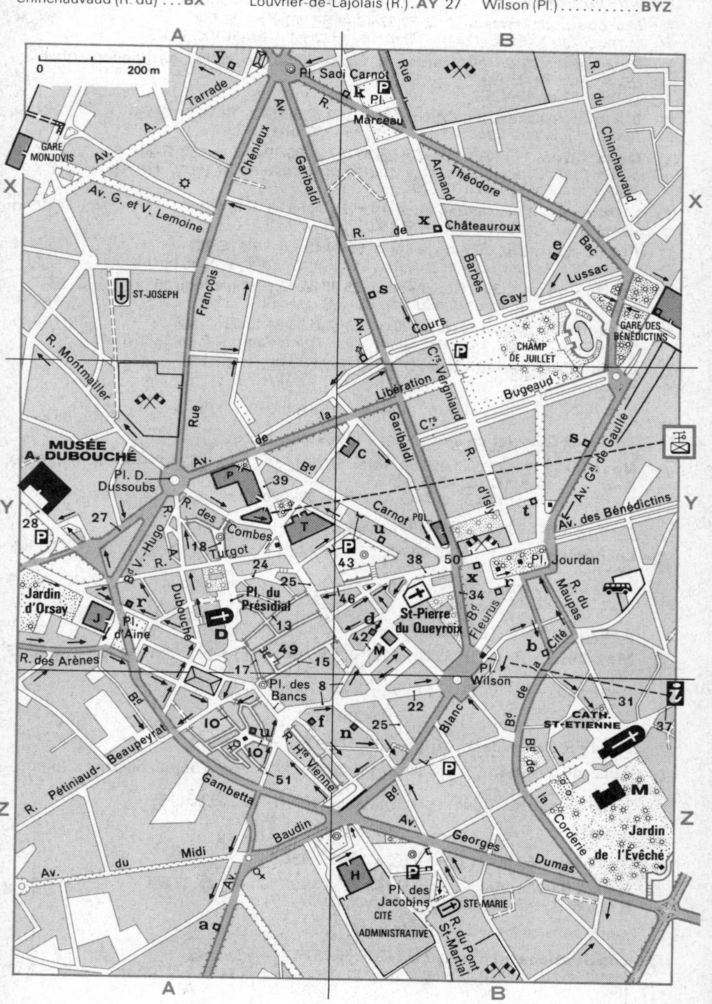

Le Richelieu sans rest, 40 av. Baudin ✆ 55 34 22 82 – wc wc . E VISA — AZ a
26 – **31 ch** 170/245.

Jeanne-d'Arc sans rest, 17 av. Gén.-de-Gaulle ✆ 55 77 67 77, Télex 580011 – wc – 30 à 100. AE E VISA — BY s
fermé 23 déc. au 4 janv. – 22 – **55 ch** 126/300.

Orléans Lion d'Or sans rest, 9 cours Jourdan ✆ 55 77 49 71 – wc wc . AE E VISA — BY t
fermé 24 déc. au 4 janv. – 26 – **42 ch** 145/285.

Musset, 5 r. du 71ᵉ Mobiles ✆ 55 34 34 03 – wc wc – 60. AE E VISA — BY b
fermé vacances de printemps, dim. soir et sam. du 15 sept. au 1ᵉʳ mai – **R** 75/190, enf. 50 – 20 – **29 ch** 135/255.

Le Petit Paris, 48 bis av. Garibaldi ✆ 55 77 39 82 – wc wc . E VISA
fermé 15 déc. au 3 janv., vend., sam. et dim. hors sais. – **R** 60/80 , enf. 36 – 17 – **25 ch** 140/185. — BX s

Marceau, pl. Marceau ✆ 55 77 23 43 – wc . E VISA — BX k
fermé 1ᵉʳ au 15 août et dim. – **R** 55/180 – 24 – **27 ch** 100/280.

Paix sans rest, 25 pl. Jourdan ✆ 55 34 36 00, collection de phonographes – wc wc . E VISA — BY r
19 – **31 ch** 130/250.

L'Aiglon sans rest, 8 r. Crucifix ✉ 87100 ✆ 55 77 39 13 – . E VISA — AX y
fermé 31 juil. au 21 août et dim. – 15 – **17 ch** 65/170.

XXX **Deux Atres,** 17 r. Gén.-Bessol ✉ 87100 ✆ 55 79 64 54 – AE E VISA. — BX e
fermé 1ᵉʳ au 21 août, sam. midi et dim. du 1ᵉʳ mai au 30 sept., dim. soir et lundi du 1ᵉʳ oct. au 30 avril – **R** 100/220.

XXX **L'Odyssée,** 17 r. Charles-Michels ✆ 55 34 58 55 – E VISA — BZ n
fermé 1ᵉʳ au 15 août et dim. – **R** 100/170.

XX **Pré St-Germain,** 26 r. de la Loi ✆ 55 34 15 17 – . E VISA — AZ f
fermé 1ᵉʳ au 22 sept., 1ᵉʳ au 15 janv., sam. midi et dim. – **R** 85 bc/140.

XX **Petits Ventres,** 20 r. Boucherie ✆ 55 33 34 02, « Maison du 15ᵉ s. » – AE VISA
fermé 1ᵉʳ au 10 juil., lundi midi et dim. – **R** carte 95 à 170 . — AZ u

XX **Versailles,** rest.-brasserie, 20 pl. Aine ✆ 55 34 13 39 – VISA — AY r
fermé 4 au 23 août, vacances de fév., dim. soir et lundi – **R** carte 95 à 140 .

XX **Buffet Gare Bénédictins,** ✆ 55 77 54 54 – VISA — BX
R 54/120 .

Par la sortie ①

Z.I. Nord Quartier du Lac : 4 km – ✉ **87100** Limoges :

Novotel M , ✆ 55 37 20 98, Télex 580866, , parc, , – rest – 25 à 200. AE E VISA
R grill carte environ 120, enf. 40 – 38 – **90 ch** 310/340.

rte de Paris : 9 km – ✉ **87100** Limoges :

La Résidence, ✆ 55 39 90 47, , – wc wc – 70. E VISA. ch
fermé 17 au 24 août, fév., dim. soir et sam. du 15 oct. au 1ᵉʳ avril – **R** 100/230, enf. 35 – 28 – **20 ch** 160/200.

à Feytiat : 5 km – ✉ **87220** Feytiat :

Mas Cerise M , ✆ 55 00 26 28, ←, , – wc wc – 60. E VISA
fermé dim. – **R** 110/230 – 25 – **15 ch** 170/200 – $^{1}/_{2}$ p 300.

Par sortie ③

sur rte d'Eymoutiers : 10 km – ✉ **87220** Feytiat :

XX **Aub. du Bonheur,** ✆ 55 00 28 19, , « Collection d'objets anciens », parc –
fermé 15 août au 15 sept., dim. soir et lundi – **R** 110/250, enf. 55.

Par la sortie ⑦

à Couzeix : 5 km – 5 139 h. – ✉ **87270** Couzeix :

X **Relais St-Martial** avec ch, N 147 ✆ 55 39 33 50 – . E VISA
R 53/120 , enf. 35 – 19 – **11 ch** 120/155 – $^{1}/_{2}$ p 190.

sur N 147 : 10,5 km – ✉ **87510** Nieul :

XX **Les Justices** avec ch, sur N 147 ✆ 55 75 84 54 – wc
fermé fév., lundi (sauf férié le midi) et dim. soir – **R** carte 130 à 200 – 30 – **3 ch** 160.

à St-Martin-du-Fault par N 147 et D 35 : 12 km – ✉ **87510** Nieul :

La Chapelle St-Martin (Dudognon) Ⓜ, ✆ 55 75 80 17, ≤, « Gentilhommière dans un parc », – rest wc ☎ Ⓟ. VISA. rest
fermé janv. et fév. – **R** *(fermé lundi)* (nombre de couverts limité - prévenir) carte 240 à 350 – 55 – **11 ch** 390/690 – ½ p 600/700
Spéc. Foie gras frais de canard, Bar de ligne à la vapeur, Cuisse de confit de canard grillée.

MICHELIN, Agence régionale, av. des Courrières à Isle par D 78 V ✆ **55 05 18 18**

ALFA-ROMEO-MAZDA-INNOCENTI Centre-Ouest-Automobiles, 1 r. de Liège ✆ 55 34 10 90
AUSTIN, ROVER, TRIUMPH Stema, N 20 à Crochat ✆ 55 06 15 15
BMW Gar. Fraisseix J.-, 213 r. de Toulouse ✆ 55 30 42 70
CITROEN Central Gar., r. F.-Bastiat, Z.A.C. de Beaubreuil par ① ✆ 55 37 23 09
CITROEN Gar. Baudin, 176 av. Baudin V ✆ 55 34 15 74
FIAT-FERRARI Gar. P. Savary, 44 à 48 av. Gén.-Leclerc ✆ 55 38 30 40
FORD Gar. Fraisseix E.-, RN 20 à Crochat ✆ 55 30 46 47
LANCIA-AUTOBIANCHI Savary-Sud, 82 r. de Feytiat ✆ 55 06 12 00
MERCEDES-BENZ Gar. Jourdan, av. L.-Armand, Zone Ind. Nord ✆ 55 38 16 17
PEUGEOT-TALBOT Gds Gar. Limousin, rte de Toulouse, Zone Ind. Magré par ④ ✆ 55 30 65 35
PEUGEOT-TALBOT Guyot, r. F.-Perrin, Le Moulin Blanc par D 79 V ✆ 55 01 34 52
RENAULT Renault-Limoges, av. L.-Armand, Zone Ind. Nord par ① ✆ 55 37 58 25 N ✆ 55 48 36 80
SAAB Raynaud Automobiles, 7 cours Gay-Lussac ✆ 55 77 64 52
TOYOTA Gar. Carnot, 9 av. E.-Labussière ✆ 55 77 48 06
V.A.G Gar. Auto-Sport, à Feytiat ✆ 55 31 23 85
V.A.G. Gar. Auto-Sport, r. Serpollet Zone Ind. Nord ✆ 55 37 17 80
VOLVO Gar. Desbordes, 229 av. Gén.-Leclerc ✆ 55 37 17 71

Charles, 5 bis bd Corderie ✆ 55 34 31 69
Estager-Pneu, 56 av. Gén.-Leclerc ✆ 55 38 42 43 et 5 r. A. Comte Zone Ind. Nord ✆ 55 38 10 71
Faucher, 55-59 r. Th.-Bac ✆ 55 77 27 02
Omnium-Pneus, 61 av. Gén.-Leclerc ✆ 55 77 52 88
Pneus et Caoutchouc, 230 av. Baudin ✆ 55 34 51 21 et 33 av. des Bénédictins ✆ 55 33 32 33
Talandier pneus, rte de Buxerolles à Couzeix ✆ 55 36 40 05

CONSTRUCTEUR : RENAULT Véhicules Industriels, rte du Palais ✆ **55 77 58 35**

LIMONEST 69760 Rhône 74 ⑪ – 2 244 h.

Paris 449 – L'Arbresle 17 – ♦Lyon 13 – Villefranche-sur-Saône 18.

XX **Puy d'Or** avec ch, au S : 3 km par D 42 ✆ 78 35 12 20, ≤ – Ⓟ. E VISA
fermé 5 au 10 août, 25 sept. au 20 oct., mardi soir et merc. – **R** 88/170 – 22 – **6 ch** 130/160.

XX **La Gentil'Hordière,** ✆ 78 35 94 97, – AE ⓓ VISA
fermé 1er au 21 août, sam. midi et dim. sauf fériés – **R** 120/260

LIMOUX 11300 Aude 86 ⑦ G. Pyrénées Roussillon – 10 885 h.

Office de Tourisme Promenade Tivoli ✆ 68 31 11 82.

Paris 801 ① – Carcassonne 24 ① – Foix 67 ③ – ♦Perpignan 101 ② – ♦Toulouse 95 ①.

XX **Maison de la Blanquette,** prom. du Tivoli (e) ✆ 68 31 01 63 – . AE ⓓ E VISA
fermé 1er au 25 oct. et merc. – **R** 60 bc/200 bc.

sur rte de Castelnaudary par ① et D 623 : 13 km – ✉ **11240** Belvèze du Razes :

X **Relais Touristique de Belvèze** avec ch, carrefour D 623 - D 18 ✆ 68 69 08 78 – rest wc wc ☎ Ⓟ. AE ⓓ E VISA
R 59 bc/190, enf. 45 – 18 – **7 ch** 125/160 – ½ p 200/250.

LIMOUX

Goutine (R. de la) 3
Jaurès (R. J.) 4
Mairie (R. de la) 6
Pont-Neuf (R. du) 9
République (Pl.) 10
St-Martin (R.) 13
Toulzane (R.) 15
Maronniers (Av.) 7
Ronde (Ch. de) 12

ALFA-ROMEO, OPEL Bardavio, 22 av. A.-Chenier ✆ 68 31 02 43
CITROEN Nivet, rte Perpignan par ② ✆ 68 31 06 00
FORD Huillet, 25 av. Fabre-d'Églantine ✆ 68 31 01 48
PEUGEOT-TALBOT Gar. de Flassian, rte Carcassonne par ① ✆ 68 31 21 92
RENAULT Limoux-Autom., rte Carcassonne par ① ✆ 68 31 08 87 N

Figuères-Pneus, rte d'Alet, Zone Ind. ✆ 68 31 13 84

LINGOLSHEIM 67 B.-Rhin 62 ⑩ – rattaché à Strasbourg.

LINTHAL 68 H.-Rhin 62 ⑱ – 523 h. – ✉ 68610 Lautenbach.

Paris 464 – Colmar 37 – Gérardmer 52 – Guebwiller 11 – ♦Mulhouse 34.

A la Truite de la Lauch, ✆ 89 76 32 30, ☂, 🐕 – wc ⋒wc ☎ P. E VISA
fermé 15 nov. au 15 déc. et merc. hors sais. – **R** 50/180 ⅞ – ☕ 20 – **16 ch** 80/180 – 1/2 p 190/210.

LIOCOURT 57 Moselle 57 ⑭ – 129 h. – ✉ 57590 Delme.

Paris 358 – Château-Salins 17 – ♦Metz 28 – Pont-à-Mousson 30 – St-Avold 48.

XX **Au Savoy,** ✆ 87 01 36 72 – 40. E VISA
fermé fév. et lundi – **R** 88/220 ⅞, enf. 40.

Le LION D'ANGERS 49220 M.-et-L. 63 ⑳ **G. Châteaux de la Loire** – 2 775 h.

Voir Haras de L'Isle Briand★ E : 1 km.

Paris 290 – Ancenis 53 – Angers 22 – Château-Gontier 21 – La Flèche 51.

Voyageurs, ✆ 41 95 30 08 – wc ⋒
fermé 1er au 25 oct., 15 janv. au 10 fév. et dim. soir – **R** 48/150 ⅞ – ☕ 18 – **13 ch** 88/180 – 1/2 p 120/150.

LION-SUR-MER 14780 Calvados 55 ② **G. Normandie Cotentin** – 1 824 h.

Syndicat d'Initiative bd Calvados (Pâques-Pentecôte, juil.-10 sept.) ✆ 31 96 87 95.

Paris 247 – Arromanches 25 – Bayeux 32 – Cabourg 25 – ♦Caen 16 – Ouistreham-Riva-Bella 6.

Moderne, ✆ 31 97 20 48 – ⋒wc. rest
Pâques-25 sept. et fermé dim. soir et lundi sauf juil.-août – **R** 58/130, enf. 35 – ☕ 18 – **14 ch** 90/170 – 1/2 p 150/190.

RENAULT Boutry, ✆ 31 97 20 21 N

RENAULT Gar. de l'Espérance, à Hermanville-sur-Mer ✆ 31 97 28 62

Le LIORAN 15 Cantal 76 ③ **G. Auvergne** – alt. 1 153 – Sports d'hiver à Super-Lioran SO : 2 km – ✉ 15300 Murat.

Voir Gorges de l'Alagnon★ NE : 2 km puis 30 mn – Col de Cère ≤★ SO : 4 km.

Paris 518 – Aurillac 39 – Condat 42 – Murat 12 – St-Jacques-des-Blats 6.

X **Aub. du Tunnel** avec ch, ✆ 71 49 50 02 – wc ⋒wc ☎ P. AE E VISA
R 47/70 ⅞, enf. 29 – ☕ 16 – **18 ch** 128/150 – 1/2 p 145/155.

à Super-Lioran SO : 2 km par D 67 – Sports d'hiver : 1 160/1 830 m 1 23 – ✉ 15300 Murat – **Voir** Plomb du Cantal ✻★★ par téléphérique.

Office de Tourisme ✆ 71 49 50 08, Télex 990575.

Gd H. Anglard et du Cerf ⛰, ✆ 71 49 50 26, ≤ Monts du Cantal – ⫼ ☎ P – 90. AE E VISA
11-24 mai, 1er juil.-30 sept. et 20 déc.-20 avril – **R** 69/180, enf. 50 – ☕ 19,50 – **38 ch** 130/260 – 1/2 p 205/230.

Remberter et Saporta ⛰, ✆ 71 49 50 28, ≤ – ⫼ cuisinette wc ⋒wc ☎ P. E VISA. rest
26 juin-14 sept. et 18 déc.-17 avril – **R** 50/140 – ☕ 20 – **32 ch** 110/180 – 1/2 p 140/175.

Rocher du Cerf ⛰, ✆ 71 49 50 14, ≤, ☂ – ⋒wc P
7 juin-9 sept. et 19 déc.-15 avril – **R** 49/88 ⅞ – ☕ 18 – **12 ch** 101/149 – 1/2 p 132/165.

Le LIOUQUET 13 B.-du-R. 84 ⑭ – rattaché à La Ciotat.

LISIEUX 14100 Calvados 55 ⑬ **G. Normandie Vallée de la Seine** – 25 998 h. Pèlerinage (fin sept.).

Voir Cathédrale St-Pierre★ BY – **Env.** Château★ de St-Germain-de-Livet 7 km par ④.

Office de Tourisme 11 r. Alençon ✆ 31 62 08 41, Télex 170169.

Paris 174 ② – Alençon 91 ④ – Argentan 58 ④ – ♦Caen 49 ⑥ – Cherbourg 170 ⑥ – Dieppe 139 ① – Evreux 72 ② – ♦Le Havre 78 ① – ♦Le Mans 78 ① – ♦Rouen 82 ②.

Plan page ci-contre

Garden's H. M, par ② : 2,5 km sur N 13 ✆ 31 61 17 17, Télex 170065, ⛱, 🐕 – TV ☎ ♿ P – 120. AE O E VISA
R grill 80/140, enf. 28 – ☕ 30 – **70 ch** 248/285.

Place sans rest, 67 r. H.-Chéron ✆ 31 31 17 44, Télex 171862 – ⫼ TV wc ⋒wc ☎ ♿. AE O E VISA — AY **a**
☕ 30 – **32 ch** 250/350.

Espérance et rest. Pays d'Auge, 16 bd Ste-Anne ✆ 31 62 17 53, Télex 171845 – ⫼ wc ⋒wc ☎. AE O E VISA — BZ **e**
1er mai-30 sept. – **R** 95, enf. 38 – ☕ 28 – **100 ch** 250/270.

Gd H. Normandie, 11 bis r. au Char ✆ 31 62 16 05, Télex 170269 – ⫼ wc ⋒wc ☎. AE O E VISA — BY **k**
1er mai-30 sept. – **R** 60/160 – ☕ 30 – **70 ch** 210/270.

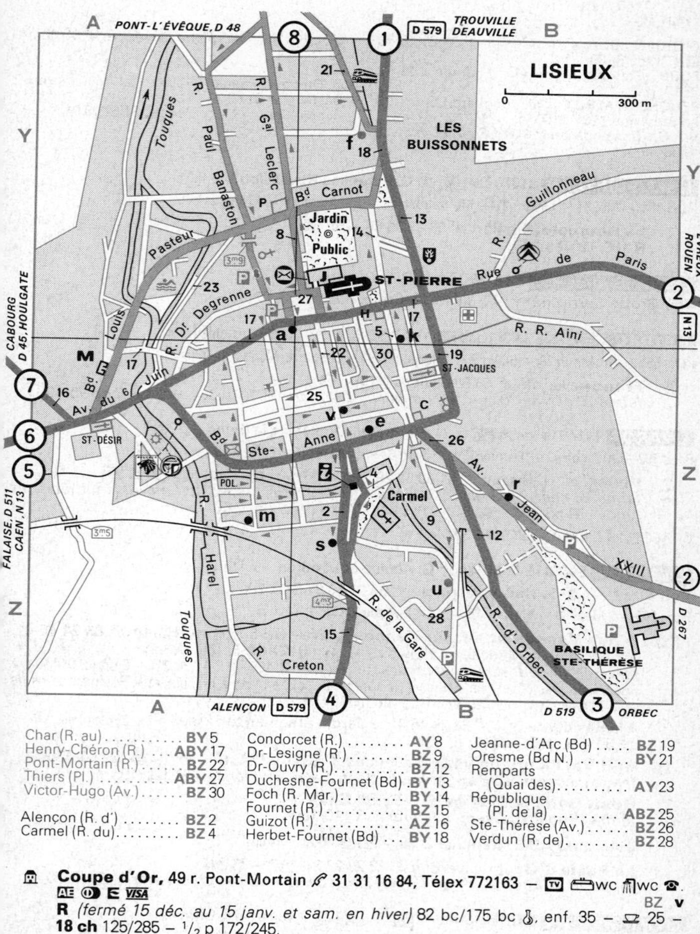

Char (R. au) . . . . BY 5
Henry-Chéron (R.) . . . ABY 17
Pont-Mortain (R.) . . . . . . BZ 22
Thiers (Pl.) . . . . ABY 27
Victor-Hugo (Av.) . . . . . . BZ 30

Alençon (R. d') . . . . BZ 2
Carmel (R. du) . . . . BZ 4
Condorcet (R.) . . . . AY 8
Dr-Lesigne (R.) . . . . BZ 9
Dr-Ouvry (R.) . . . . BZ 12
Duchesne-Fournet (Bd) . BY 13
Foch (R. Mar.) . . . . BY 14
Fournet (R.) . . . . BZ 15
Guizot (R.) . . . . AZ 16
Herbet-Fournet (Bd) . . . BY 18
Jeanne-d'Arc (Bd) . . . . . BZ 19
Oresme (Bd N.) . . . . BY 21
Remparts (Quai des) . . . . AY 23
République (Pl. de la) . . . . ABZ 25
Ste-Thérèse (Av.) . . . . . . BZ 26
Verdun (R. de) . . . . BZ 28

Coupe d'Or, 49 r. Pont-Mortain ✆ 31 31 16 84, Télex 772163 – TV wc wc ☎. AE ① E VISA — BZ v
R *(fermé 15 déc. au 15 janv. et sam. en hiver)* 82 bc/175 bc, enf. 35 – 25 – **18 ch** 125/285 – ½ p 172/245.

Terrasse H., 25 av. Ste-Thérèse ✆ 31 62 17 65 – wc wc ☎. AE E VISA
15 mars-15 nov. et fermé merc. d'oct à juin – **R** 65/100, enf. 40 – 22 – **17 ch** 120/200 – ½ p 160/300. — BZ r

St-Michel sans rest, 22 r. Bocage ✆ 31 62 05 90 – Ⓟ. VISA — AZ m
fermé 15 déc. au 15 janv. et dim. du 1er nov. au 1er mars – 16,50 – **25 ch** 90/170.

Capucines sans rest, 6 pl. Fournet ✆ 31 62 28 34 – wc ☎. — BZ s
19,50 – **18 ch** 70/150.

Ferme du Roy, par ① : 2,5 km ✆ 31 31 33 98, « Ancienne ferme, jardin » – Ⓟ. E VISA.
fermé 1er au 7 juil., 18 déc. au 18 janv., lundi sauf fériés et dim. soir – **R** (prévenir) 120/180.

Parc, 21 bd Herbert-Fournet ✆ 31 62 08 11, « Ancienne salle d'orgues », – Ⓟ. AE ① VISA — BY f
fermé 20 janv. au 20 fév., mardi soir sauf juil.-août et merc. – **R** 80/200, enf. 59.

Aub. du Pêcheur, 2 bis r. Verdun ✆ 31 31 16 85 – AE ① E VISA — BZ u
fermé oct., dim. soir et lundi – **R** 70/200.

à ***Manerbe*** par ⑦ : 7 km – ✉ **14340** Cambremer :

Pot d'Étain, ✆ 31 61 00 94, « Jardin fleuri » – Ⓟ. AE E VISA.
fermé 1er au 7 sept., 10 janv. au 10 fév., mardi soir et merc. – **R** 60/180.

CITROEN SDA, 41 r. de Paris ✆ 31 31 15 75 N ✆ 31 62 81 00
FORD Gar. des Loges, 41 r. Fournet ✆ 31 62 25 17
PEUGEOT-TALBOT Gar. Jonquard Lorant, 61 bd Ste-Anne ✆ 31 31 00 71
V.A.G. Gar. Lepelletier, 118 r. Fournet ✆ 31 31 49 58
VOLVO Richard, 57 bd Ste-Anne, ✆ 31 62 02 78

Ollitrault-Pneus, 5 bis r. du Marché-aux-Bestiaux ✆ 31 62 29 10
Renov.-Pneu, 29 r. de Paris ✆ 31 62 03 04

LISLE-SUR-TARN 81310 Tarn 82 ⑨ **G. Pyrénées Roussillon** – 3 420 h.
Paris 684 – Albi 31 – Lavaur 21 – Montauban 44 – Rabastens 8 – ♦Toulouse 45.

X **Le Romuald,** 6 r. Port ✆ 63 33 38 85 – E VISA
R 100/120, enf. 40.

LISON (Source du) ★★★ 25 Doubs 70 ⑤ **G. Jura.**
Voir Grotte Sarrazine★★ NO 30 mn – Creux Billard★ S 15 mn.

LISTRAC-MÉDOC 33 Gironde 71 ⑧ – 1 521 h. – ✉ **33480** Castelnau.
Paris 551 – Arcachon 88 – Blaye 9 – ♦Bordeaux 34 – Lesparre-Médoc 30.

X **France** avec ch, ✆ 56 58 03 68 – ⋔ P. ⊙ E VISA
fermé 20 oct. au 10 nov., fév., dim. soir et lundi – **R** 70/150 – ☕ 20 – **6 ch** 75/135.

LIVAROT 14140 Calvados 55 ⑬ **G. Normandie Vallée de la Seine** – 2 759 h.
Paris 192 – Alençon 72 – Bernay 39 – ♦Caen 47 – Falaise 36 – Lisieux 18 – Orbec 22.

Vivier, pl. G.-Bisson ✆ 31 63 50 29, – wc ⋔wc ☎ P. E VISA
fermé 26 sept. au 9 oct., 20 déc. au 15 janv., dim. soir d'oct. à avril (sauf fêtes) et lundi – **R** 55/110 – ☕ 19 – **11 ch** 95/240 – 1/2 p 195/245.

CITROEN S.E.R.V.A.L., ✆ 31 63 50 51

LIVERDUN 54460 M.-et-M. 62 ④ **G. Alsace et Lorraine** – 6 110 h.
Voir Site★ – 18 de Nancy-Aingeray ✆ 83 24 53 87 SO : 2 km.
Paris 300 – ♦Metz 56 – ♦Nancy 16 – Pont-à-Mousson 25 – Toul 19.

XXX ✿ **des Vannes et sa Résidence** avec ch, 6 r. Porte-Haute ✆ 83 24 46 01, ≤ boucle de la Moselle – wc ☎ – 60. AE ⊙ E VISA. ch
fermé 1er fév. au 1er mars et lundi sauf fériés – **R** 156/317 – ☕ 35 – **5 ch** 210/450
Spéc. Foie gras d'oie frais, Feuilleté de sandre au beurre blanc à la ciboulette, Pommes de ris de veau à l'émincé de morilles. **Vins** Côtes de Toul.
A la Résidence , ✆ 83 24 46 01, « **Jardin étagé en terrasses** » – wc ☎. ☕ 35 – **6 ch** 265/350.

XX **Golf Val Fleuri,** rte Villey-St Étienne ✆ 83 24 53 54, , – P. AE ⊙ E VISA
fermé du 6 janv. au 6 fév. et merc. d'oct. à avril sauf fériés – **R** 121/195, enf. 65.

XX **Host. Gare,** ✆ 83 24 44 76 – AE ⊙ E VISA
fermé 16 août au 2 sept. et mardi – **R** 110/190.

à Aingeray SO : 6 km par D 90 – ✉ **54460** Liverdun :

XX **La Poêle d'Or,** 1 r. Liverdun ✆ 83 23 22 31, – E VISA
fermé 1er au 15 sept., 1er au 15 fév., dim. soir, lundi et les soirs fériés – **R** 70/220 .

LIVRY-GARGAN 93 Seine-St-Denis 56 ⑪, 101 ⑱ – voir à Paris, Environs.

La LLAGONNE 66 Pyr.-Or. 86 ⑯ – rattaché à Mont-Louis.

LLO 66 Pyr.-Or. 86 ⑯ – rattaché à Saillagouse.

LOCHES 37600 I.-et-L. 68 ⑥ **G. Châteaux de la Loire** – 7 019 h.
Voir Cité médiévale★★ YZ : **château★★, donjon★★, église St-Ours★, Porte Royale★ – Hôtel de ville★** Y **H – Env. Portail★ de la Chartreuse du Liget E : 10 km par ②.**
Office de Tourisme pl. Marne (fermé janv.) ✆ 47 59 07 98.
Paris 255 ① – Blois 65 ① – Châteauroux 70 ③ – Châtellerault 54 ④ – ♦Tours 41 ①.

Plan page ci-contre

Luccotel M , r. Lézards, par ⑤ : 1 km ✆ 47 91 50 50, Télex 752054, ≤, , – wc ☎ P – 100. E VISA. rest
fermé 18 déc. au 10 janv. – **R** 75/168, enf. 55 – ☕ 22 – **42 ch** 190/235 – 1/2 p 190/215.

George Sand, 39 r. Quintefol ✆ 47 59 39 74, ≤, – wc ⋔wc ☎. E VISA
fermé 29 nov. au 27 déc., vend. soir et sam. – **R** 65/170, enf. 40 – ☕ 21 – **17 ch** 170/280 – 1/2 p 240/260. Z s

France, 6 r. Picois ✆ 47 59 00 32, – TV wc ⋔wc ☎ . E VISA Y a
fermé 25/4 au 1/5, 2/1 au 6/2, dim. soir et lundi midi de sept. à juin (sauf fériés) et vend. soir d'oct. à Pâques – **R** 56/170 – ☕ 20 – **18 ch** 120/240.

LOCHES

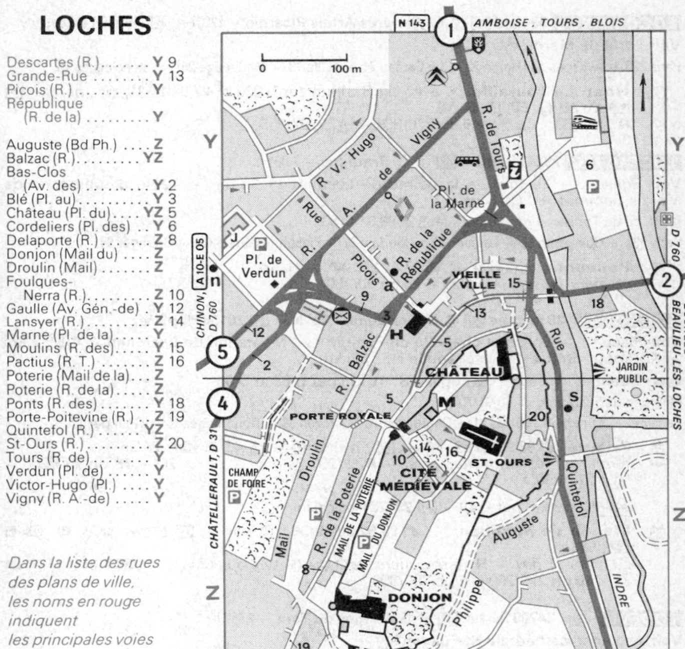

Moderne sans rest, 21 pl. Verdun ✆ 47 59 05 06 – 18 – **10 ch** 75/140. Y n

CITROEN Loches-Automobiles, 17 r. de Tours ✆ 47 59 07 50
CITROEN Barreau, 87 r. St-Jacques par ① ✆ 47 59 06 60 N
PEUGEOT-TALBOT Lorillou, N 143, Tivoli par ③ ✆ 47 59 00 41
RENAULT Sud Touraine Automobiles, 8 r. A.-de-Vigny ✆ 47 59 00 77

V.A.G. Blineau, Zone Ind. par ① ✆ 47 59 06 88 N ✆ 47 59 08 55

Touraine, rte Loches à Perrusson ✆ 47 59 03 86

LOCMARIA-BERRIEN 29 Finistère 58 ⑥ – rattaché à Huelgoat.

LOCMARIAQUER 56740 Morbihan 63 ⑫ **G. Bretagne** – 1 279 h.

Voir Table des Marchands★★ et Grand menhir★★ puis dolmens de Mané Lud★ et de Mané Rethual★ – Tumulus de Mané-er-Hroech★ S : 1 km – Dolmen des Pierres Plates★ SO : 2 km – Pointe de Kerpenhir ≤★ SE : 2 km.

Syndicat d'Initiative (15 juin-début sept.) ✆ 97 57 33 05.

Paris 487 – Auray 13 – Quiberon 31 – La Trinité 8,5.

Lautram, ✆ 97 57 31 32, – wc wc. E VISA
fin mars-fin sept. – **R** 52/176 – 21 – **25 ch** 126/200 – ½ p 150/197.

L'Escale, ✆ 97 57 32 51, ≤ – wc . E VISA
11 mai-17 sept. – **R** 75/150 – 18 – **12 ch** 158/248 – ½ p 147/204.

LOCMINÉ 56500 Morbihan 63 ③ **G. Bretagne** – 3 672 h.

Syndicat d'Initiative 30 r. Gén.-de-Gaulle (juil.-août) ✆ 97 60 09 90.

Paris 445 – Concarneau 94 – Lorient 49 – Pontivy 24 – Quimper 110 – ♦Rennes 97 – Vannes 28.

L'Argoat, rte Vannes ✆ 97 60 01 02 – TV wc wc . VISA
fermé 25 déc. au 20 janv., vend. soir et sam. midi de sept. à mai – **R** 48/150 – 19 – **22 ch** 180/200.

Corbel, à Moreac ✆ 97 60 57 18

Rio, ✆ 97 60 01 24

LOCQUIGNOL 59 Nord 53 ⑤ G. Flandres Artois Picardie – 320 h. – ✉ **59530** Le Quesnoy.

Voir Forêt de Mormal★.

Paris 230 – Avesnes-sur Helpe 22 – Le Cateau 21 – ♦Lille 79 – Maubeuge 25 – Valenciennes 26.

XXX **Host. La Touraille** avec ch, S : 1 km sur D 233 ✆ 27 34 21 21, parc – TV wc ☎ P. AE ⓓ E VISA
R 115/260 – ☕ 37 – **6 ch** 270/369 – ½ p 287/355.

LOCQUIREC 29241 Finistère 58 ⑦ G. Bretagne – 1 061 h.

Voir Église★ – Le tour de la pointe de Locquirec★ 30 mn – Table d'orientation de Marc'h Sammet ≤★ O : 3 km.

ℹ Office de Tourisme (fermé oct.-déc.) ✆ 98 67 40 83.

Paris 537 – Guingamp 53 – Lannion 22 – Morlaix 22 – Plestin-les-Grèves 6 – Quimper 98.

Pennenez sans rest, ✆ 98 67 42 21, – ⋔.
15 mars-fin sept. – ☕ 20 – **26 ch** 90/130.

LOCRONAN 29 Finistère 58 ⑮ G. Bretagne – 704 h. – ✉ **29136** Plogonnec.

Voir Place★★ – Église et chapelle du Pénity★★ – Montagne de Locronan ☀★ E : 2 km – Kergoat : vitraux★ de la chapelle NE : 3,5 km.

Env. Guengat : vitraux★ de l'église S : 10 km par D 63 et D 56.

ℹ Office de Tourisme ✆ 98 91 70 14.

Paris 571 – ♦Brest 63 – Briec 21 – Châteaulin 16 – Crozon 38 – Douarnenez 10 – Quimper 17.

Prieuré, ✆ 98 91 70 89, – TV ⋔wc ☎ P – 40. E VISA. ch
fermé oct. et lundi hors sais. – **R** 55/250 ♨, enf. 30 – ☕ 20 – **15 ch** 170/250 – ½ p 270/290.

au NO : 3 km par C 10 – ✉ **29127** Plomodiern :

Manoir de Moëllien , ✆ 98 92 50 40, ≤, , – TV wc ☎ ♿ P. ⓓ E VISA. ch
20 mars-12 nov. – **R** *(fermé merc. sauf du 1er avril au 30 sept.)* 70/300, enf. 37 – ☕ 32 – **10 ch** 270/290 – ½ p 290/350.

LODÈVE ⟨SP⟩ **34700** Hérault 83 ⑤ G. Gorges du Tarn – 8 557 h.

Voir Ancienne cathédrale St-Fulcran★.

ℹ Office de Tourisme 7 pl. République ✆ 67 44 07 56.

Paris 814 ② – Alès 117 ② – Béziers 64 ② – Millau 61 ① – ♦Montpellier 54 ② – Pézenas 41 ②.

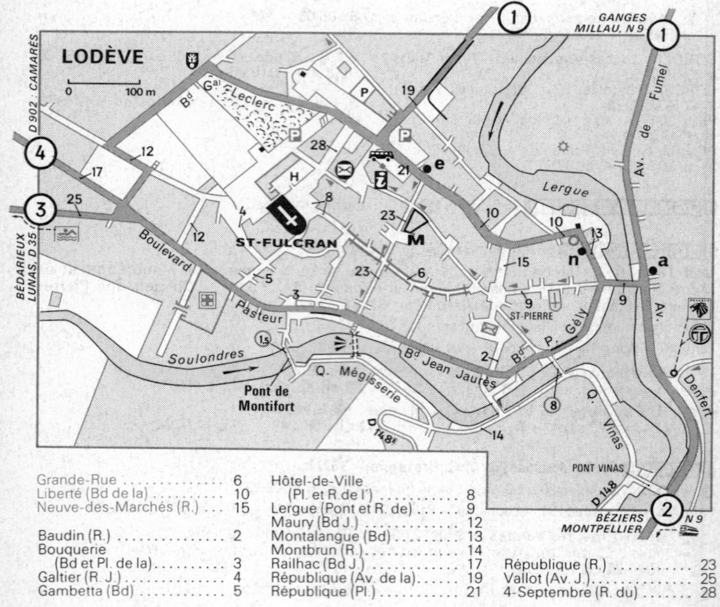

Grande-Rue ... 6
Liberté (Bd de la) ... 10
Neuve-des-Marchés (R.) ... 15

Baudin (R.) ... 2
Bouquerie (Bd et Pl. de la) ... 3
Galtier (R. J.) ... 4
Gambetta (Bd) ... 5
Hôtel-de-Ville (Pl. et R. de l') ... 8
Lergue (Pont et R. de) ... 9
Maury (Bd J.) ... 12
Montalangue (Bd) ... 13
Montbrun (R.) ... 14
Railhac (Bd J.) ... 17
République (Av. de la) ... 19
République (Pl.) ... 21
République (R.) ... 23
Vallot (Av. J.) ... 25
4-Septembre (R. du) ... 28

Croix Blanche, 6 av. Fumel (a) 67 44 10 87 – wc ☎ P. E VISA
1er avril-1er déc. – R (fermé vend. midi) (dîner seul.) 55/110, enf. 45 – 17 – **32 ch** 90/170 – 1/2 p 140/180.

Paix, 11 bd Montalangue (n) 67 44 07 46 – rest wc. E VISA
fermé 15 au 30 nov. – **R** *(fermé dim. soir du 1er déc. au 1er mai)* 55/150 – 18 – **18 ch** 85/195.

Nord, 18 bd Liberté (e) 67 44 10 08, – wc wc. AE E VISA
fermé vend. soir et sam. d'oct. à mai sauf vacances scolaires – **R** 50/150 – 16 – **19 ch** 75/185 – 1/2 p 156/231.

à St-Jean-de-la-Blaquière par ② et D 144E : 14 km – 34700 Lodève :

Aub. du Sanglier M, E : 3,5 km par rte de Rabieux et VO 67 44 70 51, ≤, , parc, « Dans la garrigue », – wc P. VISA. ch
15 mars-1er nov. – **R** *(fermé merc. midi et mardi hors sais.)* 120/190 – 35 – **10 ch** 290/410 – 1/2 p 290/440.

à Lunas par ③ rte de Bédarieux : 15 km – 34650 Lunas :

XXX **Manoir du Gravezon,** 67 23 81 58, – VISA.
fermé 16 janv. au 28 fév., lundi soir et mardi soir hors sais. – **R** 65/220, enf. 40.

PEUGEOT-TALBOT Ryckwaert, 6 av. Denfert 67 44 02 49 N 67 96 07 31

LODS 25930 Doubs 70 ⑥ **G. Jura** – 337 h.
Paris 450 – Baume-les-Dames 53 – ♦Besançon 38 – Levier 22 – Pontarlier 22 – Vuillafans 4,5.

Truite d'Or, 81 60 95 48, ≤, , – wc wc P. E VISA
fermé janv., dim. soir et lundi hors sais. sauf vacances scolaires – **R** 60/200 – 18 – **14 ch** 75/175 – 1/2 p 130/175.

LOGELHEIM 68 H.-Rhin 62 ⑲ – rattaché à Colmar.

LOGIS-NEUF 01 Ain 74 ② – 01310 Polliat.
Paris 408 – Bourg-en-Bresse 15 – ♦Lyon 75 – Mâcon 19 – Villefranche-sur-Saône 48.

Aub. Sarrasine, rte Bourg E : 1 km 74 30 25 65, Télex 375830, , , – wc ☎ P. E VISA
fermé 16 nov. au 1er déc., 10 au 29 janv., jeudi midi et merc. d'oct. à juin – **R** 159/230 – 40 – **10 ch** 320/590.

XX **Bresse** avec ch, 74 30 27 13, , – wc wc P – 50. E VISA
fermé dim. soir et lundi du 1er oct. au 30 avril – **R** 75/200, enf. 40 – 25 – **15 ch** 80/200 – 1/2 p 175/260.

LOGRON 28 E.-et-L. 60 ⑰ – 491 h. – 28200 Châteaudun.
Paris 127 – Bonneval 11 – Brou 11 – Chartres 41 – Châteaudun 11.

X **Aub. St-Nicolas,** 37 98 98 02
fermé 20 déc. au 20 janv., dim. soir, soir de fêtes et lundi – **R** 45/76.

LOIRE-SUR-RHÔNE 69 Rhône 74 ⑪ – rattaché à Givors.

LOMPNIEU 01 Ain 74 ④ – 115 h. alt. 670 – 01260 Champagne-en-Valromey.
Paris 505 – Aix-les-Bains 46 – Belley 29 – Bourg-en-Bresse 75 – ♦Lyon 112 – Nantua 35.

Clair Soleil, 79 87 70 42, – .
R 60/150 – 21 – **15 ch** 74/174 – 1/2 p 140/200.

LONDINIÈRES 76660 S.-Mar. 52 ⑮ – 1 166 h.
Paris 150 – Blangy-sur-Bresle 25 – Dieppe 27 – Neufchâtel-en-Bray 15 – Le Tréport 30.

X **Aub. du Pont** avec ch, 35 93 80 47 – wc wc P. E VISA
fermé 25 janv. au 28 fév. – **R** 52/160 – 20 – **13 ch** 98/165 – 1/2 p 160/180.

CITROEN Hardiville, 35 93 80 22 N
PEUGEOT-TALBOT Boutleux, 35 93 80 48
RENAULT Courtaud, 35 93 80 81 N
Windal, à Fréauville 35 93 80 27

LONGCHAMP 73 Savoie 74 ⑰ – voir à St-Francois-Longchamp.

LONGJUMEAU 91 Essonne 60 ⑩, 101 ㉟ – voir à Paris, Environs.

LONGNY-AU-PERCHE 61290 Orne 60 ⑤ **G. Normandie Vallée de la Seine** – 1 650 h.
Paris 136 – L'Aigle 28 – Alençon 60 – Mortagne-au-Perche 18 – Nogent-le-Rotrou 32.

XX **France** avec ch, 33 73 64 11 – TV ☎ P – 50. E VISA
fermé 15 au 30 janv., dim. soir et lundi – **R** 60/190 – 22 – **10 ch** 110/155.

LONGUEAU 80 Somme 52 ⑧ – rattaché à Amiens.

LONGUE-CROIX 59 Nord 51 ④ – rattaché à Hazebrouck.

LONGUES 63 P.-de-D. 73 ⑭ – rattaché à Vic-le-Comte.

LONGUYON 54260 M.-et-M. 57 ② – 7 029 h.

A.C. 37 r. Hôtel de Ville ✆ 82 26 52 41.

Paris 315 ③ – ♦Metz 69 ② – ♦Nancy 114 ② – Sedan 69 ④ – Thionville 54 ② – Verdun 48 ③.

LONGUYON

0 300 m

Deauville (R de) . 4
H.-de-Ville (R.) . . 6

Allende (Pl.) 2
Augistrou (R.) . . . 3
Hardy (R.) 5
Mazelle (R.) 7
O'Gorman (Av.) . 8
Sète (R. de) 10

XXX ✿ **Lorraine et rest. Le Mas** (Tisserant) avec ch, face gare (e) ✆ 82 26 50 07 – TV wc ☎ – 30 à 80. AE ⓓ E VISA
fermé 8 janv. au 11 fév. – **R** *(fermé lundi du 26 sept. au 30 juin)* 90/260 – 24 – **15 ch** 100/225
Spéc. Langoustines en feuilleté à la julienne de morilles, St-Jacques au flan d'asperges vertes (15 fév. au 15 juin), Petits farcis de filets de sole. Vins Côtes de Toul.

XX **Buffet Gare, (r)** ✆ 82 26 50 85 – P. AE ⓓ E VISA
fermé 1er au 21 sept., 1er au 15 mars et vend. soir – **Rôtisserie R** 150/225, enf. 50 - **Brasserie R** 55/95 ß.

à Beuveille par ② et D 18 : 8 km – ✉ **54620** Pierrepont :

X **La Grillade,** ✆ 82 89 75 06 – VISA.
fermé 20 déc. au 2 janv., fév., lundi soir et mardi – **R** 45/90 ß, enf. 35.

PEUGEOT-TALBOT Gar. de l'Est, 75 r. Hôtel de Ville ✆ 82 26 50 67

RENAULT Longuyon Autom., 6 r. Mazelle ✆ 82 39 32 38 N ✆ 82 24 41 07

LONGWY 54400 M.-et-M. 57 ② G. Alsace et Lorraine – 17 482 h.

Syndicat d'Initiative Gare Routière (fermé matin) ✆ 82 24 27 17 – A.C. 4 r. A.-Mézières ✆ 82 24 35 82.

Paris 333 ④ – Luxembourg 31 ② – ♦Metz 66 ③ – Sedan 87 ④ – Thionville 41 ③ – Verdun 66 ④.

à Longwy-Bas :

Central H. sans rest, 6 r. Carnot (n) ✆ 82 24 33 89 – TV wc ☎. E VISA
fermé dim. en hiver – 20 – **24 ch** 85/225.

Parc sans rest, 3 r. E.-Thomas (e) ✆ 82 24 29 23 – wc wc ☎. AE ⓓ E VISA
18 – **36 ch** 105/190.

à Cosnes et Romain O : 2 km par D 43 – ✉ **54400** Longwy :

XX **Aub. des Trois Canards,** ✆ 82 24 35 36.

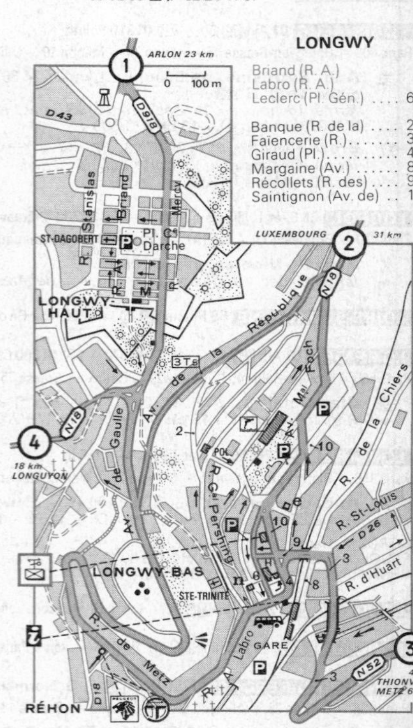

ALFA-ROMEO, Central-Auto, 206 r. de Longwy à Réhon ✆ 82 24 34 06
AUSTIN, ROVER Gar. Pacci, 22 r. J.-B.-Blondeau à Mont-St-Martin ✆ 82 23 35 05 N
CITROEN Gar. Inglebert R., 50 r. Als.-Lorraine à Longlaville par ② ✆ 82 24 33 96
FORD SAUTEME, à Bellevue ✆ 82 23 21 60
PEUGEOT-TALBOT Sogaja Delouche, 51 r. de Metz ✆ 82 24 29 46
RENAULT Robert, rte de Metz déviation Haucourt à Mexy par ③ ✆ 82 24 56 61
V.A.G. Ferreira, 24 r. de la Faïencerie ✆ 82 24 31 82 N ✆ 82 23 51 91
Pneus D.M, av. de Saintignon ✆ 82 24 23 45

Leclerc-Pneu, 36 r. de la Chiers ✆ 82 24 40 79

LONS-LE-SAUNIER P 39000 Jura 70 ④⑭ **G. Jura** – 21 886 h. – Stat. therm. (début mai-fin sept.).

Voir Rue du Commerce* BY – **Grille*** de l'hôpital BY **B.**

Env. Creux de Revigny* 7,5 km par ②.

Office de Tourisme 1 r. Pasteur ☎ 84 24 65 01 et A.C. ☎ 84 24 20 63.

Paris 392 ⑥ – ♦Besançon 87 ① – Bourg-en-Bresse 61 ⑤ – Chalon-sur-Saône 64 ⑥ – ♦Dijon 101 ① – Dole 51 ① – ♦Genève 113 ② – ♦Lyon 123 ⑤ – Mâcon 82 ⑤ – Pontarlier 77 ②.

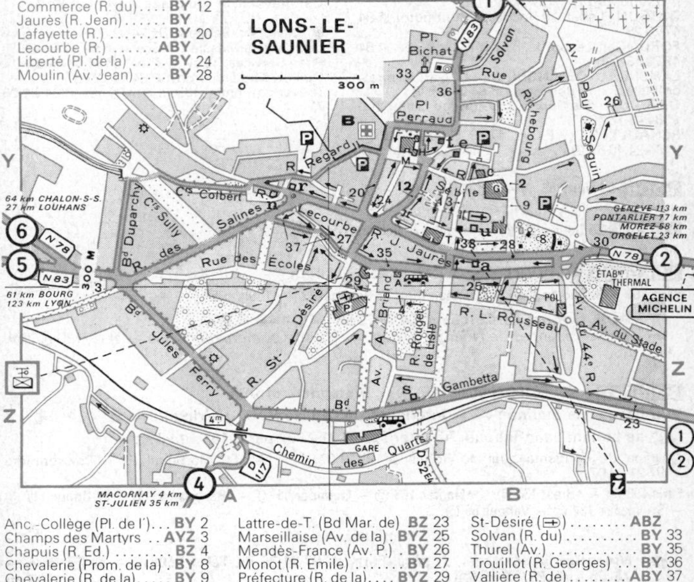

Anc.-Collège (Pl. de l') . . . BY 2
Champs des Martyrs . . AYZ 3
Chapuis (R. Ed.) . . . . BZ 4
Chevalerie (Prom. de la) . BY 8
Chevalerie (R. de la) . . . . . BY 9
Cordeliers (R. et ⊞) . . . . BY 13
Lattre-de-T. (Bd Mar. de) BZ 23
Marseillaise (Av. de la) . BYZ 25
Mendès-France (Av. P.) . BY 26
Monot (R. Emile) . . . . BY 27
Préfecture (R. de la) . . . . BYZ 29
Prost (Av. Camille) . . . . . . BY 30
St-Désiré (⊞) . . . . ABZ
Solvan (R. du) . . . . BY 33
Thurel (Av.) . . . . BY 35
Trouillot (R. Georges) . . . BY 36
Vallière (R. de) . . . . ABY 37
11-Novembre (Pl. du) . . . BY 38

Genève, 39 r. J.-Moulin ☎ 84 24 19 11 – wc wc ☎ . AE E VISA. ch — BY **a**
R *(fermé dim. midi du 2 nov. au 22 mai)* 72/140 – 26 – **42 ch** 155/340 – 1/2 p 210/230.

Nouvel H. sans rest, 50 r. Lecourbe ☎ 84 47 20 67 – wc wc ☎ – 30. AE E VISA — AY **r**
fermé 1er au 15 janv. et dim. hors sais. – 20 – **26 ch** 110/220.

Motel Solvan sans rest, bd Europe (près piscine) ☎ 84 24 40 50 – wc . E
fermé 23 déc. au 2 janv. – 15 – **26 ch** 110/150.

Gambetta sans rest, 4 bd Gambetta ☎ 84 24 41 18 – wc ☎. AE E VISA.
fermé 23 déc. au 2 janv. et dim. soir du 1er oct. au 30 juin – 16 – **24 ch** 95/130. — BZ **s**

Excelsior H. sans rest, 3 r. Pasteur ☎ 84 24 02 82 – VISA — BY **u**
15 – **17 ch** 90/110.

Cheval Rouge avec ch, 47 r. Lecourbe ☎ 84 47 20 44 – wc . E VISA. — AY **n**
fermé 5 au 25 nov., mardi en juil.-août (sauf hôtel) et sam. hors sais. – **R** 75/250 – 23 – **18 ch** 90/250 – 1/2 p 140/200.

Comédie, 3 r. Agriculture ☎ 84 24 20 66 – . VISA — BY **e**
fermé vacances de Pâques, 6 au 29 août, lundi soir et dim. – **R** carte 145 à 225.

Relais d'Alsace, 74 rte Besançon par ① ☎ 84 47 24 70, – AE E VISA
fermé 1er au 15 avril, 1er au 18 sept., dim. soir et lundi – **R** 78/180, enf. 55.

Relais des Trois Bornes, 11 pl. Perraud ☎ 84 47 26 75 – E VISA — BY **t**
R *(fermé dim. soir et merc.)* 60/150 , enf. 35.

à Courlans par ⑥ et N 78 : 6 km – ✉ **39570** Lons-le-Saunier :

XXX ✿ **Aub. de Chavannes** (Carpentier), ✆ **84 47 05 52**, , – **P**. AE ① E VISA
fermé 21 juin au 7 juil., 15 janv. au 15 fév., mardi et merc. – **R** (nombre de couverts limité - prévenir) 130/300
Spéc. Fricassée de béatilles, Volaille de Bresse, Poire au miel et sabayon au Macvin. **Vins** Etoile, Pupillin.

MICHELIN, Agence, Z.I. de Perrigny 805 r. de la Lieme, par ② ✆ **84 24 06 74**

BMW Parizon, à Messia ✆ 84 47 05 45
CITROEN Ets Baud, bd de l'Europe Z I par av. d'Offenbourg BY ✆ 84 43 18 17
DATSUN Labet, Le Rocher à Montmorot ✆ 84 47 20 28
FORD Gar. Lecourbe, 58 bis r. Lecourbe ✆ 84 47 20 13
LANCIA-AUTOBIANCHI, SEAT Gar. Rouget-de-l'Isle, 5 r. L.-Rousseau ✆ 84 24 24 78
OPEL Gar. des Sports, r. V.-Berard, Zone Ind. ✆ 84 43 16 40
RENAULT S.O.R.E.C.A., 47 av. C.-Prost par ② ✆ 84 24 40 67 **N**
V.A.G. Thevenod, rte Champagnole, Zone Ind., Perrigny ✆ 84 24 41 58
Gar. Revelut, av. du Stade ✆ 84 24 05 93

Faivre, 4 r. Sébile ✆ 84 24 09 80
Lehmann, à Messia sur Sorne ✆ 84 24 62 43
Pneu Services, 32 av. C. Prost ✆ 84 43 16 91
Quillot, 6 bd Duparchy ✆ 84 47 12 63
Thévenod-Pneus, 13 bis av. Thurel ✆ 84 24 08 71

LOOS **59** Nord **51** ⑯ – rattaché à Lille.

LORAY **25** Doubs **66** ⑰ – rattaché à Orchamps-Vennes.

LORGUES **83510** Var **84** ⑥ **G. Côte d'Azur** – 5 478 h.

Paris 851 – Brignoles 33 – Draguignan 13 – St-Raphaël 43 – ♦Toulon 75.

X **Aub. Josse,** rte Carcès ✆ **94 73 73 55**, – ① E VISA
fermé vacances de Noël au 30 déc., mardi soir et merc. hors sais. – **R** 49/130 ₰, enf. 35.

LORIENT SP **56100** Morbihan **63** ① **G. Bretagne** – 64 675 h.

Voir Base sous-marine★ AZ – Intérieur★ de l'église N.-D.-de-Victoire BY **E**.

✈ de Lorient Lann-Bihoué, Air Inter : ✆ **97 21 27 37** par D 162 AZ : 8 km.

i Office de Tourisme quai de Rohan ✆ 97 21 07 84 – A.C.O. Morbihan 22 r. Poissonnière ✆ 97 21 03 07.

Paris 493 ③ – ♦Brest 136 ③ – ♦Nantes 166 ③ – Quimper 66 ③ – ♦Rennes 145 ③ – St-Brieuc 117 ③ – St-Nazaire 132 ③ – Vannes 55 ③.

Plan page ci-contre

Mercure M sans rest, **31 pl. J.-Ferry** ✆ **97 21 35 73, Télex 950810** – | TV ☎ ♿ – 25 à 70. AE ① E VISA — BZ **m**
☕ 32 – **58 ch** 280/370.

Léopol sans rest, **11 r. W. Rousseau** ✆ **97 21 23 16** – | TV wc wc ☎. E VISA — BY **r**
fermé 24 déc. au 5 janv. – ☕ 20 – **32 ch** 100/210.

Centre sans rest, **30 r. Du Couëdic** ✆ **97 64 13 27** – TV wc ☎ **P** – 25. AE ① E VISA — BY **x**
☕ 21 – **34 ch** 115/205.

H. Victor-Hugo sans rest, **36 r. L.-Carnot** ✆ **97 21 16 24** – TV wc ☎. AE ① E VISA — BZ **f**
☕ 17 – **30 ch** 95/190.

Du Guesclin sans rest, **24 r. Du Guesclin** ✆ **97 21 02 16** – | TV wc ☎ **P**. AE ① E VISA — AZ **d**
☕ 17 – **24 ch** 70/190.

Astoria sans rest, **3 r. Clisson** ✆ **97 21 10 23** – | TV wc wc ☎. AE ① E VISA — BY **q**
☕ 18 – **40 ch** 100/200.

Cléria sans rest, **27 bd Mar.-Franchet d'Esperey** ✆ **97 21 04 59** – TV wc wc ☎. AE ① E VISA — AY **k**
☕ 20 – **36 ch** 145/200.

St-Michel sans rest, **9 bd Mar.-Franchet-d'Esperey** ✆ **97 21 17 53** – wc ☎. E VISA — AY **z**
☕ 18 – **23 ch** 80/180.

Armor sans rest, **11 bd Mar.-Franchet-d'Esperey** ✆ **97 21 73 87** – TV wc ☎. E VISA — AY **e**
☕ 19 – **21 ch** 96/198.

Christina sans rest, **10 r. Poulorio** ✆ **97 21 33 92** – wc wc ☎. E VISA — AY **v**
☕ 17 – **15 ch** 88/167.

Arvor, 104 r. L.-Carnot ✆ **97 21 07 55** – wc . — AZ **x**
R *(fermé 19 déc. au 4 janv. et dim. hors sais.)* 65/100 – ☕ 16 – **20 ch** 85/150 – ½ p 145.

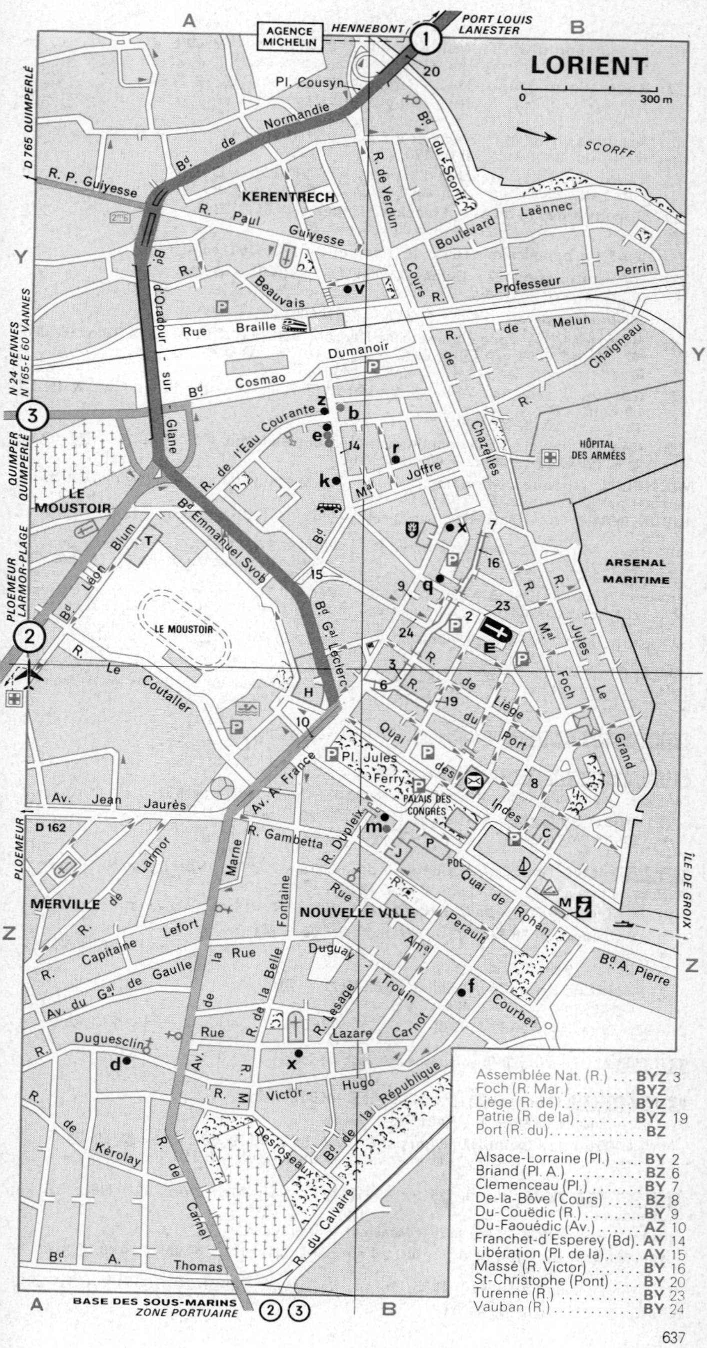

Assemblée Nat. (R.) .... BYZ 3
Foch (R. Mar.) .... BYZ
Liège (R. de) .... BYZ
Patrie (R. de la) .... BYZ 19
Port (R. du) .... BZ

Alsace-Lorraine (Pl.) .... BY 2
Briand (Pl. A.) .... BZ 6
Clemenceau (Pl.) .... BY 7
De-la-Bôve (Cours) ...... BZ 8
Du-Couëdic (R.) .... BY 9
Du-Faouëdic (Av.) .... AZ 10
Franchet-d'Esperey (Bd). AY 14
Libération (Pl. de la) .... AY 15
Massé (R. Victor) .... BY 16
St-Christophe (Pont) .... BY 20
Turenne (R.) .... BY 23
Vauban (R.) .... BY 24

XXX **Le Poisson d'Or,** 1 r. Maître Esvelin ✆ 97 21 57 06 – AE ◑ E VISA BZ **m**
fermé vacances de nov., de fév., sam. midi et dim. sauf juil.-août – **R** 78/200 ♁.

XX **Rest. Victor-Hugo,** 36 r. L.-Carnot ✆ 97 64 26 54 – AE ◑ E VISA BZ **f**
fermé 5 au 25 oct., lundi en juin, juil.-août, sam. midi et dim. de sept. à mai – **R** 63/180, enf. 55.

XX **Arcades,** 11 bd Mar.-Franchet-d'Esperey ✆ 97 21 17 42 – AE ◑ E VISA AY **e**
fermé dim. sauf août – **R** 63/170 ♁.

XX **Le Pic,** 2 bd Mar.-Franchet d'Esperey ✆ 97 21 18 29 – E VISA AY **b**
fermé en juin, en janv., sam. midi et lundi – **R** 70/125 ♁, enf. 50.

XX **Cornouaille,** 13 bd Mar.-Franchet-d'Esperey ✆ 97 21 23 05 – VISA AY **e**
fermé 15 au 31 juil. et dim. – **R** 65/220, enf. 25.

à 3,5 km par ancienne route de Quimperlé – ✉ **56100** Lorient :

XXX **L'Amphitryon,** 127 r. Colonel Müller ✆ 97 83 34 04 – E VISA.
fermé 20 août au 8 sept., 23 déc. au 3 janv., sam. midi et dim. – **R** 130/270.

à Lanester par ① : 5 km – 22 297 h. – ✉ **56600** Lanester :

Novotel M, zone commerciale Kerpont-Bellevue ✆ 97 76 02 16, Télex 950026, – rest TV ☎ ♿ P – 25 à 60. AE ◑ E VISA
R carte environ 120, enf. 40 – ☕ 38 – **88 ch** 310/350.

Kerous M sans rest, 74 av. A.-Croizat ✆ 97 76 05 21 – TV wc wc ☎ P. AE ◑ E VISA.
☕ 18,50 – **20 ch** 176/196.

Ibis M sans rest, zone commerciale Kerpont-Bellevue ✆ 97 76 40 22 – TV wc ☎ ♿ P. E VISA – ☕ 22 – **40 ch** 220/260.

MICHELIN, Agence régionale, r. Arago, Z.I. Kerpont, direction d'Hennebont après Lanester par ① à Caudan ✆ **97 76 03 60**

AUSTIN ROVER Gar. Olda, 39 r. Capitaine Lefort ✆ 97 21 23 15
BMW Auto-Port, ZA du Plénéno, ✆ 97 83 87 41 N ✆ 97 37 03 33
CITROEN S.C.A.O., Zone Ind. Kerpont à Lanester par ① ✆ 97 81 19 81 N ✆ 97 37 03 33
FIAT Ker'Autos, Zone Ind. Kerpont à Lanester ✆ 97 76 03 44
FIAT Ker'Autos, 1 r. René Kerviller ✆ 97 21 49 12
MERCEDES-BENZ Gar. Hyvair, rte de Quimperlé, Zone Ind. de Keryado ✆ 97 83 00 90 N ✆ 97 37 03 33
OPEL G.A.M. ZI Kerpont à Lanester ✆ 97 76 74 11
PEUGEOT-TALBOT Chrétien, Zone Com. de Bellevue à Caudan par ① ✆ 97 76 13 56 N ✆ 97 37 03 33
RENAULT Court, Zone Ind. Kerpont à Caudan par ① ✆ 97 76 25 24 N ✆ 97 37 03 33
V.A.G. Auto-Ouest, ZA de Kergoussel à Caudan ✆ 97 76 07 21 N ✆ 97 37 03 33

Lorans-Pneus, 1 bd L.-Blum ✆ 97 37 72 00
Morbihannaise de Pneus, 68 av. A.-Croizat à Lanester ✆ 97 76 03 02

LORP-SENTARAILLE 09 Ariège 86 ③ – rattaché à St-Girons.

LORREZ-LE-BOCAGE 77710 S.-et-M. 61 ⑬ – 970 h.

Paris 98 – Fontainebleau 28 – Melun 45 – Montargis 32 – Nemours 18 – Sens 32.

XX **Host. Gd Cerf,** r. M.-Bery ✆ (1) 64 31 51 05 – VISA
fermé mardi soir et merc. – **R** 50/135, enf. 50.

LORRIS 45260 Loiret 65 ① G. Châteaux de la Loire – 2 592 h. – Voir Église N.-Dame★.

Office de Tourisme 11 r. Gambetta ✆ 38 92 42 76.

Paris 124 – Gien 26 – Montargis 22 – ♦Orléans 49 – Pithiviers 41 – Sully-sur-Loire 18.

Sauvage, ✆ 38 92 43 79 – wc. ◑ E VISA
fermé 5 au 22 oct., 1er au 24 fév., jeudi soir et vend. sauf juil.-août – **R** 48/190 ♁ – ☕ 18 – **9 ch** 82/215 – ½ p 140/215.

X **Point du Jour,** 25 pl. Mail ✆ 38 92 40 21 – VISA
fermé janv. et lundi – **R** 66/165 ♁.

CITROEN Pivoteau, ✆ 38 92 40 43 N
RENAULT Delaveau, ✆ 38 92 40 02 N

LOSNE 21 Côte-d'Or 70 ③ – rattaché à St-Jean-de-Losne.

LOSTANGES 19 Corrèze 75 ⑨ – 147 h. – ✉ 19500 Meyssac.

Paris 520 – Brive-la-Gaillarde 38 – Figeac 78 – Tulle 31.

XX **L'Orée des Bois,** NE : 2 km par D 163 ✆ 55 25 43 79, – P. AE ◑
fermé 30 janv. au 6 fév., mardi et merc. sauf juil.-août – **R** 110/250, enf. 60.

LOUARGAT 22540 C.-du-N. 59 ① – 2 224 h. – Voir Menez-Bré ※★ NE : 3,5 km, G. Bretagne.

Paris 497 – Guingamp 14 – Lannion 26 – Morlaix 41 – St-Brieuc 45.

Manoir du Cleuziou, NO : 4 km par D 33A et VO ✆ 96 43 14 90, – wc ☎ P. VISA
fermé 2 janv. au 8 fév. – **R** 75/195, enf. 55 – ☕ 28 – **29 ch** 240/260 – ½ p 364/384.

RENAULT Le Mogne, ✆ 96 43 15 67

LOUDÉAC 22600 C.-du-N. 58 ⑲ **G. Bretagne** – 10 756 h.

Syndicat d'Initiative pl. Gén.-de-Gaulle (15 juin-15 sept.) ✆ 96 28 25 17.

Paris 436 – Carhaix-Plouguer 67 – Dinan 78 – Pontivy 22 – •Rennes 85 – St-Brieuc 42.

France M, 1 r. Cadélac ✆ 96 28 00 15, Télex 740631 – wc wc ☎ P – 30 à 100. AE E VISA
fermé 24 déc. au 2 janv. – **R** *(fermé dim. sauf le soir en sais.)* 52/170 ₰, enf. 30 – 21 – **40 ch** 75/270 – ½ p 170/300.

Voyageurs, 10 r. Cadélac ✆ 96 28 00 47 – TV wc wc ☎ – 50. AE ⓓ E VISA
fermé 20 déc. au 10 janv. – **R** *(fermé sam.)* 47/220 ₰, enf. 40 – 20 – **29 ch** 80/220 – ½ p 116/290.

Aub. Cheval Blanc, pl. Église ✆ 96 28 00 31 – E VISA
fermé dim. soir et lundi – **R** 53/160.

à La Prénessaye E : 7 km sur N 164 – ✉ **22210** Plémet :

Motel d'Armor et rest. Le Boléro M, ✆ 96 25 90 87, – TV wc wc ☎ P. E VISA
fermé vacances de fév. – **R** *(fermé dim. soir hors sais.)* 50/160 ₰, enf. 35 – 25 – **10 ch** 175/240 – ½ p 190/285.

CITROEN Gar. Central, 14 r. Lavergne ✆ 96 28 00 46
RENAULT Michard, pl. Gén.-de-Gaulle ✆ 96 28 00 07
V.A.G. Gar. Lebreton, 23 r. de Pontivy ✆ 96 28 00 59
Desserrey-Pneus, Z.I. de Kersuguet ✆ 96 28 05 73

LOUDUN 86200 Vienne 67 ⑨ **G. Poitou Vendée Charentes** – 8 234 h.

Voir Tour carrée ☼★ AY.

Office de Tourisme à l'Hôtel de Ville ✆ 49 98 15 96.

Paris 313 ② – Angers 77 ⑥ – Châtellerault 49 ③ – Parthenay 56 ④ – Poitiers 55 ④ – •Tours 72 ②.

LOUDUN

Porte-de-Chinon (R.) ..... BY

Anjou (Av. d') ..... BY 2
Château (R. du) ..... AY 3
Chevreau (R. U.) ..... BZ 4
Collège (R. du) ..... BZ 6
Croix-Bruneau (R. de la) . AY 7
Grand-Cour ..... BY 8
Leuze (Av. de) ..... BY 10
Meures (R. des) ..... BY 12
Palais (R. du) ..... BY 13
Portail-Chaussé (R. du) .. BY 14
Poitou (Av. du) ..... BZ 15
Porte de Chinon (Pl.) ..... BY 16
Porte Mirebeau (Pl.) ..... BZ 18
Porte Mirebeau (R.) ..... BZ 19
Porte St-Nicolas (R.) ..... AY 20
Renaudot (R.) ..... BY 22
Touraine (Av. de) ..... BY 23
Vieille Charité (R.) ..... BZ 25
Vieille porte du Martray . AY 26

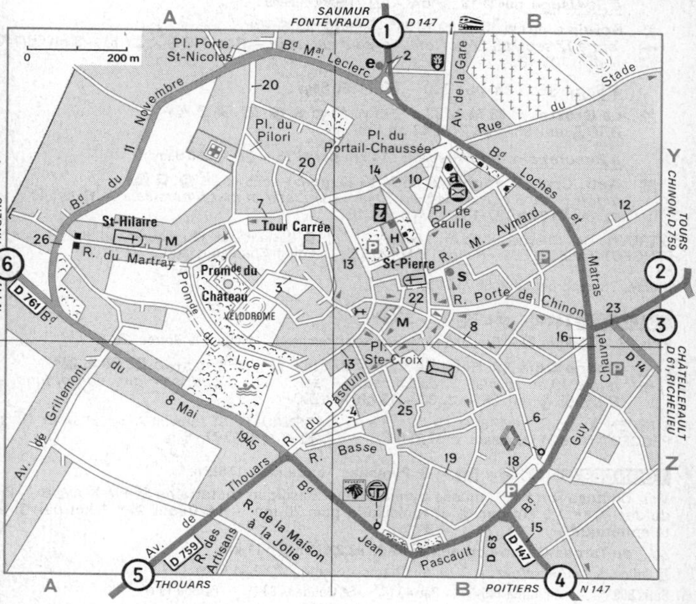

SAUMUR FONTEVRAUD D 147 — TOURS CHINON, D 759 — CHÂTELLERAULT D 61, RICHELIEU — POITIERS N 147 — THOUARS — ANGERS N 147
Pl. Porte St-Nicolas — Bd Mal Leclerc — Pl. du Pilori — Pl. du Portail-Chaussée — Av. de la Gare — Rue du Stade — Bd Loches et Matras — Bd du 11 Novembre — St-Hilaire — R. du Martray — Tour Carrée — Promde du Château — Promde du Lice — VÉLODROME — St-Pierre — Pl. de Gaulle — R. M. Aymard — R. Porte de Chinon — Pl. Ste-Croix — R. du Pasquin — R. Basse — Bd du 8 Mai 1945 — Av. de Grillemont — Av. de Thouars — R. de la Maison à la Jolie — R. des Artisans — Bd Jean Pascault — Chauvel — Guy — D 761 — D 759 — D 63 — D 147 — D 14

Mercure M sans rest, 40 av. de Leuze ☎ 49 98 19 22 – TV wc ☎. AE E VISA BY a
24 – **29 ch** 220/280.

Reine Blanche, 6 pl. Boeuffeterie ☎ 49 98 51 42 – E VISA BY s
fermé dim. soir et lundi sauf fériés – **R** 85/185, enf. 42.

Roue d'Or, 1 av. Anjou ☎ 49 98 01 23 – P. AE E VISA BY e
R 55/125.

CITROEN Gar. Terradillos, r. des Artisans AZ ☎ 49 98 34 30
PEUGEOT-TALBOT Gar. Charbonnier, 28 bd Jean-Pascault ☎ 49 98 11 50
RENAULT Guérin, 2 bd G.-Chauvet ☎ 49 98 12 93 N ☎ 49 98 06 46
V.A.G. Autom. Loudunaise, 9 bd G.-Chauvet ☎ 49 98 15 57
Pneurénov, 17 bd G.-Chauvet ☎ 49 98 01 22

LOUÉ 72540 Sarthe 60 ⑫ – 1 915 h.

Paris 228 – Alençon 61 – Angers 81 – Laval 50 – ♦Le Mans 28.

Laurent ⊗⊗, ☎ 43 88 40 03, Télex 722013, – TV ☎ P – 80. AE E VISA
fermé janv. et fév. – **R** 190/400 et carte – 60 – **12 ch** 350/660, 4 appartements 1000 – 1/2 p 390/850
Spéc. Galette de sarrasin aux légumes nouveaux, Pigeon en ballotine aux lentilles, Rêve d'enfant sage. **Vins** Chinon.

La LOUE (Source de) ★★★ 25 Doubs 70 ⑥ G. Jura.

Voir Vallée de la Loue★★ NO.

Env. Belvédères de Renédale <★ 15 mn et du Moine de la Vallée ✳★★ NO : 7, 5 km.

LOUGÉ-SUR-MAIRE 61 Orne 60 ② – rattaché à Écouché.

LOUHANS 71500 S.-et-L. 70 ⑬ G. Bourgogne – 4 198 h.

Office de Tourisme av. 8-Mai-1945 (fermé matin hors saison) avec A.C. ☎ 85 75 05 02.

Paris 378 – Bourg-en-Bresse 56 – Chalon-sur-Saône 37 – ♦Dijon 83 – Dole 69 – Tournus 29.

Moulin de Bourgchâteau ⊗, r. Guidon ☎ 85 75 37 12, parc – wc ☎ P – 50. AE E VISA
fermé janv. – **R** *(fermé dim. soir et lundi du 1er oct. au 31 mai)* 75/200, enf. 40 – 24 – **17 ch** 175/220.

à St-Usuge par D 13 : 6 km – ✉ **71500** Louhans :

Boivin avec ch, ☎ 85 72 10 95 – P. AE E VISA
fermé 12 sept. au 12 oct. et lundi sauf juil.-août – **R** 50/140 – 20 – **8 ch** 65/140 – 1/2 p 105/135.

à Sagy SE : 7 km par D 21 – ✉ **71580** Sagy :

La Grotte, ☎ 85 74 02 33 – wc wc ☎ P. AE E VISA
R 70, enf. 55 – 21 – **17 ch** 135/210.

à Beaurepaire-en-Bresse E : 14 km par N 78 – ✉ **71580** Sagy :

Aub. Croix Blanche, ☎ 85 74 13 22, parc – wc P. E VISA
fermé 1er au 8 oct.,20 déc. au 20 janv.,dim. soir et mardi hors sais. – **R** 72/240 – 24 – **14 ch** 127/185 – 1/2 p 165/187.

CITROEN Gar. Chevrier, ☎ 85 75 11 56
PEUGEOT-TALBOT Gar. Hengy, ☎ 85 75 23 59
Moine, Chateaurenaud ☎ 85 75 01 97
Bayle Pneus, Chateaurenaud ☎ 85 75 04 41
Collet, Chateaurenaud ☎ 85 75 12 82

La LOUPE 28240 E.-et-L. 60 ⑥ – 3 709 h.

Paris 125 – Chartres 38 – Dreux 43 – Mortagne-au-Perche 41 – Nogent-le-Rotrou 22.

Chêne Doré, pl. Hôtel-de-Ville ☎ 37 81 06 71 – wc wc. AE E VISA
fermé 10 au 25 mai, 10 au 25 sept., 10 au 25 janv., vend. soir, dim. soir et lundi – **R** 52/165, enf. 38 – 30 – **13 ch** 100/200.

CITROEN Leproust, ☎ 37 81 00 69
PEUGEOT-TALBOT Gonsard, ☎ 37 81 08 05
RENAULT St-Thibault-Auto, ☎ 37 81 06 23 N ☎ 37 81 02 77

LOURDES 65100 H.-Pyr. 85 ⑱ G. Pyrénées Aquitaine – 17 619 h.

Voir Château fort★ AY : musée pyrénéen★ – Basilique souterraine St-Pie X AYZ B – Pic du Jer ✳★★ 1,5 km par ③ et funiculaire puis 20 mn – Le Béout ✳★ 1 km par ③ et téléphérique.

de Tarbes-Ossun-Lourdes ☎ 62 32 92 22 par ① : 11 km.

Office de Tourisme avec A.C. pl. du Champ-Commun ☎ 62 94 15 64.

Paris 802 ① – ♦Bayonne 145 ⑤ – Pau 40 ⑤ – St-Gaudens 83 ① – Tarbes 19 ①.

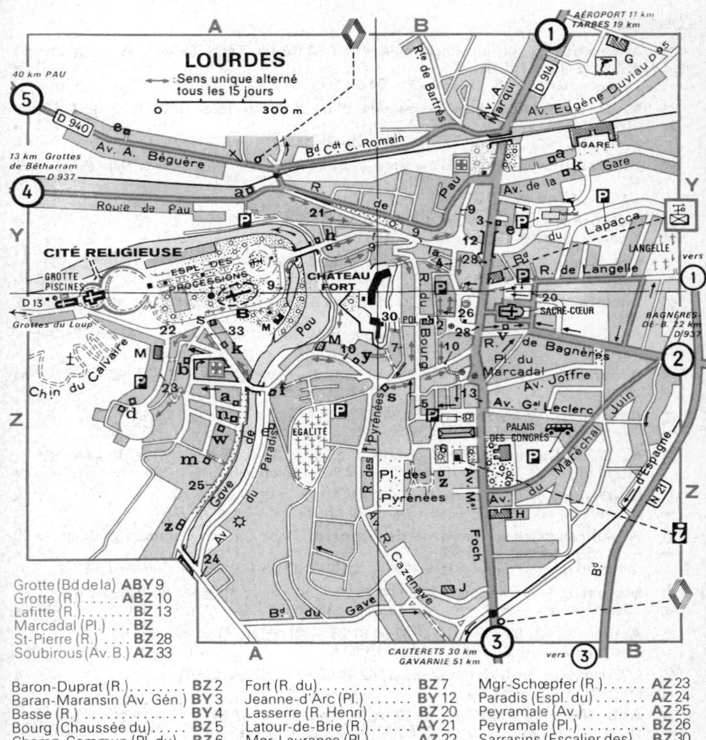

Gallia et Londres Ⓜ, 26 av. B.-Soubirous ☏ 62 94 35 44, Télex 521424, 🌳 – 🛗 ▤ rest ☎ 🚗. AE VISA — AZ **k**
15 avril-15 oct. – **R** 100/180 – **90 ch** ☕700 – $^1/_2$ p 450/500.

Gd H. de la Grotte, 66 r. Grotte ☏ 62 94 58 87, Télex 531937, ≤ – 🛗 ▤ rest TV ☎ 🚗 Ⓟ. AE ⓓ E VISA — AZ **y**
1er avril-28 oct. – **R** 90/130, enf. 30 – **84 ch** ☕300/510, 3 appartements 970 – $^1/_2$ p 420/510.

Jeanne d'Arc, 1 r. Alsace-Lorraine ☏ 62 94 35 42, 🌳 – 🛗 Ⓟ — AZ **w**
28 mars-20 oct. – **R** 70 – ☕ 25 – **154 ch** 320/380 – $^1/_2$ p 360/400.

Excelsior, 83 bd Grotte ☏ 62 94 02 05, Télex 520343, ≤ – 🛗 ▤ rest ☎ ♿ Ⓟ. AE ⓓ E VISA — AY **h**
31 mars-fin oct. – **R** 95/110 – **76 ch** ☕240/330 – $^1/_2$ p 230/295.

Ambassadeurs, 66 bd Grotte ☏ 62 94 32 85, ≤ – 🛗 Ⓟ. AE ⓓ E VISA. ✻ rest — AY **h**
mi-avril-début nov. – **R** 85/170 – **50 ch** ☕245/350 – $^1/_2$ p 260/350.

Espagne, 9 av. Paradis ☏ 62 94 50 02, Télex 520066, ≤, 🌳 – 🛗 ▤ rest Ⓟ – 🏛 80. AE ⓓ E VISA. ✻ — AZ **e**
15 avril-20 oct. – **R** 80, enf. 50 – **92 ch** ☕280/350 – $^1/_2$ p 190/320.

Impérial, 3 av. Paradis ☏ 62 94 06 30, Télex 530802, ≤, 🌳 – 🛗 ▤ rest. AE ⓓ E VISA. ✻ rest — AZ **f**
15 avril-15 oct. – **R** 100/125 – ☕ 26 – **100 ch** 290/450 – $^1/_2$ p 350/416.

Galilée-Windsor, 10 av. Peyramale ☏ 62 94 21 55, Télex 521424 – 🛗 ▤ rest ☎ ♿ 🚗. AE VISA — AZ **n**
15 avril-15 oct. – **R** 90/100 – ☕ 38 – **169 ch** 330 – $^1/_2$ p 300.

Roissy Ⓜ, 16 av. Mgr-Schoepfer ☏ 62 94 13 04 – 🛗 🛁wc 🚿wc ☎ ♿ Ⓟ – 🏛 100. E VISA. ✻ rest — AZ **d**
Pâques-20 oct. – **R** 64 – ☕ 23 – **157 ch** 234/286 – $^1/_2$ p 290.

Christina Ⓜ, 42 av. Peyramale ☏ 62 94 26 11, Télex 531062, ≤, 🌳 – 🛗 🛁wc 🚿wc ☎ 🚗 – 🏛 50. AE ⓓ E VISA — AZ **z**
25 mars-25 oct. – **R** 80/100, enf. 40 – **210 ch** ☕206/292 – $^1/_2$ p 226/286.

Miramont M, 40 av. Peyramale ✆ 62 94 70 00, Télex 520841, ← – |‡| ▤ rest ⇔wc ☎ P. AE E VISA. ⚘ AZ **z**
25 mars-20 oct. – **R** 70 – ☕ 24 – **94 ch** 200/300 – 1/2 p 250/300.

N.-D. de France, 8 av. Peyramale ✆ 62 94 91 45, Télex 521891, ← – |‡| ⇔wc ⋒wc ☎. VISA. ⚘ rest AZ **a**
29 mars-12 oct. – **R** 65/70 – ☕ 25 – **75 ch** 160/280 – 1/2 p 220/250.

Beauséjour sans rest, 16 av. Gare ✆ 62 94 38 18, ⚘ – |‡| ⇔wc ⋒wc ☎ P. VISA. ⚘ BY **k**
☕ 17 – **44 ch** 140/210.

Golgotha, 4 r. Reine-Astrid ✆ 62 94 00 03 – |‡| ⇔wc ⋒wc ☎. ⚘ AZ **d**
1er avril-15 oct. – **R** 62 – ☕ 23 – **118 ch** 175/253 – 1/2 p 250/258.

Ste-Rose, 2 r. Carrières-Peyramale ✆ 62 94 30 96 – |‡| ⇔wc ⋒wc ☎ P. VISA
Pâques-10 oct. – **R** 65 – ☕ 21 – **97 ch** 175/300. AZ **b**

Lutétia, 19 av. Gare ✆ 62 94 22 85, Télex 521702 – |‡| ⇔wc ⋒wc ☎ P. AE ⦿ E VISA BY **a**
fermé 5 janv. au 6 fév. et 3 au 9 mars – **R** 55/70, enf. 36 – ☕ 24 – **47 ch** 175/245 – 1/2 p 151/206.

Arcades M, 5 r. St Félix ✆ 62 94 23 19 – |‡| ⇔wc ⋒wc ☎. E VISA. ⚘ AZ **m**
25 mars-20 oct. – **R** 70 – ☕ 24 – **80 ch** 200/300 – 1/2 p 250/300.

Aquitaine, 1 r. Pyrénées ✆ 62 94 20 31 – |‡| ch ⋒wc ☎. AE VISA BZ **s**
fermé 15 déc. au 6 fév. – **R** 55/99 – ☕ 22 – **25 ch** 143/198 – 1/2 p 176/220.

N.-D. de Sarrance, 7 r. Bagnères ✆ 62 94 09 83 – |‡| ⇔wc ⋒wc ☎ 🚗. VISA
fermé nov. – **R** *(1er juil.-15 oct.)* 70 – ☕ 18 – **42 ch** 220 – 1/2 p 190. BZ **v**

N.-D.-de Lorette, 12 rte Pau ✆ 62 94 12 16 – |‡| ⋒wc P. ⚘ AY **a**
27 mars-15 oct. – **R** 59 – ☕ 17,50 – **20 ch** 75/158 – 1/2 p 127/187.

H. Albret et rest. Taverne de Bigorre, 21 pl. Champ-Commun ✆ 62 94 75 00 – |‡| ⇔wc ⋒wc ☎. E VISA BZ **z**
fermé 10 déc. au 6 fév. – **R** 44/140 – ☕ 17 – **27 ch** 148/188 – 1/2 p 156/165.

Majestic, 9 av. Maransin ✆ 62 94 27 23 – |‡| ⇔wc ⋒wc ☎ ♿. VISA. ⚘ rest
15 avril-30 oct. – **R** 65, enf. 40 – ☕ 18 – **35 ch** 96/200 – 1/2 p 150/170. BY **e**

Arts sans rest, 89 r. Grotte ✆ 62 94 91 25 – |‡| ⇔wc ⋒wc ☎. VISA. ⚘
15 avril-15 oct. – ☕ 16,50 – **13 ch** 135/175.

XX **L'Ermitage,** pl. Mgr Laurence ✆ 62 94 08 42 – AE ⦿ E VISA AZ **s**
1er mai-15 oct. – **R** 89/170.

XX **Aub. Maurice Prat** avec ch, 22 av. A.-Béguère ✆ 62 94 01 53 – ⇔wc ⋒wc P
fermé 15 déc. au 1er mars – **R** 60/110 – ☕ 25 – **14 ch** 190/210 – 1/2 p 170/190. AY **e**

à Lugagnan par ③ : 3 km – ✉ **65100** Lourdes :

Trois Vallées ⚘, ✆ 62 94 73 05, ⚘, ⚘ – ⇔wc ⋒wc ☎ P. E VISA
fermé janv. – **R** 51/105 ⚘ – ☕ 21 – **32 ch** 75/145 – 1/2 p 108/145.

à Saux par ① : 3 km – ✉ **65100** Lourdes :

XXX **Le Relais** ⚘ avec ch, ✆ 62 94 29 61, ←, ⚘, ⚘ – TV ⇔wc ☎ P. AE E VISA. ⚘ rest
fermé 5 au 21 janv. – **R** 110/150 – ☕ 30 – **8 ch** 160/450 – 1/2 p 270/345.

à Adé par ① : 6 km – ✉ **65100** Lourdes :

Le Virginia, ✆ 62 94 66 18, ⚘ – ▤ rest TV ⇔wc ⋒wc ☎ ♿ P. E VISA
fermé 15 déc. au 20 janv., vend. soir et dim. soir du 15 oct. au 15 avril – **R** 70/180, enf. 45 – ☕ 36 – **45 ch** 145/350.

Dupouey, ✆ 62 94 29 62 – ⇔wc ⋒wc ☎. AE E VISA. ⚘
fermé début janv. au 15 fév. et lundi de déc. à fin avril – **R** 43/160 – ☕ 16 – **39 ch** 116/200 – 1/2 p 130/285.

à Orincles NE : 12 km par D 937 et D 407 – ✉ **65380** Ossun :

Scierie ⚘, rte Paréac ✆ 62 35 40 88, ⚘, ⚘ – ⋒ ☎ P. ⚘
1er juil.-28 fév. – **R** 59/150, enf. 26 – ☕ 15 – **10 ch** 100/120 – 1/2 p 112/120.

Miramont ⚘ sans rest, ✆ 62 35 41 02, ← – cuisinette ⋒wc ☎ P. E VISA
☕ 17,50 – **10 ch** 140/168.

CITROEN T.D.A., rte de Tarbes par ① ✆ 62 94 32 32 N ✆ 62 93 72 55
FORD Fabre, 46-48 av. A.-Marqui ✆ 62 42 11 11
LANCIA-AUTOBIANCHI, TOYOTA, VOLVO Gar. Jara, ZI Saux, rte Tarbes ✆ 62 94 67 31
PEUGEOT-TALBOT Boutes, 102 av. A.-Marqui par ① ✆ 62 94 75 68

RENAULT R.E.N.O.P.A.C., 25 av. F.-Lagardère ✆ 62 94 70 50
RENAULT Gar. Vincent, 4 av. A.-Béguère ✆ 62 94 07 89
Gar. Allué, 27 av. A.-Marqui ✆ 62 94 07 23
⦿ Bigorre-Pneus, 27 av. F.-Lagardère ✆ 62 94 06 70

LOURMARIN 84 Vaucluse 84 ③ G. Provence – 858 h. – ✉ 84160 Cadenet.

Voir Château ★.

Paris 734 – Apt 18 – Aix-en-Provence 38 – Cavaillon 31 – Manosque 52 – Salon-de-Provence 35.

Guilles M, par D 56 et VO : 1,5 km ✆ 90 68 30 55, ←, parc, ⛱, 🎾 – TV ⇔wc ☎ P. AE ① E VISA. rest
fermé fév., dim. soir et lundi de nov. à juin – **R** snack carte 100 à 160 ⅃, enf. 45 – ☕ 40 – **23 ch** 255/400 – ½ p 405/550.

LOURY 45470 Loiret 60 ⑲⑳ – 1 413 h.

Paris 106 – Chartres 73 – Châteauneuf-sur-Loire 19 – Étampes 53 – ◆Orléans 19 – Pithiviers 24.

✗ **Relais de la Forge** avec ch, N 152 ✆ 38 65 60 27 – TV ⇔wc ☎. AE ① E VISA
fermé 20 juin au 18 juil.et lundi – **R** 55/215 – **7 ch** ☕ 150/220 – ½ p 230/250.

LOUVECIENNES 78 Yvelines 55 ⑳, 101 ⑫⑬ – voir à Paris, Environs.

LOUVETOT 76 S.-Mar. 52 ⑬, 54 ⑨, 55 ⑤ – 500 h. – ✉ 76490 Caudebec-en-Caux.

Paris 171 – Bolbec 21 – Fécamp 34 – ◆Rouen 44 – Yvetot 7,5.

Au Grand Méchant Loup, ✆ 35 96 01 44 – TV ⇔wc ⫛wc ☎ ♿ P – 🏛 30 à 80. E VISA
R *(fermé sam. midi)* 62/130 ⅃, enf. 35 – ☕ 22 – **24 ch** 145/200 – ½ p 150/200.

LOUVIE-JUZON 64 Pyr.-Atl. 85 ⑯ – 1 023 h. – ✉ 64260 Arudy.

Paris 796 – Laruns 11 – Lourdes 40 – Oloron-Ste-Marie 21 – Pau 26.

Forestière, rte Pau ✆ 59 05 62 28, ←, – ⇔wc ☎ P. E VISA
R 80/180 ⅃, enf. 50 – ☕ 28 – **15 ch** 200/270 – ½ p 308/426.

Dhérété, ✆ 59 05 61 01, ←, – ⫛wc ☎ P.
fermé 15 oct. au 1er déc. et lundi hors sais. – **R** 65/145, enf. 45 – ☕ 17 – **18 ch** 95/170 – ½ p 170/240.

CITROEN Rignol, à Arudy ✆ 59 05 60 23 N ✆ 59 05 72 34
PEUGEOT-TALBOT Versavaud, à Arudy ✆ 59 05 60 70
RENAULT Orensanz, à Arudy ✆ 59 05 61 93 N

LOUVIERS 27400 Eure 55 ⑯⑰ G. Normandie Vallée de la Seine – 19 413 h.

Voir Église N.-Dame★ : oeuvres d'art★ BY.

18 du Vaudreuil ✆ 32 59 02 60, NE par ② : 6,5 km.

Office de Tourisme 10 r. Mar.-Foch ✆ 32 40 04 41.

Paris 108 ③ – Les Andelys 22 ③ – Bernay 51 ⑤ – Lisieux 75 ⑤ – Mantes 50 ③ – ◆Rouen 33 ②.

Plan page suivante

Altéa Val de Reuil M, par ② : 3,5 km près échangeur A 13 - N 15 (Louviers Nord) ✉ 27100 Val de Reuil ✆ 32 59 09 09, Télex 180540, ⛱, 🎾 – 🛗 rest TV ☎ ♿ P – 🏛 80. AE ① E VISA
R carte 135 à 195 ⅃ – ☕ 38 – **58 ch** 320/395.

Host. de la Poste, 11 r. Quatre-Moulins ✆ 32 40 01 76, – 🛗 TV ⇔wc ⫛ ☎. E VISA BZ a
R *(fermé dim. soir et lundi)* 87/112, enf. 35 – ☕ 26 – **26 ch** 160/350 – ½ p 260/350.

✗✗ **Clos Normand,** 16 r. Gare ✆ 32 40 03 56 – E VISA BY e
fermé dim. midi – **R** 70/120.

à Acquigny par ④ : 5 km – ✉ 27400 Louviers :

✗✗ **L'Hostellerie,** sur D 71 ✆ 32 50 20 05, – P. E VISA.
fermé 4 au 24 août, 15 au 28 fév., dim. soir et lundi – **R** 89.

à Vironvay par ③ : 5 km – ✉ 27400 Louviers.

Voir Église ←★.

Les Saisons, ✆ 32 40 02 56, , « Pavillons dans un jardin », 🎾 – TV ⇔wc ☎ P – 🏛 30. ① E VISA
fermé 16 au 26 août et 8 au 26 fév. – **R** *(fermé lundi)* 115/220 – ☕ 33 – **10 ch** 330/370, 5 appartements 590 – ½ p 540/750.

à St-Pierre-du-Vauvray par ② : 8 km – ✉ 27430 St-Pierre-du-Vauvray :

Host. St-Pierre M, ✆ 32 59 93 29, ←, – 🛗 TV ☎ P. E VISA
fermé 10 janv. au 28 fév. – **R** *(fermé merc. midi et mardi)* 145/295 – ☕ 35 – **13 ch** 310/430 – ½ p 375/435.

CITROEN Cambour-Automobiles, 4 pl. E.-Thorel ✆ 32 40 37 01
FIAT Gar. Pillet, rte des Falaises à Le Vaudreuil ✆ 32 59 15 62
FORD Gar. Parsy, 45 r. du 11-Novembre ✆ 32 40 38 33
PEUGEOT-TALBOT Dubreuil, 4 pl. J.-Jaurès ✆ 32 40 02 28
RENAULT Duchemin, 1 pl. E.-Thorel ✆ 32 40 15 97
Rallye-Pneus, 49 r. de Paris ✆ 32 40 21 16

LOUVIERS

Foch (R. Mar.) .... BZ 7
Gaulle (R. Gén.-de) .... AZ 8
Matrey (R. du) .... AZ 14
Quai (R. du) .... BY

Anc. Combattants d'Afrique du N. (R. des) BY 2
Beaulieu (R. de) .... AZ 3
Citadelle (R. de la) ..... AY 5
Dr-Postel (Av. du) ..... BZ 6
Halle (Pl. de la) .... AZ 9
Hôtel-de-Ville (R. de) .. AY 12

Jaurès (Pl. Jean) .... BZ 13
Pénitents (R. des) ...... BY 16
Porte-de-l'Eau (Pl.) .... BY 17
Poste (R. de la) .... BY 18
St-Jean (R.) .... BZ 21
Thorel (Pl. E.) .... AY 22
Vexin (Chaussée du) ... BY 24

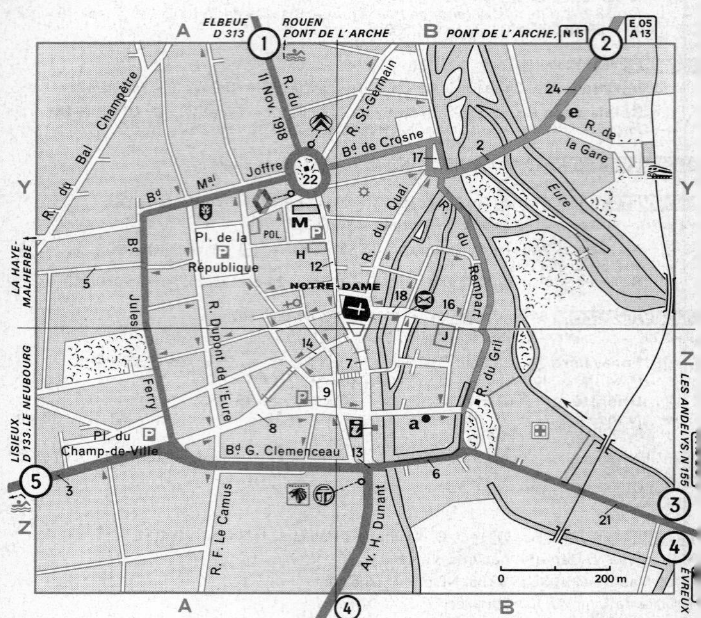

LOUVIGNÉ-DU-DÉSERT 35420 I.-et-V. 59 ⑲ – 4 467 h.

Paris 293 – Alençon 103 – Dol-de-Bretagne 51 – Fougères 16 – Mayenne 50.

Manoir, pl. Ch.-de-Gaulle ✆ 99 98 53 40, Télex 741235, – wc wc ☎ Ⓟ. E VISA. ch – *fermé 12 janv. au 15 fév., dim. soir et lundi d'oct. à fin mai* – **R** 70/170 – 22 – **20 ch** 160/180 – ½ p 190/240.

RENAULT Couasnon, ✆ 99 98 01 24

LOUVIGNY 14 Calvados 55 ⑪ – rattaché à Caen.

LOYETTES 01980 Ain 74 ⑬ – 1 713 h.

Paris 468 – Bourg-en-Bresse 52 – Bourgoin-Jallieu 28 – ♦Lyon 33 – La Tour-du-Pin 43 – Vienne 49.

XXX ✿ **Terrasse** (Antonin), pl. Église ✆ 78 32 70 13, ←, – AE E VISA
fermé vacances de nov., 8 au 28 fév., dim. soir et lundi – **R** (dim. et fêtes prévenir) 150/340
Spéc. Foie gras de canard, Volaille de Bresse aux petits légumes, Gibier (saison). **Vins** Montagnieu, Seyssel.

LUBBON 40 Landes 79 ⑫⑬ – 95 h. – ✉ 40240 La Bastide d'Armagnac.

Paris 686 – Aire-sur-l'Adour 59 – Condom 54 – Mont-de-Marsan 49 – Nérac 35.

Au Bon Coin (chez Jeanne), D 933 ✆ 58 93 60 43, – Ⓟ
fermé 2 sept. au 2 oct., vend. soir et sam. sauf juil.-août – **R** 50/176 – 18 – **14 ch** 66/90 – ½ p 138.

LUBERSAC 19210 Corrèze 75 ⑧ **G. Berry Limousin** – 2 441 h.

Paris 449 – Brive-la-Gaillarde 58 – ♦Limoges 53 – Périgueux 74 – Tulle 49.

Le Rubeau, rte Limoges ✆ 55 73 56 57 – . E VISA. ch
fermé nov. (sauf rest.) et week-ends de janv. à mai – **R** 50/92 – 18 – **14 ch** 78/185 – ½ p 110/120.

PEUGEOT-TALBOT Gar. Ravel Daniel, ✆ 55 73 57 68 RENAULT Sudrie, ✆ 55 73 55 41

Le LUC 83340 Var 84 ⑯ – 6 068 h.

Office de Tourisme pl. Verdun ℘ 94 60 74 51.

Paris 835 – Cannes 75 – Draguignan 28 – St-Raphaël 43 – Sainte-Maxime 49 – ♦Toulon 53.

XXX **Host. du Parc** avec ch, r. J.-Jaurès ℘ 94 60 70 01, ⛱, – TV wc wc. P. AE ① E VISA
fermé 25 avril au 6 mai, 13 nov. au 15 déc., lundi soir et mardi sauf 14 juil.-15 août – **R** 140/220 – ☕ 30 – **12 ch** 140/320.

à l'Ouest : 4 km par N 7 – ✉ **83340** Le Luc :

La Grillade au feu de bois M ⑤, ℘ 94 69 71 20, antiquités, <, ⛱, parc, – TV wc wc ☎ P. AE ① E VISA
R (nombre de couverts limité - prévenir) 140 – ☕ 30 – **9 ch** 250/330 – 1/2 p 295/335.

LUCÉ 28 E.-et-L. 60 ⑦, 196 ㉛ – rattaché à Chartres.

LUC-EN-DIOIS 26310 Drôme 77 ⑭ – 473 h.

Paris 646 – Die 19 – Gap 76 – Nyons 66 – Serres 46 – Valence 84.

Levant, ℘ 75 21 33 30, ⛱, – wc P
1er fév.-30 sept. – **R** 68/115 ♁, enf. 39 – ☕ 18 – **17 ch** 98/195 – 1/2 p 155/210.

LUCHÉ-PRINGÉ 72 Sarthe 64 ③ **G. Châteaux de la Loire** – 1 433 h. – ✉ **72800** Le Lude.

Paris 240 – La Flèche 13 – Le Lude 10 – ♦Le Mans 39.

Aub. du Port des Roches ⑤, au Port des Roches E : 2 km par D 13 et D 214 ℘ 43 45 44 48, – wc P. ① E VISA.
fermé en oct., dim. soir et lundi hors sais. – **R** 60/150 – ☕ 20 – **12 ch** 140/220 – 1/2 p 180/210.

LUCHON 31 H.-Gar. 85 ⑳ **G. Pyrénées Aquitaine** – 3 602 h. alt. 630 – Stat. therm. (28 mars-21 oct.) – Sports d'hiver à Superbagnères : 1 440/2 260 m 17 – Casino : Y – ✉ **31110** Bagnères-de-Luchon.

Voir Route de Peyresourde★ O.

Env. Vallée du Lys★ SO : 5,5 km par D 125 et D 46.

9 ℘ 61 79 03 27 X.

Office de Tourisme 18 allées Étigny ℘ 61 79 21 21, Télex 530139.

Paris 879 ① – Bagnères-de-Bigorre 70 ③ – St-Gaudens 47 ① – Tarbes 89 ① – ♦Toulouse 136 ①.

Corneille ⑤, 5 av. A.-Dumas ℘ 61 79 36 22, Télex 520347, <, ⛱, « Résidence dans un parc, beaux aménagements intérieurs » – ☎ P. AE ① E VISA. rest Y **u**
1er avril-21 oct. – **R** 95/110, enf. 60 – ☕ 25 – **52 ch** 280/450, 3 appartements 700 – 1/2 p 260/450.

Le Sacaron sans rest, 65 allées d'Etigny ℘ 61 79 30 40 – wc ☎ P – 100. AE ① E VISA Y **b**
juin-sept. – ☕ 24 – **32 ch** 165/247.

Bains, 75 allées Étigny ℘ 61 79 00 58, Télex 521437 – wc wc. AE VISA. YZ **e**
1er fév.-20 oct. – **R** 83 – ☕ 25 – **52 ch** 150/240 – 1/2 p 235/330.

Paris, 9 cours Quinconces ℘ 61 79 13 70 – TV wc wc ☎ P. E VISA. rest Z **v**
1er mai-21 oct. et vacances scolaires – **R** 77 – ☕ 25 – **36 ch** 210 – 1/2 p 260/300.

tourner →

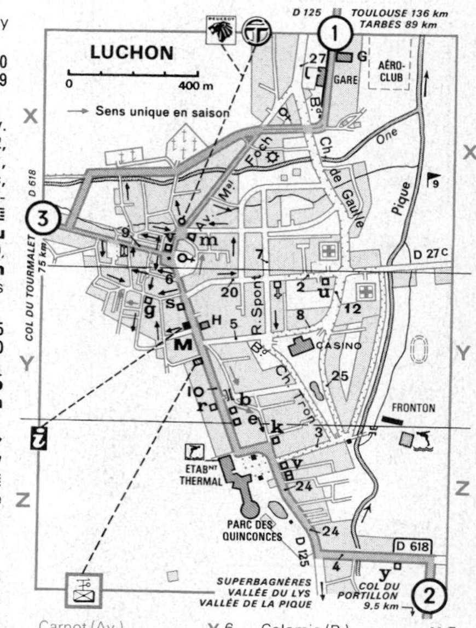

Carnot (Av.) . . . . Y 6
Dr-Germès (R. du) . . . . X 9
Étigny (Allées d') . . . . . Y 10

Alexandre-Dumas (Av.) Y 2
Bains (Allées des) . . . . Z 3
Barrau (Av. J.) . . . . Z 4
Boularan (R. Jean) . . . . Y 5
Colomic (R.) . . . . X 7
Dardenne (Bd) . . . . Y 8
Fontan (Bd Amédée) . . Y 12
Lamartine (R.) . . . . Y 20
Quinconces (Cours des) . . . . Z 24
Rostand (Bd Edmond) . Y 25
Toulouse (Av. de) . . . . . X 27

Étigny, face Établt thermal ☎ 61 79 01 42, ⇐ – 🛗 ⊟wc ⋒wc ☎. VISA. ✗ rest
28 mars-21 oct. – **R** 75/85 – ☕ 24 – **58 ch** 185/270 – ½ p 235/330. Z k

Métropole, 40 allées Étigny ☎ 61 79 38 00 – 🛗 ⊟wc ⋒wc ☎. ✗ rest Y r
fin mars-20 oct., vacances de Noël et de fév. – **R** 80 – ☕ 22 – **60 ch** 125/200 – ½ p 180/220.

Royal H., 1 cours Quinconces ☎ 61 79 00 62 – 🛗 ⊟wc ⋒ ☎. E VISA. ✗ rest
25 mai-5 oct. – **R** 75 – ☕ 20 – **48 ch** 95/185 – ½ p 160/200. Z v

Beau Site, 11 cours Quinconces ☎ 61 79 02 71, ⇐ – 🛗 ⊟wc ☎ Ⓟ. ✗ rest
1er mai-15 oct. – **R** 70/80 – ☕ 20 – **24 ch** 180/220 – ½ p 260/280. Z v

Panoramic sans rest, 6 av. Carnot ☎ 61 79 30 90 – 🛗 TV ⊟wc ⋒wc ☎ Ⓟ. E VISA X v
fermé 15 nov. au 10 déc. – ☕ 25 – **30 ch** 150/280.

La Rencluse, à St-Mamet ✉ 31110 Bagnères-de-Luchon ☎ 61 79 02 81, ⇐ – ⊟wc ⋒wc ☎ Ⓟ. E VISA. ✗ rest Z y
1er mai-6 oct. et vacances scolaires – **R** 52/87 – ☕ 20 – **30 ch** 110/190 – ½ p 182/262.

Deux Nations, 5 r. Victor-Hugo ☎ 61 79 01 71 – 🛗 ⋒wc ☎ 🚗 Y g
27 ch.

Concorde, 12 allées Étigny ☎ 61 79 00 69 – 🛗 ⊟wc ☎. AE E VISA. ✗ rest
fermé 20 oct. au 20 déc. – **R** 65/98 🌡 – ☕ 24 – **22 ch** 100/200 – ½ p 160/225. Y s

Henri Sors, 1 av. Carnot ☎ 61 79 00 47, ⇐ – 🛗 ⋒wc. ✗ rest X m
27 mars-18 oct. – **R** 80/85 – ☕ 17 – **45 ch** 58/193.

CITROEN Bardaji, av. Rémy-Comet par av. de Toulouse X ☎ 61 79 16 93 N

PEUGEOT-TALBOT Gar. Bedin, pl. Comminges ☎ 61 79 01 35

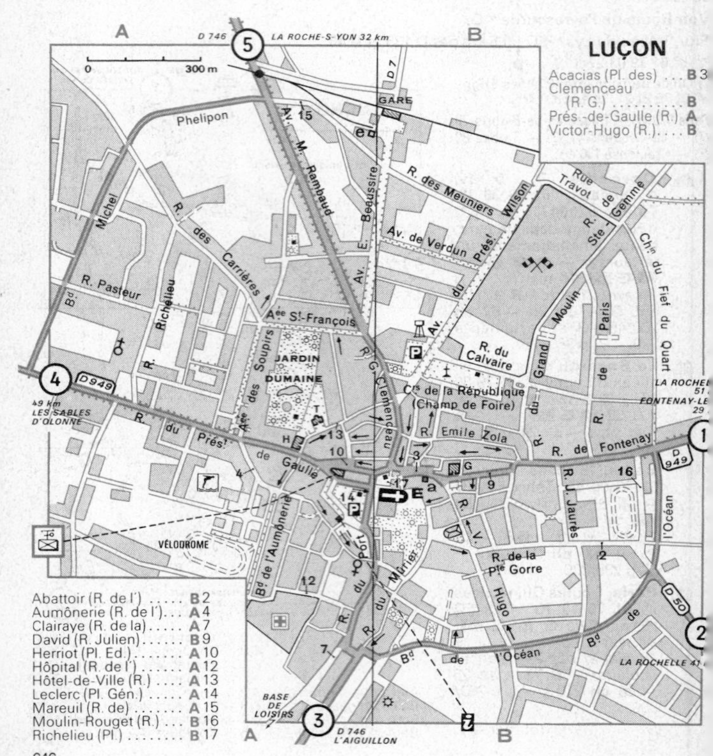

LUÇON 85400 Vendée **71** ⑪ **G. Poitou Vendée Charentes** – 9 500 h.

Voir Cathédrale N.-Dame★ B E – Jardin Dumaine★ A.

Office de Tourisme 7 pl. Gén.-Leclerc ✆ 51 56 36 52.

Paris 436 ① – Cholet 84 ① – Fontenay-le-C. 29 ① – La Rochelle 41 ② – La Roche-sur-Yon 32 ⑤.

Plan page ci-contre

Bordeaux et rest Les Saisons M, 14 pl. Acacias ✆ 51 56 01 35 – rest TV wc ☎. AE ⓓ E VISA. ch B **a**
fermé dim. soir du 1er sept. au 15 juin – **R** *(fermé 15 sept. au 6 oct., dim. soir et lundi soir du 1er sept. au 15 juin)* 80/180, enf. 42 – 25 – **24 ch** 190/280 – $^1/_2$ p 270.

Voyageurs, pl. Gare ✆ 51 56 11 71 – . AE E VISA A **e**
fermé vacances de printemps, sam. soir et dim. du 1er sept. au 30 juin – **R** 55/120 – 18 – **12 ch** 80/125 – $^1/_2$ p 152/192.

CITROEN Gar. Murs, rte de Fontenay par ① ✆ 51 56 01 29
FORD Gar. Verger, 2 quai Ouest ✆ 51 56 01 17
RENAULT Gar. Rallet, rte Fontenay par ① ✆ 51 56 18 21
Luçon-Pneus, 18 pl. de la Poissonnerie ✆ 51 56 89 63

LUC-SUR-MER 14530 Calvados **54** ⑯ **G. Normandie Cotentin** – 2 609 h. – Casino.

Voir Parc municipal★.

Syndicat d'Initiative pl. Petit-Enfer (15 juin-15 sept.) ✆ 31 97 33 25.

Paris 254 – Arromanches 22 – Bayeux 28 – Cabourg 29 – ◆Caen 16.

Beau Rivage, ✆ 31 96 49 51, <, – TV wc fl wc ☎ P. E VISA. ch
22 mars-30 sept. – **R** 65/195, enf. 46 – 25 – **22 ch** 120/250 – $^1/_2$ p 220/320.

CITROEN François, ✆ 31 97 31 04
FIAT Gar. Cord'homme, pl. de l'Étoile ✆ 31 97 32 05

Le LUDE 72800 Sarthe **64** ③ **G. Châteaux de la Loire** – 4 495 h.

Voir Château★★ (spectacle son et lumière★★★).

Syndicat d'Initiative pl. F.-de-Nicolay (Pâques-sept.) ✆ 43 94 62 20.

Paris 242 – Angers 62 – Chinon 62 – La Flèche 20 – ◆Le Mans 44 – Saumur 47 – Tours 52.

Maine, 24 av. Saumur ✆ 43 94 60 54, – TV wc fl wc ☎ P. AE ⓓ E VISA
R *(fermé 11 au 22 sept., 20 déc. au 20 janv. et lundi midi en hiver)* 65/140 – 24 – **24 ch** 110/250 – $^1/_2$ p 200/250.

La Renaissance, 2 av. Libération ✆ 43 94 63 10 – VISA
fermé 5 au 15 oct., dim. soir et lundi – **R** 53/138, enf. 35.

PEUGEOT-TALBOT Virfollet, rte de Tours ✆ 43 94 63 86 N
RENAULT Gar. Charpentier, av. de Talhouet ✆ 43 94 63 13 N
V.A.G. Grosbois, à La Pointe ✆ 43 94 60 89 N ✆ 43 94 90 49

LUGAGNAN 65 H.-Pyr. **85** ⑱ – rattaché à Lourdes.

LUGOS 33 Gironde **78** ③ – 415 h. – ✉ **33830** Belin.

Paris 644 – Arcachon 42 – ◆Bayonne 138 – ◆Bordeaux 54.

La Bonne Auberge , ✆ 56 58 40 34, , – wc fl wc P. E VISA
fermé nov. et dim. soir hors sais. – **R** 55/200, enf. 35 – 20 – **17 ch** 100/130 – $^1/_2$ p 165.

LUGRIN 74 H.-Savoie **70** ⑱ – 1 417 h. – ✉ **74500** Évian.

Voir Site★ de Meillerie E : 4 km, G. Alpes du Nord.

Paris 584 – Annecy 90 – Évian-les-Bains 6 – St-Gingolph 11.

Tour Ronde, à Tourronde NO : 1,5 km ✆ 50 76 00 23, < – wc fl wc P. rest
fin janv.-mi oct. et fermé dim. soir et lundi de fév. à fin mai – **R** 56/120 – 16,50 – **26 ch** 107/189 – $^1/_2$ p 129/156.

LULLIN 74 H.-Savoie **70** ⑰ – 469 h. alt. 850 – Sports d'hiver : 1 050/1 350 m 5 – ✉ **74470** Bellevaux.

Paris 576 – Annecy 70 – Bonneville 40 – ◆Genève 41 – Thonon-les-Bains 18.

Poste, ✆ 50 73 81 10, – wc fl wc.
1er juin-20 sept. et 20 déc.-vacances de printemps – **R** 60/120, enf. 45 – 18 – **24 ch** 100/130 – $^1/_2$ p 140/150.

LUMBRES 62380 P.-de-C. 51 ③ – 4 352 h.

Paris 258 – Aire 26 – Arras 86 – Boulogne-sur-Mer 40 – Hesdin 42 – Montreuil 48 – St-Omer 13.

XXX ✿ **Moulin de Mombreux** (Gaudry) avec ch, O : 2 km par N 42 et VO 16 ✆ 21 39 62 44, parc, « Ancien moulin au bord de l'eau » – ☎ P. AE ◑ E VISA
fermé 20 déc. au 4 janv. – **R** (dim. prévenir) 173/288 – ☕ 38 – **28 ch** 150/550
Spéc. Persillé de homard et ris de veau, Vinaigrette de bar aux poireaux, Gibier (saison).

RENAULT Gar. Pouchain, 68 r. H.-Russel ✆ 21 39 63 54 N
RENAULT Gar. Basquin, rte Nationale ✆ 21 39 64 25 N
V.A.G. Gar. Rebergue Stoppe, 20 rte Nationale ✆ 21 39 64 32

LUNAS 34 Hérault 83 ④ – rattaché à Lodève.

LUNEL 34400 Hérault 83 ⑧ – 15 716 h.

ℹ Office de Tourisme pl. Martyrs-de-la-Résistance ✆ 67 71 01 37.

Paris 738 ② – Aigues-Mortes 15 ③ – Alès 55 ① – Arles 46 ② – ♦Montpellier 25 ④ – Nîmes 31 ②.

La Clausade ⛰, 456 av. Col.-Simon **(e)** ✆ 67 71 05 69, ⛱, – ⛀wc ☎ P. E VISA. ✿
fermé 24 déc. au 8 janv. – **R** *(fermé sam. et dim.)* 63/125 🍷 – ☕ 22 – **10 ch** 175/230.

au Pont de Lunel par ② : 3,5 km sur N 113 – ✉ **34400** Lunel :

Les Mimosas, ✆ 67 71 25 40 – TV ⛀wc ⛆ ☎ ♿ P – 🏊 50. AE ◑ E VISA
fermé 20 déc. au 20 janv. – **R** 60/134 – ☕ 28 – **25 ch** 170/235.

CITROEN Brunel, av. Gén.-Sarrail ✆ 67 71 11 48
PEUGEOT TALBOT Gar. du Midi, 10 r. Edgar-Quinet ✆ 67 71 11 10
RENAULT Figère, rte de la Mer par ③ ✆ 67 71 00 06
V.A.G. Gar. des Fournels, rte Montpellier, Zone Ind. ✆ 67 71 10 59

◉ Lunel-Pneus, Zone Ind. Fournels, rte Montpellier ✆ 67 71 14 95
Mateu, 103 bd du Gén.-de-Gaulle ✆ 67 71 11 75

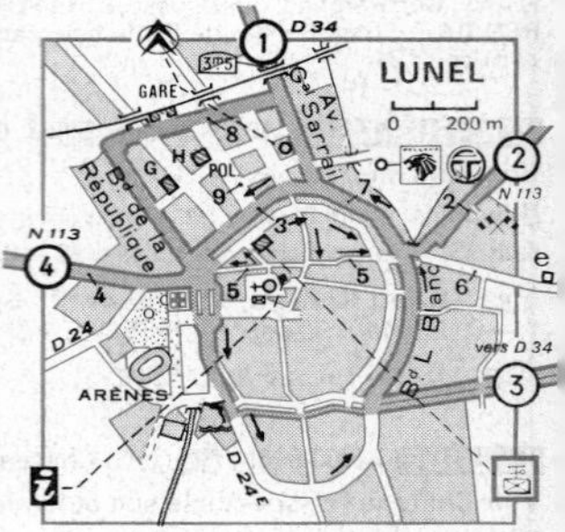

Gaulle (Av. Gén.-de) .. 2
Lafayette (Bd) 3
Lattre-de-Tassigny (Av. de) 4
Libération (R.) .. 5
Simon (Av. Col.) 6
Strasbourg (Bd) 7
Verdun (R.) 8
V-Hugo (Av.) ... 9

LUNÉVILLE ⟨SP⟩ 54300 M.-et-M. 62 ⑥ **G. Alsace et Lorraine** – 23 231 h.

Voir Château★ Z – **Parc des Bosquets★** Z – **Boiseries★ de l'église St-Jacques** Z **B.**

ℹ Office de Tourisme au Château ✆ 83 74 06 55 – A.C. 38 r. d'Alsace ✆ 83 74 06 67.

Paris 336 ⑤ – Épinal 61 ④ – ♦Metz 78 ① – ♦Nancy 35 ⑤ – Neufchâteau 83 ⑤ – St-Dié 50 ③ – St-Dizier 132 ⑤ – Sarreguemines 93 ① – ♦Strasbourg 127 ② – Vittel 75 ④.

Plan page ci-contre

Des Pages ⛰ sans rest, 8 r. Chanzy ✆ 83 74 11 42 – ⛀wc ⛆wc ☎ P. AE E VISA
☕ 16 – **27 ch** 140/188. Z **u**

XX **Le Voltaire** avec ch, 8 av. Voltaire ✆ 83 74 07 09, – ⛀wc ⛆wc ☎. AE ◑ E VISA Y **b**
R *(fermé dim. soir et lundi)* 80/290 🍷 – ☕ 20 – **10 ch** 138/178 – ½ p 200/220.

à Moncel-lès-Lunéville par ③ : 2,5 km – ✉ **54300** Lunéville :

X **Relais St Jean,** N 59 ✆ 83 74 08 65 – P. VISA. ✿
fermé 24 déc. au 1er janv., merc. soir et dim. – **R** 89/130.

au Sud : 5 km par av. Georges Pompidou et les cités Ste-Anne – ✉ **54300** Lunéville :

XXX ✿ **Château d'Adomenil** (Million) M ⛰ avec ch, ✆ 83 74 04 81, ⛱, « Parc » – TV ⛀wc ☎ P – 🏊 25. AE ◑ E VISA
fermé 25 janv. au 25 fév., dim. soir et lundi – **R** (nombre de couverts limité-prévenir) 180/350 – ☕ 50 – **4 ch** 500/600
Spéc. Salade de grenouilles à la menthe, Sandre aux lardons et gris de Toul, Soufflé chaud à la mirabelle. **Vins** Côtes de Toul.

à Lamath S : 8 km par ④ – ✉ **54300** Lunéville :

XX **Aub. de la Mortagne,** ✆ 83 73 06 85 – P. E VISA
fermé 18 août au 4 sept., 16 au 31 janv., dim. soir, merc. et soirs de fêtes – **R** 95 bc/165.

CITROEN Nouveau Gar., 24 quai Selestat ✆ 83 73 00 75
OPEL Gar. du Champ de Mars, à Chanteheux ✆ 83 74 11 13
PEUGEOT-TALBOT S.A.M.I.A., r. de la Pologne ✆ 83 73 10 78
RENAULT SODIAL, 95 fg de Menil ✆ 83 74 15 01 N
V.A.G. Gar. Fleurantin, ZAC à Chanteheux ✆ 83 73 40 75

◉ Lunéville Inter Pneu Sces, rte de Contournement ✆ 83 74 04 30

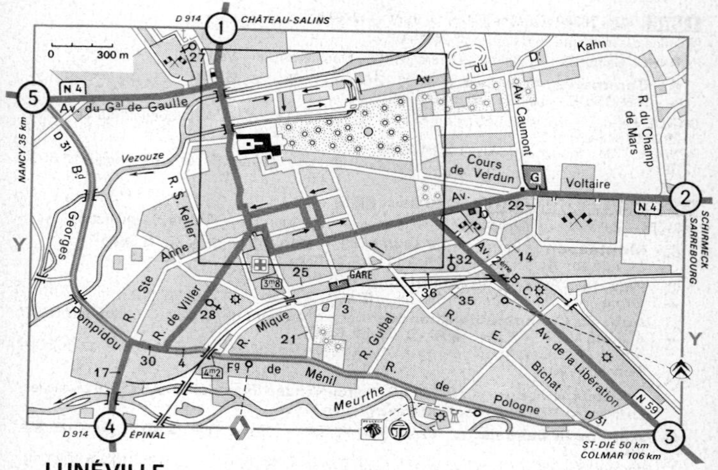

LUNÉVILLE

Banaudon (R.)	Z 2
Carnot (R.)	Z 6
Castara (R.)	Z 7
Chanzy (R.)	Z 9
Charité (R. de la)	Z 10
Gambetta (R.)	Z 15
Leclerc (R. Gén.)	Z 18
Léopold (Pl.)	Z 20
Bénédictins (R. des)	Y 3
Braux (R. E.)	Y 4
Château (R. du)	Z 13
Ferry (R. L.)	Y 14
Gerbeviller (Av. de)	Y 17
Menil (R. de)	Y 21
Parmentier (R. F.)	Y 22
République (R.)	Z 24
Rivolet (R.)	Y 25
St-Jacques (⊞)	Z B
St-Léopold (⊞)	Y 27
St-Maur (⊞)	Y 28
St-Maur (R.)	Y 30
St-Rémy (Pl.)	Z 31
Ste-J.-d'Arc (⊞)	Y 32
Sarrebourg (R. de)	Z 34
Sélestat (Q. de)	Y 35
Strasbourg (Q. de)	Y 36
Viller (R. de)	Z 38
2e-Div.-de-Cavalerie (Pl. de la)	Z 39

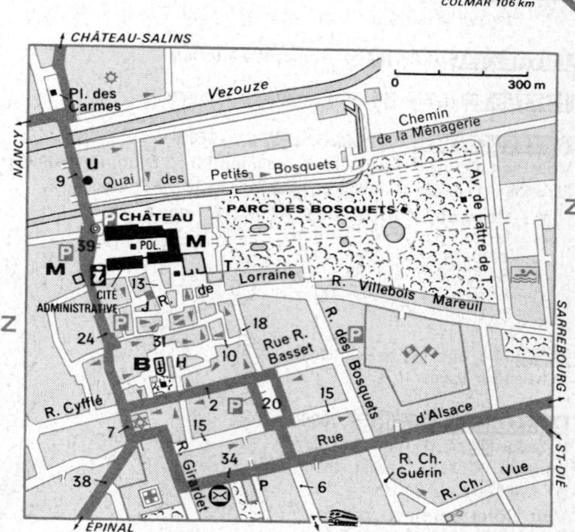

Utilisez toujours les **cartes Michelin** récentes.
Pour une dépense minime vous aurez des informations sûres.

LUPPÉ-VIOLLES 32 Gers 82 ② – 136 h. – ✉ **32110** Nogaro.

Paris 726 – Auch 70 – Condom 55 – Mont-de-Marsan 37 – Roquefort 43 – Tarbes 66.

XX **Relais de l'Armagnac** avec ch, ✆ 62 08 95 22, ☂, ☂ – ⇔wc ⋒ ☎ Ⓟ – 🏦 25. AE E VISA. ✻
fermé 1er janv. au 15 fév., dim. soir et lundi du 1er oct. au 31 mai – **R** 65/230 ♨, enf. 45 – ☕ 35 – **10 ch** 140/220 – 1/2 p 195/240.

LURBE-ST-CHRISTAU 64 Pyr.-Atl. 85 ⑥ **G. Pyrénées Aquitaine** – 250 h. – Stat. therm. à St-Christau (avril-28 nov.) – ✉ **64660** Asasp.

Paris 831 – Laruns 32 – Lourdes 61 – Oloron-Ste-Marie 9 – Pau 42 – Tardets-Sorholus 28.

🏨 **Relais de la Poste et H. du Parc** 🐎, à **St-Christau** ✆ **59 34 40 04**, Télex 550656, <, parc, ⛱, ✕ – 🛗 cuisinette ⇔wc ☎ Ⓟ – 🏦 30 à 80. E VISA. ✻ rest
1er avril-28 nov. – **R** 70/95 – ☕ 20 – **43 ch** 180/335 – 1/2 p 227/351.

🏨 **Vallées,** ✆ 59 34 40 01, ⛱, ☂ – ⇔wc ☎ Ⓟ – 🏦 25 à 200
fermé 11 janv. au 25 mars – **R** 44/120 – ☕ 13,50 – **21 ch** 82/170 – 1/2 p 125/145.

LURE 70200 H.-Saône 66 ⑦ **G. Jura** – 10 497 h.

Office de Tourisme 35 r. Carnot ✆ 84 62 80 52.

Paris 406 – Belfort 33 – Épinal 74 – Gérardmer 66 – Montbéliard 35 – Vesoul 30.

- **Commerce,** 40 pl. Gare ✆ 84 30 12 63 – TV wc ☎. E VISA
  R 60/165 – 19 – **30 ch** 90/200.

CITROEN Gd Gar. des Allées, 65 r. Carnot ✆ 84 30 23 23 N ✆ 84 30 21 27
RENAULT Gar. Pierrat, à Mélisey ✆ 84 20 83 12 N

RENAULT J.C.B. Automobiles, rte de Belfort ✆ 84 30 22 34

Hyper Pneus, av. de la République ✆ 84 30 17 08

LUSSAC-LES-CHÂTEAUX 86320 Vienne 68 ⑮ – 2 224 h.

Paris 355 – Bellac 42 – Châtellerault 51 – Montmorillon 12 – Niort 110 – Poitiers 36 – Ruffec 65.

- **Montespan** M sans rest, ✆ 49 48 41 42 – wc wc ☎ ♿ P. E VISA
  fermé sam. hors sais. – 18 – **13 ch** 130/171.
- **Paix,** face Église ✆ 49 48 40 81 – rest
  fermé lundi du 15 oct. au 15 mars – **R** 48/80 – 14 – **7 ch** 75/112.
- **Aub. du Connestable Chandos** avec ch, au pont de Lussac O : 2 km sur N 147
  ✆ 49 48 40 24 – wc ☎ P. AE E VISA
  fermé 14 au 28 nov., 20 fév. au 13 mars et lundi sauf fériés – **R** 62/190 – 16,50 – **7 ch** 110/140.

à Civaux NO : 6 km sur D 749 - **G. Poitou Vendée Charentes** – ✉ **86320** Lussac-les-Châteaux – **Voir Nécropole mérovingienne★.**

- **Aub. de la Cascade,** ✆ 49 48 45 04, ←, – wc wc ☎ P – 40. E VISA.
  fermé 15 au 30 nov., fév. et vend. d'oct. à mars – **R** 75/182 – 18 – **21 ch** 107/216.

LUTHÉZIEU 01 Ain 74 ④ – rattaché à Artemare.

LUTTER 68 H.-Rhin 66 ⑩⑳ – rattaché à Ferrette.

LUTZELBOURG 57820 Moselle 62 ⑧ – 768 h.

Voir Plan incliné★ de St-Louis-Arzviller SO : 3,5 km, **G. Alsace et Lorraine.**

Paris 438 – Lunéville 74 – ♦Metz 113 – Saverne 10 – ♦Strasbourg 49.

- **Vosges,** ✆ 87 25 30 09 – wc ☎. E VISA
  fermé 16 janv. au 18 mars et merc. sauf juil.-août – **R** 45/140, enf. 35 – 17,50 – **13 ch** 120/200 – $^1/_2$ p 100/170.

LUX 71 S.-et-L. 69 ⑨ – rattaché à Chalon-sur-Saône.

LUXEUIL-LES-BAINS 70300 H.-Saône 66 ⑥ **G. Alsace et Lorraine** – 10 531 h. – Stat. therm. (11 avril-22 oct.) – Casino.

Voir Hôtel Cardinal Jouffroy★ B – Hôtel des Échevins★ M – Anc. Abbaye St-Pierre★ E – Maison François 1er★ F.

Office de Tourisme 1 r. Thermes ✆ 84 40 06 41.

Paris 370 ⑤ – Belfort 51 ③ – Épinal 50 ① – St-Dié 83 ① – Vesoul 28 ③ – Vittel 71 ⑤.

- **Beau Site,** 18 r. G. Moulimard **(u)** ✆ 84 40 14 67, « Jardin fleuri » – TV wc wc ☎ P. E VISA. rest
  fermé 23 déc. au 1er janv.; vend. soir et sam. du 4 nov. au 1er avril – **R** 68/190 – 18 – **40 ch** 110/260 – $^1/_2$ p 180/260.
- **Métropole** sans rest, r. Thermes **(e)** ✆ 84 40 03 67, – cuisinette wc wc ☎
  1er mai-30 sept. – 19,50 – **65 ch** 160/221.

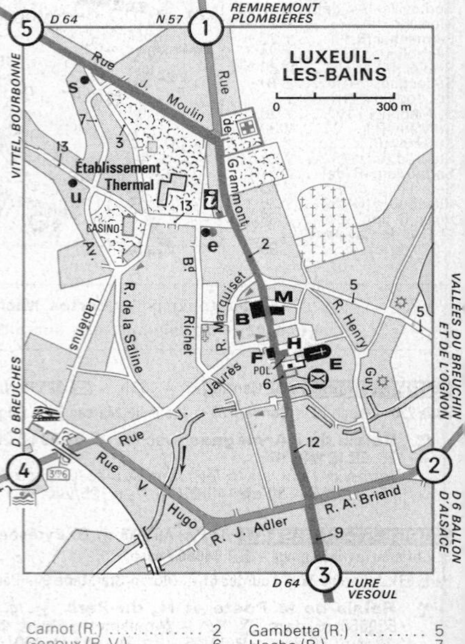

France, 6 r. G. Clemenceau **(s)** ✆ 84 40 13 90, – wc wc . AE E VISA
fermé vend. soir et dim. soir du 1er nov. au 1er avril – **R** 55/150 , enf. 30 – 22 – **22 ch** 85/230 – 1/2 p 150/225.

Thermes, 4 r. Thermes **(e)** ✆ 84 40 18 94, – E VISA.
fermé 15 au 30 oct., merc. soir en été, dim. soir et sam. en hiver – **R** 49/115.

AUSTIN-ROVER-OPEL Gar. Marchal, 5 r. du Parc ✆ 84 40 11 80
RENAULT Brunella, à Froideconche par ② ✆ 84 40 48 88 N ✆ 84 40 16 99
V.A.G. Hajmann, r. Martyrs de la Résistance ✆ 84 40 23 17
La Maison du Pneu Mariotte, r. des Martyrs de la Résistance ✆ 84 40 27 01

LUXEY 40 Landes **78** ⑪ **G. Pyrénées Aquitaine** – 731 h. – ✉ **40430** Sore.
Paris 665 – Belin 50 – ♦Bordeaux 77 – Langon 54 – Mimizan 73 – Mont de Marsan 43 – Roquefort 37.

Relais de la Haute Lande avec ch, ✆ 58 08 02 30 – wc . E VISA
fermé 15 janv. au 20 fév., dim. soir et lundi – **R** 65/180 – 15 – **11 ch** 115/160 – 1/2 p 110/130.

LUYNES 37230 I.-et-L. **64** ⑭ **G. Châteaux de la Loire** – 3 925 h.
Voir Église★ au Vieux-Bourg de St-Etienne de Chigny O : 3 km.
Syndicat d'Initiative à la Mairie ✆ 47 55 50 31.
Paris 247 – Angers 97 – Château-La-Vallière 28 – Chinon 45 – Langeais 14 – Saumur 55 – ♦Tours 13.

✿ **Domaine de Beauvois** , NO : 4 km par D 49 ✆ **47 55 50 11, Télex 750204**, ←, parc, , – – 40. E VISA. rest
fermé mi-janv. à mi-mars – **R** 215/315 – 58 – **28 ch** 760/1195, 9 appartements 1290/1785 – 1/2 p 560/910
Spéc. Goujonnettes de sole et langoustines, Suprême de "cou-nu" farci aux cèpes, Gourmandise glacée aux groseilles (saison). **Vins** Chinon, Touraine-Azay-le-Rideau.

LUZARCHES 95270 Val-d'Oise **56** ⑪, **196** ⑧ **G. Environs de Paris** – 2 559 h.
Paris 32 – Chantilly 10 – Montmorency 18 – Pontoise 30 – St-Denis 21.

Château de Chaumontel , à Chaumontel NE : 0,5 km ✆ (1) 34 71 00 30, Télex 609730, ←, , « Parc ombragé et fleuri » – wc – 40 à 100. AE E VISA
R 147 – 30 – **20 ch** 160/600.

LUZ-ST-SAUVEUR 65120 H.-Pyr. **85** ⑱ **G. Pyrénées Aquitaine** – 1 159 h. alt. 711 – Sports d'hiver : 1 680/2 450 m 18.
Voir Église fortifiée★ – Vallée de Gavarnie★★ S.
Office de Tourisme pl. 8-Mai ✆ 62 92 81 60, Télex 530420.
Paris 833 – Argelès-Gazost 18 – Cauterets 22 – Lourdes 31 – Tarbes 51.

Europe sans rest, D 921 ✆ 62 92 80 02, – wc . AE.
15 juin-10 sept. – 19 – **25 ch** 110/190.

à Esquièze-Sère : au Nord – ✉ **65120** Luz-St-Sauveur :

Touristic, ✆ 62 92 82 09, – wc wc . VISA
ouvert vacances scolaires d'été, d'hiver et week-ends – **R** (dîner seul.) 80/190, enf. 40 – 25 – **25 ch** 160/280.

Le Montaigu , rte Vizos ✆ 62 92 81 71, Télex 521959, ←, – wc wc . E VISA. rest
15 mai-15 oct. et 15 déc.-30 avril – **R** 80/120 – 30 – **41 ch** 250/350 – 1/2 p 240/300.

LUZY 58170 Nièvre **69** ⑥ **G. Bourgogne** – 2 807 h.
Env. Ternant : triptyques★★ dans l'église SO : 14 km.
Paris 310 – Autun 34 – Chalon-sur-Saône 83 – Moulins 64 – Nevers 78 – Roanne 100.

Ecole Buissonnière, NE : 6,5 km par N81 ✆ **86 30 44 00**, , – . E VISA
fermé fév. et mardi du 1er oct. au 31 mai – **R** 70/170 , enf. 38.

CITROEN Gar. Lemoine, ✆ 86 30 06 61
FIAT Gar. Poynter, ✆ 86 30 06 86
PEUGEOT-TALBOT Bondoux, ✆ 86 30 01 53
PEUGEOT-TALBOT Gar. Doridot, ✆ 86 30 01 21
RENAULT Deline, ✆ 86 30 00 00
RENAULT Cyrille, ✆ 86 30 04 77

Routes enneigées
Pour tous renseignements pratiques, consultez les cartes Michelin **« Grandes Routes » 998, 999, 915** ou **989**.

LYON P **69000** Rhône **74** ⑪⑫ **G. Vallée du Rhône** – 418 476 h. Communauté urbaine 1 173 797 h.

Voir Site*** – **Le Vieux Lyon**** BX : **rue Juiverie*** 65, **rue St-Jean*** 92, **hôtel de Gadagne* M1, Maison du Crible* D** – **Primatiale St-Jean*** : **choeur**** BX – **Basilique N.-D.-de-Fourvière** ※**, ←* BX – **Chapiteaux*** de la **Basilique St-Martin d'Ainay** BYZ – **Tour-lanterne*** de l'**église St-Paul** BV – **Vierge à l'Enfant*** dans l'**église St-Nizier** CX – **Parc de la Tête d'Or*** HRS : **roseraie* R** – **Fontaine*** de la **Place des Terreaux** CV – **Traboules*** du **Quartier Croix-Rousse** CUV – **Arches de Chaponost*** FT - **Montée de Garillan*** BX – **Théâtre de Guignol** BX **N** – **Musées : des Tissus***** CZ **M2, Civilisation gallo-romaine** (table claudienne***)** BX **M3, Beaux-Arts**** CV **M4, Arts décoratifs**** CZ **M5, Imprimerie et Banque**** CX **M6** , **Guimet d'histoire naturelle*** DU **M7, Marionnette*** BX **M1, Historique* : lapidaire*** BX **M1, Apothicairerie* (Hospices civils)** CY **M8.**

Env. Rochetaillée : Musée de l'automobile Henri Malartre* par ⑫ : 12 km.

9 9 9 de Villette d'Anthon ☏ **78 31 11 33** par ③ : 21 km. ; **18 de Lyon-Verger, à St-Symphorien-d'Ozon** ☏ **78 02 84 20** par ⑦ : 14 km.

de Lyon-Satolas ☏ **78 71 92 21** par ⑤ : 27 km.

☏ **78 92 50 50.**

i Office de Tourisme et Accueil de France (Informations, change et réservations d'hôtels, pas plus de 5 jours à l'avance) pl. Bellecour ☏ 78 42 25 75, Télex 330032 et Centre d'Echange de Perrache – A.C. 7 r. Grôlée ☏ 78 42 51 01.

Paris 461 ⑪ – ♦Bâle 389 ⑪ – ♦Bordeaux 550 ⑩ – ♦Genève 156 ② – ♦Grenoble 104 ⑤ – ♦Marseille 316 ⑦ – ♦St-Étienne 59 ⑦ – ♦Strasbourg 482 ⑪ – Torino 300 ⑤ – ♦Toulouse 535 ⑦.

Plans : Lyon p. 2 à 7

Hôtels

Sauf indication spéciale, voir emplacement sur Lyon p. 6

Centre-Ville (Bellecour-Terreaux) :

Sofitel M, 20 quai Gailleton, ✉ 69002 ☏ 78 42 72 50, Télex 330225, ← – ♦ ▤ TV ☎ – 200. AE ◑ E VISA. ✻ rest — CY **k**
Les Trois Dômes R (au 8e étage) carte 240 à 315 **Sofi Shop R** (rez-de-chaussée) carte 110 à 150 ♁ – ☕ 65 – **194 ch** 620/985, 6 appartements 1700/2350.

Gd Hôtel Concorde, 11 r. Grolée, ✉ 69002 ☏ 78 42 56 21, Télex 330244 – ♦ ▤ TV ☎ – 80. AE ◑ E VISA. ✻ rest — DX **e**
Le Fiorelle R 110/140 ♁ – ☕ 40 – **140 ch** 350/650.

Royal, 20 pl. Bellecour, ✉ 69002 ☏ 78 37 57 31, Télex 310785 – ♦ ▤ ch TV ☎ – 30. AE ◑ E VISA — CY **d**
R grill 72 ♁ – ☕ 36 – **90 ch** 255/695.

Gd H. des Beaux-Arts sans rest, 75 r. Prés.-E.-Herriot ✉ 69002 ☏ 78 38 09 50, Télex 330442 – ♦ ▤ TV ☎. AE ◑ E VISA — CX **t**
☕ 35 – **79 ch** 275/440.

La Résidence sans rest, 18 r. Victor-Hugo, ☏ 78 42 63 28, Télex 900950 – ♦ TV ⛀wc ⋒wc ☎ – 40. AE ◑ E VISA — CY **s**
☕ 19 – **65 ch** 188/226.

Globe et Cécil sans rest, 21 r. Gasparin ✉ 69002 ☏ 78 42 58 95, Télex 305184 – ♦ TV ⛀wc ⋒wc ☎ – 60. AE ◑ E VISA — CY **b**
☕ 26 – **65 ch** 170/325.

Artistes sans rest, 8 r. Gaspard André, ✉ 69002 ☏ 78 42 04 88, Télex 375664 – ♦ TV ⛀wc ⋒wc ☎. AE ◑ E VISA — CY **r**
☕ 30 – **46 ch** 250/350.

Gd H. des Terreaux sans rest, 16 r. Lanterne ✉ 69001 ☏ 78 27 04 10, Télex 310273 – ♦ ⛀wc ⋒wc ☎. AE ◑ E VISA — CV **u**
☕ 26 – **50 ch** 103/284.

Nouvel H. Paris sans rest, 16 r. Platière ✉ 69001 ☏ 78 28 00 95 – ♦ TV ⛀wc ⋒wc ☎. AE VISA — CV **f**
☕ 25 – **30 ch** 145/225.

Bayard sans rest, 23 pl. Bellecour, ✉ 69002 ☏ 78 37 39 64 – ⋒wc ☎. VISA. ✻ — CY **g**
☕ 18 – **15 ch** 140/180.

Perrache :

Bordeaux sans rest, 1 r. Bélier, ✉ 69002 ☏ 78 37 58 73, Télex 330355 – ♦ TV ☎ – 50. AE ◑ E VISA — BZ **y**
☕ 32 – **80 ch** 250/420.

Bristol sans rest, 28 cours Verdun, ✉ 69002 ☏ 78 37 56 55, Télex 330584 – ♦ TV ☎ – 45. AE ◑ E VISA — BZ **y**
☕ 26 – **131 ch** 160/340.

Axotel et rest. Le Chalut M, 12 r. Marc-Antoine Petit ✉ 69002 ☏ 78 42 17 18 Télex 380736, – ♦ TV ⛀wc ⋒wc ☎ – 25 à 130. AE ◑ E VISA. ✻ rest
R *(fermé dim.)* 85/165 – ☕ 29 – **128 ch** 240/260. — Lyon p. 4 BZ

Charlemagne, 23 Cours Charlemagne ✉ 69002 ✆ 78 92 81 61, Télex 380401 – wc ☎ P – 85
119 ch. BZ **t**

Verdun sans rest, 82 r. Charité ✉ 69002 ✆ 78 37 34 71 – wc wc ☎. AE E VISA
21 – **32 ch** 107/239. BCZ **m**

Simplon sans rest, 11 r. Duhamel ✉ 69002 ✆ 78 37 41 00 – wc wc ☎. VISA
38 ch 116/263. CZ **f**

Berlioz M sans rest, 12 cours Charlemagne ✉ 69002 ✆ 78 42 30 31, Télex 330862, – wc wc ☎ ♿. AE E VISA
25 – **38 ch** 197/334. BZ **z**

des Savoies sans rest, 80 r. Charité ✉ 69002 ✆ 78 37 66 94 – wc ☎. E VISA
fermé Noël au jour de l'An – 18 – **46 ch** 94/214. CZ **m**

Vieux Lyon :

Cour des Loges M, 6 r. Boeuf ✉ 69005 ✆ 78 42 75 75, Télex 330831, « Décoration contemporaine originale dans des maisons du Vieux Lyon » – ☎ ♿ – 30. AE E VISA. rest
Tapas des Loges **R** carte environ 150 – 70 – **63 ch** 850/1200. BX **n**

La Croix-Rousse (Bord de Saône) : *voir emplacement sur Lyon p. 2*

Lyon Métropole M, 85 quai J.-Gillet ✉ 69004 ✆ 78 29 20 20, Télex 380198, , – ☎ ♿ P – 700. AE E VISA
Grill **R** 76bc, enf. 38 - **Les Eaux Vives R** 120/220 – 35 – **119 ch** 360/415. GR **k**

Les Brotteaux : *voir emplacements sur Lyon p. 5*

Roosevelt M sans rest, 25 r. Bossuet ✉ 69006 ✆ 78 52 35 67, Télex 300295 – cuisinette ☎ P – 60. AE E VISA
35 – **87 ch** 265/340. DV **x**

Olympique sans rest, 62 r. Garibaldi ✉ 69006 ✆ 78 89 48 04 – wc wc ☎. VISA
18 – **23 ch** 170/195. EV **d**

Britania sans rest, 17 r. Prof.-Weill, ✉ 69006 ✆ 78 52 86 52 – wc wc ☎. E VISA
19 – **22 ch** 180/235. EV **n**

La Part-Dieu : *voir emplacements sur Lyon p. 5*

Holiday Inn M, 29 r. Bonnel ✆ 72 61 90 90, Télex 330703 – ☎ ♿ P – 30 à 350 – **159 ch.** DX **t**

Pullman Part-Dieu M, 129 r. Servient (32e étage) ✉ 69003 ✆ 78 62 94 12, Télex 380088, ≤ Lyon, vallée du Rhône – ☎ ♿ – 300. AE E VISA
L'Arc-en-Ciel *(fermé 13 juil. au 16 août, lundi midi et dim.)* **R** 165/210, enf. 95 - **La Ripaille** *(fermé vend. et sam.)* **R** grill (rez-de-chaussée) 80bc/98bc, enf.50 – 48 – **245 ch** 400/680. EX **n**

Mercure M, 47 bd Vivier-Merle ✉ 69003 ✆ 72 34 18 12, Télex 306469 – ☎ ♿ – 100. AE E VISA
R carte 100 à 190 , enf. 39 – 35 – **123 ch** 365/420. EX **a**

Créqui M sans rest, 158 r. Créqui ✉ 69003 ✆ 78 60 20 47 – wc ☎. E VISA
28 – **28 ch** 248/280. DX **s**

Ibis M, pl. Renaudel ✉ 69003 ✆ 78 95 42 11, Télex 310847, – wc ☎ ♿ – 40. E VISA
R carte 75 à 120 , enf. 35 – 26 – **144 ch** 245/263. EY **k**

La Guillotière : *voir emplacements sur Lyon p. 5*

Gd H. Helder et Institut sans rest, 38 r. de Marseille ✉ 69007 ✆ 78 72 09 39, Télex 306411 – wc wc ☎. AE E VISA
98 ch 205/250. DZ **d**

Urbis Université M sans rest, 51 r. Université, ✉ 69007 ✆ 78 72 78 42, Télex 340455 – wc wc ☎ P. E VISA
28 – **53 ch** 235/280. DZ **b**

Columbia sans rest, 8 pl. A.-Briand, ✉ 69003 ✆ 78 60 54 65, Télex 305551 – wc wc ☎. AE E VISA
23 – **66 ch** 198/217. EZ **z**

Gerland : *voir emplacements sur Lyon p.2*

Mercure M, 70 av. Leclerc ✉ 69007 ✆ 78 58 68 53, Télex 305484, , – ☎ ♿ – 450. AE E VISA
R carte 85 à 155 , enf. 38 – 35 – **194 ch** 355/470. GT **e**

Ibis M, 68 av. Leclerc ✉ 69007 ✆ 78 58 30 70, Télex 305483, – wc ☎ ♿ – 30. E VISA
R carte 75 à 120 , enf. 35 – 26 – **129 ch** 249/271. GT **e**

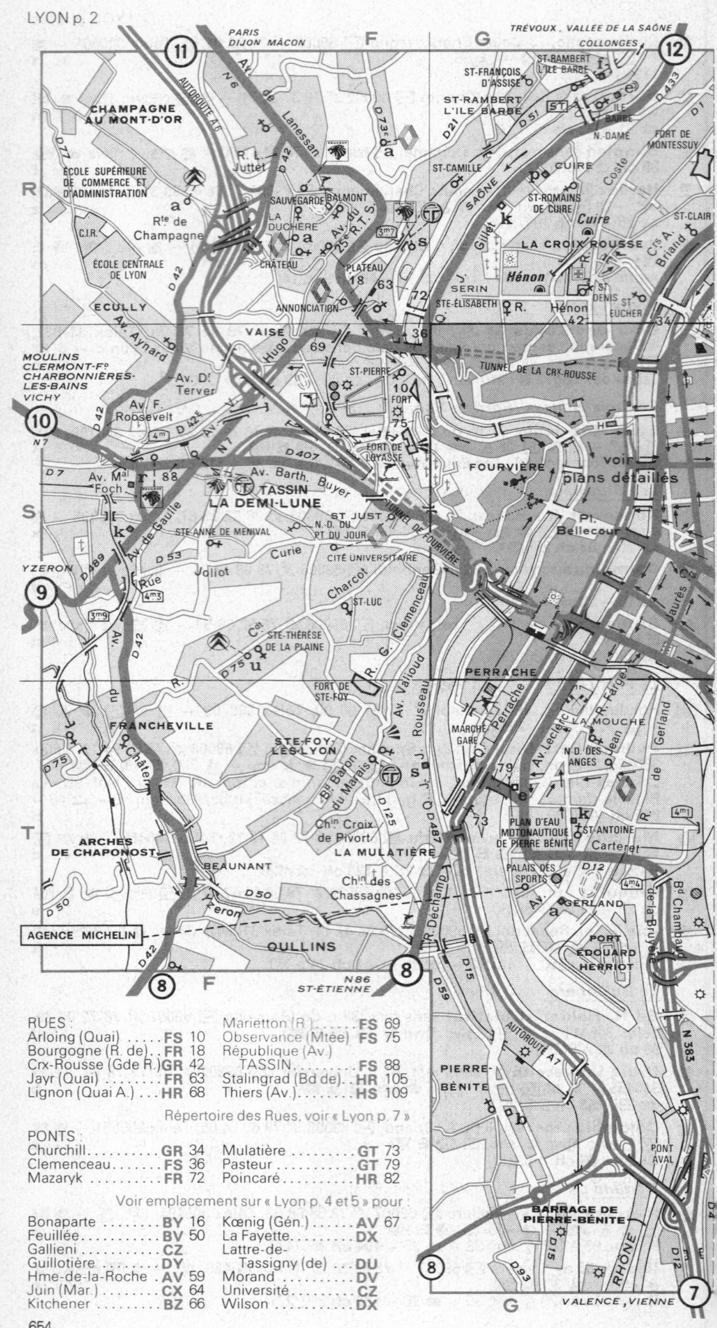

RUES :
Arloing (Quai) . . . . . FS 10
Bourgogne (R. de). . FR 18
Crx-Rousse (Gde R.) GR 42
Jayr (Quai) . . . . FR 63
Lignon (Quai A.) . . . HR 68
Marietton (R.) . . . . . . FS 69
Observance (Mtée) FS 75
République (Av.) TASSIN. . . . . FS 88
Stalingrad (Bd de). . HR 105
Thiers (Av.). . . . . HS 109

Répertoire des Rues, voir « Lyon p. 7 »

PONTS :
Churchill. . . . . GR 34
Clemenceau. . . . . . . FS 36
Mazaryk . . . . FR 72
Mulatière . . . . GT 73
Pasteur . . . . GT 79
Poincaré. . . . . HR 82

Voir emplacement sur « Lyon p. 4 et 5 » pour :

Bonaparte . . . . BY 16
Feuillée. . . . . BV 50
Gallieni . . . . CZ
Guillotière . . . . DY
Hme-de-la-Roche . . AV 59
Juin (Mar.) . . . . CX 64
Kitchener . . . . BZ 66
Kœnig (Gén.) . . . . . . AV 67
La Fayette. . . . . DX
Lattre-de-Tassigny (de) . . . DU
Morand . . . . DV
Université. . . . . CZ
Wilson . . . . DX

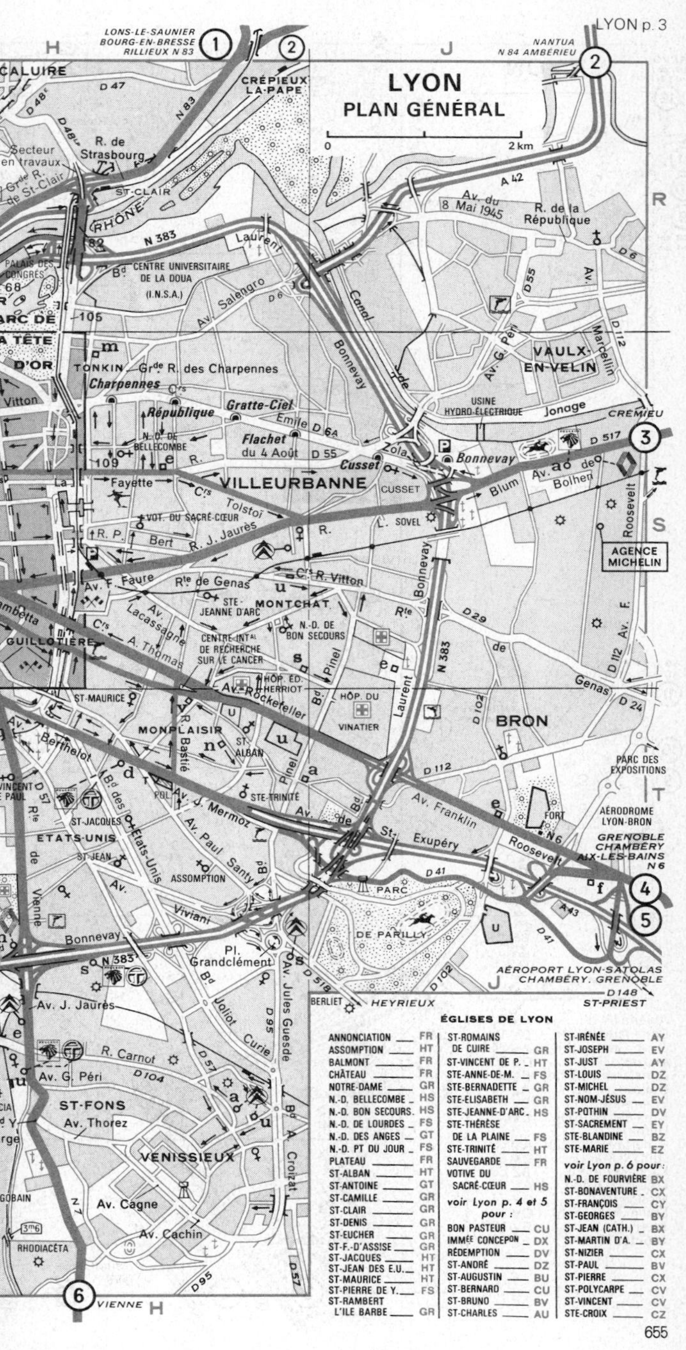

ÉGLISES DE LYON

ANNONCIATION	FR	ST-ROMAINS DE CUIRE	GR	ST-IRÉNÉE	AY
ASSOMPTION	HT	ST-VINCENT DE P.	HT	ST-JOSEPH	EV
BALMONT	FR	STE-ANNE-DE-M.	FS	ST-JUST	AY
CHÂTEAU	FR	STE-BERNADETTE	GR	ST-LOUIS	DZ
NOTRE-DAME	GR	STE-ELISABETH	GR	ST-MICHEL	DZ
N.-D. BELLECOMBE	HS	STE-JEANNE-D'ARC	HS	ST-NOM-JÉSUS	EV
N.-D. BON SECOURS	HS	STE-THÉRÈSE DE LA PLAINE	FS	ST-POTHIN	DV
N.-D. DE LOURDES	FS	STE-TRINITÉ	HT	ST-SACREMENT	EY
N.-D. DES ANGES	GT	SAUVEGARDE	FR	STE-BLANDINE	BZ
N.-D. PT DU JOUR	FS	VOTIVE DU SACRÉ-CŒUR	HS	STE-MARIE	EZ
PLATEAU	FR	*voir Lyon p. 4 et 5 pour :*		*voir Lyon p. 6 pour :*	
ST-ALBAN	HT	BON PASTEUR	CU	N.-D. DE FOURVIÈRE	BX
ST-ANTOINE	GT	IMMÉE CONCEPON	DX	ST-BONAVENTURE	CX
ST-CAMILLE	GR	RÉDEMPTION	DV	ST-FRANÇOIS	CY
ST-CLAIR	GR	ST-ANDRÉ	DZ	ST-GEORGES	BY
ST-DENIS	GR	ST-AUGUSTIN	BU	ST-JEAN (CATH.)	BX
ST-EUCHER	GR	ST-BERNARD	CU	ST-MARTIN D'A.	BY
ST-F.-D'ASSISE	GR	ST-BRUNO	BV	ST-NIZIER	CX
ST-JACQUES	HT	ST-CHARLES	AU	ST-PAUL	BV
ST-JEAN DES E.U.	HT			ST-PIERRE	CX
ST-MAURICE	HT			ST-POLYCARPE	CV
ST-PIERRE DE Y.	FS			ST-VINCENT	CV
ST-RAMBERT L'ILE BARBE	GR			STE-CROIX	CZ

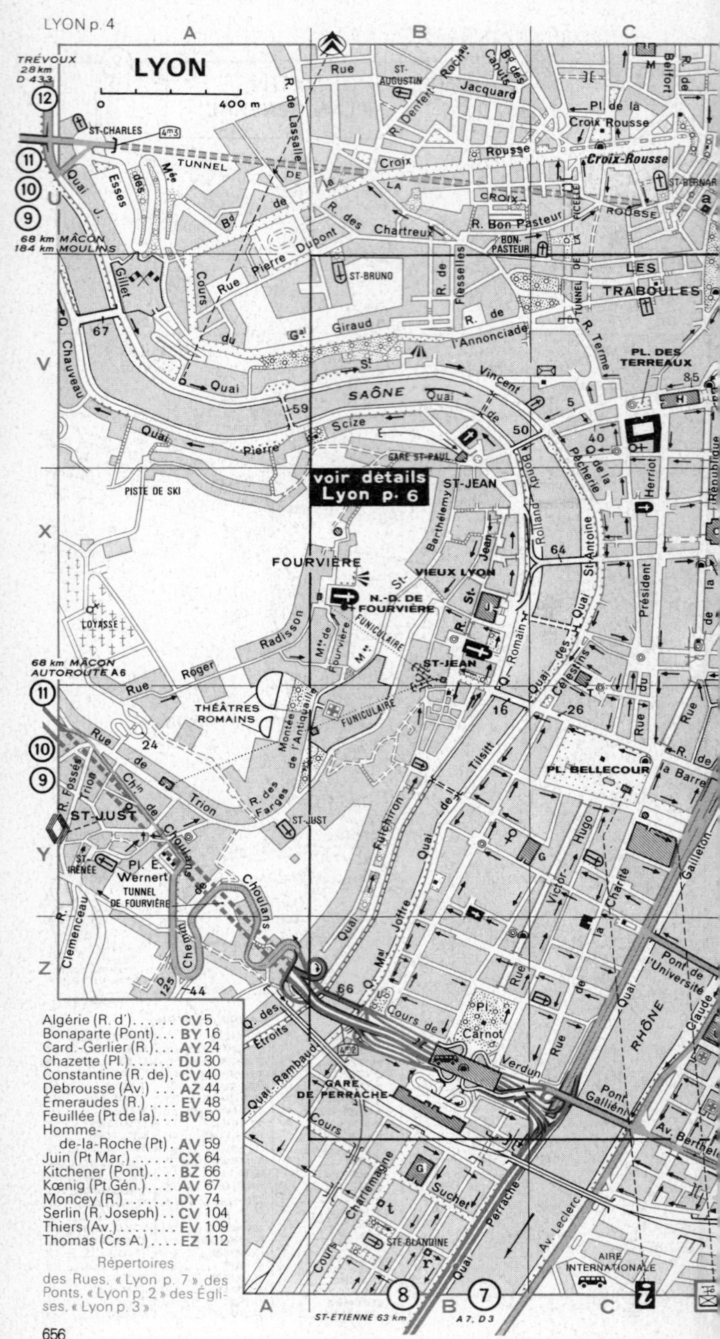

Algérie (R. d') . . . . . . CV 5
Bonaparte (Pont) . . . BY 16
Card.-Gerlier (R.) . . . AY 24
Chazette (Pl.) . . . . . . DU 30
Constantine (R. de) . CV 40
Debrousse (Av.) . . . AZ 44
Émeraudes (R.) . . . . EV 48
Feuillée (Pt de la) . . . BV 50
Homme-de-la-Roche (Pt) . AV 59
Juin (Pt Mar.) . . . . . . CX 64
Kitchener (Pont) . . . . BZ 66
Kœnig (Pt Gén.) . . . . AV 67
Moncey (R.) . . . . DY 74
Serlin (R. Joseph) . . CV 104
Thiers (Av.) . . . . EV 109
Thomas (Crs A.) . . . . EZ 112

Répertoires des Rues, « Lyon p. 7 », des Ponts, « Lyon p. 2 » des Églises, « Lyon p. 3 »

BOURG 62 km
NANTUA 96 km
Bd de Ceinture
PALAIS DES CONGRÈS
D
E
PARC DE LA TÊTE D'OR
RHÔNE
Cs d'Herbouville
Av. de Grde Bretagne
N 83
Rue Barrême
Boulevard
Rue Duquesne
des Belges
Av. Verguin
Bd de Stalingrad
Rue Guérin
Louis
U
Pont de Lattre
Rue Montgolfier
REDEMPTION
ST-JOSEPH
Bd A. France
Q. A. Lassagne
Quai de Serbie
Pont Morand
Malesherbes
Foch
Créqui
Boileau
Cours Masséna Vitton
Cours Fr. Roosevelt
Tête d'Or
Sèze
Cours Vitton
109
Pl. M.
Lyautey
Foch
Vendôme
Du Guesclin
LES BROTTEAUX
GARE DES BROTTEAUX
ST-NOM-JÉSUS
Bugeaud
Brotteaux
Quai J. Moulin
Quai Gal Sarrail
ST-POTHIN
Garibaldi
Récamier
Blanc
Avenue
V
Rue Louis
La Fayette
Cours La Fayette
Bd J. Favre
CRÉMIEU 37 km D 517
3
Pont La Fayette
Quai Augagneur
Cours Molière
Bd E. Deruelle
Bonnel
Part Dieu
GARE LA PART DIEU
Servient
CENTRE COMMERCIAL RÉGIONAL
IMMACULÉE CONCEPTION
X
Pont Wilson
Rue de la Part
Quai V. Augagneur
Quai Jules Courmont
Guichard
Chaponnay
LA PART-DIEU
T.D.F.
R. Servient
ST SACREMENT
COURLY
Bd Vivier Merle
Rue Bert
Y
Pont de la Guillotière
CENTRE NAUTIQUE
Pl. Raspail
Cours Gambetta
Liberté
Grande Rue
Gryphe
Rue Marseille
Saxe Gambetta
Pl. A. Briand
Félix Faure
Crs Gambetta Métro en constr.
Entrée
ST-ANDRÉ
Montesquieu
Jaurès
Sébastien
Université
ST-LOUIS
Abbé Boisard
Z
112
LA GUILLOTIÈRE
MANUFACTURE DES TABACS
STE-MARIE
4
107 km GRENOBLE 113 km CHAMBÉRY
Chevreul
Domer
Garibaldi
ST-MICHEL
Pl. Jean Macé
Av. Berthelot
Rte de Vienne
Bd des Tchécoslovaques
GRENOBLE 104 km CHAMBERY 98 km LA TOUR DU PIN 55 km N6, A 43
6
VIENNE 27 km N 7
D 518
5

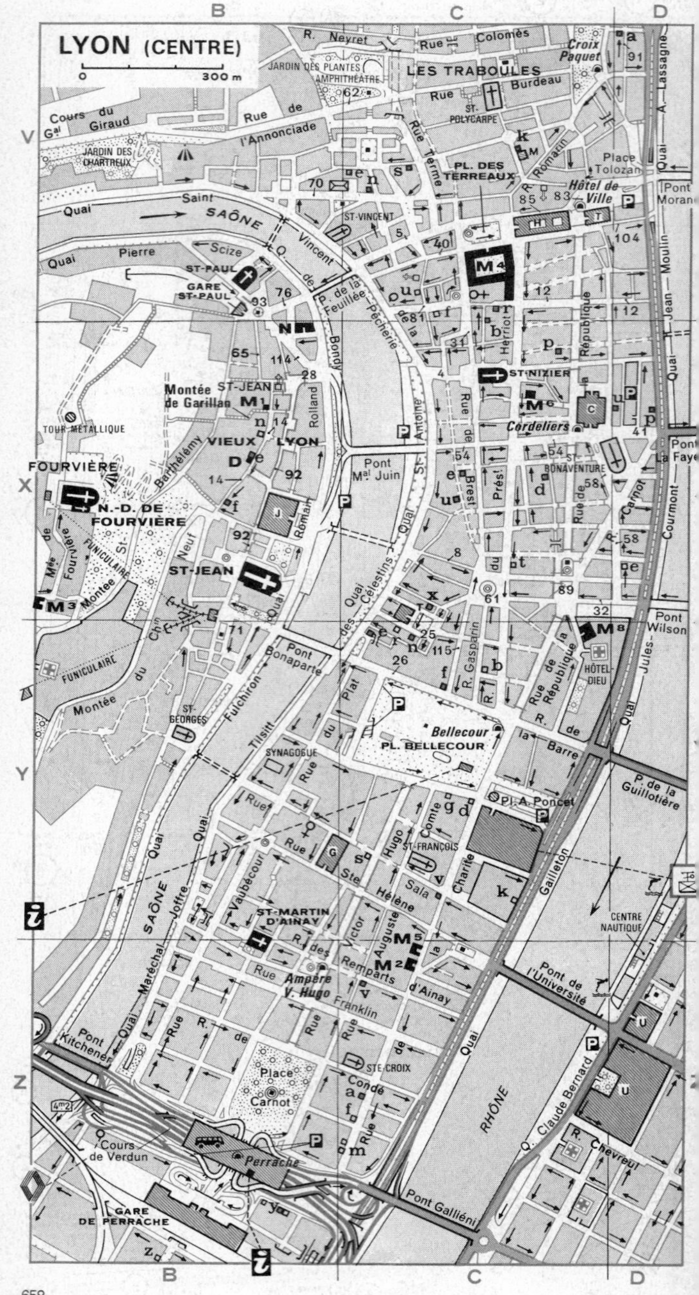
LYON (CENTRE)
300 m
LES TRABOULES
PL. DES TERREAUX
SAÔNE
RHÔNE
FOURVIÈRE
N.-D. DE FOURVIÈRE
VIEUX LYON
ST-JEAN
ST-PAUL
GARE ST-PAUL
ST-NIZIER
Cordeliers
PL. BELLECOUR
Bellecour
ST-MARTIN D'AINAY
Perrache
GARE DE PERRACHE
Place Carnot
HÔTEL-DIEU
Hôtel de Ville
Croix Paquet
CENTRE NAUTIQUE
Pont de l'Université
Pont Gallieni
Pont Kitchener
Pont Bonaparte
Pont Mal Juin
Pont Wilson
P. de la Guillotière
TOUR MÉTALLIQUE
JARDIN DES PLANTES
JARDIN DES CHARTREUX
SYNAGOGUE
FUNICULAIRE

Guillotière (Gde-R.) p. 5 **EZ**
Jaurès (Av. Jean) p. 5 **DZ**
La Part-Dieu p. 5 **EY**
République (R.) p. 6 **CX**
Terme (R.) p. 6 **CV**
Victor-Hugo (R.) p. 6 **CY**
Vitton (Cours) p. 5 **EV**

Abbé-Boisard (R.) p. 5 **EZ**
Alnay (Remp. d') p. 6 **CZ**
Albon (Pl.) p. 6 **CX** 4
Algérie (R. d') p. 6 **CV** 5
Ambroise-Croizat (Bd) p. 3 **HT**
Anc.-Préfect. (R) p. 6 **CX** 8
Annonciade (R.) p. 6 **BV**
Antiquaille (Mtée) p. 4 **AY**
Arloing (Quai) p. 2 **FS** 10
Augagneur (Quai) p. 5 **DX**
Aynard (Av. E.) p. 2 **FS**
Baron-du-Marais (Bd) p. 2 **FT**
Barre (R. de la) p. 6 **CY**
Barrême (R.) p. 5 **DU**
Bastié (R. M.) p. 3 **HT**
Bât-d'Argent (R.) p. 6 **CV** 12
Belfort (R. de) p. 4 **CU**
Belges (Bd des) p. 5 **EU**
Bellecour (Pl.) p. 6 **CY**
Berthelot (Av.) p. 5 **DZ**
Bloch (R. Marc) p. 5 **DZ**
Blum (R. Léon) p. 3 **JS**
Bœuf (R. du) p. 6 **BX** 14
Boileau (R.) p. 5 **DV**
Bolhen (Av. de) p. 3 **JS**
Bondy (Quai de) p. 6 **BX**
Bonnel (R. de) p. 5 **DX**
Bonnevay (Bd L.) p. 3 **JS**
Bon-Pasteur (R.) p. 4 **CU**
Bourgogne (R. de) p. 2 **FR** 18
Brest (R. de) p. 6 **CX**
Briand (Pl. A.) p. 5 **EZ**
Briand (Crs A.) CUIRE p. 2 **GR**
Brotteaux (Bd des) p. 5 **EV**
Bugeaud (R.) p. 5 **DV**
Burdeau (R.) p. 6 **CV**
Buyer (Av. Barth.) p. 2 **FS**
Cachin (Av. M.) p. 3 **HT**
Cagne (Av. J.) p. 3 **HT**
Canuts (Bd des) p. 4 **BU**
Card. Gerlier (R.) p. 4 **AY** 24
Carnot (Pl.) p. 6 **BZ**
Carnot (R.) p. 6 **DX**
Carnot (R.) ST-FONS p. 3 **HT**
Carteret (Av. J.) p. 2 **GT**
Célestins (Pl. des) p. 6 **CY** 25
Célestins (Q. des) p. 6 **CX**
Chambaud-de-la-Bruyère (Bd) p. 2 **GT**
Chambonnet (R.) p. 6 **CY** 26
Champagne (Rte de) p. 2 **FR**
Change (Pl. du) p. 6 **BX** 28
Chaponnay (R.) p. 5 **EY**
Charcot (R. Cdt) p. 2 **FS**
Charité (R. de la) p. 6 **CY**
Charlemagne (Crs) p. 4 **BZ**
Charpennes (Gde R.) p. 3 **HS**
Chartreux (R. des) p. 4 **BU**
Chassagnes (Ch.) p. 2 **FT**
Châter (Av. du) p. 2 **FT**
Chauveau (Quai) p. 4 **AV**
Chazette (Pl. L.) p. 5 **DU** 30
Ch.-Neuf (Montée) p. 6 **BX**
Chenevard (R. P.) p. 6 **CX** 31
Chevreul (R.) p. 6 **DZ**
Childebert (R.) p. 6 **CX** 32
Choulans (Ch. de) p. 4 **AY**
Cl.-Bernard (Quai) p. 6 **CZ**
Clemenceau (R.) p. 4 **AZ**
Colomès (R.) p. 6 **CV**
Comte (R. A.) p. 6 **CY**
Condé (R. de) p. 6 **CZ**
Constantine (R.) p. 6 **CV** 40
Cordeliers (Pl.) p. 6 **DX** 41
Corneille (R. P.) p. 5 **DY**
Coste (R.) p. 2 **GR**
Courmont (Quai J.) p. 6 **DX**
Créqui (R.) p. 5 **DX**

Crx-de-Pivort (Ch.) p. 2 **FT**
Croix-Rousse (Bd) p. 4 **BU**
Croix-Rousse (Gde-Rue) p. 2 **GR** 42
Croix-Rousse (Pl.) p. 4 **CU**
Debrousse (Av.) p. 4 **AZ** 44
Déchamp (R. S.) p. 2 **GT**
Deruelle (Bd) p. 5 **EX**
Denf.-Roch. (R.) p. 4 **BU**
Dr-Terver (Av.) p. 2 **FS**
Domer (R.) p. 5 **EZ**
Du-Guesclin (R.) p. 5 **DV**
Dupont (R. Pierre) p. 4 **BU**
Duquesne (R.) p. 5 **DU**
Émeraudes (R. des) p. 5 **EV** 48
Esses (Montée des) p. 4 **AU**
États-Unis (Bd) p. 3 **HT**
Étroits (Quai des) p. 4 **AZ**
Farges (R. des) p. 4 **AY**
Farge (Bd Yves) p. 3 **HT**
Farge (R. Yves) p. 2 **GT**
Favre (Bd Jean) p. 5 **EX**
Félix-Faure (Av.) p. 5 **EZ**
Flesselles (R. de) p. 4 **BV**
Foch (Av. Mar.) p. 5 **DV**
Foch (Av. Mar.) TASSIN p. 2 **FS**
Fourvière (Mtée de) p. 6 **BX**
France (Bd A.) p. 5 **EV**
Franklin (R.) p. 6 **CZ**
Fulchiron (Quai) p. 6 **BY**
Gailleton (Quai) p. 6 **CY**
Gambetta (Cours) p. 5 **DY**
Garibaldi (R.) p. 5 **EX**
Gasparin (R.) p. 6 **CY**
Gaulle (Av. de) p. 2 **FS**
Genas (Rte de) p. 3 **JS**
Gerland (R. de) p. 2 **GT**
Gillet (Quai J.) p. 4 **AU**
Giraud (Crs Gén.) p. 6 **BV**
Grandclément (Pl.) p. 3 **HT**
Gde-Bretagne (Av.) p. 5 **DU**
Grenette (R.) p. 6 **CX** 54
Grolée (R.) p. 6 **DX** 58
Gryphe (R. S.) p. 5 **DZ**
Guérin (R. L.) p. 5 **EU**
Guesde (Av. J.) VÉNISSIEUX p. 3 **HT**
Henon (R.) p. 2 **GR**
Herbouville (Crs d') p. 5 **DU**
Jacobins (Pl. des) p. 6 **CX** 61
Jacquard (R.) p. 4 **BU**
Jardin-Plantes (R.) p. 6 **CV** 62
Jaurès (Av.) ST-FONS p. 3 **HT**
Jaurès (R. Jean) VILLEURBANNE p. 3 **HS**
Jayr (Quai) p. 2 **FR** 63
J.-J.-Rousseau (Q.) p. 2 **FT**
Joffre (Quai Mar.) p. 6 **BZ**
Joliot-Curie (R.) p. 2 **FS**
Joliot-Curie (Bd) VÉNISSIEUX p. 3 **HT**
Juiverie (R.) p. 6 **BX** 65
Juttet (R. L.) p. 2 **FR**
Lacassagne (Av.) p. 3 **HS**
La-Fayette (Cours) p. 5 **EX**
Lanessan (Av. de) p. 2 **FR**
Lassagne (Quai A.) p. 6 **DV**
Lassalle (R. Ph.-de) p. 4 **AU**
Leclerc (Av.) p. 4 **CZ**
Liberté (Cours) p. 5 **DY**
Lignon (Quai A.) p. 3 **HR** 68
Louis-Blanc (R.) p. 5 **EX**
Lyautey (Pl. Mar.) p. 5 **DV**
Macé (Pl. Jean) p. 5 **DZ**
Malesherbes (R.) p. 5 **DV**
Marcellin (Av. P.) p. 3 **JS**
Marietton (R.) p. 2 **FS** 69
Marseille (R. de) p. 5 **DY**
Martinière (R.) p. 6 **BV** 70
Max (Av. Adolphe) p. 6 **BY** 71
Merle (Bd Vivier) p. 5 **EY**
Mermoz (Av. Jean) p. 3 **HT**
Molière (R.) p. 5 **DX**
Moncey (R.) p. 5 **DY** 74
Montesquieu (R.) p. 5 **DZ**
Montgolfier (R.) p. 5 **EU**
Moulin (Quai J.) p. 6 **DV**
Neyret (R.) p. 6 **BV**
Observance (Mtée) p. 2 **FS** 75

Octavio-Mey (R.) p. 6 **BV** 76
Part-Dieu (R.) p. 5 **DX**
Paul-Bert (R.) p. 5 **EY**
Pêcherie (Quai) p. 6 **CX**
Péri (Av. Gabriel) ST-FONS p. 3 **HT**
Péri (Av. Gabriel) VAULX-EN-V. p. 3 **JR**
Perrache (Quai) p. 4 **BZ**
Pinel (Bd) p. 3 **HT**
Plat (R. du) p. 6 **BY**
Platière (R. de la) p. 6 **CV** 81
Poncet (Pl. A.) p. 6 **CY**
Pradel (Pl. Louis) p. 6 **CV** 83
Prés.-Herriot (R.) p. 6 **CX**
Puits-Gaillot (R.) p. 6 **CV** 85
Radisson (R.) p. 4 **AX**
Rambaud (Quai) p. 4 **AZ**
Raspail (Pl.) p. 5 **DY**
Récamier (R. J.) p. 5 **EX**
République (Av.) TASSIN p. 2 **FS** 88
République (Pl.) p. 6 **CX** 89
République (R.) VAULX-EN-V. p. 3 **JR**
Rockefeller (Av.) p. 3 **HT**
Romain-Rolland (Quai) p. 6 **BX**
Romarin (R.) p. 6 **CV**
Roosevelt (Crs F.) p. 5 **DV**
Roosevelt (Av. F.) BRON p. 3 **JT**
Roosevelt (Av. F.) DECINES p. 3 **JS**
Roosevelt (Av. F.) ECULLY p. 2 **FS**
Royale (R.) p. 6 **DV** 91
St-Antoine (Quai) p. 6 **CX**
St-Barthélemy (Mtée) p. 6 **BX**
St-Clair (Gde R.) p. 3 **HR**
St-Exupéry (Av.) p. 3 **JT**
St-Jean (R.) p. 6 **BX** 92
St-Paul (Pl.) p. 6 **BV** 93
St-Vincent (Quai) p. 6 **BV**
Ste-Hélène (R.) p. 6 **CY**
Sala (Rue) p. 6 **CY**
Salengro (Av. R.) VILLEURBANNE p. 3 **JR**
Santy (Av. Paul) p. 3 **HT**
Sarrail (Quai Gén.) p. 5 **DV**
Saxe (Av. Mar. de) p. 5 **DY**
Scize (Quai Pierre) p. 6 **BV**
Serbie (Quai de) p. 5 **DV**
Serlin (R. J.) p. 6 **DV** 104
Servient (R.) p. 5 **DX**
Sèze (R. de) p. 5 **EV**
Stalingrad (Bd de) p. 5 **EU**
Strasbourg (R. de) p. 3 **HR**
Suchet (Cours) p. 4 **BZ**
Tchécoslovaques (Bd des) p. 5 **EZ**
Terreaux (Pl. des) p. 6 **CV**
Tête-d'Or (R.) p. 5 **EV**
Thiers (Av.) p. 5 **EV** 109
Thomas (Crs A.) p. 5 **EZ** 112
Thorez (Av. M.) p. 3 **HT**
Tilsitt (Quai) p. 6 **BY**
Tolozan (Pl.) p. 6 **DV**
Tolstoï (Crs) p. 3 **HS**
Trion (R. de) p. 4 **AY**
Université (R.) p. 5 **DZ**
Valioud (Av.) p. 2 **FS**
Vaubécour (R.) p. 6 **BY**
Vendôme (R.) p. 5 **DV**
Verdun (Cours de) p. 6 **BZ**
Verguin (Av.) p. 5 **EU**
Vernay (R. Fr.) p. 6 **BX** 114
V.-Hugo (Av.) TASSIN p. 2 **FS**
Vienne (Rte de) p. 5 **EZ**
Vitton (Crs Richard) p. 3 **JS**
Viviani (Av.) p. 3 **HT**
Wernert (Pl. E.) p. 4 **AY**
Zola (R. Émile) p. 6 **CY** 115
Zola (Cours Émile) VILLEURBANNE p. 3 **JS**
4-Août (R. du) p. 3 **JS**
8-Mai-1945 (Av.) p. 3 **JR**
25e-R.T.S. (Av.) p. 2 **FR**

Répertoire des Ponts et des Églises, voir « Lyon p. 2 et 3 ».

Monchat-Monplaisir : *voir emplacements sur Lyon p. 3*

Altea Park, 4 r. Prof.-Calmette ✉ 69008 ☎ 78 74 11 20, Télex 380230, – 🛗, 📺 ☎ – 🏛 30. AE ⓓ E VISA. ✕ rest HT **v**
Le Patio **R** 100 bc/105 bc – ☕ 38 – **72 ch** 280/350.

Lyon-Est sans rest, 104 rte Genas ✉ 69003 ☎ 78 54 64 53 – 🛗 ≡ 📺 wc wc ☎ Ⓟ. AE ⓓ E VISA HS **u**
☕ 25 – **42 ch** 161/258.

Lacassagne sans rest, 245 av. Lacassagne ✉ 69003 ☎ 78 54 09 12 – 🛗 ≡ 📺 wc ☎. AE ⓓ E VISA HS **s**
☕ 19 – **40 ch** 120/220.

Laennec sans rest, 36 r. Seignemartin ✉ 69008 ☎ 78 74 55 22 – 📺 wc ☎. VISA HT **n**
☕ 25 – **14 ch** 225/305.

à Villeurbanne : *voir emplacements sur Lyon p. 3*

Congrès et rest. le Grand Camp Ⓜ, pl. Cdt Rivière ✉ 69100 Villeurbanne ☎ 78 89 81 10, Télex 370216 – 🛗 ≡ 📺 ☎ – 🏛 130. AE ⓓ E VISA HS **m**
R *(fermé dim.)* 110/226 – ☕ 32 – **132 ch** 270.

Alsace sans rest, 15 cours Tolstoï ✉ 69100 Villeurbanne ☎ 78 84 97 04 – 🛗 wc wc ☎. AE ⓓ E VISA HS **e**
fermé août – ☕ 20 – **32 ch** 125/200.

Restaurants

Sauf indication spéciale, voir emplacements sur Lyon p. 6

XXXXX ✿✿✿ **Paul Bocuse,** pont de Collonges N : 12 km par bords Saône (D433, D51) ✉ 69660 Collonges-au-Mont-d'Or ☎ 78 22 01 40, Télex 375382, « Elégante installation » – ≡ Ⓟ. AE ⓓ E VISA Lyon p. 2 GR
R 355/525 et carte, enf. 56
Spéc. Soupe aux truffes noires, Loup de ligne en croûte à la mousse de homard, Volaille de Bresse en vessie. **Vins** Pouilly-Fuissé, Brouilly.

XXXX **Roger Roucou "Mère Guy",** 35 quai J. J. Rousseau ✉ 69350 La Mulatière ☎ 78 51 65 37, Télex 310241, – 🛗. AE ⓓ VISA Lyon p. 2 FT **s**
fermé août, dim. soir et lundi – **R** 190/390.

XXX ✿ **Tour Rose** (Chavent), 16 r. Bœuf ✉ 69005 ☎ 78 37 25 90, « Maison du 17e s. dans le vieux Lyon » – ≡. AE ⓓ E VISA BX **e**
fermé 13 au 20 août et dim. – **R** 285/485
Spéc. Saumon mi-cuit au fumoir, Rouget aux oursins (sept. à avril), Aiguillettes de canard aux pommes et safran. **Vins** St-Véran, Brouilly.

XXX ✿✿ **Orsi,** 3 pl. Kléber ✉ 69006 ☎ 78 89 57 68, Télex 305965, « Décor élégant » – ≡. AE E VISA Lyon p. 5 DV **e**
fermé dim. – **R** 180/300 et carte
Spéc. Trois foies gras des Landes, Pot au feu de la mer, Pigeonneau de Bresse en cocotte. **Vins** St-Véran, St-Amour.

XXX ✿ **Bourillot,** 8 pl. Célestins ✉ 69002 ☎ 78 37 38 64 – ≡. AE ⓓ E VISA CY **n**
fermé 4 juil. au 1er août, 24 déc. au 2 janv., dim. et fériés – **R** 190/350
Spéc. Quenelle de brochet, Volaille de Bresse "Marie" pommes aux truffes, Soufflé glacé au chocolat. **Vins** Côteaux du Lyonnais, Brouilly.

XXX ✿✿ **Léon de Lyon** (Lacombe), 1 r. Pleney ✉ 69001 ☎ 78 28 11 33, « Ambiance lyonnaise » – ≡. E VISA CVX **b**
fermé 23 déc. au 5 janv., lundi midi et dim. – **R** 200/395 et carte
Spéc. Gras double émincé, Ravioli de grenouilles et mousserons (juin à oct), Soupe de faisan au foie gras. **Vins** Coteaux du Lyonnais, Beaujolais-Villages.

XXX ✿ **Aub. de Fond-Rose** (Brunet), 23 quai Clemenceau ✉ 69300 Caluire ☎ 78 29 34 61, , « Jardin » – Ⓟ. AE ⓓ VISA Lyon p. 2 GR **p**
fermé lundi de nov. à Pâques et dim. soir – **R** 200/400, enf. 100
Spéc. Salade des Dombes (été), Suprême de dorade aux câpres et citron vert, Filet d'agneau en croûte. **Vins** St-Véran, Côte de Brouilly.

XXX ✿✿ **Vettard,** 7 pl. Bellecour ✉ 69002 ☎ 78 42 07 59 – ≡. AE ⓓ VISA CY **f**
fermé 23 juil. au 22 août, sam. soir en juin, juil. et dim. – **R** (au rest.) 230/290 et carte – **Café Neuf R** carte 140 à 160
Spéc. Quenelle de brochet, Loup à l'huile d'olive et vinaigre de Xérès. **Vins** St-Véran, Beaujolais-Villages.

XXX ✿ **Nandron,** 26 quai J.-Moulin ✉ 69002 ☎ 78 42 10 26 – ≡. AE ⓓ VISA DX **p**
fermé 30 juil. au 28 août, vend. soir et sam. – **R** 200/360
Spéc. Quenelle de brochet Nantua, Tourte de canard selon Balzac, Rognon rôti au thym. **Vins** Beaujolais-Villages, St-Joseph.

XXX ✿ **Mère Brazier,** 12 r. Royale ✉ 69001 ☎ 78 28 15 49, « Ambiance lyonnaise » – AE ⓓ E VISA DV **a**
fermé 30 juil. au 30 août, sam. (sauf le soir du 10 sept. au 30 juin) et dim. – **R** (≡ 1er étage) 230/265
Spéc. Fonds d'artichaut au foie gras, Quenelle au gratin, Volaille demi-deuil. **Vins** Chiroubles, St.-Joseph.

XXX ✿ **Fédora** (Judéaux), 249 r. M. Mérieux ✉ 69007 ☏ 78 69 46 26, 佘, 佘 – AE ⓓ E VISA Lyon p. 2 GT k
fermé 23 déc. au 4 janv., sam. midi et dim. – **R** 112/300
Spéc. Charcuteries de la mer, St-Jacques au safran (oct. à avril), Canette rôtie. **Vins** St-Joseph, Mâcon.

XXX ✿ **Le Quatre Saisons** (Bertoli), 15 r. Sully ✉ 69006 ☏ 78 93 76 07 – ▤. AE ⓓ E VISA – *fermé 1er au 15 août, sam. midi, dim. et fériés* – **R** 170/290 Lyon p. 5 DV u
Spéc. Foie gras chaud ou froid, Rognon de veau entier, Gibier (saison). **Vins** St-Véran, St-Joseph.

XXX ✿ **Henry,** 27 r. Martinière ✉ 69001 ☏ 78 28 26 08, fresques murales – ▤. AE ⓓ E VISA – *fermé sam. midi et lundi sauf fériés* – **R** 160/230, enf. 100 CV n
Spéc. Salade de homard au beurre de truffes, Lyonnaiseries, Turbot rôti aux aromates. **Vins** Fleurie.

XXX ✿ **Les Fantasques** (Gervais), 47 r. Bourse ✉ 69002 ☏ 78 37 36 58 – ▤. AE ⓓ VISA – *fermé 13 au 29 août et dim.* – **R** 190/300 DX u
Spéc. Terrine de homard, St-Jacques (saison), Rouget en papillote. **Vins** Mâcon, Brouilly.

XXX **Cazenove,** 75 r. Boileau ✉ 69006 ☏ 78 89 82 92, Télex 305965, « Évocation Belle Époque » – ▤. AE E VISA Lyon p. 5 DV k
fermé août, sam. midi et dim. – **R** carte 180 à 285.

XXX ✿ **Daniel et Denise** (Léron), 2 r. Tupin ✉ 69002 ☏ 78 37 49 98 – ▤. AE ⓓ E VISA CX e
fermé 1er au 15 août, lundi midi et dim. – **R** 145/320
Spéc. Terrine de homard, Poêlée de langoustines aux blancs de poireaux, Filet d'agneau en croûte. **Vins** Mâcon-Villages, St-Joseph.

XXX **Le Rocher,** quartier St-Rambert, 8 quai R.-Carrié ✉ 69009 ☏ 78 83 99 72, 佘 – Ⓟ. VISA Lyon p.2 GR f
fermé 12 août au 5 sept., 23 déc. au 2 janv., sam. (sauf le soir de mai à oct.) et dim. – **R** 100/240.

XXX **Les Grillons,** 18 r. D.-Vincent à **Champagne-au-Mont-d'Or** par ⑪ ✉ 69410 Champagne-au-Mont-d'Or ☏ 78 35 04 78, 佘 – Ⓟ. AE ⓓ E VISA
fermé 29 août au 14 sept., dim. soir et lundi – **R** 125/325.

XX **Le Gourmandin,** 156 r. P.-Bert ✉ 69003 ☏ 78 62 78 77 – ▤. AE ⓓ VISA
fermé 8 au 22 août, sam. et dim. – **R** 180/260, enf. 85. Lyon p. 5 EY s

XX **Chez Gervais,** 42 r. P.-Corneille ✉ 69006 ☏ 78 52 19 13 – ▤. AE ⓓ VISA
fermé juil., sam. (sauf le soir du 1er oct. au 1er mai) et dim. – **R** 150. Lyon p. 5 DX a

XX **Le Nord,** 18 r. Neuve ✉ 69002 ☏ 78 28 24 54 – ▤. VISA CX p
fermé sam. – **R** 80/180.

XX **La Soupière,** 14 r. Molière ✉ 69006 ☏ 78 52 75 34 – E VISA Lyon p. 5 DV b
fermé août, Noël au Jour de l'An, dim. et lundi – **R** 130/300.

XX **J.-C.-Pequet,** 59 pl. Voltaire ✉ 69003 ☏ 78 95 49 70 – ▤. AE ⓓ E VISA
fermé 14 juil. au 1er août, 24 déc. au 2 janv., sam. et dim. – **R** 100/180. Lyon p. 5 DY v

XX **La Mère Vittet** (Brasserie Lyonnaise) ouvert jour et nuit, 26 cours Verdun ✉ 69002 ☏ 78 37 20 17, Télex 305559 – ▤. AE ⓓ E VISA BZ y
R 105/260 ♂, enf. 67.

XX **Tante Alice,** 22 r. Remparts-d'Ainay ✉ 69002 ☏ 78 37 49 83 – ▤. AE E VISA
fermé 22 juil. au 22 août, 25 déc. au 4 janv., vend. soir et sam. – **R** 76/162. CZ v

XX **Chevallier,** 40 r. Sergent Blandan ✉ 69001 ☏ 78 28 19 83 – ▤. AE VISA CV s
fermé 4 au 29 juil., 18 au 28 fév., mardi et merc. – **R** 78/145.

XX **Garioud,** 14 r. Palais Grillet ✉ 69002 ☏ 78 37 04 71 – ▤. AE E VISA CX d
fermé sam. midi et dim. – **R** 96/208.

XX **La Voûte,** 11 pl. A.-Gourju ✉ 69002 ☏ 78 42 01 33 – ▤. AE ⓓ E VISA CY e
fermé 11 au 31 juil. et dim. – **R** 80/150.

XX ✿ **Le Passage,** 8 r. Plâtre ✉ 69001 ☏ 78 28 11 16 – AE E VISA CV r
fermé sam. midi, dim. et fériés – **R** 180/220
Spéc. Salade d'artichaut et haddock, Nage de palourdes et langoustines au safran, Jarret de veau à l'estragon, fèves et petits pois.

XX **Au Petit Col,** 68 r. Charité ✉ 69002 ☏ 78 37 25 18 – ▤. E VISA CZ a
fermé 1er au 25 août, sam. midi et dim. – **R** 90/168 ♂.

XX **Christian Grisard,** 158 r. Cuvier ✉ 69006 ☏ 78 24 77 98 – ⓓ VISA
fermé août, dim. et lundi – **R** 98/220. Lyon p.5 EV r

XX **Chez Rose,** 4 r. Rabelais ✉ 69003 ☏ 78 60 57 25 – ▤. E VISA. ✂
fermé 6 au 22 août, sam. sauf le soir de sept. à juin, dim. et fériés – **R** 140/190. Lyon p. 5 DX x

XX **Argenson,** 90 av. Tony Garnier ✉ 69007 ☏ 78 72 64 53, 佘 – Ⓟ. E VISA GT a
fermé 15 au 31 août, dim. et fériés – **R** (déj. seul.) 85/150.

XX **Aub. de l'Ile,** quartier St-Rambert, Ile Ste-Barbe ✉ 69009 ☏ 78 83 99 49 – Ⓟ. E VISA. ✂ Lyon p. 2 GR e
fermé 12 au 26 sept., 9 au 30 janv., dim. soir et lundi – **R** 105/265.

XX **Michel Froidevaux,** 3 r. Bugeaud ✉ 69006 ☏ 78 24 49 51 – ▤. ⓓ E VISA
fermé juil., lundi soir et dim. – **R** 87/230. Lyon p. 5 DV n

XX **La Tassée,** 20 r. Charité ✉ 69002 ☏ 78 37 02 35 – ⓓ VISA CY v
fermé 24 déc. au 3 janv. et dim. – **R** 90/180.

XX **La Pastourelle,** 51 r. Tête-d'Or ✉ 69006 ☎ 78 24 90 89 – AE ⓓ E VISA
fermé août, sam. (sauf le soir de nov. à avril) et dim. – **R** 100/140. Lyon p. 5 EV a

X **Chez Jean-François,** 2 pl. Célestins ✉ 69002 ☎ 78 42 08 26 – VISA CX x
fermé vacances de printemps, 25 juil. au 25 août, dim. et fériés – **R** 69/112 ₰.

X **La Bonne Auberge "Chez Jo",** 48 av. Félix-Faure ✉ 69003 ☎ 78 60 00 57 – AE ⓓ VISA Lyon p. 5 EZ s
fermé août, sam. soir et dim. – **R** 86/140.

X **Le Bistrot de Lyon,** 64 r. Mercière ✉ 69002 ☎ 78 37 00 62, – AE ⓓ E VISA CX u
R carte 140 à 185.

X **Le Blandan,** 28 r. Sergent Blandan ✉ 69001 ☎ 78 28 76 43 – VISA CV e
fermé 15 juil. au 15 août, vacances de fév., lundi et mardi – **R** 70/140.

X **Boeuf d'Argent,** 29 r. Bœuf ✉ 69005 ☎ 78 42 21 12 – E VISA BX
fermé août, sam. midi et dim. – **R** 80/130.

X **La Pinte à Gones,** 59 r. Ney ✉ 69006 ☎ 78 24 81 75 – E VISA Lyon p. 5 EV s
fermé août, 24 au 31 déc., sam. midi et dim. – **R** 75/146.

X **Pied de Cochon,** 9 r. St-Polycarpe ✉ 69001 ☎ 78 28 15 31 – AE E VISA CV k
fermé août et week-ends – **R** 85/150.

Environs

à Bron – 41 500 h. – ✉ **69500** Bron :

Novotel Ⓜ, r. Lionel Terray ☎ 78 26 97 48, Télex 340781, – ☎ – **P** – 25 à 800. AE ⓓ E VISA Lyon p. 3 JT
R carte environ 150, enf. 45 – ☕ 38 – **196 ch** 355.

Hostel Ⓜ, 36 av. Doyen Jean Lépine ☎ 78 54 31 34, Télex 380694 – wc ☎ – 100. E VISA Lyon p. 3 JS e
R 65/110 ₰ – ☕ 22 – **140 ch** 185/245 – $^1/_2$ p 245/293.

Dau Ly sans rest, 28 r. de Prévieux ☎ 78 26 04 37 – wc wc ☎ **P**. AE VISA Lyon p. 3 JT e
☕ 20 – **22 ch** 190/232.

Lyon-Bron sans rest, 7 r. Essarts ☎ 78 74 24 73 – wc wc ☎ **P**. AE VISA
☕ 17 – **40 ch** 140/210. Lyon p. 3 HJT

à Pierre-Bénite – 9 469 h. – ✉ **69310** Pierre-Bénite :

Europe sans rest, 67 bd Europe ☎ 78 50 55 55 – wc wc ☎ **P**. ⓓ VISA
☕ 19 – **34 ch** 140/200. Lyon p. 2 GT

à Tassin-la-Demi-Lune : 5 km par D 407 – 15 034 h. – ✉ **69160** Tassin-la-Demi-Lune :

XXX **Les Tilleuls,** 146 av. Ch.-de-Gaulle ☎ 78 34 19 58, – **P**. AE E VISA
fermé 16 au 29 août, vacances de fév., dim. soir et lundi – **R** 160/260 ₰, enf. 50. Lyon p.2 FS

XX **Chateaubriand,** 12 av. Mar.-Foch ☎ 78 34 15 64, – **P**. VISA
fermé vacances de printemps, août, dim. soir, sam. et merc. – **R** 80/240. Lyon p.2 FS

à Collonges-au-Mont-d'Or : voir Lyon p. 9

au Mont-Cindre N : 14 km par D 21 - GR – ✉ **69450** St-Cyr :

XX **Ermitage,** ☎ 78 47 20 96, ≤ Lyon et Monts du Lyonnais, – AE VISA
fermé 16 au 25 août, 5 janv. au 15 fév., mardi et merc. – **R** 90/240, enf. 55.

Par la sortie ① :

à Rillieux-la-Pape : 7 km par N 83 et N 84 – ✉ **69140** Rillieux-la-Pape :

XXX ✿ **Larivoire** (Constantin), ☎ 78 88 50 92, ≤, – **P**. AE ⓓ VISA
fermé 29 août au 7 sept., 1er au 22 fév., lundi soir et mardi – **R** 165/330
Spéc. Oeufs en cocotte aux langoustines et aux morilles, Dos de lapin en crépinette, Fricassée d volaille de Bresse au vinaigre. Vins Coteaux du Lyonnais, Montagnieu.

à Sathonay-Camp N : 9 km par D 48 – ✉ **69580** Sathonay-Camp :

Val de Saône sans rest, 1 allée P.-Delorme ☎ 78 23 71 45 – wc ☎ **P**. AE VISA
☕ 17 – **24 ch** 115/230.

à Neyron-le-Haut (01 Ain) par N 83 et N 84 : 14 km – ✉ **01700** Miribel :

XX **Le Saint Didier,** ☎ 78 55 28 72, – **P**. AE VISA
fermé 18 juil. au 15 août, 2 au 9 janv., dim. soir et lundi – **R** (nombre de couvert limité-prévenir) 100/200, enf. 40.

à l'Est par D 29 (rte de Genas) :

à Chassieu : 12 km – 7 051 h. – ✉ **69680** Chassieu :

Exp'Hôtel et rest. le Chasseuland Ⓜ, 82 rte de Lyon ✆ 78 40 10 22, Télex 375051 – wc – 30 à 80. AE E VISA
R *(fermé dim.)* 70/145 – 30 – **51 ch** 280/300.

à Genas : 15 km – 5 480 h. – ✉ **69740** Genas :

Forum H. Ⓜ, 1 r. R. Salengro ✆ 78 40 60 50, Télex 306577 – wc
– 25 à 100. AE E VISA
R 65/98, enf. 39 – 22 – **46 ch** 210/230 – $^1/_2$ p 235/295.

Par la sortie ⑤ :

à St-Priest : 12 km par A 43 et D 148 - JT – 42 913 h. – ✉ **69800** St-Priest :

Monnet, 7 r. A.-Briand ✆ 78 20 15 19, – . AE VISA
fermé août, sam. soir et dim. – **R** 60/165.

à l'aérogare de Satolas : 27 km par A 43 – ✉ **69125** Lyon Satolas Aéroport :

Sofitel Ⓜ, 3e étage ✆ 78 71 91 61, Télex 380480, – – 250. AE E VISA
R voir rest. **La Gde Corbeille** et **Le Bouchon** ci-après – 46 – **120 ch** 450/520.

La Gde Corbeille -Hôtel Sofitel-, 1er étage ✆ 78 71 91 76, Télex 306723, – . AE VISA
fermé août, sam. et dim. – **R** 170/240.

Le Bouchon -Hôtel Sofitel- (brasserie), 1er étage ✆ 78 71 91 86 – . VISA
R 90/115.

Par la sortie ⑧

à Brignais : 12 km par N 86 – 9 577 h. – ✉ **69530** Brignais :

Restotel des Barolles Ⓜ, rte Lyon ✆ 78 05 24 57, – wc . AE E VISA. ch
fermé 7 au 22 août, Noël au Jour de l'an, lundi soir et dim. – **R** 85 bc/200 – 20 – **19 ch** 220/280.

Par la sortie ⑩ :

à Charbonnières-les-Bains : 8 km par N 7 – 3 973 h. – Stat. therm. – ✉ **69260** Charbonnières-les-Bains :

Mercure Ⓜ, N 7 ✆ 78 34 72 79, Télex 900972, – wc – 30 à 150. AE E VISA
R (dîner seul.) carte 95 à 145, enf. 34 – 35 – **60 ch** 305/370.

Beaulieu sans rest, 19 av. Gén.-de-Gaulle ✆ 78 87 12 04 – wc – 100. AE E VISA
18,50 – **40 ch** 155/205.

Gigandon, 5 av. Gén.-de-Gaulle ✆ 78 87 15 51 – AE VISA
fermé août, dim. soir et lundi – **R** 98/198.

Par la sortie ⑪ :

Porte de Lyon Échangeur A6 N 6 Sortie Limonest N : 10 km – ✉ **69570** Dardilly :

Novotel Lyon-Nord Ⓜ, ✆ 78 35 13 41, Télex 330962, , , – – 150. AE E VISA
R grill carte environ 120, enf. 40 – 38 – **107 ch** 355/380.

Lyon Nord Ⓜ, ✆ 78 35 70 20, Télex 900006, – – 150
Grill la Braise **R 204 ch**.

Mercure Ⓜ, ✆ 78 35 28 05, Télex 330045, , – – 30 à 250. E VISA
R 62 bc/160, enf. 38 – 38 – **175 ch** 285/325.

Campanile Ⓜ, ✆ 78 35 48 44, Télex 310155 – wc – 35. VISA
R 63 bc/86 bc, enf. 38 – 24 – **43 ch** 200/220 – $^1/_2$ p 287/330.

Le Panorama, à Dardilly-le-Haut, face église, ✉ 69570 Dardilly, ✆ 78 47 40 19, , – AE E VISA
fermé vacances de fév., juil., dim. soir, lundi soir et mardi – **R** 220/380.

Autres ressources hôtelières :

Voir Mionnay par ① : 20 km.

MICHELIN, Agences régionales, r. Jean-Pierre Chevrot (7e) GT ✆ 78 69 49 48 et 42-44 av. R.-Salengro ZA Poudrette à Vaulx-en-Velin JS ✆ 72 37 33 63

CONSTRUCTEUR : Renault Véhicules Industriels, Tour du Crédit Lyonnais, 129 r. Servient 69003 LYON EX ✆ 78 76 81 11 et Vénissieux HT

1er Arrondissement

CITROEN Gar. Manutention, 8 quai St-Vincent AV ✆ 78 28 21 14

Ⓜ Demal, 19 quai St-Vincent ✆ 78 28 20 80

2e Arrondissement

RENAULT Gar. de Verdun, 6 cours Verdun BZ ✆ 78 37 26 31

3e Arrondissement

FIAT Lafayette, 292 à 296 cours Lafayette ✆ 78 53 33 33
FORD Veyet, 82 bd Vivier-Merle ✆ 78 60 25 28
TOYOTA S.I.D.A.T., 32-34 r. Danton ✆ 78 95 35 64
V.A.G. Gar. Bouteille, 195 av. Félix-Faure ✆ 78 54 13 24 N ✆ 78 69 22 22
V.A.G. Gacon, 85 r. P.-Corneille ✆ 78 60 94 13
VOLVO Filiale, 87-89 av. F.-Faure ✆ 78 95 40 04

Ⓜ Deshayes Pneus, 13 r. Louise ✆ 78 54 47 91
19 r. François-Garcin ✆ 78 95 25 74
Gaudry-Pneu, 43-45 Cours A.-Thomas, ✆ 78 53 25 73
Métifiot, 70 r. des Rancy ✆ 78 60 36 93
Piot-Pneu, 234 cours Lafayette ✆ 72 33 68 77

4e et 5e Arrondissements

RENAULT Gar. Choulans, 25 r. Basses-Verchères (5e) AY ✆ 78 36 24 11
RENAULT Gar. Point du Tour (5e) 55 bis av. du Point du Jour FS ✆ 78 25 02 52
RENAULT Gar. Mondon, 4 et 6 r. St-Fiacre ✆ 78 25 29 18

Gar. Crotta, 44 quai J.-Gillet (4e) ✆ 78 29 81 38

Ⓜ Métifiot 5 pl. Tabareau (5e) ✆ 78 39 16 54
Charcot-Pneus, 20 r. Jeunet ✆ 78 36 05 29

6e Arrondissement

BMW Gar. des Emeraudes, 198 av. Thiers ✆ 78 52 80 21
CITROEN Gar. Métropole, 115 r. Bugeaud EV ✆ 78 52 01 10 N ✆ 78 53 50 42
MERCEDES-BENZ Satal, 55 av. Mar. Foch ✆ 78 89 23 41

PEUGEOT-TALBOT S.L.I.C.A., 141 r. Vendôme DX ✆ 78 52 64 64

Ⓜ Briday-Pneus, 55 bd Brotteaux ✆ 78 52 04 89

7e Arrondissement

AUSTIN-ROVER Kennings, 70 à 76 r. Marseille ✆ 78 58 16 53
CITROEN Succursale, 35 r. Marseille DZ ✆ 78 69 81 84 N ✆ 05 05 24 24
CITROEN Montveneur, 212 Gde r. de la Guillotière EZ ✆ 78 72 31 25
FERRARI-JAGUAR STAL, 36 r. Université ✆ 78 72 31 13
FIAT Duchenaud, 56 rte de Vienne ✆ 78 72 37 34
FORD Galliéni-Automobiles, 47 av. Berthelot ✆ 78 72 02 27

HONDA Clamagirand, 32 r. Aguesseau ✆ 78 72 40 27
RENAULT Prost, 244 av. Jean-Jaurès GT ✆ 78 72 61 46

Ⓜ Boson, 31 r. Béchevelin ✆ 78 72 93 89
Gar. des Hirondelles Briday-Pneus, 190 av. Berthelot ✆ 78 72 41 76
Gaudry-Pneu, 200 av. Jean-Jaurès ✆ 72 73 00 98

8e Arrondissement

PEUGEOT-TALBOT Auto du Bachut, 322 av. Berthelot HT **d** ✆ 78 74 18 09

Ⓜ Métifiot, 71 av. J.-Mermoz ✆ 78 74 08 09

Tessaro-Pneus, 22 bis r. A.-Lumière ✆ 78 00 73 25

9e Arrondissement

PEUGEOT, TALBOT S.L.I.C.A.-Duchère, 9 av. la Duchère FR ✆ 78 35 38 46
PEUGEOT, TALBOT S.L.I.C.A, 6 r. J.-Carret FR **s** ✆ 78 83 95 40
RENAULT Succursale, 4 r. St-Simon - 93 r. Marietton FR ✆ 78 64 81 00

RENAULT Gar. de Rochecardon, 138 r. de St-Cyr FR **a** ✆ 78 83 71 15

Ⓜ Briday-Pneus, 48 r. Bourgogne ✆ 78 83 77 76
Desfêtes-Pneus, 113 r. Marietton ✆ 78 83 76 95

Brignais

Ⓜ P.B.A. rte d'Irigny Zone Ind. Nord ✆ 78 05 33 04 185 r. Gén.-de-Gaulle ✆ 72 31 61 66

Bron

Ⓜ S.N.D., 17 av. Salvador-Allendé ✆ 78 26 55 49

Caluire

Ⓜ Deshayes-Pneus, 134 Gde-Rue St-Clair ✆ 78 23 07 97

Dardilly

Ⓜ Briday-Pneus, Porte Lyon, Échangeur A6 N6, sortie Limonest Nord ✆ 78 35 58 50

Ecully

CITROEN Succursale, 5 r. J.-M.-Vianney FR **a** ✆ 78 33 52 00 N ✆ 05 05 24 24

Meyzieu

AUSTIN-ROVER Gar. Mortier, 118 r. République ✆ 78 04 10 11

PEUGEOT Gar. des Servizières, 116 r. de la République par ③ ✆ 78 31 40 59

Rillieux

BMW Gar. Maublanc, Zone Ind. ✆ 78 88 83 97 N ✆ 78 88 39 19

PEUGEOT-TALBOT Maunand, av. Hippodrome par D 48E HR ✆ 78 88 54 74

RENAULT SANGAR, ch. du Champ de Lievre ✆ 78 88 04 44

Saint-Fons

CITROEN Gar. J.-Jaurès, 52 av. J.-Jaurès HT e ✆ 78 70 94 61

PEUGEOT-TALBOT Gar. Centre, 12 av. G.-Péri HT u ✆ 78 70 94 62

SEAT Atlas, 53 r. Carnot ✆ 78 70 53 74

Saint-Priest

CITROEN Gar. du Stade, 40 r. H.-Maréchal par D 518 JT ✆ 78 20 23 92

PEUGEOT-TALBOT Gar. Laval, 30 rte de Lyon par D 518 JT ✆ 78 20 07 85

RENAULT Bombagi, 37 rte d'Heyrieux par D 518 JT ✆ 78 20 19 59

RENAULT Gar. de Provence, 9 r. de Provence par D 518 JT ✆ 78 20 29 39

Ⓟ Comptoir du Pneu, 10 bis r. A.-Briand ✆ 78 20 29 28
Gar. des Hirondelles-Briday-Pneus 52 r. L.-Pradel Zone Ind. à Corbas ✆ 78 20 98 56
Gaudry-Pneu, 200 rte Grenoble ✆ 78 90 73 77
Métifiot, Zone Lyder rte de Lyon ✆ 78 21 58 80

Sainte-Foy-lès-Lyon

CITROEN Gar. de la Plaine, 117 bis r. Cdt-Charcot FS u ✆ 78 59 62 15

Tassin-la-Demi-Lune

PEUGEOT-TALBOT Tassin Automobiles, 100 av. République FS ✆ 78 34 31 36

RENAULT Gar. Méjat, 11 pl. P.-Vauboin FS s ✆ 78 34 23 50

Ⓟ Pneumatech, 142 av. De-Gaulle ✆ 78 34 33 00

Vaulx-en-Velin

FIAT Oliver, 29 r. Sigmund-Freud ✆ 78 80 68 43

PEUGEOT S.L.I.C.A., 38 av. de Bohlen JS a ✆ 72 37 13 13

RENAULT Succursale Lyon-Est, 52 av. de Bohlen JS ✆ 72 37 31 15 N ✆ (1)42 52 82 82

V.A.G. Gar. Excelsior, r. J.-M. Merle ✆ 78 80 68 93

Ⓟ Piot-Pneu, 178 av. R.-Salengro ✆ 72 37 54 35

Villeurbanne

AUSTIN-ROVER Gar. de la Perralière, 206 r. du 4 août ✆ 78 84 71 30

CITROEN Badel, 38 r. F.-Chirat HS ✆ 78 54 58 50

LANCIA-AUTOBIANCHI-SEAT Atlas, 37 r. Paul Verlaine ✆ 78 84 81 44

OPEL-GM-US Omnium-Gar., 95 r. Magenta ✆ 78 84 65 24

Ⓟ Comptoir du Pneu, 27 r. J.-Jaurès ✆ 78 54 84 53
Dorcier, r. du Boulevard ✆ 78 89 78 08
Ets Cintas, 10 r. Sylvestre ✆ 78 52 59 42
La Maison des Pneus, 42 à 46 r. A.-Perrin ✆ 78 53 28 52
Lyon-Pneus, 68 cours E.-Zola ✆ 78 68 30 10
Pneu-Shop, 263 r. F.-de-Pressensé ✆ 78 68 99 26
Rhône-Pneus, 80 cours Tolstoï ✆ 78 84 95 24
Teco-Pneu, 53 r. A.-France ✆ 78 84 68 63

Vénissieux

CITROEN Baroud, 346 av. Ch.-de-Gaulle HT s ✆ 78 74 23 40

CITROEN Gar. du Centre, Ets Faure, 50-52 bd Laurent-Gérin HT u ✆ 72 50 09 61

CITROEN Gar. Galichet, 43 r. Carnot HT a ✆ 72 50 40 33

MERCEDES Salta, bd L. Bonnevay ✆ 78 75 18 01

PEUGEOT-TALBOT S.L.I.C.A., 2 r. Frères-Bertrand HT s ✆ 78 00 33 34

RENAULT Succursale Lyon-Sud, 364 rte Vienne HT n ✆ 78 00 55 15 N

Ⓟ Piot-Pneu, 69 r. A.-Sentuc, ZAC l'Arsenal ✆ 72 51 05 08

LYONS-LA-FORÊT 27480 Eure 55 ⑧ G. Normandie Vallée de la Seine – 734 h.

Voir Forêt★★ – N.-D.-de la Paix ≤★ O : 1,5 km.

Syndicat d'Initiative à la Mairie ✆ 32 49 60 87.

Paris 103 – Les Andelys 20 – Forges-les-Eaux 29 – Gisors 29 – Gournay-en-Bray 25 – ♦Rouen 36.

- **La Licorne,** ✆ **32 49 62 02,** , **« Jardin fleuri »** – wc wc ☎ Ⓟ – 30. AE ⓓ E VISA.
  fermé 15 déc. au 21 janv., dim. soir et lundi du 1er oct. au 30 mars – **R** 120/206 – 27 – **21 ch** 280/420 – 1/2 p 317/370.
- **Domaine St Paul** rte Tronquay ✆ **32 49 60 57, « Parc fleuri »,** – wc wc ☎ Ⓟ – 30. E VISA
  27 mars-13 nov. – **R** 95/115, enf. 55 – 25 – **20 ch** 140/320 – 1/2 p 190/280.
- XX **Gd Cerf** avec ch, ✆ **32 49 60 44,** – wc ☎. AE ⓓ E VISA
  fermé 15 janv. au 18 fév., mardi et merc. – **R** 180/200 – 25 – **8 ch** 180/250.

LYS-CHANTILLY 60 Oise 56 ⑪, 196 ⑦⑧ – rattaché à Chantilly.

LYS-LEZ-LANNOY 59 Nord 51 ⑯ – rattaché à Roubaix.

MACÉ 61 Orne 60 ③ – rattaché à Sées.

MACEY 50 Manche 59 ⑧ – rattaché à Pontorson.

MACHILLY 74 H.-Savoie 70 ⑯ – rattaché à St-Cergues.

La MACHINE (Col de) 26 Drôme 77 ⑬ – rattaché à St-Jean-en-Royans.

MÂCON P 71000 S.-et-L. 69 ⑲ **G. Bourgogne** – 38 719 h – **Voir Apothicairerie★ de l'Hôtel-Dieu** BY **B** – **Musée des Ursulines★** BY **M1** – **Env. Clocher★ de l'église de St-André par** ② **: 8,5 km** – 18 **de la Commanderie** ✆ **85 30 40 24 par** ② **: 7 km.**

Office de Tourisme 187 r. Carnot ✆ 85 39 71 37, Télex 800762 – Maison Mâconnaise des Vins (dégustation et machon bourguignon, ventes de vin AOC à emporter), 484 av. de-Lattre-de-Tassigny ✆ 85 38 36 70 BY.

Paris 393 ① – Bourg-en-Bresse 36 ② – Chalon-sur-Saône 58 ① – ♦Lyon 68 ③ – Roanne 96 ④.

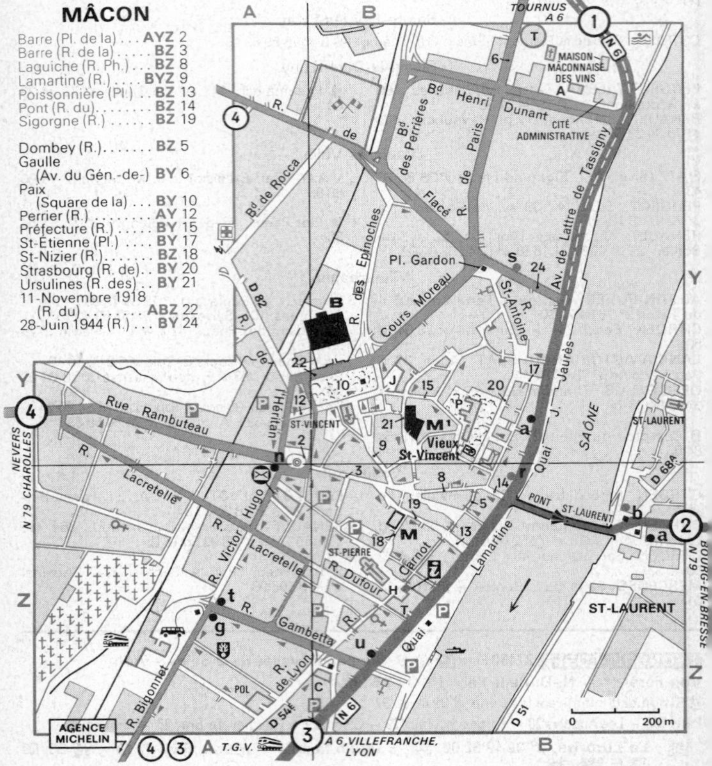

Altéa Mâcon M, 26 r. Coubertin par ① : 0,5 km ✆ 85 38 28 06, Télex 800830, ← – |‡| TV ☎ P – 30. AE O E VISA
Le St-Vincent *(fermé sam. midi et dim. midi)* **R** 72/129, enf. 40 – ☐ 39 – **63 ch** 295/450.

Bellevue, 416 quai Lamartine ✆ 85 38 05 07, Télex 800837 – |‡| TV ☎ ♿ P. AE O E VISA BZ **u**
R 95/160 – ☐ 33 – **27 ch** 155/460.

Terminus, 91 r. Victor-Hugo ✆ 85 39 17 11, Télex 351938 – AE VISA – rest – wc wc – R 75/115, enf. 29 – 26 – **48 ch** 187/265 – 1/2 p 195/264. AZ t

Genève, 1 r. Bigonnet ✆ 85 38 18 10, Télex 351934 – wc wc – 100. AE E VISA – R 72/162, enf. 32 – 25 – **61 ch** 110/250 – 1/2 p 200/230. AZ g

Gd H. de Bourgogne et rest. la Perdrix, 6 r. V.-Hugo ✆ 85 38 36 57, Télex 351940 – ch wc – 30. AE E VISA – R *(fermé 25 au 31 déc. et dim. soir en hiver)* 66/120, enf. 30 – 28 – **48 ch** 200/265 – 1/2 p 225/250. AYZ n

Nord sans rest, 313 quai J.-Jaurès ✆ 85 38 08 68 – wc wc. AE E VISA – 19 – **21 ch** 103/157. BY a

Aub. Bressane, 114 r. 28-Juin-1944 ✆ 85 38 07 42 – AE VISA – *fermé merc.* – **R** 85/230. BY s

Rocher de Cancale, 393 quai J.-Jaurès ✆ 85 38 07 50 – AE E VISA – *fermé 1er au 22 juil., 2 au 16 janv., sam. midi, dim. soir et lundi* – **R** 80/180. BZ r

La Maison de Terre, 9 Gde-Rue de la Coupée à Charnay-lès-Mâcon par ④ ✉ 71850 Charnay-lès-Mâcon ✆ 85 34 73 96 – VISA – *fermé dim. soir et lundi* – **R** 78/185.

Rive gauche à St-Laurent (Ain) Est du plan – ✉ **01620** St-Laurent :

Beaujolais sans rest, face pont St-Laurent ✆ 85 38 42 06 – wc. AE E VISA. – *fermé 15 sept. au 1er oct., 25 déc. au 1er janv., dim. (sauf juil., août et sept.)* – 17,50 – **16 ch** 100/145. BZ a

Le Saint-Laurent, 1 quai Bouchacourt ✆ 85 38 32 03, – AE E VISA – *fermé 2 au 20 août, 26 déc. au 5 janv., sam. midi, dim. soir et lundi* – **R** 125/280, enf. 55. BZ b

à l'Échangeur A6-N6 de Mâcon Nord 7 km par ① – ✉ **71000** Mâcon :

Novotel M, ✆ 85 36 00 80, Télex 800869, – rest – 250. AE E VISA – **R** snack carte environ 120, enf. 40 – 38 – **106 ch** 300/350.

de la Tour, ✆ 85 36 02 70, – wc. E VISA. rest – **R** 68/190, enf. 44 – 26 – **23 ch** 155/258 – 1/2 p 162/196.

sur autoroute A6 (aire de St-Albain) N : par ① : 14 km – ✉ **71260** Lugny :

Mercure M, ✆ 85 33 19 00, Télex 800881, – 40 à 80. AE E VISA – **R** grill (dîner seul.) 115, enf. 46 – 39 – **100 ch** 320/360.

sur rte de Bourg-en-Bresse par ② : 4,5 km – ✉ **01750** Replonges (01 Ain) :

La Huchette M, N 79 ✆ 85 31 03 55, Télex 800787, ≤, , parc, « Décor élégant », – AE E VISA – **R** 150 – 45 – **12 ch** 400/500.

à l'Échangeur A6 - N6 de Mâcon Sud par ③ : 6 km – ✉ **71570** Chaintré :

Ibis M, ✆ 85 36 51 60, Télex 351926 – wc. AE E VISA – **R** carte 75 à 120, enf. 39 – 26 – **45 ch** 232/268.

Autres ressources hôtelières :

Voir *Fuissé* par ④ : 8 km, *Romanèche-Thorins* par ③ : 17 km, *Vonnas* par ② : 19 km, *Thoissey* par D 51 : 16 km.

AUSTIN, ROVER Bois, 39 r. Lacretelle ✆ 85 38 64 31
BMW Favède, 20 r. Lacretelle ✆ 85 38 46 05
CITROEN Gar. Central, 62 r. de Lyon D54E AZ ✆ 85 38 01 74
FIAT, MERCEDES-BENZ Duval, 53 rte de Lyon ✆ 85 34 80 00 N
FORD Corsin, N 6 à Sancé ✆ 85 38 73 33
OPEL, VOLVO Gar. Chauvot, rte Lyon N 6 ✆ 85 34 98 98 N

PEUGEOT-TALBOT Gounon, 89 rte de Lyon par ③ ✆ 85 29 14 14
RENAULT Gar. du Nord, 360 r. du Km 400 par av. Gén.-de-Gaulle BY ✆ 85 38 04 13
RENAULT Succursale, Carr. Europe par ③ ✆ 85 38 25 50

Gouillardon-Gaudry, 71 rte Lyon ✆ 85 34 70 10
Guillaud, 9 av. Mon Repos ✆ 85 38 10 47

Périphérie et environs

CITROEN Autom du Maconnais, ZAC des Platières à Sance par ① ✆ 85 38 58 40
PEUGEOT-TALBOT Romand, N 6 à Crèches-sur-Saône par ③ ✆ 85 37 11 37 N ✆ 85 37 13 33

RENAULT Perrin, N 6 à Crèches-sur-Saône par ③ ✆ 85 37 12 61

La MADELAINE-SOUS-MONTREUIL 62 P.-de-C. 51 ⑫ – rattaché à Montreuil.

La MADRAGUE-DE-MONTREDON 13 B.-du-R. 84 ⑬ – rattaché à Marseille.

MAFFLIERS 95 Val d'Oise 55 ⑳, 196 ⑦ – 948 h. – ✉ **95560** Montsoult.

Paris 29 – Beaumont-sur-Oise 11 – Beauvais 47 – Pontoise 22 – Senlis 34.

Novotel Château de Maffliers M ⛰, ☎ (1) 34 73 93 05, Télex 695701, ←, « Parc », 🏊 – TV ☎ ♿ P – 🏛 25 à 200. AE ⦿ E VISA
R carte environ 180, enf. 44 – ☕ 40 – **80 ch** 450/480.

MAGAGNOSC 06 Alpes-Mar. 84 ⑧ – rattaché à Grasse.

MAGESCQ 40 Landes 78 ⑯ – 1 149 h. – ✉ **40140** Soustons.

Paris 726 – Bayonne 45 – Castets 12 – Dax 16 – Mont-de-Marsan 64 – Soustons 11.

✿✿ **Relais de la Poste** (Coussau) M ⛰, ☎ 58 47 70 25, parc, 🏊, 🎾 – ▤ rest ☎ 🚗 P – 🏛 25. AE ⦿ E VISA. ✗ ch
fermé 12 nov. au 24 déc., lundi soir et mardi sauf juil.-août – **R** (week-ends et saison - prévenir) 240 et carte – ☕ 50 – **12 ch** 320/480
Spéc. Foie gras de canard frais aux raisins, Sole aux cèpes, Gibier (saison). **Vins** Vin des Sables, Tursan.

XX **Le Cabanon et la Grange au Canard,** N : 0,8 km sur N 10 ☎ 58 47 71 51, Télex 540660, ☂, « Demeure landaise rustique », 🌳 – AE E VISA
fermé oct., dim. soir et lundi – **R** 96/152 🍼 – **La Grange au Canard R** 178.

MAGLAND 74 H.-Savoie 74 ⑦⑧ – rattaché à Cluses.

MAGNAC-BOURG 87 H.-Vienne 72 ⑱ – 905 h. – ✉ **87380** St-Germain-les-Belles.

Paris 425 – ♦Limoges 29 – St-Yrieix-la-Perche 27 – Uzerche 27.

Midi, N 20 ☎ 55 00 80 13, ☂, 🌳 – 🛁wc ☎ 🚗. AE ⦿ E VISA
fermé 15 janv. au 15 fév., 15 au 30 nov. et lundi hors sais. – **R** 60/160 – ☕ 20 – **11 ch** 100/200 – ½ p 250.

XX **Voyageurs** avec ch, N 20 ☎ 55 00 80 36 – 🛁 🚿 🚗. E VISA. ✗ rest
fermé 7 au 17 juin, 4 au 14 oct., mardi soir et merc. hors sais. – **R** 60/200 – ☕ 25 – **8 ch** 95/160 – ½ p 160/200.

XX **Aub. Étang** ⛰ avec ch, ☎ 55 00 81 37, 🌳 – 🚿wc ☎ – 🏛 40. E VISA
fermé 15 au 28 oct., 10 fév. au 10 mars, dim. soir et lundi d'oct. à avril – **R** 50/200 🍼 – ☕ 22 – **14 ch** 170/190 – ½ p 200/250.

MAGNE 74 H.-Savoie 74 ⑯ – rattaché à St-Jorioz.

MAGNY-COURS 58 Nièvre 69 ③④ – rattaché à Nevers.

MAGNY-EN-VEXIN 95420 Val-d'Oise 55 ⑱⑲, 196 ③ – 4 559 h.

⛳18 de Villarceaux ☎ (1) 34 67 73 83 SO : 9 km.

Paris 60 – Beauvais 47 – Gisors 16 – Mantes-la-Jolie 22 – Pontoise 27 – ♦Rouen 64 – Vernon 28.

XX **Cheval Blanc,** r. Carnot ☎ (1) 34 67 00 37 – VISA
fermé août, merc. et le soir sauf sam. – **R** 60/98.

CITROEN Gar. de la Place d'Armes, ☎ (1)34 67 00 70
PEUGEOT-TALBOT Gar. Beauval ☎ (1) 34 67 00 44
⊛ Blasquez, ☎ (1)34 67 01 86
Fischbach-Pneu, 11 r. du Dr Fourniols ☎ (1) 34 67 13 94

MAICHE 25120 Doubs 66 ⑱ **G. Jura** – 4 344 h. alt. 775.

ℹ Office de Tourisme à l'Hôtel de Ville (fermé après-midi hors saison) ☎ 81 64 11 88.

Paris 488 – ♦Bâle 102 – Belfort 60 – ♦Besançon 75 – Montbéliard 42 – Pontarlier 60.

Panorama ⛰, par rte Pontarlier ☎ 81 64 04 78, ← – 🛁wc 🚿wc ☎ P – 🏛 40 VISA
fermé 5 nov. au 26 déc., dim. soir et lundi d'oct. à Pâques (sauf vacances scolaires) – **R** 90/260 🍼 – ☕ 20 – **32 ch** 165/260 – ½ p 190/240.

CITROEN Cartier, ☎ 81 64 01 75
PEUGEOT Gar. Glasson, ☎ 81 64 00 12
PEUGEOT-TALBOT Gar. Boibessot, ☎ 81 64 09 21
TOYOTA Schell, ☎ 81 64 08 73

MAILLANE 13 B.-du-R. 81 ⑪⑫ – rattaché à St-Rémy-de-Provence.

MAILLEZAIS 85420 Vendée 71 ① **G. Poitou Vendée Charentes** – 939 h.

Voir Ancienne abbaye de Maillezais*.

Paris 435 – Fontenay-le-Comte 15 – Niort 29 – La Rochelle 47 – La Roche-sur-Yon 72.

St Nicolas sans rest, r. Dr Darroux ☎ 51 00 74 45 – 🛁wc 🚿wc ☎ 🚗. E VISA
☕ 23 – **16 ch** 130/240.

XX **Le Collibert,** r. Dr Darroux ☎ 51 87 25 07 – E VISA
fermé fév., dim. soir et lundi du 1er oct. à Pâques – **R** 55/265 🍼, enf. 38.

CITROEN Gar. Thouard, ☎ 51 00 74 68

MAILLY-LE-CHÂTEAU 89660 Yonne 65 ⑤ G. Bourgogne – 501 h.
Voir ≤★ de la terrasse.
Paris 194 – Auxerre 30 – Avallon 30 – Clamecy 22 – Cosne-sur-Loire 73.

Le Castel ⅋, pl. Église ✆ 86 40 43 06, – wc wc. E VISA
15 mars-15 nov. et fermé mardi soir du 1er oct. au 1er avril et merc. – **R** 75/190 – 25 – **12 ch** 180/280.

Les MAILLYS 21 Côte-d'Or 66 ⑬ – rattaché à Auxonne.

MAISOD 39 Jura 70 ⑭ G. Jura – 162 h. – ✉ 39260 Moirans-en-Montagne.
Voir Belvédère du Regardoir ≤★ SE : 4 km puis 15 mn.
Paris 429 – Bourg-en-Bresse 73 – Lons-le-Saunier 31 – Nantua 48 – St-Claude 28.

Relais du Lac ⅋ avec ch, ✆ 84 42 00 34 – Ⓟ. VISA
fermé 15 au 31 mars, 2 nov. au 1er déc., mardi soir hors sais. (sauf hôtel) et merc. – **R** 45/130 ⅋, enf. 25 – 14 – **5 ch** 60/65 – ½ p 110/150.

MAISON-DU-ROY 05 H.-Alpes 77 ⑱ – rattaché à Guillestre.

MAISON-JEANNETTE 24 Dordogne 75 ⑤ – ✉ 24140 Villamblard.
Paris 521 – Bergerac 23 – Périgueux 24 – Vergt 11.

Tropicana, ✆ 53 82 98 31, , étang, , – wc wc Ⓟ – 30. AE
fermé 15 déc. au 15 fév., vend. soir et sam. midi de nov. à avril – **R** 49/178 – 19 – **23 ch** 145/270 – ½ p 195/240.

MAISON NEUVE 16 Charente 72 ⑭ – rattaché à Angoulême.

MAISON NEUVE 07 Ardèche 80 ⑧ – rattaché à Lablachère.

MAISONS-ALFORT 94 Val-de-Marne 61 ①, 101 ㉗ – voir à Paris, Environs.

MAISONS-LAFFITTE 78 Yvelines 55 ⑳, 101 ⑬ – voir à Paris, Environs.

MAIZIÈRES-LÈS-METZ 57 Moselle 57 ④ – rattaché à Metz.

MALAUCÈNE 84340 Vaucluse 81 ③ G. Provence – 2 100 h.
Voir O : Dentelles de Montmirail★.
Office de Tourisme pl. Mairie (15 juin-15 sept.) ✆ 90 65 22 59.
Paris 678 – Avignon 42 – Carpentras 18 – Vaison-la-Romaine 9,5.

Origan, ✆ 90 65 27 08, – wc wc. E VISA
1er mars-31 oct. – **R** *(fermé lundi)* grill 50/120 – 18 – **23 ch** 170/200 – ½ p 180/230.

Le Siècle, ✆ 90 65 11 37,
fermé 12 nov. au 28 déc., lundi soir et mardi – **R** 45/105.

CITROEN Gar. Meffre, ✆ 90 65 20 26
RENAULT Gar. du Ventoux, ✆ 90 65 20 23

MALAY-LE-PETIT 89 Yonne 61 ⑭ – rattaché à Sens.

MALBUISSON 25160 Doubs 70 ⑥ G. Jura – 372 h. alt. 900.
Voir Lac de St-Point★.
Syndicat d'Initiative Lac St-Point ✆ 81 69 31 21.
Paris 446 – Besançon 74 – Champagnole 40 – Pontarlier 16 – St-Claude 73 – Salins-les-Bains 49.

Le Lac, ✆ 81 69 34 80, Télex 360713, ≤, – Ⓟ. E VISA
fermé 23 nov. au 18 déc. sauf week-ends – **R** 70/200, enf. 55 – 22 – **54 ch** 138/254 – ½ p 145/205.

Les Terrasses, ✆ 81 69 30 24, ≤, – wc Ⓟ – 30. AE E VISA. rest
fermé 12 nov. au 15 janv. et lundi hors sais. – **R** 95/265 – 32 – **23 ch** 230/250 – ½ p 225/270.

Bon Accueil, ✆ 81 69 30 58, – wc wc Ⓟ. rest
fermé 15 au 29 avril, 1er nov. au 20 déc. et merc. hors sais. – **R** 57/135 – 16 – **16 ch** 88/140 – ½ p 120/165.

✿ **Belle-Vue** (Tannières) avec ch, ✆ 81 69 30 89, – wc Ⓟ. AE E VISA
fermé 15 au 30 avril, 20 déc. au 20 janv., dim. soir et lundi sauf juil.-août et fév. – **R** 85/285, enf. 70 – 25 – **9 ch** 140/300 – ½ p 190/300
Spéc. Tarte fine de morilles à la crème, Filet de sandre au vin jaune (mai à nov.), Nougat glacé au miel de sapin. **Vins** Arbois, Côtes du Jura.

aux Granges-Ste-Marie SO : 2 km par D 437 – ✉ **25160** Malbuisson :

Pont, ☎ 81 69 34 33, ≤, – wc ⋒ ☎ **P**. E VISA. ✻
21 mai-30 sept. et 19 déc.-vacances de printemps et fermé dim. soir et lundi sauf vacances scolaires – **R** 56/130 ⅄ – ⊒ 20 – **24 ch** 85/215 – ½ p 145/185.

La MALÈNE 48 Lozère **80** ⑤ **G. Gorges du Tarn** – 197 h. – ✉ **48210** Ste-Enimie.

Voir O : les Détroits★★ et cirque des Baumes★★ (en barque).

Syndicat d'Initiative à la Mairie ☎ 66 48 51 16.

Paris 612 – Florac 41 – Mende 41 – Millau 42 – Séverac-le-Ch. 32 – Le Vigan 81.

Manoir de Montesquiou, ☎ 66 48 51 12, ≤, « Belle demeure du 15ᵉ siècle », – wc ⋒wc ☎ **P**. ✻ rest
1ᵉʳ avril-15 oct. – **R** 103/170, enf. 44 – ⊒ 28 – **12 ch** 235/370 – ½ p 276/350.

au Château de la Caze NE : 5,5 km sur D 907 bis – ✉ **48210** Ste-Enimie.

Voir Cirque de Pougnadoires★ N : 2 km – Cirque de St-Chély★ E : 5 km.

✿ **Château de la Caze** ⟟, ☎ 66 48 51 01, « Château du 15ᵉ s. au bord du Tarn, parc » – TV ☎ **P**. AE E VISA. ✻ rest
début mai-mi-oct. – **R** *(fermé mardi)* carte 250 à 350 – ⊒ 45 – **13 ch** 450/660 – ½ p 550/750

Spéc. Truite soubeyrane, Foie gras chaud, Magret de canard.

A la Ferme, ≤ Château – 6 appartements 750.

MALESHERBES 45330 Loiret **61** ⑪ **G. Environs de Paris** – 5 014 h.

Syndicat d'Initiative r. Pilonne (fermé matin) ☎ 38 34 81 94.

Paris 74 – Etampes 27 – Fontainebleau 26 – Montargis 49 – ♦Orléans 62 – Pithiviers 19.

Écu de France, pl. Martroi ☎ 38 34 87 25 – ⋒. AE E VISA
R *(fermé jeudi)* 58/180, enf. 38 – ⊒ 22 – **16 ch** 80/275.

à Buthiers (77 S.-et-M.) S : 2 km – ✉ **77760** La Chapelle-la-Reine :

XX **Roches Gourmandes,** ☎ (1) 64 24 14 00 – E VISA
fermé janv., lundi soir et mardi – **R** 68/95.

CITROEN Amant, 20 av. du Gén.-Leclerc ☎ 38 34 84 56
PEUGEOT-TALBOT Gar. Thomas, 17 r. Adolphe Cochery ☎ 38 34 81 41
RENAULT Gar. Central, 39 av. Gén.-Patton ☎ 38 34 60 36
Thouard, 2 av. Gén.-de-Gaulle ☎ 38 34 81 62

MALMAISON 92 Hauts-de-Seine **55** ⑳, **196** ⑯ – voir Paris, Environs (Rueil).

MALO-LES-BAINS 59 Nord **51** ④ – rattaché à Dunkerque.

MALVAL (Col de) 69 Rhône **73** ⑲ – rattaché à Vaugneray.

MALVILLE 38 Isère **74** – ✉ **38510** Morestel.

Paris 494 – Bourg-en-Bresse 64 – ♦Grenoble 78 – ♦Lyon 64 – Morestel 10.

Aub. Le Couray ⟟, ☎ 74 97 72 33, ≤ – wc ⋒wc ☎ **P**
23 ch.

Le MALZIEU-VILLE 48140 Lozère **76** ⑮ – 924 h. alt. 860.

Paris 538 – Mende 58 – Millau 116 – Le Puy 75 – Rodez 108 – St-Flour 36.

Voyageurs, rte de Saugues ☎ 66 31 70 08 – wc ☎ **P**. VISA
fermé 20 déc. au 1ᵉʳ fév., sam. et dim. hors sais. – **R** 50/120 ⅄ – ⊒ 22 – **18 ch** 165/200 – ½ p 220/250.

CITROEN Gar. Vidal, ☎ 66 31 71 85

MAMERS ⟨SP⟩ 72600 Sarthe **60** ⑭ **G. Normandie Vallée de la Seine** – 6 747 h.

Syndicat d'Initiative pl. République ☎ 43 97 60 63.

Paris 183 ① – Alençon 25 ⑤ – ♦Le Mans 45 ④ – Mortagne 24 ① – Nogent-le-Rotrou 37 ②.

Plan page ci-contre

XX **Bon Laboureur** avec ch, 1 r. P.-Bert **(e)** ☎ 43 97 60 27 – TV wc ⋒wc ☎. AE E VISA
fermé fév., vend. soir et sam. midi d'oct. à mai – **R** 48/140 ⅄, enf. 35 – ⊒ 18 – **10 ch** 110/240 – ½ p 155/225.

au Perrou (61 Orne) par ② : 6 km – ✉ **61360** Pervenchères :

XX **Petite Auberge,** ☎ 33 73 11 34, – **P**. VISA
fermé 13 au 26 janv., lundi soir sauf juil.-août et mardi – **R** 180.

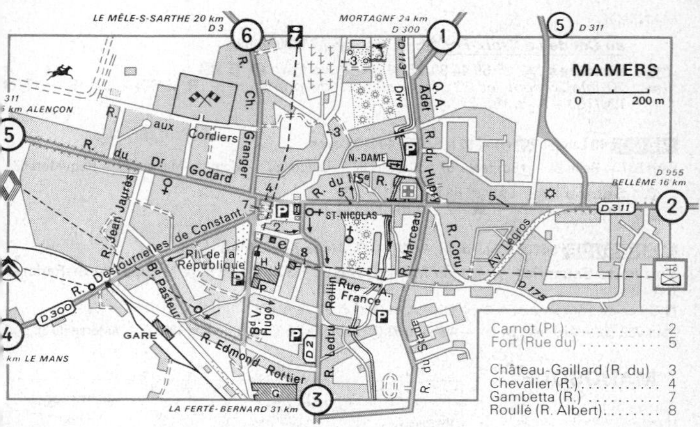

Carnot (Pl.) 2
Fort (Rue du) 5

Château-Gaillard (R. du) 3
Chevalier (R.) 4
Gambetta (R.) 7
Roullé (R. Albert) 8

ITROEN Autos du Saosnois, 103 rte du Mans ☎ 43 97 60 17 ☒ ☎ 43 97 98 77
EUGEOT TALBOT Gar. du Saosnois, rte de ellème à Suré par ② ☎ 43 97 64 92

RENAULT Foullon-Dragon, Le Magasin à St Rémy-des-Monts par ③ ☎ 43 97 63 03
RENAULT Leblond, 22 r. Rosette ☎ 43 97 63 03

MANCIET 32 Gers **82** ③ – rattaché à Eauze.

MANDELIEU 06210 Alpes-Mar. **84** ⑧, **195** ㉞ **G. Côte d'Azur** – 14 333 h.

oir N : Route de Mandelieu ≤★★.

18 Golf-Club de Cannes-Mandelieu ☎ 93 49 55 39 S : 2 km.

Office de Tourisme Mandelieu-La-Napoule, av. Cannes ☎ 93 49 14 39 (Mandelieu) et r. J.-Aulas ☎ 93 49 95 31 (La Napoule).

aris 894 – Brignoles 87 – Cannes 8 – Draguignan 54 – ♦Nice 38 – St-Raphaël 32.

Domaine d'Olival M sans rest, **778 av. Mer ☎ 93 49 31 00,** – cuisinette TV ☎ . AE E VISA
25 janv.-25 oct. – 48 – **3 ch** 760, 15 appartements 595/1450.

Méditerranée sans rest, **454 av. Vacqueries ☎ 93 93 00 93** – TV wc wc ☎ . AE E VISA
20 ch 150/320.

Plaza M sans rest, **308 av. Cannes ☎ 93 49 41 03, Télex 461592** – TV wc ☎ . E VISA
fermé 20 déc. au 14 janv. – 20 – **51 ch** 240/370.

Sant'Angelo sans rest, **681 av. Mer ☎ 93 49 28 23,** – cuisinette wc wc ☎
26 – **26 ch** 270/330, 7 appartements 540/690.

Le Pavillon, rte Fréjus ☎ **93 49 50 86,** – TV wc . AE E VISA
R 66/140 – 19 – **14 ch** 120/240 – 1/2 p 145/169.

Autres ressources hôtelières :
Voir *La Napoule* S : 3 km.

Massa-Pneus, N 7, Pont de la Siagne ☎ 93 47 17 70

MANE 31 H.-Gar. **86** ② – 1 126 h. – ✉ **31260** Salies-du-Salat.

aris 780 – St-Gaudens 24 – St-Girons 22 – ♦Toulouse 78.

France, ☎ **61 90 54 55** – wc wc – 80. E VISA
fermé oct. et vend. – **R** 48 bc/65 – 15 – **20 ch** 80/153 – 1/2 p 130/170.

MANERBE 14 Calvados **55** ⑬ – rattaché à Lisieux.

MANIGOD 74 H.-Savoie **74** ⑦ – 538 h. alt. 950 – ✉ **74230** Thônes.

oir Vallée de Manigod★★, G. Alpes du Nord.

Syndicat d'Initiative à la Mairie ☎ 50 44 92 44.

aris 565 – Albertville 40 – Annecy 26 – Bonneville 38 – La Clusaz 18 – Megève 38 – Thônes 6.

Chalet H. Croix-Fry , **rte du Col de la Croix-Fry : 5,5 km ☎ 50 44 90 16,** ≤ montagnes, – wc wc ☎ . rest
15 juin-15 sept. et 15 déc.-15 avril – **R** 96/230, enf. 45 – 30 – **15 ch** 250/330 – 1/2 p 285.

au Col de La Croix-Fry NE : 7 km – ✉ **74230** Thônes :

Rosières 🔇, ☎ 50 44 90 27, ≤ – 🛁wc 🚿wc Ⓟ. E VISA
20 juin-25 sept. et 20 déc., vacances de printemps – **R** 55/90 – ☕ 18 – **17 ch** 120/160 – ½ p 180/220.

MANO 40 Landes 78 ③ – 92 h. – ✉ **40410** Pissos.

Paris 637 – Belin 24 – ♦Bordeaux 51 – Castets 80 – Langon 52 – Mont-de-Marsan 69 – Roquefort 63.

Selons sans rest, ☎ 58 07 71 51 – Ⓟ
1er juin-30 sept. – ☕ 12 – **7 ch** 90/120.

MANOSQUE 04100 Alpes-de-H.-Pr 81 ⑮ **G. Alpes du Sud** – 19 546 h.

Voir Porte Saunerie★ – ≤★ du Mont d'Or NE : 1,5 km – ≤★ de la chapelle St-Pancrace SO : 2 km.

ℹ Office de Tourisme et A.C. pl. Dr.-P.-Joubert ☎ 92 72 16 00.

Paris 769 ③ – Aix-en-P. 54 ② – Avignon 92 ③ – Digne 58 ① – Grenoble 196 ① – ♦Marseille 86 ②.

MANOSQUE

Grande (R.) 10
Hôtel-de-Ville (Pl. de l') 14
Marchands (R. des) ... 15

Arthur-Robert (R.) 2
Aubette (R. d') 3
Bret (Bd Martin) 5
Chacundier (R.) 6
Dauphine (R.) 8
Giono (Av. Jean) 9
Guilhempierre (R.) 12
Mirabeau (Bd) 16
Mont d'Or (R. du) 17
Notre-Dame-de-Romigier (⊞) ...... D
Pelloutier (Bd C.) 19
Plaine (Bd de la) 20
Reine-Jeanne (R. de la) 21
République (R. de la) .. 22
Rousseau (R. J.-J.) 24
St-Lazare (Av.) 25
St-Sauveur (⊞) .... B
Saunerie (R. de la) 27
Vraies-Richesses (Montée des) 30

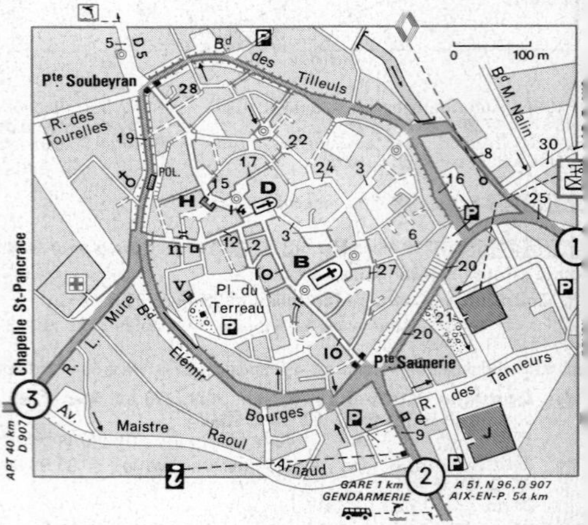

Rose de Provence Ⓜ, rte de Sisteron par ① ☎ 92 72 02 69, ⛱, 🍴 – 📺 🛁wc ☎ Ⓟ. AE E VISA
fermé 10 janv. au 16 fév., lundi (sauf hôtel) et dim. soir du 1er oct. au 1er mai – **R** 11... – ☕ 25 – **16 ch** 250/265 – ½ p 375.

Le Sud Ⓜ, av. Gén. de Gaulle - Sud-Est du plan ☎ 92 87 78 58, ⛱ – ▮ 📺 🛁wc ☎ ♿ Ⓟ – 🏛 60 – **35 ch**.

Campanile, par ① ☎ 92 87 59 00, ⛱, 🍴 – 📺 🛁wc ☎ ♿ Ⓟ. VISA
R 63 bc/86 bc, enf. 38 – ☕ 24 – **30 ch** 200/220 – ½ p 287/330.

François 1er sans rest, 18 r. Guilhempierre **(n)** ☎ 92 72 07 99 – 🚿wc ☎. E VISA
☕ 18 – **25 ch** 85/180.

Versailles sans rest, 17 av. Jean-Giono **(e)** ☎ 92 72 12 10 – 🛁wc 🚿wc ☎. AE VISA
☕ 18 – **20 ch** 100/215.

André, 21 bis pl. Terreau **(v)** ☎ 92 72 03 09 – ⓓ E VISA
fermé 8 juin au 8 juil., dim. soir du 16 sept. au 30 juin et lundi – **R** 52/145, enf. 50.

à La Fuste SE : 6,5 km sur D 4 par D 907 – ✉ **04210** Valensole :

XXX ✿ **Host. de la Fuste** (Jourdan) 🔇 avec ch, ☎ 92 72 05 95, ≤, ⛱, « Parc » – 🛁wc ☎ Ⓟ – 🏛 25. AE ⓓ E VISA
fermé 4 janv. au 12 fév., dim. soir et lundi du 15 sept. au 30 juin sauf fériés – **R** (nombre de couverts limité - prévenir) 180/350, enf. 100 – ☕ 60 – **9 ch** 350/650
Spéc. Truffes Fustine (nov. à mai), Panaché d'agneau de lait à la crème d'ail, Fricassée de truite écrevisses (juin à déc.). **Vins** Rians, Palette.

à Villeneuve par ① : 11 km – ✉ **04130** Volx :

Mas St-Yves 🔇, ☎ 92 78 42 51, ≤, ⛱, parc, 🏊 – 🛁wc 🚿 ☎ Ⓟ. E VISA
rest
15 fév.-15 nov. – **R** 65/120 🍷 – ☕ 23 – **13 ch** 186/225 – ½ p 235/275.

à St-Maime N : 12 km par ① et D13 – ✉ **04300** St-Maime :

XX **Bois d'Asson,** ✆ 92 79 51 20, ☂ – Ⓟ. AE VISA
fermé 1er au 8 sept., 15 fév. au 15 mars et merc. – **R** 150/230.

AUSTIN-ROVER Gar. Staino, 45 r. Georges Pompidou ✆ 92 72 55 03
CITROEN Alpes de Provence Autom., rte de Marseille par ② ✆ 92 72 09 94
FORD Gar. Chailan, N 96, rte de Marseille ✆ 92 72 41 70
PEUGEOT-TALBOT Gar. Renardat Autom., rte de Marseille par ② ✆ 92 87 87 90
RENAULT Mistral Autom., rte de Marseille par ② ✆ 92 72 03 32
RENAULT Roubaud, 14 r. Dauphine ✆ 92 72 06 09

Manosque-Pneus, 30 av. J.-Giono ✆ 92 72 03 43
Meizenq-Pneus, Zone Ind. de Saint-Joseph, 144 av. du 1er Mai ✆ 92 72 36 61
Piot-Pneu, quartier des Ponches, N 96 ✆ 92 87 72 00

Le MANS Ⓟ **72000** Sarthe **60** ⑬, **64** ③ **G. Châteaux de la Loire – 150 331 h. Communauté urbaine 192 058 h.**

Voir Cathédrale★★ : chevet★★★ BV **– Le Vieux Mans★★ : maison de la Reine Bérengère★** BV **M2 – Église de la Couture★ : Vierge★★** BX **B – Église Ste-Jeanne-d'Arc★** BY **E – Musée de Tessé★** BV **M1 – Abbaye N.-D. de l'Épau★ : 4 km par D 152** Z **– Musée de l'Automobile★ : 5 km par ⑤.**

18 ✆ 43 42 00 36 par ⑤ : 11 km.

Office de Tourisme Hôtel des Ursulines, r. Étoile ✆ 43 28 17 22, Télex 720006 – A.C.O. Circuit des 24 heures ✆ 43 72 50 25.

Paris 202 ③ – Angers 94 ⑥ – ♦Le Havre 223 ⑩ – ♦Nantes 183 ⑥ – ♦Rennes 154 ⑧ – ♦Tours 82 ⑤.

LE MANS

Ballon (R.) .... Z 3
Bertinière (R. de la) .. Z 8
Bollée (Av.) .... Z 12
Brossolette (Bd P.) ... Z 19
Carnot (Bd) .... Z 21
Cogner (R. du) ...... Z 26
Cugnot (Bd N.) ...... Z 29
Demorieux (Bd) ..... Z 30
Dr-Mac (Av. du) ..... Z 33
Durand (Av. G.) ...... Z 34
Estienne-d'Orves (Bd d') .... Z 40
Gèneslay (Av. F.) .... Z 43
Grande-Maison (R.) .. Z 44
Lefaucheux (Bd P.) ... Z 47
Maillets (R. des) ..... Z 49
Mariette (R. de la) .... Z 52
Monthéard (R. de) ... Z 54
Pied-Sec (R. de) ..... Z 59
Polygone (Rue du) ... Z 62
Rhin-et-Danube (Av.) .... Z 65
Riffaudières (Bd) .... Z 67
Rubillard (Av.) .... Z 69
St-Aubin (R.) .... Z 71
Tironneau (Pl. A.) .... Z 76

Pour bien lire les plans de villes, voir signes et abréviations p. 23.

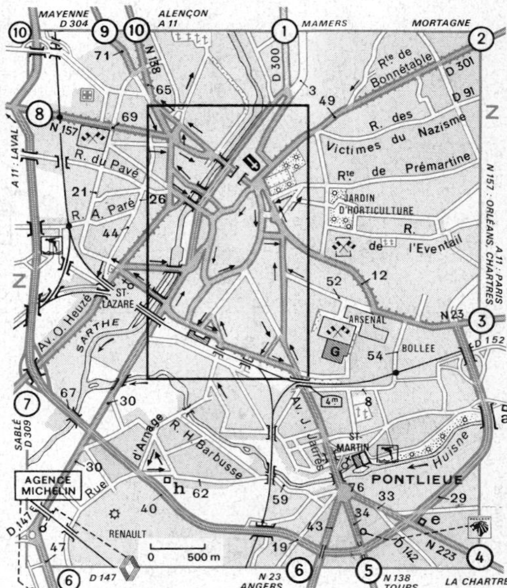

Concorde, 16 av. Gén.-Leclerc ✆ 43 24 12 30, Télex 720487 – 40. AE ⓓ E VISA — AX **b**
R 140, enf. 100 – ☐ 39 – **54 ch** 270/560.

Moderne, 14 r. Bourg-Belé ✆ 43 24 79 20, Télex 722113 – Ⓟ. AE ⓓ E VISA — BY **k**
R 133/217 – ☐ 32 – **32 ch** 220/317.

Chantecler M, 50 r. Pelouse ✆ 43 24 58 53, Télex 722941 – wc wc Ⓟ. E VISA — AY **f**
R voir rest. **Feuillantine** ci-après – ☐ 22 – **36 ch** 140/260.

Central, 5 bd R.-Levasseur ✆ 43 24 08 93, Télex 722878 – wc wc – 25 à 70. AE E VISA — BX **d**
R Brasserie 60 bc/180 bc, enf. 25 – ☐ 28 – **38 ch** 190/240 – 1/2 p 300/330.

Anjou sans rest, 27 bd Gare ✆ 43 24 90 45 – wc wc Ⓟ. E VISA — AY **s**
☐ 20 – **30 ch** 120/215.

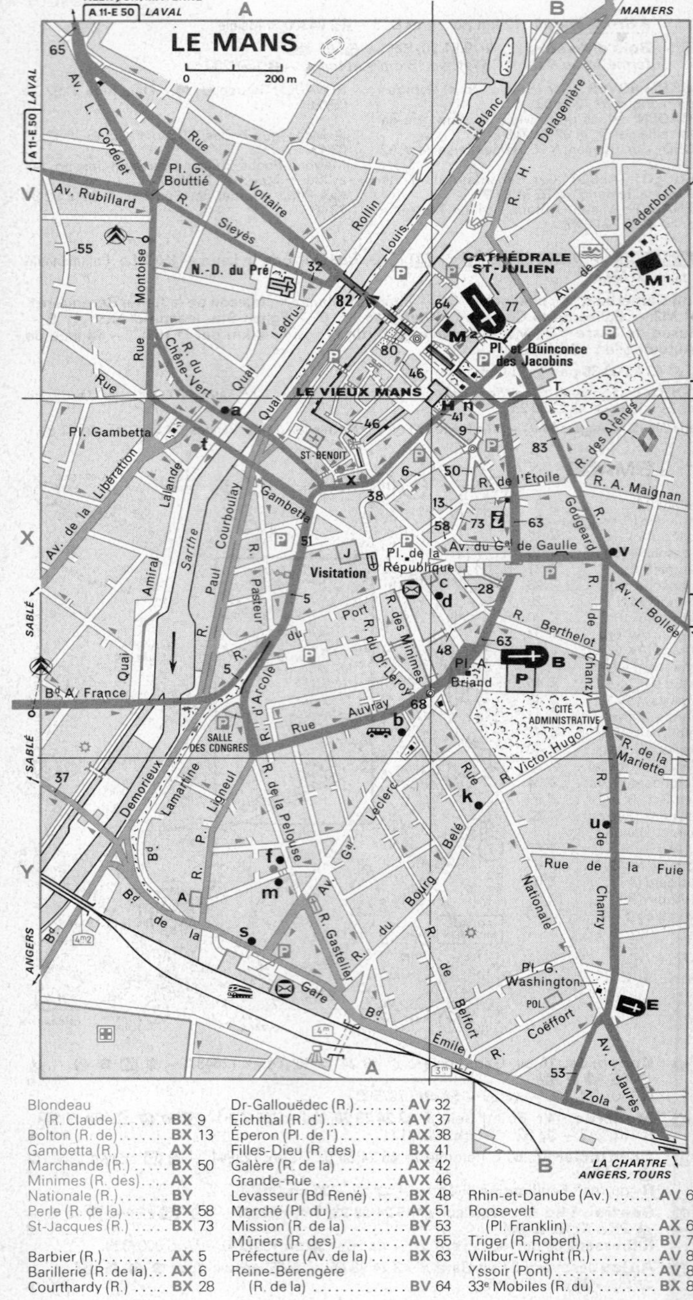

Blondeau (R. Claude) . . . . . BX 9	Dr-Gallouëdec (R.) . . . . . . AV 32	
Bolton (R. de) . . . . . . BX 13	Eichthal (R. d') . . . . AY 37	
Gambetta (R.) . . . . . . AX	Éperon (Pl. de l') . . . . AX 38	
Marchande (R.) . . . . . BX 50	Filles-Dieu (R. des) . . . . . . BX 41	
Minimes (R. des) . . . . AX	Galère (R. de la) . . . . AX 42	
Nationale (R.) . . . . BY	Grande-Rue . . . . AVX 46	
Perle (R. de la) . . . . . . BX 58	Levasseur (Bd René) . . . . . BX 48	Rhin-et-Danube (Av.) . . . . . . AV 6
St-Jacques (R.) . . . . . BX 73	Marché (Pl. du) . . . . AX 51	Roosevelt (Pl. Franklin) . . . . AX 6
	Mission (R. de la) . . . . BY 53	Triger (R. Robert) . . . . BV 7
Barbier (R.) . . . . AX 5	Mûriers (R. des) . . . . AV 55	Wilbur-Wright (R.) . . . . AV 8
Barillerie (R. de la) . . . AX 6	Préfecture (Av. de la) . . . . . BX 63	Yssoir (Pont) . . . . AV 8
Courthardy (R.) . . . . . BX 28	Reine-Bérengère (R. de la) . . . . BV 64	33e Mobiles (R. du) . . . . BX 8

L'Escale sans rest, 72 r. Chanzy ✆ 43 84 55 92 – ⎈ ⌂wc ⋒wc ☎. AE ⦿ E VISA
fermé 23 déc. au 2 janv. – ☕ 18 – **49 ch** 105/190. BY **u**

Fimotel Ⓜ, r. Pointe ✉ 72100 ✆ 43 72 27 20, Télex 722092, ⛱ – ⎈ TV ⌂wc ☎ ♿ Ⓟ – 🏛 25 à 30 – **42 ch**. Z **h**

Ibis Ⓜ, Quai Ledru-Rollin ✆ 43 23 18 23, Télex 722035, ≤, ⛱ – ⎈ TV ⌂wc ☎ ♿ 🚗 – 🏛 25 à 70. E VISA
R carte 75 à 120 🍷, enf. 34 – ☕ 25 – **83 ch** 220/240. AX **a**

Élysée 🐦 sans rest, 7 r. Lechesne ✆ 43 28 83 66 – ⌂wc ⋒wc ☎. ✗
fermé 16 au 31 août – ☕ 18 – **14 ch** 105/215. AY **m**

Maine Atlantique sans rest, 24 r. E. Chesne ✉ 72100 ✆ 43 84 35 11 – ⌂wc ⋒wc ☎ Ⓟ. ⦿ E VISA
☕ 17 – **29 ch** 123/164.

Étoile sans rest, 19 r. Gougeard ✆ 43 81 98 23 – ⌂wc ⋒ ☎ Ⓟ. E VISA
fermé 3 au 24 août – ☕ 18 – **12 ch** 100/210. BX **v**

XXX **Le Grenier à Sel,** 26 pl. Éperon ✆ 43 23 26 30 – E VISA
fermé 1er au 22 août, 15 au 22 fév., dim. soir et lundi – **R** 95/150. AX **x**

XX **La Ciboulette,** 14 r. Vieille Porte ✆ 43 24 65 67 – E VISA
fermé 1er au 21 août, sam. et dim. – **R** carte 135 à 230. AX **x**

XX **Feuillantine** -Hôtel Chanteclerc-, 19 bis r. Foisy ✆ 43 28 00 38 – Ⓟ. E VISA
fermé 21 déc. au 4 janv., sam. soir et dim. – **R** 65/180 🍷. AY **f**

XX **La Grillade,** 1 bis r. C.-Blondeau ✆ 43 24 21 87 – AE VISA
fermé 15 au 31 juil., vend. soir, sam. midi et dim. soir – **R** 73/210. BX **n**

XX **Gd Cerf,** 8 quai Amiral Lalande ✆ 43 24 16 83 – VISA
fermé lundi en août, dim. (sauf le midi d'oct. à juin) et sam. midi – **R** carte 90 à 180. AX **t**

au Sud-Est – ✉ **72100** Le Mans :

Novotel Ⓜ, bd R.-Schumann par av. Bollée et Rocade Sud ✆ 43 85 26 80, Télex 720706, ⛱, 🏊, 🌳 – ⎈ ≡ TV ☎ ♿ Ⓟ – 🏛 250. AE ⦿ E VISA
R grill carte environ 120, enf. 40 – ☕ 38 – **94 ch** 310/330. Z **a**

Ibis Le Mans-Est, r. Clément Marot par av. J.-Jaurès et av. Dr. Mac ✆ 43 86 14 14, Télex 720651 – TV ⌂wc ☎ ♿ Ⓟ – **49 ch**. Z **e**

à Savigné l'Évêque par ② : 12 km – ✉ **72460** Savigné l'Évêque :

Floréal (annexe Rés. St-Edmond 🏨 🐦), ✆ 43 27 50 19 – ⌂wc ⋒wc ☎ ♿ Ⓟ – 🏛 400. VISA
fermé août, dim. soir et soirs fériés – **R** 58/170 🍷, enf. 50 – ☕ 20 – **30 ch** 95/250 – ½ p 130/190.

par ③ N 23 et rte de l'Éventail : 4 km – ✉ **72000** Le Mans :

La Pommeraie 🐦 sans rest, ✆ 43 85 13 93, « Jardin fleuri » – TV ⌂wc ⋒wc ☎ Ⓟ
☕ 15 – **34 ch** 74/140.

à Changé par ③ et D 152 : 7 km – 4 193 h. – ✉ **72560** Changé :

XX **Cheval Blanc,** ✆ 43 40 02 62 – VISA
fermé 4 au 14 janv., 1er au 26 août, mardi soir et merc. – **R** 106/157.

à Arnage par ⑥ et N 23 : 9 km – ✉ **72230** Arnage :

Campanile, Z.I. Sud ✆ 43 21 81 21, Télex 722803 – TV ⌂wc ☎ ♿ Ⓟ – 🏛 30. VISA
R 63 bc/86 bc, enf. 38 – ☕ 24 – **42 ch** 200/220 – ½ p 287/330.

XXX **Aub. des Matfeux,** 289 rte Nationale ✆ 43 21 10 71, 🌳 – Ⓟ – 🏛 30. AE ⦿ E VISA
fermé 15 au 30 juil., janv., dim. soir, lundi et soirs de fêtes – **R** 98/290.

par ⑧ sur N 157 : 4 km – ✉ **72000** Le Mans :

XX **Aub. de la Foresterie,** rte de Laval ✆ 43 28 69 92, ⛱ – Ⓟ. AE ⦿ VISA
fermé dim. soir et lundi – **R** 145/230.

à Neuville-sur-Sarthe par ⑩ et D 197 : 11 km – ✉ **72190** Coulaines :

XX **Vieux Moulin,** ✆ 43 25 31 84, ≤, ⛱, « Au bord de la Sarthe, parc » – ≡ Ⓟ. VISA
fermé 3 janv. au 20 fév., mardi du 1er oct. au 31 mars , dim. soir et lundi – **R** 95/180, enf. 60.

MICHELIN, Agence, 54 à 58 r. Pierre Martin Zone Ind. Sud Z ✆ **43 72 15 85**

ALFA-ROMEO Gueguen et Rivière, 19 r. R.-Persigand ✆ 43 84 33 61
AUSTIN-ROVER Equipneu, 74 r. Bourg Belé ✆ 43 24 57 90
BMW Le Mans-Sud-Auto, Zone Ind. Sud, rte d'Allonnes ✆ 43 85 00 11 🅽 ✆ 43 85 66 99

CITROEN Alteam, bd P.-Lefaucheux, Zone Ind. Sud par D147 Z ✆ 43 84 20 90
CITROEN Loinard, 49-51 bd A.-France ✆ 43 28 12 84
CITROEN Morin, 85 r. Montoise ✆ 43 28 17 88
FIAT SADAM, 186 av. O.-Heuzé ✆ 43 24 13 82

tourner →

LADA, SKODA Gar. Droguet, 17 r. J.-Macé ✆ 43 84 15 45
MAZDA S.O.V.M.A., 124 r. Chanzy ✆ 43 84 53 08
MERCEDES-BENZ Sarthe-Automobiles, 425 av. Bollée ✆ 43 72 72 33 **N** ✆ 43 85 66 99
OPEL-G.M. Le Mans-Autos 24, Zone Ind. Sud, rte d'Allonnes ✆ 43 84 54 60 **N** ✆ 43 85 66 99
PEUGEOT Cheron, 125 av. G.-Durand ✆ 43 84 05 99
PEUGEOT-TALBOT Gds Gar. de la Sarthe, bd. P. Lefaucheux, Zone Ind. Sud par D 147 Z ✆ 43 86 02 74
PORSCHE-MITSUBISHI Gar. Courage, 155 bd Demorieux ✆ 43 24 58 75
RENAULT Succursale, 261 bd Demorieux ✆ 43 24 12 24
RENAULT Gar. des Jacobins, 8 r. du Cirque ✆ 43 81 73 50
V.A.G. Robineau, r. L.-Breguet, Zone Ind. Sud ✆ 43 86 22 39 **N** ✆ 43 85 66 99

Equipneu, 74 r. Bourg-Belé ✆ 43 24 57 90
Interpneus, Zone Ind. Sud rte d'Allonnes ✆ 43 85 84 31
Jambie-Pneus, 26 av. O.-Heuzé ✆ 43 24 75 82
Le Royal, 6 pl. Gambetta ✆ 43 24 27 74

MANSLE 16230 Charente 72 ③④ – 1 532 h.

Paris 418 – Angoulême 26 – Cognac 55 – ♦Limoges 92 – Poitiers 84 – St-Jean-d'Angély 60.

Trois Saules, à St-Groux, NO : 3 km ✆ 45 20 31 40, parc – wc ☎ **P**. E VISA
fermé 4 au 14 nov., vacances de fév., dim. soir (sauf hôtel en sais.) et lundi midi hors sais. – **R** 47/140 – 17 – **10 ch** 130/165 – ½ p 135/145.

CITROEN Croizard-Brillat, ✆ 45 22 20 97 **N** ✆ 45 20 33 16
PEUGEOT-TALBOT Gar. Suire-Huguet, ✆ 45 20 30 31 **N** ✆ 45 22 70 11

MANTES-LA-JOLIE <SP> 78200 Yvelines 55 ⑱, 196 ⑮ G. Environs de Paris – 43 585 h

Mantes-la-Ville : 16 710 h.

Voir Collégiale N.-Dame★ BB.

18 18 du Prieuré à Sailly-en-Vexin ✆ (1) 34 76 70 12 par ① : 12 km.

Office de Tourisme pl. Jean-XXIII (fermé matin hors saison) ✆ (1) 34 77 10 30.

Paris 60 ② – Beauvais 69 ① – Chartres 79 ④ – Évreux 44 ④ – ♦Rouen 81 ④ – Versailles 43 ②.

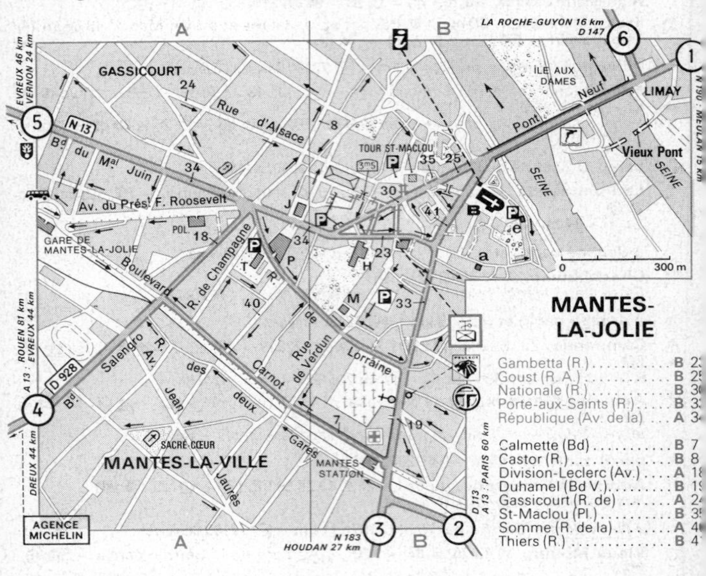

Clos Marbey, 23 r. Sangle ✆ (1) 34 77 99 88, – VISA B a
fermé 15 au 31 août et dim. – **R** carte 190 à 285.

La Galiote, 1 r. Fort ✆ (1) 34 77 03 02 – AE E VISA B e
fermé 5 au 26 juil., 11 au 25 fév., dim. soir, lundi soir et mardi – **R** 140, enf. 70.

à Follainville NO : 3 km par ① et VO – ✉ **78520** Limay :

❀ **La Feuilleraie,** près Église ✆ (1) 34 77 17 66, – VISA
fermé 15 au 25 août, vacances de fév., mardi soir et merc. – **R** carte 205 à 315
Spéc. Poêlée de champignons sauvages (saison), Paupiettes de langoustines au chou, Mignonnette de canard aux fruits de saison.

à Rosay par ③ : 10 km – ✉ **78790** Septeuil :

XX **Aub. de la Truite,** ✆ (1) 34 76 30 52, ☂ – AE ⓓ E VISA
fermé 25 août au 9 sept., 1er au 15 mars, dim. soir et lundi – **R** 140/195.

à St Martin-la-Garenne par ⑥ et D 147 : 6 km – ✉ **78520** Limay :

X **Aub. St-Martin,** ✆ (1) 34 77 58 45 – VISA
fermé 1er au 30 août, 11 au 26 janv., lundi et mardi – **R** 95.

MICHELIN, Agence, Z.A.C. des Brosses, 57 r. des Graviers à Magnanville par ④ ✆ (1) 34 77 00 53

AUSTIN, ROVER Dupille, rte de Dreux à Magnanville ✆ (1)34 77 28 08
CITROEN Nord-Ouest Auto, 87 bd Salengro à Mantes-la-Ville par ④ ✆ (1)34 77 04 30
FIAT Gar. de l'Avenue, 4 r. de la Somme ✆ (1)34 77 02 00
FORD Gd Gar. Chantereine, 2 r. Chantereine à Mantes-la-Ville ✆ (1)34 77 31 75
MERCEDES, TOYOTA Gar. Mongazons, rte de Dreux à Magnanville ✆ (1)34 77 10 75
OPEL Buchelay Autos, 11 r. Ouest, ZI Buchelay à Mantes la Ville ✆ (1)30 92 41 11

PEUGEOT-TALBOT Courtois Autom., 13 bd Duhamel ✆ (1)34 77 08 27
RENAULT Succursale, 6 r. de l'Ouest à Mantes-la-Ville par ④ ✆ (1)30 92 92 93
V.A.G. S.E.A.M.A., 24 rte de Houdan à Mantes-la-Ville ✆ (1)34 77 11 57

Ⓜ Bertault, 45 r. des Martraits ✆ (1)34 77 11 88
Marsat-Au Service du Pneu, 141 bd Mar.-Juin ✆ (1)30 94 07 40 ✆ (1)30 92 93 04

MANTHELAN 37 I.-et-L. 68 ⑤ – 1 093 h. – ✉ **37240** Ligueil.
Paris 266 – Bléré 28 – Châtellerault 53 – Chinon 48 – Ligueil 11 – Loches 16 – ♦Tours 32.

Moderne, ✆ 47 92 80 17, parc – ⋔ Ⓟ. E VISA. ✂
fermé 20 août au 13 sept., dim. et lundi – **R** 45 bc/70 ♁, enf. 30 – ☐ 17 – **10 ch** 100/120 – 1/2 p 115/125.

CITROEN Blanchet, ✆ 47 92 82 39

MANZAC-SUR-VERN 24 Dordogne 75 ⑤ – 422 h. – ✉ **24110** St-Astier.
Paris 546 – Bergerac 35 – ♦Bordeaux 107 – Périgueux 19.

X **Lion d'Or** avec ch, ✆ 53 54 28 09, ☂ – ⇔wc ⋔wc ☎. E VISA
fermé 7 au 27 nov., vacances de fév., lundi en juil.-août, dim. soir et merc. hors sais. – **R** 58/150, enf. 38 – ☐ 18 – **8 ch** 80/140 – 1/2 p 130.

MANZAT 63410 P.-de-D. 73 ③④ – 1 480 h. alt. 629.
Env. Méandre de Queuille** O : 12 km puis 15 mn, G. Auvergne.
Paris 383 – Aubusson 78 – Châtelguyon 16 – ♦Clermont-Fd 36 – Gannat 35 – Montluçon 67 – Ussel 92.

La Bonne Auberge, près église ✆ 73 86 61 67 – ⋔. VISA
fermé oct., dim. soir et lundi – **R** 50/130 ♁, enf. 35 – ☐ 18 – **9 ch** 85/110 – 1/2 p 160.

MARBOUÉ 28 E.-et-L. 60 ⑰ – rattaché à Châteaudun.

MARÇAY 37 I.-et-L. 67 ⑨ – rattaché à Chinon.

La MARCHE 58 Nièvre 69 ③ – 482 h. – ✉ **58400** La Charité-sur-Loire.
Paris 218 – La Charité-sur-Loire 4 – Nevers 20 – Pougues-les-Eaux 9.

X **Les Routiers,** ✆ 86 70 14 11 – ✂
fermé 10 au 20 mars et merc. – **R** 47/92 ♁.

MARCIGNY 71110 S.-et-L. 73 ⑦ G. Bourgogne – 2 551 h.
Voir Charpente* de la tour du Moulin – Église* de Semur-en-Brionnais SE : 5 km.
Syndicat d'Initiative à la Mairie ✆ 85 25 03 51.
Paris 363 – Charolles 29 – Chauffailles 26 – Digoin 25 – Lapalisse 37 – Mâcon 80 – Roanne 30.

à St-Martin-du Lac S : 3 km – ✉ **71110** Marcigny :

X **Relais du Lac,** ✆ 85 25 21 45, ☂ – Ⓟ
fermé 15 au 30 sept., 1er au 8 fév. et dim. soir – **R** (en hiver, dîner prévenir) 54/150 ♁.

CITROEN Gar. du Centre, ✆ 85 25 09 71 Ⓝ ✆ 85 25 07 88
PEUGEOT-TALBOT Gar. Moderne, ✆ 85 25 04 12

PEUGEOT-TALBOT Gar. Thuret, ✆ 85 25 01 12 Ⓝ ✆ 85 25 11 08
RENAULT Gar. Vachet, ✆ 85 25 08 04

MARCILLAC-LA-CROISILLE 19320 Corrèze 75 ⑩ G. Berry Limousin – 777 h.
Paris 473 – Argentat 26 – Égletons 17 – Mauriac 40 – Tulle 30.

au Pont du Chambon SE : 15 km par D 978 et D 13 – ✉ **19320** Marcillac-la-Croisille :

XX **Fabry** (Au Rendez-vous des Pêcheurs) ⊛ avec ch, ✆ 55 27 88 39, ☂ – ⇔wc ⋔ ☎ Ⓟ. E VISA – *fermé 12 nov. au 20 déc., vend. soir et sam. midi du 1er oct. au 30 mars* – **R** 60/160 ♁ – ☐ 17 – **8 ch** 150/180 – 1/2 p 155/215.

MARCKOLSHEIM 67390 B.-Rhin 62 ⑲ **G. Alsace et Lorraine** – 3 124 h.
Paris 445 – Colmar 22 – Sélestat 15 – •Strasbourg 62.

Aigle, 28 r. Mar.-Foch ✆ 88 92 50 02, – wc wc – **17 ch.**

MARCQ-EN-BAROEUL 59 Nord 51 ⑯ – rattaché à Lille.

La MARE D'OVILLERS 60 Oise 55 ⑳ – ✉ **60570** Andeville.
Paris 53 – Beauvais 23 – Clermont 24 – Senlis 35.

XX **Aub. du Thelle,** N 1 ✆ 44 08 62 44, – Ⓟ. VISA
fermé août, mardi soir et merc. – **R** 80/150.

MARENNES 17320 Char.-Mar. 71 ⑭ **G. Poitou Vendée Charentes** – 4 549 h.
Voir ✻★ **de la tour de l'église.**
Env. Remparts★★ de Brouage NE : 6,5 km.
Pont de la Seudre - Péage en 1987 : moto 1 F, auto 16,40 F (conducteur et passagers compris), camion 19,50 à 60 F.
Syndicat d'Initiative à la Mairie ✆ 46 85 25 55 et 1 pl. Chasseloup-Laubat (15 juin-15 sept.) ✆ 46 85 04 36.
Paris 493 – Rochefort 22 – La Rochelle 54 – Royan 30 – Saintes 40.

à Bourcefranc-le-Chapus NO : 5 km – 2 794 h. – ✉ **17560** Bourcefranc-le-Chapus.
Voir A la pointe du Chapus ≤★ **sur le pont d'Oléron NO : 3 km.**

✿ **Les Claires** (Suire) M, ✆ 46 85 08 01, Télex 792055, ≤, – wc wc Ⓟ – 30. E VISA
R 140/190, enf. 40 – 32 – **19 ch** 270/345
Spéc. Blanquette d'huîtres aux pâtes fraîches, Filet de bar au St-Emilion, Feuilleté tiède à l'orange.

Terminus, au port du Chapus ✆ 46 85 02 42, ≤ – wc . E VISA
fermé 16 oct. au 16 nov. et 23 janv. au 2 fév. – **R** *(fermé lundi soir hors sais.)* 50/150 – 20 – **10 ch** 130/170 – $1/2$ p 175/230.

CITROEN Gar. Poitevin, ✆ 46 85 04 75 N ✆ 46 85 20 84
PEUGEOT-TALBOT Gar. Delavoix, ✆ 46 85 00 59
RENAULT Maîtrehut, à Bourcefranc-le-Chapus ✆ 46 85 03 72
Maison du C/c, ✆ 46 85 00 08

MARGAUX 33460 Gironde 71 ⑧ **G. Côte de l'Atlantique** – 1 371 h.
Paris 552 – • Bordeaux 22 – Lesparre-Médoc 20.

Relais de Margaux M, au N : 2 km par VO ✆ 56 88 38 30, Télex 572530, ≤, parc, – Ⓟ – 80. AE E VISA
1er mars-30 nov. – **R** 130/260, enf. 90 – 70 – **28 ch** 800/1058, 3 appartements 1725.

XX **Aub. Le Savoie,** ✆ 56 88 31 76, –
fermé vacances de Noël, dim. et fériés – **R** 60 (sauf sam. soir)/100.

à Soussans NO : 3 km sur D 2 – ✉ **33460** Margaux :

XX **Larigaudière,** ✆ 56 88 74 02, – Ⓟ
fermé janv. et lundi en hiver – **R** 90/150.

MARIENTHAL 67 B.-Rhin 57 ⑲ – rattaché à Haguenau.

MARIGNANE 13700 B.-du-R. 84 ⑫ **G. Provence** – 31 213 h.
Voir Canal souterrain du Rove★ SE : 3 km.
de Marseille-Marignane Air France ✆ **42 89 90 10.**
Office de Tourisme 4 bd Frédéric-Mistral ✆ 42 09 78 83.
Paris 756 – Aix-en-Provence 27 – •Marseille 28 – Martigues 15 – Salon-de-Provence 37.

Ibis M, av. 8-Mai-1945 ✆ 42 88 35 35, Télex 440052 – wc Ⓟ – 30
35 ch.

à l'aéroport au N – ✉ **13700** Marignane :

Sofitel M, ✆ 42 89 91 02, Télex 401980, – Ⓟ – 400. E VISA
Le Clipper R carte 150 à 260 – **Café de Provence R** carte 110 à 160 – 45 – **177 ch** 485/650, 3 appartements 1080.

XX **Romarin,** aérogare (1er étage) ✆ 42 89 04 76, Télex 441171 – . AE VISA
R 99/202.

à Vitrolles N : 8 km – 22 739 h. – ✉ **13127** Vitrolles.
Voir ✻★ **15 mn.**

Novotel M, carrefour D 9 et A 7 ✆ 42 89 90 44, Télex 420670, – Ⓟ – 25 à 250. AE E VISA
R grill carte environ 120, enf. 40 – 38 – **163 ch** 330.

CITROEN SADAM, av. 8-Mai-1945 ✆ 42 89 92 90
FORD Gar. Fragnol, av. de la Libération à Berre-l'Étang ✆ 42 85 40 45
PEUGEOT-TALBOT Provence-Auto-Service, 15 av. 8-Mai-1945 ✆ 42 88 54 54
RENAULT Marignane-Auto, av. 8-Mai-1945 ✆ 42 89 93 94
RENAULT Vitrolles Autos Sces, N 113 ZAC Griffon à Vitrolles ✆ 42 89 92 99

Denizon-Pneus-Sces, av. du 8-Mai-1945 à St-Victoret ✆ 42 79 79 42
Gay-Pneus, 29 1er Av., Zone Ind. à Vitrolles ✆ 42 89 06 97

MARIGNIER 74 H.-Savoie 74 ⑦ – 3 679 h. – ✉ 74130 Bonneville.
Paris 568 – Annecy 50 – Bonneville 9 – Chamonix 49 – Cluses 7 – Megève 35 – Morzine 29.

✕ **Le Pontvys,** ✆ 50 34 63 58, – Ⓟ. AE E VISA
fermé 1er au 15 août, dim. soir et lundi – **R** 70/225.

MARIGNY 50570 Manche 54 ⑬ – 1 440 h.
Paris 317 – Carentan 27 – Coutances 16 – St-Lô 12.

✕✕ **Poste,** ✆ 33 55 11 08 – AE ⓓ E VISA.
fermé 19 sept. au 7 oct., 2 au 12 janv., dim. soir et lundi – **R** 90/230, enf. 50.

RENAULT Gar. Rihouey, ✆ 33 55 15 28
Gar. Paisant, ✆ 33 55 17 25

MARINGUES 63350 P.-de-D. 73 ⑤ **G. Auvergne** – 2 487 h.
Paris 376 – ♦Clermont-Ferrand 31 – Lezoux 15 – Riom 19 – Thiers 25 – Vichy 27.

✕✕ **Clos Fleuri** avec ch, rte Clermont ✆ 73 68 70 46, , **« Jardin ombragé »** – wc wc ☎ Ⓟ. E VISA. ch
fermé 1er au 10 sept., 15 janv. au 15 fév., dim. soir et lundi du 1er oct. au 1er juin – **R** 65/180 – 20 – **12 ch** 120/195 – 1/2 p 150/165.

PEUGEOT-TALBOT Larzat et Meyronne, ✆ 73 68 70 50

MARIOL 03 Allier 73 ⑤ – 629 h. – ✉ 03270 St-Yorre.
Paris 363 – ♦Clermont-Ferrand 59 – Moulins 71 – Randan 14 – Riom 41 – Thiers 23 – Vichy 14.

Touristes , ✆ 70 59 20 87 – E VISA.
fermé 15 oct. au 8 nov. et merc. hors sais. – **R** 45/72 – 14,50 – **10 ch** 65/86 – 1/2 p 120/128.

MARLE 02250 Aisne 53 ⑮ **G. Flandres Artois Picardie** – 2 727 h.
Paris 159 – Guise 23 – Laon 22 – Rethel 56 – St-Quentin 42 – Vervins 15.

Host. du Vilpion, ✆ 23 20 01 68 – Ⓟ. VISA
fermé vend. soir, dim. soir et sam. – **R** 54 bc/150 , enf. 35 – **11 ch** 95/160 – 1/2 p 140/180.

CITROEN Ets Lefèvre, 24 av. Carnot ✆ 23 20 00 99

MARLENHEIM 67520 B.-Rhin 62 ⑨ – 2 822 h.
Paris 466 – Haguenau 35 – Molsheim 12 – Saverne 19 – ♦Strasbourg 20.

Host. Reeb, ✆ 88 87 52 70, – rest wc wc ☎ Ⓟ – 25. AE ⓓ E VISA. ch
fermé 3 au 27 janv. et jeudi – **R** 85/250 – 25 – **35 ch** 200/250 – 1/2 p 200/220.

✕✕✕ ✿✿ **Host. du Cerf** (Husser) avec ch, ✆ 88 87 73 73, , – wc wc ☎ – 25. AE ⓓ E VISA
fermé vacances de fév., lundi et mardi – **R** 280/400 et carte, enf. 95 – 45 – **20 ch** 190/320, 3 appartements 380
Spéc. Foie de canard fumé et poêlé, Rognonnade de mignon de veau, Aumônières chaudes aux griottes. **Vins** Vorlauf, Edelzwicker.

✕✕ **Aub. du Kronthal,** carrefour N 4 - D 422 ✆ 88 87 50 25 – Ⓟ. E VISA
fermé 14 juil. au 14 août, 20 au 30 déc., dim. soir et lundi – **R** 50/240 .

MARLIEUX 01 Ain 74 ② – 682 h. – ✉ 01240 St-Paul-de-Varax.
Paris 428 – Bourg-en-Bresse 21 – ♦Lyon 43 – Villefranche-sur-Saône 36.

✕✕ **Lion d'Or** avec ch, ✆ 74 42 85 15, – wc . E VISA. ch
fermé vacances de fév. et lundi sauf juil.-août – **R** 85/170 – 25 – **8 ch** 150/180 – 1/2 p 185.

CITROEN Gar. Clerc, ✆ 74 42 85 13 N

Donnez-nous votre avis sur les tables que nous recommandons, sur leurs spécialités et leurs vins.

MARLY-LE-ROI 78 Yvelines 55 ⑲, 101 ⑫ – voir à Paris, Environs.

MARMAGNE 71 S.-et-L. 69 ⑧ – 1 306 h. – ✉ **71710** Montcenis.

Paris 311 – Autun 20 – Chalon-sur-Saône 48 – Le Creusot 10 – Mâcon 87 – Montceau-les-Mines 23.

Rose des Vents, à St-Symphorien O : 2 km par D 61 ☎ 85 78 20 86, – TV
P. E VISA
R *(fermé vend.)* 42/134 ₰, enf. 38 – 20 – **18 ch** 80/120 – ½ p 120/130.

XX **Vieux Jambon** avec ch, rte Creusot ☎ 85 78 20 32 – P. VISA
fermé 30 juin au 13 juil., dim. soir et lundi – **R** 55/150 ₰ – 15 – **11 ch** 61/85 –
½ p 95.

RENAULT Gar. Détang, D 61 à St-Symphorien-de-Marmagne ☎ 85 54 40 43 N

MARMANDE SP 47200 L.-et-G. 79 ③ **G. Pyrénées Aquitaine** – 17 345 h.

Office de Tourisme bd Gambetta ☎ 53 64 32 50.

Paris 599 ④ – Agen 58 ② – Bergerac 58 ① – ♦Bordeaux 90 ③ – Libourne 65 ④.

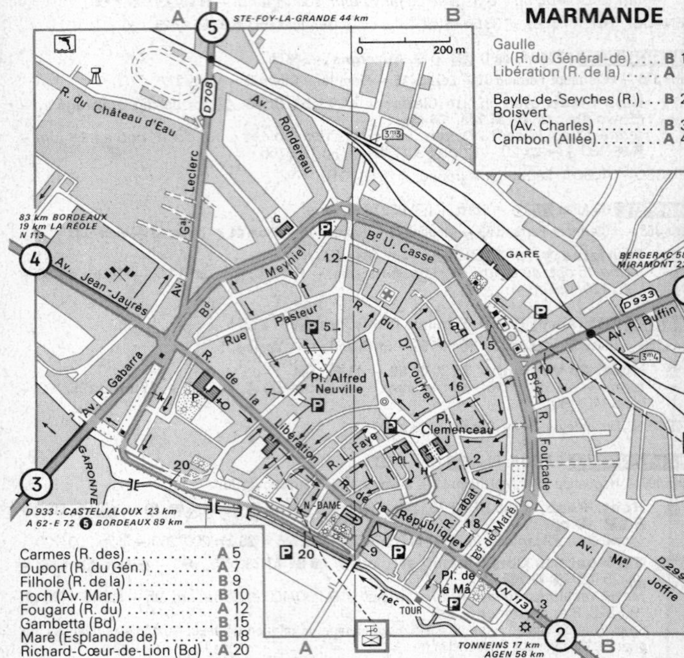

Capricorne, rte Agen par ② ☎ 53 64 41 42, – TV wc P – 70.
VISA
fermé 23 déc. au 8 janv. – **R** 66/200 ₰, enf. 40 – 21 – **35 ch** 180/225
½ p 255/280.

Aub. de Guyenne, 9 r. Martignac ☎ 53 64 01 77 – P. E VISA B
fermé 1er janv. au 1er fév., dim. soir et lundi de nov. à avril – **R** 60/190 ₰, enf. 35 –
17 – **16 ch** 58/190 – ½ p 145/190.

à Mauvezin-sur-Gupie N : 6 km par D 708 et D 115 – ✉ **47200** Marmande :

X **Poulet à la Ficelle,** ☎ 53 94 21 26, – P
R (nombre de couverts limité - prévenir) 115, enf. 50.

à Virazeil par ① : 5 km – ✉ **47200** Marmande :

X **Le Moulin d'Ané,** ☎ 53 20 18 25, – P. AE O E VISA
fermé 15 août au 9 sept., 1er au 15 fév., dim. soir et lundi sauf fêtes – **R** 80/220, er
48.

CITROEN Baudrin, rte Bordeaux, Ste-Bazeille par ④ ✆ 53 64 30 53 N
FIAT Gar. Diné, rte Bordeaux ✆ 53 64 27 21
FORD Auto Aquitaine, rte Bordeaux ✆ 53 64 75 71
OPEL Lamat, 1 bd Dr-Fourcade ✆ 53 64 26 10
PEUGEOT-TALBOT Guyenne et Gascogne Autom., 95 av. J.-Jaurès par ④ ✆ 53 64 34 47

VOLVO Lagroye, à St-Pardoux-du-Breuil ✆ 53 64 10 09

La Maison du Pneu, 37 av. Jean-Jaurès ✆ 53 64 23 52
Relais Marmandais, 123 av. Jean Jaurès ✆ 53 64 23 63

MARMOUTIER **67440** B.-Rhin 62 ⑨ **G. Alsace et Lorraine** – 2 024 h.
Voir Église★★.
Paris 453 – Molsheim 21 – Saverne 6 – ♦Strasbourg 33 – Wasselonne 8.

XX **Deux Clefs** avec ch, ✆ **88 70 61 08** – wc wc ☎. E VISA
fermé fév. – **R** *(fermé dim. soir hors sais. et lundi)* 50/180 – 17 – **15 ch** 130/180 – 1/2 p 170/190.

MARNAY-SUR-MARNE **52** H.-Marne 62 ⑫ – 187 h. – ✉ **52800** Nogent-en-Bassigny.
Paris 272 – Bourbonne-les-Bains 47 – Chaumont 15 – Langres 20.

X **Vallée** avec ch, N 19 ✆ **25 31 10 11**, – Ⓟ. VISA
fermé 1er au 25 sept., dim. soir et lundi – **R** 52/140, enf. 25 – 15 – **6 ch** 75/125.

MARNE-LA-VALLÉE **77** S.-et-M. 56 ⑫, 196 ㉑ – voir à Paris, Environs.

MARQUAY **24** Dordogne 75 ⑦ – 419 h. – ✉ **24620** Les Eyzies.
Paris 520 – Brive-la-Gaillarde 55 – Les-Eyzies-de-Tayac 12 – Périgueux 57 – Sarlat-la-Canéda 12.

Bories sans rest, ✆ **53 29 67 02**, – wc wc ☎ Ⓟ. E VISA
15 mars-15 nov. – 22 – **27 ch** 165/200.

MARSANNAY-LA-CÔTE **21** Côte-d'Or 66 ⑫ – rattaché à Dijon.

MARSEILLE P **13** B.-du-R. 84 ⑬ **G. Provence** – 878 689 h.
Voir Basilique N.-D.-de-la-Garde ★★★ EV – Vieux Port★★ DETV – Corniche Président-J.-F.-Kennedy★★ AYZ – Port moderne★★ AX – Palais Longchamp★ GS – Basilique St-Victor★ : crypte★★ DU – Ancienne cathédrale de la Major★ DS **N** – Parc du Pharo ≤★ DU – Belvédère St-Laurent ≤★ DT **E** – Musées : Grobet-Labadié★★ GS **M7**, Cantini★ : galerie de la Faïence de Marseille et de Moustiers★★ FU **M5**, Beaux-Arts★ GS **M8**, Histoire naturelle★ GS **M9**, Archéologie méditerranéenne★ : collection d'antiquités égyptiennes★★ (Château Borely) BZ **M6**, Docks romains★ DET **M2**, Vieux Marseille★ DT **M3**.
Env. Route en corniche★★ de Callelongue S : 13 km BZ.
Excurs. : Château d'If★★ (★★★) 1 h 30.
d'Aix-Marseille ✆ 42 24 20 41 par ① : 22 km.
de Marseille-Provence Air France ✆ 42 89 90 10 par ① : 28 km.
✆ 91 08 50 50.
pour la Corse : Société Nationale Maritime Corse-Méditerranée, 61 bd des Dames (2e) ✆ 91 56 32 00 DS.
Office de Tourisme 4 Canebière, 13001 ✆ 91 54 91 11, Télex 430402 et gare St-Charles ✆ 91 50 59 18 – A.C. 149 bd Rabatau, 13010 ✆ 91 78 83 00.
Paris 776 ① – ♦Lyon 316 ① – ♦Nice 188 ② – Torino 407 ② – ♦Toulon 64 ② – Toulouse 405 ①.

Plans : Marseille p. 2 à 5

Sauf indication spéciale, voir emplacements sur Marseille p. 4 et 5

Sofitel Vieux Port M, 36 bd Ch.-Livon ✉ 13007 ✆ **91 52 90 19, Télex 401270,** restaurant panoramique ≤ Vieux Port, – ☎ – 100 à 450. E VISA DU **n**
Les Trois Forts **R** carte 225 à 330 – 55 – **127 ch** 570/925, 3 appartements 2100.

Altéa M, r. Neuve St-Martin ✉ 13001 ✆ **91 91 91 29, Télex 401886,** – ☎ – 400. AE E VISA EST **g**
Oursinade *(fermé août, dim. et fériés)* **R** 165/239 - **Oliveraie** grill *(fermé vend. soir et sam. soir)* **R** 58/71 – 47 – **200 ch** 445/650.

Pullman Beauvau sans rest, 4 r. Beauvau ✉ 13001 ✆ **91 54 91 00, Télex 401778** – ☎ – 30. AE E VISA ET **r**
50 – **71 ch** 500/650.

Concorde-Prado M, 11 av. Mazargues ✉ 13008 ✆ **91 76 51 11, Télex 420209** – ☎ – 80. AE E VISA. rest Marseille p. 3 BZ **r**
R carte 115 à 180 – 45 – **100 ch** 445/495.

RÉPERTOIRE DES RUES

Aix (R. d') . . . . p. 4 ES
Canebière (La) . . . . . . p. 5 FT
Gaulle (Pl. Gén.-de) . . p. 4 ET 31
Paradis (R.) . . . . p. 5 FU
St-Ferréol (R.) . . . . p. 5 FU
St-Pierre (R.) . . . . p. 5 GU

Antholne (R. d') . . . . . p. 2 AX
Athènes (Bd d') . . . . . p. 5 FS 2
Aubagne (R. d') . . . . . p. 5 FU
Aune (Bd A.) . . . . p. 4 EV
Baille (Bd) . . . . p. 5 GV
Ballard (Crs J.) . . . . . . p. 4 EU 3
Barbusse (R. H.) . . . . . p. 4 ET 4
Barry (Bd) . . . . p. 3 CX
Belges (Quai des) . . . . p. 4 ET 5
Belles- Écuelles (R.) . p. 4 ES 6
Belsunce (Cours) . . . . p. 5 FT
Bir-Hakeim (R.) . . . . . p. 4 EFT 8
Blancarde (Bd de la) . p. 3 CY
Bompard (Bd) . . . . p. 3 AY
Bourdet (Bd M.) . . . . . p. 5 FS 13
Breteuil (R.) . . . . p. 4 EU
Briançon (Bd de) . . . . p. 3 BX 14
Brun (R. Roger) . . . . . p. 5 GV
Busquet (R.) . . . . p. 5 GV 15
Cadenat (Pl. B.) . . . . . p. 3 BX
Caisserie (R.) . . . . p. 4 DT
Camas (R. du) . . . . p. 5 GT
Cantini (Av. Jules) . . . p. 5 GV
Capelette (Av. de la) . p. 3 CZ
Castellane (Pl.) . . . . . . p. 5 FV
Catalans (R. des) . . . . p. 2 AY 16
Chartreux (Av. des) . . p. 3 CY 17
Chave (Bd) . . . . p. 5 GT
Chutes-Lavie(Av.) . . . p. 3 CX
Colbert (R.) . . . . p. 4 ES 18
Corderie (Bd de la) . . p. 4 DU
Corinthe (Av.de) . . . . p. 5 GV
Corniche Président
J.-F.-Kennedy . . . . p. 2 AZ
Corse (Av. de la) . . . . p. 4 DV
Curiol (R.) . . . . p. 5 FT
Dames (Bd des) . . . . . . p. 4 ES
Delphes (Av. des) . . . . p. 5 GV 20
Delpuech (Bd) . . . . p. 5 GV 21
Dessemond (R. Cap.) p. 4 DV 22
Dr-Escat (R.) . . . . p. 5 FV
Dragon (R.) . . . . p. 5 FV
Dugommier (Bd) . . . . . p. 5 FT 23
Dunkerque (Bd de) . . . p. 2 AX
Endoume (R. d') . . . . . p. 4 DV
Estrangin (Bd G.) . . . . p. 2 BZ
Eugène-Pierre (Bd) . . p. 5 GT
Évêché (R. de l') . . . . . p. 4 DS
Extérieur (Bd) . . . . p. 2 AX 26
Fabres (R. des) . . . . . . p. 5 FT 27
Fauchier (R.) . . . . p. 4 ES
Ferrari (R.) . . . . p. 5 GU
Flammarion (Bd C.) . . p. 5 GS
Foch (Av. Mar.) . . . . . . p. 3 CY
Fort-du-Sanct. (R.) . . p. 4 EV 29
Fort-N.-Dame (R.) . . . p. 4 EV
Friedland (R.) . . . . p. 5 GV
Gambetta (Allées) . . . p. 5 FS
Garibaldi (Bd) . . . . p. 5 FT 30
Gênes (R. de) . . . . p. 5 GV
Gouffé (Cours) . . . . . . p. 5 GV
Grand'Rue . . . . p. 4 ET 33
Grignan (R.) . . . . p. 4 EU 34
Guesde (Pl. Jules) . . . p. 4 ES
Guibal (R.) . . . . p. 3 BX
Héros (R. des) . . . . p. 5 FS
Honnorat (R.) . . . . p. 5 FS
Iéna (R. d') . . . . p. 5 GV 35
Italie (R. d') . . . . p. 5 FV
Jaurès (Pl. Jean) . . . . p. 5 GT
Jeanne-d'Arc (Bd) . . . p. 3 CY
Joliette (Pl., Quai, R.) . p. 4 DS
Julien (Cours) . . . . p. 5 FU
Lazaret (Quai du) . . . . p. 2 AX
Leblanc (R.V.) . . . . p. 4 DS 40
Leclerc (Av. Gén.) . . . p. 5 FS
Libération (Bd de la) . p. 5 GS
Liberté (Bd de la) . . . . p. 5 FS 42
Lieutaud (Cours) . . . . p. 5 FU
Livon (Bd Charles) . . . p. 4 DU
Lodi (R. de) . . . . p. 5 GV
Longchamp (Bd) . . . . . p. 5 GS
Loubière (R. de la) . . . p. 5 GU
Marceau (Pl.) . . . . p. 4 ES
Mazargues (Av. de) . . p. 3 BZ
Menpenti (R.) . . . . p. 5 GV

Michelet (Bd) . . . . p. 3 BZ
Moisson (R.F.) . . . . p. 4 ES 45
Montricher (Bd) . . . . . p. 5 GS 46
Moulin (Bd Jean) . . . . p. 3 CY 47
National (Bd) . . . . p. 5 GS
Nationale (R.) . . . . p. 5 FS
Nedelec (Bd Ch.) . . . . p. 5 FS 48
Notre-Dame (Bd) . . . . p. 4 EV
Panier (R. du) . . . . p. 4 DS
Paris (Bd de) . . . . p. 3 BX
Pasteur (Av.) . . . . p. 4 DU
Pelletan (Av. C.) . . . . . p. 4 ES 49
Périer (Bd) . . . . p. 3 BZ
Philipon (Bd) . . . . p. 5 GS 51
Plage (Prom. de la) . . p. 3 BZ
Plombières (Bd de) . . p. 3 BX
Pologne (Pl. de) . . . . . p. 3 CY 52
Port (Quai du) . . . . p. 4 ET
Prado (Av. du) . . . . p. 5 FV
Puget (Cours Pierre) . p. 4 EU
Pyat (R. Félix) . . . . p. 3 BX
Rabatau (Bd) . . . . p. 3 CZ
Raynouard (Trav.) . . . p. 5 GV 53
République (R.) . . . . . p. 4 ET
Rive-Neuve (Quai) . . . p. 4 EU
Roches (Av. des) . . . . . p. 2 FZ
Rolland (R. du Cdt) . . p. 3 BZ
Rome (R. de) . . . . p. 5 FV
Roosevelt (Cours F.) . p. 5 GS
Roucas-Blanc (Ch.) . . p. 4 DV
Rouet (R. du) . . . . p. 5 GV
Sadi-Carnot (Pl.) . . . . p. 4 ES 54
St-Jean (Av.) . . . . p. 4 DT
St-Just (Av. de) . . . . . . p. 3 CX
St-Laurent (R.) . . . . . . p. 4 DT 55
St-Louis (Cours) . . . . . p. 5 FT 56
St-Savournin (R.) . . . . p. 5 GT

Sainte (R.) . . . . p. 4 EU
Ste-Barbe (R.) . . . . p. 4 ES 57
Ste-Cécile (R.) . . . . p. 5 GV
Ste-Marguerite (Bd) . . p. 3 CZ
Ste-Marthe (Ch. de) . . p. 3 BX
Ste-Philomène (R.) . . . p. 5 FV 58
Sakakini (Bd) . . . . p. 3 CY
Salengro (Av. R.) . . . . . p. 3 BX
Salvator (Bd L.) . . . . . . p. 5 FU
Sebastopol (Pl.) . . . . . . p. 3 CY
Sémard (Av. P.) . . . . . . p. 5 FS
Sembat (R. M.) . . . . p. 5 FS 60
Schlœsing (Bd) . . . . . . p. 3 CZ
Schuman (Av. R.) . . . . p. 4 DS
Strasbourg (Bd) . . . . . p. 3 BX 61
Tapis-Vert (R.) . . . . p. 5 FT
Teisseire (Bd R.) . . . . . p. 3 CZ
Tellène (Bd) . . . . p. 4 DV
Terrusse (R.) . . . . p. 5 GT
Thierry (Cours J.) . . . . p. 5 GS
Tilsit (R.) . . . . p. 5 GU
Timone (Av. de la) . . . p. 3 CY
Toulon (Av. de) . . . . . . p. 5 GV

Tourette (Quai) . . . p. 4 DS
Vallon-l'Oriol (Ch.) p. 2 AZ
Vauban (Bd) . . . . . . p. 4 EV
Vaudoyer (Av.) . . . . p. 4 DT
Vertus (R. des) . . . . p. 5 GU
Victor-Hugo (Pl.) . . p. 5 FS
Voltaire (Bd) . . . . . . p. 5 FS
3-Mages (R.) . . . . . . p. 5 FT

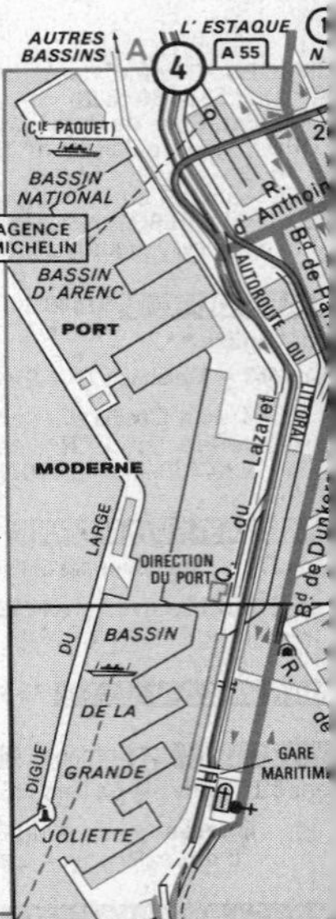

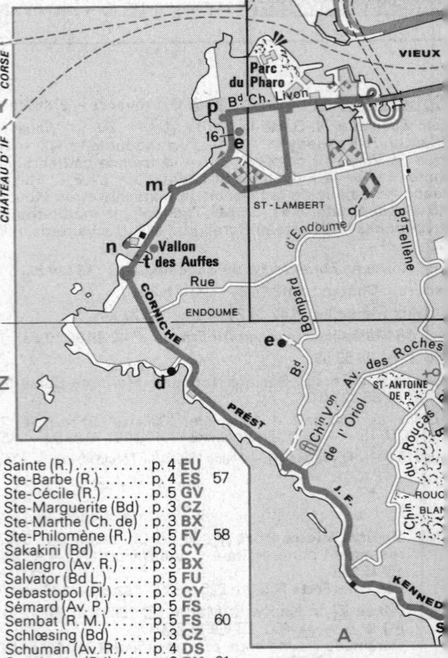

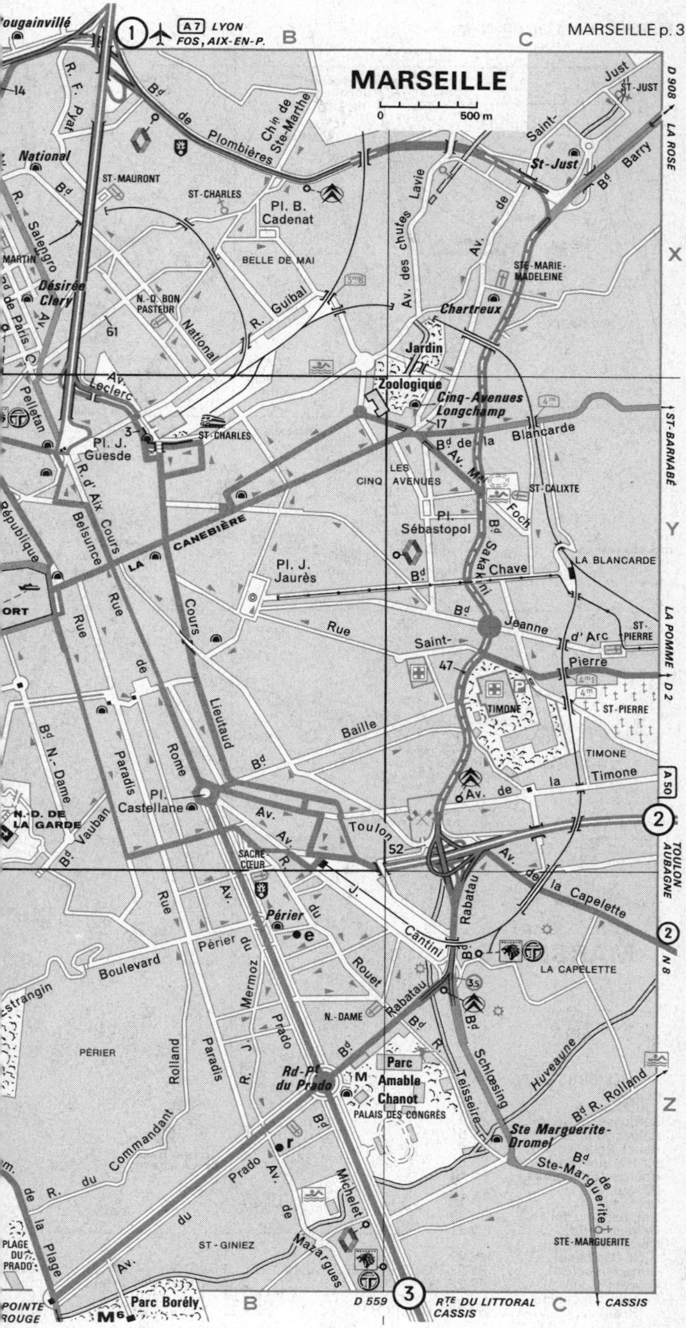

MARSEILLE

0 500 m

1 A7 LYON FOS, AIX-EN-P.

D 908 LA ROSE

ST-BARNABÉ

LA POMME D 2

A 50

2 TOULON AUBAGNE

2 N 8

CASSIS

RTE DU LITTORAL CASSIS

3 D 559

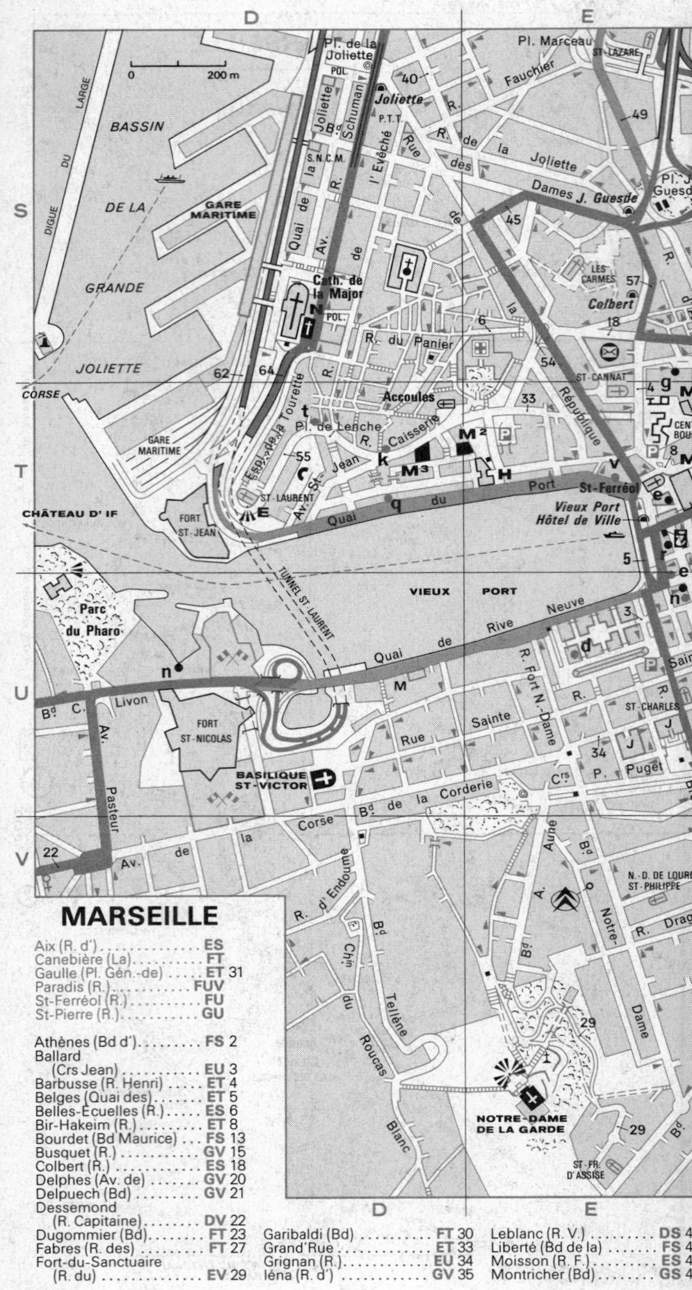
D
E
S
T
U
V
0
200 m
DIGUE DU LARGE
BASSIN DE LA GRANDE JOLIETTE
GARE MARITIME
CORSE
CHÂTEAU D' IF
FORT ST-JEAN
Parc du Pharo
Pl. de la Joliette
POL.
Joliette
Bd Schuman
Quai de la Joliette
Av. de R. l' Evêché
S.N.C.M.
P.T.T.
Rue
R. de la Joliette
R. des Dames
J. Guesde
Pl. Marceau
Fauchier
ST-LAZARE
Pl. J. Guesde
Cath. de la Major
N
R. du Panier
R. de la République
LES CARMES
Colbert
ST-CANNAT
Accoules
Pl. de Lenche
Espl. de la Tourette
R. Caisserie
R. St-Jean
ST-LAURENT
Av. St-Jean
M²
M³
H
Quai du Port
St-Ferréol
Vieux Port Hôtel de Ville
TUNNEL ST-LAURENT
VIEUX PORT
Quai de Rive Neuve
R. Fort N.-Dame
R. Sainte
Rue Sainte
ST-CHARLES
Puget
Crs P. Puget
Bd C. Livon
FORT ST-NICOLAS
Av. Pasteur
BASILIQUE ST-VICTOR
Bd de la Corderie
Av. de la Corse
R. d'Endoume
Bd Chin du Roucas Blanc
Tellène
Bd A. Aune
Bd Notre-Dame
R. Dragon
N.-D. DE LOURDES ST-PHILIPPE
NOTRE-DAME DE LA GARDE
ST-FR. D'ASSISE
CENTRE BOURSE

MARSEILLE

…edelec (Bd Ch.) .... **FS** 48	Sadi-Carnot (Pl.) .... **ES** 54	Ste-Philomène (R.) ...... **FV** 58
…elletan (Av. C.) .... **ES** 49	St-Laurent (R.) .... **DT** 55	Sembat (R. Marcel) ...... **FS** 60
…hilipon (Bd) .... **GS** 51	St-Louis (Crs) .... **FT** 56	Tourette (Quai) .... **DS** 62
…eynouard (Traverse) ... **GV** 53	Ste-Barbe (R.) .... **ES** 57	Vaudoyer (Av.) .... **DT** 64

Bompard sans rest, 2 r. Flots-Bleus ✉ 13007 ☎ 91 52 10 93, Télex 400430, – cuisinette TV ☎ & P – 40. AE ⦿ VISA Marseille p. 2 AZ
☕ 30 – **47 ch** 240/315.

Gd H. Noailles sans rest, 66 Canebière ✉ 13001 ☎ 91 54 91 48, Télex 430609 – TV ☎ – 40 à 60. AE ⦿ E VISA FT
☕ 35 – **70 ch** 250/580, 4 appartements 580.

Gd H. Genève sans rest, 3 bis r. Reine-Élisabeth ✉ 13001 ☎ 91 90 51 42, Téle 440672 – TV ☎ – 25. ⦿ VISA. ET
☕ 25 – **45 ch** 145/340, 4 appartements 410.

New H. Astoria M sans rest, 10 bd Garibaldi ✉ 13001 ☎ 91 33 33 50 – wc wc ☎. AE ⦿ E VISA FT
☕ 25 – **58 ch** 230/290.

Castellane M sans rest, 31 r. Rouet ✉ 13006 ☎ 91 79 27 54, Télex 402326 – TV wc ☎. AE VISA GV
☕ 30 – **55 ch** 280/300.

Européen sans rest, 115 r. Paradis ✉ 13006 ☎ 91 37 77 20, Télex 306254 – TV wc wc ☎. ⦿ E VISA FV
fermé 25 juil.-25 août – ☕ 25 – **43 ch** 155/199.

Rome et St Pierre sans rest, 7 cours St-Louis ✉ 13001 ☎ 91 54 19 52, Téle 430641 – TV wc wc ☎. AE ⦿ E VISA FT
☕ 28 – **63 ch** 114/308.

Petit Louvre, 19 Canebière ✉ 13001 ☎ 91 90 13 78 – TV wc wc AE ⦿ E VISA. rest FT
R *(fermé dim. hors sais.)* 75/110, enf. 40 – ☕ 28 – **33 ch** 174/308 – ½ p 330/390.

Paris-Nice sans rest, 23 bd Athènes ✉ 13001 ☎ 91 90 13 22 – wc wc AE ⦿ E VISA FS
fermé 16 déc. au 9 janv. – ☕ 25 – **33 ch** 150/350.

Sélect H. sans rest, 4 allées Gambetta ✉ 13001 ☎ 91 50 65 50, Télex 402175 – TV wc wc ☎ – 80. AE ⦿ E VISA FS
☕ 25 – **60 ch** 230/290.

Sud sans rest, 18 r. Beauvau ✉ 13001 ☎ 91 54 38 50 – TV wc ☎. VISA EU
☕ 21 – **24 ch** 185/250.

Ibis M, 6 r. Cassis ✉ 13008 ☎ 91 25 73 73, Télex 400362 – rest TV wc & – 25 à 40. E VISA Marseille p. 3 BZ
R carte 75 à 120 🍷, enf. 35 – ☕ 25 – **118 ch** 235/265.

Martini sans rest, 5 bd G.-Desplaces ✉ 13003 ☎ 91 64 11 17 – wc. AE. FS
☕ 20 – **40 ch** 130/220.

XXX ✿ **Jambon de Parme,** 67 r. La Palud ✉ 13006 ☎ 91 54 37 98 – . AE ⦿ E VISA
fermé 14 juil. au 16 août et dim. soir – **R** carte 180 à 305 FU
Spéc. Variétés de pâtes fraîches, Filet de mérou au pistil de safran, Agneau de lait rôti à l'ail. Vi Cassis, Bandol.

XXX **Au Pescadou,** 19 pl. Castellane ✉ 13006 ☎ 91 78 36 01, Télex 402417, produ de la mer – . E VISA FV
fermé juil.-août et dim. soir de nov. à juin – **R** 170 bc/195 bc.

XXX **La Ferme,** 23 r. Sainte ✉ 13001 ☎ 91 33 21 12 – . AE ⦿ E VISA EU
fermé août, fin déc. à début janv., sam. midi, dim. et fêtes – **R** carte 200 à 260.

XXX **Brasserie New-York Vieux Port,** 7 quai Belges ✉ 13001 ☎ 91 33 60 98 – AE ⦿ E VISA ETU
R carte 130 à 200 🍷.

XX ✿ **Michel,** 6 r. Catalans ✉ 13007 ☎ 91 52 30 63 – E VISA Marseille p. 2 AY
fermé 20 déc. au 5 janv., mardi et merc. – **R** carte 320 à 385
Spéc. Bouillabaisse, Bourride, Supions à la provençale. **Vins** Cassis, Bandol.

XX ✿ **Calypso,** 3 r. Catalans ✉ 13007 ☎ 91 52 64 00, ← – E VISA
fermé vacances de fév., dim. et lundi – **R** carte 300 à 500 Marseille p. 2 AY
Spéc. Bouillabaisse, Bourride, Supions persillés. **Vins** Cassis, Bandol.

XX **Chez Caruso,** 158 quai Port ✉ 13002 ☎ 91 90 94 04, , spécialités italiennes AE VISA DT
fermé 15 oct. au 15 nov., dim. soir et lundi – **R** carte 140 à 195.

XX **Miramar,** 12 quai Port ✉ 13002 ☎ 91 91 10 40, – . AE ⦿ E VISA ET
fermé 1er au 22 août, 24 déc. au 6 janv. et dim. – **R** carte 170 à 260 🍷.

XX **Chez Benoît,** 26 cours Julien ✉ 13006 ☎ 91 92 47 47 – . ⦿ VISA FT
fermé 7 au 21 août et dim. – **R** (déj. seul. en juil.-août) 90/170.

XX **Le Chaudron Provençal,** 48 r. Caisserie ✉ 13002 ☎ 91 91 02 37 – . AE VISA
fermé 13 juil. au 15 août, sam. midi et dim. – **R** carte 200 à 270. DT

XX **Béarnais,** 16 r. S.-Torrents ✉ 13006 ☎ 91 37 01 96 – VISA FV
fermé fin juil. à fin août, lundi soir et dim. – **R** 100 🍷.

XX **Dominique Panzani,** 17 r. Montgrand ✉ 13006 ✆ 91 54 72 72 – ▤. AE VISA. ✈
fermé 29 juil. au 22 août, sam. (sauf le soir de fin août à fin mai), lundi soir et dim. –
R carte 150 à 210. FU **d**

XX **Chez Antoine** (Pizzeria), 35 r. Musée ✉ 13001 – ▤. ⓓ E VISA
fermé mardi – **R** 60/120. FT **k**

XX **Piment Rouge,** 20 r. Beauvau ✉ 13001 ✆ 91 33 19 84, cuisine Moyen-Orient –
AE ⓓ E VISA. ✈
fermé août et dim. – **R** carte 120 à 190. EU **n**

X **La Charpenterie,** 22 r. Paix ✉ 13001 ✆ 91 54 22 89 – AE ⓓ E VISA
fermé 14 juil. au 15 août, sam. midi, dim. et fêtes – **R** 90/180. EU **d**

X **Damaro,** 19 pl. Lenche ✉ 13002 ✆ 91 56 10 04 – AE ⓓ E VISA
fermé août, 1er au 15 fév. et sam. midi – **R** 70/210. DT **t**

Sauf indication spéciale, voir emplacements sur Marseille p. 2

sur la Corniche :

Concorde-Palm Beach Ⓜ, 2 promenade Plage ✉ 13008 ✆ 91 76 20 00,
Télex 401894, ≤, ☂, ⛱, – |♦| ▤ TV ☎ ⇔ Ⓟ – 🏛 450. AE ⓓ E VISA.
✈ rest Marseille p. 2 AZ **s**
La Réserve **R** 120/180 – **Les Voiliers R** carte 110 à 170 🌡 – ☕ 45 – **145 ch** 445/495.

✿✿ **Le Petit Nice** (Passedat) Ⓜ, anse de Maldormé (hauteur 160 corniche
Kennedy) ✉ 13007 ✆ 91 52 14 39, Télex 401565, ≤, ☂, « Villas dominant la mer,
beaux aménagements intérieurs », ⛱ – ▤ ☎ Ⓟ. AE VISA. ✈ rest AZ **d**
fermé janv. – **R** *(fermé lundi sauf le soir en été)* carte 355 à 500, enf. 190 – ☕ 65 –
10 ch 700/1000, 8 appartements 1600/2000
Spéc. Loup de mer en huile d'olive, Rougets de roche au consommé d'eau de mer, Bouillabaisse.
Vins Palette, Bandol.

XX **Chez Fonfon,** 140 vallon des Auffes ✉ 13007 ✆ 91 52 14 38, ≤ – AE ⓓ E VISA
fermé oct., 24 déc. au 2 janv., sam. et dim. – **R** carte 210 à 350. AY **t**

XX **L'Epuisette,** vallon des Auffes ✉ 13007 ✆ 91 52 17 82, ≤, ☂ – AE ⓓ VISA
fermé janv., sam. et dim. – **R** carte 190 à 360. AY **n**

XX **Peron,** 56 corniche Prés.-Kennedy ✉ 13007 ✆ 91 52 43 70, ≤ entrée du port et
château d'If – AE ⓓ E VISA AY **m**
fermé 1er au 8 mai, janv., dim. soir et lundi – **R** carte 155 à 275.

à l'Est 11,5 km par ② et sortie La Penne-St-Menet :

Novotel Ⓜ, à St-Menet ✉ 13011 ✆ 91 43 90 60, Télex 400667, ☂, ⛱, ✂ – |♦|
▤ TV ☎ ♿ Ⓟ – 🏛 250. AE ⓓ E VISA
R grill carte environ 120, enf. 40 – ☕ 38 – **131 ch** 330.

à la Madrague-de-Montredon 10 km par prom. Plage - Marseille p. 3 - BZ :

XX **Mont-Rose,** 38 bd Mt-Rose ✉ 13008 ✆ 91 73 17 22, ≤ Corniche et les îles, ☂
– ▤ Ⓟ. AE ⓓ E VISA
fermé dim. soir et merc. – **R** (hors sais. déj. seul.) 40/145.

MICHELIN, Agence régionale, 18 et 20 r. Frédéric Sauvage (14e) AX ✆ 91 02 08 02

1er et 2e Arrondissements

BMW Gar. Station 7, 42 bd de Dunkerque (2e) ✆ 91 91 92 42
CITROEN Succursale, 30 crs Lieutaud (1er) FU ✆ 91 54 91 31
PEUGEOT-TALBOT Filiale, 27 bd de Paris (2e) BX ✆ 91 91 90 65

3e et 4e Arrondissements

CITROEN Succursale, 53 bd Guiguou (3e) BX ✆ 91 84 40 40
RENAULT Succursale, 137 bd de Plombières (3e) BX ✆ 91 02 70 02
Ⓜ Denizon, 34 bd Battala (3e) ✆ 91 02 40 40
Escoffier-Pneus, 21 bd Briançon (3e) ✆ 91 50 77 91

5e Arrondissement

RENAULT Gd Gar. de Verdun, 11 r. Verdun CY ✆ 91 94 91 25
Ⓜ Diff. Comm. Accessoires, 15 r. Ste-Cécile ✆ 91 78 63 58
Pneus et Services Phocéens, 60 r. Louis Astruc ✆ 91 42 50 83

6e et 7e Arrondissements

BMW Bernabeu, 50 av. du Prado (6e) ✆ 91 37 54 66
CITROEN Didier, 83 r. J.- Moulet (6e) EV ✆ 91 37 59 46
FORD Agence Centrale, 52 à 56 av. Prado (6e) ✆ 91 37 92 10
MERCEDES-BENZ Paris Méditerranée Auto, 166 cours Lieutaud (6e) ✆ 91 94 91 40
RENAULT Pharo-Saint-Lambert, 11-13 r. Sauveur Tobelem (7e) AY ✆ 91 31 25 25
VOLVO Volvo-France, 27 av. J.-Cantini (6e) ✆ 91 79 91 36
Ⓜ Giordanengo, 21 cours Gouffé (6e) ✆ 91 79 36 16

8e Arrondissement

ALFA-ROMEO Alfa-Provence, 241 av. du Prado ✆ 91 79 91 44
CITROEN Succursale, 96 bd Rabatau CZ ✆ 91 79 90 20
FIAT Sud-Autos, 110 et 116 av. Cantini ✆ 91 78 12 11
FORD Agence Centrale, 36 bd Michelet ✆ 91 77 97 06
LANCIA-AUTOBIANCHI S.O.D.I.A., 150 av. du Prado ✆ 91 53 55 22
OPEL GM Auto Service Réparation, 3 et 5 bd Rabatau ✆ 91 79 91 13
PEUGEOT-TALBOT Filiale, 204 bd Michelet BCZ ✆ 91 22 11 22
RENAULT Succursale, 134 bd Michelet BZ ✆ 91 77 69 00
Gar. Bernasconi, 365 r. Paradis ✆ 91 77 03 39

Central-Pneus, 104 av. Cantini ✆ 91 79 79 86
Omnica, 4 r. R.-Teissère Pl. Rabatau ✆ 91 79 18 12

9e, 10e et 11e Arrondissements

CITROEN Amoretti, 8 bd Aguillon (9e) par bd Ste-Marguerite CZ ✆ 91 75 19 79
CITROEN Jean Fils, 19 av. de la Timone (10e) CY ✆ 91 78 17 52
FERRARI, HONDA Gar. Pagani, 47 bd Cabot (9e) ✆ 91 82 06 66
FIAT Sud-Autos-Sces, 16 bd Pont-de-Vivaux (10e) ✆ 91 78 79 80
MERCEDES-BENZ M.A.S.A., 108 bd Pont-de-Vivaux (10e) ✆ 91 79 56 56
PEUGEOT-TALBOT SIAP-SGA 37 av. J.-Lombard (11e) par D 2 CY ✆ 91 94 91 21

Alberola, 167 bd Romain-Rolland (10e) ✆ 91 79 75 81
Omnica, 37 r. Capit.-Galinat (10e) ✆ 91 78 10 13
Pneus 2000, 322 bd Romain Rolland ✆ 91 26 16 17
Pneus 2000, 7 av. de la Capelette (10e) ✆ 91 78 39 03

12e, 13e et 14e Arrondissements

V.A.G. Gar. de la Rose, 212 av. de la Rose (13e) ✆ 91 66 14 81
V.A.G. S.O.D.R.A., 1 chemin Ste-Marthe (14e) ✆ 91 50 19 30

Ayme-Pneus, 80 bd Barry St-Just (13e) ✆ 91 66 25 12
Gay, 47 bd Burel (14e) ✆ 91 95 91 13
Omnica, 15 bd Gay-Lussac (14e) ✆ 91 98 90 11
Sirvent-Pneus, 194 bd D.-Casanova (14e) ✆ 91 67 22 20

15e et 16e arrondissements

FORD Marseille-Nord-Automobiles, 64 r. de Lyon (15e) ✆ 91 95 90 42
PEUGEOT-TALBOT Gar. Gastaldi, 48 rte Nationale de St-Antoine (15e) par N 8 AX ✆ 91 51 32 37
RENAULT Ets Lodi, 124 rte Nationale, la Viste (15e) par N 8 AX ✆ 91 69 90 71
RENAULT Coquillat, 89 bd Jean-Labro, St-André (16e) par N 8 AX ✆ 91 46 08 07
Gar. Corradi, 111 r. Condorcet, St-André (16e) ✆ 91 46 50 77

Sirvent, Compt. Pneu, 428 rte Nationale, St-Antoine (15e) ✆ 91 51 24 13

Banlieue

Relais des Pennes, les Pennes-Mirabeau ✆ 42 02 71 26

Périphérie et environs

CITROEN Parascandola, CD 2, Camp Major à Aubagne ✆ 42 03 47 14
FORD Gar. Gargalian, 31 av. des Goums à Aubagne ✆ 42 03 04 99
PEUGEOT-TALBOT Gar. Richelme, rte de la Ciotat à Aubagne ✆ 42 82 13 10
RENAULT D.A.T.A.C. St-Mitre, N 8, ZI St-Mitre à Aubagne ✆ 42 03 60 50
VAG Auto-Sud, ZI les Paluds à Aubagne ✆ 42 70 03 06

Chivalier, ZI St-Mitre à Aubagne ✆ 42 03 29 33
Omnica, N 8, quartier Fyols à Aubagne ✆ 42 82 16 02

MARSSAC-SUR-TARN **81** Tarn **82** ⑩ – rattaché à Albi.

MARTAILLY-LÈS-BRANCION **71** S.-et-L. **69** ⑲ – rattaché à Tournus.

MARTEL **46600** Lot **75** ⑱ **G. Périgord Quercy** – 1 441 h.

Voir Place des Consuls★ – Belvédère de Copeyre ≤★ sur cirque de Montvalent★ SE 4 km.

Syndicat d'Initiative à la Mairie ✆ 65 37 30 03.

Paris 520 – Brive-la-Gaillarde 33 – Cahors 81 – Figeac 59 – Gourdon 44 – St-Céré 32 – Sarlat-la-C. 44.

Turenne, ✆ 65 37 30 30, – wc wc . AE.
1er mars-30 nov. – **R** 58/180 – 16 – **17 ch** 80/200.

à Gluges : S : 5 km par N 140 – ✉ **46600** Martel.

Voir Site★.

Falaises , ✆ 65 37 33 59, , – wc wc ☎ . VISA. ch
1er mars-1er déc. – **R** 75/180 – 22 – **15 ch** 165/220 – ½ p 180/205.

MARTIGUES 13500 B.-du-R. 84 ⑫ **G. Provence** – 42 039 h.

Voir Pont St-Sébastien ≤★ Z B – Étang de Berre★ Z – Viaduc autoroutier de Caronte★ – Chapelle N.-D.-des-Marins ✳★ 3,5 km par ④.

Office de Tourisme quai Paul-Doumer ✆ 42 80 30 72.

Paris 757 ② – Aix-en-Provence 45 ② – Arles 52 ④ – ♦Marseille 40 ② – Salon-de-Provence 35 ①.

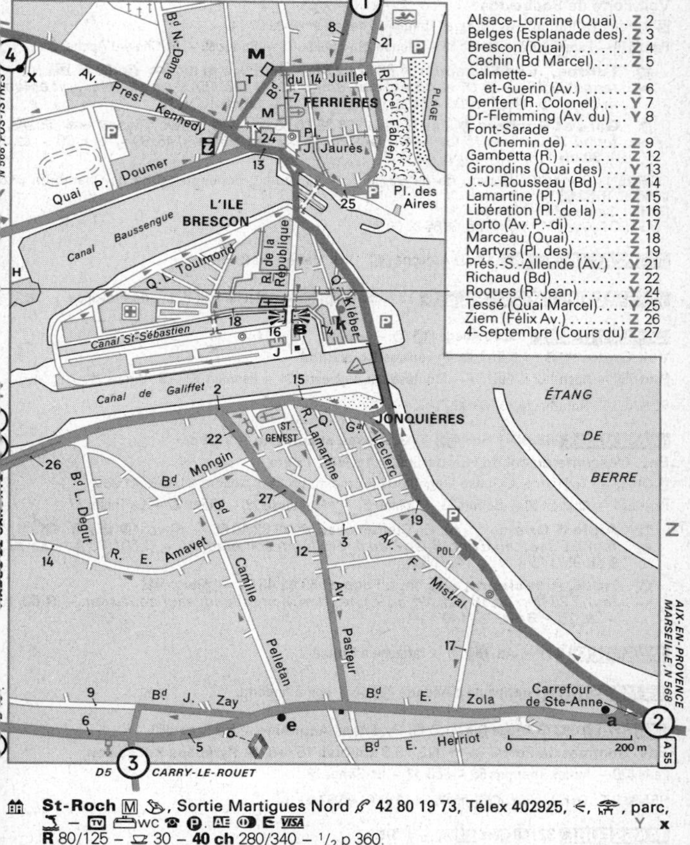

St-Roch M ⛰, Sortie Martigues Nord ✆ 42 80 19 73, Télex 402925, ≤, 🍽, parc, 🏊 – TV ⌂wc ☎ P. AE ◑ E VISA — Y x
R 80/125 – 🍵 30 – **40 ch** 280/340 – 1/2 p 360.

Eden sans rest, bd É.-Zola ✆ 42 07 36 37 – ⌂wc ⌂ ☎ P. E VISA — Z a
fermé 22 déc. au 6 janv. – 🍵 28 – **38 ch** 150/200.

Campanile M, par ① : 1,5 km rte Istres ✆ 42 80 14 00, Télex 401378 – ▤ rest TV ⌂wc ☎ ♿ P – 🏃 50. VISA
R 63 bc/86 bc, enf. 38 – 🍵 24 – **42 ch** 200/220 – 1/2 p 287/330.

Clair H. sans rest, bd M.-Cachin ✆ 42 07 02 43 – ⌂wc ☎ P. ✈ — Z e
fermé 20 déc. au 4 janv. – 🍵 20 – **39 ch** 73/160.

Le Mirabeau, 8 pl. Mirabeau ✆ 42 80 52 38, 🍽, **produits de la mer** – VISA — Z k
fermé dim. soir et lundi – **R** carte 155 à 210.

FORD Autom. de Provence, 48 av. F.-Mistral ✆ 42 81 08 63
RENAULT Aragon, av. J.-Macé ✆ 42 07 03 54

Maison du Pneu, Zone Ind. Martigues Sud, ✆ 42 07 07 71
Morcel, av. Fleming ✆ 42 80 44 49
Omnica, Puits de Pouane, N 568 ✆ 42 06 63 27

MARTIMPRÉ 88 Vosges 62 ⑰ – rattaché à Gérardmer.

MARTIN-ÉGLISE 76 S.-Mar. 52 ④ – rattaché à Dieppe.

MARTRES-TOLOSANE 31 H.-Gar. 82 ⑯ **G. Pyrénées Roussillon** – 1 925 h. – ✉ 3122[illegible] Cazères-sur-Garonne.

Paris 763 – Auch 84 – Auterive 45 – Pamiers 68 – St-Gaudens 29 – St-Girons 39 – ♦Toulouse 61.

- **Castet,** face gare ✆ 61 90 80 20, ☂, ⛱, 🌳 – 📺 ⛀wc ⛲wc ☎ Ⓟ. E VISA
  fermé oct. et lundi du 1er nov. à fin mai – **R** 48/130 🍷 – ☕ 15 – **15 ch** 110/150.

MARVEJOLS 48100 Lozère 80 ⑤ **G. Gorges du Tarn** (plan) – 6 013 h. alt. 651.

Voir Porte de Soubeyran*.

ℹ Syndicat d'Initiative av. Brazza (15 juin-15 sept.) ✆ 66 32 02 14.

Paris 570 – Espalion 72 – Florac 53 – Mende 29 – Millau 73 – Rodez 85 – St-Chély-d'Apcher 33.

- **Europe,** 16 bd Chambrun ✆ **66 32 02 31** – |‡| ⛀wc ⛲ ☎ 🚗 Ⓟ. AE E VISA
  fermé 20/12 au 20/01 et hôtel : dim. soir du 15/11 au 15/03 ; rest.: dim. soir et lund[illegible] midi du 15/09 au 15/06 – **R** 50/150 🍷 – ☕ 19 – **36 ch** 120/170.
- **Gare et Rochers** 🐟, pl. Gare ✆ **66 32 10 58,** ⩽ – |‡| ⛀wc ⛲wc ☎ 🚗. E VISA
  fermé 15 janv. au 15 fév. – **R** *(sam. du 15 oct. au 15 mars)* 45/80 🍷, enf. 28 – ☕ 1[illegible] – **30 ch** 115/180 – ½ p 130/175.

CITROEN Rel du Gévaudan, rte de St-Flour, ✆ 66 32 15 62 N
FORD Garde, ✆ 66 32 01 04
PEUGEOT-TALBOT Rouvière, ✆ 66 32 00 88
Ⓜ Vulc Lozérienne, 26 bd de Chambrun ✆ 6[illegible] 32 07 11

MARZAL (Aven de) ** 07 Ardèche 80 ⑨ **G. Vallée du Rhône.**

MAS-BLANC-DES-ALPILLES 13 B.-du-R. 81 ⑪ – rattaché à St-Rémy-de-Provence.

Le MAS-D'AZIL 09290 Ariège 86 ④ – 1 404 h.

Voir Grotte S : 1,5 km, G. Pyrénées Roussillon.**

Paris 780 – Auch 112 – Foix 37 – Montesquieu-Volvestre 24 – Pamiers 35 – St-Girons 24.

RENAULT Renaille, ✆ 61 69 93 71

MASEVAUX 68290 H.-Rhin 66 ⑧ **G. Alsace et Lorraine** – 3 328 h.

Env. Descente du col du Hundsrück ⩽ NE : 13 km.**

ℹ Office de Tourisme 36 Fossé Flagellants (fermé matin hors saison) ✆ 89 82 41 99.

Paris 524 – Altkirch 30 – Belfort 23 – Colmar 57 – ♦Mulhouse 29 – Thann 22 – Le Thillot 37.

- **Aigle d'Or** avec ch, pl. G.-Clemenceau ✆ **89 82 40 66** – ⛲wc. ⓓ E VISA. ✻ ch
  fermé 5 sept. au 5 oct., 3 janv. au 4 fév., lundi soir et mardi – **R** 60/180 🍷 – ☕ 22 – **9 ch** 95/145 – ½ p 145/160.
- **Host. Alsacienne** avec ch, r. Foch ✆ **89 82 45 25** – ⛲wc. VISA
  fermé 25 juin au 18 juil., 1er au 7 nov., dim. soir et lundi sauf août-sept. – **R** 60/18[illegible] – ☕ 15 – **9 ch** 110/140.

MASLACQ 64 Pyr.-Atl. 78 ⑧ – rattaché à Orthez.

La MASSANA Principauté d'Andorre 86 ⑭ – voir à Andorre.

MASSAT 09320 Ariège 86 ③④ **G. Pyrénées Aquitaine** – 598 h. alt. 650.

Env. Sommet de Portel ✻ NE : 9,5 km puis 15 mn, G. Pyrénées Roussillon.**

Paris 829 – Ax-les-Thermes 56 – Foix 46 – St-Girons 28.

RENAULT Gar. Moles, ✆ 61 96 95 34 N ✆ 61 96 97 00

MASSEUBE 32140 Gers 82 ⑮ – 1 376 h.

Paris 753 – Auch 25 – Mirande 26 – St-Gaudens 51 – Tarbes 59 – ♦Toulouse 84.

à Panassac S : 5 km sur D 929 – ✉ **32140** Masseube :

- **Le Bailly,** ✆ **62 66 13 44,** ☂, 🌳 – Ⓟ. E VISA
  fermé 15 au 31 oct., dim. soir et lundi sauf fériés – **R** 59/210, enf. 40.

MASSIAC 15500 Cantal 76 ④ **G. Auvergne** – 2 212 h.

ℹ Office de Tourisme r. Paix ✆ 71 23 07 76.

Paris 472 – Aurillac 86 – Brioude 22 – Issoire 38 – Murat 35 – St-Flour 30.

- **Gd H. Poste,** N 9 ✆ **71 23 02 01, Télex 990989,** 🌳 – |‡| ⛀wc ⛲wc ☎ Ⓟ – [illegible] 30. AE ⓓ E VISA
  fermé 6 nov. au 20 déc. et merc. sauf juil.-août et vacances scolaires – **R** 50/138 – ☕ 21 – **36 ch** 84/193 – ½ p 210/235.

CITROEN Auto-Gar. Brunet, pl. Pupilles de la Nation ✆ 71 23 02 23
PEUGEOT-TALBOT Richard, av. de Clermont ✆ 71 23 02 25
RENAULT Gar. Delmas, RN 9 Le Gravaira[illegible] ✆ 71 23 02 11 N

MASSONGY 74 H.-Savoie 70 ⑯ – rattaché à Douvaine.

MATHAY 25 Doubs 66 ⑱ – 1 646 h. – ✉ 25700 Valentigney.

Paris 492 – Baume-les-Dames 51 – •Besançon 84 – Montbéliard 12 – Morteau 59.

✗ **Aub. du Vieux Puits,** ☏ 81 35 28 06, ⛱, 🚗 – Ⓟ. E VISA
fermé 25 déc. au 31 janv., lundi soir et mardi – **R** 64/98 ♨.

CITROEN Gar. Leyval, ☏ 81 35 28 07

MATHEFLON 49 M.-et-L. 64 ① – rattaché à Seiches-sur-le-Loir.

MATIGNON 22550 C.-du-N. 59 ⑤ – 1 609 h.

Paris 436 – Dinan 30 – Dol-de-Bretagne 45 – Lamballe 24 – St-Brieuc 45 – St-Cast 6 – St-Malo 31.

Poste, ☏ 96 41 02 20, 🚗 – wc. E VISA
fermé 15 janv. au 15 fév., vend. soir, sam. midi et dim. soir du 30 sept. au 31 mai – **R** 48/150 ♨, enf. 30 – ☕ 18 – **15 ch** 82/150 – 1/2 p 150/190.

RENAULT Hamon, ☏ 96 41 02 31 N

MAUBEUGE 59600 Nord 53 ⑥ **G. Flandres Artois Picardie** – 36 156 h.

ℹ Office de Tourisme Porte de Bavay ☏ 27 62 11 93 – A.C. Porte de France, av. Gare ☏ 27 64 62 34.

Paris 241 ⑤ – Charleville-Mézières 102 ④ – Mons 20 ① – St-Quentin 84 ④ – Valenciennes 39 ⑤.

MAUBEUGE

Albert-1er (R.) .... B 2
France (Av. de) .... B
Gare (Av. de la) .... A
Mabuse (Av.) .... B 12
Mail de la Sambre .... AB 14

Paillot (R. G.) .... B 21
Roosevelt (Av. Franklin) . AB 28
Vauban (Pl.) .... B 29
145e-Régt-d'Inf. (R. du) ... B 31

Concorde (Pl. de la) .... B 4
Coutelle (R.) .... A 5

Intendance (R. de l') .... B 10
Mabuse (Pl.) .... B 13
Musée (R. du) .... B 18
Nations (Pl. des) .... B 19
Pasteur (Bd) .... A 24
Porte-de-Bavay (Av.) .... A 25
Provinces-Françaises (Av.) B 26

Mercure M, par ④ : 4 km ✉ 59720 Louvroil ✆ 27 64 93 73, Télex 110696, ⛱, 🌳 – ▤ ch TV ☎ ♿ P – 🏛 130. AE ⓓ E VISA. ✻ rest
R *(fermé vend., sam. et dim.)* (dîner seul.) 90 – ☕ 33 – **59 ch** 250/294.

Gd Hôtel, 1 porte de Paris ✆ 27 64 63 16 – ⇕ ▤ rest TV ⛀wc ☎ P – 🏛 60. AE ⓓ E VISA — B b
R 78/280 🍷, enf. 55 – ☕ 25 – **31 ch** 160/270 – $^1/_2$ p 215/305.

Concorde ⛆ sans rest, 3 r. Commerce ✆ 27 65 14 14, Télex 810231 – ⇕ TV ⛀wc ☎ ♿. AE ⓓ E VISA — B a
☕ 25 – **35 ch** 230/290.

route de Mons par ① : 7 km – ✉ **59600** Maubeuge :

XX **Aux Trois Entêtés,** ✆ 27 64 85 29 – AE ⓓ E VISA
fermé 1er au 8 août, fin janv. à fin fév. et mardi – **R** 75/270, enf. 70.

CITROEN Deshayes, 18 bd de Jeumont ✆ 27 62 07 12
FORD Auto-Service Colau, bd de l'Epinette ✆ 27 64 27 64
LADA-MAZDA Gar. de l'Etoile, 69 rte d'Elesmes ✆ 27 64 60 43
PEUGEOT-TALBOT Nouvelle Maubeugeoise Automobiles, 11 rte de Mons par ① ✆ 27 65 79 33
RENAULT Feignies Distribution Auto, RN 49 Carrefour de Croix Mesnil à Feignies par ⑤ ✆ 27 62 30 74

Auto-Sécurité, 103 bis r. des Minières ✆ 27 64 97 91
Multy-Pneus, r. P.-de-Coubertin ✆ 27 64 96 12
Pneus et Services D.K, 13 Porte de Paris ✆ 27 62 17 65
Renova Pneu, 141 av. de Ferrières à Rousies ✆ 27 65 79 65

MAUBUISSON 33 Gironde 71 ⑱ – ✉ 33121 Carcans.

Paris 584 – ♦Bordeaux 58 – Lacanau-Océan 14 – Lesparre-Médoc 37.

Lac, ✆ 56 03 30 03 – ⛲wc P. E VISA
mars-oct. – **R** 79/119 – ☕ 27 – **39 ch** 142/250 – $^1/_2$ p 172/222.

MAULÉON 79700 Deux-Sèvres 67 ⑥⑯ – 3 161 h.

Paris 353 – Cholet 23 – ♦Nantes 74 – Niort 80 – Parthenay 54 – La Roche-sur-Yon 66 – Thouars 46.

Europe, 15 r. Hôpital ✆ 49 81 40 33 – TV ⛲wc ☎ 🚗. E VISA
fermé 19 déc. au 30 janv. et lundi du 15 sept. au 15 juin – **R** 52/145 🍷 – ☕ 16 – **11 ch** 85/180 – $^1/_2$ p 148/210.

Terrasse ⛆, 7 pl. Terrasse ✆ 49 81 47 24, 🌳 – TV ⛀wc ⛲wc ☎ 🚗. E VISA
fermé fév. et sam. sauf juil.-août – **R** 58/130 – ☕ 20 – **16 ch** 160/300.

CITROEN Gar. Olivier, ✆ 49 81 47 75 N
RENAULT Gar. Lebeau, ✆ 49 81 40 53 N

MAULÉON-LICHARRE 64130 Pyr.-Atl. 85 ④⑤ G. Pyrénées Aquitaine – 4 308 h.

Office de Tourisme 10 r. J.-B.-Heugas (fermé après-midi hors saison) ✆ 59 28 02 37.

Paris 807 – Oloron-Ste-M. 30 – Orthez 40 – Pau 63 – St-Jean-Pied-de-Port 40 – Sauveterre-de-B. 28.

Bidegain, r. Navarre ✆ 59 28 16 05, 🌳 – ⛀wc ☎ 🚗. AE ⓓ E VISA
fermé 27 nov. au 5 déc., 17 déc. au 15 janv., vend. soir (sauf hôtel) et dim. soir hors sais. – **R** 55/170 – ☕ 18 – **30 ch** 85/197 – $^1/_2$ p 150/220.

Ekhi-Éder, pl. de la Liberté ✆ 59 28 16 23, 🌳 – ⛀wc ⛲wc ☎ P. VISA
fermé 25 sept. au 8 oct. et dim. soir hors sais. – **R** 70/160 🍷, enf. 50 – ☕ 16 – **20 ch** 100/160 – $^1/_2$ p 160/230.

CITROEN Gar. Sarrazin, ✆ 59 28 10 97 N ✆ 59 28 17 46
PEUGEOT-TALBOT Armagnague, ✆ 59 28 03 92
PEUGEOT-TALBOT Sarlang, ✆ 59 28 07 61
RENAULT Gar. le Rallye, ✆ 59 28 13 70
RENAULT Gar. Jaury, ✆ 59 28 15 13

MAULETTE 78 Yvelines 60 ⑧, 196 ⑭ – rattaché à Houdan.

MAURE-DE-BRETAGNE 35330 I.-et-V. 63 ⑤⑥ – 2 496 h.

Paris 383 – Châteaubriant 57 – Ploërmel 33 – Redon 35 – ♦Rennes 38.

Centre sans rest, 2 pl. Poste ✆ 99 34 91 52 – ⛀wc ⛲wc ☎ 🚗
☕ 16 – **20 ch** 95/160.

PEUGEOT-TALBOT Gar. Lecoq, ✆ 99 34 92 44
Gar. Duval, ✆ 99 34 93 73

MAUREILLAS-LAS-ILLAS 66 Pyr.-Or. 86 ⑲ – 1 727 h. – ✉ 66400 Céret.

Paris 934 – Gerona 76 – ♦Perpignan 29 – Port-Vendres 31 – Prades 56.

à Las Illas SO : 11 km par D 13 – ✉ **66400** Las Illas :

X **Hostal dels Trabucayres** ⛆ avec ch, ✆ 68 83 07 56, ≤, 🌳 – P. ✻ ch
fermé 2 janv. au 15 fév., lundi soir et mardi du 1er oct. au 31 mai – **R** 50 bc/220 bc – ☕ 16 – **4 ch** 90/115 – $^1/_2$ p 130.

CITROEN Gar. Coste, ✆ 68 83 06 10
RENAULT Gar. Alcala, ✆ 68 83 33 14

MAUREPAS 78310 Yvelines 60 ⑨, 196 ㉘ – 18 786 h.

aris 38 – Dreux 52 – Mantes-la-Jolie 37 – Montfort-L'Amaury 13 – Rambouillet 19 – Versailles 19.

Mercure M, N 10 ☎ (1) 30 51 57 27, Télex 695427, – ascenseur rest TV ☎ P – 150. AE ⓓ E VISA. ✻ rest
R carte 110 à 160 ♁, enf. 46 – 39 – **91 ch** 325/350.

MAURES (Massif des) ★★★ 83 Var 84 ⑯⑰ **G. Côte d'Azur.**

MAURIAC 15200 Cantal 76 ① **G. Auvergne** (plan) – 4 776 h. alt. 722.

Voir Basilique★.

Env. Barrage de l'Aigle★★ : 11 km par D 678 et D 105, G. Berry Limousin.

Office de Tourisme pl. G.-Pompidou ☎ 71 67 30 26.

aris 485 – Aurillac 57 – Le Mont-Dore 76 – ♦Clermont-Ferrand 113 – Le Puy 177 – Tulle 79.

Serre M sans rest, **r. République** ☎ **71 68 19 10** – TV wc ⋔ ☎. E VISA. ✻
1er avril-30 oct. – 19 – **13 ch** 152/235.

ITROEN-FORD Tillet, av. d'Aurillac ☎ 71 68 3 53 N
EUGEOT-TALBOT Mouret, rte de Clermont ☎ 71 68 06 24
RENAULT Balmisse, à Le Vigean ☎ 71 68 06 77 N
Haag, r. du 19 Mars ☎ 71 68 09 81

MAURON 56430 Morbihan 59 ⑮ – 3 365 h.

aris 401 – Dinan 48 – Josselin 27 – Loudéac 43 – Redon 60 – St-Brieuc 68 – Vannes 66.

Brambily, pl. Mairie ☎ 97 22 61 67 – wc ⋔ ☎ – 40. E VISA
fermé 11 au 27 juin, 15 au 31 janv. et dim. soir hors sais. – **R** 50/110 ♁ – 18 – **18 ch** 70/145 – 1/2 p 138/208.

ITROEN Payoux, ☎ 97 22 60 21

MAURS 15600 Cantal 76 ⑪ **G. Auvergne** – 2 582 h.

Voir Buste-reliquaire★ dans l'église.

Office de Tourisme pl. Champ-de-Foire ☎ 71 46 73 72.

aris 580 – Aurillac 45 – Entraygues-sur-Truyère 49 – Figeac 22 – Rodez 60 – Tulle 98.

Périgord M, av. Gare ☎ 71 49 04 25 – wc ☎ P. AE E VISA. ✻ rest
fermé 1er nov. au 1er déc. – **R** *(fermé vend. soir et sam. midi du 1er oct. au 1er juin)* 58/140 ♁, enf. 25 – 22 – **17 ch** 150/180.

ITROEN Gar. Central, ☎ 71 49 01 95
EUGEOT-TALBOT Balitrand, ☎ 71 49 02 04
RENAULT Gar. Lavigne, ☎ 71 49 00 20

MAUSSANE-LES-ALPILLES 13520 B.-du-R. 84 ① – 1 514 h.

aris 716 – Arles 19 – ♦Marseille 82 – Martigues 44 – St-Rémy-de-P. 9,5 – Salon-de-Provence 28.

Touret M sans rest, ☎ 90 97 31 93, – wc ⋔wc ☎ P. ✻ ch
fermé janv. et fév. – 25 – **16 ch** 240/270.

L'Oustaloun, ☎ 90 97 32 19 – wc ⋔wc. AE ⓓ E VISA. ✻ ch
R *(fermé 2 janv. au 15 mars et merc.)* 105 ♁, enf. 40 – 23 – **9 ch** 210/310.

La Pitchoune, ☎ 90 97 34 84, – E VISA
fermé 16 au 28/11, 20/01 au 15/02, dim. soir hors sais. (sauf vac. scol.), lundi midi du 1er/06 au 30/09 et vend – **R** (en janv.-fév. : déj. seul.) 69 bc/150, enf. 52.

MAUVEZIN 32120 Gers 82 ⑥ – 1 707 h.

aris 728 – Agen 71 – Auch 30 – Montauban 56 – ♦Toulouse 59.

La Rapière, ☎ 62 06 80 08 – AE ⓓ E VISA. ✻
fermé oct., mardi soir et merc. – **R** 75/200 ♁, enf. 43.

ENAULT Gar. Douard ☎ 62 06 80 11

MAUVEZIN-SUR-GUPIE 47 L.-et-G. 79 ③ – rattaché à Marmande.

MAUZAC 24 Dordogne 75 ⑮⑯ – 678 h. – ✉ 24150 Lalinde.

aris 554 – Bergerac 29 – Brive-la-Gaillarde 95 – Périgueux 63 – Sarlat-la-Canéda 53.

La Métairie, à Millac N : 2,5 km ☎ 53 22 50 47, Télex 572717, ≤, , parc, – TV wc ⋔wc ☎ P. ⓓ E VISA
28 avril-15 nov., 15 déc.-2 janv. et fermé mardi (sauf hôtel du 28 avril au 15 oct.) – **R** 120/280 – 45 – **10 ch** 500/640 – 1/2 p 450/600.

Poste, ☎ 53 22 50 52, ≤, – wc P. E VISA
1er mars-31 oct. – **R** *(fermé lundi du 16 sept. au 14 juin)* 55/140 – 19 – **18 ch** 110/200 – 1/2 p 135/160.

MAUZÉ-SUR-LE-MIGNON 79210 Deux-Sèvres 71 ② – 2 409 h.

Paris 428 – Niort 23 – Rochefort 37 – La Rochelle 40.

Relais de la Fourche en Pré, rte de Niort ✆ 49 26 32 36 – E VISA
fermé 18 déc. au 9 janv., 18 fév. au 4 mars, dim. soir et lundi sauf du 14 juil. a 15 août – **R** 50/150 – 20 – **12 ch** 200/250 – ½ p 260.

France, ✆ 49 26 30 15 – wc E VISA. ch
fermé 20 déc. au 6 janv., dim. soir et lundi du 30 sept. à Pâques – **R** 45/80 – 16 – **8 ch** 62/117 – ½ p 160/200.

MAVALEIX 24 Dordogne 72 ⑯ – rattaché à La Coquille.

MAYENNE 53100 Mayenne 59 ⑳ **G. Normandie Cotentin** – 14 298 h.

Voir Ancien château ≤★ B.

Office de Tourisme pl. 9-Juin-1944 (fermé oct.-nov. et après-midi hors saison) ✆ 43 04 19 37.

Paris 251 ② – Alençon 61 ② – Flers 56 ① – Fougères 44 ⑤ – Laval 31 ④ – ♦Le Mans 89 ④.

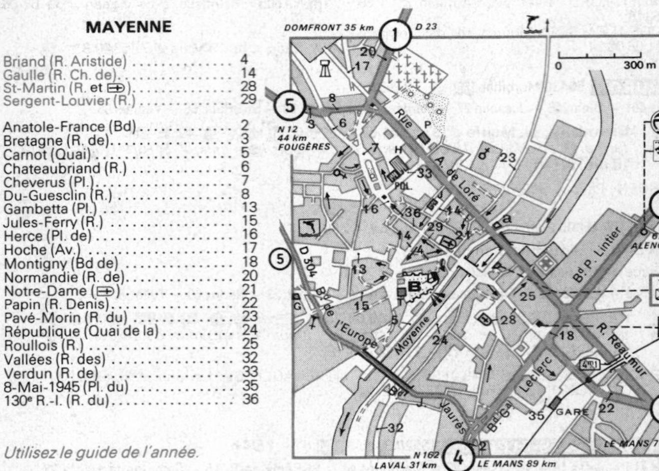

Gd Hôtel, 2 r. A.-de-Loré **(a)** ✆ 43 00 96 00, **Télex 722622** – wc wc E VISA
fermé 24 déc. au 19 janv., dim. soir et sam. de nov. à fév. – **R** 69/185, enf. 35 – 22 – **30 ch** 105/285 – ½ p 203/298.

Croix Couverte Ⓜ avec ch, sur N 12 ✆ 43 04 32 48, – wc wc AE E VISA
fermé 24 au 30 déc. et dim. soir du 30 sept. au 1er juil. – **R** 66/142, enf. 38 – – **13 ch** 135/208 – ½ p 238/280.

BMW Bassaler, 92 r. P.-Lintier ✆ 43 04 15 84 N ✆ 43 69 32 32
CITROEN SODIAM, rte d'Ernée par ⑤ ✆ 43 04 36 71
PEUGEOT-TALBOT Mallecot, 622 bd P. Lintier ✆ 43 04 10 76
RENAULT Mayenne-Auto, av. Gutenberg par ③ ✆ 43 04 58 86

V.A.G. Rel. des Pommeraies, rte de Laval ✆ 04 26 40

SOS PNEUS, 10 r. Réaumur, ✆ 43 00 01 95
Tricard, 412 bd P.-Lintier ✆ 43 04 19 47

MAYET 72360 Sarthe 64 ③ – 2 876 h.

Voir Forêt de Bercé★ NE : 5 km, G. Châteaux de la Loire.

Paris 227 – Château-la-Vallière 29 – La Flèche 31 – ♦Le Mans 29 – ♦Tours 59 – Vendôme 80.

Aub. des Tilleuls, pl. Hôtel de Ville ✆ 43 46 60 12
fermé 15 au 31 août, 7 au 28 fév. et merc. – **R** (déj. seul. sauf sam. : déj. et dîne 44/120, enf. 25.

Glauser avec ch, r. E.-Termeau ✆ 43 46 60 40 – . ch
fermé 1er au 12 juil., dim. soir et lundi – **R** *(fermé 2 au 4 nov., 4 au 15 janv., ven soir, dim. soir et lundi)* 50/130, enf. 30 – 18 – **4 ch** 150/160.

Le MAYET-DE-MONTAGNE 03250 Allier 73 ⑥ G. Auvergne – 1 941 h.

Syndicat d'Initiative pl. Église ✆ 70 59 75 24.

Paris 365 – Lapalisse 23 – Moulins 73 – Roanne 49 – Thiers 43 – Vichy 26.

Relais du Lac, S : 0,5 km sur D 7 ✆ 70 59 70 23, ← – P.
R 55/116 – 20 – **10 ch** 85/110 – ½ p 140.

CITROEN Gar. St-Christophe, ✆ 70 59 70 42 RENAULT Tartarin, ✆ 70 59 70 61

MAZAGRAN 57 Moselle 57 ⑭ – rattaché à Metz.

MAZAMET 81200 Tarn 83 ⑪⑫ G. Gorges du Tarn – 13 337 h.

de la Barouge ✆ 63 61 06 72 par ① : 3,5 km.

Office de Tourisme et A.C. Maison Fuzier, 3 r. des Casernes ✆ 63 61 27 07 et Plô de la Bise (juil.-août) ✆ 63 61 25 54.

Paris 747 ④ – Albi 60 ④ – Béziers 86 ① – Carcassonne 47 ② – Castres 18 ④ – ♦Toulouse 82 ③.

MAZAMET

Barbey (R. Édouard)
Brenac (R. Paul) 2
Gambetta (Pl.) 9
Olombel (Pl. Ph.) 16

Caville (R. du Pont de) 4
Champ-de-la-Ville (R. du) 5
Chevalière (Av. de la) 7
Galibert-Ferret (R.) 8
Guynemer (Av. G.) 10
Lattre-de-Tassigny (Bd de) 13
Nouvela (R. du) 14
Reille (Cours R.) 17
St-Jacques (R.) 19
Tournier (Pl. G.) 20
Tournier (R. Alphonse) 22

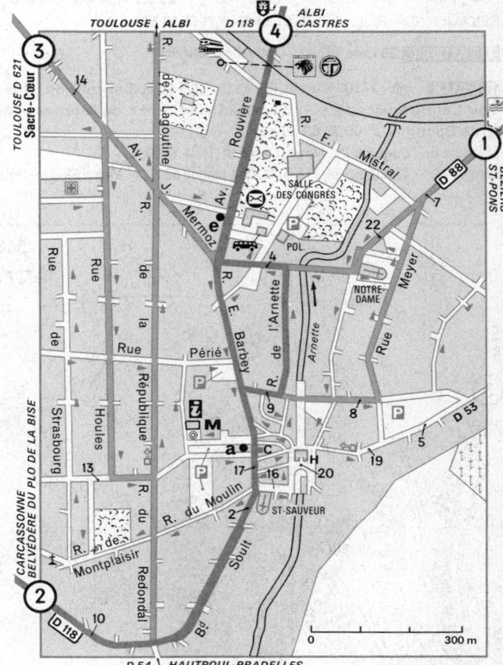

Les plans de villes sont orientés le Nord en haut.

Pour bien lire les plans de villes, voir signes et abréviations p. 23.

Le Gd Balcon M, 1 square G.-Tournier **(a)** ✆ 63 61 01 15 – rest wc – 50. AE E VISA
fermé dim. soir – **R** carte 100 à 200, enf. 32 – **Brasserie R** 50/150, enf. 32 – 29 – **24 ch** 220/350 – ½ p 270/410.

H. Jourdon, 7 av. A.-Rouvière **(e)** ✆ 63 61 56 93 – rest wc wc . VISA.
R *(fermé dim. sauf fériés)* 62/200 – 30 – **11 ch** 195/225.

à Bout-du-Pont-de-Larn par ① et D 54 : 2 km – ✉ **81660** Pont-de-Larn :

XXX **La Métairie Neuve** avec ch, ✆ 63 61 23 31, , – wc P. E VISA
fermé 20 déc. au 10 janv. – **R** *(fermé sam. midi)* 75/230, enf. 33 – 32 – **7 ch** 198/300 – ½ p 350/370.

par ①, D 109 et D 54 : 5 km – ✉ **81660** Pont-de-Larn :

Host. du Château de Montlédier M, ✆ 63 61 20 54, ←, « Parc » – P – 60. AE E VISA. rest
fermé janv. – **R** *(fermé dim. soir et lundi hors sais.)* 100/250 – 42 – **10 ch** 330/520 – ½ p 370/450.

ALFA-ROMEO, OPEL Auto Garage, 11 r. Cormouls-Houlès ✆ 63 61 06 94
CITROEN S.M.A., Zone Ind. Rougearié à Aussillon par ③ ✆ 63 61 39 41
FORD Amalric et Raynaud, 19 r. Nouvela ✆ 63 61 04 22
PEUGEOT-TALBOT Gd Gar. Gare, av. Ch.-Sabatier ✆ 63 61 01 89
RENAULT Labessant, av. Mal Juin ✆ 63 61 13 19

Cousinié-Pneus, 14 rue République ✆ 63 61 80 17
Martin, 11 r. Meyer ✆ 63 61 00 77
P.A.P.I.-Pneus, AMIEL Gérard N 112, La Richarde ✆ 63 61 07 32
Solapneu, 29 av. Mal Juin ✆ 63 61 08 98

MAZAN **84 Vaucluse 81 ⑬ – rattaché à Carpentras.**

MAZET-ST-VOY **43520 H.-Loire 76 ⑧ – 1 106 h. alt. 1 043.**
Paris 575 – Lamastre 37 – ♦St-Étienne 69 – Le Puy 40 – Yssingeaux 17.

L'Escuelle, ✆ 71 65 00 51, – wc wc
fermé janv. et lundi – **R** 50/100 – 20 – **11 ch** 100/200.

RENAULT Gar. Ruel, ✆ 71 65 01 92 N ✆ 71 65 03 55

MÉAUDRE **38 Isère 77 ④ – rattaché à Autrans.**

MEAUX **77100 S.-et-M. 56 ⑫⑬, 196 ㉒ G. Environs de Paris – 45 873 h.**
Voir Centre épiscopal★ ABY **: cathédrale★ B, ≤★ de la terrasse des remparts.**
de Boutigny ✆ **60 25 63 98 par ③.**
Office de Tourisme 2 r. Notre-Dame ✆ (1) 64 33 02 26.
Paris 54 ③ – Châlons-s-M. 117 ② – Compiègne 69 ⑤ – Melun 59 ③ – ♦Reims 96 ② – Troyes 140 ③.

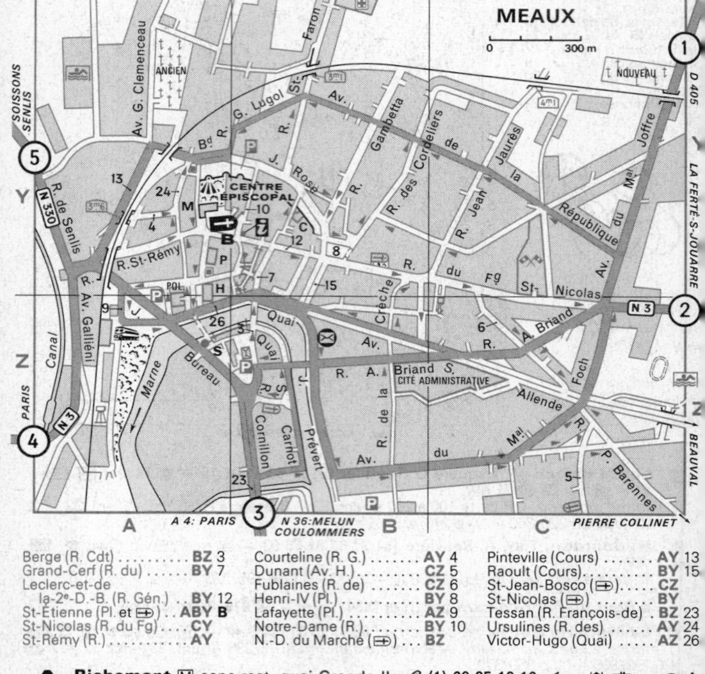

Berge (R. Cdt) .... **BZ** 3	Courteline (R. G.) .... **AY** 4	Pinteville (Cours) .... **AY** 13
Grand-Cerf (R. du) ...... **BY** 7	Dunant (Av. H.) .... **CZ** 5	Raoult (Cours) .... **BY** 15
Leclerc-et-de la-2e-D.-B. (R. Gén.) .. **BY** 12	Fublaines (R. de) .... **CZ** 6	St-Jean-Bosco (⊕) ..... **CZ**
St-Étienne (Pl. et ⊕) .. **ABY B**	Henri-IV (Pl.) .... **BY** 8	St-Nicolas (⊕) .... **BY**
St-Nicolas (R. du Fg) .... **CY**	Lafayette (Pl.) .... **AZ** 9	Tessan (R. François-de) . **BZ** 23
St-Rémy (R.) .... **AY**	Notre-Dame (R.) .... **BY** 10	Ursulines (R. des) ...... **AY** 24
	N.-D. du Marché (⊕) ... **BZ**	Victor-Hugo (Quai) ..... **AZ** 26

Richemont M sans rest, **quai Grande Ile** ✆ **(1) 60 25 12 10,** ≤ – wc – 25. E VISA AZ s
21 – **42 ch** 230/250.

Climat de France, 32 av. Victoire par ② ✆ **(1) 64 33 15 47,** – wc – 40. AE E VISA
R 57/98, enf. 37 – 25 – **60 ch** 228/255.

XX **Champ de Mars,** 16 av. Victoire par ② ✆ (1) 64 33 13 96 – E VISA
fermé août, lundi soir et mardi – **R** 110.

à Varreddes par ① : 6 km – ✉ **77910** Varreddes :

XXX **Aub. Cheval Blanc** M avec ch, D 405 ✆ (1) 64 33 18 03, ☂, ⛰ – TV ⌂wc ⌂wc ☎ P. AE ⓓ E VISA
fermé août, dim. soir et lundi – **R** 158/380, enf. 98 – ☕ 35 – **10 ch** 230/250.

XX **Au Petit Nain,** 7 r. Orsoy ✆ (1) 64 33 18 12, ☂ – AE E VISA
fermé 15 au 28 juil., vacances de fév., mardi soir, jeudi soir et merc. sauf fériés – **R** 110/185.

à Germigny-l'Évêque par ① et D 97 : 8 km – ✉ **77910** Varreddes :

XXX **Le Gonfalon** M ⛰ avec ch, 2 r. Église ✆ (1) 60 25 29 29, <, ☂ – TV ⌂wc ☎. AE ⓓ E VISA
fermé janv., dim. soir et lundi – **R** 160/320 – ☕ 35 – **10 ch** 260/320.

ALFA ROMEO-LADA-TOYOTA Trouble, 21 r. Sadi Carnot à Villenoy ✆ (1)64 34 07 44
AUSTIN-ROVER Prieur, 20 av. H.-Dunant ✆ (1)60 25 28 11
BMW Sodela, 12 r. Buttes Blanches Zone Ind. ✆ (1)60 09 35 35
CITROEN Victoire Autom., 101 av. de la Victoire, Zone Ind. par ② ✆ (1)64 34 90 90
FIAT, LANCIA-AUTOBIANCHI Gar. de la Résidence, rte de Melun à Mareuil-les-Meaux ✆ (1)64 34 10 25
FORD Gar. Brie et Picardie, 44 r. de la Crèche ✆ (1)64 34 06 51
MERCEDES-BENZ Compagnon, 137 av. de la Victoire ✆ (1)64 33 05 52
OPEL Meaux Autom., 71-73 av. F.-Roosevelt ✆ (1)60 25 32 00
PEUGEOT-TALBOT Métin, 81 av. Roosevelt par ② ✆ (1)64 33 20 00
RENAULT Vance, 37 av. Roosevelt par ② ✆ (1)64 34 90 76
V.A.G. Gar. Carnot, 26 et 67 av. F.-Roosevelt ✆ (1)60 25 10 66

Ⓜ Central-Pneumatiques, Zone Ind. 57 av. de la Victoire ✆ (1)64 34 12 67
Ets Vernières, 101 r. du Fg-St-Nicolas ✆ (1)64 34 44 48
Ile-de-France Pneum., 180 r. du Fg-St-Nicolas ✆ (1)64 33 29 79

MEGÈVE **74120** H.-Savoie **74** ⑦⑧ **G. Alpes du Nord** – **5 375 h. alt. 1 113** – **Sports d'hiver : 1 067/2 350 m** ⛷**6** ⛷**36,** ⛷ – **Casino: AY.**

Env. Mont d'Arbois, au terminus de la télécabine ✻★★★ **BZ.**

⛳**18** **du Mont d'Arbois** ✆ **50 21 29 79, E : 2 km BY.**

Altiport de Megève-Mont-d'Arbois ✆ **50 21 41 33, SE : 7 km BZ.**

ℹ Office de Tourisme r. Poste ✆ 50 21 27 28, Télex 385532 et réservations hôtels ✆ 50 21 29 52.

Paris 600 ① – Albertville 31 ② – Annecy 60 ② – Chamonix 36 ① – ♦Genève 69 ①.

Plan page suivante

Mont-Blanc M, pl. Eglise ✆ 50 21 20 02, Télex 385854, ☂, « Fresques de J. Cocteau au bar Les Enfants Terribles », ⛱ – ⇅ TV ☎ – 🏛 40. AE ⓓ E VISA
fermé 10 avril au 15 mai – **R** 190/280, enf. 100 – ☕ 58 – **65 ch** 650/1450, 7 appartements – ½ p 950/1450. AY **s**

Chalet-Mt-d'Arbois M ⛰, rte Mt-d'Arbois ✆ 50 21 25 03, Télex 309335, <, ☂, ⛰, 🎾 – ☎ P. AE ⓓ E VISA. ✻ rest BY **p**
fermé 20 avril au 20 juin – **R** 250/380, enf. 80 – **20 ch** ☕700/1440 – ½ p 1280.

Fer à Cheval, rte du Crêt ✆ 50 21 30 39, « Élégant décor rustique », ⛰ – ⇅ TV ☎ P. E VISA. ✻ rest BY **a**
1er juil.-10 sept. et 15 déc.-Pâques – **R** (résidents seul.) – **27 ch** (½ pens. seul.) – ½ p 435.

Coin du Feu, rte Rochebrune ✆ 50 21 04 94, <, « Décor et ambiance savoyards » – ⇅ TV ☎. E VISA AZ **t**
1er juil.-2 sept. et 15 déc.-10 avril – **R** (dîner seul.) **23 ch** – ½ p 470/550.

Le Triolet ⛰, ✆ 50 21 08 96, Télex 309545, <, « Beau chalet fleuri », ⛰ – TV ☎ 🚗. VISA. ✻ rest AZ **u**
Noël-Pâques – **R** (nombre de couverts limités prévenir) 200/320 – ☕ 55 – **10 ch** 600/950, 3 appartements 1500.

Vieux Moulin, av. A. Martin ✆ 50 21 22 29, ☂, ⛱, ⛰ – ☎ P – 🏛 25. VISA. ✻ rest AY **k**
1er juin-15 sept. et 15 déc.-15 avril – **R** 130 – **33 ch** ☕280/580 – ½ p 310/430.

La Résidence et rest. le Gourmandier M, rte Bouchet ✆ 50 21 43 69, Télex 385164, <, ⛱, 🎾 – ⇅ TV ☎ 🚗 – 🏛 40 à 60. AE ⓓ E VISA. ✻ rest AZ **a**
15 juin-15 sept. et 15 déc.-15 avril – **R** 100/195, enf. 90 – **56 ch** ☕520/1230 – ½ p 560/990.

Beau Site, rte Mt-d'Arbois ✆ 50 21 07 78, <, ⛰ – ⇅ ☎ P. ✻ BY **w**
20 juin- début sept. et 20 déc.- vacances de printemps – **R** 130/150 – **27 ch** (½ pens. seul.) – ½ p 310/350.

Parc sans rest, r. Arly ✆ 50 21 05 74, <, ⛰ – ⇅ P AY **m**
fin juin-début sept. et Noël-Pâques – **48 ch** ☕300/450.

Mont-Joly ⛰, rte Crêt du Midi ✆ 50 21 26 14, <, ☂, ⛰ – ☎. AE ⓓ E VISA. ✻
10 juin-15 sept. et 20 déc.-10 avril – **R** 140/160 – ☕ 34 – **22 ch** 510. AZ **q**

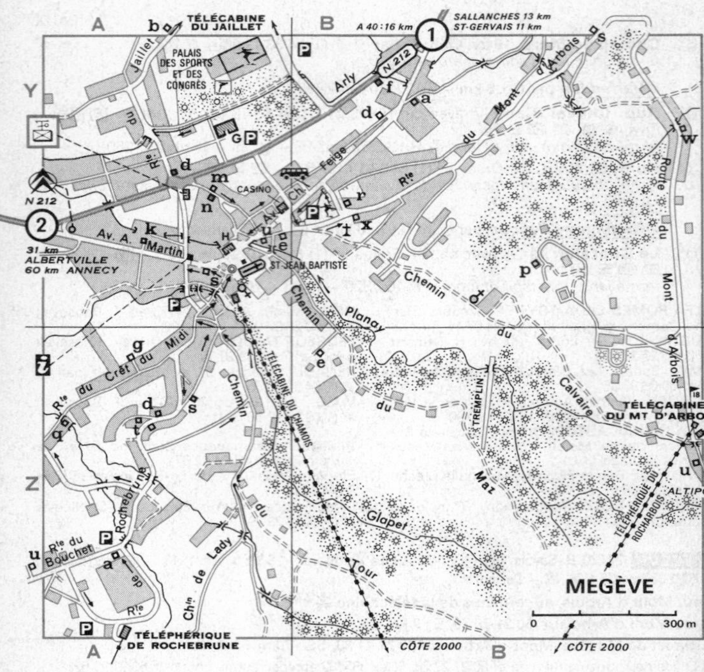

La Prairie sans rest, av. Ch.-Feige ☎ 50 21 48 55, ←, – wc wc ☎ Ⓟ. AE ⓓ E VISA — BY
20 juin-fin sept. et 20 déc.-20 avril – ☕ 26 – **26 ch** 280/370.

St-Jean , chemin du Maz ☎ 50 21 24 45, ←, – wc ☎ Ⓟ. — BZ
1er juil.-15 sept. et 15 déc.-15 avril – **R** 75 – ☕ 24 – **15 ch** 185/310 – 1/2 p 240/270.

Alpina sans rest, place Casino ☎ 50 21 54 77 – TV wc ☎. AE ⓓ E VISA. — AY
1er juil.-15 sept. et 1er nov.-15 mai – **12 ch** ☕400.

Coeur de Megève sans rest, ☎ 50 21 25 30 – wc wc ☎. E VISA. — AY
fermé 8 mai au 8 juin – ☕ 26 – **28 ch** 270/485.

Sapins , rte Rochebrune ☎ 50 21 02 79, , – wc wc ☎. E VISA rest — AZ
25 juin-10 sept. et 20 déc.-20 avril – **R** 112/180 – ☕ 27 – **19 ch** 192/340 – 1/2 p 245/310.

Clos Joli, rte Sallanches par ① ☎ 50 21 20 48, – wc wc ☎ Ⓟ. E VISA rest – *fermé 30 oct. au 10 déc.* – **R** 66/73 – ☕ 25 – **24 ch** 135/250.

Les Mourets , rte d'Odier par ① ☎ 50 21 04 76, ← – wc wc ☎ Ⓟ. rest
15 juin-8 sept. et 20 déc.-10 avril – **R** 80/100 – ☕ 26 – **24 ch** 230/280.

Fleur des Alpes, rte Jaillet ☎ 50 21 11 42, ←, , – wc ☎ Ⓟ. AE ⓓ E VISA. rest — AY
15 mai-15 sept. et 15 déc.-Pâques – **R** (résidents seul.) – **19 ch** (½ pens. seul.) – 1/2 p 340/410.

Week-End sans rest, rte Rochebrune ☎ 50 21 26 49 – wc wc ☎ Ⓟ. AE ⓓ E VISA – ☕ 29 – **16 ch** 320/430. — AZ

Ferme Hôtel Duvillard, plateau du Mt d'Arbois ☎ 50 21 14 62, ←, – TV wc wc ☎. E VISA. rest — BZ
15 juin-15 sept. et 15 déc.-15 avril – **R** (en hiver dîner seul.) 100/150 , enf. 45 – **19 ch** ☕350/500 – 1/2 p 320/450.

La Patinoire sans rest, rte Mont-d'Arbois ☎ 50 21 11 33 – TV wc ☎. VISA ☕ 19 – **14 ch** 220/350. — BY

L'Estellan, rte Mt-d'Arbois ☎ 50 21 03 48, ←, – wc wc ☎ **17 ch**. — BY

Roseaux sans rest, chemin des Roseaux ☎ 50 21 24 27, ←, – wc wc ☎ Ⓟ. — AZ
1er juil.-5 sept. et 20 déc.-Pâques – ☕ 20 – **11 ch** 210/240.

Perce Neige, rte Rochebrune ✆ 50 21 22 13 – wc ☎ P. AE VISA. ✻ rest
R 75/110 ♁, enf. 50 – ☕ 25 – **20 ch** 220/320. AZ **t**

Rond-Point d'Arbois, rte Mt-d'Arbois ✆ 50 21 17 50, – wc wc ☎. VISA. ✻ rest
1er juil.-8 sept., vacances de nov. et 15 déc.-30 avril – **R** *(½ pens. seul.)* – **14 ch** BY **r**
☕ 200/250 – ½ p 260/300.

XX ✿ **Chez Nano 's,** r. d'Arly ✆ 50 21 02 18 – E VISA. ✻ AY **d**
1er juil.-30 sept., 1er déc.-30 avril et fermé mardi midi et merc. midi – **R** carte 240 à 345

Spéc. Fraîcheur de nos lacs à la savoyarde (hiver), Papillon de caille en chaud-froid (hiver), Soupe chaude de fruits aux citrons verts. **Vins** Apremont, Mondeuse.

XX **Aub. Les Griottes,** rte Nationale ✆ 50 21 24 43, – O E VISA BY **f**
fermé 4 nov. au 15 déc., dim. soir et lundi hors sais. – **R** 100/145.

X **Tire-Bouchon,** r. d'Arly ✆ 50 21 14 73 – E VISA AY **n**
1er juil.-15 oct., 1er déc.-15 mai et fermé lundi sauf vacances scolaires – **R** 79 ♁.

au Planellet S : 4 km par rte du Mt d'Arbois - BZ – ✉ **74120** Megève :

XX Chalet dans les Arbres, ✆ 50 21 19 95, – P.

à l'altiport SE : 7,5 km par rte Mont d'Arbois - BZ – alt. 1 450 – ✉ **74120** Megève :

X **Cote 2000,** ✆ 50 21 31 84, ←, – E VISA
25 juil.-25 août et Noël-Pâques – **R** 115/160.

CITROEN Mont-Blanc Gar., r. A.-Martin ✆ 50 21 05 72
FIAT, LANCIA-AUTOBIANCHI Gar. Gachet, rte Sallanches ✆ 50 21 21 23 N
MERCEDES V.A.G. Gar. du Christomet, rte Albertville ✆ 50 21 00 27 N
RENAULT Gar. des Alpes, rte Sallanches par ① ✆ 50 21 05 70

MEHUN-SUR-YÈVRE 18500 Cher 64 ⑳ G. Berry Limousin – 7 178 h.

ℹ Syndicat d'Initiative pl. 14-juillet (juil.-août) ✆ 48 57 35 51.

Paris 225 – Bourges 17 – Cosne-sur-Loire 73 – Gien 77 – Issoudun 32 – Vierzon 16.

Croix-Blanche, 164 r. Jeanne-d'Arc ✆ 48 57 30 01, – wc P. E VISA. ✻ rest – *fermé 20 déc. au 20 janv., 1er au 15 oct., lundi midi et dim.* – **R** 55/150 ♁, enf. 30 – ☕ 20 – **19 ch** 88/245 – ½ p 150/210.

X **La Flambée,** 62 r. Jeanne d'Arc ✆ 48 57 39 31 – E VISA
fermé vac. de fév., 1er au 10 juil., dim. soir et lundi – **R** 73/250.

Interpneus, r. Magloire Faiteau ✆ 48 57 33 13

MÉJANNES-LÈS-ALÈS 30 Gard 80 ⑱ – rattaché à Alès.

Le MÊLE-SUR-SARTHE 61170 Orne 60 ④ – 800 h.

Paris 169 – L'Aigle 37 – Alençon 22 – Argentan 43 – Bellême 25 – Mamers 20 – Mortagne-au-P. 16.

Poste, ✆ 33 27 60 13, parc, – wc ☎ P – 50. E VISA
fermé 1er au 15 oct., 1er au 15 fév., dim. soir et lundi midi – **R** 50/200 ♁ – ☕ 20 – **19 ch** 85/220.

PEUGEOT Gar. Vallée, ✆ 33 27 62 04
RENAULT Gd Gar. Moderne, ✆ 33 27 60 07

MÉLICOCQ 60 Oise 52 ⑳, 56 ② – 475 h. – ✉ 60150 Thourotte.

Paris 97 – Beauvais 73 – Compiègne 13 – Montdidier 27 – Noyon 18.

XX **Aub. Chiens Rouges,** ✆ 44 76 05 50 – AE O VISA
fermé 18 juil. au 18 août, Noël au jour de l'an, vacances de fév., sam. midi, dim. soir et lundi – **R** carte 170 à 245.

CITROEN Gar. Portrenaud, ✆ 49 27 00 29
PEUGEOT-TALBOT Bailly, ✆ 49 27 00 70

MELOISEY 21 Côte-d'Or 70 ① – 291 h. – ✉ 21190 Meursault.

Paris 323 – Arnay-le-Duc 30 – Autun 46 – Beaune 10 – Chalon-sur-Saône 40.

X **Renaissance,** ✆ 80 26 00 76 – P. E VISA
fermé 20 déc. au 1er mars et merc. – **R** 65/95, enf. 35.

MELUN P 77000 S.-et-M. 61 ②, 196 ㊺ G. Environs de Paris – 36 218 h.

ℹ Office de Tourisme 2 av. Gallieni ✆ (1) 64 37 11 31.

Paris 48 ⑧ – Auxerre 120 ⑤ – Châlons-sur-Marne 146 ① – Chartres 103 ⑧ – Meaux 59 ② – Montargis 67 ⑤ – ♦Orléans 104 ⑥ – ♦Reims 147 ② – Sens 70 ⑤ – Troyes 124 ③.

Plan page suivante

Gd Monarque-Concorde M, par ⑤ : 2,5 km rte Fontainebleau ✆ (1) 64 39 04 40, Télex 690140, , parc, – rest TV ☎ P – 150. AE O E VISA
R 160, enf. 50 – ☕ 39 – **50 ch** 315/416 – ½ p 380/500.

Ibis M, 81 av. Meaux ✆ (1) 60 68 42 45, Télex 691779 – TV wc ☎ ♿ P – 30. E VISA X **a**
R 72 ♁, enf. 35 – ☕ 24 – **74 ch** 205/225.

MELUN

Carnot (R.) . . . . AY 6
Doumer (R. Paul) . . . . BY 13
Miroir (R. du) . . . . AY 25
Pouteau (R. René) . . . BY 34
St-Ambroise (R.) . . . . AZ
St-Aspais (R. et ⊕) . BY 41
St-Étienne (R.) . . . . . . AZ 43

Alsace-Lorr. (Q.) . . . . BZ 2
Chartrettes (Rte de) . . . X 3
Chasse (R. de la) . . . . . X 7
Corbeil (Av. de) . . . . . . X 8
Courtille (R. de la) . . . BZ 9
Courtilleraies (Av. des) X 10
Dauvergne (Av. M.) . . . X 12
Gaulle (Av. Gén.-de) . . X 18
Godin (Av. E.) . . . . AZ 19
Jaurès (Av. J.) . . . . X 20
Leclerc (Av. Mar.) . . . . X 22
Libération (Av. de la) . . X 23
Mare-aux-Champs (R. de la) . . X 24
Montagne-du-Mée (R. de la) . . . . AY 26
Montaigne (Av.) . . . . . . X 27
N.-Dame (Pl. et ⊕) . . BZ 32
Pompidou (Av. G.) . . . . X 33
Prés.-Despatys (R.) . . AY 35
Rossignol (Q. H.) . . . . . X 39
St-Liesne (R.) . . . . X 44
Vaux (R. de) . . . . X 45
Voisenon (Rte de) . . . . X 46
Voltaire (Quai) . . . . X 48
13e-Dragons (Av.) . . . . X 49
31e-d'Inf. (Av. du) . . . . X 50

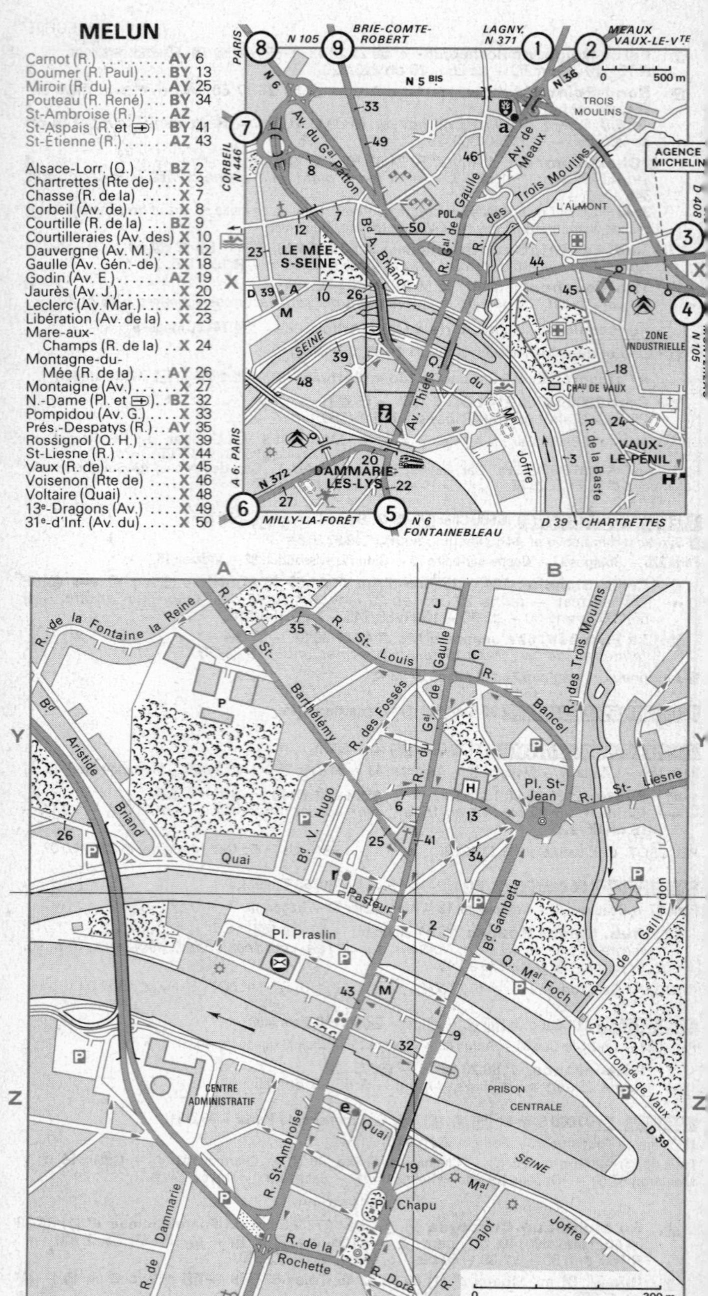

XXX ✿ **Aub. Vaugrain** (Desroys du Roure), 1 r. Vannerie ✆ (1) 64 52 08 23. AE E VISA AY r
fermé dim. soir et lundi – **R** 180/290
Spéc. Chausson de homard, Lotte au citron, Gibier (saison).

XX **Caves de Touraine,** 8 quai Joffre ✆ (1) 64 37 03 48 – AE ⦿ E VISA AZ e
fermé 14 juil. au 14 août et dim. soir – **R** 140.

à Vaux-le-Pénil par ④ – ✉ 77000 Melun :

Climat de France M, 338 r. R. Hervillard ✆ (1) 64 52 71 81, Télex 693140 – TV wc ☎ ♿ P – 25. E VISA
R 58/100 ♂, enf. 38 – 24 – **42 ch** 235/247.

à Dammarie-les-Lys – 19 879 h. – ✉ 77190 Dammarie-les-Lys :

Campanile M, 346 r. B. de Poret par ⑥ ✆ (1) 64 37 51 51, Télex 691621 – TV wc ☎ ♿ – 30. VISA
R 63 bc/86 bc, enf. 38 – 24 – **50 ch** 200/220 – ½ p 287/330.

XX **Quai Voltaire,** 249 quai Voltaire par quai Rossignol ✆ (1) 64 39 31 55, . E VISA
fermé 20 déc. au 15 mars, dim. soir et lundi – **R** carte 150 à 260.

au Plessis-Picard par ⑧ : 8 km – ✉ 77550 Moissy Cramayel :

XX **La Mare au Diable,** ✆ (1) 60 63 17 17, , , – P. AE ⦿ VISA
R 120/300, enf. 43.

à Crisenoy par ② : 10 km – ✉ 77390 Verneuil l'Etang :

XX **Aub. de Crisenoy,** Grande Rue ✆ (1) 64 38 83 06, – P. E VISA
fermé 16 août au 1er sept., lundi soir, mardi soir et merc. soir – **R** 97.

MICHELIN, Agence, 399 r. du Mar. Juin à Vaux-le-Pénil Z. I. X ✆ **(1) 64 39 23 23**

CITROEN Succursale, 100 rte de Montereau à Vaux-le-Penil ✆ (1)64 37 92 10 N
CITROEN Dufus, 536 r. Frères-Thibault, Dammarie-les-Lys ✆ (1)64 37 09 62
FIAT Gar. Patton, N 6 à Vert St-Denis ✆ (1)60 68 09 88
FORD Gd gar. de la Gare, N 6 ZAC les Caves, Vert-St-Denis ✆ (1)60 68 22 57
MERCEDES-BENZ SAFI 77, 11 av. Gén.-Patton ✆ (1)60 68 86 45
OPEL Gar. de Brie et Champagne, 27 rte Montereau ✆ (1)64 39 37 08

PEUGEOT, TALBOT Duport-Automobiles, N 6, Vert-St-Denis par ⑧ ✆ (1)60 68 69 70
RENAULT Escobrie-Melun, 23 rte Montereau ✆ (1)64 39 95 77 N
V.A.G. D.I.A.M., 408 av. J.-Jaurès à Dammarie-les-Lys ✆ (1)64 39 17 59

La Centrale de Pneu, 11 r. de Ponthierry ✆ (1)64 37 20 99
Piot-Pneu, 22 r. Mar-Juin, Zone Ind. à Vaux-le-Pénil ✆ (1)64 39 12 63
Torres, 112 rte de Nangis ✆ (1)64 39 64 26

MEMBROLLE-SUR-CHOISILLE 37 I.-et-L. 64 ⑮ – rattaché à Tours.

MENARS 41 L.-et-Ch. 64 ⑦ – rattaché à Blois.

MENDE P 48000 Lozère 80 ⑤⑥ G. Gorges du Tarn – 12 113 h. alt. 731.

Voir Cathédrale★ – Pont N.-Dame★ – Route du col de Montmirat★★ S.

Syndicat d'Initiative 16 bd Soubeyran ✆ 66 65 02 69 – A.C. 3 r. Chapitre ✆ 66 65 17 17.

Paris 585 ① – Alès 110 ③ – Aurillac 159 ① – Gap 305 ② – Issoire 154 ① – Millau 83 ③ – Montélimar 154 ② – Le Puy 91 ② – Rodez 109 ③ – Valence 178 ②.

Plan page suivante

Lion d'Or M, 12 bd Britexte ✆ 66 49 16 46, Télex 480302, , , – TV ☎ P – 40. AE ⦿ E VISA. rest
fermé 2 janv. au 5 fév. – **R** *(fermé dim. hors sais.)* 90/180, enf. 55 – 27 – **40 ch** 233/380 – ½ p 305/350.

Urbain V sans rest, 9 bd. Th.-Roussel **(s)** ✆ 66 49 14 49 – TV wc ☎ P. E VISA – *fermé dim. hors sais.* – 20 – **60 ch** 180/240.

Pont Roupt (annexe 12 ch wc), av. 11-Novembre ✆ 66 65 01 43, – wc wc ☎ P – 30. E VISA. ch
fermé 10 janv. au 15 mars et sam. hors sais. – **R** 55/160 – 19 – **40 ch** 140/260 – ½ p 155/205.

France , 9 bd L.-Arnault **(v)** ✆ 66 65 00 04 – wc ☎ . E VISA
fermé 15 déc. au 31 janv. – **R** *(fermé dim. soir et lundi hors sais.)* 65/130 ♂ – 20 – **28 ch** 120/250 – ½ p 185/280.

Remparts sans rest, pl. Th.-Roussel **(n)** ✆ 66 65 02 29 – wc ☎ P
18,50 – **15 ch** 140/170.

X **La Gogaille,** 5 r. Notre-Dame **(r)** ✆ 66 65 08 79
fermé dim. soir et lundi hors sais. – **R** 60/100, enf. 25.

CITROEN Majorel et Fils, 27 av. Gorges-du-Tarn par ③ ✆ 66 49 11 22 N ✆ 66 65 27 03
OPEL Lozère Automobile, rte de Chabrits Z.A ✆ 66 65 07 58
PEUGEOT-TALBOT Giral, 7 allée des Soupirs ✆ 66 49 00 15
RENAULT Pagès, Zone Artisanale, av. du 11-Novembre par D42 Z ✆ 66 49 15 58 N

TOYOTA Gar. Marquiran, 32 quartier Fontanilles ✆ 66 65 01 68

Escoffier-Pneus, 25 av. des Gorges du Tarn ✆ 66 65 08 69
Vulc Lozérienne, 9 bd Britexte ✆ 66 65 03 98

MENDE

Angiran (R.) 4
Beurre (Pl. au) 5
Droite (R.) 15
Estoup (Pl. René) 22
République (Pl. et R.) .. 30
Soubeyran (R.) 34

Aigues-Passes (R. d') .. 2
Ange (R. de l') 3
Blé (Pl. au) 6
Britexte (Bd) 7
Capucins (Bd des) 8
Carmes (Cité des) 9
Chanteronne (R.) 12
Chaptal (R.) 13
Chastel (R. du) 14
Collège (R. du) 18
Écoles (R. des) 20
Épine (R. de l') 21
Gaulle (Pl. Ch.-de) 23
Montbel (R. du Fg) 24
Piencourt (Allée) 25
Planche (Pont de la) 26
Pont N.-Dame (R. du) .. 27
Roussel (Pl. Th.) 32
Soubeyran (Bd) 33
Soupirs (Allée des) 36
Urbain V (Place) 37

Pour bien lire les plans de villes voir signes et abréviations p. 23.

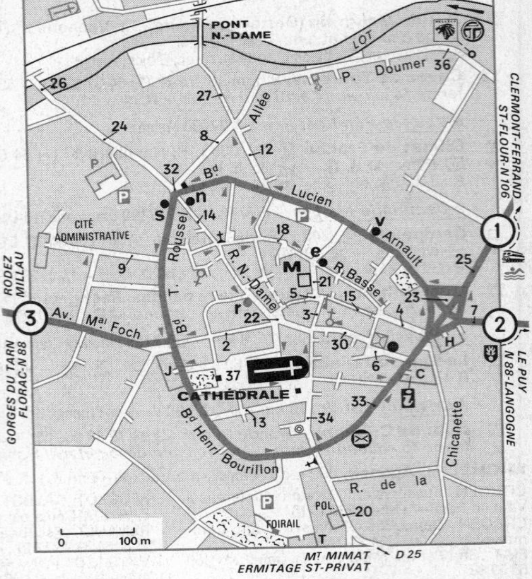

MÉNERBES **84560** Vaucluse **84** ② **G. Provence** – 1 027 h.

Voir ≤★ **du chevet de l'église.**

Paris 718 – Aix-en-Provence 60 – Apt 22 – Avignon 40 – Carpentras 37 – Cavaillon 19.

Host. Le Roy Soleil M, N : 2 km par D 3 et VO ☏ **90 72 25 61**, ≤, – TV wc wc ☎ **P**. E VISA.
15 mars-15 nov. – **R** *(fermé merc. midi)* carte 190 à 300 – 45 – **14 ch** 300/600 – 1/2 p 380/550.

MENETOU-RATEL **18** Cher **65** ⑫ – 506 h – ✉ **18300** Sancerre.

Paris 198 – Bourges 52 – La Charité-sur-Loire 35 – Cosne-sur-Loire 16 – Salbris 65 – Sancerre 9.

XX **Maillet, rte de Sancerre** ☏ **48 79 32 54** – **P**.
fermé 22 déc. au 10 janv., 2 au 16 mars et lundi – **R** (déj. seul) 85/115.

CITROEN Maillet, ☏ 48 79 32 54

MÉNEZ-HOM **29** Finistère **58** ⑮ **G. Bretagne.**

Voir ★★★ – **Site**★ **de Trégarvan N : 10 km.**

Paris 564 – Châteaulin 14.

Le MÉNIL **88** Vosges **66** ⑧ – rattaché au Thillot.

MENNETOU-SUR-CHER **41320** L.-et-Ch. **64** ⑲ – 938 h.

Paris 211 – Blois 58 – Montrichard 57 – Romorantin-Lanthenay 17 – Salbris 27 – Vierzon 16.

Host. Lion d'Or, ☏ **54 98 01 13** – wc ☎. E VISA
fermé 15 janv. au 15 fév., dim. soir et lundi – **R** 60/120 , enf. 38 – 18 – **20 ch** 110/190 – 1/2 p 145/175.

PEUGEOT Métisvier, ☏ 54 98 01 18 **Louis,** ☏ 54 98 02 27

MENTHON-ST-BERNARD **74** H.-Savoie **74** ⑥ **G. Alpes du Nord** – 1 178 h. – ✉ **74290** Veyrier-du-Lac.

Voir Château de Menthon★ : ≤★ E : 2 km.

du lac d'Annecy ☏ **50 60 12 89, S : 1 km.**

Syndicat d'Initiative (fermé après-midi hors saison) ☏ 50 60 14 30.

Paris 548 – Albertville 37 – Annecy 9 – Bonneville 45 – Megève 52 – Talloires 4,5 – Thônes 13.

Beau Séjour, ☏ **50 60 12 04**, , parc – wc wc ☎ **P**. rest
15 avril-fin sept. – **R** (dîner seul.) 100/130 – 35 – **18 ch** 240/250 – 1/2 p 230/270.

MENTON 06500 Alpes-Mar. 84 ⑩⑳, 195 ㉘ G. Côte d'Azur – 25 449 h. – Casino: du Soleil AZ.

Voir Site★★ – Bord de mer et vieille ville★★ : Promenade du Soleil★★ ABYZ, Parvis St-Michel★★, Église St-Michel★ BY F, Façade★ de la Chapelle de la Conception BY B, ≤★ de la jetée BV, ≤★ du Vieux cimetière BX D – Musée du Palais Carnolès★ AX M1 – Garavan★ BV – Jardin botanique exotique★ BV E – Salle des mariages★ de l'Hôtel de Ville BY H – Statuettes féminines★ du musée municipal BY M2 – ≤★ du jardin des Colombières BV – Vallée du Careï★ par ①.

Env. Monastère de l'Annonciade ✻★ N : 6 km AV – Gorbio : site★ NO : 9 km.

Office de Tourisme Palais de l'Europe, 1 av. Boyer ✆ 93 57 57 00, Télex 462207 avec A.C. ✆ 93 35 77 39.

Paris 961 ③ – Aix-en-P. 206 ① – Cannes 63 ① – Cuneo 102 ① – Monte-Carlo 09 ③ – ♦Nice 30 ①.

Plan page suivante

Chambord [M] sans rest, 6 av. Boyer ✆ 93 35 94 19 – AE
40 ch 340/415. AY **a**

Princess et Richmond [M] sans rest, 617 prom. Soleil ✆ 93 35 80 20, ≤ – AE E VISA AZ **s**
fermé 5 nov. au 20 déc. – **43 ch** 300/435.

Europ H. [M] sans rest, 35 av. Verdun ✆ 93 35 59 92 – AE E VISA AY **v**
25 – **33 ch** 340/400.

Parc, 11 av. Verdun ✆ 93 57 66 66, – E VISA. rest AZ **k**
fermé 1er oct. au 20 déc. – **R** 140/160 – **72 ch** 332/464 – 1/2 p 350/450.

Magali sans rest, 10 r. Villarey ✆ 93 35 73 78 – BY **k**
43 ch 190/270.

Napoléon, 29 Porte de France ✆ 93 35 89 50, Télex 470312, ≤, – rest AE E VISA. rest BV **e**
fermé hôtel : 1er nov. au 18 déc. ; rest. : 15 oct. au 18 déc. – **R** 140/250 – 30 – **40 ch** 330/530 – 1/2 p 470/790.

Méditerranée [M], 5 r. République ✆ 93 28 25 25, Télex 461361 – wc – 30. AE E VISA. rest BY **m**
R *(dîner seul. en juil.-août)* 90 – 25 – **90 ch** 330/360.

Prince de Galles [M] sans rest, 4 av. Gén.-de-Gaulle ✆ 93 28 21 21, ≤ – wc wc AE E VISA. AX **e**
28 – **68 ch** 236/365.

Aiglon sans rest, 7 av. Madone ✆ 93 57 55 55, – wc AE E VISA AZ **b**
fermé 5 nov. au 20 déc. – 27 – **32 ch** 230/380.

Le Moderne sans rest, 1 cours Georges V ✆ 93 57 20 02 – wc AE VISA AZ **e**
31 ch 240/280.

Dauphin sans rest, 28 av. Gén.-de-Gaulle ✆ 93 35 76 37, ≤ – wc wc E VISA. AX **y**
fermé 25 oct. au 20 déc. – **30 ch** 175/360.

Beau Rivage, 1 av. Ibanez ✆ 93 28 08 08, Télex 970339, ≤, – ch wc AE E VISA BV **r**
R *(fermé 5 nov. au 20 déc. et merc. en hiver)* 75/110, enf. 42 – **40 ch** 250/366.

Orly, 27 Porte de France ✆ 93 35 60 81, ≤, – ch wc wc BV **e**
R 80/108, enf. 45 – **30 ch** 250/390 – 1/2 p 292/435.

Viking, 2 av. Gén.-de-Gaulle ✆ 93 57 95 85, – ch wc wc AE E VISA AX **e**
R *(fermé merc. en hiver)* 82/150 – 26 – **34 ch** 310/378 – 1/2 p 280/314.

Amirauté sans rest, 3 Porte de France ✆ 93 35 59 41 – wc wc E VISA
fermé 15 nov. au 22 déc. – 26 – **18 ch** 200/280. BX **s**

Pin Doré sans rest, 16 av. F.-Faure ✆ 93 28 31 00, ≤, – wc wc AE E VISA BY **r**
fermé 15 nov. au 27 déc. – **42 ch** 250/330.

Stella-Bella, 850 prom. Soleil ✆ 93 35 74 47, ≤ – wc wc E VISA. rest AZ **u**
fermé 30 oct. au 5 janv. – **R** *(fermé lundi)* 85 – **26 ch** 240/286 – 1/2 p 236/320.

Claridge's sans rest, 39 av. Verdun ✆ 93 35 72 53 – wc wc E VISA
22 – **39 ch** 170/260. AY **f**

Londres, 15 av. Carnot ✆ 93 35 74 62, – wc wc E VISA. rest
fermé 1er nov. au 20 déc. – **R** *(fermé merc.)* 85/110 – 21 – **26 ch** 160/240 – 1/2 p 186/240. AZ **d**

Le Globe, 21 av. Verdun ✆ 93 35 73 03 – wc wc AE E VISA. ch
fermé 11 nov. au 26 déc. – **R** *(fermé lundi du 15 sept. au 15 juil.)* 72/150 – 20 – **24 ch** 180/200 – 1/2 p 197/277. AY **r**

tourner →

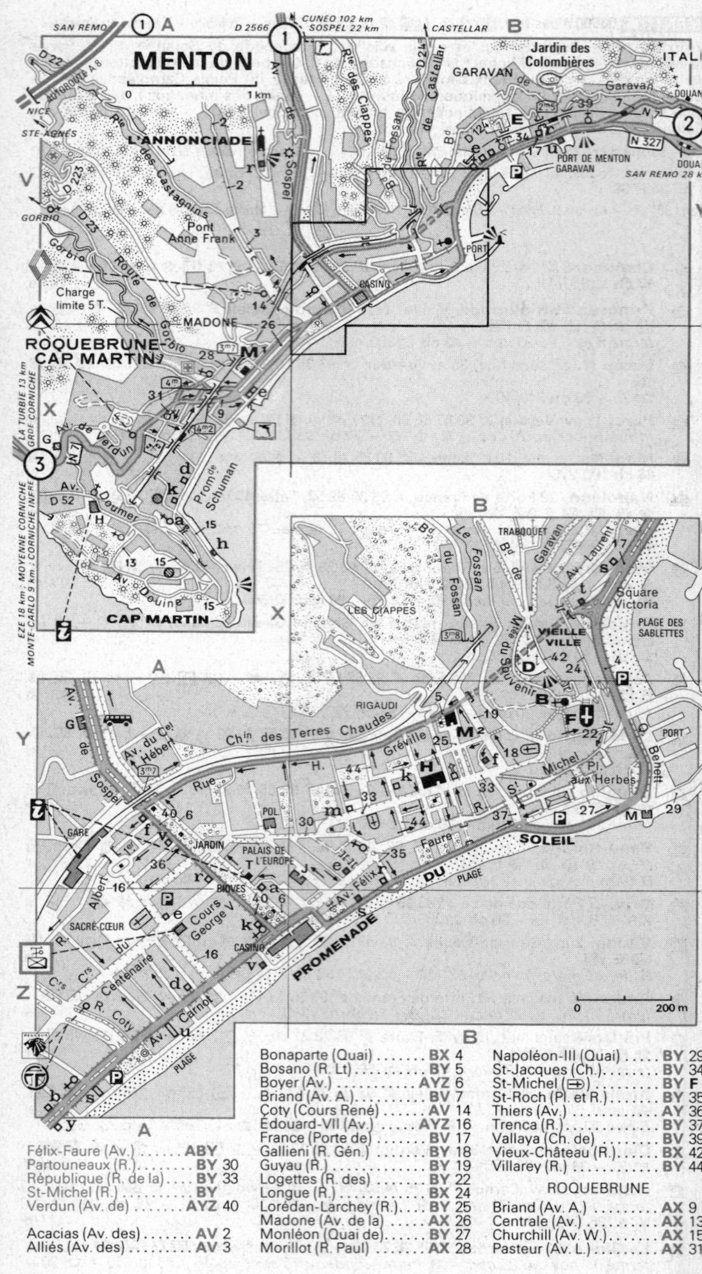

Bonaparte (Quai) .... BX 4
Bosano (R. Lt) .... BY 5
Boyer (Av.) .... AYZ 6
Briand (Av. A.) .... BV 7
Çoty (Cours René) .... AV 14
Édouard-VII (Av.) .... AYZ 16
France (Porte de) .... BV 17
Gallieni (R. Gén.) .... BY 18
Guyau (R.) .... BY 19
Logettes (R. des) .... BY 22
Longue (R.) .... BX 24
Lorédan-Larchey (R.) .... BY 25
Madone (Av. de la) .... AX 26
Monléon (Quai de) .... BY 27
Morillot (R. Paul) .... AX 28

Napoléon-III (Quai) .... BY 29
St-Jacques (Ch.) .... BV 34
St-Michel (⊕) .... BY F
St-Roch (Pl. et R.) .... BY 35
Thiers (Av.) .... AY 36
Trenca (R.) .... BY 37
Vallaya (Ch. de) .... BV 39
Vieux-Château (R.) .... BX 42
Villarey (R.) .... BY 44

ROQUEBRUNE

Briand (Av. A.) .... AX 9
Centrale (Av.) .... AX 13
Churchill (Av. W.) .... AX 15
Pasteur (Av. L.) .... AX 31

Félix-Faure (Av.) .... ABY
Partouneaux (R.) .... BY 30
République (R. de la) .... BY 33
St-Michel (R.) .... BY
Verdun (Av. de) .... AYZ 40

Acacias (Av. des) .... AV 2
Alliés (Av. des) .... AV 3

Les plans de villes sont orientés le Nord en haut.

XXX **Chez Mireille-l'Ermitage** avec ch, 1080 prom. Soleil ✆ 93 35 77 23, ≤, – TV ⇔wc ⋒wc ☎. AE ⊙ E VISA AZ **v**
R *(fermé mardi en nov. et déc.)* 126/148, enf. 50 – ☕ 35 – **21 ch** 220/240 – 1/2 p 210/345.

XX **Paris-Palace,** 2 av. F.-Faure ✆ 93 35 86 66, ≤, – AE ⊙ E VISA BZ **s**
fermé 11 nov. au 11 déc. – **R** (déj. seul. du 11 déc. au 31 mars) 80/190, enf. 50.

XX **Aub. des Santons** avec ch, à l'Annonciade 2,5 km par VO ✆ 93 35 94 10, ≤, – ⇔wc. AE E VISA AV **r**
fermé 15 oct. au 15 déc. – **R** *(fermé lundi)* 90/140 – ☕ 22 – **9 ch** 175/215 – 1/2 p 160/215.

XX **La Calanque,** 13 square Victoria ✆ 93 35 83 15, BX **t**
fermé 28 oct. au 15 nov., 5 au 30 janv., mardi soir et merc. – **R** 88/145.

XX **Le Galion,** port de Garavan ✆ 93 35 89 73, , cuisine italienne BV **u**
15 mars-15 oct., 15 déc.-15 janv. et fermé mardi – **R** carte 125 à 210.

XX **Au Pistou,** 2 r. Fossan ✆ 93 57 45 89 – E VISA BY **f**
fermé mardi sauf juil.-août – **R** 65/85 .

X **Bec Fin,** 11 av. F. Faure ✆ 93 35 94 73 BY **e**
fermé 15 déc. au 25 janv. et merc. – **R** 70/120.

X **L'Hacienda,** rte Gorbio : 3,5 km ✆ 93 35 84 44, , produits de la ferme – AE ⊙ E VISA AV
R 190/250.

à Monti par ① et D 2566 : 5 km – ✉ **06500** Menton :

XX **Pierrot-Pierrette** avec ch, ✆ 93 35 79 76, ≤ – ⋒wc
fermé 2 au 10 mai, 1er déc. au 15 janv. et lundi – **R** (déj. seul. du 1er nov. à Pâques) 110/170 – **6 ch** ☕240/310 – 1/2 p 240/265.

à Castillon par ① : 12 km – ✉ **06500** Menton :

La Bergerie , ✆ 93 04 00 39, ≤ – ⇔wc ☎
1er avril-30 sept. – **R** 95/120, enf. 30 – ☕ 20 – **14 ch** 290/320 – 1/2 p 405.

Autres ressources hôtelières : Voir ***Roquebrune-Cap-Martin*** par ③ : 5 km.

FORD Idéal Gar., 1 av. Riviéra ✆ 93 35 79 20
PEUGEOT-TALBOT Impérial Gar., 18 av. Cochrane ✆ 93 35 76 29
RENAULT Gar. des Tennis, 55 av. Cernuschi ✆ 93 28 07 10 N ✆ 93 35 94 00

Les MENUIRES

73 Savoie 77 ⑦⑧ **G. Alpes du Nord** – alt. 1 700 – Sports d'hiver : 1 450/2 850 m 9 43 – ✉ **73440** St-Martin-de-Belleville.

Office de Tourisme ✆ 79 08 20 12, Télex 980084 et au Reberty (10 déc.-1er mai) ✆ 79 00 60 25.

Paris 637 – Chambéry 100 – Moûtiers 27.

de l'Oisans, ✆ 79 00 62 96 – TV ⇔wc ⋒wc ☎. AE ⊙ E VISA
1er déc.-1er mai – **R** (dîner seul.) 120/150 – **15 ch** (½ pens. seul.) – 1/2 p 390/420.

MÉOUNES-LES-MONTRIEUX

83 Var 84 ⑮ – 928 h. – ✉ **83136** La Roquebrussanne.

Paris 821 – Aix-en-Provence 66 – Brignoles 22 – ♦Marseille 57 – ♦Toulon 28.

France, pl. Eglise ✆ 94 33 98 02, – ⋒ ☎. ✻ ch
fermé 5 janv. à fin fév., mardi soir et merc. sauf juil.-août – **R** 100 bc/200, enf. 45 – ☕ 25 – **8 ch** 150/200 – 1/2 p 220.

MER

41500 L.-et-Ch. 64 ⑦⑧ – 5 831 h.

Paris 164 – Blois 18 – Châteaudun 54 – ♦Orléans 38 – Romorantin-Lanthenay 51.

XX **Les Calanques,** ✆ 54 81 00 55, produits de la mer – P. E VISA. ✻
fermé vacances de nov., de fév., dim. soir et lundi – **R** 95/135.

MERCUÈS

46 Lot 79 ⑧ – rattaché à Cahors.

MERCUREY

71 S.-et-L. 69 ⑨ – 2 028 h. – ✉ **71640** Givry.

Paris 346 – Autun 40 – Chagny 12 – Chalon-sur-Saône 13 – Le Creusot 28 – Mâcon 72.

XXX ✿ **Hôtellerie du Val d'Or** (Cogny) avec ch, D 978 ✆ 85 45 13 70, – ▤ rest TV ⇔wc ⋒wc ☎ . E VISA. ✻
fermé 28 août au 6 sept., 18 déc. au 15 janv., mardi midi du 15/3 au 15/11, dim. soir du 15/11 au 15/3 et lundi – **R** 130/280 – ☕ 35 – **11 ch** 190/290
Spéc. Soupière d'escargots, Feuilleté de grenouilles aux champignons, Poire glacée Sultane. Vins Montagny, Mercurey..

MERDRIGNAC 22230 C.-du-N. 59 ⑭ – 2 936 h.

Paris 410 – Dinan 45 – Josselin 33 – Lamballe 37 – Loudéac 26 – Ploërmel 37 – St-Brieuc 56.

Univers avec ch, r. Nationale ✆ 96 28 41 15 – ⋔ Ⓟ. E VISA. ✻ ch
fermé 24 juin au 16 juil., vacances de fév., mardi en juil.-août, vend. soir et sam hors sais. – **R** 55/160 ₰ – ☕ 16 – **10 ch** 80/115.

PEUGEOT TALBOT Gar. Chasseboeuf, La Croix de l'Etaloir à Gomené ✆ 96 28 40 26 RENAULT Gar. Capogna ✆ 96 28 41 23

MÉRIBEL-LES-ALLUES 73550 Savoie 74 ⑱ **G. Alpes du Nord.**

Voir Sommet de la Saulire ✻★★ SE par télécabine.

⛳ ✆ 79 00 52 67 NE : 4,5 km.

Altiport ✆ 79 08 61 33, NE : 4,5 km.

ℹ Office de Tourisme de la Vallée des Allues ✆ 79 08 60 01, Télex 980001.

Paris 628 – Albertville 44 – Annecy 89 – Chambéry 91 – ♦Grenoble 128 – Moûtiers 18.

à Méribel – alt. 1 700 – Sports d'hiver : 1 400/2 950 m ⛷12 ⛷31, ⛷ – ✉ **73550** Méribel-les Allues :

Gd Coeur M ⛰, ✆ 79 08 60 03, ←, ☂, ⛱ (été) – ⧉ TV ☎ ⇐ Ⓟ. AE ◑ E VISA
1er juil.-1er sept., 15 déc.-19 avril – **R** carte 200 à 340 – ☕ 45 – **39 ch** 350/800, 1: appartements 2000 – ½ p 550/850.

Orée du Bois ⛰, ✆ 79 00 50 30, ←, ⛱ (été), ☂ – ⧉ ⛀wc ⋔wc ☎. VISA. ✻
1er juil.-31 août et 15 déc.-vacances de printemps – **R** 100/120, enf. 60 – **28 ch** ☕460/550 – ½ p 300/450.

Adray Télé-Bar ⛰, sur les pistes (accès piétonnier) ✆ 79 08 60 26, ←, ☂ – ⛀wc ☎
Noël-Pâques – **R** 120 ₰, enf. 80 – ☕ 35 – **22 ch** 200/450 – ½ p 280/400.

Belvédère ⛰, sur les pistes (accès piétonnier) ✆ 79 08 65 53, ←, ☂ – ⛀wc ⋔wc ☎. E VISA. ✻ ch
20 déc.-20 avril – **R** 99/132 – **17 ch** (pension seul.) – P 375/485.

La Chaudanne, ✆ 79 08 61 76, Télex 980474, ← – cuisinette ⛀wc ⋔wc ☎ ⇐ Ⓟ. E VISA. ✻ rest
juil.-août et 10 déc.-15 avril – **R** 67/140 ₰, enf. 38 – ☕ 30 – **38 ch** 280/580 – ½ p 250/420.

L'Estanquet, ✆ 79 08 65 43 – AE ◑ E VISA
1er déc.-15 avril – **R** 100/200 ₰.

à l'Altiport NE 4,5 km – ✉ **73550** Méribel les Allues :

H. Altiport M ⛰, ✆ 79 00 52 32, Télex 980456, ← montagnes, ☂, ⛱ (été) « Décor savoyard », ✂ – ⧉ TV ☎ ⇐ – 🏛 50 à 100. AE ◑ E VISA. ✻
25 juin-25 sept. et 17 déc.-23 avril – **R** 160/250 dej. à la carte – ☕ 55 – **34 ch** (½ pens. seul.) – ½ p 695/945.

au Mottaret S : 6 km – ✉ **73550** Méribel-les-Allues :

Mont Vallon M ⛰, ✆ 79 00 44 00, Télex 309192, ←, ☂, ⛱ – ⧉ TV ☎ ⇐ – 🏛 25 à 180. AE ◑ E VISA. ✻ rest
déc.-avril – **R** 280/340 – **63 ch** (½ pens. seul.) – ½ p 700/900.

Ruitor M ⛰ sans rest, ✆ 79 00 48 48, Télex 309695, ← – ⧉ TV ☎ ⇐ – **50 ch**.

Tarentaise M ⛰, ✆ 79 00 42 43, ←, ☂ – ☎ – 🏛 50. E VISA. ✻
17 déc.-mi-avril – **R** carte 190 à 275 – **45 ch** (½ pens. seul.) – ½ p 600/820.

Les Arolles M ⛰, ✆ 79 00 40 40, ←, ☂ – ⧉ ☎ – 🏛 120. E VISA. ✻ rest
15 déc.-20 avril – **R** 85/110, enf. 43 – **50 ch** (½ pens. seul.) – ½ p 500/560.

Mottaret M ⛰, ✆ 79 00 47 47, Télex 980473, ←, ☂, ⛱ – ⛀wc ☎ ⇐. ◑ VISA. ✻ rest
1er juil.-30 sept. et 15 déc.-18 avril – **R** 150 – **42 ch** ☕310/610 – ½ p 495/535.

MÉRIGNAC 33 Gironde 71 ⑨ – rattaché à Bordeaux.

MERKWILLER-PECHELBRONN 67 Bas-Rhin 57 ⑲ **G. Alsace et Lorraine** – 776 h. – ✉ **67250** Soultz-sous-Forets – Paris 467 – Haguenau 16 – ♦Strasbourg 48 – Wissembourg 22.

Aub. Baechel-Brunn, ✆ 88 80 78 61 – Ⓟ. ✻
fermé 10 août au 3 sept., 15 janv. au 1er fév., lundi soir et mardi – **R** 100/190, enf. 25

MERLEBACH 57 Moselle 57 ⑯ – voir à Freyming-Merlebach.

MERVILLE-FRANCEVILLE-PLAGE 14810 Calvados 55 ② **G. Normandie Vallée de la Seine** – 1 309 h. – Paris 230 – Arromanches-les-Bains 41 – Cabourg 6 – ♦Caen 19.

Chez Marion avec ch, ✆ 31 24 23 39 – ⛀wc ⋔wc ☎. AE ◑ E VISA
fermé janv., lundi soir et mardi sauf vacances scolaires – **R** 93/190, enf. 52 – ☕ 2 – **18 ch** 130/260 – ½ p 215/290.

MERY-CORBON 14 Calvados 54 ⑰ – 621 h. – ✉ 14370 Argences.
aris 203 – ♦Caen 23 – Falaise 44 – Lisieux 29.

XX **Relais du Lion d'Or,** au Lion d'Or S : 3 km sur N 13 ✆ 31 23 65 30 – Ⓟ. E VISA
fermé fév., mardi soir et merc. – **R** 70/110.

MÉRY-SUR-SEINE 10170 Aube 61 ⑥ – 1 286 h.
aris 139 – Châlons-sur-M. 70 – Nogent-sur-Seine 33 – Sézanne 31 – Troyes 29 – Vitry-le-François 70.

Au Bon Coin, ✆ 25 21 20 39
fermé 15 sept. au 15 oct. – **R** 46/100 ⅓ – ☕ 15 – **11 ch** 80/115 – 1/2 p 120.
ENAULT Gar. Flizot, ✆ 25 21 20 46

MESCHERS-SUR-GIRONDE 17132 Char.-Mar. 71 ⑮ **G. Poitou Vendée Charentes** – 649 h. – ℹ Syndicat d'Initiative pl. Verdun (saison) ✆ 46 02 70 39.
aris 513 – Blaye 80 – Jonzac 54 – Pons 37 – La Rochelle 83 – Royan 11 – Saintes 42.

XX **Grottes de Matata,** ✆ 46 02 70 02, ≤, 🏞, **« Cavernes creusées dans une falaise dominant l'estuaire »** – 🐕
juil.-sept., week-ends en mai-juin et fêtes – **R** 120/190.

Le MESNIL-ESNARD 76 S.-Mar. 55 ⑥⑦ – rattaché à Rouen.

MESNIL-ST-PÈRE 10 Aube 61 ⑰ **G. Champagne** – 332 h. – ✉ 10140 Vendeuvre-sur-Barse.
oir Lac et forêt d'Orient★★.
aris 184 – Bar-sur-Aube 31 – Châtillon-sur-Seine 55 – St-Dizier 75 – Troyes 22 – Vitry-le-François 71.

Aub. du Lac et rest. Vieux Pressoir, ✆ 25 41 27 16, 🏞 – ⛝wc ⛆wc ☎ ♿ Ⓟ. E VISA
fermé 26 janv. au 14 fév., dim. soir et lundi du 15 sept. au 15 mars – **R** 100/220, enf. 60 – ☕ 24 – **15 ch** 190/250 – 1/2 p 195/230.

Le MESNIL-SUR-OGER 51 Marne 56 ⑯ **G. Champagne** – 1 204 h. – ✉ 51190 Avize.
aris 141 – Châlons-sur-Marne 28 – Epernay 14 – ♦ Reims 38 – Vertus 5,5.

XXX **Le Mesnil,** ✆ 26 57 95 57 – Ⓟ. AE ⓓ E VISA
fermé 16 août au 8 sept., vacances de fév., lundi soir et merc. – **R** (dim. prévenir) 100/280.
ENAULT Gar. Ewen, rte d'Oiry ✆ 26 57 52 25

MESNIL-VAL 76 S.-Mar. 52 ⑤ – ✉ 76910 Criel-sur-Mer.
aris 176 – Dieppe 27 – Le Tréport 4,5.

Vieille Ferme 🐎, ✆ 35 86 72 18, 🏞, 🌳, 🎾 – ⛝wc ☎ Ⓟ – 🏛 30. AE ⓓ E VISA – *fermé 2 janv. au 30 janv.* – **R** (*fermé dim. soir de nov. à fév.*) 110/229, enf. 60 – ☕ 25 – **33 ch** 210/295 – 1/2 p 239/299.

Les MESNULS 78 Yvelines 60 ⑨, 196 ㉘ – 770 h. – ✉ 78490 Montfort-l'Amaury.
aris 48 – Dreux 39 – Mantes-la-Jolie 36 – Rambouillet 14 – Versailles 27.

XXX ✿ **Toque Blanche** (Philippe), 12 Grande-rue ✆ 34 86 05 55, 🏞, 🌳 – AE VISA
fermé 26 juil. au 2 sept., 21 au 30 déc., dim. soir et lundi – **R** carte 235 à 290
Spéc. Huîtres chaudes au cerfeuil (sept. à avril), St-Jacques au Sauternes (saison), Tête de veau aux six sauces.

MESSAC 35480 I.-et-V. 63 ⑥ – 2 309 h.
aris 366 – Bain-de-B. 10 – Châteaubriant 39 – Nozay 34 – Ploërmel 51 – Redon 34 – ♦Rennes 42.

X **Gare** avec ch, ✆ 99 34 61 04 – ⛆wc. E VISA
fermé oct., lundi soir et mardi sauf juil.-août – **R** 39/160 ⅓, enf. 29 – ☕ 17 – **8 ch** 89/127 – 1/2 p 150/170.

MESSERY 74 H.-Savoie 70 ⑯ – 844 h. – ✉ 74140 Douvaine.
aris 564 – Annecy 67 – Bonneville 37 – ♦Genève 22 – Thonon-les-Bains 19.

Bellevue, ✆ 50 94 70 55, ≤, 🏞, 🌳 – ⛆wc Ⓟ. E VISA. 🐕 rest
fermé 5 au 20 oct. et mardi – **R** 55/110 ⅓ – ☕ 18 – **22 ch** 75/120 – 1/2 p 135/155.

Troènes, ✆ 50 94 70 30, 🌳 – ⛝ ⛆ Ⓟ
1er mai-31 sept. et fermé merc. sauf juil.-août – **R** 55/140 ⅓, enf. 35 – ☕ 17 – **16 ch** 105/136 – 1/2 p 118/132.

MÉTABIEF 25 Doubs 70 ⑥ – voir ressources hôtelières à ***Jougne*** et aux ***Hôpitaux Neufs.***

MÉTHAMIS 84 Vaucluse 81 ⑬ – 330 h. – ✉ 84570 Mormoiron.
aris 697 – Apt 36 – Carpentras 17.

X **Lou Roucas,** ✆ 90 61 81 04, 🏞 – E VISA. 🐕
fermé sept., 19 au 28 fév., jeudi d'oct. à juin et le soir sauf juil.-août – **R** 48/130 ⅓, enf. 35.

METZ P 57000 Moselle 57 ⑬⑭ G. Alsace et Lorraine – 118 502 h.

Voir Cathédrale St-Etienne* CDV – Porte des Allemands* DV – Esplanade* CV – Place St-Louis* DVX – Église St-Maximin* DVXL – Narthex* de l'église St-Martin DX – ≤* du Moyen Pont CV – Musée d'Art et d'Histoire** DVM1.**

de Cherisey ✆ 87 52 70 18 par ⑤ : 14 km.

de Metz-Frescaty : ✆ 87 65 41 11, SO : 6 km.

✆ 87 63 50 50.

Office de Tourisme et Accueil de France (Informations et réservations d'hôtels, pas plus de jours à l'avance) pl. d'Armes, ✆ 87 75 65 21, Télex 860411 et Bureau Gare ✆ 87 65 76 69 – A.C. 10 Ferme St-Ladre ✆ 87 66 80 15.

Paris 331 ① – Bonn 241 ① – Bruxelles 283 ① – ♦Dijon 264 ⑦ – ♦Lille 387 ① – Luxembourg 64 ① – ♦Nancy 56 ⑦ – ♦Reims 189 ① – Saarbrücken 67 ③ – ♦Strasbourg 163 ③.

Plans pages suivantes

Novotel M, pl. Paraiges ✆ 87 37 38 39, Télex 861815, , – – 30 à 200. AE E VISA DV
R grill carte environ 120 , enf. 41 – 38 – **95 ch** 350/390, 3 appartements 700.

Altéa St Thiébaut M, 29 pl. St-Thiébault ✆ 87 36 17 69, Télex 930417 – – 30 à 250. AE E VISA DX
Les 4 Saisons **R** 110/210, enf.60 – 38 – **108 ch** 355/415.

Royal-Concorde, 23 av. Foch ✆ 87 66 81 11, Télex 860425 – – 6 AE E VISA DX
R 140/160, enf. 100 – **Caveau R** 82/118 – 42 – **74 ch** 335/550, 8 appartement 720/850 – $^1/_2$ p 244/270.

Bristol M sans rest, 7 r. La Fayette ✆ 87 66 74 22, Télex 861759 – wc wc . E VISA CX
fermé Noël à Nouvel An – 20 – **67 ch** 85/230.

Urbis M sans rest, 3 bis r. Vauban ✆ 87 75 53 43, Télex 930281 – wc wc . E VISA DX
23 – **72 ch** 215/245.

Cécil sans rest, 14 r. Pasteur ✆ 87 66 66 13, Télex 861765 – wc wc . E VISA. CX
18 – **39 ch** 145/215.

Foch sans rest, ✆ 87 74 40 75, Télex 860489 – wc . E VISA CX
18 – **42 ch** 166/219.

Gare sans rest, 20 r. Gambetta ✆ 87 66 74 03, Télex 861317 – wc w . AE E VISA DX
17 – **40 ch** 103/205.

Métropole sans rest, 5 pl. Gén.-de-Gaulle ✆ 87 66 26 22, Télex 861661 – wc wc . AE E VISA DX
18 – **80 ch** 130/180.

Ibis M, 47 r. Chambière, quartier Pontiffroy ✆ 87 31 01 73, Télex 930276 – wc – 40. E VISA DV
R carte 75 à 120 , enf. 35 – 26 – **79 ch** 220/240.

La Pergola sans rest, 13 rte Plappeville ✉ 57050 ✆ 87 32 52 94 – wc wc – 30. VISA AY
18 – **30 ch** 80/170.

Moderne sans rest, 1 r. La Fayette ✆ 87 66 57 33 – wc wc . AE VISA CX
18 – **43 ch** 111/178.

Lutèce, 11 r. Paris ✆ 87 30 27 25 – . AE E VISA. rest AY
fermé 21 déc. au 15 janv. et dim. – **R** *(fermé vend. soir du 1er oct. au 31 mars, san du 1er avril au 30 sept., dim. et fêtes)* 52/79 – 17 – **20 ch** 85/162 – $^1/_2$ p 151/214

La Dinanderie, 2 r. Paris ✆ 87 30 14 40 – AE VISA AY
fermé 9 au 30 août, 24 déc. au 1er janv., vacances de fév., dim. et lundi – **R** 160/195.

Maire, 1 r. Pont des Morts ✆ 87 32 43 12 – AE E VISA CV
fermé mardi soir et merc. – **R** 140/240, enf. 40.

Chambertin, 22 pl. St Simplice ✆ 87 37 32 81 – AE E VISA DV
fermé 1er au 15 sept., vacances de fév., dim. soir et lundi – **R** 120/245.

Roches, 25 r. Roches ✆ 87 74 06 51, – AE E VISA CV
fermé dim. soir – **R** 115/276.

Ville de Lyon, 7 r. Piques ✆ 87 36 07 01 – . AE E VISA DV
fermé 26 juil. au 23 août, dim. soir et lundi – **R** 90/230.

L'Aubergerie, 18 r. des Augustins ✆ 87 75 54 76 – AE E VISA DX
fermé dim. soir et lundi – **R** 135/220.

Le Bouquet Garni, 10 r. Pasteur ✆ 87 66 85 97 – AE E VISA. CX
fermé 24 déc. au 5 janv., sam. midi et dim. – **R** 110 bc/170.

La Gargouille, 29 pl. de Chambre ✆ 87 36 65 77 – E VISA CV
fermé 25 déc. au 2 janv., dim., lundi midi et fêtes – **R** 140 bc/170.

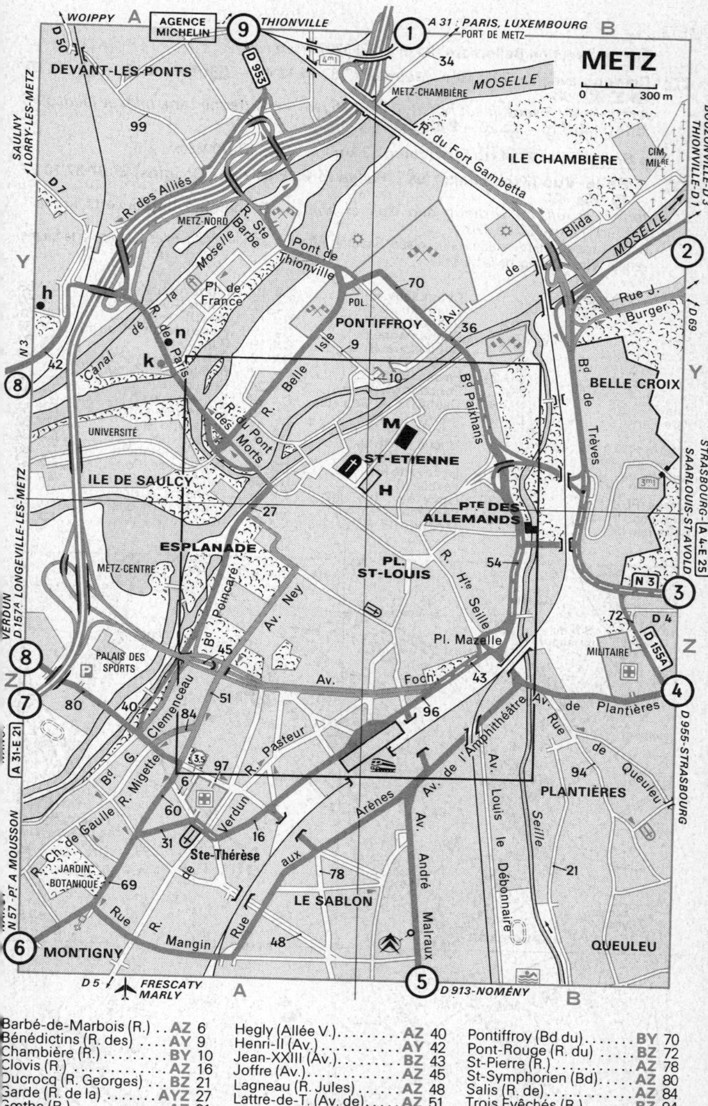

Barbé-de-Marbois (R.) .. AZ 6	Hegly (Allée V.) .... AZ 40	Pontiffroy (Bd du) .... BY 70
Bénédictins (R. des) ..... AY 9	Henri-II (Av.) .... AY 42	Pont-Rouge (R. du) ..... BZ 72
Chambière (R.) .... BY 10	Jean-XXIII (Av.) .... BZ 43	St-Pierre (R.) .... AZ 78
Clovis (R.) .... AZ 16	Joffre (Av.) .... AZ 45	St-Symphorien (Bd) ..... AZ 80
Ducrocq (R. Georges) ... BZ 21	Lagneau (R. Jules) .... AZ 48	Salis (R. de) .... AZ 84
Garde (R. de la) .... AYZ 27	Lattre-de-T. (Av. de) ..... AZ 51	Trois Évêchés (R.) .... BZ 94
Gœthe (R.) .... AZ 31	Maginot (R. André) ...... BZ 54	Vauban (R.) .... BZ 96
Grange-aux-Dames (R.) .. BY 34	Nancy (Av. de) .... AZ 60	Verlaine (R.) .... AZ 97
Grilles (Pont des) .... BY 36	Pont-à-Mousson (R. de) . AZ 69	Woippy (R. de) .... AY 99

25

par ③ direction Bellecroix : 3 km – ✉ **57070** Metz :

XXX **Crinouc** avec ch, **79 r. Gén.-Metman** ✆ **87 74 12 46** – TV ⋒wc ☎ **P** – 🏔 40. AE ⓓ E VISA. ✂
fermé 1er au 9 sept. (sauf hôtel) et 2 au 15 janv. – **R** *(fermé sam. midi et jeudi sauf fériés)* 145/215 – ☐ 20 – **9 ch** 170/240.

à Borny E par ④ et rte Strasbourg : 3 km - BZ – ✉ **57070** Metz :

XXX ✿ **Belle-Vue** (Krompholtz), **58 r. Pange (près Palais des Congrès)** ✆ **87 37 10 27** – **P**. VISA. ✂
fermé 25 juil. au 15 août, dim. soir et lundi – **R** (nombre de couverts limité - prévenir) carte 205 à 320
Spéc. Lapereau aux mirabelles en gelée, Saumon fumé en salade, Profiteroles fourrées à la crème vanille. **Vins** Côteaux de la Moselle.

METZ

Ambroise-Thomas (R.) . . **CV** 2
Clercs (R. des) . . . . **CV**
En Fournirue . . . . **DV**
Fabert (R.) . . . . **CV** 21
Jardins (R. des) . . . . **DV**
Palais (R. du) . . . . **CV** 63
Petit-Paris (R. du) . . . . . . **CV** 64
St-Louis (Pl.) . . . . **DVX**
Schuman (Av. R.) . . . . . . **CX**
Serpenoise (R.) . . . . **CV**
Tête d'Or (R. de la) . . . . . . **DV** 91

Armes (Pl. d'.) . . . . **DV** 3
Augustins (R. des) . . . . . . **DX** 5
Belle-Isle (R.) . . . . **CV** 7
Chambière (R.) . . . . **DV** 10
Chambre (Pl. de) . . . . **CV** 12
Chanoine-Collin (R.) . . . . **DV** 13
Charlemagne (R.) . . . . **CX** 15
Coëtlosquet (R. du) . . . . . **CX** 18
Coislin (Pl.) . . . . **DX** 19
Faisan (R. du) . . . . **CV** 22
Fontaine (R. de la) . . . . . . **DX** 24
Gaulle (Pl. du Gén. de) . . **DX** 28
George (Pl. du Roi) . . . . . . **CX** 30
Gde-Armée (R. de la) . . . **DV** 33
Hache (R. de la) . . . . **DV** 39
Hegly (Allée V.) . . . . **CX** 40
La Fayette (R.) . . . . **CX** 46
Lasalle (R.) . . . . **DX** 49
Lattre-de-T. (Av. de) . . . . **CX** 51
Leclerc-de-H. (Av.) . . . . . **CX** 52
Mondon (Pl. R.) . . . . **CX** 57
Morts (Pont des) . . . . **CV** 58
Nancy (Av. de) . . . . **CX** 60
Paix (R. de la) . . . . **CV** 61
Pierre-Hardie (R. de la) . . **CV** 66
Poncelet (R.) . . . . **CV** 67
Prés. Kennedy (Av.) . . . . . **CX** 73
République (Pl. de la) . . . **CX** 75
St-Eucaire (R.) . . . . **DV** 76
St-Simplice (Pl.) . . . . **DV** 79
St-Thiébault (Pl.) . . . . **DX** 81
Ste-Marie (R.) . . . . **CV** 82
Salis (R. de) . . . . **CX** 84
Sérot (Bd Robert) . . . . . . **CV** [illegible]
Serpenoise (Porte) . . . . . . **CX** 87
Taison (R.) . . . . **DV** [illegible]
Tanneurs (R. des) . . . . . . **DV** 90
Trinitaires (R. des) . . . . . **DV** [illegible]
Verlaine (R.) . . . . **CX** 97

à Montigny-lès-Metz S : 3 km par D 5 (rte de l'Aéroport) - AZ – 23 731 h. – ✉ **57158** Montigny-lès-Metz :

Air sans rest, **54 bis r. Franiatte** ✆ **87 63 30 22** – TV wc wc ☎ . E VISA
☕ 18 – **21 ch** 120/175.

Franiatte sans rest, **14 r. Franiatte** ✆ **87 63 76 13** – wc ☎ P. E VISA
fermé dim. sauf juil.-août – ☕ 17 – **27 ch** 80/170.

à Plappevile par ⑧: 7 km – ✉ **57050** Metz :

XX **la Grignotière, 50 r. Gén. de Gaulle** ✆ **87 30 36 68** – AE E VISA
fermé 11 au 25 janv. 5 au 27 juil., dim. soir et lundi – **R** 150 et carte le dim..

par ① : A 31 sortie la Maxe : 5 km AY – ✉ **57140** Woippy :

Mercure M, Z. I. Metz Nord ✆ **87 32 52 79, Télex 860891,** – TV ☎ P – 150. AE E VISA
R carte 115 à 165, enf. 49 – ☕ 36 – **83 ch** 320/360.

à Maizières-les-Metz par ① et A 31 : 10 km – ✉ **57210** Maizières :

Novotel M, ✆ **87 80 41 11, Télex 860191,** – TV ☎ P – 25 à 350. AE E VISA
R carte environ 120, enf. 40 – ☕ 38 – **133 ch** 305.

à Rugy N : 12 km par D 1 - BY – ✉ **57640** Argancy :

La Bergerie M, ✆ **87 77 82 27,** – TV wc wc ☎ P – 50. VISA
R carte 105 à 175 – ☕ 22 – **22 ch** 195/235.

à Mazagran par ③ et D 954 : 13 km – ✉ **57530** Courcelles-Chaussy :

XXX **Aub. de Mazagran,** ✆ **87 76 62 47** – P. AE E VISA.
fermé mardi soir et merc. – **R** 88/240.

MICHELIN, Agence, 59 rte Thionville D 953, Woippy par ⑨ ✆ **87 31 17 81**

ALFA-ROMEO-VOLVO Jacquot, 17 r. R.-Schumann, Longeville-lès-Metz ✆ 87 32 53 06
AUSTIN-ROVER Gar. Jactard, à Scy Chazelles ✆ 87 60 56 32
BMW, OPEL Eurauto, 191 r. Gén.-Metman ✆ 87 74 95 82
CITROEN Filiale, 71 av. A. Malraux ✆ 87 65 51 13
FIAT Gar. Corroy, 6 r. Chaponost à Moulins-lès-Metz ✆ 87 62 32 15
FIAT Gar. Parachini, bret. autoroute à Talange ✆ 87 71 47 30
FORD Romanazzi, 11 r. des Drapiers, ZIL Borny ✆ 87 74 44 91
MERCEDES-BENZ Succursale, 130 rte Thionville ✆ 87 32 53 49
NISSAN Gangloff, 63 rte de Thionville à Woippy ✆ 87 30 00 31
PEUGEOT TALBOT Jacquot, 2 r. P.-Boileau par ⑨ ✆ 87 32 52 90 N
PEUGEOT-TALBOT Mosellane-Autom., 199 r. Gén. Metmann par ③ ✆ 87 74 17 90 N
RENAULT Succursale, 50 r. Gén.-Metman par ③ ✆ 87 76 22 22 N
RENAULT Chevalier, 57 bd St-Symphorien, à Longeville par ⑧ ✆ 87 66 80 22 N
V.A.G Philippe Automobiles, à Augny ✆ 87 66 91 11
V.A.G. Gar. de la Lorraine, 195 r. Gén.-Metman ✆ 87 36 15 83

Fok Pneus, à Augny ✆ 87 66 81 88
Fok-Pneus, 117 av. Strasbourg ✆ 87 36 15 98
Laglasse-Pneus, 53 r. Haute-Seille ✆ 87 36 00 42
Leclerc-Pneu, 57 av. Abbaye St-Eloy ✆ 87 32 53 17
Leclerc-Pneu, 3 pl. Mondon ✆ 87 65 49 33
Leclerc-Pneu, Zone Ind. Nord à Hauconcourt ✆ 87 80 49 80
Metz-Pneus, 100 av. Strasbourg ✆ 87 74 16 28

CONSTRUCTEUR : **Renault Véhicules Industriels,** à Batilly ✆ **87 22 34 99**

METZERAL 68380 H.-Rhin 62 ⑱ – 1 006 h.

Paris 449 – Colmar 26 – Gérardmer 40 – Guebwiller 45 – Thann 41.

Aux Deux Clefs ✆ **89 77 61 48,** ← – ch wc wc P. AE E VISA. rest
1er avril-3 nov. – **R** *(fermé merc.)* 65/120 – ☕ 18 – **17 ch** 130/200 – 1/2 p 140/205.

XX **Pont** avec ch, ✆ **89 77 60 84,** – wc P. E VISA
fermé 15 nov. au 20 déc. – **R** *(fermé lundi)* 60/160, enf. 40 – ☕ 25 – **12 ch** 125/150 – 1/2 p 160/180.

CITROEN Gar. Jaeglé, ✆ 89 77 60 26
RENAULT Friederich, r. Principale à Sondernach ✆ 89 77 60 02

MEUDON 92 Hauts-de-Seine 60 ⑩, 101 ㉔ – voir à Paris, Environs.

MEULAN 78250 Yvelines 55 ⑲, 196 ④⑯ – 8 938 h.

du Prieuré, à Sailly-en-Vexin ✆ (1) 34 76 70 12 par D 913 : 12 km ; de Seraincourt ✆ (1) 34 75 47 28 par D 913 : 3,5 km.

Paris 46 – Beauvais 60 – Mantes-la-Jolie 19 – Pontoise 17 – Rambouillet 56 – Versailles 30.

Mercure M, **l'Ile Belle (dir. Mureaux)** ✆ **(1) 34 74 63 63, Télex 695295,** – TV ☎ P – 30. AE E VISA
R carte 115 à 170, enf. 46 – ☕ 39 – **69 ch** 370/480.

XXX **Grande Pinte** avec ch, **25 r. Clemenceau** ✆ **(1) 34 74 15 10,** – wc ☎ P. AE E VISA – *fermé août, vacances de fév., lundi soir (sauf hôtel) et mardi* – **R** 150, enf. 70 – ☕ 25 – **10 ch** 100/200.

aux Mureaux : au Sud – 31 819 h. – ✉ **78130** Les Mureaux :

XX **Avenir,** 7 r. Seine ✆ (1) 34 74 02 58 – Ⓟ. VISA
fermé août, lundi soir et mardi – **R** 92/190 🍷, enf. 40.

CITROEN Gar. des Sports, 6 r. du Stade ✆ (1)34 74 00 22
CITROEN Mureaux Autom., 14 r. Ampère aux Mureaux ✆ (1)34 74 01 95
PEUGEOT-TALBOT Basse-Seine-Autos, 2 av. Seine aux Mureaux ✆ (1)30 99 77 11
RENAULT Pottier, 4 r. A.-Briand par r. P.-Danwer aux Mureaux ✆ (1)34 74 17 92
La Station du Pneu, 90 av. Mar.-Foch aux Mureaux ✆ (1)34 74 19 28
Meulan-Pneu, 41 bis av. Gambetta ✆ (1)34 74 84 44
Nony Pneus, RN 190 à Gargenville ✆ (1)30 93 65 27

MEUNG-SUR-LOIRE 45130 Loiret 64 ⑧ G. Châteaux de la Loire – 5 659 h.

Voir Église St-Liphard★ – Basilique★ de Cléry-St-André E : 5 km par D 18.

18 des Bordes ✆ 54 87 72 13, au Sud par D 18 : 20 km.

Syndicat d'Initiative 42 r. J.-de-Meung (avril-sept.) ✆ 38 44 32 28.

Paris 145 – Beaugency 6 – Blois 40 – ◆Orléans 18.

X **Aub. St-Jacques** avec ch, r. Gén.-de-Gaulle ✆ 38 44 30 39 – wc ☎ 🚗. AE E VISA
fermé 15 au 31 janv. – **R** *(fermé lundi de sept. à mai)* 65/195, enf. 44 – ☕ 22 – **12 ch** 94/160 – ½ p 180/285.

MEURSAULT 21190 Côte-d'Or 69 ⑨ G. Bourgogne – 1 646 h.

Syndicat d'Initiative pl. Hôtel de Ville (juil.-août) ✆ 80 21 25 90 et (hors saison) ✆ 80 21 20 64.

Paris 321 – Autun 42 – Beaune 8 – Chagny 10 – ◆Dijon 47 – Saulieu 60.

Motel Au Soleil Levant M, rte Beaune ✆ 80 21 23 47, ← – wc wc ☎ Ⓟ. VISA
R *(fermé 21 nov. au 21 déc.)* 51/100 🍷 – ☕ 16 – **35 ch** 120/172.

Chevreuil, ✆ 80 21 23 25, – wc ☎ 🚗. AE ⓓ E VISA
1er mars-15 déc. – **R** 159/197 – ☕ 29 – **20 ch** 174/284 – ½ p 334/472.

XX **Relais de la Diligence,** à la gare SE : 2,5 km par D 23 ✆ 80 21 21 32 – AE ⓓ
fermé 16 déc. au 5 fév., mardi soir et merc. – **R** 52/105 🍷, enf. 32.

MEUSE (Méandres de la) ★★ 08 Ardennes 53 ⑱⑲ G. Champagne.

MEXIMIEUX 01800 Ain 74 ③ – 4 254 h.

Paris 451 – Bourg-en-Br. 35 – Chambéry 98 – ◆Genève 121 – ◆Grenoble 109 – ◆Lyon 39.

XXX ✿ **Claude Lutz** avec ch, 17 r. de Lyon ✆ 74 61 06 78, , – wc wc ☎ Ⓟ – 80. AE E VISA
fermé 18 au 29 juil., 17 oct. au 8 nov., vacances de fév., dim. soir et lundi – **R** (prévenir) 125/260, enf. 70 – ☕ 23 – **16 ch** 135/260
Spéc. Cassolette de grenouilles à la crème, Civet de turbot au Gamay, Aiguillettes de canard à la moutarde. **Vins** Gamay, Chardonnay.

au Pont de Chazey-Villieu E : 3 km sur N 84 – ✉ **01800** Meximieux :

XXX **La Mère Jacquet** M avec ch, ✆ 74 61 94 80, , , – wc ☎ Ⓟ. VISA
fermé 3 au 11 août et 19 déc. au 18 janv. – **R** *(fermé dim. soir et lundi sauf fériés)* 105/350, enf. 75 – ☕ 35 – **21 ch** 240/350.

XX **Le Chalet de Bresse,** ✆ 74 61 94 68, – Ⓟ. ⓓ E VISA
fermé déc., mardi soir et merc. d'oct. à fin mars – **R** 76/190.

PEUGEOT Gar. du Centre, ✆ 74 61 06 00
PEUGEOT, TALBOT Gar. Chabran, ✆ 74 61 18 09
RENAULT Gar. Paviot, ✆ 74 61 07 89

MEYLAN 38 Isère 77 ⑤ – rattaché à Grenoble.

MEYMAC 19250 Corrèze 73 ⑪ G. Berry Limousin – 2 783 h. alt. 702.

Voir Vierge noire★ dans l'église abbatiale.

Syndicat d'Initiative pl. Hôtel de Ville ✆ 55 95 18 43 et à la Mairie ✆ 55 95 10 15.

Paris 436 – Aubusson 57 – ◆Limoges 97 – Neuvic 29 – Tulle 52 – Ussel 17.

Modern' H., av. Limousine ✆ 55 95 10 19, – wc ☎
fermé 1er nov. au 8 déc. et sam. hors sais. – **R** 58/140 🍷 – ☕ 25 – **30 ch** 72/140 ½ p 150/160.

CITROEN Vergne, ✆ 55 95 11 36
PEUGEOT,TALBOT Longerinas, ✆ 55 95 10 32
RENAULT Gar. Mauriange ✆ 55 95 10 54

MEYRARGUES 13650 B.-du-R. 84 ③ G. Provence – 2 406 h.

Paris 751 – Aix-en-Provence 15 – Apt 43 – Cavaillon 51 – Manosque 38 – ◆Marseille 47 – Rians 24.

XXX **Château de Meyrargues** avec ch, 42 57 50 32, <, « Château fortifié dominant la vallée, parc » – wc – 100. AE
fermé 1er nov. au 1er fév. – **R** *(fermé dim. soir et lundi)* 165 – 50 – **14 ch** 400/458 – 1/2 p 440/517.

MEYRUEIS 48150 Lozère 80 ⑤⑮ G. Gorges du Tarn – 1 078 h. alt. 706.

Voir NO : Gorges de la Jonte★★.

Env. Aven Armand★★★ NO : 11 km – Grotte de Dargilan★★ NO : 8,5 km.

Office de Tourisme Tour de l'Horloge (Pâques-Toussaint) 66 45 60 33.

Paris 636 – Florac 35 – Mende 57 – Millau 42 – Rodez 101 – Sévérac-le-Château 60 – Le Vigan 57.

Château d'Ayres, E : 1,5 km par D 57 66 45 60 10, <, « Parc », – TV. AE VISA
1er avril-15 oct. – **R** 105/195, enf. 55 – 30 – **24 ch** 295/450 – 1/2 p 280/370.

Renaissance, 66 45 60 19, « Maison du 16e s. », – wc. AE E VISA
20 mars-15 nov. et 27 déc.-5 janv. – **R** 85/200, enf. 50 – 24 – **20 ch** 190/330 – 1/2 p 199/266.

Gd H. Europe et Mont Aigoual, 66 45 60 05, – wc wc. E VISA. rest
1er avril-3 nov. – **R** 60/85 – 18 – **50 ch** 130 – 1/2 p 125/135.

Family H., 66 45 60 02 – wc wc
Pâques-vacances de nov. – **R** 58/125, enf. 32 – 20 – **43 ch** 115/145 – 1/2 p 130/142.

St-Sauveur, 66 45 62 12, – wc. E VISA
hôtel : 20 mars-15 nov. ; rest : 15 mai-30 sept. – **R** grill carte 70 à 110, enf. 40 – 19 – **14 ch** 105/150 – 1/2 p 135/153.

France, 66 45 60 07, – wc wc. E VISA
1er avril-1er oct. – **R** 48/115, enf. 35 – 20 – **45 ch** 120/160 – 1/2 p 150/170.

CITROEN Giraud, 66 45 60 04

MÉZANGERS 53 Mayenne 60 ⑪ – rattaché à Evron.

MÈZE 34140 Hérault 83 ⑯ G. Gorges du Tarn – 5 742 h.

Syndicat d'Initiative r. Massaloup (15 juin-15 sept.) 67 43 93 08.

Paris 789 – Agde 20 – Béziers 41 – Lodève 54 – ◆Montpellier 34 – Pézenas 18 – Sète 18.

de Thau sans rest, 67 43 83 83 – wc wc. E VISA
18 – **13 ch** 160/190.

X **Barbecue**, 38 r. Port 67 43 84 99, cadre rustique – AE E VISA
15 avril-15 oct. – **R** 62/149.

à Bouzigues NE : 4 km par N 113 et VO – 34140 Mèze :

Motel Côte Bleue M, 67 78 31 42, <, dégustation de coquillages, – – 40. E VISA. ch
hôtel : fermé 25 janv. au 25 fév. – **rest. Côte Bleue R** (en saison prévenir) – 25 – **32 ch** 230/280.

Rolouis-Pneum, 35 rte de Pézenas 67 43 93 38

MÉZENC (Mont) 07 Ardèche et 76 ⑱ G. Vallée du Rhône – alt. 1 754.

Voir ★★★.

Accès par la Croix de Boutières <★★ (1 h 1/2 AR) ou par la Croix de Peccata (1 h AR).

MÉZÉRIAT 01660 Ain 74 ② – 1 879 h.

Paris 410 – Bourg-en-Bresse 20 – Mâcon 20 – Villefranche-sur-Saône 45.

XX **Les Bessières** avec ch, 74 30 24 24, – wc. VISA
fermé 15 déc. au 31 janv., dim. soir et lundi sauf juil.-août – **R** 95/130, enf. 45 – 22 – **6 ch** 120/230 – 1/2 p 210/440.

MÉZILHAC 07 Ardèche 76 ⑱⑲ G. Vallée du Rhône – 167 h. alt. 1 130 – 07530 Antraigues-sur-Volane.

Voir Piton de la Croix ★★.

Env. Gerbier de Jonc★★ NO : 14 km.

Paris 624 – Aubenas 29 – Lamastre 43 – Privas 34 – Le Puy 64.

Cévennes, 75 38 78 01, < – . VISA
fermé 15 oct. au 15 déc. et lundi d'avril à juin et en oct. – **R** 50/110, enf. 35 – 20 – **20 ch** 90/180 – 1/2 p 100/150.

MÉZOS 40 Landes 78 ⑮ – 810 h. – ✉ 40170 St-Julien-en-Born.

Paris 705 – ♦Bordeaux 117 – Castets 23 – Mimizan 16 – Mont-de-Marsan 62 – Tartas 50.

XX **Boucau,** ✆ 58 42 61 38, ☂ – AE ⓓ. ✻

1er avril-30 sept. et fermé dim. soir et lundi hors sais. – **R** 55/140.

XX **Verdier,** ✆ 58 42 61 27, ☂ – Ⓟ. E VISA

fermé 15 janv. au 1er mars, dim. soir et lundi du 15 sept. au 1er juil. – **R** 45/130 ᛒ, enf. 35.

MIALET 30 Gard 80 ⑰ – rattaché à Anduze.

MIDI-DE-BIGORRE (Pic du) 65 H.-Pyr. 85 ⑱ **G. Pyrénées Aquitaine** – alt. 2 865 – ✉ 65200 Bagnères-de-Bigorre.

Voir ※★★★ – Observatoire.

Accès par le col du Tourmalet, route taxée.

Paris 845 – La Mongie 9,5.

MIEUSSY 74 H.-Savoie 74 ⑦ **G. Alpes du Nord** – 1 169 h. alt. 636 – ✉ **74440** Taninges.

ℹ Syndicat d'Initiative ✆ 50 43 02 72.

Paris 568 – Annecy 62 – Bonneville 21 – Chamonix 59 – ♦Genève 38 – Megève 44 – Morzine 26.

Accueil Savoyard ⑤, ✆ 50 43 01 90, ≤ – ⇔wc ⋒ ☎ Ⓟ. E VISA

fermé 10 oct. au 10 nov., vend. soir et sam. en nov., déc., mai et juin – **R** 45/100 ☕ 17 – **19 ch** 90/160 – ½ p 140/190.

RENAULT Gar. Jacquard, ✆ 50 43 00 86 N

MIGENNES 89400 Yonne 65 ⑤ – 8 151 h.

ℹ Office de Tourisme pl. E.-Laporte ✆ 86 80 03 70.

Paris 156 – Auxerre 21 – Joigny 9,5 – Nogent-sur-Seine 78 – St-Florentin 18 – Seignelay 12.

Paris M, 57 av. J.-Jaurès ✆ 86 80 23 22 – TV ⇔wc ⋒wc ☎. ⓓ E VISA

fermé 22 juil. au 22 août, 2 au 17 janv., vend. soir et sam. – **R** 73/240 ᛒ, enf. 43 – ☕ 25 – **10 ch** 200/320 – ½ p 270.

PEUGEOT-TALBOT Prudhomme, 17 allée de l'Industrie ✆ 86 80 02 60 N ✆ 86 80 03 03

RENAULT S.A.J.A., 148 av. Jean-Jaurès ✆ 86 80 20 40

MIJOUX 01 Ain 70 ⑮ – rattaché à Faucille (Col de la).

MILLAU ⟨SP⟩ 12100 Aveyron 80 ⑭ **G. Gorges du Tarn** – 22 256 h.

Voir Musée archéologique : poteries★ BZ M.

Env. Gorges du Tarn★★★ 21 km par ① – Canyon de la Dourbie★★ 8 km par ②.

ℹ Office de Tourisme av. Alfred-Merle ✆ 65 60 02 42.

Paris 643 ① – Albi 113 ③ – Alès 138 ③ – Béziers 125 ③ – Carcassonne 213 ③ – ♦Clermont-Ferrand 249 ① – ♦Montpellier 115 ③ – Nîmes 168 ③ – Rodez 71 ④ – ♦Toulouse 190 ③.

Plan page ci-contre

❀ **International** (Pomarède) M, 1 pl. Tine ✆ 65 60 20 66, Télex 520629, ≤ – ⫶ ☎ Ⓟ – 🏛 50 à 250. AE ⓓ E VISA BY

R *(fermé 1er janv. à mi-fév., dim. soir et lundi hors sais.)* 100/250, enf. 50 – ☕ 26 – **110 ch** 200/370 – ½ p 178/271

Spéc. Salade au foie de canard poêlé au vinaigre de cidre, Nage de sole et St-Jacques aux fi... légumes et gingembre, Colvert aux baies de genièvre. **Vins** St-Chinian, Faugères.

❀ **La Musardière** M, 34 av. République ✆ 65 60 20 63, « Parc » – ⫶ ☎ Ⓟ. AE ⓓ E VISA AY

1er avril-3 nov. – **R** *(fermé lundi sauf août.)* (dim. et fêtes prévenir) 90/195 – ☕ 45 – **12 ch** 350/480 – ½ p 510

Spéc. Escalope de foie de canard chaud au vinaigre de Xérés, Marmite de baudroie, Salmis colvert mijoté à l'ancienne. **Vins** Gaillac perlé.

Cévenol H. et rest. Pot d'Etain M, 115 r. Rajol ✆ 65 60 74 44 – ⫶ ⇔wc ☎ Ⓟ. AE ⓓ E VISA. ✻ rest BY

hôtel: fermé 15 au 31 déc. – **R** *(fermé déc. et dim. d'oct. à juin)* 72/170 ᛒ – ☕ 24 – **42 ch** 200/235 – ½ p 190/220.

Moderne, 11 av. J.-Jaurès ✆ 65 60 59 23 – ⫶ ⇔wc ⋒wc ☎ Ⓟ. AE ⓓ E VISA

1er avril-30 sept. – **R** grill carte 70 à 120 ᛒ – ☕ 21 – **45 ch** 138/168. BY

La Capelle ⑤ sans rest, 7 pl. Fraternité ✆ 65 60 14 72 – ⋒wc ☎. E VISA. ✻

vacances de printemps et 16 mai-30 sept. – ☕ 20 – **46 ch** 96/190. BY

Larzac sans rest, r. E. Lauret par ① ✆ 65 60 68 55 – ⫶ ⇔wc ⋒wc ☎ 🚗 Ⓟ. VISA

☕ 19 – **49 ch** 145/180.

Jalade sans rest, 18 bis av. Alfred-Merle ✆ 65 60 62 00 – ⫶ ⇔wc ⋒wc ☎. VISA AY

☕ 22 – **23 ch** 165/200.

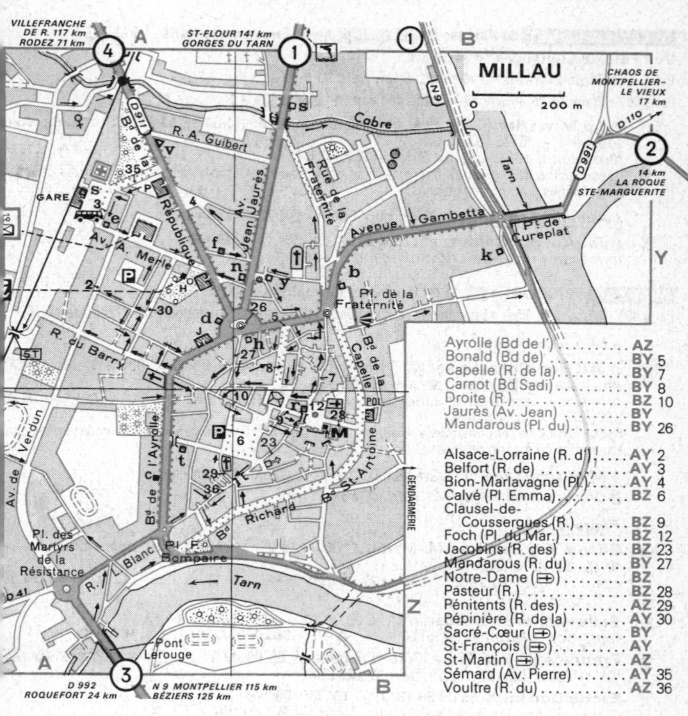

Cristal sans rest, 5 pl. Mandarous ☎ 65 60 02 18 – wc wc ☎. E — AY **d**
fermé 3 au 27 nov. et dim. hors sais. – 19 – **15 ch** 105/160.

Commerce sans rest, 8 pl. Mandarous ☎ 65 60 00 56 – wc ☎. VISA — BY **h**
fermé 26 déc. au 1er janv. – 16,50 – **17 ch** 155.

Causses, 56 av. J.-Jaurès ☎ 65 60 03 19 – wc — BY **s**
fermé nov. – **R** *(fermé dim. soir et sam. hors sais.)* 50/100 🍷 – 17 – **22 ch** 85/180 – 1/2 p 130/160.

XX **J. Jannet,** 15 r. Saint-Martin ☎ 65 60 74 89, – E VISA — AZ **t**
R 100/280, enf. 50.

XX **Buffet de France,** pl. Gare ☎ 65 60 09 04, – E VISA — AY **s**
fermé 1er au 9 oct., janv. et mardi sauf juil.-août – **R** 90/128, enf. 40.

XX Capion, 3 r. J.-F.-Alméras ☎ 65 60 00 91 — AY **f**

XX **La Braconne,** 7 pl. Mar.-Foch ☎ 65 60 30 93, – AE ⓓ E VISA — BZ **r**
fermé Noël, fév., dim. soir et lundi – **R** 90/135.

par ③ rte St-Affrique : 2 km :

Château de Creissels , ☎ 65 60 16 59, ←, parc, – wc wc ☎ Ⓟ. AE ⓓ E VISA – *fermé fév., merc. d'oct. à juin et sam. midi* – **R** 95/250 🍷, enf. 40 – 22 – **30 ch** 130/260 – 1/2 p 210/290.

LFA-ROMEO, V.A.G. Gar. Martel, rte de eissels ☎ 65 60 00 60
TROEN Monju, av. de Calès par D41 AZ 65 60 15 98 N ☎ 65 60 08 55
RD Alric, rte de Montpellier ☎ 65 60 41 44
ERCEDES-BENZ Burguière, rte de St-Affrique à Creissels ☎ 65 60 11 07
EUGEOT-TALBOT Pujol, 85 av. J.-Jaurès par ☎ 65 60 09 21

Lassale, 275 r. Etienne Delmas ☎ 65 60 27 85
Millau Pneu, 50 av J.-Jaurès ☎ 65 60 04 56
Pneus-2000, 8 av. Martel ☎ 65 60 09 77
Treillet Pneus, 325 r. E.-Delmas ☎ 65 60 05 56 ☎ 65 61 02 79

ILLEMONT 78 Yvelines 60 ⑧, 196 ⑮ – 142 h. – ✉ **78890** Garancières.
ris 52 – Dreux 31 – Mantes 28 – Rambouillet 26 – Versailles 31.

XX **Aub. de la Malvina** , la haute Perruche ☎ (1) 34 86 45 76, – AE E VISA
fermé janv., merc. soir et jeudi – **R** 180 bc , carte le dim.

MILLY-LA-FORÊT 91490 Essonne 61 ⑪, 196 ㊹ G. Environs de Paris – 3 795 h.

Voir Parc de Courances** N : 5 km.

Env. Les Trois Pignons* : ≤** E : 9 km puis 30 mn.

Paris 60 – Étampes 25 – Évry 33 – Fontainebleau 19 – Melun 22 – Nemours 29.

XXX ✿ **Le Moustier** (Gauthier), 41 bis r. Langlois ✆ (1) 64 98 92 52, 斎, « Belle salle voûtée » – AE E VISA
fermé lundi et mardi sauf fériés – **R** 230/315
Spéc. Terrine de pigeon au foie gras, Foie gras chaud aux épices (oct.-nov.), Foie gras chaud et langoustines aux nouilles fraîches.

à Auvers (S.-et-M.) S : 4 km par D 948 – ✉ **77123** Le Vaudoué :

XX **Aub. Auvers Galant,** ✆ (1) 64 24 51 02, 斎 – AE E VISA
fermé vacances fév. lundi soir et mardi – **R** 140/182.

MIMIZAN 40200 Landes 78 ⑭ G. Pyrénées Aquitaine – 7 472 h. – Casino.

Paris 698 – Arcachon 65 – ♦Bayonne 97 – ♦Bordeaux 110 – Dax 73 – Langon 107 – Mont-de-M. 75.

à Mimizan-Bourg :

XXX ✿ **Au Bon Coin** (Caule) M 🐘 avec ch, au lac N : 1,5 km ✆ 58 09 01 55, ≤, 斎 – ▤ rest TV ⇔wc ☎ ⇔ P. AE VISA. ✻
fermé fév., dim. soir et lundi sauf juil.-août – **R** 120/280, enf. 60 – ☐ 50 – **8 ch** 350/500 – ½ p 400/480
Spéc. Terrine de langoustines au saumon et filet de sole, Foie de canard à la compote d'oignons, Paupiettes de magret de canard.

à Mimizan-Plage O : 6 km par D 626 – ✉ **40200** Mimizan-Plage.

ℹ Office de Tourisme av. M.-Martin ✆ 58 09 11 20.

Plage Nord :

🏨 **Côte d'Argent,** 4 av. M.-Martin ✆ 58 09 15 22, ≤ océan, rest. panoramique – ☎ P. AE ◑ E VISA. ✻
hôtel : fin mai-fin sept. ; rest. : début juin-15 sept. – **R** 85/130 – ☐ 27 – **40 ch** 38... – ½ p 280/335.

🏨 **Bellevue,** 34 av. M.-Martin ✆ 58 09 05 23 – ⇔wc ⋒wc ☎ P
mars-oct. – **R** (dîner seul.) 67/92 – ☐ 15 – **36 ch** 86/204 – ½ p 145/210.

🏨 **France** sans rest, 18 av. Côte-d'Argent ✆ 58 09 09 01 – ⇔wc ⋒wc ☎ P. VISA ✻ – *2 mai-30 sept.* – ☐ 16 – **17 ch** 180.

X **Etche Gorria,** ✆ 58 09 09 10, ≤ – P. AE VISA. ✻
15 fév.-30 nov. et fermé vend. soir et sam. – **R** 115/155.

Plage Sud :

🏨 **Parc** 🐘, 6 r. Papeterie ✆ 58 09 13 88, 🚗 – TV ⇔wc ⋒wc ☎ P. VISA. ✻ rest
fermé 10 déc. au 1er fév., vend. soir et sam. hors sais. – **R** 75/160 ₰ – ☐ 26 – **16 ch** 160/210 – ½ p 190/210.

🏨 **Mermoz** 🐘, 16 av. Courant ✆ 58 09 09 30, ≤, 斎 – ⇔wc ⋒wc ☎. AE ◑ E VISA. ✻
15 mai-fin sept. – **R** (dîner seul.) 55/130 – ☐ 18 – **18 ch** 155/255 – ½ p 356/465.

🏨 **Fusains,** ✆ 58 09 08 06 – ▤ rest ⇔wc ⋒wc ☎. VISA. ✻
fin mai-fin sept. – **R** (1/2 pens. seul.) – ☐ 21 – **9 ch** 175/201 – ½ p 189/210.

🏨 **Émeraude des Bois,** ✆ 58 09 05 28 – ⇔wc ⋒wc ☎ P. E VISA. ✻
15 avril-fin sept. – **R** (dîner seul.) 90 – ☐ 17,50 – **14 ch** 98/190 – ½ p 157/200.

CITROEN Brustis, 15 av. de Bordeaux à Mimizan-Bourg ✆ 58 09 09 81
PEUGEOT, TALBOT Gar. Dupiau, rte de Bayonne à Mimizan-Bourg ✆ 58 09 00 37
RENAULT Gar. Poisson, 48 av. de Bordeaux Mimizan-Bourg ✆ 58 09 08 73
RENAULT Gar. Caignieu, 8 r. Papeter... Plage-Sud ✆ 58 09 08 84

MINDIN 44 Loire-Atl. 67 ① – rattaché à St-Brévin-les-Pins.

MINERVE 34 Hérault 83 ⑬ G. Gorges du Tarn – 112 h. – ✉ **34210** Olonzac.

Voir Village* – Paris 868 – Béziers 45 – Carcassonne 45 – Narbonne 33 – St-Pons 28.

X **Relais Chantovent** 🐘 avec ch, ✆ 68 91 14 18, ≤ Mayranne, 斎 – E VISA. ✻ c...
fermé 5 janv. au 1er mars et lundi sauf juil.-août – **R** 70/140 ₰, enf. 40 – ☐ 18 – **5 ch** 150 – ½ p 200.

MIONNAY 01 Ain 74 ② – 796 h. – ✉ **01390** St-André-de-Corcy.

Paris 458 – Bourg-en-Bresse 42 – ♦Lyon 20 – Meximieux 25 – Montluel 15 – Villefranche-sur-S. 27.

XXXX ✿✿✿ **Alain Chapel** avec ch, ✆ 78 91 82 02, Télex 305605, 斎, « Jardin fleuri » ⇔wc ☎ P. AE ◑ E VISA
fermé janv., mardi midi et lundi sauf fériés – **R** 475/580 et carte, enf. 150 – ☐ 72 – **13 ch** 575/750
Spéc. Bouillon de champignons de printemps (15 avril au 15 juil.), "Puces" rôties et aux herbe... (15 mai au 15 sept.), Poulette de Bresse en vessie. **Vins** Mâcon Beaujolais-Villages.

MIONS 69780 Rhône 74 ⑫ – 6 044 h.
Paris 488 – Bourgoin-Jallieu 31 – ♦Lyon 15 – Vienne 22.

XX Parc avec ch, r. de la Libération ✆ 78 20 16 41, – rest – 30 **20 ch**.

MIRAMAR 06 Alpes-Mar. 84 ⑧, 195 ㉞ G. Côte d'Azur – ✉ **06590** Théoule.
Voir Pointe de l'Esquillon ≤★★ NE : 1 km puis 15 mn.
Paris 904 – Cannes 15 – Grasse 26 – ♦Nice 47 – St-Raphaël 25.

St-Christophe, ✆ 93 75 41 36, ≤, « Beau jardin », – 25. AE E VISA
9 mai-16 oct. – **R** 100/350, enf. 55 – **40 ch** 510/790 – ½ p 435/530.

Tour de l'Esquillon, ✆ 93 75 41 51, télécabine privée pour accès plage, « Beau jardin et ≤ mer », – . AE E VISA.
1er fév.-15 oct. – **R** 170 – 50 – **25 ch** 500/650.

Mas Provençal sans rest, ✆ 93 75 40 20, – wc wc . AE E VISA
15 mars-15 oct. – 30 – **24 ch** 400/450.

XX **Père Pascal,** N 98 ✆ 93 75 40 11, ≤, – . AE E VISA
1er fév.-31 oct. et fermé jeudi sauf juil.-août – **R** 95/160.

MIRAMAS 13140 B.-du-R. 84 ① – 20 692 h.
Office de Tourisme pl. J.-Jaurès ✆ 90 58 08 24.
Paris 733 – Arles 36 – ♦Marseille 66 – Martigues 24 – St-Rémy-de-Provence 33 – Salon-de-Pr. 11.

Borel sans rest, 37 r. L.-Pasquet ✆ 90 58 18 73 – wc
15 – **22 ch** 90/180.

X **La Piscine,** ✆ 90 58 02 13, – AE E VISA
fermé fév. – **R** (déj. seul.) 43/125 .

MIRANDE 32300 Gers 82 ⑭ G. Pyrénées Aquitaine – 4 150 h.
Voir Musée des Beaux Arts★.
Office de Tourisme r. Évêché ✆ 62 66 68 10.
Paris 727 – Auch 25 – Mont-de-Marsan 99 – Tarbes 48 – ♦Toulouse 103.

Pyrénées, 5 r. d'Etigny ✆ 62 66 51 16 – wc . AE E VISA
R 65/220, enf. 40 – 25 – **20 ch** 90/250 – ½ p 165/250.

RENAULT Central Garage, ✆ 62 66 50 19

MIRANDOL-BOURGNOUNAC 81 Tarn 80 ⑪ – rattaché à Carmaux.

MIREBEAU 21310 Côte-d'Or 66 ⑬ – 1 426 h.
Paris 337 – Châtillon-sur-Seine 94 – ♦Dijon 25 – Dole 47 – Gray 24 – Langres 60.

Aub. Marronniers, ✆ 80 36 71 05 – wc wc . E VISA.
fermé 20 déc. au 10 janv., vend. soir et dim. soir – **R** 48/105 – 21 – **11 ch** 130/250.

XX **Host. La Gandeule** avec ch, pl. Église ✆ 80 36 70 79, – . AE E VISA
fermé vacances de fév. et merc. – **R** 65/210 , enf. 32 – 23 – **7 ch** 105/180.

RENAULT Hinsinger, ✆ 80 36 71 15 N ✆ 80 36 74 45

MIREPOIX 09500 Ariège 86 ⑤ G. Pyrénées Roussillon – 3 578 h.
Voir Place principale★.
Paris 782 – Carcassonne 47 – Castelnaudary 31 – Foix 34 – Limoux 33 – Pamiers 23 – Quillan 44.

Commerce, près Église ✆ 61 68 10 29, – wc wc . E VISA
fermé 1er au 8 oct. et janv. – **R** *(fermé sam. du 1er sept. au 30 juin)* 53/170 – 18 – **31 ch** 105/185 – ½ p 110/160.

RENAULT Jean, ✆ 61 68 15 64 — Service de L'Hers, ✆ 61 68 15 76

MIRIBEL-LES-ÉCHELLES 38 Isère 74 ⑮ – 1 442 h. – ✉ **38380** St-Laurent-du-Pont.
Paris 542 – Belley 54 – Chambéry 28 – Les Échelles 5 – La Tour-du-Pin 39 – Voiron 14.

X **Les Trois Biches** avec ch, ✆ 76 55 28 02 – . E VISA.
fermé 20 au 30 juin, 1er au 10 sept. et merc. sauf juil.-août – **R** 50/190 – 17 – **9 ch** 110/125 – ½ p 125.

PEUGEOT, TALBOT Montagnat, ✆ 76 55 27 38 — RENAULT Gar. des Cimes, ✆ 76 55 26 68

Plans de ville : *Les rues sont sélectionnées en fonction de leur importance pour la circulation et le repérage des établissements cités. Les rues secondaires ne sont qu'amorcées.*

MIRMANDE 26 Drôme 77 ⑫ – rattaché à Saulce-sur-Rhône.

MISSILLAC 44160 Loire-Atl. 63 ⑮ **G. Bretagne** – 3 886 h.

Voir Retable* dans l'église – Site* du château de la Bretesche O : 1 km.

18 de la Bretesche ☎ 40 88 30 03, O : 2 km.

Paris 419 – ♦Nantes 61 – Redon 24 – St-Nazaire 35 – Vannes 53.

Golf de la Breteshe , O : 1 km par D 2 ☎ 40 88 30 05, ←, parc, , – ☎ – 60. E VISA. rest
fermé fév. – **R** 95/240 – 27 – **27 ch** 320/390 – 1/2 p 430.

Aub. de la Biche, O : 1 km sur ancienne rte de Vannes (D 965) ☎ 40 88 30 71 – . E VISA
fermé lundi du 1er oct. au 31 mai – **R** 75/170, enf. 60.

MISY-SUR-YONNE 77 S.-et-M. 61 ⑬ – 404 h. – ✉ **77130** Montereau-sur-Yonne.

Paris 97 – Fontainebleau 32 – Melun 42 – Provins 32 – Sens 27.

La Gaule, ☎ (1) 64 31 31 11, – AE E VISA
fermé 1er au 8 août, 23 déc. au 23 janv. et lundi – **R** (déj. seul.) carte 160 à 220.

MITTELBERGHEIM 67 B.-Rhin 62 ⑨ **G. Alsace et Lorraine** – 647 h. – ✉ **67140** Barr.

Paris 432 – Barr 2 – Erstein 22 – Molsheim 20 – Sélestat 17 – ♦Strasbourg 37.

Winstub Gilg avec ch, ☎ 88 08 91 37 – wc ☎ . AE .
fermé 9 janv. au 8 fév., mardi soir et merc. – **R** 120/260 – 15 – **10 ch** 140/300.

Am Lindeplatzel, ☎ 88 08 10 69, – AE E VISA
fermé vacances de fév. et jeudi – **R** 70/145 .

MITTELHAUSEN 67 B.-Rhin 62 ⑨, 87 ④ – 435 h. – ✉ **67170** Brumath.

Paris 475 – Haguenau 19 – Saverne 29 – ♦Strasbourg 20.

L'Étoile, 12 r. La Hey ☎ 88 51 28 44 – wc wc ☎ . E VISA
R *(fermé 2 au 10 janv., 11 au 31 juil. et lundi)* 40/120 – 15 – **15 ch** 95/185 – 1/2 p 150/195.

MITTERSHEIM 57 Moselle 57 ⑯ – 632 h. – ✉ **57930** Fenetrange.

Paris 408 – ♦Metz 74 – ♦Nancy 61 – Sarrebourg 22 – Sarre-Union 20 – Saverne 41.

L'Escale avec ch, rte Dieuze ☎ 87 07 67 01, ←, , – wc . AE E VISA
fermé fév. – **R** *(merc. sauf juil.-août)* 60/150 – 18 – **13 ch** 120/180.

MIZOËN 38 Isère 77 ⑥ – rattaché au Freney-d'Oisans.

MODANE 73500 Savoie 77 ⑧ **G. Alpes du Nord** – 4 877 h. alt. 1 057 – Sports d'hiver : 1 550 2 730 m 1 12.

Tunnel du Fréjus : Péage (1987) aller simple : autos 65 à 130 F, camions 325 à 655 F - Tarif spéciaux AR pour autos camions.

Office de Tourisme pl. Replaton ☎ 79 05 22 35.

Paris 638 – Chambéry 101 – Lanslebourg-Mont-Cenis 23 – Col du Lautaret 58 – St-Jean-de-Maur. 31.

Perce Neige, cours J.-Jaurès ☎ 79 05 00 50 – wc wc ☎. E VISA.
fermé 1er au 15 mai et 23 oct. au 6 nov. – **R** 58/81 , enf. 42 – 21 – **18 ch** 146/20 – 1/2 p 151/182.

Voyageurs, face gare pl. Sommeiller ☎ 79 05 01 39 – wc wc ☎. AE E VISA.
fermé 1er nov. à debut déc. et dim. (sauf en fév. et juil.-août) – **R** 55/150 , enf. 40 – 18 – **19 ch** 135/185 – 1/2 p 200/240.

CITROEN Gar. du Fréjus, ☎ 79 05 02 60 N

PEUGEOT-TALBOT Bellussi J.-P., ☎ 79 05 0 68 N

MOËLAN-SUR-MER 29116 Finistère 58 ⑪⑫ **G. Bretagne** – 6 501 h.

Office de Tourisme r. des Moulins (fermé après-midi hors saison) ☎ 98 39 67 28.

Paris 514 – Carhaix-Plouguer 68 – Concarneau 26 – Lorient 25 – Quimper 45 – Quimperlé 10.

Les Moulins du Duc M , NO : 2 km ☎ 98 39 60 73, Télex 940080, ←, « Moulin dans un cadre de verdure, parc », – rest ☎ . AE E VISA
fermé mi-janv. à début mars – **R** 210/315 – 51 – **22 ch** 460/1035, 5 appartement 1035 – 1/2 p 703/1290.

Manoir de Kertalg M sans rest, O : 3 km par D 24 et chemin privé ☎ 98 3 77 77, ←, parc – TV ☎ . AE
1er avril-13 nov. – 45 – **9 ch** 450/690.

MOERNACH 68 H.-Rhin 66 ⑨ – rattaché à Ferrette.

MOINES (Ile aux) ★ **56780** Morbihan **63** ⑫⑬ **G. Bretagne** – 590 h.

Accès par transports maritimes.

depuis Port-Blanc. En 1987, départs toutes les 1/2 h. – Traversée 5 mn – 7 F (AR). Renseignements : Gilbert Thébaud ℘ 97 26 31 45.

depuis Vannes. En 1987, de Pâques à fin sept., 2 à 5 services quotidiens - Traversée 1 h. 40 F (AR) - **Renseignements : Vedettes Vertes du Golfe Gare Maritime ℘ 97 63 79 99.**

X **Chez Charlemagne,** ℘ 97 26 32 43 – AE ① E VISA
1er avril-1er nov. et fermé mardi sauf juil.-août – **R** 100/150 bc.

MOIRANS **38430** Isère **77** ④ – 6 373 h.

Paris 545 – Chambéry 51 – ♦Grenoble 23 – ♦Lyon 83 – Valence 75.

XX **Beauséjour,** rte Grenoble ℘ 76 35 30 38, – **P**. AE ① E VISA
fermé 16 août au 10 sept., dim. soir et lundi – **R** 85/310.

CITROEN Peretti, Zone Artisanale ℘ 76 35 31 00

PEUGEOT-TALBOT Gar. de la Gare, av. de la Gare ℘ 76 35 30 51

MOISSAC **82200** T.-et-G. **79** ⑯⑰ **G. Pyrénées Roussillon** – 11 408 h.

Voir Église St-Pierre★ : portail méridional★★★, cloître★★.

Env. Boudou ✳★ 7 km par ③.

Golf Club d'Espalais ℘ 63 29 04 56, par ③ N 113 : 20 km.

Office de Tourisme pl. Durand-de-Bredon (fermé matin hors saison) ℘ 63 04 01 85.

Paris 662 ① – Agen 43 ③ – Auch 86 ② – Cahors 72 ① – Montauban 31 ① – ♦Toulouse 71 ②.

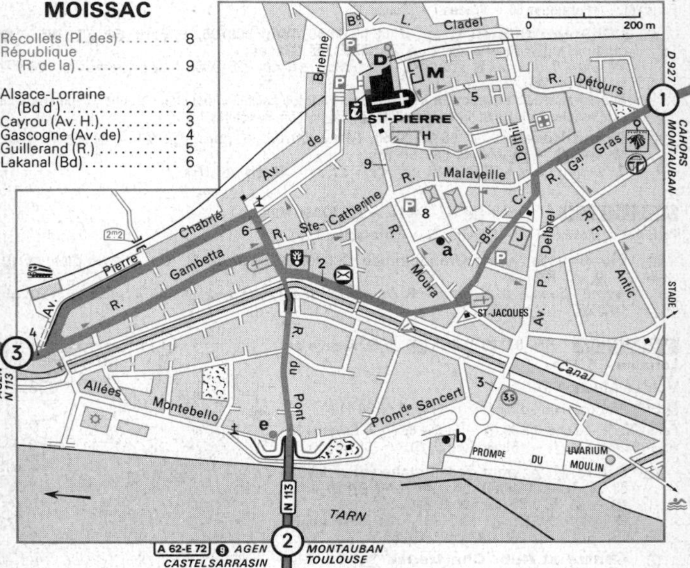

Moulin de Moissac, pl. Moulin **(b)** ℘ 63 04 03 55, **Télex 521615,** < Tarn – ☎ **P** – 25 à 80. E VISA
R 95/250, enf. 60 – 25 – **57 ch** 200/550 – ½ p 300/395.

Chapon Fin, pl. Récollets **(a)** ℘ 63 04 04 22 – wc wc ☎. AE ① E VISA
fermé nov. – **R** *(fermé lundi)* 65/200 – 20 – **30 ch** 130 – ½ p 190/250.

XX **Pont-Napoléon** avec ch, au pont **(e)** ℘ 63 04 01 55 – wc wc ☎ – 60. E VISA
fermé 5 au 20 juin, 5 janv. au 5 fév., lundi soir du 1er oct. au 30 juin et mardi – **R** 100/250 – 30 – **14 ch** 85/240.

FORD Moissac-Autos, rte Bordeaux ℘ 63 04 01 51

PEUGEOT-TALBOT Dujay, pl. Ste-Blanche ℘ 63 04 18 31

Station-Isel-Pneus, 24 r. Gén.-Gras ℘ 63 04 03 18

Taquipneu, "La Dérocade" ℘ 63 04 07 85

MOISSAC-BELLEVUE 83 Var 84 ⑥ – rattaché à Aups.

Le MOLAY-LITTRY 14330 Calvados 54 ⑭ **G. Normandie Cotentin** – 2 522 h.

Voir Musée de la mine*.

Paris 282 – Bayeux 14 – ♦Caen 42 – Cherbourg 82 – St-Lô 25.

Château du Molay M, rte d'Isigny ✆ 31 22 90 82, Télex 171912, « Parc », – ☎ P – 30. AE E VISA.
1er mars-30 nov. – **R** 145/250 – 35 – **38 ch** 320/600 – 1/2 p 340/430.

MOLINES 48 Lozère 80 ⑥ – rattaché à Ispagnac.

MOLINES-EN-QUEYRAS 05390 H.-Alpes 77 ⑲ **G. Alpes du Sud** – 375 h. alt. 1 762 – Sports d'hiver : 1 750/2 450 m 7.

Bureau du Tourisme ✆ 92 45 83 22.

Paris 724 – Briançon 46 – Gap 87 – Guillestre 27 – St-Véran 5,5.

Le Cognarel M, au Coin E : 3 km par D 205 et VO ✆ 92 45 81 03, ← – wc wc ☎. AE E VISA
18 juin-11 sept. et 22 déc.-vacances de printemps – **R** 70/120, enf. 45 – 23 – **27 ch** 228 – 1/2 p 209.

L'Équipe, rte St-Véran ✆ 92 45 83 20, ← – wc wc ☎ P. AE E VISA
4 juin-18 sept. et 19 déc.-17 avril – **R** 52/108 – 23 – **22 ch** 210 – 1/2 p 255/301.

MOLITG-LES-BAINS 66 Pyr.-Or. 86 ⑰ **G. Pyrénées Roussillon** – 180 h. – Stat. therm. – ✉ 66500 Prades.

Paris 960 – ♦Perpignan 50 – Prades 7 – Quillan 53.

Château de Riell M, ✆ 68 05 04 40, Télex 500705, ←, parc, – cuisinette TV ☎ P – 70. AE E VISA. rest
1er avril-3 nov. – **R** 260/360 – 69 – **18 ch** 825/966, 3 appartements 1265 – 1/2 p 989/1280
Spéc. Fricassée d'escargots et les petits farcis, Morue fraîche au bouillon citronné, Crêpe au praliné et la rissole de chocolat amer. **Vins** Côtes du Roussillon, Rivesaltes.

Grand Hôtel, ✆ 68 05 00 50, Télex 500705, ←, parc, – wc wc ☎ P – 150. E VISA. rest
1er avril-31 oct. – **R** 93/146, enf. 42 – 24 – **56 ch** 116/532.

MOLLKIRCH 67 B.-Rhin 62 ⑨ – 451 h. – ✉ 67190 Mutzig.

Paris 428 – Molsheim 14 – Saverne 39 – ♦Strasbourg 37.

Fischhutte, rte Grendelbruch : 3,5 km ✆ 88 97 42 03, ← – wc wc ☎ P – 30. VISA.
fermé 26 janv. au 8 mars – **R** *(fermé lundi soir et mardi)* 55/145 – 22 – **18 ch** 140/260 – 1/2 p 160/230.

MOLSHEIM SP 67120 B.-Rhin 62 ⑨ **G. Alsace et Lorraine** – 6 998 h.

Voir La Metzig* D.

Office de Tourisme pl. Hôtel de Ville ✆ 88 38 11 61.

Paris 475 ① – Lunéville 99 ④ – St-Dié 65 ④ – Saverne 28 ① – Sélestat 34 ③ – ♦Strasbourg 28 ③.

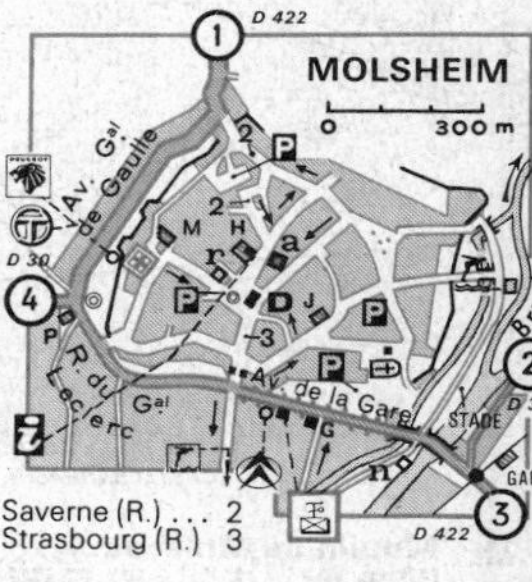

Diana M, pont de la Bruche **(n)** ✆ 88 38 51 59, Télex 890559, – TV ☎ P – 30 à 65. AE E VISA
R (rest.) 87/255, enf. 39 – **La Taverne R** 58/78 – 29 – **43 ch** 185/255 – 1/2 p 360.

Centre et Aub. Chartreuse, 1 r. St-Martin **(r)** ✆ 88 38 54 50 – TV wc wc ☎ P. E VISA
fermé 20 déc. au 5 janv. – **R** *(fermé sam. et dim.)* carte 80 à 110 – 20 – **29 ch** 130/230.

Aub. Cheval Blanc avec ch, 5 pl. Hôtel de Ville **(a)** ✆ 88 38 16 87 – wc wc ☎. AE E VISA
fermé fév., mardi soir et merc. – **R** 80/220, enf. 25 – 18 – **13 ch** 90/150 – 1/2 p 120/150.

CITROEN Krantz, 6 av. de la Gare ✆ 88 38 11 57 N
PEUGEOT, TALBOT Kenck, 2 r. Gén.-de-Gaulle ✆ 88 38 10 97

RENAULT Wietrich, D 422 par ③ ✆ 88 38 21 62

MOMMENHEIM 67 B.-Rhin 57 ⑲ – rattaché à Brumath.

MONACO (Principauté de) 84 ⑩, 195 ㉗㉘ **G. Côte d'Azur** – 28 800 h. – Casino.

Paris 956 ⑤ – Menton 9 ② – ♦Nice (par la Moyenne Corniche) 18 ④ – San Remo 44 ①.

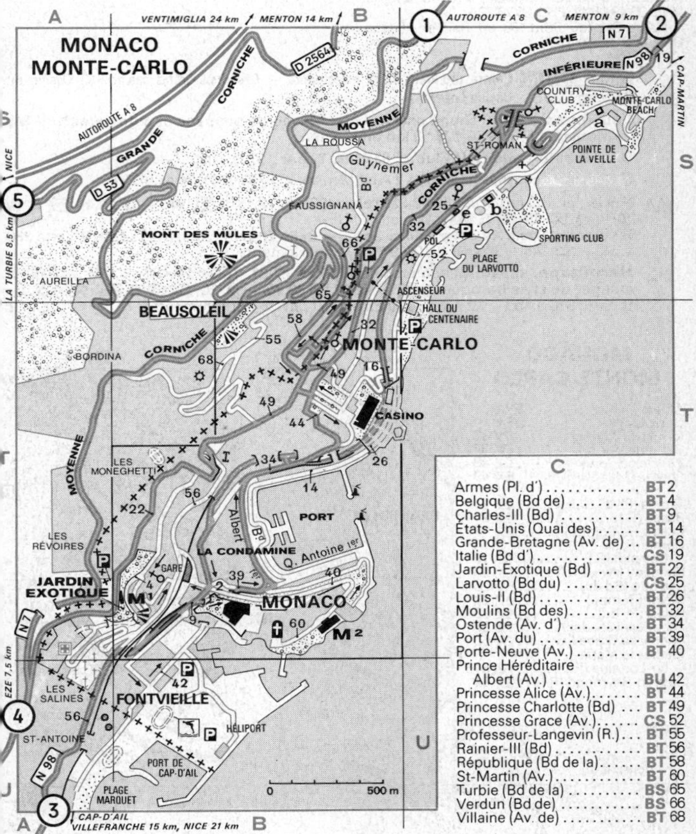

Monaco Capitale de la Principauté – ✉ **98000** Monaco.

Voir Jardin exotique★★ DZ: ≤★ – **Grotte de l'Observatoire★** DZ**E** – **Jardins St-Martin★** EFZ – **Ensemble de primitifs niçois★★ dans la cathédrale** EZ **B** – **Christ gisant★ dans la chapelle de la Miséricorde** EZ**D** – **Place du Palais★** EZ**35** – **Palais du Prince★** EZ – **Musées : océanographique★★** FZ**M2** **(aquarium★★,** ≤★★ **de la terrasse), d'anthropologie préhistorique★** DZ**M1, napoléonien et des archives monégasques★** EZ**M4.**

Circuit automobile urbain – A.C. 23 bd Albert-1er ✆ 93 30 32 20, Télex 469003.

Paris 956 ⑤ – Menton 9 ② – ♦Nice 21 ③ – San Remo 44 ①.

à Monaco Ville, sur le Rocher :

XX Castelroc, pl. Palais ✆ 93 30 36 68, ≤, 🏖 — EZ **p**
R (déj. seul.).

à la Condamine – ✉ **98000** La Condamine :

🏨 Le Siècle Ⓜ, 10 av. Prince Pierre ✆ 93 30 25 56 – 🛗 ▤ 📺 🛁wc 🚿wc ☎ – 🏔 40
35 ch.

🏨 **Terminus,** 9 av. Prince Pierre ✆ 93 30 20 70 – 🛗 ▤ 🛁wc 🚿wc ☎ – 🏔 30. **E** *VISA*. ✻ rest — DZ **a**
R *(fermé 15 oct. au 15 nov. et sam.)* 80/120 – ☕ 30 – **54 ch** 310/400 – ½ p 430/600.

MONACO (Principauté de) - Monaco

FERRARI-HONDA Monte-Carlos-Motors, 30 bd du Jardin Exotique ☎ 93 50 54 92
MERCEDES-BENZ SAMGF, 1 bd Charles-III ☎ 93 30 49 05 N ☎ 93 25 76 70
V.A.G. Gar. du Pont, 35 bd Rainier III, Ste-Dévote ☎ 93 30 82 03

Vulca-Pneus, 9 et 11 bd Charles-III ☎ 93 30 43 12

Monte-Carlo Centre mondain de la Principauté – Casinos : Grand casino FX, Casino du Sporting Club CS, Casino Loews FX.

Voir Terrasse★★ du Grand casino FX – **Musée de poupées et automates★** FV **M5** – **Mont des Mules** ※★ **N : 3 km puis 30 mn.**

de Monte-Carlo Golf Club ☎ 93 41 09 11 par : ④ 11 km.

Direction Tourisme et Congrès 2 A bd Moulins ☎ 93 30 87 01, Télex 469760.

Paris, pl. Casino ☎ **93 50 80 80, Télex 469925,** ≤, ☂, ▣, – ▤ ≡ ch ▣ ☎ ♿ Ⓟ – 🚶 50. AE ⓓ E VISA. ⛔ rest FX **y**
R voir rest. **Louis XV** et **Le Grill** ci-après – **Salle Empire** *(20 mai-25 sept.)* **R** carte 330 à 515 – ☕ 145 – **206 ch** 1610/1960, 40 appartements.

Hermitage, square Beaumarchais ☎ **93 50 67 31, Télex 479432,** ≤, ☂, « **Salle à manger de style baroque** », ▣ – ▤ ≡ ▣ ☎ Ⓟ – 🚶 80. AE ⓓ E VISA. ⛔ rest
R carte 330 à 460 – ☕ 103 – **230 ch** 1300/1730, 16 appartements. FX **r**

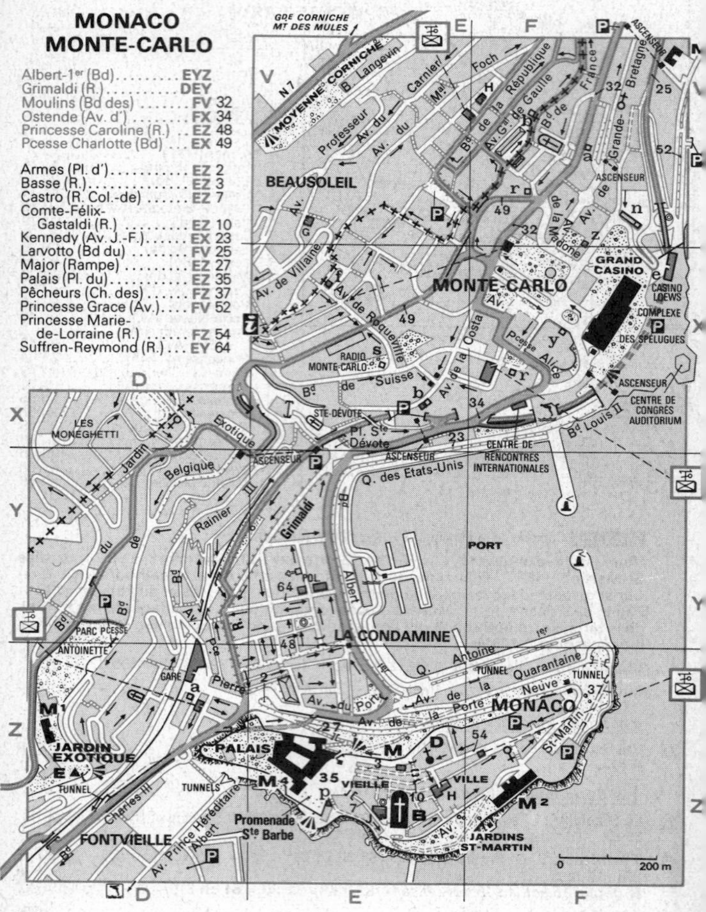

Loews M 🐕, av. Spélugues ✆ 93 50 65 00, Télex 479435, ←, casino et cabaret sur place, – |$| ⇄ ▤ TV ☎ 🚗 – 🏛 1 200. AE ◎ VISA. ✻ rest FX e
Le Foie Gras **R** (dîner seul.) 260/480 – **L'Argentin R** (dîner seul.) carte 250 à 380 – **Le Pistou R** 190 – **Café de la mer R** carte 145 à 215 – ☐ 80 – **573 ch** 1515/1750, 68 appartements – 1/2 p 1570/1620.

✿ **Mirabeau** M, 1 av. Princesse-Grace ✆ 93 25 45 45, Télex 479413, ←, ⛱, – |$| ▤ TV ☎ 🚗 – 🏛 80. AE ◎ E VISA. ✻ rest FV n
La Coupole *(fermé le midi du 26 juin au 4 sept.)* **R** carte 285 à 460 – ☐ 103 – **96 ch** 1100/1440, 5 appartements 1960 – 1/2 p 1400/1450
Spéc. Aumônières de langoustines au coulis de homard, Filet de raie en marinière, Olivettes de filet de boeuf à la moelle.

Beach Plaza M, av. Princesse-Grace à la Plage du Larvotto ✆ 93 30 98 80, Télex 479617, ←, ⛱, « Bel ensemble balnéaire, piscines, plage aménagée » – |$| ▤ TV ☎ 🚗 – 🏛 300. AE ◎ E VISA. ✻ rest CS b
Le Gratin *(fermé fin oct. à fin nov. et dim.)* **R** 195, dîner à la carte – **Le Café-Terrasse R** carte 160 à 230 – ☐ 75 – **295 ch** 1300/1675, 9 appartements.

Balmoral 🐕, 12 av. Costa ✆ 93 50 62 37, Télex 479436, ← – |$| ▤ ch TV ⌂wc ⋒wc ☎. AE ◎ E VISA. ✻ EX b
R snack *(fermé nov., dim. soir, lundi et fêtes)* (résidents seul.) carte environ 95 – ☐ 35 – **72 ch** 300/600.

Louvre sans rest, 16 bd Moulins ✆ 93 50 65 25, Télex 479645 – |$| ▤ TV ⌂wc ☎. ◎ E VISA. ✻ FV a
35 ch ☐446/632.

Alexandra sans rest, 35 bd Princesse-Charlotte ✆ 93 50 63 13, Télex 489286 – |$| TV ⌂wc ⋒wc ☎. AE ◎ E VISA. ✻ FV r
☐ 35 – **55 ch** 375/525.

XXXXX ✿✿ **Louis XV** - Hôtel de Paris, pl. Casino ✆ 93 50 80 80 – ▤ P. AE ◎ E VISA. ✻
fermé 8 nov. au 21 déc., mardi et merc. – **R** carte 430 à 575 FX y
Spéc. Ravioli de foie gras aux truffes noires, Poitrine de pigeonneau grillé au feu de bois, Croustillant de pralin. **Vins** Bellet, Côtes de Provence.

XXX **Grill de l'Hôtel de Paris,** pl. Casino ✆ 93 50 80 80, « Au 8e étage, toit ouvrant et ← sur la Principauté » – ▤ P. AE ◎ E VISA. ✻ FX y
fermé 23 mai au 13 juin – **R** (en juil.-août dîner seul.) carte 345 à 515.

XX **Le Saint Benoit,** 10 ter av. de la Costa ✆ 93 25 02 34, ← le port et le Rocher, ⛱ – ▤. AE ◎ E VISA EX b
fermé 27 nov. au 27 déc. et lundi – **R** 140/200.

XX Toula, 20 bd de Suisse ✆ 93 50 02 02, ⛱, cuisine italienne – ▤ EX s

XX Rampoldi, 3 av. Spélugues ✆ 93 30 70 65 – ▤ FV z

XX **Chez Gianni,** 39 av. Princesse Grace ✆ 93 30 46 33, cuisine italienne – AE ◎ VISA – *fermé dim. sauf juil. et août* – **R** carte 205 à 310. CS e

X **Polpetta,** 6 av. Roqueville ✆ 93 50 67 84, ⛱, cuisine italienne – VISA EX f
fermé 15 au 30 oct., 15 fév. au 15 mars et mardi – **R** 90/140.

X **Roger Vergé Café,** Galerie du Sporting d'Hiver ✆ 93 25 86 12 – ⇄ ▤. AE ◎ E VISA
fermé dim. – **R** 120.

à Monte-Carlo Beach (06 Alpes-Mar.) par ① : 2,5 km – ✉ **06190** Roquebrune-Cap-Martin :

Monte-Carlo Beach H. M 🐕, ✆ 93 78 21 40, Télex 462010, ← mer et Monaco, – |$| ▤ ch TV ☎ P – 🏛 30. AE ◎ E VISA. ✻ rest CS a
16 avril-10 oct. – **R** carte 220 à 380 – ☐ 103 – **46 ch** 1650/1750.

AUSTIN-ROVER-JAGUAR British-Motors, 3 et 4 impasse des Carrières ✆ 93 30 24 85

FORD-PORSCHE-MITSUBISHI Auto Riviera, r. des Genêts ✆ 93 50 63 26

Beausoleil 06240 Alpes-Mar. – 11 664 h.

Voir Mont des Mules ☼★ **N : 1 km puis 30 mn.**

Olympia sans rest, 17 bis bd Gén.-Leclerc ✆ 93 78 12 70 – |$| ▤ TV ⌂wc ⋒wc ☎. E VISA. ✻ FV b
☐ 17 – **32 ch** 185/215.

◉ Sera-Technic-Pneu, 38 r. des Martyrs ✆ 93 78 59 16

MONBAZILLAC 24 Dordogne 75 ⑭⑮ – rattaché à Bergerac.

MONCEL-LÈS-LUNÉVILLE 54 M.-et-M. 62 ⑥ – rattaché à Lunéville.

MONCRABEAU 47 L.-et-G. 79 ⑭ – 823 h. – ✉ **47600** Nérac.

Paris 666 – Agen 41 – Condom 11 – Mont-de-Marsan 82 – Nérac 13.

Le Phare 🐕, ✆ 53 65 42 08, ⛱ – ⌂wc ☎. AE ◎ E VISA. ✻ ch
fermé 18 oct. au 12 nov. et 16 fév. au 5 mars – **R** *(fermé mardi sauf juil.-août)* 63/184 ♁ – ☐ 20 – **7 ch** 89/221 – 1/2 p 144/193.

MONDEVILLE 14 Calvados 55 ⑫ – rattaché à Caen.

MONDOUBLEAU 41170 L.-et-Ch. 60 ⑮⑯ **G. Châteaux de la Loire** – 1 694 h.

Paris 176 – Blois 60 – Chartres 73 – Châteaudun 39 – ♦Le Mans 63 – ♦Orléans 89.

Grand Monarque, r. Chrétien ✆ 54 80 92 10, – wc ☎ Ⓟ. E VISA. ch
fermé 21 déc. au 10 janv., dim. soir et lundi hors sais. – **R** 66/110 – 22 – **10 ch** 105/180 – $^1/_2$ p 200/250.

FORD Gar. de l'Ormeau, ✆ 54 80 92 66
PEUGEOT Gar. Hérisson, ✆ 54 80 90 81 N
RENAULT Gar. Bellanger, ✆ 54 80 72 34

MONDRAGON 84430 Vaucluse 81 ① – 2 916 h.

Paris 644 – Avignon 47 – Montélimar 39 – Nyons 42 – Orange 16.

XX **La Beaugravière** avec ch, N 7 ✆ 90 40 82 54, – Ⓟ. E VISA. ch
fermé 15 au 30 sept. et dim. soir – **R** 50/210 bc – 15 – **7 ch** 95/295 – $^1/_2$ p 220/250.

MONESTIER-DE-CLERMONT 38650 Isère 77 ⑭ **G. Alpes du Nord** – 774 h. alt. 832.

Syndicat d'Initiative Parc Municipal (20 juin-10 sept. matin seul.) ✆ 76 34 06 20.

Paris 595 – ♦Grenoble 33 – La Mure 33 – Serres 74.

Au Sans Souci, à St-Paul-lès-Monestier NO : 2 km sur D 8 - alt. 800 ✆ 76 34 03 60, ←, parc, – wc wc ☎ Ⓟ. VISA
fermé 15 déc. au 1er fév., dim. soir et lundi sauf juil.-août – **R** 70/180 , enf. 38 – 22 – **16 ch** 150/195 – $^1/_2$ p 190.

Modern, ✆ 76 34 07 35, « Parc » – wc ☎ Ⓟ. E VISA. rest
1er fév.-7 nov. – **R** 62/160 – 22 – **22 ch** 120/240.

CITROEN Gar. Central, ✆ 76 34 04 15
PEUGEOT-TALBOT Gar. des Alpes, ✆ 76 34 08 20 N ✆ 76 34 00 89
RENAULT Gar. Charvet, ✆ 76 34 05 13 N

Le MONÊTIER-LES-BAINS 05 H.-Alpes 77 ⑦ – rattaché à Serre-Chevalier.

La MONGIE 65 H.-Pyr. 85 ⑱⑲ **G. Pyrénées Aquitaine** – alt. 1 800 – Sports d'hiver : 1 800/2 550 m 2 26 – ✉ 65200 Bagnères-de-Bigorre.

Voir Le Taoulet ←** N par téléphérique.

Office de Tourisme (déc.-avril et juil.-août) ✆ 62 91 94 15, Télex 521984.

Paris 836 – Arreau 39 – Bagnères-de-Bigorre 25 – Lourdes 47 – Luz-St-Sauveur 22 – Tarbes 46.

La Mandia, ✆ 62 91 93 49, Télex 521424, ← – wc wc ☎ . AE VISA
20 déc.-15 avril – **R** 150/190 – **50 ch** 650/850 – $^1/_2$ p 550/700.

Sol y Neou, ✆ 62 91 93 22, ← – wc wc ☎. AE VISA
20 déc.-15 avril – **R** 140/180 – **44 ch** 600/800 – $^1/_2$ p 500/650.

Pourteilh, ✆ 62 91 93 33, ← – wc ☎ . AE VISA. rest
15 déc.-20 avril – **R** 75/116 – 21 – **43 ch** 240/350 – $^1/_2$ p 215/270.

Pic d'Espade, ✆ 62 91 92 27, ← – wc ☎. E VISA. rest
1er juil.-15 sept. et 1er déc.-1er mai – **R** 60/75 – 27 – **34 ch** 200/280 – $^1/_2$ p 210/260.

La Crête Blanche, ✆ 62 91 92 49, ← – wc . VISA. rest
début déc.-fin avril – **R** 75/100 – 30 – **25 ch** 180/280 – $^1/_2$ p 255/285.

MONGRÉSIN 60 Oise 56 ⑪, 196 ⑧ – rattaché à Chantilly.

MONISTROL-SUR-LOIRE 43120 H.-Loire 76 ⑧ **G. Vallée du Rhône** – 5 438 h. alt. 602.

Paris 539 – Firminy 18 – Le Puy 48 – ♦St-Étienne 30 – Yssingeaux 21.

La Madeleine, av. St-Étienne ✆ 71 66 50 05 – . ch
fermé 23 déc. au 1er fév. et sam. sauf juil.-août – **R** 55/160 – 19 – **14 ch** 80/200 – $^1/_2$ p 160/250.

CITROEN Fourgon, 18 av. de la Libération ✆ 71 66 50 66
PEUGEOT Gar. Gouy, 26 bis av. de la Libération ✆ 71 66 55 37
RENAULT Gar. Theillière, av. Gén.-Leclerc ✆ 71 61 53 22

MONNAIE 37380 I.-et-L. 64 ⑮ – 2 250 h.

Paris 230 – Château-Renault 15 – ♦Tours 15 – Vouvray 11.

XX **Soleil Levant,** ✆ 47 56 10 34 – VISA
fermé fév. et jeudi – **R** 70/170.

RENAULT Viemont, ✆ 47 56 10 13
Gar. Lussier, ✆ 47 56 10 25

MONNETIER 74 H.-Savoie 74 ⑥ – rattaché à St-Jorioz.

MONNETIER-MORNEX 74560 H.-Savoie 74 ⑥ **G. Alpes du Nord** – 1 292 h. alt. 700.
De Monnetier : Paris 545 – Annecy 49 – Bonneville 28 – ♦Genève 14 – St-Julien-en-Genevois 19.

à Monnetier – alt. 700.

Chaumière ⑤, ✆ 50 39 60 04, – AE VISA
fermé 15 oct. au 15 nov. – **R** *(fermé lundi)* 55/120 ₰, enf. 40 – ☐ 20 – **15 ch** 100/150 – 1/2 p 135.

MONS 83 Var 84 ⑧, 195 ㉒ **G. Côte d'Azur** – 296 h. alt. 804 – ✉ **83440** Fayence.
Voir Site★ – ≤★★ de la place St-Sébastien.
Paris 915 – Castellane 42 – Draguignan 49 – Fayence 14 – Grasse 41 – St-Raphaël 51.

Aub. Provençale, ✆ **94 76 38 33, ≤ Esterel et littoral,**
fermé nov. et merc. – **R** (déj. seul. sauf juil.-août) 70/85.

MONSÉGUR 33580 Gironde 79 ③ – 1 612 h.
Paris 583 – Bergerac 54 – Castillonnès 48 – Langon 33 – Libourne 49 – Marmande 33 – La Réole 14.

Gd Hôtel, ✆ **56 61 60 28** – wc. ch
R *(fermé lundi midi en oct.)* 42/140 ₰ – ☐ 15 – **10 ch** 65/140 – 1/2 p 140/160.
PEUGEOT-TALBOT Vigneau, ✆ 56 61 61 37

MONT voir au nom propre.

MONTAIGU 85600 Vendée 67 ④ – 4 689 h.
Paris 389 – Cholet 36 – Fontenay-le-C. 78 – ♦Nantes 34 – Noirmoutier 84 – La Roche-sur-Yon 37.

Voyageurs, rte Nantes ✆ **51 94 00 71,** , – TV wc wc ☎ . AE E VISA
fermé 23 déc. au 9 janv. et sam. hors sais. – **R** 65/160, enf. 30 – ☐ 23 – **28 ch** 140/275 – 1/2 p 220/340.

Centre, pl. Champ-de-Foire ✆ **51 94 00 27** – wc. E VISA.
fermé 6 au 15 mai, 16 oct. au 14 nov., dim. et fériés – **R** *(fermé 16 oct. au 14 nov., vacances de fév., dim. et fériés)* 56/82 ₰, enf. 37 – ☐ 15 – **18 ch** 62/166.

PEUGEOT-TALBOT Beauvois, Zone Ind., rte de Nantes ✆ 51 94 04 97

RENAULT Gar. Chagneau et Piveteau, à Boufféré ✆ 51 94 02 05

MONTAIGU-DE-QUERCY 82150 T.-et-G. 79 ⑯ – 1 536 h.
Paris 612 – Agen 40 – Cahors 47 – Moissac 33 – Montauban 54 – Villeneuve-sur-Lot 30.

Vieux Relais ⑤ avec ch, **pl. Hôtel de Ville** ✆ **63 94 46 63** – wc. E VISA
fermé janv. et fév., dim. soir et lundi – **R** 110/185 ₰ – ☐ 35 – **3 ch** 110/160.
PEUGEOT-TALBOT Gar. Sztandéra ✆ 63 94 47 20

MONTAIGUT-SUR-SAVE 31 Hte-Garonne 82 ⑦ – 724 h. – ✉ **31530** Levignac.
Las Martines ✆ 62 07 27 12, au S par D 17 : 13 km.
Paris 693 – Auch 58 – Montauban 42 – ♦Toulouse 24.

Host. Le Ratelier ⑤ avec ch, ✆ **61 85 43 36,** ≤, , – wc ☎. AE E VISA
R *(fermé mardi)* 52/139 ₰, enf. 52 – ☐ 22 – **24 ch** 174/227.

MONTARGIS 45200 Loiret 61 ⑫ **G. Bourgogne** – 17 629 h.
Voir Collection Girodet★ du musée Z H.
Office de Tourisme pl. du Pâtis ✆ 38 98 00 87.
Paris 113 ① – Autun 204 ② – Auxerre 79 ② – Bourges 115 ④ – Chartres 118 ⑤ – Chaumont 218 ② – Fontainebleau 51 ① – Nevers 125 ④ – ♦Orléans 71 ⑤ – Sens 51 ②.

Plan page suivante

Climat de France M, **av. Antibes (près centre commercial) par ④ 3 km** ✆ **38 98 20 21** – TV wc ☎ ♿ P. E VISA.
R 56/110 ₰, enf. 39 – ☐ 28 – **26 ch** 230/260.

❀ **Gloire** (Jolly) avec ch, **74 av. Gén. de Gaulle** ✆ **38 85 04 69** – rest wc . VISA. Y m
fermé 15 au 27 août, 1er au 27 fév., mardi soir et merc. – **R** 120/220 – ☐ 19 – **13 ch** 100/220
Spéc. Bar cuit et fumé à la minute, Blanquette de ris de veau, Chariot de pâtisseries. **Vins** Sancerre.

Louis XIII, 45 r. Gén. Leclerc ✆ **38 98 10 22** – AE E VISA Z s
fermé 16 au 29 août, 1er au 14 mars, dim. soir et lundi – **R** 150/260, enf. 55.

Coche de Briare avec ch, 72 pl. République ✆ **38 85 30 75** – wc Z a
fermé 27 juin au 12 juil., 23 janv. au 14 fév., lundi soir et mardi – **R** 90/180 – ☐ 18,50 – **13 ch** 93/135.

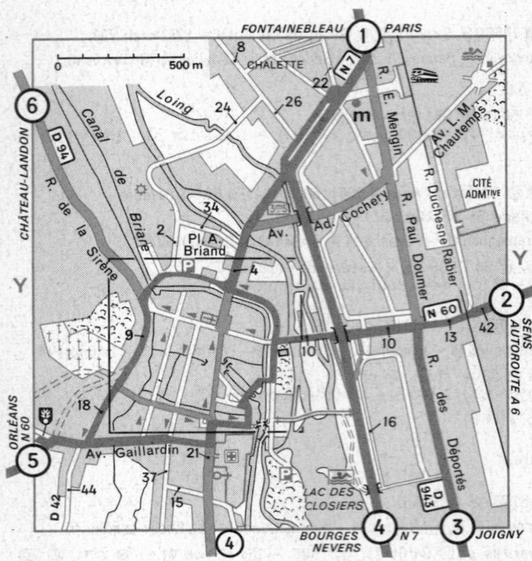

MONTARGIS

Dorée (R.) . . . . Z
République (Pl. de la) Z 36

Anatole-France (Bd) . Y 2
Ancien-Palais (R.) . . . Z 3
Baudin (Bd) . . . . YZ 4
Belles-Manières (Bd) Z 5
Bon-Guillaume (R.) . . Z 6
Carnot (R. Lazare) . . . Y 8
Château (R. du) . . . . YZ 9
Chaussée (R. de la) YZ 10
Cormenin (R.) . . . . Z 12
Decourt (R. E.) . . . . . . Y 13
Dr. Roux (R. du) . . . . . Y 15
Europe (R. de l') . . . . . Y 16
Fg d'Orléans (R. du) YZ 18
Ferry (Pl. Jules) . . . . . . Z 20
Jaurès (R. Jean) . . . . . Y 21
Kléber (R.) . . . . Y 22
Laforge (R. R.) . . . . Z 23
Lamie (R. Jean) . . . . . Y 24
Longeard (R. du) . . . . Y 26
Mirabeau (Pl.) . . . . Z 27
Moulin-à-Tan (R. du) . Z 28
Pêcherie (R. de la) . . . Z 30
Poterne (R. de la) . . . . Z 32
Pougin-de-Maisonneuve (R.) . Z 33
Prés.-Roosevelt (R.) . . Y 34
Sédillot (R.) . . . . Y 37
Tellier (R. R.) . . . . Z 39
Vaublanc (R. de) . . . . . Z 41
Verdun (Av. de) . . . . . Y 42
Vimory (R. de) . . . . Y 44

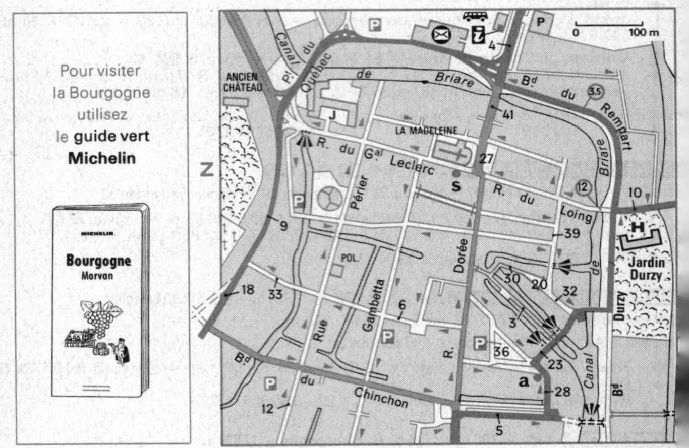

N : 10 km par ①, N 7 et VO – ✉ **45210** Ferrières :

Domaine de Vaugouard Ⓜ, ✆ 38 95 71 85, Télex 783582, « Dans un domain de loisirs », ⛳, 🎾 – 📺 ☎ ♿ ⓟ – 25 à 100. AE ⓓ E VISA. ch
Brasserie R 70 bc, enf. 40 - **Le Domaine** *(fermé dim. soir et lundi)* **R** 145/18 enf. 60 – ☕ 38 – **30 ch** 275/520.

à Amilly par ③ : 5 km – 10 125 h – ✉ **45200** Montargis :

Le Belvédère sans rest, 192 r. Jules-Ferry ✆ 38 85 41 09, – wc
☎ ⓟ. E VISA
fermé 17 au 23 août et 1er au 10 janv. – ☕ 15,50 – **24 ch** 70/175.

XX **Aub. Écluse,** rte Mormant ✆ 38 85 44 24 – ⓟ. VISA.
fermé 19 déc. au 9 janv., dim. soir et lundi – **R** 75/145.

par ④ : 6,5 km – ✉ **45200** Montargis :

X **Relais du Miel,** rte Nevers ✆ 38 85 32 02, Télex 780880, – ⓟ. VISA
R carte 60 à 100.

Dominicé, 64 r. J.-Jaurès ✆ 38 93 38 33 — La Centrale du Pneu, 3 r. de Nevers, ✆ 38 85 80

Périphérie et environs

CITROEN S.M.A., 1176 av. d'Antibes à Amilly par ④ ✆ 38 85 73 25
PEUGEOT-TALBOT Corre, N 60 à Villemandeur par ⑤ ✆ 38 85 03 29 **N** ✆ 38 93 06 66
RENAULT Basty, 39 av. Gén.-Leclerc à Chalette-sur-Loing ✆ 38 85 02 82

V.A.G. Gar. St-Christophe, 330 av. d'Antibes à Amilly ✆ 38 85 22 84

La Maison du Pneu, 180 rte de Viroy à Amilly ✆ 38 85 31 28

MONTARGIS-DE-SEILHAC **19** Corrèze **75** ⑨ – rattaché à Seilhac.

MONTASTRUC-LA-CONSEILLÈRE **31380** H.-Gar. **82** ⑧ – **1 857 h.**
Paris 695 – Castres 65 – Gaillac 35 – Montauban 51 – ♦Toulouse 20.

Relais de la Conseillère, N 88 ✆ 61 84 21 23 – wc – 25. E VISA
R *(fermé lundi)* 43/150 – 15 – **27 ch** 110/160 – ½ p 168/228.

Le MONTAT **46** Lot **79** ⑱ – rattaché à Cahors.

The numbered circles on the town plans ①, ②, ③ are duplicated on the ***Michelin maps*** *at a scale of 1:200 000. These references, common to both guide and map, make it easier to change from one to the other.*

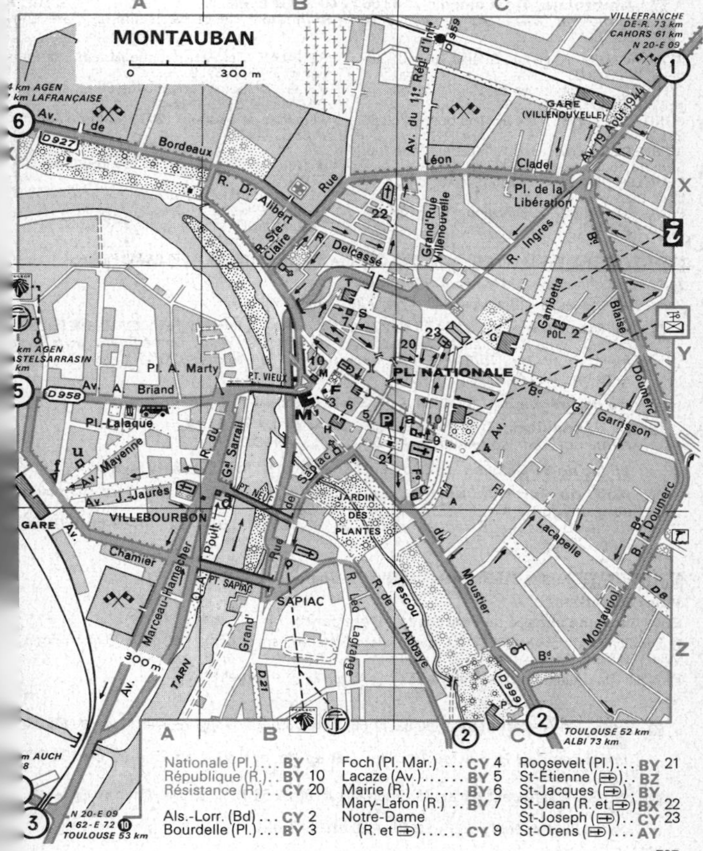

Nationale (Pl.) . . . BY
République (R.) . . . BY 10
Résistance (R.) . . CY 20

Als.-Lorr. (Bd) . . . CY 2
Bourdelle (Pl.) . . . BY 3

Foch (Pl. Mar.) . . . CY 4
Lacaze (Av.) . . . . . . BY 5
Mairie (R.) . . . . BY 6
Mary-Lafon (R.) . . BY 7
Notre-Dame (R. et ⊞) . . . . . . CY 9

Roosevelt (Pl.) . . . BY 21
St-Étienne (⊞) . . BZ
St-Jacques (⊞) . . BY
St-Jean (R. et ⊞) BX 22
St-Joseph (⊞) . . CY 23
St-Orens (⊞) . . . AY

MONTAUBAN P 82000 T.-et-G. 79 ⑰⑱ G. Pyrénées Roussillon – 53 147 h.

Voir Musée Ingres** BY**M1** – **Place Nationale*** BY – **Dernier Centaure mourant (bronze de Bourdelle)** BY **F.**

Office de Tourisme 2 r. Collège Montauban ✆ 63 63 60 60 – A.C. 22 allées Mortarieu (chamb de commerce) ✆ 63 63 22 35.

Paris 652 ① – Agen 74 ⑤ – Albi 73 ② – Auch 86 ④ – Cahors 61 ① – ♦Toulouse 53 ③.

Plan page précédente

Ingres M sans rest, 10 av. Mayenne ✆ **63 63 36 01, Télex 520319,** – AE E VISA AY
29 – **31 ch** 265/340.

Host. Les Coulandrières M, rte Castelsarrasin par ⑤ : 4km ✉ 82290 Ville-Dieu-du-Temple ✆ **63 67 47 47,** « Parc fleuri, piscine » – TV wc P. AE E VISA
R *(fermé dim. soir du 1er oct. au 31 mars)* 75/170, enf. 40 – 30 – **21 ch** 330
1/2 p 315/470.

Midi, 12 r. Notre-Dame ✆ **63 63 17 23** – TV wc wc P – 60. AE E VISA CY
R *(fermé 15 déc. au 14 janv. et dim. du 1er nov. au 31 mai)* 70/180, enf. 45 – 25
63 ch 100/340 – 1/2 p 190/400.

Orsay et rest. La Cuisine d'Alain, face gare ✆ **63 63 00 57,** – wc – 25. AE E VISA AY
hôtel : fermé Noël au jour de l'An, dim. et fériés – **R** *(fermé 3 au 18 juil., vacanc de Noël, lundi midi, dim. et fériés)* 85/225, enf. 60 – 25 – **20 ch** 145/210.

XX **Chapon Fin,** 1 pl. St-Orens ✆ **63 63 12 10** – E VISA BY
fermé 17 juil. au 16 août, vend. soir et sam. – **R** 60/200 ₰.

XX **Ambroisie,** 41 r. Comédie ✆ **63 66 27 40** – E VISA BY
fermé juil., vacances de fév., dim. – **R** (nombre de couverts limité - préven 90/180.

ALFA-ROMEO, TOYOTA Suères, 46 r. L.-Cladel ✆ 63 03 42 06
CITROEN Larroque, N 20, Z.I. Nord par ① ✆ 63 03 15 30
FORD S.E.T.A.M., 1724 av. Toulouse ✆ 63 66 52 52
MERCEDES-BENZ Gar. Hamecher, Zone Ind. Sud, rte Toulouse ✆ 63 63 07 70
PEUGEOT, TALBOT Macard, r. du Bac ✆ 63 63 76 00
PEUGEOT, TALBOT Schievene, Pl. du 22 Septembre ✆ 63 63 33 21

RENAULT Tarn-et-Garonne Autom., rte Pa par ① ✆ 63 03 23 23
V.A.G. Delpoux, Zone Ind. de Parrages, rte Toulouse ✆ 63 63 70 88
Almayrac et Despoux, 200 r. Camp d'Aviati ✆ 63 63 44 52

Doumerc-Pneus, 281 av. de Toulouse ✆ 63 09 76
Le Palais du Pneu, 17 pl. Lalaque ✆ 63 63 15
Pereira, 52 av. du Xe-Dragon ✆ 63 03 53 98
Taquipneu, 69 av. Gambetta ✆ 63 03 30 14

MONTAUROUX 83 Var 84 ⑧, 195 ㉓ G. Côte d'Azur – 1 997 h. – ✉ 83440 Fayence.

Syndicat d'Initiative à la Mairie ✆ 94 76 43 08.

Paris 894 – Cannes 35 – Draguignan 40 – Fréjus 28 – Grasse 20.

La Marjolaine, ✆ **94 76 43 32,** ≤, – wc wc. AE E VISA
hôtel : fermé 5 nov. au 17 déc. et 5 janv. au 15 mars ; rest. : fermé 5 janv. au 8 fév. merc. du 5/11 au 15/3 – **R** *(déj. seul. du 5 nov. au 15 mars)* 90/170, enf. 60 – – **19 ch** 110/230 – 1/2 p 170/210.

rte de Draguignan S : 4 km – ✉ 83440 Fayence :

XX **La Bécassière,** ✆ **94 76 43 96,** – P. AE E VISA
fermé oct., dim. soir (sauf juil.-août) et lundi – **R** 80/155.

au lac de St-Cassien au Sud par D 37 et VO : 5 km – ✉ 83440 Fayence :

XX **Aub. du Puits Jaubert** avec ch, ✆ **94 76 44 48,** ≤, , parc, « Ancien bergerie du 15e s. » – wc wc P. E VISA
fermé 15 nov. au 15 déc. et mardi – **R** 140/185, enf. 60 – 18 – **8 ch** 150/180
1/2 p 175/185.

MONTBARD 21500 Côte-d'Or 65 ⑦ G. Bourgogne – 7 916 h.

Voir Parc Buffon*.

Env. Ancienne abbaye de Fontenay** 6 km par ③.

Syndicat d'Initiative avec A.C. r. Carnot (fermé matin mars et oct.) ✆ 80 92 03 75 et à l'Hôtel Ville ✆ 80 92 01 34.

Paris 235 ④ – Autun 101 ④ – Auxerre 73 ④ – ♦Dijon 81 ③ – Troyes 101 ②.

Plan page ci-contre

Écu, 7 r. A.-Carré **(e)** ✆ **80 92 11 66, Télex 351102** – TV wc wc. AE VISA
fermé sam. du 15 nov. au 1er mars – **R** 85/260, enf. 40 – 25 – **25 ch** 180/300
1/2 p 220/230.

H. Gare sans rest, 10 av. M.-Foch **(a)** ✆ **80 92 02 12** – wc wc P –
fermé 23 déc. au 4 janv. – 21 – **20 ch** 95/220.

MONTBARD

Les plans de villes sont orientés le Nord en haut.

Pour bien lire les plans de villes, voir signes et abréviations p. 23.

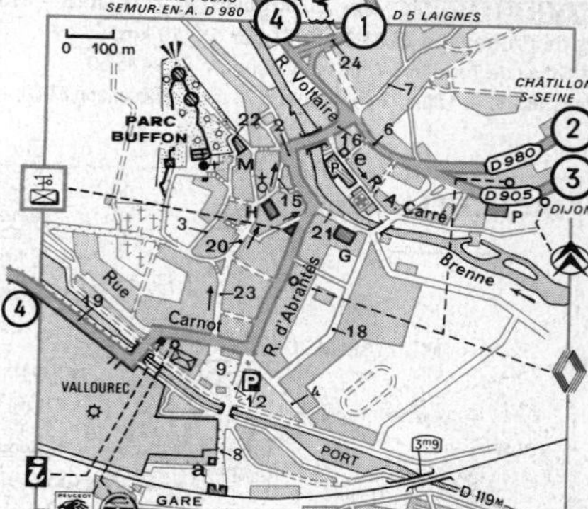

à St-Rémy par ④ : 4 km – ✉ **21500** Montbard :

XXX **St-Rémy,** ☎ 80 92 13 44 – Ⓟ. AE ① E VISA
fermé 19 déc. au 23 janv., le soir (sauf sam.) et lundi – **R** (nombre de couverts limité - prévenir) 48/145.

CITROEN Gar. Monnet, rte Dijon ☎ 80 92 06 09 N
FORD Gar. lefevre, à Crepand ☎ 80 92 13 55
PEUGEOT-TALBOT Gar. Carnot, 7 r. Carnot ☎ 80 92 01 83 N
RENAULT Montbard-Autom., 39 r. Abrantès ☎ 80 92 06 23 N
RENAULT Gar. Guerret, rte de Dijon ☎ 80 92 04 07

MONTBAZENS 12220 Aveyron 80 ① – 1 424 h.

Paris 607 – Aurillac 80 – Figeac 28 – Marcillac-Vallon 34 – Rodez 39 – Villefranche-de-Rouergue 26.

Levant, rte Rignac ☎ 65 80 60 24, ⛱, – ⌂wc ⋒wc ⇌ Ⓟ.
fermé 20 sept. au 15 oct. – **R** *(fermé dim. soir et lundi midi sauf juil.-août)* 48/135 ₰, enf. 45 – ☐ 15,50 – **13 ch** 95/150 – ½ p 125/155.

RENAULT Gar. du Fargal, ☎ 65 80 62 23

MONTBAZON 37250 I.-et-L. 64 ⑮ G. Châteaux de la Loire – 3 011 h.

Office de Tourisme pl. Delaunay ☎ 47 26 97 87.

Paris 247 – Châtellerault 60 – Chinon 41 – Loches 32 – Montrichard 40 – Saumur 67 – ♦Tours 13.

❀ **Château d'Artigny** ⛰, SO : 2 km par D 17 ☎ 47 26 24 24, Télex 750900, parc, « Jardin, ≤ sur l'Indre, pavillon au bord de la rivière (8 ch) », ⛱, ✂ – ⬍ ☎ Ⓟ – 🏛 80. VISA
fermé 27 nov. au 6 janv. – **R** carte 235 à 360 – ☐ 60 – **46 ch** 535/1140, 7 appartements 720/1250 – ½ p 590/935
Spéc. Foie gras de canard au vin de Bonnezeaux, Raie bouclée rôtie, Voile de pigeon au basilic. **Vins** Vouvray, Chinon.

❀ **Domaine de la Tortinière** ⛰, N : 2 km par N 10 et D 287 ☎ 47 26 00 19, Télex 752186, « Dans un parc ≤ vallée de l'Indre », ⛱, ✂ – ☎ Ⓟ – 🏛 30. E VISA.
1er mars-15 nov. et fermé merc. midi et mardi en mars et du 15 oct. au 15 nov. – **R** 185/250, enf. 110 – ☐ 50 – **14 ch** 370/630, 7 appartements 690/790 – ½ p 360/520
Spéc. Vinaigrette tiède de rouget, Blanquette de sandre aux petits légumes, Gratin aux fruits rouges. **Vins** Jasnières, Chinon.

Relais de Touraine M ⛰, N : 2 km rte Tours ☎ 47 26 06 57, ☂, parc – ⌂wc ⋒wc ☎ Ⓟ – 🏛 50. AE E VISA
fermé dim. soir et lundi – **R** 130/300, enf. 50 – ☐ 30 – **21 ch** 250/280 – ½ p 300/330.

XXX ❀❀ **La Chancelière,** 1 pl. Marronniers ☎ 47 26 00 67 – ▤. E VISA
fermé fév., dim. soir et lundi sauf fériés – **R** carte 225 à 330
Spéc. Ravioles d'huîtres au Champagne (sept. à mai), Foie gras aux figues (sept. à janv.), Dos de saumon à la fleur de sel. **Vins** Vouvray, Chinon.

à l'ouest : 5 km par N 10, D 287 et D 87 – ✉ **37250** Montbazon :

XX **Moulin Fleuri** ⛰ avec ch, ☎ 47 26 01 12, ≤, « Terrasse au bord de l'Indre », – ⋒wc Ⓟ. AE E VISA
fermé 15 au 30 oct., vacances de fév. et lundi sauf fériés – **R** carte 115 à 215 – ☐ 30 – **12 ch** 140/255 – ½ p 207/272.

PEUGEOT-TALBOT Gar. Rousseau, ☎ 47 26 06 50

MONTBÉLIARD <SP> **25200** Doubs 66 ⑧ **G. Jura** – 33 362 h.

de Prunevelle ℘ 81 98 11 77 par ④ : 10 km.

Office de Tourisme 1 rue H.-Mouhot ℘ 81 94 45 60.

Paris 486 ⑤ – ♦Bâle 72 ③ – Belfort 22 ② – ♦Besançon 83 ⑤ – Pontarlier 110 ⑤ – Vesoul 62 ①.

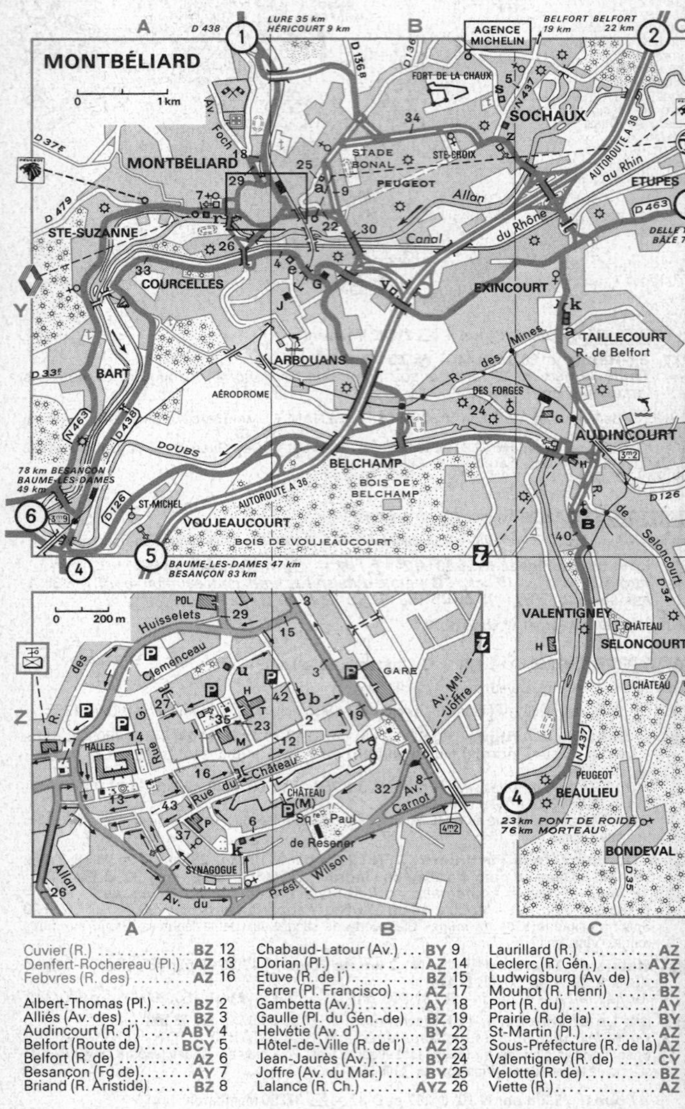

Cuvier (R.) . . . . BZ 12
Denfert-Rochereau (Pl.) . . AZ 13
Febvres (R. des) . . . . AZ 16

Albert-Thomas (Pl.) . . . . . BZ 2
Alliés (Av. des) . . . . BZ 3
Audincourt (R. d') . . . . . ABY 4
Belfort (Route de) . . . . . BCY 5
Belfort (R. de) . . . . AZ 6
Besançon (Fg de). . . . . . . AY 7
Briand (R. Aristide). . . . . . BZ 8

Chabaud-Latour (Av.) . . . BY 9
Dorian (Pl.) . . . . AZ 14
Etuve (R. de l') . . . . BZ 15
Ferrer (Pl. Francisco) . . . . AZ 17
Gambetta (Av.) . . . . AY 18
Gaulle (Pl. du Gén.-de) . . BZ 19
Helvétie (Av. d') . . . . BY 22
Hôtel-de-Ville (R. de l') . . AZ 23
Jean-Jaurès (Av.) . . . . BY 24
Joffre (Av. du Mar.) . . . . . BY 25
Lalance (R. Ch.) . . . . AYZ 26

Laurillard (R.) . . . . AZ
Leclerc (R. Gén.) . . . . AYZ
Ludwigsburg (Av. de) . . . BY
Mouhot (R. Henri) . . . . . . BZ
Port (R. du) . . . . AY
Prairie (R. de la) . . . . BY
St-Martin (Pl.) . . . . AZ
Sous-Préfecture (R. de la) AZ
Valentigney (R. de) . . . . . CY
Velotte (R. de) . . . . BZ
Viette (R.) . . . . AZ

Bristol sans rest, 2 r. Velotte ℘ **81 94 43 17, Télex 361080** – TV wc wc . P. E VISA. — BZ
fermé août et 26 déc. au 2 janv. – 20 – **37 ch** 96/245.

Joffre sans rest, 34 bis av. Mar.-Joffre ℘ **81 94 44 64** – TV wc wc P. E VISA – 19 – **47 ch** 175/230. — BY

Ibis M, r. J.-Foillet ✆ 81 90 21 58, Télex 361555 – TV wc ☎ ♿ – 40. E VISA
R *(fermé dim. et fériés le midi)* carte 75 à 120 – 23 – **62 ch** 205/225. BY **v**

France sans rest, **40 r. Audincourt** ✆ **81 90 21 48**, – TV wc wc ☎ P. E VISA
20 – **15 ch** 90/240. BY **e**

XXX **Tour Henriette, 59 fg Besançon** ✆ **81 91 03 24** – AE E VISA AY **r**
fermé 31 juil. au 22 août, dim. (sauf le midi d'août à mai), lundi soir et fériés le soir – **R** 100/280.

XX **Le Comté,** 18 r. Belfort ✆ **81 91 48 42** – E VISA. AZ **k**
fermé 10 au 31 août, sam. midi et dim. soir – **R** 86/135.

X **Bistro au Boeuf,** 1 r. Gén.-Leclerc ✆ **81 91 18 37** – AE E VISA AZ **u**
fermé dim. – **R** 75.

IAT Mercier, r. Keller à Arbouans ✆ 81 35 57 2
EUGEOT Gar. de la Croisée, 104 fg. de Besançon ✆ 81 91 05 50
EUGEOT-TALBOT Succursale, 16 av. Helvé-e ✆ 81 94 52 15

RENAULT Filiale, 87 fg Besançon ✆ 81 96 75 75 N

Pneus et Services D.K, 7a r. du Port ✆ 81 98 25 29 Z.I. du Charmontet 20 r. Jeanperrin ✆ 81 95 38 33

ONSTRUCTEUR : S.A. des Automobiles Peugeot, BY ✆ **81 91 83 42**

MONTBENOIT **25650** Doubs **70** ⑦ **G. Jura** – 163 h. alt. 782.

oir Ancienne abbaye★ : stalles★★, niche abbatiale★.

Syndicat d'Initiative (saison) ✆ 81 38 10 32.

aris 464 – ♦Besançon 68 – Morteau 17 – Pontarlier 14.

Bon Repos, **N : 1,5 km** ✆ **81 38 10 77**, ←, – wc wc ☎ P
22 ch.

EUGEOT TALBOT Gar. Querry, ✆ 81 38 11 89 N ✆ 81 38 10 99

MONT-BLANC (Tunnel du) **74** H.-Savoie **74** ⑧⑨ – voir à Chamonix-Mont-Blanc.

MONTBONNOT **38** Isère **77** ⑤ – rattaché à Grenoble.

MONTBRISON SP **42600** Loire **73** ⑰ **G. Vallée du Rhône** – 11 143 h.

oir Intérieur★ de l'église N.-D.-d'Espérance B.

Office de Tourisme et A.C. cloître des Cordeliers ✆ 77 96 08 69.

aris 512 ② – ♦Lyon 95 ③ – Le Puy 105 ③ – Roanne 66 ② – ♦St-Étienne 35 ③ – Thiers 68 ①.

MONTBRISON

oyer (R. Simon) 6
arché (R. du) 16
pinerie (R.) 32

strée (Quai de l') 2
eaune (Pl. E.) 3
ernard (R. M.) 4
out-du-Monde (R. du) 5
havassieu (Bd) 7
ombattants (Pl. des) 8
ambetta (Bd) 9
ôpital (R. de l') 10
bération (R. de la) 13
adeleine (Bd de la) 15
otre-Dame (R.) 17
alais-de-Justice (R. du) 18
pon (R. Loys) 19
asteur (R.) 20
énitents (Pl. et R. des) 21
uy-de-la-Bâtie (R. du) 25
épublique (R. de la) 27
-Jean (R. du Fg) 28
-Jean (R.) 29
-Pierre (R.) 30

our un bon usage des plans de lles, voir les signes conventionels p. 23.

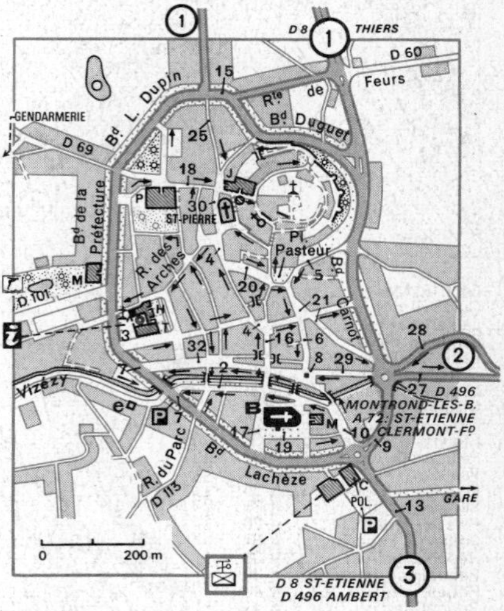

Host. Lion d'Or M, **14 quai Eaux-Minérales (e)** ✆ **77 58 34 66**, – TV wc wc ☎ – 40. AE E VISA
R 80/220, enf. 25 – 22 – **19 ch** 180/350 – ½ p 265/285.

à Champdieu par ① : 4,5 km – ✉ **42600** Montbrison.
Voir Église★.

XX **Le Prieuré,** ☏ 77 58 31 21 – Ⓟ.
fermé août, dim. soir, merc. soir et jeudi – **R** 52/280.

FORD Montagny, av. Ch.-de-Gaulle ☏ 77 58 29 99
OPEL Forez-Autos, av. P.-Cézanne, Beauregard par D69 ☏ 77 58 02 59
OPEL Sabatier, r. des Moulins ☏ 77 58 12 02
PEUGEOT-TALBOT Bourgier, 36 r. République par ② ☏ 77 58 21 55
RENAULT Gar. Mathieu, 8 av. de St-Étienne ☏ 77 58 30 48 N
V.A.G. Gar. du Parc, 2 rte de St-Étienne ☏ 7 58 15 66

Chasseing-Pneus, 12 bd de la Madelein ☏ 77 96 06 06
Jamet-Pneus, ZI les Chaux à Sury-le-Comta ☏ 77 30 08 78

MONTBRON 16220 Charente 72 ⑮ **G. Poitou Vendée Charentes** – 2 604 h.
Syndicat d'Initiative pl. Hôtel-de-Ville (juil.-août) ☏ 45 23 60 09.
Paris 457 – Angoulême 30 – Nontron 32 – Rochechouart 37 – La Rochefoucauld 14.

Host. Château Ste Catherine, S : 4 km par D 16 ☏ 45 23 60 03, « Demeure du 17e s. dans un parc », – ☎ Ⓟ – 100. AE ⓓ E VISA
fermé 2 janv. au 1er fév. – **R** 125/220, enf. 80 – 32 – **18 ch** 180/420 – 1/2 p 440/470

MONTCABRIER 46 Lot 79 ⑥⑦ – rattaché à Fumel (L.-et-G.).

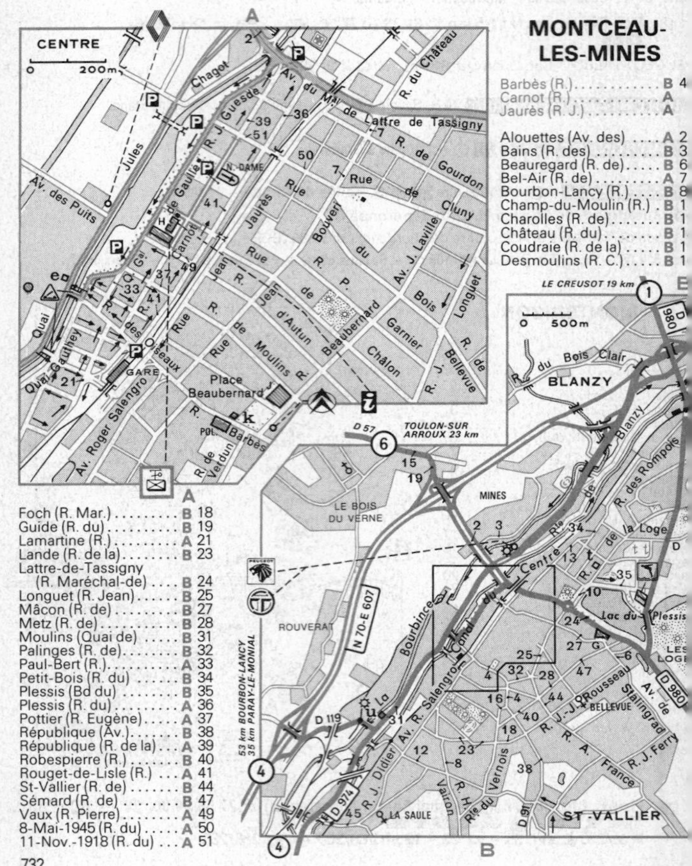

MONTCEAU-LES-MINES 71300 S.-et-L. 69 ⑰⑱ **G. Bourgogne** – 26 949 h.

Env. Mont-St-Vincent : tour ✻★★ 12 km par ③.

Office de Tourisme 1 pl. Hôtel de Ville ☎ 85 57 38 51.

Paris 334 ② – Autun 43 ① – Chalon-sur-S. 45 ② – Mâcon 66 ③ – Moulins 90 ④ – Roanne 90 ④.

Plan page ci-contre

Commerce, 70 quai J.-Chagot ☎ 85 57 34 18 – wc wc – 60. AE E VISA — A e
R 85/260 , enf. 50 – 23 – **32 ch** 165/265.

Beauregard sans rest, sur D 980 : 2 km ✉ 71690 Mont-St-Vincent ☎ 85 57 15 37 – wc . E VISA — B s
fermé 8 au 17 avril, vacances de Noël et vend. du 1er oct. au 1er avril – 20 – **12 ch** 120/175.

Lac sans rest, 58 r. de la Loge ☎ 85 57 18 22 – . — B t
16 – **20 ch** 74/165.

France avec ch, 7 pl. Beaubernard ☎ 85 57 26 64 – wc wc . E VISA — A k
fermé août et lundi – **R** 60/175 – 20 – **10 ch** 125/180.

Moulin de Galuzot, 2,5 km sur D 974 ☎ 85 57 18 85 – . E VISA — B u
fermé mi-juil. à mi-août, mardi soir et merc. – **R** 52/130 .

par ③ : 4 km sur D 980 :

Aub. Plain-Joly, ✉ 71690 Mont-St-Vincent ☎ 85 57 24 74, , – . VISA
R 50/88 – 17 – **10 ch** 85/115 – 1/2 p 140.

à Blanzy par ② : 5 km – ✉ **71450** Blanzy :

Le Vernoy, Z.I. la Fiolle ☎ 85 57 12 40, , , – wc – 70. AE VISA.
R 60/170 , enf. 39 – 26 – **22 ch** 208/242.

ALFA ROMEO-NISSAN Chemarin, rte Express, 28 av. Mar.-Leclerc ☎ 85 57 09 23
CITROEN Repiquet, 57 r. Beaubernard ☎ 85 57 16 45
FIAT Gar. Bon, 9 r. de la Coudraie, Le Bois-du-Verne ☎ 85 57 34 55
FORD Tramoy, 52 r. de la Lande ☎ 85 57 04 11
OPEL Gar. Brenot, rte Express sortie Nord, av. Mar.-Leclerc ☎ 85 57 39 83
PEUGEOT-TALBOT Gar. Rebeuf-Garnier, rte Express, av. Mar. Leclerc ☎ 85 57 29 30
RENAULT Gar. Central, quai J.-Chagot ☎ 85 57 25 17
V.A.G. Gar. Dufour, 124 r. de la Coudraie, Le Bois-du-Verne ☎ 85 57 23 81

Goésin, D 974, Zone Ind. des Alouettes ☎ 85 57 36 01
Okrzesik, bd de la Maugrand ☎ 85 57 47 00
Okrzesik, 9 r. Verdun ☎ 85 57 00 55

MONTCHANIN 71 S.-et-L. 69 ⑧ – rattaché au Creusot.

MONTCHAUVROT 39 Jura 70 ④ – rattaché à Poligny.

MONTCHENOT 51 Marne 56 ⑯ – ✉ **51500** Rilly-la-Montagne.

Paris 149 – Châlons-sur-Marne 40 – Epernay 16 – ♦Reims 11.

XXX ✻ **Aub. du Gd Cerf** (Guichaoua), N 51 ☎ 26 97 60 07, ←, – AE E VISA
fermé 9 au 31 août, mardi soir et merc. – **R** 300
Spéc. Tian de morue douce et crevettes, Poêlée de trois volailles et croustade d'aulx, Panaché de poissons au Champagne. **Vins** Coteaux champenois.

MONT-CINDRE 69 Rhône 74 ⑪ – rattaché à Lyon.

MONT-D'ARBOIS 74 H.-Savoie 74 ⑧ – rattaché à St-Gervais.

MONT-DAUPHIN 05 H.-Alpes 77 ⑱ – rattaché à Guillestre.

MONT-DE-MARSAN P **40000** Landes 82 ① **G. Pyrénées Aquitaine** – 30 894 h.

Voir Musée municipal★ BY M.

Golf Club du Marsan ☎ 58 75 63 05 par ① : 10 km.

Office de Tourisme 22 r. Victor-Hugo ☎ 58 75 38 67, Télex 540742 – A.C. av. du Corps Franc Pommiès à St-Pierre-du-Mont ☎ 58 75 03 24.

Paris 706 ① – Agen 108 ① – ♦Bayonne 101 ⑥ – ♦Bordeaux 127 ① – Pau 88 ③ – Tarbes 100 ③.

Plan page suivante

Richelieu, 3 r. Wlerick ☎ 58 06 10 20, Télex 550238 – wc wc – 80. AE E VISA — BY r
R *(fermé 10 au 21 janv. et sam. sauf fêtes du 15 sept. au 15 juin)* 65/185 – 20 – **70 ch** 88/185 – 1/2 p 160/240.

MONT-DE-MARSAN

Bastiat (R. F.) .... AB
Gambetta (R. L.) .... B 12
Lesbazeilles (R. A.) ... B 18

Alsace-Lorraine (R. d') A 2
Bosquet (R. Mar.) ..... A 3
Briand (Av. A.) .... B 4
Brouchet (Allées) ..... B 5
Carnot (Av. Sadi) ..... B 6
Delamarre (Bd) .... B 8
Despiau (R. Ch.) .... A 9
Dulamon (R. A.) .... A 10
Gaulle (Pl. Ch. de) ..... B 13
Gourgues (R. D.-de) . AB 14
Landes (R. L. des) ..... B 15
Lasserre (R. Gén.) ..... A 16
Lattre-de-Tassigny (Bd de) .... B 17
Martinon (R.) .... B 19
Pancaut (Pl. J.) .... A 20
Poincaré (Pl. R.) .... A 21
Président-Kennedy (Av. du) .... B 22
St-Jean-d'Août (R.) ... A 24
St-Roch (Pl.) .... B 25
8-Mai-1945 (R. du) .... B 27
34e-d'Inf. (Av. du) ..... B 28

Dans la liste des rues des plans de ville, les noms en rouge indiquent les principales voies commerçantes.

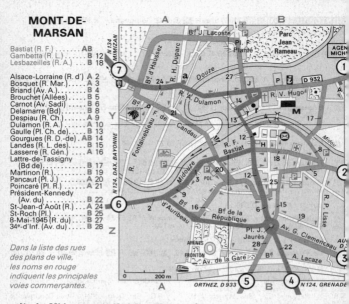

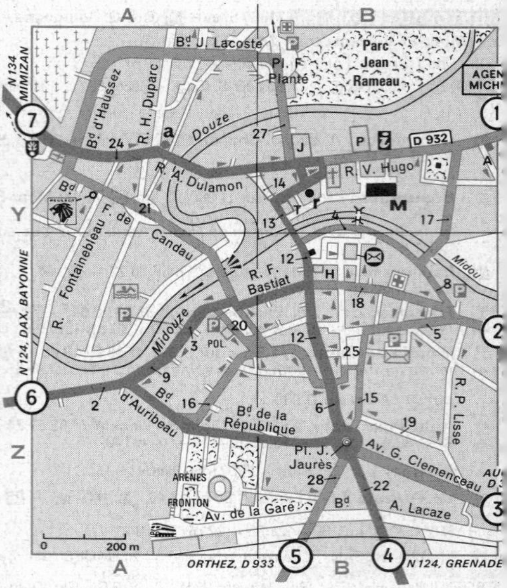

✗ **Le Midou** avec ch, 12 pl. Porte-Campet ✆ 58 75 24 26 – 🏛. AE ⓓ E VISA AY
fermé 23 au 26 déc. – **R** 65/140 🌡 – ☕ 18 – **11 ch** 90/157 – ½ p 130.

✗ **Zanchettin (Rendez-vous des boulistes)** avec ch, **à St Médard par** ② **: 3 km rt de Villeneuve** ✆ **58 75 19 52**, 🏡, 🌳 – 🛁wc 🚿wc **P** – 🏃 25. ✂ ch
fermé 14 août au 5 sept., vacances de fév., lundi (sauf hôtel) et dim. soir – **R** 46/10
🌡 – ☕ 15 – **9 ch** 90/165 – ½ p 160/200.

MICHELIN, Agence, r. de la Ferme-de-Larrouquère, Zone Ind. par ① ✆ **58 46 29 54**

ALFA-ROMEO, NISSAN Mesplède, 56 av. H.-Farbos ✆ 58 75 98 88
AUSTIN, ROVER Gar. Continental, 839 av. Mar.-Foch ✆ 58 06 32 32
CITROEN Mont-de-Marsan Autom., 1596 av. Mar.-Juin par ① ✆ 58 75 12 10
FORD La Hiroire-Auto, 995 bd d'Alingsas ✆ 58 75 36 62
PEUGEOT Hiquet, 19 bd Candau ✆ 58 75 02 32

PEUGEOT-TALBOT Labarthe, av. Corps Fran Pommiés à St-Pierre-du-Mont par ⑥ ✆ 58 7 44 55
RENAULT SODIAM, 935 av. Mar.-Juin par ① ✆ 58 46 14 80 **N**
V.A.G. Lafargue, 2316 av. Mar.-Juin ✆ 58 4 17 80

⊕ Pedarré Pneus, 14 bd Candau ✆ 58 75 01 18

MONTDIDIER

Albert-1er (R.) 2
Briand (R. Aristide) 3
Gaulle (Pl. du Gén.-de) 13
Parmentier (R.) 18
République (Pl. de la) 19

Clemenceau (Av. Georges) 4
Collège (R. du) 6
Debeney (Bd) 8
Doumer (Av. Paul) 9
France (R. Anatole) 10
Gambetta (R.) 12
Jaurès (R. Jean) 14
Leclerc (Av.) 15
Leconte (Av. Maurice) 16
Paris (R. de) 17
St-Pierre (R. et ⊞) 21
St-Sépulcre (⊞) 22
Santerre (R. du) 23
Vienne (R. Armand de) 24
Volontaires (Av. des) 26

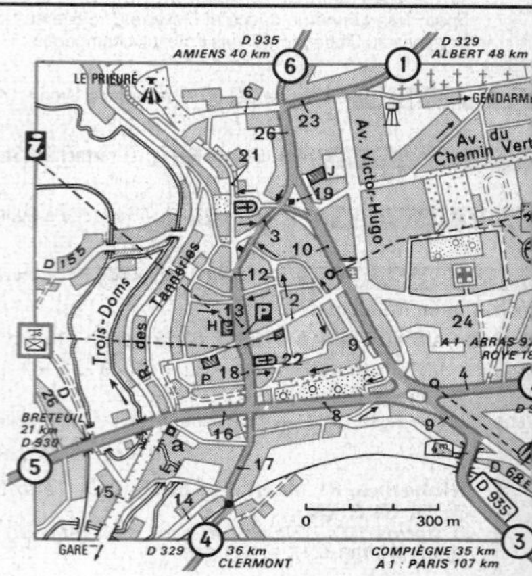

MONTDIDIER ⟨SP⟩ **80500 Somme** 52 ⑲ **G. Flandres Artois Picardie** – **6 282 h.**

Syndicat d'Initiative pl. Gén.-de-Gaulle ☏ 22 78 92 00.

Paris 107 ③ – ♦Amiens 40 ⑥ – Beauvais 49 ⑤ – Péronne 47 ② – St-Quentin 64 ②.

Plan page ci-contre

Dijon, 1 pl. 10-Août 1918 **(a)** ☏ 22 78 01 35 – wc. E VISA
fermé 7 au 23 août, 26 déc. au 20 janv., dim. soir, lundi midi et soirs de fêtes – **R** 60/150 – 20 – **14 ch** 95/180.

CITROEN Roisin, 1 pl. Mar.-Foch ☏ 22 78 01 43

PEUGEOT-TALBOT Lefevre, 11 pl. Faidherbe ☏ 22 78 00 90 N ☏ 22 78 17 38

Leflamand, 30 av. M.-Leconte ☏ 22 37 08 67

Le MONT-DORE **63240** P.-de-D. 73 ⑬ **G. Auvergne** – **2 394 h. alt. 1 050** – **Stat. therm. (15 mai-sept.)** – **Sports d'hiver : 1 070/1 850 m 2 19,** – **Casino:** Z.

Voir Puy de Sancy ※★★★ (voir à Sancy) – Cascade du Queureuilh★ 2 km par ① puis 30 mn.

Env. Col de Guéry ⩽★★ sur roches Tuilière et Sanadoire★★ et lac★ 9 km par ① – Col de la Croix-St-Robert ※★★ 6,5 km par ②.

9 du Rigolet ☏ 73 65 00 79 par ③ : 2,5 km.

Office de Tourisme av. Libération ☏ 73 65 20 21, Télex 990332.

Paris 446 ① – Aubusson 98 ⑤ – ♦Clermont-Fd 44 ① – Issoire 51 ① – Mauriac 76 ④ – Ussel 59 ④.

Panorama ⑤, av. Libération ☏ 73 65 11 12, ⩽, – wc wc ☎ P – 30. E VISA. rest
15 mai-30 sept. et 20 déc.-10 avril – **R** 95/210, enf. 65 – 22 – **40 ch** 170/260 – ½ p 210/280. Z **u**

Parc, r. Meynadier ☏ 73 65 02 92, Télex 990147 – TV wc wc ☎ – 45. AE ⓓ E VISA. rest
1er mai-30 oct. et 20 déc.-30 avril – **R** 80/130 , enf. 40 – 25 – **70 ch** 190/210 – ½ p 245/255. Z **k**

Castelet, av. M.-Bertrand ☏ 73 65 05 29, , – wc ☎ P – 50. ⓓ E VISA. rest
15 mai-30 sept. et 20 déc.-10 avril – **R** 95, enf. 25 – 21 – **38 ch** 187/244 – ½ p 215/264. Y **t**

Oise, av. Libération ☏ 73 65 04 68, ⩽ – wc wc ☎. AE ⓓ E VISA. rest
15 mai-30 sept. et Noël-Pâques – **R** 75/95, enf. 45 – 25 – **53 ch** 110/230 – ½ p 180/250. Z **p**

Nouvel H., r. J.-Moulin ☏ 73 65 11 34, Télex 990332 – wc wc ☎. AE ⓓ VISA Z **g**
10 mai-30 sept. et 15 déc.-Pâques – **R** 54/95, enf. 30 – 20 – **64 ch** 84/198 – ½ p 180/230.

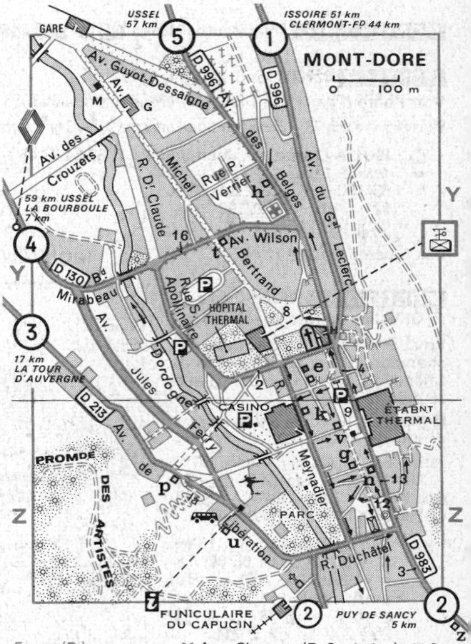

Favart (R.)	Y 4	Chazotte (R. Capitaine)	Y 2
Panthéon (Pl. du)	Z 9	Clemenceau (Av.)	Z 3
République (Pl. de la)	Z 12	Gaulle (Pl. Ch.-de)	Y 8
Rigny (R.)	Z 13	19 Mars 1962 (R. du)	Y 16

Paris M, 11 pl. Panthéon ☏ 73 65 01 79 – TV wc wc ☎. AE ⓓ VISA Z **v**
fermé 30 avril au 15 mai et 1er nov. au 20 déc. – **R** 65/90, enf. 22 – 20 – **23 ch** 210/230 – ½ p 235.

Paix, r. Rigny ☏ 73 65 00 17 – wc wc ☎. AE ⓓ E VISA Z **n**
fermé 10 oct. au 22 déc. – **R** 65/90, enf. 33 – 25 – **36 ch** 180/200 – ½ p 230/360.

Cascades, av. G.-Clemenceau ☏ 73 65 01 36, – wc ☎. VISA. rest Z **z**
15 mai-20 oct.et 25 déc.-1er mai – **R** 50/130, enf. 22 – 17 – **26 ch** 56/195 – ½ p 187/280.

Les Mouflons ⑤ sans rest, par ② rte du Sancy : 0,5 km ☏ 73 65 02 90, ⩽ – wc ☎ P. E VISA
fermé 24 avril au 5 mai et 25 oct. au 15 déc. – 15,50 – **29 ch** 85/160.

Mon Clocher, r. Sauvagnat ☏ 73 65 05 41 – ⋒wc ☎. E VISA. ⚔ rest Y
15 mai-30 sept. et Noël-fin mars – **R** 55/110 ♁, enf. 25 – ☕ 17 – **32 ch** 115/160 – ½ p 155/195.

La Ruche, av. Belges ☏ 73 65 05 93 – ⋒ ℗. VISA. ⚔ rest Y
20 mai-30 sept. ; en hiver : week-ends et vacances scolaires – **R** 65/100 – ☕ 17 – **25 ch** 75/160 – ½ p 125/185.

La Belle Epoque, r. Sauvagnat ☏ 73 65 07 68 – E VISA Y
fermé nov. et mardi (sauf juil.-août et vacances scolaires) – **R** (nombre de couverts limité - prévenir) 85/160.

au Genestoux par ⑤ : 3,5 km sur D 996 – ✉ **63240** Mont-Dore :

Le Pitsounet, ☏ 73 65 00 67, ≤, ⛱ – ℗. E VISA
15 mai-fin oct., 15 déc.-vacances de printemps et fermé lundi sauf juil.-août – **R** (nombre de couverts limité - prévenir) 50/100 ♁, enf. 35.

au pied du Sancy par ② : 4 km – ✉ **63240** Mont-Dore :

Puy Ferrand ⛰, ☏ 73 65 18 99, ≤ le Sancy – |♨| TV ⛀wc ⋒wc ☎ ℗. E VISA. ⚔ rest
15 mai-30 sept. et 15 déc. au 15 avril – **R** 89/200, enf. 40 – ☕ 25 – **43 ch** 180/220 – ½ p 296.

CITROEN Gar. Des Pics, par ② ☏ 73 65 06 38
FORD Gar. Delbos, ☏ 73 65 01 55
RENAULT Gar. des Thermes, 5-7 bd Mirabeau ☏ 73 65 02 33

MONTE-CARLO Principauté de Monaco 84 ⑩, 195 ㉗㉘ – voir à Monaco.

MONTECH 82700 T.-et-G. 79 ⑰ – 2 788 h.

Voir Pente d'eau★ N : 1 km, G. Pyrénées Roussillon.

Paris 665 – Auch 73 – Beaumont-de-Lomagne 23 – Castelsarrasin 14 – Montauban 13 – ♦Toulouse 48.

Notre Dame, pl. Jean-Jaurès ☏ 63 64 77 45 – ⛀wc ⋒wc ☎ – 🏛 80. ⓓ E VISA
fermé 1er au 15 nov. – **R** 63/180, enf. 35 – ☕ 22 – **12 ch** 120/190 – ½ p 180/210.

Gar. Gaiardo ☏ 63 64 72 44

MONTÉLIMAR 26200 Drôme 81 ① G. Vallée du Rhône – 30 213 h.

Env. Site★★ du Château de Rochemaure, 7 km par ⑤ – Pic de Chenavari ≤★★ 13 km par ④ et N 86 puis 30 mn.

ℹ Office de Tourisme allées Champ-de-Mars ☏ 75 01 00 20.

Paris 606 ① – Aix-en-Provence 152 ③ – Alès 103 ③ – Avignon 81 ③ – Nîmes 106 ③ – Le Puy 134 ④ – Salon-de-Provence 118 ③ – Valence 46 ①.

Parc Chabaud ⛰, 16 av. d'Aygu ☏ 75 01 65 66, Télex 345324, ⛱, « Bel aménagement intérieur, parc » – |♨| ☎ ℗ – 🏛 25 à 200. AE ⓓ E VISA
fermé 24 déc. au 1er fév. – **R** *(fermé sam. et dim.)* 210/260 – ☕ 40 – **22 ch** 270/580. Z r

Relais de l'Empereur, pl. Marx-Dormoy ☏ 75 01 29 00, Télex 345537 – TV ☎ 🚗 ℗. AE ⓓ E VISA
fermé 11 nov. au 22 déc. – **R** carte 200 à 275 – ☕ 40 – **38 ch** 345/540. Z f

Sphinx sans rest, 19 bd Desmarais ☏ 75 01 86 64 – TV ⛀wc ⋒wc ☎ ℗. E VISA Y b
fermé 24 déc. au 9 janv. – ☕ 21 – **25 ch** 130/240.

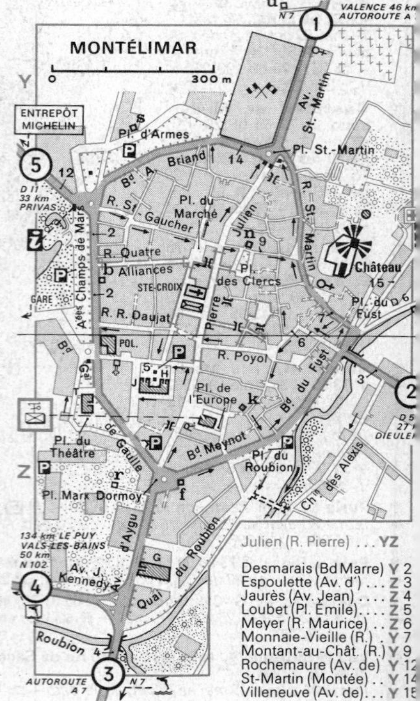

Printemps 🙒, chemin Manche ✆ 75 01 32 63, ⛱ – ⊟wc ⋔wc ☎ Ⓟ. ⚞ rest
24 avril-6 nov., 8 fév.-18 avril et fermé dim. sauf juil.-août – **R** (dîner seul.) 80/180, enf. 50 – ☕ 25 – **16 ch** 110/230. Y u

Beausoleil sans rest, 14 bd Pêcher ✆ 75 01 19 80 – TV ⊟wc ☎ Ⓟ. E VISA
fermé 8 au 26 août – ☕ 22 – **16 ch** 110/260. Y s

Briand M 🙒, chemin du Roubion ✆ 75 01 77 99, ⛱, ⛱ – ⊟wc ⋔wc ☎ ♿ Ⓟ. VISA Y a
R (dîner résidents seul.) 100/160 – ☕ 22 – **18 ch** 170/215.

Provence sans rest, rte Marseille par ③ ✆ 75 01 11 67 – ⊟wc ⋔wc ☎ 🚗 Ⓟ
fermé nov. et sam. de déc. à fév. – ☕ 23 – **16 ch** 100/160.

Pierre 🙒 sans rest, 7 pl. Clercs ✆ 75 01 33 16 – ⊟wc Y n
fermé fév. – ☕ 17 – **11 ch** 110/160.

Le Grillon, 40 r. Cuiraterie ✆ 75 01 79 02 – AE E VISA. ⚞ Z k
fermé 15 déc. au 15 janv., dim. midi et merc. – **R** 90/140 dîner à la carte.

Par la sortie ③

route de Donzère : 9 km sur D 144A à hauteur échangeur sud – ✉ **26780** Malataverne :

❀ **Domaine du Colombier** (Barette) 🙒, ✆ 75 51 65 86, ≤, ⛱, parc, ⛱ – TV ⊟wc ☎ Ⓟ – 🏃 30. AE ⓞ E VISA
fermé fév. – **R** *(fermé dim. soir et lundi midi)* 150/200, enf. 70 – ☕ 40 – **15 ch** 340/450 – ½ p 490/590
Spéc. Foie gras frais, Gratin de ravioles au coulis de crustacés, Pigeonneau en cocotte à l'ail en chemise. **Vins** Coteaux du Tricastin, Vacqueyras.

ICHELIN, Entrepôt, Z.A. du Meyrol par av. Rochemaure par ⑤ ✆ **75 01 80 91**

LFA-ROMEO Gar. des Charmettes, 7 r. de la acière ✆ 75 01 12 51
USTIN-ROVER Gar. du Meyrol, Z.A. du eyrol ✆ 75 51 80 09
TROEN Magne, 9 av. J.-Jaurès par ③ ✆ 75 20 55
AT, LANCIA-AUTOBIANCHI Gar. Bernard, ne Ind., Déviation Poids-Lourds Sud ✆ 75 51 75
ORD Peyrouse, Zone Ind. Sud, rte Château-uf ✆ 75 01 39 16
PEL S.A.V.E.R.A., 33 bd du Gal-de-Gaulle 75 01 08 07

PEUGEOT-TALBOT Moulin, rte Marseille, le Grand Pélican par ③ ✆ 75 01 74 99 N ✆ 75 01 57 04
RENAULT Ets Jean, rte Valence par ① ✆ 75 01 77 00

Ayme-Pneus, ZI Sud av. de Gournier ✆ 75 01 32 77
Hennion-Pneus, Zone Art. du Meyrol, Déviation Poids-Lourds Nord ✆ 75 01 50 21
Piot-Pneu, 112 av. J.-Jaurès ✆ 75 01 88 11
Plantin-Pneus, 71 av. J.-Jaurès ✆ 75 01 18 33

MONTEREAU-FAUT-YONNE

urès (R. Jean) . . . . YZ
aris (R. de) . . . . Y 20
ovins (R. de) . . . . Y 25

rdes (Quai des) . . . . Y 2
ossolette (R. Pierre) . . . . Z 3
etté Preignard (Bd) . . . . Z 4
ames (R. des) . . . . YZ 5
-Arthur-Petit (R.) . . . . YZ 6
ssés (R. des) . . . . Y 7
de-Rue-St-Maurice . . . . Y 9
ttre-de-Tassigny (Av. Maréchal) . . . . Z 12
pesme (Pl. J.) . . . . Z 13
pération (Av. de la) . . . . Z 14
apoléon (Carrefour) . . . . Y 16
otre-Dame et St-Loup (⊟) . . . . Y
oues (Quai des) . . . . Z 19
épinière Royale (R. la) . . . . Y 21
etit-Vaugirard (R. du) . . . . Y 22
ont-de-Seine (Carrefour) . . . . Y 23
ort des Fossés (R.) . . . . Y 24
écollets (R. des) . . . . Z 26
épublique (Bd de la) . . . . Z 27
arennes (R. de) . . . . Z 29
ictor-Hugo (R.) . . . . YZ 30
onne (Quai d') . . . . Y 31
Mai (R. du) . . . . Z 32

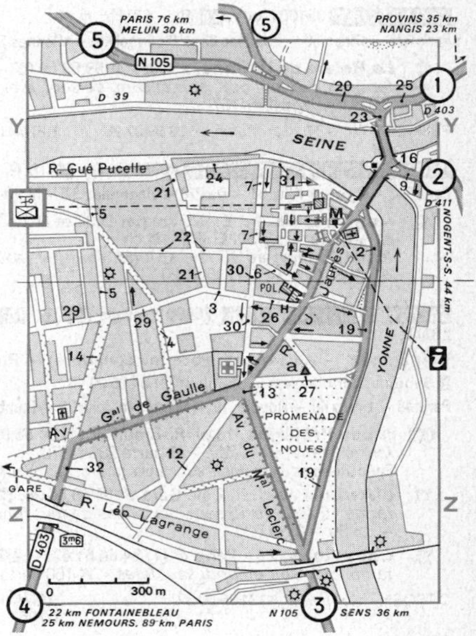

es plans de villes ont orientés Nord en Haut.

PARIS 76 km MELUN 30 km
PROVINS 35 km NANGIS 23 km
N 105
D 39
D 403
SEINE
R. Gué Pucelle
D 411
NOGENT-S-S. 44 km
POL
Jaurès
YONNE
Gal de Gaulle
Av.
PROMENADE DES NOUES
Av. du Mal Leclerc
GARE
R. Léo Lagrange
D 403
300 m
22 km FONTAINEBLEAU 25 km NEMOURS, 89 km PARIS
N 105
SENS 36 km

MONTENACH 57 Moselle 57 ④ – rattaché à Sierck-les-Bains.

MONTEREAU-FAUT-YONNE 77130 S.-et-M. 61 ⑬, 196 ㊼ **G. Environs de Paris** – 19 557
Voir au N Montereau-Surville : ≤★ sur le confluent de la Seine et de l'Yonne, 15 mn.

Office de Tourisme 2 bis r. Danièle-Casanova ✆ (1) 64 32 07 76.

Paris 88 ④ – Fontainebleau 22 ④ – Meaux 72 ⑤ – Melun 30 ⑤ – Sens 36 ③ – Troyes 97 ③.

Plan page précédente

✕ **Aub. des Noues,** 22 r. Arches ✆ (1) 64 32 05 34, – VISA Z
fermé août et lundi – **R** (déj. seul.) 80/110.

à Flagy par ④ et D 120 : 10 km – ✉ **77940** Voulx :

✕✕✕ **Au Moulin** avec ch, ✆ (1) 60 96 67 89, , « Moulin du 13e s. », – ☎ P. AE ⓞ E VISA
fermé 11 au 23 sept., 18 déc. au 21 janv., dim. soir et lundi – **R** 190 – ☕ 28
10 ch 150/300 – 1/2 p 230/300.

AUSTIN-ROVER Huttepain, 5 et 7 r. E.-Fortin ✆ (1)64 32 03 16
FORD Gar. Félix, rte Petit Fossard à Varennes-sur-Seine ✆ (1)64 32 00 76
OPEL Gar. Domergue, 5 r. Habert ✆ (1)64 32 02 48
PEUGEOT-TALBOT Marro, 11 r. du Chatelet par av. Gén. de Gaulle ✆ (1)64 32 02 16
RENAULT Coulet, av. 8-Mai-1945 à Varenne sur-Seine par ④ ✆ (1)64 32 09 25 N
Sovic, Zone Ind., carrefour Central ✆ (1) 32 12 98

MONTEUX 84 Vaucluse 81 ⑫ – rattaché à Carpentras.

MONTÉVRAIN 77 S.-et-M. 56 ⑫, 196 ㉒ – rattaché à Lagny-sur-Marne.

MONTFAUCON 25 Doubs 66 ⑮ – rattaché à Besançon.

MONTFAVET 84 Vaucluse 81 ⑫ – rattaché à Avignon.

MONTFERRAT 83131 Var 84 ⑦ – 2 536 h.
Voir S : Gorges de Châteaudouble★, G. Côte d'Azur.

Paris 876 – Castellane 44 – Draguignan 15 – Toulon 96.

✕ **Ferme du Baudron,** S : 1 km par D 955 ✆ 94 70 91 03, , « Cadre rustique – P. E VISA.
fermé vacances de nov., de Noël et merc. – **R** (nombre de couverts limité - préven 58 .

MONTFORT 35160 I.-et-V. 59 ⑯ – 4 378 h.

Paris 372 – Dinan 39 – Loudéac 62 – Ploërmel 46 – ♦Rennes 22.

Le Relais de la Cane, r. Gare ✆ 99 09 00 07 – . E VISA
fermé vend. soir, dim. soir et sam. de sept. à avril – **R** 44 bc/120 – ☕ 17 – **14 c** 78/171 – 1/2 p 135/167.

PEUGEOT-TALBOT Gar. Radin, ✆ 99 09 01 26
RENAULT Gar. Lory, ✆ 99 09 00 32

MONTFORT-EN-CHALOSSE 40380 Landes 78 ⑦ **G. Pyrénées Aquitaine** – 1 055 h.

Paris 742 – Aire-sur-l'Ad. 58 – Dax 18 – Hagetmau 27 – Mont-de-Marsan 43 – Orthez 28 – Tartas 15.

Aux Touzins , E : 1,5 km par D 32 et D 2 ✆ 58 98 60 22, ≤, parc – wc – P – 50. E VISA. ch
fermé 15 janv. au 15 fév. et lundi sauf juil.-août – **R** 70/150 , enf. 35 – ☕ 16
20 ch 80/150 – 1/2 p 150/220.

MONTFORT-L'AMAURY 78490 Yvelines 60 ⑨, 196 ㉗ **G. Environs de Paris** (plan) 2 674 h.

Voir Église★ – Ancien charnier★ (au cimetière) – Ruines du château ≤★.

Syndicat d'Initiative à la Mairie ✆ (1) 34 86 00 40.

Paris 48 – Dreux 40 – Houdan 19 – Mantes-la-Jolie 36 – Rambouillet 19 – Versailles 28.

✕✕✕ ✿ **Les Préjugés,** 18 pl. R.-Brault ✆ (1) 34 86 92 65, – AE E VISA
fermé 9 janv. au 10 fév. – **R** carte 280 à 370
Spéc. Rissoles d'escargots aux herbes (mai-oct.), Pot au feu de foie gras, Turban de sole au bacon

✕✕ **L'Arrivée** avec ch, 2 av. Gare ✆ 34 86 00 28, , – E VISA. ch
fermé 15 août au 15 sept., vacances de fév., lundi soir et mardi – **R** 250 carte le di – ☕ 30 – **3 ch** 500.

✕✕ **Chez Nous,** 22 r. Paris ✆ (1) 34 86 01 62 – VISA
fermé dim. soir et lundi sauf fêtes – **R** 160 carte le dim.

CITROEN Moutou, ✆ (1)34 86 00 37
RENAULT Gar. de la Gare, à Méré ✆ (1)34 00 96

MONTFRIN 30490 Gard 83 ⑩ – 2 404 h.
Paris 699 – Arles 32 – Alès 59 – Avignon 19 – Nîmes 22.

Aub. du Gardon, ☎ 66 57 54 47, ≤, ≤, ✂ – wc wc ☎ P – 40. ✂
avril-oct. – **R** *(fermé lundi)* 68/90 – ☐ 25 – **10 ch** 180/200 – ½ p 260/270.

MONTGAILLARD 65 H.-Pyr. 85 ⑧ – 708 h. – ✉ **65200** Bagnères-de-Bigorre.
Paris 803 – Bagnères-de-Bigorre 8 – Lourdes 15 – Tarbes 13.

Le Mont-Gaillard, rte Bagnères ☎ 62 91 50 73 –
fermé janv. et lundi – **R** 48/120 – ☐ 30 – **9 ch** 100/120 – ½ p 140/150.

MONTGENÈVRE 05 H.-Alpes 77 ⑱ **G. Alpes du Sud** – 459 h. alt. 1 854 – Sports d'hiver : 1 860/2 700 m 2 22 – ✉ **05100** Briançon – ☎ 92 21 94 23.
Office de Tourisme ☎ 92 21 90 22, Télex 440440.
Paris 690 – Briançon 12 – Gap 99 – Lanslebourg-Mont-Cenis 83 – Torino 96.

Valérie , ☎ 92 21 90 02 – wc wc ☎. ✂ rest
15 déc.-15 avril – **R** 105 – ☐ 26 – **19 ch** 215/265.

Alpet , ☎ 92 21 90 06, ≤ – wc wc ☎
1er juil.-31 août et 15 déc.-15 avril – **R** 65/130 – ☐ 20 – **17 ch** 120/230 – ½ p 165/200.

MONTGUYON 17270 Char.-Mar. 75 ② **G. Poitou Vendée Charentes** – 1 662 h.
Syndicat d'Initiative à la Mairie ☎ 46 04 10 19.
Paris 507 – Barbezieux 31 – Blaye 47 – ◆Bordeaux 64 – Jonzac 34 – Libourne 36 – Ribérac 49.

Poste, ☎ 46 04 19 39, – wc – 80 à 120. E VISA
R 44 bc/82 bc, enf. 30 – ☐ 15 – **18 ch** 100/140 – ½ p 159/180.

PEUGEOT Gar. Blut ☎ 46 04 11 21 — RENAULT Dutour, ☎ 46 04 10 47

MONTHERMÉ 08800 Ardennes 53 ⑱ **G. Champagne** (plan) – 3 103 h.
Voir Roche aux Sept Villages ≤ S : 3 km – Roc de la Tour ≤** E : 3,5 km puis 20 mn – Longue Roche ≤** NO : 2,5 km puis 30 mn – Roche à Sept Heures ≤* N : 2 km – Roche de Roma ≤* S : 4 km – Les Dames de Meuse* NO : 5 km – E : Vallée de la Semoy* – Env. Roches de Laifour** NO : 6 km.**
Paris 243 – Charleville-Mézières 18 – Fumay 23.

PEUGEOT-TALBOT Modern Gar., 3 r. Dr-Lemaire ☎ 24 53 00 46 — RENAULT Domelier, r. Gal-de-Gaulle ☎ 24 53 01 12

MONTHUREUX-SUR-SAÔNE 88410 Vosges 62 ⑭ – 1 111 h.
Paris 326 – Bourbonne-les-B. 21 – Épinal 48 – Luxeuil-les-B. 50 – Neufchâteau 50 – Vittel 27.

Relais des Vosges avec ch, ☎ 29 09 00 45 – AE ① E VISA
fermé 4 au 20 janv., dim. soir et lundi soir – **R** 50/220 – ☐ 18 – **10 ch** 90/130 – ½ p 135/165.

MONTI 06 Alpes-Mar. 84 ⑳ – rattaché à Menton.

MONTIGNAC 24290 Dordogne 75 ⑦ **G. Périgord Quercy** – 3 165 h.
Voir Lascaux II SE : 2,5 km.**
Env. Église de St-Amand de Coly E : 7 km.**
Syndicat d'Initiative pl. Bertran-de-Born (25 janv.-déc.) ☎ 53 51 82 60.
Paris 497 – Bergerac 83 – Brive-la-Gaillarde 38 – ◆Limoges 102 – Périgueux 47 – Sarlat-la-Canéda 25.

✿ **Château de Puy Robert** M , SO : 1,5 km par D 65 ☎ 53 51 92 13, Télex 550616, parc, « Belle décoration intérieure », – TV ☎ P. AE ① E VISA
14 mai-16 oct. – **R** 175/360, enf. 80 – ☐ 55 – **33 ch** 600/790, 5 appartements 1400 – ½ p 585/730
Spéc. Brouillade d'oeuf aux truffes, Foie gras de canard poêlé en paillasson, Nougat glacé au coulis de cassis.

Soleil d'Or, r. du 4-Septembre ☎ 53 51 80 22, , parc, – TV ☎ & P – 100. E VISA
27 mars-1er nov. – **R** *(fermé dim. soir et lundi midi en avril et oct.)* 75/250, enf. 60 – ☐ 30 – **29 ch** 150/300, 6 appartements 420/470 – ½ p 190/230.

Lascaux, av. J.-Jaurès ☎ 53 51 82 81, – wc wc ☎. ① VISA. ✂ rest
fermé 2 au 20 nov., fév., vend. soir et sam. midi d'oct. au 19 mars – **R** 55/180, enf. 39 – ☐ 20 – **16 ch** 90/180 – ½ p 140/165.

MONTIGNAC-CHARENTE 16 Charente 72 ⑬ **G. Poitou Vendée Charentes** – 772 h. – ✉ **16330** St-Amant-de-Boixe.
Voir Église* de St-Amant-de-Boixe NE : 1,5 km.
Paris 429 – Angoulême 16 – Cognac 42 – ◆Limoges 103 – Niort 86 – St-Jean-d'Angély 58.

Château sans rest, ☎ 45 39 70 38 – ✂
1er juin-15 oct. – ☐ 15 – **11 ch** 75/100.

MONTIGNY-AUX-AMOGNES 58 Nièvre 69 ④ – 448 h. – ✉ **58130** Guérigny.

Paris 250 – Château-Chinon 57 – Decize 36 – Nevers 12 – Prémery 29.

XX **Aub. des Amognes,** ✆ 86 58 61 97, – Ⓟ
fermé 29 août au 6 sept., 15 fév. au 15 mars, dim. soir et lundi – **R** (prévenir) 50/13

MONTIGNY-LA-RESLE 89 Yonne 65 ⑤ – 496 h. – ✉ **89230** Pontigny.

Paris 175 – Auxerre 14 – St-Florentin 17 – Tonnerre 32.

XX **Soleil d'Or** avec ch, ✆ 86 41 81 21 – wc Ⓟ. AE E VISA. rest
fermé nov. et lundi de sept. à mai – **R** 53/165, enf. 35 – 18 – **11 ch** 97/150.

MONTIGNY-LE-BRETONNEUX **78180** Yvelines 60 ⑨ – 13 524 h.

Paris 32 – Rambouillet 26 – Dreux 56 – Versailles 12.

Fimotel Ⓜ, r. J.-P. Timbaud ✆ (1) 34 60 50 24, Télex 699235 – TV wc ☎
Ⓟ – 45. AE VISA
R 61/78, enf. 34 – 28 – **81 ch** 265/285.

MONTIGNY-LE-ROI 52 H.-Marne 62 ⑬ – 1 188 h. – ✉ **52140** Le Val de Meuse.

Paris 288 – Bourbonne-les-Bains 21 – Chaumont 32 – Langres 22 – Neufchâteau 47 – Vittel 50.

Moderne Ⓜ, ✆ 25 90 30 18, Télex 830349 – TV wc wc ☎ Ⓟ –
E VISA
R 70/170 – 24 – **26 ch** 160/205 – $^1/_2$ p 240/350.

PEUGEOT-TALBOT Gar. Flagez, ✆ 25 90 30 34 N

RENAULT Gar. Rabert, ✆ 25 90 31 15 N ✆ 90 37 19

MONTIGNY-LÈS-METZ 57 Moselle 57 ⑬⑭ – rattaché à Metz.

MONTLHÉRY **91310** Essonne 60 ⑩, 196 ㊱, 101 ㉞ **G. Environs de Paris** – 4 819 h.

Voir ✻★ de la tour – Marcoussis : Vierge★ dans l'église O : 3 km.

Autodrome permanent de Linas-Montlhéry SO : 2,5 km.

Syndicat d'Initiative pl. Hôtel de Ville ✆ (1) 69 01 70 11.

Paris 26 – Etampes 24 – Evry 15 – Versailles 26.

AUSTIN-ROVER Gar. de l'Autodrome, ✆ (1)69 01 00 55

PEUGEOT-TALBOT Paulmier, ✆ (1)69 01 02
RENAULT Gar. Docteur, ✆ (1)69 01 02 00

MONT-LOUIS **66210** Pyr.-Or. 86 ⑯ **G. Pyrénées Roussillon** – 420 h. alt. 1 600.

Voir Remparts★.

Syndicat d'Initiative r. Marché (vacances scolaires) ✆ 68 04 21 97.

Paris 989 – Andorre-la-Vieille 87 – Carcassonne 118 – Foix 118 – ♦Perpignan 79 – Prades 36.

à la Llagonne N : 3 km par D 118 – ✉ **66210** Mont-Louis :

Commerce , ✆ 68 04 22 04, ←, – wc Ⓟ. VISA. rest
4 juin-1er oct. et 20 déc.-20 avril – **R** 59/102, enf. 32 – 20 – **30 ch** 102/240
$^1/_2$ p 132/200.

à St-Pierre-dels-Forcats S : 3,5 km par D 10 et D 32 – alt. 1 575 – Sports d'hiv
1 600/2 400 m 8 – ✉ **66210** Mont-Louis.

Voir Église★ de Planès SE : 3 km.

Mouli del Riu , ✆ 68 04 20 36, ←, – wc wc
fermé 1er au 20 oct. et merc. hors sais. – **R** 60/150 – 22 – **15 ch** 130/195
$^1/_2$ p 175/210.

PEUGEOT-TALBOT Gar. Giraud, carr. Monument Brousse à la Cabanasse ✆ 68 04 20 22 N

MONTLOUIS-SUR-LOIRE **37270** I.-et-L. 64 ⑮ **G. Châteaux de la Loire** – 7 003 h.

Syndicat d'Initiative pl. Mairie (mai-sept.) ✆ 47 45 00 16.

Paris 234 – Amboise 13 – Blois 48 – Château-Renault 37 – Loches 42 – Montrichard 28 – ♦Tours 12.

de la Ville, pl. Mairie ✆ 47 50 84 84 – wc wc ☎ Ⓟ. E VISA
fermé 20 déc. au 20 janv. – **R** *(fermé lundi hors sais.)* 70/130, enf. 50 – 23
29 ch 110/220 – $^1/_2$ p 190/235.

XXX ✿ **Roc-en-Val,** 4 quai Loire ✆ 47 50 81 96, , « **Jardin ombragé** », – Ⓟ.
VISA
fermé 15 fév. au 10 mars, lundi (sauf le soir du 15 avril au 15 oct.) et dim. soir –
145/295

Spéc. Fondant de queue de boeuf au foie gras, Crépinette de brochet, Tuiles soufflées au choco glace vanille.

XX **Tourangelle,** quai A.-Baillet ✆ 47 50 81 15 – Ⓟ. E VISA
fermé 21 déc. au 4 janv., 28 juin au 12 juil., dim. soir, mardi soir et merc. – **R** 69/1

MONTLUÇON <SP> **03100** Allier **69** ⑪⑫ **G. Auvergne** – **51 765 h.**

Voir Le Vieux Montluçon★ BY : intérieur★ de l'église St-Pierre **D**, esplanade du château ≤★, musée de la Vielle★ **M1**.

18 de Val de cher ✆ **70 06 71 15, N : 17 km.**

Office de Tourisme 1 av. Marx-Dormoy ✆ 70 05 05 92 et pl. Piquand (mai-sept.) ✆ 70 05 10 23 – A.C. 128 bd Courtais ✆ 70 05 15 52.

Paris 329 ① – **Bourges 94** ① – ♦**Clermont-Ferrand 90** ③ – ♦**Limoges 137** ⑥ – **Poitiers 206** ⑧.

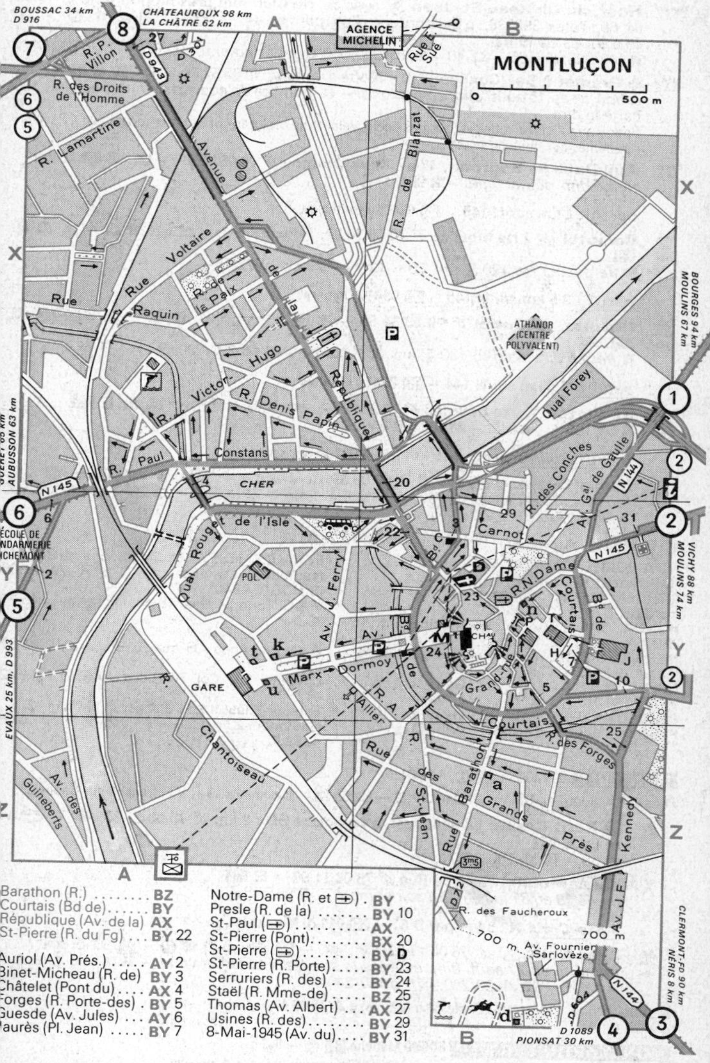

Barathon (R.) . . . . BZ
Courtais (Bd de) . . . . . . BY
République (Av. de la) . AX
St-Pierre (R. du Fg) . . . BY 22

Auriol (Av. Prés.) . . . . . AY 2
Binet-Micheau (R. de) BY 3
Châtelet (Pont du) . . . . AX 4
Forges (R. Porte-des) . BY 5
Guesde (Av. Jules) . . . AY 6
Jaurès (Pl. Jean) . . . . . BY 7

Notre-Dame (R. et ⊞) . BY
Presle (R. de la) . . . . BY 10
St-Paul (⊞) . . . . AX
St-Pierre (Pont) . . . . BX 20
St-Pierre (⊞) . . . . BY D
St-Pierre (R. Porte) . . . . . BY 23
Serruriers (R. des) . . . . . BY 24
Staël (R. Mme-de) . . . . . . BZ 25
Thomas (Av. Albert) . . . . AX 27
Usines (R. des) . . . . BY 29
8-Mai-1945 (Av. du) . . . . BY 31

Univers sans rest, **38 av. Marx-Dormoy** ✆ **70 05 33 47, Télex 392309** – wc wc ☎ – 70. AE E VISA AY **k**
☕ 20 – **53 ch** 130/214.

tourner →

Gare M sans rest, **42 av. Marx Dormoy** ☎ **70 05 44 22** – TV ⇔wc ⋒wc ☎ P. VISA AY
fermé 25 déc. au 5 janv. – ☐ 18 – **21 ch** 145/225.

Lion d'Or et rest. la Crémaillère, 19 r. Barathon ☎ 70 05 00 62 – |≡| ⇔wc ☎ ⇔. E VISA BZ
R *(fermé dim. soir et lundi midi)* 100/200 ♁, enf. 40 – ☐ 20 – **41 ch** 80/195 – ½ p 210/255.

XXX **Host. du Château St-Jean** ⛰ avec ch, **rte Clermont près hippodrome** ☎ **70 0 04 65, Télex 392339,** « En bordure d'un parc », ⛲ – ⇔wc ⋒wc ☎ P – 40 à 80. AE ⓓ E VISA BZ
R 145/285, enf. 65 – ☐ 40 – **20 ch** 350/550, 6 appartements 700/850 – ½ p 600/750

XXX ✿ **Grenier à Sel** (Corlouër), **10 r. Notre-Dame** ☎ **70 05 53 79** – AE ⓓ E VISA
fermé 1er au 15 août, dim. soir et lundi – **R** (nombre de couverts limité-prévenir) 12 carte le dim. BY
Spéc. Langoustines rôties et foie gras poêlé, Velouté de cèpes aux St-Jacques (nov. à avril), Panach de soufflés aux fruits de saison.

XX **Aux Ducs de Bourbon,** 47 av. Marx-Dormoy ☎ **70 05 22 79** – ▤. AE ⓓ E VISA
fermé dim. soir et lundi – **R** 95/151 ♁. AY

par ② : **2 km sur N 145** – ✉ **03100** Montluçon :

Bomotel M, **2 rte Moulins** ☎ **70 05 76 22, Télex 990877** – ⇔wc ☎ P – 70. AE VISA
R *(fermé oct.)* 48/120 ♁, enf. 28 – ☐ 24 – **29 ch** 199/230.

par ⑥ : **3,5 km sur N 145** – ✉ **03410** Domérat :

Novelta, rte Guéret ☎ **70 03 34 88** – |≡| TV ⇔wc ⋒wc ☎ P – 60 à 100. VISA. ⚘
R *(fermé dim. soir)* 65/130 ♁, enf. 30 – ☐ 22 – **40 ch** 220/290.

par ① : **7,5 km sur N 144** – ✉ **03410** Montluçon :

St-Victor ⛰, **rte Bourges** ☎ **70 28 80 64,** ⛲ – ▤ ch ⇔wc ☎ P. E VISA
R 50/100 ♁ – ☐ 23 – **28 ch** 180/240.

à Estivareilles par ① : **10 km** – ✉ **03190** Hérisson :

XX **Lion d'Or** avec ch, **N 144** ☎ **70 06 00 35,** parc – ⇔wc ⋒wc ☎ ⇔ P. E VISA
fermé août, vacances de fév., dim. soir et lundi – **R** 62/185 – ☐ 20 – **10 ch** 130/1 – ½ p 170/190.

MICHELIN, Agence, r. Benoist-d'Azy ☎ **70 29 05 76**

ALFA-ROMEO-TOYOTA Gar. Andrieu, 21 r. H.-Berlioz ☎ 70 28 41 34
CITROEN Gd Gar. Montluçonnais, 12 r. P.-Sémard par D72 BZ ☎ 70 05 32 07
HONDA SAGA, ZI r. des Deux-Écluses ☎ 70 29 07 93
MERCEDES-BENZ Auvity, r. 2 Ecluses, Zone Ind. ☎ 70 29 07 93
OPEL S.I.V.R.A.C., 162 av. Gén.-de-Gaulle ☎ 70 28 39 01
PEUGEOT-TALBOT Gar. Bourbonnais, 10 r. P.-Sémard par D72 BZ ☎ 70 05 34 37 N

RENAULT I.D.E.A., La Cote Rouge rte de Ch teauroux à Domerat par ⑧ ☎ 70 29 49 N ☎ 70 05 28 80
V.A.G. Europe Gar., 18 quai Forey ☎ 70 05 3 33

Central-Pneu, 35 quai L.-Blanc ☎ 70 05 5 57
Coopneu, 29 r. Col.-Trabucco par ⑤ ☎ 70 29 4 44
Estager-Pneu, 1 r. de Blanzat ☎ 70 05 14 42
Godignon, Z.I. r. E.-Sue ☎ 70 29 64 85, ☎ 70 42 82 N

MONTLUEL 01120 Ain 74 ② – 5 460 h.

Paris 451 – Bourg-en-B. 44 – Chalamont 20 – ♦Lyon 23 – Meximieux 13 – Villefranche-sur-Saône 39.

Le Petit Casset M sans rest, **à La Boisse SO : 2 km** ☎ **78 06 21 33,** ⛲ – ⇔wc ☎ P. E VISA
☐ 35 – **10 ch** 250/280.

X **Vieux Moulin, 335 Gde Rue** ☎ **78 06 11 90** – E VISA
fermé 18 au 31 juil., mardi soir et merc. – **R** 85/145 ♁.

à Ste-Croix N : **5 km par D 61** – ✉ **01120** Montluel :

Chez Nous ⛰, ☎ **78 06 17 92,** ⛱, ⛲ – TV ⇔wc ⋒ ☎ P – 30. E VISA
fermé 16 au 27 août, dim. et fériés le soir (sauf hôtel) et vend. – **R** 60/200 ♁, enf. 4 – ☐ 28 – **18 ch** 80/260 – ½ p 180/240.

Relais Pneu, 110 rte Nationale 84 à la Boisse ☎ 78 06 41 01

MONTMARTIN-SUR-MER 50590 Manche 54 ⑫ – 849 h.

Paris 345 – Coutances 10 – Granville 20 – St-Lô 37 – Villedieu-les-Poêles 33.

Host. du Bon Vieux Temps, ☎ **33 47 54 44** – ⋒wc ☎ P. VISA
R 50/160, enf. 35 – ☐ 15 – **20 ch** 90/170 – ½ p 176/256.

PEUGEOT-TALBOT Gar. des Gravelets, ☎ 33 47 60 15

MONTMÉDY 55600 Meuse 57 ① G. Alsace et Lorraine (plan) – 2 324 h.
oir Remparts★.
nv. Basilique★★ et Recevresse★ d'Avioth N : 8 km.
Office de Tourisme Ville Haute (fév.-nov.) ✆ 29 80 15 90 – A.C. 13 r. Gén.-de-Gaulle ✆ 29 80 10 06.
aris 259 – Charleville-Mézières 64 – Longwy 43 – ♦Metz 95 – Verdun 48 – Vouziers 61.

Le Mady, ✆ 29 80 10 87 – wc. E VISA
fermé fin janv. à début mars, dim. soir et lundi – **R** 45/170, enf. 35 – 15 – **13 ch** 70/100 – ½ p 155/175.

EUGEOT-TALBOT Bigorgne, ✆ 29 80 10 34

MONTMÉLIAN 73800 Savoie 74 ⑯ G. Alpes du Nord – 4 028 h.
oir ✱★ du rocher.
aris 551 – Albertville 35 – Allevard 23 – Chambéry 15 – ♦Grenoble 49 – St-Jean-de-Maurienne 57.

George, rte Nationale 6 ✆ 79 84 05 87 – wc P. ch
fermé mai (sauf rest.), nov. et mardi – **R** 54/145 – 22 – **12 ch** 140/170.

XXX **Host. des Cinq Voûtes,** rte Nationale 6 ✆ 79 84 05 78, « Voûtes moyenâgeuses » – P. AE E VISA
fermé 11 au 20 avril, 5 au 15 sept., 10 au 22 nov. et merc. soir – **R** 150/250.

XX **L'Arlequin** (Centre technique hôtelier), **rte Nationale 6** ✆ **79 84 21 54** – P.
fermé 27 juin au 27 juil. et merc. – **R** 58/135.

ENAULT Gar. Novel, ✆ 79 84 04 52

MONTMERLE-SUR-SAÔNE 01090 Ain 74 ① – 2 023 h.
ris 421 – Bourg-en-Bresse 40 – Chauffailles 48 – ♦Lyon 49 – Mâcon 29 – Villefranche-sur-Saône 12.

Rivage, au pont ✆ 74 69 33 92, – wc wc P – 30 à 100. AE E VISA.
fermé 15 nov. au 15 déc. et lundi – **R** 70/220 – 25 – **11 ch** 160/250.

XXX **Castel de Valrose** avec ch, ✆ **74 69 30 52** – E VISA
fermé 1er janv. au 2 fév., dim. soir et lundi – **R** 120/250 – 32 – **7 ch** 190/270 – ½ p 400/460.

ENAULT Gar. Deschampt, ✆ 74 69 37 20

MONTMEYRAN 26 Drôme 77 ⑫ – 2 037 h. – ✉ 26120 Chabeuil.
ris 580 – Crest 14 – Romans-sur-Isère 24 – Valence 14.

XX **La Vieille Ferme,** Les Dorelons ✆ **75 59 31 64,** , « Intérieur rustique », – P. E VISA
fermé août, dim. soir, lundi soir et mardi – **R** (prévenir) 190 bc/270 bc.

MONTMIRAIL 84 Vaucluse 81 ⑫ – rattaché à Gigondas.

MONTMORILLON 86500 Vienne 68 ⑮ G. Poitou Vendée Charentes (plan) – 7 541 h.
oir Fresques★ dans la crypte de l'église N.-Dame.
Office de Tourisme 21 av. Tribot (fermé matin hors saison) ✆ 49 91 11 96.
ris 360 – Angoulême 120 – Châteauroux 85 – ♦Limoges 82 – Poitiers 48.

France, 2 bd Strasbourg ✆ 49 91 00 51 – wc wc . AE E VISA
fermé 2 janv. au 8 fév., dim. soir et lundi sauf fêtes – **R** (dim. et fêtes - prévenir) 100/285, enf. 60 – 25 – **27 ch** 150/200.

TROEN Perrot, rte de Lussac-les-Châteaux 49 91 00 05
UGEOT-TALBOT G.M.G.A., 59 bd Gambetta 49 91 11 33
RENAULT Robuchon et Fils, 1 av. de l'Europe ✆ 49 91 06 44

MONTMORT 51270 Marne 56 ⑮⑯ G. Champagne – 420 h.
nv. Fromentières : retable★★ de l'église SO : 11 km.
ris 123 – Châlons-sur-Marne 46 – Épernay 18 – Montmirail 24 – Sézanne 26.

XX **Cheval Blanc** avec ch, ✆ **26 59 10 03** – wc P – 80. E VISA
fermé 15 fév. au 15 mars et vend. – **R** 60/235 – 20 – **12 ch** 80/160 – ½ p 160/200.

MONTOIRE-SUR-LE-LOIR 41800 L.-et-Ch. 64 ⑤ G. Châteaux de la Loire (plan) – 4 243 h.
oir Chapelle St-Gilles★ : peintures murales★★ – Pont ≤★.
Syndicat d'Initiative r. St-Denis (juil.-août) ✆ 54 85 39 78 et à la Mairie ✆ 54 85 00 29.
ris 190 – Blois 44 – Château-Renault 20 – La Flèche 81 – St-Calais 23 – Vendôme 19.

Cheval Rouge, pl. Foch ✆ **54 85 07 05** – wc . AE E VISA
fermé 1er fév. au 3 mars, mardi soir et merc. – **R** (dim. prévenir) 95/230 – 20 – **17 ch** 69/175 – ½ p 143/262.

TROEN Gar. Val de Loire, ✆ 54 85 01 86
TROEN Gar. Lecoupt, ✆ 54 85 03 12 N
PEUGEOT Gar. Hervio, ✆ 54 85 02 40 N

MONTPELLIER

Polygone (Le) . . . . **CU**

Arceaux (Bd des) . . . . **AU** 6

Bazille (R. F.) . . . . **BCV** 12
Bonnard (R.) . . . . **AT** 14
Broussonnet (R. A.) . . . . . **AT** 18
Chancel (Av.) . . . . **AT** 25
Citadelle (Allée) . . . . **CU** 26
Clapiès (R.) . . . . **AU** 28

Comte (R. A.) . . . . **AU**
Délicieux (R. B.) . . . . **CT**
Etats-du-Languedoc
(Av. des) . . . . **CU**
Fabre-de-Morlhon (Bd) . **BV**
Fg-Boutonnet (R.) . . . . . . **BT**

A D 986 (7) GANGES PARC ZOOLOGIQUE DE LUNARET B (7)

T U V

LODÈVE, MILLAU N 109: LA PAILLADE

(6) (6) (5) (4)

A 9 : SÈTE, BÉZIERS N 113 : BÉZIERS

D 5

D 116

Av. du Père Soulas — R. Portalière des Masques — R. de la Masques — R. du Fg St-Jaumes — Av. Bouisson-Bertrand — R. Turgot — R. Lakanal — Av. de Castelnau — ST-ANTOINE — Q. des Tanneurs — Q. du Verdanson — Bd Pasteur — Bd Henri IV — R. de l'Université — LE CORUM (Secteur en travaux) — STE-THÉRÈSE — Av. d'Assas — R. Gerhardt — Jardin des Plantes — AQUEDUC ST-CLÉMENT — R. Pitot — PROMDE DU PEYROU — Arc de Triomphe — Rue Foch — Esplanade — R. St-Louis — R. de la Loge — R. St-Guilhem — Av. de Lodève — R. Pellicier — R. du Fg du Courreau — Bd du Jeu de Paume — Pl. de la Comédie — Avenue de — IMMACULÉE CONCEPTION — Cours Gambetta — Bd V. Hugo — R. de Verdun — R. Chaptal — Bd Renouvier — R. Balard — R. du Gd St-Jean — R. de Claret — R. de la Liberté — Av. G. Clemenceau — POL. — Av. Lepic — Rue E. Michel — Av. de Maurin — Bd Vieussens — R. Peysson — R. de la Perruque — Av. Berthelot — Av. de Toulouse — ST-CLÉOPHAS — R. St-Cléophas — Av. de la Liberté — Av. de Toulouse — R. F. Mireur — R. G. Janvier — ST-JACQUES — Av. de Maurin — Av. A. — Bd

43 — 25 — 37 — 18 — 14 — 72 — 6 — 6 — 53 — 28 — 29 — 38 — 38 — 90 — 88 — 88 — 88 — 12 — 36 — 71

k — x — n — b — A

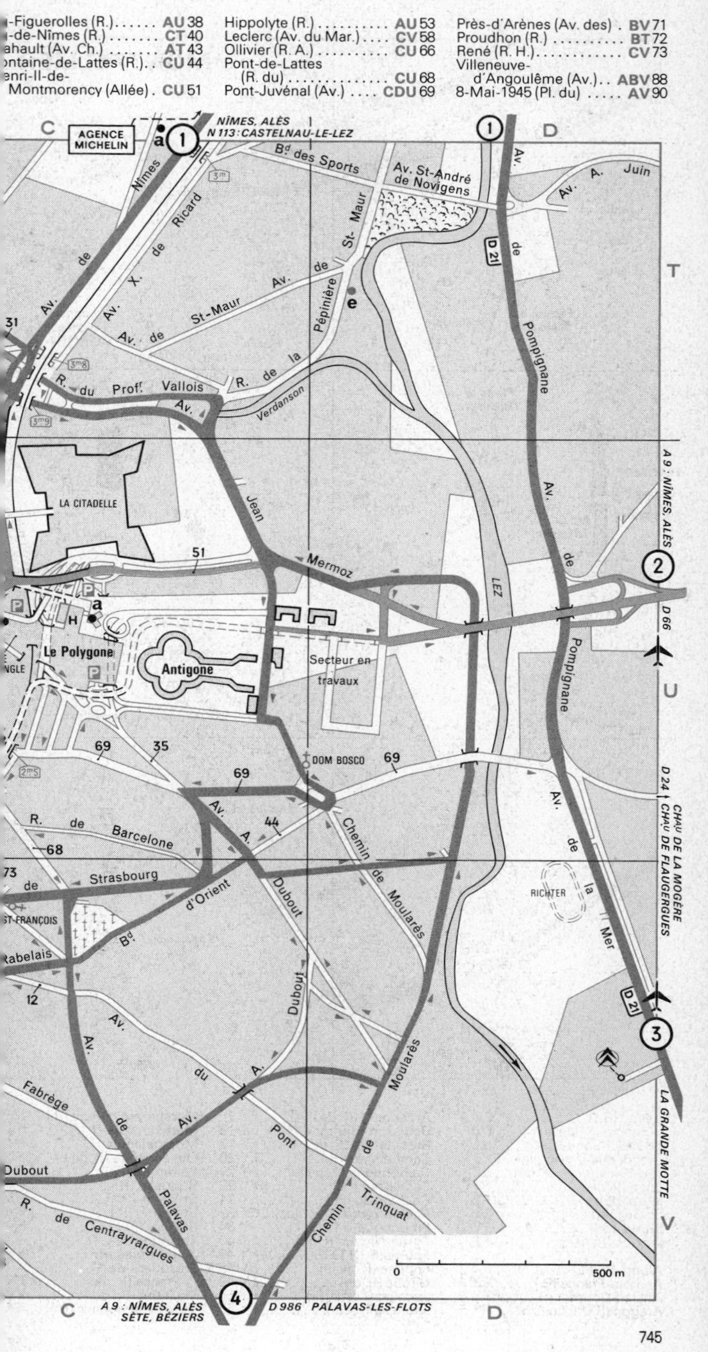
NÎMES, ALÈS
N 113 : CASTELNAU-LE-LEZ
AGENCE MICHELIN
Bd des Sports
Av. St-André de Novigens
Av. A. Juin
Av. de Nîmes
Av. X. de Ricard
Av. de St-Maur
R. de St-Maur
R. de la Pépinière
R. du Profr Vallois
Verdanson
Av. Jean Mermoz
LA CITADELLE
Le Polygone
Antigone
Secteur en travaux
DOM BOSCO
LEZ
Av. de Pompignane
A 9 : NÎMES, ALÈS
D 66
D 21
D 24
CHAU DE LA MOGÈRE
CHAU DE FLAUGERGUES
R. de Barcelone
de Strasbourg
Bd d'Orient
Av. A. Dubout
Chemin de Moularès
RICHTER
Av. de la Mer
LA GRANDE MOTTE
Rabelais
Av. du Pont
Av. de Fabrège
Av. de Palavas
Dubout
R. de Centrayrargues
Chemin de Moularès
de Trinquat
0
500 m
A 9 : NÎMES, ALÈS
SÈTE, BÉZIERS
D 986 PALAVAS-LES-FLOTS

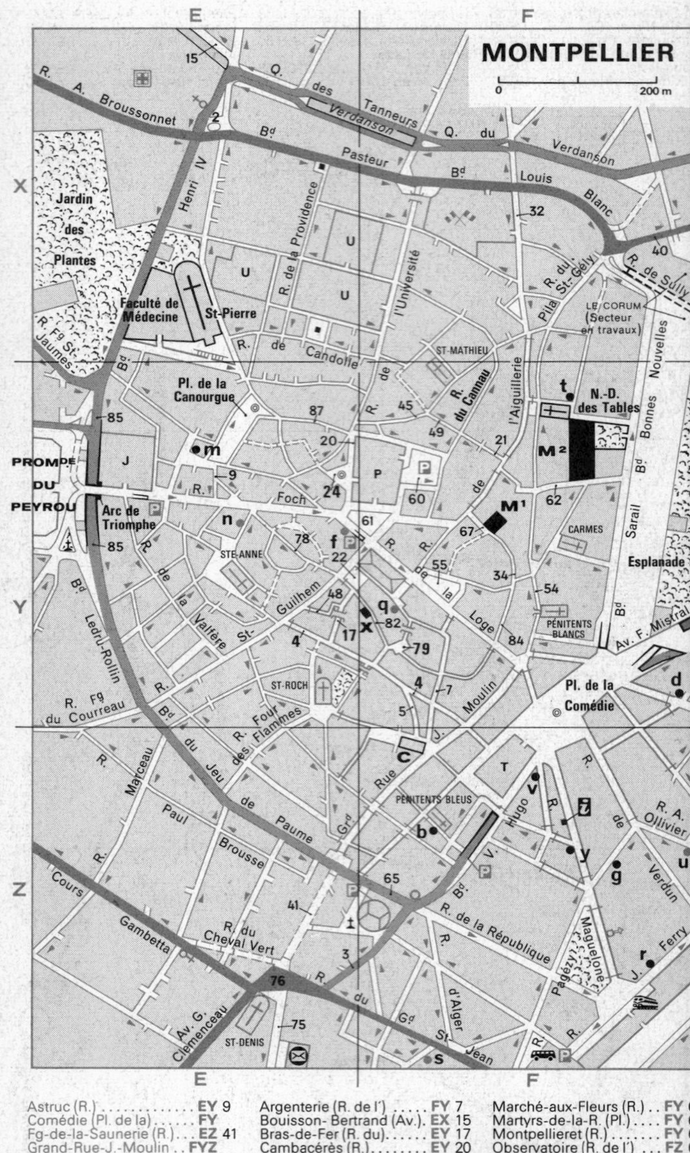

Astruc (R.) . . . . EY 9
Comédie (Pl. de la) . . . . . . FY
Fg-de-la-Saunerie (R.) . . . . EZ 41
Grand-Rue-J.-Moulin . . FYZ
Jeu-de-Paume (Bd du) . . EZ
Loge (R. de la) . . . . FY
Maguelone (R.) . . . . FZ
St-Guilhem (R.) . . . . EY
Sarrail (Bd) . . . . FY
Verdun (R. de) . . . . FZ

Albert-1er (Pl.) . . . . EX 2
Anatole-France (R.) . . . . . . EZ 3
Ancien-Courrier (R.) . . . . EFY 4
Aragon (R. Jacques d') . . FY 5

Argenterie (R. de l') . . . . . FY 7
Bouisson- Bertrand (Av.) . EX 15
Bras-de-Fer (R. du) . . . . . . EY 17
Cambacérès (R.) . . . . EY 20
Carbonnerie (R. de la) . . . FY 21
Castellane (Pl.) . . . . EFY 22
Chabaneau (Pl.) . . . . EY 24
Écoles-Laïques (R. des) . FX 32
Embouque-d'Or (R.) . . . . . FY 34
Fg-de-Nîmes (R. du) . . . . FX 40
Fournarié (R.) . . . . FY 45
Friperie (R. de la) . . . . EY 48
Girone (R. de) . . . . FY 49
Jacques-Cœur (R.) . . . . . . FY 54
Jaurès (Pl. Jean) . . . . FY 55

Marché-aux-Fleurs (R.) . . FY 6
Martyrs-de-la-R. (Pl.) . . . . FY 6
Montpellieret (R.) . . . . FY 6
Observatoire (R. de l') . . . FZ 6
Pétrarque (Pl.) . . . . FY 6
Rondelet (R.) . . . . EZ 7
St-Denis (Pl.) . . . . EZ
St-Firmin (R.) . . . . EY
St-Ravy (Pl.) . . . . FY
Trésorier-de-la-Bourse (R.) . . . . FY
Trésoriers-de-France (R. des) . . . . FY
Vialleton (Bd du Pr.) . . . . . EY
Vieille-Intendance (R.) . . . EY

MONTPELLIER P 34000 Hérault 83 ⑦ G. Gorges du Tarn – 201 067 h.

Voir Vieux Montpellier★★ : hôtel de Varennes★ FY M1, hôtel des Trésoriers de la Bourse★ FY X, rue de l'Ancien Courrier★ EFY 4 – Promenade du Peyrou★★ : <★ de la terrasse supérieure AU – Musées : Fabre★★ FY M2, Atger★ (dans la faculté de médecine) EX.

Env. Parc zoologique de Lunaret★ 6 km par av. Bouisson-Bertrand ABT – Château de la Mogère★ E : 5 km par D 24 DU.

Club de Coulondres ☎ 67 84 13 75 par ⑦.

de Montpellier-Fréjorgues, Air-France : ☎ 67 65 60 65 SE par ③: 7 km.

Office de Tourisme 6 r. Maguelone ☎ 67 58 26 04, Télex 480376 et Gare S.N.C.F ☎ 67 92 90 03 – A.C. 3 r. Maguelone ☎ 67 58 44 12.

Paris 759 ② – ♦Marseille 169 ② – ♦Nice 324 ② – Nîmes 52 ② – ♦Toulouse 240 ⑤.

Plans pages précédentes

Métropole, 3 r. Clos-René ☎ 67 58 11 22, Télex 480410, – 200. AE E VISA
R 129/250 – 42 – **84 ch** 359/929, 4 appartements 1458 – ½ p 530/740. FZ g

Altéa Polygone M, au Polygone ☎ 67 64 65 66, Télex 480362, – – 400. AE E VISA. rest
Lou Païrol *(fermé 23 déc. au 5 janv., sam. midi et dim. soir)* **R** 140 bc/350 bc, enf. 70 – 38 – **115 ch** 385/415 – ½ p 330/360. CU a

Sofitel M sans rest, au Triangle ☎ 67 58 45 45, Télex 480140 – – 25. AE E VISA
48 – **98 ch** 420/580. CU h

Novotel M, 125 bis av. Palavas par ④ : 2 km, échangeur A9 Montpellier Sud ☎ 67 64 04 04, Télex 490433, – – 200. AE E VISA
R grill carte environ 120, enf. 40 – 38 – **97 ch** 380/420.

Noailles sans rest, 2 r. Ecoles-Centrales ☎ 67 60 49 80, demeure 17ᵉ s. – AE E VISA
fermé 23 déc. au 16 janv. – 30 – **30 ch** 240/330. FY t

Chevalier d'Assas M sans rest, 18 r. d'Assas ☎ 67 52 02 02, – AE E VISA
34 – **14 ch** 350/400. AT x

George V M sans rest, 42 av. St-Lazare ☎ 67 72 35 91, Télex 480953 – – 50. AE E VISA
25 – **39 ch** 250/340. CT a

Gd. H. du Midi sans rest, 22 bd Victor-Hugo ☎ 67 92 69 61, Télex 490752, – wc wc AE E VISA
30 – **49 ch** 230/350. FZ v

Royal sans rest, 8 r. Maguelone ☎ 67 92 13 36, Télex 490040 – wc wc AE E VISA
31 – **46 ch** 220/320. FZ y

L'Hôtel sans rest, 6 r. Jules-Ferry ☎ 67 58 88 75, Télex 490105 – wc wc AE E VISA.
20 – **55 ch** 150/190. FZ r

Myrtes sans rest, 5 av. Lepic 34070 ☎ 67 42 60 11 – wc wc E VISA.
fermé fév. – 25 – **33 ch** 168/258. AV b

Parc sans rest, 8 r. A.-Bégé ☎ 67 41 16 49 – wc wc E VISA
20 – **19 ch** 170/290. BT k

Palais sans rest, 3 r. Palais ☎ 67 60 47 38 – wc wc VISA
22 – **24 ch** 150/260. EY m

Arceaux sans rest, 33 bd Arceaux ☎ 67 92 61 76 – wc wc E VISA
20 – **18 ch** 185/250. AU n

Paix sans rest, 6 r. Loys ☎ 67 66 05 88 – wc wc VISA
fermé 25 déc. au 3 janv. – 20 – **26 ch** 90/170. FZ b

Comédie sans rest, 1 bis r. Baudin ☎ 67 58 43 64 – wc
17 – **20 ch** 95/170. FY d

XXX ✿ **Chandelier** (Furlan), 3 r. Leenhardt ☎ 67 92 61 62 – AE E VISA
fermé 1er au 21 août, vacances de fév., lundi midi et dim. – **R** carte 250 à 310 FZ s
Spéc. Tomates glacées à la menthe (saison), Ragoût de homard aux herbes en lasagnes, Pigeon en ballotine. Vins Faugères.

XXX **Réserve Rimbaud,** quartier des Aubes, 820 av. St-Maur ☎ 67 72 52 53, <, « Terrasse au bord de l'eau » – AE E VISA.
fermé 1er au 15 janv., dim. soir et lundi – **R** carte 195 à 285. DT e

XXX **Isadora,** 6 r. du Petit Scel ☎ 67 66 25 23 – AE E VISA
fermé 27 juin au 18 juil., sam. midi et dim. – **R** carte 160 à 250. EY n

XX **Le Ménestrel,** pl. Préfecture ☎ 67 60 62 51, ancienne halle aux grains – E VISA
fermé 1er au 20 juin, 24 déc. au 9 janv., dim. et lundi – **R** 100. EY f

XX **Castel Ronceray,** 71 av. de Toulouse, N 113 par ⑤ ✆ 67 42 46 30, — **P**. VISA
fermé 7 au 31 août., vacances de fév., lundi soir et dim. – **R** 98/160.

XX **L'Olivier,** 12 r. A.-Ollivier ✆ 67 92 86 28 – AE ⓞ VISA FZ
fermé fin juil. à fin août, dim., lundi et fériés – **R** (prévenir) 95/142.

X **Le Louvre,** 2 r. Vieille ✆ 67 60 59 37 – ⓞ E VISA FY
fermé 1er au 24 mai, 30 oct. au 15 nov., dim. et lundi – **R** 98 bc.

à l'Est : 4 km par D 24 et D 172 E - DU – ✉ **34000** Montpellier :

Demeure des Brousses ⛰, rte de Vauguières ✆ 67 65 77 66, parc – ☎ **P**. A
ⓞ
hôtel : fermé 1er janv. au 15 mars ; rest. : fermé 5 janv. au 1er mars et lundi -
R 155/195 – **L'Orangerie** *(fermé 5 janv. au 1er mars et lundi)* **R** 195 – ☕ 35 – **17 ch**
285/460.

XXX **Le Mas,** rte de Vauguières ✆ 67 65 52 27, , – **P**. AE ⓞ E VISA
fermé janv., dim. soir et lundi – **R** carte 225 à 310.

à Lattes par ④ : 5 km – ✉ **34970** Lattes :

Mas de Couran ⛰, rte de Fréjorgues ✆ 67 65 57 57, , , – TV ⇔wc ☎
P. E VISA
R *(dim. soir et lundi soir de sept. à avril)* 85/230, enf. 75 – ☕ 28 – **13 ch** 265/310 -
½ p 320/415.

rte de Ganges par ⑦ : 7 km – ✉ **34000** Montpellier :

Climat de France, La Zolad, r. Caducée ✆ 67 52 43 33, Télex 485396 – TV ⇔w
☎ ♿ **P** – 30. AE E VISA
R 52/80 ⅁, enf. 36 – ☕ 22 – **42 ch** 197/221.

Autres Ressources hôtelières :
Voir ***La Grande-Motte*** **et** ***Palavas.***

MICHELIN, Agence régionale, 120 av. M.-Dassault à Castelnau le Lez par ① ✆ 67 7
50 79

ALFA-ROMEO, PORSCHE-MITSUBISHI Mourier, Zone Ind., av. Mas-d'Argelliers ✆ 67 92 33 47
AUSTIN-ROVER Midi-Auto, r. de Montels-Eglise, Zone Ind. ✆ 67 92 19 86
BMW Auto Méditerranée, Zone Ind., 455 r. de l'Industrie ✆ 67 92 97 29
CITROEN Succursale, 852 av. de la Mer, rte de Carnon DV ✆ 67 65 73 10
DATSUN-NISSAN-VOLVO Auto contrôle Clemenceau, 19 av. G-Clémenceau ✆ 67 92 95 47
FIAT SODAM, Autoroute de Carnon ✆ 67 65 78 80
FORD Gar. Imbert, rte de Sète à St-Jean-de-Vedas ✆ 67 42 46 22
FORD Fenouillet-Autom., Zone Com. Fenouillet, rte Carnon à Pérols ✆ 67 50 34 20
LADA-SKODA Gar. Guitard, ZI Marché gare, r. mas St-Pierre ✆ 67 58 13 13
MERCEDES-BENZ SALDER, 59 av. Toulouse ✆ 67 42 52 44
OPEL France-Auto, 56 av. Marché-Gare, Zone Ind. ✆ 67 92 63 74

PEUGEOT-TALBOT Gds Gar. de l'Hérault, de l'Industrie, Zone Ind. par av. des Pré d'Arènes BV ✆ 67 58 94 94
RENAULT Paillade-Autos, av. de l'Europe Paillade par ⑥ ✆ 67 40 33 38 N
RENAULT Succursale, 700 r. de l'Industri Z.I. par av. des prés d'Arènes BV ✆ 67 42 00 7 N et Place du 8 mai 1945 AV ✆ 67 27 91 21 ✆ 67 42 00 75
TOYOTA C.D.B., 1134 av. Europe à Castelnau-Le-Lez ✆ 67 79 41 71
V.A.G. Montpellier-Autos-Sud, 91 rte de Toulouse ✆ 67 42 93 95 N ✆ 67 92 22 18
V.A.G. Cerf-Autos, 145 rte de Nimes au Crè ✆ 67 70 50 00

Ayme-Pneus, av. Mas-d'Argelliers, Zone In ✆ 67 92 72 62
Escoffier-Pneus, 12 cours Gambetta ✆ 67 92 3 16
Méric et Mazars, 1 av. Lepic ✆ 67 42 55 78
Piot-Pneus, Zone Ind. av. du Mas-d'Argellie ✆ 67 92 05 93
Vulcopneu-Bascunana, 49 rte de Toulous ✆ 67 42 54 36 et N 113 Le Crés ✆ 67 70 23 98

MONTPELLIER-LE-VIEUX (Chaos de) *** 12 Aveyron 80 ⑭⑮ G. Gorges du Tarn
alt. 830.

MONTPEYROUX 63 P.-de-D. 73 ⑭ G. Auvergne – 262 h. – ✉ 63114 Coudes.

Paris 419 – Ambert 64 – ♦Clermont-Ferrand 24 – Issoire 13 – Le Mont-Dore 48 – Thiers 50.

XXX **Auberge de Tralume** ⛰ avec ch, ✆ 73 96 60 09, , parc – TV ⇔wc ☎ **P**.
ⓞ E VISA
R 195/225, enf. 70 – ☕ 32 – **4 ch** 260/300 – ½ p 420/500.

MONTPEZAT-DE-QUERCY 82270 T.-et-G. 79 ⑱ G. Périgord Quercy – 1 412 h.

Voir Tapisseries★★, gisants★ et trésor★ de la collégiale.

Syndicat d'Initiative à la Mairie ✆ 63 02 07 04.

Paris 620 – Agen 85 – Albi 86 – Cahors 29 – Montauban 34.

XX ✿ **Depeyre** ⛰ avec ch, r. République ✆ 63 02 08 41, , – **P**. ⓞ E VISA
rest
hôtel : fermé juin, janv., dim. soir et lundi – **R** *(fermé 6 au 18 juin, janv., dim. soir lundi)* 85/275 – ☕ 25 – **7 ch** 110/155
Spéc. Pâté de trois poissons, Vol au vent de langoustines, Noisettes, ris et crépinettes d'agnea (printemps-été). **Vins** Côteaux du Quercy, Lavilledieu.

PEUGEOT-TALBOT Rey, ✆ 63 02 07 12
RENAULT Gar. Ringoot, ✆ 63 02 08 43

MONTPINCHON 50 Manche 54 ⑫⑬ – rattaché à Coutances.

MONTPON-MÉNESTEROL 24700 Dordogne 75 ③⑬ – 5 742 h.

Paris 531 – Bergerac 42 – Libourne 38 – Périgueux 52 – Ste-Foy-la-Grande 23.

Le Port Vieux, rte de Ribérac (av. A. Malraux) ✆ 53 80 32 18, ≤, – Ⓟ. ch
1er avril-31 oct. et fermé vend. soir et sam. sauf du 16 juin au 14 sept. – **R** 55/125 – 22 – **6 ch** 90 – 1/2 p 135.

CITROEN Montpon-Autom., 1 av. G.-Pompidou ✆ 53 80 31 00
RENAULT Pommerie, 25 av. Jean-Moulin ✆ 53 80 30 10 N
Soubzmaigne - Sce du Pneu, 74 rte Bordeaux ✆ 53 80 37 21

MONTRÉAL 32250 Gers 79 ⑬ **G. Pyrénées Aquitaine** – 1 326 h.

Paris 675 – Agen 55 – Condom 15 – Mont-de-Marsan 65 – Nérac 26.

Gare, S : 3 km par D 29 et voie privée ✆ 62 29 43 37, , – Ⓟ.

MONTREDON-LABESSONNIE 81360 Tarn 83 ① – 2 167 h.

Paris 730 – Albi 35 – Castres 22 – Gaillac 51 – Lacaune 41 – Réalmont 15.

Host. du Parc, ✆ 63 75 14 08, , – wc – 50. ch
fermé sept., fév. et lundi sauf juil.-août – **R** 50/120 , enf. 35 – 15 – **15 ch** 90/120 – 1/2 p 125/155.

CITROEN Rahoux, ✆ 63 75 14 11

MONTRÉJEAU 31210 H.-Gar. 85 ⑳ **G. Pyrénées Aquitaine** – 3 233 h.

Voir ≤★.

Office de Tourisme pl. Valentin-Abeille (Pâques-15 oct.) ✆ 61 95 80 22 et à la Mairie (hors saison) ✆ 61 95 84 17.

Paris 840 – Auch 76 – Bagnères-de-Luchon 38 – Lannemezan 16 – St-Gaudens 14 – ♦Toulouse 103.

Lecler, av. St-Gaudens ✆ 61 95 80 43, ≤ Pyrénées, – wc wc . AE E VISA
fermé janv. – **R** *(fermé lundi hors sais.)* 70/130 – 22 – **22 ch** 130/240 – 1/2 p 140/230.

*à **Nestier** (H.-Pyr.)* SO : 9 km par D 938 et D 75 – ✉ **65150** St-Laurent-de-Neste :

Relais du Castéra, ✆ 62 39 77 37, – wc Ⓟ. E VISA.
fermé 2 au 24 nov., dim. soir et lundi hors sais. – **R** 85/110 – 18 – **10 ch** 130/160 – 1/2 p 150/180.

*à **Aventignan** (H.-Pyr.)* SO : 5 km par D 72 et D 26 – ✉ **65660** Aventignan :

Grottes de Gargas avec ch, ✆ 62 99 02 38, – Ⓟ.
Pâques-15 sept. et fermé lundi sauf vacances scolaires – **R** (prévenir) 42 (sauf sam.)/98 – 18 – **8 ch** 91/130 – 1/2 p 140/160.

PEUGEOT-TALBOT Saint-Lary, à Ausson ✆ 61 95 81 50

MONTREUIL SP 62170 P.-de-C. 51 ⑫ **G. Flandres Artois Picardie** – 2 948 h.

Voir Site★ – Citadelle★ : ≤★★ – Remparts★ – Mobilier★ de la chapelle de l'Hôtel-Dieu B – Église St-Saulve★ E.

Office de Tourisme pl. Poissonnerie (15 juin-15 sept.) ✆ 21 06 04 27 et à l'Hôtel de Ville (hors saison) ✆ 21 06 01 33.

Paris 207 ③ – Abbeville 44 ③ – Arras 81 ② – Boulogne-sur-Mer 38 ① – ♦Lille 112 ① – St-Omer 56 ①.

Plan page suivante

✿ **Château de Montreuil** (Germain) , chaussée Capucins **(a)** ✆ 21 81 53 04, Télex 135205, , « Belle demeure dans un parc » – – 25. AE E VISA.
fermé mi-déc. à début fév. et jeudi midi sauf juil.-août – **R** carte 245 à 285 – 50 – **14 ch** 350/550
Spéc. Chou cru en marinade des îles (mai à oct.), Petite nage de lotte au citron, Canette de Barbarie en laque de Chine.

France sans rest, 2 r. Coquempot **(s)** ✆ 21 06 05 36 – wc wc . VISA.
fermé 15 déc. au 15 janv., et dim. hors sais. – 25 – **14 ch** 100/220.

Central, 7 r. du Change **(u)** ✆ 21 86 16 04 – wc . E VISA. ch
fermé 10 déc. au 10 janv. – **R** *(fermé dim. soir sauf juil.-août et lundi)* 68/150 – **14 ch** (½ pens. seul.) – 1/2 p 205/500.

*à **Brimeux*** par ② : 6 km – ✉ **62170** Montreuil :

Host. Toque Blanche, ✆ 21 06 10 09, « Gentilhommière dans un parc » – Ⓟ
fermé jeudi soir et dim. soir – **R** 68/120.

MONTREUIL

Cordonniers (R. des) .. 8
Gaulle (Pl. du Gén.-de) 13
Hérambault (R. d') 17

Bouchers (R. des) 2
Bubourg (R. Victor) 3
Capucins (Chée des) ... 4
Chaîne (R. de la) 5
Change (R. du) 6
Clape-en-Bas (R. du) .. 7
Darnetal (Pl. de) 9
Église (R. de l') 10
Gambetta (Pl.) 12
Grande-Rue-de-la-Ville-Basse ... 14
Juifs (R. des) 18
Leclerc (Av. du Gén.) 19
Ledent (R. P.) 20
Licorne (R. de la) 21
Moulins (R. des) 23
Parvis-St-Firmin (R. du) 26
Petit-Coquempot (R. du) 28
Porte-Becquerelle (R. de la) 29
Potez (R. du Gén.) 30
St-Firmin (Cavée) 32
St-Walloy (Pl.) 36
Ste-Austreberthe (Pl.) . 37
11-Novembre (Av. du) 39

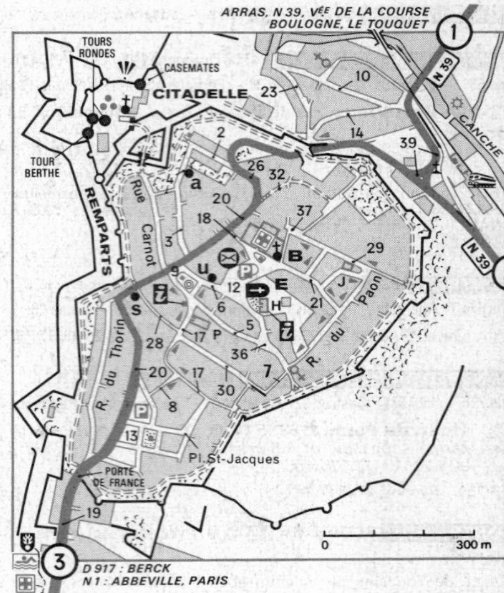

à La Madelaine-sous-Montreuil par ③ et D 139 : 2,5 km – ✉ **62170** Montreuil :

XXX ✿ **Aub. La Grenouillère** (Gauthier), ✆ **21 06 07 22**, – AE ⓓ VISA
fermé 15 déc. au 1er fév., mardi soir et merc. sauf juil.-août – **R** 190/250
Spéc. Feuilleté d'escargots et cuisses de grenouilles, Queues de langoustines et médaillons de lo à l'ail doux, Canette en laqué de safran.

Ⓜ Caucheteux, à St-Justin ✆ 21 06 09 97

MONTREUIL **93** Seine-St-Denis **56** ⑪, **101** ⑰ – voir à Paris, Environs.

MONTREUIL-BELLAY **49260** M.-et-L. **67** ⑧ **G. Châteaux de la Loire** (plan) – **4 331 h.**

Voir Château★★ – Site ★.

Syndicat d'Initiative pl. Ormeaux (juin-août) ✆ 41 52 32 39 et à la Mairie ✆ 41 52 33 86.

Paris 309 – Angers 53 – Châtellerault 74 – Chinon 39 – Cholet 61 – Poitiers 80 – Saumur 16.

Splendid (Annexe **Relais du Bellay**, sans rest.) - 20 ch wc wc Dr Gaudrez ✆ **41 52 30 21** – 30. E VISA. rest
fermé 15 au 30 janv. – **R** *(fermé dim. soir du 15 sept. à Pâques)* 60/180 – 30
40 ch 120/230 – ½ p 160/240.

XX **Host. Porte St-Jean,** 432 r. Nationale ✆ **41 52 30 41** – VISA
fermé lundi soir et mardi – **R** 105/185, enf. 65.

MONTREUIL-L'ARGILLÉ **27390** Eure **55** ⑭ – **726 h.**

Paris 159 – L'Aigle 25 – Argentan 52 – Bernay 21 – Évreux 56 – Lisieux 31 – Vimoutiers 29.

X **Aub. de la Truite,** ✆ **32 44 50 47** – E VISA
fermé 15 janv. au 15 fév., mardi soir et merc. – **R** 62/130.

MONTREVEL-EN-BRESSE **01340** Ain **70** ⑫ – **2 000 h.**

Paris 396 – Bourg-en-Bresse 17 – Mâcon 26 – Pont-de-Vaux 21 – St-Amour 26 – Tournus 36.

XX ✿ **Léa** (Monnier), ✆ **74 30 80 84** – ⓓ E VISA
fermé juil., 18 au 28 fév., dim. soir, fériés le soir et merc. – **R** 120/230
Spéc. Gâteau de foies de volaille, Poularde de Bresse aux morilles, Marquise au chocolat amer. V Montagnieu.

X **Caveau Bressan,** ✆ **74 30 80 19** – E VISA
fermé 1er au 15 sept., vacances de fév., merc. soir et jeudi sauf juil.-août – **R** *(o seul. de nov. à mars sauf vend. et sam. : déj. et dîner)* 76/150

CITROEN Gar. Berret, ✆ 74 30 80 06
FIAT Gar. Roux, ✆ 74 52 45 46
PEUGEOT-TALBOT Petit, ✆ 74 30 82 22
RENAULT Goyard, à Malafretaz ✆ 74 30 80
N

MONTRICHARD 41400 L.-et-Ch. 64 ⑯⑰ G. Châteaux de la Loire – 3 786 h.
Voir Donjon★ : ※★★ – Office de Tourisme r. Pont (Rameaux-fin sept.) ✆ 54 32 05 10 et à la Mairie (3 oct.-mi mars) ✆ 54 32 00 46.
Paris 215 – Blois 33 – Châteauroux 88 – Châtellerault 85 – Loches 31 – ♦Tours 43 – Vierzon 73.

- **Château de la Menaudière** M, à 3 km rte d'Amboise ✆ 54 32 02 44, Télex 751246, ≤, parc – TV ☎ P – 25. AE ⓓ E VISA. ⚘ rest
19 mars-30 nov. et fermé dim. soir et lundi du 15 oct. au 30 nov. sauf fêtes – **R** 230 – ☕ 40 – **25 ch** 350/550.
- **Tête Noire,** 24 r. Tours ✆ 54 32 05 55 – wc wc ☎ P. E VISA
fermé 3 janv. au 6 fév. et vend. du 15 oct. au 15 mars – **R** 78/220 – ☕ 25 – **38 ch** 170/240 – ½ p 210/337.
- **Bellevue** M, quai du Cher ✆ 54 32 06 17, Télex 751673, ≤ – rest TV wc wc ☎. AE ⓓ E VISA
R 65/200, enf. 38 – ☕ 29 – **29 ch** 140/275 – ½ p 275.

à Chissay en Touraine O : 4 km par N 76 – ✉ **41400** Montrichard :

- **Château de Chissay** ⑤, ✆ 54 32 32 01, Télex 750393, ≤, parc, – ☎ P. AE E VISA. ⚘ rest
fermé janv. et fév. – **R** 165/310 – ☕ 45 – **17 ch** 400/1350 – ½ p 470/845.

CITROEN Giraudon, ✆ 54 32 15 33
PEUGEOT-TALBOT Ferrand, ✆ 54 32 00 61
RENAULT Gar. Gapin ✆ 54 32 04 84

MONTRICOUX 82 T.-et-G. 79 ⑱⑲ G. Périgord Quercy – 754 h. – ✉ **82800** Négrepelisse.
Voir Bruniquel : site★, vieux bourg★, château ≤★ SE : 5 km.
Paris 642 – Cahors 50 – Gaillac 39 – Montauban 24 – Villefranche-de-Rouergue 57.

- **Relais du Postillon,** S : 0,5 km par D 964 ✆ 63 67 23 58, – P. E VISA. ⚘ – *fermé 24 nov. au 4 déc., 10 au 31 janv., vend. soir et sam. midi* – **R** 57/160 – ☕ 19 – **11 ch** 92/160 – ½ p 275/320.

MONTRIOND 74 H.-Savoie 75 ⑧ – rattaché à Morzine.

MONTROC-LE-PLANET 74 H.-Savoie 74 ⑨ – rattaché à Argentière.

MONT-ROLAND 39 Jura 70 ③ – rattaché à Dôle.

MONT-ROND (Sommet du) 01 Ain 70 ⑮ G. Jura – alt. 1 600 – **Voir ※★★★.**
Accès par télécabine (gare à 0,5 km SO du col de la Faucille).

MONTROND-LES-BAINS 42210 Loire 73 ⑱ G. Vallée du Rhône – 3 194 h. – Stat. therm. (juin-15 sept.) – Casino.
Paris 498 – ♦Lyon 68 – Montbrison 14 – Roanne 50 – ♦St-Étienne 27 – Thiers 80.

- ✿✿ **Host. La Poularde** (Étéocle), ✆ 77 54 10 06 – ch rest TV ☎ P – 40. AE ⓓ E VISA
fermé 2 au 15 janv., mardi midi (sauf fériés) et lundi soir – **R** (dim. prévenir) 140/395 et carte, enf. 60 – ☕ 45 – **15 ch** 230/370
Spéc. Les trois nuances du pêcheur, Pigeonneau du Forez en vessie, Tarte tiède aux épices. **Vins** Condrieu, St-Joseph.
- **Motel du Forez** sans rest, rte Roanne ✆ 77 54 42 28 – TV wc ☎ ♿ P. AE ⓓ E VISA – ☕ 20 – **20 ch** 160/210.
- XXX **Vieux Logis,** 4 rte Lyon ✆ 77 54 42 71, – VISA
fermé 1er au 15 juil., vacances de nov., 15 fév. au 1er mars, dim. soir et lundi – **R** 175/250.

CITROEN Protière, ✆ 77 54 44 28
PEUGEOT-TALBOT Gar. Swann, ✆ 77 54 40 66
RENAULT Déciltieux, ✆ 77 54 41 32

MONTROUGE 92 Hauts-de-Seine 60 ⑩, 101 ㉕ – voir à Paris, Environs.

MONTS 37260 I.-et-L. 64 ⑮ – 5 422 h.
Paris 248 – Châtellerault 60 – Chinon 33 – Loches 39 – Montbazon 7,5 – ♦Tours 21.

- X **Sporting-Gadin** avec ch, ✆ 47 26 70 15 – P. E VISA
fermé 15 au 30 sept. et 15 fév. au 8 mars – **R** 55/220 – ☕ 22 – **13 ch** 75/130.

MONT-ST-AIGNAN 76 S.-Mar. 55 ⑥ – rattaché à Rouen.

Le MONT-SAINT-MICHEL 50116 Manche 59 ⑦ G. Normandie Cotentin, G. Bretagne – 0 h – **Voir Abbaye★★★ – Bourg★★ : remparts★★, Grande-Rue★, Jardins de l'Abbaye★, Musée historique : coqs de montres★ – le Mont est entouré d'eau aux pleines mers des grandes marées.**
Office de Tourisme Corps de Garde des Bourgeois (fév.-nov.) ✆ 33 60 14 30.
Paris 325 – Alençon 134 – Avranches 22 – Dinan 54 – Fougères 47 – ♦Rennes 66 – St-Malo 52.

Mère Poulard , ☎ 33 60 14 01, Télex 170197 – AE ⊕ E VISA
R 120/450, enf. 60 – ☕ 50 – **25 ch** 350/450 – 1/2 p 425/475.

H. Terrasses Poulard M , ☎ 33 60 14 09, ← – TV wc ☎. AE ⊕ E VISA
R voir rest **Terrasses Poulard** ci-après – ☕ 40 – **30 ch** 240/700 – 1/2 p 410/920.

Mouton Blanc , ☎ 33 60 14 08, – wc wc ☎. E VISA
mi- fév.-mi-nov. – **R** 72/205 – ☕ 20 – **20 ch** 100/240.

Rest. Terrasses Poulard -Hôtel Terrasses Poulard-, ☎ 33 60 14 09, ← baie, –
AE ⊕ E VISA
R 50/180.

à la Digue S : 2 km sur D 976 :

Digue, ☎ 33 60 14 02, Télex 170157, ← – TV wc wc ☎ P. AE ⊕ E VISA
ch
hôtel : vacances de fév.-11 nov. ; rest. : 20 mars-20 oct. – **R** 65/170, enf. 29 – ☕ 2
– **35 ch** 190/265.

Relais du Roy, ☎ 33 60 14 25, Télex 170561 – wc ☎ P. AE E VISA. ch
26 mars-15 nov. – **R** 55/205, enf. 35 – ☕ 24 – **27 ch** 210/240 – 1/2 p 246.

St-Aubert, ☎ 33 60 08 74, Télex 170404, , , – wc ☎ P. AE E VISA
ch
19 mars-13 nov. – **R** Grill 58/110, enf. 32 – ☕ 22 – **27 ch** 210 – 1/2 p 185/237.

à Beauvoir S : 4 km par D 976 – ✉ **50170** Pontorson :

Beauvoir, ☎ 33 60 09 39, , – wc ☎ P. VISA
1er fév.-15 nov. et fermé mardi (sauf hôtel en juil.-août) – **R** 49/90 , enf. 40 – ☕ 1
– **20 ch** 160/200 – 1/2 p 205/235.

Gar. de la Baie, à Beauvoir ☎ 33 60 09 08 N

MONTSALVY 15120 Cantal 76 ⑫ **G. Auvergne** – 1 035 h. alt. 800.

Voir Puy-de-l'Arbre ★ NE : 1,5 km.

Office de Tourisme ☎ 71 49 21 43.

Paris 598 – Aurillac 35 – Entraygues-sur-Truyère 14 – Figeac 57.

Nord M, ☎ 71 49 20 03 – wc wc ☎ P. AE ⊕ E VISA
1er avril-31 déc. – **R** 65/200, enf. 38 – ☕ 22 – **30 ch** 100/190 – 1/2 p 160/190.

Aub. Fleurie, ☎ 71 49 20 02, « Bel ensemble rustique », – . AE ⊕ E VISA
R *(16 fév.-31 oct.)* 46/100 – ☕ 18 – **18 ch** 98/119 – 1/2 p 168/182.

PEUGEOT-TALBOT Cazal, ☎ 71 49 26 65 RENAULT Lacombe, ☎ 71 49 20 27 N
N ☎ 71 47 80 56

MONTSAUCHE-LES-SETTONS 58230 Nièvre 65 ⑯ **G. Bourgogne** – 746 h. alt. 650.

Voir Lac des Settons★ SE : 5 km.

Paris 257 – Autun 45 – Avallon 54 – Château-Chinon 24 – Clamecy 60 – Nevers 90 – Saulieu 25.

Idéal, ☎ 86 84 51 26, – wc P. E VISA. ch
vacances de printemps-4 nov. – **R** 60/110 – ☕ 18 – **15 ch** 110/210 – 1/2 p 145/175

CITROEN Bouché-Pillon, ☎ 86 84 52 26

MONT-SAXONNEX 74 H.-Savoie 74 ⑦ **G. Alpes du Nord** – 677 h. alt. 997 – Sports d'hiver
1 000/1 570 m 4 – ✉ **74130** Bonneville.

Voir Église ★★ 15 mn.

Paris 571 – Annecy 57 – Bonneville 11 – Chamonix 51 – Cluses 9,5 – Megève 38 – Morzine 39.

Jalouvre , ☎ 50 96 90 67, ←, – P. rest
fermé 2 au 28 mai et 19 sept. au 31 oct. – **R** 67/110 , enf. 40 – ☕ 18 – **15 ch**
103/116 – 1/2 p 145/160.

Les MONTS-DE-VAUX 39 Jura 70 ④ – rattaché à Poligny.

MONT-SION (Col du) 74 H.-Savoie 74 ⑥ – rattaché à St-Julien-en-Genevois.

MONTSOREAU 49730 M.-et-L. 64 ⑫⑬ **G. Châteaux de la Loire** – 454 h.

Voir ★★ – Église★ de Candes-St-Martin SE : 1,5 km.

Paris 290 – Angers 64 – Châtellerault 64 – Chinon 18 – Poitiers 79 – Saumur 11 – ♦Tours 56.

Bussy et Diane de Méridor, ☎ 41 51 70 18, ←, – wc wc ☎ P. E
VISA.
hôtel : fermé 15 déc. au 31 janv. et mardi d'oct. à mai – **R** *(fermé 15 déc. au 31 janv.
lundi soir d'oct. à mai et mardi sauf juil.-août)* 65/160, enf. 45 – ☕ 22 – **16 ch**
85/235 – 1/2 p 225/315.

Loire avec ch, ☎ 41 51 70 06, – P. VISA. ch
fermé 15 janv. à début mars, jeudi soir et vend. sauf juil.-août – **R** 57/125 – ☕ 15 –
7 ch 90.

MONT-SOUS-VAUDREY 39380 Jura 70 ④

Paris 383 – Arbois 16 – Beaune 71 – Dole 19 – Lons-le-Saunier 40 – Salins-les-Bains 26.

X **Aub. Jurassienne,** r. Léon Guignard ☏ 84 81 50 17 – ℗. E VISA
fermé 15 juin au 1er juil. et merc. – **R** 45/130.

CITROEN Gar. Tisserand ☏ 84 81 50 26
RENAULT Gar. Voitoux ☏ 84 71 73 29 N

MONVIEL 47 L.-et-G. 79 ⑤ – rattaché à Cancon.

MOOSCH 68690 H.-Rhin 66 ⑧⑨ **G. Alsace et Lorraine** – 1 897 h.

Paris 440 – Colmar 50 – Gérardmer 49 – Thann 7 – Le Thillot 31.

XX **Aux Trois Rois** avec ch, ☏ 89 82 34 66, – ⋒ ℗. E VISA. ch
hôtel : 1er mars-30 oct. et fermé mardi soir et merc. – **R** *(fermé 20 déc. au 20 janv., mardi soir et merc.)* 45/180 et carte dim. soir – 16,50 – **8 ch** 100/140 – 1/2 p 125.

V.A.G. Sovra, à Fellering ☏ 89 82 63 90 N

MORANGIS 91 Essonne 61 ①, 101 ㉟ – voir à Paris, Environs.

MORCENX 40110 Landes 78 ⑤ – 5 814 h.

Paris 698 – Bayonne 89 – ♦Bordeaux 110 – Mimizan 36 – Mont-de-Marsan 39.

Bellevue, ☏ 58 07 85 07 – TV ⋒wc ℗.
fermé 2 janv. au 15 mars – **R** *(fermé sam. midi et dim. soir hors sais.)* 52/75, enf. 40 – 24 – **24 ch** 105/200 – 1/2 p 148/195.

CITROEN Gar. Rieppi, ☏ 58 07 82 10
RENAULT Gar. Samson, à Garrosse ☏ 58 07 81 09 N

MORESTEL 38510 Isère 74 ⑭ **G. Vallée du Rhône** – 2 816 h.

Paris 496 – Bourg-en-Bresse 67 – Chambéry 51 – ♦Grenoble 68 – ♦Lyon 58 – La Tour-du-Pin 15.

Domaine la Garenne , par D 244 ☏ 74 80 31 14, , parc, , – wc ⋒ ℗ – 25. AE E VISA
R *(fermé dim. soir sauf fériés)* 75/230 – 24 – **21 ch** 190/260 – 1/2 p 250/360.

Dubeuf sans rest, ☏ 74 80 06 22, – wc ℗. VISA
fermé vend. soir hors sais. – 20 – **21 ch** 95/230.

France, Gde-Rue ☏ 74 80 04 77 – wc ⋒wc . AE E VISA
fermé 15 nov. au 10 déc., dim. soir et lundi sauf vacances scolaires – **R** 55/230, enf. 45 – 18 – **12 ch** 130/190 – 1/2 p 202/232.

XX **La Grille,** rte Grenoble ☏ 74 80 02 88 – ℗. AE E VISA
fermé 20 déc. au 10 janv., vend. soir et sam. midi sauf juil.-août – **R** 66/150.

CITROEN Gar. Bernard, ☏ 74 80 08 11
RENAULT Lavalette, ☏ 74 80 07 54
Norda-Pneu, ☏ 74 80 24 82

MORET-SUR-LOING 77250 S.-et-M. 61 ⑫, 196 ㊻ **G. Environs de Paris** (plan) – 3 555 h.

Voir Site★.

Office de Tourisme pl. Samois ☏ (1) 60 70 41 66.

Paris 75 – Fontainebleau 10 – Melun 27 – Montereau-faut-Yonne 12 – Nemours 17 – Sens 43.

à Véneux-les-Sablons O : 3,5 km – ✉ **77250** Moret-sur-Loing :

XX **Bon Abri,** 90 av. Fontainebleau ☏ (1) 60 70 55 40 – VISA
fermé 13 sept. au 4 oct., vacances de fév., lundi soir et mardi – **R** 59/150.

CITROEN Gar. de l'Orvanne, 3 av. de Sens à Ecuelles ☏ 60 70 51 32
PEUGEOT-TALBOT Gar. Moderne, ☏ (1)60 70 50 89

MOREZ 39400 Jura 70 ⑮ **G. Jura** (plan) – 6 999 h. alt. 702.

Voir Site★ – La Roche au Dade ≤★ 30 mn – O : Gorges de la Bienne★.

Office de Tourisme pl. J.-Jaurès ☏ 84 33 08 73.

Paris 459 – Bourg-en-B. 100 – Champagnole 34 – ♦Genève 55 – Lons-le-Saunier 58 – Pontarlier 70.

Poste, 165 r. République ☏ 84 33 11 03 – wc ⋒wc . AE E VISA
fermé 25 nov. au 25 déc. – **R** *(fermé lundi sauf fév., juil., août et fériés)* 65/260, enf. 35 – 20 – **45 ch** 68/195 – 1/2 p 160/256.

Europa, 125 r. République ☏ 84 33 12 08 – wc ⋒ . E VISA
R 36/52 – 18 – **33 ch** 80/140.

CITROEN, LANCIA-AUTOBIANCHI Lambert, 2 pl. V.-Poupin ☏ 84 33 06 72
FORD Gar. Raguin, 144 r. République ☏ 84 33 .. 48
PEUGEOT-TALBOT Benier-Rollet, 36 r. République ☏ 84 33 03 55
PEUGEOT-TALBOT GAr. de l'Hôtel de Ville, 1 pl. J.-Jaurès ☏ 84 33 13 04
RENAULT Morez-Autom., 74 r. République ☏ 84 33 14 70 N ☏ 84 60 15 97
Jura-Pneu, 17 r. Lamartine ☏ 84 33 19 97

MORGAT 29 Finistère 58 ⑭ **G. Bretagne** – ✉ **29160** Crozon.

Voir Phare ≤★ – **Grandes Grottes★.**

Office de Tourisme bd Plage (juin-15 sept.) ☎ 98 27 07 92 et à Crozon Maison Communale ☎ 98 27 21 65.

Paris 591 – ♦Brest 60 – Châteaulin 37 – Douarnenez 49 – Morlaix 78 – Quimper 58.

Ville d'Ys ⛰, ☎ **98 27 06 49,** ≤ – 🛗 ⊟wc ⌂wc ☎ **P**. **E** VISA. ✻
27 mars-30 sept. – **R** 75/150, enf. 45 – ☕ 21 – **42 ch** 160/305 – ½ p 250/325.

Julia ⛰, ☎ **98 27 05 89,** ≠ – ⊟wc **P**. **E** VISA. ✻ rest
fermé de nov. à janv. (sauf vacances scolaires) et vend. – **R** 75/210, enf. 40 – ☕ 2
– **22 ch** 105/220 – ½ p 205/250.

XX **Le Roof,** bd France Libre ☎ **98 27 08 40,** ⛱ – **E** VISA
fermé 5 au 30 nov. et lundi hors sais. – **R** 85/230, enf. 60.

MORIÈRES-LÈS-AVIGNON 84 Vaucluse 81 ⑫ – rattaché à Avignon.

MORILLON 74 H.-Savoie 74 ⑧ – rattaché à Samoëns.

MORLAAS **64160** Pyr.-Atl. 85 ⑦ **G. Pyrénées Aquitaine** – 2 486 h.

Paris 764 – Pau 12 – Tarbes 38.

Glisia, 43 r. Bourg-Neuf ☎ **59 33 41 12** – ⊟wc ⌂wc ☎ 🚗. ✻ ch
fermé 11 au 31 juil. – **R** *(fermé sam. midi et dim.)* 60/70 ♁ – ☕ 18 – **22 ch** 89/170 –
½ p 135/165.

XX **Le Bougneuf,** 3 r. Bourg-Neuf ☎ **59 33 44 02** – **P**. **E** VISA
fermé 10 oct. au 2 nov., dim. soir et lundi – **R** 45/170 ♁.

MORLAIX ⟨SP⟩ **29210** Finistère 58 ⑥ **G. Bretagne** – 19 541 h.

Voir Viaduc★ ABY – **Grand'Rue★** BZ – **Maison "de la Reine Anne★"** BZ**B** – **Vierge★ dans l'église St-Mathieu** BZ – **Musée★** BZ**M.**

Env. Calvaire★★ de Plougonven SE : 12 km par le D 9 Z.

Office de Tourisme pl. Otages ☎ 98 62 14 94.

Paris 538 ② – ♦Brest 59 ④ – Quimper 79 ④ – St-Brieuc 86 ②.

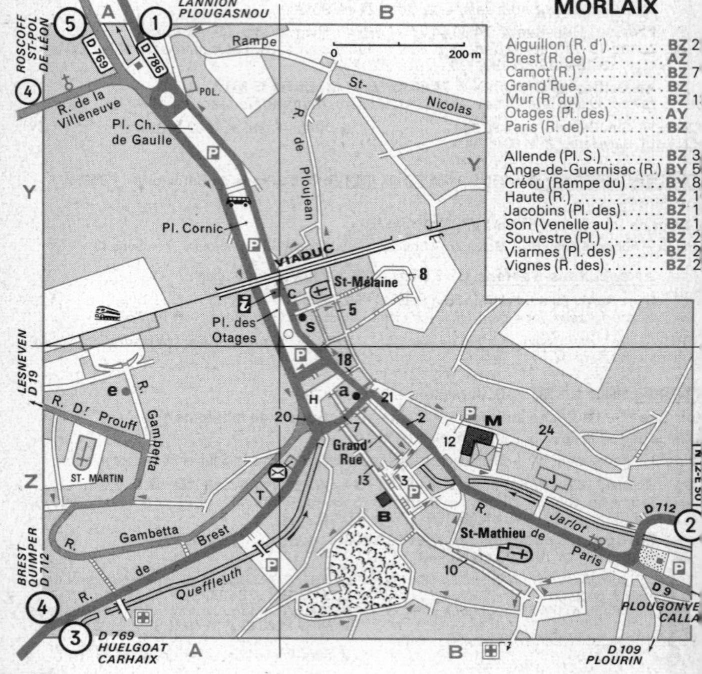

Europe, 1 r. Aiguillon ✆ 98 62 11 99 – 🛗 TV ⛀wc ⛆wc ☎ – 🏛 35. AE ⓓ E VISA. ✕ rest BZ **a**
fermé mi-déc. à mi-janv. – **R Rest.** 135/240, enf. 39 – **Le Lof R** 59/130 🍷, enf. 36 – ☕ 26 – **66 ch** 190/270 – 1/2 p 240.

Fontaine M sans rest, ZA la Boissière par ① et rte Lannion : 3 km ✆ 98 62 09 55 – ⛀wc ☎ ♿ P. E VISA
fermé 13 fév. au 21 mars – ☕ 20 – **35 ch** 135/210.

Les Bruyères M sans rest, par ② : 3 km sur D 712 ✆ 98 88 08 68 – ⇔ ⛀wc ⛆wc ☎ P. E VISA
fermé 15 déc. au 15 janv. – **32 ch** ☕140/185.

Minimote St-Martin M sans rest, Ctre Com. St Martin par voie exp. N12 sortie St Martin des Champs ✆ 98 88 35 30 – TV ⛀wc ☎. AE ⓓ E VISA
fermé 20 déc. au 5 janv. – ☕ 24 – **22 ch** 210/255.

Marée Bleue, 3 Rampe St-Mélaine ✆ 98 63 24 21 – E VISA BY **s**
fermé fév. et lundi – **R** 60 (sauf sam. soir)/175 🍷.

Aub. des Gourmets, 90 r. Gambetta ✆ 98 88 06 06. AE ⓓ E VISA AZ **e**
fermé 19 oct. au 17 nov. et lundi – **R** 65/130.

à St-Antoine-Plouezoch par ① et D 46 : 9 km – ✉ **29252** Plouezoch :

Menez M 🐎 sans rest, ✆ **98 67 28 85,** ←, 🌳 – ⛀wc ⛆wc ☎ P. ✕
fermé mai, 16 sept. au 25 oct., sam. et dim. hors sais. – ☕ 20 – **10 ch** 168/194.

BMW Style Autom., rte de Paris Croix Rouge ✆ 98 63 30 30
CITROEN SOMODA, bd St-Martin à St-Martin-des-Champs par r. de la Villeneuve AY ✆ 98 62 09 68 N ✆ 98 88 05 74
FORD Gar. Bourven, rte Paris, La Roseraie ✆ 98 88 18 02
PEUGEOT-TALBOT Gar. de Bretagne, La Croix Rouge, rte Paris par ② ✆ 98 62 03 11
RENAULT Gar. Huitric, La Croix Rouge, rte Paris par ② ✆ 98 62 04 22
V.A.G. Gar. Beyou, à St-Martin-des-Champs, rte de Plouvorn ✆ 98 88 23 80

Simon-Pneus, rte de St-Sève à St-Martin-des-Champs ✆ 98 88 01 43

MORNAC-SUR-SEUDRE 17113 Char.-Mar. 71 ⑭⑮ G. Poitou Vendée Charentes – 558 h.

Paris 505 – Marennes 23 – Rochefort 36 – La Rochelle 68 – Royan 13 – Saintes 37.

La Gratienne, rte de Breuillet ✆ 46 22 73 90, 🌳, **« Jardin fleuri »** – P. VISA
fermé 20 avril au 15 mai, 15 au 31 déc., merc. et jeudi sauf juil.-août, du 15/12 au 30/03 ouvert week-ends seul. – **R** 100 🍷.

MORNANT 69440 Rhône 74 ⑪ G. Vallée du Rhône – 3 463 h.

Paris 480 – Givors 10 – ♦Lyon 23 – Rive-de-Gier 13 – ♦St-Étienne 35 – Vienne 21.

Poste, ✆ 78 44 00 40 – ⛀ ⛆ ☎ 🚗. E VISA
fermé 11 au 25 sept. et 15 au 30 janv. – **R** *(fermé dim. soir et lundi)* 60/200 🍷 – ☕ 18 – **16 ch** 75/200 – 1/2 p 155/265.

MORNAS 84550 Vaucluse 81 ① G. Provence – 1 737 h.

Paris 649 – Avignon 42 – Bollène 11 – Montélimar 47 – Nyons 47 – Orange 11 – Pont-St-Esprit 13.

Le Manoir, ✆ 90 37 00 79, Télex 432462, 🌳 – ⛀wc ⛆wc ☎ 🚗 P – 🏛 30. AE E VISA
fermé 15 nov. au 8 déc., 15 au 31 janv., dim. soir et lundi hors sais. – **R** 70/140, enf. 45 – ☕ 22 – **25 ch** 210/330 – 1/2 p 235/310.

MORSANG-SUR-ORGE 91 Essonne 61 ①, 101 ㊱ – voir à Paris, Environs.

MORTAGNE-AU-PERCHE SP 61400 Orne 60 ④ G. Normandie Vallée de la Seine – 200 h – Voir Boiseries★ de l'église N.-Dame.

Syndicat d'Initiative pl. Gén.-de-Gaulle (15 juin-15 sept.) ✆ 33 25 19 21.

Paris 155 ① – Alençon 38 ⑥ – Chartres 79 ② – Lisieux 86 ⑥ – ♦Le Mans 71 ④ – Verneuil 39 ①.

Plan page suivante

Tribunal 🐎, 4 pl. du Palais (a) ✆ 33 25 04 77, 🌳 – TV ⛀wc ⛆wc ☎ – 🏛 25. E VISA – **R** 70/166 🍷, enf. 50 – ☕ 26 – **19 ch** 105/275 – 1/2 p 160/203.

au Pin-la-Garenne par ④ : 9 km sur D 938 – ✉ **61400** Mortagne-au-Perche :

La Croix d'Or, ✆ 33 83 80 33 – P. VISA
fermé 25 nov. au 15 déc., 8 au 23 fév. et lundi sauf fêtes – **R** 52/170 🍷.

CITROEN Seram, à St-Langis-lès-Mortagne par ⑥ ✆ 33 25 06 66
FIAT, LANCIA-AUTOBIANCHI Gar. du Perche, ✆ 33 25 12 10
FORD Gd Gar. du Panorama, ✆ 33 25 37 45
PEUGEOT-TALBOT Gar. du Valdieu, à St-Langis-lès-Mortagne par ④ ✆ 33 25 27 00 N ✆ 33 ·22 22
RENAULT Perche-Autom., par ① ✆ 33 25 21 45
V.A.G. Poirier, N 12, Gaillons à St-Hilaire-le-Chatel ✆ 33 25 30 88

Le Pneu du Perche, ✆ 33 25 36 52

MORTAGNE-AU-PERCHE

Gaulle (Pl. Gén.-de) 5
Quinze-Fusillés
(R. des) 17

Boyères (R. F. de)
Briand (R. A.)
Déportés (R. des)
Fort (R. du)
Guérin (R. du Col.) 6
Leclerc (R. Gén.)........ 8
Longny (R. de) 9
Mail (R. du)
Montcacune (R.)
Notre-Dame (R.)........ 14
Paris (R. de)........... 15
Poudrière
(R. de la) 16
République
(Pl. de la)............ 19
St-Éloi
(R. du Faubourg) 20
St-Langis
(R. du Faubourg) 21
Ste-Croix (R.) 22

Pas de publicité payé dans ce guide.

MORTAGNE-SUR-GIRONDE 17 Char-Mar. 71 ⑥ **G. Poitou Vendée Charentes** – 1 039 – ✉ **17120** Cozes – **Voir Chapelle★** de l'Ermitage St-Martial S : 1,5 km.

Paris 508 – Blaye 57 – Jonzac 31 – Pons 25 – La Rochelle 92 – Royan 32 – Saintes 36 – Saujon 28.

Aub. de la Garenne ⛐, ✆ 46 90 63 69, ≤, ⛱, ⛱, ⛱ – ⛱wc ☎ **P**. VISA
R *(1er avril-31 oct.)* 60/150 ⚲, enf. 30 – ☕ 18 – **12 ch** 125/180 – ½ p 170/200.

Le Port, à la Rive SO : 2 km ✆ 46 90 60 25, ⛱ – AE ⓓ E VISA
fermé fév. et merc. hors sais. – **R** 50/165 ⚲, enf. 35.

MORTAGNE-SUR-SÈVRE
85290 Vendée 67 ⑤ **G. Poitou Vendée Charentes** – 5 359 h.

Paris 361 – Bressuire 40 – Cholet 10 – ♦Nantes 56 – La Roche-sur-Yon 55.

France, pl. Dr-Pichat ✆ 51 65 03 37, Télex 711403, ⛱, ⛱ – ⛱ ▤ rest TV ⛱wc ⛱wc ☎ – ⛱ 25 à 100. AE ⓓ E VISA
fermé 1er au 13 août, 20 déc. au 11 janv. et sam. sauf du 17 juin au 3 sept. – **Petite Auberge R** 60/190 ⚲, enf. 42 – **La Taverne R** 120/310 enf. 42 – ☕ 28 – **26 ch** 220/360.

PEUGEOT-TALBOT Fièvre, ✆ 51 65 00 96
RENAULT Soulard, ✆ 51 65 02 33
Brison, ✆ 51 65 11 31

MORTAIN **50140** Manche 59 ⑨ **G. Normandie Cotentin** – 3 036 h – **Voir Site★** – **Grande Cascade★** – **Petite chapelle** ≤★.

🅸 Syndicat d'Initiative r. Bourglopin (juil.-août) ✆ 33 59 19 74 et à l'Hôtel de Ville (sept.-juin) ✆ 33 59 00 51 – Paris 276 ③ – Avranches 36 ① – Domfront 25 ③ – Flers 35 ② – Mayenne 52 ③ – Le Mont-St-Michel 50 ③ – St-Lô 63 ① – Villedieu-les-Poêles 34 ①.

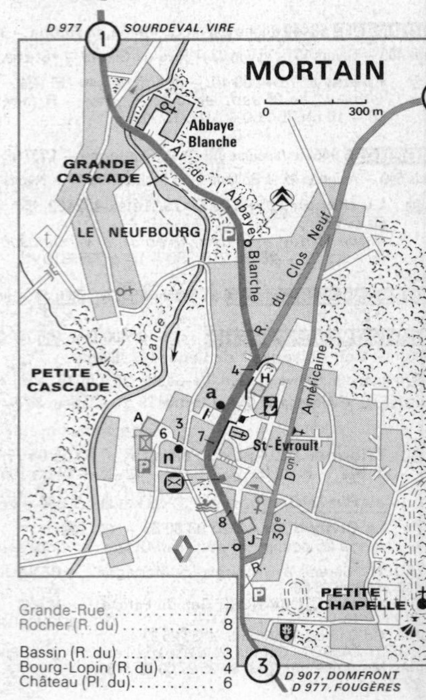

Poste, pl. des Arcades **(a)** ☏ 33 59 00 05 – wc wc. E VISA.
fermé 20 déc. au 1er fév., vend. soir et sam. – **R** 55/110 – 17 – **29 ch** 100/190 – ½ p 160/190.

Cascades, r. du Bassin **(n)** ☏ 33 59 00 03 – wc wc. E VISA
fermé 20 déc. au 3 janv., dim. soir et lundi – **R** 39/140 – 14 – **13 ch** 75/160.

CITROEN Dubois-Helleux, ☏ 33 59 01 63 N
PEUGEOT-TALBOT Prieur, Le Neufbourg ☏ 33 59 00 14 N
RENAULT Langlois par ③ ☏ 33 59 00 53

MORTEAU 25500 Doubs 70 ⑦ G. Jura (plan) – 6 699 h. alt. 772.

Syndicat d'Initiative pl. Gare (15 juin-15 sept.) ☏ 81 67 18 53 et à la Mairie (hors saison) ☏ 81 67 14 78.

Paris 480 – •Bâle 128 – Belfort 89 – •Besançon 67 – Montbéliard 71 – Neuchâtel 38 – Pontarlier 31.

La Guimbarde, 10 pl. Carnot ☏ 81 67 14 12, – wc wc. AE E VISA
R *(fermé oct. et lundi midi)* 80/180 – 23 – **20 ch** 80/250.

Aub. de la Roche, au pont de la Roche SE : 3 km par D 437 ✉ 25570 Gd Combe Chateleu ☏ 81 68 80 05, – . AE E VISA
fermé 21 au 28 juin, 13 au 20 sept., 9 au 31 janv., dim. soir et lundi – **R** 105/265.

FORD Gar. Franc-Comtois, La Tanche-les-Fins ☏ 81 67 07 99
PEUGEOT-TALBOT Gar. Central, 40 r. de la Louhière ☏ 81 67 08 12 N
Pneus Roland, 2 Plein Soleil, les Fins ☏ 81 67 31 50

MORTEMART 87 H.-Vienne 72 ⑥ G. Berry Limousin – 161 h. – ✉ 87330 Mézières-sur-Issoire.

Paris 393 – Bellac 13 – Confolens 30 – •Limoges 39 – St-Junien 20.

Le Relais avec ch, D 675 ☏ 55 68 12 09 – E VISA
fermé vacances de fév., mardi soir (sauf juil.-août) et merc. – **R** 57/127 – 15 – **6 ch** 80/145.

MORZINE 74110 H.-Savoie 74 ⑧ G. Alpes du Nord – 2 888 h. alt. 960 – Sports d'hiver : 1 000/2 460 m 6 48, .

Voir Le Pléney ★ S : par téléphérique A.

Env. Col de Joux Plane ★★ S : 10 km B.

Office de Tourisme pl. Crusaz ☏ 50 79 03 45, Télex 385620.

Paris 594 ② – Annecy 93 ② – Bourg-en-B. 185 ② – Chamonix 71 ② – •Genève 74 ② – Thonon-les-Bains 33 ①.

Plan page suivante

Les Airelles M, ☏ 50 79 15 24, Télex 385178, ≤, – cuisinette 50. E VISA. rest — A b
1er juin-15 sept. et début déc.-fin avril – **Les Jardins d'Ulysse R** 95/160, enf. 60 – 42 – **47 ch** 330/410 – ½ p 360/445.

Le Dahu , ☏ 50 79 11 12, Télex 309514, ≤, , – . VISA — B z
18 juin-10 sept. et 17 déc.-Pâques – **R** 120/160, enf. 70 – 40 – **26 ch** 140/390 – ½ p 320/400.

Bergerie M sans rest, ☏ 50 79 13 69, ≤, « Intérieur savoyard », , – cuisinette wc wc . E VISA — B h
24 juin-mi-sept. et 17 déc. vacances de printemps – 40 – **4 ch** 200/280, 4 appartements, 19 studios 300/350.

Carlina, ☏ 50 79 01 03, Télex 385596 – wc wc . AE E VISA. rest
10 juin-fin sept. et mi-déc.-mi-avril – **R** 115/260, enf. 75 – 33 – **21 ch** 280/330 – ½ p 317/367. — A d

Le Tremplin, ☏ 50 79 12 31, ≤, – wc wc . VISA — A a
25 juin-3 sept et 17 déc.-14 avril – **R** 160/200, enf. 120 – **40 ch** 200/520, 4 appartements 600 – ½ p 300/500.

Champs Fleuris, ☏ 50 79 14 44, ≤, , – wc wc . VISA. rest — A f
25 juin-5 sept. et 20 déc.-vacances de printemps – **R** 135/180 – 30 – **38 ch** 260/400.

Clef des Champs , ☏ 50 79 10 13, ≤, – wc wc . rest — B e
15 déc.-30 avril et 28 juin-5 sept. – **R** 86/101 – 24 – **27 ch** 170/240 – ½ p 218/251.

Savoie, NO : 1,5 km par ② ☏ 50 79 13 31, ≤, – wc .
25 juin-3 sept. et 20 déc.-vacances de printemps – **R** 75/85 – **36 ch** 180/300 – ½ p 195/335.

Le Samoyède, ☏ 50 79 00 79, – wc . AE E VISA. rest
28 juin-fin sept. et vacances de Noël-vacances de printemps – **R** 70/165 – 28 – **27 ch** 168/278 – ½ p 308. — B g

Le Concorde, ☏ 50 79 13 05, ≤, – wc . E VISA. rest — A e
fin juin-fin août et 19 déc.-Pâques – **R** 75/120 – 25 – **27 ch** 220/260.

Combe Humbert sans rest, ✆ 50 79 06 70, ← – ⊟ TV ⇔wc ☎ 🚗 Ⓟ. AE ◑ E VISA A
☕ 20 – **10 ch** 180/230.

La Renardière sans rest, ✆ 50 79 03 50, ←, ⛱, ⛰ – ⇔wc ⋔wc ☎ 🚗 Ⓟ VISA A
20 juin-20 sept. et 10 déc.-20 avril – ☕ 22 – **19 ch** 150/220.

Fleur des Neiges, ✆ 50 79 01 23, ←, ⛱, ⛰, ✕ – ⊟ ⇔wc ⋔wc ☎ Ⓟ. ✱ rest
15 juin-10 sept. et 20 déc.-10 avril – **R** 80/100 – ☕ 30 – **34 ch** 150/240 – ½ p 220/270. A

Soly et rest Le Varnay, ✆ 50 79 09 45, ←, ⛰ – ⇔wc ☎ Ⓟ. ◑ E VISA B
15 juin-15 sept. et 15 déc.-15 avril – **R** 73/115 – ☕ 22 – **19 ch** 135/215 – ½ p 250/280.

Alpina ⛰, ✆ 50 79 05 24, ←, ⛰ – ⊟ ⇔wc ⋔wc ☎ 🚗 Ⓟ. VISA. ✱ rest B
25 juin-12 sept. et 22 déc.-vacances de printemps – **R** 80/100 – ☕ 24 – **17 ch** 230/265 – ½ p 235/260.

Chamois d'Or, ✆ 50 79 13 78 – ⇔wc ⋔wc ☎ 🚗. ✱ A
20 déc.-15 avril – **R** 88/106 – ☕ 20 – **25 ch** 127/208 – ½ p 175/246.

Beau Regard ⛰, ✆ 50 79 11 05, ←, ⛰ – ⇔wc ⋔wc ☎ Ⓟ. E. ✱ rest B
juil.-août et Noël-Pâques – **R** 90/100, enf. 50 – ☕ 22 – **35 ch** 250/280 – ½ p 200/240.

Bel'Alpe, ✆ 50 79 05 50, ←, ⛰ – ⋔wc ☎ Ⓟ. ✱ rest A
1er juil.-31 août et 20 déc.-12 avril – **R** 65/75 – ☕ 20 – **23 ch** 150/190 – ½ p 200/230

Ours Blanc ⛰, ✆ 50 79 04 02, ← – ⇔wc ⋔wc Ⓟ. E. ✱ rest A
25 juin-10 sept. et 20 déc.-20 avril – **R** 75/80 – ☕ 21 – **23 ch** 155/230 – ½ p 164/220.

La Musardière sans rest, ✆ 50 79 13 48, ←, ⛰ – ⇔wc ⋔wc. ✱ A
1er juil.-10 sept. et 20 déc.-20 avril – ☕ 15 – **10 ch** 140/160.

à Montriond NO : 2 km – ✉ **74110** Morzine :

Aub. du Mont-Rond avec ch, ✆ 50 79 15 31, ←, ⛱ – ⇔wc ⋔wc ☎ Ⓟ. AE E VISA
fermé 15 au 30 août – **R** 60/120, enf. 50 – ☕ 20 – **18 ch** 200 – ½ p 215/230.

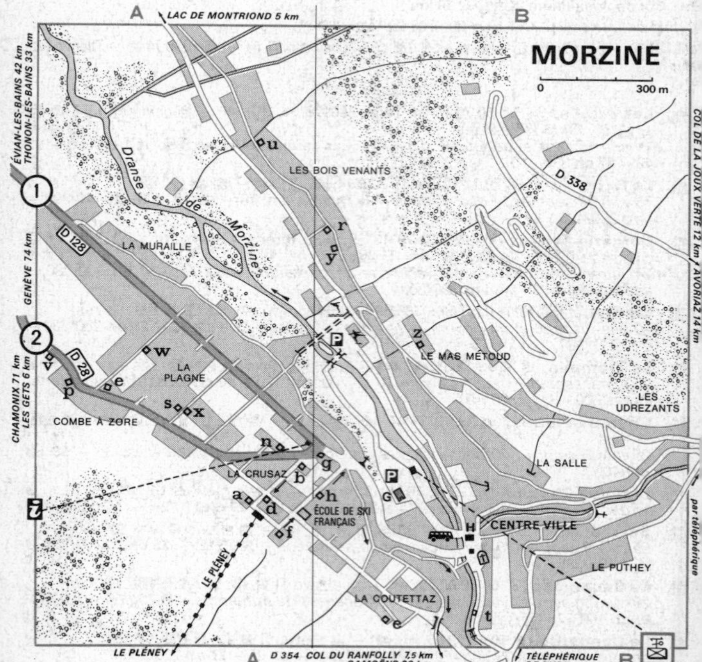

à Avoriaz 1800 NE : 14 km par D 338 ou 4,5 km puis téléphérique – ✉ 74110 Morzine :

Les Dromonts M ⚐, ✆ 50 74 08 11, ← – |◆| TV ☎. AE ⓓ E VISA
18 déc.-18 avril – **R** 210 – **37 ch** 530/1070.

Les Hauts Forts M ⚐, ✆ 50 74 09 11, ← montagnes, ⛱ – |◆| TV ☎. AE VISA
1er juil.-31 août et 15 déc.-30 avril – **R** 120/220, enf. 100 – 50 – **52 ch** 385/860 – 1/2 p 650.

MOSNAC 17 Char.-Mar. 71 ⑥ – rattaché à Pons.

MOTTARET 73 Savoie 77 ⑧ – rattaché à Méribel-les-Allues.

La MOTTE 83920 Var 84 ⑦ – 1 557 h.

Paris 862 – Brignoles 53 – Cannes 59 – Draguignan 10 – St-Raphaël 27 – Ste-Maxime 27.

XX **Les Pignatelles,** rte Bagnols : 1 km ✆ 94 70 25 70, 余, ⛱ – Ⓟ. AE ⓓ E VISA
fermé 6 au 21 janv., dim. soir hors sais. et merc. – **R** 95/205, enf. 70.

X **Aub. Fleurie,** ✆ 94 70 27 68, ←, 余, « Jardin ombragé au bord de l'eau » – E VISA
fermé 15 nov. au 15 janv. et le mardi sauf le midi du 1er juin juin au 31 août – **R** 100/165, enf. 40.

La MOTTE-AU-BOIS 59 Nord 51 ⑭ – rattaché à Hazebrouck.

La MOTTE D'AIGUES 84 Vaucluse 84 ③ – 591 h. – ✉ 84240 La Tour d'Aigues.

Paris 754 – Aix-en-Provence 31 – Avignon 76 – Manosque 27.

X **Aub. La Cigale,** ✆ 90 77 63 06 – E VISA
fermé 2 au 8 janv. – **R** 90/135.

La MOTTE-SERVOLEX 73 Savoie 74 ⑮ – rattaché à Chambéry.

Le MOTTIER 38 Isère 74 ⑬ – 414 h. – ✉ 38260 La Côte-St-André.

Paris 528 – Bourgoin-Jallieu 21 – ♦Grenoble 47 – St-Etienne de St-Geoirs 12 – Vienne 43.

XX **Les Donnières,** ✆ 74 54 42 06 – AE
fermé 15 juil. au 15 août, janv., dim. soir, merc. et jeudi – **R** (nombre de couverts limité - prévenir) carte 70 à 100.

MOUANS-SARTOUX 06370 Alpes-Mar. 84 ⑧, 195 ㉔ – 5 166 h.

Paris 908 – Antibes 15 – Cannes 10 – Grasse 7 – Mougins 4,5 – ♦Nice 35.

XX **Palais des Coqs,** SO : 2 km par D 409 et VO ✆ 93 75 61 57, 余, « Jardin fleuri » – Ⓟ. E VISA
fermé 15 juin au 1er juil., 9 au 28 janv., merc. soir hors sais., vend. midi en sais., et jeudi – **R** (prévenir) 160/190, enf. 80.

X **Relais Napoléon,** rte Nationale ✆ 93 75 65 08
fermé 20 déc. au 10 janv. et merc. soir – **R** 52/100.

MOUCHARD 39330 Jura 70 ④⑤ – 1 427 h.

Paris 400 – Arbois 9 – ♦Besançon 41 – Dole 36 – Lons-le-Saunier 47 – Salins-les-Bains 9.

XX **Chalet Bel'Air** ⚐ avec ch, ✆ 84 37 80 34, ←, 余, ⛱ – TV ⌂wc ⋒wc ☎ Ⓟ. AE ⓓ VISA
fermé 23 nov. au 15 déc. et 9 au 17 mars – **R** *(fermé merc. et jeudi sauf vacances scolaires)* 95/280 ♂ – 30 – **7 ch** 108/228.

RENAULT Gar. Conry, ✆ 84 37 82 43 N

MOUDEYRES 43 H.-Loire 76 ⑱ – 132 h. alt. 1 177 – ✉ 43150 Le Monastier-sur-Gazeille.

Paris 594 – Aubenas 63 – Langogne 56 – Le Puy 25 – St-Agrève 41 – Yssingeaux 35.

❀ **Aub. Pré Bossu** (Grootaert) ⚐, ✆ 71 05 10 70, ⛱ – ⌂wc ⋒wc ☎ Ⓟ. AE ⓓ E VISA. ✻ rest
Pâques-11 nov. – **R** *(fermé merc. midi et mardi hors sais.)* (prévenir) 95/280 – 29 – **9 ch** 195/260 – 1/2 p 230/285
Spéc. Rouelle de truite aux algues (fin mai-oct.), Lapin farci et sa croûte d'herbes, Côte de ramier et sa garniture d'automne (saison).

*Towns underlined in red on the **Michelin maps** at a scale of 1 : 200 000 are included in this guide. Use the latest map to take full advantage of this information.*

MOUGINS 06250 Alpes-Mar. 84 ⑨, 195 ㉔㊳ G. Côte d'Azur – 10 197 h.

Voir Site★ – Ermitage N.-D. de Vie : site★, ≤★ SE : 3,5 km.

Country-Club de Cannes-Mougins ✆ 93 75 79 13, E : 2 km.

Syndicat d'Initiative av. J.-Ch.-Mallet ✆ 93 75 87 67.

Paris 905 – Antibes 12 – Cannes 7 – Grasse 11 – ♦Nice 32 – Vallauris 8.

Mas Candille, ✆ 93 90 00 85, Télex 462131, ≤, « Jardins en terrasse » – ch ☎ Ⓟ. AE ⓓ E VISA
fermé 5 au 18 janv. – **R** *(fermé mardi sauf le soir en sais. et merc. midi)* 190/300 – 50 – **22 ch** 640/900.

Arc H. Ⓜ, 1082 rte Valbonne ✆ 93 75 77 33, Télex 462190, rest wc ☎ Ⓟ – 50. AE ⓓ E VISA. rest
R 130/170, enf. 60 – 34 – **44 ch** 345/390.

XXX ✿✿✿ **Moulin de Mougins** (Vergé) avec ch, à Notre-Dame-de-Vie SE 2,5 km par D 3 ✆ 93 75 78 24, Télex 970732, ≤, – rest wc ☎ Ⓟ AE ⓓ E VISA
fermé 29 janv. au 20 mars – **R** *(fermé lundi sauf le soir du 15 juil. au 31 août et jeudi midi)* 550 et carte – 75 – **5 ch** 800/900
Spéc. Poupeton de truffe noire, Bourride de homard agathoise, Pigeonneau au miel et à la cannelle. **Vins** Cassis.

XX ✿ **Ferme de Mougins,** à St-Basile ✆ 93 90 03 74, Télex 970643, ≤, – AE ⓓ E VISA
fermé fév. à mi-mars, sam. midi et jeudi – **R** 200/320, enf. 110
Spéc. Carpaccio de selle d'agneau au curry, Ravioli de langoustines, Pigeonneau de Bresse au gingembre.

XXX ✿ **L'Amandier de Mougins,** au Village ✆ 93 90 00 91, ≤, – AE ⓓ E VISA
fermé sam. midi et merc. – **R** 290
Spéc. Courgettes fleurs et homard au beurre de basilic, Filets de rouget au beurre de romarin, Filet d'agneau à l'ail doux. **Vins** Cassis Bandol.

XXX ✿ **Relais à Mougins** (Surmain), au Village, pl. Mairie ✆ 93 90 03 47, – E VISA
fermé 28 nov. au 13 déc., 10 fév. au 1er mars, mardi midi et lundi sauf juil.-août – (nombre de couverts limité - prévenir) carte 360 à 470, enf. 160
Spéc. Millefeuille de foie gras périgourdine, Gratin de saumon, Pot au feu de pigeon aux écrevisses. **Vins** Côtes de Provence.

XX **La Terrasse,** au village ✆ 93 90 14 70, ≤ baie de Cannes, – E VISA
fermé 30 nov. au 17 déc., 4 au 27 janv., lundi (sauf fêtes) du 1er mars au 30 juin et du 1er sept. au 30 avril – **R** 115/250, enf. 82.

XX **Aux Trois Étages,** au village ✆ 93 90 01 46, – AE ⓓ E VISA
fermé jeudi d'oct. à mai – **R** carte 165 à 260.

XX **Le Bistrot,** au village ✆ 93 75 78 34 – E VISA
fermé 28 nov. au 20 janv., mardi, merc. (sauf le soir en juil.-août) – **R** 130/150.

XX **Feu Follet,** au village, pl. Mairie ✆ 93 90 15 78, – VISA
fermé nov., 7 au 25 mars, dim. soir et lundi – **R** 86/140.

PEUGEOT-TALBOT Ortelli, 235 rte du Cannet (Bretelle Autoroute) ✆ 93 45 11 11

MOULEYDIER 24520 Dordogne 75 ⑮ – 970 h.

Paris 568 – Beaumont 19 – Bergerac 10 – Périgueux 47 – Sarlat-la-Canéda 64.

Aub Beau Rivage, rte Lalinde ✆ 53 23 20 21, ≤ – Ⓟ. VISA
fermé dim. soir et lundi du 15 sept. au 15 juin – **R** 45/175, enf. 35 – 16 – **10 ch** 95/250 – 1/2 p 150/200.

MOULIN-CHABAUD 01 Ain 74 ④ – rattaché à Ceignes.

MOULIN-DES-PONTS 01 Ain 70 ⑬ – rattaché à Coligny.

MOULINS Ⓟ 03000 Allier 69 ⑭ G. Auvergne – 25 548 h.

Voir Cathédrale★ : triptyque★★★, vitraux★★ AY – Jacquemart★ BY D – Mausolée du duc de Montmorency★ (chapelle du lycée Banville) AX B.

Env. Château de Pomay★ par ③ : 9,5 km.

des Avenelles ✆ 70 20 00 95, par ④ N 7 : 7 km.

Office de Tourisme pl. Hôtel de Ville ✆ 70 44 14 14 – A.C. Parc des Expositions de Villars, La Madeleine ✆ 70 20 19 15.

Paris 292 ① – Bourges 98 ① – Chalon-sur-Saône 134 ③ – Châteauroux 152 ① – ♦Clermont-Ferrand 106 ⑤ – Mâcon 134 ③ – Montluçon 67 ⑥ – Nevers 54 ① – Roanne 98 ④ – Vichy 57 ④.

Plan page ci-contre

✿ **Paris,** 21 r. de Paris ✆ 70 44 00 58, Télex 394853 – rest ☎ Ⓟ – 30. AE ⓓ E VISA AX
R *(fermé dim. soir et lundi d'oct. à mai sauf fêtes)* (nombre de couverts limité - prévenir) 85/330, enf. 50 – 35 – **27 ch** 230/540 – 1/2 p 480/780
Spéc. Salade de filet de Charolais, Panaché chaud de la St-Cochon, Beignets d'ananas. **Vins** Meillard, Chateaugay.

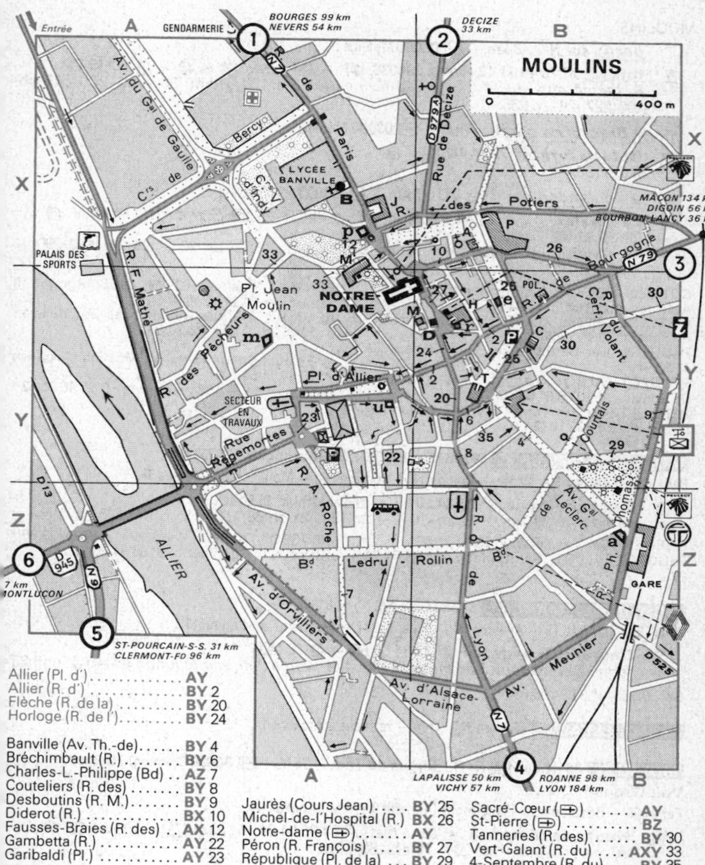

Allier (Pl. d') . . . . AY
Allier (R. d') . . . . BY 2
Flèche (R. de la) . . . . BY 20
Horloge (R. de l') . . . . BY 24

Banville (Av. Th.-de) . . . . . . BY 4
Bréchimbault (R.) . . . . BY 6
Charles-L.-Philippe (Bd) . . AZ 7
Couteliers (R. des) . . . . BY 8
Desboutins (R. M.) . . . . BY 9
Diderot (R.) . . . . BX 10
Fausses-Braies (R. des) . . . AX 12
Gambetta (R.) . . . . AY 22
Garibaldi (Pl.) . . . . AY 23
Jaurès (Cours Jean) . . . . . BY 25
Michel-de-l'Hospital (R.) . BX 26
Notre-dame . . . . AY
Péron (R. François) . . . . . BY 27
République (Pl. de la) . . . BY 29
Sacré-Cœur . . . . AY
St-Pierre . . . . BZ
Tanneries (R. des) . . . . BY 30
Vert-Galant (R. du) . . . . . AXY 33
4-Septembre (R. du) . . . . . BY 35

Moderne, 9 pl. J.-Moulin ✆ **70 44 05 06, Télex 392968** – 100. – R *(fermé 1er au 21 nov., lundi midi et sam. de nov. à avril)* 65/110 – 21 – **42 ch** 190/260 – 1/2 p 255/285. AY **m**

Parc, 31 av. Gén.-Leclerc ✆ **70 44 12 25** – *fermé 15 au 23 juil., 1er au 15 oct. et 22 déc. au 8 janv.* – **R** *(fermé sam.)* 72/180 – 22 – **28 ch** 140/280. BZ **a**

Dauphin, 59 pl. Allier ✆ **70 44 33 05, Télex 394860** – *fermé mi-déc. à mi-janv. et week-ends en hiver* – **R** 55/180, enf. 40 – 25 – **65 ch** 125/300. AY **u**

XXX ✻ **Jacquemart** (de Roberty), 10 pl. H.-de-Ville ✆ **70 44 32 58, plafond du 14e s.** – *fermé 1er au 9 mai, 8 au 22 août, 19 déc. au 3 janv., dim. soir et lundi* – **R** 115/240 BY **r**
Spéc. Soupe de langoustines au chou-fleur, Emincé de canard au safran et dattes au foie gras, Soufflé au chocolat. **Vins** St-Pourçain, Sancerre.

XXX **des Cours,** 36 cours J.-Jaurès ✆ **70 44 32 56** – *fermé juil., mardi soir et merc.* – **R** 110/230. BY **e**

par ① sur N 7 : 8 km – ✉ **03460** Trévol :

Relais d'Avrilly Ⓜ, ✆ **70 42 61 43, Télex 990638, parc,** – 40 à 150. **R** *(fermé dim. soir d'oct. à mars)* 76/150, enf. 35 – 29 – **40 ch** 242/270.

tourner →

par ④ sur N 7 : 3 km – ✉ **03000** Moulins :

Ibis Ⓜ, ✆ 70 46 71 12, Télex 990638, – TV ⇔wc ☎ ♿ Ⓟ – 50. E VISA
R *(fermé dim. du 1er oct. au 28 fév.)* carte 75 à 120 ⅌, enf. 35 – ☕ 25 – **43 c**
200/227 – 1/2 p 265.

à Bressolles par ⑤ : 5 km – ✉ **03000** Moulins :

Bateau Ivre, ✆ 70 44 48 00 – Ⓟ
R 78/195.

à Coulandon par ⑥ et VO : 7 km – ✉ **03000** Moulins :

Le Chalet ⅋, ✆ 70 44 50 08, ←, , « Parc » – TV ⇔wc ⫙wc ☎ Ⓟ – 3
AE ⓓ E VISA
1er fév.-30 oct. – **R** (dîner seul.) 62/100, enf. 40 – ☕ 20 – **25 ch** 140/290
1/2 p 185/310.

CITROEN Dubois-Dallois, rte de Paris à Avermes par ① ✆ 70 44 34 98
MERCEDES-BENZ Gar. St-Christophe, 119 r. de Paris ✆ 70 44 13 60
PEUGEOT Gar. Berthommier, 1 r. de Paris ✆ 70 44 33 94
PEUGEOT-TALBOT Cognet, 22 av. Théodore de Banville ✆ 70 46 07 07
RENAULT Gd Gar. Paris-Lyon, N 7 à Avermes par ① ✆ 70 44 30 12 N

RENAULT Vernet, 63 rte de Bourgogne Yzeure par ③ ✆ 70 46 07 55 N
RENAULT Courtais Automobiles, 28 r. de Ly ✆ 70 20 28 00 N ✆ 70 20 06 17

Ⓜ Estager-Pneu, 36 rte de Moulins, Averm ✆ 70 44 11 55
Moulins-Pneus, 103 rte de Lyon ✆ 70 46 31 42

MOULINS-ENGILBERT **58290** Nièvre 69 ⑥ **G. Bourgogne** – 1 732 h.

Paris 277 – Autun 53 – Château-Chinon 16 – Corbigny 38 – Moulins 70 – Nevers 58.

Bon Laboureur, ✆ 86 84 20 55 – ⇔wc ⫙wc. E VISA
fermé 8 au 28 janv. – **R** 49/110 ⅌ – ☕ 18 – **21 ch** 68/150 – 1/2 p 100/145.

CITROEN Gar. Lavalette, ✆ 86 84 21 68
PEUGEOT-TALBOT Gar. Bondoux, ✆ 86 84 24 29

PEUGEOT-TALBOT Perraudin, ✆ 86 84 23 55
RENAULT Gge Pessin, ✆ 86 84 25 13

MOULINS-LA-MARCHE **61380** Orne 60 ④ – 818 h.

Paris 159 – L'Aigle 18 – Alençon 39 – Argentan 47 – Mortagne-au-Perche 17.

Dauphin, Grande Rue ✆ 33 34 50 55 – Ⓟ. E VISA
fermé 5 au 28 sept., vacances de fév. – **R** *(fermé dim. soir et lundi)* 48/140 ⅌, enf. 2

Gar. Bazin, ✆ 33 34 55 33

Le MOULLEAU **33** Gironde 78 ②⑫ – rattaché à Arcachon.

MOURÈZE **34** Hérault 83 ⑤ **G. Gorges du Tarn** – 76 h. – ✉ **34800** Clermont-l'Hérault.
Voir Cirque★★.

Paris 809 – Bédarieux 23 – Clermont-l'Hérault 8 – ♦Montpellier 49.

Hauts de Mourèze ⅋ sans rest, ✆ **67 96 04 84,** ←, **parc,** – ⇔wc Ⓟ.
30 mars-15 oct. – ☕ 20 – **10 ch** 180/200.

MOURIÈS **13890** B.-du-R. 84 ① – 2 298 h.

Paris 717 – Arles 24 – Cavaillon 25 – ♦Marseille 76 – St-Rémy-de-Pr. 16 – Salon-de-Provence 22.

Relais des Baux, ✆ 90 47 50 11, – ⫙. E VISA. ch
15 mars-15 oct. et fermé lundi – **R** 55/103 ⅌, enf. 40 – ☕ 22 – **9 ch** 110/150
1/2 p 125/165.

Le MOURILLON **83** Var 84 ⑮ – rattaché à Toulon.

Les MOUSSEAUX **78** Yvelines 60 ⑨, 196 ㉘ – rattaché à Pontchartrain.

MOUSTERLIN (Pointe de) **29** Finistère 58 ⑮ – rattaché à Fouesnant.

MOUSTIERS-STE-MARIE **04360** Alpes-de-H.-Pr 81 ⑰ **G. Alpes du Sud** (plan) – 575 h. alt. 6
– **Voir Site★★ – Chapelle N.-D.-de-Beauvoir★ – Eglise★ – Musée de la Faïence★.**

ℹ Syndicat d'Initiative (15 juin-15 sept.) ✆ 92 74 67 84.

Paris 820 – Aix-en-Provence 86 – Castellane 45 – Digne 48 – Draguignan 62 – Manosque 50.

Le Relais, ✆ 92 74 66 10 – ⫙ ☎. E VISA
1er mars-10 déc. et vend. hors. sais. – **R** 70/140 – ☕ 20 – **14 ch** 145/182
1/2 p 160/175.

Les Santons, pl. Église ✆ 92 74 66 48, – ⓓ VISA
1er mars-15 nov. et fermé lundi soir (sauf juil.-août) et mardi – **R** (nombre c couverts limité, prévenir) 140/240.

Garage Achard, ✆ 92 74 66 24

Garage Honorat, ✆ 92 74 66 30

MOUTHIER-HAUTE-PIERRE 25920 Doubs 70 ⑥ G. Jura – 360 h.
Voir Belvédère de Mouthier ≤** SE : 2,5 km – Gorges de Nouailles* SE : 3,5 km – Roche de Haute-Pierre ≤* N : 5 km puis 30 mn.
Paris 452 – Baume-les-Dames 55 – ♦Besançon 39 – Levier 27 – Pontarlier 20 – Salins-les-Bains 43.

La Cascade M, ☎ 81 60 95 30, ≤ vallée – TV wc ⋔wc ☎ P. VISA. *fermé 1er déc. au 1er fév.* – **R** 83/250 – 25 – **21 ch** 170/230 – 1/2 p 170/220.

Le Manoir, ☎ 81 60 90 01, – P. AE ⓓ VISA *fermé 11 janv. au 28 fév., lundi soir et mardi sauf du 30 juin au 1er oct.* – **R** 100/340, enf. 60.

MOUTIER-ROZEILLE 23 Creuse 73 ① – rattaché à Aubusson.

MOÛTIERS 73600 Savoie 74 ⑰ G. Alpes du Nord – 4 798 h.
Office de Tourisme pl. St-Pierre ☎ 79 24 04 23.
Paris 611 – Albertville 27 – Chambéry 74 – St-Jean-de-Maurienne 64.

Aub. de Savoie M, ☎ 79 24 20 15 – wc ☎. VISA
R *(fermé juin, lundi en sais., sam. hors sais.)* 62/140 – 22 – **20 ch** 180/240.

Ibis, ☎ 79 24 27 11, Télex 980611, ≤ – TV wc ☎ P. E VISA
R carte 75 à 120, enf. 35 – 23 – **61 ch** 220/265 – 1/2 p 300/320.

Moderne, av. Gare ☎ 79 24 01 15 – ⋔. E VISA
fermé 1er au 15 mai, 1er au 20 nov. et dim. – **R** 65/100 – 20 – **22 ch** 100/130 – 1/2 p 180.

AUSTIN-ROVER Ets Martin, ☎ 79 24 02 80
PEUGEOT-TALBOT Petitti, ☎ 79 24 10 66
RENAULT De Prince, à Salins-les-Thermes ☎ 79 24 29 55
La Maison du Pneu ☎ 79 24 21 95

Les MOÛTIERS-EN-RETZ 44 Loire-Atl. 67 ② G. Poitou Vendée Charentes – 702 h. – ✉ 44580 Bourgneuf-en-Retz.
Paris 429 – Challans 38 – ♦ Nantes 47 – St.-Nazaire 40.

Bonne Auberge, av. Mer ☎ 40 82 72 03 – AE VISA.
fermé déc. janv., dim. soir et lundi sauf juil.-août – **R** 75/250, enf. 35.

MOUX 58 Nièvre 65 ⑰ – 708 h. – ✉ 58230 Montsauche.
Paris 265 – Autun 31 – Château-Chinon 30 – Clamecy 75 – Nevers 96 – Saulieu 15.

Beau Site, D 121 ☎ 86 76 11 75, ≤, parc – ⋔wc P. VISA. rest
fermé 19 déc. au 15 fév., lundi soir et dim. du 15 nov. au 20 mars – **R** 48/138, enf. 40 – 17 – **24 ch** 77/180 – 1/2 p 133/180.

CITROEN Gar. Bureau, ☎ 86 76 14 05 N

MOYE 74 H.-Savoie 74 ⑤ – rattaché à Rumilly.

MOYENMOUTIER 88420 Vosges 62 ⑦ G. Alsace et Lorraine – 3 498 h.
Voir Église* d'Étival-Clairefontaine O : 5 km.
Paris 376 – Lunéville 41 – St-Dié 15 – ♦Strasbourg 82.

Host. de l'Abbaye, 33 r. Hôtel de Ville ☎ 29 41 54 31 – wc. AE ⓓ E VISA
fermé 30 sept. au 7 nov., 15 au 23 fév., dim. soir et lundi – **R** 45/170, enf. 40 – 15 – **12 ch** 75/160 – 1/2 p 110/140.

MUHLBACH 68 H.-Rhin 62 ⑱ G. Alsace et Lorraine – 668 h – ✉ 68380 Metzeral.
Paris 448 – Colmar 24 – Gérardmer 38 – Guebwiller 41.

Perle des Vosges, ☎ 89 77 61 34, ≤ – wc ⋔wc ☎ P.
fermé 2 janv. au 2 fév. – **R** 58/160 – 16 – **40 ch** 110/240 – 1/2 p 150/190.

MULHOUSE SP 68100 H.-Rhin 66 ⑨⑩ G. Alsace et Lorraine – 113 794 h.
Voir Parc zoologique et botanique** CV – Place de la Réunion* EFY 113 : Hôtel de Ville* FY H – Vitraux* du temple St-Étienne FY D – Musées : Automobile*** BU M6, Français du Chemin de fer* AV M3, de l'Impression sur étoffes* FZ M2 – , Historique* (Hôtel de ville) FY M1.
Env. Musée du Papier peint* à Rixheim E : 6 km DV M7.
18 du Rhin à Chalampé ☎ 89 26 07 86 par ① : 19 km.
de Bâle-Mulhouse par ② : 27 km, ☎ 89 69 00 00 à St-Louis (France) et 061 ☎ 57 25 11 à Bâle (Suisse).
☎ 89 46 50 50.
Office de Tourisme 9 av. Mar.-Foch ☎ 89 45 68 31, Télex 881285 et 192 av. Colmar (juin-oct.) – A.C. 11 bd Europe ☎ 89 45 38 72.
Paris 542 ⑤ – ♦Bâle 35 ② – Belfort 42 ⑤ – ♦Besançon 139 ⑤ – Colmar 42 ⑧ – ♦Dijon 232 ⑤ – Freiburg 60 ⑨ – ♦Nancy 184 ⑧ – ♦Reims 371 ⑥ – ♦Strasbourg 114 ⑧.

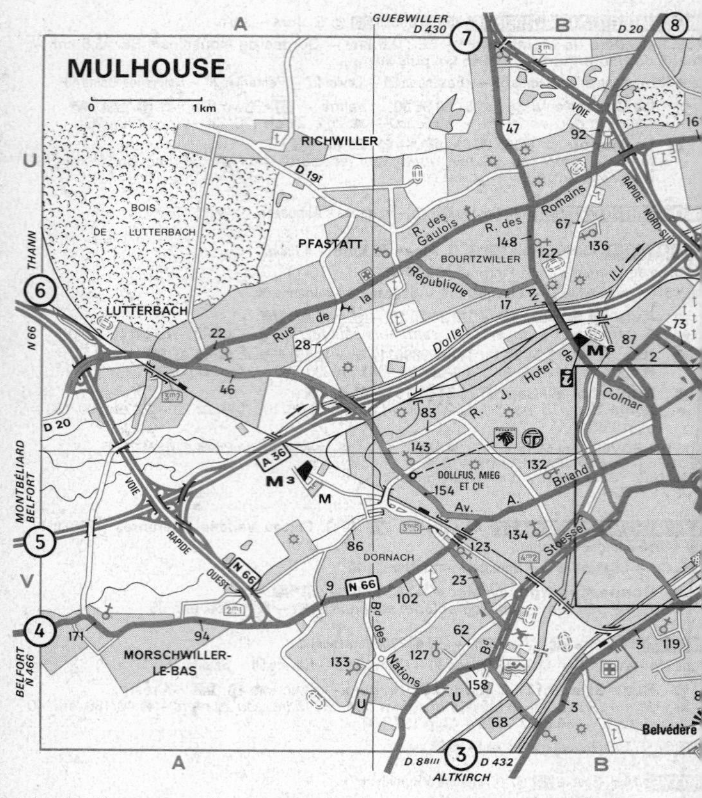

Agen (R. d')	**BU** 2	Dornach (R. de)	**AU** 28	Jardin-Zoologique (R.)	**CV** 6
Altkirch (Av.)	**BV** 3	Fabrique (R. de la)	**CU** 36	Katz (Allée Nathan)	**CU** 6
Bâle (Rte de)	**CU** 7	Gambetta (Bd Léon)	**CV** 42	Kingersheim (R. de)	**BU** 6
Bartholdi (R.)	**CV** 8	Gaulle (R. du Gén. de)	**AU** 46	Lagrange (R. Léo)	**BV** 6
Belfort (R. de)	**AV** 9	Guebwiller (R. de)	**BU** 47	Lefèbvre (R.)	**BU** 7
Belgique (Av. de)	**CU** 12	Hardt (R. de la)	**CU** 51	Lustig (R. Auguste)	**BV** 8
Bourtz (R. Sébastien)	**BU** 17	Hollande (Av. de)	**CU** 57	Martin (R. Jean)	**BU** 8
Briand (R. Aristide)	**AU** 22	Ile-Napoléon (R. de l')	**CU** 58	Mer-Rouge (R. de la)	**AV** 8
Brunstatt (R. de)	**BV** 23	Illberg (R. de l')	**BV** 62	Mertzau (R. de la)	**BU** 8
Dollfus (Av. Gustave)	**CV** 27	Ilôt (R. de l')	**DU** 63	Mulhouse (Fg de)	**BU** 9

Altéa, 4 pl. Gén.-de-Gaulle ✆ 89 46 01 23, Télex 881807 – ⧫ ▤ rest TV ☎ 🚗 –
25 à 200. AE ⓞ E VISA FZ
l'Alsace R 75/170bc, enf. 40 – ☕ 38 – **96 ch** 325/395 – ½ p 310/410.

Bourse sans rest, 14 r. Bourse ✆ 89 56 18 44 – ⧫ TV wc wc ☎. ⓞ E VISA FZ
fermé 8 au 24 juil. et 23 déc. au 5 janv. – ☕ 28 – **50 ch** 252/340.

Europe sans rest, 11 av. Mar.-Foch ✆ 89 45 19 18 – ⧫ TV wc wc ☎ ♿. ⓞ E
VISA FZ
☕ 26 – **50 ch** 170/290.

Wir, 1 porte Bâle ✆ 89 56 13 22 – ⧫ wc wc ☎. AE E VISA FY
fermé fin juin à fin juil. et vend. – **R** 80/300 – ☕ 22 – **39 ch** 125/235.

Salvator sans rest, 29 passage Central ✆ 89 45 28 32, Télex 881643 – ⧫ TV
wc wc ☎ 🚗. AE ⓞ E VISA FY
fermé 20 déc. au 6 janv. – ☕ 25 – **39 ch** 130/218.

Bristol sans rest, 18 av. Colmar ✆ 89 42 12 31 – ⧫ TV wc ☎ Ⓟ. AE ⓞ
VISA FY
fermé 24 au 31 déc. – ☕ 22 – **60 ch** 150/280.

Bâle sans rest, 19 passage Central ✆ 89 49 19 87 – TV wc wc ☎. E VISA
☕ 22 – **31 ch** 125/198. FY

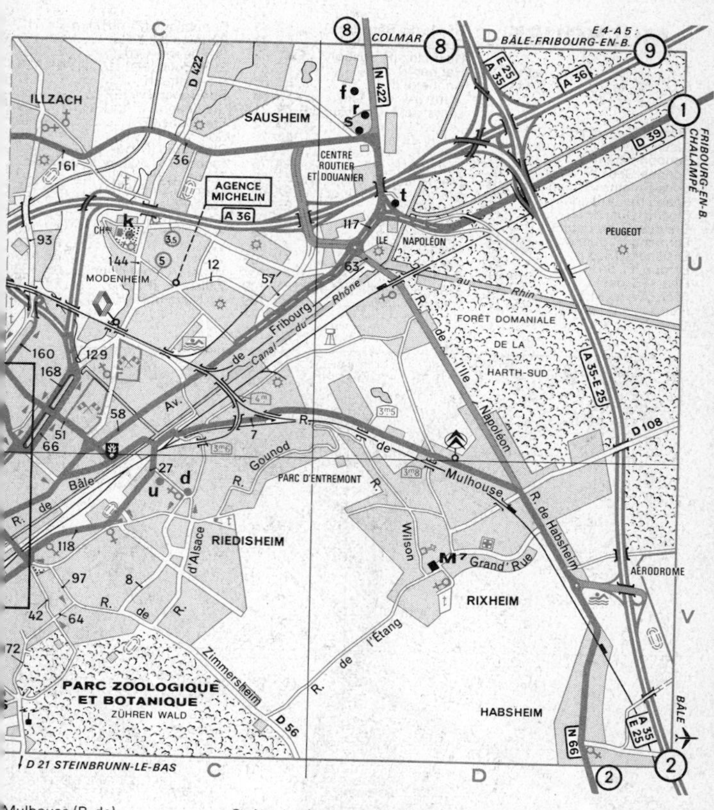

Mulhouse (R. de) ILLZACH . . . . CU 93
Mulhouse (R. de) MORSCHWILLER-LE-BAS . . . . AV 94
Noelting (R. Émilio) . . . . CV 97
Paris (Bd de) . . . . BV 102
Rhin (R. du) ILLZACH . . DU 117
Riedischeim (Av. de) . . . CV 118
Sacré-Cœur (⊞) . . . . . . BV 119

St-Antoine (⊞) . . . . . BU 122
St-Barthélemy (⊞) . BV 123
St-François-d'Assise (⊞) . . . . BV 127
St-Jean-Bosco (⊞) . . CU 129
St-Joseph (⊞) . . . . . BV 132
St-Luc (⊞) . . . . AV 133
St-Pierre-et-Paul (⊞) . . . . BV 134
Ste-Claire (⊞) . . . . . BU 136

Ste-Thérèse (⊞) . . . . BUV 143
Sausheim (R. de) . . . . CU 144
Soultz (R. de) . . . . BU 148
Thann (R. de) . . . . BV 154
Université (R. de l') . . . . BV 158
Vauban (R.) . . . . CU 160
Vosges (R. des) . . . . BCU 161
Wyler (Allée William) . . . . . . CU 168
1re-Armée-Française (R.) . . . AV 171
9e-Div.-d'Inf.-Coloniale (R.) CV 172

🏨 **Touring H.** sans rest, **10 r. Moulin** ✆ **89 45 32 84** – 🛗 ⛀ ⛆wc ☎. **E** VISA — FY **b**
⛾ 20 – **30 ch** 110/218.

🏨 **Paris** sans rest, **5 passage H.-de-Ville** ✆ **89 45 21 41** – ⇹ TV ⛀wc ⛆wc ☎. **E** VISA — FY **r**
⛾ 20 – **20 ch** 160/215.

XXX ✿ **Aub. de la Tonnelle** (Hirtzlin), **61 r. Mar.-Joffre à Riedisheim** ✉ **68400 Riedisheim** ✆ **89 54 25 77** – **P**. AE ⓞ **E** VISA — CV **u**
fermé 22 août au 5 sept., vacances de fév., sam. midi et dim. – **R** carte 190 à 295
Spéc. Pâté chaud de canard au foie d'oie, Saumon rôti aux aromates (avril-sept.), Aiguillettes de chevreuil aux épices (juin-janv.). **Vins** Edelzwicker, Muscat d'Alsace.

XXX **Le Parc, 8 r. V. Hugo à Illzach-Modenheim** ✉ **68110 Illzach** ✆ **89 56 61 67**, ⛱, ⛱ – **P**. AE **E** VISA — CU **k**
fermé sam. midi, dim. soir et lundi – **R** carte 200 à 270.

XXX **Au Quai de la Cloche, 5 quai de la Cloche** ✉ **68200** ✆ **89 43 07 81** – AE ⓞ VISA — EY **k**
fermé 26 juil. au 20 août, sam. midi, dim. soir et lundi – **R** 135/280.

XX **Poste, 7 r. Gén.-de-Gaulle à Riedisheim** ✉ **68400 Riedisheim** ✆ **89 44 07 71** – **P**. **E** VISA — CV **d**
fermé 14 juil. au 13 août, mardi soir et merc. – **R** 150/198 ♁.

MULHOUSE

Colmar (Av. de) .... EXY
Prés.-Kennedy (Av. du) EFY
Sauvage (R. du) .... FY 145

Altkirch (Av. et Pt d') .... FZ 3
Arsenal (R. de l') .... EY 4
Bonbonnière (R.) .... EY 13
Bonnes-Gens (R. des) .. FZ 14
Bons-Enfants (R. des) .. EY 18
Briand (Av. Aristide) .... EY 19
Cloche (Quai de la) .... EY 24
Dreyfus (R. du Capit.) .. FX 29
Ehrmann (R. Jules) ..... FZ 32
Ensisheim (R. d') .... FY 33
Europe (Pl. de l') .... FY 34
Fleurs (R. des) .... EZ 37
Foch (Av. du Mar.) ...... FZ 38
Franciscains (R. des) ... EY 41
Gaulle (Pl. Gén. de) ...... FZ 43
Guillaume-Tell (Pl.) ...... FZ 48
Heilmann (R. Josué) ... EXY 52
Henner (R. J.-J.) .... FZ 53
Henriette (R.) .... EY 56
Joffre (Av. du Mar.) ...... FZ 65
Lattre-de-T. (Av. Mar. de) FY 71
Leclerc (Av. du Gén.) .... FZ 72
Loi (R. de la) .... EY 76
Loisy (R. du Lt de) .... FX 77
Lorraine (R. de) .... EY 78
Maréchaux (R. des) ...... EY 82
Mertzau (R. de la) .... EX 87
Metz (R. de) .... FY 88
Moselle (R. de la) .... FY 91
Norfeld (R. du) .... FY 98
Oran (Quai d') .... FZ 99
Pasteur (R. Louis) .... FY 103
Poincaré (R.) .... FZ 107
Prés.-Roosevelt (Bd du) EXY 108
Raisin (R. du) .... EY 109
République (Pl. de la) ... FY 1
Réunion (Pl. de la) ...... FY 1
St-Étienne (⊞) .... EZ 1
St-Fridolin (⊞) .... EX 1
Ste-Claire (R.) .... EZ 1
Ste-Geneviève (⊞) .... FY 1
Ste-Jeanne-d'Arc (⊞) .... FX 1
Ste-Marie (⊞) .... EY 1
Somme (R. de la) .... FY 1
Stalingrad (R. de) .... FY 1
Stoessel (Bd Charles) .... EZ 1
Tanneurs (R. des) .... EY 1
Tour-du-Diable (R.) ...... EZ 1
Trois-Rois (R. des) .... EZ 1
Vauban (Pl.) .... FX 1
Wicky (Av. Auguste) ...... FZ 1
Wilson (R.) .... FZ 1
Wolf (R. de) .... FX 1
Wyler (Allée William) .... FX 1
Zillisheim (R. de) .... EZ 1
17-Novembre (R. du) ..... FZ 1

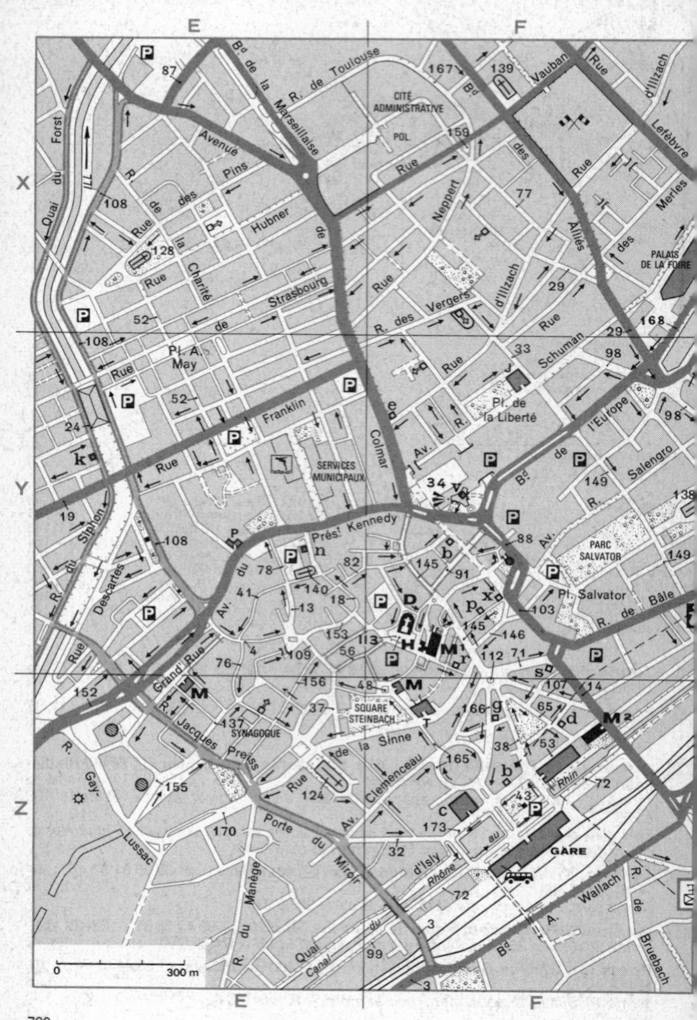

XX **Relais de la Tour** (31e étage), 3 bd Europe ✆ 89 45 12 14, ≤ ville et environs – ▤. AE ⓓ E VISA FY **v**
R 70/168 ♁, enf. 39.

XX **Belvédère,** 80 av. 1ère Division Blindée (par rte parc zoologique) ✆ 89 44 18 79 – AE ⓓ E VISA CV **s**
fermé 1er au 15 août, lundi soir et mardi – **R** 140/220 ♁.

X **Aux Caves du Vieux Couvent,** 23 r. Couvent ✆ 89 46 28 79, Taverne – AE ⓓ E VISA EY **n**
fermé 3 mars au 4 avril, 30 juin au 17 juil., 25 déc. au 3 janv., lundi midi, dim. et fériés – **R** 35/100 ♁.

au NE – ✉ **68390** Sausheim :

Sofitel M, ✆ 89 61 85 85, Télex 881311, ☂, ⛱, ✂ – ⫶ ▤ TV ☎ ♿ P – 🏛 25 à 180. AE ⓓ E VISA DU **r**
La Tissandière **R** carte 270 à 330, enf. 55 – ☕ 45 – **100 ch** 392/497.

Novotel M, ✆ 89 61 84 84, Télex 881673, ☂, ⛱ – ▤ rest TV ☎ P – 🏛 25 à 110. AE ⓓ E VISA DU **s**
R snack carte environ 120, enf. 40 – ☕ 38 – **77 ch** 300/345.

Mercure M, ✆ 89 61 87 87, Télex 881757, ☂, ⛱ – ⫶ ▤ rest TV ☎ ♿ P – 🏛 25 à 170. AE ⓓ E VISA DU **t**
R 80 bc/150 bc, enf. 38 – ☕ 33 – **98 ch** 305/345.

Ibis M, ✆ 89 61 83 83, ☂ – ⫶ TV ⇔wc ☎ ♿ P – 🏛 40 – **76 ch**. DU **f**

à Baldersheim par ⑧ : 8 km – ✉ **68390** Sausheim :

Au Cheval Blanc, ✆ 89 45 45 44 – ▤ rest TV ⇔wc ⋒wc ☎ P – 🏛 30. E VISA
R *(fermé 1er au 14 juil. et jeudi)* 60/190 ♁ – ☕ 20 – **54 ch** 100/235 – 1/2 p 160/230.

à Steinbrunn-le-Bas SE : 9,5 km par rte parc zoologique, Bruebach et D 21 – ✉ **68440** Habsheim :

XX ✿ **Moulin du Kaegy** (Begat), ✆ 89 81 30 34, « Maison du 16e s., jardin » – P. AE ⓓ E VISA
fermé janv., dim.soir et lundi – **R** (nombre de couverts limité-prévenir) 220/380
Spéc. Foie d'oie confit, Fricassée de chanterelles et rognons (juin à déc.), Caneton au citron. Vins Tokay Pinot gris, Klevner.

à Froeningen : SO : 9 km par D 8BIII - BV – ✉ **68720** Illfurth :

XX **Aub. de Froeningen** avec ch, ✆ 89 25 48 48, ☂, « Belle décoration intérieure », ⛱ – ⋈ ⋒wc ☎ P
fermé 15 au 29 août, 9 au 30 janv., dim. soir et lundi – **R** 95/250 – ☕ 25 – **7 ch** 250/300.

MICHELIN, Agence, 35 av. de Belgique à Illzach CU 89 61 70 55

CITROEN SDA Rixheim, 64 rte de Mulhouse à Rixheim ✆ 89 44 40 50
DATSUN, NISSAN Gar. Manu Est, 26 r. Manulaine ✆ 89 52 35 80
FIAT, LANCIA Gar. Hess, 81 av. Colmar ✆ 89 59 33 88
FORD Safor Autom., 56 av. de Belgique à Illzach ✆ 89 61 76 33
FORD Gar. Sax, 12 r. du Couvent ✆ 89 56 52 22
HONDA, MAZDA, VOLVO Gar. Christen, 32 allée Nathan Katz ✆ 89 56 43 33
MERCEDES-BENZ, V.A.G. Générale-Autom., 228 av. de Fribourg, Illzach ✆ 89 61 89 61 N ✆ 89 61 76 88
OPEL-GM Gar. Muller, 23 r. Thann ✆ 89 43 98 88
PEUGEOT, TALBOT S.I.A.M., 22 r. de Thann ✆ 89 43 98 20
RENAULT Gd. Gar Mulhousien, r. Sausheim à Illzach ✆ 89 46 01 44
TOYOTA Gar. Rémy, 13 r. du Puits ✆ 89 44 42 49
V.A.G. Gar. Schelcher, 27 fg de Mulhouse à Kingersheim ✆ 89 52 45 22

Ⓜ Arni-Hohler, 3 r. L.-Pasteur ✆ 89 45 85 27 et av. Italie, Zone Ind., Illzach ✆ 89 45 85 27
Kautzmann, 276 av. d'Altkirch à Brunstatt ✆ 89 06 08 44
Pneus et Services D. K, 6 r. Amidonniers ✆ 89 42 30 06 et 14 av. de Hollande, Zone Ind., Illzach ✆ 89 61 76 76
Sce Central du Pneu, Ottmann, 58 r. Dollfus ✆ 89 42 15 82

MUNSTER 68140 H.-Rhin 62 ⑱ G. Alsace et Lorraine – 4 740 h.

ℹ Office de Tourisme pl. Salle-des-Fêtes ✆ 89 77 31 80 – **Paris 443** ② – **Colmar 19** ① – **Gérardmer 33** ② – **Guebwiller 39** ① – ♦**Mulhouse 57** ① – **St-Dié 57** ② – ♦**Strasbourg 89** ①.

Plan page suivante

Verte Vallée M ⛱, 10 r. A. Hartmann, parc de la Fecht **(f)** ✆ 89 77 15 15, Télex 870586, ☂, ⛱ – ⫶ ☎ ♿ P – 🏛 80. ⓓ E VISA. ✂ rest
fermé 5 au 25 janv. – **R** 58/170 ♁, enf. 38 – ☕ 29 – **70 ch** 230 – 1/2 p 205/260.

Deux Sapins M, 49 r. 9e Zouaves, par ② ✆ 89 77 33 96, Télex 870560 – ⫶ TV ⇔wc ⋒wc ☎ P. AE ⓓ E VISA
fermé 20 nov. au 20 déc. et mardi d'oct. à avril – **R** 50/185 ♁, enf. 40 – ☕ 22 – **19 ch** 160/240 – 1/2 p 185/205.

Vosges sans rest, Grand'Rue **(k)** ✆ 89 77 31 41 – ⇔wc ☎. E VISA
fermé vacances de fév. et 18 avril au 10 mai – ☕ 20 – **13 ch** 140/190.

XX **Cigogne** avec ch, pl. Marché **(e)** ☎ 89 77 32 27 – wc ⋒wc. **E** VISA. ⋇
fermé 20 au 26 juin, 14 nov. au 11 déc., dim. soir et lundi – **R** 65/220 ♂ – ☕ 22 – **10 ch** 92/200 – ½ p 170/225.

à Breitenbach SO : 4 km par D 10 – ✉ **68380** Metzeral :

X **Cecchetti,** rte Metzeral ☎ 89 77 32 20 – ⓓ
fermé janv. et lundi – **R** 72/165.

à Eschbach-au-Val S : 5,5 km par D 10ᴵᴵᴵ – ✉ **68140** Munster :

Obersolberg ⋟, ☎ 89 77 36 49, ≤ vallée – ⋒wc ☎ **P**. ⋇
fermé 15 oct. au 15 nov. et 18 déc. au 3 janv. – **R** *(fermé mardi soir et merc.)* 64/8 ♂ – ☕ 19 – **17 ch** 80/170 – ½ p 135/157.

à Stosswihr-Ampfersbach par ② : 4,5 km sur D 417 et VO – ✉ **68140** Munster :

XX **La Moraine,** ☎ 89 77 13 98, ≤, – **E** VISA
fermé 12 nov. au 3 déc. et mardi – **R** carte 85 à 145 ♂, enf. 40.

Hohneck (R. du) . . . 2 St-Grégoire (R.) . . .
Luttenbach (R. de) 3 Sébastopol (R.) . . .

CITROEN Gar. Sary, par ① ☎ 89 77 33 44
PEUGEOT, TALBOT Gar. Schmidt, par ① ☎ 89 77 40 78 **N**
RENAULT Gar. Gissler, ☎ 89 77 37 44
RENAULT Gar. St-Grégoire ☎ 89 77 35 08 **N**
VAG Gar. du Centre ☎ 89 77 33 41

MURAT **15300** Cantal **76** ③ **G. Auvergne (plan) – 2 813 h. alt. 917.**

Voir Église★ de Bredons S : 2,5 km.

i Office de Tourisme à la Mairie ☎ 71 20 03 80 et av. Dr-Mallet (15 juin-août et vacances scolaire d'hiver) ☎ 71 20 09 47.

Paris 497 – Aurillac 51 – Brioude 57 – Issoire 73 – Le Puy 117 – St-Flour 25.

Les Breuils sans rest, ☎ **71 20 01 25,** – wc ☎. **E** VISA. ⋇
☕ 20 – **11 ch** 165/250.

Gd H. Messageries (Annexe Le Bredons 17 ch), ☎ **71 20 04 04,** – wc ⋒wc ☎. **E** VISA
fermé 10 nov. au 25 déc. – **R** 55/150 ♂, enf. 40 – ☕ 22 – **24 ch** 140/185 – ½ p 160/175.

au Jarrousset E : 5 km par D 926 – ✉ **15300** Murat :

XX **Jarrousset,** ☎ 71 20 10 69, – **P**. **E** VISA
fermé 1er au 12 sept., 2 au 15 janv. et merc. sauf juil.-août – **R** 55/170.

à Prat de Bouc SO : 10 km par D 39 – ✉ **15300** Murat :

X **Le Buron,** ☎ 71 73 30 84, ≤ – ⋇
1er mai-30 sept. et 24 déc.-11 avril – **R** 47/100 ♂.

PEUGEOT-TALBOT Gar. Delrieu, ☎ 71 20 06 22 **N**
RENAULT Dolly, ☎ 71 20 03 93

MURBACH **68** H.-Rhin **62** ⑱ – **rattaché à Guebwiller.**

MUR-DE-BARREZ **12600** Aveyron **76** ⑫ **G. Gorges du Tarn – 1 374 h. alt. 789.**

Paris 563 – Aurillac 39 – Rodez 76 – St-Flour 82.

Aub. du Barrez M ⋟, ☎ **65 66 00 76** – TV wc ☎ **P**. **E** VISA
fermé 8 au 28 janv. – **R** *(fermé lundi)* 48/145 ♂ – ☕ 20 – **10 ch** 160/180 ½ p 170/205.

PEUGEOT-TALBOT Gar. Manhes, ☎ 65 66 02 25 **N** ☎ 65 66 16 70
RENAULT Gar. Yerles, ☎ 65 66 02 24 **N** ☎ 66 16 94

MUR-DE-BRETAGNE **22530** C.-du-N. **58** ⑲ **G. Bretagne – 1 374 h.**

Voir Rond-Point du lac ≤★ – Lac de Guerlédan★★ O : 2 km.

i Syndicat d'Initiative pl. Église (Pâques-15 sept.) ☎ 96 28 51 41.

Paris 457 – Carhaix-Pl. 48 – Guingamp 45 – Loudéac 21 – Pontivy 16 – Quimper 98 – St-Brieuc 45.

XXX ✿ **Aub Grand'Maison** (Guillo) avec ch, ☎ **96 28 51 10** – wc ⋒wc ☎. AE **E** VISA
fermé 23 au 30 juin, fin sept. à fin oct., vacances de fév., dim. soir et lundi – (nombre de couverts limité-prévenir) 130/330 – ☕ 25 – **15 ch** 130/200 – ½ p 280/35
Spéc. Profiteroles au foie gras, Minute de turbot au fenouil et à la tomate, Coulommiers rôti a caramel poivré.

Les MUREAUX **78** Yvelines **55** ⑲, **196** ⑯ – **rattaché à Meulan.**

MURET <SP> 31600 H.-Garonne 82 ⑰ G. Pyrénées Roussillon – 16 192 h.

Paris 724 – Auch 74 – St-Gaudens 69 – Pamiers 51 – ♦Toulouse 20.

- **Aragon** sans rest, **15 r. Aragon** ☎ **61 51 11 31** – 🚗. 🚫🐕
  fermé dim. – ☕ 17 – **20 ch** 65/125.

CITROËN Gar. Rieumois à Rieumes ☎ 61 91 81 28
CITROEN G.A.M., N 117 ☎ 61 51 01 02
FIAT Sud Garonne Autom., 7 r. Berges, Z.I. Marclan ☎ 61 56 82 82
FORD Llédo, N 117 ☎ 61 51 03 30
MERCEDES Antras Autom., 44 av. Europe ☎ 61 51 00 66 N
PEUGEOT-TALBOT SO.NO.MA., 50 av. de Toulouse, ☎ 61 51 08 94
RENAULT S.A.D.A.M., N 117 ☎ 61 51 05 44 N
Ⓜ Muret-Pneus, Zone Ind. Jofrery ☎ 61 51 09 39

MUROL 63790 P.-de-D. 73 ⑬⑭ G. Auvergne (plan) – 624 h. alt. 833.

Voir Château★★.

ℹ Syndicat d'Initiative à la Mairie ☎ 73 88 62 62.

Paris 435 – Besse-en-Chandesse 11 – ♦Clermont-Fd. 37 – Condat 39 – Issoire 31 – Le Mont-Dore 20.

- **Parc,** ☎ **73 88 60 08,** 🏊, 🌳, 🎾 – 🛁wc 🚿wc ☎ Ⓟ – 🧑‍🤝‍🧑 50. E VISA
  28 avril-15 oct. – **R** 80/120 – ☕ 20 – **39 ch** 125/250 – ½ p 175/235.
- **Les Volcans** Ⓜ sans rest, ☎ **73 88 60 77** – 🛁wc 🚿wc ☎ Ⓟ. E VISA
  15 juin-30 sept. et vacances scolaires – ☕ 18 – **10 ch** 170/185.
- **Arvernes** sans rest, ☎ **73 88 60 68** – 🛁wc 🚿 Ⓟ. 🚫🐕
  15 juin-15 sept. – ☕ 15 – **11 ch** 100/140.
- **Univers,** ☎ **73 88 60 32** – 🚿wc ☎. E VISA
  fermé 30 sept. au 20 déc. – **R** 55/85 – ☕ 16 – **19 ch** 80/145 – ½ p 130/150.

à Beaune-le-Froid NO : 5 km – alt. 1 050 – ✉ 63790 Murol :

- **Relais des Montagnes** 🐚, ☎ **73 88 61 48,** ←, 🌳 – 🛁wc 🚿 ☎ Ⓟ. AE E VISA.
  🚫🐕 rest
  1er fév.-30 sept. – **R** 41/95 – ☕ 14,50 – **12 ch** 69/132 – ½ p 110/150.

PEUGEOT-TALBOT Pons, ☎ 73 88 60 22 N
RENAULT Gar. Dabert, ☎ 73 88 63 43

MUS 30121 Gard 83 ⑧ – 565 h.

Paris 730 – ♦ Montpellier 32 – Nîmes 21.

- **Aub. de la Paillère** 🐚 avec ch, ☎ **66 35 13 33,** 🌳 – 🛁wc 🚿wc ☎. AE ⓞ E VISA
  fermé fév. – **R** 135/240 – ☕ 25 – **7 ch** 180/250.

La MUSE 12 Aveyron 80 ④⑤ – rattaché au Rozier.

MUSSIDAN 24400 Dordogne 75 ④ G. Périgord Quercy – 3 236 h.

ℹ Syndicat d'Initiative 9 r. Libération (fermé fév.) ☎ 53 81 04 77.

Paris 533 – Angoulême 84 – Bergerac 25 – Libourne 55 – Périgueux 35 – Ste-Foy-la-Grande 29.

- **Midi** 🐚, à la gare ☎ **53 81 01 77,** 🌳, 🏊, 🌳 – 🛁wc 🚿wc ☎ Ⓟ. E VISA. 🚫🐕
  fermé 15 au 30 avril et 4 au 21 nov., vend. soir et sam. hors sais. – **R** 60/150 🍷 – ☕ 20 – **10 ch** 150/250 – ½ p 150/200.
- **Gd Café** sans rest, **1 av. Gambetta** ☎ **53 81 00 07** – 🛁wc 🚿wc
  ☕ 15 – **11 ch** 60/150.
- **Relais de Gabillou,** rte de Périgueux ☎ **53 81 01 42,** 🌳 – Ⓟ. E VISA
  fermé vacances de fév., dim. soir hors sais. et lundi – **R** 70/220 🍷, enf. 40.

CITROEN Gar. Gras, 65, 67 r. Libération ☎ 53 81 04 18

MUTZIG 67190 B.-Rhin 62 ⑨ G. Alsace et Lorraine – 5 116 h.

Paris 478 – Obernai 12 – Saverne 31 – Sélestat 35 – ♦Strasbourg 28.

- **Host. de la Poste,** pl. de la Fontaine ☎ **88 38 38 38** – TV 🛁wc 🚿wc ☎. E VISA.
  🚫🐕
  R 75/150 🍷 – ☕ 18 – **19 ch** 100/240 – ½ p 218/328.
- **Aub. Alsacienne au Nid de Cigogne,** r. 18-Novembre ☎ **88 38 11 97** – E VISA
  fermé mardi soir et merc. – **R** 50 (sauf sam. soir)/150 🍷, enf. 35.

Ⓜ Kautzmann ☎ 88 38 61 78

Le MUY 83490 Var 84 ⑦ – 5 449 h.

Voir Site★ de la chapelle N.-D.-de-la-Roquette SE : 3,5 km puis 30 mn, G. Côte d'Azur.

ℹ Office de Tourisme rte Bourgade ☎ 94 45 12 79.

Paris 858 – Brignoles 49 – Cannes 51 – Draguignan 13 – Fayence 34 – Fréjus 16 – Ste-Maxime 24.

- **La Chêneraie** sans rest, **rte de Draguignan** ☎ **94 45 14 43, parc,** 🏊 – TV 🛁wc 🚿wc ☎ Ⓟ. ⓞ E VISA
  10 ch ☕200/300.

MUZILLAC 56190 Morbihan 63 ⑭ – 3 233 h.

Paris 448 – ♦Nantes 85 – Redon 37 – La Roche-Bernard 15 – Vannes 25.

XX **Aub. de Pen-Mur** avec ch, 20 rte Vannes ✆ 97 41 67 58, – wc wc ☎ P. AE ⓓ E VISA
fermé dim. soir du 1er oct. au 1er avril – **R** 63/135 – 19 – **24 ch** 88/260 – 1/2 p 135/220.

à Billiers S : 2,5 km par D 5 – ✉ **56190** Muzillac :

Glycines, pl. Église ✆ 97 41 64 63 – . E VISA.
fermé fév. et lundi hors sais. – **R** 60/190 – 18 – **11 ch** 85/110 – 1/2 p 125/168.

à la Pointe de Pen-Lan S : 5 km par D 5 **G. Bretagne** – ✉ **56190** Muzillac.
Voir ≤★.

Domaine du Château de Rochevilaine , ✆ 97 41 69 27, Télex 950570, ≤ littoral, « Demeures anciennes avec jardin dominant la côte », – TV ☎ P – 45. AE ⓓ E VISA. rest
fermé 5 janv. au 20 fév. – **R** 190/320 – 45 – **27 ch** 400/920 – 1/2 p 475/735.

MYENNES 58 Nièvre 65 ⑬ – rattaché à Cosne-sur-Loire.

NAINTRÉ-LES-BARRES 86 Vienne 68 ④ – rattaché à Châtellerault.

NAJAC 12270 Aveyron 79 ⑳ **G. Gorges du Tarn** – 818 h.

Voir Site★★ – **Ruines du château**★ : ≤★.

ℹ Syndicat d'Initiative pl. Faubourg ✆ 65 29 72 05.

Paris 638 – Albi 54 – Cahors 85 – Gaillac 54 – Montauban 68 – Rodez 86 – Villefranche-de-R. 24.

Belle Rive M , NO : 2 km par D 39 ✆ 65 29 73 90, ≤, , , – wc wc P – 30. ⓓ VISA. rest
27 mars-15 oct. – **R** 60/150 , enf. 40 – 22 – **42 ch** 190/200.

Oustal Del Barry, , ✆ 65 29 74 32, ≤, , « Jardin » – wc wc ☎ . VISA
25 mars-30 oct. et fermé lundi en mars, avril et oct. sauf fériés – **R** 90/230, enf. 53 – 23 – **21 ch** 140/194 – 1/2 p 160/200.

NAMBRIDE 74 H.-Savoie 74 ⑧ – rattaché à Samoens.

NAMPONT-ST-MARTIN 80 Somme 51 ⑫ **G. Flandres Artois Picardie** – 263 h. – ✉ **80120** Rue.

Paris 193 – Abbeville 29 – ♦Amiens 69 – Hesdin 30 – Montreuil 15 – Le Touquet 29.

X **Les Contrebandiers,** sur N 1 ✆ 22 29 90 43 – AE ⓓ E VISA
fermé 20 janv. au 20 fév., mardi soir et merc. sauf juil.-août – **R** 82/192, enf. 50.

NAMPTY 80 Somme 52 ⑱ – rattaché à Amiens.

NANÇAY 18 Cher 64 ⑳ **G. Berry Limousin** – 790 h. – ✉ **18330** Neuvy-sur-Barangeon.

Paris 202 – Bonny-sur-Loire 66 – Bourges 36 – Gien 55 – Salbris 14 – Souesmes 13 – Vierzon 20.

XXX **Les Meaulnes** avec ch, ✆ 48 51 81 15, « Mobilier ancien », – wc wc ☎. AE ⓓ E VISA
fermé 15 janv. au 31 mars et mardi sauf du 1er juin au 15 oct. – **R** (nombre de couverts limité - prévenir) 250, enf. 85 – 40 – **9 ch** 300/400 – 1/2 p 500.

CITROEN Garage Central, ✆ 48 51 80 29

NANCY P **54000** M.-et-M. 62 ⑤ **G. Alsace et Lorraine** – 99 307 h communauté urbaine 266 000 h.

Voir Ensemble 18e s. : Place Stanislas★★★ BY , **Arc de Triomphe**★ BY **B** – **Place de la Carrière**★ BY **21** et **Palais du Gouvernement**★ BX **W** – **Palais ducal**★★ BX **M1** – **Église et Couvent des Cordeliers**★ BX **E** : **gisant de Philippe de Gueldre**★★ – **Porte de la Craffe**★ AX **F** – **Église N.-D.-de-Bon-Secours**★ EX **K** – **Musées : Historique lorrain**★★★ BX **M1 Beaux-Arts**★★ BY **M2** , **Ecole de Nancy**★ DX **M3, Zoologie (aquarium tropical**★**)** CY **M4.**

Env. Basilique★★ **de St-Nicolas-de-Port** par ② : 12 km.

18 **de Nancy-Aingeray** ✆ 83 24 53 87 par ⑥ : 17 km.

✈ **de Nancy-Essey** ✆ 83 21 56 90 EV 4,5 km.

✆ 83 56 50 50.

ℹ Office de Tourisme et Accueil de France (Informations et réservations d'hôtels, pas plus de 5 jours à l'avance) 14 pl. Stanislas ✆ 83 35 22 41, Télex 960414 – A.C. 49 pl. Carrière ✆ 83 35 04 65.

Paris 304 ⑤ – Chaumont 115 ④ – ♦Dijon 213 ⑤ – ♦Metz 56 ⑥ – ♦Reims 206 ⑤ – ♦Strasbourg 148 ①.

Plan pages suivantes

Gd H. de la Reine et rest. Stanislas, 2 pl. Stanislas ☎ 83 35 03 01, Télex 960367, « Palais du 18e s. sur la place Stanislas » – 120. AE ⓓ E VISA. rest — BY d
R 155 bc/215 – ☐ 55 – **44 ch** 320/650, 4 appartements 1450.

Altéa Thiers Ⓜ, 11 r. R.-Poincaré ☎ 83 35 61 01, Télex 960034 – – 50 à 300. AE ⓓ E VISA — AY r
La Toison d'Or **R** 85bc/155 bc, enf. 65 – ☐ 38 – **112 ch** 355/400 – 1/2 p 485/525.

Europe sans rest, 5 r. Carmes ☎ 83 35 32 10, Télex 960413 – wc. AE ⓓ E VISA — BY m
☐ 25 – **80 ch** 240/290.

Albert 1er-Astoria sans rest, 3 r. Armée-Patton ☎ 83 40 31 24, Télex 850895, – wc wc ☎ Ⓟ – 45. E VISA — AY d
☐ 28 – **134 ch** 155/295.

Central H. Ⓜ sans rest, 6 av. R.-Poincaré ☎ 83 32 21 24, – wc ☎ – 25. VISA — AY k
☐ 28 – **60 ch** 160/265.

Américain sans rest, 3 pl. A.-Maginot ☎ 83 32 28 53 – wc wc ☎. AE ⓓ E VISA — ABY n
☐ 35 – **51 ch** 195/295.

Résidence Ⓜ sans rest, 30 bd J.-Jaurès ☎ 83 40 33 56 – wc wc ☎. AE ⓓ E VISA — DEX a
fermé Noël au Nouvel An – ☐ 27 – **24 ch** 180/280.

Stanislas sans rest, 22 r. Ste Catherine ☎ 83 37 23 88 – wc ☎. E VISA — CY v
☐ 18 – **16 ch** 165/220.

Jean Jaurès sans rest, 14 bd J. Jaurès ☎ 83 27 74 14, – wc ☎. VISA — DEX r
☐ 18 – **26 ch** 79/169.

Crystal sans rest, 5 r. Chanzy ☎ 83 35 41 55 – wc ☎. AE ⓓ E VISA — AY a
☐ 24 – **57 ch** 150/260.

Cigogne sans rest, 4 bis r. Ponts ☎ 83 32 89 33 – wc ☎. AE ⓓ E VISA. — BY s
fermé 7 au 28 août – ☐ 21 – **40 ch** 158/240.

XXX **Le Goéland,** 27 r. Ponts ☎ 83 35 17 25, produits de la mer – . AE VISA — BY e
R 120/180.

XXX ✿ **Capucin Gourmand** (Veissiere), 31 r. Gambetta ☎ 83 35 26 98, « Décor modern style » – AE VISA — BY m
fermé 1er au 22 août, dim. soir et lundi – **R** 150/350
Spéc. Foie gras au naturel, Sole à la salamandre, Galette Lorraine. **Vins** Côtes de Toul.

XXX **La Gentilhommière,** 29 r. Maréchaux ☎ 83 32 26 44, – E VISA — BY x
fermé 13 août au 4 sept., 24 déc. au 4 janv., sam., dim. et fériés – **R** 140/300.

XX **La Chine,** 31 r. Ponts ☎ 83 30 13 89, cuisine chinoise – . AE ⓓ E VISA — BY r
fermé 14 juil. au 3 août, jeudi midi et merc. – **R** 125/160.

XX **Pavillon Anatole,** 62 av. A. France ☎ 83 40 63 30 – . AE E VISA — DVX b
fermé 14 juil. au 13 août, sam. midi et lundi – **R** 90/180.

XX **La Chaumière,** 60 r. Stanislas ☎ 83 37 05 03 – . AE ⓓ E VISA — BY t
fermé 20 juil. au 20 août, sam. midi et dim. sauf fêtes – **R** 100/160.

X **Nouveaux Abattoirs,** 4 bd Austrasie ☎ 83 35 46 25 – . E VISA — EV s
fermé 14 juil. au 15 août, sam., dim. et fériés – **R** 52/160 ₰.

X **Petite Marmite,** 8 r. Gambetta ☎ 83 35 25 63 — BY b
fermé sam. soir, dim. et fériés – **R** 75 ₰.

X **Le Wagon,** 57 r. des Chaligny ☎ 83 32 32 16 – Ⓟ. E VISA — EV k
fermé 9 juil. au 7 août, sam., dim. et fériés – **R** carte 90 à 160 ₰.

route de Paris O : 4 km – ✉ **54520** Laxou :

Novotel Nancy Ouest Ⓜ, ☎ 83 96 67 46, Télex 850988, – rest ☎ Ⓟ – 25 à 250. AE ⓓ E VISA — CV a
R grill carte environ 120, enf. 40 – ☐ 38 – **119 ch** 305/345.

à Houdemont S : 6 km – ✉ **54180** Heillecourt :

Novotel Nancy Sud Ⓜ, rte d'Épinal ☎ 83 56 10 25, Télex 961124, – rest ☎ Ⓟ – 25 à 250. AE ⓓ E VISA — EY s
R snack carte environ 120, enf. 40 – ☐ 38 – **86 ch** 305/345.

rte de Neufchâteau par ④ : 8 km – ✉ **54230** Neuves-Maisons :

XXX **Aub. la Forestière,** ☎ 83 47 26 32, ← – Ⓟ. AE ⓓ E VISA
fermé 16 août au 5 sept., vacances de fév., dim. soir et lundi – **R** 120/265.

à Richardménil par ③ : 14 km – ✉ **54630** Flavigny-sur-Moselle :

XX **Bon Accueil,** rte Messein ☎ 83 54 62 10 – AE ⓓ E VISA
fermé 26 fév. au 10 mars, 29 juil. au 18 août, merc. soir et jeudi – **R** 82/150 ₰.

NANCY

Dominicains (R. des) BY 31
Gambetta (R.) BY 35
Grande-Rue BXY 37
Héré (R.) BY 40
Mazagran (R.) AY 53
Mengin (Pl. Henri) BY 55
Mouja (R. du Pont) BY 63
Poincaré (R. R.) AY 71
Point-Central BY 72
Ponts (R. des) BYZ 73
Raugraff (R.) BY 74
St-Dizier (R.) BY
St-Georges (R.) CY
St-Jean (R.) BY
Stanislas (R.) BY 100
Trois-Maisons (R. du Fg des) AX 103

Adam (R. Sigisbert) BX 2
Albert-1er (Bd) DV 3
Alliance (Pl. d') CY 4
Anatole-France (Av.) DV 6
Armée-Patton (R.) DV 7
Auxonne (R. d') DV 8
Barrès (R. Maurice) CY 10
Barthou (Bd Louis) EX 12
Bazin (R. H.) CY 13
Braconnot (R.) BX 19
Carmes (R. des) BY 20
Carrière (Pl. de la) BY 21
Cathédrale (⊞) CY S
Chanoine-Jacob (R.) AX 23
Clemenceau (Bd G.) EX 25
Craffe (R. de la) AX 28
Europe (Bd de l') DY 32
Foch (Av.) DV 33
Gaulle (Pl. Gén.-de) BX 36
Haut-Bourgeois (R.) AX 39
Ile de Corse (R. l') CY 41
Jaurès (Bd Jean) EX 42
Jaurès (Bd Jean) VANDŒUVRE DX 43
Jeanne-d'Arc (R.) DEX 44
Jeanne-d'Arc (Av.) VANDŒUVRE EY 45
Keller (R. Charles) AX 46
Lamour (R. J.) AX 47
Leclerc (Av. Gén.) VANDŒUVRE DY 49
Loups (R. des) AX 51
Mareville (R. de) DX 52
Mirecourt (Route de) EX 59
Monnaie (R. de la) BY 61
Nabécor (R. de) EX 64
N.-D. de Bon Secours (⊞) EX K
N.-D. de Lourdes (⊞) DX 67
Oudinot (R. Mar.) EX 68
Poincaré (R. H.) AY 70

C
V
0 1 km
TOUL-LANGRES
A 31-E 21
NANCY OUEST
A 31
N 4
A 33
5
4 3 2
78

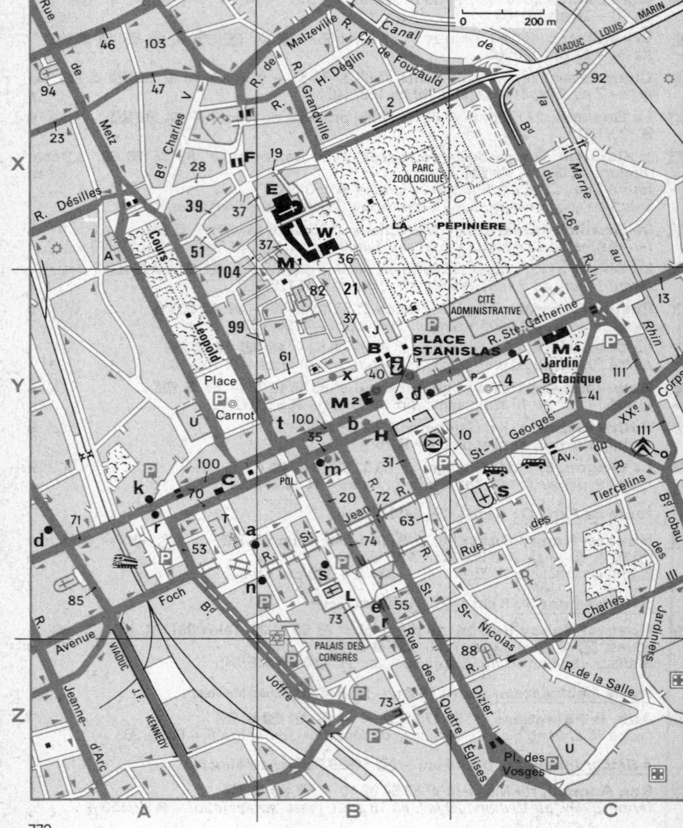

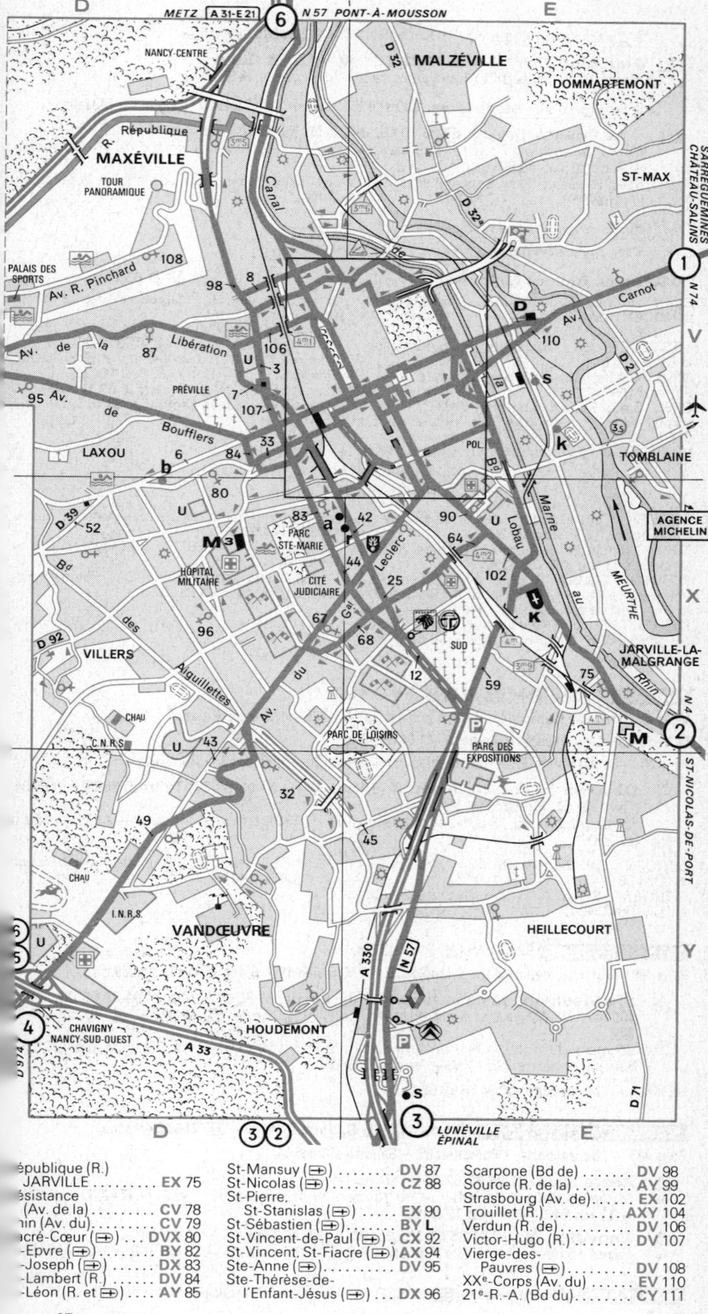

METZ
A 31-E 21
N 57 PONT-À-MOUSSON
MALZÉVILLE
DOMMARTEMONT
NANCY-CENTRE
République
MAXÉVILLE
TOUR PANORAMIQUE
Canal
ST-MAX
SARREGUEMINES CHÂTEAU-SALINS
N 74
PALAIS DES SPORTS
Av. R. Pinchard
Carnot
Av. de la Libération
PRÉVILLE
Av. de Boufflers
LAXOU
TOMBLAINE
POL.
Marne
Lobau
AGENCE MICHELIN
PARC STE-MARIE
HÔPITAL MILITAIRE
CITÉ JUDICIAIRE
Leclerc
MEURTHE
SUD
VILLERS
Bd des Aiguillettes
Av. du Gal
JARVILLE-LA-MALGRANGE
Rhin
PARC DE LOISIRS
PARC DES EXPOSITIONS
ST-NICOLAS-DE-PORT
CHAU
C.N.R.S.
I.N.R.S.
VANDŒUVRE
HEILLECOURT
A 330
N 57
CHAVIGNY NANCY-SUD-OUEST
A 33
HOUDEMONT
LUNÉVILLE ÉPINAL
D 71

à Champenoux par ① : 15 km sur N 74 – ✉ **54280** Seichamps :

XXX **Aub. Lion d'Or,** ☎ 83 31 61 23, ☂, 🚗 – AE ⓓ E VISA
fermé 1er au 15 sept. et lundi hors sais. sauf fériés – **R** 85/300.

à Flavigny-sur-Moselle par ③ et N 57 : 16 km – ✉ **54630** Flavigny-sur-Moselle :

XXX ✿ **Le Prieuré** (Roy), ☎ 83 26 70 45, 🚗 – AE ⓓ E VISA. ⚔
fermé 24 août au 7 sept., vacances de nov., de fév., fériés le soir, dim. soir et mer
– **R** carte 195 à 290
Spéc. Etuvée de homard aux truffes de Meuse, Civet de St Pierre, Pigeon au vin rouge et ravioli d
foie gras.

Autres ressources hôtelières :

Voir *Liverdun* par ⑥ : **16 km.**

MICHELIN, Agence régionale, 117 bd Tolstoï à Tomblaine EX ☎ **83 21 83 21**

BMW Hazard, 105 bd Austrasie ☎ 83 32 86 68
INNOCENTI-MAZDA Gar. de la Pépinière, 34 bd du 26e R.I. ☎ 83 32 15 20
MERCEDES Gar. Dilora, 107 bd d'Austrasie ☎ 83 35 00 55
NISSAN Gar. Lorraine-Auto, 39 av. de la Garenne ☎ 83 40 22 57
OPEL S.A.N.E., 11 r. Tapis-Vert ☎ 83 32 10 24
V.A.G. Gd Gar. de la Paix, 32 r. Metz ☎ 83 35 51 97
VOLVO Crosne Autom, 65 r. du Crosne ☎ 83 37 16 72

◉ Le Circulaire, 37 r. Sigisbert-Adam ☎ 83 3
06 23
Leclerc-Pneu, r. Maurice Barrés ☎ 83 37 06 57
Leclerc-Pneu, 11 r. A.-Krug ☎ 83 35 28 31
Nancy Pneus, 61 r. des Chaligny ☎ 83 35 42 70
Pneus 54, 7 r. St-Léon ☎ 83 40 14 04
Pneus 54, 72 av. Gén.-Leclerc ☎ 83 41 20 80
Pneus 54, 10 r. Jean Lamour ☎ 83 36 52 09

Périphérie et environs

CITROEN Central Autom. de Lorraine, N 57 à Houdemont EY ☎ 83 51 29 30
FORD Nancy-Laxou Autom., 21 av. de la Résistance à Laxou ☎ 83 98 43 43
PEUGEOT, TALBOT S.I.A.L., av. P.-Doumer à Vendoeuvre EX ☎ 83 55 59 42 🅽 ☎ 83 35 90 90 et 1 av. Résistance, Laxou CV a ☎ 83 96 34 21
RENAULT Succursale av. Résistance à Laxou CV ☎ 83 96 81 50 et N 57 à Houdemont EY ☎ 83 55 20 05

◉ Boutmy-Pneus, 24 av. Ste-Anne à Laxo
☎ 83 28 54 89
Pneus-Est, 97 av. 69e RI à Essey Les Nanc
☎ 83 21 24 03
Vulca Pneus, r. des Maillys, ZAC Pulnoy à E
sey-les-Nancy ☎ 83 29 25 53

NANGIS 77370 S.-et-M. 61 ③, 196 ㊱㊽ – 6 869 h.

Voir Église★ de Rampillon E : 4,5 km par D 62, G. Environs de Paris.

🅸 Syndicat d'Initiative à la Mairie ☎ (1) 64 08 00 50.

Paris 66 – Coulommiers 35 – Fontainebleau 31 – Melun 26 – Provins 22 – Sens 52.

XX **Dauphin** 🐌 avec ch, 9 bis r. A.-Briand ☎ **(1) 64 08 00 27, Télex 693525** – ⊟w
⋒wc ☎ Ⓟ. AE ⓓ VISA. ⚔ ch
fermé 24 déc. au 13 janv. et dim. soir – **R** 75/130 carte sam. et dim. – ☕ 26 – **18 c**
90/260.

CITROEN Gar. Barbier, 31 ter r. des Ecoles ☎ (1)64 08 01 03
CITROEN S.N.M.A. 3 av. Gén.-de-Gaulle ☎ (1)64 08 00 48 🅽

RENAULT M.A.N., 39 r. de la Libératio
☎ (1)64 08 01 37

NANS-LES-PINS 83860 Var 84 ⑭ – 1 349 h.

Paris 799 – Aix-en-Provence 42 – Brignoles 26 – ♦Marseille 41 – Rians 35 – ♦Toulon 69.

🏛 **Châteauneuf,** au Châteauneuf N : 3,5 km par D 80 et N 560 ☎ **94 78 90 06, Tél**
400747, ≤, ☂, « 🐌 **dans un parc, golf** », 🏊, 🎾 – 📺 ☎ Ⓟ – 🏃 40. AE ⓓ
VISA
26 mars-30 nov. – **R** *(fermé lundi hors sais.)* 180/250 – ☕ 55 – **24 ch** 420/63
8 appartements 925/1750 – $^1/_2$ p 430/540.

RENAULT Gar. Cardillo, ☎ 94 78 92 53

NANS-SOUS-STE-ANNE 25 Doubs 70 ⑤ G. Jura – 141 h. – ✉ 25330 Amancey.

Paris 423 – ♦Besançon 44 – Pontarlier 35 – Salins-les-Bains 14.

🏠 **Poste** 🐌, ☎ **81 86 62 57,** ≤ – ⋒wc. ⚔ ch
fermé 1er nov. au 15 janv., 1er au 15 mars et mardi sauf juil.-août – **R** 42/110 – ☕
– **11 ch** 84/134 – $^1/_2$ p 122/150.

🏠 **Nouvel H.** 🐌, ☎ **81 86 61 26,** ≤, 🚗 – ⓓ E VISA
fermé 15 déc. au 1er mars – **R** 44/105 🍼, enf. 35 – ☕ 15 – **10 ch** 100 – $^1/_2$ p 110/13

NANTERRE 92 Hauts de Seine 55 ⑳, 101 ⑬ – voir Paris, Environs (Rueil Malmaison).

NANTES P 44000 Loire-Atl. 67 ③ G. Bretagne – 247 227 h communauté urbaine 420 000 h.

Voir Intérieur★★ de la cathédrale HY – Château ducal★★ : musées d'art populaire régional★ et des Salorges★ HY – La ville du 19e s. ★ : passage Pommeraye★ GZ **135**, cours Cambronne★ FZ – Jardin des Plantes★ HY – Palais Dobrée★ FZ – Ancienne île Feydeau★ GZ – Belvédère Ste-Anne ≤★ EZ **S** – Musées : Beaux-Arts★★ HY **M1**, Histoire naturelle★★ FZ **M2**, Archéologie régionale★ (dans les jardins du palais Dobrée) FZ **M3**, Jules Verne★ EZ **M4** – Vallée de l'Erdre★ CV – 18 ✆ 40 63 25 82 - AV D 81 : 16 km.

de Nantes-Château Bougon ✆ 40 84 80 00 par D 85 et BX : 8,5 km.

✆ 40 50 50 50.

Office de Tourisme et Accueil de France (Informations, change et réservations d'hôtels, pas plus de 5 jours à l'avance) pl. Commerce ✆ 40 47 04 51, Télex 710905 – A.C.O. 6 bd G.-Guisth'au ✆ 40 48 56 19.

Paris 383 ⑬ – Angers 89 ⑬ – ♦Bordeaux 326 ④ – ♦Lyon 628 ⑬ – Quimper 226 ⑦ – ♦Rennes 107 ⑩.

Plans pages suivantes

Pullman Beaulieu M, Ile Beaulieu ✉ 44200 ✆ 40 47 10 58, Télex 711440, – rest – 40 à 250. AE E VISA CX **u**
Le Tillac R 70/180 – 40 – **150 ch** 295/460.

Sofitel M, Ile Beaulieu ✉ 44200 ✆ 40 47 61 03, Télex 710990, ≤, – ch – 150. AE E VISA CX **a**
R carte 180 à 240 – 45 – **100 ch** 455/620.

L'Hôtel M sans rest, 6 r. Henry IV ✆ 40 29 30 31 – wc. AE E VISA. – 30 – **31 ch** 290/350. HY **e**

Jules Verne M sans rest, 3 r. Couëdic ✆ 40 35 74 50 – wc. AE E VISA. GZ **h**
36 – **65 ch** 314/360.

Astoria sans rest, 11 r. Richebourg ✆ 40 74 39 90 – wc wc. E VISA. HY **k**
fermé 1er au 28 août – 26 – **45 ch** 200/300.

Paris sans rest, 2 r. Boileau ✆ 40 48 78 79 – wc wc – 60. E VISA
25 – **50 ch** 210/280. FZ **f**

Colonies sans rest, 5 r. Chapeau-Rouge ✆ 40 48 79 76 – wc wc. AE E VISA FZ **q**
25 – **39 ch** 239/249.

Vendée sans rest, 8 allée Cdt-Charcot ✆ 40 74 14 54, Télex 701395 – wc wc – 50. AE E VISA HY **g**
23 – **94 ch** 200/300.

Graslin sans rest, 1 r. Piron ✆ 40 69 72 91 – wc wc. AE E VISA
26 – **47 ch** 240. FZ **v**

Gd Hôtel sans rest, 2 r. Santeuil ✆ 40 73 46 68 – wc wc. E VISA
20 – **43 ch** 165/215. FZ **p**

Cholet sans rest, 10 r. Gresset ✆ 40 73 31 04 – wc wc. E VISA FZ **b**
19 – **38 ch** 125/200.

Bourgogne sans rest, 9 allée Cdt-Charcot ✆ 40 74 03 34, Télex 701405 – wc wc. AE E VISA HY **g**
fermé 23 déc. au 2 janv. – 22 – **43 ch** 141/319.

Trois Marchands, 26 r. A.-Brossard ✆ 40 47 62 00 – wc wc – 35. AE E VISA GY **b**
R 60/165 , enf. 40 – 22 – **64 ch** 160/270 – ½ p 200/280.

Ibis Centre M, 3 Allée Baco ✆ 40 20 21 20, Télex 701382, – wc – 60. E VISA HZ **q**
R carte 75 à 120 , enf. 35 – 26 – **104 ch** 245/270.

Beaujoire H. M, 15 r. Pays de Loire (près du Stade) ✆ 40 93 00 01, Télex 701438 – wc wc – 50. AE E VISA CV **s**
R *(fermé 12 au 22 août et dim. sauf fériés)* 65/180 – 25 – **38 ch** 225/245.

Maeva sans rest, 3 r. du Marais ✆ 40 89 60 60 – wc. AE E VISA
16,50 – **27 ch** 137/215. GY **s**

Duquesne sans rest, 12 allée Duquesne ✆ 40 47 57 24 – wc. AE E VISA – 20 – **27 ch** 143/198. GY **e**

Terminus sans rest, 3 allée Cdt-Charcot ✆ 40 74 24 51 – wc. AE E VISA – 18 – **36 ch** 135/190. HY **z**

Fourcroy sans rest, 11 r. Fourcroy ✆ 40 69 77 87 – wc. FZ **k**
17 – **19 ch** 90/146.

XXX ✿ **Les Maraîchers,** 21 r. Fouré ✆ 40 47 06 51 – AE VISA HZ **a**
fermé sam. midi et dim. – **R** (nombre de couverts limité - prévenir) carte 240 à 305
Spéc. Aiguillette de canard au gin et ananas, Courgette nantaise et l'araignée, Fricassée de homard au beurre. **Vins** Muscadet.

XXX **San Francisco,** 3 chemin Bateliers ✉ 44300 ✆ 40 49 59 42, – AE VISA
fermé août, vacances de fév., dim. soir et lundi – **R** 136/225. DX **s**

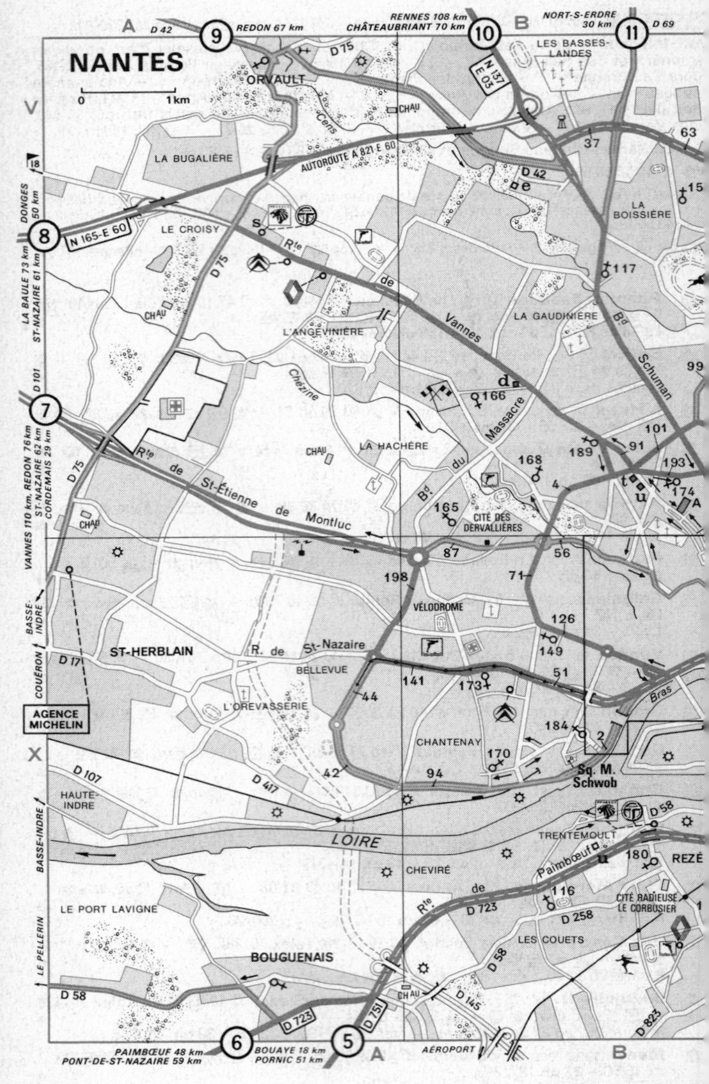

Aiguillon (Quai d') .... **BX** 2
Anglais (Bd des) .... **BV** 4
Beaujoire
(Bd et Pont de) .... **CV** 10
Belges (Bd des) .... **CV** 13
Bellamy (R. P.) .... **CV** 14
Bellevue (Pont de) ...... **DV** 15
Buat (R. Gén.) .... **CV** 32
Carquefou (Rte de) .... **CDV**
Cassin (Bd R.) .... **BV** 37
Cholet (Bd Bâtonnier) ... **AX** 42
Churchill (Bd W.) .... **AX** 44
Clemenceau
(Pont Georges) .... **CX** 45
Clisson (Rte de) .... **CDX**
Coty (Bd R.) .... **BX** 51

Courbet (Bd Amiral) ..... **CV** 52
Dalby (Bd E.) .... **CV** 54
Dervallières
(R. des) .... **BX** 56
Dos-d'Ane (R.) .... **CX** 59
Doulon (Bd de) .... **CV** 60
Einstein (Bd A.) .... **BV** 63
Fleming (Bd A.) .... **CV** 67
Fraternité (Bd de la) .... **BX** 71
Gabory (Bd E.) .... **CX** 72
Gaulle (Bd Gén. de) ..... **CX** 76
Gaulle (Bd Gén. de)
REZÉ .... **CX** 77
Hauts-Pavés (R. des) ... **BV** 81
Ingres (B. J.) .... **BX** 87
Jaurès (R. J.) .... **CX** 88

Jean XXIII (Bd) .... **BV** 91
Juin (Bd Mar.) .... **BX** 94
Jules-Verne (Bd) .... **CV**
Lauriol (Bd G.) .... **BV** 9
Le Lasseur (Bd) .... **BV** 1
Libération (Av. de la) ... **CX** 1
Massacre (Bd du) .... **BV**
Mollet (Bd G.) .... **CV** 1
Michelet (Bd) .... **CV** 1
N.-D.-des-Apôtres (⊞) . **BX** 1
N.-D.-de-Lourdes (⊞) . **BV** 1
N.-D.-du-Rosaire (⊞) . **CX** 1
N.-D.-Ttes-Aides (⊞) . **CX** 1
Orieux (Bd E.) .... **CV** 1
Paimbœuf (Rte de) ..... **BX**
Paris (Rte de) .... **DV**

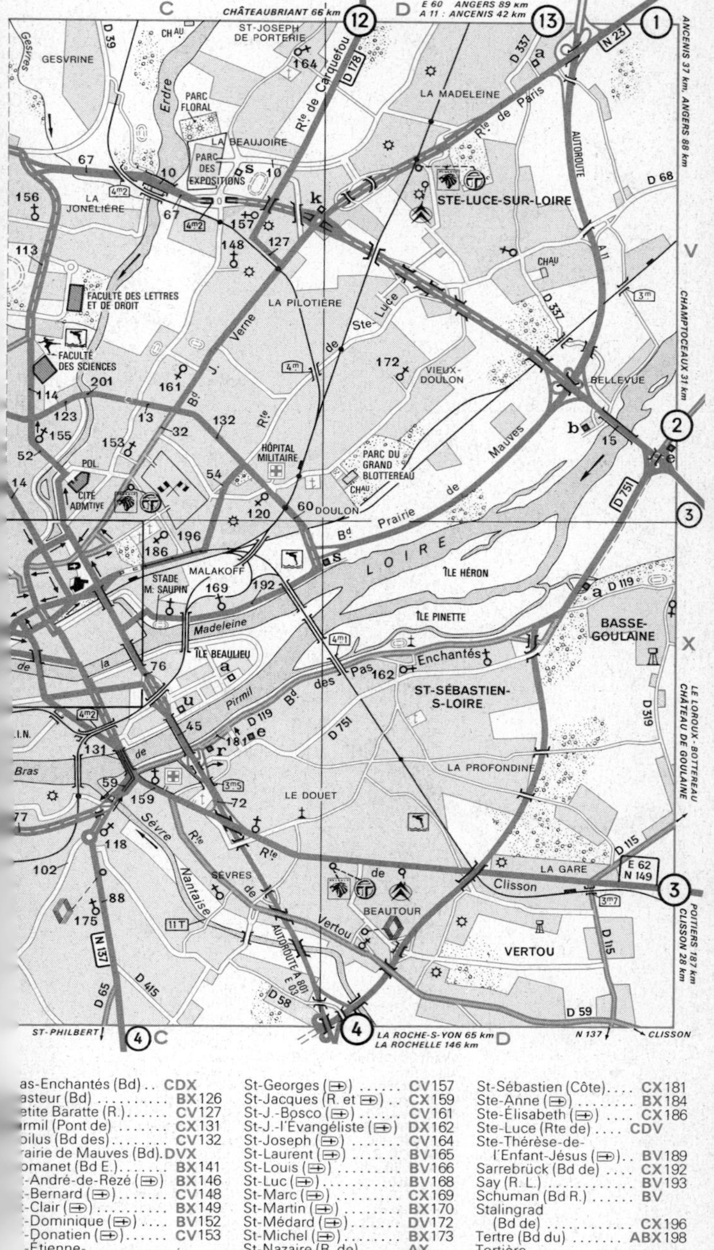

as-Enchantés (Bd) .. **CDX**
asteur (Bd) **BX**126
etite Baratte (R.)...... **CV**127
irmil (Pont de) **CX**131
oilus (Bd des)........ **CV**132
rairie de Mauves (Bd). **DVX**
omanet (Bd E.)....... **BX**141
-André-de-Rezé (⊞) **BX**146
-Bernard (⊞)........ **CV**148
-Clair (⊞)........... **BX**149
-Dominique (⊞).... **BV**152
-Donatien (⊞)....... **CV**153
-Étienne-
de Montluc (Rte de) .. **AV**
-Félix (⊞)........... **CV**155
-F.-d'Assise (⊞).... **CV**156

St-Georges (⊞) **CV**157
St-Jacques (R. et ⊞) .. **CX**159
St-J.-Bosco (⊞) **CV**161
St-J.-l'Évangéliste (⊞) **DX**162
St-Joseph (⊞) **CV**164
St-Laurent (⊞) **BV**165
St-Louis (⊞) **BV**166
St-Luc (⊞)............ **BV**168
St-Marc (⊞)........... **CX**169
St-Martin (⊞) **BX**170
St-Médard (⊞)........ **DV**172
St-Michel (⊞).......... **BX**173
St-Nazaire (R. de) ...... **AX**
St-Pasquier (⊞) **BV**174
St-Paul-de-Rezé (⊞) .. **CX**175
St-Pierre-de-Rezé (⊞) **BX**180

St-Sébastien (Côte).... **CX**181
Ste-Anne (⊞) **BX**184
Ste-Élisabeth (⊞) **CX**186
Ste-Luce (Rte de) .... **CDV**
Ste-Thérèse-de-
l'Enfant-Jésus (⊞).. **BV**189
Sarrebrück (Bd de) **CX**192
Say (R. L.) **BV**193
Schuman (Bd R.) .... **BV**
Stalingrad
(Bd de) **CX**196
Tertre (Bd du) **ABX**198
Tortière
(Pont de la)........... **CV**201
Vannes (Rte de) ..... **ABV**
Vertou (Rte de) ...... **CDX**

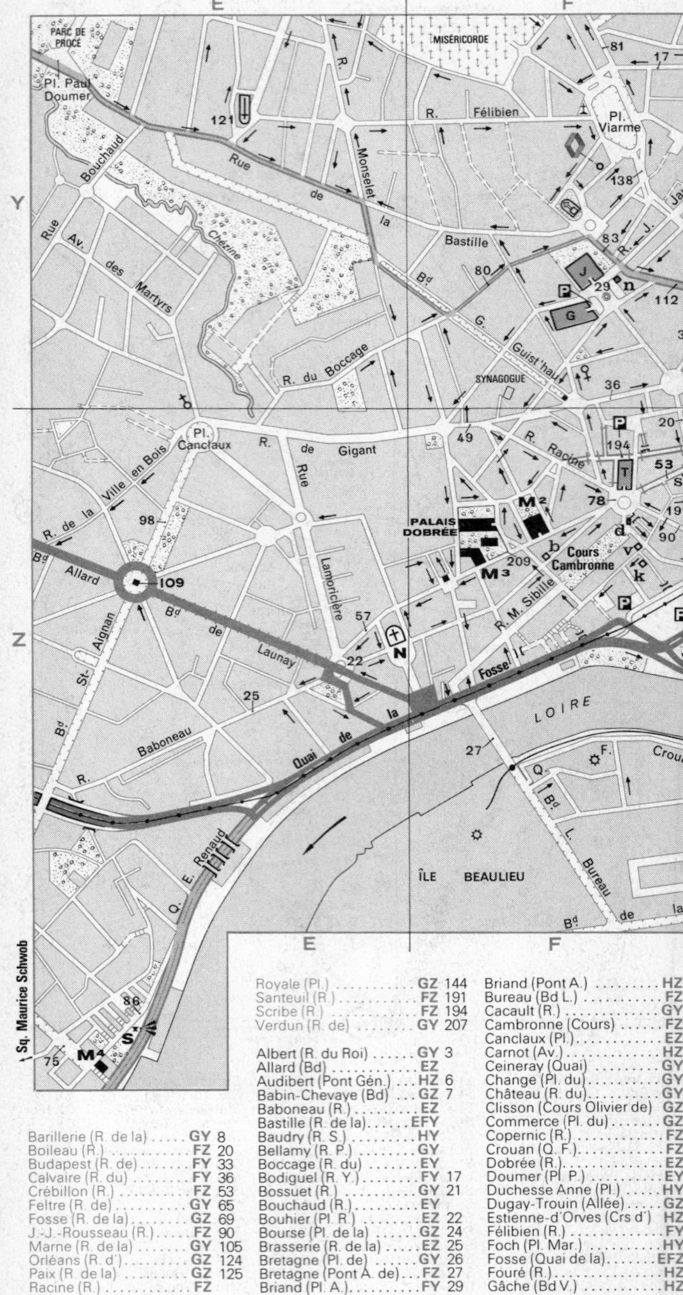

Barillerie (R. de la) . . . . . GY 8
Boileau (R.) . . . . FZ 20
Budapest (R. de) . . . . FY 33
Calvaire (R. du) . . . . FY 36
Crébillon (R.) . . . . FZ 53
Feltre (R. de) . . . . GY 65
Fosse (R. de la) . . . . GZ 69
J.-J.-Rousseau (R.) . . . . . . FZ 90
Marne (R. de la) . . . . GY 105
Orléans (R. d') . . . . GZ 124
Paix (R. de la) . . . . GZ 125
Racine (R.) . . . . FZ
Royale (Pl.) . . . . GZ 144
Santeuil (R.) . . . . FZ 191
Scribe (R.) . . . . FZ 194
Verdun (R. de) . . . . GY 207

Albert (R. du Roi) . . . . . . GY 3
Allard (Bd) . . . . EZ
Audibert (Pont Gén.) . . . HZ 6
Babin-Chevaye (Bd) . . . . GZ 7
Baboneau (R.) . . . . EZ
Bastille (R. de la) . . . . . . EFY
Baudry (R. S.) . . . . HY
Bellamy (R. P.) . . . . GY
Boccage (R. du) . . . . EY
Bodiguel (R. Y.) . . . . FY 17
Bossuet (R.) . . . . GY 21
Bouchaud (R.) . . . . EY
Bouhier (Pl. R.) . . . . EZ 22
Bourse (Pl. de la) . . . . GZ 24
Brasserie (R. de la) . . . . . EZ 25
Bretagne (Pl. de) . . . . GY 26
Bretagne (Pont A. de) . . . FZ 27
Briand (Pl. A.) . . . . FY 29
Briand (Pont A.) . . . . HZ
Bureau (Bd L.) . . . . FZ
Cacault (R.) . . . . GY
Cambronne (Cours) . . . . . . FZ
Canclaux (Pl.) . . . . EZ
Carnot (Av.) . . . . HZ
Ceineray (Quai) . . . . GY
Change (Pl. du) . . . . GY
Château (R. du) . . . . GY
Clisson (Cours Olivier de) GZ
Commerce (Pl. du) . . . . . . GZ
Copernic (R.) . . . . FZ
Crouan (Q. F.) . . . . FZ
Dobrée (R.) . . . . EZ
Doumer (Pl. P.) . . . . EY
Duchesse Anne (Pl.) . . . . HY
Dugay-Trouin (Allée) . . . . GZ
Estienne-d'Orves (Crs d') HZ
Félibien (R.) . . . . FY
Foch (Pl. Mar.) . . . . HY
Fosse (Quai de la) . . . . . . EFZ
Fouré (R.) . . . . HZ
Gâche (Bd V.) . . . . HZ

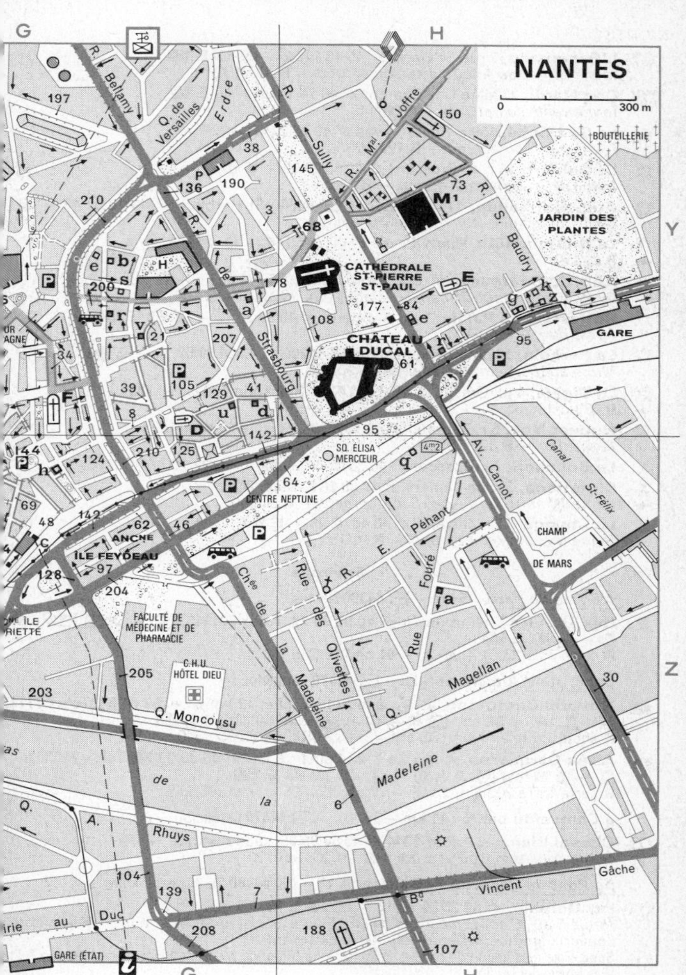

ambetta (R.) . . . . HY 73
arennes (Pl. des) . . . . . EZ 75
gant (R. de) . . . . EZ
aslin (Pl.) . . . . FZ 78
uist'hau (Bd G.) . . . . . . FY
arouys (R.) . . . . FY 80
auts-Pavés (R. des) . . . FY 81
élie (R. F.) . . . . FY 83
enri IV (R.) . . . . HY 84
ermitage (R. de l') . . . . EZ 86
maculée-
Conception (⊞) . . . . HY **E**
urès (R. J.) . . . . FY
offre (R. Mar.) . . . . HY
nnedy (Cours J.-F.) . . HY 95
rvégan (R.) . . . . GZ 97
moricière (R.) . . . . EZ
ngevin (Bd P.) . . . . EZ 98
unay (Bd de) . . . . EZ
uis-Blanc (R.) . . . . GZ 104
adeleine (Chée) . . . . GHZ
agellan (Quai) . . . . HZ
artyrs (Av. des) . . . . . . EY

Martyrs-Nantais-
de la Résist. (Bd) . . . . . HZ 107
Mathelin-Rodier (R.) . . . . HY 108
Mellinet (Pl. Gén.) . . . . . . EZ 109
Mercœur (R.) . . . . FY 112
Moncousu (Quai) . . . . GZ
Monselet (R. Ch.) . . . . EY
N.-D.-de-Bon-Port (⊞) . . EZ **N**
N.-D.-Toutes-Joies (⊞) . EY 121
Olivettes (R. des) . . . . HZ
Péhant (R. E.) . . . . HZ
Petite-Hollande (Pl.) . . . . GZ 128
Pilori (Pl. du) . . . . GY 129
Pommeraye (Pas.) . . . . GZ 135
Port-Communeau (Pl du) GY 136
Porte-Neuve (R.) . . . . FY 138
Prairie-au-Duc (Bd) . . . . FGZ
Renaud (Q. E.) . . . . EZ
République (Pl. de la) . . . GZ 139
Rhuys (Q. A.) . . . . GZ
Roosevelt (Crs F.) . . . . . . GZ 142
St-Aignan (Bd) . . . . EZ
St-André (Crs) . . . . HY 145

St-Clément (⊞) . . . . HY 150
St-Nicolas (⊞) . . . . GY **F**
St-Pierre (Cours) . . . . . . HY 177
St-Pierre (Pl.) . . . . GY 178
St-Pierre-St-Paul (⊞) . . HY
St-Similien (⊞) . . . . GY 182
Ste-Croix (⊞) . . . . GY **D**
Ste-Madeleine (⊞) . . . . HZ 188
Salengro (Pl. R.) . . . . . . GY 190
Sibille (R. M.) . . . . FZ
Strasbourg (R. de) . . . . . GY
Sully (R.) . . . . HY
Talensac (R.) . . . . GY 197
Thiers (R.) . . . . GY 200
Tourville (Quai de) . . . . . GZ 203
Turenne (Allée de) . . . . . GZ 204
Veil (R. G.) . . . . GZ 205
Versailles (Quai de) . . . . GY
Viarme (Pl.) . . . . FY
Victor-Hugo (Bd) . . . . . . GZ 208
Ville-en-Bois (R. de la) . . EZ
Voltaire (R.) . . . . FZ 209
50-Otages (Crs des) . . GYZ 210

XXX **L'Esquinade,** 7 rue St-Denis ✆ 40 48 17 22 – AE ① E VISA GY
fermé 14 juil. au 4 août, dim. soir et lundi – **R** 112/160.

XXX **Coq Hardi,** 22 allée Cdt-Charcot ✆ 40 74 14 25 – AE E VISA HY
fermé vend. soir et sam. – **R** 95/140.

XX **Le Gavroche,** 139 r. Hauts-Pavés ✆ 40 76 22 49 – VISA BV
fermé dim. soir et lundi – **R** 120/160.

XX **Le Colvert,** 14 r. A.-Brossard ✆ 40 48 20 02 – E VISA GY
fermé sept., sam. midi et dim. – **R** 120.

XX **Aub. Normande,** 175 rte Vannes ✉ 44800 St Herblain ✆ 40 76 51 43 – P. VISA – *fermé dim. soir* – **R** 75/330, enf. 75. BV

XX **Le Nantais,** 161 r. Hauts-Pavés ✆ 40 76 59 54 – P. VISA BV
R 65/170.

XX **Aub. du Château,** 5 pl. Duchesse Anne ✆ 40 74 05 51 – E VISA HY
fermé 6 au 29 août, 24 déc. au 2 janv., dim. et lundi – **R** 102.

XX **Rôtisserie du Palais,** 1 pl. A.-Briand ✆ 40 89 20 12 – AE ① E VISA FY
fermé dim. – **R** 80/120.

XX **La Pergola,** 10 côte St Sébastien ✉ 44200 ✆ 40 34 38 52, ← – E VISA CX
fermé août et sam. – **R** (déj. seul.) 90/155.

XX **La Cigale,** 4 pl. Graslin ✆ 40 69 76 41, « Brasserie 1900 » – VISA FZ
R 63 bc/100 bc.

XX **Nguyet Nga,** 5 r. Santeuil ✆ 40 73 39 08, cuisine vietnamienne FZ
fermé dim. – **R** 82/120.

X **Le Bouchon,** 7 r. Bossuet ✆ 40 20 08 44 – VISA – **R** 78/200 ₰, enf. 58. GY

X **Christiana,** 3 r. de l'Émery ✆ 40 89 68 31 – E VISA GY
fermé 1er au 15 sept., 2 au 8 fév. et merc. – **R** 65/140.

X **Le Change,** 11 r. Juiverie ✆ 40 48 02 28 – E VISA GY
fermé fév., dim. soir et lundi – **R** 70/150 ₰.

Environs

NE : rte de Paris : 5 km – ✉ **44300** Nantes :

Ibis M, Allée Champ de Tir ✆ 40 93 22 22, Télex 701113, ☂ – |♦| TV ⌂wc ☎ P – 🏊 40. E VISA CV
R carte 75 à 120 ₰ – ☕ 25 – **64 ch** 215/235.

par ① rte d'Angers et N 23 – ✉ **44470** Carquefou :

Novotel Carquefou M, à la Belle Étoile, 12 km ✆ 40 52 64 64, Télex 71117 ☂, ⛱, – ▤ rest TV ☎ ♿ P – 30 à 150. AE ① E VISA
R snack carte environ 120, enf. 40 – ☕ 38 – **98 ch** 330/340.

Altéa Carquefou M, La Madeleine : 9 km ✆ 40 30 29 24, Télex 710962, ☂ – |♦| ▤ rest TV ☎ ♿ P – 120. AE ① E VISA DV
R carte 130 à 200 ₰ – ☕ 35 – **77 ch** 285/395 – ½ p 205/245.

à Carquefou par ⑫ : 11 km – 9 674 h. – ✉ **44470** Carquefou :

XXX **Cheval Blanc,** r. 9 août-1944 ✆ 40 50 88 05, salle rustique – VISA
fermé août, dim. soir et lundi – **R** 100/250, enf. 30.

au Pont de Bellevue E : 9 km par A 11 – ✉ **44480** Ste-Luce-sur-Loire :

XXX ❀❀ **Delphin,** ✆ 40 25 60 39, ← – AE ① E VISA DV
fermé 8 au 30 août, vacances de Noël, dim. soir et lundi sauf fériés – **R** (nombre couverts limité - prévenir) 150/360 et carte, enf. 85
Spéc. Foie gras chaud de canard, Estouffade de turbot au Muscadet, Piccata de lotte aux huîtr
Vins Muscadet sur lie.

à St-Sébastien : par D 751 : 4 km – 18 357 h. – ✉ **44230** St-Sébastien :

XXX ❀ **Manoir de la Comète** (Thomas-Trophime), 21 av. Libération ✆ 40 34 15 9 ☂, – P. VISA CX
fermé 24 juil. au 18 août, vacances de fév., sam. midi et dim. – **R** (nombre c couverts limité – prévenir) 120/280 ₰
Spéc. Vinaigrette de poireaux et langoustines (mars à oct.), Homard et girolles au beurre rouge (ju à oct.), Salade de mâche et St-Jacques (15/10 au 15/2). Vins Savennières, Anjou.

à Basse-Goulaine vers ② sur D 751 – 4 226 h. – ✉ **44115** Basse-Goulaine :

XXX **Mon Rêve,** 8 km ✆ 40 03 55 50, ☂, « Parc et roseraie » – P. AE ① E VISA
fermé vacances de fév., dim. soir et merc. du 1er oct. au 30 avril – **R** (dim. préven 98/260, enf. 68. DV

par ② sur D 751 : 15 km – ✉ **44450** St-Julien-de-Concelles :

XX **Aub. Nantaise,** Le Bout des Ponts ✆ 40 54 10 73 – AE E VISA
fermé 4 au 24 juil., dim. soir et lundi – **R** 88/200, enf. 55.

à La Chebuette par ② : 16 km – ✉ **44450** St-Julien-de-Concelles :

XX **Clémence,** ✆ 40 54 10 18 – P. AE ① E VISA
fermé fév. et dim. soir – **R** 130/180.

à Vertou : SE : 6 km par D 59 – ✉ **44120** Vertou :

Haute-Forêt sans rest, bd Europe ✆ 40 34 01 74 – TV ⌂wc ⌂wc ☎ P. E VISA
fermé 1er au 16 août, 20 déc. au 12 janv., sam. et dim. du 1er nov. à Pâques – ☕ 20 – **27 ch** 170/250.

rte de Poitiers par ③ 11 km par N 149 – ✉ **44115** Basse-Goulaine :

La Lande St-Martin, à Haute-Goulaine ✆ 40 06 20 06, Télex 700520, parc, – TV ⌂wc ⌂wc ☎ P – 150. E VISA. rest
R *(fermé vacances de fév. et dim. soir)* 63/188 ⅄, enf. 42 – ☕ 28 – **40 ch** 140/270 – ½ p 270/350.

rte des Sables d'Olonne par ④ et D 178 : 12 km – ✉ **44400** Les Sorinières :

Abbaye de Villeneuve ⅀, ✆ 40 04 40 25, Télex 710451, ←, , « Belle demeure du 18e s. dans un parc », – rest TV ☎ P – 20. AE ⦿ E VISA
R 160/300, enf. 55 – ☕ 45 – **20 ch** 400/700, 3 appartements 1000 – ½ p 485/585.

à Rezé SO : 6 km par D 723 – 33 925 h. – ✉ **44400** Rezé-lès-Nantes :

Fimotel, r. Ordronneau, Z.I. de Rezé ✆ 40 04 20 30, Télex 700429 – TV ⌂wc ☎ P – 35. AE ⦿ E VISA BX u
R 58/78 ⅄, enf. 34 – ☕ 26 – **42 ch** 245/255.

rte de Pornic par ⑤ : 15 km – ✉ **44830** Bouaye :

Les Champs d'Avaux, ✆ 40 65 43 50 – P. E VISA
fermé 30 sept. au 15 oct., vacances de fév., dim. soir et lundi – **R** 80/180.

à St-Jean-de-Boiseau par D 723 et D 58 : 18 km - AX – 3 627 h. – ✉ **44640** Le Pellerin :

❀ **L'Enclos de la Cruaudière** (Durand), ✆ 40 65 66 10, , « Jardin ombragé » – P. VISA – *fermé 24 juil. au 22 août, dim. et lundi sauf fériés* – **R** (nombre de couverts limité - prévenir) carte 200 à 300
Spéc. Saumon cuit au sel de Guérande et son beurre blanc nantais, Rognon de veau à la crème d'échalotes. **Vins** Muscadet de Sèvre et Maine.

par ⑧ et rte de Vannes :

Mercure M, à 17 km ✉ 44880 Sautron ✆ 40 57 10 80, Télex 711823, , , – rest TV ☎ P – 100. AE ⦿ E VISA
R 90/150 ⅄, enf. 42 – ☕ 33 – **94 ch** 320/340 – ½ p 215/235.

Le Pavillon, à 7 km ✉ 44800 St Herblain ✆ 40 94 99 99, – VISA
fermé août, sam. midi et dim. – **R** carte 190 à 260, enf. 80.

à Orvault vers ⑨ : 7km par N137 et voie pavillonaire – 23 248 h. – ✉ **44700** Orvault :

❀ **Domaine d'Orvault** (Bernard) M ⅀, ✆ 40 76 84 02, Télex 700454, , , – TV ☎ P – 25. AE ⦿ E VISA BV e
R *(fermé 4 fév. au 2 mars et lundi midi)* 170/350 – ☕ 45 – **29 ch** 270/510
Spéc. Fantaisie de bar aux langoustines, Turbot à l'essence de palourdes, Médaillons de ris de veau étuvés aux noisettes. **Vins** Muscadet.

à Sucé-sur-Erdre par ⑪ : 16 km – 4 135 h. – ✉ **44240** La Chapelle-sur-Erdre :

Cordon Bleu avec ch, ✆ 40 77 71 34 – ⌂wc ☎. E VISA. ch
fermé 15 août au 5 sept., 1er au 7 janv., dim. soir et lundi – **R** 70/165, enf. 44 – ☕ 25 – **8 ch** 105/230 – ½ p 190/250.

ICHELIN, Agence régionale, 13 r. du Rémouleur ZI à St Herblain AX ✆ **40 43 38 06**

.FA-ROMEO SAAB Ouest-Autom., 153 r. ıuts-Pavés ✆ 40 76 63 40
JSTIN, ROVER Armoric-Auto, 2 bis r. La- ɔricière ✆ 40 73 12 24
JSTIN-ROVER Le Moigne, 18 allée Baco 40 47 77 16
TROEN Succursale, 26 r. de la Marseillaise ✆ 40 46 08 33 N ✆ 40 74 66 66
TROEN Centre de gros automobiles, 14 r. Marché Commun ✆ 40 49 65 97
AT Gar. Monselet, 2 r. de la Pelleterie ✆ 40 63 74
AT, LANCIA-AUTOBIANCHI Générale Au- n. de l'Ouest, 10 bd J.-Verne ✆ 40 49 32 63
RD Conté-Tiriau, 16 bd Stalingrad ✆ 40 74 11
RD Mustière Automobiles, 82 rte de Van- s ✆ 40 76 90 76 N ✆ 40 74 66 66
)NDA Gar. Victor-Hugo, 14 bd V.-Hugo 40 47 92 60
NOCENTI-MAZDA Auto-Sélection, 42 bis des Hauts-Pavés ✆ 40 20 21 50
DA-TOYOTA Gar. Grimaud, 12 r. de chappée ✆ 40 89 42 79
SSAN SOBA, 58 rte de Vannes ✆ 40 76 05

PEUGEOT-TALBOT S.I.A. O., 40 r. de Monaco centre de Gros Rte de Paris DV ✆ 40 93 96 96
PEUGEOT-TALBOT Dugast, 103 bis r. Gén.-Buat CV ✆ 40 74 18 04
PEUGEOT-TALBOT Raguideau, 170 rte Clisson DX ✆ 40 34 27 43 N ✆ 40 74 66 66
RENAULT Gar. Louis XVI, 41 r. Gambetta HY ✆ 40 29 15 15 N
RENAULT Central Gar., 6 r. Joseph-Caille, FY ✆ 40 20 29 62
V.A.G. Auto-Gar. de l'Ouest, 8 r. Sully ✆ 40 29 40 00
VOLVO Générale Automobile, 53 bd V.-Hugo ✆ 40 35 70 10
Dépannage-Autom.-Ouest, 14 r. G.-Clemenceau ✆ 40 74 66 66 N

Le Gall, 4 r. Baron ✆ 40 47 66 00
Nantes-Pneumatiques, 83 rte Paris ✆ 40 49 36 19
SOFRAP, 6 et 10 quai Henri-Barbusse ✆ 40 74 05 69
Station Magellan, 58 r. Fouré ✆ 40 89 52 00
Technic-Pneus, 6 quai F.-Crouan ✆ 40 47 67 35
Vallée-Pneus, 13 bd Martyrs-Nantais-de-la-Résistance ✆ 40 47 87 14

Périphérie et environs

ALFA-ROMEO-FERRARI Gar. Barteau, r. Ordronneau, Zone Ind. à Rézé ✆ 40 04 11 00
CITROEN Succursale, 9 r. Charles Rivière à Rézé par ④ ✆ 40 75 24 44
CITROEN Gar. Legras, 258 rte de Clisson à Vertou DX ✆ 40 03 00 26
CITROEN 351 rte de Vannes à St-Herblain ✆ 40 94 24 24
FIAT Loire-Océans-Autos, Bd Marcel Paul à St-Herblain ✆ 40 94 84 14
FORD Sud Loire Autom., 17 bis r. F.-le-Carval à Rézé ✆ 40 75 93 54
FORD Gar. Bezard, 136 rte de la Gare à Vertou ✆ 40 34 44 95
INNOCENTI MAZDA Auto Selection, rte de St-Étienne-de-Montluc à St-Herblain ✆ 40 94 70 20
LADA-SKODA St-Herblain Autom., rte de St Etienne de Montluc à St Herblain, ✆ 40 94 87 28
MERCEDES Europ-Autom., 470 rte de Clisson à Vertou ✆ 40 34 49 40
MERCEDES Station de la Maladrie, Parc Industriel de la Vertonne Z.I. à Vertou ✆ 40 34 15 57
MERCEDES-BENZ Gar. Paris-Maine, 307 rte Vannes à St-Herblain ✆ 40 63 63 89 N ✆ 40 74 68 39
OPEL SOLOVIB, 102 r. Ernest Sauvestre à Rézé par ④ ✆ 40 75 75 50
PEUGEOT TALBOT Gar. du Centre, 2 r. du Gén.-de-Gaulle à Vertou par D 59 DX ✆ 40 33 10 79
PEUGEOT-TALBOT S.I.A.O., rte de Vannes Le Croisy AV s ✆ 40 94 76 76
PEUGEOT-TALBOT Rez'Auto, rte de Pornic Rézé BX ✆ 40 84 34 00
RENAULT Cora, 100 rte des Sorinières à Rez par r. J.-Jaurès CX ✆ 40 84 49 49
RENAULT Gar. Mecan'auto, 30 r. de la Fontenelle à Vertou DX ✆ 40 34 17 02
RENAULT Gar. Moinet, 25 r. J.-Jaurès à Rez CX ✆ 40 04 04 00
RENAULT Gar. Dabireau Frères, 25 Alexandre-Arnaud à Vertou par D 59 ✆ 40 3 21 04
RENAULT Gar. du Stade, 73 r. de Bel-Etre Rezé BX ✆ 40 75 43 79
RENAULT Succursale, Les Lions, rte de Vannes à St-Herblain AV ✆ 40 94 25 25
RENAULT Plaisance Auto, rte de Machecoul à St-Philbert-de-Grand-Lieu par D 65 ✆ 40 94 87
V.A.G. Nantes Sud Autom., 48 r. E.-Sauvest à Rezé ✆ 40 75 67 07
V.A.G. Océan Autos, rte de Vannes le Crois à Orvault ✆ 40 63 11 01

Lemaux-Pneu, 67 r. Aristide Briand à Ré ✆ 40 75 84 16
Nantex, 2 r. des Cochardières, Zil St-Herbla ✆ 40 94 86 07
Vallée-Pneus, 26 r. de la Dutée, Zone Ind. St-Herblain ✆ 40 46 27 75

NANTEUIL-LE-HAUDOUIN 60440 Oise 56 ⑫ – 2 461 h.

Paris 53 – Beauvais 71 – Compiègne 36 – Meaux 25 – Senlis 20 – Villers-Cotterêts 25.

XX **Le Bruxelles-Paris** avec ch, ✆ 44 88 00 37 – E VISA
fermé 13 août au 3 sept., 23 janv. au 7 fév. et merc. sauf fêtes – **R** 77/150, enf. – 17 – **10 ch** 70/130 – ½ p 160/180.

CITROEN Thuillier et Klaine, ✆ 44 88 00 02 N
RENAULT Gar. du Centre, ✆ 44 88 01 N ✆ 44 88 02 51

NANTUA 01130 Ain 74 ④ G. Jura – 3 478 h.

Voir Cluse★★ – Lac★ – Bords du lac ≤★.

Office de Tourisme 3 r. Dr-Mercier (juin-15 sept.) ✆ 74 75 00 05 et à l'Hôtel de Ville ✆ 74 75 20 5

Paris 476 ② – Aix-les-B. 80 ① – Annecy 66 ① – Bourg-en-B. 49 ② – ♦Genève 64 ① – ♦Lyon 95 ②.

Embarcadère M, av. du Lac (e) ✆ 74 75 22 88, ≤ – TV ☎ & P – 35. E VISA. rest
fermé 1er au 8 mai et 20 déc. au 20 janv. – **R** 95/230, enf. 50 – 24 – **50 ch** 190/260 – ½ p 220/240.

❀ **France,** 44 r. Dr.-Mercier (v) ✆ 74 75 00 55 – TV ☎ P. AE ① E VISA
fermé 1er nov. au 20 déc. et vend. sauf fév., juil. et août – **R** carte 160 à 275 – 28 – **19 ch** 215/350
Spéc. Gratin d'écrevisses (15 juil.-31 janv.), Quenelle de brochet Nantua, Fricassée de volaille aux morilles à la crème. **Vins** Roussette de Seyssel, Arbois.

Lyon, 19 r. Dr.-Mercier (a) ✆ 74 75 17 09 – wc wc ☎. E VISA. ch
fermé 1er au 7 juin, nov., dim. soir et lundi (sauf hôtel en juil.-août) – **R** 85/180 – 25 – **18 ch** 120/198.

Armes (Pl. d') 2
Collège (R. du) 3
Dr-Levrat (R. du) ... 4
Dr-Mercier (R. du) .. 5
H.-de-Ville (R. de l') 6
St-Michel (R.) 7

aux Neyrolles par ① : 3 km – 01130 Nantua :

XX **Daphnés** avec ch, ✆ 74 75 01 42, – wc wc ☎. VISA. rest
fermé 26 avril au 11 mai, nov., déc., mardi (sauf le soir en juil.-août) et lundi soir **R** 82/220 – 24 – **14 ch** 120/220 – ½ p 200/250.

ORD Chomeau, ✆ 74 75 02 56 N
EUGEOT Grenard, La Cluse par ② ✆ 74 76 4 80 N ✆ 74 76 14 87
ENAULT Gar. du Lac, 16 rte de Lyon à Port 84 par ② ✆ 74 76 07 33 N

Gar. Tarrare, La Cluse ✆ 74 76 01 61 N ✆ 74 76 11 14

Carronnier-Pneus, rte de Bourg, Zone Ind. Musinet, La Cluse ✆ 74 76 14 19

La NAPOULE 06 Alpes-Mar. 84 ⑧ **G. Côte d'Azur** – ✉ **06210** Mandelieu-La Napoule.

Voir Site★ du château-musée.

Golf Club de Cannes-Mandelieu ✆ 93 49 55 39, N : 1,5 km.

Office de Tourisme Mandelieu-La Napoule r. J.-Aulas ✆ 93 49 95 31 (La Napoule) et av. Cannes ✆ 93 49 14 39 (Mandelieu).

Paris 897 – Cannes 8 – Mandelieu 4 – ♦Nice 40 – St-Raphaël 34.

Loews M, ✆ **93 49 90 00, Télex 461820,** ←, – – 100 à 500. AE E VISA. rest
R 220 – 85 – **196 ch** 1510/1860, 30 appartements.

Ermitage du Riou et rest. Lamparo, ✆ **93 49 95 56, Télex 470072,** ←, , parc, – rest – 40. AE E VISA
R *(fermé 1er nov. au 15 déc.)* 132/279, enf. 85 – **40 ch** 555/1185 – ½ p 520/680.

Parisiana sans rest, r. Argentière ✆ **93 49 93 02** – wc wc .
26 mars-8 oct. – 20 – **12 ch** 180/300.

La Calanque, bd de la Mer ✆ **93 49 95 11,** ←, – wc wc . VISA
1er avril-30 oct. – **R** 67/120 – 21 – **18 ch** 120/220 – ½ p 161/220.

Corniche d'Or sans rest, pl. de la Fontaine ✆ **93 49 92 51** – wc.
15 avril-20 oct. – 17,50 – **12 ch** 130/221.

XX **Brocherie II, au Port** ✆ **93 49 80 73,** ←, – E VISA
fermé janv., lundi soir et mardi hors sais. sauf fêtes – **R** 160.

CITROEN Gar. de la Napoule, ✆ 93 49 95 01

NARBONNE SP **11100** Aude 83 ⑭ **G. Pyrénées Roussillon** – 42 657 h.

Voir Le Centre Monumental★ BY **: Cathédrale St-Just★★ (Trésor : tapisserie représentant la Création★★) B, Chœur★ de la basilique Saint Paul-Serge** AZ **E, Donjon Gilles Aycelin★ (※★) M – Musées : Art et Histoire★** BY **M, Archéologique★** BY **M, Lapidaire★** BZ **M1 – Env. Abbaye de Fontfroide★★ 14 km par ④.**

✆ **67 62 50 50.**

Office de Tourisme pl. R.-Salengro ✆ 68 65 15 60.

Paris 847 ② – Béziers 27 ① – Carcassonne 61 ③ – ♦Montpellier 92 ② – ♦Perpignan 64 ③.

Plan page suivante

Novotel M, par ③ : 3 km ✆ **68 41 59 52, Télex 500480,** , , – – 25 à 200. AE E VISA
R snack carte environ 120, enf. 40 – 38 – **96 ch** 320/350.

La Résidence sans rest, 6 r. 1er Mai ✆ **68 32 19 41, « Bel aménagement intérieur »** – wc wc . E VISA — AY **r**
fermé 4 janv. au 1er fev. – 32 – **26 ch** 250/320.

Languedoc, 22 bd Gambetta ✆ **68 65 14 74, Télex 505167** – wc wc – 100. AE E VISA — BY **b**
R 63/147 – 28 – **45 ch** 140/300 – ½ p 231/331.

France sans rest, 6 r. Rossini ✆ **68 32 09 75** – wc . E VISA — BZ **s**
fermé dim. soir d'oct. à mars – 22 – **15 ch** 95/195.

Regent sans rest, 15 r. Suffren ✆ **68 32 02 41** – wc . E VISA. — BY **d**
fermé 21 déc. au 3 janv. et vend. du 1er sept. au 30 juin – 20 – **15 ch** 145/220.

Lion d'Or, 39 av. P. Sémard ✆ **68 32 06 92** – wc wc . AE E VISA — BX **k**
fermé dim. soir hors sais. – **R** *(fermé 10 au 28 nov., 2 au 22 janv., vend. soir, sam. midi et dim. soir hors sais.)* 70/140 – 25 – **27 ch** 160/200 – ½ p 195/255.

XXX ❀ **Réverbère** (Giraud), 4 pl. Jacobins ✆ **68 32 29 18** – . AE E VISA — BZ **e**
fermé 6 au 12 juin, 26 sept. au 10 oct., 25 janv. au 5 fév., dim. soir et lundi – **R** 160/420, enf. 40
Spéc. Capuccino d'artichauts violets (avril à oct.), Paté d'escargots aux trois huiles (mars à oct.), Sofregit de homard. **Vins** Corbières, Minervois.

XXX **Rest. Alsace,** 2 av. P.-Sémard ✆ **68 65 10 24** – . AE E VISA — BX **a**
fermé 14 nov. au 14 déc., lundi soir (sauf mi-juil. à fin sept.) et mardi – **R** 85/220.

XX **Le Floride,** 66 bd F.-Mistral ✆ **68 32 05 52** – — BX **v**
fermé 22 déc. au 10 janv. et dim. – **R** (prévenir) carte 135 à 195.

par la sortie ② :

à Narbonne-Plage par D 168 : 15 km – ✉ **11100** Narbonne-Plage :

Caravelle, ✆ **68 49 80 38,** ←, – wc . E VISA. rest
1er mai-30 sept. – **R** 80/190 – 25 – **24 ch** (½ pens. seul.) – ½ p 180/205.

De la Clape sans rest, r. Flots Bleus ✆ **68 49 80 15** – wc .
27 mars-31 oct. – 22 – **12 ch** 160/230.

NARBONNE

Droite (R.) . . . . BY
Hôtel-de-Ville (Pl. de l') . . . BY 19
Jaurès (R. Jean) . . . . ABY 21
Pt-des-Marchands (R du) BYZ 35
République (Crs de la) . . BYZ 39

Anatole France (Av.) . . . . . AY 2
Ancien Courrier (R. de l') . . BY 3
Ancienne Porte de Béziers (R. de l') . . . . BY 4
Blum (Pl. Th.-Léon) . . . . . . BX 6
Cabirol (R.) . . . . AZ 7
Condorcet (Bd) . . . . BX 9
Courier (R. P.-L.) . . . . BZ 10
Crémieux (R. B.) . . . . BZ 13
Fabre (R. Gustave) . . . . AY 14
Foch (Av. Mar.) . . . . BX 16
Garibaldi (R.) . . . . BY 17
Gaulle (Bd Gén. de) . . . . . . BY 18
Indépendance (R. de l') . . . BX 20
Jacobins (R. des) . . . . BZ 23
Joffre (Bd Mar.) . . . . AY 24
Louis-Blanc (R.) . . . . BY 26
Luxembourg (R. du) . . . . . . AZ 27
Major (R. de la) . . . . BY 28
Maraussan (R.) . . . . AZ 30
Michelet (R.) . . . . BY 32
Mirabeau (Cours) . . . . BZ 33
N.-D. des Champs (⊞) BX
Pyrénées (Av. des) . . . . . AY 36
Pyrénées (Pl. des) . . . . . AZ 37
Rabelais (R.) . . . . AZ 38
St-Sébastien (⊞) . . . . . BY
St-Paul-Serge (⊞) . . . . AZ E
Salengro (Pl. R.) . . . . BY 41
Toulouse (Av. de) . . . . AZ 42
3-Moulins (R. des) . . . . . . BX 45
1848 (Bd de) . . . . BX 46

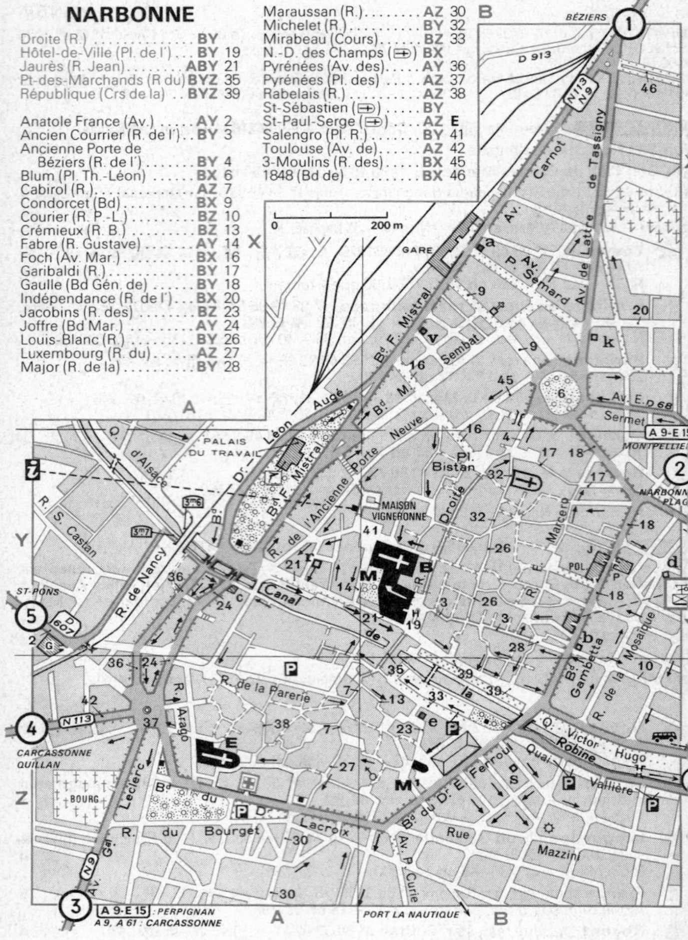

à Ornaisons par ④ et D 24 : 14 km – ✉ **11200** Lézignan-Corbières :

Relais Val d'Orbieu ♘, ✆ 68 27 10 27, ≤, 🏊, 🎾 – ⊟wc ⋔wc ☎ Ⓟ
30. AE ⓓ E VISA
fermé dim. soir, lundi midi et merc. midi du 1er nov. au 15 mars et hôtel : 10 a 23/2 ; rest. : 25/1 au 23/2 – **R** 145/295 – ☕ 50 – **15 ch** 360/600 – ½ p 500/640.

AUSTIN, ROVER Fraisse, 33 av. de Toulouse ✆ 68 42 29 15
BMW, OPEL-GM Narbonauto, av. Champ de Mars, Zone Ind. Plaisance ✆ 68 41 14 81 🅽 ✆ 68 32 08 38
CITROEN Plaisance-Autos, N9 par ③ ✆ 68 41 69 62
FORD Villefranque, 20 bd M.-Sembat ✆ 68 32 30 11
MERCEDES-BENZ, **TOYOTA** Gar. Deville, Zone Ind. de Plaisance ✆ 68 41 22 38

PEUGEOT-TALBOT Audoise, rte de Perp gnan, le Peyrou par ③ ✆ 68 41 09 85
RENAULT SANDRA, Complexe Routier Croix Sud par ③ ✆ 68 41 78 02
V.A.G. Marty, 87 av. Gén.-Leclerc ✆ 68 41 10

Brunel, 31 et 33 bd Mar.-Joffre ✆ 68 42 53
Ets Escande, 1 av. Toulouse ✆ 68 41 01 03
Piot-Pneu, Z.I., rte de Perpignan ✆ 68 41 23 24

La NARTELLE 83 Var **84** ⑰ – rattaché à Ste-Maxime.

☛ *Un automobiliste averti utilise le **guide Michelin** de l'année.*

NASBINALS 48260 Lozère 76 ⑭ G. Gorges du Tarn – 614 h. alt. 1 180 – Sports d'hiver : 300/1 400 m ⛷1 ⛷.

Paris 570 – Aumont-Aubrac 23 – Chaudes-Aigues 27 – Espalion 35 – Mende 59 – St-Flour 59.

Route d'Argent, ☎ 66 32 50 03 – cuisinette TV wc ⋔ ☎. E VISA
R 50/137 ⅄, enf. 40 – ☕ 16 – **35 ch** 65/168 – ½ p 95/170.

au Nord par D 12 : 4 km – alt. 1 080 – ✉ **48260** Nasbinals :

Relais de l'Aubrac ⛰, **au Pont de Gournier (carrefour D 12 - D 112)** ☎ **66 32 52 06** – ⋔wc ☎ Ⓟ. ✕ rest
fermé 15 nov. au 15 déc. – **R** 80/160 ⅄, enf. 45 – ☕ 20 – **19 ch** 150/200 – ½ p 150/180.

NATZWILLER 67 B.-Rhin 62 ⑧ – 658 h. – ✉ **67130** Schirmeck.

Paris 411 – Barr 30 – Molsheim 38 – St-Dié 45 – ◆Strasbourg 60.

Aub. Metzger, ☎ 88 97 02 42 – wc ⋔wc ☎ 🚗 Ⓟ. VISA
fermé 15 au 31 janv., 15 au 31 mars, et lundi sauf vacances scolaires – **R** 45/180 ⅄ – ☕ 20 – **10 ch** 145/155 – ½ p 150/170.

NAUCELLE 12800 Aveyron 80 ① – 2 357 h.

Paris 651 – Albi 48 – Millau 88 – Rodez 33 – St-Affrique 82 – Villefranche-de-Rouergue 51.

Host. Voyageurs, pl. Hôtel de Ville ☎ 65 47 01 34 – wc ⋔wc ☎. E VISA
fermé 1er au 15 nov., et lundi du 15 sept. au 1er juin – **R** 40/83 ⅄, enf. 35 – ☕ 18,50 – **15 ch** 60/128 – ½ p 110/150.

Unal, à Naucelle Gare sur N 88 ☎ 65 69 21 21, 🌳 – wc ⋔wc 🚗 Ⓟ. E VISA. ✕ ch
fermé nov., dim. soir et lundi – **R** 45/130 ⅄, enf. 35 – ☕ 18 – **15 ch** 90/150 – ½ p 100/160.

à Castelpers SE : 12,5 km sur D 10 – ✉ **12170** Requista :

XX **Château de Castelpers** ⛰ avec ch, ☎ **65 69 22 61,** ←, « **Parc au bord de l'eau** » – wc ⋔wc ☎ Ⓟ. AE E VISA. ✕ rest
1er avril-1er oct. – **R** *(fermé dim.)* 100/175 ⅄, enf. 50 – ☕ 25 – **9 ch** 200/350 – ½ p 245/390.

NAUZAN 17 Char.-Mar. 71 ⑮ – rattaché à St-Palais-sur-Mer et à Royan.

NAVACELLES (Cirque de) ★★★ 30 Gard et 80 ⑯ G. Gorges du Tarn.

Accès par Blandas N : 7 km ou par St-Maurice S : 7,5 km.

NAVAROSSE 40 Landes 78 ⑬ – rattaché à Biscarosse.

NAVARRENX 64190 Pyr.-Atl. 85 ⑤ G. Pyrénées Aquitaine – 1 204 h.

ℹ Syndicat d'Initiative pl. des Casernes (juil.-août) ☎ 59 66 14 93 et à la Mairie ☎ 59 66 10 22.

Paris 803 – Oloron-Ste-M. 22 – Orthez 22 – Pau 55 – St-Jean-Pied-de-Port 58 – Sauveterre-de-B. 23.

Commerce, ☎ 59 66 50 16 – wc ⋔wc ☎ – 🏛 30. E VISA
fermé 24 au 31 oct., janv., dim. soir et lundi hors sais. – **R** 52/140 – ☕ 16,50 – **30 ch** 92/160 – ½ p 185/220.

CITROEN Labrit, ☎ 59 66 16 32 N ☎ 59 34 36 75

NAY 64800 Pyr.-Atl. 85 ⑦ – 3 492 h.

Paris 786 – Laruns 33 – Lourdes 25 – Oloron-Ste-Marie 36 – Pau 20 – Tarbes 33.

Voyageurs, pl. Marcadieu ☎ 59 61 04 69 – |₿| wc ⋔wc ☎ – 🏛 50
R 46/98 ⅄, enf. 39 – ☕ 20 – **22 ch** 120/170 – ½ p 135/165.

Aub. Chez Lazare ⛰, **Les Labassères SO : 3 km par D 36 et D 287** ☎ **59 61 05 26,** ←, 🌳 – ⋔wc ☎ Ⓟ. E VISA
fermé 23 juil. au 10 août et dim. (sauf hôtel en sais.) – **R** (dîner seul.) 60/100 – ☕ 18 – **7 ch** 175 – ½ p 162.

CITROEN Gar. Antony, ☎ 59 61 16 21
PEUGEOT, TALBOT Gar. Manuel, ☎ 59 61 27 67
RENAULT Gar. Fouraa, ☎ 59 61 06 18

NÉANT-SUR-YVEL 56 Morbihan 63 ④ – 835 h. – ✉ **56430** Mauron.

Paris 416 – Dinan 57 – Loudéac 52 – Ploërmel 11 – ◆Rennes 65 – Vannes 57.

X **Aub. Table Ronde** avec ch, ☎ **97 93 03 96** – ⋔ ☎. ⓓ E VISA
fermé janv., dim. soir et lundi hors sais. – **R** 44/145 ⅄, enf. 40 – ☕ 22 – **10 ch** 102/170 – ½ p 143/155.

NEAU 53 Mayenne 60 ⑪ – 618 h. – ✉ **53150** Montsûrs.

Paris 267 – Alençon 65 – Laval 26 – ♦Le Mans 70 – Mayenne 22 – Ste-Suzanne 13 – Vaiges 15.

Croix Verte, ☎ 43 98 23 41 – wc ⋒wc ☎. E VISA
fermé vacances de fév., dim. soir et lundi du 15 sept. au 1er mai – **R** 50/150 🍷 – ☕ 18 – **14 ch** 95/170 – 1/2 p 145/180.

RENAULT Gar. Terrier, ☎ 43 98 22 37

NEAUPHLE-LE-CHÂTEAU 78640 Yvelines 60 ⑨, 196 ⑯ **G. Environs de Paris** – 2 151 h.

Paris 40 – Dreux 44 – Mantes-la-Jolie 32 – Rambouillet 24 – St-Nom-la-Bretèche 12 – Versailles 18.

Le Verbois M, 38 av. République ☎ (1) 34 89 11 78, Télex 699981, ≤, , par – TV wc ☎ P – 🏊 40. AE E VISA.
fermé 5 au 23 août, vacances de fév., dim. soir et lundi midi – **R** (résidents seul. (dîner seul.) – ☕ 50 – **18 ch** 370/560 – 1/2 p 320/650.

Relais St-Nicolas, ☎ (1) 34 89 00 47 – AE E VISA
fermé dim. soir et lundi – **R** 165, enf. 60.

PEUGEOT-TALBOT Cabailh, 7 r. des Frères Lumière à Plaisir ☎ (1)30 55 17 30 N

RENAULT Gar. des Petits Prés, 16 r. de la Gare à Plaisir ☎ (1)30 55 80 84

NEAUX 42 Loire 73 ⑧ – rattaché à St-Symphorien-de-Lay.

NÉGRON 37 I.-et-L. 64 ⑯ – rattaché à Amboise.

NEMOURS 77140 S.-et-M. 61 ⑫ **G. Environs de Paris** – 11 676 h.

Voir Musée de Préhistoire de l'Ile de France★ par ②.

ℹ Office de Tourisme 41 quai V.-Hugo ☎ (1) 64 28 03 95.

Paris 80 ① – Chartres 117 ① – Melun 32 ⑥ – Montargis 37 ① – ♦Orléans 87 ④ – Sens 46 ②.

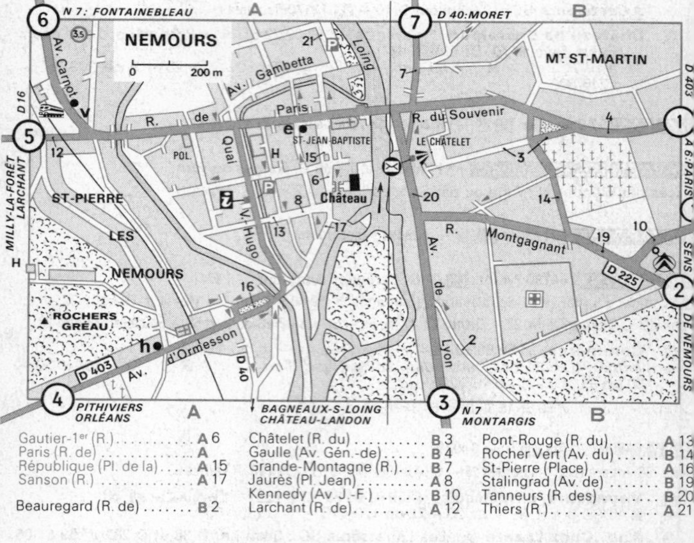

Gautier-1er (R.) . . . . A 6
Paris (R. de) . . . . A
République (Pl. de la) . . . . . A 15
Sanson (R.) . . . . A 17

Beauregard (R. de) . . . . B 2

Châtelet (R. du) . . . . B 3
Gaulle (Av. Gén.-de) . . . . . . B 4
Grande-Montagne (R.) . . . . B 7
Jaurès (Pl. Jean) . . . . A 8
Kennedy (Av. J.-F.) . . . . . . B 10
Larchant (R. de) . . . . A 12

Pont-Rouge (R. du) . . . . A 13
Rocher Vert (Av. du) . . . . . . B 14
St-Pierre (Place) . . . . A 16
Stalingrad (Av. de) . . . . . . B 19
Tanneurs (R. des) . . . . B 20
Thiers (R.) . . . . A 21

Écu de France, 3 r. Paris ☎ (1) 64 28 11 54 – wc ⋒wc ☎ 🚗. E VISA A e
R 90/240 – ☕ 25 – **28 ch** 120/250.

Les Roches, av. L.-Pelletier à St-Pierre ☎ (1) 64 28 01 43, – rest TV wc ⋒wc ☎. AE ⓓ E VISA A h
fermé vacances de nov., dim. soir et lundi midi – **R** 75/240, enf. 40 – ☕ 24 – **17 ch** 140/265 – 1/2 p 220/270.

St-Pierre sans rest, 12 av. Carnot ☎ (1) 64 28 01 57 – ⋒wc ☎ P. E VISA A v
fermé 1er au 15 mars et 1er au 15 oct. – ☕ 19 – **25 ch** 100/230.

Autoroute A 6 : sur l'aire de service, SE 2 km, accès par A 6 ou D 225 – ✉ 77140 Nemours :

Altéa M sans rest, ☎ (1) 64 28 10 32, Télex 690243, – TV wc ☎ P. AE ⓓ E VISA – **R** (rest. d'autoroute à 100 m) – ☕ 38 – **102 ch** 265/365.

à Glandelles par ③ : 7 km – ✉ **77167** Bagneaux-sur-Loing :

XX **Les Marronniers** N 7, ✆ (1) 64 28 07 04, – VISA
fermé 3 au 24 août, mardi soir et merc. – **R** 70/300.

XX **La Glandelière,** S : 1 km N 7 ✆ (1) 64 28 10 20, – Ⓟ. VISA
fermé 15 sept. au 5 oct., 15 fév. au 5 mars, jeudi soir, lundi soir et mardi – **R** 65/135.

CITROEN Nemours Autom., 8 av. J.-F.-Kennedy ✆ (1)64 28 11 17 N
FORD Malbert, 63 av. Carnot à St-Pierre par ⑥ ✆ (1)64 28 03 05
PEUGEOT-TALBOT Coffre, 18 av. Kennedy B ✆ (1)64 28 03 27
RENAULT Brillet, 107 av. Carnot à St-Pierre par ⑥ ✆ (1)64 28 01 50

Jean Bohec, 16 av. Gén-de-Gaulle ✆ 64 28 29 10
Dominicé, 90 r. de Paris ✆ (1)64 28 11 21
Pneu Sce, 45 av. Carnot à St-Pierre-les-Nemours ✆ 64 28 04 67

NÉRAC **47600** L.-et-G. 79 ⑭ **G. Pyrénées Aquitaine** – 7 268 h.
Syndicat d'Initiative à l'Hôtel de Ville ✆ 53 65 03 89.
Paris 653 ① – Agen 30 ② – ♦Bordeaux 128 ① – Condom 21 ③ – Marmande 56 ①.

NÉRAC

Romas (Cours) . . . . . . A 23
Victor-Hugo (Crs) . . . . B 30

Centre (Allées du) . . . A 2
Dijon (R.) . . . . B 5
Fontindelle (R.) . . . . . A 6
Joffre (Av. Mar.) . . . . . B 8
Lafayette (R.) . . . . A 9
Lattre-de-T. (Av. de) . B 10
Leclerc (Pl. Gén.) . . . . A 12
Marcadieu (R.) . . . . . . A 13
Martyrs-de-la Résistance (R. des) A 15
Mondenard (Av.) . . . . B 18
Nazareth (R. de) . . . . . B 19
Quai-Lusignan (R. du) . . . . B 21
Rontin (Av. M.) . . . . . . A 24
St-Germain (R.) . . . . . B 26
St-Marc (Pl.) . . . . B 28

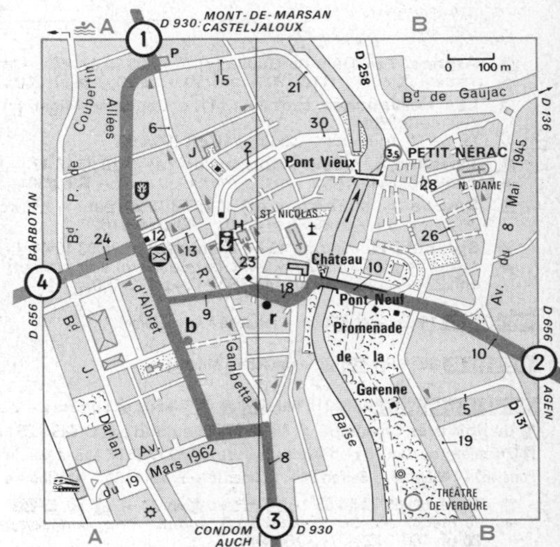

Les guides Rouges, les guides Verts et les cartes Michelin sont complémentaires. Utilisez les ensemble.

🏠 **du Château,** 7 av. Mondenard ✆ 53 65 09 05 – wc wc . E VISA B r
fermé 1er au 30 oct. – **R** *(fermé dim. soir et lundi midi du 1er nov. au 30 juin)* 60/180 – 20 – **22 ch** 90/220.

XX **d'Albret** avec ch, 42 allées d'Albret ✆ 53 65 01 47 – rest wc wc . E VISA A b
fermé sept., 1er au 7 mars et lundi d'oct. à mai – **R** 50/200 – 20 – **18 ch** 140/250 – 1/2 p 188/233.

NÉRIS-LES-BAINS **03310** Allier 73 ② **G. Auvergne** – 2 996 h. – Stat. therm. (avril-oct.) – Casino.
Office de Tourisme Carrefour des Arènes (21 avril-24 oct.) ✆ 70 03 11 03.
Paris 337 ③ – ♦Clermont-Fd 83 ② – Montluçon 8 ③ – Moulins 74 ① – St-Pourçain-sur-Sioule 59 ①.

Plan page suivante

Mercure M, 40 r. Boisrot Desserviers **(v)** ✆ 70 03 22 22, Télex 392300, – rest – 45 à 100. AE E VISA
R 80/166, enf. 38 – 35 – **59 ch** 289/360 – 1/2 p 225/305.

Garden, 12 av. Max Dormoy **(d)** ✆ 70 03 21 16, – rest wc wc Ⓟ. E VISA. ch
fermé 20 oct. au 10 nov., 5 au 20 janv., dim. soir et vend. du 11 nov. au 11 avril – **R** 60/150 , enf. 35 – 22 – **19 ch** 150/220 – 1/2 p 210/240.

Parc des Rivalles , r. Parmentier **(k)** ✆ 70 03 10 50, parc – wc wc Ⓟ. rest
24 avril-6 oct. – **R** 65/220 – 22 – **32 ch** 75/195.

NÉRIS-LES-BAINS

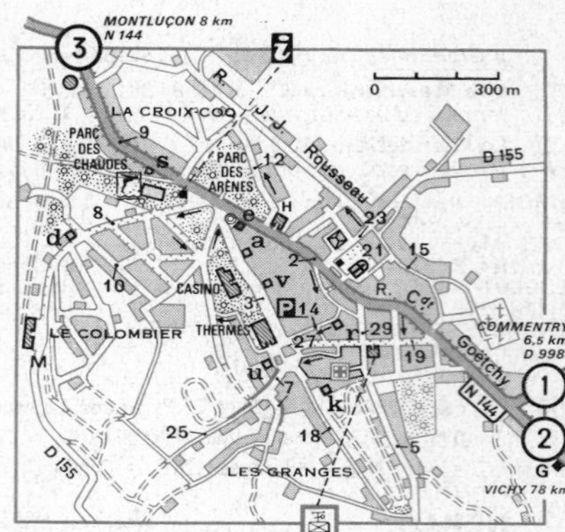

Pour bien lire les plans de villes, voir signes et abréviations p. 23.

Arènes, 1 av. Gén.-de-Gaulle **(s)** 70 03 19 02, – wc. *15 avril-20 oct.* – **R** 50/120, enf. 20 – 20 – **18 ch** 200/240 – 1/2 p 200/230.

Les Pervenches sans rest, 11 r. Capitaine-Migat **(r)** 70 03 14 03, – cuisinette wc *fermé 1er au 15 oct.* – 25 – **10 ch** 180/200.

Terrasse, 52 r. Boisrot-Desserviers **(a)** 70 03 10 42 – wc. rest *hôtel : 1er mai-10 oct. ; rest. : 1er mai-30 sept.* – **R** 60/90 – 21 – **22 ch** 145/190.

Source, pl. Thermes **(u)** 70 03 10 20, parc – wc wc. VISA. rest *1er mai-6 oct.* – **R** 68/95 – 18 – **40 ch** 69/162.

Splendid'H. avec ch, 49 bd Arènes **(e)** 70 03 10 41 – wc. VISA *fermé 1er janv. au 12 fév.* – **R** *(fermé mardi soir et merc. de nov. à avril)* 54/132 enf. 22 – 18 – **10 ch** 140/180 – 1/2 p 170/190.

NERSAC 16 Charente 72 ⑬ – rattaché à Angoulême.

NESTIER 65 H.-Pyr. 85 ⑳ – rattaché à Montréjeau.

NEUF-BRISACH 68600 H.-Rhin 62 ⑲ **G. Alsace et Lorraine** – 2 205 h.

du Rhin près Chalampé 89 26 07 86, au Sud par D 468 : 25 km.

Office de Tourisme 6 pl. d'Armes (saison) 89 72 56 66 et à la Mairie (hors saison) 89 72 51 68

Paris 460 – ♦Bâle 66 – Belfort 81 – Colmar 16 – Freiburg 33 – ♦Mulhouse 37 – Sélestat 31 – Thann 46

Cerf, 89 72 56 03 – wc wc – 30. E VISA *fermé 20 déc. au 15 janv., sam. midi et vend. hors sais.* – **R** 45/240 – 20 – **30 ch** 160/240 – 1/2 p 180/240.

Soleil, 6 r. Bâle 89 72 51 28 – wc. AE E VISA **R** *(fermé dim. soir et lundi)* 70/220 – 18 – **25 ch** 80/200 – 1/2 p 140/260.

à Biesheim N : 3 km par D 468 – 68600 Neuf Brisach :

Deux Clefs, 89 72 51 20, Télex 890861, – wc wc – 25. AE E VISA – *fermé 1er au 10 janv.* – **R** 85/220, enf. 50 – 17 – **26 ch** 90/210.

à Vogelgrün E : 5 km par N 415 – 68600 Neuf-Brisach.

Voir Bief hydro-électrique★ – ≤★ du pont-frontière.

Motel Européen M, à la frontière, sur l'ile du Rhin 89 72 51 57, , – wc wc – 30. AE E VISA *fermé fév.* – **R** *(fermé dim. soir et lundi)* 85/230 – 25 – **23 ch** 170/230 – 1/2 p 200/270.

PEUGEOT-TALBOT Ebelin-Vonarb, 89 72 51 76
RENAULT Gar. Haeffeli, Zone Ind. CD 52 à Biesheim 89 72 54 83
RENAULT Gar. Venturini 89 72 69 11 N

NEUFCHÂTEAU <SP> 88300 Vosges 62 ⑬ **G. Alsace et Lorraine** – 9 086 h.

Voir Escalier★ de l'hôtel de ville H – Groupe en pierre★ dans l'église St-Nicolas K.

Syndicat d'Initiative à l'Hôtel de Ville 29 94 14 75.

Paris 293 ① – Belfort 152 ④ – Chaumont 56 ⑥ – Épinal 75 ③ – Langres 69 ⑤ – Verdun 104 ①.

St-Christophe, 1 av. Grande-Fontaine **(e)** 29 94 16 28, Télex 961854 – wc wc – 30. E VISA. rest **R** 55/165 – 25 – **36 ch** 240/280.

XX **La Boulangerie,** 1 pl. Jeanne d'Arc **(a)** ✆ 29 94 12 86 – AE ⓓ E VISA
R 53/175 ♗, enf. 35.

X **L'Amie Lune,** 12 r. Neuve **(d)** ✆ 29 94 28 76 – AE ⓓ E VISA
fermé 15 au 31 juil., 1er au 15 déc., dim. soir et lundi – **R** 78/140.

à Rouvres-la-Chétive par ③ : **10 km**
– ✉ **88170** Chatenois :

La Frezelle M ⟡, ✆ 29 94 51 51 – wc ⋔wc ☎ ⓟ. AE ⓓ E VISA. ch
fermé 15 au 31 oct. – **R** *(fermé sam.)* 55/145 ♗, enf. 30 – ☕ 20 – **7 ch** 160/230 – 1/2 p 210/280.

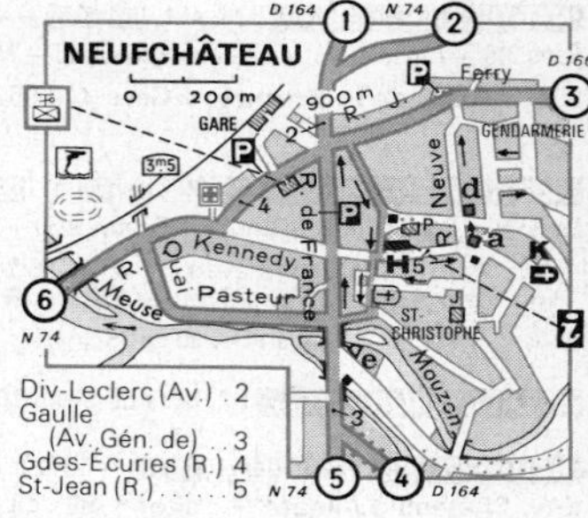

Div-Leclerc (Av.) . 2
Gaulle (Av. Gén. de) . . 3
Gdes-Écuries (R.) 4
St-Jean (R.) 5

NAULT Reuchet, rte de Nancy par ② ✆ 29 94 57
TROEN Tassel, rte de Langres par ⑤ ✆ 29 10 33 N ✆ 29 06 04 00
AT Gar. de l'Etoile, 1 quai Pasteur ✆ 29 94 65
UGEOT, TALBOT Dutemple-Gaxotte, rte de ngres par ⑤ ✆ 29 94 06 55

RENAULT Gar. Reuchet, 95 av. Gén.-de-Gaulle par ⑤ ✆ 29 94 19 20

Néo-Pneu, Zone Ind., rte de Frébecourt ✆ 29 94 10 47

EUFCHÂTEL-EN-BRAY **76270** S.-Mar. **52** ⑮ **G. Normandie Vallée de la Seine** – **5 823 h.**
v. Forêt d'Eawy★★ 10 km par ③ – Office de Tourisme 6 pl. Notre-Dame ✆ 35 93 22 96.
ris 133 ② – Abbeville 54 ① – ♦Amiens 71 ① – Dieppe 36 ④ – Gournay 37 ② – ♦Rouen 46 ③.

NEUFCHATEL-EN-BRAY

noyelle (R.) . . . . Z 8
ande-R. Fausse-Porte . . . . Z 14
ande-R. Notre-Dame . . . . Z 15
ande-R. St-Jacques . . . . . Y 16
nadiens (Av. des) . . . . Z 3
rnot (R.) . . . . Z 4
uchoise (R.) . . . . Y 5
arvet (Bd Albert) . . . . Y 6
ch (R. du Mar.) . . . . Y 9
ntaines (R. des) . . . . Z 10
ulle (R. Gén. de) . . . . Z 12
ville (Bd du) . . . . Z 13
ande-Rue St-Pierre . . . . . Z 17
ussez (R. Baron-d') . . . . . . Y 18
fre (Bd du Mar.) . . . . Z 19
ndinières (R. de) . . . . Y 21
rquis (Pl. du) . . . . Z 23
tre-Dame (Pl.) . . . . Z 25
ssonnière (R.) . . . . Z 26
Mai (Pl. du) . . . . Z 29

s plans de villes sont orien- le Nord en haut.

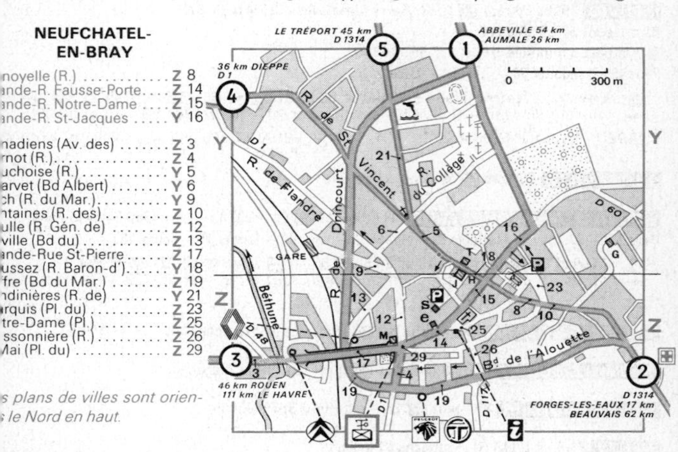

XX **Gd Cerf** avec ch, 9 Gde-Rue Fausse-Porte ✆ 35 93 00 02 – TV ⋔wc ☎. E VISA
fermé 15 déc. au 15 janv. et lundi – **R** 60/160 ♗, enf. 30 – ☕ 20 – **12 ch** 145/160. Z e

XX **Les Airelles** avec ch, 2 passage Michu ✆ 35 93 14 60, , – TV wc ⋔wc ☎. E VISA Z s
fermé 15 au 31 oct., vacances de fév. et merc. – **R** 54/110 – ☕ 19 – **14 ch** 90/200 – 1/2 p 165/210.

TROEN Therier, 1 et 3 Gde-Rue St-Pierre 35 93 00 75
AT, OPEL Petit, 14 rte Londinières ✆ 35 93 50
UGEOT-TALBOT Delas, 16 bd Joffre ✆ 35 01 15

RENAULT Lechopier, 31 Gde r. St-Pierre ✆ 35 93 00 82 N ✆ 35 93 04 76
V.A.G. Gar. Duparc, 9 rte de Foucarmont ✆ 35 93 02 66

EUFGRANGE **57** Moselle **57** ⑰ – rattaché à Sarreguemines.

EUF-MARCHÉ **76** S.-Mar. **55** ⑧ – 514 h. – ✉ **76220** Gournay-en-Bray.
is 88 – Les Andelys 35 – Beauvais 31 – Gisors 18 – Gournay-en-Bray 7 – ♦Rouen 57.

X **André de Lyon,** D 915 ✆ 35 90 10 01 – E VISA
fermé 22 août au 8 sept., 17 fév. au 4 mars et merc. – **R** (déj. seul.) carte 100 à 175.

NEUILLÉ-LE-LIERRE 37 I.-et-L. 64 ⑮⑯ – 404 h. – ✉ 37380 Monnaie.
Paris 216 – Amboise 16 – Château-Renault 10 – Montrichard 34 – Reugny 4,5 – ♦Tours 26.

XX **Aub. de la Brenne,** r. Gare ✆ 47 52 95 05 – Ⓟ. VISA
R (dim. prévenir) 56 (sauf sam.)/129, enf. 49.

NEUILLY-EN-THELLE 60530 Oise 55 ⑳, 196 ⑦ – 2 400 h.
Paris 49 – Beaumont-sur-Oise 11 – Beauvais 30 – Pontoise 30 – Senlis 26.

X **Aub. du Centre** avec ch, ✆ 44 26 70 01 – ⊟. VISA. ✻ ch
fermé août, 15 au 28 fév. et lundi – **R** 50/80 ♫ – ☕ 15 – **9 ch** 85/100.

Merlin Pneus, à Ercuis ✆ 44 26 53 38

NEUILLY-SUR-SEINE 92 Hauts-de-Seine 55 ⑳, 101 ⑭⑮ – voir à Paris, Environs.

NEUVÉGLISE 15260 Cantal 76 ⑭ – 1 112 h. alt. 938.
Env. Château d'Alleuze★★ : site★★ NE : 14 km, G. Auvergne.
ℹ Syndicat d'Initiative le Bourg (fermé matin hors saison) ✆ 71 23 85 43.
Paris 524 – Aurillac 81 – Entraygues-sur-T. 75 – Espalion 69 – St-Chély-d'Apcher 42 – St-Flour 22.

Central Hôtel (annexe - 14 ch), ✆ 71 23 81 28 – ⊟wc ⋔wc ☎ ⇔ – 🏃 60. VISA. ✻ rest
fermé 1er au 15 oct. – **R** 45/145 ♫, enf. 35 – ☕ 25 – **24 ch** 75/140 – 1/2 p 130/160.

Poste, ✆ 71 23 80 66 – cuisinette ⋔wc ⇔ Ⓟ – 🏃 120. E VISA
R 45/100 ♫, enf. 35 – ☕ 22 – **25 ch** 90/180 – 1/2 p 130/150.

RENAULT Mabit, ✆ 71 23 81 53 — Gar. Sauret, ✆ 71 23 80 90 N

NEUVIC 19160 Corrèze 76 ① **G. Berry Limousin** – 2 274 h. alt. 610.
⛳9 d'Ussel ✆ 55 95 98 89.
ℹ Syndicat d'Initiative r. Poste ✆ 55 95 88 78.
Paris 459 – Mauriac 26 – Tulle 59 – Ussel 21.

Lac ⛰, à Neuvic-Plage E : 3 km ✆ 55 95 81 43, ≤, ⛱, ✂ – ⋔ Ⓟ. E VISA. ✻ re
mi-avril-fin sept. – **R** 58/90 ♫, enf. 45 – ☕ 22 – **14 ch** 130/160 – 1/2 p 170/190.

CITROEN Bordas, ✆ 55 95 80 29 — RENAULT Potronnat, ✆ 55 95 89 28 N ✆ 95 81 68

La NEUVILLE 59 Nord 51 ⑯ – rattaché à Lille.

NEUVILLE-AUX-TOURNEURS 08 Ardennes 53 ⑰ – 239 h. – ✉ 08380 Signy-le-Petit.
Paris 212 – Charleville-Mézières 33 – Hirson 22 – Laon 70 – Rethel 58 – Rocroi 16.

Motel Dubois ⛰, N 43 ✆ 24 54 32 55 – TV ⋔wc ☎ Ⓟ. AE ⓓ E VISA
fermé 15 déc. au 1er fév. et lundi midi sauf fêtes – **R** 35/120 – ☕ 13 – **10** 100/135 – 1/2 p 150.

NEUVILLE-ST-AMAND 02 Aisne 53 ⑭ – rattaché à St-Quentin.

NEUVILLE-SUR-SARTHE 72 Sarthe 60 ⑬ – rattaché au Mans.

NEUVY-SAUTOUR 89 Yonne 61 ⑮ – rattaché à St-Florentin.

NEUZY 71 S.-et-L. 69 ⑯ – rattaché à Digoin.

NEVERS Ⓟ 58000 Nièvre 69 ③④ **G. Bourgogne** – 44 777 h.
Voir Cathédrale★ Z B – Palais ducal★ Z – Église St-Étienne★ Y D – Porte du Croux★ – Faïences de Nevers★ du musée municipal Z M1.
⛳18 du Nivernais ✆ 86 58 18 30 à Magny-Cours par ④.
ℹ Office de Tourisme 31 r. des Remparts ✆ 86 59 07 03 – A.C. 1 av. Gén.-de-Gaulle, Immeu Carnot ✆ 86 61 27 75.
Paris 238 ① – Bourges 69 ④ – Chalon-sur-Saône 160 ③ – ♦Clermont-Ferrand 162 ④ – ♦Dijon 188 – Montargis 125 ① – Montluçon 99 ④ – Moulins 54 ④ – ♦Orléans 160 ① – Roanne 152 ④.

Plan page ci-contre

Loire Ⓜ ⛰, quai Médine ✆ 86 61 50 92, Télex 801112, ≤ – |‡| ▤ rest TV ☎ Ⓟ 🏃 80. AE ⓓ E VISA Z
R *(fermé 12 déc. au 17 janv. et sam.)* 105/220 – ☕ 26 – **56 ch** 250/330.

Diane Ⓜ, 38 r. Midi ✆ 86 57 28 10, Télex 801021 – |‡| ▤ rest TV ☎ – 🏃 30. AE E VISA Z
fermé 20 déc. au 20 janv. – **R** *(fermé dim. midi et lundi)* carte 100 à 160 ♫, enf. 30 ☕ 30 – **30 ch** 220/300 – 1/2 p 290.

Magdalena Ⓜ sans rest, rte de Paris par ① : 2 km ✉ 58640 Varennes Vauzel ✆ 86 57 21 41 – |‡| ▤ TV ☎ ♿ Ⓟ – 🏃 70. AE ⓓ E VISA
fermé 20 déc. au 5 janv. – ☕ 20 – **39 ch** 180/285.

NEVERS

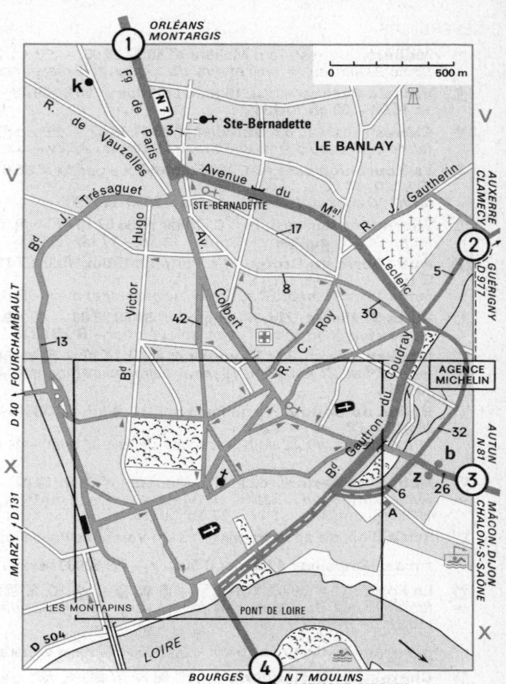

Couvent St-Gildard

R. St-Gildard

Bd Victor Hugo

R. Gresset

R. Couturier

R. P. Vaillant-Couturier

R. de Lourdes

PARC ROGER SALENGRO

R. Jeanne d'Arc

R. H. Barbusse

Av. Marceau

POL

R. Hoche

R. Desveaux

R. du Commerce

ST-PIERRE

R. St-Étienne

R. Creuse

Pl. Carnot

Ste-Marie

R. de Charleville

Av. Gal de Gaulle

PORTE DU CROUX

PALAIS DUCAL

Espl. du Château

TOUR

Coubertin

MAISON DES SPORTS ET DE LA CULTURE

R. St-Genest

Promenade des Remparts

Pl. Mossé

R. E. Martin

R. de Gonzague

D 504

LOIRE

PONT DE LOIRE

0 200 m

Y

Z

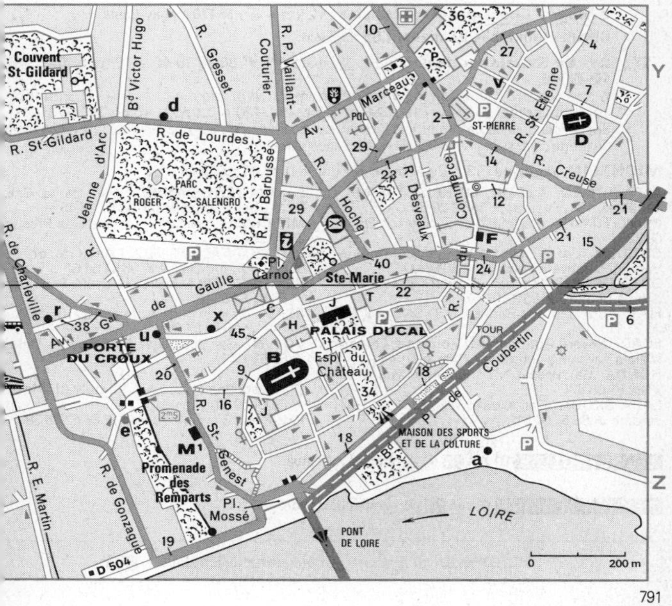

Molière sans rest, 25 r. Molière ✆ 86 57 29 96 – wc wc ☎ Ⓟ. V
fermé 23 déc. au 14 janv. et dim. du 13 nov. au 5 mars – 20 – **18 ch** 120/190.

Villa du Parc sans rest, 16 ter r. Lourdes ✆ 86 61 09 48 – wc wc Y
16,50 – **28 ch** 70/135.

Clèves sans rest, 8 r. St-Didier ✆ 86 61 15 87 – wc ☎. E VISA Z
fermé 20 déc. au 5 janv. et dim. du 1er nov. au 28 fév. – 18 – **15 ch** 90/179.

Le Tourbillon sans rest, 100 Fg Mouësse par ③ ✆ 86 61 10 66 – –
60 à 100.
fermé 10 août au 10 sept. – 16 – **20 ch** 68/130.

Thermidor sans rest, 14 r. C.-Tillier ✆ 86 57 15 47 – . E VISA Z
fermé 24 déc. au 2 janv. et dim. – 18 – **17 ch** 72/110.

XXX **Aub. Porte du Croux,** 17 r. Porte-du-Croux ✆ 86 57 12 71, ←, , – AE
E VISA Z
fermé 15 au 31 août, 20 au 28 fév., vend. soir et dim. – **R** 95/190 .

XX **Puits St Pierre,** 21 r. Mirangron ✆ 86 59 28 88 – AE E VISA Y
fermé 24 août au 15 sept., dim. soir et lundi – **R** 100/210.

XX **Morvan** avec ch, 28 r. Mouësse ✆ 86 61 14 16 – Ⓟ. E VISA X
fermé 1er au 21 juil., 2 au 18 janv., mardi soir et merc. – **R** 75/175 – 20 – **11**
100/190.

XX **Relais du Bengy,** rte de Paris par ① : 4 km ✉ 58640 Varennes-Vauzelles ✆
38 02 84, , – VISA
fermé 20 juil. au 12 août, vacances de fév. et dim. – **R** (déj. seul. sauf vend.) 6
150 .

XX **Aub. Ste-Marie** avec ch, 25 r. Mouësse ✆ 86 61 10 02 – wc Ⓟ. E VISA
fermé 3 au 11 juil., 29 janv. au 1er mars, dim. soir du 1er sept. au 10 juil. et lundi –
46/130 , enf. 35 – 17 – **17 ch** 72/130. X

XX Relais Bleu, rte de Paris par ① : 3 km Varennes Vauzelles ✆ 86 57 07 41 – Ⓟ

rte des Saulaies : 4 km par D 504 - X – ✉ **58000** Nevers :

La Folie , ✆ 86 57 05 31, – ☎ Ⓟ – 30. E VISA
fermé 19 déc. au 7 janv. – **R** *(fermé vend. de sept. à juin)* 55/120 – 20 – **39**
118/250 – ½ p 175/229.

par ① et chemin privé : 5 km – ✉ **58640** Varennes Vauzelles :

Château de la Rocherie , ✆ 86 38 07 21, ←, , parc – wc wc Ⓟ
50. AE E VISA
fermé 1er au 17 nov., 1er au 16 janv., dim. soir de nov. à mars et mardi – **R** 90/255
30 – **15 ch** 150/250.

à Magny-Cours par ④ rte Moulins : 12 km – ✉ **58470** Magny-Cours.
Circuit automobile permanent SE : 3,5 km.

XXX ✿✿ **La Renaissance** (Dray) M avec ch, ✆ 86 58 10 40 – wc wc .
E VISA
fermé 1er au 7 juil., fin janv. à début mars, dim. soir et lundi – **R** (nombre couverts limité, prévenir) 180/390 et carte, enf. 130 – 60 – **10 ch** 240/370
Spéc. Foie gras de canard et foie de veau sur compote de rhubarbe, Filet de boeuf aux moril
Charrette de desserts. **Vins** Pouilly Fumé, Sancerre rouge.

MICHELIN, Agence, 13 r. du Moulin-d'Écorce X ✆ **86 57 42 44**

ALFA-ROMEO, AUSTIN, MORRIS, TRIUMP Tenailles, 18 r. Pasteur ✆ 86 59 28 55
BMW, TOYOTA Verma, 4 av. Colbert ✆ 86 61 03 32
CITROEN Gar. Vincent, RN7 Les Bourdons à Varennes Vauzelles par ① ✆ 86 38 00 75
DATSUN-NISSAN Gar. Doulet, 203 rte de Lyon à Challuy ✆ 86 37 61 07
FIAT Auto Hall, à la Baratte, N 81 St-Eloi ✆ 86 36 22 11
FORD Nevers-Automobiles, Zone Ind. Champ Mâle à Varennes-Vauzelles ✆ 86 38 01 44
HONDA Gar. Pascal, N 7 à Varennes Vauzelles ✆ 86 57 08 67
LADA-SKODA Gar. Kozakowski, 32 r. des Gds Jardins ✆ 86 57 60 51
LANCIA-AUTOBIANCHI Gar. de la Cité, M.-Turpin à Vauzelles ✆ 86 57 15 45
MERCEDES Gar. Bezin, r. des Gds Prés ✆ 36 06 55
PEUGEOT-TALBOT C.A.T.A.R., rte de Fo chambault par D40 X ✆ 86 57 36 80
RENAULT Ets Decelle, 49 fg de Paris par ✆ 86 57 32 53 N
SEAT Nevers gare Autom., 42 av. Gén.- Gaulle ✆ 86 57 32 36
VOLVO Gar. Jacquey, 6 r. Nicolas Delan ✆ 86 61 12 47

Nevers Pneumatiques, 1 r. du Petit Moues ✆ 86 61 02 51
Piot-Pneu, 3 r. de Mouësse ✆ 86 57 76 33

Les NEYROLLES 01 Ain 74 ④ – rattaché à Nantua.

NEYRON-LE-HAUT 01 Ain 74 ⑫ – rattaché à Lyon.

ICE P **06000** Alpes-Mar. 84 ⑨⑩, 195 ㉖㉗ **G. Côte d'Azur** – 338 486 h – **Casinos** : ub GYZ **T**, Casino Ruhl.

oir Site★★ – Promenade des Anglais★★ EFZ **– Vieux Nice★ : Château ≤★★** JZ, **Intérieur★ de l'église St-Martin-St-Augustin** HY **D, Escalier monumental★ du Palais Lascaris** Z **K, Intérieur★ de la cathédrale Ste-Réparate** HZ **L, Église St-Jacques★** HZ **N, Décors★ la chapelle Saint-Giaume** HZ **R – Mosaïque★ de Chagall dans la Faculté de droit** DZ **– A Cimiez : Monastère★ (Primitifs niçois★★ dans l'église)** HV **Q, ruines romaines★** HV **Musées : Marc Chagall★★** GX, **Matisse★** HV **M2, des Beaux-Arts★★** DZ **M, Masséna★ M1, International d'Art Naïf★** AU **M7 – Carnaval★★★ (avant Mardi-Gras) – Mont ban ≤★★ 5 km** CT **– Mont Boron ≤★ 3 km** CT **– Église St-Pons★ : 3 km** BS **Z.**

v. Plateau St-Michel ≤★★ 9,5 km par ①.

de Biot ☎ 93 65 08 48 par ④ : 22 km.

de Nice-Côte d'Azur ☎ 93 21 30 30 AU **7 km.**

☎ 93 87 50 50.

pour la Corse : Société Nationale Maritime Corse-Méditerranée, Gare Maritime, ai de Commerce ☎ 93 89 89 89 JZ.

Office de Tourisme avec Accueil de France (Réservations d'hôtels, pas plus de 7 jours à l'avance) Thiers ☎ 93 87 07 07, Télex 460042 ; 5 av. Gustave-V ☎ 93 87 60 60 et Nice-Parking près Aéroport 93 83 32 64 – A.C. 9 r. Massenet ☎ 93 87 18 17.

ris 931 ⑤ – Cannes 32 ⑤ – Genova 194 ⑨ – ♦Lyon 471 ⑤ – ♦Marseille 188 ⑤ – Torino 220 ⑨.

Plans : Nice p. 2 à 5

Négresco, 37 prom. des Anglais ☎ **93 88 39 51, Télex 460040, ≤, « Chambres et salons d'époque : 16e et 18e s., Empire, Napoléon III »** – ⊠ ▤ TV ☎ ♿ – 🏛 50 à 400. AE ⊕ E VISA FZ **k**
R voir rest. **Chantecler** ci-après – **La Rotonde R** carte 150 à 205 🍷 – ☕ 80 – **140 ch** 1300/2000, 10 appartements.

Sofitel Splendid M, **50 bd Victor-Hugo ☎ 93 88 69 54, Télex 460938,** ⛱, **« 🏊 au 8e étage, ≤ sur la ville »** – ⊠ ▤ TV ☎ 🚗 – 🏛 30 à 100. AE ⊕ E VISA. ✗ rest
R 115 🍷, enf. 67 – **116 ch** ☕560/860, 12 appartements 920/1300. FYZ **g**

Méridien M, **1 prom. des Anglais ☎ 93 82 25 25, Télex 470361,** ⛱, **« 🏊 sur le toit, ≤ la baie »** – ⊠ ▤ TV ☎ ♿ – 🏛 30 à 400. AE ⊕ E VISA FZ **d**
R 160/210 – **La Terrasse R** 160/210 – ☕ 70 – **305 ch** 750/1500.

Beau Rivage M, **24 av. St François de Paule ☎ 93 80 80 70, Télex 462708,** ⛱ – ⊠ ✗ ch ▤ ch TV ☎ ♿ – 🏛 40. AE ⊕ E VISA FY **r**
R carte 185 à 275 – ☕ 50 – **100 ch** 550/1000.

Pullman Nice M sans rest, **28 av. Notre-Dame ☎ 93 80 30 24, Télex 470662, « 🏊 au 8e, jardin suspendu au 2e étage, ≤ »** – ⊠ ▤ TV ☎ – 🏛 25 à 120. AE ⊕ E VISA
☕ 45 – **192 ch** 485/640. FXY **q**

Plaza, 12 av. Verdun ☎ **93 87 80 41, Télex 460979, ≤, « Terrasse sur le toit »** – ⊠ ▤ TV ☎ – 🏛 30 à 550. AE ⊕ E VISA GZ **f**
R 85/135 – ☕ 45 – **185 ch** 400/1100, 9 appartements 1100/2200 – 1/2 p 425/925.

Westminster Concorde, 27 prom. des Anglais ☎ **93 88 29 44, Télex 460872, ≤,** ⛱ – ⊠ ▤ rest TV ☎ – 🏛 40 à 350. AE ⊕ E VISA. ✗ rest FZ **m**
Le Farniente R 170/220 – ☕ 50 – **110 ch** 500/900.

La Pérouse ⛰, **11 quai Rauba-Capéu ☎ 93 62 34 63, Télex 461411, « ≤ Nice et la promenade des Anglais »,** 🏊 – ⊠ ▤ ch TV ☎ – 🏛 25. AE ⊕ E VISA HZ **k**
R (snack en été) carte environ 160 – ☕ 35 – **63 ch** 485/930.

Continental-Masséna M sans rest, **58 r. Gioffredo ☎ 93 85 49 25, Télex 470192** – ⊠ ▤ TV ☎ 🚗 – 🏛 40. ⊕ E VISA GZ **k**
☕ 35 – **116 ch** 305/580.

Ambassador sans rest, **8 av. Suède ☎ 93 87 90 19, Télex 460025** – ⊠ TV ☎ ♿. AE ⊕ E VISA FZ **x**
fermé déc. – ☕ 32 – **45 ch** 375/580.

Grand H. Aston M, **12 av. F.-Faure ☎ 93 80 62 52, Télex 470290, « Terrasse sur le toit »** – ⊠ ▤ TV ☎ – 🏛 50 à 180. AE ⊕ E VISA. ✗ rest HZ **u**
Le Champagne *(fermé dim.)* **R** carte 260 à 410, enf. 150 – ☕ 45 – **160 ch** 400/800 – 1/2 p 550/780.

Atlantic, 12 bd Victor-Hugo ☎ **93 88 40 15, Télex 460840** – ⊠ TV ☎ Ⓟ – 🏛 30 à 80. AE ⊕ E VISA FY **d**
R 80/110 – **155 ch** ☕330/600 – 1/2 p 435/540.

La Malmaison, 48 bd V.-Hugo ☎ **93 87 62 56, Télex 470410** – ⊠ ✗ TV ☎. AE ⊕ E VISA FYZ **e**
R *(fermé nov. et dim. soir)* 105/205 – **50 ch** ☕330/520 – 1/2 p 365/435.

Petit Palais M ⛰, **10 av. E. Bieckert ☎ 93 62 19 11, Télex 462233,** ≤ **Nice et mer,** ⛱ – ⊠ TV ☎. AE E VISA. ✗ rest HX **p**
fermé nov. – **R** 95/120 🍷, enf. 45 – ☕ 35 – **25 ch** 450/500 – 1/2 p 335/360.

RÉPERTOIRE DES RUES DU PLAN DE NICE

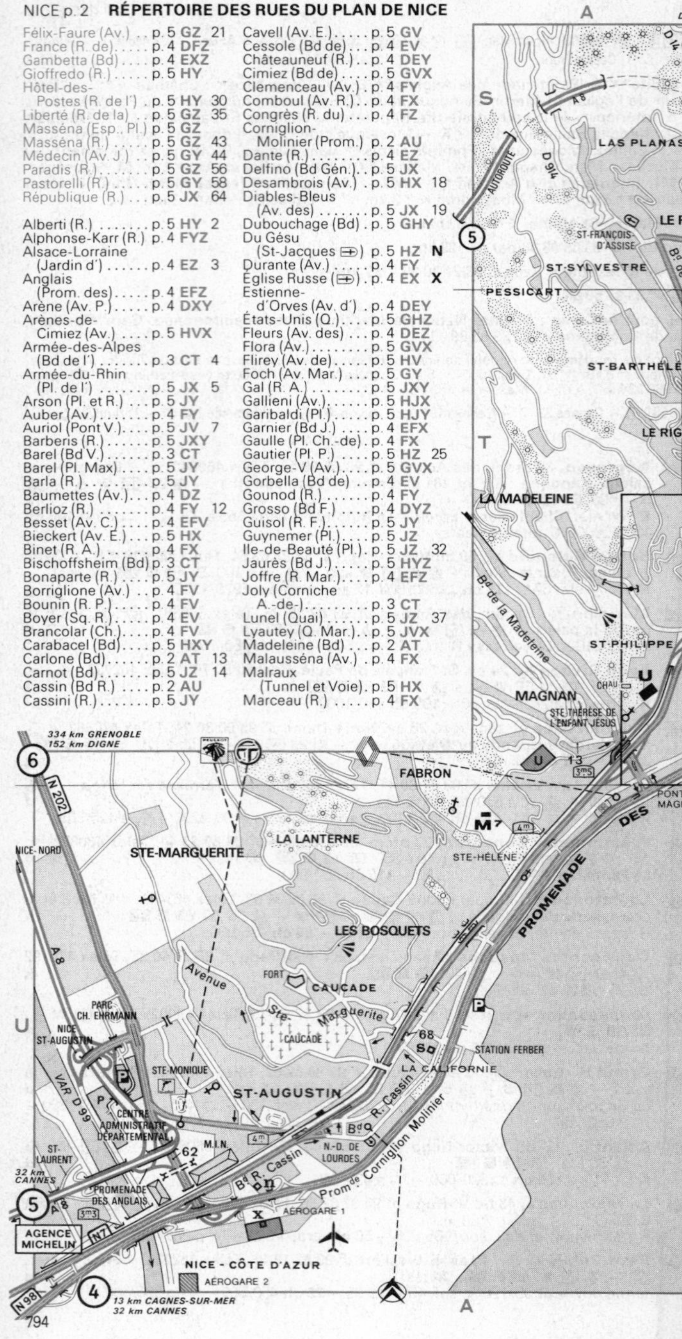

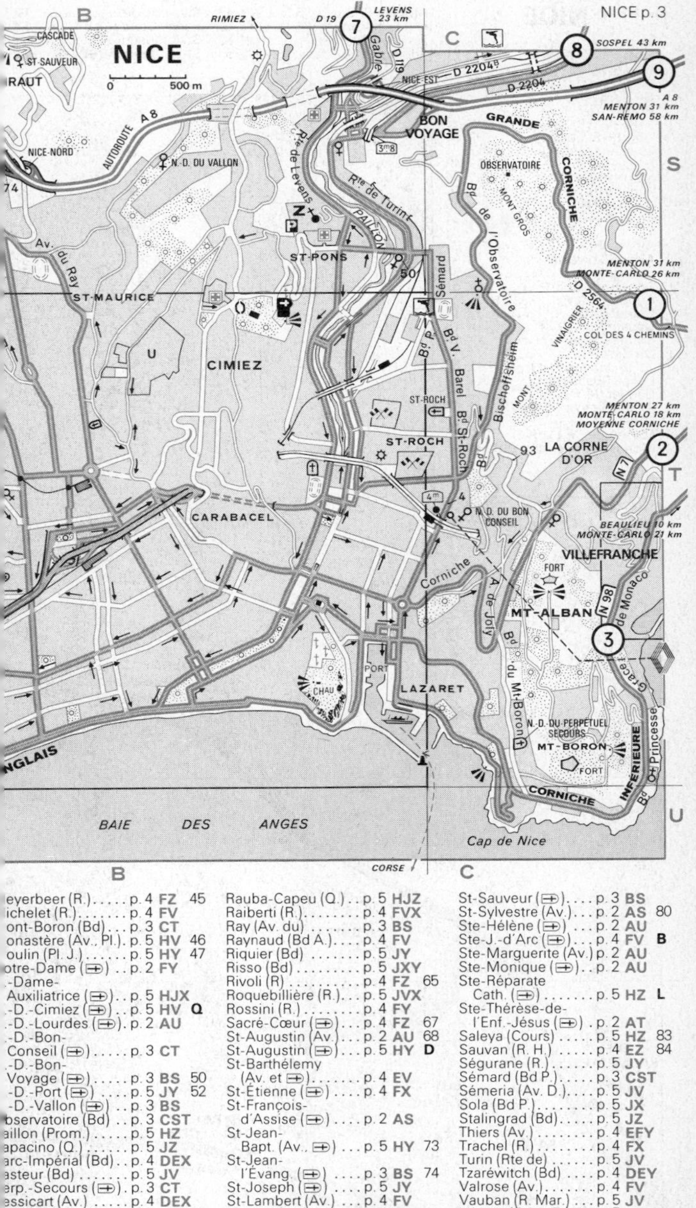

eyerbeer (R.) . . . . . p. 4 **FZ** 45
ichelet (R.) . . . . . . p. 4 **FV**
ont-Boron (Bd) . . . p. 3 **CT**
onastère (Av., Pl.). p. 5 **HV** 46
oulin (Pl. J.) . . . . . . p. 5 **HY** 47
otre-Dame (⊕) . . p. 2 **FY**
.-Dame-
Auxiliatrice (⊕) . . p. 5 **HJX**
.-D.-Cimiez (⊕) . . p. 5 **HV** **Q**
.-D.-Lourdes (⊕). p. 2 **AU**
.-D.-Bon-
Conseil (⊕) . . . . . p. 3 **CT**
.-D.-Bon-
Voyage (⊕) . . . . . p. 3 **BS** 50
-D.-Port (⊕) . . . . p. 5 **JY** 52
-D.-Vallon (⊕) . . p. 3 **BS**
bservatoire (Bd) . . p. 3 **CST**
aillon (Prom.) . . . . . p. 5 **HZ**
apacino (Q.) . . . . . . p. 5 **JZ**
arc-Impérial (Bd) . . p. 4 **DEX**
asteur (Bd) . . . . . . p. 5 **JV**
erp.-Secours (⊕) . p. 3 **CT**
essicart (Av.) . . . . . p. 4 **DEX**
nocéens (Av.) . . . . . p. 5 **GZ** 59
latte (Bd) . . . . p. 5 **JZ**
ompidou (Bd G.) . . p. 2 **AU** 62
rince-
de-Galles (Bd) . . . p. 5 **GHV**
rincesse Grace
de Monaco (Bd) . . p. 3 **CTU**

Rauba-Capeu (Q.) . . p. 5 **HJZ**
Raiberti (R.) . . . . p. 4 **FVX**
Ray (Av. du) . . . . p. 3 **BS**
Raynaud (Bd A.) . . . . p. 4 **FV**
Riquier (Bd) . . . . p. 5 **JY**
Risso (Bd) . . . . p. 5 **JXY**
Rivoli (R) . . . . p. 4 **FZ** 65
Roquebillière (R.) . . . p. 5 **JVX**
Rossini (R.) . . . . p. 4 **FY**
Sacré-Cœur (⊕) . . . p. 4 **FZ** 67
St-Augustin (Av.) . . . p. 2 **AU** 68
St-Augustin (⊕) . . . p. 5 **HY** **D**
St-Barthélemy
(Av. et ⊕) . . . . p. 4 **EV**
St-Étienne (⊕) . . . . p. 4 **FX**
St-François-
d'Assise (⊕) . . . . p. 2 **AS**
St-Jean-
Bapt. (Av., ⊕) . . . p. 5 **HY** 73
St-Jean-
l'Évang. (⊕) . . . . p. 3 **BS** 74
St-Joseph (⊕) . . . . p. 5 **JY**
St-Lambert (Av.) . . . p. 4 **FV**
St-Paul (⊕) . . . . p. 4 **EX**
St-Philippe (⊕) . . . . p. 4 **DY** 76
St-Pierre-
d'Arène (⊕) . . . . . p. 4 **EZ** 78
St-P.-de-Féric (Ch.) . p. 4 **DY**
St-Pons (⊕) . . . . . . p. 3 **BS** **Z**
St-Roch (Bd. ⊕) . . . p. 3 **CT**

St-Sauveur (⊕) . . . . p. 3 **BS**
St-Sylvestre (Av.) . . . p. 2 **AS** 80
Ste-Hélène (⊕) . . . p. 2 **AU**
Ste-J.-d'Arc (⊕) . . . p. 4 **FV** **B**
Ste-Marguerite (Av.) p. 2 **AU**
Ste-Monique (⊕) . . p. 2 **AU**
Ste-Réparate
Cath. (⊕) . . . . p. 5 **HZ** **L**
Ste-Thérèse-de-
l'Enf.-Jésus (⊕) . p. 2 **AT**
Saleya (Cours) . . . . . p. 5 **HZ** 83
Sauvan (R. H.) . . . . . p. 4 **EZ** 84
Ségurane (R.) . . . . . . p. 5 **JY**
Sémard (Bd P.) . . . . . p. 3 **CST**
Séméria (Av. D.) . . . . p. 5 **JV**
Sola (Bd P.) . . . . p. 5 **JX**
Stalingrad (Bd) . . . . . p. 5 **JZ**
Thiers (Av.) . . . . p. 4 **EFY**
Trachel (R.) . . . . p. 4 **FX**
Turin (Rte de) . . . . . . p. 5 **JV**
Tzaréwitch (Bd) . . . . p. 4 **DEY**
Valrose (Av.) . . . . p. 4 **FV**
Vauban (R. Mar.) . . . p. 5 **JV**
Vérany (Bd J.-B.) . . . p. 5 **JV**
Verdun (Av. de) . . . . p. 4 **GZ** 89
Vernier (R.) . . . . p. 4 **FX**
Victor-Hugo (Bd) . . . p. 4 **FYZ**
Walesa (Bd Lech) . . p. 5 **JYZ**
Wilson (Pl.) . . . . p. 5 **HY** 92
2-Corniches (Bd) . . . p. 3 **CT** 93

NICE

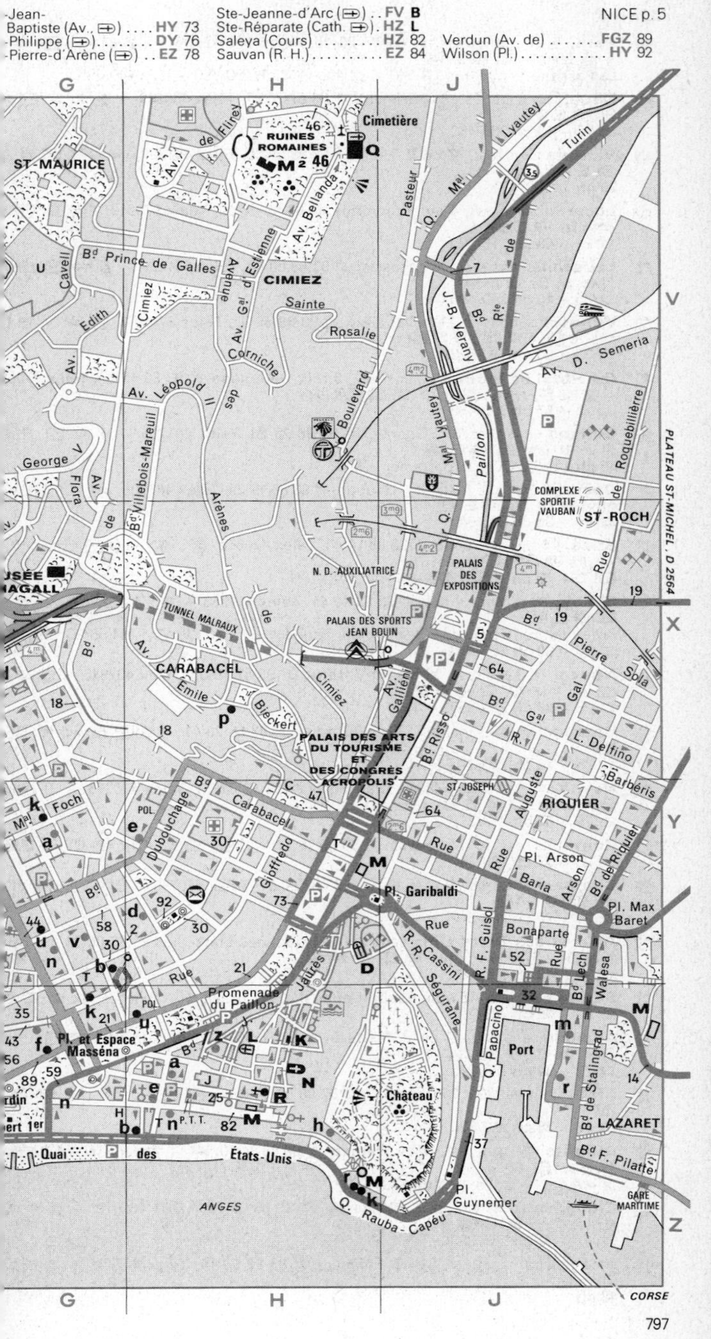

ST-MAURICE
RUINES ROMAINES
Cimetière
CIMIEZ
Bd Prince de Galles
Av. Léopold II
Boulevard de Cimiez
Q. Mal Lyautey
Bd J.-B. Verany
Av. D. Semeria
Rue de Roquebillière
COMPLEXE SPORTIF VAUBAN
ST-ROCH
PLATEAU ST-MICHEL, D 2564
N. D.-AUXILIATRICE
PALAIS DES EXPOSITIONS
PALAIS DES SPORTS JEAN BOUIN
TUNNEL MALRAUX
CARABACEL
Bd Pierre Sola
Bd Gal L. Delfino
PALAIS DES ARTS DU TOURISME ET DES CONGRÈS ACROPOLIS
ST-JOSEPH
RIQUIER
Pl. Arson
Pl. Garibaldi
Pl. Max Baret
Rue Bonaparte
Rue Cassini
Promenade du Paillon
Pl. et Espace Masséna
Château
Port
Bd de Stalingrad
LAZARET
Bd F. Pilatte
GARE MARITIME
Quai des États-Unis
Q. Rauba-Capéu
Pl. Guynemer
ANGES
CORSE

Park, 6 av. de Suède ✆ 93 87 80 25, Télex 970176, ≤ – |‡| ▤ rest TV ☎ – 🏛 25 à 80. AE ⓞ E VISA FZ
Le Passage *(fermé dim.)* **R** 140 – ☕ 40 – **143 ch** 280/650 – ½ p 440/485.

Napoléon sans rest, 6 r. Grimaldi ✆ 93 87 70 07, Télex 460949 – |‡| ▤ TV ☎ AE ⓞ E VISA FZ
☕ 28 – **83 ch** 360/430.

Victoria sans rest, 33 bd V.-Hugo ✆ 93 88 39 60, Télex 461337, 🌳 – |‡| TV ☎. ⓞ E VISA FYZ
39 ch ☕390/490.

Locarno sans rest, 4 av. Baumettes ✆ 93 96 28 00, Télex 970015 – |‡| ▤ TV 🚗. AE ⓞ E VISA DEZ
☕ 24 – **48 ch** 215/380.

Lausanne sans rest, 36 r. Rossini ✆ 93 88 85 94, Télex 461269 – |‡| TV ⛀wc ⛆wc ☎. AE ⓞ E VISA FY
☕ 35 – **40 ch** 290/430.

Windsor sans rest, 11 r. Dalpozzo ✆ 93 88 59 35, Télex 970072, 🏊, 🌳 – |‡| ⛀wc ⛆wc ☎. AE ⓞ E VISA FZ
☕ 30 – **63 ch** 300/520.

Gd Hôtel de Florence sans rest, 3 r. P.-Deroulède ✆ 93 88 46 87, Télex 4706[illegible] – |‡| ▤ TV ⛀wc ⛆wc ☎. AE ⓞ VISA. ✗ GY
☕ 25 – **57 ch** 300/430.

Gounod sans rest, 3 r. Gounod ✆ 93 88 26 20, Télex 461705 – |‡| ▤ TV ⛀wc ⛆wc ☎ 🚗. AE ⓞ E VISA FYZ
45 ch ☕365/470, 5 appartements 590.

Oasis M 🐚 sans rest, 23 r. Gounod ✆ 93 88 12 29, Télex 462705, 🌳 – TV ⛀wc ⛆wc ☎ Ⓟ. AE ⓞ E VISA FY
☕ 25 – **38 ch** 280/340.

Brice, 44 r. Mar.-Joffre ✆ 93 88 14 44, Télex 470658, 🍴, 🌳 – |‡| TV ⛀wc ☎ 🏛 30. ⓞ E VISA. ✗ rest FZ
R 105 – **65 ch** ☕330/470 – ½ p 320/410.

Busby, 38 r. Mar.-Joffre ✆ 93 88 19 41, Télex 461053 – |‡| TV ⛀wc ⛆wc ☎ AE ⓞ E VISA FZ
hôtel: fermé 16 nov. au 20 déc. ; rest.: fermé 1er juin au 19 déc. – **R** 85/90, enf. 50
☕ 20 – **80 ch** 250/410.

Nouvel H. sans rest, 19 bis bd V.-Hugo ✆ 93 87 15 00, Télex 462926 – |‡| ▤ ⛀wc ⛆wc ☎. AE ⓞ E VISA FY
☕ 28 – **60 ch** 230/350.

Georges M 🐚 sans rest, 3 r. H.-Cordier ✆ 93 86 23 41 – |‡| TV ⛀wc ☎. AE VISA DZ
☕ 25 – **18 ch** 250/370.

New York sans rest, 44 av. Mar.-Foch ✆ 93 92 04 19, Télex 470215 – |‡| ⛀wc ⛆wc ☎ Ⓟ. AE ⓞ E VISA GY
☕ 25 – **52 ch** 270/312.

Kent sans rest, 16 r. Chauvain ✆ 93 80 76 11 – |‡| TV ⛀wc ⛆wc ☎. AE ⓞ E VISA GY
☕ 20 – **32 ch** 280/340.

Chatham sans rest, 9 r. A.-Karr ✆ 93 87 80 61, Télex 970753 – |‡| TV ⛀wc ⛆wc ☎. AE ⓞ E VISA FY
☕ 20 – **50 ch** 240/340.

Azur et des États-Unis sans rest, 91 quai des États-Unis ✆ 93 85 74 19, Télex 462619 – TV ⛀wc ⛆wc ☎. AE ⓞ E VISA GHZ
☕ 30 – **49 ch** 360/480.

Suisse sans rest, 15 quai Rauba-Capeu ✆ 93 62 33 00, ≤ – |‡| ▤ ⛀wc ☎. AE VISA HZ
☕ 30 – **40 ch** 203/296.

Avenida sans rest, 41 av. J.-Médecin ✆ 93 88 55 03 – |‡| cuisinette ▤ TV ⛀wc ⛆wc ☎. AE ⓞ VISA. ✗ FY
☕ 22 – **34 ch** 178/235.

Alfa sans rest, 30 r. Masséna ✆ 93 87 88 63 – |‡| ▤ TV ⛀wc ⛆wc ☎. AE ⓞ VISA FZ
☕ 16 – **38 ch** 210/320.

Durante 🐚 sans rest, 16 av. Durante ✆ 93 88 84 40, 🌳 – |‡| cuisinette TV ⛀wc ⛆wc ☎ Ⓟ. ✗ FY
fermé nov. – ☕ 28 – **26 ch** 170/300.

Cigognes sans rest, 16 r. Maccarani ✆ 93 88 65 02, Télex 462019 – |‡| ⛀wc ⛆wc ☎. E VISA. ✗ FY
☕ 17 – **32 ch** 265/320.

Nice Palace sans rest, 2 r. E. Emanuel ✆ 93 87 96 14, Télex 462704 – |‡| ⛀wc ⛆wc ☎ FY
48 ch.

Harvey sans rest, 18 av. de Suède ✆ 93 88 73 73 – ⊞ ⊟ ⇔wc ⊓wc ☎. E VISA. ✻ FZ h
15 fév.-2 nov. – ☐ 15 – **58 ch** 170/250.

Trianon sans rest, 15 av. Auber ✆ 93 88 30 69 – ⊞ TV ⇔wc ⊓wc ☎. AE ⊙ E VISA FY u
☐ 20 – **32 ch** 190/260.

Armenonville ⊗ sans rest, 20 av. Fleurs ✆ 93 96 86 00, ⚘ – ⇔wc ⊓wc ☎ P. ✻ EZ b
☐ 28 – **13 ch** 170/350.

Star H. M sans rest, 14 r. Biscarra ✆ 93 85 19 03 – ⇔wc ⊓wc ☎. AE ⊙ E VISA
☐ 18 – **19 ch** 150/240. GY k

Touring, 5 r. de Russie ✆ 93 88 70 15 – TV ⇔wc ⊓wc ☎. AE VISA FY h
R *(fermé nov. et sam.)* 63/110 ₰ – ☐ 18 – **19 ch** 240/275 – 1/2 p 285.

Buffa sans rest, 56 r. Buffa ✆ 93 88 77 35 – ⊟ ⊓wc ☎. E VISA EZ r
fermé 1er au 20 déc. – ☐ 20 – **12 ch** 200/280.

Flandres sans rest, 6 r. Belgique ✆ 93 88 78 94 – ⊞ ⊓wc ☎. ✻ FX u
☐ 15 – **39 ch** 160/240.

Crillon sans rest, 44 r. Pastorelli ✆ 93 85 43 59 – ⊞ ⇔wc ⊓wc ☎. ✻ GY u
fermé 15 nov. au 15 déc. – **42 ch** ☐ 115/235.

XXX ✿✿ **Chantecler** -Hôtel Négresco-, 37 prom. des Anglais ✆ 93 88 39 51 – ⊟. AE ⊙ E VISA FZ k
fermé nov. – **R** 360/500 et carte
Spéc. Courgettes aux truffes, Saumon frais au gros sel, Tian de filet d'agneau. **Vins** Cassis, Le Cannet-des-Maures.

XX **Ane Rouge,** 7 quai Deux-Emmanuel ⊠ 06300 ✆ 93 89 49 63 – AE ⊙ E VISA
fermé 14 juil. au 1er sept., sam., dim. et fériés – **R** carte 260 à 380. JZ m

XX **La Poularde chez Lucullus,** 9 r. Deloye ✆ 93 85 22 90 – ⊟. AE ⊙ E VISA
fermé 13 juil. au 24 août et merc. – **R** 170/240. GY n

XX **Florian,** 22 r. A.-Karr ✆ 93 88 86 60 – ⊟. E VISA FY k
fermé 11 juil. au 18 août, lundi midi et dim. – **R** 195/290.

XX **Les Dents de la Mer,** 2 r. St-François-de-Paule ⊠ 06300 ✆ 93 80 99 16, ⛱, produits de la mer, « Décor original de galion englouti » – ⊟. AE ⊙ E VISA
R 135/255. HZ n

XX **Boccaccio,** 7 r. Masséna ✆ 93 87 71 76, produits de la mer – ⊟. AE ⊙ E VISA
R carte 140 à 220. GZ f

XX **Le Gd Pavois "Chez Michel",** 11 r. Meyerbeer ✆ 93 88 77 42, produits de la mer – ⊟. AE E VISA FZ s
fermé 1er juil. au 6 août et lundi – **R** carte 160 à 260.

XX **Los Caracolès,** 5 r. St-François-de-Paule ⊠ 06300 ✆ 93 80 98 23 – ⊟. E VISA
fermé début juil. à début août, vacances de fév. et merc. – **R** 125/200. HZ e

XX **Chez les Pêcheurs,** 18 quai des Docks ⊠ 06300 ✆ 93 89 59 61, Produits de la mer – AE VISA JZ r
fermé 1er nov. au 15 déc., mardi soir du 15 déc. au 1er mai, jeudi midi du 8 mai au 30 oct. et merc. – **R** carte 185 à 305.

XX **Aux Gourmets,** 12 r. Dante ✆ 93 96 83 53 – ⊟. AE ⊙ E VISA EZ w
fermé dim. soir et lundi – **R** 63/173.

XX **Don Camillo,** 5 r. Ponchettes ⊠ 06300 ✆ 93 85 67 95, cuisine italienne – ⊟. AE ⊙ E VISA HZ h
fermé dim. – **R** carte 150 à 220.

XX **Bon Coin Breton,** 5 r. Blacas ✆ 93 85 17 01 – ⊟. VISA GY v
fermé août, dim. soir et lundi – **R** 70/160.

XX **Ruffel,** 10 bd Dubouchage ✆ 93 62 05 45, ⛱ – ✻ HY e
fermé sept. et dim. – **R** carte 160 à 240.

XX **Chez Rolando,** 3 r. Desboutins ✆ 93 85 76 79, cuisine italienne – ⊟. AE E VISA
fermé juil., le midi en août, dim. et fériés – **R** carte 140 à 180 ₰. GZ n

XX **Albert's Bar,** 1 r. M.-Jaubert ✆ 93 16 27 69 – AE ⊙ VISA FZ a
fermé 8 au 31 août, dim. et fériés – **R** carte 150 à 240.

XX **St-Moritz,** 5 r. Congrès ✆ 93 88 54 90 – ⊟. AE E VISA FZ t
fermé merc. – **R** 120/240.

XX **Bông-Laï,** 14 r. Alsace-Lorraine ✆ 93 88 75 36, cuisine vietnamienne – ⊟. AE ⊙ E VISA FX n
fermé 8 au 22 juin, 6 au 26 déc., lundi et mardi – **R** (déj. seul. en juil.-août) carte 160 à 200.

X **Bistrot d'Antoine,** 26 bd V. Hugo ✆ 93 82 09 05 – VISA FY f
fermé 22 déc. au 5 janv., sam. midi, dim. et fériés – **R** 69/110.

X **Rivoli,** 9 r. Rivoli ✆ 93 88 12 62 – ⊟. AE ⊙ E VISA FZ v
fermé lundi. – **R** 90/160.

X **Au Chapon Fin,** 1 r. du Moulin ⊠ 06300 ✆ 93 80 56 92 – AE ⊙ E VISA HZ z
fermé janv., dim. et fériés – **R** 98.

X **Le St-Laurent,** 12 r. Paganini ☏ 93 87 18 94 – ▤. AE ◑ E VISA FY
fermé 28 juin au 14 juil., 27 nov. au 10 déc. et merc. – **R** 69/118.

X **La Casbah,** 3 r. Dr.-Balestre ☏ **93 85 58 81, couscous** GY
fermé juil., août, dim. soir et lundi – **R** carte 95 à 150.

X **La Nissarda,** 17 r. Gubernatis ☏ 93 85 26 29 – VISA HY
fermé 1er au 15 juil. et merc. – **R** 80.

X **Mireille,** 19 bd Raimbaldi ☏ **93 85 27 23, plat unique : paëlla** – ▤. E VISA GX
fermé 6 juin au 7 juil., lundi et mardi sauf juil.-août et fériés – **R** carte 100 à 120.

X **La Merenda,** 4 r. Terrasse ✉ 06300, **cuisine niçoise** – ▤ HZ
fermé août, fév., sam. soir, dim., lundi et fériés – **R** carte 90 à 120.

à l'Ouest : 4 km (rte aéropport) – ✉ **06200** Nice :

Ibis M, **sur N 98 ☏ 93 83 30 30, Télex 461285** – ▤ TV wc ☎ ♿ P – AE E VISA AU
R carte 75 à 120 ♁, enf. 40 – ☕ 25 – **127 ch** 261/292.

à l'Aéroport 7 km – ✉ **06200** Nice :

XXX **Holiday Inn** M, **sur N 7 ☏ 93 83 91 92, Télex 970202,** – ch ▤ TV ♿ – 150. AE ◑ E VISA AU
R 78/145, enf. 35 – ☕ 75 – **151 ch** 550/890 – ½ p 735/1140.

XXX **Ciel d'Azur, 2e étage aérogare ☏ 93 21 36 36, Télex 970011,** ≤ – ▤. AE ◑ VISA AU
R 175/235.

X **Grill Soleil d'Or, 1er étage aérogare ☏ 93 21 36 14, Télex 970011,** ≤ – ▤. AE VISA – **R** 80/120 ♁. AU

au Cap 3000 par ④ : 8 km – ✉ **06700** St-Laurent-du-Var :

Novotel M, ☏ **93 31 61 15, Télex 470643,** – ▤ TV ☎ ♿ – 200. AE ◑ E VISA
R grill carte environ 120, enf. 40 – ☕ 38 – **103 ch** 395/495.

Galaxie sans rest, **av. Mar. Juin ☏ 93 07 73 72, Télex 470431** – ▤ TV wc P – 25. AE ◑ E VISA
☕ 26 – **28 ch** 300/400.

à St-Pancrace N : 8 km par D 914 AS – ✉ **06100** Nice :

XXX ❁ **Rôtisserie de St-Pancrace,** ☏ **93 84 43 69,** ≤, – P
fermé 5 janv. au 5 fév. – **R** carte 245 à 340
Spéc. Gourmandises de l'Auberge, Poissons de roche à la royale, Gibier (15 sept. au 30 mars). V Côtes de Provence, Bellet.

XX **Cicion,** ☏ **93 84 49 29,** ≤ **Nice et littoral,** – P
fermé 5 janv. au 14 fév., merc. et le soir (sauf juil.-août) – **R** 135/170.

MICHELIN, Agence régionale, Zone Ind., quartier Pugets à St Laurent-du-Var par ☏ 93 31 66 09

ALFA-ROMEO IMAC, 1 bd Armée-des-Alpes ☏ 93 89 00 32
AUSTIN, **JAGUAR,** ROVER Gar. Méditerranée, 52 r. de France ☏ 93 88 87 51 N ☏ 93 88 67 17
AUSTIN, ROVER, TRIUMPH Résidence-Auto, 143 bd de Cessole ☏ 93 84 83 27
AUSTIN-ROVER Kennings, 9 r. Veillon ☏ 93 80 56 83
AUTOBIANCHI-LANCIA Gar. de Touraine, 151 bd de Cessole ☏ 93 51 29 63
BMW Gar. Azur-Autos, 13 r. G.-Garaud, Quart. Riquier ☏ 93 89 36 29
CITROEN Succursale, 74 bd R.-Cassin AU ☏ 93 83 66 66 N ☏ 93 89 80 89 et Palais des Sports, complexe J.-Bouin JX ☏ 93 92 26 06 N ☏ 93 89 80 89
FIAT Diam Nouvelle, 3 et 4 r. Meyerbeer ☏ 93 88 87 46
FORD Gar. Paris-Côte Azur, 11 av. Désambrois ☏ 93 80 04 47
MERCEDES-BENZ Succursale, 83 bd Gambetta ☏ 93 96 15 49
MITSUBISHI-PORSCHE Somédia, 1 et 3 av. Notre-Dame ☏ 93 92 44 12
NISSAN Gds Gar. Mériterranéens, 45 r. de la Buffa ☏ 93 88 13 27
OPEL-GM Michigan-Motors, 3 bd Armée-des-Alpes ☏ 93 89 00 77
PEUGEOT, TALBOT Gds Gar. Nice et Littoral, 132 bd Pasteur HV ☏ 93 62 44 44 et N ☏ 93 29 87 87 63 rte de Grenoble AU ☏ 93 83 03 50 N ☏ 93 29 87 87
RENAULT Succursale de Nice Riquier, 2 bd Armée-des-Alpes CT ☏ 93 89 27 57
RENAULT Succursale, 104 bd de la Plag Cros-de-Cagnes par ④ ☏ 93 31 31 31 N ☏ (1) 52 82 82
RENAULT Gar. Macagno, 17 av. Californie ☏ 93 86 59 81
RENAULT Gar. Viale, 88 av. Cy.-Besset ☏ 93 84 44 68
RENAULT Gar. Wilson, 37 r. Hôtel-des-Post GHY ☏ 93 62 24 11
TOYOTA, VOLVO Gar. Albert 1er, 5 r. Cro stadt ☏ 93 88 39 35
V.A.G. S.M.A, 146 rte de Turin ☏ 93 55 74 N ☏ 93 88 67 17
VAG Rivièra-Autos-Sces, 13 et 15 av. de Californie ☏ 93 86 69 44
VAG Gar. Baselli, 1 r. Fodéré Prolongée ☏ 26 87 87
Gar. Américan-Auto, 38 rte de Turin ☏ 93 15 74

Andreasi, 13 bd Stalingrad ☏ 93 89 48 58
Cagnol, 3 r. Gare du Sud ☏ 93 84 52 29
Kautzmann, 2 r. Caïs-de-Pierlas ☏ 93 89 48 61
Massa-Pneus, 27 r. Trachel ☏ 93 82 20 85 335 rte de Turin ☏ 93 26 77 77
Nice-Pneu, 14 r. L.-Ackermann ☏ 93 87 49 07
Office du Pneu, 116 bd Gambetta ☏ 93 88 45
Omnium-Niçois du C/c 3 r. Maraldi ☏ 93 55 60 et 298 rte de Turin
Piot-Pneu, 68 r. Mar.-Vauban ☏ 93 89 66 76 angle r. Nicot-de-Villemain et 17 bd P.-Mon ☏ 93 83 10 92
Vulca-202, Lingostière, N 202 ☏ 93 08 14 84

IDECK (Ruines du château et cascade du) ** 67 B.-Rhin 62 ⑧ G. Alsace et Lorraine.
cès : 1 h 15 du D 218.

IEDERBRONN-LES-BAINS 67110 B.-Rhin 57 ⑱⑲ G. Alsace et Lorraine – 4 446 h – it. therm. – Casino.

Office de Tourisme pl. Hôtel de Ville ✆ 88 09 17 00.
ris 451 – Haguenau 21 – Sarreguemines 56 – Saverne 38 – ♦Strasbourg 53 – Wissembourg 34.

Gd Hôtel, av. Foch ✆ 88 09 02 60, Télex 890151, – – 100. AE ⓓ E VISA
R voir rest. **Parc** ci-après – 30 – **55 ch** 320/370, 5 appartements 470 – 1/2 p 280/430.

Bristol, pl. H. de Ville ✆ 88 09 61 44 – rest wc wc ☎ Ⓟ. AE ⓓ E VISA
R *(fermé janv. et merc.)* 60/250 , enf. 30 – 25 – **27 ch** 160/250 – 1/2 p 170/220.

Cully, r. République ✆ 88 09 01 42 – wc wc ☎ Ⓟ. AE ⓓ E VISA. ch
R *(fermé dim. soir et lundi)* 45/250 – 21 – **38 ch** 92/190 – 1/2 p 150/210.

XXX **Parc** -Gd Hôtel-, pl. des Thermes ✆ 88 09 66 48, ← – AE ⓓ E VISA
fermé fév. et jeudi sauf fêtes – **R** carte 120 à 180.

XX **Muller** avec ch, av. Libération ✆ 88 09 70 00, , parc – TV wc wc ☎ Ⓟ. AE ⓓ E VISA. rest
R *(fermé janv., dim. soir et lundi)* 45/179 , enf. 39 – 19,50 – **18 ch** 104/174 – 1/2 p 128/174.

XX **Les Acacias,** 35 r. des Acacias ✆ 88 09 00 47, – Ⓟ. E VISA
fermé 21 au 31 déc., fév., lundi soir et mardi du 1er sept. au 31 mai – **R** 88/180 .

à Untermuhlthal (57 Moselle) O : 11 km par D 28 et D 141 – ✉ **57230** Bitche :

XXX ✿ **L'Arnsbourg,** ✆ 87 06 50 85, – Ⓟ. AE ⓓ E VISA
fermé 4 au 10 juil., 5 janv. au 5 fév., mardi soir et merc. – **R** 155/218
Spéc. Parfait de foie gras, Salmis de pigeon, Charlotte à la menthe.

TROEN Krebs, ✆ 88 09 03 66

IEDERHASLACH 67 B.-Rhin 62 ⑨ G. Alsace et Lorraine – 1 055 h. – ✉ **67190** Mützig.
oir Église★.
ris 479 – Molsheim 15 – St-Dié 54 – Saverne 32 – ♦Strasbourg 39.

Pomme d'Or, face église ✆ 88 50 90 21 – wc wc ☎. AE ⓓ E VISA.
fermé 14 au 21 nov., fév., lundi soir et mardi (sauf hôtel en sais.) – **R** 80/140 – 17,50 – **20 ch** 120/210 – 1/2 p 140/175.

TROEN Gar. Schnelzauer, ✆ 88 50 91 04   RENAULT Gar. Ludwig, ✆ 88 50 90 08 N ✆ 88 50 91 51

IEDERSCHAEFFOLSHEIM 67 B.-Rhin 57 ⑲ – 1 222 h. – ✉ **67500** Haguenau.
ris 473 – Haguenau 6 – Saverne 33 – ♦Strasbourg 26.

XX **Au Boeuf Rouge** avec ch, ✆ 88 73 81 00, – wc ☎ Ⓟ – 50. AE ⓓ E VISA
fermé 28 juin au 18 juil. et vacances de fév. – **R** *(fermé dim. soir et lundi)* 58/175 – 20 – **16 ch** 80/165 – 1/2 p 140/170.

IEDERSTEINBACH 67 B.-Rhin 57 ⑲ G. Alsace et Lorraine – 181 h. – ✉ **67510** Lembach.
ris 453 – Bitche 24 – Haguenau 32 – Lembach 8 – ♦Strasbourg 64 – Wissembourg 23.

Cheval Blanc , ✆ 88 09 25 31, , , – wc wc ☎ Ⓟ. E VISA.
fermé 1er au 14 déc., 20 janv. au 1er mars, vend. midi hors sais. et jeudi – **R** 70/210 – 22 – **31 ch** 110/200 – 1/2 p 155/190.

IEUIL 16 Charente 72 ⑤ – 934 h. – ✉ **16270** Roumazières-Loubert.
ris 439 – Angoulême 42 – Confolens 26 – ♦Limoges 65 – Nontron 61 – Ruffec 36.

✿ **Château de Nieuil** (Mme Bodinaud) , à l'Est par D 739 et VO ✆ 45 71 36 38, Télex 791230, ←, « Belle demeure Renaissance dans un parc », , – ☎ Ⓟ – 40. AE ⓓ E VISA
22 avril-13 nov. – **R** (nombre de couverts limité - prévenir) 185/235 – 50 – **12 ch** 405/750, 3 appartements 1400 – 1/2 p 520/670
Spéc. Farci charentais, Cassolette de petits gris, Tournedos d'agneau.

IEUL-SUR-MER 17 Char.-Mar. 71 ⑫ – rattaché à La Rochelle.

Les hôtels ou restaurants agréables sont indiqués dans le guide par un signe rouge.
Aidez-nous en nous signalant les maisons où, par expérience, vous savez qu'il fait bon vivre.
Votre guide Michelin sera encore meilleur.

...
XXXXX ... X

NIMES Ⓟ 30000 Gard 80 ⑲ **G. Provence** – 129 924 h.

Voir Arènes★★★ AY – **Maison Carrée★★★** AX – **Jardin de la Fontaine★★** AX : To Magne★, ≤★ – **Musées : Antiques★ de la Maison Carrée** AX, **Archéologie★** BX M Beaux-Arts★ ABY **M2**, **Vieux Nîmes★** AX **M.**

18 de Campagne ✆ 66 70 17 37 par ⑤ : 11 km.

✈ de Nîmes-Garons ✆ 66 70 06 88 par ⑤ : 8 km.

🅸 Office de Tourisme et Accueil de France (Informations et réservations d'hôtels, pas plus 5 jours à l'avance) 6 r. Auguste ✆ 66 67 29 11, Télex 490926 et 3 pl. Arènes ✆ 66 21 02 51, Tél 490715 – A.C. 5 bd Talabot ✆ 66 29 12 54.

Paris 710 ② – Aix-en-Provence 105 ④ – Avignon 43 ② – ♦Clermont-Ferrand 393 ② – ♦Grenoble 2 ② – ♦Lyon 250 ② – ♦Marseille 125 ④ – ♦Montpellier 52 ⑥ – ♦Nice 280 ④ – ♦St-Etienne 243 ②.

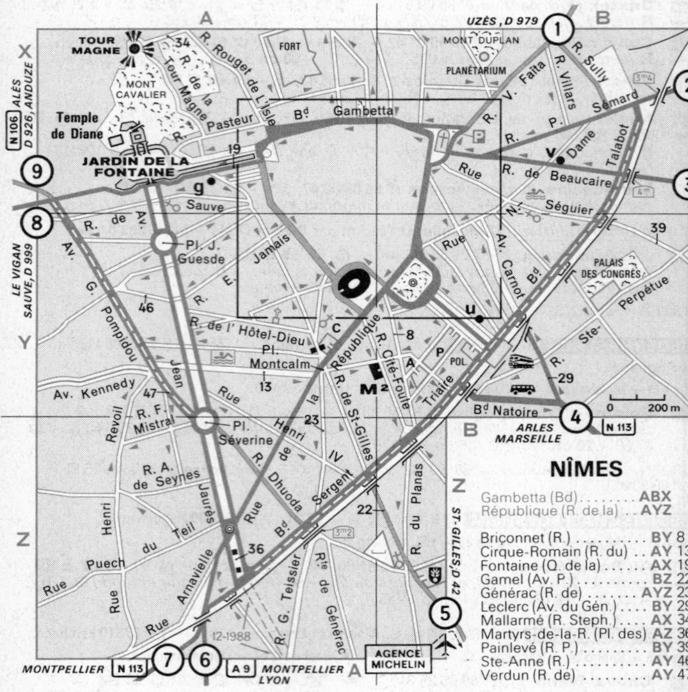

NÎMES

Gambetta (Bd) . . . . **ABX**
République (R. de la) . . **AYZ**

Briçonnet (R.) . . . . **BY** 8
Cirque-Romain (R. du) . . **AY** 13
Fontaine (Q. de la) . . . . . . **AX** 19
Gamel (Av. P.) . . . . **BZ** 22
Générac (R. de) . . . . **AYZ** 23
Leclerc (Av. du Gén.) . . . . **BY** 29
Mallarmé (R. Steph.) . . . . **AX** 34
Martyrs-de-la-R. (Pl. des) **AZ** 36
Painlevé (R. P.) . . . . **BY** 39
Ste-Anne (R.) . . . . **AY** 46
Verdun (R. de) . . . . **AY** 47

Imperator ⛰, pl. A.-Briand ✆ 66 21 90 30, Télex 490635, ☂, « Jardin fleuri » – 🛗 ▤ TV ☎ 🚗 – 🏨 60. AE ⓓ E VISA. ✂ rest AX
Enclos de la Fontaine *(fermé sam. midi)* **R** 130/280, enf. 80 – ☕ 40 – **62 ch** 290/63 3 appartements 1060 – ½ p 440/530.

Mercure Ⓜ, chemin de l'Hostellerie par ⑥, bd périphérique sud ✆ 66 84 14 5 Télex 490746, ⛱, ☂, ✂ – 🛗 ▤ ch TV ☎ ♿ Ⓟ – 🏨 120. AE ⓓ E VISA
R 95, enf. 40 – ☕ 36 – **98 ch** 315/365.

Novotel Ⓜ, chemin de l'Hostellerie par ⑥, bd périphérique sud ✆ 66 84 60 2 Télex 480675, ☂, ⛱, ☂ – ▤ TV ☎ Ⓟ – 🏨 25 à 200. AE ⓓ E VISA
R snack carte environ 120, enf. 40 – ☕ 38 – **96 ch** 340/360.

Louvre, 2 square Couronne ✆ 66 67 22 75, Télex 480218 – 🛗 TV ☎ 🚗. AE ⓓ VISA BY
R 82/300, enf. 40 – **Brasserie R** carte 125 à 200 – ☕ 26 – **28 ch** 175/300, 5 appart ments 420 – ½ p 370.

Cheval Blanc et rest. le Carrousel, pl. Arènes ✆ 66 67 20 03, Télex 480856 🛗 TV ☎ – 🏨 40. AE ⓓ E VISA ABY
R *(fermé merc.)* 90/160 – ☕ 30 – **40 ch** 280/350.

Tuileries Ⓜ sans rest, 22 r. Roussy ✆ 66 21 31 15, Télex 485296 – 🛗 ▤ 🛁wc 🚗. AE ⓓ E VISA BY
10 ch ☕360/400.

NÎMES

spic (R. de l') .... **AXY**	Guizot (R.) .... **AX** 26	Bouquerie (Sq. de la) .. **AX** 7
ourbet (Bd Amiral) .. **BXY** 14	Madeleine (R.) .... **AX** 32	Chapitre (R. du) .... **AX** 12
rémieux (Rue) .... **BX** 16	Nationale (R.) .... **ABX**	Fontaine (Q. de la) ..... **AX** 19
uraterie (R.) .... **BX** 17	Perrier (R. Gén.) .... **AX**	Halles (R. des) .... **AX** 27
audet (Bd A.) .... **AX** 18	République (R. de la) ... **AY** 43	Horloge (R. de l') .... **AX** 28
ambetta (Bd) .... **ABX**	Victor-Hugo (Bd) ..... **AXY**	Libération (Bd de la) .... **BY** 30
rand'Rue .... **BX** 24		Maison carrée (Pl. de la) **AX** 33
	Arènes (Bd des) .... **AY** 2	Marchands (R. des) ..... **AX** 35
	Auguste (R.) .... **AX** 4	Prague (Bd de) .... **BY** 42
	Bernis (R. de) .... **AY** 6	Saintenac (Bd E.) ...... **BX** 45

Nimotel M, chemin de l'Hostellerie par ⑥, bd périphérique sud ✆ 66 38 13 84, Télex 490592, ⛱, ⛹, 🎾 – |♦| ▤ TV ⛀wc ☎ P – 🏋 150. AE ◑ E VISA
R 65/95 ♂ – ☕ 21 – **162 ch** 190/220.

Solotel M, chemin de l'Hostellerie par ⑥, bd périphérique sud ✆ 66 84 24 43, Télex 480190, ⛱, ⛹ – |♦| ▤ TV ⛀wc ☎ ♿ P – 🏋 150. E VISA
R snack 60/100 ♂ – ☕ 20 – **93 ch** 210/250.

Carrière, 6 r. Grizot ✆ 66 67 24 89, Télex 490580 – |♦| TV ⛀wc ⛆wc ☎ ♿ 🚗. AE ◑ VISA — BX **a**
R 58/110 – ☕ 22 – **55 ch** 150/240 – $^1/_2$ p 190/280.

Ibis M, chemin de l'Hostellerie par ⑥, bd périphérique sud ✆ 66 38 00 65, Télex 490180 – |♦| ▤ TV ⛀wc ☎ ♿ P – 🏋 100 – **108 ch**.

Milan sans rest, 17 av. Feuchères ✆ 66 29 29 90 – |♦| TV ⛀wc ⛆wc ☎. AE ◑ E VISA — BY **u**
☕ 21 – **30 ch** 145/200.

Savoy sans rest, 31 r. Beaucaire ✆ 66 67 60 17 – ⛀wc ⛆wc ☎. E VISA — BX **v**
fermé 20 déc. au 3 janv. – ☕ 20 – **21 ch** 130/200.

Amphithéâtre sans rest, 4 r. Arènes ✆ 66 67 28 51 – ⛀wc ⛆wc ☎. E VISA — AY **h**
fermé 20 déc. au 1er fév. – ☕ 20 – **21 ch** 90/170.

Menant sans rest, 22 bd Amiral-Courbet ✆ 66 67 22 85 – ⛀wc ⛆wc ☎. E VISA — BX **d**
☕ 19 – **29 ch** 74/192.

Michel sans rest, 14 bd Amiral-Courbet ✆ 66 67 26 23 – ⛀wc ⛆wc ☎. AE ◑ E VISA — BX **s**
☕ 20 – **28 ch** 100/192.

Majestic sans rest, 10 r. Pradier ✆ 66 29 24 14 – ⛆wc ☎. E VISA — BY **z**
☕ 18 – **27 ch** 85/180.

XX **Le Magister,** 5 r. Nationale ✆ 66 76 11 00 – AE ◑ E VISA — BX **q**
fermé 31 juil. au 16 août et dim. (sauf le midi du 1er oct. au 30 avril) – **R** 140/170, enf. 65.

XX **R. Le Lisita,** 2 bd Arènes ✆ 66 67 29 15 – AE ◑ VISA — AY **h**
fermé 1er au 22 août et sam. – **R** 90/130.

rte de St Gilles, par ⑤, S : 2 km par rte de l'Aéroport – ✉ **30000** Nîmes :

XXX **Mas des Abeilles,** ✆ 66 38 28 57 – Ⓟ. VISA
fermé 20 juil. au 21 août, 2 au 10 janv., dim. soir et lundi – **R** 120/185.

par ④ et rte Caissargues : 6,5 km – ✉ **30132** Caissargues :

Campanile ⑤, ✆ 66 84 27 05, Télex 480510, – ▤ rest TV ⌂wc ☎ ♿ Ⓟ
25. VISA
R 63 bc/86 bc, enf. 38 – ☕ 24 – **50 ch** 200/220 – $^{1}/_{2}$ p 287/330.

rte de l'aéroport de Garons par ⑤ :

Les Aubuns M ⑤, à 8 km ✉ 30132 Caissargues ✆ 66 70 10 44, Télex 49057
, – TV ☎ Ⓟ – 50. AE ⓓ E VISA
R 90/130 – ☕ 32 – **30 ch** 230/320 – $^{1}/_{2}$ p 243/290.

XXX ✿ **Alexandre** ⑤ avec ch, à Garons : 9 km ✉ 30128 Garons ✆ 66 70 08 99,
« Jardin » – ▤ rest ⌂wc ☎ Ⓟ. E VISA.
fermé 23 août au 5 sept., vacances de fév., dim. soir et lundi – **R** 195/250, enf. 90
☕ 30 – **4 ch** 260
Spéc. Fleur de courgette à la mousseline de brandade (mai-oct.), Pied de porc en crépine de cho
Chariot de desserts. **Vins** Châteauneuf du Pape blanc, Costières du Gard.

à St Côme O : 15 km par D 40, D 103 et D 1 – ✉ **30870** St Côme :

XX **La Vaunage,** ✆ 66 81 33 29, – E VISA.
fermé 1er au 18 mars, 1er au 18 sept., lundi et mardi – **R** carte 150 à 250.

MICHELIN, Agence, rte de St-Gilles, D 42 par ⑤ DZ ✆ **66 84 99 05**

ALFA ROMEO-SEAT Auto-Sport, 2210 rte Montpellier, ✆ 66 84 03 55
AUSTIN-ROVER Gar. Provençal, 2532 rte Montpellier ✆ 66 84 78 11
BMW Méridional-Autos, av. Pavlov, Zone Ind. St-Césaire ✆ 66 62 10 90
CITROEN Succursale, 2290 rte Montpellier par ⑦ ✆ 66 84 60 05 N ✆ 66 67 85 51
FIAT Gar. Europe, 1976 av. du Mar. Juin ✆ 66 84 04 40
FORD Méditerranée-Autom., 655 av. du Mar. Juin ✆ 66 84 08 01
MERCEDES-BENZ SODIRA, 328 rte d'Avignon ✆ 66 26 04 99 N ✆ 66 26 06 24
PEUGEOT TALBOT Gds Gar. du Gard, 1667 av. du Mar.-Juin par ⑦ ✆ 66 84 60 08
RENAULT Succursale, 1412 av. du Mar.-Juin par ⑦ ✆ 66 84 60 00
TOYOTA Veyrunes, 29 r. de Beaucaire ✆ 66 21 71 22

V.A.G. S.N.D.A., Périphérique Ouest ✆ 66 85 85
VOLVO Courbessac-Autos, 99 r. Favre-d Thierrens ✆ 66 26 01 21

Comptoir du Pneu, 23 bis bd Sergent-Triai ✆ 66 84 94 21
Escoffier-Pneus, 2 r. République ✆ 66 67 32 et bd Périphérique Sud ✆ 66 84 02 01
Pernia, 88 bd J.-Jaurès ✆ 66 64 08 26
Peysson-Pneus, 11 r. République ✆ 66 67 34
Pneu-Service-Folcher, 55 bd Talabot ✆ 66 94 17 et 2722 rte Montpellier ✆ 66 84 85 40
Rigon-Pneus, Arche 18, bd Talabot ✆ 66 84 26
Sud-Pneus, 128 bd Sergent Triaire ✆ 66 84 94

NIORT P **79000** Deux Sèvres **71** ② **G. Poitou Vendée Charentes** – 60 230 h.

Voir Donjon★ : ✳★ AY B – Ancien Hôtel de Ville★ BY M1.

Env. Château de Coudray-Salbart★ 10 km par ①.

Office de Tourisme pl. Poste ✆ 49 24 18 79 – A.C. 1 r. République ✆ 49 24 90 80.

Paris 406 ② – Angers 153 ① – Angoulême 108 ③ – ♦Bordeaux 183 ⑤ – ♦Limoges 160 ③ – ♦Nant
143 ⑦ – Poitiers 74 ② – Rochefort 61 ⑥ – La Rochelle 63 ⑥ – Les Sables-d'Olonne 110 ⑦.

Plan page ci-contre

Gd Hôtel sans rest, 32 av. Paris ✆ 49 24 22 21, Télex 791502, – ⦙ TV ☎.
ⓓ E VISA. BY
☕ 30 – **40 ch** 220/360.

Paris sans rest, 12 av. Paris ✆ 49 24 93 78 – ⌂wc ⋒wc ☎ – 40. E VISA
fermé 20 déc. au 6 janv. – ☕ 19 – **47 ch** 140/220. BY

Terminus et Rest. Poêle d'Or, 82 r. Gare ✆ 49 24 00 38 – ⦙ TV ⌂wc ⋒v
☎. AE ⓓ E VISA BZ
fermé 20 déc. au 5 janv. – **R** *(fermé vend. soir et sam.)* 90/250 ♂, enf. 45 – ☕ 25
43 ch 134/250 – $^{1}/_{2}$ p 190.

Avenue sans rest, 43 av. St-Jean-d'Angély ✆ 49 79 28 42 – ⋒wc ☎ AZ
fermé 15 au 31 déc. – ☕ 16 – **20 ch** 85/140.

XXX ✿ **Relais St-Antoine,** pl. Brèche ✆ 49 24 02 76, – AE ⓓ E VISA BY
fermé 7 au 27 juil., 20 au 27 fév., vend. soir et sam. – **R** 90/320.

XX **Belle Étoile,** 115 quai M.-Métayer (près périph. ouest)-AY- O:2,5 km ✆ 49 73
29, ←, , – Ⓟ. AE ⓓ E VISA
fermé 1er au 22 août, dim. soir et lundi – **R** 75/265.

XX **Charly's,** 5 av. Paris ✆ 49 24 07 75 – E VISA. BY
fermé dim. soir sauf fériés – **R** 120/190 ♂.

rte de La Rochelle par ⑥ : 4,5 km sur N 11 – ✉ **79000** Niort :

XXX **La Tuilerie,** ✆ 49 09 12 45, – **E** VISA
fermé 25 juil. au 23 août et dim. soir – **R** 150/250, enf. 50.

par ② *:* 5 km sur N 11 – ✉ **79180** Chauray :

Solana Ⓜ sans rest, ✆ 49 33 33 33 – TV wc wc ☎ ♿ Ⓟ – 25. **E** VISA
18 – **30 ch** 180.

à St-Rémy-les-Niort par ⑦ : 6 km sur N 148 – ✉ **79410** Échiré :

Relais du Poitou, ✆ 49 73 43 99 – TV wc ☎ Ⓟ. **E** VISA
fermé 24 déc. au 24 janv. – **R** *(fermé lundi)* 67/175, enf. 35 – 20 – **22 ch** 150/175.

par ② et D 5 : 11 km – ✉ **79410** Échiré :

Motel des Rocs Ⓜ, ✆ 49 25 50 38, Télex 790632, ←, parc, – TV ☎ Ⓟ – 200. AE **E** VISA
R 120/280, enf. 50 – 35 – **51 ch** 320/340 – 1/2 p 300.

MICHELIN, Agence régionale, 600 av. de Paris par ② ✆ 49 33 00 42

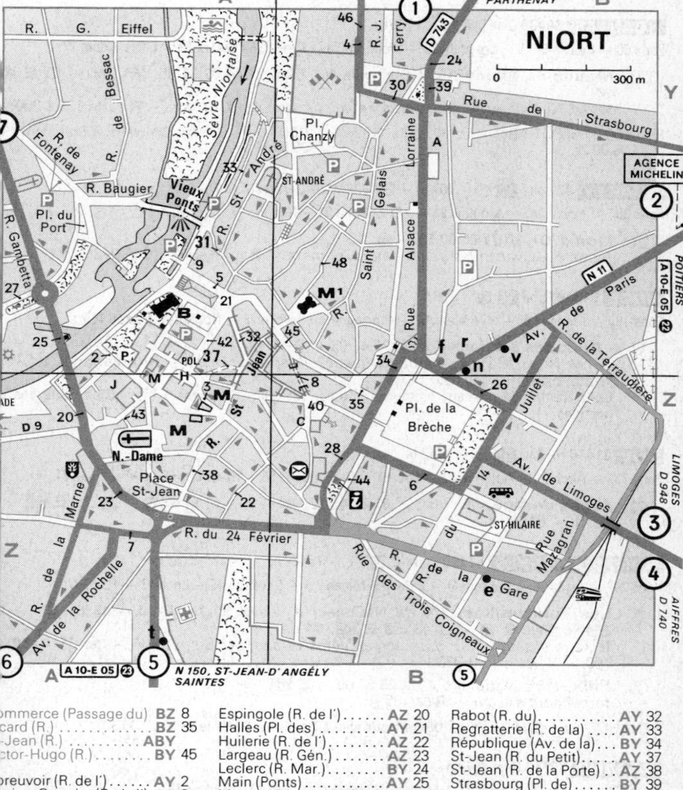

ommerce (Passage du) BZ 8
card (R.) BZ 35
-Jean (R.) ABY
ctor-Hugo (R.) BY 45
breuvoir (R. de l') AY 2
ncien-Oratoire (R. de l') AZ 3
uteville (R. Th.-de) BY 4
isson (R.) AY 5
jault (Av. J.) BZ 6
abaudy (R.) AZ 7
onstadt (Quai) AY 9
Espingole (R. de l') AZ 20
Halles (Pl. des) AY 21
Huilerie (R. de l') AZ 22
Largeau (R. Gén.) AZ 23
Leclerc (R. Mar.) BY 24
Main (Ponts) AY 25
Martyrs-Résistance (Av.) BZ 26
Métayer (Quai M.) AY 27
Pérochon (R. Ernest) BZ 28
Petit-Banc (R. du) AZ 29
Pluviault (R.) BY 30
Pont (R. du) AY 31
Rabot (R. du) AY 32
Regratterie (R. de la) AY 33
République (Av. de la) BY 34
St-Jean (R. du Petit) AY 37
St-Jean (R. de la Porte) AZ 38
Strasbourg (Pl. de) BY 39
Temple (Pl. du) BZ 40
Thiers (R.) AY 42
Tourniquet (R. du) AZ 43
Verdun (Av. de) BZ 44
Vieux-Fourneau (R. du) BY 46
Yver (R.) BY 48

Les plans de ville sont orientés le Nord en haut.

BMW Gar. Tapy, 45 rte Chauray ✆ 49 33 01 46 N ✆ 49 73 37 70
CITROEN Niort-Autom., 80 av. St-Jean-d'Angely par ⑤ ✆ 49 79 24 22 N ✆ 49 73 55 10
CITROEN Gar. Couvret, 362 av. de Limoges ✆ 49 24 12 85
FIAT Gar. Thorin, 309 av. de Paris ✆ 49 33 00 55
FORD Genève Automobiles, 119 av. Nantes ✆ 49 73 45 20 N ✆ 49 73 55 10
LADA-LANCIA Gar. Beauchamp, 465 av. de Limoges ✆ 49 24 25 05
MERCEDES-BENZ S.A.V.I.A., ZI de St. Liguaire ✆ 49 73 41 90
PEUGEOT-TALBOT Sodan, 475 av. de Par par ② ✆ 49 33 02 05
RENAULT Gar. St-Christophe, 214 av. de Par par ② ✆ 49 33 34 22
VOLVO Cachet-Giraud, 120 r du Clou-Bochet ✆ 49 79 04 34
Gar. Aumonier, 630 rte de Niort à Aiffres ✆ 4 32 02 57

Chouteau, 36 av. de Paris ✆ 49 24 68 81
Pneumatec, 457 bis av. de Paris ✆ 49 33 12 08
Woodman-Pneus, 39 av. de Verdun, ✆ 49 28 1 22

NISSAN-LEZ-ENSÉRUNE 34440 Hérault 83 ⑭ G. Gorges du Tarn – 2 533 h.

Voir Oppidum d'Ensérune★ : musée★, ≤★ NO : 5 km.

Paris 833 – Béziers 11 – Capestang 10 – ♦Montpellier 78 – Narbonne 16 – St-Pons 50.

La Résidence, 35 av. Cave ✆ 67 37 00 63, – wc . VISA.
R *(fermé dim. du 1er oct. au 31 mai)* (dîner seul.) (résidents seul.) 69 – 21
19 ch 152/199.

NOAILLES 60430 Oise 55 ⑩ – 1 766 h.

Paris 60 – Beauvais 15 – Chantilly 28 – Clermont 20 – Creil 28 – Gisors 39 – L'Isle-Adam 27.

XXX **Moulin de Blainville,** à Blainville N : 1 km ✆ 44 03 31 00, – AE E VISA
fermé 10 août au 1er sept., mardi et le soir sauf vend. et sam. – **R** carte 115 à 250.

PEUGEOT-TALBOT Bochent, 20 r. de Calais ✆ 44 03 30 25
RENAULT Gar. de Blainville, à Ponchon ✆ 03 30 30

NOAILLY 42 Loire 73 ⑦ – 657 h. – ✉ 42640 St-Germain-Lespinasse.

Paris 384 – ♦Lyon 102 – Moulins 91 – ♦St-Étienne 94 – Roanne 17.

XX **Lion d'Or,** ✆ 77 66 60 13 – P.
fermé août, vacances de fév., mardi et merc. – **R** (prévenir) 110/300, enf. 60.

NOCÉ 61340 Orne 60 ⑮ – 588 h.

Paris 160 – Alençon 53 – ♦Le Mans 67 – Mortagne-au-Perche 29 – Nogent-le-Rotrou 15.

XX ✿ **Aub. des 3 J.** (Joly), ✆ 33 73 41 03 – AE E VISA
fermé 1er au 15 sept., mardi soir (sauf juil.-août) et merc. – **R** (nombre de couver limité, prévenir) 135/160
Spéc. Terrine de poireaux et saumon, Turbot sur blanc de poireaux et tomates, Tarte fine a pommes.

NOÉ 31410 H.-Gar. 82 ⑰ – 1 543 h.

Paris 737 – Auch 71 – Auterive 22 – Foix 61 – St-Gaudens 56 – St-Girons 58 – ♦Toulouse 34.

Arche de Noé sans rest, ✆ 61 87 40 12, – wc P – 25. E VISA
18 – **20 ch** 110/180.

NOEUX-LES-MINES 62290 P.-de-C. 51 ⑭ – 13 168 h.

Paris 207 – Arras 26 – Béthune 6 – Bully-les-Mines 7,5 – Doullens 48 – Lens 17 – ♦Lille 37.

Les Tourterelles, 374 rte Nationale ✆ 21 66 90 75, Télex 134338, –
wc wc P – 40. E VISA. ch
R *(fermé sam. midi, dim. soir et fêtes le soir)* 95/180, enf. 40 – 25 – **18**
100/250 – 1/2 p 180/330.

X **Paix,** 115 r. Nationale ✆ 21 26 37 66 – E VISA
fermé août et sam. – **R** 67/135.

RENAULT Gar. de la Gohelle, 100 rte Nationale à Sains-en-Gohelle ✆ 21 29 00 30

NOGARO 32110 Gers 82 ② – 2 257 h.

Paris 732 – Agen 87 – Auch 62 – Mont-de-Marsan 42 – Pau 69 – Tarbes 66.

Dubroca, r. d'Artagnan ✆ 62 09 01 03, – . E VISA
fermé 15 déc. au 10 janv. et week-ends hors sais. – **R** 50/180, enf. 35 – 16
12 ch 82/120 – 1/2 p 136/172.

CITROEN Bounet Frères, ✆ 62 09 00 39
PEUGEOT-TALBOT Saint-Orens, ✆ 62 09 00 98
RENAULT Gar. Ducourneau, ✆ 62 09 00 80

)GENT-EN-BASSIGNY 52800 H.-Marne 62 ⑫ – 5 009 h.

ís 279 – Bourbonne-les-Bains 33 – Chaumont 23 – Langres 23 – Neufchâteau 52 – Vittel 62.

Commerce, pl. Gén.-de-Gaulle ✆ 25 31 81 14 – wc wc
fermé 17 au 26 déc. – **R** *(fermé dim. soir)* 70/110 – 20 – **22 ch** 100/200.

JGEOT, TALBOT Ponce, ✆ 25 31 80 44

)GENT-LE-ROI 28210 E.-et-L. 60 ⑧, 196 ㉖ **G. Environs de Paris** – 3 152 h.

s 77 – Ablis 33 – Chartres 29 – Dreux 17 – Maintenon 8 – Mantes-la-Jolie 49 – Rambouillet 26.

X **Relais des Remparts,** 2 pl. Marché-aux-Légumes ✆ 37 51 40 47 – E VISA
fermé 10 au 31 août, 1er au 15 fév., dim. soir en hiver, mardi (sauf le midi en hiver) et merc. – **R** 65/160 , enf. 45.

à Coulombs **par rte de Houdan** – ✉ **28210** Nogent-le-Roi :

X **Relais des Hussards** avec ch, ✆ **37 51 42 16,** <, – wc wc – 40. AE E VISA
fermé 15 janv. au 15 fév., dim. soir et lundi du 1er nov. au 31 mars – **R** 70/220 – 20 – **12 ch** 165/220 – 1/2 p 250/280.

JGEOT-TALBOT Jeunesse, à Chaudon 7 51 41 47

RENAULT Gar. Bourinet, 19 r. de Verdun à Lormaye ✆ 37 51 42 95

)GENT-LE-ROTROU **28400** E.-et-L. 60 ⑮ **G. Normandie Vallée de la Seine** – 09 h.

ffice de Tourisme 74 r. Gouverneur ✆ 37 52 22 16.

s 146 ① – Chartres 54 ① – Châteaudun 55 ③ – ♦Le Mans 66 ④ – Mortagne-au-Perche 38 ⑤.

NOGENT-LE-ROTROU

ous êtes retardé la route, 19 h. firmez e réservation téléphone, st plus sûr... 'est l'usage.

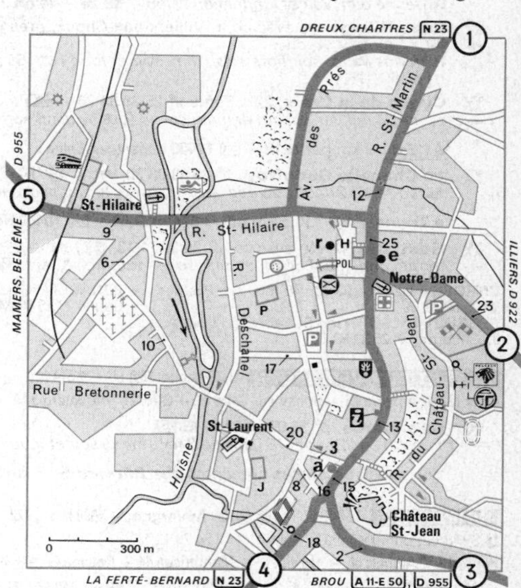

Dauphin, 39 r. Villette-Gaté **(e)** ✆ 37 52 17 30 – wc wc – 100. E VISA
fermé déc., janv., dim. soir et lundi en hiver – **R** 72/145 – 25 – **25 ch** 130/260.

Lion d'Or, 28 pl. St-Pol **(r)** ✆ 37 52 01 60 – TV wc wc – 30. E VISA. ch
fermé 5 au 25 août, 24 déc. au 4 janv., et sam. – **R** 70/200 – 25 – **14 ch** 160/250 – 1/2 p 220/300.

X **Host. de la Papotière,** 3 r. Bourg le Comte **(a)** ✆ 37 52 18 41, – AE E VISA
fermé 21 au 28 fév., dim. soir et lundi – **R** 130/270.

à Villeray (61 Orne) par ① D 918 et D 10 : 11 km – ✉ **61110** Condeau :

X **Moulin de Villeray** avec ch, ✆ 33 73 30 22, Télex 171779, <, , parc – wc . AE E VISA
15 fév.-15 nov., et fermé merc. midi et mardi – **R** 220/280, enf. 120 – 35 – **10 ch** 540/700 – 1/2 p 625/1000.

CITROEN Répar. Autos Nogentaise, rte d'Alençon par ⑤ ✆ 37 52 47 48 🅽
FORD Gar. de l'Huisne, voie Sofica à Margon ✆ 37 52 05 97 🅽
PEUGEOT, TALBOT Thibault, 12 r. du Château ✆ 37 52 13 26
RENAULT N.A.S.A., rte de Paris par ① à Margon ✆ 37 52 58 70 🅽
RENAULT Auto du Perche, 22 r. du Rh ✆ 37 52 18 91 🅽
V.A.G. Gar. Leroy, 4 bis r. Tochon ✆ 37 5 95

Breton-Pneus, av. de la Messesselle ✆ 52 06 37
Nogentaise C/c, 24 pl. 11-Août ✆ 37 52 13

NOGENT-SUR-AUBE 10 Aube 61 ⑦ – ✉ 10240 Ramerupt.

Paris 170 – Châlons-sur-Marne 61 – Romilly-sur-Seine 47 – Troyes 31.

✕ **Assiette Champenoise,** D 441 ✆ 25 37 66 74, « Jardin fleuri » – AE E V
fermé 6 au 14 avril, 1er au 13 août, mardi soir et merc. – **R** (dim. prévenir) 110/ enf. 60.

NOGENT-SUR-MARNE 94 Val de Marne 56 ⑪, 101 ㉗ – voir Paris, Environs.

NOGENT-SUR-OISE 60 Oise 56 ① – rattaché à Creil.

NOGENT-SUR-SEINE 10400 Aube 61 ④⑤ G. Champagne – 5 103 h.

Paris 104 – Châlons-sur-M. 92 – Épernay 82 – Fontainebleau 67 – Provins 18 – Sens 42 – Troyes 56

Loisirotel M, 19 r. Fossés ✆ 25 39 71 46, – cuisinette TV wc ☎ – 70. VISA. rest
R *(fermé dim. soir et lundi midi)* 72/98 – 26 – **44 ch** 210/260.

✕✕ **Beau Rivage** avec ch, r. Villiers-aux-Choux, près piscine ✆ 25 39 84 22, – . VISA. ch
R *(fermé vend. soir hors sais., dim. soir et lundi)* 60/160 – 18 – **7 ch** 90/15 1/2 p 150/175.

✕✕ **Cygne de la Croix,** 22 r. Ponts ✆ 25 39 91 26 – VISA
fermé 24 juil. au 23 août et lundi soir – **R** 58 bc (sauf sam. soir)/121.

à l'Est : 3 km par N 19 – ✉ 10400 Nogent-sur-Seine :

✕✕ **La Chapelle Godefroy,** ✆ 25 39 88 32, – P. VISA
fermé 1er au 21 août, 26 déc. au 1er janv. et le soir sauf sam. – **R** 120/165.

à Trainel : SO : 10,5 km par D 374 et D 68 – ✉ 10400 Nogent-sur-Seine :

✕✕ **Host. de l'Orvin** avec ch, ✆ 25 39 11 13, – wc. VISA
fermé lundi (sauf hôtel) et dim. soir – **R** 55/150, enf. 35 – 20 – **5 ch** 160/25

CITROEN Gar. Legrand, 48 bis av. Pasteur ✆ 25 39 87 09
PEUGEOT-TALBOT Gar. St-Laurent, 11 bis av. J.-C.-Perrier ✆ 25 39 83 17
RENAULT Gar. Corbin, 16-20 av. Gén. Gaulle ✆ 25 39 84 39

NOGENT-SUR-VERNISSON 45290 Loiret 65 ② – 2 514 h.

Paris 131 – Auxerre 76 – Bonny-sur-Loire 36 – Gien 21 – Montargis 18 – ♦Orléans 72.

✕ **Commerce,** ✆ 38 97 60 37 – E VISA
fermé 5 au 22 sept., 18 janv. au 3 fév., merc. soir et jeudi – **R** 75/130, enf. 30.

Voir aussi ressources hôtelières des *Bézards* S : 5 km sur N 7.

NOIRÉTABLE 42440 Loire 73 ⑯ G. Auvergne – 1 998 h. alt. 722.

Syndicat d'Initiative à la Mairie ✆ 77 24 70 12.

Paris 412 – Ambert 55 – ♦Lyon 113 – Montbrison 44 – Roanne 47 – ♦St-Étienne 80 – Thiers 24.

La Chaumière, ✆ 77 24 73 00, parc – wc . E VISA
20 mars-2 nov. et fermé lundi du 25 mars au 15 juin – **R** 75/188 – 22 – 28 110/225 – 1/2 p 160/240.

à St-Julien-la-Vêtre E : 5,5 km sur N 89 – ✉ 42440 Noirétable :

✕ **Aquarium,** ✆ 77 97 85 26 – P. E VISA
fermé 3 au 28 janv. et lundi – **R** 43/120, enf. 25.

RENAULT Gar. Dejob, ✆ 77 24 70 31 🅽

Dans ce guide
un même symbole, un même caractère,
imprimés en rouge ou en noir, en maigre ou en **gras**
n'ont pas tout à fait la même signification
Lisez attentivement les pages explicatives (p. 16 à 23).

IRMOUTIER (Ile de) 85330 Vendée 67 ① G. Poitou Vendée Charentes.

ès : par le pont routier au départ de Fromentine. Péage, auto et véhicule inférieur à t : 8 F, camion et véhicule supérieur à 1,5 t : 10 F

r le passage du Gois : 4,5 km

endant le premier ou le dernier quartier de la lune par beau temps (vents hauts) d'une re et demie environ avant la basse mer, à une heure et demie environ après la basse r

endant la pleine lune ou la nouvelle lune par temps normal : deux heures avant la se mer à deux heures après la basse mer

n toutes périodes par mauvais temps (vents bas) ne pas s'écarter de l'heure de la se mer.

Noirmoutier-en-l'Ile: Paris 471 – Cholet 120 – ♦Nantes 82 – La Roche-sur-Yon 78.

L'Épine – ✉ 85740 L'Épine.

Punta Lara M, S : 2 km par D 95 et VO ✆ 51 39 11 58, Télex 710451, <, « Dans une pinède en bordure de mer », – ☎ P – 160. VISA
mi-mars-mi-oct. – **R** 150/280, enf. 50 – 35 – **63 ch** 545/575 – 1/2 p 445/625.

La Guérinière – ✉ 85680 La Guérinière.

La Volière, sur D 948 ✆ 51 39 82 77, Télex 710111, – wc ☎ P – 150. AE E VISA
fermé déc., janv. et merc. du 1er oct. au 1er mars – **R** 45/180, enf. 35 – 28 – **37 ch** 230/340 – 1/2 p 230/300.

Noirmoutier-en-l'Ile – 4 758 h. – ✉ 85330 Noirmoutier-en-l'Ile.

Office de Tourisme rte du Pont ✆ 51 39 80 71 et quai J.-Bart (juin-sept. et vacances scolaires) ✆ 51 39 12 42.

Général d'Elbée, pl. château ✆ 51 39 10 29, « Bel hôtel particulier du 18e s. », – ☎ – 40. VISA
mi-mars-oct. – **R** 95/180, enf. 50 – 34 – **34 ch** 310/520 – 1/2 p 325/420.

Fleur de Sel M, ✆ 51 39 21 59, Télex 701229, <, – TV wc ☎ P. E VISA. ch
fermé 14 nov. au 25 déc. et 5 janv. au 3 fév. – **R** 115/215, enf. 50 – 28 – **35 ch** 300/350 – 1/2 p 300/325.

La Quichenotte, 32 av. J.-Pineau ✆ 51 39 11 77, – wc wc ☎ P. E VISA
15 mars-25 oct. et 25 nov.-10 janv. – **R** *(fermé lundi d'oct. à mai)* 65/150 – 20 – **29 ch** 127/210 – 1/2 p 175/195.

Gd Four, 1 r. Cure (derrière le château) ✆ 51 39 12 24 – VISA.
fermé 6 janv. au 13 fév., mardi soir hors sais. et merc. – **R** 80/280.

L'Etier, ✆ 51 39 10 28, – P. AE E VISA
vacances de printemps-fin sept., vacances de fév., week-ends en mars et fermé merc. hors sais. – **R** 60/110, enf. 40.

au Bois de la Chaise E : 2 km – ✉ 85330 Noirmoutier.

Voir Bois★.

St-Paul, ✆ 51 39 05 63, « Beau jardin », – wc. E VISA. rest
22 mai-fin sept. – **R** 120/170 – 40 – **46 ch** 160/450.

Les Prateaux, ✆ 51 39 12 52, Télex 711933, – wc wc ☎ P. E VISA.
19 mars-15 oct. – **R** (résidents seul.) – 32 – **13 ch** 255/320.

Les Capucines, (annexe M 11ch wc ☎) ✆ 51 39 06 82, – rest wc wc P – 30. E VISA. ch
1er fév.-12 nov. et fermé merc. hors sais. sauf vacances scolaires – **R** 70/150 – 28 – **21 ch** 165/330 – 1/2 p 200/300.

ISIEL 77 S.-et-M. 56 ⑫, 196 ㉑, 101 ⑲ – voir à Paris, Environs.

ISY-LE-GRAND 93 Seine-St-Denis 56 ⑪, 101 ⑱ – voir à Paris, Environs.

LAY 21340 Côte d'Or 69 ⑨ G. Bourgogne – 1 582 h.

site★ du Château de la Rochepot E : 5 km – Site★ du Cirque du Bout-du-Monde 5 km.

fice de Tourisme r. République (juil.-sept.) ✆ 80 21 70 86.

319 – Autun 28 – Beaune 20 – Chalon-sur-Saône 32 – ♦Dijon 64.

Chevreuil, pl. H.-de-Ville ✆ 80 21 71 89, – ch wc ☎ P. AE E VISA
fermé déc. et merc. hors sais. – **R** 55/170, enf. 35 – 25 – **14 ch** 140/205 – 1/2 p 230/250.

NONANCOURT 27320 Eure 60 ⑥⑦ **G. Normandie Vallée de la Seine** – 1 803 h.

Paris 95 – Châteauneuf-en-Thymerais 26 – Dreux 13 – Evreux 29 – Verneuil-sur-Avre 21.

XX **Gd Cerf,** ✆ 32 58 15 27 – Ⓟ. AE ⓓ VISA
fermé 20 déc. au 15 janv., dim. soir et lundi – **R** 65/140.

PEUGEOT-TALBOT Léger, ✆ 32 58 02 21

Les NONIÈRES 26 Drôme 77 ⑭ – alt. 850 – ✉ **26410** Châtillon-en-Diois.

Paris 634 – Die 25 – Gap 87 – ♦Grenoble 72 – Valence 90.

Le Mont-Barral ⑤, ✆ 75 21 12 21, ≤, ⛱, ⛱, ✂ – ⇔wc ⋒wc ☎ Ⓟ – ⛺
E VISA
fermé 15 nov. au 20 déc. et mardi – **R** 55/145 ⅁ – ☕ 23 – **24 ch** 130/16
1/2 p 170/190.

NONTRON <SI> **24300** Dordogne 72 ⑮ **G. Berry Limousin** – 3 954 h.

ℹ Syndicat d'Initiative r. Verdun (15 juin-15 sept.) ✆ 53 56 25 50.

Paris 486 – Angoulême 47 – Libourne 120 – ♦Limoges 69 – Périgueux 49 – Rochechouart 42.

Gd Hôtel, 3 pl. A.-Agard ✆ 53 56 11 22, ⛱ – |♦| ⇔wc ⋒ ☎ Ⓟ – ⛺ 100. E
✂
fermé 15 janv. au 1er fév. et dim. soir de nov. à mars – **R** 60/200 ⅁ – ☕ 20 – **26**
100/250 – 1/2 p 180/250.

CITROEN Limousin, ✆ 53 56 01 42
FORD Marchives, ✆ 53 56 07 13
PEUGEOT Bayer, ✆ 53 56 00 21
RENAULT Chevalier, ✆ 53 56 01 03

NORT-SUR-ERDRE 44390 Loire-Atl. 63 ⑰ – 5 081 h.

Paris 357 – Ancenis 28 – Châteaubriant 38 – ♦ Nantes 29 – ♦ Rennes 82 – St-Nazaire 62.

X **Bretagne,** 41 r. A.-Briand ✆ 40 72 21 95 – Ⓟ. E VISA
fermé vacances de fév., dim. soir et lundi – **R** 65/160 ⅁.

NORVILLE 76 S.-Mar. 55 ⑤ – rattaché à Lillebonne.

NOTRE-DAME-DE-BELLECOMBE 73850 Savoie 74 ⑦ **G. Alpes du Nord** – 424 h. alt.
– Sports d'hiver : 1 150/2 030 m ≴16 – ℹ Office de Tourisme ✆ 79 31 61 40.

Paris 592 – Albertville 24 – Annecy 53 – Bonneville 48 – Chambéry 74 – Megève 11.

Bellevue, ✆ 79 31 60 56, ≤ – ⇔wc ⋒ ☎. VISA
15 juin-10 sept. et 18 déc.-20 avril – **R** 68/88 – ☕ 24 – **22 ch** 168/220 – 1/2 p 176/

NOTRE-DAME-DE-BONDEVILLE 76 S.-Mar. 55 ⑥ – rattaché à Rouen.

NOTRE-DAME-DE-GRÂCE 83 Var 84 ⑤ – rattaché à Cotignac.

NOTRE-DAME-DE-L'ESPÉRANCE 22 C.-du-Nord 59 ③ – rattaché à Etables-sur-Mer.

NOTRE-DAME-DE-MONTS 85690 Vendée 67 ⑪ – 1 325 h.

Paris 456 – Challans 23 – ♦Nantes 74 – Noirmoutier-en-l'Ile 25 – Pornic 46 – La Roche-sur-Yon 62.

Plage, ✆ 51 58 83 09, ≤, ⛱ – ⇔wc ☎ Ⓟ. AE ⓓ E VISA
fermé dim. soir et lundi du 1er oct. au 31 mai – **R** 82/147 ⅁, enf. 47 – ☕ 21 – **3**
126/252 – 1/2 p 179/246.

XX **Pier'Plot,** rte St-Jean-de-Monts ✆ 51 58 86 48 – Ⓟ. AE E VISA
fermé merc. du 1er oct. au 1er mai – **R** 47/98, enf. 28.

X **Centre** avec ch, pl. Église ✆ 51 58 83 05 – ⋒wc. E VISA
1er mars-30 nov. – **R** 47/135 ⅁, enf. 30 – ☕ 17 – **17 ch** 100/180 – 1/2 p 155/190.

NOUAN-LE-FUZELIER 41 L.-et-Ch. 64 ⑲ – 2 323 h. – ✉ **41600** Lamotte-Beuvron.

Paris 177 – Blois 58 – Cosne-sur-Loire 72 – Gien 55 – Lamotte-Beuvron 8 – ♦Orléans 44 – Salbris

Charmilles ⑤ sans rest, D 122 ✆ 54 88 73 55, « Parc » – TV ⇔wc ⋒wc ☎
E VISA. ✂
15 mars-15 déc. et fermé lundi d'oct. à déc. – ☕ 25 – **14 ch** 180/250.

Moulin de Villiers ⑤, rte Chaon NE : 3 km par D 44 ✆ 54 88 72 27, ≤,
forêt, étang privé », ⛱ – ⇔wc ⋒ Ⓟ. ✂
fermé 1er au 15 sept., 5 janv. au 20 mars, mardi soir et merc. en nov. et dé
R 65/150 ⅁ – ☕ 22 – **20 ch** 100/200.

XX **Le Dahu,** 14 r. de la Mare ✆ 54 88 72 88, ⛱, « Jardin » – Ⓟ. AE E VISA
fermé 13 au 18 juin, 20 fév. au 20 mars, mardi soir et merc. du 10 sept. au 30 ju
R 94/200 ⅁, enf. 52.

XX **Le Raboliot,** av. Mairie ✆ 54 88 70 67 – ⛺ 60. AE E VISA
fermé 12 au 28 sept., 9 janv. au 4 fév., mardi soir (en hiver) et merc. – **R** 63/165,
42.

RENAULT Michel, ✆ 54 88 74 48 N

Le NOUVION-EN-THIÉRACHE 02170 Aisne 53 ⑮ – 3 146 h.

Paris 201 – Avesnes-sur-Helpe 19 – Le Cateau 20 – Guise 21 – Hirson 25 – Laon 63 – Vervins 27.

Paix, r. J.-Vimont-Vicary ✆ 23 97 04 55, – wc ☎ . E VISA
fermé 15 au 30 juil., 23 déc. au 13 janv., et dim. soir (sauf hôtel en juin et juil.) – **R** 60/190, enf: 50 – 18 – **23 ch** 67/200 – ½ p 145/245.

Pétion, r. Th.-Blot ✆ 23 97 00 11 – wc wc . E VISA. ch
fermé 15 janv. au 15 fév. et vend. – **R** 62/120 – 17 – **11 ch** 140/180 – ½ p 140/170.

PEUGEOT Gar. Hannecart, ✆ 23 97 01 05

NOUZERINES 23 Creuse 68 ⑳ – rattaché à Boussac.

NOUZONVILLE 08700 Ardennes 53 ⑱ **G. Champagne** – 7 337 h.

Paris 233 – Charleville-Mézières 7,5 – Givet 51 – Rocroi 28.

XX **La Potinière,** N : 1 km rte de Joigny-sur-Meuse ✆ 24 53 13 88, , – . E VISA
fermé 29 août au 19 sept., 2 au 20 janv., dim. soir et lundi sauf fêtes – **R** 90/110.

CITROEN Gar. Brunet, 14 bd J.-B.-Clément ✆ 24 53 82 08

NOVALAISE 73 Savoie 74 ⑮ – rattaché à Aiguebelette-le-Lac.

NOVES 13550 B.-du-R. 81 ⑫ **G. Provence** – 3 693 h.

Syndicat d'Initiative à la Mairie ✆ 90 94 14 01.

Paris 691 – Arles 36 – Avignon 13 – Carpentras 29 – Cavaillon 16 – ♦Marseille 91 – Orange 36.

✿ **Aub. de Noves**, NO : 2 km par D 28 ✆ 90 94 19 21, Télex 431312, , **« Elégante hostellerie aménagée dans un ancien domaine, belle vue »**, , , – rest ch ☎ – 40. AE E VISA
fermé début janv. à fin fév. et merc. midi – **R** 290/390, enf. 140 – 60 – **21 ch** 860/1100 – ½ p 1628/1920
Spéc. Filet de turbot et ravioles aux herbes de Provence, Caneton en papillote (mai à oct.), Dodine de pigeon et l'ail en chemise. **Vins** Côtes du Rhône.

NOYAL-SUR-VILAINE 35 I.-et-V. 59 ⑰ – rattaché à Rennes.

Les localités dont les noms sont soulignés de rouge sur les cartes Michelin à 1/200 000 sont citées dans ce guide. Utilisez une carte récente pour profiter de ce renseignement.

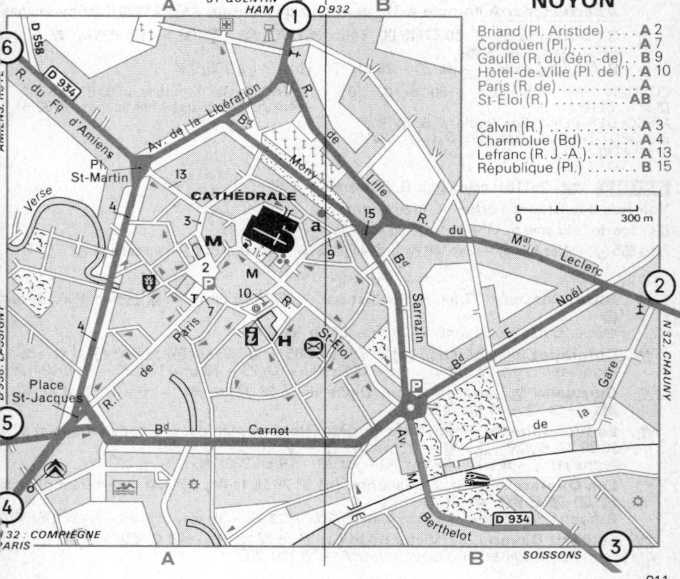

NOYON 60400 Oise 56 ③ **G. Flandres Artois Picardie** – 14 153 h.

Voir Cathédrale** B – **Abbaye d'Ourscamps*** 5 km par ④.

Office de Tourisme à l'Hôtel de Ville ✆ 44 44 21 88.

Paris 106 ④ – •Amiens 64 ⑥ – Laon 54 ② – Péronne 44 ① – St-Quentin 40 ① – Soissons 37 ③.

Plan page précédente

X **Alliés,** 5 bd Mony ✆ 44 44 01 89 – E VISA A
fermé mardi soir et merc. – **R** 45/105 🍷, enf. 40.

à Pont-l'Évêque par ④ : 2,5 km – ✉ **60400** Noyon :

XX **L'Auberge,** ✆ 44 44 05 17 – ⦿ E VISA
fermé dim. soir et lundi – **R** 85/110.

CITROEN Wargnier, 15 av. Jean-Jaurès ✆ 44 44 05 40
PEUGEOT-TALBOT Gd Gar. de l'Avenue, 69 av. J.-Jaurès par ④ ✆ 44 44 10 19
V.A.G. Ets Thiry, 82 bd Carnot ✆ 44 44 02 78
Fischbach-Pneu, 14 pl. de la Républiqu ✆ 44 44 01 59

NOZAY 44170 Loire-Atl. 63 ⑰ – 3 189 h.

Paris 382 – Ancenis 45 – Châteaubriant 28 – •Nantes 42 – Redon 40 – •Rennes 66 – St-Nazaire 59.

X **Gergaud** avec ch, rte Nantes ✆ 40 79 47 54, – P. AE E VISA. ch
fermé 3 au 18 nov., 10 au 31 janv. et dim. soir – **R** 42/150 – 15 – **9 ch** 85/95.

NUAILLÉ 49 M.-et-L. 67 ⑥ – rattaché à Cholet.

NUCES 12 Aveyron 80 ② – rattaché à Valady.

NUITS-ST-GEORGES 21700 Côte-d'Or 66 ⑫ **G. Bourgogne** – 5 461 h.

Syndicat d'Initiative r. Sonays ✆ 80 61 22 47.

Paris 322 – Beaune 17 – Chalon-sur-Saône 45 – •Dijon 22 – Dole 51.

Host. Gentilhommière , rte de Meuilley O : 1,5 km ✆ 80 61 12 06, Téle 350401, parc – wc ☎ P. AE ⦿ VISA
fermé 1er au 21 janv. – **R** *(fermé lundi)* 120/175 – 30 – **20 ch** 260/280.

Ibis M, av. Chambolland ✆ 80 61 17 17, Télex 350954, – TV wc ☎ P – 60. E VISA
R carte 75 à 120 🍷, enf. 35 – 25 – **52 ch** 185/230.

XXX ✿✿ **Côte d'Or** (Crotet) M avec ch, 37 r. Thurot (transfert prévu à Levernois prè de Beaune) ✆ 80 61 06 10 – TV wc ☎. E VISA. ch
fermé fév., dim. soir et merc. – **R** 220/420 et carte – 45 – **7 ch** 320/480
Spéc. Escargots de Bourgogne en cocotte lutée, Suprême de turbot au beurre rouge, Pigeon poê au foie gras. Vins Bourgogne aligoté, Hautes Côtes de Nuits.

à l'échangeur Autoroute A 31 - carrefour de l'Europe – ✉ **21700** Nuits-St-Georges

St Georges M, ✆ 80 61 15 00, Télex 351370, , , – TV wc ☎ P – 30. ⦿ E VISA
R 72/148 🍷, enf. 25 – 20 – **29 ch** 170/220 – ½ p 180/250.

CITROEN Gar. Blondeau, ✆ 80 61 02 40 N ✆ 80 61 05 71
MERCEDES-BENZ Gar. Aubin, ✆ 80 61 03 85
PEUGEOT-TALBOT Gar. des Gds Crus, ✆ 80 61 02 23 N
RENAULT Gar. Montelle, ✆ 80 61 06 31
RENAULT Gar. des Guindennes, ✆ 80 61 1 43

NYONS SP 26110 Drôme 81 ③ **G. Provence** – 6 293 h.

Voir Rue des Grands Forts* – **Vieux Pont***.

Office de Tourisme pl. Libération ✆ 75 26 10 35.

Paris 655 ④ – Alès 106 ③ – Gap 106 ① – Orange 42 ③ – Sisteron 98 ① – Valence 95 ④.

Plan page ci-contre

Alizés sans rest, 77 av. H. Rochier par ④ ✆ 75 26 08 11 – wc wc P
fermé 26 déc. au 31 janv. – 25 – **22 ch** 180/275.

Colombet, pl. Libération **(a)** ✆ 75 26 03 66 – rest TV wc wc ☎
fermé début nov. à début janv. – **R** 72/190 – 28 – **30 ch** 116/280 – ½ p 194/306

Caravelle sans rest, prom. Digue ✆ 75 26 07 44, – wc wc P.
VISA – 28 – **11 ch** 255/365.

La Picholine , Prom. de la Perrière (Nord du plan par prom. des Anglais) ✆ 7 26 06 21, ←, , , – wc P – 30. AE ⦿ E VISA
fermé janv. – **R** 100/145, enf. 40 – 30 – **16 ch** 230/280 – ½ p 230/260.

XX **Les Oliviers** avec ch, 2 r. Escoffier **(n)** ✆ 75 26 11 44, , – rest wc
P. AE ⦿ E VISA. ch
R *(fermé dim. soir d'oct. à fin juin)* 79/169 – 25 – **10 ch** 125/158 – ½ p 195/240.

XX **Le Petit Caveau,** 9 r. Victor Hugo **(u)** ✆ 75 26 20 21 – ⦿ E VISA
fermé dim. soir et lundi sauf juil.-août – **R** 130/260.

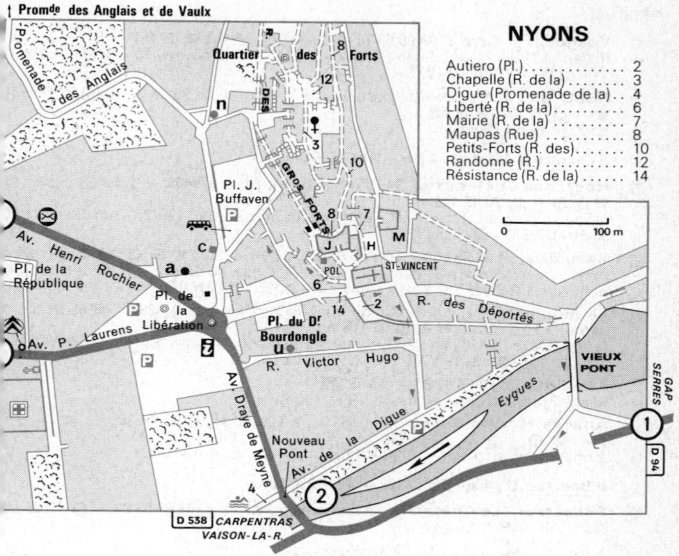

à Aubres par ① : 4 km – 26110 Nyons :

Aub. du Vieux Village, 75 26 12 89, vallée, – rest wc wc – 30. AE E VISA
R *(fermé merc. midi sauf juil.-août et fêtes)* 190/240, enf. 80 – 45 – **21 ch** 375/670, 4 appartements 1100 – 1/2 p 425/620.

ROEN Monod, 75 26 12 11 N

PEUGEOT-TALBOT Gar. Hernandez, par ③ 75 26 00 33

ENHEIM 67 B.-Rhin 62 ⑩ – 1 130 h. – 67230 Benfeld.

454 – Molsheim 32 – Obernai 21 – Sélestat 27 – ♦Strasbourg 27.

Relais de la Ferme, 19 rte de Colmar 88 98 34 70, – . AE E VISA
fermé 25 juil. au 2 août, fév., lundi soir et mardi – **R** 100/180, enf. 55.

AULT Gar. Lauffenburger, 88 98 30 28

ERHASLACH 67 B.-Rhin 62 ⑨ G. Alsace et Lorraine – 1 145 h. – 67190 Mutzig.

478 – Molsheim 18 – Saverne 31 – St-Dié 55 – ♦Strasbourg 40.

Ruines du Nideck, 88 50 90 14, – wc wc . E VISA
fermé 11 nov. au 7 déc., 1er au 15 mars, mardi soir et merc. (sauf hôtel d'avril à sept.) – **R** 85/180 , enf. 35 – 19 – **13 ch** 125/220 – 1/2 p 120/200.

ERNAI 67210 B.-Rhin 62 ⑨ G. Alsace et Lorraine (plan) – 9 444 h.

Place du Marché★★ – Hôtel de ville★ – Tour de la Chapelle★ – Ancienne halle blés★ – Maisons anciennes★ – Place★ de Boersch NO : 4 km.

ffice de Tourisme Chapelle du Beffroi 88 95 64 13.

487 – Colmar 45 – Erstein 16 – Molsheim 10 – Sélestat 23 – ♦Strasbourg 30.

Parc , 169 r. Gén.-Gouraud 88 95 50 08, Télex 870615, , – rest – 80. E VISA
hôtel : fermé 27 juin au 9 juil. et Noël au Jour de l'an ; rest. : fermé 27 juin au 9 juil., déc., dim. soir et lundi – **R** 230/260 – 30 – **50 ch** 300/450 – 1/2 p 350/420.

Diligence, Résidence Exquisit et Bel Air, 23 pl. Mairie 88 95 55 69, Télex 880133 – wc wc . AE E VISA
R *(fermé janv., fév., mardi et merc. hors sais.)* 73/200 – 27 – **46 ch** 168/295, 4 appartements 378.

Gd Hôtel, r. Dietrich 88 95 51 28 – wc – 80. AE E VISA.
fermé 1er au 8 juil., 22 déc. au 4 janv. et 7 au 23 fév. – **R** *(fermé dim. soir et lundi)* 90/160 – 25 – **24 ch** 200/270 – 1/2 p 260/290.

Vosges, 5 pl. Gare ✆ 88 95 53 78, – wc ☎. E VISA
R *(fermé 13 au 27 juin, 11 au 31 janv., dim. soir du 1er nov. au 30 juin et lundi)* 60/2
– 20 – **21 ch** 175/200 – 1/2 p 220.

Host. Duc d'Alsace sans rest, 6 r. de la Gare ✆ 88 95 55 34 – wc
☎ – 25. AE E VISA
22 – **16 ch** 120/230.

à Ottrott-le-Haut O : 4 km – ✉ **67530** Ottrott :

Host. des Châteaux M, ✆ 88 95 81 54, Télex 870439 – wc
☎ – 30. E VISA
fermé 18 janv. au 28 fév. – **R** *(fermé mardi hors saison)* 120/270, enf. 80 – 25
35 ch 200/380 – 1/2 p 200/310.

Beau Site, ✆ 88 95 80 61, Télex 870445 – wc wc ☎ . AE E VISA. c
hôtel : ouvert 5 mars-31 oct.; rest. : fermé 1er nov. au 15 déc., 15 fév. au 1er mars
dim. soir – **R** carte 180 à 320 , enf. 75 – 35 – **14 ch** 180/270 – 1/2 p 300/400.

Le Moulin M, rte de Klingenthal, NO : 1 km par D 426 ✆ 88 95 87 33,
parc – wc ☎ . E VISA
fermé 20 déc. au 20 janv. – **R** *(fermé mardi soir du 1er nov. au 1er mai)* 90/160 , e
50 – 25 – **21 ch** 190/260 – 1/2 p 240/280.

Ami Fritz, ✆ 88 95 80 81 – E VISA
fermé 2 janv. au 5 fév. et merc. – **R** 65/170 .

Annexe H. Ami Fritz M, à 500 m. ✆ 88 95 87 39, ←, –
wc ☎ – 25. E VISA
fermé 2 janv. au 5 fév. – 23 – **17 ch** 140/240 – 1/2 p 180/200.

à Boersch O : 4 km par D 322 – ✉ **67530** Ottrott :

Schaetzel "Le Châtelain" (chambres prévues), ✆ 88 95 83 33 – . AE E VIS
fermé fév. – **R** 70/250 .

à Klingenthal, O : 6 km – ✉ **67530** Ottrott :

Vosges, ✆ 88 95 82 86, , , – ☎ – 100. AE E VISA
R *(fermé dim. soir et lundi)* 135/195, enf. 60 – 25 – **65 ch** 260/400 – 1/2 p 195/3

CITROEN Dagorn, 24 A r. Gén.-Gouraud ✆ 88 95 52 78
FIAT-MAZDA Gar. Gruss, 202a r. Gén.-Gouraud ✆ 88 95 58 48
PEUGEOT, TALBOT Gillmann-Auto, 10 r. Gén.-Gouraud ✆ 88 95 52 56
RENAULT Eschbach, 40 r. de Sélestat ✆ 8 52 48
RENAULT Haus, r. Gén.-Leclerc ✆ 88 95 5
N ✆ 88 50 25 46

OBERSTEIGEN 67 B.-Rhin 62 ⑧ **G. Alsace et Lorraine** – ✉ **67710** Wangenbourg.

Voir Vallée de la Mossig★ E : 2 km.

Paris 463 – Molsheim 26 – Sarrebourg 32 – Saverne 16 – ♦Strasbourg 38 – Wasselonne 13.

Host. Belle Vue , ✆ 88 87 32 39, ←, , – ☎ – 60. AE
VISA. rest
fermé 10 janv. au 20 fév. et lundi en hiver – **R** 75/190 – 25 – **40 ch** 220/31
1/2 p 210/240.

Au Goldbrunnen, ✆ 88 87 31 01, ←, – wc ☎ – 30. E VISA
fermé 15 janv. au 15 fév., mardi soir et merc. du 1er déc. au 1er mars – **R** 75/13
enf. 33 – 15 – **22 ch** 90/150 – 1/2 p 140/160.

OBERSTEINBACH 67 B.-Rhin 57 ⑱⑲ **G. Alsace et Lorraine** – 197 h. – ✉ **67510** Lemba

Paris 451 – Bitche 22 – Haguenau 34 – ♦Strasbourg 66 – Wissembourg 25.

✿ **Anthon** avec ch, ✆ 88 09 25 01, – wc – 30. E VISA
fermé janv., lundi et mardi – **R** 80/280 – 30 – **7 ch** 180
Spéc. Foie gras, Gibier (saison), Feuilleté aux poires sauce caramel. **Vins** Pinot blanc, Pinot gris.

OBJAT 19130 Corrèze 75 ⑧ – 3 295 h.

Paris 477 – Arnac-Pompadour 23 – Brive-la-Gaillarde 19 – ♦Limoges 82 – Tulle 48 – Uzerche 30.

France, 12 av. G.-Clemenceau ✆ 55 25 80 38 – wc ☎ . VISA
fermé 25 sept. au 15 oct., 23 déc. au 3 janv. et dim. hors sais. – **R** 55/150 , enf
– 22 – **15 ch** 80/160 – 1/2 p 130/180.

✿ **Pré Fleuri** (Chouzenoux) avec ch, rte Pompadour ✆ 55 25 83 92, , –
. AE E VISA
fermé 10 au 25 janv. et lundi – **R** 125/230 – **7 ch** 135/145 – 1/2 p 230
Spéc. Canapé de truffes au foie gras à la lie de vin, Eventail de canette au jus de noix, Pêch
sabayon de Sauternes. **Vins** Cahors, Bergerac.

Chez Tony, pl. Gare ✆ 55 25 02 23 – . VISA.
fermé juin et lundi – **R** 80/170 , enf. 35.

à St-Aulaire par rte des 4 chemins : 3 km – ✉ **19130** Objat :

Bellevue ⛰, ℘ 55 25 81 39, ←, ⛱ – ⋒ ☎ Ⓟ. ⓓ E VISA. ✂ ch
fermé oct. – **R** *(fermé sam. hors sais.)* 55/160, enf. 25 – ☕ 18 – **10 ch** 100/180 – 1/2 p 140/145.

CITROEN Gar. Vigerie, ℘ 55 25 80 03 N ℘ 55 54 10 75
PEUGEOT-TALBOT Gar. Goubeau, ℘ 55 25 83 66 N
PEUGEOT-TALBOT Gar. Moderne, ℘ 55 25 00 56 N

OCHIAZ 01 Ain 74 ⑤ – rattaché à Bellegarde-sur-Valserine.

ODEILLO 66 Pyr.-Or. 86 ⑯ – rattaché à Font-Romeu.

OFFENDORF 67 B.-Rhin 57 ⑲ – 1 739 h. – ✉ **67850** Herrlisheim.
Paris 494 – Haguenau 19 – Karlsruhe 65 – Saverne 56 – ♦Strasbourg 21.

XX **A la Forêt du Rhin,** 2 r. Principale ℘ 88 96 49 53 – Ⓟ. AE ⓓ E VISA. ✂
fermé 4 au 29 juil., 27 déc. au 31 janv., mardi soir et merc. – **R** 95/165 ♁.

OGNES 02 Aisne 56 ③ – rattaché à Chauny.

OIRON 79 Deux-Sèvres 68 ② **G. Poitou Vendée Charentes** – 800 h. – ✉ **79100** Thouars.
Voir Château★ : galerie★★ – Collégiale★.
Paris 327 – Loudun 15 – Parthenay 41 – Poitiers 57 – Thouars 13.

XX **Relais du Château** avec ch, ℘ 49 96 51 14 – ☎. AE ⓓ E VISA
fermé lundi d'oct. à juin et dim. soir – **R** 50/150 ♁, enf. 35 – ☕ 15 – **7 ch** 80/100 – 1/2 p 140/170.

La gratuité du garage, à l'hôtel, est souvent réservée aux usagers du ***guide Michelin.*** *Présentez votre guide de l'année.*

OLARGUES 34390 Hérault 83 ③ **G. Gorges du Tarn** – 529 h.
Env. Gorges d'Héric★★ NE : 8 km.
Office de Tourisme r. de la Place (juil.-août) ℘ 67 97 71 26.
Paris 858 – Béziers 50 – Lodève 55 – ♦Montpellier 97 – St-Affrique 96 – St-Pons 18.

Domaine de Rieumégé ⛰, rte St-Pons ℘ 67 97 73 99, ←, ⛱, ⛱, ✂ – ⌂wc ⋒wc ☎ Ⓟ. E VISA
30 avril-26 sept. – **R** (dîner seul.) 120/170, enf. 70 – ☕ 40 – **12 ch** 244/327 – 1/2 p 307/340.

Laissac ⛰, av. Gare ℘ 67 97 70 89 – ⛟. ✂
hôtel : ouvert avril-sept.; rest. : fermé oct. – **R** 58/110 – ☕ 15 – **14 ch** 85/140 – 1/2 p 160/170.

OLBREUSE 79 Deux-Sèvres 72 ① – ✉ **79210** Mauzé-sur-le-Mignon.
Paris 425 – Niort 21 – La Rochelle 46 – St-Jean-d'Angély 32 – Surgères 17.

Château ⛰, ℘ 49 04 85 74, parc – ⌂wc ⋒wc ☎ ♿ Ⓟ – ⛬ 90. E VISA
fermé 15 au 22 oct., fév., dim. soir et lundi hors sais. – **R** 88/180, enf. 45 – ☕ 35 – **11 ch** 170/300 – 1/2 p 285/375.

OLEMPS 12 Aveyron 80 ② – rattaché à Rodez.

OLÉRON (Ile d') ★ 17 Char.-Mar. 71 ⑬⑭ **G. Poitou Vendée Charentes.**
Accès par le pont viaduc★. Péage, en 1987 : auto 50,50 F AR (conducteur et passagers compris), moto 6 F, camions 47 à 159,50 F.
Du pont : Paris 502 – Marennes 9,5 – Rochefort 31 – La Rochelle 61 – Royan 40 – Saintes 49.

Boyardville – ✉ **17190** St-Georges-d'Oléron.
Pont d'Oléron 15.

XX **La Perrotine,** au port ℘ 46 47 01 01 – AE E VISA
fermé janv. et mardi sauf vacances scolaires – **R** 100/160, enf. 60.

XX **Bains** avec ch, au port ℘ 46 47 01 02, ⛱ – ⋒wc Ⓟ. AE ⓓ E VISA
22 mai-19 sept. – **R** 97/278 ♁, enf. 50 – ☕ 25 – **9 ch** 124/189 – 1/2 p 208/240.

CITROEN Brancq, ℘ 46 47 01 61

La Brée-les-Bains – 578 h. – ✉ **17840** La-Brée-les-Bains

XX **La Chaudrée** avec ch, pl. Pasteur ℘ 46 47 81 85 – ⋒wc ☎. E VISA
15 mars-15 nov. – **R** 72/160, enf. 45 – ☕ 25 – **16 ch** 160/245 – 1/2 p 260/310.

Le Château-d'Oléron – 3 411 h. – ✉ **17480** Le Château-d'Oléron.

Office de Tourisme pl. République ✆ 46 47 60 51.

Pont d'Oléron 3.

France, ✆ 46 47 60 07 – wc wc. ch
fermé 15 au 25 oct., 15 déc. au 1er fév., sam. midi et vend. hors sais. sauf fêtes –
R 46/150 – 19 – **11 ch** 102/216 – 1/2 p 190/227.

RENAULT Gar. S.O.A. ✆ 46 47 67 22

La Cotinière – ✉ **17310** St-Pierre-d'Oléron – Pont d'Oléron 16.

Motel Ile de Lumière M sans rest, ✆ **46 47 10 80,** ←, – TV wc wc ☎ P
avril-oct. – **43 ch** 330/520.

Face aux Flots, ✆ 46 47 10 05, ← – wc wc ☎. E VISA
début fév.-15 nov. – **R** 95/165 – 25 – **20 ch** 110/253.

Le Vivier avec ch, au port ✆ 46 47 10 31, ←, – TV wc ☎. E VISA
1er fév.-11 nov. et fermé dim. soir et lundi hors sais. – **R** 105/246 – 31 – **8 ch**
378/399 – 1/2 p 750/796.

La Remigeasse – ✉ **17550** Dolus – Pont d'Oléron 10.

Gd Large et rest. Amiral M , à la Plage ✆ 46 75 37 89, Télex 790395, ←, parc, – TV ☎ P
début avril-début oct. – **R** 195/285 – 55 – **23 ch** 540/1280, 4 appartements 1550
– 1/2 p 580/950.

St-Georges-d'Oléron – 2 935 h. – ✉ **17190** St-Georges-d'Oléron – Pont d'Oléron 20.

✿ **Trois Chapons (Rolland),** ✆ 46 76 51 51, – P. AE O E VISA
fermé 12 nov. au 1er fév., lundi soir et mardi (sauf juil.-août) – **R** carte 255 à 375, enf.
60
Spéc. Pizza de St-Jacques, Homard rôti au gros sel, Carré d'agneau à la fleur de thym. **Vins** Vins de pays charentais.

St-Pierre-d'Oléron – 4 782 h. – ✉ **17310** St-Pierre-d'Oléron – **Voir** Église ✳★.

Office de Tourisme pl. Gambetta (fermé oct. et matin hors saison) ✆ 46 47 11 39.

Pont d'Oléron 14.

Square sans rest, ✆ **46 47 00 35, Télex 791346,** , – wc wc ☎ – 30.
E VISA
15 mars-30 nov. – 30 – **30 ch** 250/270.

La Campagne, ✆ 46 47 25 42, – P. AE VISA
1er avril-1er oct. et fermé lundi – **R** 160.

FORD Gar. Pinaud, RN à St-Pierre-d'Oléron ✆ 46 47 00 33
PEUGEOT, TALBOT Belluteau, pl. Gambetta ✆ 46 47 02 26
VAG Pacreau, Zone Ind. rte St Georges ✆ 46 47 13 21

St-Trojan-les-Bains – 1 470 h. – ✉ **17370** St-Trojan-les-Bains.

Office de Tourisme carrefour du Port (fermé matin vacances de Toussaint-Pâques) ✆ 46 76 00 86.

Pont d'Oléron 8.

Novotel M , Plage de Gatseau S : 2,5 km ✆ 46 76 02 46, Télex 790910, ←, « En forêt près de la mer », , , – TV ☎ P – 30 à 150. AE O E VISA
R carte environ 120, enf. 40 – 38 – **80 ch** 490/620.

Les Cleunes M sans rest, ✆ **46 76 03 08,** ←, , – TV wc wc ☎ P. AE O E VISA.
25 mars-5 nov. – 32 – **49 ch** 230/420.

L'Albatros , ✆ 46 76 00 08, ←, , – wc ☎ P
7 fév.-15 nov. – **R** 62/96 – 24 – **13 ch** 176/221 – 1/2 p 201/222.

La Marée, au port ✆ 46 76 04 96, , Produits de la mer – AE O E VISA
1er avril-30 sept. et fermé lundi sauf juil.-août – **R** 80/110.

RENAULT Testard, ✆ 46 76 01 07

Vert-Bois (Plage du) – ✉ **17550** Dolus.

Voir ←★.

Pont d'Oléron 5,5.

Pins du Vert-Bois , ✆ 46 75 34 98, , « Parc fleuri », – TV wc wc
☎ P – 40. AE O E VISA
R 150 – 35 – **21 ch** 300/900 – 1/2 p 485/635.

OLETTE **66360** Pyr.-Or. 86 ⑰ **G. Pyrénées Roussillon** – 532 h. alt. 627.
Paris 969 – Mont-Louis 20 – ♦Perpignan 59 – Prades 16.

XX **La Fontaine** avec ch, ✆ 68 97 03 67, – **P**. E VISA
fermé janv., mardi soir et merc. du 1er oct. au 1er juin – **R** 75/180 – 15 – **8 ch** 70/170 – 1/2 p 110/160.

OLIVET **45160** Loiret 64 ⑨ **G. Châteaux de la Loire** – 14 489 h.
Office de Tourisme 283 r. Gén.-de-Gaulle (26 mai-4 sept.) ✆ 38 63 49 68 et à la Mairie (hors saison) ✆ 38 63 48 48.
Paris 137 ⑩ – Blois 65 ⑥ – Gien 62 ④ – ♦Orléans 5 – Romorantin-Lanthenay 63 ⑤ – Salbris 51 ⑤.

Voir plan d'Orléans agglomération

XXX **Le Rivage** avec ch, **635 r. Reine-Blanche** ✆ **38 66 02 93**, €, , « **Terrasse au bord de l'eau** », – wc wc **P** – 30. AE E VISA BY **f**
fermé 28 déc. au 4 janv., 20 fév. au 10 mars et dim. soir du 1er nov. au 27 mars – **R** 100/300, enf. 60 – 28 – **21 ch** 140/220 – 1/2 p 300/350.

XXX **Madagascar, 315 r. Reine-Blanche** ✆ **38 66 12 58**, €, , « **Terrasse au bord de l'eau** » – **P**. AE E VISA BY **g**
fermé 1er fév. au 4 mars, dim. soir et mardi soir d'oct. à avril et merc. – **R** 115/150.

CITROEN France et Delaroche, r. de Bourges BZ ✆ 38 63 02 62

PORSCHE-MITSUBISHI Loire Auto, r. de Bourges ✆ 38 69 33 69

OLLENCOURT **60** Oise 56 ③ – rattaché à Tracy-le-Mont.

Les OLLIÈRES-SUR-EYRIEUX **07360** Ardèche 76 ⑲⑳ – 793 h.
Paris 598 – Le Cheylard 29 – Lamastre 37 – Montélimar 53 – Privas 19 – Valence 34.

XX **Aub. Vallée** avec ch, ✆ 75 66 20 32 – wc wc **P**. E VISA.
fermé 21 au 26 sept., 1er fév. au 15 mars, dim. soir et lundi du 15 sept. au 15 juin – **R** 75/220 – 25 – **7 ch** 155/230.

PEUGEOT-TALBOT Gar. de Veyes ✆ 75 66 20 36

RENAULT Gar. Sarméo, rte Valence à St-Sauveur-de-Montagut ✆ 75 65 41 44

OLORON-STE-MARIE **64400** Pyr.-Atl. 85 ⑤⑥ **G. Pyrénées Aquitaine** – 12 237 h.
Voir Portail★★ de l'église Ste-Marie A.
Office de Tourisme pl. Résistance ✆ 59 39 98 00.
Paris 822 ⑤ – ♦Bayonne 93 ⑤ – Dax 80 ⑤ – Lourdes 61 ② – Mont-de-Marsan 96 ① – Pau 33 ②.

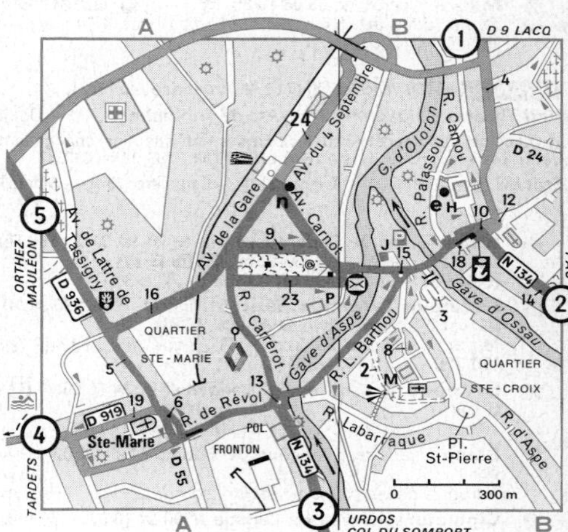

Béarn, 4 pl. Mairie ✆ 59 39 00 99 – wc wc . AE E VISA B **e**
R 65/130, enf. 30 – 25 – **26 ch** 105/220 – 1/2 p 178/250.

Paix sans rest, 24 av. Sadi-Carnot ✆ 59 39 02 63, – wc **P**. A **n**
17 – **24 ch** 100/180.

X **Chez Barthélemy,** rte Espagne par ③ ✆ 59 39 03 38 – AE VISA
fermé oct., dim. soir et lundi – **R** 48/72.

à Féas par ④ : 7,5 km – ✉ **64570** Aramits :

La Forgerie du Beau Site ⛰, ✆ 59 39 24 87, ☂, 🌳 – ⋒ 🅟. E VISA
fermé 11 nov. au 20 déc. et merc. du 15 sept. au 15 juin – **R** 42/96 ⚱ – ☕ 16 – **10 ch** 70/100 – 1/2 p 95/110.

FIAT Guiraud, av. Ch.-Moureu ✆ 59 39 02 43 🅽 ✆ 59 39 19 92
FORD Boy, 23 av. T.-Derème ✆ 59 39 02 09
PEUGEOT, TALBOT Tristan, av. de-Lattre-de Tassigny par ⑤ ✆ 59 39 10 73
RENAULT Haurat, 41 r. Carrérot ✆ 59 39 01 93

OMAHA BEACH 14 Calvados 54 ④⑭ – voir à Vierville-sur-Mer.

OMONVILLE-LA-ROGUE 50 Manche 54 ① – 334 h. – ✉ **50440** Beaumont-Hague.
Paris 381 – Barneville-Carteret 43 – Cherbourg 23 – St-Lô 102.

Port, ✆ 33 52 74 13, ← – ⓓ E VISA
1er mars-2 nov. et fermé lundi – **R** 80/270.

ONZAIN 41150 L.-et-Ch. 64 ⑯ – 3 021 h.
Paris 197 – Amboise 20 – Blois 16 – Château-Renault 24 – Montrichard 21 – ♦Tours 44.

❀ **Domaine des Hauts de Loire** M ⛰, **NO : 3 km par D 1 et voie privée** ✆ **54 20 72 57, Télex 751547,** ☂, **« Manoir, parc et forêt »,** 🎾 – TV ☎ ♿ 🅟 – 🏛 80. AE E VISA. ✻
1er mars-1er déc. – **R** carte 230 à 380, enf. 100 – ☕ 60 – **22 ch** 780/1000, 6 appartements 1200/1500
Spéc. Mousse de persil à l'huile de noisettes, Filets de sandre aux poireaux. Vins Sauvignon Touraine-Mesland.

Château des Tertres ⛰ sans rest, **O : 1,5 km par D 58** ✆ **54 20 83 88,** ← **« Gentilhommière dans un parc »** – ⊟wc ⋒wc ☎ 🅟. AE E VISA. ✻
25 mars-13 nov. – ☕ 28 – **14 ch** 240/300.

PEUGEOT, TALBOT Gar. Guyader, ✆ 54 20 70 37 🅽
RENAULT Gar. Lemaire, ✆ 54 20 70 45

OPIO 06 Alpes-Mar. 84 ⑧, 195 ㉔ – rattaché à Grasse.

ORADOUR-SUR-GLANE 87520 H.-Vienne 72 ⑥⑦ **G. Berry Limousin** – 1 941 h.
Voir Bourg incendié par les Nazis le 10 juin 1944 après massacre de sa population.
Paris 402 – Angoulême 86 – Bellac 23 – Confolens 33 – ♦Limoges 22 – Nontron 67.

Milord avec ch, ✆ **55 03 10 35,** ☂ – ⋒ 🅟. AE VISA. ✻ ch
fermé 15 fév. au 15 mars et merc. du 1er oct. à fin mars – **R** 45/140 ⚱ – ☕ 16 – **8 ch** 95/120.

ORANGE 84100 Vaucluse 81 ⑪⑫ **G. Provence** – 27 502 h.
Voir Théâtre antique★★★ BZ – **Arc de Triomphe★★** AY – **Colline St-Eutrope** ←★ BZ.
ℹ Office de Tourisme et Accueil de France (Informations, change et réservations d'hôtels pas plus de 5 jours à l'avance) cours A.-Briand ✆ 90 34 70 88, Télex 432357.
Paris 659 ⑤ – Alès 85 ⑤ – Avignon 31 ⑤ – Carpentras 23 ③ – Montélimar 55 ⑤ – Nîmes 55 ⑤.

Plan page ci-contre

Altéa M, **rte de Caderousse par ⑤** ✆ **90 34 24 10, Télex 431550,** ☂, 🏊, 🌳 – ▤ rest TV ☎ 🅟 – 🏛 30 à 150. AE ⓓ E VISA
R 90/140 – ☕ 36 – **99 ch** 280/330 – 1/2 p 350.

Louvre et Terminus, 89 av. F.-Mistral - BY ✆ **90 34 10 08, Télex 431195,** ☂ – 🛗 ▤ rest TV ⊟wc ⋒wc ☎ ♿ 🚗. E VISA
fermé 20 déc. au 20 janv. – **R** *(fermé dim.)* 93/140 ⚱, enf. 28 – ☕ 28 – **34 ch** 190/270 – 1/2 p 195/235.

H. Arène ⛰ sans rest, **pl. Langes** ✆ **90 34 10 95** – TV ⊟wc ⋒wc ☎ 🚗. AE ⓓ E VISA — AY
fermé 1er nov. au 15 déc. – ☕ 26 – **30 ch** 195/260.

Glacier sans rest, **46 cours A.-Briand** ✆ **90 34 02 01** – 🛗 ⊟wc ⋒wc ☎. E VISA ✻ — AY
fermé 20 déc. au 31 janv. et dim. soir du 1er nov. à Pâques – ☕ 19 – **29 ch** 180/200.

Cigaloun sans rest, **4 r. Caristie** ✆ **90 34.10 07** – ⊟wc ⋒wc ☎ 🅟. E VISA — BY
☕ 17 – **29 ch** 98/185.

❀ **Le Pigraillet, chemin colline St-Eutrope** ✆ **90 34 44 25,** ☂, 🏊, 🌳 – 🅟. AE ⓓ
fin fév.-30 nov. et fermé dim. soir et lundi – **R** 130/190 — BZ
Spéc. Foie gras de canard en infusion de Porto (mars à juin), Magret de canard au Beaumes de Venise (juin à sept.), Sablé aux noix et miel. Vins Cairanne, Gigondas.

Le Forum, 3 r. Mazeau ✆ **90 34 01 09** – AE ⓓ E VISA — BY
fermé 1er au 10 oct., 20 déc. au 3 janv. sam. soir et dim. – **R** (déj. seul. du 1er nov. au 1er mars) 90/140.

ORANGE

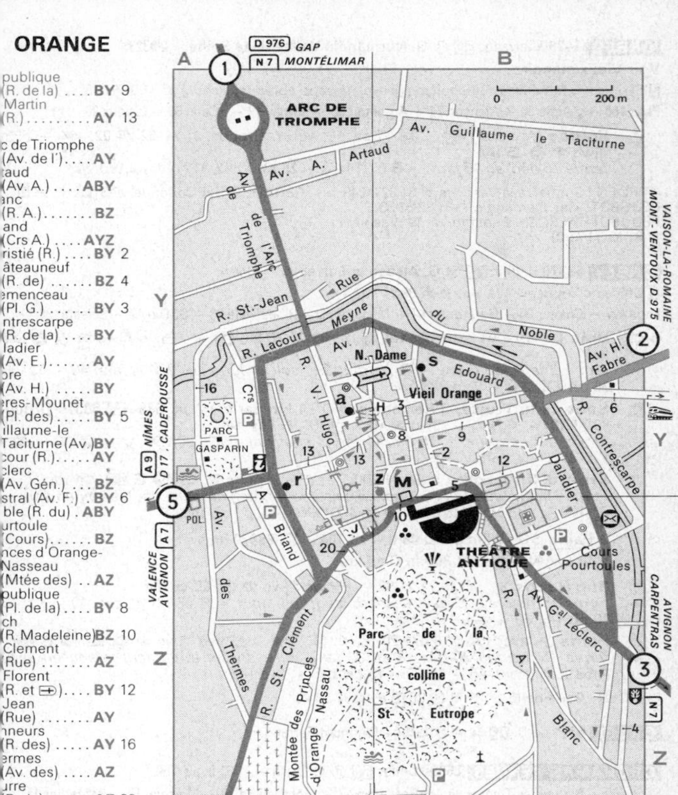

à Rochegude (26 Drôme) par ①, D 976, D 11 et D 117 : 14 km – ✉ **26790** Rochegude :

🏨 ✿ **Château de Rochegude** Ⓜ 🐴, ✆ **75 04 81 88, Télex 345661, « Élégante installation, parc, 🏊, 🎾 », 🍴 – 🛗 ▤ 📺 ☎ 🅟 – 🛋 100. AE ⓓ E VISA. ✂ rest** *fermé début janv. à début mars –* **R** *(fermé mardi midi et merc. midi hors sais.)* 250 – ☕ 55 – **25 ch** 380/1200, 4 appartements 1500

Spéc. Ravioles de Romans au bouillon d'aubergines, Pigeonneau aux gousses d'ail, Agneau à la crème de thym. **Vins** Cairanne.

.FA-ROMEO Gar. Masoero, rte d'Avignon, ✆ 75 34 62 91
MW Foch-Autom., 655 av. Mar.-Foch ✆ 90 24 35
TROEN Central Gar. Vauclusien, rte Avignon par ③ ✆ 90 51 65 00
AT, LANCIA-AUTOBIANCHI Gemelli, 28 av. c-de-Triomphe ✆ 90 34 69 04 **N** ✆ 90 34 10
RD Auto-Sce-Leader, rte d'Avignon N 7 90 51 82 41
PEL-GM Balbi, rte de Lyon ✆ 90 34 04 16
UGEOT Marquion, av. Charles-de-Gaulle r ⑤ ✆ 90 34 68 44

PEUGEOT-TALBOT Vaucluse-Autos, av.Mar.-Foch par ③ ✆ 90 34 24 11
RENAULT Brun, N 7 rte de Lyon par ① ✆ 90 34 02 68
TOYOTA Chaix, 18 av. Gén.-Leclerc ✆ 90 34 51 01 **N** ✆ 90 34 30 60
V.A.G. Orangeoise-Autom., rte de Jonquières ✆ 90 34 61 83

⊛ Ayme-Pneus, rte de Caderousse ✆ 90 34 24 65
Lesueur-Pneus, rte de Lyon ✆ 90 34 14 66

In this guide,
*a symbol or a character, printed in red or black in light or **bold** type, does not have the same meaning.*
Please read the explanatory pages carefully (pp. 22 to 29).

ORBEC 14290 Calvados 55 ⑭ **G. Normandie Vallée de la Seine** – 2 832 h.

Voir Vieux manoir★.

Syndicat d'Initiative r. Guillonière (15 avril-15 sept. après-midi seul.) ✆ 31 32 87 15.

Paris 168 – L'Aigle 36 – Alençon 77 – Argentan 52 – Bernay 17 – ♦Caen 69 – Lisieux 20.

France (Annexe M 11 ch wc), r. Grande ✆ 31 32 74 02, – wc ☎ P. E VISA
fermé 15 déc. au 15 janv. – **R** 67/144 – **25 ch** 92/317 – 1/2 p 160/243.

CITROEN Gontier, à la Vespière ✆ 31 32 80 49
PEUGEOT Gar. Derriennic ✆ 31 32 83 53
PEUGEOT-TALBOT Deparde, à la Vespière ✆ 31 32 83 73 N
RENAULT Gar. Jouenne, ✆ 31 32 82 56 N

ORBEY 68370 H.-Rhin 62 ⑱ **G. Alsace et Lorraine** – 3 144 h.

Office de Tourisme à la Mairie ✆ 89 71 30 11.

Paris 427 – Colmar 20 – Gérardmer 41 – Munster 25 – Ribeauvillé 23 – St-Dié 42 – Sélestat 36.

Bois Le Sire et son Motel M, ✆ 89 71 25 25, – wc wc ☎ ♿ P. AE VISA
fermé 2 janv. au 6 fév. – **R** *(fermé dim. soir et lundi)* 85/220, enf. 40 – 38
36 ch 203/256 – 1/2 p 223/253.

Saut de la Truite, à Remomont NO : 1 km par VO - alt. 589- ✉ 68370 Orbey
89 71 20 04, ←, – wc ☎ P – 50. E VISA.
fermé déc. et janv. – **R** *(fermé merc. sauf juil.-août)* 90/200 – 22 – **22**
125/225 – 1/2 p 180/230.

Croix d'Or, r. Église ✆ 89 71 20 51 – wc wc ☎. AE E VISA. rest
fermé 15 nov. au 24 déc., lundi en sais. (sauf hôtel) et merc. sauf le soir en sais. –
70/170, enf. 55 – 25 – **18 ch** 150/190 – 1/2 p 160/185.

à Pairis SO : 3 km sur D 48 II – alt. 700 – ✉ **68370** Orbey.

Voir Lac Noir★ : ←★ 30 mn O : 5 km.

Bon Repos, ✆ 89 71 21 92 – wc wc ☎ P. AE E VISA
fermé 15 nov. au 20 déc. et merc. sauf juil.-août – **R** 58/96, enf. 40 – 18
19 ch 74/180 – 1/2 p 115/165.

Pairis avec ch, ✆ 89 71 20 15, ←, – wc wc ☎ P. AE E VISA
fermé 15 nov. au 20 déc., 8 au 30 janv., dim. soir et lundi sauf le soir en sais.
R 58/220, enf. 45 – 20 – **15 ch** 195 – 1/2 p 185.

CITROEN Gar. Eberlé, ✆ 89 71 20 35 N ✆ 89 71 23 45

ORCET 63 P.-de-D. 73 ⑭ – rattaché à Clermont-Ferrand.

ORCHAMPS-VENNES 25390 Doubs 66 ⑰ **G. Jura** – 1 461 h. alt. 750.

Paris 460 – Baume-les-Dames 45 – ♦Besançon 47 – Montbéliard 70 – Morteau 17 – Pontarlier 44.

Barrey avec ch, face à l'église ✆ 81 43 50 97 – TV wc wc ☎. E VISA
fermé 7 au 21 janv. et lundi hors sais. – **R** 45/180, enf. 38 – 16 – **15 ch** 70/1
– 1/2 p 150.

à Fuans E : 3 km par D 461 – ✉ **25390** Orchamps-Vennes :

Patton, ✆ 81 43 51 01, ← – TV wc P. AE E VISA.
fermé 11 nov. au 1er déc., dim. soir et lundi du 1er oct. au 1er juin – **R** 50/140 –
17 – **10 ch** 80/170 – 1/2 p 155.

à Loray NO : 4,5 km par D 461 – ✉ **25390** Orchamps-Vennes :

Vieille, ✆ 81 43 21 67, – wc wc P. VISA
fermé oct. et janv. – **R** 45/170 – 25 – **9 ch** 140/180 – 1/2 p 140/150.

CITROEN Gar. Cartier, ✆ 81 43 60 52
FORD Vernier, ✆ 81 43 52 38 N

ORCHIES 59310 Nord 51 ⑯ – 5 693 h.

Paris 217 – Denain 25 – Douai 20 – ♦Lille 26 – St-Amand-les-Eaux 15 – Tournai 19 – Valenciennes 2

La Chaumière, S : 2 km D 957 ✆ 20 71 86 38, – P. AE E VISA
fermé fév., jeudi soir et vend. – **R** 68 bc/207.

ORCIÈRES 05170 H.-Alpes 77 ⑰ **G. Alpes du Nord** – 890 h. alt. 1 439 – Sports d'hive
Orcières-Merlette: 1 850/2 650 m 2 27.

Env. Vallée du Drac Blanc★★ NO : 14 km.

Office de Tourisme ✆ 92 55 70 39, Télex 401162.

Paris 679 – Gap 33 – ♦Grenoble 115 – La Mure 77 – St-Bonnet 27.

Poste, ✆ 92 55 70 04, ←, – P. VISA
R 60/130 – 20 – **31 ch** 120/150 – 1/2 p 170/180.

ORCINES 63 P.-de-D. 73 ⑭ – rattache à Clermont Ferrand.

ORCIVAL 63 P.-de-D. 73 ⑬ **G. Auvergne** – 381 h. alt. 860 – ✉ **63210** Rochefort-Montagne.
Voir Église**.
Paris 426 – Aubusson 89 – ◆Clermont-F. 27 – Le Mont-Dore 17 – Rochefort-Montagne 4 – Ussel 57.

- **Roche** sans rest, ✆ 73 65 82 31, – wc ☎. E VISA. *fermé 12 nov. au 15 déc.* – 16 – **9 ch** 120/145.
- **Notre-Dame,** ✆ 73 65 82 02 – wc. VISA. *vacances de printemps-25 oct., vacances de Noël, de fév. et fermé merc. du 15 sept. au 1er avril* – **R** (dîner seul.) (résidents seul.) 39/58, enf. 20 – 20 – **9 ch** 100/155 – 1/2 p 110/150.
- **L'Ajasserie d'Orcival,** ✆ 73 65 81 54 – E VISA. ch *Pâques-1er oct. et vacances scolaires* – **R** 50/100 – 16 – **14 ch** 70/130 – 1/2 p 120/140.
- **Les Bourelles** sans rest, ✆ 73 65 82 28, ←, – *Vacances de printemps-1er oct. et vacances de fév.* – 16 – **7 ch** 82/110.

ORGELET 39270 Jura 70 ⑭ **G. Jura** – 1 662 h.
Paris 412 – Bourg-en-Bresse 67 – Lons-le-Saunier 20 – Nantua 54 – St-Claude 40.

- **La Valouse,** ✆ 84 25 40 64 – wc wc P. E VISA *fermé 15 nov. au 4 déc., dim. soir et lundi du 16 sept. au 14 juin* – **R** 60/185, enf. 38 – 25 – **16 ch** 158/193 – 1/2 p 200/218.

CITROEN Gar. Jeunet et Guyot, ✆ 84 25 41 87
✆ 84 25 43 09
PEUGEOT, TALBOT Gar. Bernard, ✆ 84 25 42 1
RENAULT Gar. Masini, ✆ 84 25 40 22 N

ORGEVAL 78630 Yvelines 55 ⑲, 196 ⑰, 101 ⑪ – 3 936 h.
Paris 36 – Mantes-la-Jolie 29 – Pontoise 24 – Rambouillet 47 – St-Germain-en-Laye 11 – Versailles 22.

- **Novotel** M, à l'échangeur A 13, D 113 ✆ (1) 39 75 97 60, Télex 697174, – ☎ P – 200. AE E VISA **R** carte environ 150, enf. 45 – 40 – **119 ch** 355/385.

OPEL Gar. Paris Deauville, la Maison Blanche, R N ✆ (1)39 75 85 26

ORGNAC-L'AVEN 07 Ardèche 80 ⑨ – 323 h. – ✉ **07150** Vallon-Pont-d'Arc.
Voir Aven d'Orgnac*** NO : 2 km, **G. Provence.**
Paris 661 – Alès 48 – Aubenas 56 – Pont-St-Esprit 24.

- **Stalagmites,** ✆ 75 38 60 67, – wc P. *1er mars-30 nov.* – **R** 55/110, enf. 40 – 20 – **18 ch** 110/195 – 1/2 p 148/165.

ORGON 13660 B.-du-R. 84 ①② **G. Provence** – 2 341 h.
Paris 706 – Avignon 30 – Cavaillon 7 – ◆Marseille 73 – St-Rémy-de-P. 18 – Salon-de-Provence 19.

- XX **Relais Basque,** rte nationale ✆ 90 73 00 39, – P. *fermé sam.* – **R** (déj. seul.) 115/165.

ORINCLES 65 H.-Pyr. 85 ⑧ – rattaché à Lourdes.

ORLÉANS P 45000 Loiret 64 ⑨ **G. Châteaux de la Loire** – 105 589 h.
Voir Cathédrale* FY **B** : boiseries** – Maison de Jeanne d'Arc* EY **E** – Quai Fort-des-Tourelles ←* EY60 – Musées : des Beaux-Arts** FY **M1**, Historique* EY **M2.**
Env. Olivet : parc floral de la Source** SE : 8 km CZ.
du Val de Loire ✆ 38 59 25 15 par ③ : 17 km.
Office de Tourisme et Accueil de France (Informations et réservations d'hôtels, pas plus de jours à l'avance) bd A.-Briand (transfert prévu en mai près de la gare) ✆ 38 53 05 95, Télex 781188 – A.C. 24 pl. Martroi ✆ 38 53 43 45.
Paris 130 ⑩ – ◆Caen 255 ⑩ – ◆Clermont-Ferrand 295 ⑦ – ◆Dijon 297 ③ – ◆Limoges 272 ⑦ – ◆Le Mans 138 ⑨ – ◆Reims 265 ② – ◆Rouen 219 ⑩ – ◆Tours 112 ⑧.

Plans pages suivantes

- **Sofitel** M, 44 quai Barentin ✆ 38 62 17 39, Télex 780073, ←, – ☎ P – 30 à 100. AE E VISA DY **t** La Vénerie **R** 105/115 – 50 – **108 ch** 410/530.
- **Orléans** M sans rest, 6 r. A.-Crespin ✆ 38 53 35 34 – wc wc. E VISA. EY **t** 27 – **18 ch** 200/295.
- **St-Aignan** sans rest, 3 pl. Gambetta ✆ 38 53 15 35 – wc wc ☎. AE E VISA EX **k** 25 – **27 ch** 248/302.
- **Les Cèdres** sans rest, 17 r. Mar.-Foch ✆ 38 62 22 92, Télex 782314, – wc wc ☎. AE E VISA DX **a** 23 – **36 ch** 150/285.

ORLÉANS
0 1 km
PARIS
CHARTRES ÉTAMPES
PARIS N 20
ÉTAMPES D 97
A B C
10
11
1
SARAN
MONTARAN
A 701-E 60
LES AYDES
D 602
A 10-E 05
LE MANS CHATEAUDUN
Charge limitée : 12 T.
LES VALLÉES
LES TOITS
N.-D. DE CONSOLATION
FLEURY-LES-AUBRAIS
SEMOY
L'HERVELINE
VILLEVAUDE
Rue M. Berthelot
LES MURLINS
R. du Fg Bannier
9
X
LE GRAND ORME
N 157
AGENCE MICHELIN
LA BARRIERE -ST-MARC
VILLIERS
PITHIVIERS N 152
Rue Ch. Beauhaire
ST-JEAN-DE-LA-RUELLE
Bd M. Stuart
ST-MARC
ST-LOUP
2
3
MONTARGIS
BLOIS A 10-E 05
8
ST-LAURENT
ST-EUVERTE
MICHELIN
LOIRE
N 152
7
L'ILE ARRAULT
ST-MARCEAU
ST-JEAN-LE-BLANC
BLOIS BEAUGENCY
Route de St-Mesmin
ST-PRYVÉ-ST-MESMIN
Rte de Sandillon
D 826
Y
D 951
6
LOIRET
LA FONTAINE
N.-D. DU VAL
PARC DES EXPOSITIONS
4
BLOIS
D 14
R. du Gal de Gaulle
LES MONTÉES
D 951
D 126
A 71-E 09
NORAS
OLIVET
R. M. Belot
R. de la Source
R. des Plaisses
Z
LA BELLE CROIX
L'HÔTEL-DIEU
PARC FLORAL
N 271
D 15
D 168
D 14
VIERZON
A
B
C.N.R.S.
LA SOURCE
ST-YVES
Av. Buffon
D 326
N 20
5
VIERZON BOURGES
C

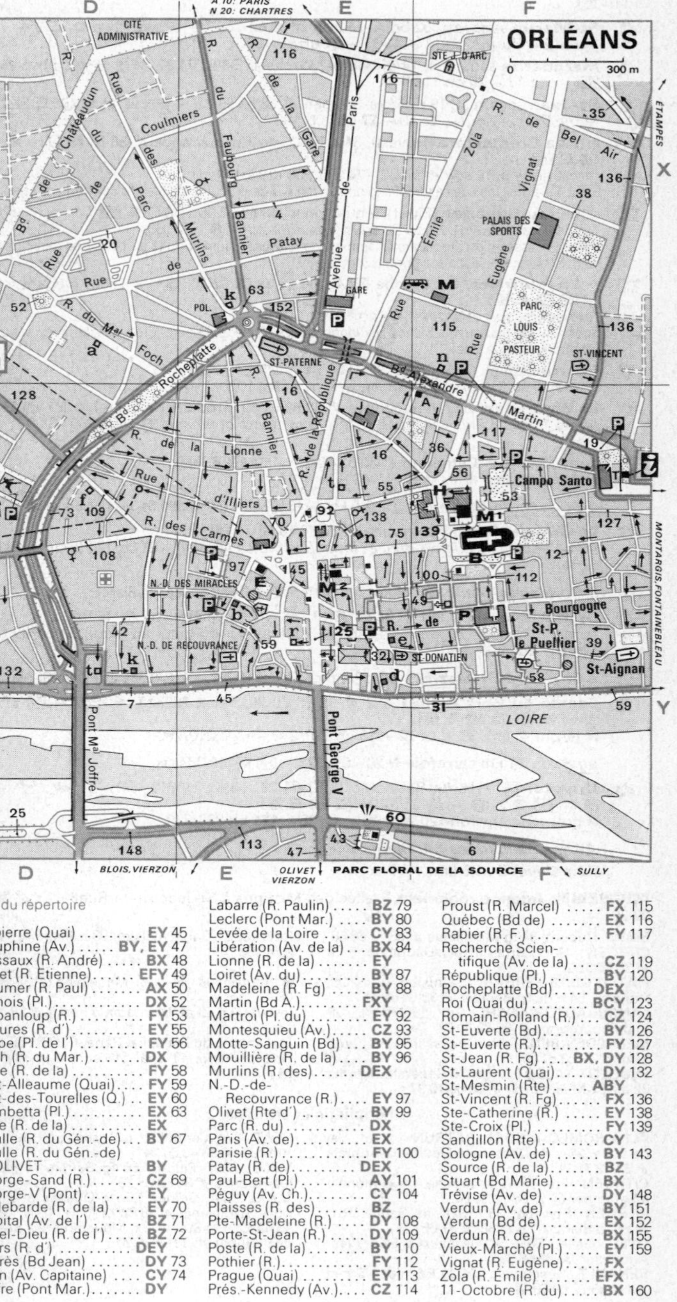

du répertoire

ierre (Quai) . . . . **EY** 45
uphine (Av.) . . . . . **BY, EY** 47
ssaux (R. André) . . . . . . **BX** 48
et (R. Étienne) . . . . . . **EFY** 49
umer (R. Paul) . . . . **AX** 50
nois (Pl.) . . . . **DX** 52
oanloup (R.) . . . . **FY** 53
ures (R. d') . . . . **EY** 55
oe (Pl. de l') . . . . **FY** 56
h (R. du Mar.) . . . . **DX**
e (R. de la) . . . . **FY** 58
-Alleaume (Quai) . . . . **FY** 59
-des-Tourelles (Q.) . . **EY** 60
nbetta (Pl.) . . . . **EX** 63
e (R. de la) . . . . **EX**
ulle (R. du Gén.-de) . . . **BY** 67
ulle (R. du Gén.-de)
OLIVET . . . . **BY**
orge-Sand (R.) . . . . **CZ** 69
orge-V (Pont) . . . . **EY**
lebarde (R. de la) . . . . **EY** 70
pital (Av. de l') . . . . **BZ** 71
el-Dieu (R. de l') . . . . . **BZ** 72
rs (R. d') . . . . **DEY**
rès (Bd Jean) . . . . **DY** 73
n (Av. Capitaine) . . . . **CY** 74
re (Pont Mar.) . . . . **DY**

Labarre (R. Paulin) . . . . . **BZ** 79
Leclerc (Pont Mar.) . . . . **BY** 80
Levée de la Loire . . . . . . **CY** 83
Libération (Av. de la) . . . **BX** 84
Lionne (R. de la) . . . . **EY**
Loiret (Av. du) . . . . **BY** 87
Madeleine (R. Fg) . . . . . **BY** 88
Martin (Bd A.) . . . . **FXY**
Martroi (Pl. du) . . . . **EY** 92
Montesquieu (Av.) . . . . . **CZ** 93
Motte-Sanguin (Bd) . . . . **BY** 95
Mouillière (R. de la) . . . . **BY** 96
Murlins (R. des) . . . . . . **DEX**
N.-D.-de-
Recouvrance (R.) . . . . **EY** 97
Olivet (Rte d') . . . . **BY** 99
Parc (R. du) . . . . **DX**
Paris (Av. de) . . . . **EX**
Parisie (R.) . . . . **FY** 100
Patay (R. de) . . . . **DEX**
Paul-Bert (Pl.) . . . . **AY** 101
Péguy (Av. Ch.) . . . . **CY** 104
Plaisses (R. des) . . . . . . **BZ**
Pte-Madeleine (R.) . . . . **DY** 108
Porte-St-Jean (R.) . . . . . **DY** 109
Poste (R. de la) . . . . **BY** 110
Pothier (R.) . . . . **FY** 112
Prague (Quai) . . . . **EY** 113
Prés.-Kennedy (Av.) . . . . **CZ** 114

Proust (R. Marcel) . . . . . **FX** 115
Québec (Bd de) . . . . **EX** 116
Rabier (R. F.) . . . . **FY** 117
Recherche Scien-
tifique (Av. de la) . . . . **CZ** 119
République (Pl.) . . . . . . **BY** 120
Rocheplatte (Bd) . . . . . **DEX**
Roi (Quai du) . . . . **BCY** 123
Romain-Rolland (R.) . . . **CZ** 124
St-Euverte (Bd) . . . . **BY** 126
St-Euverte (R.) . . . . **FY** 127
St-Jean (R. Fg) . . . . **BX, DY** 128
St-Laurent (Quai) . . . . . **DY** 132
St-Mesmin (Rte) . . . . . **ABY**
St-Vincent (R. Fg) . . . . . **FX** 136
Ste-Catherine (R.) . . . . . **EY** 138
Ste-Croix (Pl.) . . . . **FY** 139
Sandillon (Rte) . . . . **CY**
Sologne (Av. de) . . . . . . **BY** 143
Source (R. de la) . . . . . . **BZ**
Stuart (Bd Marie) . . . . . . **BX**
Trévise (Av. de) . . . . **DY** 148
Verdun (Av. de) . . . . **BY** 151
Verdun (Bd de) . . . . **EX** 152
Verdun (R. de) . . . . **BX** 155
Vieux-Marché (Pl.) . . . . . **EY** 159
Vignat (R. Eugène) . . . . . **FX**
Zola (R. Émile) . . . . **EFX**
11-Octobre (R. du) . . . . . **BX** 160

St-Martin sans rest, 52 bd A.-Martin ✆ 38 62 47 47 – wc wc. E VISA
fermé 24 déc. au 2 janv. – 17 – **22 ch** 98/198. FX

Marguerite sans rest, 14 pl. Vieux-Marché ✆ 38 53 74 32 – wc wc
VISA – 17 – **25 ch** 118/170. EY

St-Jean sans rest, 19 r. Porte-St-Jean ✆ 38 53 63 32 – wc . E VISA.
fermé 5 au 21 août – 19 – **27 ch** 106/195. DY

XXX ✿✿ **La Crémaillère** (Huyart), 34 r. N.-D.-de-Recouvrance ✆ 38 53 49 17 –
E VISA EY
fermé août, dim. soir et lundi – **R** 180/300 et carte
Spéc. Foie gras frais de canard, Paupiette de bar aux deux coulis, Millefeuille aux fruits de saison

XXX ✿ **Les Antiquaires** (Pipet), 2 r. au Lin ✆ 38 53 52 35 – AE VISA EY
fermé 17 au 24 avril, 1er au 22 août, dim. et lundi – **R** 100/160
Spéc. Fricassée d'escargots aux champignons (saison), Saumon grillé au beurre de persil (mai), Noisettes de biche aux griottes (oct. à janv.).

XXX ✿ **La Poutrière,** 8 r. Brèche ✉ 45100 ✆ 38 66 02 30, , « Décor élégant »,
– AE E VISA BY
fermé dim. soir et lundi – **R** carte 210 à 300
Spéc. Salade de haricots blancs aux langoustines et pieds de porc, Croquant de ris de veau coriandre, Nougat glacé.

XX **Lautrec,** 26 pl. Châtelet ✆ 38 54 09 54 – AE E VISA EY
fermé 15 au 31 juil., 15 au 28 fév. et dim. – **R** 110/240.

XX **Le Bigorneau,** 54 r. des Turcies ✆ 38 68 01 10, produits de la mer – AE E
fermé 11 au 24 juil., vacances de fév., dim., lundi et fériés – **R** carte 140 à 230. DY

X **Jean,** 64 r. Ste-Catherine ✆ 38 53 40 87 – AE E VISA EY
fermé dim. sauf fêtes – **R** 64/140 , enf. 45.

à St-Jean-de-Braye par ③ : 2,5 km – 13 579 h. – ✉ **45800** St-Jean de Braye :

XX **La Grange,** 205 fg Bourgogne ✆ 38 86 43 36 – VISA CY
fermé août, 2 au 8 janv., dim. et lundi (sauf fêtes le midi) – **R** 85/125 (jour fériés carte).

à St-Jean-le-Blanc SE : 4 km – 6 549 h. – ✉ **45650** St-Jean-le-Blanc :

Le Marjane, sur D 951 ✆ 38 66 35 13, – wc wc . E VISA CY
fermé 25 déc. au 20 janv. – **R** snack (seul. le soir du lundi au jeudi) 50 bc/80 b
18 – **24 ch** 91/180.

à St-Hilaire-St-Mesmin SO : 7 km par ⑥ et D 951 – ✉ **45580** St-Hilaire-St-Mesmin

Escale du Port Arthur , ✆ 38 76 30 36, Télex 782320, <, , –
wc . AE E VISA
R 75/210 , enf. 38 – 22 – **19 ch** 120/230 – 1/2 p 210/290.

au Sud : 11 km carrefour N 20 - CD 326 – ✉ **45100** Orléans :

Novotel M, r. H.-de-Balzac ✆ 38 63 04 28, Télex 760619, , , , –
ch – 25 à 100. AE E VISA C
R grill carte environ 120, enf. 40 – 38 – **121 ch** 320/340.

Autres ressources hôtelières :
Voir *Olivet* S : 4,5 km.

MICHELIN, Agence régionale, 1 allée des Mistigris à St-Jean-de-la-Ruelle AY ✆ 3
02 20

BMW Dupont, 34 fg Madeleine ✆ 38 72 66 66
CITROEN Gar. Carre, 18 av. Dauphine BY a ✆ 38 66 03 25
FIAT-JAGUAR-FERRARI Diffusion Auto Orléanaise, 54 r. du fg Bannier ✆ 38 54 51 51
LANCIA-AUTOBIANCHI Gar. du Martroi, 29 fg de Bourgogne ✆ 38 62 60 71
MERCEDES-BENZ Gar. Jousselin, 12 r. Jousselin ✆ 38 53 61 04
PEUGEOT-TALBOT Agence Générale Autom., 22 av. St-Mesmin BY ✆ 38 66 10 97
RENAULT Gar. Excelsior, 93 r. Illiers DY
53 41 93

Interpneus, 44 quai Madeleine ✆ 38 8
08
Interpneus, ZI de Montaran à Saran ✆ 38 7
13
La Centrale du Pneu, 5 r. Rape ✆ 38 53 57
Orléans-Pneu, 42 quai St-Laurent ✆ 38 6
54

Périphérie et environs

ALFA-ROMEO-NISSAN-DATSUN Auto Val de Loire, 26 r. A.-Dessaux à Fleury-les-Aubrais ✆ 38 43 71 11
CITROEN France et Delaroche, rte Nationale à Saran par ⑪ ✆ 38 73 50 60
CITROEN Stevenel, 33 r. Gén.-de-Gaulle à St-Jean-le-Blanc BY e ✆ 38 66 37 65
OPEL Gellet, 55 r. A.-Dessaux à Fleury-les-Aubrais ✆ 38 88 58 85
RENAULT Succursale, 539 fg Bannier à Saran BX ✆ 38 72 69 69 N
SEAT Gar. Central, 11 r. Dessaux à Fleury-Aubrais ✆ 38 43 60 04
V.A.G. Gar. Pillon, 266 fg Bannier à Fle les-Aubrais ✆ 38 88 53 29
V.A.G. Gar. Gomez, 25 rte Orléans à la pelle St-Mesmin ✆ 38 88 72 73
VOLVO Ets Stalter, 3 r. Mouchetière à St- de la Ruelle ✆ 38 88 39 20

ORLY (Aéroports De Paris) 94 Val-de-Marne 61 ①, 196 ㉗, 101 ㉖ – voir à Paris, Environs.

ORNAISONS 11 Aude 83 ⑬ – rattaché à Narbonne.

ORNANS 25290 Doubs 66 ⑯ **G. Jura** (plan) – 4 234 h.

Voir Grand Pont ≤★ – Miroir de la Loue★ – O : Vallée de la Loue★★ – Le Château ≤★ N : 2,5 km.

Office du Tourisme r. P.-Vernier (juin-1er oct. et vacances scolaires) ✆ 81 62 21 50.

Paris 439 – Baume-les-Dames 41 – ♦Besançon 26 – Morteau 53 – Pontarlier 34 – Salins-les-Bains 38.

France, r. P.-Vernier ✆ 81 62 24 44 – wc wc ☎ Ⓟ. AE E VISA. ch
fermé 15 déc. au 1er fév., dim. soir et lundi sauf vacances scolaires – **R** 75/250 – 24 – **31 ch** 130/250 – ½ p 210/270.

rte de Bonnevaux-le-Prieuré NO : 8 km par D 67 et D 280 – ✉ **25660** Saône :

XXX **Moulin du Prieuré** avec ch, ✆ 81 59 21 47, – TV wc ☎ & Ⓟ. AE ① E VISA
20 mars-15 nov. et fermé dim. soir et lundi sauf du 1er mai au 15 sept. – **R** 160/300, enf. 50 – 28 – **8 ch** 300.

CITROEN Gar. Magnin, ✆ 81 62 17 69

PEUGEOT, TALBOT Gar. Poulet, ✆ 81 62 15 24 N ✆ 81 59 24 31

OROUET 85 Vendée 67 ⑫ – rattaché à St-Jean-de-Monts.

Les ORRES 05 H.-Alpes 81 ⑧ **G. Alpes du Sud** – 429 h. alt. 1 460 – Sports d'hiver : 1 550/ 2 720 m 1 18 – ✉ **05200** Embrun.

Comité de Station ✆ 92 44 01 61.

Paris 713 – Barcelonnette 64 – Digne 105 – Embrun 14 – Gap 46.

Les Arolles M, Zone de Prébois ✆ 92 44 01 27, ≤ – wc wc. rest
1er juil.-31 août et 20 déc.-15 avril – **R** 150/200 – 25 – **30 ch** 260 – ½ p 320/350.

ORSAN 30 Gard 80 ⑳ – rattaché à Bagnols-sur-Cèze.

ORTHEZ 64300 Pyr.-Atl. 78 ⑧ **G. Pyrénées Aquitaine** – 10 535 h.

Voir Pont Vieux★ AZ.

Office du Tourisme Maison Jeanne-d'Albret ✆ 59 69 02 75.

Paris 771 ⑥ – ♦Bayonne 66 ⑤ – Dax 37 ⑥ – Mont-de-Marsan 54 ① – Pau 43 ②.

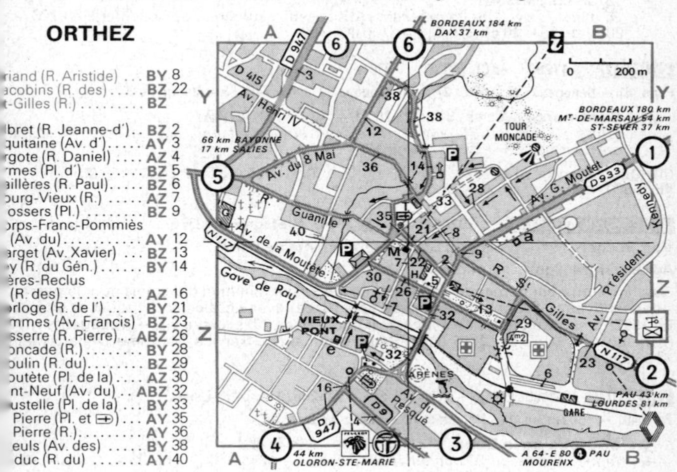

Climat de France M, SE : 1,5 km par rte de Pau ✆ 59 69 28 77, – TV wc ☎ & Ⓟ. AE E VISA
R 54/85 , enf. 43 – 21 – **26 ch** 194/211.

Voyageurs sans rest, 8 av. G.-Moutet ✆ 59 69 02 29 – wc wc. BYZ **a**
18 – **10 ch** 90/165.

X **Aub. St-Loup,** 20 r. Pont-Vieux ✆ 59 69 15 40, , « Patio » – AE ① E VISA
fermé 1er au 15 oct., le midi (sauf dim.) hors sais. et lundi – **R** 115/190. AZ **e**

à Maslacq par ③ : 6 km – ✉ **64300** Orthez :

Maugouber, ✆ 59 67 60 08, – ▭wc ☎ ♿. AE E VISA. rest
R *(fermé sam. et fériés)* 50/160 ⚲, enf. 35 – ☕ 16 – **28 ch** 85/225 – 1/2 p 135/250.

CITROEN Béarn-Auto, rte Bayonne par ⑤ ✆ 59 69 08 45 **N** ✆ 59 69 33 59
FIAT Gar. Molia, 26 av. du 8 mai ✆ 59 69 94 55
FORD Diris, 69 r. St-Gilles ✆ 59 69 16 34
PEUGEOT, TALBOT Orthézienne-Automobiles, rte Bayonne par ⑤ ✆ 59 69 08 22
PEUGEOT-TALBOT Gar. Flous, 52 r. Frères Reclus ✆ 59 69 13 63
RENAULT Gar. Mousques, 10 av. Francis Jammes ✆ 59 69 09 78
Béarn-Pneus, rte de Pau, N 117 à Castétis ✆ 59 69 06 15

ORVAULT 44 Loire-Atl. 67 ③ – rattaché à Nantes.

OSNY 95 Val-d'Oise 55 ⑲, 196 ⑤ – rattaché à Cergy-Pontoise.

OSQUICH (Col d') 64 Pyr.-Atl. 85 ④ **G. Pyrénées Aquitaine.**
Voir ✵★.
Paris 816 – Mauléon-Licharre 14 – Oloron-Ste-Marie 44 – Pau 77 – St-Jean-Pied-de-Port 26.

Col d'Osquich ⛰, ✉ **64130 Mauléon** ✆ **59 37 81 23,** ≤, – ▭wc ⛪ Ⓟ
1er juil.-11 nov. – **R** 55/150, enf. 30 – ☕ 16 – **16 ch** 70/120 – 1/2 p 130.

OSSÈS 64780 Pyr.-Atl. 85 ③ – 678 h.
Paris 812 – Cambo-les-Bains 23 – Pau 117 – St-Étienne-de-Baïgorry 11 – St-Jean-Pied-de-Port 14.

Mendi Alde, ✆ 59 37 71 78, – ▭wc ⛪wc ☎ Ⓟ. AE VISA
fermé 1er nov. au 10 déc. et lundi du 1er oct. au 31 avril – **R** 65/120 ⚲, enf. 45 – ☕ 18 – **16 ch** 120/155 – 1/2 p 160/165.

OTTROTT 67 B.-Rhin 62 ⑨ – rattaché à Obernai.

OUCHAMPS 41 L.-et-Ch. 64 ⑰ – 565 h. – ✉ **41120** Les Montils.
Voir Château de Fougères-sur-Bièvre★ NO : 5 km, **G. Châteaux de la Loire.**
Paris 197 – Blois 16 – Montrichard 17 – Romorantin-Lanthenay 38 – ♦Tours 54.

Relais des Landes Ⓜ ⛰, ✆ **54 44 03 33,** Télex **751454,** ≤, parc, – ☎ Ⓟ – 30. AE ⓓ E VISA
26 mars-2 nov. – **R** *(fermé merc.)* (dîner seul. sauf dim. : déj. et dîner) 150/200, enf. 90 – ☕ 35 – **28 ch** 375/518 – 1/2 p 409/489.

OUCQUES 41290 L.-et-Ch. 64 ⑦ – 1 378 h.
Paris 161 – Beaugency 28 – Blois 27 – Châteaudun 30 – ♦Orléans 53 – Vendôme 20.

Commerce avec ch, ✆ **54 23 20 41** – rest ☎. E VISA
fermé 20 déc. au 31 janv., dim. soir et lundi sauf juil., août et fêtes – **R** (dîner prévenir) 70/195 – ☕ 22 – **7 ch** 155/200.

CITROEN Aubry, ✆ 54 23 20 40
PEUGEOT-TALBOT Sire, ✆ 54 23 20 35
RENAULT Péan, ✆ 54 23 20 25 **N**

OUESSANT (Ile d') ★★ 29242 Finistère 58 ② **G. Bretagne** – 1 255 h.
Voir Rochers★★★ – Phare du Stiff ✵★★ – Pointe de Pern★.
Accès par transports maritimes.
⛴ (voitures, sur demande préalable, en été séjour minimun d'un mois pour le passage)
- depuis **Brest** (1er éperon du port de commerce) avec escales au Conquet et à Molène. En 1987 : 1 service quotidien sauf mardi hors saison - Traversée 2 h – Voyageurs : 102 (AR), autos : 1 103 à 2 214F (AR). Renseignements : Service Maritime Départemental ✆ 98 80 24 68.

OUHANS 25 Doubs 70 ⑥ – 269 h. alt. 640 – ✉ **25520** Goux-les-Usiers.
Paris 461 – ♦Besançon 48 – Pontarlier 18 – Salins-les-Bains 40.

Sources de la Loue, ✆ **81 69 90 06** – ▭ ⛪. VISA
fermé 15 nov. au 20 déc. et 10 au 31 janv. – **R** 45/150 ⚲, enf. 30 – ☕ 15 – **15 ch** 75/190 – 1/2 p 130/150.

Aimer la nature,
c'est respecter la pureté des sources, la propreté des rivières,
des forêts, des montagnes...
c'est laisser les emplacements nets de toute trace de passage.

OUISTREHAM 14150 Calvados 55 ② G. Normandie Cotentin (plan) – 6 313 h. – Casino: (Riva Bella).

Voir Église St Samson★.

Office de Tourisme Jardins du Casino (juin-15 oct.) ✆ 31 97 18 63.

Paris 242 – Arromanches-les-Bains 31 – Bayeux 35 – Cabourg 19 – ♦Caen 14.

au Port d'Ouistreham :

XXX **Normandie** avec ch, ✆ 31 97 19 57, Télex 171751, – TV wc wc ☎ P. AE E VISA
fermé 15 janv. au 28 fév. – **R** 95/220 – 24 – **13 ch** 230/270 – 1/2 p 240/270.

à Riva-Bella :

X **Métropolitain,** 1 rte Lion ✆ 31 97 18 61 – AE VISA
fermé 15 au 30 oct., mardi soir et merc. – **R** 75/130.

à Colleville-Montgomery O : 3,5 km par D 35A – ✉ 14880 Hermanville :

XX **Ferme St-Hubert,** ✆ 31 96 35 41, – P. AE E VISA
fermé 24 déc. au 4 janv., dim. soir et lundi (sauf juil.-août et fêtes) – **R** 68/195.

OURSINIÈRES 83 Var 84 ⑮ – rattaché au Pradet.

OUSSE 64 Pyr.-Atl. 85 ⑦ – rattaché à Pau.

OUST 09 Ariège 86 ③ – 503 h. – ✉ 09140 Seix.

Paris 819 – Ax-les-Thermes 76 – Foix 61 – Massat 20 – St-Girons 18.

Poste , ✆ 61 66 86 33, « Bel aménagement intérieur », – wc wc P. VISA
mi mai-mi oct. – **R** 110/240 – 28 – **27 ch** 150/300 – 1/2 p 235/300.

RENAULT Gar. de France, ✆ 61 66 82 88

OUZOUER-SUR-LOIRE 45570 Loiret 65 ① – 2 302 h.

Paris 142 – Gien 16 – Montargis 44 – ♦Orléans 51 – Pithiviers 53 – Sully-sur-Loire 9.

XX **Abricotier,** 106 r. Gien ✆ 38 35 07 11
fermé dim. soir et lundi – **R** 70/187, enf. 50.

OYE-ET-PALLET 25 Doubs 70 ⑥ – 369 h. alt. 870 – ✉ 25160 Malbuisson.

Paris 459 – ♦Besançon 65 – Champagnole 47 – Morez 63 – Pontarlier 6,5.

Parnet Riant Séjour, ✆ 81 89 42 03, ←, parc – TV wc wc ☎ P. VISA.
fermé 15 déc. au 15 janv., dim. soir et lundi sauf vacances scolaires – **R** 80/260 – 26 – **18 ch** 200/270 – 1/2 p 240/260.

OYONNAX 01100 Ain 70 ⑭ G. Jura – 21 832 h.

Syndicat d'Initiative Centre Culturel, cours Verdun ✆ 74 73 58 13.

Paris 486 ③ – Bellegarde-sur-V. 30 ② – Bourg-en-B. 49 ④ – Lons-le-Saunier 63 ① – Nantua 16 ③.

Plan page suivante

Gdes Roches M , rte de Bourg par ④ ✆ 74 77 27 60, Télex 375892, ←, – TV wc wc ☎ P. AE E VISA
R 110/160, enf. 60 – 25 – **40 ch** 140/395.

Buffard, pl. Eglise ✆ 74 77 86 01 – TV wc ☎. E VISA — B e
R *(fermé 24 juil. au 24 août, vend. soir, dim. soir et sam.)* 65/150 – 24 – **28 ch** 99/260.

X **Châtelet,** 29 r. Nicod ✆ 74 77 05 34 – E VISA — B m
fermé 5 au 25 août et dim. – **R** 60/135 .

au Lac Genin par ② et D 13 : 10 km – ✉ 01130 Nantua.

Voir Site★ du lac★.

X **Aub. du Lac Genin** avec ch, ✆ 74 75 52 50, ←, – VISA.
fermé 15 oct. au 1er déc., dim. soir et lundi – **R** 46/64 – 15 – **5 ch** 63/70.

CITROEN Gar. Rose, 6 cours de Verdun ✆ 74 77 31 22
CITROEN Gar. Vailloud, à Bellignat par D 85 ✆ 74 77 24 30
LANCIA-AUTOBIANCHI Gar. Capelli, 178 r. A.-France ✆ 74 77 18 86
OPEL Nat-Autom., 53 r. Castellion ✆ 74 77 26 96
RENAULT Gar. du Lac, rte de St-Claude, zone Ind. Nord par ① ✆ 74 77 46 42 N ✆ 74 76 07 33

V.A.G. Central Gar., 4 Cours de Verdun ✆ 74 77 29 10
Gar. Humbert, 15 rte de Marchon ✆ 74 77 03 97

Alain-Pneu, 53 cours de Verdun ✆ 74 73 51 88
Compt. Départemental du Pneu, 53 r. B.-Savarin ✆ 74 77 88 88
Euro-Pneus 46 r. G.-Péri ✆ 74 77 31 30

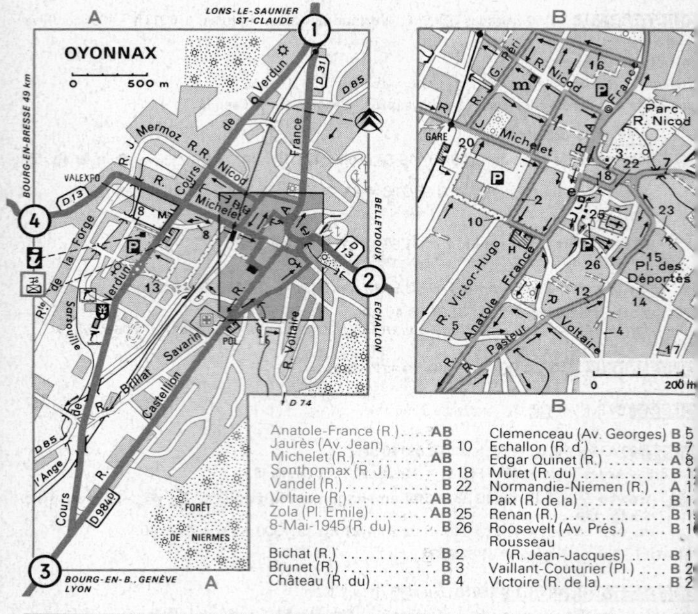

OZOIR-LA-FERRIÈRE 77330 S.-et-M. 61 ②, 196 ㉝, 101 ㉚ – 13 730 h.

18 9 ✆ (1) 60 28 20 79, O : 2 km.

Paris 34 – Coulommiers 41 – Lagny-sur-M. 21 – Melun 27 – Sézanne 84.

XX **Le Relais d'Ozoir,** 73 av. Gén.-de-Gaulle ✆ (1) 60 28 20 33 – E VISA
fermé vacances de fév., mardi soir et merc. – **R** 70/210.

XX **Aub. du Parc,** 65 av. Gén. de Gaulle ✆ (1) 60 28 20 19 – VISA
fermé août, lundi soir et mardi – **R** 200 bc/400 bc, enf. 50.

FIAT Couffignal 38 av. Gén. de-Gaulle ✆ (1)60 28 20 77

RENAULT Carep, 111 av. Gén.-de-Gaull ✆ (1)60 28 30 08

La PACAUDIÈRE 42310 Loire 73 ⑦ – 1 222 h.

Voir Le Crozet : maison Papon★ SO : 2 km, G. Vallée du Rhône.

Paris 366 – Chauffailles 49 – Lapalisse 24 – Roanne 24 – ♦St-Étienne 102.

du Lys, ✆ 77 64 35 20 – wc ☎ . VISA. ch
fermé merc. – **R** 75/220 – 25 – **8 ch** 110/230.

PEUGEOT G PLT LAVENIR, ✆ 77 64 38 31 N ✆ 77 64 00 86

RENAULT Gar. du Centre, ✆ 77 64 30 11 N

PACY-SUR-EURE 27120 Eure 55 ⑰, 196 ① **G. Normandie Vallée de la Seine** – 3 773 h.

Paris 84 – Dreux 39 – Évreux 18 – Louviers 31 – Mantes-la-Jolie 26 – ♦Rouen 63 – Vernon 13.

XX **Mère Corbeau,** face gare ✆ 32 36 98 49, – E VISA
fermé 15 janv. au 15 fév., mardi soir et merc. – **R** 89/210.

à Douains NE : 6 km par D 181 et D 75 – ✉ **27120** Douains :

Château de Brécourt , ✆ 32 52 40 50, Télex 172250, ≤, parc, – ☎ -
50 à 100. AE E VISA
R 195/315, enf. 70 – 50 – **20 ch** 350/700, 4 appartements 1000 – $1/2$ p 580/750.

à Jouy-sur-Eure NO : 9 km par D 836 et D 57 – ✉ **27120** Pacy-sur-Eure :

XX **Relais Du Guesclin,** pl. église ✆ 32 36 62 75, – AE E VISA
fermé merc. – **R** (déj. seul.) carte 89 à 183.

CITROEN Bouquet, St-Aquilin ✆ 32 36 10 10
PEUGEOT-TALBOT Cl.-Aleth, 13 av. Gén.-de-Gaulle ✆ 32 36 10 44

RENAULT Aleth Ch., 123 r. Isambard ✆ 32 3 01 53

PADIRAC 46 Lot 75 ⑲ – 148 h. – ✉ **46500** Gramat.
Paris 545 – Brive-la-Gaillarde 56 – Cahors 65 – Figeac 44 – Gourdon 47 – Gramat 9 – St-Céré 14.

au Village :

Montbertrand ⛰, ☎ 65 33 64 47, 🏞 – ✕ ch ⛀wc ⛆wc ☎ **P**. AE VISA. ✱
1er avril-15 oct. – **R** (dîner seul.) 65/110 – ☕ 18,50 – **8 ch** 170/240 – ½ p 170/180.

au Gouffre N : 2,5 km – ✉ **46500** Gramat.
Voir Gouffre*, G. Périgord Quercy.**

Padirac H. ⛰, ☎ 65 33 64 23, 🏞, 🏞 – ⛆ **P**. E VISA
27 mars-9 oct. – **R** 42/145 – ☕ 24 – **25 ch** 68/170 – ½ p 120/145.

PAILHEROLS 15 Cantal 76 ⑬ – 195 h. alt. 1 040 – ✉ **15800** Vic-sur-Cère.
Paris 551 – Aurillac 35 – Entraygues-sur-Truyère 50 – Murat 44 – Raulhac 12 – Vic-sur-Cère 14.

Aub. des Montagnes ⛰, ☎ 71 47 57 01, 🏞 – ⛆wc. E VISA
fermé 15 oct. au 20 déc. – **R** 50/140 – ☕ 15 – **16 ch** 80/110 – ½ p 129/145.

PAIMPOL **22500** C.-du-N. 59 ② **G. Bretagne** – 8 367 h.
Voir Abbaye de Beauport* SE : 2 km par ② – Tour de Kerroc'h ≤* 3 km par ① puis 15 mn.
Env. Pointe de Minard** SE : 11 km par ②.
ℹ Syndicat d'Initiative r. P.-Feutren ☎ 96 20 83 16.
Paris 495 ② – Guingamp 28 ④ – Lannion 33 ⑤ – St-Brieuc 45 ②.

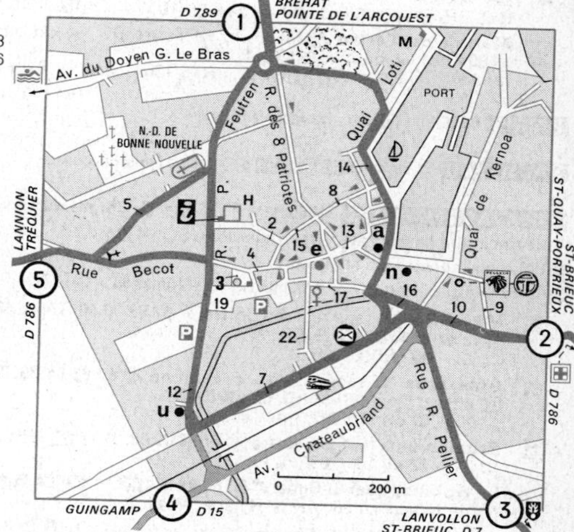

Marne, 30 r. Marne **(u)** ☎ 96 20 82 16 – TV ⛀wc ⛆wc ☎. E VISA
fermé 15 au 28 fév. et vend. du 15 sept. au 30 juin – **R** 75/260 🍷 – ☕ 22 – **16 ch** 110/185 – ½ p 150/190.

Goëlo sans rest, au Port **(n)** ☎ 96 20 82 74, ≤ – 🛗 TV ⛆wc ☎. E VISA. ✱
☕ 17 – **32 ch** 65/175.

Chalutiers sans rest, 5 quai Morand **(a)** ☎ 96 20 82 15, ≤ – 🛗 ⛀wc ⛆wc
25 mars-15 oct. – ☕ 19 – **21 ch** 71/208.

Vieille Tour, 13 r. Église **(e)** ☎ 96 20 83 18 – E VISA
fermé 15 au 30 nov., vacances de fév., dim. soir et merc. sauf vacances scolaires – **R** 74/220.

près du pont de Lézardrieux par ⑤ : 4,5 km sur D 786 – ✉ **22500** Paimpol :

Relais Brenner M ⛰, ☎ 96 20 11 05, Télex 740676, ≤, « Parc fleuri sur le Trieux » – ☎ **P** – 🏛 25. AE ⓓ E VISA
fermé janv. et fév. – **R** *(fermé lundi d'oct. à avril)* 150/215 – ☕ 42 – **29 ch** 270/500 – ½ p 330/450.

à Pors-Even par ① : 5 km – ✉ **22620** Ploubazlanec :

Bocher, ☎ 96 55 84 16 – ⛆wc ☎ **P**. VISA. ✱
27 mars-5 nov. – **R** 82/180, enf. 60 – ☕ 20 – **16 ch** 82/230 – ½ p 165/242.

à la Pointe de l'Arcouest par ① : 6 km – ✉ **22620** Ploubazlanec – **Voir** ≤★★.

Le Barbu 🐦, ☎ 96 55 86 98, ≤ Ile de Bréhat, « Jardin avec piscine » – ⛀wc ⛆wc ☎ ♿ **P** – 🏊 30. **E** VISA
R 110/300 – ☕ 35 – **19 ch** 220/400 – $^1/_2$ p 350/450.

sur rte de Lanvollon, par ③ et D 7 : 11 km – ✉ **22290** Lanvollon :

❀ **Château de Coatguélen** 🐦, ☎ 96 22 31 24, Télex 741300, ≤, « Dans un pa avec golf », 🏊, 🎾 – **P** – 🏊 40. AE ⓓ **E** VISA. ✂ rest
fermé 5 janv. au 31 mars, mardi midi et merc. midi hors sais. – **R** 130/320, enf. 1 – ☕ 45 – **16 ch** 415/1120 – $^1/_2$ p 615/790
Spéc. Huîtres chaudes aux salicornes, Éventail de ris de veau et homard, Crêpe aux pommes caramel.

CITROEN Gar. Landais, rte de Lanvollon par ③ ☎ 96 20 88 43
PEUGEOT-TALBOT Gar. Chapalain, Quai Duguay-Trouin ☎ 96 20 80 55 **N**
RENAULT Poidevin, rte Lanvollon par ③ ☎ 96 20 73 15 **N**

⊛ Tregor-Pneus, rte de Lanvollon ☎ 96 22 18

PAIMPONT 35 I.-et-V. 63 ⑤ **G. Bretagne** – 1 449 h. – ✉ **35380** Plélan le Grand.
Voir Forêt de Paimpont★.
Paris 389 – Dinan 54 – Ploërmel 22 – Redon 48 – ♦Rennes 40.

Relais de Brocéliande, ☎ 99 07 81 07, 🏖, 🌳 – TV ⛀wc ⛆wc ☎ **P**. AE ⓓ VISA. ✂ rest
R 55/215 🍼, enf. 45 – ☕ 20 – **18 ch** 95/180 – $^1/_2$ p 150/180.

XX **Manoir du Tertre** 🐦 avec ch, Le Tertre SO : 4 km par rte de Beignon et ☎ 99 07 81 02, parc – ⛀ **P**. **E** VISA
fermé 1er au 8 oct., fév. et mardi – **R** 65/135 – ☕ 25 – **8 ch** 100/170 – $^1/_2$ p 210.

PAIRIS 68 H.-Rhin 62 ⑱ – rattaché à Orbey.

PALAISEAU 91 Essonne 60 ⑩, 101 ㉞ – voir à Paris, Environs.

PALAVAS-LES-FLOTS 34250 Hérault 83 ⑦⑰ **G. Gorges du Tarn** – 4 180 h – Casino.
Voir Ancienne cathédrale★ de Maguelone SO : 4 km.
ℹ Office du Tourisme à la Mairie ☎ 67 68 02 34.
Paris 767 – Aigues-Mortes 27 – ♦Montpellier 12 – Nîmes 59 – Sète 28.

Mar y Sol Ⓜ sans rest, bd Joffre ☎ 67 68 00 46, Télex 485082, 🏊 – 🛗 TV ⛀ ⛆wc ☎ 🚗. AE ⓓ **E** VISA. ✂
☕ 22 – **39 ch** 198/305.

Amérique H. sans rest, av. F. Fabrège ☎ 67 68 04 39, Télex 480800, 🏊 – 🛗 TV ⛀wc ⛆wc ☎ 🚗 **P**. AE ⓓ **E** VISA
☕ 20 – **37 ch** 250/280.

Brasilia sans rest, bd Joffre ☎ 67 68 00 68, ≤ – TV ⛀wc ⛆wc ☎. AE ⓓ **E** VISA
☕ 22 – **22 ch** 130/265.

XXX **Le Sphinx,** quai P.-Cunq ☎ 67 68 00 21, 🏖 – AE ⓓ **E** VISA
fermé 12 déc. au 20 janv. – **R** carte 180 à 300.

HONDA-INNOCENTI-MAZDA Suttel-Marine, les 4 canaux, N 586 ☎ 67 68 02 86

La PALLICE 17 Char.-Mar. 71 ⑫ – rattaché à la Rochelle.

PALMAS 12 Aveyron 80 ③ – 216 h. alt. 630 – ✉ **12310** Laissac.
Paris 611 – Espalion 22 – Pont-de-Salars 21 – Rodez 28 – Sévérac-le-Château 24.

Aub. du Vieux Pont, ☎ 65 69 62 50, 🌳 – ⛀ **P**
fermé sept. – **R** 45/120 🍼 – ☕ 12 – **10 ch** 60/90.

PALUDEN 29 Finistère 58 ④ – rattaché à Lannilis.

La PALUD-SUR-VERDON 04 Alpes de H.-Pr 81 ⑰ **G. Alpes du Sud** – 153 h. alt. 890 ✉ **04120** Castellane.
Paris 840 – Castellane 25 – Digne 68 – Draguignan 61 – Manosque 70.

Le Provence 🐦, ☎ 92 74 68 88, ≤, 🏖 – ⛀wc ☎ **P**. **E**. ✂ rest
27 mars-11 nov. – **R** 59/110 🍼, enf. 30 – ☕ 19 – **15 ch** 140/200 – $^1/_2$ p 160/180.

Aub. des Crêtes, E : 1 km sur D 952 ☎ 92 74 68 47, 🏖 – ⛀wc ⛆wc ☎ **P** VISA
Pâques-15 oct. – **R** *(fermé merc. hors sais.)* 55/175, enf. 36 – ☕ 19 – **12 ch** 110/ – $^1/_2$ p 155/165.

PAMIERS <SP> **09100** Ariège 86 ④⑤ **G. Pyrénées Roussillon** – 11 619 h.

Office de Tourisme pl. du Mercadal ✆ 61 67 04 22.

Paris 767 ① – Auch 125 ① – Carcassonne 70 ② – Castres 96 ① – Foix 19 ② – ♦Toulouse 64 ①.

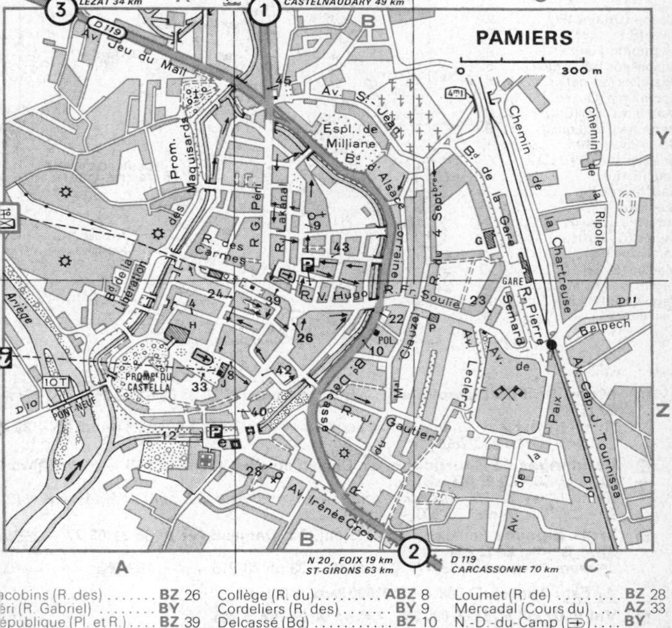

Jacobins (R. des)	BZ 26	Collège (R. du)	ABZ 8	Loumet (R. de)	BZ 28
Péri (R. Gabriel)	BY	Cordeliers (R. des)	BY 9	Mercadal (Cours du)	AZ 33
République (Pl. et R.)	BZ 39	Delcassé (Bd)	BZ 10	N.-D.-du-Camp (⊞)	BY
Victor-Hugo (R.)	BZ	Dr-J.-P.-Rambaud (Cours)	AZ 12	St-Antonin (R.)	BZ 40
		Fusillés (Pl. des)	BZ 22	Soula (Pl. Eugène)	BZ 42
Bayle (R.)	AZ 4	Gare (Av. de la)	CZ 23	Taillancier (R.)	BY 43
Cathédrale (⊞)	AZ	Gaulle (R. Ch.-de)	AZ 24	Toulouse (Av. de)	BY 45

France, 13 r. Hospice ✆ 61 60 20 88 – wc wc ☎ P – 50. VISA ABZ **e** *fermé vacances de Noël* – **R** *(fermé dim. du 1er oct. au 20 mai)* 68/170 – 20 – **32 ch** 120/260 – 1/2 p 150/260.

ALFA-ROMEO Gar. Brillas, rte Mirepoix, la Tour-du-Crieu ✆ 61 60 13 31
CITROEN Lopez, Côtes de la Cavalerie par ① ✆ 61 67 11 45
FIAT S.C.A.A., 5 rte de Foix ✆ 61 67 12 08
OPEL, GM Gomez, espl. de Milliane ✆ 61 67 56 33
PEUGEOT, TALBOT Labail, N 20 à St-Jean-du-Falga par ② ✆ 61 68 01 00
RENAULT Pamiers-Autom., N 20 à St-Jean-du-Falga par ② ✆ 61 68 01 41
VAG Marhuenda, 30 av. de Toulouse ✆ 61 60 11 96

Solapneu, 3 av. la Gare ✆ 61 60 54 34

Les localités citées dans le **guide Michelin** *sont soulignées de rouge sur les* **cartes Michelin** *à 1/200 000.*

PANASSAC 32 Gers 82 ⑮ – rattaché à Masseube.

PANTIN 93 Seine-St-Denis 56 ⑪, 101 ⑯ – voir à Paris, Environs.

PARAMÉ 35 I.-et-V. 59 ⑥ – rattaché à St-Malo.

PARAY-LE-MONIAL **71600** S.-et-L. 69 ⑰ **G. Bourgogne** – 11 312 h.

Voir Basilique du Sacré-Coeur★★ – Hôtel de ville★ H – Tympan★ du musée du Hiéron M.

Office de Tourisme av. Jean-Paul II ✆ 85 81 10 92.

Paris 369 ⑤ – Autun 79 ⑤ – Mâcon 68 ② – Montceau-les-M. 35 ① – Roanne 53 ④.

PARAY-LE-MONIAL

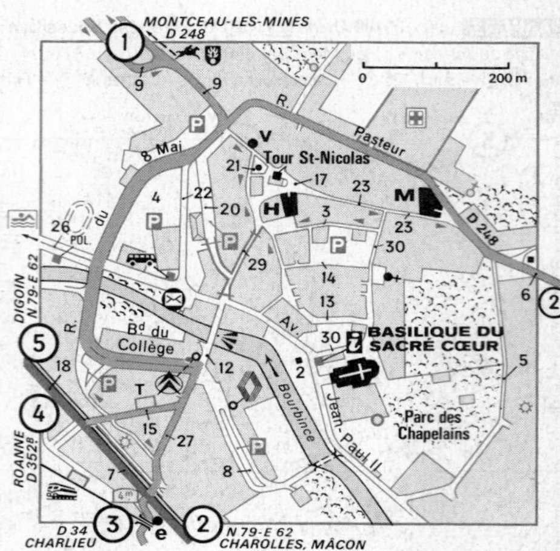

Motel Grill Le Charollais Ⓜ, par ⑤ : 4 km sur N 79 ✆ 85 81 03 35 – TV wc AE E VISA
R grill *(fermé janv. et lundi du 20 sept. au 1er juin)* 80/110 ♁, enf. 34 – ☕ 25 – **22 ch** 220/240 – 1/2 p 235/280.

Vendanges de Bourgogne, 5 r. Denis-Papin **(e)** ✆ 85 81 13 43 – wc wc ☎ P – 100. AE E VISA. rest
fermé 17 fév. au 20 mars, dim. soir et lundi midi sauf juil.-août et fériés – **R** 65/210 ♁ – ☕ 21 – **14 ch** 126/200 – 1/2 p 211/225.

Trois Pigeons (annexe 15 ch), 2 r. Dargaud **(v)** ✆ 85 81 03 77 – wc wc ☎. AE E VISA
1er mars-1er déc. – **R** 78/177 ♁ – ☕ 19 – **33 ch** 70/215 – 1/2 p 158/265.

à l'Est : 3 km sur D 248 – ✉ **71600** Paray-le-Monial :

Val d'Or, ✆ 85 81 05 07, – wc ☎ P. E VISA
fermé nov. et lundi (sauf hôtel en juil.-août) – **R** 50/160 ♁, enf. 40 – ☕ 20 – **17 ch** 100/150 – 1/2 p 150/170.

BMW Chamaraud, 52 quai Commerce ✆ 85 81 10 31 N
CITROEN Lauferon, 16 r. des Deux-Ponts ✆ 85 81 13 41
CITROEN Serieys Modern gar., la Beluze par av. de Charolles ✆ 85 81 09 31 N
FORD Narbot Europe Atlantic, le Rompay RN 79 à Vitry en Charollais ✆ 85 81 41 89 N ✆ 85 53 32 77
PEUGEOT Gar. de la Beluze la Beluze par av. de Charolles à Volesvres ✆ 85 81 43 45 N
RENAULT Taillardat, 13 bd du Dauphin-Louis ✆ 85 81 44 12
Meyer, 36 r. de la République ✆ 85 81 04 96

PARCEY 39 Jura 70 ③ – rattaché à Dole.

PARENT 63 P.-de-D. 73 ⑭⑮ – rattaché à Vic-le-Comte.

PARENTIGNAT 63 P.-de-D. 73 ⑮ – rattaché à Issoire.

PARENTIS-EN-BORN 40160 Landes 78 ③ **G. Pyrénées Aquitaine** – 4 254 h.
Syndicat d'Initiative pl. des Marronniers (fermé après-midi hors saison) ✆ 58 78 43 60.
Paris 662 – Arcachon 41 – ♦Bordeaux 74 – Mimizan 24 – Mont-de-Marsan 78.

Cousseau, r. St-Barthélemy ✆ 58 78 42 46 – P
fermé 9 au 15 mai, 15 oct. au 6 nov., vend. soir et dim. soir – **R** 48/200 – ☕ 15 – **10 ch** 100/135.

Poste, r. 8-Mai-1945 ✆ 58 78 40 23 – E VISA
fermé 1er au 15 janv., 1er au 15 fév., sam. midi et dim. soir – **R** 55/200.

à Gastes SO : 7,5 km par D 652 – ✉ **40160** Parentis-en-Born :

L'Estanquet avec ch, ✆ 58 09 74 00, – P. AE E VISA
12 mai-30 sept. et fermé mardi sauf juil.-août – **R** 70/190 – ☕ 20 – **8 ch** 120/150 – 1/2 p 180.

CITROEN Gar. Dumartin, ✆ 58 78 43 00 N ✆ 58 78 40 40
RENAULT Gar. Larrieu, ✆ 58 78 43 50 N

PARIS

et environs

PARIS 🅿 75 Plans : **10**, **11**, **12** et **14** G. Paris — 2 176 243 h. — Région d'Ile-de-France 9 878 500 h. — alt. Observatoire 60 m — Place Concorde 34 m — ✪ 1

Aérogares urbaines (Terminal) : esplanade des Invalides (7e) ✆ 43 23 97 10 et Palais des Congrès Porte Maillot ✆ 42 99 20 18.

Aéroports De Paris : voir à Orly et à Roissy-en-France, rubrique environs.

Trains Autos : Renseignements (toutes gares) ✆ 45 82 50 50.

Distances : A chacune des localités du Guide est donnée la distance du centre de l'agglomération à Paris (Notre-Dame) calculée par la route la plus pratique.

OFFICES DE TOURISME

Syndicat d'Initiative et Accueil de France :
(tous les jours de 9 à 20 h), 127 av. des Champs-Élysées (8e) ☎ 47 23 61 72 ; Télex 611984 – Informations et réservations d'hôtels (pas plus de 5 jours à l'avance pour la province) – Change : U.B.P., 125 av. des Champs-Élysées ☎ 47 20 77 19.

Hôtesses de Paris :
Gare de l'Est ☎ 46 07 17 73 ; Gare de Lyon ☎ 43 43 33 24 ; Gare du Nord ☎ 45 26 94 82 ; Gare d'Austerlitz ☎ 45 84 91 70 ; Tour Eiffel ☎ 45 51 22 15.

Province et étranger :
Voir adresses dans Index et Plan de Paris Michelin n° 11

CURIOSITÉS

ce qu'il faut surtout voir

GRANDS MONUMENTS

Louvre★★★ (le Palais des rois de France★★★ ; Cour Carrée, colonnade de Perrault, façade sur le quai, les « bras » du Louvre, Arc de Triomphe du Carrousel et parterres) – Notre Dame★★★ K 15 – Ste Chapelle★★★ J 14 – Arc de Triomphe★★★ F 8 (Place Charles de Gaulle) – Tour Eiffel★★★ J 7 – Invalides★★★ (Eglise du Dôme, tombeau de Napoléon) J 10 – Palais Royal★★ H 13 – La Madeleine★★ G 11 – Opéra★★ F 12 – St-Germain l'Auxerrois★★ H 14 – Conciergerie★★ J 14 – Ecole Militaire★★ K 9 – Luxembourg★★ (palais, jardins) KL 13 – Panthéon★★ L 14 – St Séverin★★ K 14 – St Germain des Prés★★ J 13 – St Etienne du Mont★★ L 15 – St Sulpice★★ K 13 – Hôtel Lamoignon★★ J 16 – Hôtel Guénégaud★★ (musée de la chasse) H 16 – Hôtel de Rohan★★ H 16 – Palais Soubise★★ (musée de l'Histoire de France) H 16 – Sacré Cœur★★ D 14 – Tour Montparnasse★★ LM 11 – Institut de France★ J 13 – Maison de Radio France★ K 5 – Palais des Congrès★ E 6 – St Roch★ G 13 – Pont Alexandre III★ H 10 – Pont Neuf★ J 14 – Pont des Arts J 13.

GRANDS MUSÉES

Louvre★★★ : stèle des Vautours, Scribe accroupi, Vénus de Milo, Victoire de Samothrace, Nymphes de Jean Goujon, la Joconde, le Régent... H 13 – Orsay★★★ H 12 – Art moderne★★★ (Centre Georges Pompidou★★) H 15 – Armée★★★ J 10 – Arts décoratifs★★ H 13 – Cluny★★ (hôtel et musée : la Dame à la Licorne) K 14 – Rodin★★ (hôtel de Biron) J 10 – Carnavalet★★ J 17 – Picasso★★ H 17 – Palais de Chaillot (Monuments français★★, musée de l'Homme★★, musée de la Marine★★) H 7 – Palais de la Découverte★★ G 10 – Conservatoire des Arts et Métiers★★ G 16 – La Villette★ BC 20.

RUES – PLACES – JARDINS

Champs-Élysées★★★ F 8, F 9, G 10 – Place de la Concorde★★★ (Obélisque de Louksor) G 11 – Jardin des Tuileries★★ H 12 – Rue du Faubourg St-Honoré★★ G 11, G 12 – Avenue de l'Opéra★★ G 13 – Place Vendôme★★ G 12 – Place des Vosges★★ J 17 – Place du Tertre★★ D 14 – Jardin des Plantes★★ L 16 – Avenue Foch★ F 6, F 7 – Rue de Rivoli★ G 12 – Rue Mouffetard★ M 15 – Place de la Bastille (Colonne de Juillet) JK 17 – Place de la République G 17 – Grands Boulevards F 13, F 14.

QUARTIERS ANCIENS

La Cité★★★ (Ile St-Louis, les Quais) J 14, J 15 – Le Marais★★★ – Montmartre★★★ D 14 – Montagne Ste Geneviève★★ (Quartier Latin) K 14.

K 14, G 10 : *Lettres et chiffres de situation sur les plans de Paris Michelin n°* 10, 11, 12 *ou* 14.

RENSEIGNEMENTS PRATIQUES

BUREAUX DE CHANGE

- Principales banques : ferment à 17 h et sam., dim.
- A l'aéroport d'Orly-Sud : de 6 h 30 à 23 h 30
- A l'aéroport Charles de Gaulle : de 6 h 15 à 23 h 30 (aérogare 1)
  de 7 h à 23 h (aérogare 2)

TRANSPORTS

Taxi : faire signe aux véhicules libres (lumière jaune allumée) — Aires de stationnement — De jour et de nuit : appels téléphonés.

Bus-Métro : se reporter au plan de Paris Michelin nº 11. Le bus permet une bonne vision de la ville, surtout pour courtes distances.

POSTES-TÉLÉPHONE

Chaque quartier a un bureau de Postes ouvert jusqu'à 19 h, fermé samedi après-midi et dim.

Bureau ouvert 24 h sur 24 : 52, rue du Louvre.

PRINCIPAUX CENTRES DE COMMERCE

Grands magasins : Boulevard Haussmann, rue de Rivoli, rue de Sèvres.

Commerces de luxe : Faubourg St-Honoré, Rue de la Paix, Rue Royale.

Occasions et antiquités : Marché aux Puces (Porte Clignancourt), Village Suisse (av. de la Motte-Piquet) — Louvre des Antiquaires — Fripiers et brocante : quartier des anciennes Halles.

COMPAGNIES AÉRIENNES FRANÇAISES

Air France	119, Champs Élysées	☎ 45 35 61 61
Air Inter	12, rue de Castiglione	☎ 45 39 25 25
U.T.A.	3, boulevard Malesherbes	☎ 42 66 30 30

DÉPANNAGE AUTOMOBILE

Il existe, à Paris et dans la Région Parisienne, des ateliers et des services permanents de dépannage.

Les postes de Police vous indiqueront le dépanneur le plus proche de l'endroit où vous vous trouvez.

MICHELIN à Paris et en banlieue

Services généraux :

46 av. Breteuil ☎ 45 66 12 34 — 75341 PARIS CEDEX 07 — Télex MICHLIN 270789 F.

Ouverts du lundi au vendredi de 8 h 45 à 16 h 30 (16 h le vendredi).

Agences régionales :

Ouvertes du lundi au vendredi de 8 h à 12 h 15 et de 14 h à 18 h (17 h 45 le vendredi).

Arcueil : 24 bis r. Berthollet ☎ 47 35 13 20 — BP 19 — 94114 ARCUEIL CEDEX.

Aubervilliers : 34 r. des Gardinoux ☎ 48 33 07 58 — BP 79 — 93302 AUBERVILLIERS CEDEX.

Maisons-Alfort : r. Charles-Martigny — Z.I. des Petites Haies — ☎ 48 99 55 60 — BP 50 — 94702 MAISONS ALFORT CEDEX.

Nanterre : 13, 15, 17 r. des Fondrières ☎ 47 21 67 21 — BP 505 — 92005 NANTERRE CEDEX.

Agences :

Buc : 417 av. R. Garros — Z.I. Centre — ☎ 39 56 10 66 — 78530 BUC.

Entrepôts :

Gennevilliers : 121 av. du Vieux Chemin de St-Denis ☎ 47 99 98 82 — 92230 GENNEVILLIERS.

ARRONDISSEMENT

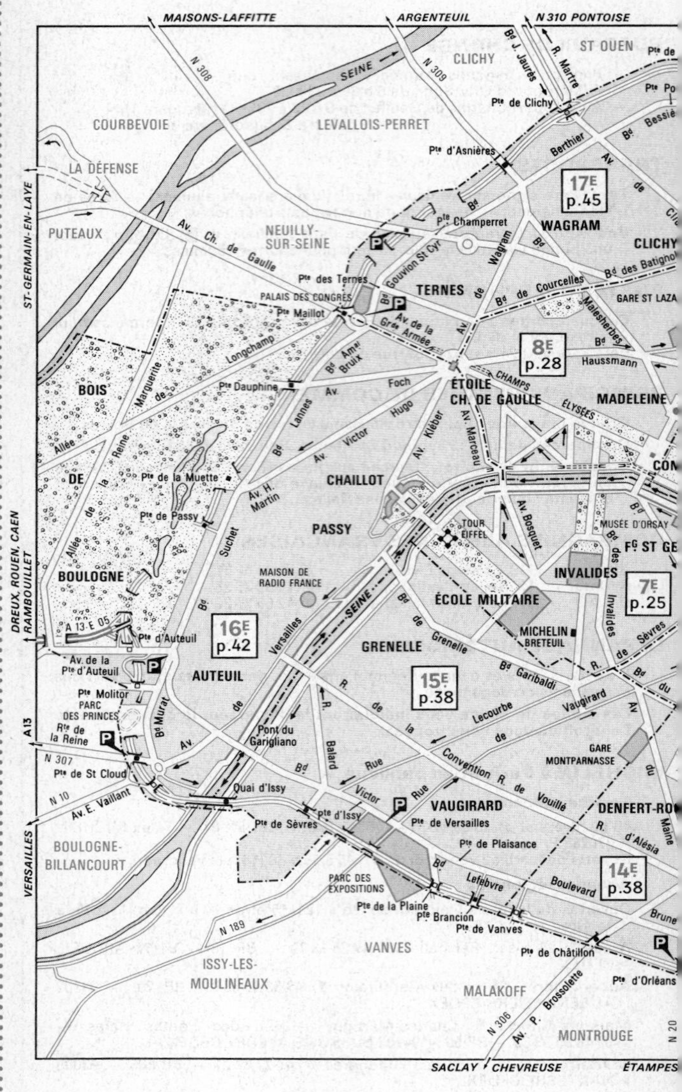

Parking périphérique public

Limite d'arrondissement

Rue à sens unique

Bd périphérique (Echangeur : ▪ complet, ▫ partiel)

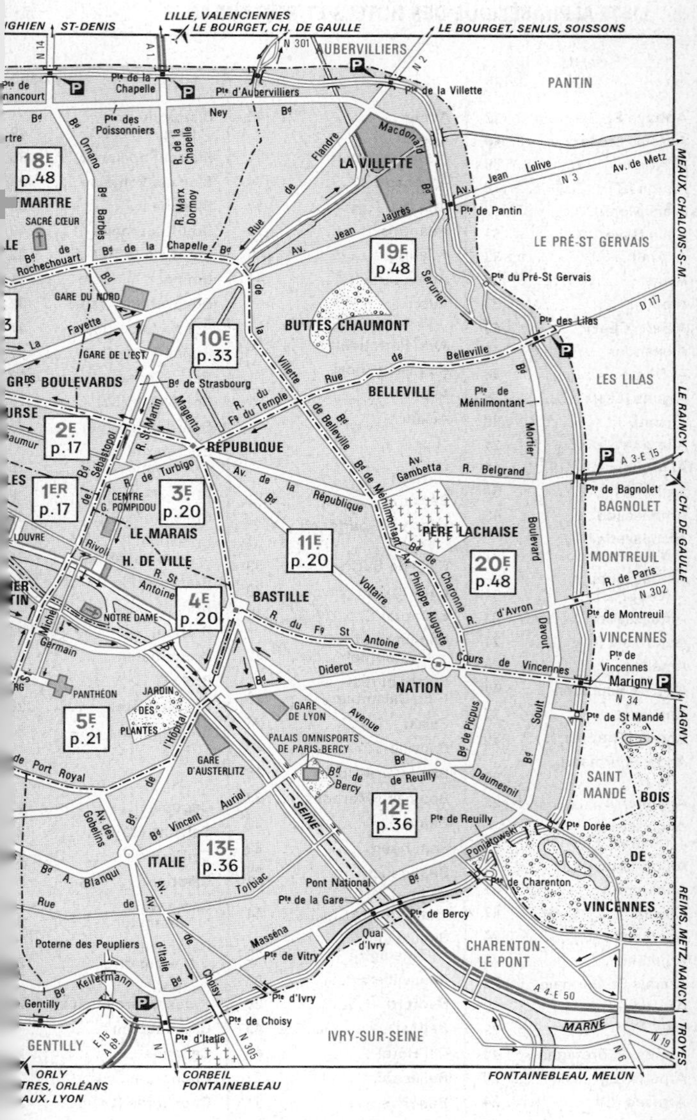

Pour la pratique quotidienne de Paris

Les Plans de Paris MICHELIN

précis - complets - détaillés

10 Plan, 12 Plan avec répertoire, 11 Paris Atlas, 14 plan de Paris

LISTE ALPHABÉTIQUE DES HOTELS ET RESTAURANTS

D

E

F

G

R

S

T

RESTAURANTS de PARIS et de la BANLIEUE

Nous vous présentons ci-après une li
d'établissements sélectionnés pour
qualité de leur table ou pour leurs s
cialités. Vous trouverez également
adresses pour souper après le specta
ou pour déjeuner en plein air à Paris
en banlieue.

Les bonnes tables... à étoiles

✿✿✿ 3 étoiles

		Arr.	Page
XXXXX	Lucas Carton	8e	31
XXXXX	Taillevent	8e	31
XXXXX	Tour d'Argent	5e	23
XXXX	Ambroisie (L')	4e	21
XXXX	Jamin	16e	43

✿✿ 2 étoiles

		Arr.	Page
XXXXX	Ambassadeurs	8e	31
XXXXX	Lasserre	8e	31
XXXXX	Laurent	8e	31
XXXXX	Ritz Espadon	1er	18
XXXX	Carré des Feuillants	1er	18
XXXX	Duc d'Enghien	à Enghien-les-Bains	55
XXXX	Faugeron	16e	43
XXXX	Gérard Besson	1er	18
XXXX	Grand Vefour	1er	18
XXXX	Guy Savoy	17e	46
XXXX	Le Divellec	7e	26

		Arr.
XXXX	Michel Rostang	17e
XXXX	Pré Catelan	16e
XXXX	Trois marches	à Versailles
XXXX	Vivarois	16e
XXX	Apicius	17e
XXX	Arpège (L')	7e
XXX	Duquesnoy	7e
XXX	Jacques Cagna	6e
XXX	Petit Bedon	16e
XXX	Relais Louis XIII	6e
XXX	Tastevin (Le)	à Maisons-Laffitte

✿ 1 étoile

		Arr.	Page
XXXXX	Bristol	8e	31
XXXXX	Régence	8e	31
XXXX	Chiberta	8e	31
XXXX	Célébrités	15e	40
XXXX	Clos de Longchamp	17e	46
XXXX	Comte de Gascogne (Au)	à Boulogne-Billancourt	51
XXXX	Elysée Lenôtre	8e	31
XXXX	Etoile d'Or	17e	46
XXXX	Fouquet's	8e	31
XXXX	Grande Cascade	16e	44
XXXX	Jules Verne	7e	26
XXXX	Lamazère	8e	31
XXXX	Marée (La)	8e	31
XXXX	Maxim's	à Roissy	62
XXXX	Paris (Le)	6e	23
XXXX	Princes (Les)	8e	31
XXXX	Rest Opéra - Café de la Paix	9e	35

		Arr.
XXX	Anges (Chez les)	7e
XXX	Aquitaine (L')	15e
XXX	Barrière de Clichy (La)	à Clichy
XXX	Beauvilliers	18e
XXX	Belle Epoque (La)	à Châteaufort
XXX	Boule d'Or (La)	7e
XXX	Camélia (Le)	à Bougival
XXX	Cantine des Gourmets	7e
XXX	Cazaudehore	à St-Germain-en-Laye
XXX	Céladon (Le)	2e
XXX	Clovis (Le)	8e
XXX	Cochon d'Or	19e
XXX	Copenhague	8e
XXX	Couronne (La)	8e
XXX	Dauphin (Le)	7e

✿ 1 étoile

XXX	El Chiquito	à Rueil-Malmaison	62
XXX	Flamberge (La)	7^{e}	26
XXX	Goumard	1er	19
XXX	Hubert	1er	19
XXX	Jacqueline Fénix	à Neuilly	59
XXX	Maison Blanche	15^{e}	40
XXX	Manoir de Paris	17^{e}	47
XXX	Mercure Galant	1er	19
XXX	Michel Comby	17^{e}	47
XXX	Michel Pasquet	16^{e}	43
XXX	Morot-Gaudry	15^{e}	40
XXX	Olympe	15^{e}	40
XXX	Patrick Lenôtre	16^{e}	44
XXX	Paul et France	17^{e}	47
XXX	Pressoir (Au)	12^{e}	38
XXX	Relais de Sèvres	15^{e}	40
XXX	Sormani	17^{e}	47
XXX	Timgad	17^{e}	47
XXX	Toit de Passy	16^{e}	43
XXX	Truffe Noire (La)	à Neuilly-sur-Seine	59
XXX	Vieille Fontaine	à Maisons Laffitte	57
XX	Benoît	4^{e}	21
XX	Bistrot de Paris	7^{e}	27
XX	Bistro 121	15^{e}	40
XX	Conti	16^{e}	44
XX	Dariole de Viry	à Viry-Châtillon	71
XX	Dodin Bouffant	5^{e}	24
XX	Dôme (Le)	14^{e}	40
XX	Ferme St-Simon	7^{e}	27
XX	Gasnier	à Puteaux	61
XX	Gérard et Nicole	14^{e}	40
XX	Gildo	7^{e}	27
XX	Guyvonne (Chez)	17^{e}	48
XX	Julius	à Gennevilliers	55
XX	Labrousse	7^{e}	27
XX	Michel (Chez)	10^{e}	36
XX	Miraville	5^{e}	24
XX	Pauline (Chez)	1er	19
XX	Péché Mignon (Le)	11^{e}	21
XX	Petit Colombier (Le)	17^{e}	47
XX	Petite Auberge (La)	17^{e}	47
XX	Petit Laurent (Le)	7^{e}	27
XX	Pharamond	1er	19
XX	Pierre Traiteur au Palais Royal	1er	19
XX	Pierre Vedel	15^{e}	41
XX	Récamier	7^{e}	27
XX	Sousceyrac (A)	11^{e}	21
XX	Trou Gascon (Au)	12^{e}	38
X	Cagouille (La)	14^{e}	41
X	Mère Michel	17^{e}	48
X	Petits Pères (Aux) « Chez Yvonne »	2^{e}	20
X	Pouilly-Reuilly (Au)	au Pré St-Gervais	61
X	Tan Dinh	7^{e}	27

Pour le souper après le spectacle

(Nous indiquons entre parenthèses l'heure limite d'arrivée)

XXX	Charlot Ier « Merveille des Mers » (1 h)	18^{e}	49
XXX	Charlot Roi des Coquillages (1 h)	9^{e}	35
XXX	Relais Plaza (1 h 30)	8^{e}	32
XX	Andrée Baumann (1 h)	17^{e}	47
XX	Baumann Marbeuf (1 h)	8^{e}	32
XX	Le Bœuf sur le Toit (2 h)	8^{e}	32
XX	Bofinger (Brasserie) (1h)	4^{e}	21
XX	Brasserie Flo (1 h 30)	10^{e}	36
XX	Relais Capucines - Café de la Paix (1 h 15)	9^{e}	35
XX ✿	Le Dôme (1 h)	14^{e}	40
XX	Grand Café Capucines (jour et nuit)	9^{e}	36
XX	Julien (1 h 30)	10^{e}	36
XX	Pavillon Baltard (1 h)	1er	19
XX	Pied de Cochon (jour et nuit)	1er	19
XX	Vaudeville (Le) (2 h)	2^{e}	19

Il est conseillé d'avoir une tenue vestimentaire adaptée à la classe et à la réputation de l'établissement choisi.

Le plat que vous recherchez

Une andouillette

Ambassade d'Auvergne	3e	21
Casimir (Chez)	10e	36
Deux Taureaux	19e	49
Foux (La)	6e	24
Gasnier	à Puteaux	61
Gourmet de l'Isle	4e	21
Joséphine	6e	24
Marlotte	6e	24
Moissonnier	5e	24
Pavillon Baltard	1er	19
Pied de Cochon	1er	19
Pouilly-Reuilly	au Pré St-Gervais	61
Relais Beaujolais	9e	36
Relais Normand	18e	49
Sousceyrac (A)	11e	21
Traversière (Le)	12e	38

Du boudin

Ambassade d'Auvergne	3e	21
Cochon d'Or	19e	49
Coquille (La)	17e	47
Gourmet de l'Isle	4e	21
Marlotte	6e	24
Moissonnier	5e	24
Pouilly-Reuilly	au Pré St-Gervais	61
Quincy (Le)	12e	38

Une bouillabaisse

Augusta (Chez)	17e	47
Charlot 1er « Merveille des Mers »	18e	49
Charlot Roi des Coquillages	9e	35
Dôme	14e	40
Frégate (La)	12e	38
Jarrasse	à Neuilly-sur-Seine	59
Marius et Janette	8e	32

Un cassoulet

Bœuf sur le Toit	8e	32
Clef du Périgord	1er	20
Flambée (La)	12e	38
Gasnier	à Puteaux	61
Julien	10e	36
Lajarrige	17e	47
Lamazère	8e	31
Léon (Chez)	17e	48
Pyrénées-Cévennes	11e	21
Quercy (Le)	9e	36
Quincy (Le)	12e	38
Relais Pyrénées	20e	49
Sud-Ouest	5e	24
Truffière (La)	5e	24
Valéry (Le)	16e	44
Vallon de Vérone	14e	41

Une choucroute

Andrée Baumann	17e
Balzar	5e
Baumann-Marbœuf	8e
Bofinger	4e
Brasserie Flo	10e
Cochon Doré	1er
Pavillon Baltard	1er
Terminus Nord	10e

Un confit

Aub. du Trinquet	à St Mandé
Auberge Landaise	à Enghien-les-Bains
Cartouche Edouard VII	2e
Cazaudehore	à St-Germain-en-Laye
Champ de Mars	7e
Chaumière du Petit Poucet	15e
Clef du Périgord	1er
Etchegorry	13e
Gasnier	à Puteaux
Lajarrige	17e
Lamazère	8e
Mange Tout (Le)	5e
Pouilly-Reuilly	au Pré-St-Gervais
Pyrénées-Cévennes	11e
Quercy (Le)	9e
Relais Beaujolais	9e
Relais Pyrénées	20e
Repaire de Cartouche	11e
Valéry (Le)	16e
Vallon de Vérone	14e

Des coquillages, crustacés, poissons

Andrée Baumann	17e
Armes de Bretagne	14e
Augusta (Chez)	17e
Bofinger	4e
Cagouille (La)	14e
Charlot Ier Merveille des Mers	18e
Charlot Roi des Coquillages	9e
Dodin-Bouffant	5e
Dôme (Le)	14e
Frégate (La)	12e
Glénan (Les)	7e
Goumard	1er
Grand Café Capucines	9e
Huître et la Tarte	à Bougival
Jarrasse	à Neuilly-sur-Seine
Lapérouse	5e
Le Divellec	7e
Marée (La)	8e
Marius et Janette	8e
Marty	5e
Mère Michel	17e
Newport	10e
Pavillon Baltard	1er
Pied de Cochon	1er
"Pierre" A La Fontaine Gaillon	2e
Prunier Madeleine	1er
Ruc	8e
Ty Coz	9e

Des escargots

Coquille (La)	17ᵉ	47
Léon (Chez)	17ᵉ	48
Maître Paul	6ᵉ	24
Moissonnier	5ᵉ	24
Petit Colombier	17ᵉ	47
Relais Normand	18ᵉ	49

Une grillade

Baumann Marbœuf	8ᵉ	32
Bœuf Couronné	19ᵉ	49
Cochon d'Or	19ᵉ	49
Deux Taureaux	19ᵉ	49
Grilladin (Au)	6ᵉ	24
Hilton (Western)	15ᵉ	38
Pied de Cochon	1ᵉʳ	19

Une paëlla

Etchegorry	13ᵉ	38
Pyrénées-Cévennes	11ᵉ	21
Trois Horloges	15ᵉ	41

Des tripes

Foux (La)	6ᵉ	24
Nuits de St Jean	7ᵉ	27
Pharamond	1ᵉʳ	19
Pied de Cochon	1ᵉʳ	19

Des fromages choisis

Androuët	8ᵉ	32

Des soufflés

Le Soufflé	1ᵉʳ	19

Spécialités étrangères

Allemandes

Vieux Berlin (Au)	8ᵉ	32

Chinoises et Indochinoises

Délices de Szechuen (Aux)	7ᵉ	27
Focly	à Neuilly-s-Seine	59
Gd Chinois (Le)	16ᵉ	44
Pagoda	9ᵉ	36
Palais du Trocadéro	16ᵉ	44
P'tite Tonkinoise (La)	10ᵉ	36
Tan Dinh	7ᵉ	27
Tong-Yen	8ᵉ	32
Tsé-Yang	16ᵉ	44
Vong (Chez)	1ᵉʳ	19
Vong (Chez)	8ᵉ	32

Indiennes

Annapurna	8ᵉ	32
Indra	8ᵉ	32
Mina Mahal	15ᵉ	41

Japonaises

Kinugawa	1ᵉʳ	20
Méridien (Yamato)	17ᵉ	45
Nikko (Benkay)	15ᵉ	38
Shogun	16ᵉ	44

Italiennes

Al Dente	8ᵉ	33
Beato	7ᵉ	27
Châteaubriant (Au)	10ᵉ	35
Conti	16ᵉ	44
Florence (Le)	7ᵉ	27
Gildo (Chez)	7ᵉ	27
Giulio Rebellato	16ᵉ	44
Livio (Chez)	à Neuilly-s-Seine	59
Main à la Pâte (La)	1ᵉʳ	19
Sormani	17ᵉ	47
Stresa	8ᵉ	33
Velloni	1ᵉʳ	19

Orientales et Nord Africaines

Al Amir	8ᵉ	32
Al Mounia	16ᵉ	44
Caroubier (Le)	15ᵉ	41
Martin-Alma	8ᵉ	33
Rose des Sables	8ᵉ	32
Timgad	17ᵉ	47
Trois Horloges	15ᵉ	41
Wally	4ᵉ	21

Portugaises

Saudade	1ᵉʳ	19

Russes

Datcha Lydie (La)	15ᵉ	41

Scandinaves

Copenhague	8ᵉ	31

Plein air

XXXX	✿✿ Laurent	8ᵉ	31
XXXX	✿ Grande Cascade	16ᵉ	44
XXXX	✿✿ Pré Catelan	16ᵉ	44
XXX	Pavillon Puebla	19ᵉ	49

Bougival	XXXX	Coq Hardi	51
Champrosay	XX	Bouquet de la Forêt	52
Chennevières	XXX	Écu de France	53
Maisons-Laffitte	XXX	✿ Vieille Fontaine	57
»	XXX	✿✿ Tastevin	57
St-Germain-en-L.	XXX	✿ Cazaudehore	64
Vaucresson	XX	La Poularde	66
Le Vésinet	XXX	Les Ibis	70

Quelques restaurants où vous trouverez un menu à moins de 150 F

1er arrondissement
- XX Gabriel (Chez) 20
- XX Pasadena 20
- X Louis XIV 20

2e arrondissement
- XX Aub. Perrraudin 19
- XX Coup de Cœur 19
- X Cochon Doré 20

4e arrondissement
- XX Franc Pinot 21
- XX Gourmet de l'Isle 21

5e arrondissement
- XX Aub. des Deux Signes 24
- XX Clos des Bernardins 24
- XX Sud Ouest 24
- XX Truffière (La) 24
- X Ange Gourmand (L') 24

6e arrondissement
- XX Apollinaire (L') 24
- XX Epicurien (L') 24
- XX Grilladin (Au) 24
- XX Régent (Au) 24
- X Vigneraie (La) 24

7e arrondissement
- XX Françoise (Chez) 27
- XX Ribe (Chez) 27
- X Calèche (La) 27

8e arrondissement
- XX Petite Auberge (La) 33

9e arrondissement
- XX Bistrot Papillon 36
- XX Gratin Dauphinois (Au) 36
- XX Petit Riche 36

11e arrondissement
- X Fernand (Chez) 21

12e arrondissement
- XX Flambée (La) ....
- XX Traversière (Le) ....

13e arrondissement
- X Etchegorry ....
- X Rhône (Le) ....

15e arrondissement
- XX Clos Morillons (Le) ....
- XX Copreaux (Le) ....
- XX Etape (L') ....
- XX Mina Mahal ....
- X Caroubier (Le) ....
- X Chaumière du Petit Poucet ....
- X Datcha Lydie ....
- X Hérissonnière (La) ....
- X Pierre (Chez) ....
- X Yves Quintard ....

16e arrondissement
- X Beaujolais d'Auteuil ....

17e arrondissement
- XX Gouberville ....
- XX Gourmandine (La) ....
- XX Relais d'Anjou ....
- X Léon (Chez) ....
- X Pommeraie Jouffroy ....

18e arrondissement
- XX Frézet (Chez) ....
- XX Grandgousier ....
- XX Sanglier Bleu ....
- X Cottage Marcadet ....
- X La Marbouille ....
- X Relais Normand ....

19e arrondissement
- XX Chaumière (La) ....

Banlieue

Argenteuil
- XX Closerie Périgourdine 50
- XX Colombe (La) 50

Asnières
- X Petite Auberge (La) 50

Boulogne-Billancourt
- XX Avant-Seine (L') 51
- XX Bergerie (La) 51
- XX Bretonnière (La) 51
- XX Champenoise (La) 51

Brunoy
- XX Petit Réveillon (Le) 52

Celle-St-Cloud
- X Petit Tournebride 52

Chelles
- XX Rôt. Briarde 53

Clamart
- X Benjamin (Le) 53

Levallois-Perret
- XX Jardin (Le) 56

Neuilly-s-Seine
- X Livio (Chez) 59

Petit-Clamart
- XX Au Rendez-vous de Chasse ....

Port-Marly (Le)
- XX Aub. du Relais Breton ....

Queue-en-Brie (La)
- XX Aub. du Petit Caporal ....

St-Denis
- XX Grill St-Denis ....

St-Mandé
- X Trinquet (Le) ....

Sucy-en-Brie
- XX Terrasse Fleurie ....

Torcy
- XX Mansart (Le) ....

Versailles
- XX Potager du Roi ....
- XX Vert Galant ....

Vésinet (Le)
- XX Grâce de Dieu (A la) ....

Viroflay
- XX Aub. La Chaumière ....

HOTELS, RESTAURANTS

par arrondissements

(Liste alphabétique des Hôtels et Restaurants, voir p. 6 à 11)

G 12 : Ces lettres et chiffres correspondent au carroyage du **Plan de Paris** Michelin n° **10**, **Paris Atlas** n° **11**, **Plan avec répertoire** n° **12** et **Plan de Paris** n° **14**.

En consultant ces quatre publications vous trouverez également les parkings les plus proches des établissements cités.

Opéra, Palais-Royal, Halles, Bourse.
1er et 2e arrondissements.
1er : ✉ 75001
2e : ✉ 75002

Ritz, 15 pl. Vendôme (1er) ✆ 42 60 38 30, Télex 220262, « Jardin intérieur » – |☰| ▤ TV ☎ ♿ Ⓟ – 🏂 30 à 80. AE ⓓ E VISA. ✂ rest G 12
R voir rest. **Ritz Espadon** ci-après – ☕ 110 – **164 ch** 1995/2910, 45 appart.

Inter-Continental, 3 r. Castiglione (1er) ✆ 42 60 37 80, Télex 220114, ⛱ – |☰| ⇔ ch ▤ TV ☎ – 🏂 1 000. AE ⓓ E VISA. ✂ rest G 12
Rôtiss. Rivoli R 270 – **Le Café Tuileries R** 96 🍷 – ☕ 90 – **388 ch** 1270/2138, 72 appart.

Meurice, 228 r. Rivoli (1er) ✆ 42 60 38 60, Télex 230673 – |☰| ⇔ ch ▤ TV ☎ ♿ – 🏂 40 à 100. AE ⓓ E VISA. ✂ rest G 12
R carte 260 à 400 – ☕ 95 – **151 ch** 1440/2350, 36 appart.

Lotti, 7 r. Castiglione (1er) ✆ 42 60 37 34, Télex 240066 – |☰| ▤ TV ☎ – 🏂 25. AE ⓓ E VISA. ✂ rest G 12
R carte 225 à 350 – ☕ 90 – **123 ch** 1200/1800, 5 appart.

Résidence St James Ⓜ, 202 r. Rivoli (1er) ✆ 42 60 31 60, Télex 213031, ⛱ – |☰| cuisinette TV ☎ – 🏂 40 à 150. AE ⓓ E VISA. ✂ H 12
St James *(fermé août, sam. et dim.)* **R** carte 155 à 215 – ☕ 50 – **207 ch** 650/2000, 81 appart. 800/2000.

Westminster, 13 r. Paix (2e) ✆ 42 61 57 46, Télex 680035 – |☰| ▤ ch TV ☎ 🚗 – 🏂 80. AE ⓓ E VISA G 12
R voir rest. **Le Céladon** ci-après – ☕ 85 – **83 ch** 1250/1820, 18 appart.

du Louvre, pl. A.-Malraux (1er) ✆ 42 61 56 01, Télex 220412 – |☰| ▤ rest TV ☎ ♿ – 🏂 50 à 100. AE ⓓ E VISA H 13
R carte 130 à 210 🍷 – ☕ 60 – **214 ch** 630/1900, 5 appart.

Mayfair Ⓜ sans rest, 3 r. Rouget-de-Lisle (1er) ✆ 42 60 38 14, Télex 240037 – |☰| TV ☎. AE ⓓ E VISA G 12
53 ch ☕700/990.

Édouard VII, 39 av. Opéra (2e) ✆ 42 61 56 90, Télex 680217 – |☰| TV ☎ – 🏂 25. AE ⓓ E VISA G 13
R voir rest. **Delmonico** ci-après – **96 ch** ☕700/880, 4 appart. 2500.

Normandy, 7 r. Échelle (1er) ✆ 42 60 30 21, Télex 670250 – |☰| TV ☎ – 🏂 50. AE ⓓ E VISA H 13
R *(fermé sam. et dim.)* 120 (déj.) et carte 160 à 240 – ☕ 45 – **120 ch** 580/980, 8 appart. 1145/1430.

Castille Ⓜ, 37 r. Cambon (1er) ✆ 42 61 55 20, Télex 213505, ⛱ – |☰| TV ☎. AE ⓓ E VISA G 12
Relais de Castille R carte 160 à 220 🍷 – ☕ 50 – **62 ch** 650/1280, 14 appart. 1400/2400.

France et Choiseul sans rest, 239 r. St-Honoré (1er) ✆ 42 61 54 60, Télex 680959 – |☰| TV ☎ – 🏂 30 à 200. AE ⓓ E VISA G 12
☕ 50 – **97 ch** 700/1200, 23 appart. 1400/1600.

Royal St Honoré Ⓜ sans rest, 221 r. St Honoré (1er) ✆ 42 60 32 79, Télex 680429 – |☰| TV ☎ – 🏂 25. AE ⓓ E VISA G 12
78 ch ☕630/820.

Novotel Paris Halles Ⓜ, 8 pl. M.-de-Navarre (1er) ✆ 42 21 31 31, Télex 216389, ⛱ – |☰| ▤ TV ☎ ♿ – 🏂 40 à 100. AE ⓓ E VISA H 14
R carte environ 120, enf. 40 – ☕ 45 – **285 ch** 625/665.

Cambon sans rest, 3 r. Cambon (1er) ✆ 42 60 38 09, Télex 240814 – |☰| TV ☎. AE ⓓ E VISA – **44 ch** ☕ 650/930. G 12

Cusset sans rest, 95 r. Richelieu (2e) ✆ 42 97 48 90, Télex 670245 – |☰| TV ☎. E VISA – ☕ 30 – **115 ch** 450/560. F 13

François sans rest, 3 bd Montmartre (2e) ✆ 42 33 51 53, Télex 211097 – wc wc ☎. AE E VISA. F
38 – **64 ch** 550/770, 11 appart. 770.

Montana Tuileries M sans rest, 12 r. St-Roch (1er) ✆ 42 60 35 10, Télex 2144 – TV wc wc ☎. AE E VISA G
30 – **25 ch** 400/590.

Duminy Vendôme sans rest, 3 r. Mont Thabor (1er) ✆ 42 60 32 80, Télex 2134 – TV wc wc ☎ – 40. AE E VISA. G
79 ch 390/715.

Favart sans rest, 5 r. Marivaux (2e) ✆ 42 97 59 83, Télex 213126 – TV wc wc ☎. AE E VISA F
37 ch 360/400.

Lautrec Opéra sans rest, 8 r. d'Amboise (2e) ✆ 42 96 67 90, Télex 216502 – wc wc ☎. AE E VISA. F
25 – **30 ch** 400/600.

Gaillon-Opéra sans rest, 9 r. Gaillon (2e) ✆ 47 42 47 74, Télex 215716 – wc ☎. AE E VISA G
25 – **26 ch** 435/580.

Baudelaire Opéra M sans rest, 61 r. Ste Anne (2e) ✆ 42 97 50 62, Télex 216116 TV wc wc ☎. AE E VISA G
25 – **29 ch** 350/470, 5 appart. 600.

Louvre-Forum M sans rest, 25 r. du Bouloi (1er) ✆ 42 36 54 19, Télex 240288 – TV wc wc ☎. AE E VISA H
22 – **28 ch** 310/400.

Du Piémont sans rest, 22 r. Richelieu (1er) ✆ 42 96 44 50 – TV wc wc ☎ AE E VISA – 26 – **28 ch** 290/516. G

Ascot-Opéra sans rest, 2 r. Monsigny (2e) ✆ 42 96 87 66, Télex 216679 – wc wc ☎. AE E VISA G
29 – **36 ch** 162/494.

Gd H. de Champagne sans rest, 17 r. J.-Lantier (1er) ✆ 42 36 60 00, Télex 2159 – TV wc wc ☎. AE E VISA J
40 – **43 ch** 400/465.

Timhôtel Le Louvre sans rest, 4 r. Croix des Petits Champs (1er) ✆ 42 60 34 8 Télex 216405 – TV wc wc ☎ ♿. AE E VISA H
30 – **56 ch** 325/415.

Ducs de Bourgogne sans rest, 19 r. Pont-Neuf (1er) ✆ 42 33 95 64, Télex 2163 – TV wc wc ☎. E VISA. H
28 – **49 ch** 310/420.

Ducs d'Anjou sans rest, 1 r. Ste-Opportune (1er) ✆ 42 36 92 24 – TV wc wc ☎. E VISA – **38 ch** 250/400. H

Family sans rest, 35 r. Cambon (1er) ✆ 42 61 54 84 – TV wc wc ☎ ♿. VISA G
22 – **25 ch** 350/450.

XXXXX ✿✿ **Ritz-Espadon,** 15 pl. Vendôme (1er) ✆ 42 60 38 30, – . AE E VISA G
R carte 380 à 530
Spéc. Petite salade Cendrillon, Omble chevalier (oct. à déc.), Ris de veau braisé villageoise.

XXXX ✿✿ **Grand Véfour,** 17 r. Beaujolais (1er) ✆ 42 96 56 27, « Ancien café du Palais Royal fin 18e s. » – . AE E VISA. G
fermé août, sam. midi et dim. – **R** 250 (déj.) et carte 350 à 500
Spéc. Panaché de homard breton aux artichauts, Sole "Grand Véfour", Soufflé au chocolat.

XXXX ✿✿ **Carré des Feuillants** (Dutournier), 14 r. Castiglione (1er) ✆ 42 86 82 82 – VISA G
fermé sam. (sauf le soir de sept. à juin) et dim. – **R** 230 (déj.) et carte 250 à 420
Spéc. Carpaccio de thon au piment d'Espelette (juin à sept.), Rouget barbet en millefeuille à moelle (mars à oct.), Caneton rôti façon canardier.

XXXX **Drouant,** pl. Gaillon (2e) ✆ 42 65 15 16 – . AE E VISA G
fermé sam. et dim. – **R** carte 290 à 435 – **Grill R** carte 190 à 315.

XXXX ✿✿ **Gérard Besson,** 5 r. Coq Héron (1er) ✆ 42 33 14 74 – . E VISA H
fermé 9 au 31 juil., 24 déc. au 3 janv., sam. et dim. – **R** 220 (déj.) et carte 245 à 400
Spéc. Crustacés et poissons, Champignons sauvages et truffes (saison), Gibiers et volailles Bresse.

XXX **Prunier Madeleine,** 9 r. Duphot (1er) ✆ 42 60 36 04, produits de la mer – . VISA G
R 270 bc/450 – **Prunierskaïa** *(fermé sam. soir et dim.)* **R** 150bc.

XXX ✿ **Mercure Galant,** 15 r. Petits-Champs (1er) ✆ 42 97 53 85 – VISA G 13
fermé sam. midi, dim. et fêtes – **R** carte 280 à 360
Spéc. Turbot rôti aux huîtres, Coeur de Charolais à la moelle en papillote, Mille et une feuilles.

XXX ✿ **Le Céladon** -Hôtel Westminster-, 15 r. Daunou (2e) ✆ 47 03 40 42 – ▤ G 12
fermé août, sam., dim. et fériés – **R** 250
Spéc. Foie gras de canard au naturel, Noix de St-Jacques et pommes de terre au bacon, Millefeuille de pommes et poires rôties.

XXX ✿ **Hubert,** 25 r. Richelieu (1er) ✆ 42 96 08 47 – ⇹ ▤. AE ⓓ VISA G 13
fermé sam. midi et dim. – **R** carte 225 à 375
Spéc. Rustique de foie gras cru aux pommes de terre, Ravioles de crabe au jus de veau, Feuillantine de poires caramélisée.

XXX **Delmonico** -Hôtel Édouard VII-, 39 av. Opéra (2e) ✆ 42 61 44 26 – ▤. AE ⓓ E VISA
fermé août, sam. et dim. – **R** carte 240 à 320. G 13

XXX **Chez Vong,** 10 r. Grande-Truanderie (1er) ✆ 42 96 29 89, cuisine chinoise et vietnamienne – AE ⓓ E VISA H 15
fermé dim. – **R** carte 160 à 240.

XXX **"Pierre" A la Fontaine Gaillon,** pl. Gaillon (2e) ✆ 47 42 63 22 – AE ⓓ E VISA
fermé août, sam. midi et dim. – **R** carte 180 à 285. G 13

XXX ✿ **Goumard,** 17 r. Duphot (1er) ✆ 42 60 36 07 – ▤. AE ⓓ E VISA G 12
fermé 14 au 22 août, 24 déc. au 3 janv. et dim. – **R** carte 275 à 385
Spéc. Rougets de roches aux olives, Escalope de loup poêlée au pistou, Feuilleté tiède de fruits rouges (mai à oct.).

XX ✿ **Chez Pauline** (Génin), 5 r. Villedo (1er) ✆ 42 96 20 70 – ▤. E VISA G 13
fermé 2 juil. au 2 août, 24 déc. au 2 janv., sam. midi du 1er mai au 1er oct., sam. soir et dim. – **R** (▤ 1er étage) carte 200 à 335
Spéc. Boeuf bourguignon, Gibier (en saison), Gâteau de riz.

XX ✿ **Pierre Traiteur au Palais Royal,** 10 r. Richelieu (1er) ✆ 42 96 09 17 – AE ⓓ E VISA H 13
fermé août, sam., dim. et fériés – **R** carte 205 à 295
Spéc. Foie gras chaud au vinaigre de Xérès, Lotte en papillote à la tomate, Rognon de veau rôti à l'échalote confite.

XX **Capeline,** 18 r. Louvre (1er) ✆ 42 86 95 05 – ▤. AE ⓓ E VISA H 14
fermé fév., sam. midi et dim. – **R** 186 bc/325, enf. 100.

XX **Velloni,** 22 r. des Halles (1er) ✆ 42 21 12 50, cuisine italienne. AE ⓓ VISA H 14
R carte 150 à 205.

XX **Pavillon Baltard,** 9 r. Coquillère (1er) ✆ 42 36 22 00 – ▤. AE ⓓ E VISA H 14
R carte 130 à 225.

XX **La Main à la Pâte,** 35 r. St-Honoré (1er) ✆ 45 08 85 73, cuisine italienne – AE ⓓ VISA H 14
fermé dim. – **R** carte 175 à 235 ♁.

XX **La Corbeille** (chambres prévues), 154 r. Montmartre (2e) ✆ 40 26 30 87 – AE E VISA. ⚘ G 14
fermé 29 mars au 4 avril, sam. midi et dim. – **R** 158 (déj.) et carte 230 à 330.

XX **Le Poquelin,** 17 r. Molière (1er) ✆ 42 96 22 19 – AE ⓓ E VISA G 13
fermé 1er au 20 août, sam. midi et dim. – **R** carte 205 à 310.

XX **Les Délices du Foie Gras,** 7 r. Gomboust (1er) ✆ 42 61 02 93 – AE ⓓ E VISA
fermé sam. midi et dim. – **R** (nombre de couverts limité - prévenir) 128 (déj.) et carte 165 à 255. G 13

XX **Pile ou Face,** 52 bis r. N.-D. des Victoires (2e) ✆ 42 33 64 33 – ▤. VISA G 14
fermé août, 24 déc. au 1er janv., sam., dim. et fériés – **R** carte 210 à 325.

XX **Le Soufflé,** 36 r. Mont-Thabor (1er) ✆ 42 60 27 19 – ▤. AE ⓓ E VISA G 12
fermé dim. et fêtes – **R** carte 150 à 250.

XX **Saudade,** 34 r. Bourdonnais (1er) ✆ 42 36 30 71, cuisine portugaise – AE ⓓ VISA
fermé 1er août au 6 sept., 23 au 27 déc. et dim. – **R** carte 140 à 205. H 14

XX **Vaudeville,** 29 rue Vivienne (2e) ✆ 42 33 39 31 – AE ⓓ VISA FG 14
R carte 135 à 220.

XX ✿ **Pharamond** (Hyvonnet), 24 r. Grande-Truanderie (1er) ✆ 42 33 06 72 – AE ⓓ VISA H 15
fermé juil., lundi midi et dim. – **R** carte 185 à 250
Spéc. Tripes à la mode de Caen, St-Jacques au cidre (saison), Grillade aux pommes soufflées.

XX **Pied de Cochon** (ouvert jour et nuit), 6 r. Coquillière (1er) ✆ 42 36 11 75 – AE ⓓ VISA H 14
R carte 160 à 245.

XX **Coup de coeur,** 19 r. St Augustin (2e) ✆ 47 03 45 70 – AE ⓓ E VISA G 13
fermé dim. – **R** 118 et carte 145 à 200.

XX **Aub. Perraudin,** 164 r. Montmartre (2e) ✆ 42 36 71 09 – ▤. AE ⓓ VISA G 14
fermé sam. midi et dim. – **R** 150/320, enf. 80.

XX **Kinugawa,** 9 r. Mont Thabor (1er) ✆ 42 60 65 07, cuisine japonaise – AE E VISA
fermé 25 déc. au 4 janv. et dim. – **R** carte 150 à 180. G

XX **Chez Gabriel,** 123 r. St-Honoré (1er) ✆ 42 33 02 99 – AE ⓓ E VISA H
fermé 8 au 23 août et dim. – **R** 127.

XX **La Clef du Périgord,** 38 r. Croix des Petits Champs (1er) ✆ 40 20 06 46 – VISA
fermé août et dim. – **R** carte 155 à 295. G14-H

XX **Le Saint Amour,** 8 r. Port Mahon (2e) ✆ 47 42 63 82 – AE ⓓ VISA G
fermé 14 juil. au 15 août, sam. (sauf le soir de sept. à juin) dim. et fêtes – **R** 160.

X ✿ **Aux Petits Pères "Chez Yvonne"** (Boutard), 8 r. N.-D.-des-Victoires (2
✆ 42 60 91 73 – AE E VISA G
fermé août, sam. et dim. – **R** (prévenir) carte 140 à 220
Spéc. St-Jacques à la provençale (oct.-avril), Ris de veau toulousaine, Faisan (saison) ou pinta
aux choux.

X **Chez Georges,** 1 r. Mail (2e) ✆ 42 60 07 11 – ▤. AE ⓓ E VISA G
fermé dim. et fêtes – **R** carte 160 à 240.

X **Pasadena,** 7 r. du 29-Juillet (1er) ✆ 42 60 68 96 – AE VISA G
fermé août, sam. soir et dim. – **R** 70/120 ß.

X **Cochon Doré,** 16 r. Thorel (2e) ✆ 42 33 29 70 – ▤. E VISA G
R 62/127.

X **Louis XIV,** 1bis pl. Victoires (1er) ✆ 42 61 39 44 – E VISA G
fermé août, sam. et dim. – **R** 150.

X **Paul,** 15 pl. Dauphine (1er) ✆ 43 54 21 48 – ✂ J
fermé août, lundi et mardi – **R** carte 135 à 190.

Bastille, République, Hôtel de Ville.

3e, 4e et 11e arrondissements.

3e : ✉ 75003
4e : ✉ 75004
11e : ✉ 75011

Pavillon de la Reine Ⓜ sans rest, 28 pl. Vosges (3e) ✆ 42 77 96 40, Tél
216160 – |‡| ▤ TV ☎ ⇐. AE ⓓ E VISA J
☕ 60 – **29 ch** 850/900, 20 appart. 1000/1700.

Holiday Inn Ⓜ, 10 pl. République (11e) ✆ 43 55 44 34, Télex 210651, ☂ –
cuisinette ✂ ch ▤ ch TV ☎ ♿ Ⓟ – 🏛 200. AE ⓓ E VISA G
Belle Epoque (Classique) **R** carte 170 à 250, enf. 50 – **Le Jardin d'hiver** (Coffee sho
R carte 130 à 185 ß – **320 ch** ☕950/3000, 13 appart.

Beaubourg Ⓜ sans rest., 11 r. S. Le Franc (4e) ✆ 42 74 34 24, Télex 216100 –
TV ⊟wc ⋒wc ☎. AE ⓓ E VISA. ✂ H
☕ 27 – **28 ch** 420/520.

Atlantide Ⓜ sans rest, 114 bd Richard-Lenoir (11e) ✆ 43 38 29 29, Télex 216907
|‡| TV ⊟wc ⋒wc ☎. AE ⓓ E VISA H
☕ 25 – **27 ch** 380/450.

Méridional Ⓜ sans rest, 36 bd Richard-Lenoir (11e) ✆ 48 05 75 00, Télex 2113
– |‡| TV ⊟wc ⋒wc ☎. AE ⓓ E VISA J
☕ 26 – **36 ch** 380/420.

Deux Iles Ⓜ sans rest, 59 r. St.-Louis-en-l'Ile (4e) ✆ 43 26 13 35 – |‡| TV ⊟w
⋒wc ☎ K
☕ 30 – **17 ch** 455/555.

Lutèce Ⓜ sans rest, 65 r. St-Louis-en-l'Ile (4e) ✆ 43 26 23 52 – |‡| TV ⊟wc ⋒w
☎ – ☕ 30 – **23 ch** 555/595. K

Bretonnerie sans rest, 22 r. Ste-Croix-de-la-Bretonnerie (4e) ✆ 48 87 77 63 –
TV ⊟wc ⋒wc ☎. E VISA. ✂ J
☕ 28 – **32 ch** 400/550.

Vieux Marais sans rest, 2 r. Plâtre (4e) ✆ 42 78 47 22 – |‡| ⊟wc ⋒wc ☎. ✂ H
30 ch ☕225/400.

Place des Vosges sans rest, 12 r. Biragué (4e) ✆ 42 72 60 46 – |‡| ⊟wc ⋒wc ☎
AE ⓓ E VISA J
16 ch ☕252/397.

Nord et Est sans rest, 49 r. Malte (11e) ✆ 47 00 71 70 – |‡| ⊟wc ⋒wc ☎. E VIS
✂ – *fermé 22 juil. au 29 août et 23 déc. au 2 janv.* – ☕ 22 – **45 ch** 230/260. G

Notre-Dame sans rest, 51 r. Malte (11e) ✆ 47 00 78 76 – |‡| ⊟wc ⋒wc ☎ G
fermé août – ☕ 24 – **51 ch** 165/260.

XXXX ❀❀❀ **L'Ambroisie** (Pacaud), 9 pl. des Vosges (4e) ✆ 42 78 51 45 – E VISA J 17
fermé 1er au 23 août, vacances de fév., lundi midi et dim. – **R** 255 (déj.) et carte 350 à 500
Spéc. Crème de homard et ravioli florentins, Blanc de turbot braisé aux épices, Queue de boeuf braisée en crépine.

XXX **Ambassade d'Auvergne,** 22 r. Grenier St-Lazare (3e) ✆ 42 72 31 22 – ▤. E VISA – **R** carte 160 à 210. H 15

XX **Quai des Ormes,** 72 quai Hôtel de Ville (4e) ✆ 42 74 72 22 – ▤. VISA J 15
R 180 (déj.) et carte 260 à 380.

XX **Le Dômarais,** 53 bis r. Francs-Bourgeois (4e) ✆ 42 74 54 17 – AE E VISA J 16
fermé sam. midi et lundi – **R** carte 180 à 290.

XX **Bofinger,** 5 r. Bastille (4e) ✆ 42 72 87 82 – AE ⓓ VISA J 17
R carte 155 à 215 ♁.

XX ❀ **Le Péché Mignon** (Rousseau), 5 r. Guillaume-Bertrand (11e) ✆ 43 57 02 51 – ▤. VISA H 19
R carte 180 à 250
Spéc. Mosaïque de sole, langoustines et saumon, Panaché de poissons fins, Paupiette de râble de lapereau.

XX ❀ **Benoît,** 20 r. St-Martin (4e) ✆ 42 72 25 76 J 15
fermé août, sam. et dim. – **R** carte 235 à 315
Spéc. Ballotine de canard au foie gras, St-Jacques au naturel (oct. à avril), Rognon de veau entier en cocotte.

XX ❀ **A Sousceyrac** (Asfaux), 35 r. Faidherbe (11e) ✆ 43 71 65 30 – AE VISA J 19
fermé août, sam. et dim. – **R** carte 205 à 280
Spéc. Foie gras frais, Ris de veau braisé, Gibier (saison).

XX **Repaire de Cartouche,** 8 bd Filles-du-Calvaire (11e) ✆ 47 00 25 86 – AE VISA
fermé 23 juil. au 21 août, sam. midi et dim. – **R** carte 140 à 200. H 17

XX **Coconnas,** 2 bis pl. Vosges (4e) ✆ 42 78 58 16 – AE ⓓ E VISA J 17
fermé 15 déc. au 15 janv., lundi et mardi – **R** 175 bc/280 bc.

XX **Guirlande de Julie,** 25 pl. des Vosges (3e) ✆ 48 87 94 07 – AE E VISA J 17
fermé mardi (sauf de mai à sept.) et lundi – **R** carte 100 à 250.

XX **Franc Pinot,** 1 quai Bourbon (4e) ✆ 43 29 46 98, « Ancienne cave à vin » – ⓓ E VISA – *fermé dim. et lundi* – **R** 145/195. K 16

XX **Wally,** 16 r. Le Regrattier (4e) ✆ 43 25 01 39, cuisine nord-africaine – ⓓ E VISA ✡ – *fermé 15 au 30 sept. et dim.* – **R** (dîner seul.) 253 bc, enf. 80. K 15

XX **Pyrénées Cévennes,** 106 r. Folie-Méricourt (11e) ✆ 43 57 33 78 – ✡ G 17
fermé août, sam. et dim. – **R** carte 170 à 250.

XX **Taverne des Templiers,** 106 r. Vieille-du-Temple (3e) ✆ 42 78 74 67 – ⓓ VISA
fermé août, sam. et dim. – **R** carte 180 à 255. H 17

XX **Au Gourmet de l'Isle,** 42 r. St-Louis-en-l'Ile (4e) ✆ 43 26 79 27 – ▤. VISA K 16
fermé août, lundi et jeudi – **R** 100/125.

X **Chez Fernand,** 17 r. Fontaine au Roi (11e) ✆ 43 57 46 25 – VISA G 18
fermé août, sam. midi et dim. – **R** 85.

Quartier Latin, Luxembourg,

Jardin des Plantes,

5e et 6e arrondissements.
5e : ✉ 75005
6e : ✉ 75006

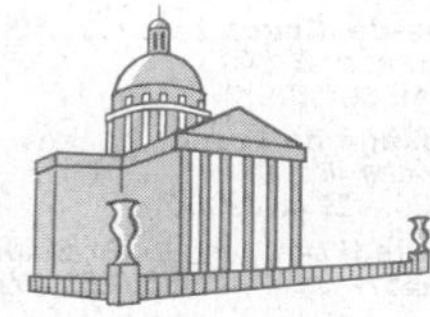

🏨 **Lutétia,** 45 bd Raspail (6e) ✆ 45 44 38 10, Télex 270424 – ▤ ▤ TV ☎ – 🏛 25 à 600. AE ⓓ E VISA K 12
R voir rest. **Le Paris** ci-après – **Brasserie Lutétia R** carte 150 à 210 ♁ – ☕ 55 – **282 ch** 950/1600, 18 appart. 2500.

🏨 **Victoria Palace** 🐚, 6 r. Blaise-Desgoffe (6e) ✆ 45 44 38 16, Télex 270557 – ▤ TV ☎ 🚗. AE E VISA. ✡ L 11
R 140 – **110 ch** ☕590/800.

🏨 **Littré** 🐚, 9 r. Littré (6e) ✆ 45 44 38 68, Télex 203852 – ▤ TV ☎ – 🏛 25. AE E VISA. ✡ L 11
fermé août – **R** 140 – **96 ch** ☕ 590/735, 4 appart. 875.

Relais Christine [M] sans rest, 3 r. Christine (6e) ☎ 43 26 71 80, Télex 202606, « Bel aménagement intérieur » – [lift] [air] [TV] ☎ [garage] – [conf] 25. AE ⓓ E VISA. [no dogs] J 14
☐ 60 – **38 ch** 930.

Relais St Germain sans rest, 9 carrefour de l'Odéon (6e) ☎ 43 29 12 05, Télex 201889, « Bel aménagement intérieur » – [lift] [air] [TV] ☎. AE ⓓ E VISA K 13
9 ch ☐900/1050.

Jardin de Cluny sans rest, 9 r. Sommerard (5e) ☎ 43 54 22 66, Télex 206975 – [lift] [TV] ☎. AE ⓓ E VISA K 14
40 ch ☐380/550.

Sainte Beuve [M] sans rest, 9 r. Ste Beuve (6e) ☎ 45 48 20 07, Télex 270182 – [lift] [TV] ☎. AE E VISA. [no dogs] L 12
☐ 50 – **22 ch** 550/880.

Abbaye St-Germain [quiet] sans rest, 10 r. Cassette (6e) ☎ 45 44 38 11, [garden] – [lift] ☎. [no dogs] – **45 ch** ☐550/700. K 12

Madison H. [M] sans rest, 143 bd St-Germain (6e) ☎ 43 29 72 50, Télex 201628 – [lift] [TV] ☎. AE E VISA J 13
55 ch ☐480/850.

Latitudes St Germain [M] sans rest, 7-11 r. St Benoist (6e) ☎ 42 61 53 53, Télex 213531 – [lift] [TV] ☎ [disabled]. AE ⓓ E VISA J 13
☐ 50 – **117 ch** 625/700.

Odéon H., [M] sans rest, 3 r. Odéon (6e) ☎ 43 25 90 67, Télex 202943 – [lift] [TV] ☎. AE E VISA. [no dogs] K 13
☐ 30 – **34 ch** 600/650.

Angleterre sans rest, 44 r. Jacob (6e) ☎ 42 60 34 72 – [lift] [TV] ☎. AE ⓓ VISA. [no dogs] J 13
☐ 28 – **29 ch** 360/750.

St-Germain-des-Prés sans rest, 36 r. Bonaparte (6e) ☎ 43 26 00 19 – [lift] [TV] [bath]wc [shower]wc ☎. AE VISA. [no dogs] J 13
☐ 50 – **30 ch** 500/900.

Ferrandi sans rest, 92 r. Cherche-Midi (6e) ☎ 42 22 97 40, Télex 205201 – [lift] [bath]wc [shower]wc ☎. AE ⓓ E VISA L 11
☐ 38 – **41 ch** 320/480.

St-Christophe [M] sans rest., 17 r. Lacépède (5e) ☎ 43 31 81 54, Télex 204304 – [lift] [TV] [bath]wc [shower]wc ☎ [disabled]. AE ⓓ E VISA L 1
☐ 28 – **31 ch** 380/550.

Panthéon [M] sans rest, 19 pl. Panthéon (5e) ☎ 43 54 32 95, Télex 206435 – [lift] [TV] [bath]wc ☎ AE ⓓ E VISA. [no dogs] L 1
☐ 30 – **34 ch** 450/580.

Jardin des Plantes sans rest., 5 r. Linné (5e) ☎ 47 07 06 20, Télex 203684 – [lift] [TV] [bath]wc [shower]wc ☎. AE E VISA L 1
☐ 30 – **33 ch** 250/480.

Grands Hommes [M] sans rest, 17 pl. Panthéon (5e) ☎ 46 34 19 60, Télex 20018 – [lift] [TV] [bath]wc ☎. AE ⓓ E VISA. [no dogs] L 1
☐ 30 – **32 ch** 455/580.

des Saints-Pères sans rest, 65 r. des Sts-Pères (6e) ☎ 45 44 50 00, Télex 20542 – [lift] [TV] [bath]wc ☎ [disabled]. E VISA. [no dogs] J 1
☐ 35 – **34 ch** 400/1000, 3 appart. 1000.

Aramis St Germain [M] sans rest, 124 r. Rennes (6e) ☎ 45 48 03 75, Télex 2050[illegible] – [lift] [TV] [bath]wc [shower]wc ☎ – [conf] 30 à 40. AE ⓓ E VISA. [no dogs] L 1
☐ 25 – **42 ch** 400/600.

Pas-de-Calais sans rest, 59 r. Sts-Pères (6e) ☎ 45 48 78 74, Télex 270476 – [bath]wc ☎. E VISA J
41 ch ☐410/510.

Collège de France [M] sans rest, 7 r. Thénard (5e) ☎ 43 26 78 36 – [lift] [TV] [bath]w[c] [shower]wc ☎. AE. [no dogs] K
☐ 25 – **29 ch** 390/420.

Louis II sans rest, 2 r. St-Sulpice (6e) ☎ 46 33 13 80 – [lift] [TV] [bath]wc [shower]wc ☎. AE [ⓓ] E VISA – ☐ 24 – **22 ch** 360/490. K

Aviatic sans rest, 105 r. Vaugirard (6e) ☎ 45 44 38 21, Télex 200372 – [lift] [TV] [bath]w[c] ☎. AE ⓓ E VISA. [no dogs] L
43 ch ☐380/560.

De l'Odéon sans rest, 13 r. St-Sulpice (6e) ☎ 43 25 70 11, Télex 206731 – [lift] [TV] [bath]wc ☎. AE ⓓ E VISA K
☐ 32 – **26 ch** 430/580.

Avenir sans rest, 65 r. Madame (6e) ☎ 45 48 84 54, Télex 200428 – [lift] [TV] [bath] [shower]wc ☎. AE ⓓ E VISA. [no dogs] L
35 ch ☐335/420.

Delavigne sans rest, 1 r. C.-Delavigne (6e) ☎ 43 29 31 50, Télex 201579 – [lift] [bath]wc [shower]wc ☎ K
☐ 25 – **34 ch** 330/420.

Trianon Palace sans rest, 3 r. Vaugirard (6e) 43 29 88 10, Télex 202263 – wc wc – 40. AE E VISA K 14
32 – **110 ch** 450/600.

Marronniers sans rest, 21 r. Jacob (6e) 43 25 30 60, – wc wc. – 25 – **37 ch** 300/440. J 13

Terminus Montparnasse sans rest, 59 bd Montparnasse (6e) 45 48 99 10, Télex 202636 – wc wc. E VISA L 11
fermé août – 29 – **63 ch** 386/469.

Rennes Montparnasse sans rest, 151 bis r. Rennes (6e) 45 48 97 38, Télex 250048 – wc wc. AE E VISA L 12
fermé 1er au 29 août – 30 – **41 ch** 360/490.

Bréa sans rest, 14 r. Bréa (6e) 43 25 44 41 – wc wc. AE E VISA L 12
30 – **21 ch** 400/600.

Le Régent sans rest, 61 r. Dauphine (6e) 46 34 59 80, Télex 206257 – wc wc. AE E VISA J 13
25 – **25 ch** 490/540.

La Sorbonne M sans rest, 6 r. Victor Cousin (5e) 43 54 58 08, Télex 206373 – wc wc. AE E VISA K 14
23 – **37 ch** 280/350.

Cluny Sorbonne sans rest., 8 r. Victor Cousin (5e) 43 54 66 66, Télex 201674 – wc. AE E VISA K 14
23 – **23 ch** 260/312.

Nations sans rest, 54 r. Monge (5e) 43 26 45 24, Télex 200397 – wc wc. AE E VISA L 15
30 – **38 ch** 350/460.

Trois Collèges M sans rest, 16 r. Cujas (5e) 43 54 67 30, Télex 206034 – wc wc. AE E VISA. K 14
25 – **44 ch** 260/450.

Gd H. Suez sans rest, 31 bd St-Michel (5e) 46 34 08 02, Télex 202019 – wc wc. AE E VISA. K 14
49 ch 225/365.

Gd H. des Principautés Unies sans rest, 42 r. Vaugirard (6e) 46 34 11 80 – wc wc. E VISA. K 13
fermé août – 26 – **25 ch** 180/390.

Albe sans rest, 1 r. Harpe (5e) 46 34 09 70, Télex 203328 – wc wc. E VISA. – 23 – **41 ch** 280/352. K 14

Muséum sans rest, 9 r. Buffon (5e) 43 31 51 90 – wc wc. E VISA L 16
20 – **24 ch** 222/280.

Welcome sans rest, 66 r. Seine (6e) 46 34 24 80 – wc wc. J 13
22 – **30 ch** 225/380.

St-Sulpice sans rest, 7 r. C.-Delavigne (6e) 46 34 23 90 – wc wc. E VISA – 20 – **42 ch** 210/315. K 13

XXXXX ✿✿✿ **Tour d'Argent** (Terrail), 15 quai Tournelle (5e) 43 54 23 31, « < Notre Dame - Petit musée de la table. Dans les caves : spectacle historique sur le vin » – AE E VISA K 16
fermé lundi – **R** 315 (déj.) et carte 560 à 840
Spéc. Quenelles de brochet au gratin, Caneton Tour d'Argent, Croquant au chocolat amer.

XXXX ✿ **Le Paris** -Hôtel Lutétia-, 45 bd Raspail (6e) 45 48 74 34 – AE E VISA K 12
fermé août, dim. et lundi – **R** carte 250 à 345
Spéc. St-Jacques aux pétales de truffes (saison), Blanc de St-Pierre au beurre d'aïl, Rosettes de chevreuil Grande Venaison (saison).

XXX ✿✿ **Jacques Cagna,** 14 r. Gds-Augustins (6e) 43 26 49 39, « Maison du Vieux Paris » – . AE E VISA J 14
fermé août, 24 déc. au 2 janv., sam. et dim. – **R** 240(déj.) et carte 360 à 460
Spéc. Pétoncles en coquille crème de homard, Filet de barbue farcie d'huîtres, Canard de Challans aux zestes d'orange et citron.

XXX ✿✿ **Relais Louis XIII,** 1 r. Pont de Lodi (6e) 43 26 75 96, « Caveau 16e siècle, beau mobilier » – . AE E VISA J 14
fermé 27 juil. au 24 août, lundi midi et dim. – **R** 190 (déj.) et carte 370 à 445
Spéc. Dégustation de poissons de petite pêche, Filet de boeuf au foie gras de canard, Crème à l'ancienne caramélisée.

XXX **Lapérouse,** 51 quai Gds Augustins (6e) 43 26 68 04, « Salons Belle Epoque » – . AE VISA J 14
fermé dim. soir et lundi – **R** carte 180 à 280.

XX **Aub. des Deux Signes,** 46 r. Galande (5e) ✆ 43 25 46 56, « Cadre médiéval » AE ◑ E VISA K
R 150 et carte 290 à 410.

XX **Au Pactole,** 44 bd St-Germain (5e) ✆ 46 33 31 31 – AE E VISA K
fermé sam. midi et dim. – **R** 170 bc (déj.)/280.

XX ✲ **Dodin-Bouffant,** 25 r. F.-Sauton (5e) ✆ 43 25 25 14 – ▤. ◑ E VISA K
fermé août, vacances de Noël et dim. – **R** 135 (déj.) et carte 210 à 300
Spéc. Coq au vin de Quincy, Cèpes farcis bordelaise (saison), Lièvre à la Royale (saison).

XX **Diapason,** 30 r. Bernardins (5e) ✆ 43 54 21 13 – AE ◑ E VISA K
fermé sam. midi et dim. – **R** 150 (déj.) et carte 180 à 300.

XX **Clavel,** 65 quai de la Tournelle (5e) ✆ 46 33 18 65 – AE E VISA. ✻ K
fermé 8 au 30 août, vacances de fév., dim. soir et lundi – **R** 160 (déj.) et carte 22(300.

XX **L'Épicurien,** 11 r. Nesle (6e) ✆ 43 29 55 78 – AE ◑ E VISA J
fermé sam. midi et dim. – **R** 90/150.

XX **Sud Ouest,** 40 r. Montagne Ste Geneviève (5e) ✆ 46 33 30 46, « Dans une cryp du 13e s. » – AE ◑ E VISA K
fermé août et dim. – **R** 145/185.

XX **Chat Grippé,** 87 r. d'Assas (6e) ✆ 43 54 70 00 – ▤. E VISA. ✻ LM
fermé août, sam. midi et lundi – **R** 99 (déj.) et carte 190 à 250.

XX ✲ **Miravile** (Epié), 25 quai de la Tournelle (5e) ✆ 46 34 07 78 – AE ◑ E VISA K
fermé sam. midi et dim. – **R** 170/290
Spéc. Rémoulade de foie de canard au céleri rose, Parmentière de St-Jacques (oct. à avril), Can au sang.

XX **La Marlotte,** 55 r. Cherche-Midi (6e) ✆ 45 48 86 79 – AE ◑. ✻ K
fermé août, sam. et dim. – **R** carte 130 à 225.

XX **Le Clos des Bernardins,** 14 r. Pontoise (5e) ✆ 43 54 70 07 – AE ◑ E VISA K
fermé merc. – **R** 85/125.

XX **Atelier Maître Albert,** 1 r. Maître-Albert (5e) ✆ 46 33 13 78 – ▤. VISA K
fermé dim. – **R** (dîner seul.) 200 bc.

XX **La Truffière,** 4 r. Blainville (5e) ✆ 46 33 29 82 – ▤. AE ◑ E VISA L
fermé 15 juil. au 15 août et lundi – **R** 125/205.

XX **L'Arrosée,** 12 r. Guisarde (6e) ✆ 43 54 66 59 – E VISA K
fermé dim. – **R** carte 185 à 260.

XX **Marty,** 20 av. Gobelins (5e) ✆ 43 31 39 51 – AE ◑ E VISA M
R 132 (sauf dim. midi) et carte 130 à 230, enf. 59.

XX **L'Apollinaire,** 168 bd St-Germain (6e) ✆ 43 26 50 30 – ▤. AE ◑ E VISA J
fermé 20 déc. au 5 janv. – **R** 149/200.

XX **La Foux,** 2 r. Clément (6e) ✆ 43 54 09 53 – ▤. AE E VISA K
fermé dim. – **R** carte 180 à 250.

XX **Au Régent,** 97 r. Cherche Midi (6e) ✆ 42 22 32 44 – AE ◑ E VISA. ✻ L
fermé 1er au 17 août, dim. et lundi – **R** 110/150.

XX **Le Sybarite,** 6 r. Sabot (6e) ✆ 42 22 21 56 – AE ◑ E VISA – **R** 165 ♁. K

XX **Chez Tante Madée,** 11 r. Dupin (6e) ✆ 42 22 64 56 – AE ◑ K
fermé 15 au 23 août, sam. midi et dim. – **R** 140 (déj.) et carte 230 à 325.

XX **Au Grilladin,** 13 r. Mézières (6e) ✆ 45 48 30 38 – E VISA K
fermé 2 au 11 avril, août, 23 déc. au 3 janv., lundi midi et dim. – **R** 133.

XX **Joséphine** (Chez Dumonet), 117 r. Cherche-Midi (6e) ✆ 45 48 52 40 – E VISA L
fermé juil., sam. et dim. – **R** carte 200 à 325.

X **Allard,** 41 r. St-André-des-Arts (6e) ✆ 43 26 48 23 – AE ◑ E VISA K
fermé août, 23 déc. au 2 janv., sam. et dim. – **R** (nombre de couverts limit prévenir) carte 220 à 330.

X **Balzar,** 49 r. Écoles (5e) ✆ 43 54 13 67 – VISA. ✻ K
fermé août et mardi – **R** carte 130 à 230.

X **Moissonnier,** 28 r. Fossés-St-Bernard (5e) ✆ 43 29 87 65 K
fermé août, dim. soir et lundi – **R** carte 145 à 205.

X **L'Ange Gourmand,** 31 quai Tournelle (5e) ✆ 43 54 11 31 – AE K
fermé mardi – **R** 146.

X **Chez Maître Paul,** 12 r. Monsieur-le-Prince (6e) ✆ 43 54 74 59 – AE ◑ E VISA
fermé août, 24 déc. au 2 janv., dim. et lundi – **R** carte 115 à 180. K

X **Moulin à Vent,** 20 r. Fossés-St-Bernard (5e) ✆ 43 54 99 37 – AE VISA K
fermé août, sam. midi et dim. – **R** carte 180 à 250.

X **Le Palanquin,** 12 r. Princesse (6e) ✆ 43 29 77 66, cuisine vietnamienne – E VISA
fermé dim. – **R** carte 115 à 175. K

X **Le Mange Tout,** 30 r. Lacépède (5e) ✆ 45 35 53 93 – ◑ VISA L
fermé août, 6 au 14 fév., lundi midi et dim. – **R** carte 110 à 160.

X **La Vigneraie,** 16 r. Dragon (6e) ✆ 45 48 57 04 – AE ◑ E VISA J
fermé dim. – **R** 139.

Faubourg-St-Germain, Invalides, École Militaire.

7e arrondissement.
7e : ✉ 75007

Pont Royal et rest. Les Antiquaires, 7 r. Montalembert ☎ 45 44 38 27, Télex 270113 – cuisinette – 50. AE E VISA J 12
fermé août – **R** *(fermé dim.)* 190 bc – **75 ch** 780/1600, 5 appart.

Sofitel Paris-Invalides M, 32 r. St-Dominique ☎ 45 55 91 80, Télex 250019 – ch – 50. AE E VISA H 10
R voir rest. **Le Dauphin** ci-après – 75 – **112 ch** 1140/1380.

Cayré-Copatel M sans rest, 4 bd Raspail ☎ 45 44 38 88, Télex 270577 – – 30. AE E VISA J 12
130 ch 774/796.

St-Simon sans rest, 14 r. St-Simon ☎ 45 48 35 66, Télex 203277, « Beau mobilier » – . J 11
40 – **29 ch** 750/950, 5 appart. 1100.

La Bourdonnais, 111 av. La Bourdonnais ☎ 47 05 45 42, Télex 201416 – . E VISA rest J 9
R voir rest. **La Cantine des Gourmets** ci-après – **60 ch** 320/450.

Montalembert sans rest, 3 r. Montalembert ☎ 45 48 68 11, Télex 200132 – . AE E VISA J 12
61 ch 540/780.

Université sans rest, 22 r. Université ☎ 42 61 09 39 – wc wc J 12
38 – **27 ch** 380/600.

Les Jardins d'Eiffel M sans rest, 8 r. Amélie ☎ 47 05 46 21, Télex 206582 – wc . AE E VISA H 9
30 – **40 ch** 400/590, 4 appart. 1100.

Hôtel Elysées Maubourg M sans rest, 35 bd Latour-Maubourg ☎ 45 56 10 78, Télex 206227 – wc . AE E VISA H 10
29 ch 450/650.

Suède sans rest, 31 r. Vaneau ☎ 47 05 00 08, Télex 200596 – wc wc . AE E VISA. K 11
40 ch 470/660.

Verneuil-St-Germain sans rest, 8 r. Verneuil ☎ 42 60 82 14, Télex 211608 – wc wc . AE E VISA J 12
30 – **26 ch** 480/580.

Lenox sans rest, 9 r. Université ☎ 42 96 10 95, Télex 260745 – wc wc . AE E VISA J 12
30 – **32 ch** 340/480.

Beaugency M sans rest, 21 r. Duvivier ☎ 47 05 01 63, Télex 201494 – wc wc . AE E VISA. J 9
20 – **30 ch** 380/455.

De Varenne M sans rest, 44 r. Bourgogne ☎ 45 51 45 55 – wc wc . AE VISA J 10
30 – **24 ch** 320/480.

St-Germain sans rest, 88 r. Bac ☎ 45 48 62 92 – wc wc . AE. J 11
24 – **29 ch** 225/450.

Bourgogne et Montana, 3 r. Bourgogne ☎ 45 51 20 22, Télex 270854 – wc . AE E VISA H 11
R *(fermé août, sam. et dim.)* carte 140 à 190 – **30 ch** 400/600, 5 appart. 800.

Derby H. sans rest, 5 av. Duquesne ☎ 47 05 12 05, Télex 206236 – wc wc – 30. AE E VISA J 9
32 – **44 ch** 450/550.

Lindbergh sans rest, 5 r. Chomel ☎ 45 48 35 53, Télex 201777 – wc wc . AE E VISA K 12
28 – **26 ch** 330/410.

Bersoly's St Germain sans rest, 28 r. Lille ☎ 42 60 73 79, Télex 217505 – wc wc . AE E VISA J 13
fermé août – 27 – **16 ch** 412/525.

Londres sans rest, 1 r. Augereau ☎ 45 51 63 02, Télex 206398 – wc wc . AE E VISA. J 8
26 – **30 ch** 390/540.

Tourville M sans rest, 16 av. Tourville ✆ 47 05 52 15, Télex 250786 – ⇕ TV ⇨wc ⋒wc ☎. AE E VISA. ✗ J
☐ 22 – **31 ch** 280/330.

Chomel sans rest, 15 r. Chomel ✆ 45 48 55 52, Télex 206522 – ⇕ TV ⇨wc ⋒wc ☎. AE ⓓ E VISA. ✗ K 1
☐ 28 – **23 ch** 399/550.

Solférino sans rest, 91 r. Lille ✆ 47 05 85 54 – ⇕ ⇨wc ⋒wc ☎. E VISA. ✗ H 1
fermé 23 déc. au 3 janv. – ☐ 23 – **33 ch** 190/510.

Tour Eiffel M sans rest, 17 r. Exposition ✆ 47 05 14 75 – ⇕ TV ⇨wc ⋒wc ☎ ♿ AE E VISA J
☐ 22 – **23 ch** 300/350.

Mars H. sans rest, 117 av. La Bourdonnais ✆ 47 05 42 30 – ⇕ ⇨wc ⋒wc ☎. VISA. ✗ J
☐ 22 – **24 ch** 130/290.

Kensington sans rest, 79 av. La Bourdonnais ✆ 47 05 74 00 – ⇕ ⇨wc ⋒wc ☎ AE ⓓ E VISA J
☐ 24 – **26 ch** 220/320.

Turenne sans rest, 20 av. Tourville ✆ 47 05 99 92, Télex 203407 – ⇕ ⇨wc ⋒wc ☎. AE ⓓ E VISA J
☐ 23 – **34 ch** 190/360.

Champ de Mars sans rest, 7 r. Champ de Mars ✆ 45 51 52 30 – ⇕ ⇨wc ⋒wc ☎. VISA J
fermé 10 au 28 août – ☐ 24 – **25 ch** 260/300.

Amélie sans rest, 5 r. Amélie ✆ 45 51 74 75 – TV ⇨wc ⋒wc ☎. E VISA. ✗ H
☐ 30 – **15 ch** 250/350.

Résidence d'Orsay sans rest, 93 r. Lille ✆ 47 05 05 27 – ⇕ ⇨wc ⋒wc ☎. VISA ✗ H 1
fermé août – ☐ 25 – **31 ch** 160/340.

L'Empereur sans rest, 2 r. Chevert ✆ 45 55 88 02 – ⇕ TV ⇨wc ⋒wc ☎. VISA J
☐ 22 – **34 ch** 280/320.

XXXX ✿ **Jules Verne,** 2e étage Tour Eiffel, ascenseur privé pilier sud ✆ 45 55 61 4 Télex 205789, ≤ Paris – ▤. AE ⓓ E VISA. ✗ J
R 220(déj.) et carte 270 à 410
Spéc. Filet de bar aux champignons, Noisette de biche au poivre et paprika (oct. à fév.), Sab minute au chocolat.

XXXX ✿✿ **Le Divellec,** 107 r. Université ✆ 45 51 91 96 – ⇌ ▤. AE ⓓ E VISA. ✗ H 1
fermé août, 24 déc. au 5 janv., dim. et lundi – **R** carte 350 à 530
Spéc. Salade tiède de homard aux truffes, Cassolette de langoustines au caviar, Meurette de St-Pier aux coques.

XXX ✿✿ **L'Arpège** (Passard), 84 r. Varenne ✆ 45 51 20 02 – ▤. AE ⓓ E VISA J 1
fermé 1er au 21 août, sam. midi et dim. – **R** carte 205 à 285
Spéc. Homard et navet à l'aigre doux, Canard "Louise Passard", Feuilletage au chocolat.

XXX ✿ **Le Dauphin** -Hôtel Sofitel Paris-Invalides-, 32 r. St-Dominique ✆ 45 55 91 80 ▤. AE ⓓ E VISA H 1
R carte 255 à 360
Spéc. Marbré de crustacés en gelée aux légumes, Duo de canette de Barbarie et volaille de Bres aux truffes, Symphonie d'entremets légers.

XXX ✿ **Chez les Anges,** 54 bd Latour-Maubourg ✆ 47 05 89 86 – ▤. AE ⓓ VISA J
fermé dim. soir – **R** 200(déj.) et carte 255 à 365
Spéc. Oeufs en meurette, Millefeuille de bar et de saumon, Tranche épaisse de foie de veau rosé.

XXX ✿✿ **Duquesnoy,** 6 av. Bosquet ✆ 47 05 96 78 – ▤. AE VISA H
fermé août, sam. midi et dim. – **R** 210 (déj.) et carte 280 à 415
Spéc. Terrine de poireaux aux langoustines, Andouillette de Troyes en croûte.

XXX ✿ **La Flamberge** (Albistur), 12 av. Rapp ✆ 47 05 91 37 – ▤. AE ⓓ E VISA H
fermé août, sam. midi et dim. – **R** carte 240 à 300
Spéc. Huîtres chaudes au champagne (oct. à avril), Gibier (saison), Tarte feuilletée aux fruits.

XXX ✿ **La Cantine des Gourmets,** 113 av. La Bourdonnais ✆ 47 05 47 96 – ▤. ⓓ VISA
fermé dim. – **R** 200bc (déj.) et carte 225 à 345
Spéc. St-Jacques à la fondue de poireaux (oct.-fin avril), Boulangère de St Pierre, Blanc de poular à la crème.

XXX ✿ **La Boule d'Or,** 13 bd Latour-Maubourg ✆ 47 05 50 18 – AE ⓓ E VISA H 10
fermé août, sam. midi et lundi – **R** carte 240 à 320
Spéc. Foie gras frais de canard, Pochoise océane, Soufflé chaud au citron.

XXX **Beato,** 8 r. Malar ✆ 47 05 94 27, **cuisine italienne** – ▤. AE E VISA. ✻ H 9
fermé août et Noël au Jour de l'An – **R** carte environ 220.

XX **Chez Françoise,** Aérogare des Invalides ✆ 47 05 49 03 – Ⓟ. AE ⓓ E VISA H 10
fermé août, dim. soir et lundi soir – **R** 120 et carte 140 à 240.

XX ✿ **Récamier** (Cantegrit), 4 r. Récamier ✆ 45 48 86 58, ☂ – ▤. ⓓ E VISA K 12
fermé dim. – **R** carte 230 à 325
Spéc. Terrine de champignons sauvages, Mousse de brochet sauce Nantua, Sauté de bœuf bourguignon.

XX ✿ **Le Petit Laurent,** 38 r. Varenne ✆ 45 48 79 64 – AE ⓓ E VISA J 11
fermé 11 au 31 août, sam. midi et dim. – **R** 165 (déj.) et carte 220 à 330
Spéc. Mouclade d'Aunis au Pineau, Embeurrée de poissons "Charentaise", Sainte-Eve.

XX ✿ **Ferme St-Simon** (Vandenhende), 6 r. St-Simon ✆ 45 48 35 74 – VISA J 11
fermé 1er au 24 août, sam. midi et dim. – **R** 150 bc (déj.) et carte 205 à 280
Spéc. Duo d'oursins en demi-glace (janv. à mars), Feuillantine de lièvre (oct. à déc.), Grillandine "Denise Fabre".

XX ✿ **Labrousse,** 4 r. Pierre-Leroux ✆ 43 06 99 39 – ▤. AE ⓓ VISA K 11
fermé août, sam. midi et dim. – **R** 120 et carte 215 à 300
Spéc. Oeufs en meurette, Gibier (saison), Ris de veau braisés aux morilles.

XX **Le Florence,** 22 r. Champ-de-Mars ✆ 45 51 52 69, **cuisine italienne** – AE E VISA
fermé août, dim. et lundi – **R** carte 165 à 280. J 9

XX ✿ **Bistrot de Paris,** 33 r. Lille ✆ 42 61 16 83, **évocation bistrot 1900** – VISA J 12
fermé sam. midi, dim. et fêtes – **R** carte 220 à 275
Spéc. Daube de pieds de porc aux ravioli (automne, hiver), Tournedos de canard et de volaille (printemps, été), Gâteau au chocolat amer.

XX **Le Galant Verre,** 12 r. Verneuil ✆ 42 60 84 56 – AE ⓓ E VISA J 12
fermé dim. – **R** carte 230 à 290.

XX **Les Glénan,** 54 r. Bourgogne ✆ 45 51 61 09, **produits de la mer** – AE ⓓ E VISA
fermé 1er au 28 août, sam. midi, dim. et fêtes – **R** carte 175 à 300. J 10

XX **Vert Bocage,** 96 bd Latour-Maubourg ✆ 45 51 48 64 – ▤. AE ⓓ E VISA J 9
fermé août, sam. et dim. – **R** carte 205 à 290.

XX **Bellecour,** 22 r. Surcouf ✆ 45 51 46 93 – AE ⓓ E VISA H 9
fermé 15 août au 1er sept., sam. (sauf le soir du 1er oct. au 31 mai) et dim. – **R** 200(déj.) et carte 205 à 275.

XX **Aux Délices de Szechuen,** 40 av. Duquesne ✆ 43 06 22 55, ☂, **cuisine chinoise** – ▤. AE E VISA K 10
fermé 8 au 22 août et lundi – **R** carte 100 à 175 ♁.

XX **Chez Ribe,** 15 av. Suffren ✆ 45 66 53 79. AE ⓓ E VISA J 7
fermé août, sam. et dim. – **R** 142.

XX ✿ **Gildo** (Bellini), 153 r. Grenelle ✆ 45 51 54 12, **cuisine italienne** – ▤. E VISA J 9
fermé 14 juil. au 31 août, vacances de Noël, dim. et lundi – **R** carte 160 à 230
Spéc. Carpaccio aux girolles (juin à déc.), Scampi flambés au thym, Ravioli au gorgonzola et pesto.

XX **Le Champ de Mars,** 17 av. Motte-Picquet ✆ 47 05 57 99 – AE ⓓ VISA J 9
fermé 15 juil. au 15 août, mardi soir et lundi – **R** carte 140 à 220.

XX **Au Quai d'Orsay,** 49 quai d'Orsay ✆ 45 51 58 58 – ▤. AE ⓓ E VISA H 9
fermé dim. – **R** 200 (déj.) et carte 215 à 330.

X **Thoumieux** Ⓜ avec ch, 79 r. St Dominique ✆ 47 05 49 75, Télex 205635 – TV
◆ ⌂wc ☎. VISA H 9
R *(fermé lundi)* 48 ♁ – ☕ 30 – **10 ch** 400/550.

X **Seinissime,** 62 av. Bosquet ✆ 45 51 41 16 – E VISA J 9
fermé dim. – **R** carte 140 à 195.

X ✿ **Tan Dinh** (Vifian), 60 r. Verneuil ✆ 45 44 04 84, **cuisine vietnamienne** J 12
fermé 1er au 17 août et dim. – **R** carte 180 à 250
Spéc. Ravioli vietnamiens, Triangles dorés à la langoustine et ginko, Emincé de filet de boeuf.

X **La Calèche,** 8 r. Lille ✆ 42 60 24 76 – AE ⓓ E VISA J 12
fermé 8 au 31 août, 26 déc. au 2 janv., sam. et dim. – **R** 120/150.

X **Le Maupertu,** 94 bd Latour-Maubourg ✆ 45 51 37 96 – VISA. ✻ J 9
fermé août, sam. et dim. – **R** 125 bc/170 bc carte le soir.

X **Pantagruel,** 20 r. Exposition ✆ 45 51 79 96 – AE ⓓ E VISA. ✻ J 9
fermé sam. midi – **R** carte 160 à 250.

X **Nuits de St Jean,** 29 r. Surcouf ✆ 45 51 61 49 – AE ⓓ E VISA. ✻ H 9
fermé 15 au 31 août, 24 déc. au 4 janv., sam. midi, dim. et fériés – **R** carte 140 à 195.

X **Vin sur Vin,** 20 r. Monttessuy ✆ 47 05 14 20 – VISA H 8
fermé 10 au 25 août, vacances de Noël, de fév., sam. midi et dim. – **R** carte 170 à 255.

Champs-Élysées, St-Lazare, Madeleine.

8e arrondissement.
8e : ✉ 75008

Plaza-Athénée, 25 av. Montaigne ✆ 47 23 78 33, Télex 650092 – |♦| ▤ TV ☎
30 à 100. AE ⓓ E VISA
R voir rest. **Régence** et **Relais Plaza** ci-après – ☕ 95 – **220 ch** 2100/2460, 42 appa

Bristol, 112 fg St-Honoré ✆ 42 66 91 45, Télex 280961, ▣, – |♦| ▤ TV ☎
– 40 à 150. AE ⓓ E VISA. ✂ F
R voir rest. **Bristol** ci-après – ☕ 95 – **145 ch** 1540/2610, 45 appart.

Crillon, 10 pl. Concorde ✆ 42 65 24 24, Télex 290204, – |♦| ▤ TV ☎ –
30 à 60. AE ⓓ E VISA. ✂ rest G
R voir rest. **Les Ambassadeurs** ci-après – **L'Obélisque** *(fermé août, sam. soir, di et fériés)* **R** carte 180 à 265 – ☕ 90 – **146 ch** 1460/2300, 41 appart.

Résidence Maxim's, 42 av. Gabriel ✆ 45 61 96 33, Télex 642794, – |♦| ▤
☎ Ⓟ – 60. AE ⓓ E VISA. ✂ rest G
R *(fermé sam. midi, dim. midi et lundi)* carte 240 à 300 – ☕ 90 – **4 ch** 1800/2000, appart.

George V, 31 av. George-V ✆ 47 23 54 00, Télex 650082, – |♦| ▤ TV ☎ –
30 à 450. AE ⓓ E VISA. ✂ rest
R voir rest **Les Princes** ci-après – ☕ 90 – **288 ch** 1575/2100, 63 appart.

Royal Monceau, 37 av. Hoche ✆ 45 61 98 00, Télex 650361, , « Piscine fitness club » – |♦| ▤ TV ☎ – 300. AE ⓓ E VISA. ✂ rest
Le Jardin R carte 285 à 465 – **Le Carpaccio** *(fermé août)* **R** carte 240 à 395 – ☕
– **180 ch** 1760/2350, 40 appart.

Prince de Galles, 33 av. George-V ✆ 47 23 55 11, Télex 280627, – |♦|
▤ TV ☎ – 40 à 200. AE ⓓ E VISA. ✂
R carte 250 à 400 – ☕ 90 – **141 ch** 1200/2200, 21 appart.

Balzac et rest Le Sallambier Ⓜ, 6 r. Balzac ✆ 45 61 97 22, Télex 290298 –
▤ rest TV ☎. AE ⓓ E VISA. ✂
R *(fermé août, sam. et dim.)* carte 220 à 310 – ☕ 70 – **56 ch** 1250/1600, 14 appart

La Trémoille, 14 r. La Trémoille ✆ 47 23 34 20, Télex 640344 – |♦| TV ☎. AE ⓓ
VISA
R carte 170 à 270 – ☕ 65 – **97 ch** 1230/2070, 14 appart. 2070/2200.

Warwick Ⓜ, 5 r. Berri ✆ 45 63 14 11, Télex 642295 – |♦| ▤ TV ☎ – 120. AE
E VISA
R voir rest. **La Couronne** ci-après – ☕ 85 – **148 ch** 1500/1850, 17 appart. 1980.

San Régis Ⓜ, 12 r. J. Goujon ✆ 43 59 41 90, Télex 643637, « Bel aménageme intérieur » – |♦| ▤ ch TV ☎. AE ⓓ E VISA. ✂
R (résidents seul.) carte 210 à 310 – ☕ 65 – **33 ch** 1100/2000, 14 appart.

Lancaster, 7 r. Berri ✆ 43 59 90 43, Télex 640991, – |♦| ▤ ch TV ☎. AE ⓓ
VISA. ✂ rest
R carte 300 à 390 – ☕ 100 – **47 ch** 1380/2070, 10 appart.

Château Frontenac Ⓜ sans rest, 54 r. P.-Charron ✆ 47 23 55 85, Télex 660994
|♦| TV ☎ – 30. ⓓ E VISA. ✂
☕ 55 – **99 ch** 680/1120, 4 appart. 1220.

Résidence du Roy Ⓜ sans rest, 8 r. François 1er ✆ 42 89 59 59, Télex 648452
|♦| cuisinette TV ☎ ♿ – 25. AE ⓓ E VISA
☕ 50 – **5 ch** 770, 31 appart. 1450/2200.

Pullman Windsor Ⓜ, 14 r. Beaujon ✆ 45 63 04 04, Télex 650902 – |♦| ▤ TV ☎
25 à 120. AE ⓓ E VISA
R voir rest. **Le Clovis** ci-après – ☕ 80 – **129 ch** 800/1300, 6 appart. 1950/2200.

Claridge Bellman, 37 r. François 1er ✆ 47 23 54 42, Télex 641150 – |♦| ▤ rest
☎. AE ⓓ VISA. ✂
fermé août, 25 déc. au 1er janv., sam. et dim. – **R** carte 195 à 270 🍷 – ☕ 59 – **42**
760/1050.

Napoléon, 40 av. Friedland ✆ 47 66 02 02, Télex 640609 – |♦| TV ☎ – 130.
ⓓ E VISA
R voir rest. **Napoléon Baumann** ci-après – ☕ 50 – **108 ch** 940/1290, 32 appart.

Bedford, 17 r. Arcade ✆ 42 66 22 32, Télex 290506 – |♦| ▤ TV ☎ – 80. E VIS
✂ rest F
R *(fermé août, sam. et dim.)* (déj. seul.) carte 125 à 210 🍷 – **137 ch** ☕500/710, appart. 1100/1350.

California sans rest, 16 r. Berri ✆ 43 59 93 00, Télex 660634 – |♦| TV ☎ – 🏛 60 F 9
☕ 44 – **179 ch** 995, 3 appart. 2500.

Concorde-St-Lazare, 108 r. St-Lazare ✆ 42 94 22 22, Télex 650442 – |♦| ▤ rest TV ☎ – 🏛 130. AE ⊙ E VISA E 12
Café Terminus **R** 135/175 🍷, enf. 85 – ☕ 55 – **324 ch** 730/1500.

Queen Elizabeth, 41 av. Pierre-1er-de-Serbie ✆ 47 20 80 56, Télex 641179, « Bel aménagement intérieur » – |♦| ▤ ch TV ☎ – 🏛 25 à 30. AE ⊙ E VISA G 8
R *(fermé le soir et dim.)* 135 bc/195 bc – ☕ 70 – **59 ch** 900/1300, 8 appart. 1500/2200.

Elysées-Marignan, 12 r. Marignan ✆ 43 59 58 61, Télex 660018 – |♦| TV ☎ – 🏛 100 à 130. AE ⊙ E VISA G 9
R *(fermé sam., dim. et fériés)* carte 180 à 260 – ☕ 50 – **57 ch** 750/1280, 22 appart. 1400/2400.

François 1er Ⓜ, 7 r. Magellan ✆ 47 23 44 04, Télex 648880 – |♦| ▤ TV ☎. AE ⊙ E VISA. ✗ F 8
R carte 180 à 275 – ☕ 65 – **34 ch** 960/1080, 1 appart. 1800.

de l'Élysée Ⓜ sans rest, 12 r. Saussaies ✆ 42 65 29 25, Télex 281665 – |♦| TV ☎. AE ⊙ E VISA F 11
☕ 38 – **32 ch** 400/650.

L'Horset Astor, 11 r. Astorg ✆ 42 66 56 56, Télex 642737 – |♦| TV ☎ – 🏛 25. AE ⊙ E VISA F 11
R *(fermé sam. midi et dim. midi)* carte 210 à 280 – **128 ch** ☕720/800.

Résidence Champs-Elysées Ⓜ sans rest, 92 r. La Boëtie ✆ 43 59 96 15, Télex 650695 – |♦| TV ☎. AE ⊙ E VISA F 9
☕ 45 – **84 ch** 700/935.

Résidence Monceau Ⓜ sans rest, 85 r. Rocher ✆ 45 22 75 11, Télex 280671 – |♦| TV ☎ ♿. AE ⊙ E VISA. ✗ E 11
☕ 25 – **50 ch** 470.

Castiglione, 40 r. Fg-St-Honoré ✆ 42 65 07 50, Télex 240362 – |♦| ▤ rest TV ☎ – 🏛 50. AE ⊙ E VISA G 11
R 140 bc/190 bc – **98 ch** ☕590/1290, 16 appart. 1550/1820 – 1/2 p 700/1300.

Royal H. sans rest, 33 av. Friedland ✆ 43 59 08 14, Télex 280965 – |♦| TV ☎. AE ⊙ E VISA F 8
☕ 40 – **57 ch** 695/927.

Printemps et rest. Chez Martin, 1 r. Isly ✆ 42 94 12 12, Télex 290744 – |♦| TV ☎ – 🏛 25. E VISA F 12
R *(fermé sam. et dim.)* 58/90 bc – **67 ch** ☕357/764.

Résidence St-Honoré sans rest, 214 r. Fbg St-Honoré ✆ 42 25 26 27, Télex 650524 – |♦| TV ☎. AE ⊙ E VISA E 9
91 ch ☕586/750.

Pullman St-Honoré sans rest, 15 r. Boissy d'Anglas ✆ 42 66 93 62, Télex 240366 – |♦| TV ☎. AE ⊙ E VISA G 11
☕ 55 – **104 ch** 530/690, 8 appart. 955.

Roblin et rest. Le Mazagran, 6 r. Chauveau-Lagarde ✆ 42 65 57 00, Télex 640154 – |♦| TV ☎. AE ⊙ E VISA F 11
R *(fermé sam. et dim.)* 120/190 – ☕ 45 – **67 ch** 520/670.

Vernet sans rest, 25 r. Vernet ✆ 47 23 43 10, Télex 290347 – |♦| TV ☎. AE ⊙ E VISA F 8
☕ 55 – **63 ch** 700/1020.

Royal Malesherbes, 24 bd Malesherbes ✆ 42 65 53 30, Télex 660190 – |♦| ▤ rest TV ☎ – 🏛 30. AE ⊙ E VISA. ✗ rest F 11
R carte 130 à 210 – **102 ch** ☕720/800.

Concortel sans rest, 19 r. Pasquier ✆ 42 65 45 44, Télex 660228 – |♦| TV ☎ AE ⊙ F 11
☕ 30 – **38 ch** 400/540, 8 appart. 560.

Powers sans rest, 52 r. François-1er ✆ 47 23 91 05, Télex 642051 – |♦| TV ☎ G 9
53 ch, 3 appart.

West End sans rest, 7 r. Clément-Marot ✆ 47 20 30 78, Télex 611972 – |♦| TV 🛁wc ☎. AE ⊙ E VISA G 9
☕ 35 – **60 ch** 550/850.

Lido Ⓜ sans rest, 4 passage Madeleine ✆ 42 66 27 37, Télex 281039 – |♦| TV 🛁wc ☎. AE ⊙ E VISA F 11
☕ 25 – **32 ch** 465/580.

Colisée Ⓜ sans rest, 6 r. Colisée ✆ 43 59 95 25, Télex 643101 – |♦| TV 🛁wc ☎. AE ⊙ E VISA F 9
44 ch ☕430/630.

Alison Ⓜ sans rest, 21 r. Surène ✆ 42 65 54 00, Télex 640435 – ⇅ TV ⛀wc ⛆wc ☎. AE ⦿ E VISA. ✗ F 1
▭ 30 – **35 ch** 310/510.

L'Arcade sans rest, 7 r. Arcade ✆ 42 65 43 85 – ⇅ TV ⛀wc ☎ F 1
47 ch ▭370/480.

Bradford sans rest, 10 r. St-Philippe-du-Roule ✆ 43 59 24 20, Télex 648530 – ⇅ ⛀wc ⛆wc ☎. E VISA. ✗ F
46 ch ▭445/550.

Royal Alma sans rest, 35 r. Jean-Goujon ✆ 42 25 83 30, Télex 641428 – ⇅ TV ⛀wc ⛆wc ☎. AE E VISA. ✗ G
▭ 65 – **82 ch** 850/990.

Elysées Ponthieu Ⓜ sans rest, 24 r. Ponthieu ✆ 42 25 68 70, Télex 640053 – ⇅ TV ⛀wc ⛆wc ☎. AE ⦿ E VISA F
▭ 30 – **62 ch** 450/650.

Franklin Roosevelt sans rest, 18 r. Clément-Marot ✆ 47 23 61 66, Télex 61479 – ⇅ TV ⛀wc ⛆wc ☎. AE E VISA. ✗ G
45 ch ▭535/570.

Plaza Haussmann Ⓜ sans rest, 177 bd Haussmann ✆ 45 63 93 83, Télex 64371 – ⇅ TV ⛀wc ☎. AE ⦿ E VISA F
41 ch ▭530/630.

Résidence Saint-Philippe sans rest, 123 r. Fg-St-Honoré ✆ 43 59 86 99 – ⇅ TV ⛀wc ⛆wc ☎. ✗ F 9-1
38 ch ▭380/580.

Rond-Point des Champs-Elysées sans rest, 10 r. Ponthieu ✆ 43 59 55 5 Télex 642386 – ⇅ TV ⛀wc ⛆wc ☎. AE ⦿ E VISA. ✗ F 1
▭ 27 – **44 ch** 350/470.

Rochambeau sans rest, 4 r. La Boëtie ✆ 42 65 27 54, Télex 640030 – ⇅ TV ⛀wc ⛆wc ☎. AE ⦿ E VISA F 1
50 ch ▭580/620.

Atlantic sans rest, 44 r. Londres ✆ 43 87 45 40, Télex 650477 – ⇅ TV ⛀wc ⛆wc ☎. AE VISA. ✗ E 1
▭ 30 – **93 ch** 265/410.

St Augustin sans rest, 9 r. Roy ✆ 42 93 32 17, Télex 641919 – ⇅ TV ⛀wc ⛆wc ☎. AE ⦿ E VISA F 1
63 ch ▭530/630.

Astoria sans rest, 42 r. Moscou ✆ 42 93 63 53, Télex 290061 – ⇅ TV ⛀wc ⛆wc ☎. AE ⦿ E VISA D 1
▭ 25 – **82 ch** 490/590.

Queen Mary sans rest, 9 r. Greffulhe ✆ 42 66 40 50, Télex 640419 – ⇅ TV ⛀wc ⛆wc ☎. E VISA. ✗ F 1
▭ 30 – **36 ch** 420/550.

Brescia sans rest, 16 r. Edimbourg ✆ 45 22 14 31, Télex 660714 – ⇅ TV ⛀wc ⛆wc ☎ ♿. AE ⦿ E VISA E 1
▭ 25 – **38 ch** 240/340.

Lord Byron sans rest, 5 r. Chateaubriand ✆ 43 59 89 98, Télex 649662, ⛌ – ⇅ TV ⛀wc ⛆wc ☎. ✗ F
30 ch ▬410/620.

Angleterre-Champs-Élysées sans rest, 91 r. La Boétie ✆ 43 59 35 45, Télex 640317 – ⇅ TV ⛀wc ⛆wc ☎. AE ⦿ VISA F
▭ 25 – **40 ch** 280/420.

Opal sans rest, 19 r. Tronchet ✆ 42 65 77 97 – ⇅ TV ⛀wc ☎. AE E VISA ✗ F 1
▭ 30 – **36 ch** 400/500.

Washington sans rest, 43 r. Washington ✆ 45 63 33 36 – ⇅ TV ⛀wc ⛆wc ☎ VISA. ✗ F
▭ 25 – **18 ch** 240/400.

Élysées sans rest, 100 r. La Boétie ✆ 43 59 91 07, Télex 648572 – ⇅ TV ⛀wc ⛆wc ☎. AE ⦿ E VISA ✗ F
30 ch ▭380/445.

Charing Cross Ⓜ sans rest, 39 rue Pasquier ✆ 43 87 41 04, Télex 290681 – ⇅ TV ⛀wc ☎. AE ⦿ E VISA F 1
31 ch ▭310/420.

Ministère sans rest, 31 r. Surène ✆ 42 66 21 43 – ⇅ TV ⛀wc ⛆wc ☎. E VISA F 1
32 ch ▭200/440.

Lavoisier-Malesherbes sans rest, 21 r. Lavoisier ✆ 42 65 10 97, Télex 281801 – ⇅ TV ⛀wc ⛆wc ☎. E VISA. ✗ F 1
32 ch ▭340/390.

XXXXX ✿✿✿ **Lucas-Carton** (Senderens), 9 pl. Madeleine ✆ 42 65 22 90, Télex 281088, « Authentique décor 1900 » – VISA. ✱ G 11
fermé 30 juil. au 24 août, 23 déc. au 4 janv., sam. et dim. – **R** 338 (déj.) et carte 480 à 660
Spéc. Foie gras aux choux, Canard Apicius, Tarte aux zestes d'oranges confites.

XXXXX ✿ **Bristol,** 112 r. fg St-Honoré ✆ 42 66 91 45 – Ⓟ. AE ⓓ E VISA. ✱ F 10
R carte 350 à 480
Spéc. Salade de crevettes au gingembre, Escalope de turbot au Sauternes, Filets de sole homardine aux morilles.

XXXXX ✿✿ **Lasserre,** 17 av. F.-D.-Roosevelt ✆ 43 59 53 43, Toit ouvrant – ▤. ✱ G 10
fermé 31 juil. au 29 août, lundi midi et dim. – **R** carte 440 à 610
Spéc. Palourdes rôties aux noisettes, Rougets en filets à la sarriette, Truffier à la marmelade d'oranges.

XXXXX ✿✿✿ **Taillevent,** 15 r. Lamennais ✆ 45 61 12 90 – ▤. ✱ F 9
fermé 23 juil. au 22 août, vacances de fév., sam., dim. et fériés – **R** (nombre de couverts limité - prévenir) carte 380 à 500
Spéc. Cannelloni de céleri au jus de truffe, Tourte d'agneau aux olives noires, Fondant aux deux parfums.

XXXXX ✿✿ **Les Ambassadeurs** -Hôtel Crillon-, 10 pl. Concorde ✆ 42 65 24 24, 🍽, « Cadre 18e s. » – AE ⓓ E VISA. ✱ G 11
R 320 (déj.) et carte 335 à 485
Spéc. Feuilleté d'oeufs pochés "Sonia Rykiel", Viennoise de turbot aux noix, Filet de boeuf Rossini.

XXXXX ✿✿ **Laurent,** 41 av. Gabriel ✆ 47 25 00 39 – AE ⓓ VISA. ✱ G 11
fermé sam. midi, dim. et fériés – **R** 340 (déj.) et carte 395 à 565
Spéc. Homard de Bretagne en salade, Filets de Saint-Pierre, de rouget et de truite de mer à la vapeur d'herbes, Deux soufflés "Laurent".

XXXXX ✿ **Régence** -Hôtel Plaza Athénée-, 25 av. Montaigne ✆ 47 23 78 33, 🍽 – AE ⓓ E VISA. ✱ G 9
R carte 375 à 500
Spéc. Soufflé de homard, Filet d'agneau à la marjolaine, Crêpes Bauduin.

XXXX ✿ **Élysée Lenôtre,** 10 av. Champs-Elysées ✆ 42 65 85 10 – Ⓟ. VISA G 10
R 285 (déj.) et carte 300 à 440
Spéc. Langoustines rôties, Gourmandise de homard à la fondue de choux, Millefeuille caramel à la crème vanille.

XXXX ✿ **Les Princes** -Hôtel George V-, 31 av. George V ✆ 47 23 54 00 – ▤. AE ⓓ E VISA
R 220 (déj.) et carte 300 à 470 G 8
Spéc. Tournedos de bar en peau au poivre noir, Petit rôti de foie de veau à la confiture d'oignons, Crème grillée à la gousse de vanille.

XXXX ✿ **Lamazère,** 23 r. Ponthieu ✆ 43 59 66 66 – ▤. AE ⓓ E VISA. ✱ F 9
fermé août et dim. – **R** 290 (déj.) et carte 350 à 425
Spéc. Truffe Lamazère, Filets de sole aux truffes et pâtes fraîches, Cassoulet aux trois confits.

XXXX ✿ **Chiberta,** 3 r. Arsène-Houssaye ✆ 45 63 77 90 – ▤. AE ⓓ E VISA F 8
fermé 1er au 29 août, 23 déc. au 2 janv., sam., dim. et fériés – **R** carte 340 à 470
Spéc. Tartare de homard au fenouil, Crépinette de turbot au corail d'oursins, Gigotin de lapereau à la crème de persil.

XXXX ✿ **La Marée,** 1 r. Daru ✆ 47 63 52 42 – ▤. AE ⓓ E 8
fermé août, sam. et dim. – **R** carte 320 à 470
Spéc. Belons au champagne, Petits rougets désarêtés au gingembre et citron vert, Émincé de loup à la vapeur d'algues.

XXXX ✿ **Fouquet's,** 99 av. Champs-Élysées ✆ 47 23 70 60, Télex 648227 – AE ⓓ E VISA
1er étage *(fermé 15 juil. au 30 août, sam. et dim.)* **R** carte 225 à 330 - **Rez-de-chaussée** (grill) **R** 190 et carte 185 à 330 F 8
Spéc. Poêlée de langoustines, artichauts et foie de canard, Escalope de bar à l'huile d'olive et basilic, Aiguillettes de canard à la compote d'ananas au poivre.

XXXX **Le Bacchus Gourmand,** 21 r. François 1er ✆ 47 20 15 83, 🍽 – ▤. AE ⓓ E VISA
fermé 29 juil. au 31 août, sam. et dim. – **R** carte 250 à 400. G 9

XXX ✿ **La Couronne** -Hôtel Warwick-, 5 r. Berri ✆ 45 63 14 11 – ▤. AE ⓓ E VISA F 9
fermé dim. et fériés – **R** 195 et carte 235 à 360
Spéc. Escalope de bar en crépinette, Navarin de turbot, Pot-au-feu maigre d'agneau à l'anis étoilé.

XXX **Alain Rayé,** 49 r. Colisée ✆ 42 25 66 76 – AE ⓓ E VISA F 10
fermé sam. midi et dim. – **R** 175 et carte 245 à 330.

XXX ✿ **Copenhague,** 142 av. Champs-Élysées (1er étage) ✆ 43 59 20 41, 🍽 – ▤. AE ⓓ E VISA. ✱ F 8
fermé 1er au 28 août, dim. et fériés – **R** carte 230 à 350
Spéc. Saumon mariné à l'aneth, Canard pré-salé à la danoise, Feuilleté aux mûres jaunes (mi-oct. à fin avril).

XXX ✿ **Le Clovis** -Hôtel Pullman Windsor-, 4 r. B.-Albrecht ✆ 45 63 04 04 – AE ⓓ E VISA
fermé 1er au 24 août, 24 déc. au 4 janv., sam. dim. et fériés – **R** carte 290 à 390 F 8
Spéc. Tartare de saumon rose et saumon mariné, Queue de baudroie, Lapin au lait et à l'ail doux.

XXX **Napoléon Baumann** -Hôtel Napoléon-, 38 av. Friedland ✆ 42 27 99 50 – ▤. AE ⓓ E VISA F
fermé Noël et Jour de l'An – **R** 228 et carte 245 à 310.

XXX **Le Marcande,** 52 r. Miromesnil ✆ 42 65 19 14 – AE ⓓ VISA F 1
fermé 1er au 21 août, sam., dim. et fériés – **R** carte 265 à 350.

XXX **Chez Vong,** 27 r. Colisée ✆ 43 59 77 12, cuisine chinoise et vietnamienne – AE ⓓ E VISA F 1
fermé dim. – **R** carte 150 à 250.

XXX **Al Amir,** 66 r. François 1er ✆ 47 23 79 05, cuisine libanaise – AE ⓓ E VISA. ✄ F
R 200 bc/250 bc.

XXX **Relais-Plaza** -Hôtel Plaza Athénée-, 21 av. Montaigne ✆ 47 23 46 36 – ▤. AE ⓓ E VISA. ✄ G
fermé août – **R** carte 275 à 400.

XXX **Indra,** 10 r. Cdt-Rivière ✆ 43 59 46 40, cuisine indienne – AE ⓓ E VISA F
fermé sam. midi et dim. – **R** carte 150 à 195.

XXX **Au Vieux Berlin,** 32 av. George-V ✆ 47 20 88 96, cuisine allemande – ▤. AE ⓓ VISA G
fermé dim. – **R** 185/210.

XX **Baumann Marbeuf,** 15 r. Marbeuf ✆ 47 20 11 11 – AE ⓓ E VISA G
fermé sam. midi et dim. du 14 juil. au 15 août – **R** carte environ 190 ♁.

XX **Fermette Marbeuf,** 5 r. Marbeuf ✆ 47 20 63 53, « Décor 1900, céramiques et vitraux d'époque » – AE ⓓ VISA G
R carte 165 à 240 ♁.

XX **Chez Tante Louise,** 41 r. Boissy d'Anglas ✆ 42 65 06 85 – ▤. AE ⓓ E VISA F 1
fermé 7 au 15 mai, 6 au 29 août, sam. et dim. – **R** 170.

XX **Le Boeuf sur le Toit,** 34 r. Colisée ✆ 43 59 83 80 – ▤. AE ⓓ VISA F 1
R carte 145 à 230.

XX **Le Petit Montmorency,** 5 r. Rabelais ✆ 42 25 11 19 – ▤. E VISA. ✄ F 1
fermé août, sam. de Pâques à juil. et dim. – **R** carte 215 à 360.

XX **Ruc,** 2 r. Pépinière ✆ 45 22 66 70 – ▤. AE ⓓ E VISA F 1
R (1er étage) 225 bc/350 bc.

XX **Le Drugstorien** (1er étage), 1 av. Matignon ✆ 43 59 38 70 – ▤. AE ⓓ E VISA G 1
R carte 150 à 270.

XX **Marius et Janette,** 4 av. George V ✆ 47 23 41 88 – ⇔. AE ⓓ E VISA F
fermé sam. et dim. – **R** 200 (déj.) et carte 300 à 400.

XX **Le Grenadin,** 46 r. Naples ✆ 45 63 28 92 – AE ⓓ E VISA E 1
fermé 9 au 18 juil., 13 au 22 août, 23 déc. au 2 janv., vacances de fév., sam. et dim. **R** carte 235 à 310.

XX **Chez Bosc,** 7 r. Richepanse ✆ 42 60 10 27 – VISA G 1
fermé août, sam., dim. et fériés – **R** carte 115 à 265.

XX **Le Pfister,** 8 r. Miromesnil ✆ 42 65 20 39 – ▤. AE ⓓ VISA F 1
fermé sam. et dim. – **R** carte 250 à 340.

XX **Jean-Charles et ses Amis,** 7 r. Trémoille ✆ 47 23 88 18 – AE ⓓ E VISA G
fermé sam. midi – **R** carte environ 190.

XX **Les Géorgiques,** 36 av. George V ✆ 40 70 10 49 – ▤. AE VISA G
fermé sam. midi – **R** 180 (déj.) et carte 220 à 360.

XX **Artois,** 13 r. Artois ✆ 42 25 01 10 F
fermé 14 juil. au 1er sept., sam. et dim. – **R** (prévenir) carte 155 à 225.

XX **St Germain,** 74 av. Champs-Elysées ✆ 45 63 55 45 – AE ⓓ E VISA G
fermé sam. et dim. – **R** carte 170 à 280.

XX **Tong Yen,** 1 bis r. Jean-Mermoz ✆ 42 25 04 23, cuisine chinoise et vietnamienne – ▤. AE ⓓ E VISA F 1
fermé 1er au 25 août – **R** carte 190 à 275.

XX **Le Bonaventure,** 35 r. J.-Goujon ✆ 42 25 02 58, ⌂, ⛱ – AE VISA. ✄ G
fermé dim. – **R** carte 170 à 240.

XX **Androuët,** 41 r. Amsterdam ✆ 48 74 26 90 – AE ⓓ E VISA. ✄ E 1
fermé dim. – **R** 180/200.

XX **Le Sarladais,** 2 r. Vienne ✆ 45 22 23 62 – ▤. E VISA E 1
fermé août, fériés, sam. midi et dim. – **R** carte 160 à 215.

XX **Chez Max,** 19 r. Castellane ✆ 42 65 33 81 – VISA F 1
fermé 1er août au 5 sept., jeudi soir, sam., dim. et fêtes – **R** carte 210 à 360.

XX **Le Chambellan,** 10 r. La Trémoille ✆ 47 23 53 53 – AE ⓓ E VISA G
fermé sam. midi et dim. – **R** carte 225 à 320.

XX **Rose des Sables,** 19 r. Washington ✆ 45 63 36 73, cuisine marocaine – VISA F
fermé sam. midi et dim. – **R** carte 125 à 155.

XX **Annapurna,** 32 r. Berri ✆ 45 63 91 56, cuisine indienne – AE ⓓ VISA F
fermé sam. midi et dim. – **R** carte 160 à 200.

✕ **Stresa,** 7 r. Chambiges ✆ 47 23 51 62, cuisine italienne – AE ⓓ G 9
fermé 10 au 31 août, 20 déc. au 3 janv., sam. soir et dim. – **R** carte 220 à 320.

✕ **Martin Alma,** 44 r. J.-Goujon ✆ 43 59 28 25, cuisine nord-africaine – VISA G 9
fermé 10 au 25 août et lundi – **R** carte 160 à 220.

✕ **Le Capricorne,** 81 r. Rocher ✆ 45 22 64 99 – ▤. E VISA E 10-11
fermé 2 au 10 avril, 30 juil. au 30 août, sam., dim. et fériés – **R** carte 115 à 155 ♖.

✕ **Al Dente,** 182 bd Haussmann ✆ 45 62 88 68, cuisine italienne – E VISA F 8
fermé dim. – **R** carte 135 à 200.

✕ **La Petite Auberge,** 48 r. Moscou ✆ 43 87 91 84 – E VISA D 11
fermé 6 au 21 août, sam. et dim. – **R** 110.

Opéra, Gare du Nord, Gare de l'Est, Grands Boulevards.

9e et 10e arrondissements.
9e : ✉ 75009
10e : ✉ 75010

Le Gd Hôtel, 2 r. Scribe (9e) ✆ 42 68 12 13, Télex 220875 – ⧗ cuisinette ⇆ ch TV ☎ – 🏛 25 à 500. AE ⓓ E VISA. ✗ rest F 12
R voir **Rest. Opéra-Café de la Paix** et **Relais Capucines-Café de la Paix** ci-après - **Le Patio** *(fermé août)* **R** (déj. seul.) 240 bc – ☕ 85 – **515 ch** 1570/2500, 20 appart.

Scribe Ⓜ, 1 r. Scribe (9e) ✆ 47 42 03 40, Télex 214653 – ⧗ ▤ TV ☎ ♿ – 🏛 25 à 150. AE ⓓ E VISA. ✗ rest F 12
Le Jardin des Muses snack **R** carte environ 135 ♖ - **Les Muses** *(fermé août, sam., dim. et fériés)* **R** 160 – ☕ 85 – **217 ch** 1330/2000, 11 appart. – $^1/_2$ p 3200/6300.

Ambassador, 16 bd Haussmann (9e) ✆ 42 46 92 63, Télex 650912 – ⧗ TV ☎ ♿ – 🏛 30. AE ⓓ E VISA F 13
R 130/185 ♖ – ☕ 55 – **311 ch** 730/1500, 6 appart.

Commodore, 12 bd Haussmann (9e) ✆ 42 46 72 82, Télex 280601 – ⧗ TV ☎ ♿. AE ⓓ E VISA F 13
R 180 (déj.) et carte 130 à 200 ♖ – ☕ 48 – **154 ch** 770/1150, 11 appart. 1250/1800.

Brébant Ⓜ, 32 bd Poissonnière (9e) ✆ 47 70 25 55, Télex 280127 – ⧗ ▤ rest TV ☎. AE ⓓ E VISA F 14
R carte 120 à 180 – **128 ch** ☕ 560/650.

St-Pétersbourg sans rest, 33 r. Caumartin (9e) ✆ 42 66 60 38, Télex 680001 – ⧗ TV ☎. AE ⓓ E VISA F 12
☕ 25 – **120 ch** 525/550.

Astra Ⓜ sans rest, 29 r. Caumartin (9e) ✆ 42 66 15 15, Télex 210408 – ⧗ TV ☎. AE ⓓ E VISA F 15
☕ 25 – **85 ch** 590/730.

Blanche Fontaine ⛰ sans rest, 34 r. Fontaine (9e) ✆ 45 26 72 32, Télex 660311 – ⧗ TV ☎ 🚗. AE VISA. ✗ D 13
49 ch ☕ 330/460.

Terminus Nord sans rest, 12 bd Denain (10e) ✆ 42 80 20 00, Télex 660615 – ⧗ TV ☎ ♿ – 🏛 40. AE ⓓ E VISA. ✗ E 15-16
220 ch ☕ 310/490.

Paris Est Ⓜ sans rest, cour d'Honneur (10e) ✆ 42 41 00 33, Télex 217916 – ⧗ TV ☎ – 🏛 50 à 450. E VISA E 16
☕ 26 – **34 ch** 283/525.

Franklin et du Brésil sans rest, 19 r. Buffault (9e) ✆ 42 80 27 27, Télex 640988 – ⧗ TV ☎. AE ⓓ E VISA E 14
64 ch ☕ 460/575.

Léman Ⓜ sans rest, 20 r. Trévise (9e) ✆ 42 46 50 66, Télex 281086 – ⧗ TV 🛁wc ☎. AE ⓓ E VISA F 14
24 ch ☕ 450/800.

Moulin Rouge Ⓜ sans rest, 39 r. Fontaine(9e) ✆ 42 82 08 56, Télex 660055 – ⧗ TV 🛁wc 🚿wc ☎. AE ⓓ E VISA D 13
☕ 25 – **50 ch** 450/540.

Gotty Ⓜ sans rest, 11 r. Trévise (9e) ✆ 47 70 12 90, Télex 660330 – ⧗ TV 🛁wc ☎. AE ⓓ E VISA F 14
44 ch ☕ 550/640.

Carlton's H. sans rest, 55 bd Rochechouart (9e) ✆ 42 81 91 00, Télex 640649 – ⧗ TV 🛁wc ☎. AE ⓓ E VISA D 14
☕ 30 – **94 ch** 400/440.

Paix République M sans rest, 2 bis bd St Martin (10e) ☎ 42 08 96 95, Télex 680632 – wc wc. AE E VISA.
28 – **45 ch** 400/750.

Du Pré sans rest, 10 r. Pierre Sémard (9e) ☎ 42 81 37 11, Télex 660549 – wc wc. AE VISA
25 – **41 ch** 350/395.

Caumartin M sans rest, 27 r. Caumartin (9e) ☎ 47 42 95 95, Télex 680702 – wc wc. AE E VISA
30 – **40 ch** 450/650.

Athènes M sans rest, 21 r. d'Athènes (9e) ☎ 48 74 00 55, Télex 640715 – wc wc. AE E VISA.
35 – **36 ch** 420/490.

La Tour d'Auvergne sans rest, 10 r. La Tour d'Auvergne (9e) ☎ 48 78 61 60 – wc. AE E VISA.
25 – **25 ch** 350/480.

Alpha M sans rest, 11 r. Geoffroy Marie (9e) ☎ 45 23 14 04, Télex 643939 – wc. AE E VISA.
40 – **30 ch** 480/520.

Chamonix M sans rest, 8 r. d'Hauteville (10e) ☎ 47 70 19 49, Télex 641177 – wc wc. AE E VISA.
27 – **35 ch** 400/500.

Printania M sans rest, 19 r. Château d'Eau (10e) ☎ 42 01 84 20, Télex 215425 – wc wc. AE E VISA
30 – **51 ch** 420/480.

Florida sans rest, 7 r. Parme (9e) ☎ 48 74 47 09, Télex 640410 – wc. AE E VISA
31 ch 353/510.

Anjou-Lafayette M sans rest, 4 r. Riboutté (9e) ☎ 42 46 83 44, Télex 281001 wc wc. AE E VISA
39 ch 370/590.

Moris M sans rest, 13 r. R.-Boulanger (10e) ☎ 46 07 92 08, Télex 212024 – wc wc. AE E VISA.
30 – **48 ch** 375/480.

Modern' Est sans rest, 91 bd Strasbourg (10e) ☎ 46 07 24 72 – wc. E VISA.
25 – **30 ch** 260/330.

Morny sans rest, 4 r. Liège (9e) ☎ 42 85 47 92, Télex 660822 – wc. E VISA
43 ch 320/614.

Capucines sans rest, 6 r. Godot de Mauroy (9e) ☎ 47 42 06 37, Télex 290046 – wc wc
46 ch 250/370.

London Palace sans rest, 32 bd Italiens (9e) ☎ 48 24 54 64, Télex 642360 – wc wc. AE E VISA.
26 – **49 ch** 284/445.

Gare du Nord sans rest, 33 r. St-Quentin (10e) ☎ 48 78 02 92, Télex 642415 – wc wc. AE E VISA
24 – **49 ch** 190/360.

Hélios sans rest, 75 r. Victoire (9e) ☎ 48 74 28 64, Télex 641255 – wc. AE E VISA
28 – **50 ch** 347/505.

Baccarat M sans rest, 19 r. Messageries (10e) ☎ 47 70 96 92, Télex 648895 – wc wc. AE E VISA
25 – **31 ch** 320/380.

Résidence Mauroy sans rest, 11 bis r. Godot-de-Mauroy (9e) ☎ 47 42 50 78 – wc wc. AE E VISA
fermé août – 30 – **26 ch** 250/450.

D'Estrées M sans rest, 2 bis cité Pigalle (9e) ☎ 48 74 39 22, Télex 290609 – wc wc. AE E VISA
25 – **23 ch** 420/480.

Florence sans rest, 26 r. Mathurins (9e) ☎ 47 42 63 47, Télex 290085 – wc wc. AE E VISA
28 – **20 ch** 280/450.

Royal Médoc sans rest, 14 r. Geoffroy Marie (9e) ☎ 47 70 37 33, Télex 660053 wc. AE E VISA.
41 ch 480/530.

Alane sans rest, 72 bd Magenta (10e) ☎ 46 07 79 12, Télex 214227 – |♦| TV ⫪wc ☎. AE ① E VISA F 16
▭ 25 – **32 ch** 300/350.

Montréal sans rest, 23 r. Godot-de-Mauroy (9e) ☎ 42 65 99 54 – |♦| TV ⊟wc ⫪wc ☎. AE ① E VISA F 12
fermé août – ▭ 27 – **14 ch** 230/420, 5 appart. 550.

Gd H. Haussmann sans rest, 6 r. Helder (9e) ☎ 48 24 76 10, Télex 650018 – |♦| TV ⊟wc ⫪wc ☎. AE E VISA. ✻ F 13
▭ 25 – **59 ch** 315/430.

Français sans rest, 13 r. 8-Mai 1945 (10e) ☎ 46 07 42 02, Télex 230431 – |♦| TV ⊟wc ⫪wc ☎. E VISA E 16
▭ 20 – **71 ch** 280/310.

Pax sans rest, 47 r. Trévise (9e) ☎ 47 70 52 81, Télex 650197 – |♦| ⊟wc ⫪wc ☎. E VISA E 14
▭ 20 – **52 ch** 280/360.

Peyris sans rest, 10 r. Conservatoire (9e) ☎ 47 70 50 83 – |♦| TV ⊟wc ⫪wc ☎. E VISA F 14
▭ 20 – **50 ch** 270/360.

Gd H. Lafayette Buffault sans rest, 6 r. Buffault (9e) ☎ 47 70 70 96, Télex 642180 – |♦| TV ⊟wc ⫪wc ☎. E VISA E 14
▭ 21 – **47 ch** 120/315.

Campaville Montmartre sans rest, 21 bd Clichy (9e) ☎ 48 74 01 12, Télex 643572 – |♦| TV ⊟wc ⫪wc ☎. VISA D 13
▭ 24 – **78 ch** 263/314.

Campaville Montholon sans rest, 11 r. P.-Sémard (9e) ☎ 48 78 28 94, Télex 643861 – |♦| TV ⊟wc ⫪wc ☎. VISA. ✻ E 15
▭ 24 – **47 ch** 263/314.

Riboutté-Lafayette sans rest, 5 r. Riboutté (9e) ☎ 47 70 62 36 – |♦| ⊟wc ⫪wc ☎. E VISA E 14
▭ 20 – **24 ch** 264/320.

Victor Massé sans rest, 32 bis r. Victor-Massé (9e) ☎ 48 74 37 53 – |♦| ⊟wc ⫪wc ☎. ① VISA. ✻ E 13
▭ 20 – **40 ch** 147/255.

Résidence Magenta sans rest, 35 r. Y.-Toudic (10e) ☎ 46 07 63 13 – |♦| ⫪wc ☎. AE E VISA. ✻ F 17
▭ 18 – **29 ch** 220/290.

Blanche H. sans rest, 69 r. Blanche (9e) ☎ 48 74 16 94 – |♦| ⊟wc ☎. ✻ D 12
▭ 20 – **53 ch** 100/260.

Fénelon sans rest, 23 r. Buffault (9e) ☎ 48 78 32 18 – |♦| ⊟wc ⫪wc ☎. E VISA ✻ E 14
▭ 19 – **36 ch** 145/295.

Laffon sans rest, 25 r. Buffault (9e) ☎ 48 78 49 91 – |♦| ⊟wc ⫪wc ☎. E VISA E 14
fermé 25 juil. au 25 août – ▭ 20 – **46 ch** 115/290.

XX ✻ **Rest. Opéra-Café de la Paix** -Le Grand Hôtel-, pl. Opéra (9e) ☎ 47 42 97 02, « Cadre Second Empire » – ▤. AE ① E VISA F 12
fermé août – **R** carte 285 à 360
Spéc. Foie gras poêlé sur galette de pommes et céléris au verjus, Marinière de rouget barbet et lotte aux bigorneaux et palourdes, Rosettes d'agneau rôties.

X **Charlot Roi des Coquillages,** 12 pl. Clichy (9e) ☎ 48 74 49 64 – ▤ Ⓟ. AE ① E VISA D 12
R carte 190 à 290.

X **Nicolas,** 12 r. Fidélité (10e) ☎ 47 70 10 72, Télex 660317 – AE ① E VISA F 16
fermé août et sam. – **R** carte 165 à 255.

X **La Table d'Anvers,** 2 pl. d'Anvers (9e) ☎ 48 78 35 21 – ▤. E VISA D 14
R carte 160 à 230.

X **Au Chateaubriant,** 23 r. Chabrol (10e) ☎ 48 24 58 94, cuisine italienne, collection de tableaux – ▤. E VISA. ✻ E 15
fermé août, dim. et lundi – **R** carte 160 à 290.

X **Relais Capucines-Café de la Paix,** 12 bd Capucines (9e) ☎ 42 68 12 13 – ▤. AE ① E VISA F 12
R snack carte 145 à 180 ♨.

XX ✿ **Chez Michel** (Tournissoux), 10 r. Belzunce (10e) ✆ 48 78 44 14 – ▤. AE ◑ VISA E
R (nombre de couverts limité - prévenir) 170 (déj.) et carte 245 à 405
Spéc. Salade gourmande aux crustacés, Rognons à la graine de moutarde, Fondant chocolat.

XX **Le Newport,** 79 r. Fg St Denis (10e) ✆ **48 24 19 38, produits de la mer** – AE VISA F
fermé sam. midi et dim. – **R** carte 190 à 250.

XX **Grand Café Capucines** (ouvert jour et nuit), 4 bd Capucines (9e) ✆ 47 42 75 décor Belle Époque – AE ◑ E VISA F
R carte 170 à 245 ⅄.

XX **Mövenpick,** 12 bd Madeleine (9e) ✆ 47 42 47 93 – ▤ G
Café des Artistes R carte 155 à 260 ⅄ - **La Fontaine R** carte 145 à 210 ⅄.

XX **Cartouche Édouard VII,** 18 r. Caumartin (9e) ✆ 47 42 08 82 – AE VISA F
fermé 23 juil. au 21 août, sam. et dim. – **R** carte 150 à 250.

XX **Le Quercy,** 36 r. Condorcet (9e) ✆ 48 78 30 61 – AE ◑ E VISA E
fermé août et dim. – **R** carte 170 à 240.

XX **Le Saintongeais,** 62 r. Fg Montmartre (9e) ✆ 42 80 39 92 – AE VISA E
fermé 6 au 29 août, sam. midi et dim. – **R** carte 160 à 200.

XX **Au Gratin Dauphinois,** 8 r. St Lazare (9e) ✆ 48 78 06 92 – AE ◑ E VISA E
fermé sam. du 15 avril au 1er nov., dim. et fériés – **R** 125/210.

XX **Chez Casimir,** 6 r. Belzunce (10e) ✆ 48 78 32 53 – AE ◑ E VISA E
fermé sam. midi et dim. – **R** 170 bc.

XX **Ty Coz,** 35 r. St-Georges (9e) ✆ **48 78 34 61, produits de la mer seulement.** AE VISA E
fermé lundi (sauf le midi de sept. à mai) et dim. – **R** carte 180 à 300.

XX **Julien,** 16 r. Fg St-Denis (10e) ✆ **47 70 12 06, cadre Belle Époque** – AE ◑ VISA F
R carte 135 à 220.

XX **Brasserie Flo,** 7 cour Petites-Écuries (10e) ✆ **47 70 13 59, cadre 1900** – ▤. AE VISA F
R carte 135 à 220.

XX **Petit Riche,** 25 r. Le Peletier (9e) ✆ **47 70 68 68, cadre fin 19e s.** – AE ◑ VISA F
fermé dim. – **R** 115 ⅄.

XX **Comme Chez Soi,** 20 rue Lamartine (9e) ✆ 48 78 00 02 – ▤. AE ◑ E VISA E
fermé août, sam. et dim. – **R** 170.

XX **Terminus Nord,** 23 r. Dunkerque (10e) ✆ 42 85 05 15 – AE ◑ VISA E
R carte 135 à 220 ⅄.

XX **Bistrot Papillon,** 6 r. Papillon (9e) ✆ 47 70 90 03 – AE ◑ E VISA E
fermé vacances de printemps, 8 au 28 août, sam. et dim. – **R** 110.

XX **Pagoda,** 50 r. Provence (9e) ✆ **48 74 81 48, cuisine chinoise** – VISA F
fermé août – **R** carte 100 à 130.

XX **La P'tite Tonkinoise,** 56 r. Fg Poissonnière (10e) ✆ **42 46 85 98, cuisine vietnamienne** – VISA F
fermé 1er août à mi-sept., dim. et lundi – **R** carte 125 à 170.

X **La Grille,** 80 r. Fg Poissonnière (10e) ✆ 47 70 89 73. ◑ E
fermé août, vacances de fév., sam. et dim. – **R** carte 125 à 150.

X **Relais Beaujolais,** 3 r. Milton (9e) ✆ 48 78 77 91. E VISA E
fermé août, sam. et dim. – **R** carte 150 à 280.

Bastille, Gare de Lyon,
Place d'Italie,
Bois de Vincennes.

12e et 13e arrondissements.
12e : ✉ 75012
13e : ✉ 75013

🏨 **Novotel Paris Bercy** Ⓜ, 85 r. Bercy (12e) ✆ **43 42 30 00, Télex 218332,** ☂ – ▤ 📺 ☎ ♿ – 🏛 30 à 150. AE ◑ E VISA M
R carte 95 à 205, enf. 40 – ☕ 40 – **129 ch** 550/580.

🏨 **Mercure Paris Bercy** Ⓜ, 6 bd Vincent Auriol (13e) ✆ **45 82 48 00, Télex 205** – 🛗 📺 ☎ ♿ 🚗 – 🏛 40. AE ◑ E VISA M
R *(fermé sam. et dim.)* carte 170 à 200 – ☕ 35 – **89 ch** 400/450, 5 appart. 850.

🏨 **Équinoxe** Ⓜ sans rest, 40 r. Le Brun (13e) ✆ **43 37 56 56, Télex 201476** – 🛗 📺 AE ◑ E VISA N
49 ch ☕370/480.

Paris-Lyon-Palace sans rest, 11 r. Lyon (12e) ☏ 43 07 29 49, Télex 213310 – |‡| TV ☎ – 150. AE ⓓ E VISA L 18
☐ 29 – **128 ch** 390/410.

Modern H. Lyon sans rest, 3 r. Parrot (12e) ☏ 43 43 41 52, Télex 230369 – |‡| TV ☎. AE E VISA. L 18
☐ 32 – **51 ch** 295/460.

Relais de Lyon M sans rest, 64 r. Crozatier (12e) ☏ 43 44 22 50, Télex 216690 – |‡| TV ☎ – 25. AE ⓓ E VISA. K 19
☐ 27 – **34 ch** 350/430.

Mercure Hamac M sans rest, 21 rue Tolbiac (13e) ☏ 45 84 61 61, Télex 250822 – |‡| TV wc ☎ – 25. AE ⓓ E VISA P 18
☐ 35 – **71 ch** 410/430.

Média M sans rest, 22 r. Reine Blanche (13e) ☏ 45 35 72 72, Télex 206702 – |‡| TV wc ☎ – 30. AE ⓓ E VISA M 15
fermé août et 25 déc. au 3 janv. – **19 ch** ☐ 394/480.

Terminus-Lyon sans rest, 19 bd Diderot (12e) ☏ 43 43 24 03, Télex 230702 – |‡| TV wc wc ☎. AE E VISA L 18
☐ 27 – **61 ch** 354/394.

Slavia sans rest, 51 bd St-Marcel (13e) ☏ 43 37 81 25, Télex 205542 – |‡| TV wc wc ☎. E VISA. M 16
☐ 22 – **37 ch** 245/290, 6 appart. 340.

Gd H. Gobelins sans rest, 57 bd St-Marcel (13e) ☏ 43 31 79 89 – |‡| TV wc wc ☎. VISA M 16
☐ 22 – **45 ch** 200/320.

Terrasses sans rest, 74 r. Glacière (13e) ☏ 47 07 73 70, Télex 203488 – |‡| wc wc ☎. VISA. N 14
☐ 20 – **52 ch** 140/280.

Corail sans rest, 23 r. Lyon (12e) ☏ 43 43 23 54, Télex 212002 – |‡| TV wc wc ☎. AE ⓓ E VISA L 18
☐ 22 – **50 ch** 275/370.

Claret, 44 bd Bercy (12e) ☏ 46 28 41 31, Télex 217115 – |‡| TV wc wc ☎ – 40. AE ⓓ E VISA M 19
R *(fermé sam. midi et dim.)* 70 bc/150 bc, enf. 55 – ☐ 30 – **52 ch** 290/500.

Ibis Paris Bercy M, 77 rue Bercy (12e) ☏ 43 42 91 91, Télex 216391, – |‡| TV wc ☎ – 25 à 180 M 19
368 ch.

Des Trois Gares sans rest, 1 r. J. César (12e) ☏ 43 43 01 70, Télex 216392 – |‡| TV wc wc ☎. VISA. K 17
☐ 20 – **39 ch** 165/280.

Marceau sans rest, 13 r. J. César (12e) ☏ 43 43 11 65, Télex 214006 – |‡| TV wc wc ☎. VISA. K 17
fermé mi-juil. à mi-août – ☐ 25 – **53 ch** 245/345.

Timhôtel sans rest, 22 r. Barrault (13e) ☏ 45 80 67 67, Télex 205461 – |‡| TV wc wc ☎. AE ⓓ E VISA P 15
☐ 30 – **73 ch** 290/340.

Viator sans rest, 1 r. Parrot (12e) ☏ 43 43 11 00, Télex 212718 – |‡| TV wc wc ☎. E VISA. L 18
☐ 23 – **45 ch** 235/280.

Jules César sans rest, 52 av. Ledru-Rollin (12e) ☏ 43 43 15 88, Télex 670945 – |‡| wc ☎. E VISA. K 18
☐ 22 – **48 ch** 220/260.

Arts sans rest, 8 r. Coypel (13e) ☏ 47 07 76 32 – |‡| wc ☎. E VISA N 16
☐ 19 – **38 ch** 125/260.

Terminus et Sports sans rest, 96 cours Vincennes (12e) ☏ 43 43 97 93 – |‡| TV wc wc ☎. VISA. L 23
☐ 22 – **43 ch** 145/280.

Résidence des Gobelins sans rest, 9 r. Gobelins (13e) ☏ 47 07 26 90, Télex 206566 – |‡| TV wc wc ☎. AE ⓓ E VISA. N 15
☐ 24 – **32 ch** 220/320.

Nouvel H. sans rest, 24 av. Bel Air (12e) ☏ 43 43 01 81, Télex 240139, – TV wc wc ☎. AE ⓓ E VISA L 21
☐ 35 – **28 ch** 165/420.

Palym H. sans rest, 4 r. E.-Gilbert (12e) ☏ 43 43 24 48 – |‡| TV wc ☎. E VISA L 18
51 ch ☐ 165/300.

XXX ✿ **Au Pressoir** (Seguin), 257 av. Daumesnil (12e) ✆ 43 44 38 21 – ▤. E VISA
fermé août et vacances de fév. – **R** carte 225 à 315
Spéc. Queues de langoustines aux poivrons, Filets de rouget barbet au beurre de tomate, Coeu filet de boeuf aux cèpes.

XXX **Train Bleu,** Gare de Lyon (12e) ✆ 43 43 09 06, « Cadre 1900 - fresques évoqu le voyage de Paris à la Méditerranée » – AE ⓓ E VISA
R (1er étage) carte 210 à 280.

XX ✿ **Au Trou Gascon,** 40 r. Taine (12e) ✆ 43 44 34 26 – ▤. AE VISA
fermé 23 juil. au 21 août, 24 au 31 déc., sam. et dim. – **R** (nombre de couverts lin - prévenir) 190 et carte 200 à 340
Spéc. Jambon de Chalosse au couteau, Pâté chaud de cèpes, Croustade de pigeonneau au gras.

XX **Sologne,** 164 av. Daumesnil (12e) ✆ 43 07 68 97 – ▤. VISA
fermé Noël, lundi soir et dim. – **R** carte 150 à 250.

XX **La Flambée,** 4 r. Taine (12e) ✆ 43 43 21 80 – ⓓ E VISA
fermé 1er au 21 août, dim. soir et lundi – **R** 97/230.

XX **La Gourmandise,** 271 av. Daumesnil (12e) ✆ 43 43 94 41 – AE VISA
fermé 27 mars au 4 avril, 7 au 29 août, sam. midi et dim. – **R** carte 185 à 260.

XX **La Frégate,** 30 av. Ledru-Rollin (12e) ✆ 43 43 90 32 – VISA
fermé août, vacances de fév., sam. et dim. – **R** carte 215 à 270.

XX **Le Traversière,** 40 r. Traversière (12e) ✆ 43 44 02 10 – AE ⓓ E VISA
fermé 14 juil. au 1er sept. et dim. – **R** 120 et carte 150 à 240.

XX **L'Escapade en Touraine,** 24 r. Traversière (12e) ✆ 43 43 14 96 – E VISA
fermé août, sam., dim. et fériés – **R** carte 100 à 180.

X **Petit Marguery,** 9 bd. Port-Royal (13e) ✆ 43 31 58 59 – AE ⓓ E VISA
fermé août, 24 déc. au 2 janv., dim. et lundi – **R** carte 165 à 290.

X **Etchegorry,** 41 r. Croulebarbe (13e) ✆ 43 31 63 05 – AE ⓓ E VISA
fermé dim. – **R** 120 bc/170 bc.

X **Quincy,** 28 av. Ledru-Rollin (12e) ✆ 46 28 46 76 – AE ⓓ
fermé 10 août au 10 sept., sam., dim. et lundi – **R** carte 170 à 270.

X **Les Algues,** 66 av. Gobelins (13e) ✆ 43 31 58 22 – AE E VISA
fermé 1er au 22 août, 21 déc. au 7 janv., dim. et lundi – **R** carte 195 à 250.

X **Le Rhône,** 40 bd Arago (13e) ✆ 47 07 33 57, ⛱ – ⓓ E VISA
fermé août, sam., dim. et fériés – **R** (nombre de couverts limité - prévenir) 68/88

Vaugirard, Gare Montparnasse, Grenelle, Denfert-Rochereau.

14e et 15e arrondissements.
14e : ✉ *75014*
15e : ✉ *75015*

🏨 **Hilton** Ⓜ, 18 av. Suffren (15e) ✆ 42 73 92 00, Télex 200955, ⛱ – |‡| ⇹ ch ▤ ☎ ♿ – 🏛 40 à 1 200. AE ⓓ E VISA
Le Toit de Paris ≤ Paris *(fermé août et dim.)* **R** (dîner seul.) carte 240 à 3 **Western R** carte 120 à 250 – **La Terrasse R** carte 120 à 170 ♁, enf. 65 – ☕ 6 **445 ch** 1050/1850, 28 appart.

🏨 **Sofitel Paris** Ⓜ, 8 r. L.-Armand (15e) ✆ 40 60 30 30, Télex 200432, piscine intérie panoramique – |‡| ▤ TV ☎ ♿ ⇔ – 🏛 30 à 1 200. AE ⓓ E VISA
R voir rest. **Le Relais de Sèvres** ci-après - **La Tonnelle** (brasserie) **R** carte 155 à ♁ – ☕ 63 – **618 ch** 650, 17 appart. 1300/1950.

🏨 **Nikko** Ⓜ, 61 quai Grenelle (15e) ✆ 45 75 62 62, Télex 260012, ≤, ⊡ – |‡| ▤ TV Ⓟ – 🏛 50 à 800. AE ⓓ E VISA
R voir rest **Les Célébrités** ci-après - **Brasserie Pont Mirabeau R** carte 170 à 240 - japonais **Benkay R** carte 230 à 305 – ☕ 65 – **777 ch** 895/1800, 9 appart.

🏨 **Méridien Montparnasse** Ⓜ, 19 r. Cdt-Mouchotte (14e) ✆ 43 20 15 51, Té 200135, ⛱ – |‡| ⇹ ch ▤ TV ☎ ♿ Ⓟ – 🏛 1400. AE ⓓ E VISA. ✂ rest
Montparnasse 25 *(fermé août, sam., dim. et fériés)* **R** carte 240 à 340 - **La Ru R** 145 ♁, enf. 72 – ☕ 77 – **917 ch** 1100/1250, 33 appart.

Pullman St-Jacques M, 17 bd St-Jacques (14e) 45 89 89 80, Télex 270740 – – 40 à 1 500. AE E VISA N 13-14
Café Français *(fermé août)* **R** 190 bc/195 bc - **Le Patio** (3e étage) **R** carte 110 à 155 – 48 – **783 ch** 871/973, 14 appart. 1208/1530.

Mercure Paris Porte de Versailles M, r. du Moulin à Vanves 92170 Vanves 46 42 93 22, Télex 202195, – – 30 à 400. AE E VISA
R (brasserie) carte 105 à 170, enf. 45 – 44 – **391 ch** 560/580. P 7

Mercure Paris Montparnasse M, 20 rue Gaîté (14e) 43 35 28 28, Télex 201532 – – 100. AE E VISA M 11
Bistrot de la Gaîté **R** carte 140 à 180 – 45 – **177 ch** 580/620.

L'Aiglon sans rest, 232 bd Raspail (14e) 43 20 82 42, Télex 206038 – cuisinette. AE E VISA M 12
26 – **40 ch** 260/410, 8 appart. 520.

Holiday Inn M, porte de Versailles (15e) 45 33 74 63, Télex 260844 – – 130. AE E VISA. rest N 7
R 100/165, enf. 50 – 47 – **90 ch** 650/920.

Montcalm M sans rest, 50 av. F.-Faure (15e) 45 54 97 27, Télex 203174, – . AE E VISA M 6
41 ch 450/500.

Lenox M sans rest, 15 r. Delambre (14e) 43 35 34 50, Télex 260745 – . AE E VISA M 12
30 – **52 ch** 380/800.

Orléans Palace H. sans rest, 185 bd Brune (14e) 45 39 68 50, Télex 260725 – – 35. AE E VISA R 11
25 – **92 ch** 290/440.

Wallace M sans rest, 89 r. Fondary (15e) 45 78 83 30, Télex 205277 – wc . AE E VISA L 8
27 – **35 ch** 410/450.

Waldorf M sans rest, 17 r. Départ (14e) 43 20 64 79, Télex 201677 – wc wc . AE E VISA. L 11
27 – **30 ch** 390/530.

Versailles M sans rest, 213 r. Croix Nivert (15e) 48 28 48 66, Télex 200473 – wc wc . AE E VISA N 7
fermé 20 juil. au 15 août – 25 – **41 ch** 395/605.

Arès sans rest, 7 r. Gén. de Larminat (15e) 47 34 74 04, Télex 206083 – wc wc . E VISA. K 8
25 – **43 ch** 300/360.

Messidor M sans rest, 330 r. Vaugirard (15e) 48 28 03 74, Télex 204606, – wc wc . E VISA M 8
40 – **74 ch** 247/302.

Châtillon H. sans rest, 11 square Châtillon (14e) 45 42 31 17 – wc wc . VISA. P 11
fermé août – 20 – **31 ch** 200/250.

Capitol M sans rest, 9 r. Viala (15e) 45 78 61 00, Télex 202881 – wc wc . AE E VISA. K 7
30 – **42 ch** 420/450.

Résidence St Lambert sans rest, 5 r. E. Gibez (15e) 48 28 63 14, Télex 205459 – wc wc . AE E VISA N 8
32 – **48 ch** 350/490.

Joigny sans rest, 8 r. St-Charles (15e) 45 79 33 35, Télex 204057 – wc wc . AE E VISA. K 7
35 – **39 ch** 335/425.

Tourisme sans rest, 66 av. La-Motte-Picquet (15e) 47 34 28 01, Télex 270568 – wc wc . K 8
18 – **60 ch** 185/295.

France sans rest, 46 r. Croix-Nivert (15e) 47 83 67 02, Télex 206453 – wc wc . E VISA L 8
24 – **30 ch** 260/360.

Acropole sans rest, 199 bd Brune (14e) 45 39 64 17, Télex 203131 – wc. AE E VISA. R 12
20 – **41 ch** 290/330.

Bailli de Suffren sans rest, 149 av. Suffren (15e) 47 34 58 61, Télex 204854 – wc wc . AE E VISA L 9
26 – **25 ch** 385/430.

Fondary sans rest, 30 r. Fondary (15e) 45 75 14 75, Télex 206761 – wc wc . AE E VISA L 8
24 – **20 ch** 270/310.

Baldi sans rest, 42 bd Garibaldi (15e) 47 83 20 10 – wc wc L 9
24 – **28 ch** 250/305.

Pasteur sans rest, 33 r. Dr.-Roux (15e) ☏ 47 83 53 17 – ⛛ TV wc wc ☎. VISA – *fermé 25 juil. au 1er sept.* – ☕ 21 – **19 ch** 250/340. M

Cécil'H. M sans rest, 47 r. Beaunier (14e) ☏ 45 40 93 53, Télex 206873 – wc wc ☎. E VISA. ✂ R
☕ 21 – **25 ch** 269/292.

Virgina sans rest, 66 r. Père Corentin (14e) ☏ 45 40 70 90 – wc wc ☎. VISA ✂ – ☕ 20 – **54 ch** 130/300. R

Pacific H. sans rest, 11 r. Fondary (15e) ☏ 45 75 20 49, Télex 201346 – wc ☎. E VISA. ✂
66 ch ☕135/272.

Atlantique sans rest, 54 r. Falguière (15e) ☏ 43 20 70 70, Télex 203271 – wc wc ☎. E VISA M
☕ 22 – **26 ch** 200/300.

XXXX ✿ **Les Célébrités** -Hôtel Nikko-, 61 quai Grenelle (15e) ☏ 45 75 62 62, ← – ▤ AE ◑ E VISA
R 250 (déj.) et carte 420 à 460
Spéc. Salade tiède de langoustines aux cèpes, Filet de St Pierre à la tomate fraîche et au basi Rosettes d'agneau à la crème de basilic.

XXX ✿ **Morot Gaudry,** 6 r. Cavalerie (15e) (8e étage) ☏ 45 67 06 85, ←, terrasse ple air, ☂ – ▤. VISA
fermé sam. et dim. – **R** 200 bc (déj.) et carte 240 à 320
Spéc. Salade de rouget et langoustines, Turbot à l'huile vierge, Grouse rôtie (3 oct. au 28 fév.).

XXX ✿ **Olympe** (Mme Nahmias), 8 r. Nicolas Charlet (15e) ☏ 47 34 86 08 – ▤. AE E VISA – *fermé 1er au 24 août, 22 déc. au 4 janv., sam. midi, dim. midi et lundi* – carte 270 à 400 L
Spéc. Thon au lard et aux oignons frais, Ravioli de canard aux girolles, Chevreuil au poivre et à citronelle (oct. à fév.).

XXX **Armes de Bretagne,** 108 av. du Maine (14e) ☏ 43 20 29 50 – ▤. AE ◑ E VISA
fermé août, dim. soir et lundi sauf fêtes – **R** 190 et carte 260 à 350. N

XXX ✿ **Relais de Sèvres** -Hôtel Sofitel Paris-, 8 r. L.-Armand (15e) ☏ 40 60 30 30 – ◑ E VISA
fermé août, 19 au 27 déc., sam. et dim. – **R** 250 (déj.) et carte 260 à 335
Spéc. Ravioles de petits gris, Champignons sauvages (sept. à nov.), Poissons au basilic.

XXX **Pavillon Montsouris,** 20 rue Gazan (14e) ☏ 45 88 38 52, ←, ☂, « Pavillon 19 en bordure du parc » – AE ◑ E VISA. ✂ R
R 200, enf. 100.

XXX **Moniage Guillaume** avec ch, 88 r. Tombe-Issoire (14e) ☏ 43 22 96 15 – TV AE ◑ E VISA P
fermé dim. – **R** 240 – ☕ 25 – **5 ch** 210/280.

XXX ✿ **Aquitaine** (Mme Massia), 54 r. Dantzig (15e) ☏ 48 28 67 38, ☂ – ▤. AE ◑ VISA
fermé dim. et lundi – **R** carte 275 à 355
Spéc. Foie gras frais au chasselas (1er sept. au 30 nov.), Bar à l'huile d'olive, Confit de canard.

XXX ✿ **Maison Blanche** (Lampreia), 82 bd Lefèbvre (15e) ☏ 48 28 38 83 – ▤. AE VISA
fermé 5 au 15 avril, 1er au 15 sept., 24 déc. au 3 janv., sam. midi, dim. et lundi – 195 (déj.) et carte 280 à 330
Spéc. Gâteau landais, Lotte en marinade de légumes, Macaron glacé praliné.

XX **Chez Albert,** 122 av. Maine (14e) ☏ 43 20 21 69 – ▤. AE ◑ E VISA N
fermé sam. midi et vend. – **R** carte 190 à 310.

XX ✿ **Gérard et Nicole** (Faucher), 6 av. J.-Moulin (14e) ☏ 45 42 39 56 – E VISA P
fermé mi-juil. à mi-août, sam. et dim. – **R** carte 250 à 360
Spéc. Rougets à l'huile d'olive, St-Jacques (mi-oct. à mars), Magret de canard au gros sel.

XX ✿ **Bistro 121,** 121 r. Convention (15e) ☏ 45 57 52 90 – AE ◑ E VISA
fermé 14 juil. au 17 août, 23 au 30 déc., dim. soir et lundi – **R** carte 245 à 340.
Spéc. Panaché de homard et de langoustines, Truffe sous la cendre (nov. à mars), Lièvre à la roya

XX **L'Aubergade,** 53 av. Motte Picquet (15e) ☏ 47 83 23 85 – E VISA
fermé 28 mars au 11 avril, août, 19 déc. au 3 janv., dim. soir et lundi – **R** carte 20 270.

XX **La Chaumière des Gourmets,** 22 pl. Denfert-Rochereau (14e) ☏ 43 21 22 59 ◑ E VISA N
fermé août, 7 au 15 mars, sam., dim. et fériés – **R** carte 220 à 320.

XX ✿ **Le Dôme,** 108 bd du Montparnasse (14e) ☏ 43 35 25 81 – ▤. AE ◑ E VISA LM
fermé lundi – **R** carte 205 à 340
Spéc. Langoustines grillées au sel, Ragoût de sole au foie gras, Meunière de homard breton.

XX **Petite Bretonnière,** 2 r. Cadix (15e) ℘ 48 28 34 39 – AE VISA N 7
fermé août, sam.midi et dim. – **R** carte 215 à 250.

XX **Napoléon et Chaix,** 46 r. Balard (15e) ℘ 45 54 09 00, 🍽 – ▤. E VISA M 5
fermé 28 mars au 4 avril, 14 juil. au 15 août, sam. midi et dim. – **R** 162 et carte 190 à 300.

XX **Lous Landès,** 157 av. du Maine (14e) ℘ 45 43 08 04 – ▤. AE ⓓ VISA N 11
fermé dim – **R** carte 180 à 295.

XX ✿ **Pierre Vedel,** 19 r. Duranton (15e) ℘ 45 58 43 17 – VISA. ✂ M 6
fermé 14 au 31 juil., sam. et dim. – **R** (nombre de couverts limité - prévenir) carte 180 à 225
Spéc. Safranade de filets de rascasse (mars à oct.), Blanquette d'huîtres de Bouzigues (oct. à mars), Bourride de lotte à l'aïoli.

XX **La Gauloise,** 59 av. La Motte Piquet (15e) ℘ 47 34 11 64 – AE ⓓ VISA K 8
fermé 24 déc. au 1er janv., sam. et dim. – **R** carte 200 à 260.

XX **Le Copreaux,** 15 r. Copreaux (15e) ℘ 43 06 83 35 – ▤. E VISA M 9
fermé en mai, sam. midi et dim. – **R** 145/175.

XX **Chez Maitre Albert,** 8 r. Abbé Groult (15e) ℘ 48 28 36 98 – AE ⓓ E VISA L 7
fermé lundi – **R** 170 bc.

XX **Didier Bondu,** 7 r. L.-Robert (14e) ℘ 43 20 76 55 – E VISA. ✂ M 12
fermé août et dim. – **R** carte 210 à 285.

XX **L'Étape,** 89 r. Convention (15e) ℘ 45 54 73 49 – VISA M 6
fermé 25 déc. au 1er janv., sam. midi et dim. – **R** 110/170.

XX **Le Clos Morillons,** 50 r. Morillons (15e) ℘ 48 28 04 37 – VISA N 8
fermé sam. midi et dim. – **R** 95/245 bc.

XX **Mina Mahal,** 25 r. Cambronne (15e) ℘ 47 34 26 17, **cuisine indienne** – ▤. AE ⓓ E VISA. ✂ L 8
R 140/360.

XX **Monsieur Lapin,** 11 r. R. Losserand (14e) ℘ 43 20 21 39 – VISA. ✂ N 11
fermé août, sam.midi et lundi – **R** carte 170 à 270.

XX **Vallon de Vérone,** 53 r. Didot (14e) ℘ 45 43 18 87 – E VISA P 11
fermé août, sam. midi et dim. – **R** carte 150 à 260.

XX **Didier Délu,** 85 rue Leblanc (15e) ℘ 45 54 20 49 – AE ⓓ E VISA M 5
fermé Noël au Jour de l'An, sam. midi et dim. – **R** 150 (déj.) et carte 185 à 285, enf. 80.

XX **La Chaumière,** 54 av. F.-Faure (15e) ℘ 45 54 13 91 – AE ⓓ VISA M 7
fermé août, lundi soir et mardi – **R** carte 160 à 220.

X ✿ **La Cagouille** (Allemandou), 10 pl. Brancusi (14e) ℘ 43 22 09 01 M 11
fermé 18 déc. au 2 janv., dim. et lundi – **R** (nombre de couverts limité-prévenir) carte 180 à 275
Spéc. Pétoncles noirs nature (déc. à mars), Merlan à la poêle, St-Jacques et fines herbes (nov. à avril).

X **Clos de la Tour,** 22 r. Falguière (15e) ℘ 43 22 34 73 – AE ⓓ E VISA L 10
fermé 31 juil. au 23 août, sam. midi et dim. – **R** carte 160 à 240.

X **Yves Quintard,** 99 r. Blomet (15e) ℘ 42 50 22 27 – E VISA M 8
fermé 31 juil. au 22 août, sam. midi et dim. – **R** 115/190.

X **Le Caroubier,** 8 av. Maine (15e) ℘ 45 48 14 38, **cuisine nord-africaine** – E VISA
fermé août et dim. – **R** 120 bc/180 bc. L 11

X **Chez Pierre,** 117 r. Vaugirard (15e) ℘ 47 34 96 12 – E VISA L 11
fermé 1er au 25 août, sam. midi du 1er nov. à Pâques et dim. – **R** 110 bc/155 bc.

X **La Bonne Table,** 42 r. Friant (14e) ℘ 45 39 74 91 – E VISA R 11
fermé 4 juil. au 4 août, 25 déc. au 4 janv., sam. et dim. – **R** carte 165 à 255.

X **Bonne Auberge,** 33 r. Volontaires (15e) ℘ 47 34 65 49 – AE ⓓ E VISA M 9
fermé 2 au 10 avril, août, sam. et dim. – **R** carte 130 à 250.

X **Chaumière du Petit Poucet,** 10 r. Desnouettes (15e) ℘ 48 28 60 91 – E VISA N 7
◆ *fermé juil., sam. soir et dim.* – **R** 53/85 ♁.

X **Chez Yvette,** 46 bis bd Montparnasse (15e) ℘ 42 22 45 54. E VISA L 11
fermé août, sam., dim. et fériés – **R** carte 140 à 175.

X **La Hérissonnière,** 104 r. Balard (15e) ℘ 45 54 35 41 – AE ⓓ E VISA. ✂ M 5
fermé août, sam. midi et lundi – **R** 130.

X **La Gitane,** 53 bis av. Motte Picquet (15e) ℘ 47 34 62 92 – VISA K 8
fermé sam. et dim. – **R** carte 120 à 150.

X **Trois Horloges,** 73 r. Brancion (15e) ℘ 48 28 24 08, **cuisine nord-africaine** – AE ⓓ VISA. ✂ N 9
fermé 30 déc. au 10 janv., mardi midi et lundi – **R** carte 130 à 180.

X **La Datcha Lydie,** 7 r. Dupleix (15e) ℘ 45 66 67 77, **cuisine russe** – VISA K 8
fermé 14 juil. au 31 août et merc. – **R** 95 bc/300 bc.

X **Le Troquet,** 21 r. F. Bonvin (15e) ℘ 47 34 66 16. E VISA L 9
fermé août et dim. – **R** carte 90 à 140.

Passy, Auteuil,
Bois de Boulogne,
Chaillot, Porte Maillot.

16e arrondissement.

Park Avenue et Central Park Ⓜ, 55 av. Poincaré ✉ 75116 ✆ 45 53 44 60, Tél 643862 – 🛗 cuisinette ▤ 📺 ☎ – 🏛 400. AE ⦿ E VISA
R *(fermé août, sam., dim. et fériés)* carte 175 à 220 – ☕ 50 – **93 ch** 650/12 12 appart. 1400/2400.

Baltimore et rest. l'Estournel Ⓜ, 88 bis av. Kléber, ✉ 75116 ✆ 45 53 83 Télex 611591 – 🛗 ▤ 📺 ☎ – 🏛 30 à 100. AE ⦿ E VISA
R *(fermé août, sam., dim. et fériés)* 215 – ☕ 50 – **118 ch** 650/1280.

Garden Elysée Ⓜ sans rest, 12 r. St Didier ✉ 75116 ✆ 47 55 01 11, Télex 6481 – 🛗 ▤ 📺 ☎ ♿. AE ⦿ E VISA. ⚔
☕ 50 – **48 ch** 800/1200.

Raphaël, 17 av. Kléber ✉ 75116 ✆ 45 02 16 00, Télex 610356 – 🛗 📺 ☎ – 25 à 50. AE ⦿ E VISA
R 190 – ☕ 65 – **88 ch** 770/1400, 36 appart.

Résidence du Bois 🌿 sans rest, 16 r. Chalgrin, ✉ 75116 ✆ 45 00 50 59, « Bea aménagements, jardin » – 📺 ☎
16 ch ☕ 940/1530, 3 appart. 1750/2175.

Rond-Point de Longchamp et rest. Belles Feuilles Ⓜ, 86 r. Longchamp 75116 ✆ 45 05 13 63, Télex 620653 – 🛗 ▤ rest 📺 ☎. AE ⦿ E VISA
R *(fermé août, 24 déc. au 3 janv., sam. et dim.)* carte 180 à 300 – ☕ 35 – **58** 540/590.

Victor Hugo sans rest, 19 r. Copernic ✉ 75116 ✆ 45 53 76 01, Télex 630939 – 📺 ☎ – 🏛 25. AE ⦿ E VISA. ⚔
☕ 38 – **75 ch** 425/540.

Résidence Bassano Ⓜ sans rest, 15 r. Bassano ✉ 75116 ✆ 47 23 78 23, Té 649872 – 🛗 cuisinette ▤ 📺 ☎. AE ⦿ E VISA. ⚔
☕ 60 – **10 ch** 750/950, 11 appart. 1450/1950.

Floride Etoile Ⓜ sans rest, 14 r. St-Didier ✉ 75116 ✆ 47 27 23 36, Télex 6150 – 🛗 📺 ☎ – 🏛 40. AE ⦿ E VISA
☕ 35 – **60 ch** 595.

Frémiet 🌿 sans rest, 6 av. Frémiet ✉ 75016 ✆ 45 24 52 06, Télex 630329 – 🛗 ☎ ♿. AE ⦿ E VISA
34 ch ☕490/630.

Majestic sans rest, 29 r. Dumont-d'Urville ✉ 75116 ✆ 45 00 83 70 – 🛗 📺 ☎. ⦿ E VISA
☕ 35 – **27 ch** 700/900, 3 appart. 1500.

Massenet sans rest, 5 bis r. Massenet ✉ 75116 ✆ 45 24 43 03, Télex 620682 – 📺 ☎. AE ⦿ E VISA. ⚔
41 ch ☕395/630.

Alexander sans rest, 102 av. Victor-Hugo ✉ 75116 ✆ 45 53 64 65, Télex 610373 🛗 📺 ☎. AE E VISA
60 ch ☕520/790.

Elysées Bassano Ⓜ sans rest, 24 r. Bassano ✉ 75016 ✆ 47 20 49 03, Té 611559 – 🛗 📺 ☎. AE ⦿ E VISA
☕ 30 – **40 ch** 450/650.

Union H. Étoile sans rest, 44 r. Hamelin ✉ 75116 ✆ 45 53 14 95, Télex 611394 🛗 cuisinette 📺 ☎. AE VISA
☕ 32 – **29 ch** 500/580, 13 appart. 700/850.

Résidence Foch sans rest, 10 r. Marbeau ✉ 75116 ✆ 45 00 46 50, Télex 6308 – 🛗 📺 ☎. AE ⦿ E VISA
☕ 25 – **21 ch** 425/580, 4 appart. 700.

Régina de Passy sans rest, 6 r. Tour ✉ 75116 ✆ 45 24 43 64, Télex 630004 – cuisinette 📺 ☎. AE ⦿ E VISA. ⚔ H6
☕ 30 – **60 ch** 430/480.

Kléber sans rest, 7 r. Belloy ✉ 75116 ✆ 47 23 80 22, Télex 612830 – 🛗 📺 ☎. ⦿ E VISA
22 ch ☕535/614.

Sévigné sans rest, 6 r. Belloy ✉ 75116 ✆ 47 20 88 90, Télex 610219 – 🛗 📺 ☎. ⦿ E VISA
☕ 30 – **30 ch** 420/550.

Résidence Kléber Ⓜ sans rest, 97 r. Lauriston ⊠ 75116 ℘ 45 53 83 30, Télex 613106 – 🛗 📺 🛁wc 🚿wc ☎. AE ⓓ E VISA G 7
☕ 30 – **45 ch** 650.

Sylva Pergolèse sans rest, 3 r. Pergolèse ⊠ 75116 ℘ 45 00 38 12, Télex 612245 – 🛗 📺 🛁wc ☎. AE ⓓ E VISA E 6
☕ 30 – **37 ch** 445/485.

Ambassade Ⓜ sans rest, 79 r. Lauriston ⊠ 75116 ℘ 45 53 41 15, Télex 613643 – 🛗 📺 🛁wc 🚿wc ☎. AE ⓓ E VISA. ✂ G 7
fermé Noël au Jour de l'An – ☕ 28 – **38 ch** 320/425.

Murat Ⓜ sans rest, 119 bis bd Murat ⊠ 75016 ℘ 46 51 12 32, Télex 648963 – 🛗 📺 🛁wc 🚿wc ☎. AE VISA. ✂ M 3
☕ 28 – **28 ch** 320/450.

Passy Eiffel sans rest, 10 r. Passy ⊠ 75016 ℘ 45 25 55 66, Télex 612753 – 🛗 ⇔ 📺 🛁wc 🚿wc ☎. AE ⓓ E VISA J 6
☕ 25 – **50 ch** 410/480.

Longchamp sans rest, 68 r. Longchamp ⊠ 75116 ℘ 47 27 13 48, Télex 610342 – 🛗 📺 🛁wc 🚿wc ☎. AE ⓓ E VISA G 6
☕ 32 – **23 ch** 450/500.

Beauséjour Ranelagh sans rest, 99 rue Ranelagh ⊠ 75016 ℘ 42 88 14 39, Télex 614072 – 🛗 📺 🛁wc 🚿wc ☎. AE J 4
☕ 25 – **30 ch** 320/500.

Queen's H. sans rest, 4 r. Bastien Lepage ⊠ 75016 ℘ 42 88 89 85 – 🛗 📺 🛁wc 🚿wc ☎. AE E VISA. ✂ K 4
☕ 20 – **22 ch** 210/430.

Keppler sans rest, 12 r. Keppler ⊠ 75116 ℘ 47 20 65 05, Télex 620440 – 🛗 📺 🛁wc 🚿wc ☎. AE E VISA. ✂ F 8
☕ 22 – **49 ch** 270/320.

Eiffel Kennedy sans rest, 12 r. Boulainvilliers ⊠ 75016 ℘ 45 24 45 75, Télex 614895 – 🛗 📺 🛁wc 🚿wc ☎. AE ⓓ E VISA. ✂ J 5
☕ 25 – **30 ch** 390/440.

XXXX ✿✿ **Faugeron,** 52 r. Longchamp ⊠ 75116 ℘ 47 04 24 53 – ▤. E VISA. ✂ G 7
fermé août, 24 déc. au 2 janv., sam. et dim. – **R** 255 (déj.) et carte 345 à 440
Spéc. St-Jacques à l'exotique (oct. à avril), Crépinette de lapin mijotée (mai à sept.), Soufflé au chocolat.

XXXX ✿✿✿ **Jamin** (Robuchon), 32 r. Longchamp ⊠ 75116 ℘ 47 27 12 27 – ▤. VISA G 7
fermé 4 au 31 juil., sam. et dim. – **R** (nombre de couverts limité - prévenir) carte 400 à 650
Spéc. Gelée de caviar à la crème de chou-fleur, Galette de truffes (déc. à fin mars), Canette rosée aux fines épices (avril à sept.).

XXXX ✿✿ **Vivarois** (Peyrot), 192 av. V.-Hugo ⊠ 75116 ℘ 45 04 04 31 – ▤. AE ⓓ VISA G 5
fermé août, sam. et dim. – **R** 270 bc (déj.) et carte 270 à 460
Spéc. St-Jacques aux pois gourmands (oct. à avril), Pigeon grillé dijonaise, Parfait glacé au nougat.

XXX ✿ **Toit de Passy** (Jacquot) (6e étage), 94 av. P.-Doumer ⊠ 75016 ℘ 45 24 55 37, 🏖 – ▤ Ⓟ. E VISA H J 5
fermé 20 déc. au 9 janv., sam. (sauf le soir du 3 sept. au 20 déc.), dim. et fériés – **R** 225 (déj.) et carte 310 à 400
Spéc. Soupe d'huîtres au beurre de truffes (1er oct. au 15 avril), Pigeon en croûte de sel, Millefeuille aux fruits rouges (15 mai au 30 sept.).

XXX ✿✿ **Le Petit Bedon** (Ignace), 38 r. Pergolèse ⊠ 75116 ℘ 45 00 23 66 – ▤. AE ⓓ E VISA F 6
fermé août, sam. et dim. – **R** 260 bc (déj.) et carte 245 à 380
Spéc. Tourteau, Foie gras de canard aux raisins, Ris de veau aux morilles et girolles.

XXX ✿ **Michel Pasquet,** 59 r. La Fontaine ⊠ 75016 ℘ 42 88 50 01 – ▤. AE ⓓ E VISA K 4
fermé mi-juil. à mi-août, 23 au 28 déc., sam. midi et dim. – **R** 160 (déj.) et carte 285 à 370
Spéc. Perles de la Caspienne en feuilleté, Filets de rouget barbet grillés au vin et à la moelle, Gibier (saison).

XXX **Sully d'Auteuil,** 78 r. d'Auteuil ⊠ 75016 ℘ 46 51 71 18, 🏖 – ▤. AE E VISA K 3
fermé août, sam. midi et dim. – **R** 265 bc/350 bc.

XXX **Prunier Traktir,** 16 av. Victor Hugo ⊠ 75116 ℘ 45 00 89 12 – ▤. AE ⓓ E VISA F 7
fermé lundi – **R** 260 (déj.) et carte 290 à 380.

XXX **Ferrero,** 38 r. Vital ✉ 75016 ☎ 45 04 42 42 – AE ⓓ VISA H 5
fermé 1er au 12 mai, 14 août au 1er sept., 23 déc. au 3 janv., sam. et dim. – **R** carte 275 à 425.

XXX ❀ **Patrick Lenôtre,** 28 r. Duret ✉ 75116 ☎ 45 00 17 67 – ▤. AE ⓓ VISA F 6
fermé 9 juil. au 9 août, sam. midi et dim. – **R** carte 320 à 410
Spéc. Turbotin rôti aux herbes émulsionnées, Suprêmes de pigeonneau grillés et légumes étuvés au jus, Millefeuille chaud aux amandes et aux poires.

XXX **Tsé-Yang,** 25 av. Pierre 1er de Serbie ✉ 75016 ☎ 47 20 68 02, cuisine chinoise – ▤. AE ⓓ E VISA G 8
R carte 190 à 315.

XXX **Pavillon des Princes,** 69 av. Porte d'Auteuil ✉ 75016 ☎ 47 43 15 15, 余 – AE ⓓ VISA K 1
R 225, enf. 165.

XXX **Shogun,** Port Debilly, bâteau Nomadic ✉ 75116 ☎ 47 20 05 04, ←, cuisine japonaise – Ⓟ. AE ⓓ E VISA. ✻ H 7
fermé lundi – **R** carte 195 à 320.

XXX **Ramponneau,** 21 av. Marceau ✉ 75116 ☎ 47 20 59 51 – AE ⓓ VISA G 8
fermé août – **R** carte 230 à 355.

XX **Relais d'Auteuil,** 31 bd. Murat ✉ 75016 ☎ 46 51 09 54. AE ⓓ E VISA L 3
fermé sam. midi et dim. – **R** 150 (déj.) et carte 210 à 280.

XX **Al Mounia,** 16 r. Magdebourg ✉ 75116 ☎ 47 27 57 28, cuisine marocaine – AE. ✻ G 7
fermé 15 juil. au 31 août et dim. – **R** carte 155 à 210.

XX **Giulio Rebellato,** 136 rue Pompe ✉ 75116 ☎ 47 27 50 26, cuisine italienne. VISA. ✻ G 6
fermé août, sam. midi et dim. – **R** carte 160 à 280.

XX **Paul Chêne,** 123 r. Lauriston ✉ 75116 ☎ 47 27 63 17 – ▤. AE ⓓ E VISA G 6
fermé août, 24 déc. au 3 janv., sam. et dim. – **R** carte 275 à 420.

XX ❀ **Conti,** 72 r. Lauriston ✉ 75116 ☎ 47 27 74 67 – ▤. AE ⓓ VISA G 7
fermé sam. et dim. – **R** carte 240 à 350
Spéc. Rigatoni verde à la moelle et aux truffes (déc. à mars), St-Jacques aux poivrons doux (nov. à avril), Moelleux aux amandes (déc. à avril).

XX **La Petite Tour,** 11 r. Tour ✉ 75016 ☎ 45 20 09 31 – AE ⓓ E VISA H 6
fermé août et dim. – **R** carte 195 à 300.

XX **Sous l'Olivier,** 15 r. Goethe ✉ 75016 ☎ 47 20 84 81 – E VISA G 8
fermé sam., dim. et fériés – **R** carte 180 à 240.

XX **Palais du Trocadéro,** 7 av. d'Eylau ✉ 75016 ☎ 47 27 05 02, cuisine chinoise – ▤. AE E VISA H 6
R carte 150 à 210.

XX **Le Gd Chinois,** 6 av. New York ✉ 75016 ☎ 47 23 98 21, cuisine chinoise – AE ⓓ H 8
fermé août et lundi – **R** 110 (déj.) et carte 125 à 195.

X **Brasserie de la Poste,** 54 r. Longchamp ✉ 75116 ☎ 47 55 01 31. AE VISA G
R carte 110 à 170.

X **Beaujolais d'Auteuil,** 99 bd Montmorency ✉ 75016 ☎ 47 43 03 56, 余 – AE VISA K
fermé sam. midi, dim. et fériés – **R** 92 bc.

X **Le Valéry,** 55 r. Lauriston ✉ 75116 ☎ 45 53 55 48 – E VISA F
fermé août, sam. et dim. – **R** carte 160 à 270.

Au Bois de Boulogne :

XXXX ❀❀ **Pré Catelan,** ✉ 75016 ☎ 45 24 55 58, Télex 614983, 余, 屏 – Ⓟ. AE ⓓ E VISA H
fermé vacances de fév., dim.soir et lundi – **R** carte 360 à 490
Spéc. Soufflé d'oursins (1er oct. au 31 mars), Turbot à la graine de moutarde (1er oct. au 1er mai), Cornets florentins (1er oct. au 1er mai).

XXXX ❀ **Grande Cascade,** ✉ 75016 ☎ 45 27 33 51, 余 – Ⓟ. AE ⓓ E VISA
fermé 20 déc. au 20 janv. – **R** *(du 1er nov. au 15 avril déj. seul.)* 240 et carte 335 à 41…
Spéc. Langoustines rôties aux parfums de Provence (mai à fin sept.), Rosette de boeuf au foie gra… Panaché de poissons aux pâtes fraîches.

Clichy, Ternes, Wagram.

17e arrondissement.
17e : ✉ 75017

Méridien Ⓜ, 81 bd Gouvion-St-Cyr (pte Maillot) ✆ 47 58 12 30, Télex 290952 – ▯ ▤ TV ☎ – 🚗 – 100 à 1 100. AE ⓓ E VISA. ✗ rest E 6
R voir rest. **Clos de Longchamp** ci-après - **Café l'Arlequin R** carte 145 à 210 - **Le Yamato** (rest. japonais) *(fermé août, dim. et lundi)* **R** carte 135 à 175 - **La Maison Beaujolaise** *(fermé août)* **R** carte 115 à 170 ⅉ – ☐ 74 – **1012 ch** 1030/1700, 15 appart.

Concorde Lafayette Ⓜ, 3 pl. Gén.-Koenig ✆ 47 58 12 84, Télex 650892, « Bar panoramique au 34e étage » – ▯ cuisinette ⇔ ch ▤ TV ☎ – 4 000. AE ⓓ E VISA E 6
R voir rest. **Étoile d'Or** ci-après - **L'Arc-en-Ciel R** 200/240 ⅉ, enf. 88 - **Les Saisons** (Coffee shop) **R** carte 120 à 170, ⅉ – ☐ 60 – **940 ch** 800/1450, 27 appart.

Splendid Etoile sans rest, 1 bis av. Carnot ✆ 43 80 14 56, Télex 280773 – ▯ TV ☎. ⓓ E VISA. ✗ F 7
☐ 55 – **54 ch** 600/850, 3 appart. 950.

Regent's Garden ♨ sans rest, 6 r. P.-Demours ✆ 45 74 07 30, Télex 640127, « Jardin » – ▯ TV ☎. AE ⓓ E VISA E 7
☐ 32 – **40 ch** 560/850.

Pierre Ⓜ sans rest, 25 r. Th.-de-Banville ✆ 47 63 76 69, Télex 643003 – ▯ TV ☎ ♿ – 50. AE ⓓ E VISA D 8
☐ 35 – **50 ch** 495/590.

Résidence St Ferdinand Ⓜ sans rest, 36 r. St Ferdinand ✆ 45 72 66 66, Télex 649565 – ▯ ▤ TV ☎. AE ⓓ E VISA E 6-7
42 ch ☐550/680.

Balmoral sans rest, 6 r. Gén.-Lanrezac ✆ 43 80 30 50, Télex 642435 – ▯ TV ☎. AE ⓓ E VISA E 7
☐ 30 – **57 ch** 400/500.

Mercure Ⓜ sans rest, 27 av. Ternes ✆ 47 66 49 18, Télex 650679 – ▯ ▤ TV ☎. AE ⓓ E VISA E 8
☐ 40 – **56 ch** 500/525.

Magellan ♨ sans rest, 17 r. J.B.-Dumas ✆ 45 72 44 51, Télex 660728, 🌳 – ▯ TV ☎. AE ⓓ E VISA D 7
75 ch ☐390/413.

De Neuville Ⓜ, 3 pl. Verniquet ✆ 43 80 26 30, Télex 648822 – ▯ TV ⛀wc ☎. AE ⓓ E VISA C 8
R *(fermé août, sam. et dim.)* carte 120 à 160 ⅉ – ☐ 28 – **28 ch** 455/595.

Étoile Pereire Ⓜ ♨ sans rest, 146 bd Péreire ✆ 42 67 60 00 – ▯ TV ⛀wc ⛆wc ☎. AE ⓓ E VISA. ✗ D 7
☐ 40 – **21 ch** 390/550, 5 appart. 790.

Banville sans rest, 166 bd Berthier ✆ 42 67 70 16, Télex 643025 – ▯ TV ⛀wc ⛆wc ☎. AE E VISA D 8
40 ch ☐430/460.

Belfast sans rest, 10 av. Carnot ✆ 43 80 12 10, Télex 642777 – ▯ TV ⛀wc ⛆wc ☎. AE ⓓ E VISA E 7
☐ 33 – **54 ch** 430/585.

Régence-Étoile sans rest, 24 av. Carnot ✆ 43 80 75 60, Télex 641914 – ▯ TV ⛀wc ⛆wc ☎. AE E VISA. ✗ E 7
☐ 32 – **38 ch** 380/480.

Acacias Étoile Ⓜ sans rest, 11 rue Acacias ✆ 43 80 60 22, Télex 643551 – ▯ TV ⛀wc ⛆wc ☎. AE ⓓ E VISA E 7
☐ 28 – **37 ch** 410/510.

Cheverny Ⓜ sans rest, 7 Villa Berthier ✆ 43 80 46 42, Télex 648848 – ▯ TV ⛀wc ⛆wc ☎. AE ⓓ E VISA. ✗ D 7
☐ 25 – **26 ch** 350/590.

Monceau sans rest, 7 r. Rennequin ✆ 47 63 07 52, Télex 649094 – ▯ TV ⛀wc ⛆wc ☎. E VISA. ✗ E 8
☐ 25 – **25 ch** 300/380.

Star H. Étoile sans rest, 18 r. Arc de Triomphe ✆ 43 80 27 69, Télex 643569 – ▯ TV ⛀wc ⛆wc ☎. AE ⓓ E VISA E 7
☐ 32 – **62 ch** 440/590.

Royal Magda sans rest, 7 r. Troyon ☎ 47 64 10 19, Télex 641068 – wc ☎. AE ◉ E VISA E 8
28 – **28 ch** 440/460, 10 appart. 530/580.

Monceau Étoile sans rest, 64 r. de Levis ☎ 42 27 33 10, Télex 643170 – wc wc ☎. E VISA. D 10
26 – **26 ch** 400/440.

Courcelles M sans rest, 184 r. Courcelles ☎ 47 63 65 30, Télex 642252 – wc wc ☎. AE ◉ E VISA D 8
25 – **42 ch** 415/470.

Mercédès sans rest, 128 av. Wagram ☎ 42 27 77 82, Télex 660751 – wc wc ☎. AE ◉ E VISA D 9
28 – **37 ch** 396.

Stella sans rest, 20 av. Carnot ☎ 43 80 84 50, Télex 660845 – wc wc ☎. AE ◉ E VISA E 7
30 – **36 ch** 300/470.

Empire H. sans rest, 3 r. Montenotte ☎ 43 80 14 55, Télex 643232 – wc wc ☎. AE ◉ E VISA. E 8
30 – **47 ch** 280/495.

Trois Couronnes M sans rest, 30 r. Arc-de-Triomphe ☎ 43 80 46 81, Télex 660182 – wc wc ☎. AE ◉ E VISA E 7
25 – **20 ch** 395/450.

Tivoli Étoile sans rest, 7 r. Brey ☎ 43 80 31 22, Télex 643107 – wc ☎. AE ◉ E VISA E 8
30 ch 350/600.

Astor Elysées sans rest, 36 r. P.-Demours ☎ 42 27 44 93, Télex 650078 – wc wc ☎. E VISA. D 8
25 – **48 ch** 285/490.

Palma sans rest, 46 r. Brunel ☎ 45 74 74 51, Télex 660183 – wc wc ☎. E VISA. E 7
20 – **37 ch** 270/340.

Prima H., 167 r. Rome ☎ 46 22 21 09, Télex 642186 – wc wc ☎. AE ◉ E VISA C 10
R *(fermé dim.)* 80/110 – 25 – **30 ch** 250/290.

Astrid sans rest, 27 av. Carnot ☎ 43 80 56 20, Télex 642065 – wc wc ☎. E VISA E 7
40 ch 230/400.

Néva sans rest, 14 r. Brey ☎ 43 80 28 26, Télex 649041 – wc wc ☎. AE ◉ E VISA. E 8
25 – **35 ch** 330/420.

Bel'Hôtel sans rest, 20 r. Pouchet ☎ 46 27 34 77, Télex 642396, – wc ☎. E VISA B 11
fermé août – 23 – **30 ch** 130/320.

XXXX ✿✿ **Michel Rostang,** 20 r. Rennequin ☎ 47 63 40 77, Télex 649629 – ▤. VISA D
fermé 1er au 15 août, sam. soir d'avril à août, sam. midi, dim. et fériés – **R** 230 (déj.) et carte 345 à 430
Spéc. Tarte tiède et croustillante de saumon cru, Galette d'artichauts aux truffes fraîches (déc. mars), Canette de Bresse au sang.

XXXX ✿✿ **Guy Savoy,** 18 r. Troyon ☎ 43 80 40 61 – ▤. VISA. E
fermé 14 juil. au 7 août, sam. (sauf le soir d'oct. à mai) et dim. – **R** carte 285 à 435
Spéc. Huîtres en nage glacée, Aiguillettes et foie de canard aux épinards et vinaigre, Terrine de pamplemousse sauce au thé.

XXXX ✿ **Le Clos de Longchamp** -Hôtel Méridien-, 81 bd Gouvion-St-Cyr (Pte Maillot) ☎ 47 58 12 30 – ▤. AE ◉ E VISA. E
fermé sam. et dim. – **R** carte 280 à 400
Spéc. Lasagnes de champignons au parmesan, Suprême de bar de ligne poêlé au beurre d'épices, Duo de pigeon et d'écrevisses.

XXXX ✿ **Étoile d'Or** -Hôtel Concorde Lafayette-, 3 pl. Gén.-Koenig ☎ 47 58 12 84 – ▤. AE ◉ E VISA E
fermé 14 juil. au 15 août – **R** 198 et carte 265 à 350
Spéc. Foie gras de canard poêlé aux échalotes, Suprême de barbue aux huîtres, Beuchelle "Edouard Nignon".

XXX ❀ **Timgad** (Laasri), 21 r. Brunel ✆ 45 74 23 70, cuisine du Maghreb, « Décor mauresque » – ▤. AE ◑ E VISA. ✈ E 7
R 200/300
Spéc. Couscous, Tagine.

XXX ❀ **Manoir de Paris,** 6 r. Pierre-Demours ✆ 45 72 25 25 – ▤. AE ◑ VISA E 7
fermé 12 au 31 juil., sam. et dim. – **R** 300 bc (déj.) et carte 260 à 345
Spéc. Fumet de truffes en gelée, Volaille fermière de Loué infusée aux herbes (nov. à avril), Cuissot de porcelet aux condiments (nov.à mars).

XXX ❀❀ **Apicius** (Vigato), 122 av. Villiers ✆ 43 80 19 66 – ▤. AE VISA D 8
fermé août, 24 déc. au 4 janv., sam. et dim. – **R** carte 305 à 365
Spéc. Foie gras de canard poêlé en aigre doux, Panaché de poissons à l'huile d'olive, Grand dessert au chocolat amer.

XXX **Maître Corbeau,** 6 r. Armaillé ✆ 42 27 19 20 – ▤. AE ◑ E VISA E 7
fermé 10 au 27 juil., 31 janv. au 17 fév., dim. soir et lundi – **R** 190 (déj.) et carte 200 à 300.

XXX ❀ **Michel Comby,** 116 bd Péreire ✆ 43 80 88 68 – AE ◑ VISA D 8
fermé sam. (sauf le soir de juin à oct.) et dim. – **R** 170 (déj.) et carte 250 à 350
Spéc. Feuilleté de grenouilles, Foie gras poêlé aux pommes-fruits, Rosace d'orange et sorbet chocolat.

XXX ❀ **Sormani** (Fayet), 4 r. Gén.-Lanrezac ✆ 43 80 13 91 – VISA. ✈ E 7
fermé 2 au 10 avril, 1er au 23 août, 24 déc. au 3 janv., sam., dim. et fériés – **R** carte 240 à 320
Spéc. Fritto Misto del mare, Assiette de pâtes fraîches, Salade de cèpes crus au parmesan (24 août au 30 sept.).

XXX **Alain Morel,** 123 av. Wagram ✆ 42 27 61 50, ☂ – VISA D 8
fermé sam. midi et dim. – **R** carte 250 à 380.

XXX ❀ **Paul et France** (Romano), 27 av. Niel ✆ 47 63 04 24 – ▤. AE ◑ E VISA. ✈ D 8
15 juil.-15 août et fermé sam. et dim. – **R** 300 bc/400
Spéc. Oeufs brouillés aux oursins (saison), Ravioles de tourteaux, Rognon de veau Paul-France.

XX **Chez Augusta,** 98 r. Tocqueville ✆ 47 63 39 97 – AE ◑ VISA C 9
fermé août, dim. et fériés – **R** carte 195 à 275.

XX **Andrée Baumann,** 64 av. Ternes ✆ 45 74 16 66 – ▤. AE ◑ E VISA E 7
R carte 165 à 225 ♫.

XX ❀ **Le Petit Colombier** (Fournier), 42 r. Acacias ✆ 43 80 28 54 – VISA E 7
fermé 1er au 18 août, dim. midi et sam. – **R** 180 (déj.) et carte 200 à 290
Spéc. Gâteau de brochet au beurre de caviar, Rôti de foie de veau Paysanne, Civet de lièvre à la française (oct. à janv.).

XX **Ma Cuisine,** 18 r. Bayen ✆ 45 72 02 19 – ▤. E VISA E 8
fermé sam. midi et dim. – **R** 165 (déj.) et carte 190 à 300.

XX **Lajarrige,** 16 av. Villiers ✆ 47 63 25 61 – E VISA D 10
fermé sam. midi et dim. – **R** carte 190 à 260.

XX **La Braisière,** 54 r. Cardinet ✆ 47 63 40 37 – AE E VISA D 9
fermé 6 août au 6 sept., sam. et dim. – **R** carte 190 à 280.

XX **Santenay,** 75 av. Niel ✆ 42 27 88 44 – AE ◑ E VISA D 8
fermé 1er au 20 août, dim. soir et lundi – **R** carte 185 à 295.

XX **Le Beudant,** 97 r. des Dames ✆ 43 87 11 20 – ▤. AE ◑ VISA D 11
fermé sam. midi et dim. – **R** carte 195 à 300.

XX **Gourmand Candide,** 6 pl. Mar. Juin ✆ 43 80 01 41 – AE ◑ E VISA D 8
fermé 1er au 15 août, sam. midi et dim. – **R** carte 200 à 350.

XX **Épicure,** 22 r. Fourcroy ✆ 47 63 34 00 – E VISA D 8
fermé dim. – **R** 175 (déj.) dîner à la carte 195 à 270.

XX **La Grosse Tartine,** 91 bd Gouvion St Cyr ✆ 45 74 02 77 – ▤. AE ◑ E VISA E 6
R carte 165 à 255.

XX **Chez Laudrin,** 154 bd Péreire ✆ 43 80 87 40 – AE E VISA D 7
fermé sam. et dim. – **R** carte 205 à 310.

XX **La Coquille,** 6 r. Débarcadère ✆ 45 74 25 95 – ▤. AE ◑ E VISA E 7
fermé août, 24 déc. au 2 janv., dim. et lundi – **R** carte 220 à 350.

XX ❀ **La Petite Auberge** (Harbonnier), 38 r. Laugier ✆ 47 63 85 51 – ◑ E VISA D 7-8
fermé août, dim., lundi et fériés – **R** (nombre de couverts limité - prévenir) 230/300
Spéc. Délice de Maryvonne, Turbot Camille Renault, Millefeuille.

XX **L'Écrevisse,** 212 bis bd Péreire ✆ 45 72 17 60 – ▤. AE ◑ E VISA E 6
fermé août, sam. midi et dim. – **R** 230 bc/300 bc.

XX **La Gourmandine,** 26 r. d'Armaillé ✆ 45 72 00 82 – AE ◑ E VISA E 7
fermé 14 au 30 août, dim. et lundi – **R** 145 bc/250.

XX **Michel Clavé,** 10 r. Villebois Mareuil ✆ 45 72 39 30 – AE ◑ E VISA E 7
fermé août, sam. midi et dim. – **R** carte 190 à 280.

XX **Epicure 108,** 108 r. Cardinet ✆ 47 63 50 91 – VISA D 10
fermé sam. midi et dim. – **R** 175.

XX ❀ **Chez Guyvonne** (Cros), 14 r. Thann ✆ 42 27 25 43 – VISA D 1
fermé 9 juil. au 1er août, 24 déc. au 9 janv., sam. et dim. – **R** carte 250 à 300
Spéc. Langoustines aux girolles et artichauts, Brochet à la fondue de poireaux, Emincé de rogno de veau au vin de Cornas.

XX **Chez Georges,** 273 bd Pereire ✆ 45 74 31 00 – VISA E
fermé août – **R** carte 170 à 260.

XX **Cap Dauphin,** 94 bd Batignolles ✆ 43 87 26 84 – ▤. AE ⓓ E VISA D 1
fermé sam. midi, dim. et fêtes – **R** carte 165 à 275.

XX **Relais d'Anjou,** 15 r. Arc de Triomphe ✆ 43 80 43 82 – ⓓ E VISA. ✂ E
fermé 13 juil. au 17 août, sam. midi et dim. – **R** 140/220.

XX **Le Gouberville,** 1 pl. Ch. Fillion ✆ 46 27 33 37, ☂ – E VISA C 10-1
fermé 1er au 22 août, dim. et lundi – **R** 125.

XX **La Toque,** 16 r. Tocqueville ✆ 42 27 97 75 – VISA D 1
fermé 23 juil. au 22 août, 23 déc. au 2 janv., sam. et dim. – **R** carte 165 à 280.

XX **Le Troyon,** 4 r. Troyon ✆ 43 80 57 02 – VISA E
fermé juil. et dim. – **R** carte 150 à 270.

X **Chez Léon,** 32 r. Legendre ✆ 42 27 06 82 – ⓓ E VISA D 1
fermé août, vacances de fév., sam. et dim. – **R** 135.

X **Pommeraie Jouffroy,** 36 r. Jouffroy ✆ 42 27 39 41, ☂ – ▤. AE ⓓ E VISA D
fermé 1er au 30 août et dim. – **R** 120 bc.

X **La Soupière,** 154 av. Wagram ✆ 42 27 00 73 – ▤. AE E VISA D
fermé 13 au 21 août – **R** carte 170 à 255.

X **Bistrot d'à Côté,** 10 r. G. Flaubert ✆ 42 67 05 81 – E VISA D
fermé 1er au 15 août, sam. midi, dim. et fériés – **R** carte 110 à 185.

X ❀ **Mère Michel** (Gaillard), 5 r. Rennequin ✆ 47 63 59 80 – VISA E
fermé 2 au 10 avril, août, sam., dim. et fériés – **R** (nombre de couverts limité prévenir) carte 180 à 235
Spéc. Poissons au beurre blanc, Cressonnette de foies de volaille au Xérès, Omelette soufflée à liqueur.

X **Le Messager,** 101 av. Ternes ✆ 45 74 87 07, ☂ – ▤. AE E VISA E
fermé dim. – **R** carte 110 à 180.

Montmartre, La Villette, Belleville.

18e, 19e et 20e arrondissements.
18e : ✉ 75018
19e : ✉ 75019
20e : ✉ 75020

Terrass'H. Ⓜ, 12 r. J.-de-Maistre (18e) ✆ 46 06 72 85, Télex 280830 – ⧉ ▤ res TV ☎ ♿ – 🏟 30. AE ⓓ E VISA C
Le Guerlande *(fermé août)* **R** carte 170 à 260 - **L'Albaron R** carte 105 à 150 🍷 – **95 c** ☕ 550/850, 13 appart. 850/990 – 1/2 p 490/655.

Mercure Porte de Pantin Ⓜ, à Pantin 25 r. Scandicci ✉ 93500 Pantin ✆ 48 4 70 66, Télex 230742 – ⧉ ▤ TV ☎ 🚗 – 🏟 25 à 150. AE ⓓ E VISA B
R *(fermé dim. midi et sam.)* carte 150 à 210, enf. 40 – ☕ 40 – **138 ch** 505/750, appart. 750.

Mercure Paris Montmartre Ⓜ sans rest, 1 r. Caulaincourt (18e) ✆ 42 94 17 1 Télex 640605 – ⧉ ▤ TV ☎ ♿. AE ⓓ E VISA D
☕ 45 – **308 ch** 545/575.

Palma Ⓜ sans rest, 77 av. Gambetta (20e) ✆ 46 36 13 65, Télex 216056 – ⧉ wc wc ☎. AE E VISA. ✂ G
☕ 21 – **32 ch** 270/300.

Regyn's Montmartre sans rest, 18 pl. Abbesses (18e) ✆ 42 54 45 21 – ⧉ wc wc ☎. VISA D
☕ 22 – **22 ch** 270/330.

Super H., 208 r. Pyrénées (20e) ✆ 46 36 97 48, Télex 215588 – ⧉ ▤ rest wc wc ☎. VISA G
hôtel : fermé août ; rest. : fermé 10 au 20 août et dim. – **R** carte 125 à 185 🍷 – **28 c** ☕ 199/399.

Pyrénées Gambetta sans rest, 12 av. Père Lachaise (20e) ✆ 47 97 76 57, Télé 213533 – ⧉ TV wc wc ☎ H
☕ 21 – **30 ch** 120/300.

H. Le Laumière sans rest, 4 r. Petit (19e) ✆ 42 06 10 77 – ⧉ wc ☎. VISA D
☕ 20 – **54 ch** 120/250.

Prima-Lepic sans rest, 29 r. Lepic (18e) ✆ 46 06 44 64, Télex 281162 – wc wc. E VISA. D 13
26 – **35 ch** 180/265.

Roma Sacré Coeur M sans rest, 101 r. Caulaincourt (18e) ✆ 42 62 02 02, Télex 643492 – TV wc wc. AE E VISA C 14
20 – **57 ch** 335/340.

Capucines Montmartre sans rest, 5 r. A.-Bruant (18e) ✆ 42 52 89 80, Télex 281648 – TV wc wc. AE E VISA D 13
25 – **29 ch** 250/300.

Eden H. sans rest, 90 r. Ordener (18e) ✆ 42 64 61 63, Télex 290504 – TV wc wc. AE E VISA. B 14
20 – **35 ch** 175/290.

Luxia sans rest, 8 r. Seveste (18e) ✆ 46 06 84 24 – wc. AE VISA D 14
17 – **48 ch** 140/270.

XXX ✿ **Beauvilliers** (Carlier), 52 r. Lamarck (18e) ✆ 42 54 54 42, « Décor original, terrasse » – E VISA. C 14
fermé 28 août au 12 sept., lundi midi et dim. – **R** carte 315 à 395
Spéc. St-Jacques aux endives et curry (nov. à mi-avril), Manchons de veau sur coussin d'oseille, Gibier (saison).

XXX ✿ **Cochon d'Or,** 192 av. J.-Jaurès (19e) ✆ 46 07 23 13 – AE E VISA C 20
R carte 210 à 350
Spéc. Filets de sole, Viandes et abats, Coeur de filet poêlé au foie gras et au miel.

XXX **Pavillon Puebla,** Parc Buttes Chaumont, entrée : angle av. S. Bolivar-r. Botzaris (19e) ✆ 42 08 92 62, ←, « Agréable situation dans le parc », – P. E VISA
fermé dim. et lundi – **R** carte 225 à 315. E 19

XXX **Charlot 1er "Merveilles des Mers",** 128 bis bd Clichy (18e) ✆ 45 22 47 08, produits de la mer – AE E VISA D 12
fermé 24 juil. au 25 août – **R** carte 250 à 350.

XX **Le Clodenis,** 57 r. Caulaincourt (18e) ✆ 46 06 20 26. AE E VISA. C 13
fermé dim. et lundi – **R** 180 (déj.) et carte 280 à 350.

XX **Sanglier Bleu,** 102 bd Clichy (18e) ✆ 46 06 07 61 – AE E VISA. D 12
fermé août et sam. midi – **R** 110/165.

XX **Deux Taureaux,** 206 av. J.-Jaurès (19e) ✆ 46 07 39 31 – AE VISA C 21
fermé sam. et dim. – **R** carte 135 à 215.

XX **Relais Pyrénées,** 1 r. Jourdain (20e) ✆ 46 36 65 81 – AE VISA F 20
fermé août et sam. – **R** carte 230 à 360.

XX **Au Clair de la Lune,** 9 r. Poulbot (18e) ✆ 42 58 97 03. AE E VISA D 14
fermé vacances de fév., lundi midi et dim. – **R** 165.

XX **Boeuf Couronné,** 188 av. J.-Jaurès (19e) ✆ 46 07 89 52 – AE E VISA C 20
fermé dim. – **R** carte 160 à 270.

XX **Grandgousier,** 17 av. Rachel (18e) ✆ 43 87 66 12. AE E VISA D 12
fermé 12 au 23 août, sam. midi et dim. – **R** 125.

XX **La Chaumière,** 46 av. Secrétan (19e) ✆ 46 07 98 62 – AE E VISA E 18
fermé dim. – **R** 72/138 bc.

XX **Chez Frézet,** 181 r. Ordener (18e) ✆ 46 06 64 20 – AE VISA B 13
fermé août, sam. et dim. – **R** 150.

X **La Marbouille,** 41 r. Trois Frères (18e) ✆ 42 64 49 15 – AE E VISA D 14
fermé dim. – **R** (dîner seul.) 150.

X **Poulbot Gourmet,** 39 r. Lamark (18e) ✆ 46 06 86 00 – VISA C 14
fermé dim. – **R** carte 150 à 235.

X **Cottage Marcadet,** 160 r. Marcadet (18e) ✆ 42 57 71 22 – E VISA C 13
fermé dim. sauf midi d'oct. à Pâques – **R** 150 bc.

X **Relais Normand,** 32 bis r. d'Orsel (18e) ✆ 46 06 92 57 – AE E VISA D 14
fermé 1er au 15 août et lundi – **R** 65/108.

X **Le Pichet,** 174 r. Ordener (18e) ✆ 46 27 85 28 – VISA B 13
fermé 3 au 10 avril, août, jeudi soir et dim. – **R** carte 105 à 195.

X **Marie-Louise,** 52 r. Championnet (18e) ✆ 46 06 86 55 – VISA B 15
fermé 31 juil. au 2 sept., dim., lundi et fériés – **R** carte 110 à 165.

X **Le Sancerre,** 13 av. Corentin Cariou (19e) ✆ 40 36 80 44 – VISA B 19
fermé août, sam. et dim. – **R** carte 140 à 210.

X **Au Bistrot du Port,** 50 quai Loire (19e) ✆ 46 07 43 96 – VISA D 18
fermé août, sam. et dim. – **R** (déj. seul.) carte 145 à 200.

Environs

25 km environ autour de Paris

Pour appeler de province les localités suivantes, composez le 1 avant le numéro à 8 chiffres.

F 15 : Ces lettres et ces chiffres correspondent au carroyage des **plans Michelin Banlieue de Paris** nº 18, nº 20, nº 22, nº 24.

Alfortville 94140 Val-de-Marne 101 ㉖, 24 – 36 252 h.

Voir Charenton : musée du Pain★ N : 2 km, G. Paris.

Paris 9 – Créteil 4 – Maisons-Alfort 1,5 – Melun 36.

Printemps, 63 r. Véron ☎ 43 75 30 87 – TV wc. VISA. F 6
fermé août – **R** brasserie *(fermé vend. soir, sam. et dim.)* (dîner seul.) carte 55 à 90 – ☐ 18 – **24 ch** 100/225.

Argenteuil 95100 Val-d'Oise 101 ⑭, 18 – 96 045 h.

Paris 15 – Chantilly 36 – Pontoise 20 – St-Germain-en-Laye 15.

XXX **La Ferme d'Argenteuil,** 2 bis rue Verte ☎ 39 61 00 62 – AE E VISA F 15
fermé 15 août au 1er sept., 1er au 7 janv., dim. soir et lundi – **R** 200.

XX **Aub. T'Bone,** 26 r. H.-Barbusse ☎ 39 61 07 86 – E VISA F 15
fermé sam. midi et dim. – **R** 150.

XX **La Colombe** avec ch, 20 bd Héloïse ☎ 39 61 01 38 – cuisinette wc ☎ P – 25 à 200. AE VISA. ch F 16
R *(fermé dim.)* 103/150 – ☐ 22 – **20 ch** 89/262.

XX **Closerie Périgourdine,** 85 bd J.-Allemane ☎ 39 80 01 28 – AE VISA D 16
fermé sam. midi, dim. soir et lundi soir – **R** 110/170 bc.

BMW Gar. Vallejo, 119 av. J.-Jaurès ☎ 39 81 83 06 N ☎ 39 14 19 58
CITROEN Succursale, 117 bd J.-Allemane ☎ 39 82 81 81
FIAT Santi-Argenteuil, 1 r. Gde-Ceinture ☎ 39 80 96 26
FORD Gar. Gdes Fontaines, 70 Bd Jean Allemane ☎ 39 81 61 61
PEUGEOT-TALBOT SODISTO, 45 r. Henri Barbusse ☎ 39 47 09 79
RENAULT Succursale, 219 r. Henri Barbusse ☎ 39 47 09 09
RENAULT Succursale, 2 bd de la Résistance ZUP ☎ 34 10 40 04
TOYOTA Gar. de la Gare, 14 Bd Berteaux ☎ 39 61 05 21

Flament, 29 r. Beurriers ☎ 39 61 27 17
Monteils Pneumatiques, 48-50 av. Stalingrad ☎ 34 10 20 89
Pneu-Sécurité-Autom., 161 r. Henri-Barbusse ☎ 39 61 49 90

Asnières 92600 Hauts-de-Seine 101 ⑮, 18 G. Paris – 71 220 h.

Paris 10 – Argenteuil 5,5 – Nanterre 7,5 – Pontoise 27 – St-Denis 8 – St-Germain-en-Laye 17.

Wilson H. M sans rest, 10 bis r. Château ☎ 47 93 01 66, Télex 610350 – TV wc ☎. AE E VISA K 1
☐ 20 – **62 ch** 270/400.

XX **Le Périgord,** 3 quai Aulagnier ☎ 47 90 19 86 – AE E VISA J 2
fermé août, 23 déc. au 2 janv., sam., dim. et fériés – **R** carte 165 à 275.

X **La Petite Auberge,** 118 r. Colombes ☎ 47 93 33 94 – VISA J 1
fermé 1er août au 30 sept., dim. soir et lundi – **R** 150 bc/200.

CITROEN Gd Gar. Enthoven, 249 av. Argenteuil à Bois-Colombes ☎ 47 82 41 00
OPEL-GM Perrot, 36 r. P.-Brossolette ☎ 47 93 73 30
PEUGEOT-TALBOT Gar. Hôtel de Ville, 18 r. P.-Brossolette ☎ 47 33 02 60
TOYOTA S.I.D.A.T., 3 r. de Normandie ☎ 4 90 62 10
V.A.G. Gar. de la Comète, 33 av. d'Argenteu ☎ 47 93 02 09

Coursaux, 61 r. Colombes ☎ 47 93 07 53

Aulnay-sous-Bois 93600 Seine-St-Denis 101 ⑰, 20 – 76 032 h.

Paris 19 – Bobigny 6 – Lagny 21 – Meaux 30 – St-Denis 12 – Senlis 38.

Novotel M, bd G. Braque ☎ 48 66 22 97, Télex 230121, – rest TV P – 300. AE E VISA
R grill carte environ 120, enf. 45 – ☐ 38 – **138 ch** 350/380.

XX **Aub. Saints Pères,** 212 av. Nonneville ☎ 48 66 62 11 – AE E VISA. H
fermé 1er au 30 août, sam. midi, dim. soir et lundi – **R** carte 230 à 315.

XX **Les Feuillantines,** 61 av. A. France ☎ 48 79 02 58 – AE E VISA F
fermé dim.soir et lundi soir – **R** carte 145 à 255.

La Centrale du Pneu, Bt. M 134 X Garonor ☎ 48 65 26 08

Bagnolet 93170 Seine-St-Denis 101 ⑯, 20 – 32 557 h.

Paris 7,5 – Bobigny 10 – Lagny 27 – Meaux 40.

Novotel Paris Bagnolet M, av. République, échangeur porte de Bagnolet ✆ 43 60 02 10, Télex 670216, – 25 à 800. AE E VISA R 7
Le Clos Gourmand R carte environ 150 – **Grill R** carte environ 120, enf. 40 – 40 – **611 ch** 520/550.

FORD Deshayes, 195 av. Gambetta ✆ 43 74 7 40
PEUGEOT-TALBOT Sefa Socauto, 210 r. de Noisy le Sec ✆ 43 61 17 90

Bonneuil-sur-Marne 94380 Val-de-Marne 101 ㉗, 24 – 14 787 h.

Paris 16 – Chennevières-sur-Marne 5 – Créteil 3,5 – Lagny 30 – St-Maur-des-Fossés 4.

Campanile, ZI Petits Carreaux, 2 av. Bleuets ✆ 43 77 70 29, Télex 211251 – wc – 25. VISA L 13
R 63 bc/86 bc, enf. 38 – 24 – **50 ch** 200/220 – 1/2 p 287/330.

Aub. du Moulin Bateau, impasse du Moulin Bateau ✆ 43 77 00 10, – – 25. E VISA J 14
fermé 14 au 20 mars, 8 au 28 août, 24 au 31 déc., lundi soir, sam. midi et dim. – **R** 230 bc.

CITROEN Soulard et Faure, 21 av. Gén.-Leclerc ✆ 43 39 63 66
HONDA-MERCEDES Segmat, Zone Ind. des Petits Carreaux ✆ 43 39 70 11
RENAULT Central Gar., 11 r. Colonel Fabien ✆ 43 39 62 76

Bougival 78380 Yvelines 101 ⑬, 18 – 8 487 h.

Paris 18 – Rueil-Malmaison 3,5 – St-Germain-en-Laye 7 – Versailles 7 – Le Vésinet 4.

Château de la Jonchère M, 10 côte de la Jonchère ✆ 39 18 57 03, Télex 699597, , parc – – 30 à 200 R 7
R 180 bc et carte 180 à 310 – 35 – **48 ch** 550/1000.

Coq Hardy, 16 quai Rennequin-Sualem (N 13) ✆ 39 69 01 43, , «Jardins fleuris en terrasses, intérieur élégant » – . AE E VISA P 5
fermé merc. – **R** carte 355 à 455.

✿ **Le Camelia** (Delaveyne), 7 quai G.-Clemenceau ✆ 39 69 03 02 – AE VISA. R 6
fermé dim. soir et lundi – **R** 210
Spéc. Champignons (sept. à janv.), Tête de veau de chez Fournaise, Turbot en terrine à la Champeaux.

L'Huître et la Tarte, 6 quai G.-Clemenceau ✆ 39 18 45 55 – VISA. R 6
fermé août, dim. soir et lundi – **R** carte 140 à 180.

Cheval Noir, 14 quai G.-Clemenceau ✆ 39 69 00 96, – AE E VISA R 6
R carte 190 à 260.

Boulogne-Billancourt SP 92100 Hauts-de-Seine 101 ㉔, 22 **G. Paris** – 102 595 h.

Voir Bois de Boulogne★★ : Fleuriste municipal★ – Jardin Albert Kahn★ – Musée Paul Landowski★.

Paris 15 – Nanterre 7 – Versailles 11.

Sélect H. sans rest, 66 av. Gén.-Leclerc ✆ 46 04 70 47, Télex 206029 – wc wc . AE E VISA C 14
25 – **64 ch** 320/350.

Olympic H. M sans rest, 69 av. V.-Hugo ✆ 46 05 20 69, Télex 201443 – wc wc . AE VISA C 15
fermé 1er au 15 août – 24 – **36 ch** 245/295.

Paris sans rest, 104 bis r. Paris ✆ 46 05 13 82, Télex 632156 – wc . AE VISA B 14-15
21 – **31 ch** 265/320.

Excelsior sans rest, 12 r. Ferme ✆ 46 21 08 08, Télex 203114 – wc . AE E VISA C 14
19 – **52 ch** 250/300.

✿ **Au Comte de Gascogne,** 89 av. J.-B.-Clément ✆ 46 03 47 27, «Jardin d'hiver » – . AE VISA B 14
fermé août, Noël-Jour de l'An, sam., dim. et fériés – **R** carte 270 à 385
Spéc. Foie de canard aux trois façons, Gigotin de lapereau et homard, Magret de canard aux figues fraîches.

La Bretonnière, 120 av. J.-B.-Clément ✆ 46 05 73 56 – E VISA B 14
fermé sam. et dim. – **R** 150.

La Bergerie, 87 av. J.-B.-Clément ✆ 46 05 39 07 – AE E VISA B 14
fermé 1er au 24 août, sam. midi et dim. – **R** 140.

tourner →

XX **L'Auberge,** 86 av. J.-B.-Clément ☎ 46 05 67 19 – AE ◑ E VISA B
fermé août, dim. et fêtes – **R** carte 200 à 300.

XX **Laux... à la Bouche,** 117 av. J.-B.-Clément ☎ 48 25 43 88 – AE VISA B
R 104/287.

X **La Galère,** 112 r. Gén.-Gallieni ☎ 46 05 64 51 – E VISA. ⚘ C
fermé août, sam. et dim. – **R** carte 135 à 200.

X **La Champenoise,** 6 r. Port ☎ 48 25 69 39 – VISA B
fermé sam. midi et dim. – **R** 125.

ALFA-ROMEO Lov'Auto, 23 r. Solférino ☎ 46 21 50 60
AUSTIN, JAGUAR, ROVER Adam Clayton, 77 av. P.-Grenier ☎ 46 09 15 32
BMW Zol'Auto, 52 r. du Chemin Vert ☎ 46 09 91 43
CITROEN Augustin, 53 r. Danjou ☎ 46 09 93 75
FIAT Fiat Auto France 58 r. Denfert Rochereau ☎ 46 04 91 19
LANCIA, AUTOBIANCHI Figoni, 15 r. Église ☎ 46 05 09 69
MERCEDES Port Marly Gar., 32 bis rte de la Reine ☎ 46 03 50 50
PEUGEOT-TALBOT Paris Ouest Autom., rte de la Reine ☎ 46 05 43 43
RENAULT Centre Alpine, 120 r. Thiers ☎ 4 20 12 13
RENAULT Succursale, 577 av. Gén.-Lecle ☎ 47 61 39 39 N
V.A.G. Aguesseau Autom., 183 r. Galliéni ☎ 4 05 62 60
Benoit, 123 r. Vieux Pont de Sèvres ☎ 46 20 82

⊛ Cent Mille Pneus, 148 Rte de la Reine ☎ 4 03 02 02
Etter-Pneus, 57 r. Thiers ☎ 46 20 18 55

Le Bourget 93350 Seine-St-Denis 101 ⑰, 20 G. Paris – 11 021 h.

Voir Musée de l'Air et de l'Espace★★.

Paris 15 – Bobigny 5 – Chantilly 34 – Meaux 38 – St-Denis 6,5 – Senlis 36.

🏨 **Novotel** M, à Blanc-Mesnil ZA pont Yblon ✉ 93150 Le Blanc Mesnil ☎ 48 67 88, Télex 230115, ⛱, ⛱ – 🛗 📺 ☎ P – 🏋 25 à 250. AE ◑ E VISA D
R carte environ 150 ♁, enf. 45 – ☕ 40 – **143 ch** 360/390.

FIAT, LANCIA-AUTOBIANCHI Actis-Barone, 77 av. Division-Leclerc ☎ 48 37 91 30
RENAULT Gar. Bon, 132 av. Div.-Leclerc ☎ 48 37 01 12

⊛ Piot-Pneu, 190 av. Ch.-Floquet à Blanc-Me nil ☎ 48 67 17 40

Brunoy 91800 Essonne 101 ㊲ – 23 899 h.

Paris 32 – Corbeil-Essonnes 13 – Évry 16 – Melun 23 – Villeneuve-St-Georges 10.

XX **Le Petit Réveillon,** 22 r. Réveillon ☎ 60 46 03 39 – E VISA
fermé 1er au 22 août, merc. soir, dim. soir et lundi – **R** 75/150, enf. 50.

CITROEN Ets Ruffin-Heitmann, 7 r. du Pont Perronet ☎ 60 46 57 57 N ☎ 60 46 34 19
CITROËN Ruffin-Heitmann 3 bis av. Carnot à Villeneuve-St-Georges ☎ 43 89 31 29 N ☎ 60 46 34 19
MERCEDES Gar. des Routiers r. Mercure, Zone Ind. du Bac d'Ablon à Montgeron ☎ 69 03 09 71
PEUGEOT-TALBOT Ets Michel, 4 place d l'Arrivée ☎ 60 46 00 91
PEUGEOT-TALBOT Gar. Picot 115 av. J. Jaur à Montgeron ☎ 69 03 50 37 N ☎ 60 46 34 19
RENAULT Ferreyra 37 r. Voltaire à Montgerc ☎ 43 82 04 82
RENAULT RE-AL Auto Moto 31 bis av. Rép blique à Montgeron ☎ 69 03 50 88

La Celle-St-Cloud 78170 Yvelines 101 ⑬, 18

Paris 21 – Rueil-Malmaison 7 – St-Germain-en-Laye 9,5 – Versailles 4,5 – le Vésinet 7.

X **Petit Tournebride,** 1 r. Pescatore ☎ 39 18 31 17 – VISA A
fermé août, dim. et lundi – **R** 110.

Champrosay 91 Essonne 101 ㊲ – ✉ 91210 Draveil.

Paris 27 – Brunoy 11 – Corbeil-Essonnes 9,5 – Évry 6 – Longjumeau 14 – Viry-Châtillon 5,5.

XX **Bouquet de la Forêt,** rte l'Ermitage ☎ 69 42 56 08, ⛱, « A l'orée de la forêt » – VISA – *fermé août, lundi et le soir sauf vend. et sam.* – **R** carte 185 à 240.

Châteaufort 78117 Yvelines 101 ㉒, 22 – 780 h.

Paris 31 – Arpajon 28 – Rambouillet 25 – Versailles 10.

XXX ✿ **La Belle Epoque** (Peignaud), 10 pl. Mairie ☎ 39 56 21 66, ⛱, « **Auberge rustique dominant le vallon** » R
fermé 13 août au 6 sept., 23 déc. au 5 janv., dim. soir et lundi – **R** carte 210 à 340
Spéc. Palette de fruits de mer chauds (oct. à mars), Demoiselle de Cherbourg, Feuillantine caramélisée aux coings.

RENAULT Succursale, Zone Ind., 2 r. Roland-Garros à Buc ☎ 39 53 96 44

Chaville 92370 Hauts-de-Seine 101 ㉓, 22 – 17 950 h.

Paris 15 – Nanterre 14 – Versailles 5.

XX **La Tonnelle,** 29 r. Lamennais ☎ 47 50 42 77 – VISA G
fermé fév. et lundi – **R** carte 150 à 210, enf. 80.

Chelles 77500 S.-et-M. 101 ⑲, 20 – 41 881 h.

Paris 25 – Coulommiers 41 – Meaux 27 – Melun 46.

Climat de France, rte Claye ✆ 60 08 75 58, Télex 692149, – wc ☎ ♿ – 35. AE E VISA N 23
R 60/97 ⅓, enf. 35 – 23 – **43 ch** 240.

XX **Rôt. Briarde,** 43 r. A.-Meunier ✆ 60 08 02 78 – . AE E VISA P 22
fermé 16 au 31 août, vacances de fév., lundi soir et mardi – **R** 98/130.

ITROEN Pipart-Chelles-Diffusion-Autos, 59 /. Mar.-Foch ✆ 60 08 56 01 N ✆ 64 26 17 96
ORD Dubos, 92 av. du Mar.-Foch ✆ 60 20 43 2
PEL Chelles-Autom., Zone Ind., av. de Sylvie ' 60 08 53 02
EUGEOT-TALBOT Metin, 53 av. Mar.-Foch ' 60 08 57 57

RENAULT Gar. de Chelles 3 av. du Marais ✆ 64 21 19 81
V.A.G. Gar. Lourdin, 33 r. G.-Nast ✆ 60 08 38 42

Burlat 41 r. A.-Meunier ✆ 60 08 07 68

Chennevières-sur-Marne 94430 Val-de-Marne 101 ㉘, 24 – 17 418 h.

18 d'Ormesson ✆ 45 76 20 71, SE : 3 km.

Paris 17 – Coulommiers 49 – Créteil 5,5 – Lagny 22.

Jardins de France sans rest, 27 r. Champigny ✆ 45 76 01 66, – wc wc G 16
fermé août – 23 – **17 ch** 130/200.

XXX **Aub. Vieux Clodoche,** 18 r. Champigny ✆ 45 76 09 39, , « Belle terrasse en bordure de Marne » – . AE VISA H 16
R carte 215 à 350.

XXX **Écu de France,** 31 r. Champigny ✆ 45 76 00 03, , « Cadre rustique, terrasse fleurie en bordure de rivière », – . VISA. G 16
fermé 5 au 12 sept., dim. soir et lundi – **R** carte 190 à 265.

MW Gar. du Bac, 2 et 4 r. Lavoisier ✆ 45 76 3 33
TROEN Grandru, 15 rte de la Libération ✆ 45 6 03 07

RENAULT SOVEA, 96 rte de la Libération ✆ 45 76 96 70

Clamart 92140 Hauts-de-Seine 101 ㉔, 22 – 48 678 h.

Syndicat d'Initiative 22 r. Pierre-et-Marie-Curie ✆ 46 42 17 95.

Paris 09 – Boulogne-Billancourt 6 – Longjumeau 16 – Nanterre 12 – Rambouillet 43 – Versailles 13.

X **Le Benjamin,** 25 bis av. J.-B.-Clément ✆ 46 42 06 66 – VISA G 17
fermé août, vacances de fév., lundi soir et dim. – **R** 145 bc.

ITROEN S.E.G.A.C., 323 av. Gén.-de-Gaulle ' 46 30 45 90
EUGEOT-TALBOT Lazare Carnot, 182 av. en. de Gaulle ✆ 46 32 16 40
EUGEOT-TALBOT Médicis, pl. Gunsbourg ' 46 45 77 22

RENAULT Gilson, 185 av. Victor-Hugo ✆ 46 44 38 03

Clamart Pneus, 329 Av. Gen. de Gaulle ✆ 46 31 12 04

Clichy 92110 Hauts-de-Seine 101 ⑮, 18 – 47 000 h.

Paris 7,5 – Argenteuil 7 – Nanterre 10 – Pontoise 27 – St-Germain-en-Laye 17.

Victoria M sans rest, 15 rue Pierre Curie ✆ 47 56 05 00, Télex 615798 – wc wc ☎. AE E VISA K 21
28 ch 320/420.

Girbal sans rest, 14 r. Dagobert ✆ 47 37 54 24 – wc wc . AE E VISA K 20
20 – **42 ch** 280.

Le Ruthène sans rest, 35 r. Klock ✆ 47 37 02 51, Télex 613461 – wc wc . L 21
22 – **20 ch** 260/280.

XXX ❀ **Barrière de Clichy** (Le Galles), 1 r. de Paris ✆ 47 37 05 18 – . AE E VISA
fermé 6 au 21 août, sam. midi et dim. – **R** 240 bc (déj.) et carte 240 à 305 L 21
Spéc. Fricassée de sole et ris de veau, Poêlée de St-Jacques aux champignons (oct. à mai), Ris de veau aux escargots.

XX **La Colombe d'Or,** 18 bd Gén. Leclerc ✆ 47 31 73 61 – AE VISA L 21
fermé août, sam. et dim. – **R** (déj. seul.) carte 250 à 300.

XX **La Bonne Table,** 119 bd J.-Jaurès ✆ 47 37 38 79 K 20
fermé 2 au 30 août, sam. midi et dim. – **R** 200 bc/280.

TROEN Centre Citroen Clichy, 125 bd Jean-urès ✆ 42 70 17 17

Central-Pneumatique 22 r. Dr- Calmette 42 70 99 94

P.S.T.A., 107 bd V.-Hugo ✆ 42 70 11 43

Cormeilles-en-Parisis 95240 Val-d'Oise 101 ④, 18 – 14 608 h.

Paris 21 – Argenteuil 5 – Maisons-Laffitte 8 – Pontoise 14,5.

XX **Aub de l'Hexagone,** 32 r. Pommiers ☎ 39 78 77 49 – P. AE ① E VISA. ✻ C
fermé août, dim. et le soir (sauf vend. et sam.) – **R** carte 155 à 215.

CITROEN Gar. Paris, 27 Bd Joffre ☎ 39 78 01 64
FORD Gar. Clémenceau bd Clemenceau ☎ 39 78 73 12
RENAULT Gar. Parisis, 29 Bd Joffre ☎ 39 41 32

Courbevoie 92400 Hauts-de-Seine 101 ⑭, 18 G. Paris – 59 931 h.

Paris 11 – Asnières 3 – Levallois-Perret 3,5 – Nanterre 4 – St-Germain-en-Laye 14.

Blois sans rest, 85 bd St Denis ☎ 43 33 13 35, Télex 612576 – ▮ TV ⇔wc ⋒wc ☎. AE ① E VISA L 16
☕ 23 – **30 ch** 300/350.

Marina sans rest, 18 av. Marceau ☎ 43 33 57 04, Télex 615305 – ▮ TV ⇔wc ⋒wc ☎. ① VISA L
☕ 25 – **32 ch** 260/340.

XX **Helodidi,** 46 bd Verdun ☎ 43 33 53 09 – AE ① E VISA L
fermé 15 août au 1er sept. et dim. – **R** carte 165 à 265.

Quartier Charras :

Paris Penta M, 18 r. Baudin ☎ 47 88 50 51, Télex 610470 – ▮ ▤ rest TV ⇔wc ☎ ⇐ – 🏛 25 à 300. AE ① E VISA. ✻ rest L
L'Atelier **R** 75 bc/156 bc – ☕ 43 – **494 ch** 480/520.

X **A la Potinière,** 65 bis av. Gambetta ☎ 43 33 07 99 – E VISA L
fermé sam. midi, dim. et fériés – **R** carte 160 à 250.

au Parc de Bécon :

XX **Trois Marmites,** 215 bd St-Denis ☎ 43 33 25 35 – E VISA L
fermé 1er au 29 août, sam. et dim. – **R** carte 195 à 290.

RENAULT Succursale, 8 bd G.-Clemenceau ☎ 43 34 31 31
◉ Cenci-Pneu, 8 r. de Bitche ☎ 43 33 25 36

Créteil P 94000 Val-de-Marne 101 ㉗, 24 G. Paris – 71 705 h.

Voir Hôtel de ville★ : parvis★.

ℹ Office de Tourisme 1 r. F.-Mauriac ☎ 48 98 58 18.

Paris 13 – Bobigny 19 – Évry 22 – Lagny 26 – Melun 36.

Novotel M ♨, au lac ☎ 42 07 91 02, Télex 670396, ⛱, ⛱ – ▮ ▤ TV ☎ P – 🏛 25 à 100. AE ① E VISA
R carte environ 150 ♨, enf. 45 – ☕ 40 – **110 ch** 350/380.

Ibis, carrefour Pompadour, 14 r. Basse Quinte ☎ 48 98 02 02, Télex 262378 – TV ⇔wc ☎ ♿ P – 🏛 30. VISA
R carte 75 à 120 ♨, enf. 35 – ☕ 24 – **84 ch** 260/275.

PEUGEOT-TALBOT SCA-SVICA 89 av. Gén.-de-Gaulle ☎ 43 39 50 00
RENAULT SVAC, 35 r. de Valenton ☎ 48 99 72 50
◉ Créteil-Pneus, 90 av. Mar.-de-Lattre-de-Tassigny ☎ 42 07 36 58

La Défense 92 Hauts-de-Seine 101 ⑭, 18 G. Paris.

Voir Quartier★★ : perspective ★ du Parvis.

Sofitel Paris La Défense M, 34 cours Michelet ☎ 47 76 44 43, Télex 612189 ▮ ▤ TV ☎ ♿ ⇐ – 🏛 50. AE ① E VISA. ✻ rest M
R carte environ 220 – ☕ 65 – **150 ch** 950/1100.

Novotel Paris La Défense M, 2 bd Neuilly ☎ 47 78 16 68, Télex 630288, ≤ – ▤ TV ☎ ♿ – 🏛 25 à 150. AE ① E VISA M
R grill carte environ 120, enf. 40 – ☕ 45 – **280 ch** 600/630.

Ibis La Défense M, 4 bd Neuilly ☎ 47 78 15 60, Télex 611555 – ▮ ▤ TV ⇔wc ☎ ♿ – 🏛 150. E VISA M
R carte 75 à 120 ♨, enf. 40 – ☕ 27 – **284 ch** 350/375.

Draveil 91210 Essonne 101 ㊱ – 26 801 h.

ℹ Office de Tourisme Cour d'Honneur de l'Hôtel de Ville ☎ 69 03 09 39.

Paris 24 – Arpajon 20 – Évry 9.

Pontel M ♨ sans rest, 46 av. Bellevue ☎ 69 42 32 21 – ▮ TV ⇔wc ☎ ⇐ P 🏛 50. AE ① E VISA
☕ 22 – **32 ch** 235/255.

RENAULT Gar. Pouvreau, 50 av. H.-Barbusse ☎ 69 42 22 34

Écouen 95440 Val d'Oise 101 ⑥ G. Environs de Paris – 4 386 h.

Voir Château★★ : musée de la Renaissance★★ (tenture de David et de Bethsabée★★★).

Enghien-les-Bains 95880 Val d'Oise 101 ⑤, 18 G. Environs de Paris – 9 739 h – Stat. therm. – Casino – **Voir Lac★.**

18 de Domont ✆ 39 91 07 50, N : 8 km.

Office de Tourisme 2 bd Cotte ✆ 34 12 41 15.

Paris 16 – Argenteuil 6 – Chantilly 32 – Pontoise 20 – St-Denis 6 – St-Germain-en-Laye 23.

Grand Hôtel, 85 r. Gén.-de-Gaulle ✆ 34 12 80 00, Télex 697842, « Beau jardin fleuri » – AE VISA C 20
R 140/170 – 40 – **48 ch** 390/560, 3 appartements 750 – $^1/_2$ p 555/620.

Villa Marie Louise sans rest, 49 r. Malleville ✆ 39 64 82 21, – wc wc. VISA C 20
22 ch 160/230.

XX ❀❀ **Duc d'Enghien,** au Casino ✆ 34 12 90 00, ≤ lac – . AE VISA B 20
fermé janv., dim. soir et lundi – **R** 300 bc(déj.) et carte 300 à 450
Spéc. Salade de rouget et langoustines, Ravioli de tourteau, Aiguillettes de canard au sang.

X **Aub. Landaise,** 32 bd d'Ormesson ✆ 34 12 78 36 – AE E VISA B 21
fermé août et vacances de fév. – **R** carte 150 à 195.

X **A la Carpe d'Or,** 91 r. Gén.-de-Gaulle ✆ 34 12 79 53 – AE E VISA C 20
R carte 175 à 230.

ROEN Namont, 150 av. Div.-Leclerc ✆ 34 75 06
EL Enghien-Automobile, 211 av. Division lerc ✆ 39 89 14 17

PEUGEOT-TALBOT Gar. des 3 Communes, 8 rte de St Denis à Deuil la Barre ✆ 39 83 22 62

La Garenne-Colombes 92250 Hauts-de-Seine 101 ⑭, 18 – 21 000 h.

Syndicat d'Initiative 24 r. E.-d'Orves ✆ 47 85 09 90.

Paris 12 – Argenteuil 5,5 – Asnières 4 – Courbevoie 1,5 – Nanterre 4 – Pontoise 29 – St-Germain 12.

Moderne sans rest, 103 r. Aigle ✆ 42 42 77 32, Télex 620529 – wc . E VISA.
fermé août – 25 – **27 ch** 185/235. K 15

X **Aub. du 14 Juillet,** 9 bd République ✆ 42 42 21 79 – AE E VISA K 16
fermé août, sam. et dim. – **R** carte 180 à 280.

A ROMEO, FIAT Lutèce Autom., 147 av. de Gaulle ✆ 47 80 10 10 ✆ 49 89 80 75
JGEOT-TALBOT Succursale, 9 bd National 7 80 71 67

RENAULT Gamot, 25 bd République ✆ 42 42 23 16
RENAULT La Garenne-Autom., 11 bis r. de Châteaudun ✆ 42 42 23 46

Gennevilliers 92230 Hauts-de-Seine 101 ⑮, 18 – 45 445 h.

Office de Tourisme 177 av. Gabriel-Péri ✆ 47 99 33 92.

Paris 10 – Nanterre 12 – Pontoise 23 – St-Denis 4 – St-Germain-en-Laye 20.

H. Résidence Julius, 14 r. E. Varlin ✆ 47 92 05 62 – wc wc . E VISA. G 19
R voir rest. **Julius** ci-après – 30 – **20 ch** 280/300.

X ❀ **Julius** -Hôtel Résidence Julius-, 6 bd Camélinat ✆ 47 98 79 37 – . E VISA G 19
fermé août, sam. midi et dim. – **R** carte 200 à 260
Spéc. Terrine de lapereau à l'orange et à la pimprenelle, Médaillon de veau au citron vert (sept. à janv.), Mousseline de fromage blanc au caramel et gingembre.

Central-Pneu, 23 av. M. Sangnier à Villeneuve la Garenne ✆ 47 98 08 10
Centrale du Pneu, 8 av. de la Redoute, Zone à Villeneuve-la-Garenne ✆ 47 94 22 85

Piot-Pneu 123-125 av. Mar. de Lattre à Epinay ✆ 48 41 43 75

Gentilly 94250 Val-de-Marne 101 ㉕, 24 – 16 733 h.

Paris 6 – Créteil 12.

Ibis M, 13 r. Val de Marne ✆ 46 64 19 25, Télex 250733 – wc – 25 à 80. E VISA E 1
R 69/77 – 27 – **296 ch** 233/285.

Grigny 91350 Essonne 101 ㉛ – 26 181 h.

Paris 26 – Evry 7 – Versailles 32.

XXX **Château du Clotay** avec ch, 8 r. du Port ✆ 69 06 89 70, Télex 603076, parc, ⛱, 🎾 – ⇔wc ☎ Ⓟ. AE ⓓ E VISA
fermé vacances de fév., dim. soir et lundi – **R** 160/350, enf. 120 – ☕ 35 – **10** 350/450 – 1/2 p 500.

Houilles 78800 Yvelines 101 ⑬, 18 – 29 854 h.

Paris 17 – Argenteuil 6 – Maisons-Laffitte 5 – St-Germain-en-Laye 8.

XX **Gambetta,** 41 r. Gambetta ✆ 39 68 52 12 – AE VISA
fermé 1er juil. au 1er sept., dim. soir et lundi soir – **R** carte 170 à 265.

Joinville-le-Pont 94340 Val-de-Marne 101 ㉗, 24 – 17 218 h.

Office de Tourisme à la Mairie (fermé après-midi août) ✆ 42 83 41 16.

Paris 11 – Créteil 5 – Lagny 24 – Maisons-Alfort 3,5 – Vincennes 4.

XX **Horloge,** 99 quai Marne ✆ 48 89 34 38, intérieur rustique
fermé août et sam. – **R** carte 185 à 260.

PEUGEOT-TALBOT Restellini, 49 av. Gén.-Gallieni ✆ 48 86 30 30

Juvisy-sur-Orge 91260 Essonne 101 ㊱ – 12 303 h.

Paris 20 – Evry 9 – Longjumeau 8 – Versailles 27.

Occitanie Ⓜ, 2 r. Draveil ✆ 69 21 50 62, Télex 690316 – 🛗 📺 ⇔wc ☎ Ⓟ – 40. AE ⓓ E VISA
R 85/170 – **29 ch** ☕200/500.

CITROEN Gd Gar. de l'Essonne 1 av. Cour de France ✆ 69 21 35 90

PEUGEOT-TALBOT Besse et Guilbaud, 38 Cour de France ✆ 69 21 55 33

Le Kremlin-Bicêtre 94270 Val-de-Marne 101 ㉖, 24 – 17 923 h.

Paris 7,5 – Boulogne-Billancourt 9,5 – Evry 28 – Versailles 22.

Campanile Ⓜ, bd Gén.-de-Gaulle ✆ 46 70 11 86, Télex 205026, 🍽 – 🛗 ⇔wc ☎ ♿ 🚗 – 🏛 30 à 150. VISA
R 73 bc/98 bc, enf. 38 – ☕ 25 – **155 ch** 265/285 – 1/2 p 363/408.

Relais Bleus Ⓜ, 6 r. Voltaire ✆ 46 70 15 35, Télex 263351 – 🛗 📺 ⇔wc ☎ – 🏛 60 à 150. VISA
R 62/80 🍷, enf. 40 – ☕ 30 – **154 ch** 300 – 1/2 p 410.

La Pneumatèque, 21 r. de Verdun à Villejuif ✆ 46 77 06 06

Levallois-Perret 92300 Hauts-de-Seine 101 ⑮, 18 – 53 777 h.

Paris 8 – Argenteuil 8 – Nanterre 7,5 – Pontoise 29 – St-Germain-en-Laye 16.

Champerret-Danton Ⓜ sans rest, 63 r. Danton ✆ 47 57 01 55, Télex 615933 – 📺 ⇔wc 🚿wc ☎. AE ⓓ E VISA
☕ 24 – **39 ch** 230/290.

Parc Ⓜ, 18 r. Baudin ✆ 47 58 61 60, Télex 615488 – 🛗 📺 ⇔wc 🚿wc ☎. VISA
fermé 5 au 29 août, 23 déc. au 2 janv., vend. soir, sam., dim. et fériés – **R** grill 55 – ☕ 19 – **51 ch** 220/320.

XXX **L'Orangerie,** 56 r. Villiers ✆ 47 58 40 61 – AE E VISA
fermé sam. midi et dim. – **R** 150 (déj.) et carte 235 à 300.

XX **Le Jardin,** 9 pl. Jean Zay ✆ 47 39 54 02 – AE ⓓ E VISA
fermé 8 au 28 août, dim. et fériés – **R** 110, enf. 55.

XX **Gauvain,** 11 r. L.-Rouquier ✆ 47 58 51 09 – ▤. VISA
fermé 8 au 23 août, sam., dim. et fériés – **R** 170/210.

AUSTIN-ROVER, JAGUAR Franco Britannic Autos., 25 r. P.-Vaillant-Couturier ✆ 47 57 50 80 N ✆ 46 42 41 78
BMW Pozzi, 114-116 r. A.-Briand ✆ 47 39 46 60
CITROEN Succursale, 41 r. Baudin ✆ 47 47 11 22
FERRARI, Pozzi, 109. r. A.-Briand ✆ 47 39 96 50
FIAT, LANCIA Fiat Auto France, pl. Collange ✆ 47 30 50 00
JAGUAR Gar. Wilson-Lacour, 116 r. Prés.-Wilson ✆ 47 39 92 50

MERCEDES, MITSUBISHI, PORSCHE, SE Sonauto, 53 r. Marjolin ✆ 47 39 97 40
RENAULT Gd. Gar. de Levallois, 74 c Michelet ✆ 47 39 32 00

Beaur, 2 r. de Bretagne ✆ 47 37 89 16
Central Pneu, 101 r. Anatole-France ✆ 47 58 70
Dinant, 65 r. P.-Vaillant-Couturier ✆ 47 31 10
Maréchal, 37 r. M.-Aufan. ✆ 47 57 98 06

Livry-Gargan **93190** Seine-St-Denis 101 ⑱, 20 – 32 806 h.

Syndicat d'Initiative pl. Hôtel de Ville (fermé matin) ☎ 43 30 61 60.

Paris 19 – Aubervilliers 13 – Aulnay-sous-Bois 5,5 – Bobigny 7,5 – Meaux 28 – Senlis 42.

Climat de France, 119 bd R. Schumann ☎ 43 85 41 41 – wc – 30. AE E VISA G 19
R 95 , enf. 39 – 25 – **43 ch** 250.

XXX **Aub. St-Quentinoise,** 23 av. République ☎ 43 81 13 08, – AE E VISA K 16
fermé 15 au 31 janv., dim. soir et lundi – **R** (dîner prévenir) 135 (déj.) et carte 210 à 270, enf. 100.

TROEN Gar. Avenue, 115 av. A.-Briand ☎ 43 43 55
PEL Gar. Guiot, 1-3 av. A.-Briand ☎ 43 02 63
Bonnet, 4 av. C.-Desmoulins ☎ 43 81 53 13

Longjumeau **91160** Essonne 101 ㉟ – 18 395 h.

Paris 21 – Chartres 70 – Dreux 82 – Évry 16 – Melun 39 – ♦Orléans 96 – Versailles 21.

Relais des Chartreux M, à Saulxier SO : 2 km, sur N 20 ✉ 91160 Longjumeau ☎ 69 09 34 31, Télex 691245, ≤, – – 150. AE E VISA
R 110/165 – 35 – **100 ch** 350/375 – ½ p 350/450.

Relais St-Georges M , à Saulx-les-Chartreux SO : 3 km ✉ 91160 Longjumeau ☎ 64 48 36 40, Télex 603038, ≤, parc, – – 80. AE E VISA
fermé août – **R** 140/250 – 30 – **40 ch** 250/350.

A.G. Gar. du Postillon, Zone Ind. rue du anal ☎ 69 09 52 37
La Centrale du Pneu, 5 rte Versailles ☎ 69 34 11 50

Louveciennes **78430** Yvelines 101 ⑫⑬, 18 **G. Environs de Paris** – 7 338 h.

Paris 24 – St-Germain-en-Laye 6,5 – Versailles 7,5.

XX **Aux Chandelles,** 12 pl. Église ☎ 39 69 08 40, – AE VISA R 3
fermé 15 au 31 août, sam. midi, dim. soir et merc. – **R** carte 180 à 230.

ENAULT Gar. de la Princesse, 17 rte de la Princesse ☎ 39 69 81 23

Maisons-Alfort **94700** Val-de-Marne 101 ㉗, 24 – 51 591 h.

Paris 9,5 – Créteil 2,5 – Évry 22 – Melun 36.

Bains sans rest, 132 r. J.-Jaurès ☎ 43 75 78 09 – wc wc . E VISA G 8
25 – **24 ch** 115/250.

X **La Bourgogne,** 164 r. J.-Jaurès ☎ 43 75 12 75. E VISA G 8
fermé août, sam. et dim. – **R** carte 120 à 230.

EUGEOT-TALBOT Gar. du Centre, 69 av. ambetta ☎ 43 76 84 22
ENAULT M.A.E.S.A., 8 av. Prof.-Cadiot ☎ 43 63 70
Le Page, 19 av. G.-Clemenceau ☎ 43 68 14 14
Vaysse, 249, av. de la République ☎ 42 07 36 85

Maisons-Laffitte **78600** Yvelines 101 ⑬, 18 **G. Environs de Paris** – 22 892 h.

Voir Château★.

Paris 21 – Argenteuil 8,5 – Mantes-la-Jolie 37 – Poissy 8 – Pontoise 18 – St-Germain 8 – Versailles 24.

XXX ✿✿ **Le Tastevin** (Blanchet), 9 av. Eglé ☎ 39 62 11 67, – AE E VISA E 6
fermé 17 août au 9 sept., vacances de fév., lundi soir et mardi – **R** carte 285 à 350
Spéc. Gâteau de foie gras aux écrevisses, Assiette du pêcheur au Bouzy, Sanciaux aux pommes.

XXX ✿ **Vieille Fontaine** (Clerc), 8 av. Gretry ☎ 39 62 01 78, « Jardin » – AE VISA D 7
fermé août, dim. et lundi – **R** 190 et carte 310 à 465
Spéc. St-Jacques à la vanille et au gingembre (oct. à mars), Pieds de mouton poulette aux girolles, Filet de boeuf en pot au feu au Pomerol.

XX **Le Laffitte,** 5 av. St-Germain ☎ 39 62 01 53 – AE E VISA E 6
fermé août, dim. soir, mardi soir et merc. – **R** carte 170 à 260.

TROEN Gar. du Parc, 75 r. de Paris ☎ 39 62 78
CITROEN Selier, 4 av. Longueil ☎ 39 62 04 05

Marly-le-Roi **78160** Yvelines 101 ⑫, 18 **G. Environs de Paris** – 17 313 h.

Voir Parc★.

Syndicat d'Initiative à la Mairie ☎ 39 16 39 39.

Paris 25 – St-Germain-en-Laye 4 – Versailles 8,5.

Aub. Henri IV, 5 pl. Abreuvoir ☎ 39 58 47 61, – wc . AE E VISA. ch R 2
fermé août et vacances de fév. – **R** *(fermé merc. soir et dim. soir)* 125 – 20 – **8 ch** 260/320.

NAULT Gar. de la Gare, 13 av. St-Germain ☎ 39 58 48 22

Marne-la-Vallée **77206** S.-et-M. **101** ⑲ **G. Environs de Paris.**

Paris 26 – Meaux 28 – Melun 35.

SE : 6 km par échangeur de Lagny A 4 :

Novotel Ⓜ, ✆ 60 05 91 15, Télex 691990, ⛱, 🏊 – |\$| ▤ TV ☎ ♿ 🅟 – 150. ⓓ E VISA
R grill carte environ 120, enf. 40 – ☐ 40 – **92 ch** 360/390.

Meudon **92190** Hauts-de-Seine **101** ㉔, **22** **G. Paris** (plan) – **49 004 h.**

Voir Terrasse★ : ✻★ – Forêt de Meudon★.

Paris 11 – Boulogne-Billancourt 3 – Clamart 3,5 – Nanterre 11 – Versailles 10.

Forest Hill Ⓜ, **à Meudon-La-Forêt, S : 3 km** ✉ **92360 Meudon-la-Forêt** ✆ **46 22 55**, Télex 203250, 🏊, ✂ – |\$| TV ⌂wc ☎ 🚗 🅟 – 60. AE ⓓ E VISA J 13
R 80 bc/138 bc 🍷, enf. 56 – ☕ 34 – **95 ch** 295/335.

Relais des Gardes, à Bellevue, 42 av. Gallieni ✆ **45 34 11 79**, ⛱ – AE ⓓ VISA E
fermé août, dim. soir et sam. – **R** carte 195 à 285.

CITROEN Gar. Rabelais, 31 bd Nations-Unies ✆ 46 26 45 50
PEUGEOT-TALBOT Coussedière, 2 bis r. Banès ✆ 46 26 49 06
RENAULT Gar. de l' Orangerie, 16 r. de Orangerie ✆ 45 34 27 18
Pezeau, 4 pl. Stalingrad ✆ 46 26 40 68

Montreuil **93100** Seine-St-Denis **101** ⑰, **20** **G. Paris** – **93 394 h.**

ℹ Office de Tourisme 2 av. G.-Péri ✆ 42 87 38 09.

Paris 7,5 – Bobigny 9,5 – Lagny 23 – Meaux 39 – Senlis 46.

Modern'H. sans rest, **8 bd P.-Vaillant-Couturier** ✆ **42 87 48 35** – ⌂wc ⋒wc E VISA
☐ 20 – **40 ch** 100/200.

CITROEN Succursale, 224, 226 bd A. Briand ✆ 48 59 64 00
RENAULT Succursale Renault-Montreuil, 57 r. A.-Carrel ✆ 48 51 98 21
V.A.G. Gar. Wuplan, 62 r. de Lagny ✆ 48 51 54 90
Ⓜ Pneu-Service, 65 r. de St-Mandé ✆ 48 51 79

Montrouge **92120** Hauts-de-Seine **101** ㉕, **22** – **38 632 h.**

Paris 5,5 – Boulogne-Billancourt 6,5 – Longjumeau 14 – Nanterre 15 – Versailles 16.

Mercure Ⓜ, **13 r. F.-Ory** ✆ **46 57 11 26**, Télex 202528 – |\$| ▤ TV ☎ ♿ 🚗 – 25 à 200. AE ⓓ E VISA E
R carte 135 à 170, enf. 40 – ☐ 43 – **186 ch** 535/565.

Christina sans rest, **42 r. Perier** ✆ **42 53 03 02** – ⌂wc ⋒wc ☎. VISA E
☐ 20 – **17 ch** 120/220.

CITROEN Verdier-Montrouge, 99 av. Verdier ✆ 46 57 12 00
MERCEDES-BENZ Euro-Gar, 73 av. A.-Briand ✆ 47 35 52 20
RENAULT Colin-Montrouge, 59 av. République ✆ 46 55 26 20
Ⓜ RB Pneus, 56 av. A.-Briand ✆ 46 56 76 00

Morangis **91420** Essonne **101** ㉟ – **9 464 h.**

Paris 22 – Évry 16 – Longjumeau 4,5 – Versailles 23.

Pierre Loti sans rest, **110 av. République** ✆ **69 09 09 97** – ⌂wc ⋒wc ☎ VISA
☐ 20 – **30 ch** 145/200.

Rêve d'Alsace, pl. P. Brossolette ✆ **69 09 14 78** – AE ⓓ E VISA
R 158/290.

FIAT, LANCIA S.O.L.A.C., av. Ch.-de-Gaulle, Zone Ind. ✆ 69 09 20 62
FORD Orly-Autos, av. Ch.-de-Gaulle, Zone Ind. Nord ✆ 69 09 08 97
RENAULT Station Richard, rte de Savig ✆ 69 09 47 50

Morsang-sur-Orge **91390** Essonne **101** ㊱ – **20 341 h.**

Paris 25 – Corbeil-Essonnes 14 – Évry 11 – Versailles 26.

La Causette, 47 bd Gribelette ✆ **60 15 16 85** – E VISA
fermé 8 au 29 août, lundi et le soir sauf sam. – **R** carte 130 à 200.

CITROEN Essonne Autos Morsang, 91 rte de Corbeil ✆ 69 04 21 68
PEUGEOT-TALBOT Lépinoit, 93 rte de Corb ✆ 69 04 03 55

Nanterre **92** Hauts-de-Seine **101** ⑬ – rattaché à Rueil-Malmaison.

Neuilly-sur-Seine 92200 Hauts-de-Seine 101 ⑮, 18 G. Paris – 64 450 h.

Voir Bois de Boulogne** : Jardin d'acclimatation*, Bagatelle*, Musée National des Arts et Traditions Populaires** – Palais des Congrès* : grand auditorium**, ←* de la tour Concorde-La Fayette.

Paris 8 – Argenteuil 12 – Nanterre 5,5 – Pontoise 37 – St-Germain 14 – Versailles 18.

L'Hôtel International de Paris M, 58 bd V.-Hugo ✆ 47 58 11 00, Télex 610971, Ambiance club, – 120. AE VISA M 18
R 220 bc – 50 – **323 ch** 825/945, 3 appartements.

Paris Neuilly M sans rest, 1 av. Madrid ✆ 47 47 14 67, Télex 613170 – . AE E VISA N 16
42 – **74 ch** 510/550, 6 appartements 700.

Parc Neuilly sans rest, 4 bd Parc ✆ 46 24 32 62, Télex 613689 – wc wc . VISA L 17
20 – **71 ch** 220/390.

Roule sans rest, 37 bis av. du Roule ✆ 46 24 60 09 – wc wc . E VISA. N 18
22 – **35 ch** 200/320.

XX ❀ **Jacqueline Fénix,** 42 av. Ch.-de-Gaulle ✆ 46 24 42 61 – . AE VISA N 18
fermé août, 24 déc. au 3 janv., sam. et dim. – **R** (nombre de couverts limité – prévenir) carte 265 à 375
Spéc. Noix de St-Jacques en robe des champs (oct. à mars), Bar à la fleur de sel et vinaigrette au beurre noisette, Daube de lapereau au basilic.

XX ❀ **Truffe Noire** (Jacquet), 2 pl. Parmentier ✆ 46 24 94 14 – VISA. N 18
fermé août, dim. soir et lundi – **R** carte 250 à 295
Spéc. Beuchelle tourangelle (15 sept. au 15 nov.), Mousseline de brochet, Fricassée de poulet à l'angevine.

XX **Le Manoir,** 4 r. Église ✆ 46 24 04 61 – . AE VISA M 17
fermé sam. midi et dim. – **R** 200 bc.

XX **Focly,** 79 av. Ch. de Gaulle ✆ 46 24 43 36, cuisine chinoise – . AE VISA M 16
fermé 13 au 27 juil. – **R** carte 145 à 160.

X **Les Feuilles Libres,** 34 r. Perronet ✆ 46 24 41 41 – AE VISA M 17
fermé août, sam. midi et dim. – **R** 230.

X **Jarrasse,** 4 av. Madrid ✆ 46 24 07 56 – AE E VISA N 16
fermé 8 juil. au 1er sept., dim. soir et lundi – **R** carte 215 à 370.

X **Tonnelle Saintongeaise,** 32 bd Vital Bouhot ✆ 46 24 43 15, – VISA L 17
fermé 1er au 22 août, 21 déc. au 4 janv., sam. et dim. – **R** carte 145 à 210.

X **Chau'veau,** 59 r. Chauveau ✆ 46 24 46 22 – E VISA M 17
fermé août, 24 déc. au 2 janv., sam. et dim. – **R** 130 (déj.) et carte 120 à 185.

X **Carpe Diem,** 10 r. Église ✆ 46 24 95 01 – VISA M 17
fermé 1er au 8 mai, 7 au 31 août, 24 déc. au 2 janv., sam. midi et dim. – **R** carte 215 à 280.

X **Chez Livio,** 6 r. Longchamp ✆ 46 24 81 32, , cuisine italienne – VISA N 16
fermé 22 déc. au 3 janv., sam. et dim. en août – **R** 120 bc.

'A-ROMEO, FIAT Ets Hottot, 25 r. M.-Milis ✆ 46 37 14 50
W, LANCIA-AUTOBIANCHI Gar. Neuilly-ile, 65 av. du Roule ✆ 47 45 33 11
ROEN Succursale, 124 av. Achille Peretti 7 47 11 22
JGEOT-TALBOT Luchard-St Didier, 131 bis Ch.-de-Gaulle ✆ 47 45 08 50

VOLVO Volvo-Paris, 16 r. d'Orléans ✆ 47 47 50 05

Maillot-Pneus, 69 av. Gén. de Gaulle ✆ 46 24 33 69

Nogent-sur-Marne SP 94130 Val-de-Marne 101 ㉗, 24 G. Paris – 24 696 h.

Office de Tourisme 5 av. Joinville (fermé matin) ✆ 48 73 75 90.

Paris 14 – Créteil 6,5 – Montreuil 5 – Vincennes 4.

Nogentel M, 8 r. Port ✆ 48 72 70 00, Télex 210116, ← – – 250. AE E VISA C 13
Le Panoramic *(fermé fin juil. à fin août)* **R** carte 230 à 300 - **Le Canotier** (grill) **R** carte 125 à 170 – 42 – **60 ch** 370/405.

STIN, ROVER Royal-Nogent-Gar., 44 Gde R. Ch.-de-Gaulle ✆ 48 73 68 90

Noisiel 77 S.-et-M. 101 ⑲, 24 – 12 446 h. – ✉ 77420 Champs-sur-Marne.

Paris 26 – Meaux 28 – Lagny-sur-Marne 9 – Melun 39.

Climat de France, ✆ 60 06 15 40, Télex 305551 – wc – 30. AE E VISA B 24
R 58/92 , enf. 35 – 25 – **56 ch** 250.

NAULT Gar. Brie des Nations, 4-6 av. P.-Mendès-France ✆ 40 05 92 92

Noisy-le-Grand 93160 Seine-St-Denis 101 ⑱, 24 – 40 590 h.

Voir Château★ : salon chinois★★ et parc★★ de Champs-sur-Marne E : 3,5 k G. Environs de Paris.

Office de Tourisme 197 r. Pierre-Brossolette (fermé août et matin) ✆ 43 04 42 26.

Paris 19 – Lagny 13.

Campanile, 5 r. Ballon Z.I Les Richardets à Marne-la-Vallée ✆ 43 05 22 99, Té 231580 – TV wc ☎ ♿ P – 25. VISA C
R 63 bc/86 bc, enf. 38 – 24 – **50 ch** 200/220 – 1/2 p 287/330.

PEUGEOT-TALBOT Gar. de la Pointe, 65 av. E.-Cossonneau ✆ 43 03 30 92

Orly (Aéroports De Paris) 94396 Val-de-Marne 101 ㉖, 24 – 23 886 h.

Renseignements : ✆ 48 84 32 10.

Paris 16 – Corbeil-Essonnes 17 – Créteil 12 – Longjumeau 9 – Villeneuve-St-Georges 12.

Hilton Orly M, près aérogare ✆ 46 87 33 88, Télex 250621, ← – TV ☎ ♿ P 300
Le Café du Marché - La Louisiane – **380 ch**.

Aérogare d'Orly Sud :

Le Grillardin, ✆ 46 87 24 25, ← – AE ① E VISA
R (déj. seul.) 160.

Aérogare d'Orly Ouest :

Maxim's, ✆ 46 87 16 16, ← – AE ① VISA
R (déj. seul.) carte 265 à 355.

Jardin d'Orly, ✆ 46 87 16 16, ← – AE VISA
fermé août, sam. et dim. – **R** carte 150 à 190.

La Galerie, ✆ 46 87 16 16, ← – AE VISA
R carte 110 à 160.

Voir aussi à Rungis p. 62

RENAULT S.A.P.A., Bat. 225, Aérogares ✆ 48 84 58 20

Palaiseau SP 91120 Essonne 101 ㉞, 22 – 29 362 h.

Paris 22 – Arpajon 18 – Chartres 69 – Évry 19 – Rambouillet 37.

Novotel M, Zone industrielle de Massy ✆ 69 20 84 91, Télex 691595, – rest TV ☎ P – 25 à 250. AE ① E VISA S
R carte environ 150, enf. 45 – 38 – **151 ch** 360/380.

PEUGEOT-TALBOT Jean-Jaurès-Auto, 33 av. Jean-Jaurès ✆ 60 14 03 92

RENAULT Palaiseau Autom., 14 r. E.-Bra ✆ 60 10 61 76

Pantin 93 Seine-St-Denis 101 ⑯ – voir Mercure Porte de Pantin à Paris 19e.

CITROEN Succursale, 68 av. Gén. Leclerc ✆ 48 44 28 58
RENAULT Succursale, 13 av. Gén.-Leclerc ✆ 48 43 61 60

Bouchez, 160 av. J.-Jaurès ✆ 48 45 25 85
Steier-Pneus, 217 av. J.-Lolive ✆ 48 44 36 80

Le Perreux 94170 Val-de-Marne 101 ⑱, 24 – 27 660 h.

Office de Tourisme pl. R.-Belvaux ✆ 43 24 26 58.

Paris 17 – Créteil 11 – Lagny 17 – Villemomble 6,5 – Vincennes 6.

Les Magnolias, 48 av. de Bry ✆ 48 72 47 43 – VISA. C
fermé 2 au 11 avril, 7 au 21 août et dim. – **R** carte 225 à 310.

CITROEN S.A.G.A., 131 av. P.-Brossolette, niv. A4 ✆ 43 24 13 50
RENAULT Gar. Hoel, 46 av. Bry ✆ 43 24 52 00

Maison du Pneu 94, 103 bd Alsace-Lorra ✆ 43 24 41 43

Petit-Clamart 92 Hauts-de-Seine 101 ㉔, 22 – ✉ 92140 Clamart.

Voir Bièvres : Musée français de la photographie ★ S : 1 km, G. Environs de Par

Paris 12,5 – Antony 6 – Clamart 4,5 – Meudon 4,5 – Nanterre 14 – Sèvres 7 – Versailles 9.

Au Rendez-vous de Chasse, 1 av. du Gén. Eisenhower ✆ 46 31 11 95 – AE ① E VISA K
fermé août – **R** 98/220.

Le Port-Marly 78560 Yvelines 101 ⑫, 18

Paris 26 – St-Germain-en-Laye 3,5 – Versailles 9,5.

XX **Aub. du Relais Breton,** 27 r. Paris ✆ 39 58 64 33, – AE E VISA N 3
fermé 10 au 30 août, dim. soir et lundi – **R** 140/185 bc.

Le Pré St-Gervais 93310 Seine-St-Denis 101 ⑯, 20 – 13 313 h.

Paris 7 – Bobigny 5 – Lagny 27 – Meaux 38 – Senlis 44.

X ❀ **Au Pouilly Reuilly** (Thibault), 68 r. A.-Joineau ✆ 48 45 14 59 – AE ⓓ E VISA. M 6
fermé 1er août au 6 sept., dim. et fêtes – **R** carte 110 à 210
Spéc. Pâté de grenouille, Rognon de veau dijonnaise, Foie de veau aux girolles.

Puteaux 92800 Hauts-de-Seine 101 ⑭, 18 – 36 143 h.

Paris 11 – Nanterre 3 – Pontoise 35 – St-Germain-en-Laye 11 – Versailles 14.

Le Dauphin M sans rest, 45 r. J. Jaurès ✆ 47 73 71 63, Télex 615989 – TV wc wc ☎. AE ⓓ VISA N 15
45 – **30 ch** 315/330.

Princesse Isabelle M sans rest, 72 r. J. Jaurès ✆ 47 78 80 06, Télex 613923 – TV wc wc . AE ⓓ E VISA N 15
45 – **29 ch** 485/515.

XX ❀ **Gasnier,** 7 bd Richard-Wallace ✆ 45 06 33 63 – AE ⓓ E VISA N 15
fermé 29 juin au 3 août, vacances de fév., sam., dim. et fériés – **R** (nombre de couverts limité - prévenir) carte 215 à 315
Spéc. Cassoulet à la Castelnaudary, Confit de canard aux cèpes, Foie gras de canard.

XX **Camille Renault,** 60 r. République ✆ 47 76 01 30 – AE ⓓ E VISA M 15
fermé août et dim. soir – **R** carte 150 à 250.

Burlat 4 r. E. Nieuport à Suresnes ✆ 47 72 21

Maison André, 20 r. des Fusillés ✆ 47 75 36 31

La Queue-en-Brie 94510 Val-de-Marne 101 ㉙, 23 – 9 725 h.

Paris 22 – Coulommiers 47 – Créteil 11 – Lagny 21 – Melun 31 – Provins 64.

Climat de France M, Le Bois des Friches ✆ 45 94 61 61, Télex 262209 – TV wc ☎ ♿ P – 30. E VISA. rest H 19
R 51/91 , enf. 38 – 23 – **55 ch** 210/230.

XX **Aub. du Petit Caporal,** 42 av. Gén.-de-Gaulle ✆ 45 76 30 06 – AE E VISA J 21
fermé août, vacances de fév., mardi soir, merc. soir et dim. – **R** 125/250.

Le Raincy 93340 Seine-St-Denis 101 ⑱, 20 G. Paris – 13 413 h.

Voir Eglise N.-Dame ★.

Paris 17 – Bobigny 6 – Lagny 19 – Livry-Gargan 2,5 – Meaux 30 – Senlis 42.

XX **Chalet des Pins,** 13 av. Livry ✆ 43 81 01 19, – AE ⓓ VISA L 16
fermé lundi soir et mardi en juil., lundi soir, mardi soir et sam. midi en août, et dim. soir – **R** carte 180 à 290.

Ris-Orangis 91130 Essonne 101 ㊱ – 25 071 h.

Paris 29 – Evry 3,5.

Ris Hôtel M sans rest., N 7 ✆ 69 25 81 81, Télex 603608 – TV wc ☎ ♿ P. AE E VISA – 27 – **50 ch** 250/290.

Roissy-en-France 95700 Val-d'Oise 101 ⑧ – 1 411 h.

✈ **Charles de Gaulle** ✆ 47 76 41 52.

Paris 25 – Chantilly 28 – Meaux 36 – Pontoise 44 – Senlis 28.

à Roissy-ville :

Holiday Inn M, 1 allée Verger ✆ 39 88 00 22, Télex 695143 – TV ☎ ♿ P – 250. AE ⓓ E VISA
R carte 185 à 235 , enf. 45 – 65 – **240 ch** 640/670.

Ibis M, av. Raperie ✆ 39 88 00 40, Télex 699083 – TV wc ☎ ♿ P – 25 à 150. AE ⓓ E VISA
R carte 75 à 120 – 30 – **200 ch** 380/410.

dans le domaine de l'aéroport :

Sofitel M, ✆ 48 62 23 23, Télex 230166, – TV ☎ ♿ P – 25 à 500. AE ⓓ E VISA
Les Valois rest. panoramique *(fermé le midi en août, sam. midi, dim. midi et fériés le midi)* **R** 180 - **Le Jardin** (brasserie) (rez-de-chaussée) **R** carte 135 à 180 , enf. 52 – 43 – **344 ch** 595/825, 8 appartements 1200.

dans l'aérogare nº 1 :

XXXX ✿ **Maxim's,** ✆ 48 62 16 16 – ▤. AE ⓓ VISA
R (déj. seul.) 250 et carte 250 à 450, enf. 100
Spéc. Poêlée de langoustines au basilic, Raviole de ris de veau aux herbes, Aumônière de pigeo foie gras.

XX **Grill Maxim's,** ✆ 48 62 16 16 – ▤. AE ⓓ VISA
R 220 bc, enf. 100.

Rueil-Malmaison **92500** Hauts-de-Seine **101** ⑬, **18** **G. Paris** – 64 545 h.

Voir Château de Bois-Préau★ – Buffet d'orgues★ de l'église – Malmaiso musée★★ du château.

Paris 15 – Argenteuil 12 – Nanterre 1,5 – St-Germain-en-Laye 7,5 – Versailles 11.

Cardinal Ⓜ sans rest, 1 pl. Richelieu ✆ **47 08 20 20, Télex 204113** – ▤ ▤ TV ☎ – ⓟ – 30. AE ⓓ E VISA
▭ 39 – **55 ch** 435/495.

XXX ✿ **El Chiquito,** 126 av. Paul-Doumer ✆ **47 51 00 53,** « Jardin » – E VISA
fermé août, sam., dim. et fériés – **R** carte 260 à 340
Spéc. Crépinette de lotte forestière, Filets de rouget à la moelle, Blanquette de sole aux morilles.

XX **Relais de St-Cucufa,** 114 r. Gén.-Miribel ✆ **47 49 79 05,** . E VISA
fermé 15 au 31 août, dim. soir et lundi soir – **R** carte 180 à 290, enf. 100.

à Nanterre Ⓟ N : 2 km – 90 371 h. – ✉ **92000** Nanterre :

XXX **Ile de France,** 83 av. Mar. Joffre ✆ **47 24 10 44,** – ⓟ. AE ⓓ VISA
fermé août et dim. – **R** 160.

CITROEN Succursale, 100 av. F.-Arago à Nanterre ✆ 47 80 71 20

Mery-Pneus, 9 r. des Carriers à Nanterre ✆ 47 24 77 05

Piot-Pneu, 74 av. V.-Lénine à Nanterre ✆ 47 61 01

Rungis **94150** Val-de-Marne **101** ㉖, **24** – 2 650 h. Marché d'Intérêt National.

Paris 13 – Antony 5,5 – Corbeil-Essonnes 26 – Créteil 11 – Longjumeau 10.

Pullman Orly Ⓜ accès Paris : A6, bretelle d'Orly, de province : A 6 et so Rungis-Orly, 20 av. Ch.-Lindberg ✉ **94656** ✆ **46 87 36 36, Télex 260738,** ←, – ▤ TV ☎ – ⓟ – 50 à 300. AE ⓓ E VISA
La Rungisserie R 160 bc, carte le dim. – ▭ 53 – **204 ch** 505/610.

Holiday Inn Ⓜ, **accès de Paris : A 6 bretelle d'Orly, de province A 6 so Rungis-Orly** ✆ **46 87 26 66, Télex 204679,** – ▤ ▤ TV ☎ ♿ ⓟ – 50 à 2 AE ⓓ E VISA
R 90/250, enf. 60 – ▭ 55 – **168 ch** 590/950.

XXX **Le Charolais,** 13 r. N-Dame à Rungis Ville ✆ **46 86 16 42** – AE ⓓ VISA
fermé 4 au 10 avril, 8 au 29 août, 26 déc. au 2 janv., sam. et dim. – **R** carte 21 300.

Piot-Pneu, 2 r. des Transports, Centre Routier ✆ 46 86 46 01

Vertadier, 88 av. Stalingrad à Chevilly-La ✆ 46 87 25 48

Saclay **91400** Essonne **101** ㉓ – 1 865 h.

18 de St-Aubin ✆ **69 41 25 19, SO : 2,5 km.**

Paris 26 – Arpajon 22 – Chartres 68 – Evry 28 – Rambouillet 30 – Versailles 11.

Novotel Ⓜ, près rd-point Christ-de-Saclay ✆ **69 41 81 40, Télex 691856,** – ▤ ▤ TV ☎ ♿ ⓟ – 450. AE ⓓ E VISA
R grill carte environ 120, enf. 46 – ▭ 38 – **134 ch** 365/385.

St-Cloud **92210** Hauts-de-Seine **101** ⑭, **22** **G. Paris** – 28 760 h.

Voir Parc★★ (Grandes Eaux★★) – Église Stella Matutina★.

18 18 ✆ **47 01 01 85, parc Buzenval à Garches, O : 4 km.**

Paris 13 – Nanterre 5 – Rueil-Malmaison 5,5 – St-Germain 16 – Versailles 10.

Quorum et rest. la Désirade Ⓜ, 2 bd République ✆ **47 71 22 33, Télex 631** – ▤ TV wc ☎ ♿ – 30. AE ⓓ E VISA. rest
R *(fermé dim.)* carte 170 à 250 – ▭ 38 – **58 ch** 350/375.

Villa Henri IV, 43 bd République ✆ **46 02 59 30, Télex 631893** – ▤ wc ☎ ⓟ – 30. E VISA. rest
R *(fermé 15 juil. au 16 août, 26 au 31 déc., dim. soir et sam.)* 70/132 – ▭ 30 – **36** 360/440.

XX **Le Florian,** 14 r. Église ✆ **47 71 29 90** – AE VISA
fermé août, sam. midi et dim. – **R** 200.

ROEN Gar. Magenta, 4 bd Gén.-de-Gaulle arches ✆ 47 41 67 36
JGEOT-TALBOT St-Cloud-Autom., 147 av. h ✆ 47 71 83 80

V.A.G. Gar. de St-Cloud, 38 r. Dailly ✆ 46 02 56 20

St-Cyr-l'École 78210 Yvelines 101 ㉒ – 16 380 h.

Paris 27 – Dreux 59 – Rambouillet 26 – St-Germain-en-Laye 12 – Versailles 4,5.

Aérotel sans rest, **88 r. Dr-Vaillant ✆ 30 45 07 44** – wc wc ☎ P. E VISA
25 – **26 ch** 210/295.

NAULT Gar. de l'Octroi, 28 av. Div. Leclerc 0 45 00 16
tran, 39 r. D.-Casanova ✆ 34 60 60 40

La Centrale du Pneu, 10 av. H.-Barbusse ✆ 30 45 29 72
St Cyr-Pneu, 86 av. P.-Curie ✆ 34 60 43 80

St-Denis 93200 Seine-St-Denis 101 ⑯, 20 G. Paris – 91 275 h.

Voir Cathédrale : tombeaux***.**

Office de Tourisme 2 r. Légion d'Honneur ✆ 42 43 33 55.

Paris 10 – Argenteuil 10 – Beauvais 64 – Bobigny 7 – Chantilly 30 – Pontoise 24 – Senlis 43.

Fimotel M, **20 r. J. Saulnier ✆ 48 09 48 10, Télex 230046** – wc ☎ P – 100. AE E VISA H 1
R 59 bc/110, enf. 36 – **60 ch** 285/295 – 1/2 p 330.

Mets du Roy, 4 r. Boulangerie ✆ **48 20 89 74** – AE E VISA G 1
fermé vacances de printemps, 12 au 31 juil., sam. midi et dim. – **R** carte 230 à 350.

Grill St-Denis, 59 r. Strasbourg ✆ **48 27 61 98** – P. AE E VISA F 2-3
fermé mardi soir, dim. soir et lundi – **R** 138.

La Saumonière, 1 r. Lanne ✆ **48 20 25 56** – VISA G 1
fermé août, lundi soir, mardi soir et dim. – **R** carte 220 à 280.

RCEDES-BENZ Gar. Moderne, 24 bd Car- ✆ 48 22 24 24
EL, GM St-Denis-Nord-Autos, 64 bd Mar- Sembat ✆ 48 20 01 86
UGEOT-TALBOT Neubauer, 227 bd France ✆ 48 21 60 21
NAULT Succursale, 93 r. de la Convention Courneuve ✆ 48 36 95 06

Pegaud et Cie, 16 av. R.-Semat ✆ 48 22 12 14
St-Denis Pneum., 20 bis r. G.-Péri ✆ 48 20 10 77

St-Germain-en-Laye 78100 Yvelines 101 ⑫, 18 G. Environs de Paris – 40 829 h.

Voir Château* BZ **: musée des Antiquités nationales** – Terrasse**** BY **– Jardin anglais*** BY **– Musée du Prieuré*** AZ.

9 18 ✆ **34 51 75 90 par ④ : 3 km ; 9 9 9 de Fourqueux ✆ 34 51 41 47 par r. de Mareil** - AZ -.

Office de Tourisme 1 bis r. République ✆ 34 51 05 12.

Paris 30 ③ – Beauvais 73 ① – Chartres 81 ③ – Dreux 70 ③ – Mantes-la-Jolie 34 ④ – Versailles 13 ③.

Plan page suivante

Pavillon Henri IV M, **21 r. Thiers ✆ 34 51 62 62, Télex 695822,** < Paris et Seine, – ☎ P – 200. AE E VISA BZ **s**
R carte 250 à 430 – **42 ch** 600/1400, 3 appartements 2000.

Le Cèdre , **7 r. Alsace ✆ 34 51 84 35,** – wc – 30. AY **u**
fermé 1er fév. au 7 mars – **R** 84/98 – **31 ch** 190/258 – 1/2 p 191/281.

des Coches, 7 r. Coches ✆ **39 73 66 40** – . AE E VISA AZ **e**
fermé 10 au 20 août, dim. soir et lundi – **R** 98/200.

La Résidence, 149 r. Prés.-Roosevelt ✆ **34 51 03 07,** – VISA
fermé dim. soir et lundi – **R** carte 140 à 185.

au NO par ① : **2,5 km sur N 284 et rte des Mares – ✉ 78100** St-Germain-en-Laye :

La Forestière M , **1 av. Prés.-Kennedy ✆ 39 73 36 60, Télex 696055,** – ☎ P – 40. E VISA
R voir rest **Cazaudehore** ci-après – 42 – **24 ch** 540/620, 6 appartements 720/790.

✿ **Cazaudehore,** 1 av. Prés.-Kennedy ✆ **34 51 93 80,** , « **Intérieur rustique, jardin fleuri en forêt** » – P. E VISA
fermé lundi sauf fériés – **R** carte 210 à 310
Spéc. Foie gras de canard, Étuvée de lotte aux petits lardons, Filets de canard gras rôtis au miel.

ST-GERMAIN-EN-LAYE

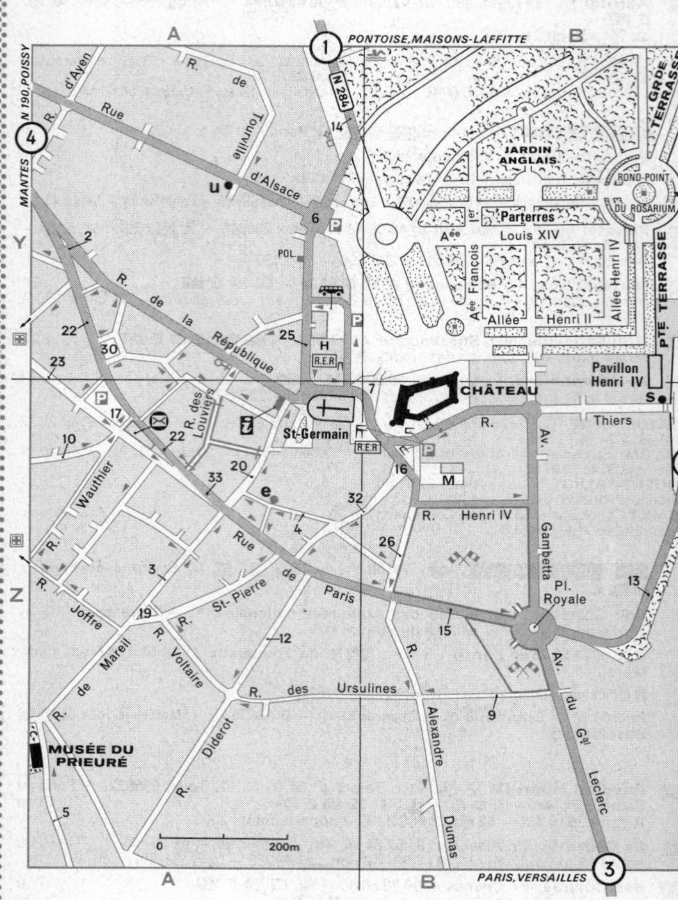

BMW, LANCIA-AUTOBIANCHI Guynemer-Auto, 1 pl. Guynemer ☎ 34 51 86 55
CITROEN Ouest-Automobile, 45 rte de Mantes N 13 à Chambourcy par ④ ☎ 39 65 42 00
FORD G.A.O., r. Clos de la Famille à Chambourcy ☎ 39 65 50 00
MERCEDES-BENZ Port-Marly Gar., 10 r. St-Germain à Port Marly ☎ 39 58 44 38

PEUGEOT-TALBOT Vauban Autom., 130 b av. Foch par ④ ☎ 39 73 25 07
RENAULT Ets Adde, 112 r. Prés.-Roosev par r. Joffre AZ ☎ 39 73 32 64

Marchand, pl. Thiers ☎ 34 51 43 23
Relais du Pneu, 22 r. Péreire ☎ 34 51 19 33

St-Mandé 94160 Val-de-Marne 101 ㉖, 24 G. Paris – 18 860 h.

Paris 5 – Créteil 9 – Lagny 27 – Maisons-Alfort 5 – Vincennes 1,5.

X **Le Trinquet,** 44 av. Gén. de Gaulle ☎ 43 28 23 93 – AE ⓓ VISA — B 7
fermé mardi soir et merc. – **R** 115/210 bc.

St-Maur-des-Fossés 94100 Val de Marne 101 ㉗, 24 – 80 954 h.

ℹ Office de Tourisme 34 av. République ☎ 42 83 84 74.

Paris 14 – Créteil 5 – Nogent-sur-Marne 7.

XX **Le Jardin d'Ohé,** 29 quai Bonneuil ☎ 48 83 08 26, – VISA — J 13
fermé vacances de nov., de fév., dim. soir et lundi – **R** 169/217.

XX **Aub. de la Passerelle,** 37 quai de la Pie ☎ 48 83 59 65 – E VISA — H 12
fermé août, vacances de fév., dim. soir et merc. – **R** carte 135 à 235.

NAULT Gar. Chevant, 2 bd Gén.-Giraud ☎ 48 83 05 43

St-Maurice 94410 Val-de-Marne 101 ㉗, 24 – 9 595 h.

Paris 7,5 – Créteil 5 – Joinville-le-Pont 4 – Maisons-Alfort 3 – Vincennes 5.

Mercure M, 12 r. Mar.-Leclerc ☎ 43 75 94 94, Télex 232905 – TV wc ☎ – 25 à 70. AE ⓓ E VISA — E 7
R carte 110 à 160, enf. 70 – 40 – **99 ch** 420/460.

St-Ouen 93400 Seine-St-Denis 101 ⑮, 18 – 43 743 h.

ℹ Office de Tourisme pl. République ☎ 42 54 77 36.

Paris 7,5 – Bobigny 9,5 – Chantilly 34 – Meaux 45 – Pontoise 29 – St-Denis 3,5.

Alhambra sans rest, 23 r. E.-Renan ☎ 40 11 06 22 – wc wc ☎ — K 23
17 – **29 ch** 95/180.

XX **Coq de la Maison Blanche,** 37 bd Jean-Jaurès ☎ 40 11 01 23 – E VISA — J 23
fermé dim. – **R** carte 190 à 280.

RD Bocquet, 45-57 av. Michelet ☎ 42 57 13

NAULT Gar. Heslot, 17 r. Ch.-Schmidt ☎ 40 19 18

Mattei-Pneum., 5 r. A.-Rodin ☎ 42 52 42 72
Sté Nouvelle du Pneumatique, 87 bd V.-Hugo ☎ 40 11 08 66

Savigny-sur-Orge 91600 Essonne 101 ㊱ – 32 503 h.

Paris 23 – Évry 12 – Longjumeau 5,5 – Versailles 26.

Gd Panorama, 5 r. Mont-Blanc ☎ 69 96 17 61 – TV wc wc ☎ – 25. E VISA
R *(fermé mardi soir et merc.)* 73/270 bc, enf. 35 – 20 – **24 ch** 165/190.

Sceaux 92330 Hauts-de-Seine 101 ㉕ G. Paris – 18 625 h.

Voir Parc★★ et Musée de l'Ile-de-France★ – L'Hay-les-Roses : roseraie★★ E : 3 km – Église St-Germain l'Auxerrois ★ à Châtenay-Malabry SO : 2,5 km.

ℹ Office de Tourisme 68 r. Houdan (fermé matin août) ☎ 46 61 19 03.

Paris 11 – Antony 3 – Bagneux 2,5 – Corbeil-Essonnes 29 – Nanterre 19 – Versailles 16.

MW, OPEL Ets Loiseau, 3 r. de la Flèche ☎ 47 02 72 50

Sèvres 92310 Hauts-de-Seine 101 ㉔, 22 G. Paris – 20 255 h.

Voir Musée National de céramique★★ – Étangs★ de Ville d'Avray O : 3 km.

Paris 12 – Boulogne-Billancourt 2,5 – Nanterre 10 – St-Germain-en-Laye 17 – Versailles 8.

XX **Lapin Frit,** 36 av. Gambetta ☎ 45 34 02 18, – ⓓ E VISA — D 11
fermé août, dim. soir et lundi – **R** 130/180.

TROEN Gar. Pont de Sèvres, 5 Grande Rue ☎ 45 34 01 93

Stains 93240 Seine-St-Denis 101 ⑯, 20 – 36 289 h.

Paris 13 – Chantilly 29 – Meaux 43 – Pontoise 27 – Senlis 42 – St-Denis 4.

XX **Chez Bibi,** 41 allée Val du Moulin ☎ 48 26 64 10, – ⓓ VISA — D 5
fermé 13 au 31 août, vacances de Noël, sam. et dim. – **R** carte 170 à 250.

UGEOT-TALBOT Dominique Autom., 75 r. Jean Jaurès ☎ 48 26 64 19

Benutzen Sie für Fahrten in die Pariser Vororte
die **Michelin-Karte** Nr. 101 im Maßstab 1: 50 000
d die **Pläne der Vororte Nr.** 17-18, 19-20, 21-22, 23-24 im Maßstab 1: 15 000.

Sucy-en-Brie 94370 Val-de-Marne 101 ㉘, 24 – 23 393 h.

Voir Château de Gros Bois★ : mobilier★★ S : 5 km, G. Paris.

Paris 19 – Créteil 6,5 – Chennevières-sur-Marne 4.

Le Tartarin M, Les Bruyères SE : 3 km ✆ 45 90 42 61 – TV ⇔wc ☎. AE VISA M
R *(fermé août, dim. soir et lundi)* 160/220 – ☕ 27 – **11 ch** 280/295.

XX **Terrasse Fleurie,** 1 r. Marolles ✆ 45 90 40 07, – P. E VISA M
fermé 2 au 19 août, 20 déc. au 4 janv., mardi soir et merc. – **R** 135/220, enf. 80.

PEUGEOT-TALBOT Ets Paulmier, 89 r. Gén.-Leclerc ✆ 45 90 95 95 N

CITROEN Ruffin-Heitmann 40 r. de Valent à Boissy St Léger ✆ 45 69 80 81 N ✆ 60 46 19

Suresnes 92150 Hauts-de-Seine 101 ⑭, 18 G. Paris – 35 744 h.

Voir Fort du Mont Valérien (Mémorial National de la France Combattante).

Paris 11 – Nanterre 4 – Pontoise 29 – St Germain-en-Laye 12 – Versailles 13.

Astor M sans rest, 19 bis r. Mt Valérien ✆ 45 06 15 52 – TV ⇔wc ☎. E VISA P
☕ 22 – **51 ch** 260.

Ibis M, 6 r. Bourets ✆ 45 06 44 88, Télex 614484, – TV ⇔wc ☎ ♿ – 3 P
E VISA
R carte 75 à 120 ⅉ, enf. 37 – ☕ 25 – **62 ch** 289/315.

Torcy 77200 S.-et-M. 101 ⑳ G. Environs de Paris – 12 295 h.

Paris 29 – Meaux 24 – Lagny-sur-Marne 5 – Melun 43.

XX **Le Mansart,** 15 rue Paris ✆ 60 17 27 01 – P. AE ⓓ E VISA
fermé dim. soir – **R** 90/245, enf. 50.

Les Ulis 91940 Essonne 101 ㉝ – 28 238 h.

Paris 30 – Chartres 64 – Évry 27 – Rambouillet 28.

Mercure M, Z.A. de Courtaboeuf ✆ 69 07 63 96, Télex 691247, – ☎ ♿ P – 25 à 200. AE ⓓ E VISA
R carte 105 à 160, enf. 40 – ☕ 36 – **108 ch** 365.

RENAULT S.D.A.O., av. des Tropiques, Z.A. Courtaboeuf-les-Ulis ✆ 69 07 78 35

Vanves 92 Hauts-de-Seine 101 ㉕ – voir Mercure Paris-Porte de Versailles à Paris p. 39.

La Varenne-St-Hilaire 94210 Val-de-Marne 101 ㉘, 24

ℹ Office de Tourisme 5 r. St-Hilaire (fermé août) ✆ 42 83 84 74.

Paris 15 – Chennevières-sur-Marne 1,5 – Lagny 22 – St-Maur-des-Fossés 2,5.

Winston M sans rest, 119 quai W.-Churchill ✆ 48 85 00 46, Télex 231400 – G
⇔wc wc ☎. AE ⓓ E VISA
☕ 30 – **23 ch** 301/352.

X **Chez Nous comme chez Vous,** 110 av. du Mesnil ✆ 48 85 41 61 – VISA G
fermé août, dim. soir et merc. – **R** 172 bc/276.

FERRARI, PORSCHE, MITSUBISHI S.C.B. Pozzi, 102 av. Foch à St-Maur ✆ 48 85 45 55
RENAULT Gar. National, 28 av. de la République à St-Maur ✆ 48 83 55 51 N

Selz-Pneus-Est, 5 av. L.-Blanc ✆ 48 85 27 3

Vaucresson 92420 Hauts-de-Seine 101 ㉓, 22 – 8 409 h.

Voir Etang de St-Cucufa★ NE : 2,5 km, G. Paris.

Paris 19 – Mantes-la-Jolie 43 – Nanterre 9 – St-Germain-en-Laye 11 – Versailles 5.

voir plan de Versailles

XX **La Poularde,** 36 bd Jardy (près autoroute) D 182 ✆ 47 41 13 47, – P. VISA
fermé août, vacances de fév., dim. soir, mardi soir et merc. – **R** carte 140 à 275. U

RENAULT Moriceau 106 bd République ✆ 47 41 12 40

Vélizy-Villacoublay 78140 Yvelines 101 ㉓, 22 – 23 886 h.

Paris 18 – Antony 11 – Chartres 79 – Meudon 7,5 – Versailles 6,5.

Holiday Inn M, av. Europe, près centre commercial Vélizy II ✆ 39 46 96 98, Tél 696537, – TV ☎ – 250. AE ⓓ E VISA. J
R 115/135 ⅉ, enf. 55 – ☕ 65 – **182 ch** 600/800.

RENAULT BSE-Vélizy, av. L.-Breguet ✆ 39 46 96 03

Versailles P **78000** Yvelines 101 ㉒, 22 **G. Environs de Paris** – 95 240 h.
Voir Château* Y – Jardins*** (Grandes Eaux*** et fêtes de nuit*** en été) V – Ecuries Royales* Y – Trianon** V – Musée Lambinet* Y M.**
18 18 9 du Racing Club de France ✆ 39 50 59 41 par ③ : 2,5 km.
Office de Tourisme 7 rue des Réservoirs ✆ 39 50 36 22 et pl. d'Armes (mi mai-mi sept.).
Paris 22 ① – Beauvais 92 ⑦ – Dreux 62 ⑥ – Évreux 85 ⑦ – Melun 59 ③ – •Orléans 121 ③.

Plans pages suivantes

Trianon Palace , 1 bd Reine ✆ 39 50 34 12, Télex 698863, , parc – TV ☎ P – 80. AE E VISA. rest — X r
R 210 – 58 – **110 ch** 720/1060, 10 appartements – $^1/_2$ p 660/1010.

Mercure M sans rest, r. Marly-le-Roi au Chesnay, face centre commercial Parly 2 ✉ 78150 Le Chesnay ✆ 39 55 11 41, Télex 695205 – TV wc ☎ P. AE E VISA — U e
35 – **78 ch** 380.

Le Versailles sans rest, r. Ste-Anne (Petite Place) ✆ 39 50 64 65, Télex 689110 – TV wc ☎ . AE E VISA — Y m
25 – **48 ch** 300/370.

Résidence du Berry M sans rest, 14 r. Anjou ✆ 39 49 07 07, Télex 689058 – TV wc wc ☎. AE E VISA — Z s
26 – **38 ch** 300/350.

Richaud sans rest, 16 r. Richaud ✆ 39 50 10 42, Télex 696186 – TV wc wc ☎ P. AE E VISA — Y z
22 – **39 ch** 165/325.

Urbis M sans rest, av. Dutartre Centre Commercial Parly II ✉ 78150 Le Chesnay ✆ 39 63 37 93, Télex 689188 – TV wc ☎ . E VISA — U n
25 – **72 ch** 280/300.

Printania sans rest, 7 bis r. Montbauron ✆ 39 50 44 10 – TV wc wc ☎ . E VISA — Y n
21 – **30 ch** 185/270.

St-Louis sans rest, 28 r. St-Louis ✆ 39 50 23 55 – wc wc ☎. E VISA — Z d
18 – **27 ch** 200/250.

Paris sans rest, 14 av. Paris ✆ 39 50 56 00 – wc wc ☎. — YZ e
fermé 1er au 25 août – 26 – **30 ch** 160/220.

XXX ❀❀ **Trois Marches** (Vié), 3 r. Colbert ✆ 39 50 13 21, , « Élégant hôtel particulier du 18e s. » – . AE E VISA. — Y u
fermé dim. et lundi – **R** 325/435 et carte
Spéc. Méli-mélo de saumon au caviar, Canette étouffée au bouillon de navets, Gâteau au chocolat blanc.

XX **Rescatore,** 27 av. St-Cloud ✆ 39 50 23 60 – AE VISA — Y s
fermé sam. midi et dim. – **R** 205 (déj.) et carte 240 à 310.

XX **Boule d'Or,** 25 r. Mar.-Foch ✆ 39 50 22 97 – AE E VISA — Y a
fermé dim. soir et lundi – **R** 115/224.

X **Potager du Roy,** 1 r. Mar.-Joffre ✆ 39 50 35 34 – VISA — Z r
fermé dim. et lundi – **R** 150/250.

X **Vert Galant,** 85 r. Paroisse ✆ 30 21 76 50 – AE E VISA — Y v
fermé 10 au 25 août et merc. – **R** 105.

X **Le Boeuf à la Mode,** 4 r. au Pain ✆ 39 50 31 99 – VISA — Y b
R carte 120 à 165.

FA ROMEO Maintenon Autom., 18 av. de intenon, Le Chesnay ✆ 39 54 29 45
W Gar. Lostanlen, 10 r. de la Celle, Le esnay ✆ 39 54 75 20
TROEN Succursale, 124 av. des Etats Unis 30 21 52 53
RD Gar. Brunet, 2 bis r. E.-Lefevre ✆ 30 21 53
UGEOT-TALBOT Le Chesnay-Autom., 36 r. xouris, Le Chesnay ✆ 39 54 52 76
UGEOT-TALBOT Gar. de Vergennes, 18 r. Vergennes ✆ 39 02 27 27
RENAULT Succursale, 12 r. Haussmann ✆ 39 53 96 44
RENAULT Succursale, 81 r. de la Paroisse ✆ 39 53 96 44
RENAULT Succursale, 46 av. de St-Cloud ✆ 39 53 96 44
V.A.G. Gd Gar. des Chantiers, 58 r. des Chantiers ✆ 39 50 04 97
La Centrale du Pneu, 77 r. des Chantiers ✆ 30 21 24 25

VERSAILLES

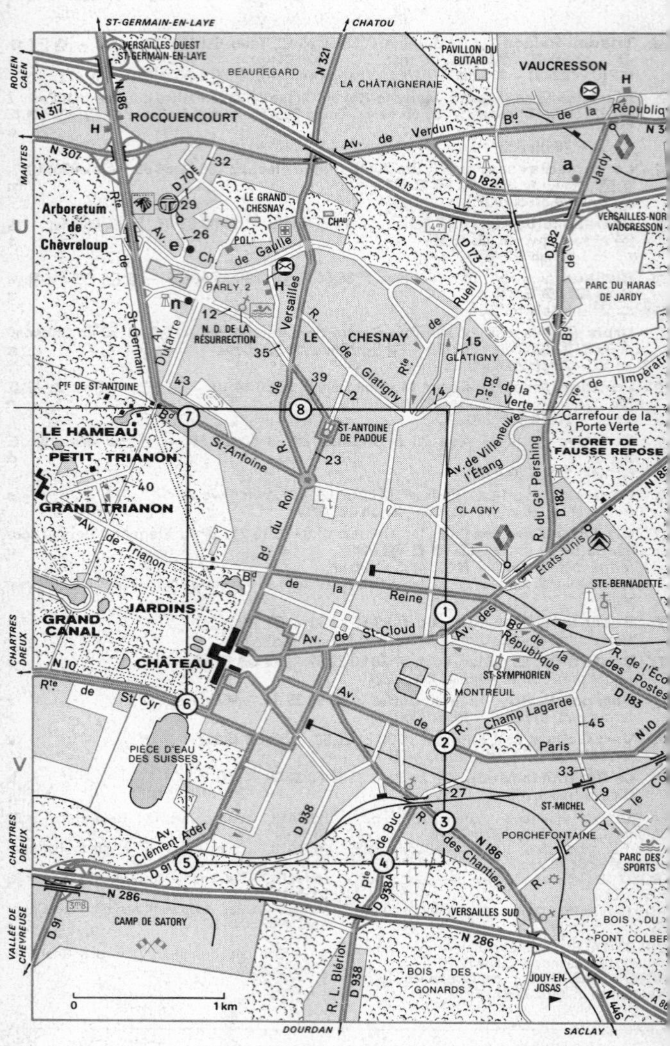
ST-GERMAIN-EN-LAYE
CHATOU
VERSAILLES-OUEST ST-GERMAIN-EN-LAYE
BEAUREGARD
LA CHÂTAIGNERAIE
PAVILLON DU BUTARD
VAUCRESSON
ROCQUENCOURT
Arboretum de Chèvreloup
LE GRAND CHESNAY
PARLY 2
N. D. DE LA RÉSURRECTION
LE CHESNAY
GLATIGNY
VERSAILLES-NORD VAUCRESSON
PARC DU HARAS DE JARDY
Carrefour de la Porte Verte
FORÊT DE FAUSSE REPOSE
ST-ANTOINE DE PADOUE
LE HAMEAU
PETIT TRIANON
GRAND TRIANON
CLAGNY
STE-BERNADETTE
JARDINS
GRAND CANAL
CHÂTEAU
ST-SYMPHORIEN
MONTREUIL
PIÈCE D'EAU DES SUISSES
ST-MICHEL
PORCHEFONTAINE
PARC DES SPORTS
CAMP DE SATORY
VERSAILLES SUD
BOIS DU PONT COLBERT
BOIS DES GONARDS
JOUY-EN-JOSAS
DOURDAN
SACLAY
ROUEN CAEN
MANTES
CHARTRES DREUX
VALLÉE DE CHEVREUSE
0
1 km

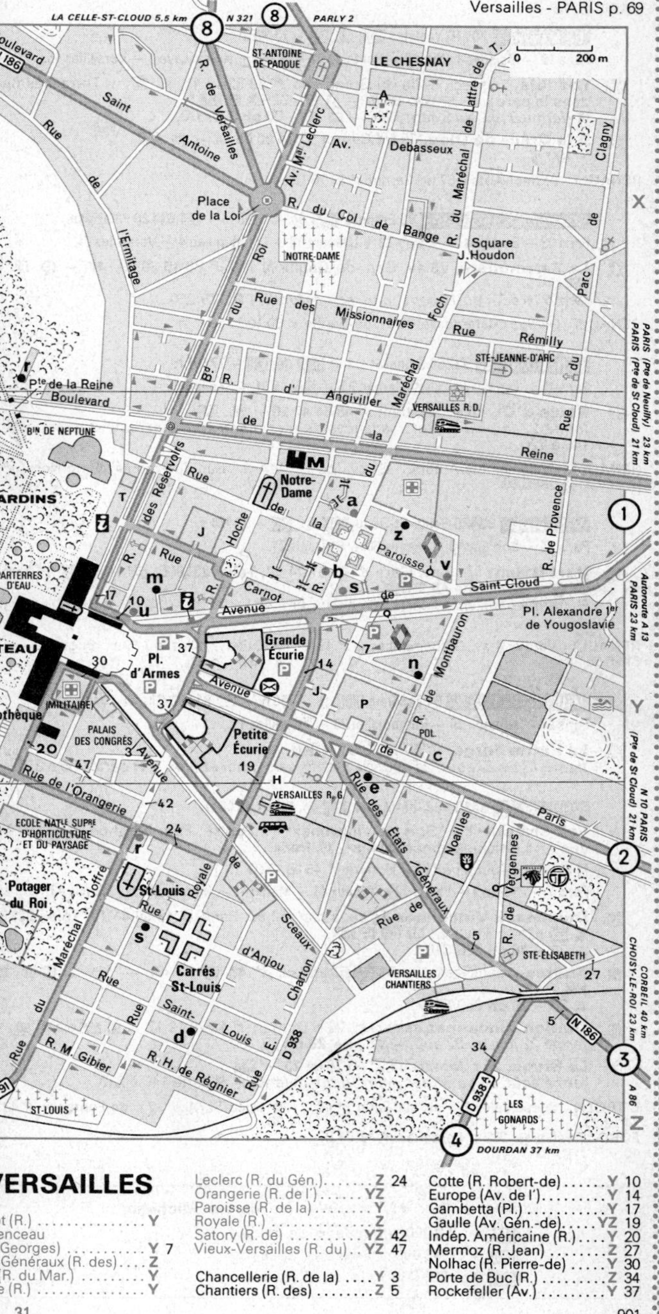

VERSAILLES

ot (R.) .... Y
enceau
Georges) .... Y 7
-Généraux (R. des) .... Z
(R. du Mar.) .... Y
e (R.) .... Y

Leclerc (R. du Gén.) .... Z 24
Orangerie (R. de l') .... YZ
Paroisse (R. de la) .... Y
Royale (R.) .... Z
Satory (R. de) .... YZ 42
Vieux-Versailles (R. du) .. YZ 47

Chancellerie (R. de la) .... Y 3
Chantiers (R. des) .... Z 5

Cotte (R. Robert-de) ...... Y 10
Europe (Av. de l') .... Y 14
Gambetta (Pl.) .... Y 17
Gaulle (Av. Gén.-de) ...... YZ 19
Indép. Américaine (R.) .... Y 20
Mermoz (R. Jean) .... Z 27
Nolhac (R. Pierre-de) ..... Y 30
Porte de Buc (R.) .... Z 34
Rockefeller (Av.) .... Y 37

Le Vésinet 78110 Yvelines 101 ⑬, 18 – 17 329 h.

Paris 18 – Maisons-Laffitte 9 – Pontoise 21 – St-Germain-en-Laye 3 – Versailles 15.

XXX **Les Ibis** avec ch, île du Grand Lac ✆ 39 52 17 41, ≤, « Terrasses fleu dans le parc » – wc ☎ Ⓟ – 60. AE ⓓ E VISA
R *(fermé 3 juil. au 3 sept.)* 160 – ☐ 30 – **20 ch** 300/370.

XX **A la Grâce de Dieu,** 75 bd Carnot ✆ 34 80 05 44 – ▤. VISA
R 100 ♁.

RENAULT Vésinet-Autos, 67 bd Carnot ✆ 39 76 12 84

Villebon-sur-Yvette 91 Essonne 101 ㉞ – 7 728 h. – ✉ 91120 Palaiseau.

Paris 23 – Étampes 31 – Évry 22 – Limours 16 – Longjumeau 4 – Versailles 21.

XX **La Ferronnière,** 23 av. Gén.-de-Gaulle N 188 ✆ 60 10 30 88, – Ⓟ. AE ⓓ VISA
fermé 16 août au 15 sept., dim. soir et lundi – **R** 175/250.

RENAULT Garage Costerousse, 75 av. de-Gaulle ✆ 60 10 31 68

Villemomble 93250 Seine-St-Denis 101 ⑱, 20 – 27 601 h.

Paris 15 – Lagny 17 – Livry-Gargan 3,5 – Meaux 31 – Senlis 44.

XX **Boule d'Or,** 10 av. Gallieni ✆ 48 54 47 26 – ▤. VISA
fermé 27 juil. au 3 sept., vacances de fév., mardi soir, dim. soir et merc. – **R** c 140 à 220.

RENAULT Villemomble-Autom., 19 av. de Rosny ✆ 45 28 68 63

V.A.G. Gar. du Progrès, 39 rte Noisy ✆ 4 66 30

Villepinte 93420 Seine-St-Denis 101 ⑧, 20 – 23 754 h.

Paris 24 – Bobigny 10 – Meaux 30 – St-Denis 21.

Vert Galant Ⓜ, 7 av. Gare ✆ 48 61 24 07, Télex 231905, – TV wc ☎ Ⓟ – 80. AE ⓓ E VISA
R *(fermé sam. midi)* carte 165 à 210, enf. 45 – ☐ 28 – **39 ch** 258/297 – ½ p 380.

RENAULT Verdier 4 av. G. Clémenceau, ✆ 48 61 96 65

Otico 7 allée du Mar. Bugeaud à Se ✆ 43 84 36 30

Villiers-le-Bâcle 91 Essonne 101 ㉝ – 750 h. – ✉ 91190 Gif-sur-Yvette.

Paris 29 – Arpajon 26 – Rambouillet 29 – Versailles 11.

XX **La Petite Forge,** ✆ 60 19 03 88 – VISA
fermé 13 au 22 août, 24 déc. au 3 janv., sam. midi et dim. – **R** carte 255 à 315.

Vincennes 94300 Val-de-Marne 101 ⑰, 24 – 43 086 h.

Voir Château★★ – Bois de Vincennes★★ : Zoo★★, Parc floral de Paris★★, Mu des Arts africains et océaniens★, G. Paris.

Office de Tourisme 11 av. Nogent ✆ 48 08 13 00.

Paris 7 – Créteil 9 – Lagny 22 – Meaux 41 – Melun 48 – Montreuil 1,5 – Senlis 48.

Daumesnil Vincennes Ⓜ sans rest, 50 av. Paris ✆ 48 08 44 10, Télex 23185 TV wc wc ☎. AE ⓓ E VISA
☐ 24 – **46 ch** 260/310.

Château sans rest, r. R.-Giraudineau ✆ 48 08 67 40 – wc wc ☎ VISA
☐ 20 – **20 ch** 250/275.

Donjon Vincennes sans rest, 22 r. Donjon ✆ 43 28 19 17 – wc ☎.
fermé 22 juil. au 22 août – ☐ 18 – **28 ch** 75/250.

X **Le Bidou,** 26 r. Montreuil ✆ 43 28 04 23 – VISA
fermé août, 24 au 31 déc., dim., lundi et fériés – **R** carte 140 à 230.

CITROEN Succursale, 120 av. de Paris ✆ 43 74 12 25
FORD Deshayes, 232 r. Fontenay ✆ 43 74 97 40

Pneu-Service, 12 r. de Fontenay ✆ 43 2 79

Viroflay **78220** Yvelines 101 ㉓, 22 – 14 074 h.

Paris 17 – Antony 16 – Boulogne-Billancourt 7,5 – Versailles 4.

X **Aub. la Chaumière,** 3 av. Versailles ✆ 30 24 48 76, 🏠 – AE VISA G 8
fermé dim. soir, lundi soir et mardi – **R** 120/200.

a Centrale du Pneu, 199 av. Gen. Leclerc ✆ 30 24 49 96

Viry-Châtillon **91170** Essonne 101 ㊱ – 30 290 h.

Paris 26 – Corbeil-Essonnes 11 – Évry 8,5 – Longjumeau 8,5 – Versailles 29.

X ✿ **La Dariole de Viry** (Richard), 21 r. Pasteur ✆ 69 44 22 40 – ▤. AE VISA
fermé juil., sam. midi, dim. et fêtes – **R** carte 190 à 290
Spéc. Blinis aux escargots de Bourgogne, Navarin de "terre et mer" parfumé au curry, Coupe Béatrice.

AULT Come et Bardon, 119 av. Ch.-de-lle ✆ 69 96 91 40
T Gar. Marchand, 113 av. Gén.-de-Gaulle 9 05 38 49

Ⓜ La Centrale du Pneu, 134 rte Nationale ✆ 69 44 30 07

PRINCIPALES MARQUES D'AUTOMOBILES

CONSTRUCTEURS FRANÇAIS

Alpine-Renault (Sté des Autom.) : 120 r. Thiers, 92109 Boulogne-Billancc ☎ 46 09 62 36

Citroën : 62 bd Victor -Hugo, 92200 Neuilly ☎ 47 48 41 41
Magasin d'exposition : 42 av. Champs-Élysées, 75008 Paris ☎ 43 59 62 20

Peugeot-Talbot : siège et services commerciaux : 75 av. Gde-Armée, 75116 P ☎ 45 02 11 33
Magasins d'exposition : 136 av. Champs-Élysées, 75008 Paris ☎ 45 62 37 30

Renault : 8 av. Émile-Zola, 92109 Boulogne-Billancourt ☎ 46 09 31 31
Magasin d'exposition : 53 av. Champs-Élysées, 75008 Paris ☎ 42 56 78 22

Renault V.I. : 8 quai Léon-Blum, 92150 Suresnes ☎ 47 72 33 33

IMPORTATEURS

(Agents en France : demander la liste aux adresses ci-dessous.)

Alfa-Romeo : 41-45 quai Président-Roosevelt, 92130 Issy-les-Moulineaux ☎ 45 54 92

American Motors, Jeep : R.N.U.R., Service JEEP ; 8-10, av. Emile Zola, 92100 Boulo Billancourt ☎ 46 09 54 16

Austin Rover France : (Austin, Land Rover, Morris, Rover) r. Ambroise-Croizat, Z Ind., 95101 Argenteuil ☎ 39 82 09 22

BMW : 3 av. Ampère, 78390 Bois d'Arcy ☎ 30 43 93 00

NISSAN : Sté Richard, 46 et 48 r. Moxouris, Parly II, 78153 Le Chesnay ☎ 39 54 90 54

Ferrari : Autom. Ch. Pozzi S.A., 109 r. Aristide-Briand, 92300 Levallois ☎ 47 39 96 50

Fiat : 80/82 quai Michelet, 92400 Levallois-Perret ☎ 47 30 50 00

Ford : 344 av. Napoléon-Bonaparte, 92506 Rueil-Malmaison Cedex ☎ 47 32 60 00

General-Motors : (Bedford, Buick, Cadillac, Chevrolet, Oldsmobile, Opel, Pont Vauxhall), 56 av. Louis-Roche, 92231 Gennevilliers ☎ 47 90 70 00

Honda-France : Parc d'activité Paris-Est-La Madeleine, BP 46, 77312 Marne la Va Cedex 2 ☎ 60 05 90 12

Jaguar France : 64 r. Marjolin, 92302 Levallois-Perret ☎ 42 70 82 20.

Lada : Ets Poch, bd des Martyrs de Châteaubriant, 95103 Argenteuil ☎ 39 82 09 21

Lancia-Autobianchi : Distribution Chardonnet SA, 165 av. Henri-Barbusse, 93 Bobigny ☎ 48 30 12 30

Lotus : Polymark, Les Glaisières N 13, 78630 Orgeval ☎ 39 75 71 93

Maserati : Thépenier S.A., 28 quai Carnot, 92210 St-Cloud ☎ 46 02 05 68

Matra Automobile : Z.I. « Le Chêne Sorcier » CD161, BP 47, 78340 Les Clayes-sous-E ☎ 30 55 82 82

Mazda Innocenti : Sté France-Motors, Z.I. du Haut-Galy, 93600 Aulnay-sous-E ☎ 48 65 42 44

Mercédès-Benz : Parc de Rocquencourt, 78150 Le Chesnay ☎ 30 21 06 00
Magasin d'exposition : 118 av. Champs-Élysées, 75008 Paris ☎ 45 62 24 04

Morgan : J. Savoye, 237 bd Péreire, 75017 Paris ☎ 45 74 82 80

Polski-Zastava : S.A. Chardonnet, 165 av. Henri-Barbusse, 93003 Bobigny ☎ 48 30 1

Porsche-Mitsubishi-SEAT : Sonauto, 1 av. du Fief, Z.A. des Béthunes de St-O l'Aumône, 95005 Cergy-Pontoise ☎ 30 37 92 92

Rolls-Royce, Bentley : Franco-Britannic, 25 r. P.-Vaillant-Couturier, 92300 Levall Perret ☎ 47 57 90 24

Saab : 2 à 18 r. des Peupliers. Parc d'Activité Petit Nanterre, 92000 Nant ☎ 47 86 72 22

SKODA-S.A.F.I.D.A.T. : 5 rue Jean-Jaurès, B.P. 65, 95872 Bezons Cedex ☎ 39 82 0

Toyota : S.I.D.A.T., 3 r. de Normandie, 92600 Asnières ☎ 47 90 62 10

V.A.G. France : 105 bis bd Malesherbes, 75017 Paris ☎ 42 56 42 82

Volvo : 49 av. d'Iéna, 75116 Paris ☎ 47 23 72 62

ɪRLEBOSCQ 40 Landes 79 ⑬ – rattaché à Barbotan-les-Thermes.

ɪRS-LES-ROMILLY 10 Aube 61 ⑤ – rattaché à Romilly-sur-Seine.

ɪRTHENAY <SP> 79200 Deux-Sèvres 67 ⑱ **G. Poitou Vendée Charentes** – 11 666 h.
r Pont St-Jacques★ Y B – Rue de la Vaux-St-Jacques★ Y – Église★ de Parthenay-/ieux par ④ : 1,5 km – du Petit Chêne ✆ 49 63 28 33, par ④ : 18 km D 743.
ffice de Tourisme Palais des Congrès ✆ 49 64 24 24.
; 373 ② – Bressuire 32 ① – Châtellerault 72 ② – Fontenay-le-Comte 53 ④ – Niort 42 ④ – ers 50 ② – Thouars 39 ①.

illon (R. Louis) .... Z 2
ès (R. Jean) ...... Z 12
ıbarde (R.) ...... YZ 4
rg-Belais (R. du) .. Z 5
eau (R. du)....... Y 6
delle (R. de la) .... Y 7
ılle (R.)......... Y 9
neau (R. de) ..... Y 10
rron (R.) .... Z 13
leraie (Bd de la) YZ 14
f (Pont) .... Y 15
ıet (R. Gaston) .... Z 16
rd (Pl. Georges) ... Z 17
e (R. de la) ...... YZ 18
e (R. de la) .... Z 19
ıerie (R. de la) .... Z 22
s-de-Parthenay
ıd des) .... Z 23
vert (Pl. du) ...... Y 24
ai 1945 (Bd du) .... Z 25

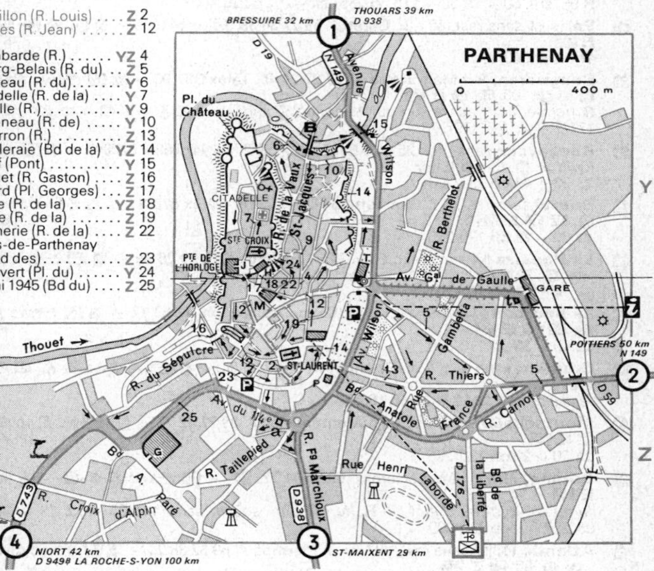

St-Jacques M sans rest, ✆ 49 64 33 33 – 🛗 TV ⇔wc ⋒wc ☎ ♿ 🅿 – 🏛 50. E VISA Z a
☕ 17,50 – **46 ch** 115/205.

Renotel M, bd Europe par ② ✆ **49 94 06 44,** ⚔ – TV ⇔wc ⋒wc ☎ 🅿. E VISA. ✻ rest
R *(fermé dim. du 1er oct. au 31 mai)* 58/95 🍷 – ☕ 18 – **26 ch** 145/195 – ½ p 210/250.

Nord avec ch, ✆ **49 94 29 11** – ⇔wc ☎ – 🏛 60. AE E VISA Z t
fermé 20 déc. au 10 janv. et sam. sauf fériés – **R** 48/150 🍷 – ☕ 15 – **13 ch** 73/140.

D Gar. Rouet, 52 av. A.-Briand ✆ 49 64 10

GEOT-TALBOT Bardet, Rte de Bressuire atillon sur Thouet par ① ✆ 49 95 18 64 N
AULT S.A.V.A.P., rte de St-Maixent à paire par ③ ✆ 49 94 19 55 N

Coutan-Pneus, pl. Martyrs-de-la-Résistance ✆ 49 94 34 22

RVILLE 27 Eure 55 ⑯ – rattaché à Evreux.

S DE LA CASE Principauté d'Andorre 86 ⑮, 43 ⑦ – voir à Andorre.

S DE L'ÉCHELLE 74 H.-Savoie 74 ⑥ – rattaché à Annemasse.

S-EN-ARTOIS 62760 P.-de-C. 52 ⑨ – 948 h.
182 – ♦Amiens 33 – Arras 28 – Bapaume 30 – Doullens 12.

Poste, ✆ 21 48 21 98 – E VISA. ✻
fermé 1er au 15 sept. et sam. – **R** 39/90 🍷, enf. 30 – ☕ 12 – **6 ch** 55 – ½ p 81.

SSENANS 39 Jura 70 ④ – rattaché à Poligny.

PAU P **64000** Pyr.-Atl. 85 ⑥⑦ **G. Pyrénées Aquitaine** – 85 766 h. – Casino: BZ.

Voir Boulevard des Pyrénées ≤*** ABZ – Château* AZ – Musée des Beaux-Ar BY M.

18 ✆ 59 32 02 33 AVX.

✈ de Pau-Uzein ✆ 59 33 21 29 par ⑥ : 12 km.

Office du Tourisme pl. Royale ✆ 59 27 27 08 – A.C. 1 bd d'Aragon ✆ 59 27 01 94.

Paris 770 ⑥ – •Bayonne 108 ⑤ – •Bordeaux 191 ⑥ – •Toulouse 182 ② – Zaragoza 282 ④.

Plan page ci-contre

Continental et Rest. Le Conti, 2 r. Mar.-Foch ✆ 59 27 69 31, Télex 570906 – TV ☎ – 250. AE ⓓ E VISA BY
R 95, enf. 60 – 30 – **110 ch** 235/385 – ½ p 225/400.

Paris M sans rest, 80 r. E. Garet ✆ 59 27 34 39, Télex 541595 – TV ☎ P. AE E VISA BY
41 ch 300/390.

Commerce, 9 r. Mar.-Joffre ✆ 59 27 24 40, Télex 540193 – TV wc wc P – 100. AE ⓓ E VISA AZ
R *(fermé dim. sauf le soir du 1er mai au 30 sept.)* 67/100 ♂, enf. 42 – 22 – **51** 177/231 – ½ p 179/273.

Roncevaux sans rest, 25 r. L.-Barthou ✆ 59 27 08 44, Télex 570849 – TV wc ☎ P. AE ⓓ E VISA AZ
23 – **44 ch** 230/290.

Bristol sans rest, 3 r. Gambetta ✆ 59 27 72 98, Télex 570317 – wc wc P. AE ⓓ E VISA BY
20 – **25 ch** 190/265.

Le Navarre M sans rest, 9 av. Mar.-Leclerc ✆ 59 30 25 39 – TV wc ☎ P. E VISA BY
18 – **31 ch** 161/201.

Le Bourbon M sans rest, 12 pl. Clemenceau ✆ 59 27 53 12 – TV wc. AE ⓓ E VISA BY
19 – **33 ch** 170/250.

Gramont sans rest, 3 pl. Gramont ✆ 59 27 84 04 – wc wc ♿. AE ⓓ VISA AY
fermé déc. – 22 – **30 ch** 160/250.

Montpensier sans rest, 36 r. Montpensier ✆ 59 27 42 72 – TV wc wc ☎ AE E VISA AY
20 – **22 ch** 150/205.

Corona, 71 av. Gén.-Leclerc ✆ 59 30 64 77, – TV wc ☎ P – 40 E VISA BY
fermé 20 déc. au 5 janv. – **R** *(fermé dim. soir et sam.)* 70/105 – 19 – **20** 95/220 – ½ p 250/300.

Atlantic H. M sans rest, 222 av. J. Mermoz ✆ 59 32 38 24 – TV wc w P. AE ⓓ E VISA AY
17 – **31 ch** 130/200.

Postillon sans rest, 10 cours Camou ✆ 59 32 49 15 – TV wc wc ☎. E VISA AY
17 – **27 ch** 110/170.

Central sans rest, 15 r. L.-Daran ✆ 59 27 72 75 – wc wc ☎. AE ⓓ E VISA B
18 – **28 ch** 95/200.

XXX **Pierre,** 16 r. L.-Barthou ✆ 59 27 76 86 – . AE ⓓ E VISA B
fermé 15 au 28 fév., sam. midi et dim. sauf fériés – **R** carte 175 à 285 ♂.

XX **St-Jacques,** 9 r. Parlement ✆ 59 27 58 97 – AE E VISA A
fermé 21 au 31 mars, 27 juin au 14 juil., sam. midi et dim. – **R** (nombre de couv limité - prévenir) 90/138 ♂.

XX **Fin Gourmet,** face gare ✆ 59 27 47 71 – AE ⓓ E VISA A
fermé 1er au 13 juil., 11 janv. au 1er fév. et lundi – **R** 70/230, enf. 55.

XX **Pyrénées,** pl. Royale ✆ 59 27 07 75 – . AE ⓓ E VISA A
fermé 1er au 15 août et dim. – **R** 92/250 bc ♂.

X St Vincent, 4 r. Gassiot ✆ 59 27 75 44 AY

à Jurançon : 2 km – 7 914 h. – ✉ **64110** Jurançon :

XXX **Ruffet,** 3 av. Ch.-Touzet ✆ 59 06 25 13 – AE ⓓ A
fermé dim. soir et lundi – **R** 80/200.

sortie échangeur 7 sur A 64 : 3 km – ✉ **64000** Pau :

Agora M , ✆ 59 84 29 70, – TV ☎ ♿ P – 250. AE ⓓ E VISA. rest
R 100 bc/180 bc, enf. 46 – 26 – **92 ch** 296/313 – ½ p 195/273.

rte de Bordeaux par ① : 4 km – ✉ **64000** Pau :

Trinquet M sans rest, 68 av. D.-Daurat ✆ 59 62 71 23, ≤ – TV wc ☎ – 50. AE ⓓ E VISA
23 – **29 ch** 160/200.

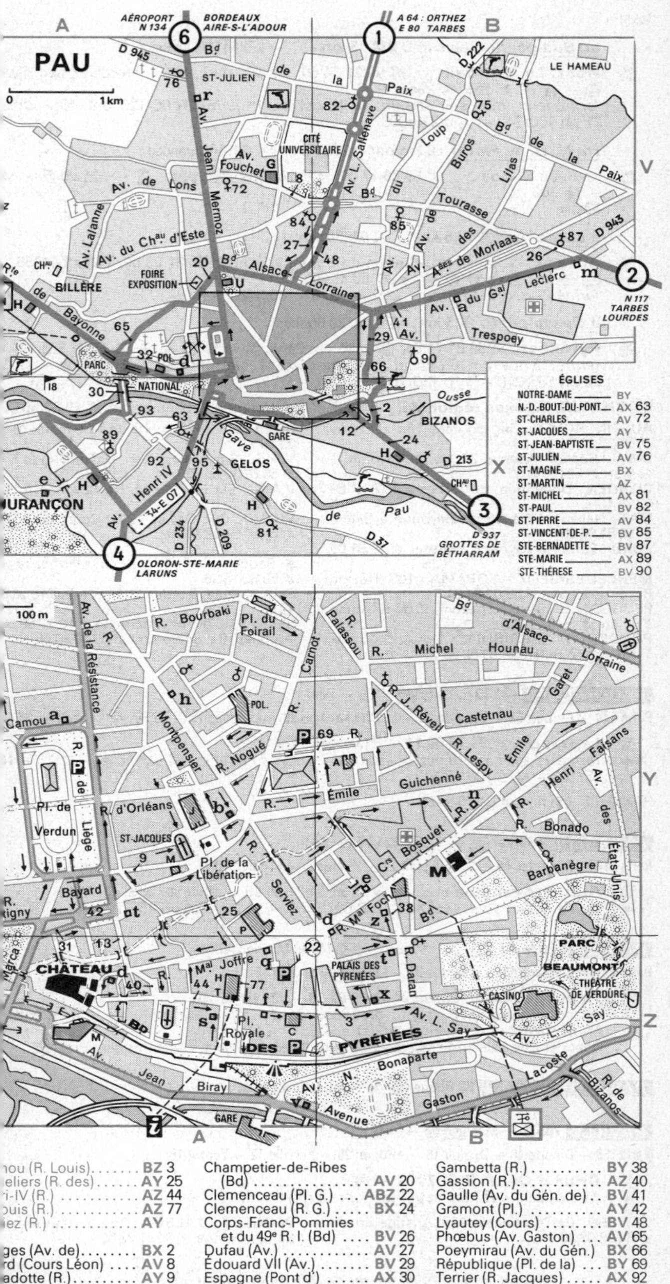

ou (R. Louis) . . . . **BZ** 3
eliers (R. des) . . . . . . **AY** 25
i-IV (R.) . . . . **AZ** 44
ouis (R.) . . . . **AZ** 77
ez (R.) . . . . **AY**

ges (Av. de) . . . . **BX** 2
rd (Cours Léon) . . . . **AV** 8
adotte (R.) . . . . **AY** 9
nos (R. de) . . . . **BX** 12
enave-d'Avère (R.) . **AZ** 13

Champetier-de-Ribes (Bd) . . . . **AV** 20
Clemenceau (Pl. G.) . . . **ABZ** 22
Clemenceau (R. G.) . . . . . **BX** 24
Corps-Franc-Pommies et du 49e R. I. (Bd) . . . . **BV** 26
Dufau (Av.) . . . . **AV** 27
Édouard VII (Av.) . . . . **BV** 29
Espagne (Pont d') . . . . . . **AX** 30
Espalungue (R. d') . . . . . . **AZ** 31
Etigny (R. d') . . . . **AV** 32

Gambetta (R.) . . . . **BY** 38
Gassion (R.) . . . . **AZ** 40
Gaulle (Av. du Gén. de) . . **BV** 41
Gramont (Pl.) . . . . **AY** 42
Lyautey (Cours) . . . . **BV** 48
Phœbus (Av. Gaston) . . . **AV** 65
Poeymirau (Av. du Gén.) . **BX** 66
République (Pl. de la) . . . **BY** 69
Terrier (R. Jacques) . . . . . **AX** 92
Vallées (Av. des) . . . . **AX** 93
14-Juillet (R. du) . . . . **AX** 95

au Sud par rte Gelos et D 234 : 5 km - AX – ✉ 64110 Jurançon :

Host. Le Bourbail ⚘, ☏ 59 21 54 60, ←, parc, – ch ⌂wc ⌂wc
– 30. E VISA. rest
fermé janv., dim. soir et sam. du 1er oct. au 1er juin – **R** 80/120, enf. 40 – 2
21 ch 100/240 – 1/2 p 220/300.

rte N.-D. de Piétat : 6 km par D 209 AX – ✉ 64110 Jurançon :

Le Beau Manoir ⚘, ☏ 59 06 17 30, ← Pyrénées, parc, – ⌂wc ⌂wc
– 100
32 ch.

à Lescar par ⑤ : 7,5 km – ✉ 64230 Lescar :

Bilaa M ⚘ sans rest, chemin de Lons : 1,5 km ☏ 59 81 03 00, Télex 541856 –
TV ⌂wc ⌂wc ☎ – 30. AE E VISA
fermé 21 déc. au 5 janv. – 25 – **80 ch** 185/240.

à Ousse par ② : 9,5 km – ✉ 64320 Bizanos :

Pyrénées, ☏ 59 81 71 51, – ⌂wc ⌂wc ☎ – 30. AE E VISA.
fermé 15 nov. au 15 déc. et dim. soir d'oct. à juin – **R** 66/150 ⅁, enf. 35 –
22 ch 105/210 – 1/2 p 130/180.

MICHELIN, Agence régionale, r. Lavoisier, Z.I. Induspal à Lons par ⑤ ☏ 59 32 56 33

AUSTIN, ROVER Gar. du Parc, 16 r. d'Etigny ☏ 59 27 22 75
BMW Bochet Maxime, ZA rte de Bayonne à Lescar, ☏ 59 81 18 00
CITROEN Domingue, rte Tarbes par ② ☏ 59 02 75 18
FIAT Navarre-Auto, 56 rte Bayonne à Billère ☏ 59 81 06 28
FORD Petit, rte Bayonne à Lescar ☏ 59 81 09 17
MERCEDES-BENZ SOPAVIA, 108 rte de Bayonne à Lons ☏ 59 62 64 64
PEUGEOT Sté Paloise Autom., 7 rte Bayonne à Billère ☏ 59 32 14 20
PORSCHE-MITSUBISHI S.D.A.A., 115 av. J.-Mermoz à Billère ☏ 59 62 33 22
RENAULT P.P.D.A., rte de Tarbes par ② 02 79 71
V.A.G. Gar. Majestic, av. Didier Daurat à L ☏ 59 62 12 55 N
V.A.G. Ets Lavillauroy, rte Bayonne à Le ☏ 59 81 20 01
VOLVO Gar. Davan, 12 bd Corps Franc-P miès ☏ 59 02 70 20

Baudorre, 171-177 av. J.-Mermoz à L ☏ 59 32 15 96
Central-Pneu, 3 r. des Chênes à Billère ☏ 5 42 99
Métairie, 18 av. 18e-Infanterie ☏ 59 27 59 59
Toupneu, 9 r. de Bordeu ☏ 59 30 30 68

PAULHAGUET 43230 H.-Loire 76 ⑤⑥ – 1 047 h.

Paris 479 – Ambert 62 – Brioude 16 – La Chaise-Dieu 29 – Langeac 15 – Le Puy 46 – St-Flour 66.

Lagrange, ☏ 71 76 60 11 – ⌂wc. VISA
fermé 15 sept. au 15 oct. et sam. du 1er nov. à Pâques – **R** 50/120 ⅁ – 18 – 1
85/160 – 1/2 p 160/180.

RENAULT Laurent, ☏ 71 76 60 68

La PAULINE 83 Var 84 ⑮ – ✉ 83130 La Garde.

Paris 847 – Brignoles 46 – Draguignan 77 – Hyères 8 – ♦Toulon 10.

Aub. Provençale avec ch, N 98 ☏ 94 21 96 55 – ⌂wc. VISA
fermé oct. et sam. sauf août – **R** 60/105 ⅁ – 20 – **14 ch** 75/170 – 1/2 p 180/2

PAULX 44 Loire-Alt. 67 ② – 1 348 h. – ✉ 44270 Machecoul.

Paris 418 – Challans 19 – ♦Nantes 37 – La Roche-sur-Yon 45.

✿ **Voyageurs,** pl. Église ☏ 40 26 02 26 – AE E VISA
fermé 28 août au 21 sept., vacances de fév., dim. soir et lundi – **R** (nombre couverts limité - prévenir) 90/250, enf. 65
Spéc. Pavé de saumon au Muscadet, Nage de dorade aux moules safranées. **Vins** Grolleau.

PAVILLON (Col du) 69 Rhône 73 ⑧ – rattaché à Cours.

PAVILLY 76570 S.-Mar. 55 ⑥ – 5 442 h.

Paris 158 – Dieppe 46 – Duclair 13 – ♦Rouen 20 – Yerville 12 – Yvetot 18.

Croix d'Or, ☏ 35 91 20 09 –
fermé août – **R** (déj. seul. - dim. prévenir) 58/165 ⅁.

CITROEN Gar. du Centre, 12 r. Aristide Briand ☏ 35 92 03 20
PEUGEOT, TALBOT Bossart-Autom., Rouge Grange ☏ 35 91 22 52

*Les localités citées dans le **guide Michelin** sont soulignées de rouge sur les **cartes Michelin** à 1/200 000.*

Le PÉAGE-DE-ROUSSILLON 38550 Isère 77 ① – 6 186 h.
aris 509 – Annonay 22 – ♦Grenoble 93 – ♦St-Étienne 61 – Tournon 40 – Vienne 20.

Europa sans rest, rte de Valence ✉ 38150 Roussillon ✆ 74 86 28 84 – |♦| wc wc ☎ Ⓟ. E VISA. ✈
fermé 31 oct. au 15 nov. – ☕ 20 – **26 ch** 149/190.

CITROEN Drisar-Autom., N 7, Salaise-sur-Sanne ✆ 74 86 04 20 N
CITROEN Pleynet, 5 r. Puits-sans-Tour ✆ 74 86 20 12
PEUGEOT, TALBOT Bourget, 79 av. G.-Péri à Roussillon ✆ 74 86 23 38
PEUGEOT-TALBOT Revouy et Jalliffier, 154 bis av. de la République ✆ 74 86 26 08
RENAULT Gar. des Cités, 29 rte de Valence à Roussillon ✆ 74 86 20 32
Mondial Gar., 1 av. G.-Péri à Roussillon ✆ 74 86 23 02
Dorcier, RN 7 Quartier La Prat à Chanas ✆ 74 84 28 73
Piot-Pneu, N 7 Zone Ind. à Salaise-sur-Sanne ✆ 74 29 42 62

PÉAULE 56 Morbihan 63 ⑭ – 2 138 h. – ✉ 56130 La Roche-Bernard.
aris 438 – Ploërmel 48 – Redon 26 – La Roche-Bernard 9 – Vannes 36.

Armor Vilaine, pl. Église ✆ 97 42 91 03 – wc wc ☎. E VISA. ✈
fermé fév., dim. soir et lundi sauf juil.-août et fériés – **R** 50/175, enf. 45 – ☕ 22 – **21 ch** 160/240 – $^1/_2$ p 160/180.

Relax ⛰ sans rest, ✆ 97 42 91 22 – wc ☎. AE E VISA. ✈
fermé 15 au 30 sept., 1er au 15 janv. et vend. – ☕ 21 – **15 ch** 155/220.

PÉDERNEC 22 C.-du-N. 59 ① – 1 664 h. – ✉ 22540 Louargat.
aris 493 – Carhaix-P. 55 – Guingamp 10 – Lannion 22 – Morlaix 49 – Plouaret 24 – St-Brieuc 41.

XX **Host. du Méné-Bré**, ✆ 96 45 22 33 – AE ⓓ E VISA
fermé fin août au 10 sept., vacances de fév., dim. soir et lundi – **R** 50/200.

RENAULT Gar. Madigou, ✆ 96 45 22 51 N

PÉGOMAS 06580 Alpes-Mar. 84 ⑧, 195 ㉞ – 3 492 h.
aris 900 – Cannes 11 – Draguignan 59 – Grasse 10 – ♦Nice 43 – St-Raphaël 37.

Le Bosquet ⛰ sans rest, **quartier du Château par rte Mouans-Sartoux** ✆ 93 42 22 87, ←, ⛱, 🌳 – wc ☎ Ⓟ. ✈
fermé nov. – ☕ 20 – **18 ch** 140/220, 7 studios 250/300.

X **L'Écluse, au bord de la Siagne** ✆ 93 42 22 55, ←, **rest. champêtre** – Ⓟ. E VISA
1er mai-15 sept. – **R** 77/170.

PEILLAC 56 Morbihan 63 ⑤ – 1 736 h. – ✉ 56220 Malansac.
ris 416 – Redon 16 – ♦Rennes 69 – Vannes 45.

Chez Antoine, ✆ 99 91 24 43, 🌳 – wc ☎ Ⓟ. AE E VISA
fermé fév. et lundi – **R** 49/120 🍷 – ☕ 22 – **13 ch** 120/150 – $^1/_2$ p 190/230.

PEILLE 06 Alpes-Mar. 84 ⑲, 195 ㉗ **G. Côte d'Azur** – 1 745 h. alt. 630 – ✉ 06440 L'Escarène.
Voir Le bourg★ – Monument aux Morts ←★.
Syndicat d'Initiative à la Mairie ✆ 93 79 90 32 – Paris 967 – L'Escarène 14 – Menton 24 – ♦Nice – Sospel 36 – la Turbie 11.

X **Aub. du Seuillet**, S : 2,5 km par D53 ✆ 93 41 17 39, ←, 🌳 – Ⓟ. ✈
fermé juil. et merc. – **R** (déj. seul.) (prévenir) 95/150.

PEILLON 06 Alpes-Mar. 84 ⑩, 195 ㉗ **G. Côte d'Azur** – 1 038 h. – ✉ 06440 L'Escarène.
Voir Village★ – Fresques★ dans la chapelle des Pénitents Blancs.
ris 950 – Contes 13 – L'Escarène 13 – Menton 33 – ♦Nice 19 – Sospel 35.

Aub. de la Madone ⛰, ✆ 93 79 91 17, ←, ⛱, 🌳 – ch wc wc ☎ Ⓟ. ✈ ch
fermé 30 mai au 6 juin, 15 oct. au 15 déc. et merc. – **R** 100/200 – ☕ 35 – **18 ch** 260/420 – $^1/_2$ p 300/370.

La PEINIÈRE 35 I.-et-V. 59 – rattaché à Châteaubourg.

PEIRA-CAVA 06 Alpes-Mar. 84 ⑲, 195 ⑰ **G. Côte d'Azur** – alt. 1 450 – Sports d'hiver : 1 400/1 550 m ⛷2 – ✉ 06440 L'Escarène – **Voir Pierre Plate ✳★★ – Cime de Peïra-Cava ✳★★ E : 1,5 km puis 30 mn – Forêt de Turini★★ au N.**
ris 972 – L'Escarène 19 – ♦Nice 40 – Roquebillière 25 – St-Martin-Vésubie 35 – Sospel 32.

au Col de Turini N : 8 km par D 2566 – ✉ 06440 L'Escarène.
Voir Monument aux Morts ✳★ NE : 4 km.
Env. Pointe des Trois Communes ✳ ★★ NE : 6 km.

Trois Vallées ⛰, ✆ 93 91 57 21, ←, ⛱ – wc Ⓟ
fermé 15 nov. au 15 déc. – **R** carte 75 à 175 – ☕ 25 – **23 ch** 230/260 – $^1/_2$ p 210/240.

Les Chamois ⛰, ✆ 93 91 57 42, ←, ⛱ – wc 🚗 Ⓟ
R 52/150 – ☕ 18 – **11 ch** 160/170 – $^1/_2$ p 160.

PEISEY-NANCROIX 73 Savoie 74 ⑱ G. Alpes du Nord – 481 h. alt. 1 300 – ✉ 73210 Aime.

Syndicat d'Initiative ☎ 79 07 94 28.

Paris 640 – Albertville 56 – Bourg-St-Maurice 15.

- **Vanoise** ⑤, à Plan Peisey : 3 km ☎ 79 07 92 19, ← – wc ☎ *sais.* – **34 ch**.

PELVOUX (Commune de) 05 H.-Alpes 77 ⑰ G. Alpes du Sud – 348 h. – Sports d'hiver St-Antoine : 1 250/2 300 m 5 – ✉ 05340 Pelvoux.

Voir Route des Choulières : ← E.**

D'Ailefroide : Paris 711 – L'Argentière-la-Bessée 18 – Briançon 33 – Gap 90 – Guillestre 38.

St-Antoine – alt. 1 260.

- **La Condamine** ⑤, ☎ 92 23 35 48, ←, – wc Ⓟ. E VISA. rest *1er juin-15 sept. et 20 déc.-15 avril* – **R** 50/100 – 25 – **19 ch** 190 – 1/2 p 180/190.

Ailefroide – alt. 1 510.

Env. Pré de Madame Carle : paysage ** NO : 6 km.

PÉNESTIN 56760 Morbihan 63 ⑭ – 1 299 h.

Voir Pointe du Bile ← * S : 5 km, G. Bretagne.

Syndicat d'Initiative (15 juin-15 sept.) ☎ 99 90 37 74.

Paris 455 – La Baule 32 – La Roche-Bernard 16 – St-Nazaire 46 – Vannes 46.

- **Loscolo** Ⓜ ⑤, **Pointe de Loscolo** ☎ 99 90 31 90, ← – wc ☎ Ⓟ. E VISA *16 avril-9 oct.* – **R** 95/260, enf. 60 – 32 – **16 ch** 250/390 – 1/2 p 322/517.

PEN-GUEN 22 C.-du-N. 59 ⑤ – rattaché à St-Cast.

PENHORS 29 Finistère 58 ⑭ – rattaché à Pouldreuzic.

PEN-LAN (Pointe de) 56 Morbihan 63 ⑭ – rattaché à Muzillac.

PENNEDEPIE 14 Calvados 55 ③ – rattaché à Honfleur.

PENVÉNAN 22710 C.-du-N. 59 ① – 2 452 h.

Paris 518 – Guingamp 33 – Lannion 16 – Perros-Guirec 16 – La Roche-Derrien 9 – Tréguier 7,5.

- **Crustacé** avec ch, ☎ 96 92 67 46 – E VISA. ch *fermé 13 au 23 oct., 13 janv. au 5 fév. et merc. sauf juil.- août* – **R** 60/210, enf. 45 – 20 – **8 ch** 90/130 – 1/2 p 150/160.

RENAULT Henry, ☎ 96 92 65 22

PÉRIGNAT-LES-SARLIÈVE 63 P.-de-D. – rattaché à Clermont-Ferrand.

PÉRIGNY 86 Vienne 68 ⑬ – rattaché à Poitiers.

PÉRIGUEUX Ⓟ 24000 Dordogne 75 ⑤ G. Périgord Quercy – 35 392 h.

Voir Cathédrale St-Front* BZ – **Église St-Étienne de la Cité*** AZ **K** – **Quartier du P… St-Front* : rue Limogeanne*** BY, **escalier* de la maison Lajoubertie** BY **E** – **Musée d… Périgord*** BY **M** – **Env. Abbaye de Chancelade* NO : 7 km par ⑤.**

9 ☎ 53 53 02 35 par ⑤ : 5 km.

Syndicat d'Initiative 1 av. Aquitaine ☎ 53 53 10 63 – A.C. 14 r. Wilson ☎ 53 53 35 19.

Paris 498 ① – Agen 136 ③ – Albi 233 ② – Angoulême 85 ⑤ – ♦Bordeaux 121 ④ – Brive-la-Gaillar… 73 ② – ♦Limoges 102 ① – Pau 261 ③ – Poitiers 195 ⑤ – ♦Toulouse 239 ②.

Plan page ci-contre

- **Bristol** Ⓜ sans rest, 37 r. A.-Gadaud ☎ 53 08 75 90 – ☎ Ⓟ. E VISA 26 – **28 ch** 175/280. AY
- **Périgord,** 74 r. V.-Hugo ☎ 53 53 33 63, , – wc wc . ch *fermé 25 oct. au 3 nov., vacances de fév. et sam. de nov. à fév.* – **R** 53/140 – … – **21 ch** 120/175 – 1/2 p 170/240. AY
- **Ibis** Ⓜ, 8 bd Saumande ☎ 53 53 64 58, Télex 550159, – wc ☎ – … 50. E VISA **R** carte 75 à 120 , enf. 35 – 24 – **89 ch** 196/232. BZ
- **Régina** sans rest, 14 r. D.-Papin ☎ 53 08 40 44 – wc wc ☎. AE E VISA *fermé Noël au jour de l'An* – 20 – **46 ch** 130/215. AY
- **Charentes,** 16 r. D.-Papin ☎ 53 53 37 13 – wc . AE E VISA AY *fermé 20 déc. au 10 janv.* – **R** 58/175 – 20 – **15 ch** 100/175 – 1/2 p 115/150.
- **Arènes** sans rest, 21 r. Gymnase ☎ 53 53 49 85 – wc . AE E VISA. AZ 19 – **19 ch** 90/203.

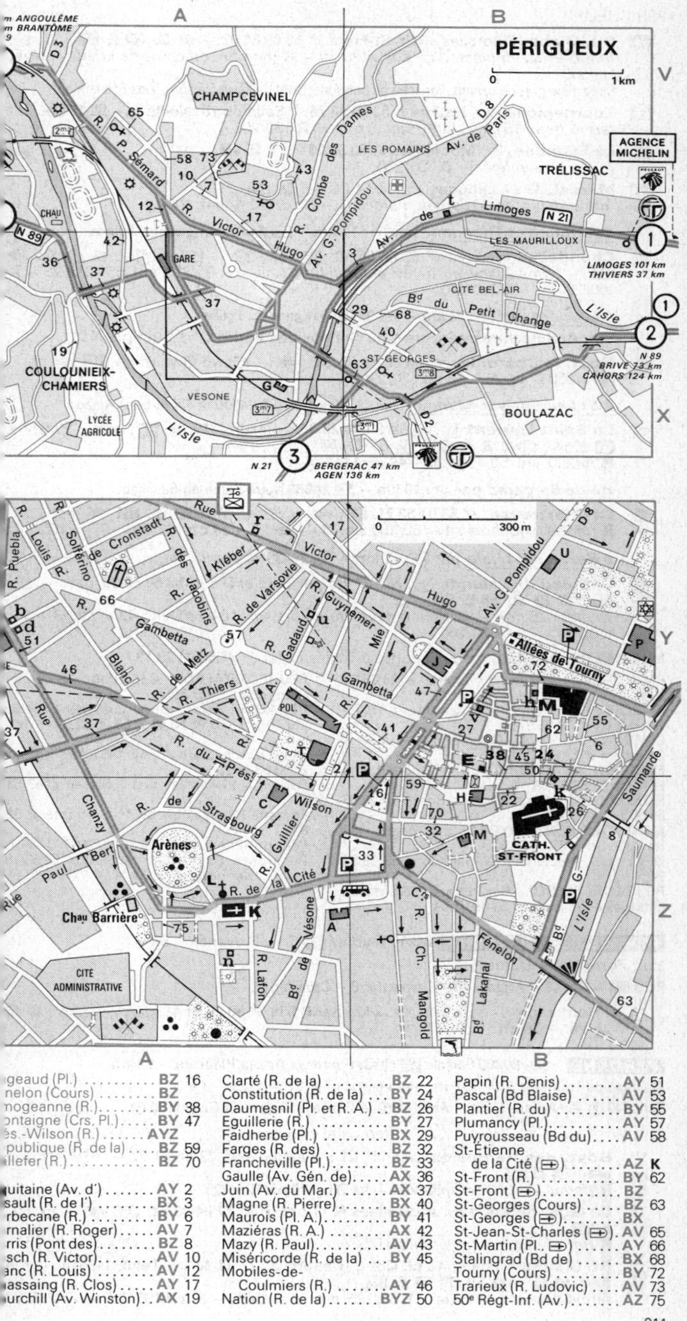

...geaud (Pl.) . . . . BZ 16	Clarté (R. de la) . . . . BZ 22	Papin (R. Denis) . . . . AY 51
...nelon (Cours) . . . . BZ	Constitution (R. de la) . . . BY 24	Pascal (Bd Blaise) . . . . AV 53
...mogeanne (R.) . . . . BY 38	Daumesnil (Pl. et R. A.) . . BZ 26	Plantier (R. du) . . . . BY 55
...ontaigne (Crs, Pl.) . . . . . BY 47	Eguillerie (R.) . . . . BY 27	Plumancy (Pl.) . . . . AY 57
...és.-Wilson (R.) . . . . AYZ	Faidherbe (Pl.) . . . . BX 29	Puyrousseau (Bd du) . . . . AV 58
...publique (R. de la) . . . . BZ 59	Farges (R. des) . . . . BZ 32	St-Étienne
...illefer (R.) . . . . BZ 70	Francheville (Pl.) . . . . BZ 33	de la Cité (⊞) . . . . AZ K
	Gaulle (Av. Gén. de) . . . . . AX 36	St-Front (R.) . . . . BY 62
...uitaine (Av. d') . . . . AY 2	Juin (Av. du Mar.) . . . . AX 37	St-Front (⊞) . . . . BZ
...sault (R. de l') . . . . BX 3	Magne (R. Pierre) . . . . BX 40	St-Georges (Cours) . . . . . . BZ 63
...rbecane (R.) . . . . BY 6	Maurois (Pl. A.) . . . . BY 41	St-Georges (⊞) . . . . BX
...rnalier (R. Roger) . . . . . AV 7	Mazièras (R. A.) . . . . AX 42	St-Jean-St-Charles (⊞) . AV 65
...rris (Pont des) . . . . BZ 8	Mazy (R. Paul) . . . . AV 43	St-Martin (Pl., ⊞) . . . . AY 66
...sch (R. Victor) . . . . AV 10	Miséricorde (R. de la) . . . . BY 45	Stalingrad (Bd de) . . . . BX 68
...anc (R. Louis) . . . . AV 12	Mobiles-de-	Tourny (Cours) . . . . BY 72
...assaing (R. Clos) . . . . . AY 17	Coulmiers (R.) . . . . AY 46	Trarieux (R. Ludovic) . . . . AV 73
...urchill (Av. Winston) . . AX 19	Nation (R. de la) . . . . BYZ 50	50e Régt-Inf. (Av.) . . . . AZ 75

XXX ✿ **L'Oison** (Chiorozas), 31 r. St-Front ✆ 53 09 84 02 – ▤. AE ⓓ E VISA BY
fermé 1er au 15 mars, dim. soir et lundi – **R** (nombre de couverts limité - préven
115/350
Spéc. Foie gras de canard, Panaché de poissons, Civet de lièvre (saison). **Vins** Pécharmant.

XXX **Tournepiche,** 2 r. Nation ✆ 53 08 90 76, « Salle du 18e siècle » – AE E VISA
fermé 1er au 15 janv., lundi soir et dim. – **R** 130/205 ♁. BYZ

XX **La Flambée,** 2 r. Montaigne ✆ 53 53 23 06 – E VISA BY
fermé dim. et fêtes – **R** 100/250.

XX **Marcel,** 37 av. Limoges ✆ 53 53 13 43 – Ⓟ. VISA BV
◆ *fermé 25 juil. au 10 août et mardi soir* – **R** 56/120 ♁, enf. 40.

à Antonne et Trigonant par ① : 11 km – ✉ **24420** Savignac-les-Eglises :

XX **Chandelles** avec ch, ✆ 53 06 05 10, ⛱, 🌳, ✗ – ⌂wc ⋔wc ☎ Ⓟ. AE ⓓ
VISA – *fermé 2 janv. au 10 fév. et lundi hors sais.* – **R** 95/220, enf. 55 – ☕ 28 – **7 c**
160/250 – 1/2 p 250/370.

à Laurière par ① : 13 km – ✉ **24420** Savignac-les-Eglises.

Voir Architecture intérieure★ du château des Bories O : 1,5 km par N 21.

⌂ **Host. la Charmille,** ✆ 53 06 00 45, ⛱, 🌳 – ⌂wc ⋔wc ☎ Ⓟ. VISA. ✗ ch
R 70/250 – ☕ 25 – **18 ch** 120/220.

à St Laurent-sur-Manoire par ② : 9 km – ✉ **24330** St Pierre-de-Chignac :

⌂ **Le Saint Laurent** Ⓜ ⛬, ✆ 53 04 28 28, Télex 572719, ≤, ⛱, parc, ⛱, ✗ –
TV ⌂wc ⋔wc ☎ ♿ Ⓟ – 🏛 80. E VISA
R 75/200, enf. 50 – ☕ 20 – **48 ch** 175/350.

rte de Bergerac par ③ : 10 km – ✉ **24660** Notre-Dame-de-Sanilhac :

⌂ **La Chartreuse,** ✆ 53 07 60 21, ⛱, 🌳 – ⌂wc ⋔wc ☎ Ⓟ. VISA. ✗ rest
◆ **R** *(fermé lundi hors sais.)* 50/150, enf. 30 – ☕ 25 – **10 ch** 109/208 – 1/2 p 160/170.

à Razac-sur-L'Isle par ④ : 11 km – ✉ **24430** Razac-sur-L'Isle :

⌂ **Château de Lalande** ⛬, NO : 2 km par D 3E et D 3 ✆ 53 54 52 30, parc – ⌂w
◆ ⋔wc ☎ Ⓟ. AE ⓓ E VISA
15 mars-15 nov. – **R** *(fermé merc. midi hors sais.)* 64/230, enf. 42 – ☕ 23 – **21 c**
160/280 – 1/2 p 220/260.

MICHELIN, Agence, rte de Limoges à Trélissac par ① ✆ 53 03 98 13

BMW Garage Jessus, 46 r. Chanzy ✆ 53 08 99 30
CITROEN Gar. Deluc, rte de Limoges à Trélissac par ① ✆ 53 03 97 50
CITROEN S.O.V.R.A., 74 av. Gén.-de-Gaulle à Chamiers ✆ 53 08 31 02
FIAT, LANCIA-AUTOBIANCHI Rebière, 15 crs Fénélon ✆ 53 08 09 44
HONDA Gar. Borie, 156 rte de Bordeaux ✆ 53 53 60 16
MERCEDES-BENZ-TOYOTA Ets Magot, 192 rte de Lyon ✆ 53 53 66 91
OPEL Gar. Pradier, 5 r. A.-Gadaud ✆ 53 53 53 94
PEUGEOT, TALBOT Gar. Serreau, 202 rte de Limoges à Trélissac ✆ 53 08 05 84

PEUGEOT-TALBOT Gar. Brout, 18 cours S Georges ✆ 53 08 28 55
RENAULT Sarda, rte de Limoges à Trélis par ① ✆ 53 03 95 65 N ✆ 53 05 02 09

Ⓜ Au Spécialiste du Pneu, 145 bd Petit-Chan ✆ 53 53 46 83
Barrier, N 21 Les Jalots à Trélissac ✆ 53 53 17
Fontana-Pneus, 4 bis av. H.-Barbusse ✆ 53 80 47
Périgord-Pneus, à Trélissac ✆ 53 54 41 27
Réparpneu, 290 rte d'Angoulême ✆ 53 53 18 et 18 r. Gambetta ✆ 53 53 44 14

PERNES-LES-FONTAINES 84210 Vaucluse 81 ⑫ G. Provence – 696 h.

Voir Porte Notre-Dame ★.

Paris 684 – Apt 43 – Avignon 28 – Carpentras 6 – Cavaillon 21.

⌂ **L'Hermitage** ⛬ sans rest, N : 2 km par D 938 ✆ 90 66 51 41, parc – ⌂wc ☎ Ⓟ
🏛 25 – **20 ch**.

PÉRONNE <SP> 80200 Somme 53 ⑬ G. Flandres Artois Picardie – 9 868 h.

ℹ Office de Tourisme 31 r. St-Fursy (fermé matin) ✆ 22 84 42 38.

Paris 140 ② – ♦Amiens 51 ② – Arras 48 ① – Doullens 54 ③ – St-Quentin 29 ①.

Plan page ci-contre

XX **Host. des Remparts** avec ch, 21 r. Beaubois ✆ 22 84 01 22 – ⌂wc ⋔wc
◆ 🚗. ⓓ E VISA BZ
R *(fermé 2 au 10 août)* 65/200 – ☕ 20 – **16 ch** 125/225.

XX **La Quenouille,** 4 av. Australiens N 17 par ① ✆ 22 84 00 62, ⛱, 🌳 – Ⓟ. AE
E VISA
R *(fermé dim. soir et lundi)* 95/145.

XX **St-Claude** avec ch, 42 pl. Cdt-L.-Daudré ✆ 22 84 46 00, Télex 145618 – ⌂
⋔wc ☎ Ⓟ – 🏛 60. AE ⓓ E VISA AZ
fermé dim. soir en hiver – **R** 85/125, enf. 50 – ☕ 30 – **37 ch** 100/330 – 1/2 p 180/3

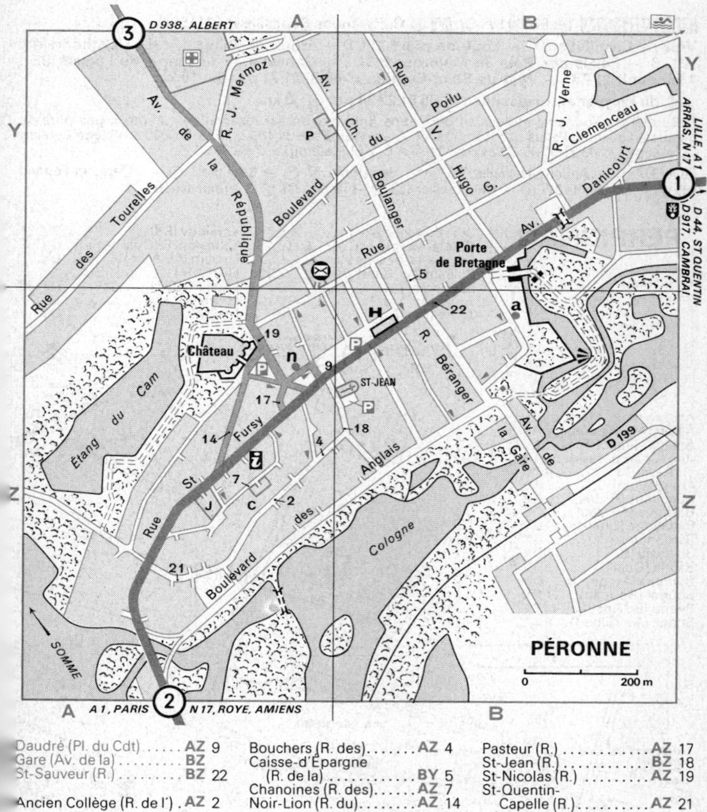

Daudré (Pl. du Cdt) . . . . . AZ 9	Bouchers (R. des) . . . . AZ 4	Pasteur (R.) . . . . AZ 17
Gare (Av. de la) . . . . BZ	Caisse-d'Épargne (R. de la) . . . . BY 5	St-Jean (R.) . . . . BZ 18
St-Sauveur (R.) . . . . BZ 22	Chanoines (R. des) . . . . . AZ 7	St-Nicolas (R.) . . . . AZ 19
Ancien Collège (R. de l') . AZ 2	Noir-Lion (R. du) . . . . AZ 14	St-Quentin-Capelle (R.) . . . . AZ 21

Aire d'Assevillers sur A1 – ✉ **80200** Péronne :

Mercure, ✆ 22 84 12 76, Télex 140943, – ch 40 à 120. AE ◑ E VISA
R 90 , enf. 38 – 36 – **100 ch** 310/385.

CITROEN Gar. de Picardie, av. des Australiens, Mt-St-Quentin par ① ✆ 22 84 00 34
MAZDA, OPEL Gar. du Château, 6 fg de Paris ✆ 22 84 16 56
PEUGEOT-TALBOT Santerre-Autom., 1 bd Mt-St-Quentin par av. Ch.-Boulanger puis D 3 AY ✆ 22 84 00 51 N

RENAULT Péronne-Autos., rte de Roisel par ① puis D 6 ✆ 22 84 17 84

Joncourt-Pneus, 29 fg de Bretagne ✆ 22 84 29 41

PÉROUGES 01 Ain **74** ②③ **G. Vallée du Rhône** (plan) – 658 h. – ✉ **01800** Meximieux.
Voir Cité fortifiée★★ : place du Tilleul★★★.
Paris 452 – Bourg-en-Bresse 37 – ♦Lyon 39 – St-André-de-Corcy 20 – Villefranche-sur-Saône 44.

Ostellerie du Vieux Pérouges , ✆ **74 61 00 88, « Intérieur vieux bressan »**, – . E VISA
fermé jeudi midi et merc. de nov. à mars – **R** 160/350.

Au St Georges et Manoir, ✆ **74 61 00 88**
58 – **15 ch** 550/750.

A l'Annexe, ✆ **74 61 00 88**
58 – **13 ch** 390/500.

Pour une demande de renseignements ou de réservation auprès d'un hôtelier, il est d'usage de joindre un timbre-réponse.

PERPIGNAN P 66000 Pyr.-Or. 86 ⑲ **G. Pyrénées Roussillon – 113 646 h.**

Voir Le Castillet★ DX – Loge de mer★ DX D – Hôtel de Ville★ DX H – Cathédrale★ DEX B – Palais des Rois de Majorque★ DEZ – Cabestany : tympan★ de l'église SE : 4 km par D 22 FYZ – 9 18 de Saint-Cyprien ☏ 68 21 01 71 par ③ : 15 km.

de Perpignan-Rivesaltes : ☏ 68 61 22 24 par ① : 6 km.

Bureau du Tourisme et Accueil de France (Informations et réservations d'hôtels, pas plus de 5 jours à l'avance) Palais des Congrès, pl. A.-Lanoux ☏ 68 34 13 13, Télex 500500 et Village Catalan (juin-sept.) ☏ 68 21 60 05, Télex 500722 – A.C. 2 pl. Catalogne ☏ 68 34 30 22.

Paris 907 ① – Andorre-la-Vieille 166 ⑥ – Barcelona 187 ⑤ – Béziers 93 ① – ♦Clermont-Ferrand 465 ① – ♦Marseille 317 ① – ♦Montpellier 152 ① – Tarbes 337 ① – ♦Toulouse 204 ①.

PERPIGNAN

Alsace-Lorraine (R.) . . . **DX** 2
Arago (Pl.) . . . . **CY** 3
Argenterie (R. de l') . . . **DX** 4
Barre (R. de la) . . . . . . **DX** 6
Clemenceau (Bd) . . . . . **BX**
Louis-Blanc (R.) . . . . . . **DX** 34
Marchands (R. des) . . **DX** 36
Mirabeau (R.) . . . . **DX** 37
Péri (Pl. Gabriel) . . . . . . **CY** 39
Théâtre (R. du) . . . . **DY** 46

Agasse (R. P.-M.) . . . . . **AY**
Albert (Av. Marcelin) . . **BZ**
Anatole-France (Bd) . . **FY**
Anc.-Champ-de-Mars (Av. de l') . . . . **BCV**
Arago (Pont) . . . . **AV**
Augustins (R. des) . . . . **DY**
Baléares (Av. des) . . . . **DZ**
Barcelone (Quai de) . . **BY**
Bardou-Job (Pl.) . . . . . **BX** 5
Bartissol (R. E.) . . . . . . **DX** 7
Batelo (Quai F.) . . . . . . **DV** 8
Bompas (Av. de) . . . . . **DV**
Bourrat (Bd Jean) . . . **EFX**
Briand (Bd Aristide) . . **EFZ**
Brutus (Av. Gilbert) . . **BCZ**

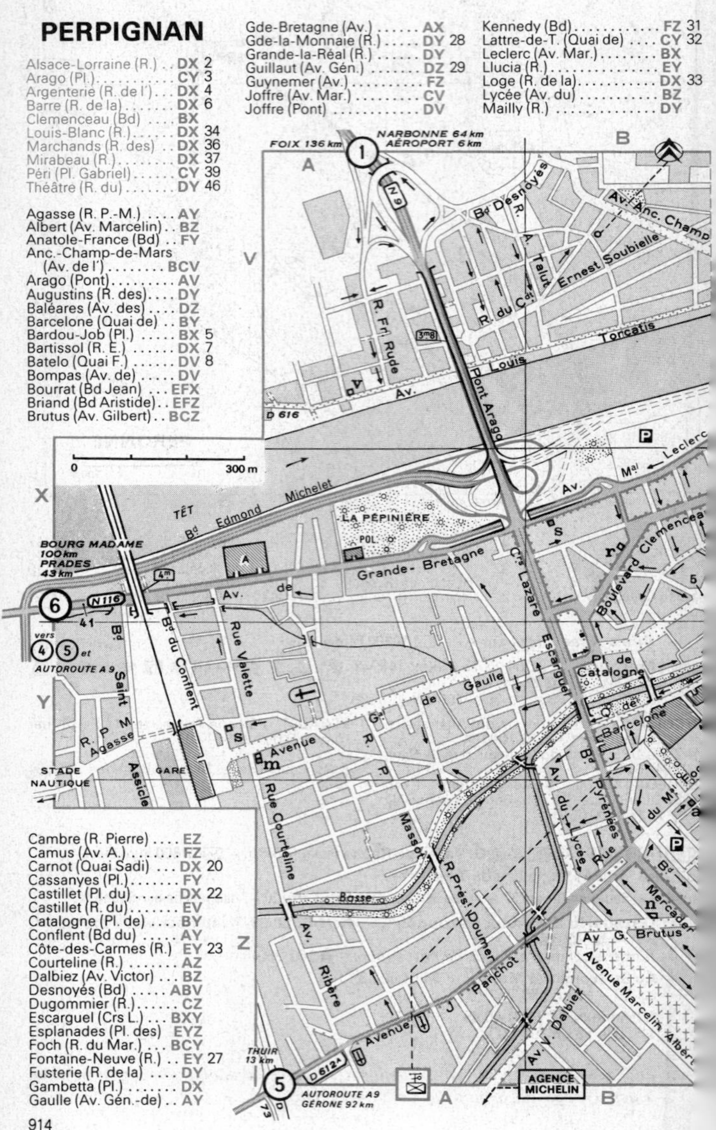

Cambre (R. Pierre) . . . . **EZ**
Camus (Av. A.) . . . . **FZ**
Carnot (Quai Sadi) . . . **DX** 20
Cassanyes (Pl.) . . . . **FY**
Castillet (Pl. du) . . . . . **DX** 22
Castillet (R. du) . . . . . . **EV**
Catalogne (Pl. de) . . . . **BY**
Conflent (Bd du) . . . . . **AY**
Côte-des-Carmes (R.) **EY** 23
Courteline (R.) . . . . **AZ**
Dalbiez (Av. Victor) . . . **BZ**
Desnoyés (Bd) . . . . . **ABV**
Dugommier (R.) . . . . . . **CZ**
Escarguel (Crs L.) . . . **BXY**
Esplanades (Pl. des) . **EYZ**
Foch (R. du Mar.) . . . . **BCY**
Fontaine-Neuve (R.) . . **EY** 27
Fusterie (R. de la) . . . . **DY**
Gambetta (Pl.) . . . . **DX**
Gaulle (Av. Gén.-de) . . **AY**

Gde-Bretagne (Av.) . . . . . . **AX**
Gde-la-Monnaie (R.) . . . . . **DY** 28
Grande-la-Réal (R.) . . . . . . **DY**
Guillaut (Av. Gén.) . . . . **DZ** 29
Guynemer (Av.) . . . . **FZ**
Joffre (Av. Mar.) . . . . **CV**
Joffre (Pont) . . . . **DV**

Kennedy (Bd) . . . . **FZ** 31
Lattre-de-T. (Quai de) . . . . **CY** 32
Leclerc (Av. Mar.) . . . . **BX**
Llucia (R.) . . . . **EY**
Loge (R. de la) . . . . **DX** 33
Lycée (Av. du) . . . . **BZ**
Mailly (R.) . . . . **DY**

Park H. et Rest. Chapon Fin M, 18 bd J.-Bourrat ☎ 68 35 14 14, Télex 506161, – 30 à 70. AE E VISA. rest EX **y**
R *(fermé 14 août au 4 sept., 26 déc. au 8 janv., sam. soir et dim.)* 165/300 – 30 – **67 ch** 190/330
Spéc. Filet de St-Pierre croquant en picada, Raviolines de St-Jacques Marjolaine, Filet de boeuf au foie gras. **Vins** Côtes du Roussillon.

Mas des Arcades M, par ④ : 2 km sur N 9 ☎ 68 85 11 11, Télex 500176, – 200. E VISA.
fermé 22 déc. au 14 janv. – **R** carte 120 à 180 – 30 – **135 ch** 250/350.

tourner →

lasso (R. Paul) .... AYZ
lercader (Bd Félix) ...... BCZ
loulin (Pl. Jean) .... EY
.-D.-de-la-Réal .... EY
almarole (Cours) .... DEV
anchot (Av. J.) .... AZ
ayra (R. Jean) .... DV
Petite-la-Réal (R.) ...... EY
Platanes (Prom. des) .. DEV
Poincaré (Bd Henri) .... DEZ
Porte-de-l'Assaut (R.) CDY 40
Prades (Av. de) .... AX 41
Prés.-Doumer (R.) .... AZ
Pyrénées (Bd des) .... BYZ
Remparts-la-Réal (R.) ..... DY 42
Résistance (Pl. de la) ...... DX 43
Ribère (Av.) .... AZ
Rigaud (Pl.) .... DEY
Rois-de-Majorque (R. des) DZ
Rude (R. François) .... AV
St-Assiscle (Bd) .... AYZ
St-Jacques .... FY
St-Jean (R.) .... DX 44
St-Joseph .... AY
St-Martin .... AZ
St-Mathieu .... DY
St-Sacrement .... EX
Ste-Thérèse .... EZ
Soubielle (R. Cdt-E.) ...... ABY
Talut (R. Alphonse) .... ABV
Torcatis (R. Louis) .... ABV
Valette (R.) .... AY
Variétés (Pl. des) .... DV 48
Vauban (Quai) .... CDX
Vélodrome (R. du) .... EFZ
Victoire (Pl. de la) .... DX 49
Waldeck-Rousseau (R.) .... FZ
Wilson (Bd) .... DEV
Zola (R. Émile) .... EY

Windsor sans rest, 8 bd Wilson ✆ 68 51 18 65, Télex 500701 – TV wc wc – 50. VISA DV
fermé 1er au 15 fév. – ☕ 32 – **54 ch** 230/325, 3 appartements 750.

H. de la Loge sans rest, pl. Loge ✆ 68 34 41 02 – TV wc wc. AE E VISA DX
☕ 25 – **29 ch** 150/270.

Kennedy M sans rest, 9 av. P. Cambres ✆ 68 50 60 02 – TV wc wc. E VISA EZ
fermé 17 déc. au 8 janv. – ☕ 24 – **26 ch** 175/245.

Mondial H. M sans rest, 40 bd Clemenceau ✆ 68 34 23 45 – TV wc wc. E VISA BX
fermé Noël au jour de l'An – ☕ 20 – **40 ch** 200/250.

France et rest. l'Echanson, 16 quai Sadi-Carnot ✆ 68 34 92 81 – TV wc wc. AE E VISA. ch DX
R *(fermé 26 juin au 25 juil., sam. soir et dim.)* 100/160, enf. 50 – ☕ 25 – **33 ch** 200/330 – 1/2 p 250/310.

Aragon sans rest, 17 av. Brutus ✆ 68 54 04 46 – TV wc wc. BZ
☕ 22 – **33 ch** 175/275.

Christina H. sans rest, 50 cours Lassus ✆ 68 35 24 61 – TV wc wc. E VISA FV
☕ 21 – **37 ch** 120/200.

Paris-Barcelone sans rest, 11 bd Conflent ✆ 68 34 42 60 – wc wc. E VISA AY
☕ 18 – **36 ch** 140/225.

Athéna sans rest, r. Queya-Marché République ✆ 68 34 37 63, – wc wc. AE E VISA DY
☕ 20 – **37 ch** 90/200.

Majorca, 2 r. Fontfroide ✆ 68 34 57 57 – wc wc – 40. AE E VISA
fermé 15 déc. au 15 janv. (sauf rest.) – **R** *(fermé lundi)* 60/140 – ☕ 20 – **63 ch** 105/170 – 1/2 p 190/250. DX

Pyrénées H. sans rest, 122 av. L.-Torcatis N 616 ✆ 68 61 19 66 – wc. VISA. AV
☕ 17 – **22 ch** 92/165.

Poste et Perdrix, 6 r. Fabriques-Nabot ✆ 68 34 42 53 – wc wc. E VISA
fermé mi-janv. à mi-fév. – **R** *(fermé dim. soir et lundi)* 55/95 – ☕ 18 – **39 ch** 80/160. DX

H. Le Helder sans rest, 4 av. Gén.-de-Gaulle ✆ 68 34 38 05 – wc VISA AY
fermé 23 déc. au 15 janv. – **R** voir rest. **Le Helder** ci-après – ☕ 20 – **27 ch** 90/210.

XXX **Le Bourgogne,** 63 av. Mar.-Leclerc ✆ 68 34 96 05 – AE E VISA BX
fermé 27 juin au 19 juil., dim. midi en juil.-août, dim. soir et lundi du 1er sept. au 27 juin – **R** 160/250.

XXX **Relais St-Jean,** 1 cité Bartissol ✆ 68 51 22 25 – AE E VISA DX
fermé 1er au 21 fév., lundi midi et dim. (sauf mai : fermé dim. soir et lundi) – **R** 190/270, enf. 60.

XX **Le Quai,** 37 quai Vauban ✆ 68 35 31 14 – AE E VISA CX
fermé sam. midi – **R** carte 180 à 270.

XX **Festin de Pierre,** 7 r. Théâtre ✆ 68 51 28 74 – AE VISA DY
fermé fév., mardi soir et merc. – **R** 135.

XX **Rest. Le Helder** -Hôtel Le Helder-, 1 r. Courteline ✆ 68 34 98 99 – AE VISA AY
fermé 15 déc. au 15 janv. – **R** 60/180, enf. 50.

XX **La Serre,** 2 bis r. Dagobert ✆ 68 34 33 02 – AE E VISA BZ
fermé mai, sam. midi et dim. – **R** 98.

X **Brasserie Vauban,** 29 quai Vauban ✆ 68 51 05 10 – AE E VISA CX
fermé dim. – **R** carte 125 à 165.

par ① – ✉ **66600** Rivesaltes :

Novotel M, sur N 9 : 10 km ✆ 68 64 02 22, Télex 500851, – TV – 200. AE E VISA
R grill carte environ 120, enf. 40 – ☕ 38 – **86 ch** 300/370.

MICHELIN, Agence, 136 av. Victor-Dalbiez ABZ ✆ **68 54 53 10**

ALFA-ROMEO Gar. Chapat, 25 bd des Pyrénées ✆ 68 34 70 88
BLF Casadessus, 15 bd Raymond-Poincaré ✆ 68 54 03 96
BMW Gar. Alart, 20 av. de Grande-Bretagne ✆ 68 34 07 83
CITROEN Succursale, av. du Mar.-Juin ✆ 68 50 20 95
CITROEN Gar. Cuesta, 3 r. Albert Saisset ✆ 61 06 51
FIAT Perpignan Autom., 210 rte Prades ✆ 54 63 54
FORD Savvic-Autos, 4 km, rte de Narbonne ✆ 68 61 44 15
HONDA, PORSCHE-MITSUBISHI Gar. Co N 9, km 1, rte d'Espagne ✆ 68 85 17 25

CIA-AUTOBIANCHI Gar. des Corbières, e de Prades ✆ 68 54 54 52
ZDA Valauto, 2 bd des Pyrénées ✆ 68 56 6
RCEDES-BENZ Gar. Monopole, 301 av. du guedoc ✆ 68 61 22 93
L, GM Auto 66, Km1, rte Prades ✆ 68 56 5
GEOT-TALBOT Succursale, N 9 rte du hus par ④ ✆ 68 85 14 15
AULT Gd Gar. de Catalogne, N 9, Km 3 u Perthus par ④ ✆ 68 54 68 55
OTA Sudria, rte Perpignan à Cabestany 3 50 50 75
G Auto J.C.A., 89 av. du Mar. Joffre ✆ 68 0 37

V.A.G. Europe-Auto, rte Thuir, Z.I. 1 km ✆ 68 85 01 92 N ✆ 68 61 15 64
Gar. Lelong, 148 av. Mar.-Joffre ✆ 68 61 25 80

Ayme-Pneus, 156 av. du Languedoc ✆ 68 61 26 38
Figuères, Zone Ind. St-Charles ✆ 68 55 23 10
Figuères, 29 r. Henri Bataille ✆ 68 61 20 02
Pagès, Zone Ind. St-Charles ✆ 68 54 67 30
Perpignan-Pneu, 18 r. J.-Verne ✆ 68 54 15 21
Piot-Pneu, Zone Ind. St-Charles ✆ 68 54 30 11 et 33 av. Victor Dalbiez ✆ 68 54 57 78
Vulcopneu Odile et Leca, Km 4, rte de Prades ✆ 68 56 65 34

PERRAY-EN-YVELINES **78610 Yvelines 60 ⑨, 196 ㉘ – 4 074 h.**

47 – Arpajon 37 – Mantes-la-jolie 44 – Rambouillet 6 – Versailles 25.

Aub. de l'Artoire, N : 2 km par D 910 ✆ (1) 34 84 97 91, « Parc » – ⓟ. E VISA
fermé 15 janv. au 15 fév. et mardi d'oct. à mai – **R** 200 bc.

Aub. des Bréviaires, **aux Bréviaires : 3,5 km par D 61 ✆ (1) 34 84 98 47** – VISA
fermé 15 nov. au 6 déc., merc. soir et jeudi midi – **R** 160/230.

PERREUX-SUR-MARNE **94 Val-de-Marne 56 ⑪, 101 ⑰⑱ – voir à Paris, Environs.**

RRIGNY-LÈS-DIJON **21 Côte-d'Or 66 ⑫ – rattaché à Dijon.**

RROS-GUIREC **22700 C.-du-N. 59 ① G. Bretagne – 7 497 h. – Casino:** A.

Nef romane★ de l'église B **B – Pointe du château** ≤★ B **– Table d'orientation** ≤★ **– Sentier des douaniers★★** A **– Chapelle N.-D.-de-la-Clarté★ 3 km par ② – Sémaphore** ≤★ **3,5 km par ②.**

e St-Samson ✆ 96 23 87 34 SO : 7 km.

ffice de Tourisme et Accueil de France (Informations, change et réservations d'hôtels pas plus jours à l'avance) 21 pl. Hôtel de Ville ✆ 96 23 21 15, Télex 740637.

① : Paris 526 – Lannion 11 – St-Brieuc 74 – Tréguier 20.

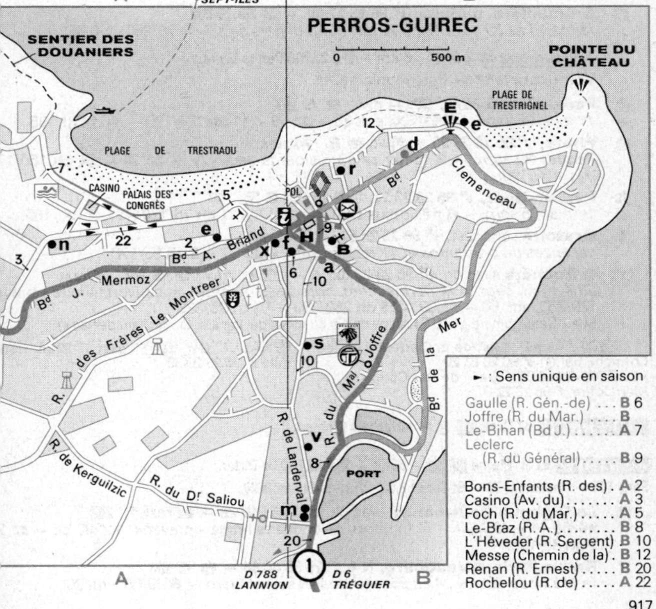

► : Sens unique en saison

Gaulle (R. Gén.-de) . . . B 6
Joffre (R. du Mar.) . . . B
Le-Bihan (Bd J.) . . . . . A 7
Leclerc (R. du Général) . . . . . B 9

Bons-Enfants (R. des) . A 2
Casino (Av. du) . . . . . . A 3
Foch (R. du Mar.) . . . . . A 5
Le-Braz (R. A.) . . . . . . B 8
L'Héveder (R. Sergent) B 10
Messe (Chemin de la) . B 12
Renan (R. Ernest) . . . . . B 20
Rochellou (R. de) . . . . . A 22

Gd H. de Trestraou, bd J.-Le-Bihan ☎ 96 23 24 05, < – TV ☎. AE VISA. rest – **R** *(1er mars-30 sept.)* (résidents seul.) 90/150, enf. 50 – 28 – 6
190/340, 5 appartements 491 – 1/2 p 261/330

Printania, 12 r. Bons-Enfants ☎ 96 23 21 00, Télex 741431, < la mer et les – TV ☎ P – 25. AE E VISA. rest
fermé 15 déc. au 15 janv. – **R** *(fermé dim. soir et lundi midi du 15 oct. au 31 m*
120/200, enf. 70 – 35 – **38 ch** 208/369 – 1/2 p 305/340.

le Sphinx M, 67 chemin de la Messe ☎ 96 23 25 42, < mer et les îles,
TV wc ☎. AE E VISA. rest
15 mars-15 nov. et 20 déc.-5 janv. – **R** 110/250 – 28 – **11 ch** 240/27
1/2 p 300/320.

France, 14 r. Rouzig ☎ 96 23 20 27, <, – wc wc P. E VISA.
mars-15 nov. – **R** 80/120, enf. 40 – 26 – **30 ch** 230/280 – 1/2 p 200/230.

Les Sternes M sans rest, rond-point de Perros-Guirec, par ① ☎ 96 91 03 38,
– TV wc ☎ P. E VISA
fermé 24 déc. au 3 janv. – 22 – **20 ch** 160/220.

Bon Accueil, 16 r. Landerval ☎ 96 23 24 11, – TV wc wc ☎ P. E
– *fermé oct. et dim. soir de nov. à Pâques* – **R** 60/150, enf. 50 – 2
21 ch 150/220 – 1/2 p 270/310

Morgane, 46 av. Casino ☎ 96 23 22 80, – TV wc wc P. AE
E VISA. rest
15 mars-15 oct. – **R** 80/120 – 26 – **32 ch** 210/340 – 1/2 p 240/270.

Port M sans rest, sur le port ☎ 96 23 21 79, < – TV wc ☎. E VISA.
20 – **12 ch** 180/200.

Levant, sur le port ☎ 96 23 20 15, < – TV wc wc ☎ P. E VISA
fermé déc. au 15 janv. et sam. d'oct. à mai – **R** 65/170, enf. 45 – 22 – 20
148/260 – 1/2 p 200/260.

St-Yves, bd A.-Briand ☎ 96 23 21 31 – wc wc ☎ P. E VISA
fermé 3 au 30 nov. – **R** 52/220 – 18 – **20 ch** 100/160 – 1/2 p 190/210.

Hermitage, 20 r. Frères Le Montréer ☎ 96 23 21 22, – wc wc
VISA. rest
15 mai-15 sept. – **R** 72/105 – 20 – **25 ch** 135/190 – 1/2 p 172/192.

Cyrnos sans rest, 10 r. Sergent-l'Hévéder ☎ 96 23 20 42, <, – P
15 avril-15 oct. – 24 – **13 ch** 105/145.

Feux des Iles avec ch, 53 bd Clemenceau ☎ 96 23 22 94, <, , –
☎ P. E VISA.
fermé 15 nov. au 20 déc., 10 janv. au 10 fév., dim. soir et lundi d'oct. à ma
R 85/245, enf. 65 – 28 – **15 ch** 170/220 – 1/2 p 210/240.

Crémaillère, pl. Église ☎ 96 23 22 08 – AE E VISA
fermé 15 au 30 nov., 15 au 28 fév. et lundi hors sais. – **R** 75/250, enf. 35.

à Ploumanach par ② : 6 km – ✉ **22700** Perros-Guirec.

Voir Rochers – Parc municipal**.**

Parc, ☎ 96 23 24 88, – wc ☎. E VISA
1er avril-25 sept. – **R** 53/200, enf. 30 – 18 – **11 ch** 170/190 – 1/2 p 170/195.

Phare, ☎ 96 23 23 08 – wc P. rest
Pâques-30 sept. – **R** (dîner seul.)(résidents seul.) 75 – 20 – **24 ch** 150/17
1/2 p 150/190.

Pen-ar-Guer, ☎ 96 23 23 27 – P. AE E VISA.
1er mai-15 sept. – **R** (résidents seul.) – 17 – **31 ch** 75/130 – 1/2 p 150/160.

Oratoire sans rest, ☎ 96 23 25 97 – wc.
vacances de printemps et 1er mai-fin sept. – 17 – **8 ch** 85/170.

❀ **Rochers** avec ch, ☎ 96 23 23 02, < – wc wc ☎. E VISA. rest
28 avril-fin sept. – **R** *(fermé merc. hors sais.)* (nombre de couverts limité - préve
120/350, enf. 60 – 33 – **15 ch** 250/390 – 1/2 p 325/338
Spéc. Demi homard grillé, Escalope de bar au fumet de homard, Croustillant de fraises.

PEUGEOT TALBOT Gar. de la Clarté, bd de la Corniche par ② ☎ 96 23 23 20
PEUGEOT-TALBOT Gar. de la Côte, 39 r. Mar.-Joffre ☎ 96 23 22 07
RENAULT Gar. des Plages, 37-39 pl. Hôte Ville ☎ 96 23 20 35

Le PERROU 61 Orne 60 ⑭ – rattaché à Mamers.

PERTHES 52 H.-Marne 61 ⑨ – 641 h. – ✉ **52100** St-Dizier.
Paris 195 – Chaumont 83 – St-Dizier 9,5 – Vitry-le-François 20.

La Cigogne Gourmande avec ch, ☎ 25 56 40 29 – rest. VISA
fermé 1er au 30 juil. – **R** (nombre de couverts limité - prévenir) 70/280 bc – 2
7 ch 85/165.

Relais Paris-Strasbourg, N 4 ☎ 25 56 40 64 – P. E VISA
fermé 12 au 25 nov., 4 au 25 janv., mardi soir et merc. – **R** 69/98, enf. 30.

RTUIS 84120 Vaucluse 84 ③ G. Provence – 12 430 h.

fice de Tourisme pl. Mirabeau ✆ 90 79 15 56.

749 – Aix-en-Pr. 20 – Apt 35 – Avignon 72 – Cavaillon 45 – Manosque 36 – Salon-de-Pr. 41.

Sevan M, rte de Manosque E : 1,5 km ✆ 90 79 19 30, Télex 431470, ←, – 60 à 120. AE E VISA. rest
fermé 2 janv. à début mars – **R** 100/180 – 34 – **36 ch** 307/462 – 1/2 p 322/447.

L'Aubarestièro avec ch, pl. Garcin ✆ 90 79 14 74 – wc. E VISA. ch
R 75/320 – 20 – **13 ch** 110/220 – 1/2 p 150/180.

Le Quatre Septembre, 60 pl. du 4-Septembre ✆ 90 79 01 52 – VISA
fermé oct. et lundi – **R** 55/120, enf. 55.

L'Escapade, rte Manosque E : 1,5 km ✆ 90 79 03 09, –
fermé 1er au 15 oct. et mardi – **R** 60 bc, enf. 40.

Moullet, 159 bd J.-B. Pecout ✆ 90 79 01

Meysson-Pneu, rte d'Aix-en-Provence ✆ 90 79 07 31

D Novo, ZA du Terre du Fort, rte d'Aix 79 51 55

AULT SEPAL, rte d'Aix-en-Provence ✆ 90 66

PERTUISET 42 Loire 76 ⑧ – rattaché à Firminy.

SMES 70140 H.-Saône 66 ⑭ G. Jura – 1 013 h.

359 – ♦Besançon 44 – ♦Dijon 46 – Dole 25 – Gray 19.

France avec ch, r. Vanoise ✆ 84 31 20 05, – wc wc. E VISA
fermé 20 oct. au 15 nov. – **R** 65/110, enf. 25 – 20 – **10 ch** 120/170 – 1/2 p 160/170.

OEN Gar. Lachat ✆ 84 31 20 02

SSAC 33 Gironde 71 ⑨ – rattaché à Bordeaux.

TIT BERSAC 24 Dordogne 75 ④ – rattaché à Ribérac.

PETIT-CHAUMONT 89 Yonne 61 ⑬ – rattaché à Champigny-sur-Yonne.

TIT-CLAMART 92 Hauts-de-Seine 60 ⑩, 101 ㉔ – voir à Paris, Environs.

PETITE-PIERRE 67 B.-Rhin 57 ⑰ G. Alsace et Lorraine – 675 h. – 67290 Wingen-sur-er.

432 – Haguenau 40 – Sarrebourg 32 – Sarreguemines 49 – Sarre-Union 26 – ♦Strasbourg 59.

Aux Trois Roses (annexe M), ✆ 88 70 45 02, Télex 890308, ←, – rest wc wc – 80. E VISA. ch
fermé janv. – **R** *(fermé dim. soir et lundi)* 65/195 – 25 – **48 ch** 180/385 – 1/2 p 155/340.

Lion d'Or, ✆ 88 70 45 06, ←, – rest wc wc – 25. AE E VISA
fermé 10 janv. au 15 fév., merc. soir et jeudi – **R** 65/260, enf. 45 – 24 – **35 ch** 125/285 – 1/2 p 165/250.

Vosges, ✆ 88 70 45 05, ←, – wc wc – 30. E VISA
fermé 15 nov. au 15 déc., mardi soir et merc. – **R** 95/220 – 25 – **30 ch** 175/280 – 1/2 p 230/280.

La Clairière M, E : 1,5 km par D 7 ✆ 88 70 47 76, ←, – wc wc. AE E VISA
R 72/198 – 25 – **29 ch** 170/320 – 1/2 p 185/260.

à l'Étang d'Imsthal SE : 3,5 km par D 178 – 67290 Wingen sur Moder :

Aub. d'Imsthal, ✆ 88 70 45 21, ←, – wc wc. AE E VISA. rest
R *(fermé 25 nov. au 20 déc., lundi soir et mardi)* 50/200 – 25 – **23 ch** 120/290 – 1/2 p 240/380.

à Graufthal SO : 11 km par D 178 et D 122 – 67320 Drulingen :

Vieux Moulin, ✆ 88 70 17 28, ←, – . E VISA
fermé 4 janv. au 13 fév. – **R** *(fermé lundi soir et mardi)* 68/130, enf. 30 – 17 – **18 ch** 80/145 – 1/2 p 145.

IAULT Gar. Letscher, à Petersbach ✆ 88 70 45 53

TIT QUEVILLY 76 S.-Mar. 55 ⑥ – rattaché à Rouen.

PEYRADE 34 Hérault 83 ⑯⑰ – rattaché à Frontignan.

PEYRAT-LE-CHÂTEAU 87470 H.-Vienne 72 ⑲ G. Berry Limousin – 1 295 h.

Paris 406 – Aubusson 45 – Guéret 53 – ♦Limoges 50 – Tulle 83 – Ussel 79 – Uzerche 60.

Aub. Bois de l'Étang, ✆ 55 69 40 19 – ⋔wc Ⓟ – 🏃 40. E VISA
R *(fermé 15 déc. au 15 janv.)* 65/180, enf. 50 – ☕ 18 – **31 ch** 100/175 – 1/2 p 165/1

Bellerive, ✆ 55 69 40 67, ≤ – ⋔wc
avril-déc. et fermé merc. d'oct. à déc. – **R** 48/135 – ☕ 16 – **9 ch** 80/12
1/2 p 140/145.

au Lac de Vassivière E : 7 km par D 13 et D 222 – ✉ 87470 Peyrat-le-Château :

La Caravelle ⛰, ✆ 55 69 40 97, ⛱, « au bord du lac, ≤ » – ⌂wc ☎ Ⓟ – 25. E VISA. ✻ ch
fermé fév. – **R** 120/230 – ☕ 28 – **22 ch** 250/260 – 1/2 p 410.

Golf du Limousin ⛰, ✆ 55 69 41 34, ⛱, 🌳 – ⌂wc ☎ Ⓟ. ✻ rest
1er mars-7 nov. et fermé mardi en mars-avril et oct. – **R** 65/168 – ☕ 25 – **19** 149/159 – 1/2 p 149/192.

RENAULT Gar. Ratat-Champétinaud, ✆ 55 69 40 11

PEYREHORADE 40300 Landes 78 ⑦⑰ G. Pyrénées Aquitaine – 3 311 h.

Voir Abbaye d'Arthous★ S : 2 km.

Syndicat d'Initiative promenade Sablot ✆ 58 73 00 52.

Paris 759 – ♦Bayonne 36 – Cambo-les-Bains 42 – Dax 23 – Oloron-Ste-Marie 63 – Pau 71.

Mimi, r. Nauton-Truquez ✆ 58 73 00 06 – ⌂wc ⋔ ☎. ✻ ch
fermé 10 au 28 mai, 15 oct. au 8 nov., vend. midi et sam. midi du 1er sept. au 1er – **R** (dîner seul.) 58/126 🍷 – ☕ 16 – **16 ch** 65/190 – 1/2 p 120/168.

XX **Central** avec ch, pl. A.-Briand ✆ 58 73 03 22 – 🛗 TV ⋔wc ☎. AE ⓓ E VISA
fermé 15 nov. au 15 déc., dim. soir et lundi hors sais. – **R** 110/160, enf. 30 – ☕ 2
10 ch 220/270 – 1/2 p 300/350.

PEUGEOT-TALBOT Gar. Lannot-Vergé, ✆ 58 73 00 29

PEYRIAC-MINERVOIS 11 Aude 83 ⑫ – 1 033 h. – ✉ 11160 Caunes-Minervois.

Paris 882 – Béziers 59 – Carcassonne 24 – Castres 71 – Narbonne 41 – St-Pons 54.

Château de Violet ⛰, N : 1 km sur D 35 ✆ 68 78 10 42, Télex 505077, parc, « Beau mobilier », 🏊 – ☎ 🚗 Ⓟ – 🏃 80. AE ⓓ E VISA
1er juin-1er oct. – **R** 140/230, enf. 65 – ☕ 45 – **14 ch** 265/550 – 1/2 p 320/425.

Passez à table aux heures normales de repas.
Vous faciliterez le travail de la cuisine et du personnel de salle.

PEYRUIS 04310 Alpes de H. P. 81 ⑯ G. Alpes du Sud – 1 702 h.

Voir Rochers des Mées★ E : 5 km.

Env. Prieuré de Ganagobie★ : mosaïques★★ dans l'église, ≤★★ de l'allée des Moin ≤★ de l'allée de Forcalquier S : 10 km.

Paris 727 – Digne 29 – Forcalquier 20 – Manosque 29 – Sisteron 24.

Aub. Faisan Doré, S : 2 km par N 96 ✆ 92 68 00 51, ⛱, 🏊, 🌳, 🎾 – ⌂ ⋔wc ☎ Ⓟ. AE ⓓ E VISA
fermé 15 au 31 déc. – **R** 80/250 🍷, enf. 60 – ☕ 26 – **10 ch** 130/180 – 1/2 p 210/24

CITROEN Gar. Milési, ✆ 92 68 00 45 N

PÉZENAS 34120 Hérault 83 ⑮ G. Gorges du Tarn (plan) – 7 841 h.

Voir Vieux Pézenas★★ : Hôtels de Lacoste★, d'Alfonce★, de Malibran★.

Paris 807 – Agde 18 – Béziers 23 – Lodève 41 – Montpellier 52 – Sète 36.

CITROEN Gar. Vidal, N 113, rte d'Agde ✆ 67 98 11 27
PEUGEOT-TALBOT Gar. Mériguet, rte de Béziers ✆ 67 98 14 94
RENAULT Occitane-Autos, N113, rte de Béziers par ② ✆ 67 98 97 73
RENAULT Sabat, pl. Poncet ✆ 67 98 14 22
Gautrand-Pneus, rte Béziers, N 113 ✆ 67 12 17
Relais du Pneu, rte de Tourbes ✆ 67 98 14 1

PFAFFENHOFFEN 67350 B.-Rhin 57 ⑱ G. Alsace et Lorraine – 2 261 h.

Voir Musée de l'Imagerie peinte et populaire alsacienne★.

Paris 458 – Haguenau 14 – Sarrebourg 49 – Sarre-Union 50 – Saverne 26 – ♦Strasbourg 36.

XX **Agneau** avec ch, ✆ 88 07 72 38 – ⌂wc ⋔wc ☎ 🚗. E VISA. ✻
fermé 15 juil. au 15 août, dim. soir et lundi – **R** 45/225 🍷 – ☕ 16 – **17 ch** 92/16
1/2 p 153/265.

CITROEN Bolley, ✆ 88 07 61 03
PEUGEOT Helmlinger, ✆ 88 07 71 92
RENAULT Keller, ✆ 88 07 71 01

ALSBOURG 57370 Moselle 57 ⑰ G. Alsace et Lorraine – 4 229 h.

yndicat d'Initiative à la Mairie (mai-oct.) ✆ 87 24 12 26.

434 – ♦Metz 109 – Sarrebourg 16 – Sarreguemines 49 – ♦Strasbourg 57.

Erckmann-Chatrian, pl. d'Armes ✆ 87 24 31 33 – wc ⋒wc ☎ – 30. AE ⓓ E VISA
R *(fermé mardi midi et lundi)* 44/177 🍷, enf. 30 – 26 – **18 ch** 102/179.

Notre-Dame 🐌, à Bonne-Fontaine E : 4 km par N 4 et VO ✆ 87 24 34 33, ≤, – wc ⋒wc ☎ ♿ Ⓟ – 80. AE ⓓ E VISA
fermé 9 au 28 janv., vacances de fév. et vend. du 1er nov. au 31 mars – **R** 68/180 🍷 – 17,50 – **26 ch** 170/280 – 1/2 p 170/250.

✗ ❀ **Au Soldat de l'An II (Schmitt), 1 rte Saverne** ✆ 87 24 16 16 – ⓓ VISA
fermé 7 au 21 nov., et 2 au 30 janv., dim. soir et lundi – **R** 135/225, enf. 60
Spéc. Millefeuille de sandre et saumon, Epigramme d'agneau au beurre vert, Gratin de pêche au sabayon d'amandes.

GEOT Klein, 6 r. du 23-Novembre ✆ 87 24 35 36 N ✆ 87 24 37 87

ILIPPSBOURG 57 Moselle 57 ⑱ – 468 h. – ✉ 57230 Bitche.

Etang de Hanau★ NO : 5 km par N 62, G. Alsace et Lorraine.

444 – Haguenau 27 – ♦Strasbourg 59 – Wissembourg 41.

Tilleul, 117 r. Niederbronn ✆ 87 06 50 10 – Ⓟ. AE ⓓ E VISA
fermé 5 au 21 sept., 30 janv. au 22 fév., mardi soir et merc. – **R** 50/210 🍷, enf. 30.

CHERANDE 63113 P.-de-D. 73 ⑬ – 530 h. alt. 1 123.

464 – ♦Clermont-Ferrand 69 – Issoire 52 – Le Mont-Dore 30.

Central Hôtel, ✆ 73 22 30 79
fermé oct. et nov. – **R** 52/110 🍷, enf. 35 – 18 – **19 ch** 45/85 – 1/2 p 114.

ERRE-BÉNITE 69 Rhône 74 ⑪ – rattaché à Lyon.

ERRE-DE-BRESSE 71270 S.-et-L. 70 ③ G. Bourgogne – 2 097 h.

357 – Beaune 46 – Chalon-sur-Saône 40 – Dole 35 – Lons-le-Saunier 35.

Poste, pl. Hôtels ✆ 85 76 24 47, – Ⓟ. E VISA
fermé 5 janv. au 5 fév. et mardi – **R** 49/120 🍷 – 16 – **7 ch** 79/138 – 1/2 p 120.

GEOT-TALBOT Gar. Degrange, ✆ 85 76 23 96 N

ERREFONDS 60 Oise 56 ③, 196 ⑪ G. Flandres Artois Picardie – 1 586 h. – ✉ 60350 e-la-Motte – Voir Château★★.

89 – Compiègne 14 – Crépy-en-Valois 17 – Soissons 31 – Villers-Cotterêts 15.

Etrangers, ✆ 44 42 80 18, ≤, – wc – 40. E VISA.
fermé 15 janv. au 20 fév., dim. soir et lundi de début sept. au 15 janv. – **R** 55/140 – 15 – **16 ch** 95/200 – 1/2 p 170/220.

ERREFONTAINE-LES-VARANS 25510 Doubs 66 ⑰ – 1 608 h. alt. 694.

463 – ♦Besançon 52 – Montbéliard 59 – Morteau 32 – Pontarlier 48.

Franche-Comté avec ch, ✆ 81 56 12 62, – wc. VISA. ch
fermé 15 déc. au 15 janv. et mardi d'oct. à avril – **R** 45/130 🍷 – 18 – **7 ch** 80/205.

ERRELATTE 26700 Drôme 81 ① – 11 653 h.

yndicat d'Initiative pl. Champs-de-Mars (fermé matin hors saison) ✆ 75 04 07 98.

627 – Bollène 14 – Montélimar 23 – Nyons 46 – Orange 32 – Pont-St-Esprit 16 – Valence 66.

Centre M, 6 pl. Église ✆ 75 04 28 59 – wc ⋒wc ☎ Ⓟ. E VISA
R voir rest. **Les Recollets** ci-après – **29 ch** 160/270.

Tricastin sans rest, r. Caprais-Favier ✆ 75 04 05 82 – ⋒wc Ⓟ. AE E VISA
17 – **13 ch** 125/175.

✗ **Host. Tom II** avec ch, 5 av. Gén.-de-Gaulle ✆ 75 04 00 35, – TV ⋒wc ☎ . AE E VISA
fermé lundi (sauf hôtel) et dim. soir – **R** 89/190, enf. 32 – 18 – **15 ch** 121/184.

✗ **Les Recollets** -Hôtel du Centre-, 6 pl. Église ✆ 75 96 83 10 – Ⓟ. AE ⓓ E VISA
fermé 4 au 28 août, vacances de fév., vend. soir de sept. à juin et sam. – **R** 65/130 🍷, enf. 30.

au Sud 4 km sur N 7 :

Motel de Pierrelatte sans rest, ✆ 75 04 07 99 – wc ⋒ Ⓟ. ⓓ.
fermé 15 janv. au 15 fév. – 30 – **22 ch** 145/225.

ROEN Goussard, rte du Serre ✆ 75 04 00

T, LANCIA Gar. Palmier, rte de St-Paul ✆ 75 3 40

JGEOT-TALBOT Gar. du Midi, rte St-Paul 5 04 00 27

PEUGEOT-TALBOT Ets Robert, 16 rte de Lyon ✆ 75 04 21 44

Jérome-Pneus, quartier Beauregard, N 7 ✆ 75 04 29 76

PILAT (Mont) ★★ 42 Loire 76 ⑨ **G. Vallée du Rhône.**
Voir Crêt de l'Oeillon ※★★★ 15 mn – Crêt de la Perdrix ※★ 15 mn.
Paris 522 – ♦St-Étienne 25.

PILAT-PLAGE 33 Gironde 78 ⑫ – voir à Pyla-sur-Mer.

Le PIN-LA-GARENNE 61 Orne 60 ④ – rattaché à Mortagne-au-Perche.

PINSOT 38 Isère 77 ⑥ – rattaché à Allevard.

PIONSAT 63330 P.-de-D. 73 ③ – 1 210 h.
Paris 362 – Aubusson 57 – ♦Clermont-Ferrand 71 – Montluçon 30 – Vichy 80.

A la Queue du Milan, ✆ 73 85 60 71 – wc Ⓟ. AE ⓓ E VISA
R *(fermé lundi du 1er oct. au 31 mai)* 46/110 – ☕ 14 – **13 ch** 78/110 – 1/2 p 97/12

PIRIAC-SUR-MER 44 Loire-Atl. 63 ⑬ **G. Bretagne** – 1 263 h. – ✉ **44420** La Turballe.
Voir Pointe du Castelli ※★ SO : 1 km.
Paris 468 – Guérande 13 – ♦Nantes 91 – La Roche-Bernard 31 – St-Nazaire 32 – La Turballe 6.

Poste, 26 r. Plage ✆ 40 23 50 90 – wc wc ☎. E VISA
1er mars-15 nov. et fermé mardi du 1er oct. au 1er juin – **R** 73/157, enf. 42 – ☕ 2
15 ch 103/220 – 1/2 p 200/238.

PITHIVIERS ⟨SP⟩ 45300 Loiret 60 ⑳ **G. Châteaux de la Loire** – 9 812 h.
ℹ Office de Tourisme Mail-Ouest Gare Routière ✆ 38 30 50 02.
Paris 82 ① – Chartres 73 ⑥ – Châteaudun 76 ⑥ – Fontainebleau 45 ② – Montargis 45 ④ – ♦Orl 43 ⑤.

Cochery (Bd) 2
Couronne (R. de la) 3
Croissant (Fg du) 6
Gambetta (Av.) 7
Gare de Marchandises (R. de la) 12
Maison-Rouge (R. de) 13

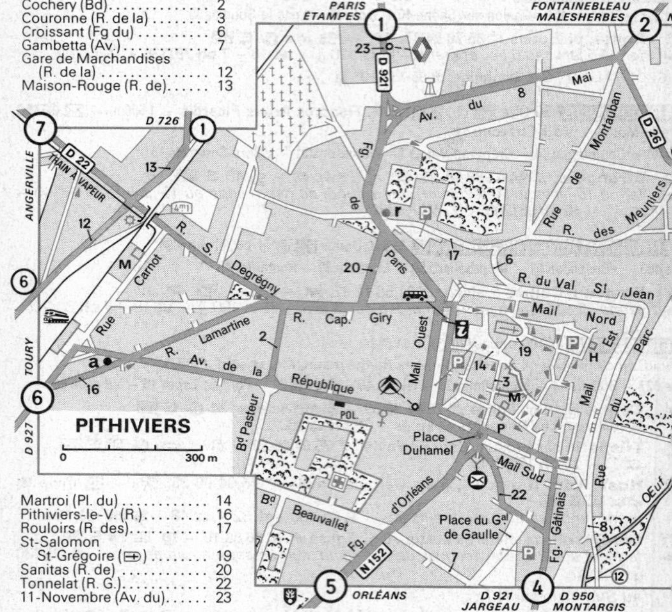

Martroi (Pl. du) 14
Pithiviers-le-V. (R.) 16
Rouloirs (R. des) 17
St-Salomon St-Grégoire 19
Sanitas (R. de) 20
Tonnelat (R. G.) 22
11-Novembre (Av. du) 23

La Chaumière, 77 av. République (a) ✆ 38 30 03 61 – wc ☎. E VISA
fermé 20 déc. au 15 janv. et lundi – **R** 54/105 ♨, enf. 30 – ☕ 20 – **8 ch** 160/18
1/2 p 260/280.

XXX **Péché Mignon,** 48 fg Paris (r) ✆ 38 30 05 32 – Ⓟ. AE ⓓ E VISA
fermé 25 juil. au 9 août, 15 janv. au 1er fév., dim. soir, mardi soir et lund
R 105/152.

OEN Molvaut, 6 av. République ✆ 38 30

Gar. du Centre, 20 Mail Ouest ✆ 38 30

EOT, TALBOT Balançon-Malidor, 76 fg ns par ⑤ ✆ 38 30 21 58

ULT Beauce-Gâtinais-Automobiles, av. -Novembre ✆ 38 30 28 56

V.A.G. Delafoy-Caillette, rte d'Etampes ✆ 38 30 16 05

La Centrale du Pneu, r. Gare-de-Marchandises ✆ 38 30 20 08

AY 69 Rhône 74 ① – rattaché à Belleville.

LAGNE 73 Savoie 74 ⑱ G. Alpes du Nord – alt. 1 980 – Sports d'hiver : 1 250/3 250 m 8 – ✉ 73210 Aime.

La Grande Rochette ** (accès par télécabine) – Télécabine de Bellecôte ** à ne-Bellecôte E : 3 km.

ice du Tourisme le Chalet ✆ 79 09 79 79, Télex 980973.

645 – Bourg-St-Maurice 31 – Chambéry 109 – Moûtiers 34.

Christina, ✆ **79 09 28 20, Télex 309714,** ←, – wc wc ☎. AE E VISA. rest
juil.-août et 15 déc.-fin avril – **R** *(fermé jeudi midi)* 120/190 – 32 – **55 ch** (½ pens. seul.) – ½ p 310/460.

Graciosa, ✆ **79 09 00 18, Télex 309626,** ← – wc ☎ P. AE E VISA. rest
1er juil.-31 août et 1er déc.-fin avril – **R** 140/160 – 38 – **14 ch** 360/380 – ½ p 310/415.

PLAINE-SUR-MER 44770 Loire-Atl. 67 ① – 2 006 h.

441 – ♦Nantes 58 – Pornic 7,5 – St-Michel-Chef-Chef 6,5 – St-Nazaire 27.

Anne de Bretagne M, **au Port de Gravette NO : 3 km** ✆ **40 21 54 72,** ←, , – TV wc wc ☎ P – 30 à 150. E VISA. rest
fermé janv. – **R** *(fermé dim. soir et lundi d'oct. à mai)* 90/240 – 27 – **26 ch** 214/304 – ½ p 265/345.

Baie de la Prée, à la Prée, O : 3 km par D 13 ✆ **40 21 50 13,** ←.

INPALAIS (Col de) 73 Savoie 74 ⑯ – rattaché à La Féclaz.

ISANCE 12710 Aveyron 83 ② – 282 h.

713 – Albi 42 – Millau 74 – ♦Montpellier 146 – Rodez 72.

Les Magnolias avec ch, ✆ **65 99 77 34** – AE E VISA
15 mars-15 nov. – **R** 68/240 – 25 – **5 ch** 160/200 – ½ p 162/260.

ISANCE 32160 Gers 82 ③ – 1 577 h.

701 – Aire-sur-L'Adour 30 – Auch 55 – Condom 64 – Mont-de-Marsan 61 – Pau 65 – Tarbes 44.

✿ **La Ripa Alta** (Coscuella), ✆ **62 69 30 43** – TV wc wc ☎ P. AE E VISA
fermé 7 nov. au 5 déc. et lundi midi du 15 oct. au 14 mars – **R** (dim. prévenir) 68 bc/250 bc, enf. 45 – 25 – **15 ch** 85/280 – ½ p 150/225
Spéc. "Misères" au poivre rose, Foie de canard au Jurançon, Fricassée de poulet "Armagnac". Vins Côtes de St-Mont, Madiran.

OEN Gar. Lenfant, ✆ 62 69 32 13

ANCHER-LES-MINES 70 H.-Saône 66 ⑧ – 1 414 h. – ✉ 70290 Champagney.

407 – Belfort 24 – Le Thillot 26 – Vesoul 57.

Host. des Roches, 24 r. France ✆ **84 23 60 47** – wc wc ☎ P. AE E VISA
fermé 27 juin au 4 juil. et 28 nov. au 12 déc., dim. soir hors sais. et lundi – **R** 60/192 , enf. 42 – 20 – **23 ch** 95/175 – ½ p 118/155.

ANCOËT 22130 C.-du-N. 59 ⑤ – 2 507 h.

416 – Dinan 17 – Dinard 21 – St-Brieuc 47.

✿ **Chez Crouzil** avec ch, **à la gare** ✆ **96 84 10 24,** – wc wc ☎ P. E VISA. ch
fermé 6 au 20 juin, 7 au 21 nov., dim. soir et lundi – **R** 72/350 , enf. 70 – 25 – **12 ch** 115/230 – ½ p 220/280.

GEOT-TALBOT Gar. Neute René, ✆ 96 84

Emeraude Pneumatiques, ✆ 96 84 11 82

PLAN-DE-LA-TOUR 83 Var 84 ⑰ – 1 452 h. – ✉ 83120 Ste-Maxime.

Paris 881 – Cannes 71 – Draguignan 36 – St-Tropez 19 – Ste-Maxime 9, 5.

Mas des Brugassières sans rest, S : 1,5 km par rte Grimaud ✆ 94 43 72 ..., ←, ⛱, ..., – ⇔wc ☎ Ⓟ.
fermé janv. et fév. – **10 ch** ⊏350.

XXX **Ponte Romano** avec ch, S : 1,5 km par rte de Grimaud ✆ 94 43 70 56, ←, « Mas provençal dans un joli jardin, ⛱ » – ⇔wc ☎ Ⓟ. AE E VISA. rest
mars-15 oct. – **R** *(fermé lundi hors sais.)* (nombre de couverts limité - préve... carte 230 à 340 – ⊏ 40 – **6 ch** 400/460, 4 appartements 600.

PLAN-D'ORGON 13750 B.-du-R. 84 ① – 1 885 h.

Paris 701 – Aix-en-Provence 53 – Arles 38 – Avignon 23 – ♦Marseille 78 – Nîmes 56.

Flamant Rose , rte St-Rémy ✆ 90 73 10 17, ..., ⛱ – ch ⇔wc ☎ ... VISA
R 69/150 – ⊏ 28 – **16 ch** 170/195 – $^1/_2$ p 205/305.

PLAN-DU-VAR 06 Alpes-Mar. 84 ⑲, 195 ⑯ – ✉ 06670 St-Martin-du-Var.

Voir Gorges de la Vésubie* NE – Défilé du Chaudan** N : 2 km.**

Env. Bonson : site*, ← de la terrasse de l'église, retable de St-Benoît* dans l'ég... NO : 9 km, G. Côte d'Azur.**

Paris 947 – Antibes 39 – Cannes 49 – ♦Nice 31 – Puget-Théniers 34 – St-Étienne-de-T. 60 – Vence...

Cassini, rte Nationale ✆ 93 08 91 03, ... – ⇔wc ⋒wc ☎ ... – 40. E VISA
fermé 8 au 20 juin, 8 au 25 janv. et vend. du 1er sept. au 30 juin – **R** 50/150 – ⊏ – **20 ch** 120/220 – $^1/_2$ p 155/215.

Le PLANELLET 74 H.-Savoie 74 ⑧ – rattaché à Megève.

Le PLANTAY 01 Ain 74 ② – rattaché à Villars-les-Dombes.

PLAPPEVILLE 57 Moselle 57 ⑬ – rattaché à Metz.

PLASCASSIER 06 Alpes-Mar. 84 ⑧⑨, 195 ㉔ – rattaché à Grasse.

PLÉLAN-LE-GRAND 35380 I.-et-V. 63 ⑤ – 2 349 h.

Paris 384 – Ploermel 26 – Redon 50 – ♦Rennes 34.

Bruyères , ✆ 99 06 81 38, ... – ⇔wc ⋒wc ☎ Ⓟ. E VISA. rest
fermé vacances de fév., dim. soir et lundi midi en hiver – **R** 50/105, enf. 30 – ⊏ – **18 ch** 80/180 – $^1/_2$ p 100/140.

CITROEN Gar. Guerin, ✆ 99 06 81 29

PLÉNEUF-VAL-ANDRÉ 22370 C.-du-N. 59 ④ – 3 801 h. – Casino: au Val-André.

Paris 449 – Dinan 43 – Erquy 9 – Lamballe 17 – St-Brieuc 29 – St-Cast 29 – St-Malo 54.

au Val-André O : 2 km, **G. Bretagne** – ✉ **22370** Pléneuf-Val-André.

Voir Pointe de Pléneuf* N 15 mn – Le tour de la Pointe de Pléneuf ← N 30 mn**

ℹ Office de Tourisme 1 r. W.-Churchill ✆ 96 72 20 55.

Gd H. du Val André , r. Amiral-Charner ✆ 96 72 20 56, ← – ⫴ ⇔wc ☎ Ⓟ VISA. rest
hôtel : 1er mars-11 nov. ; rest. : 1er avril-30 sept. – **R** 95/290, enf. 60 – ⊏ 28 – **39** ... 225/270 – $^1/_2$ p 265/315.

Clemenceau sans rest, 131 r. Clemenceau ✆ 96 72 23 70 – ⫴ TV ⇔wc ⋒wc Ⓟ. VISA
fermé 5 au 30 janv. – ⊏ 25 – **23 ch** 168/235.

Casino sans rest, 10 r. Ch. Cotard ✆ 96 72 20 22 – ⋒wc.
fin mars-oct. – ⊏ 22 – **17 ch** 115/210.

Mer, r. Amiral-Charner ✆ 96 72 20 44 – ⇔ ⋒ Ⓟ. AE E VISA
fermé 15 nov. au 8 déc. – **R** 69/160, enf. 40 – ⊏ 22 – **16 ch** 110/170 – $^1/_2$ p 185/1...

XX ✿ **Cotriade** (Le Saout), au port de Piégu : 1 km ✆ 96 72 20 26, ← port – VISA
fermé fin nov. à fin fév., 1er au 15 juin, lundi soir et mardi – **R** (nombre de couve... limité - prévenir) 150/250
Spéc. Homard grillé, Pot-au-feu de St Jacques (oct. à mars), Turbot aux crustacés.

XX **Ajoncs d'Or,** plage des Vallées ✆ 96 72 29 81, ← côte et mer, ... – Ⓟ. E VISA
23 mai-15 oct. et fermé merc. sauf juil.-août – **R** 90/280, enf. 45.

XX **Le Biniou,** 121 r. Clemenceau ✆ 96 72 24 35 – E VISA
15 mars-20 nov. et fermé jeudi – **R** 65/250, enf. 40.

CITROEN Gar. de l'Amirauté, ✆ 96 72 20 20
RENAULT Gar. Huitric, ✆ 96 72 20 12
PEUGEOT-TALBOT Gar. Robert, ✆ 96 72 22 15

N

LÉRIN 22 C.-du-N. 58 ⑩ – rattaché à St-Brieuc.

LESSIS-PICARD 77 S.-et-M. 61 ①②, 196 ㉝ – rattaché à Melun.

LESTIN-LES-GRÈVES 22310 C.-du-N. 58 ⑦ **G. Bretagne** – 3 447 h.

Syndicat d'Initiative à la Mairie (juil.-août) ✆ 96 35 61 93.

ris 531 – Guingamp 47 – Lannion 18 – Morlaix 20 – St-Brieuc 78.

Côtes d'Armor ⑤, rte de la Corniche, N : 4 km par D 42 ✆ **96 35 63 11**, ≤ – wc wc ☎ Ⓟ. AE ⓓ E VISA
Pâques-30 sept. et fermé lundi de juin à sept. – **R** (dîner seul. en semaine) 80/130, enf. 40 – ☕ 23 – **20 ch** 180/210 – ½ p 200/220.

Voyageurs, pl. Mairie ✆ **96 35 62 12** – wc wc ☎ Ⓟ. E VISA
fermé janv., fév. et lundi hors sais. – **R** 40/130 ⅓, enf. 35 – ☕ 24 – **26 ch** 100/180 – ½ p 140/180.

LEURTUIT 35730 I.-et-V. 59 ⑤ – 4 228 h.

de Dinard-Pleurtuit-St-Malo : T.A.T. ✆ **99 46 15 76, NO : 2 km.**

ris 412 – Dinan 15 – Dinard 7 – Dol-de-Bretagne 29 – Lamballe 45 – ♦Rennes 66 – St-Malo 15.

Angelus, r. Dinan ✆ **99 88 41 53**, – ⓓ E VISA. ch
fermé 15 sept. au 15 oct., dim. soir et lundi – **R** 55/140 ⅓ – ☕ 17 – **7 ch** 95/140 – ½ p 150.

TROEN Gar. Lebreton, ✆ 99 88 41 91

RENAULT Le Pouliquen, 13 r. Aéroport ✆ 99 88 41 05

LÉVEN 22 C.-du-N. 59 ⑤ – 594 h. – ✉ **22130** Plancoët.

oir Château de la Hunaudaie★ SO : 4 km, **G. Bretagne.**

ris 424 – Dinan 24 – Dinard 31 – Lamballe 16 – St-Brieuc 37 – St-Malo 39.

Manoir Vaumadeuc ⑤, ✆ **96 84 46 17**, « Manoir 15e s., parc » – Ⓟ. rest
fermé 5 janv. au 20 mars – **R** (nombre de couverts limité - prévenir) 165/230 – ☕ 40 – **9 ch** 470/560 – ½ p 345/450.

Dans ce guide

un même symbole, un même caractère

imprimé en rouge ou en noir, en maigre ou en gras

n'ont pas tout à fait la même signification.

Lisez attentivement les pages explicatives (p. 14 à 21).

LOBANNALEC 29 Finistère 58 ⑭ – 2 844 h. – ✉ **29138** Lesconil.

oir Intérieur★ de l'église de Loctudy E : 5 km par D 53, **G. Bretagne.**

ris 571 – Douarnenez 39 – Pont-l'Abbé 6 – Quimper 26.

La Gentilhommière ⑤ sans rest, E : 3 km par D 53 et D 153 ✆ **98 58 13 29**, – ☎ Ⓟ. E VISA
fermé fév. – ☕ 26 – **7 ch** 190/260.

LOEMEUR 56270 Morbihan 58 ⑫ – 14 008 h.

ris 499 – Concarneau 53 – Lorient 5,5 – Quimper 64.

Les Astéries Ⓜ, 1 pl. FFL (près Église) ✆ **97 82 27 97, Télex 951573** – rest TV wc ☎ ♿ Ⓟ – 50. ⓓ E VISA. rest
fermé 25 déc. au 1er janv. – **R** *(fermé sam. midi et dim. du 1er oct. au 31 mai)* 65/110 – ☕ 25 – **36 ch** 200/220 – ½ p 200/225.

LOËRMEL 56800 Morbihan 63 ④ **G. Bretagne** – 7 258 h.

oir Église St-Armel★ Y B – Maison des Marmousets★ Y D.

Syndicat d'Initiative 5 r. Val ✆ 97 74 02 70.

ris 409 ② – La Baule 88 ⑤ – Châteaubriant 90 ③ – Concarneau 132 ⑥ – Dinan 69 ① – Guingamp ⑥ – Pontivy 46 ⑥ – Redon 46 ④ – ♦Rennes 61 ② – St-Brieuc 86 ⑥.

Plan page suivante

XX **Commerce-Reberminard** avec ch, 70 r. Gare ✆ **97 74 05 32** – wc ☎. E VISA Y **a**
R *(fermé mardi soir)* 59/200, enf. 50 – ☕ 20 – **20 ch** 85/200 – ½ p 170/230.

TROEN Migue, 33 r. Gén.-Dubreton ✆ 97 05 07

AT Gar. Gesbert, 58 bis r. Gén.-Dubreton 97 74 01 23

RD Brocéliande Autom., 35 bd Foch ✆ 97 00 51 N ✆ 97 93 61 60

PEUGEOT-TALBOT Chouffeur, 6 av. de Rennes par ② ✆ 97 74 02 55

RENAULT Triballier, 15 rte de Rennes par ② ✆ 97 74 01 66 N

Corbel, Zone Ind. de Gourhel ✆ 97 74 03 03

PLOËRMEL

Pour bien lire les plans de villes, voir signes et abréviations p. 23.

PLOEUC-SUR-LIE 22150 C.-du-N. 58 ⑩ – 3 140 h.

Paris 449 – Lamballe 26 – Loudéac 25 – St-Brieuc 22.

Commerce, ✆ 96 42 10 36, – wc wc Ⓟ
fermé 25 sept. au 26 oct., 17 janv. au 4 fév., dim. soir et lundi du 20 oct. au 1er avril – **R** 50/140 , enf. 35 – 20 – **40 ch** 96/190 – 1/2 p 145/200.

PLOGOFF 29151 Finistère 58 ⑬ – 2 138 h.

Env. Pointe du Van ≤ NO : 6 km, G. Bretagne.**

Paris 602 – Audierne 10 – Douarnenez 32 – Pont-L'Abbé 42 – Quimper 45.

Ker-Moor , plage du Loch E : 2,5 km ✆ 98 70 62 06, ≤ – Ⓟ. rest
1er avril-30 sept. – **R** 50/120 – 13 – **18 ch** 90/115 – 1/2 p 145/155.

A l'hôtel : la tranquillité est l'affaire de tous, donc de chacun.

PLOMBIÈRES-LES-BAINS 88370 Vosges 62 ⑯ **G. Alsace et Lorraine** – 890 h. – St therm. (mai-sept.) – Casino: B.

Voir La Feuillée Nouvelle ≤* 5 km par ②.

Office de Tourisme r. Stanislas (2 mai-sept.) ✆ 29 66 01 30.

Paris 397 ④ – Belfort 76 ② – Épinal 30 ④ – Gérardmer 42 ① – Vesoul 48 ② – Vittel 66 ④.

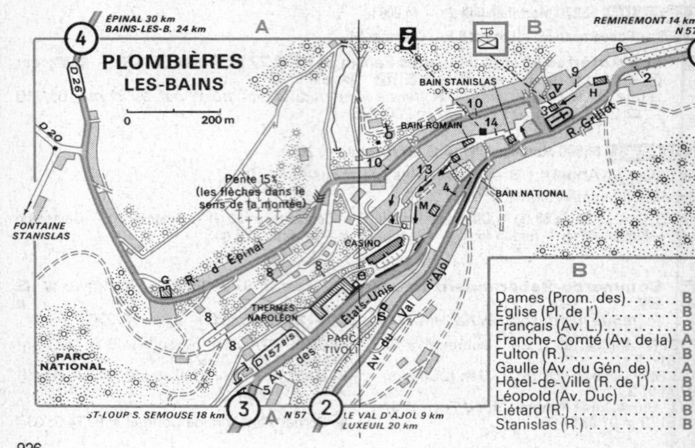

Gd Hôtel, 2 av. des États-Unis ✆ 29 66 00 03, – ▯ **P** AB **e**
1er mai-1er oct. – **R** 80/140 – 18 – **114 ch** 160/225.

Modern'H Ⓜ, av. Th.-Gautier ✆ 29 66 04 02, ← – wc ⋒wc ☎. AE ⓓ E VISA. rest B **s**
15 avril-30 sept. – **R** 67/100 – 14 – **37 ch** 140/145.

Host. Les Rosiers, par ② : 1 km ✆ 29 66 02 66, ←, – wc ☎ **P**. AE ⓓ
Pâques-oct. – **R** 65/150 – 22 – **22 ch** 130/200 – 1/2 p 150/260.

Commerce, r. Hôtel de Ville ✆ 29 66 00 47, – wc ⋒wc. AE VISA B **v**
1er mai-1er oct. – **R** 58/130 – 16 – **45 ch** 80/140 – 1/2 p 145/210.

près de la Fontaine Stanislas -A-SO : 4 km – alt. 600 – ✉ **88370** Plombières-les-B. :

Fontaine Stanislas, ✆ 29 66 01 53, ←, « En forêt, jardin » – wc ⋒wc **P**. AE E VISA. rest
1er avril-30 sept. – **R** 65/190 – 19 – **19 ch** 95/225 – 1/2 p 175/205.

PLOMEUR 29 Finistère 58 ⑭ **G. Bretagne** – 2 852 h. – ✉ **29120** Pont-l'Abbé.
Paris 571 – Douarnenez 34 – Pont-l'Abbé 5,5 – Quimper 26.

Ferme du Relais Bigouden Ⓜ sans rest, à Pendreff, S : 2,5 km sur D 57 ✆ 98 58 01 32, – TV wc ⋒wc ☎ ♿. E VISA
fermé 4 au 22 janv. – 24 – **16 ch** 198/238.

Relais Bigouden Ⓜ avec ch, ✆ 98 82 04 79, – TV wc ⋒wc ☎ – 40. E VISA
fermé 4 au 22 janv. – **R** 50/260 – 24 – **14 ch** 185/215 – 1/2 p 200/220.

PLOMION 02 Aisne 53 ⑯ **G. Flandres Artois Picardie** – 528 h – ✉ **02140** Vervins.
Paris 184 – Charleville-Mézières 58 – Hirson 18 – Laon 46 – •Reims 66.

Le Huteau, ✆ 23 98 81 81, – AE E VISA
fermé vacances de fév., dim. soir et merc. – **R** 58/130, enf. 35.

PLOMODIERN 29127 Finistère 58 ⑮ – 1 977 h.
Voir Retables★ de la chapelle Ste-Marie-du-Ménez-Hom N : 3,5 km – Charpente★ de la chapelle St-Côme NO : 4,5 km, G. Bretagne.
Paris 563 – •Brest 59 – Châteaulin 12 – Crozon 26 – Douarnenez 20 – Quimper 29.

Relais Porz-Morvan sans rest, E : 3 km ✆ 98 81 53 23, – wc ⋒wc **P**. VISA.
mars-oct. – 26 – **12 ch** 220/240.

La Crémaillère, ✆ 98 81 50 10, – ⋒
fermé oct., sam. et dim. de nov. à Pâques – **R** 55/120, enf. 30 – 19 – **26 ch** 110/150 – 1/2 p 140/180.

PLONÉOUR-LANVERN 29167 Finistère 58 ⑭ – 4 515 h.
Paris 571 – Douarnenez 26 – Guilvinec 14 – Plouhinec 21 – Pont-l'Abbé 7 – Quimper 18.

Mairie, r. J.-Ferry ✆ 98 87 61 34, – wc ⋒wc ☎ **P**. E VISA
fermé 1er au 20 janv. – **R** 50/260, enf. 44 – 23 – **18 ch** 175/220 – 1/2 p 160/220.

Ty Didrouz, r. Croas ar Bléon ✆ 98 87 62 30 – ⋒wc. ⓓ E VISA.
fermé janv. et fév. – **R** (1/2 pens. seul.) – 20 – **11 ch** 192 – 1/2 p 168/185.

PLOUDALMÉZEAU 29262 Finistère 58 ③ – 4 771 h.
Voir Clocher-porche★ de Lampaul-Ploudalmézeau N : 3 km, G. Bretagne.
Office de Tourisme pl. Église (15 juin-15 sept.) ✆ 98 48 11 88.
Paris 613 – •Brest 26 – Carhaix-Plouguer 112 – Landerneau 43 – Morlaix 76 – Quimper 97.

Voyageurs, pl. Église ✆ 98 48 10 13 – E VISA.
fermé 15 sept. au 10 oct., 1er au 15 mars et lundi – **R** 55/180.

à Kersaint O : 4 km par D 168 – ✉ **29236** Porspoder.
Voir Parc de stationnement de Trémazan ←★ NO : 2 km, G. Bretagne.

Host. du Castel, ✆ 98 48 63 35 – ⋒wc **P**
hôtel : 15 mai-30 sept. et fermé lundi ; rest. : Pâques-30 sept. et fermé dim. soir et lundi – **R** 54/160, enf. 50 – **12 ch** (pension seul.) – P 194/219.

PLOUESCAT 29221 Finistère 58 ⑤ G. Bretagne – 3 957 h.

Office de Tourisme r. St-Julien (juil.-août) ✆ 98 69 62 18 et à la Mairie (hors saison) ✆ 98 69 60 13.

Paris 572 – •Brest 43 – Brignogan-Plage 16 – Morlaix 34 – Quimper 95 – St-Pol-de-Léon 15.

- **Caravelle,** 20 r. Calvaire ✆ 98 69 61 75 – wc ☎ – 30. E VISA
  R *(fermé lundi sauf juil.-août)* 50/180 – 20 – **17 ch** 165/200 – 1/2 p 155/240.
- **Baie du Kernic,** rte Brest O : 1,5 km sur D 10 ✆ 98 69 63 41 – wc P. E VISA
  fermé nov., dim. soir et lundi du 8 déc. au 3 avril – **R** 50/250 – 21 – **15 ch** 95/190 – 1/2 p 160/200.
- XX **L'Azou** avec ch, r. Gén.-Leclerc ✆ 98 69 60 16 – AE E VISA
  fermé 26 sept. au 19 oct., 11 au 21 janv., mardi et merc. sauf juil.-août – **R** 50/280, enf. 50 – **5 ch** 100/140 – 1/2 p 140/170.
- XX **Aub. de Kersabiec,** O : 2,5 km par D 10 ✉ 29235 Plounévez-Lochrist ✆ 98 69 60 08 – P.

CITROEN Rouxel, ✆ 98 69 60 03 N
RENAULT Quillec, ✆ 98 69 61 10 N

PLOUGASNOU 29228 Finistère 58 ⑥ G. Bretagne – 3 434 h.

Voir St-Jean du Doigt : Enclos paroissial : trésor★★, église★, fontaine★ SE : 2,5 km – Ste-Barbe ←★ NO : 2 km – Pointe de Primel★ NO : 4 km puis 30 mn.

Syndicat d'Initiative r. des Martyrs ✆ 98 67 31 88.

Paris 545 – Guimgamp 64 – Lannion 34 – Morlaix 17 – Quimper 94.

- **France,** pl. Église ✆ 98 67 30 15, – wc P.
  fermé oct. – **R** *(fermé dim. hors sais.)* 58/220, enf. 39 – 19 – **21 ch** 95/180 – 1/2 p 125/170.

CITROEN Gar. Moal Frères, ✆ 98 67 35 20
RENAULT Gar. Prigent, à Kermébel ✆ 98 72 30 65
RENAULT Gar. Nicolas ✆ 98 67 34 53

PLOUGASTEL-DAOULAS 29213 Finistère 58 ④ G. Bretagne – 9 611 h.

Voir Calvaire★★ – Site★ de la chapelle St-Jean NE : 5 km – Kernisi ★ SO : 4,5 km.

Env. Pointe de Kerdéniel ★★ SO : 8,5 km puis 15 mn.

Paris 580 – •Brest 11 – Morlaix 56 – Quimper 62.

- **Kastel Roc'h** sans rest, à l'échangeur de la D 33 ✆ 98 40 32 00, – TV wc wc ☎ P – 80. AE E VISA
  25 – **46 ch** 165/200.
- XXX **Le Chevalier de l'Auberlac'h,** ✆ 98 40 54 56 – P. AE E VISA
  R 55/190, enf. 55.

CITROEN Gar. du Centre, 2 r. neuve ✆ 98 40 36 23
RENAULT Plougastel-Automobiles, r. de Kerguélen ✆ 98 40 31 77

PLOUGUERNEAU 29232 Finistère 58 ④ – 5 317 h.

Paris 602 – • Brest 29 – Landerneau 31 – Morlaix 62 – Quimper 94.

- **Les Abériades,** 6 Gde Rue ✆ 98 04 71 01 – wc wc ☎ P. E VISA rest
  fermé 1er au 24 oct. – **R** *(fermé dim. soir et lundi)* 60/145, enf. 36 – 20 – **30 ch** 90/200 – 1/2 p 110/180.

à la Plage de Lilia NO : 5 km par D 71 :

- **Castel Ac'h,** ✆ 98 04 70 11, ← – wc P. AE E VISA
  R *(fermé le soir sauf vend. et sam. du 1er nov. au 15 mars)* 84/147 – 19 – **15 c** 88/160 – 1/2 p 153/194.

PLOUHARNEL 56 Morbihan 63 ⑪⑫ – rattaché à Carnac.

PLOUHINEC 29149 Finistère 58 ⑭ – 5 066 h.

Paris 584 – Audierne 4,5 – Douarnenez 20 – Pont-l'Abbé 28 – Quimper 31.

- **Ty Frapp,** r. de Rozavot ✆ 98 70 89 90 – wc wc ☎ P. E VISA.
  hôtel : fermé 18 sept. au 4 oct. et 24 déc. au 2 janv. – **R** *(fermé 18 sept. au 4 oc dim. soir et lundi en hiver)* 60/200 – 22 – **25 ch** 113/191 – 1/2 p 184/228.

PLOUIDER 29 Finistère 58 ④ – 1 871 h. – ✉ 29260 Lesneven.

Paris 585 – •Brest 30 – Landernau 19 – Morlaix 41 – Quimper 82 – St-Pol-de-Léon 28.

- XX **de la Butte** avec ch, ✆ 98 25 40 54, – wc P. AE E VISA
  fermé janv., lundi (sauf hôtel) et dim. soir sauf juil.-août – **R** 70/225, enf. 46 – 20 – **15 ch** 100/180 – 1/2 p 200/230.

PLOUIGNEAU 29234 Finistère 58 ⑥⑦ – 3 729 h.

Paris 529 – Carhaix-P. 49 – Guingamp 43 – Huelgoat 31 – Lannion 36 – Morlaix 10 – Quimper 91.

XX **An Ty Korn** avec ch, pl. Église ✆ 98 67 72 72, – ⋔. AE ⦿ E VISA
R *(fermé 15 au 30 sept., dim. soir et lundi)* 50/220 ♁ – ☕ 17 – **7 ch** 120/160 – 1/2 p 190/200.

PLOUMANACH 22 C.-du-N. 59 ① – rattaché à Perros-Guirec.

PLUGUFFAN 29 Finistère 58 ⑮ – rattaché à Quimper.

PLUMELEC 56420 Morbihan 63 ③ – 2 466 h.

Paris 437 – Josselin 15 – Locminé 18 – Ploërmel 27 – ♦Rennes 87 – Vannes 25.

Lion d'Or, pl. Église ✆ 97 42 24 19 – Ⓟ
fermé 15 oct. au 15 nov. et sam. – **R** 82/159 ♁, enf. 40 – ☕ 16,50 – **15 ch** 82/138 – 1/2 p 130/150.

PLUVIGNER 56330 Morbihan 63 ② – 4 727 h.

Paris 473 – Auray 13 – Lorient 32 – Pontivy 35 – Vannes 31.

XX **Croix Blanche,** 14 r. St-Michel ✆ 97 24 71 03 – E VISA.
fermé 15 sept. au 15 oct., 15 janv. au 15 fév., mardi soir et merc. sauf juil.-août – **R** 140/230.

Le POËT-LAVAL 26 Drôme 81 ② – rattaché à Dieulefit.

POILHES 34 Hérault 83 ⑭ – rattaché à Capestang.

POINTE – voir au nom propre de la pointe.

POINT-SUBLIME 04 Alpes-de-H.-Pr 84 ⑥ **G. Côte d'Azur** – alt. 783 – ✉ **04120** Castellane.

Voir <★★ sur Grand Canyon du Verdon 15 mn – Couloir Samson★★ S : 1,5 km – Clue de Carejuan★ E : 4 km.

Paris 848 – Castellane 18 – Digne 72 – Draguignan 54 – Manosque 77 – Salernes 65 – Trigance 13.

X **Aub. Point Sublime** avec ch, ✆ 92 83 60 35, <, – wc ⋔wc Ⓟ. E VISA.
rest
26 mars-10 nov. – **R** 52/190, enf. 37 – ☕ 17 – **14 ch** 100/130 – 1/2 p 200/210.

POINT-SUBLIME 48 Lozère 80 ⑤ **G. Alpes du Sud** – alt. 861.

Voir <★★★ sur Grand Canyon du Verdon 15 mn – Rougon <★ N : 2,5 km.

Env. Belvédères SO : de l'Escalès★★★ 9 km, de Trescaïre★★ 8 km, du Tilleul★★ 10 km, des Glacières★★ 11 km, de l'Imbut★★ 13 km.

Le POIRÉ-SUR-VIE 85 Vendée 67 ⑬ – 4 960 h. – ✉ **85170** Belleville-sur-Vie.

Paris 434 – Cholet 64 – Nantes 53 – La Roche-sur-Yon 14 – Les Sables-d'Olonne 41.

Centre, ✆ 51 31 81 20 – ⋔. AE E VISA
fermé fév. – **R** *(fermé dim. soir)* 45/180 ♁ – ☕ 18 – **22 ch** 75/139 – 1/2 p 130/162.

CITROEN Gar. Piveteau, 2 r. des Écoliers ✆ 51 80 42 N ✆ 51 31 85 08

RENAULT Gar. Bretaudeau, ✆ 51 06 45 00

POISSY 78300 Yvelines 55 ⑲, 196 ⑰, 101 ⑪⑫ **G. Environs de Paris** – 36 553 h.

Voir Église N.-Dame★.

Syndicat d'Initiative 132 r. Gén.-de-Gaulle ✆ (1) 30 74 60 65.

Paris 38 ③ – Mantes-la-Jolie 29 ④ – Pontoise 17 ② – Rambouillet 48 ④ – St-Germain-en-Laye 7 ③.

Plan page suivante

XX ❀ **Esturgeon** (Soulat), 6 cours 14-Juillet **(a)** ✆ (1) 39 65 00 04, < – AE ⦿ E VISA
fermé août, 5 au 12 fév., merc. soir de nov. à mars et jeudi – **R** carte 215 à 310
Spéc. Foie gras de canard, Filets de sole Esturgeon, Caneton aux cerises.

AUSTIN-ROVER Poissy-Autom., 29 bd Robespierre ✆ (1)30 74 02 80
CITROEN Legrand, 18 av. F.-Lefebvre ✆ (1)39 20 55
RENAULT Bagros-Heid, 1 r. du Pont à Triel-Seine par ① ✆ (1)39 70 60 29

RENAULT Gar. Pihan, 78 bd Robespierre par ② ✆ (1)39 65 40 94

Marsat-Poissy-Pneus, 40 bd Robespierre ✆ (1)39 65 29 09

CONSTRUCTEUR : Talbot, 45 r. J.-P.-Timbaud ✆ **(1)39 65 40 00**

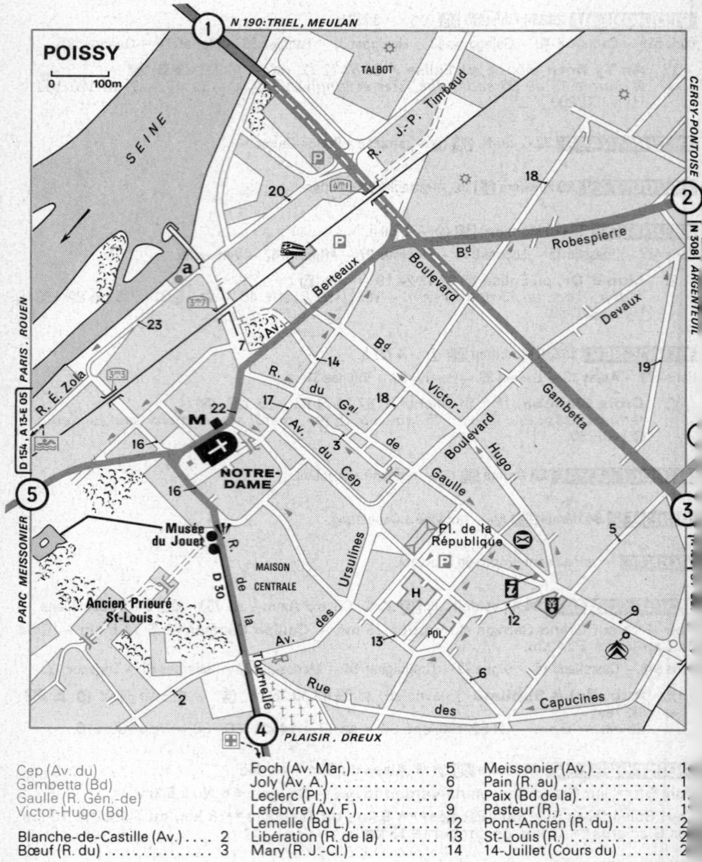

Cep (Av. du)
Gambetta (Bd)
Gaulle (R. Gén.-de)
Victor-Hugo (Bd)

Blanche-de-Castille (Av.) 2
Bœuf (R. du) 3
Foch (Av. Mar.) 5
Joly (Av. A.) 6
Leclerc (Pl.) 7
Lefebvre (Av. F.) 9
Lemelle (Bd L.) 12
Libération (R. de la) 13
Mary (R. J.-Cl.) 14
Meissonier (Av.) 1
Pain (R. au) 1
Paix (Bd de la) 1
Pasteur (R.) 1
Pont-Ancien (R. du) 2
St-Louis (R.) 2
14-Juillet (Cours du) 2

Si vous devez faire étape dans une station ou dans un hôtel isolé, prévenez par téléphone, surtout en saison.

POITIERS P **86000** Vienne 68 ⑬⑭ **G. Poitou Vendée Charentes – 82 884 h.**

Voir Église N.-D.-la-Grande★★ : façade★★★ DY **– Église St-Hilaire-le-Grand★★** CZ **– Cathédrale★** DZ **B – Église Ste-Radegonde★** DZ **Q – Baptistère St-Jean★** DZ **– Grand salle★ du Palais de Justice** DY **J – Boulevard Coligny ≤★** BVX **– Musée Ste-Croix★** DZ **M.**

9 ☎ 49 61 23 13 E : 3 km par D 6 AX.

✈ de Poitiers-Biard, T.A.T. ☎ 49 58 28 85, AV.

Office de Tourisme 11 r. V.-Hugo ☎ 49 41 58 22 et 8 r. Grandes-Écoles ☎ 49 41 21 24 – A.C. 2 r. Claveurier ☎ 49 41 65 27.

Paris 334 ① – Angers 136 ⑦ – ♦Limoges 119 ③ – ♦Nantes 178 ⑥ – Niort 74 ⑤ – ♦Tours 100 ①.

Plans pages suivantes

France ⑤, **28 r. Carnot ☎ 49 41 32 01, Télex 790526,** – 70 à 120. AE ⓓ E VISA — CZ
R 90/120 – ☕ 33 – **86 ch** 300/750.

Royal-Poitou M, **215 rte de Paris ☎ 49 01 72 86,** – TV P – 50. AE ⓓ VISA — BV
R *(fermé sam. soir et dim. en hiver)* 68/160 – ☕ 32 – **32 ch** 260/300.

POITIERS

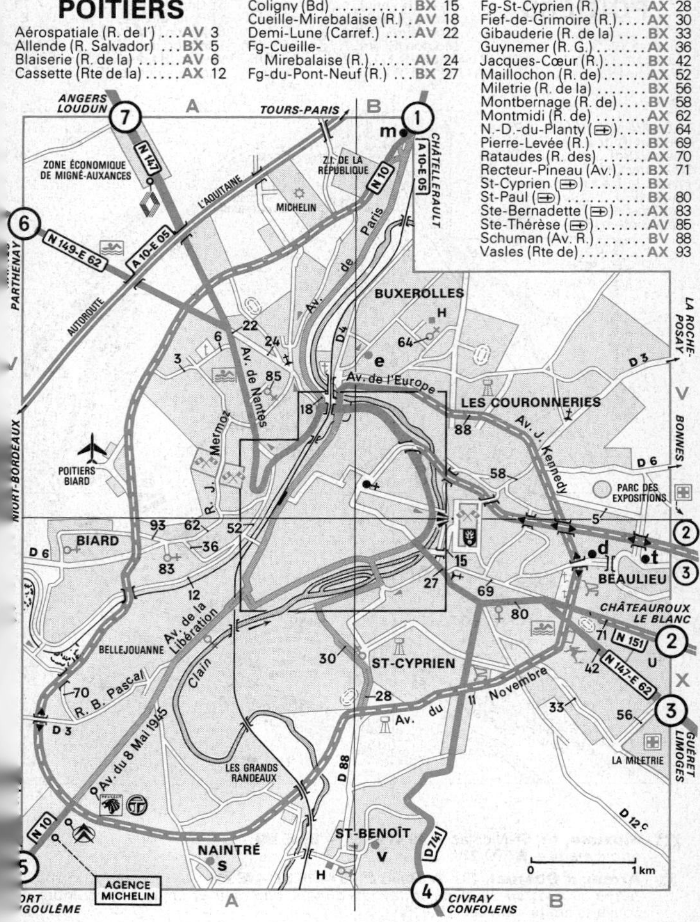

Europe sans rest, 39 r. Carnot ✆ 49 88 12 00, – TV wc ⋔wc ☎ ♿ P. E VISA — CZ n
☕ 19 – **50 ch** 135/270.

Ibis Sud M, S : 3 km sur N10 par ⑤ ✆ 49 53 13 13, Télex 791556 – |♦| TV wc ☎ ♿ P – 30 à 60
83 ch.

Ibis Beaulieu M, Quartier Beaulieu ✆ 49 61 11 02, Télex 790354 – TV wc ☎ ♿ P – 25. E VISA — BX t
R *(fermé dim. hors sais.)* carte 75 à 120 🍷, enf. 37 – ☕ 23 – **33 ch** 226/250.

Plat d'Étain sans rest, 7 r. Plat d'Étain ✆ 49 41 04 80 – wc ⋔wc ☎. E VISA — DY s
☕ 17,50 – **23 ch** 100/180.

Climat de France, quartier Beaulieu ✆ 49 61 38 75, Télex 792022 – TV wc ☎ ♿ P – 25. AE E VISA — BX d
R 60/90 🍷, enf. 37 – ☕ 25 – **42 ch** 210/235.

Chapon Fin sans rest, pl. Mar.-Leclerc ✆ 49 88 02 97 – |♦| wc ⋔wc ☎ P. E VISA — DZ z
☕ 18 – **17 ch** 90/240.

tourner →

POITIERS

Carnot (R.) .... CZ 9
Cordeliers (R. des) ...... DY 17
Gambetta (R.) .... DY 32
Grand-Rue .... DY
Marché (R. du) .... DYZ 54

Abbé-Frémont (Bd) ..... DY 2
Bouchet (R. Jean) ...... DY 7
Coligny (Bd) .... DZ 15
Descartes (R.) .... DY 23
Intend.-le-Nain (R.) ..... DY 40
Jaurès (R. J.) .... DY 44
Jean-de-Berry (Pl.) ...... DY 47
Jeanne-d'Arc (Bd) ...... CY 48
Macé (R. Jean) .... DY 50
Marne (R. de la) .... CY 55
Montierneuf (⊕) .... DY
Mouton (R. du) .... DY 63
Oudin (R. H.) .... DY 67
Riffault (R.) .... DY 74
St-Germain (⊕) .... DY
St-Porchaire (⊕) .... DY
Solférino (Bd) .... CY
Tison (Bd de) .... CZ
Verdun (Bd de) .... CY
Vlles-Boucheries (R.) ... DY

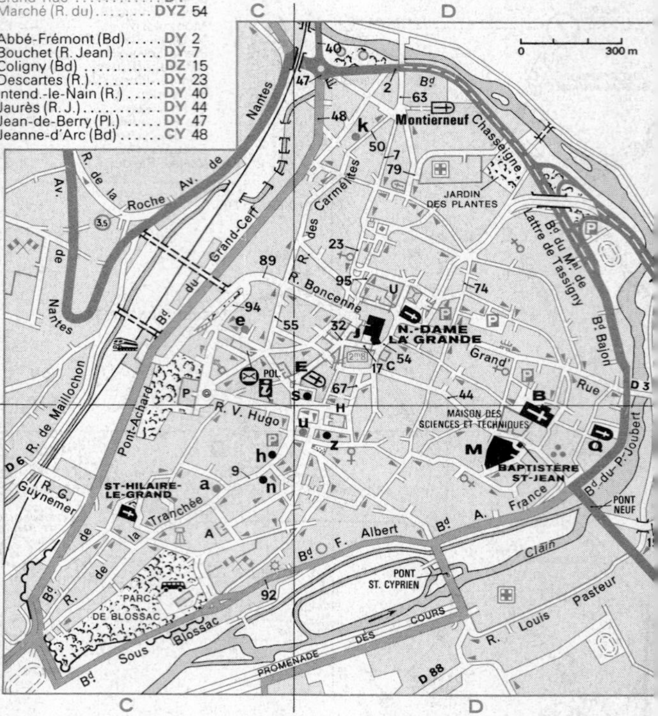

XXX **Maxime,** 4 r. St-Nicolas ✆ 49 41 09 55 – AE E VISA — DZ
fermé mardi – **R** 100/210.

XX **Armes d'Obernai,** 19 r. A.-Ranc ✆ 49 41 16 33 – E VISA — CY
fermé 30 août au 12 sept., 15 fév. au 5 mars, dim. soir et lundi – **R** (nombre couverts limité - prévenir) 90/180.

XX **Le Poitevin,** 76 r. Carnot ✆ 49 88 35 04 – E VISA — CZ
fermé 1er au 21 juil. et dim. – **R** 68/180.

XX **Aub. de la Cigogne,** à Buxerolles 20 r. Planty ✉ 86180 Buxerolles ✆ 49 45 61 ..., – AE E VISA. ✻ — BV
fermé vacances de printemps, 17 juil. au 16 août, dim. et lundi – **R** 100/150 ♁.

X **Chez Vladimir,** 10 r. Jean Macé ✆ 49 41 69 72 – E VISA. ✻ — DY
fermé 1er juil. au 30 sept., dim. et lundi – **R** (dîner seul.) carte 115 à 165.

à St-Benoit S : 4 km par D 88 - ABX – 5 950 h. – ✉ **86280** St-Benoit :

XX **A l'Orée des Bois** avec ch, **rte Ligugé** ✆ 49 57 11 44 – wc ☎. E VISA — AX
fermé 1er au 10 oct., vacances de fév., lundi (sauf hôtel) et dim. soir – **R** 58/150 ♁
☕ 18 – **16 ch** 80/160 – 1/2 p 160/200.

XX **Le Chalet de Venise** avec ch, ✆ 49 88 45 07, – wc wc ☎ Ⓟ. E V... — BX
✻ ch
fermé 23 déc. au 15 janv., dim. soir et lundi – **R** 59/140 – ☕ 19 – **10 ch** 140/180.

à Croutelle échangeur Poitiers-Sud, par ⑤ : 6 km – ✉ **86240** Ligugé :

XXX ✿ **Pierre Benoist,** N 10 ✆ 49 57 11 52, – Ⓟ. AE ⓓ E VISA
fermé 25 juil. au 9 août, vacances de fév., dim. soir et lundi – **R** (nombre couverts limité - prévenir) carte 180 à 255
Spéc. Foie gras à la gelée de Pineau des Charentes, St-Jacques et huîtres au Vouvray (oct. à av... Fondant de lapereau au romarin. **Vins** Haut-Poitou, Chinon.

route de Paris par ① : 9 km sur N 10 – ✉ **86360** Chasseneuil :

Novotel M, ✆ 49 52 78 78, Télex 791944, ⛱, ✂ – 🛗 ▤ TV ☎ ♿ P – 🧑‍🏫 25 à 300. AE ① E VISA
R grill carte environ 120, enf. 40 – ☕ 38 – **89 ch** 310/350.

Relais de Poitiers, ✆ 49 52 90 41, Télex 790502, ⛱, 🌳 – 🛗 ▤ rest TV ☎ ♿ P – 🧑‍🏫 25 à 1 000. AE ① E VISA
R 80/200, enf. 45 – ☕ 28 – **92 ch** 210/310, 4 appartements 400 – $^1/_2$ p 195/310.

rte de Bordeaux par ⑤ : 7 km – ✉ **86240** Ligugé :

Bois de la Marche M, ✆ 49 53 10 10, Télex 790133, parc, ✂ – 🛗 TV ☎ ♿ P – 🧑‍🏫 50 à 180. AE ① E VISA
R 75/190 – ☕ 28 – **53 ch** 180/330 – $^1/_2$ p 270/350.

à Périgny par ⑥ et D 43 : 17 km – 3 280 h. – ✉ **86190** Vouillé :

✿ **Domaine de Périgny** 🐦, ✆ 49 51 80 43, Télex 791400, ←, 🌳, parc, ⛱, ✂ – 🛗 ⇹ TV ☎ P – 🧑‍🏫 25 à 100. AE ① E VISA
fermé fév. – **R** 140/280, enf. 80 – ☕ 42 – **38 ch** 280/800, 3 appartements 1400 – $^1/_2$ p 375/620
Spéc. Millefeuille de cagouilles à la coriandre, Sole étuvée au verjus, Carré d'agneau du Poitou aux mojettes.

CHELIN, Agence, 177 av. du 8 Mai 1945 AX ✆ **49 57 13 59**

FA-ROMEO, AUSTIN, ROVER, SAAB
o-Sport, N 147 à Migné-Auxances ✆ 49 58
8
W Auto Hall, N 10 ZA à Fontaine le Comte
9 53 16 72
ROEN Diffusion Automobile du Poitou, av. du 8 Mai 1945 ✆ 49 53 05 23 N
ROEN S.E.D.P. Autos, à Croutelle par ⑤
9 53 06 14
RD R. M.-Autom., rte de Saumur à Migné
ances ✆ 49 58 05 65
RCEDES-PORSCHE-MITSUBISHI Poitou
os Services, rte de Saumur ✆ 49 58 53 12
SAN Gar. Bourgoin, 12 r. de la Torchaise
uneuil sous Biard ✆ 49 57 10 07

OPEL Gds Gar. du Poitou, 90 r. Carnot ✆ 49 41 35 61
PEUGEOT-TALBOT Sté Com. Automobile du Poitou, 137 av. du 8 Mai 1945 ✆ 49 53 04 51
RENAULT S.A.C.O.A., rte de Saumur à Migné-Auxances ✆ 49 58 29 82
V.A.G. Brillant Autom., Zone Ind. Demi-Lune, rte de Nantes ✆ 49 58 23 29

Charron, 108 av. Libération ✆ 49 58 22 77
Chouteau, r. du Moulin à St-Benoît ✆ 49 57 20 77
Interpneus, 13 bd J.-d'Arc ✆ 49 88 11 92
Perry-Pneus, 27 bd Pont-Joubert ✆ 49 01 83 11
Perry-Pneus, 174 av. du 8 Mai 1945 ✆ 49 57 25 82

IX-DE-PICARDIE 80290 Somme 52 ⑰ G. Flandres Artois Picardie – 1 831 h.

ffice de Tourisme r. St-Denis (Pâques-fin sept.) ✆ 22 90 08 25 et à la Mairie ✆ 22 90 07 04.
121 – Abbeville 43 – ♦Amiens 28 – Beauvais 44 – Dieppe 79 – Forges-les-Eaux 42.

Le Cardinal M, ✆ 22 90 08 23, Télex 145379 – TV ⇔wc ☎ – 🧑‍🏫 80. AE ① E VISA
R 65/190, enf. 36 – ☕ 22 – **35 ch** 190/215.

à Caulières O : 7 km par N 29 – ✉ **80590** Lignières-Châtelain :

Aub. de la Forge, ✆ 22 38 00 91 – AE ① E VISA
fermé 2 au 21 août, mardi soir et merc. – **R** (dim.-prévenir) 95/210, enf. 35.

LIGNY 39800 Jura 70 ④ G. Jura (plan) – 5 182 h.

Statues★ dans la collégiale – Culée de Vaux★ S : 2 km.
. Cirque de Ladoye ←★★ S : 8 km.
yndicat d'Initiative 85 Grande-Rue (juin-sept.) ✆ 84 37 24 21.
401 – ♦Besançon 60 – Chalon-sur-Saône 75 – Dole 37 – Lons-le-Saunier 28 – Pontarlier 66.

Paris, 7 r. Travot ✆ 84 37 13 87, ⛱ – ⇔wc ⋔wc ☎ 🚗. E VISA
3 fév.-3 nov. et fermé mardi midi et lundi hors sais. – **R** 70/170, enf. 50 – ☕ 22 – **25 ch** 110/200, 4 appartements 230 – $^1/_2$ p 200/220.

aux Monts de Vaux : rte de Genève 4,5 km – ✉ **39800** Poligny – **Voir** ←★.

Host. Monts de Vaux 🐦, ✆ 84 37 12 50, Télex 361493, ←, parc, ✂ – ☎ 🚗 P. AE ① VISA
fermé fin oct. à fin déc., merc. midi et mardi hors sais. – **R** carte 160 à 285 – **10 ch** ☕300/540.

à Passenans SO : 11 km par N 83 et D 57 – ✉ **39230** Sellières :

Revermont 🐦, ✆ 84 44 61 02, ←, 🌳, parc, ⛱, ✂ – 🛗 ⇔wc ⋔ ☎ 🚗 P – 🧑‍🏫 60. E VISA. ✂ rest
fermé 1er janv. au 1er mars, dim. soir et lundi d'oct. à déc. et en mars – **R** 80/180, enf. 44 – ☕ 23 – **28 ch** 145/235 – $^1/_2$ p 182/227.

à Montchauvrot SO : 13 km sur N 83 – ✉ **39230** Sellières :

La Fontaine, ✆ 84 85 50 02, 🌳, 🌳 – ⇔wc ⋔wc ☎ P – 🧑‍🏫 50. E VISA
fermé 20 déc. au 27 janv., dim. soir et lundi du 25 sept. au 30 juin – **R** 65/200 – ☕ 25 – **20 ch** 140/220 – $^1/_2$ p 180/260.

AULT Comte-Automobile, ✆ 84 37 24 80 Chevassu-Pneus, ✆ 84 37 15 67

POLLIAT 01310 Ain 74 ② – 1 841 h.

Paris 414 – Bourg-en-Bresse 10 – ♦Lyon 72 – Mâcon 24 – Villefranche-sur-Saône 53.

Place, ✆ 74 30 40 19 – ⋔ ☎. E VISA
fermé 5 au 16 juin, 7 au 24 oct., 6 au 11 janv., lundi (sauf hôtel) et dim. so
R 62/165 ꝭ – ☕ 20 – **9 ch** 95/190 – 1/2 p 175/215.

Coq Bressan, ✆ 74 30 40 16 – E VISA
fermé 17 juin au 10 juil., 29 sept. au 6 oct., 12 au 19 janv., merc. soir et jeud
R 75/150.

RENAULT Gar. Guigue, ✆ 74 30 41 63 — Gar. Subtil, ✆ 74 30 40 24

POLLIONNAY 69 Rhône 73 ⑲⑳ – 1 088 h. – ✉ **69290** Craponne.

Paris 461 – L'Arbresle 13 – ♦Lyon 18 – Montbrison 64.

Paul Terrasse, ✆ 78 48 12 06
fermé 17 août au 5 sept. et lundi – **R** 55/145 ꝭ.

POLMINHAC 15 Cantal 76 ⑫ – 1 221 h. alt. 650 – ✉ **15800** Vic-sur-Cère.

Paris 542 – Aurillac 16 – Murat 35 – Vic-sur-Cère 5.

Parasols, N 122 ✆ 71 47 40 10, ←, ☂ – ⇔wc ⋔wc ☎ **P**. AE E VISA
fermé oct. – **R** 55/85, enf. 35 – ☕ 19 – **30 ch** 145/190 – 1/2 p 180/210.

Bon Accueil ⛰, près Gare ✆ 71 47 40 21, ←, ☂ – ▤ rest ⋔wc **P**. VISA. ✼
fermé 15 oct. au 15 déc. – **R** 45/100 ꝭ, enf. 28 – ☕ 14,50 – **23 ch** 80/14
1/2 p 105/135.

POMPADOUR 19 Corrèze 75 ⑧ – voir Arnac-Pompadour.

PONS 17800 Char.-Mar. 71 ⑤ G. Poitou Vendée Charentes – 5 364 h.

Voir Hospice des Pèlerins★ par ④ – Donjon★ de l'ancien château B – Boiseries★ du château d'Usson 1 km par D 249.

ℹ Syndicat d'Initiative Donjon de Pons (15 juin-15 sept.) ✆ 46 96 13 31.

Paris 493 ⑤ – Blaye 60 ⑤ – ♦Bordeaux 96 ⑤ – Cognac 23 ① – La Rochelle 93 ⑦ – Royan 41 ⑤ – Saintes 22 ⑦.

✿ **Aub. Pontoise** (Chat), r. Gambetta **(e)** ✆ 46 94 00 99 – TV ⇔wc ⋔wc ☎ ♿ 🚗 – 🏊 50. E VISA. ✼
fermé 23 déc. au 26 janv. et dim. du 15 sept. au 1er juil. – **R** *(fermé dim. soir du 15 sept. au 1er juil. et lundi sauf le soir du 1er juil. au 15 sept.)* 90/250 – ☕ 40 – **23 ch** 180/300 – 1/2 p 400/450
Spéc. Gourmandises du Sud-Ouest, Feuilletés d'huîtres au beurre rouge, Brochette de langoustines aux pâtes fraîches.

PONS — 0 – 300 m

Combes (R. Émile) . . .
Pasteur (R.) . . . . . .
Denfert-Rochereau (Av.) . . .
Eparades (R.) . . . . .
Jacobins (R. des) . . .
Leclerc (R. Mar.) . . .
Pelletier (R. H.) . . . .
Prés.-Roosevelt (R.)
Royan (Av. de) . . . .
Verdun (R. de) . . . . .

à St-Léger par ⑦ : 5 km – ✉ **17800** Pons :

Le Rustica ⛰ avec ch, ✆ 46 96 91 75, ☂ – **P**. E VISA
fermé 4 au 24 oct., 11 au 18 fév., mardi soir et merc. du 16 sept. au 14 ju
R 50/220 ꝭ – ☕ 20 – **7 ch** 90/110 – 1/2 p 160.

à Mosnac SE : 10 km par N 137 et D 134 – ✉ **17240** St Genis-de-Saintonge :

✿ **Moulin de Marcouze,** ✆ 46 70 46 16 – **P**. E VISA
fermé merc. – SC : **R** 110/160
Spéc. Mitonnée de lapereau à la vieille prune, Quenelles de brochet aux brisures de mo
Aiguillette de caneton aux quatre poivres.

CITROEN Colin-Martin, rte de Royan par ⑤ ✆ 46 94 00 25
FORD Gar. Royer, 15 r. de Bordeaux ✆ 46 91 30 65
PEUGEOT, TALBOT Relais de Saintonge, Alsace-Lorraine ✆ 46 91 32 47
RENAULT Girerd, 1 rte de Jonzac ✆ 46 9 85

PONT (Lac de) 21 Côte-d'Or 65 ⑰⑱ – rattaché à Semur-en-Auxois.

PONTACQ 64 Pyr.-Atl. 85 ⑦ – 2 534 h.

Paris 790 – Laruns 47 – Lourdes 12 – Nay 14 – Oloron-Ste-Marie 50 – Pau 28 – Tarbes 19.

Béarn Bigorre, au Sud : 2 km rte de Lourdes ✉ 65380 Ossun ✆ 59 53 57 5
⇔wc ⋔wc ☎ **P**
1er avril-1er nov. – **R** 58/90 – ☕ 18 – **18 ch** 120/198 – 1/2 p 137/167.

ONTAILLAC 17 Char.-Mar. 71 ⑮ – rattaché à Royan.

ONT-A-LA-PLANCHE 87 H.-Vienne 72 ⑥ – rattaché à St-Junien.

ONT-A-MOUSSON 54700 M.-et-M. 57 ⑬ G. Alsace et Lorraine – 15 746 h.

ir Place Duroc★ – Anc. abbaye des Prémontrés★.

Syndicat d'Initiative 52 pl. Duroc ✆ 83 81 06 90 – A.C. 21 bd Ney ✆ 83 81 01 21.

is 326 ① – ♦Metz 31 ① – ♦Nancy 31 ② – Toul 33 ③ – Verdun 65 ④.

ONT-A-MOUSSON

roc (Pl.)
ers (Pl.) 19

s-le-Prêtre (R.) 2
allier (Av. C.) 3
menceau (R.) 4
ts-Unis (Av. des) . . . 5
vier (R.) 6
nçois (Q. Charles) . . 7
nbetta (R.) 8
re (R. Mar.) 9
re-de-Tassigny
Bd de) 10
erc (Av. Gén.) 12
on (Av. Gén.) 13
erne (R. de la) 14
aurent (R.) 16
Martin (R.) 17
or-Hugo (R.) 21
ier-Rogé (R.) 23

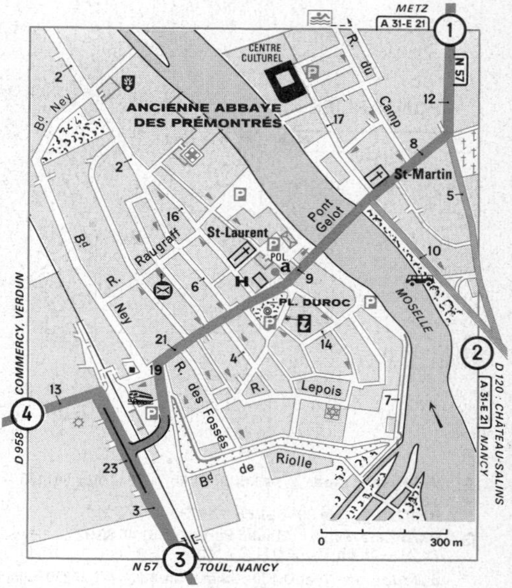

guides Rouges,
guides Verts et
cartes Michelin
it complémentaires.
lisez-les ensemble.

X **Horne,** 37 pl. Duroc **(a)** ✆ 83 81 04 50 – AE ⦿ E VISA
fermé mi-août à mi-sept., mardi soir, merc. soir et lundi – **R** 52/92 ♁.

ROEN Gar. Fasse, av. États-Unis par ② 83 81 01 31

IGEOT-TALBOT Gar. André, r. du Pont-Uja, Blénod par ③ ✆ 83 81 01 08

⑩ Pneu Cella-Dimoff, 111 r. R.-Blum ✆ 83 81 15 35

ONTARION 23250 Creuse 72 ⑨ G. Berry Limousin – 379 h.

s 376 – Aubusson 29 – Bourganeuf 10 – Guéret 27 – Montluçon 78.

Rôtisserie du Thaurion, ✆ 55 64 50 78, – Ⓟ.
fermé 2 nov. au 10 déc., dim. soir et lundi du 10 déc. à Pâques – **R** 55/180 ♁ – ☕ 18 – **14 ch** 70/180 – ½ p 150/180.

ONTARLIER ⟨SP⟩ 25300 Doubs 70 ⑥ G. Jura – 18 817 h. alt. 837.

r par ② : Les Rosiers ≤★★ 2 km – Cluse★★ de la Cluse-et-Mijoux 4 km.

. Grand Taureau ✻★★ par ② : 11 km.

ffice de Tourisme 56 r. République ✆ 81 46 48 33.

s 452 ③ – ♦Bâle 177 ① – Beaune 141 ③ – Belfort 127 ④ – ♦Besançon 58 ④ – Dole 88 ③ – nève 119 ② – Lausanne 70 ② – Lons-le-Saunier 77 ③ – Neuchâtel 53 ②.

Plan page suivante

Commerce, 18 r. Dr-Grenier ✆ 81 39 04 09, Télex 362941 – wc wc ☎ Ⓟ. E VISA BY u
fermé 5 au 20 janv. – **R** *(fermé dim. soir et lundi midi hors sais.)* 75/150, enf. 40 – ☕ 25 – **30 ch** 150/200 – ½ p 200/220.

Gd H. Poste, 55 r. République ✆ 81 39 18 12 – wc ☎. E VISA
hôtel : fermé 1er au 21/11 et dim. soir hors sais. ; rest : fermé 14 au 30/11, 1er au 15/3, dim. soir et lundi – **R** 90/295 – ☕ 26 – **21 ch** 130/330. CY r

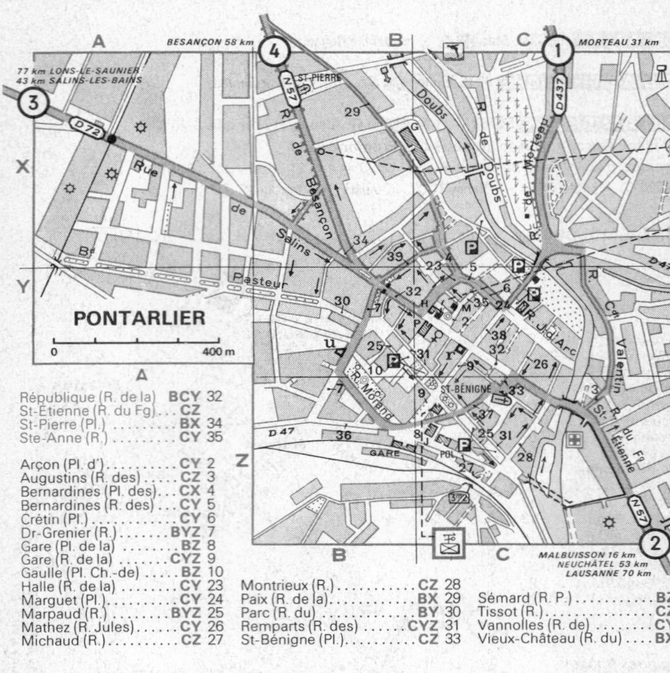

République (R. de la) BCY 32
St-Étienne (R. du Fg) .... CZ
St-Pierre (Pl.) .... BX 34
Ste-Anne (R.) .... CY 35

Arçon (Pl. d') .... CY 2
Augustins (R. des) ..... CZ 3
Bernardines (Pl. des) ... CX 4
Bernardines (R. des) ... CY 5
Crétin (Pl.) .... CY 6
Dr-Grenier (R.) .... BYZ 7
Gare (Pl. de la) .... BZ 8
Gare (R. de la) .... CYZ 9
Gaulle (Pl. Ch.-de) ..... BZ 10
Halle (R. de la) .... CY 23
Marguet (Pl.) .... CY 24
Marpaud (R.) .... BYZ 25
Mathez (R. Jules) ...... CY 26
Michaud (R.) .... CZ 27

Montrieux (R.) .... CZ 28
Paix (R. de la) .... BX 29
Parc (R. du) .... BY 30
Remparts (R. des) ..... CYZ 31
St-Bénigne (Pl.) .... CZ 33

Sémard (R. P.) .... BZ
Tissot (R.) .... CZ
Vannolles (R. de) .... CY
Vieux-Château (R. du) .... BX

Villages H., par ③ : 1 km ✆ 81 46 71 78, Télex 361188 – 📺 ⌂wc ☎ ♿ **P** – 60. E VISA
R 60/120 ♁ – ☕ 30 – **51 ch** 170/230 – ½ p 210.

Parc sans rest, 1 r. Moulin Parnet ✆ 81 46 85 92 – ⌂wc ⌂wc ☎ **P**. AE E VISA
☕ 24 – **18 ch** 110/250.

à Doubs par ④ et D 130 : 2 km – alt. 813 – ✉ **25300** Pontarlier :

Gai Soleil, ✆ 81 39 16 86, ← – ⌂ ☎ **P**. ✱
1er juil.-31 août – **R** (dîner seul.) 56/85 ♁ – ☕ 17 – **11 ch** 75/120 – ½ p 106/125

Autres ressources hôtelières :
Voir *Oye et Pallet, Les Grangettes, Malbuisson*.

CITROEN Gar. Chuard, 38 r. Besançon ✆ 81 46 54 77
FIAT Gar. Dornier, 55 r. Salins ✆ 81 39 09 85
FORD Gar. Roussillon, 115 rte de Besançon ✆ 81 39 11 68
OPEL, GM Gar. Belle-Rive, 78 r. Besançon ✆ 81 39 14 42
PEUGEOT, TALBOT Gar. Beau-Site, 29 av. Armée de l'Est par ② ✆ 81 39 23 95 **N**

RENAULT Gar. Deffeuille, r. de la Fée V Zone Ind. par ③ ✆ 81 46 56 55 **N**
TOYOTA Graber, 73 r. Besançon ✆ 81 39 1

◉ La Maison du Pneu, 3 r. des Lavaux ✆ 8 19 01
Pneu Pontissalien, 35 r. Eiffel ✆ 81 39 33 87

Prévenez immédiatement l'hôtelier si vous ne pouvez pas occuper la chambre que vous avez retenue.

PONTAUBAULT 50 Manche 59 ⑧ – 476 h – ✉ **50300** Avranches.
Paris 310 – Avranches 7 – Dol-de-Bretagne 34 – Fougères 33 – ♦Rennes 68 – St-Lô 63.

13 Assiettes, N : 1 km sur N 175 ✆ 33 58 14 03, Télex 772173, ⌂, ⌂ – ⌂w **P**. E VISA
15 mars-15 nov. et fermé merc. hors sais. – **R** 60/180, enf. 40 – ☕ 22 – **36** 100/180 – ½ p 152/192.

à Céaux O : 4 km sur D 43 – ✉ **50220** Ducey :

Au P'tit Quinquin, ✆ 33 70 97 20 – ⌂wc ⌂ ☎ **P**. E VISA. ✱
26 mars-15 nov. et fermé lundi sauf juil.-août – **R** 55/160 – ☕ 18 – **19 ch** 95/17 ½ p 150/190.

PONTAUBERT 89 Yonne 65 ⑯ – rattaché à Avallon.

ONT-AUDEMER 27500 Eure 55 ④ G. Normandie Vallée de la Seine – 10 156 h.
ir Vitraux★ de l'église St-Ouen E.
)ffice de Tourisme pl. Maubert ☎ 32 41 08 21.
s 168 ① – ♦Caen 74 ⑤ – Évreux 69 ② – ♦Le Havre 48 ① – Lisieux 36 ④ – ♦Rouen 52 ①.

ONT-AUDEMER

réservation
firmée par écrit
toujours plus sûre.

X **La Frégate,** 4 r. La-Seüle (a) ☎ 32 41 12 03 – AE ⓓ VISA
fermé 19 au 28 juil., mardi soir et merc. – **R** 110/190.

X **Aub. du Vieux Puits** avec ch, 6 r. N.-D.-du-Pré (e) ☎ 32 41 01 48, « Maison normande ancienne, bel intérieur rustique, jardin » – TV wc ☎ P. E VISA. ch
fermé 27 juin au 7 juil., 18 déc. au 19 janv., lundi soir et mardi – **R** carte 170 à 250 – 27 – **12 ch** 130/330.

à Corneville-sur-Risle par ② : 6 km – ✉ **27500** Pont-Audemer :

Cloches de Corneville, ☎ 32 57 01 04, – TV wc wc ☎ P – 30. AE ⓓ E VISA. ch
R *(fermé 20 nov. au 15 déc., 20 fév. au 2 mars et merc.)* 120, enf. 75 – 28 – **12 ch** 205/305 – $^1/_2$ p 250/415.

ROEN Gar. Roulin, 7 r. de la Seule et Z.I. r. .-Koening par ② ☎ 32 41 01 56
TSUN-NISSAN Hartog, 7 pl. L.-Gillain 2 41 04 16
T Vacher, 16 r. Marquis-Surcouf ☎ 32 41 4
RD Gar. Valmont, 20 rte Honfleur, St-main-Village ☎ 32 41 05 48
L Gar. des Deux Ponts, 22 r. N.-D.-du-Pré 2 41 00 13
GEOT Ets Delamare, ZI Rocade Sud ☎ 32 0 47

RENAULT Sovère, rte d'Honfleur à St-Germain-Village par r. J.-Ferry ☎ 32 41 31 64
RENAULT Fouquet, 13 r. J.-Ferry ☎ 32 41 11 98 N
V.A.G. Durfort, 10 rte de Rouen ☎ 32 41 01 57

Marsat Pneus, rte de Bernay à St-Germain-Village ☎ 32 42 15 46
Stat. La Risle, 67 rte de Rouen ☎ 32 41 14 11
Subé-Pneurama, r. des Fossés ☎ 32 41 14 89

NTAUMUR 63380 P.-de-D. 73 ⑬ – 992 h.
s 408 – Aubusson 48 – ♦Clermont-Ferrand 44 – Le Mont-Dore 63 – Montluçon 74 – Ussel 62.

Poste, ☎ 73 79 90 15 – wc wc ☎ . E VISA. ch
fermé 15 déc. au 1er fév., dim. soir et lundi sauf juil.-août – **R** 68/150 – 20 – **20 ch** 110/160 – $^1/_2$ p 130/160.

GEOT Thiallier-Comes, ☎ 73 79 90 02

Pour des repas simples à prix modiques
choisissez les établissements marqués d'un losange

PONT-AVEN 29123 Finistère 58 ⑪⑯ **G. Bretagne** – 3 295 h.

Voir Promenade au Bois d'Amour★.

Office de Tourisme pl. Hôtel de Ville ☎ 98 06 04 70.

Paris 524 – Carhaix-Plouguer 62 – Concarneau 15 – Quimper 32 – Quimperlé 17 – Rosporden 14.

XXX ✿ **Moulin de Rosmadec** (Sébilleau) M avec ch, **près pont centre** ☎ **98 06 00 22**, ≤, « **Ancien moulin sur l'Aven, décor et mobilier bretons** » – wc ☎. VISA. rest
fermé 15 au 30 oct. et fév. – **R** *(fermé dim. soir et merc. sauf juil.-août)* (nombre couverts limité - prévenir) 92/210 – 30 – **4 ch** 450
Spéc. Suprême de sole au champagne, Homard grillé, Aiguillettes de canard au cassis.

rte Concarneau O : 4 km par D 783 – ✉ **29123** Pont-Aven :

XXX ✿ **La Taupinière** (Guilloux), ☎ **98 06 03 12**, – ▤ P. E VISA.
fermé 18 sept. au 19 oct., lundi soir sauf juil.-août et mardi – **R** (prévenir) 200/32
Spéc. Tartare de dorade grise et saumon, Tarte aux langoustines et côtes de bettes (sais Douillon de pomme au four.

PEUGEOT-TALBOT Quénéhervé, à Croissant-Kergoz ☎ 98 06 03 11

PONTCHARRA 38530 Isère 74 ⑯ – 5 508 h.

Voir Château Bayard ☀★ S : 1 km, G. Alpes du Nord.

Syndicat d'Initiative 3 r. L.-Gayet (vacances scolaires et saison) ☎ 76 97 68 08.

Paris 560 – Albertville 44 – Chambéry 23 – ♦Grenoble 40.

Climat de France M, ☎ **76 71 91 84, Télex 305551**, – ch TV w ♿ P. AE E VISA
R 55/92 ♁, enf. 37 – 23 – **24 ch** 247 – ½ p 292.

PEUGEOT-TALBOT Gar. Tardy, ☎ 76 97 65 36 — RENAULT Camilleri, ☎ 76 97 63 21

PONTCHARRA-SUR-TURDINE 69 Rhône 73 ⑨ – rattaché à Tarare.

PONTCHARTRAIN 78 Yvelines 60 ⑨, 196 ⑯ – ✉ **78760** Jouars-Pontchartrain.

⛳ Isabella ☎ (1) 30 54 10 62, E : 3 km.

Paris 39 – Dreux 44 – Mantes-la-Jolie 32 – Montfort-l'Amaury 10 – Rambouillet 22 – Versailles 17.

XXX **L'Aubergade**, rte Nationale ☎ (1) 34 89 02 63, « **Beau jardin fleuri, voliè** – P. VISA
fermé août, mardi soir hors sais. et merc. – **R** carte 170 à 260.

à Ste-Appoline E : 3 km sur N 12 – ✉ **78370** Plaisir :

XXX **Maison des Bois**, ☎ (1) 30 54 23 17, « **Demeure rustique, jardin** » – P.
fermé 30 juil. au 4 sept., dim. soir et jeudi – **R** carte 175 à 265.

aux Mousseaux S : 3 km par D 13E – ✉ **78760** Jouars-Pontchartrain :

XXX **Aub. de la Dauberie** M avec ch, ☎ (1) 34 87 80 57, , parc, « **Coqu hostellerie dans un cadre champêtre et fleuri** », – TV wc ☎ P. AE VISA
fermé 15 janv. au 15 mars, lundi et mardi du 15 oct. au 15 mai – **R** 180/270 – – **9 ch** 450/480.

CITROEN Palazzi 24 N ☎ (1)34 89 02 68

PONT-D'AIN 01160 Ain 74 ③ – 2 224 h.

Syndicat d'Initiative les Quatre Vents (saison) ☎ 74 39 05 84.

Paris 448 – Belley 56 – Bourg-en-Bresse 19 – Nantua 35 – Villefranche-sur-Saône 60.

Alliés, ☎ **74 39 00 09** – wc wc ☎ . E VISA
fermé 30 mai au 5 juin, 21 déc. au 25 janv., vend. midi et jeudi – **R** 90/180 – **18 ch** 130/250.

CITROEN Gar. Blanc, ☎ 74 39 01 33 — PEUGEOT-TALBOT Gar. Guichon, ☎ 74 3 76

Le PONT-DE-BEAUVOISIN 38480 Isère 74 ⑭⑮ **G. Alpes du Nord** – 2 664 h.

Paris 522 – Chambéry 28 – Bourg-en-Bresse 93 – ♦Grenoble 55 – ♦Lyon 79 – La Tour-du-Pin 19.

Morris, SE : 2 km par D 82 ☎ **76 37 02 05**, – wc P. E VISA
fermé 15 déc. au 1er fév. et dim. soir hors sais. – **R** 80/180 ♁ – 22 – 2 130/240 – ½ p 160/240.

XX **Gallet** avec ch, av. Pravaz ☎ **76 37 01 05** – wc wc ☎. E VISA
fermé 15 au 31 mars – **R** *(fermé lundi soir et mardi soir)* 75/180 ♁ – 19 – 170/200 – ½ p 210.

AUSTIN-ROVER, **LADA, SKODA** Gar. Termoz, ☎ 76 37 05 60 N ☎ 76 37 21 04
CITROEN Chaboud, ☎ 76 37 03 10 N
FORD Angelin-Autom., ☎ 76 37 25 49 N
PEUGEOT-TALBOT Cloppet, ☎ 76 37 25 6
RENAULT Gar. Central, ☎ 76 37 00 13 N

ONT-DE-BRIQUES 62 P.-de-C. 51 ⑪ – rattaché à Boulogne-sur-Mer.

ONT-DE-BROGNY 74 H.-Savoie 74 ⑥ – rattaché à Annecy.

ONT-DE-CHAZEY-VILLIEU 01 Ain 74 ③ – rattaché à Meximieux.

ONT-DE-CHERUY 38230 Isère 74 ⑬ – 3 849 h.

is 490 – Belley 56 – Bourgoin-Jallieu 27 – ♦Grenoble 91 – ♦Lyon 29 – Meximieux 21 – Vienne 42.

Bergeron sans rest, r. Giffard ☏ 78 32 10 08, – wc . VISA
fermé 15 au 31 août – 16,50 – **16 ch** 80/145.

ROEN Garnier, ☏ 78 32 11 46
T Tunesi, à Tignieu-Jameyzieu ☏ 78 32 23 21
Roudinsky, à Tignieu-Jameyzieu ☏ 78 32 22
JGEOT-TALBOT Maunand, ☏ 78 32 11 07

PONT-DE-CLAIX 38 Isère 77 ⑤ – rattaché à Grenoble.

ONT-DE-DORE 63 P.-de-D. 73 ⑮ – ✉ **63920** Peschadoires.

ir S : **Vallée de la Dore★, G. Auvergne.**

s 386 – Ambert 49 – ♦Clermont-Ferrand 41 – Issoire 53 – Lezoux 10 – Riom 38 – Thiers 6.

Avenue, ☏ 73 80 10 14, – wc P. E VISA.
fermé 21 au 28 août, 25 déc. au 17 janv. dim. soir et lundi midi – **R** 60/150 – 15 – **20 ch** 72/152.

Mère Dépalle M avec ch, N 89 ☏ 73 80 10 05 – wc wc P. AE E VISA
fermé 26 au 31 déc. et dim. soir du 1er oct. au 31 mars – **R** 75/180 – 22 – **10 ch** 200/220.

Ferme des Trois Canards, NO : 3 km par rte Maringues ☏ 73 80 22 26, – P
fermé janv. et lundi – **R** 65/180.

ONT-DE-LA-CHAUX 39 Jura 70 ⑮ – alt. 717 – ✉ **39150** St-Laurent-en-Grandvaux.

r Gorges de la Langouette★ E : 3,5 km puis 30 mn – Cours de la Lemme★ N – cade de la Billaude★ NE : 4,5 km puis 30 mn, G. Jura.

s 436 – Champagnole 12 – ♦Genève 77 – Lons-le-Saunier 45.

Beauséjour, ☏ 84 51 52 51 – wc wc P – 30
24 ch.

ONT-DE-L'ARCHE 27340 Eure 55 ⑥ **G. Normandie Vallée de la Seine** – 2 456 h.

s 118 – Les Andelys 32 – Elbeuf 11 – Évreux 34 – Gournay-en-Bray 55 – Louviers 11 – ♦Rouen 18.

La Pomme, aux Damps 1,5 km au bord de l'Eure ☏ 35 23 00 46, , – P. VISA
fermé 28 mars au 10 avril, 1er au 21 août, lundi soir en nov. et fév., mardi soir, dim. soir et merc. – **R** 90/150.

NT-DE-L'ISÈRE 26 Drôme 77 ② – rattaché à Valence.

NT-DE-LUNEL 34 Hérault 83 ⑧ – rattaché à Lunel.

NT-DE-MENAT 63 P.-de-D. 73 ③ – ✉ **63560** Menat.

r **Gorges de la Sioule★ N et S, G. Auvergne.**

s 361 – Aubusson 89 – Gannat 28 – Montluçon 41 – Riom 34 – St-Pourçain-sur-Sioule 50.

Aub. Maître Henri avec ch, ☏ 73 85 50 20, – P. E VISA
fermé janv. et merc. du 15 oct. au 15 mars – **R** 59/118 , enf. 27 – 14 – **10 ch** 82/105 – ½ p 130/150.

Gorges de Chouvigny★★ NE par D 915 **G. Auvergne** – ✉ **63560** Menat :

Vindrié , ☏ 73 85 51 48, ←, – wc wc P. E VISA
R *(fermé janv.)* 60/160 – 18 – **14 ch** 92/220 – ½ p 150/180.

Les Roches avec ch, ☏ 73 85 51 49, ←, – P. rest
hôtel : ouvert Pâques-31 oct. ; rest. : fermé 10 déc. au 10 janv. – **R** 78/150 – 18 – **8 ch** 120 – ½ p 135/145.

Beau Site avec ch, ☏ 73 85 51 47, ←, – wc P. E VISA
fermé 12 nov. au 15 janv. et lundi soir du 15 sept. au 15 fév. – **R** 42/110 – 17 – **8 ch** 70/100 – ½ p 120/130.

Gorges de Chouvigny, ✉ 03450 Ébreuil ☏ 70 90 42 11, ←, – P. E VISA
fermé 15 déc. au 1er fév., lundi soir et mardi – **R** 68/140.

PONT-DE-PACÉ 35 I.-et-V. 59 ⑯ – rattaché à Rennes.

PONT-DE-PANY 21410 Côte d'Or 66 ⑪
Paris 293 – Avallon 86 – Beaune 46 – •Dijon 21 – Saulieu 55.

XX **Pont de Pany** avec ch, ✆ 80 23 60 59, – wc fl P. AE E VISA
fermé janv. à mi-fév. et merc. – **R** 59/160, enf. 45 – 19 – **16 ch** 89/150.

PONT-DE-POITTE 39 Jura 70 ⑭ **G. Jura** – 657 h. – ✉ **39130** Clairvaux-les-Lacs.
Paris 409 – Champagnole 34 – •Genève 96 – Lons-le-Saunier 17.

XX **Ain** avec ch, ✆ 84 48 30 16 – rest wc flwc. VISA
fermé 26 sept. au 3 oct., dim. soir et lundi hors sais. – **R** 75/230 – 20 – **10**
160 – ½ p 150/180.

PONT-DE-ROIDE 25150 Doubs 66 ⑱ **G. Jura** – 4 108 h.
Paris 486 – Baume-les-Dames 40 – •Besançon 69 – Montbéliard 18 – Morteau 53 – Neuchâtel 76.

Voyageurs, 15 pl. Centrale ✆ 81 96 92 07 – wc P. E VISA
R *(fermé 23 déc. au 8 janv. et sam.)* 61/130 – 21 – **15 ch** 115/240 – ½ p 215/2

PEUGEOT-TALBOT Vurpillat, ✆ 81 92 42 27

PONT-DE-SALARS 12290 Aveyron 80 ③ – 1 542 h. alt. 690.
Paris 666 – Albi 87 – Millau 46 – Rodez 25 – St-Affrique 56 – Villefranche-de-Rouergue 71.

Voyageurs, ✆ 65 46 82 08 – wc flwc P. E VISA. rest
15 mars-15 nov. et fermé dim. soir et lundi d'oct. à mai – **R** 65/200 – 2
32 ch 160/240.

RENAULT Capoulade, ✆ 65 46 83 16 N

PONT D'ESPAGNE 65 H.-Pyr. 85 ⑰ – rattaché à Cauterets.

PONT-DE-SUMÈNE 43 H.-Loire 76 ⑦ – rattaché au Puy.

PONT-DE-VAUX 01190 Ain 70 ⑫ – 2 051 h.
Office de Tourisme 2 r. Mar.-de-Lattre-de-Tassigny (fermé matin) ✆ 85 30 30 02.
Paris 381 – Bourg-en-Bresse 38 – Lons-le-Saunier 60 – Mâcon 22 – St-Amour 35 – Tournus 18.

XXX ✲ **Commerce** (Patrone) avec ch, ✆ 85 30 30 56 – wc flwc. AE
VISA. ch
fermé 31 mai au 9 juin, 20 nov. au 17 déc., mardi et merc. – **R** 100/250, enf. 50 –
28 – **10 ch** 180/298
Spéc. Gâteau aux foies de volailles, Grenouilles sautées aux fines herbes, Volaille de Bresse.
Mâcon-Clessé, Chiroubles.

XX ✲ **Le Raisin** (Chazot) avec ch, ✆ 85 30 30 97 – wc flwc. AE E
ch
fermé 2 janv. au 5 fév., dim. soir et lundi – **R** 65/215 – 20 – **7 ch** 140/180
Spéc. Grenouilles Maître d'hôtel, Crêpes Parmentier, Poulet de Bresse aux morilles à la crème.
Mâcon-Viré, Brouilly.

CITROEN Grospellier, ✆ 85 30 31 13

PONT-D'HÉRAULT 30 Gard 80 ⑯ – rattaché au Vigan.

PONT-D'OUILLY 14690 Calvados 55 ⑪ **G. Normandie Cotentin** – 1 049 h.
Voir Roche d'Oëtre** S : 6,5 km.
Paris 241 – Briouze 28 – •Caen 48 – Falaise 18 – Flers 25 – Villers-Bocage 43 – Vire 39.

Commerce, ✆ 31 69 80 16, , – TV fl. VISA.
fermé 18 déc. au 19 janv., dim. soir et lundi du 1er sept. au 30 juin – **R** 55/170
15 – **15 ch** 100/250 – ½ p 150/220.

à St-Christophe N : 2 km par D 23 – ✉ **14690** Pont-d'Ouilly :

XX **Aub. St-Christophe** avec ch, ✆ 31 69 81 23, , – wc flwc P
E VISA
*fermé 25 sept. au 21 oct., fév., dim. soir d'oct. à mai et lundi (sauf le soir de ju
sept.)* – **R** 72/180, enf. 45 – 25 – **7 ch** 195 – ½ p 200.

PONT-DU-BOUCHET 63 P.-de-D. 73 ③ – ✉ **63380** Pontaumur.
Paris 386 – •Clermont-Ferrand 54 – Pontaumur 12 – Riom 39 – St-Gervais-d'Auvergne 18.

La Crémaillère , ✆ 73 86 80 07, ←, – wc flwc P.
fermé 15 déc. au 15 janv., vend. soir et sam. midi hors sais. – **R** 60/150 – 1
16 ch 85/175 – ½ p 140/205.

PONT-DU-CHAMBON 19 Corrèze 75 ⑩ – rattaché à Marcillac-la-Croisille.

PONT-DU-CHATEL 29 Finistère 58 ⑤ – rattaché à Lesneven.

PONT-DU-DIABLE (Gorges du) ** 74 H.-Savoie 70 ⑰⑱ **G. Alpes du Nord.**

ONT-DU-DOGNON 87 H.-Vienne 72 ⑧ G. Berry Limousin – ✉ 87400 St Léonard de Noblat.

Paris 392 – Bellac 52 – Bourganeuf 27 – La Jonchère-St-Maurice 9 – ♦Limoges 26 – La Souterraine 42.

Chalet du Lac ♨, ☏ 55 57 10 05, ←, – wc ☎ P – 40. VISA
fermé 2 janv. au 1er mars – **R** *(fermé mardi)* 99/132, enf. 35 – 23 – **20 ch** 150/210 – 1/2 p 240/260.

Rallye ♨, St-Laurent-les-Églises ✉ 87340 La Jonchère St Maurice ☏ 55 56 56 11, ← lac – wc wc P – 30. VISA. ch
1er avril-15 oct. et fermé lundi hors sais. – **R** 70/200 – 25 – **20 ch** 120/240 – 1/2 p 145/260.

ONT-DU-GARD 30 Gard 80 ⑲ G. Provence – ✉ 30210 Remoulins.

Voir Pont-aqueduc romain★★★.

Maison du Tourisme (avril-sept.) ☏ 66 37 00 02.

Paris 692 – Alès 47 – Arles 41 – Avignon 25 – Nîmes 23 – Orange 37 – Pont-St-Esprit 42 – Uzès 14.

Vieux Moulin ♨, rive gauche ☏ 66 37 14 35, ← pont du Gard, – wc wc P – 30. AE E VISA
10 mars-11 nov. – **R** 85/134, enf. 48 – 36 – **17 ch** 145/321.

Le Colombier ♨, E : 0,8 km par D 981 (rive droite) ☏ 66 37 05 28, , – wc wc ☎ P. E VISA
R 70/130, enf. 35 – 18 – **10 ch** 150/180 – 1/2 p 185/280.

à Castillon du Gard NE : 4 km par D 19 et D 228 – ✉ 30210 Remoulins :

⚘ **Le Vieux Castillon** M ♨, ☏ 66 37 00 77, Télex 490946, , patio, « Au coeur d'un village médiéval », – rest ☎ P – 30. E VISA
fermé début janv. à mi-mars – **R** 230/300 – 58 – **33 ch** 520/1090 – 1/2 p 580/865
Spéc. Courgettes fleurs aux langoustines (juil. à oct.), Filet de lapereau aux olives, Feuillantine aux fruits rouges (juin à nov.). **Vins** St. Hilaire d'Ozilhan, Laudun.

Autres ressources hôtelières :

Voir *Remoulins* SE : 3 km.

ONT-DU-LOUP 06 Alpes-Mar. 84 ⑨, 195 ㉔ – ✉ 06490 Tourrette-sur-Loup.

Voir N : Gorges du Loup★★ – Cascade de Courmes★ N : 3 km, G. Côte d'Azur.

Paris 924 – Antibes 35 – La Colle-sur-Loup 12 – Coursegoules 21 – Grasse 12 – ♦Nice 39 – Vence 14.

La Réserve, ☏ 93 59 32 81, ←, , , – wc wc P. AE E VISA
R 65/175, enf. 50 – 25 – **15 ch** 155/250 – 1/2 p 230/285.

ONTEMPEYRAT 43 H.-Loire 76 ⑦ – alt. 750 – ✉ 43500 Craponne-sur-Arzon.

Paris 475 – Ambert 40 – Montbrison 57 – Le Puy 44 – ♦St-Étienne 54 – Yssingeaux 44.

Mistou ♨, ☏ 77 50 62 46, « Parc au bord de l'Ance » – wc wc ☎ P – 40. AE E VISA. rest
Pâques-nov. et fermé mardi et merc. du 15 sept. au 15 juin – **R** 95/200, enf. 60 – 28 – **25 ch** 190/240 – 1/2 p 250.

ONT-EN-ROYANS 38680 Isère 77 ③ G. Alpes du Nord (plan) – 1 119 h.

Voir Site★ – Route de Presles★★ NE – Petits Goulets★ SE : 2 km.

Paris 587 – Die 58 – ♦Grenoble 60 – St-Marcellin 14 – Valence 45 – Villard-de-Lans 24.

Bonnard, ☏ 76 36 00 54 – .
hôtel : Pâques-sept. et fermé merc. d'oct. à avril ; rest. : fermé oct., déc., janv. et merc. d'oct. à avril – **R** 75/130 – 22 – **15 ch** 90/140 – 1/2 p 170.

Beau Rivage, ☏ 76 36 00 63, ←, – wc P. VISA
fermé 13 nov. au 1er fév. et lundi du 1er oct. au 1er juin – **R** 70/200 – 22 – **16 ch** 80/220 – 1/2 p 140/190.

PEUGEOT-TALBOT Gar. François, ☏ 76 36 00 89

PONTET 84 Vaucluse 81 ⑫ – rattaché à Avignon.

PONTET D'EYRANS 33 Gironde 71 ⑦ – ✉ 33390 Blaye.

Paris 532 – Blaye 9 – ♦Bordeaux 51 – Jonzac 36 – Mirambeau 21 – St-André-de-C. 28 – Saintes 71.

Voyageurs, ☏ 57 64 71 09 – wc . E VISA
fermé 15 nov. au 15 déc. et merc. – **R** 50/95 – 14 – **10 ch** 60/110.

ONT-ÉVÊQUE 38 Isère 74 ⑫ – rattaché à Vienne.

ONT-FARCY 14 Calvados 59 ⑨ – 385 h. – ✉ 14380 St-Sever-Calvados.

Paris 302 – ♦Caen 59 – St-Lô 24 – Villedieu-les-Poêles 19 – Villers-Bocage 34 – Vire 18.

Coq Hardi, ☏ 31 68 86 03 – VISA
fermé fév. et merc. sauf juil.-août – **R** 43/75 .

PONTGIBAUD **63230** P.-de-D. 73 ⑬ **G. Auvergne** – 927 h. alt. 672.

Paris 398 – Aubusson 71 – ♦Clermont-Ferrand 23 – Le Mont-Dore 42 – Riom 26 – Ussel 71.

Poste, ✆ 73 88 70 02 – wc wc ☎. AE E VISA
fermé 15 au 31 oct., janv., dim. soir et lundi sauf juil.-août – **R** 58/160 – 2
11 ch 100/160 – ½ p 140/150.

XXX **L'Ours des Roches,** E : La Courteix sur D 941B : 4 km ✆ 73 88 92 80 – Ⓟ. VISA
fermé janv., dim. soir et lundi – **R** 90/195.

CITROEN Klein, ✆ 73 88 70 05 N
RENAULT Tournaire, ✆ 73 88 70 41

PONTHIERRY **77** S.-et-M. 61 ①, 196 ㊹ – ✉ **77310** St-Fargeau-Ponthierry.

Paris 44 – Corbeil Essonnes 11 – Étampes 38 – Fontainebleau 19 – Melun 10.

XX **Aub Cheval Blanc,** N 7 ✆ (1) 60 65 70 21 – E VISA
R 88/165.

PEUGEOT-TALBOT Gar. des Bordes, 107 av. Fontainebleau, St-Fargeau ✆ (1)60 65 71 13 N ✆ (1)60 65 77 71
RENAULT Gar. Tractaubat, pl. Gén.-Lec ✆ (1)60 65 70 39

PONTIGNY **89230** Yonne 65 ⑤ **G. Bourgogne** – 825 h.

Voir Abbaye ★.

Paris 180 – Auxerre 20 – Sens 57 – Tonnerre 32 – Troyes 60.

XX **Moulin de Pontigny** (chambres prévues), ✆ 86 47 44 98 – AE Ⓓ E VISA
fermé fév., dim. soir et lundi sauf juil. et août – **R** 55/170 , enf. 38.

PONTIVY SP **56300** Morbihan 58 ⑲ **G. Bretagne** – 14 224 h.

Voir Maisons anciennes★ (rues du Fil, du Pont, du Dr-Guépin Y) – Stival : vitraux★ d chapelle St-Mériadec NO : 3,5 km par ⑥.

Office de Tourisme 61 r. Gén.-de-Gaulle ✆ 97 25 04 10.

Paris 458 ② – Concarneau 88 ⑤ – Dinan 100 ② – Lorient 55 ④ – Quimper 100 ⑤ – ♦Rennes 10 – St-Brieuc 63 ② – Vannes 52 ③.

PONTIVY

Nationale (R.) . . . . YZ
Pont (R. du) . . . . Y 28

Anne-de-Bretagne (Pl.) . . . . Y 2
Caïnain (R.) . . . . Z 3
Couvent (Q. du) . . . . Y 4
Dr-Guépin (R. du) . . . . Y 5
Fil (R. du) . . . . Y 6
Friedland (R.) . . . . Y 8
Jaurès (R. Jean) . . . . Z 10
Lamennais (R. J.-M.-de) . . . . Z 13
Le Goff (R.) . . . . Z 16
Lorois (R.) . . . . Y 17
Marengo (R.) . . . . Z 19
Martray (Pl. du) . . . . Y 20
Niémen (Q.) . . . . Y 27
Presbourg (Q.) . . . . Y 32
Viollard (Bd) . . . . Z 33

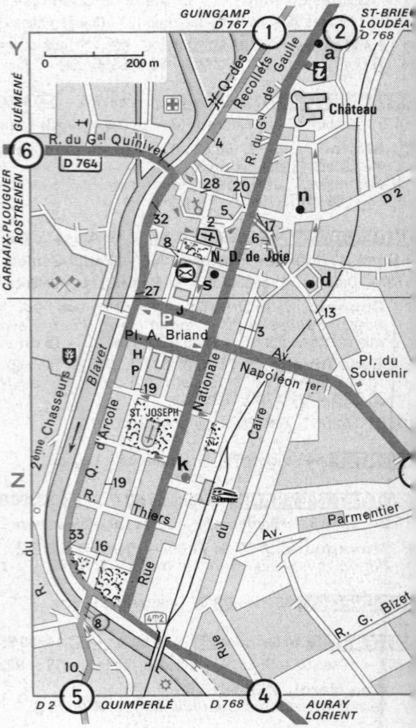

Porhoët M sans rest, 41 r. Gén.-de-Gaulle ✆ 97 25 34 88 – 🛗 TV ⇔wc ⋒wc ☎. E VISA Y a
☕ 19 – **28 ch** 140/190.

Martin, 1 r. Leperdit ✆ 97 25 02 04 – ⋒ ☎ – 🏛 25. E VISA Y n
fermé 15 déc. au 15 janv. et dim. hors sais. – **R** 50/120 🍷, enf. 35 – ☕ 19 – **30 ch** 85/200 – 1/2 p 150/200.

Friedland sans rest, 12 r. Friedland ✆ 97 25 27 11 – ⇔wc ⋒ ☎. E VISA Y s
☕ 22 – **11 ch** 100/190.

Napoléon sans rest, r. Butte ✆ 97 25 13 58 – ⇔wc ☎. E VISA. ✈ Y d
fermé fév., sam. et dim. hors sais. – ☕ 15 – **14 ch** 95/130.

Gambetta, pl. Gare ✆ 97 25 53 70 – AE E VISA Z k
fermé fév., dim. soir et lundi – **R** 82/187, enf. 35.

ROEN Gar. Laloge J.C., rte de Vannes par ✆ 97 25 30 56
GEOT-TALBOT Gar. Lainé, rte de Lorient ④ ✆ 97 25 12 19
AULT Gar. Centre Bretagne av. des Ota- par ⑥ ✆ 97 25 42 88

Piété 6 r. de Mun et r. Guynemer ✆ 97 25 02 77
Pontivy Pneus, rte de Lorient ✆ 97 25 41 70

NT-L'ABBÉ 29120 Finistère 58 ⑭⑮ **G. Bretagne – 7 729 h.**

Manoir de Kerazan-en-Loctudy★ 3,5 km par ②.
. Calvaire★★ de la chapelle N.-D.-de-Tronoën O : 8 km.
ffice de Tourisme Château (juin-sept.) ✆ 98 87 24 44.
565 ① – Douarnenez 33 ④ – Quimper 20 ①.

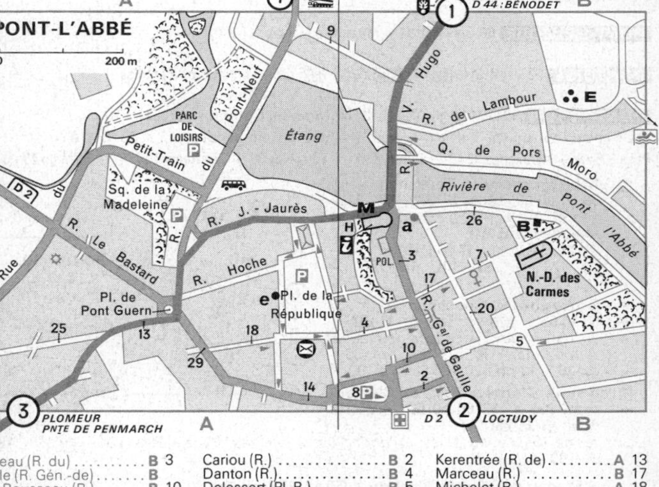

Bretagne, 24 pl. République ✆ 98 87 17 22 – ⇔wc ⋒wc ☎. E VISA. ✈ ch
fermé 15 au 31 oct. et 15 au 31 janv. – **R** *(fermé lundi hors sais.)* 52/265 – ☕ 22 – **18 ch** 170/280 – 1/2 p 220/280. A e

L'Enclos de Rosveign, par ① et rte de Bénodet : 3 km ✆ 98 87 02 90, 🌳 – P. E VISA
R 95/340, enf. 85.

Relais de Ty-Boutic, par ③ : 3 km ✆ 98 87 03 90 – P. ⓓ E VISA
fermé fév., lundi de juin à août, mardi soir et merc. de sept. à mai – **R** 90/250 🍷, enf. 55.

Voyageurs, 6 quai St-Laurent ✆ 98 87 00 37 – E VISA B a
fermé lundi – **R** 75/210.

OEN Gar. Chapalain, rte de Plomeur à uan par ③ ✆ 98 87 16 37 N ✆ 98 87 42 21
GEOT-TALBOT Gar. Chatalen, rte Quim- à Kermaria par ① ✆ 98 87 29 08

Gar. l'Helgonalc'h à Loctudy ✆ 98 87 53 55

PONT-LES-MOULINS 25 Doubs 66 ⑯ – rattaché à Baume-les-Dames.

PONT-L'ÉVÊQUE 14130 Calvados 55 ③ **G. Normandie Vallée de la Seine** – 3 802 h.

Syndicat d'Initiative à l'Hôtel de Ville ☎ 31 64 12 77.

Paris 196 ② – ♦Caen 47 ② – ♦Le Havre 64 ② – ♦Rouen 80 ② – Trouville-Deauville 11 ⑦.

Lion d'Or, pl. Calvaire (a) ☎ 31 65 01 55 – TV wc wc ☎ P. AE ① E VISA
R 99/160 ♂, enf. 60 – 21 – **25 ch** 160/245 – 1/2 p 200/220.

XX **Aub. de la Touques,** pl. Église (e) ☎ 31 64 01 69 – E VISA
fermé 1er au 10 déc., 2 au 31 janv., lundi soir et mardi – **R** 80/150.

à St-Martin-aux-Chartrains par ⑦ : 3,5 km sur N 177 – ✉ **14130** Pont-l'Évêque :

XXX **Aub. de la Truite** avec ch, ☎ 31 65 21 64, – ☎ P. AE ① E VISA
fermé fév., merc. soir et jeudi sauf août – **R** 90/250 – 22 – **7 ch** 120/250.

CITROEN Dupuits, 5 r. St-Mélaine ☎ 31 64 01 86
FORD Garez, 37 r. de Vaucelles ☎ 31 64 02 11 N
RENAULT Gar. du-Lion-d'Or r. Georges Clemenceau Z.I. ☎ 31 64 15 54
Pont-l'Évêque Pneus, 72 r. Ste-Mélaine ☎ 65 00 67

PONT-L'ÉVÊQUE 60 Oise 56 ③ – rattaché à Noyon.

PONTOISE 95 Val-d'Oise 55 ⑳, 196 ⑤⑥, 101 ② – voir à Cergy-Pontoise.

PONTORSON 50170 Manche 59 ⑦ **G. Normandie Cotentin** – 3 358 h.

Office de Tourisme pl. Église (Pâques-Pentecôte, fin juin-début sept.) ☎ 33 60 20 65.

Paris 325 ② – Avranches 22 ② – Dinan 45 ⑤ – Fougères 38 ④ – ♦Rennes 57 ④ – St-Malo 43 ⑤.

Montgomery, r. Couesnon (a) ☎ 33 60 00 09, Télex 171332, , Maison du 16e s. – TV wc wc ☎ . AE ① E VISA
1er avril-9 oct. – **R** 66/240, enf. 43 – 23 – **32 ch** 160/220 – 1/2 p 240/283.

Bretagne, r. Couesnon (f) ☎ 33 60 10 55 – wc wc ☎. E VISA
1er fév.-30 nov., vacances de Noël et fermé lundi – **R** 55/140 ♂, enf. 35 – 18 – **13 ch** 120/200 – 1/2 p 180.

Relais Clemenceau, bd Clemenceau (u) ☎ 33 60 10 96 – wc wc P. E VISA
fermé 15 janv. au 20 fév. et lundi d'oct. à juin sauf fêtes – **R** 49/120 – 17 – 19 80/180 – 1/2 p 140/190.

à Macey par ② et D 80 : 6 km – ✉ **50170** Pontorson :

XX **La Pommeraie,** rte Vergoncey : 1 km ☎ 33 60 19 37, ←, – P. VISA
1er avril-30 sept., week-ends hors sais. (sauf 1er janv. au 10 fév.) et fermé merc. jeudi – **R** 62/130 ♂, enf. 35.

CITROEN Jamin, 14 r. de la Libération ☎ 33 60 00 29
PEUGEOT-TALBOT Galle-Vettori, par ② ☎ 33 60 00 37
RENAULT Gar. Boulaux, ☎ 33 60 10 76

PONT-RÉAN 35 I.-et-V. 63 ⑥ – rattaché à Rennes.

PONT-ROYAL 13 B.-du-R. 84 ② – rattaché à Senas.

PONT-ST-ESPRIT 30130 Gard 80 ⑩ **G. Provence (plan)** – 8 135 h.

Paris 646 – Alès 61 – Avignon 60 – Montélimar 40 – ♦Nîmes 59 – Nyons 45.

St-Jean-Baptiste M sans rest, ☎ 66 39 33 24, – TV wc ☎ ♿ P. AE ① E VISA
38 – **28 ch** 300/360.

ONT-ST-PIERRE 27360 Eure 55 ⑦ **G. Normandie Vallée de la Seine** – 1 059 h.

ir **Boiseries★ de l'église – Côte des Deux-Amants★★ SO : 4,5 km puis 15 mn.**

is 106 – Les Andelys 18 – Évreux 45 – Louviers 21 – Pont-de-l'Arche 10 – ♦Rouen 21.

XX **Bonne Marmite** avec ch, ✆ 32 49 70 24 – TV ⌂wc ☎ – 🏔 25. AE ⓓ E VISA. ✂ ch
fermé 25 juil. au 13 août, 20 fév. au 15 mars, dim. soir du 1er sept. au 31 mars, sam. midi et vend. – **R** 125/285 – ☕ 28 – **9 ch** 260/310 – 1/2 p 380/410.

X **Aub. de l'Andelle,** ✆ 32 49 70 18 – E VISA
fermé 16 août au 4 sept., dim. soir et lundi sauf fêtes – **R** 82/205.

ROEN Gar. Grandserre, à Neuville Chant el ✆ 35 80 28 21
NAULT Carnel, ✆ 32 49 70 48
Brunel, Le Petit Nojeon à Fleury-sur-Andelle ✆ 32 49 01 22

ONT-STE-MARIE 10 Aube 61 ⑰ – rattaché à Troyes.

ONT-STE-MAXENCE 60700 Oise 56 ①② **G. Environs de Paris** – 9 509 h.

ir **Cour★ de l'abbaye du Moncel.**

Office de Tourisme pl. Hôtel de Ville (fermé matin) ✆ 44 72 35 90.

is 61 – Beauvais 49 – Compiègne 24 – Creil 12 – Senlis 12.

X **Host. du Marais** avec ch, **pl. Perronet** ✆ 44 72 20 63 – TV ⌂wc ⌂wc ☎ P. AE ⓓ E VISA
R 55/78 🍷 – ☕ 15 – **15 ch** 120.

NAULT Gar. de la Gare, 29 av. A.-Briand ✆ 44 72 22 56 N

ONT-SALOMON 43330 H.-Loire 76 ⑧ – 1 341 h. alt. 635.

is 531 – Le Puy 57 – La Chaise-Dieu 69 – ♦St-Étienne 21 – Yssingeaux 30.

Modern'H., ✆ 77 35 50 18 – ⌂. E VISA
fermé 15 déc. au 15 janv. – **R** *(fermé sam. et dim.)* 45/60 🍷 – ☕ 16 – **12 ch** 75/90.

Pour aller loin rapidement,
utilisez les cartes Michelin à 1/1 000 000.

s PONTS-NEUFS 22 C.-du-N. 59 ④ – ✉ **22400** Lamballe.

is 444 – Carhaix-Plouguer 88 – Erquy 20 – Lamballe 12 – Loudéac 44 – St-Brieuc 14.

XX ❀ **Lorand-Barre** (Damour), ✆ **96 32 78 71,** ≤, **« Bel intérieur rustique breton »** – AE ⓓ
16 mars-30 nov. et fermé dim. soir et lundi – **R** (menu unique)(sur réservation seul.) 320/420
Spéc. Homard grillé, Ris de veau au porto, Poulet sauté à l'estragon.

ONT-SUR-YONNE 89140 Yonne 61 ⑬⑭ – 2 933 h.

is 106 – Auxerre 69 – Fontainebleau 41 – Nemours 44 – Nogent-sur-S. 37 – Provins 35 – Sens 12.

X **Host. de l'Ecu** avec ch, **3 r. Carnot** ✆ **86 67 01 00,** 🌳 – ⌂wc. AE ⓓ E VISA
fermé 18 janv. au 28 fév., lundi soir et mardi – **R** 80/140, enf. 50 – ☕ 15 – **8 ch** 90/180 – 1/2 p 170/230.

X **Aub. km 99,** ✆ **86 67 00 40,** 🌳 – P. E VISA
fermé merc. – **R** 65/145, enf. 45.

ROEN Soutin, ✆ 86 67 12 04
UGEOT-TALBOT Nottet, ✆ 86 67 10 97
RENAULT Gar. Ristick, ✆ 86 67 11 87

PORGE 33 Gironde 78 ① – 1 100 h. – ✉ **33680** Lacanau.

is 584 – Andernos-les-Bains 17 – ♦Bordeaux 50 – Lacanau-Océan 25 – Lesparre-Médoc 53.

X **Le Galip,** au Porge-Océan O : 10,5 km ✆ 56 26 50 33 – AE ⓓ E VISA
ouvert mai-oct., week-ends et lundi midi de nov. à avril – **R** 95/155, enf. 75.

NAULT Deyres, ✆ 56 26 50 16

ORNIC 44210 Loire-Atl. 67 ① **G. Poitou Vendée Charentes** (plan) – 2 229 h. – Casino: Môle.

✆ **40 82 06 69, O : 1 km.**

Office de Tourisme pl. Môle ✆ 40 82 04 40.

is 433 – ♦Nantes 51 – La Roche-s-Y. 79 – Les Sables-d'O. 89 – St-Nazaire 29.

Ourida, 43 r. Verdun ✆ 40 82 00 83, 🌳 – ⌂wc ☎ P. VISA
R 52/160 – ☕ 15 – **10 ch** 80/155 – 1/2 p 155/204.

XX **Le Bout du Monde,** au nouveau port ✆ **40 82 00 24,** ≤ – AE ⓓ E VISA
R 60 bc/165, enf. 60.

à Ste-Marie O : 3 km – ✉ **44210** Pornic :

Les Sablons Ⓜ, ✆ **40 82 09 14**, – wc ☎ Ⓟ. E VISA.
R *(fermé dim. soir hors sais.)* 85/180, enf. 50 – 22 – **30 ch** 180/290 – ½ p 230/26

CITROEN Gar. du Môle, 26 quai Leray ✆ 40 82 00 08
PEUGEOT-TALBOT Gaudin, rte Bleue ✆ 40 82 00 26
RENAULT Guitteny, 7 r. du Gén.-de-Gaulle ✆ 40 82 01 17
RENAULT Gar. Le Gallic 37 r. Jean Mou ✆ 40 82 03 27
V.A.G. Gar. Pornicais, 21 quai Cdt-l'Hermin ✆ 40 82 04 49

PORNICHET **44380** Loire-Atl. 63 ⑭ **G. Bretagne** – **7 284 h.** – **Casino.**

Office de Tourisme 3 bd République ✆ 40 61 33 33 et pl. A.-Briand (15 mars-15 nov.) ✆ 40 61 08

Paris 449 – **La Baule 6** – **Nantes 82** – **St-Nazaire 11.**

Sud Bretagne Ⓜ, **42 bd République** ✆ **40 61 02 68**, – TV Ⓟ – 50. AE E VISA
fermé janv. – **R** carte 170 à 300 – 45 – **30 ch** 350/800 – ½ p 400/550.

Charmettes , **7 av. Flornoy** ✆ **40 61 04 30**, – wc wc. E VI rest
1er juin-10 sept. – **R** 90/120 – 22 – **35 ch** 90/280 – ½ p 190/260.

PEUGEOT Gar. Robert, 18 av. de Mazy ✆ 40 60 31 62 ✆ 40 60 13 18
RENAULT Gar. Hoquy, 5 av. du Gén.-de-Gaulle ✆ 40 61 03 12
RENAULT Le Cam, 19 bd de la Républiq ✆ 40 61 04 10

PORQUEROLLES (Ile de) ★★★ **83400** Var 84 ⑯ **G. Côte d'Azur.**

Accès par transports maritimes :

depuis La Tour Fondue (presqu'île de Giens). En 1987 : en juil.-août, départ tout les 1/2 h ; hors sais., 5 à 10 services quotidiens - Traversée 15 mn - 45 F (AR). Rens Transports Maritimes et Terrestres du Littoral Varois ✆ 94 58 21 81 (La Tour Fondue).

depuis Cavalaire. En 1987 : de juin à sept., 3 services hebdomadaires - Travers 1 h 30 mn – 78 F (AR). Rens. : Cie Maritime des Vedettes Iles d'Or et Le Corsai ✆ 94 71 01 02 (Le Lavandou).

depuis Le Lavandou. En 1987 : de Pâques au 15 oct., 3 services hebdomadaires juil.-août, 1 service quotidien - Traversée 50 mn – 78 F (AR). Rens. : Cie Maritime d Vedettes Iles d'Or et Le Corsaire ✆ 94 71 01 02 (Le Lavandou).

depuis Toulon. En 1987 : du 15 juin au 15 sept., 4 services quotidiens - Traversée 1 - 70 F (AR). Rens. : Service Maritime Touristique Varois, quai Stalingrad ✆ 94 92 96 (Toulon).

XX **Orée du Bois**, ✆ **94 58 30 57**, – VISA
1er avril-31 oct. – **R** 100/195, enf. 48.

XX **Les Glycines** avec ch, ✆ **94 58 30 36**, – wc . E VISA. rest
1er avril-30 sept. – **R** 75/140 – **11 ch** (pension seul.) – P 310/340.

X Aub. Arche de Noé avec ch, ✆ **94 58 30 74**, – wc – *sais.* – **11 ch**

à l'Ouest : 3,5 km du port :

Mas du Langoustier, ✆ **94 58 30 09**, ←, , parc, « dans un site boisé pr du rivage, », – TV wc wc ☎ – 80. E VISA
15 juin-15 nov. – **R** carte 220 à 350, enf. 85 – **46 ch** (pens. seul.) – P 600/1162.

PORS ÉVEN 22 C.-du-N. 59 ② – rattaché à Paimpol.

PORTBAIL **50580** Manche 54 ⑪ **G. Normandie Cotentin** – **1 727 h.**

Excurs. à l'Ile de Jersey★★ (voir Jersey).

Paris 347 – **Carentan 38** – **Cherbourg 45** – **Coutances 43** – **St-Lô 58** – **Valognes 29.**

X **La Galiche** avec ch, pl. E.-Laquaine ✆ **33 04 84 18** – wc . E VISA. ch
fermé 1er au 15 oct., fév., dim. soir et lundi sauf juil.-août – **R** 52/180 – 17
12 ch 75/180 – ½ p 144/219.

CITROEN Gar. Legouix, ✆ 33 04 88 31
RENAULT Gar. Gérard, ✆ 33 04 80 07

PORT-BARCARES 66 Pyr.-Or. 86 ⑩ – rattaché à Barcarès.

PORT-BLANC 22 C.-du-N. 59 ① **G. Bretagne** – ✉ **22710** Penvénan.

Paris 521 – **Guingamp 36** – **Lannion 19** – **Perros-Guirec 17** – **St-Brieuc 71** – **Tréguier 11.**

Iles, ✆ **96 92 66 49**, – wc Ⓟ. E VISA. rest
25 mars-25 sept. – **R** 60/120, enf. 42 – 20 – **35 ch** 85/220 – ½ p 130/180.

Le Rocher sans rest, ✆ **96 92 64 97** – wc Ⓟ.
15 juin-10 sept. – 22 – **10 ch** 120/180.

ORT-CAMARGUE 30 Gard 83 ⑱ – rattaché au Grau-du-Roi.

ORT-CROS (Ile de) ** 83145 Var 84 ⑯⑰ **G. Côte d'Azur.**
cès par transports maritimes :
, depuis **Le Lavandou.** En 1988 : d'avril à oct., 2 à 8 services quotidiens ; hors saison, ervices hebdomadaires - Traversée 30 mn – 63 F (AR) par Cie Maritime des Vedettes s d'Or et Le Corsaire ✆ 94 71 01 02 (Le Lavandou).
, depuis **Cavalaire.** En 1988 : juil.-août, 1 service quotidien ; juin et sept. 2 services bdomadaires - Traversée 1 h – 63 F (AR) par Cie Maritime des Vedettes Iles d'Or et Corsaire ✆ 94 71 01 02 (Le Lavandou).
, depuis le **Port de la Plage d'Hyères.** En 1988 : du 1er avril au 30 sept., 1 à 4 services otidiens ; du 1er oct. au 31 mars, 4 services hebdomadaires - Traversée 1 h 15 – 69 F R). Renseignements : Transports Maritimes et Terrestres du Littoral Varois 94 58 21 81 (La Tour Fondue).

Le Manoir, ✆ 94 05 90 52, ←, parc, – wc wc ☎
20 ch.

ORT-DE-CARHAIX 29 Finistère 58 ⑰ – rattaché à Carhaix.

ORT-DE-GAGNAC 46 Lot 75 ⑲ – rattaché à Bretenoux.

ORT-DE-GRAVETTE 44 Loire-Alt. 67 ① – rattaché à Plaine-sur-Mer.

ORT-DE-GROSLÉE 01 Ain 74 ⑭ – rattaché à Groslée.

ORT-DE-LA-MEULE 85 Vendée 67 ⑪ – rattaché à Yeu (Ile d').

ORT-DE-LANNE 40 Landes 78 ⑰ – 637 h. – ✉ **40300** Peyrehorade.
is 756 – •Bayonne 30 – Dax 20 – Mont-de-Marsan 72 – Peyrehorade 6,5 – St-Vincent-de-T. 21.

XX **Vieille Auberge** avec ch, ✆ 58 89 16 29, , « Cadre ancien, jardin fleuri », – wc wc Ⓟ
20 juin-20 sept. et fermé lundi midi – **R** 110/165, enf. 55 – 25 – **7 ch** 150/280 – 1/2 p 198/220.

ORT-DONNANT 56 Morbihan 63 ⑪ – voir Belle-Ile-en-Mer.

PORTEL 62480 P.-de-C. 51 ① – rattaché à Boulogne-sur-Mer.

ORT GOULPHAR 56 Morbihan 63 ⑪ – voir à Belle-Ile-en-Mer.

ORT-GRIMAUD 83 Var 84 ⑰ **G. Côte d'Azur** – ✉ **83310** Cogolin.
ir ←* de la tour de l'Église oecuménique.
is 871 – Brignoles 63 – Hyères 48 – St-Tropez 7 – Ste-Maxime 8 – •Toulon 66.

Giraglia M, ✆ 94 56 31 33, Télex 470494, ← golfe, , , – TV ☎ – 40. AE VISA. rest
fin mars-mi-oct. – **R** 215/320 – **48 ch** 1165/1400 – 1/2 p 891/1370.

Port sans rest, ✆ 94 56 36 18 – wc . E VISA
30 – **20 ch** 240/450.

XX **La Tartane,** ✆ 94 56 38 32, – AE E VISA
16 fév.-14 nov. – **R** 155 bc.

à La Foux S : 2 km sur N 98 – ✉ **83310** Cogolin :

XX **Port Diffa,** ✆ 94 56 29 07, , cuisine marocaine – Ⓟ. AE .
fermé 2 janv. au 24 mars – **R** carte 170 à 230.

ORT-HALIGUEN 56 Morbihan 63 ⑫ – rattaché à Quiberon.

ORT-JOINVILLE 85 Vendée 67 ⑪ – voir à Yeu (Ile d').

PORT-LA-NOUVELLE 11210 Aude 86 ⑩ G. Pyrénées Roussillon – 4 472 h.
ℹ Office de Tourisme av. Mer ✆ 68 48 00 51.
Paris 873 – Carcassonne 79 – Narbonne 30 – ♦Perpignan 50 – Quillan 113.

Méditerranée, bd Front-de-Mer ✆ 68 48 03 08, Télex 500712, ←, – |♦| ⇔wc ☎ – 50. AE ◑ E VISA
fermé 5 janv. au 5 fév. – **R** 58/160 , enf. 45 – 26 – **31 ch** 190/280 – ½ p 220/3

PEUGEOT TALBOT Gar. Marill, Zone Ind. n° 2, 111 r. St-Exupéry ✆ 68 48 04 86

PORT-LAUNAY 29 Finistère 58 ⑮ – rattaché à Châteaulin.

PORT-LIN 44 Loire-Atl. 63 ⑬⑭ – rattaché au Croisic.

PORT-LOUIS 56290 Morbihan 63 ① G. Bretagne – 3 327 h.
Voir Citadelle★ : musée de la Compagnie des Indes★★, musée de l'Arsenal★.
Paris 494 – Auray 29 – Lorient 19 – Pontivy 58 – Quiberon 39 – Quimperlé 38 – Vannes 47.

Commerce, pl. Marché ✆ 97 82 46 05, Télex 951531, – TV ⇔wc ⋒wc ☎ VISA
fermé 15 au 31 oct., vacances de fév., dim. soir et lundi d'oct. à fin avril – **R** 75/
– 20 – **40 ch** 78/275 – ½ p 205/270.

RENAULT Gar. de l'Avancée, ✆ 97 82 47 85

PORT-MANECH 29 Finistère 58 ⑪ G. Bretagne – ✉ 29139 Névez.
Paris 536 – Carhaix-Plouguer 74 – Concarneau 17 – Pont-Aven 12 – Quimper 39 – Quimperlé 29.

du Port (annexe), ✆ 98 06 82 17, – ⇔wc ⋒wc ☎. E VISA.
Pâques-sept. – **R** *(fermé lundi midi)* 68/150 – 22 – **36 ch** 125/245 – ½ p 155/2

Ar Moor, ✆ 98 06 82 48, ← – ⇔wc ☎ Ⓟ. E VISA
1er avril-30 sept. et fermé mardi (sauf hôtel) – **R** 80/250, enf. 60 – 20 – **36**
(½ pens. seul.) – ½ p 200/270.

PORT-MARIA 56 Morbihan 63 ⑪ – rattaché à Quiberon.

PORT MARLY 78 Yvelines 55 ⑳, 101 ⑫, 196 ⑱ – voir à Paris, Environs.

Le PORT-MONTAIN 77 S.-et-M. 61 ④ – rattaché à Provins.

PORT-MORT 27 Eure 55 ⑰, 196 ① – 672 h. – ✉ 27940 Aubevoye.
Paris 92 – Les Andelys 11 – Evreux 31 – Vernon 11.

XX **Aub. des Pêcheurs,** ✆ 32 52 60 43, , – E VISA
fermé août, 20 janv. au 8 fév., lundi soir et mardi – **R** 95/140.

PORT-RACINE 50 Manche 54 ① – rattaché à St-Germain-des-Vaux.

PORT-ST-LOUIS-DU-RHÔNE 13230 B.-du-R. 84 ⑪ G. Provence – 10 378 h.
Paris 769 – Arles 39 – ♦Marseille 74 – Salon-de-Provence 54.

Le Tamaris , rte Plage Napoléon : 2 km ✆ 42 86 10 49, , – TV ⇔ ⋒wc ☎ Ⓟ. AE ◑ E VISA
fermé 20 déc. au 5 janv. – **R** *(fermé sam.)* 75/180 – 22 – **12 ch** 180/220
½ p 193/204.

PORTS-SUR-VIENNE 37 I.-et-L. 68 ④ – 345 h. – ✉ 37800 Ste-Maure-de-Touraine.
Paris 287 – Châtellerault 27 – Chinon 40 – Loches 48 – ♦Tours 54.

X **Le Grillon,** Le Bec des Deux Eaux SE : 2 km ✆ 47 65 02 74 – Ⓟ. E VISA.
fermé 1er au 10 juil., 23 au 30 sept., 20 au 27 fév., jeudi soir et vend. – **R** 42/200
enf. 30.

PORT-SUR-SAÔNE 70170 H.-Saône 66 ⑤ – 2 650 h.
Paris 364 – Bourbonne-les-Bains 44 – Épinal 83 – Gray 52 – Jussey 22 – Langres 63 – Vesoul 12.

à Vauchoux S : 3 km par D 6 – ✉ 70170 Port-sur-Saône :

XXX ✿ **Château de Vauchoux** (Turin), « Belle décoration intérieure et parc », ,
– Ⓟ. AE ◑ E VISA
fermé 15 janv. au 28 fév., mardi midi et lundi – **R** 140/390
Spéc. Panaché de poissons et crustacés, Rosace gourmande de pigeonneau, Plaisir des gâtir
Vins Gy, Champlitte.

PORT-VENDRES 66660 Pyr.-Or. 86 ⑳ **G. Pyrénées Roussillon** – 5 332 h.
Env. Tour Madeloc ※ ★★ SO : 8 km puis 15 mn.

ℹ Office de Tourisme quai Forgas (fermé après-midi hors saison) ✆ 68 82 07 54.

Paris 935 – ♦Perpignan 31.

🏨 **St-Elme** sans rest, 2 quai P.-Forgas ✆ 68 82 01 07 – wc wc ☎. AE ⓓ E VISA
☕ 20 – **30 ch** 125/235.

PEUGEOT-TALBOT Gar. Côte Vermeille, 7 quai de la République ✆ 68 82 04 68
RENAULT Lopez, 1 r. Camille-Pelletan ✆ 68 82 12 65

PORT-VILLEZ 78 Yvelines 55 ⑱, 196 ② – rattaché à Vernon.

La POSTE DE BOISSEAUX 28 E.-et-L. 60 ⑲ – rattaché à Angerville (91 Essonne).

La POTERIE 22 C.-du-Nord 59 ④ – rattaché à Lamballe.

POUANCÉ 49420 M.-et-L. 63 ⑧ **G. Châteaux de la Loire** – 3 410 h.

ℹ Syndicat d'Initiative r. Porte Angevine (juil.-août) ✆ 41 92 45 86.

Paris 329 – Ancenis 44 – Angers 60 – Châteaubriant 16 – Laval 51 – ♦Rennes 65 – Vitré 46.

🏨 **Cheval Blanc,** rte de Segré ✆ 41 92 41 16 – wc ☎. E VISA
fermé fév. et dim. – **R** 55/105 ⅓, enf. 35 – ☕ 23 – **13 ch** 115/163 – 1/2 p 175/210.

POUDENAS 47 L.-et-G. 79 ⑬ – 309 h. – ✉ **47170** Mézin.

Paris 666 – Agen 47 – Aire-sur-l'Adour 62 – Condom 19 – Mont-de-Marsan 66 – Nérac 17.

XX ✿ **La Belle Gasconne** (Mme Gracia) (chambres prévues), ✆ 53 65 71 58 – **P**. AE ⓓ E VISA
fermé 1er au 15 déc., 15 au 31 janv., dim. soir et lundi sauf juil.-août – **R** (nombre de couverts limité - prévenir) 115 bc/210
Spéc. Foie gras frais en terrine (oct.-fév.), Bar à la vapeur d'orties, Civet de canard au sang et au vin de Buzet. **Vins** Poudenas, Buzet.

POUGUES-LES-EAUX 58320 Nièvre 69 ③ **G. Bourgogne** – 2 269 h. – **Casino.**

ℹ Syndicat d'Initiative à la Mairie ✆ 86 68 85 79 et av. de Paris (mai-sept.).

Paris 227 – La Charité-sur-Loire 13 – Clamecy 64 – Corbigny 56 – Nevers 11 – Prémery 24.

🏨 **Central H.,** N 7 ✆ 86 68 85 00 – . ⓓ VISA.
fermé 15 nov. au 15 déc., 5 au 20 janv. et vend. d'oct. à juin – **R** 50/169 ⅓ – ☕ 22 – **13 ch** 98/210.

X **Courte Paille** (ouvert 10 h à 22 h), **rte Paris NO : 2 km** ✉ **58400 La Charité-sur-Loire,** ✆ **86 68 88 33,** – VISA
R carte 55 à 95 ⅓.

à Germigny-sur-Loire O : 6 km – ✉ **58320** Pougues-les-Eaux :

X **Chez Marcel,** ✆ **86 68 87 99**
fermé merc. – **R** 50/80, enf. 30.

POUILLON 40350 Landes 78 ⑦ – 2 477 h.

Paris 758 – ♦Bayonne 51 – Dax 15 – Orthez 29 – Pau 70.

X **Aub. Au Pas de Vent** avec ch, ✆ **58 98 20 88** – wc
fermé lundi – **R** 48/140 ⅓ – ☕ 25 – **3 ch** 140/200 – 1/2 p 220.

PEUGEOT-TALBOT Gar. Garein, ✆ 58 98 20 54
RENAULT Gar. Bacheré, ✆ 58 98 20 95
RENAULT Gar. Duboscq, ✆ 58 98 21 33 N

POUILLY-EN-AUXOIS 21320 Côte-d'Or 65 ⑱ **G. Bourgogne** – 1 516 h.

Paris 272 – Autun 45 – Avallon 64 – Beaune 46 – ♦Dijon 42 – Montbard 58 – Saulieu 31.

🏨 **Motel Val Vert** M sans rest, **rte d'Arnay-le-Duc** ✆ **80 90 82 34** – wc ☎ ♿ **P** – 50. E VISA
☕ 25 – **30 ch** 225/340.

RENAULT Gar. Orset, à Créancey ✆ 80 90 80 5 N
V.A.G. Gar. Jeannin, ✆ 80 90 82 11 N

POUILLY-SOUS-CHARLIEU 42720 Loire 73 ⑧ – 2 973 h.

Paris 379 – Charlieu 5,5 – Digoin 41 – Roanne 14 – Vichy 77.

XX **De la Loire,** ✆ **77 60 81 36,** – **P**. VISA
fermé 1er au 15 déc., fév., dim. soir et lundi du 15 sept. au 15 juin – **R** 110/255, enf. 50 .

RENAULT Gar. Chenaud, ✆ 77 60 90 31
Gar. Coudert, ✆ 77 60 70 23

POUILLY-SUR-LOIRE 58150 Nièvre 65 ⑬ G. Bourgogne – 1 738 h.

Office de Tourisme à la Mairie (matin seul. sauf juil.-août et fermé sept.) ✆ 86 39 12 55.

Paris 201 – Château-Chinon 89 – Clamecy 57 – Cosne-sur-Loire 15 – Nevers 37 – Vierzon 84.

- **Le Relais Fleuri et rest. Coq Hardi,** SE : 0,5 km ✆ 86 39 12 99, « Jardin fleuri et ≤ sur la Loire » – wc wc ☎ ⓟ – 50. E VISA
  fermé 15 janv. au 15 fév., merc. soir et jeudi du 1er oct. à Pâques – **R** 86/160, enf. 50 – ☕ 22 – **9 ch** 155/170.
- **Bouteille d'Or,** rte Paris ✆ 86 39 13 84 – wc wc ☎ – 25. VISA
  fermé 10 janv. au 20 fév., dim. soir et lundi du 15 sept. au 30 juin – **R** 70/280 – ☕ 25 – **30 ch** 150/270 – 1/2 p 200/230.
- **La Vieille Auberge,** N 7 déviation sud ✆ 86 39 17 98 – ⓟ. E VISA
  fermé vacances de fév. et merc. hors sais. – **R** 65/160 ♨.

à Charenton SE : 2 km sur N 7 – ✉ **58150** Pouilly-sur-Loire :

- **Relais Grillade,** ✆ 86 69 07 00, ≤, – ⓟ. AE E VISA
  R 62/130 ♨, enf. 32.

CITROEN Gar. Prulière, ✆ 86 39 14 44 N | PEUGEOT Gar. S.A.P.L., ✆ 86 39 14 65

POULAINS (Pointe des) 56 Morbihan 63 ⑪ – voir à Belle-Ile-en-Mer.

POULDREUZIC 29 Finistère 58 ⑭ – 2 024 h. – ✉ **29143** Plogastel-St-Germain.

Paris 580 – Audierne 16 – Douarnenez 18 – Pont-l'Abbé 16 – Quimper 25.

- **Moulin de Brénizenec** sans rest, rte d'Audierne : 3 km ✆ 98 91 30 33, ≤, « Jardin » – cuisinette wc ☎ ⓟ
  Pâques-fin sept. – ☕ 32 – **10 ch** 278/322.
- **Ker Ansquer** , à Lababan NO : 2 km par D 2 ✉ 29143 Plogastel-St-Germain ✆ 98 54 41 83, – wc wc ☎ ⓟ.
  Pâques et 15 mai-30 sept. – **R** (1/2 pension seul.) – ☕ 22 – **11 ch** – 1/2 p 225.

à Penhors O : 4 km par D 40 – ✉ **29143** Plogastel-St-Germain :

- **Breiz Armor** M , ✆ 98 54 40 41, ≤ – wc wc ☎ ⓟ – 30. E VISA
  26 mars-20 oct., week-ends d'oct. à mars (sauf janv.-fév.), vacances de Noël et fermé lundi sauf juil.-août – **R** 70/240 – ☕ 20 – **23 ch** 210 – 1/2 p 246.

In this guide,

*a symbol or a character, printed in red or black in light or **bold** type, does not have the same meaning.*

Please read the explanatory pages carefully (pp. 22 to 29).

Le POULDU 29 Finistère 58 ⑫ G. Bretagne – ✉ **29121** Clohars-Carnoët.

Office de Tourisme bd Océan (janv.-sept.) ✆ 98 39 93 42.

Paris 513 – Concarneau 37 – Lorient 23 – Moëlan-sur-Mer 11 – Quimper 59 – Quimperlé 16.

- **Armen,** ✆ 98 39 90 44, – wc wc ☎ ⓟ. AE ⓓ E VISA. rest
  28 mai-21 sept. – **R** 56/170, enf. 42 – ☕ 30 – **38 ch** 180/290 – 1/2 p 215/280.
- **Bains,** ✆ 98 39 90 11, ≤ – wc ☎. E VISA.
  1er mai-25 sept. – **R** 65/210 ♨, enf. 50 – **49 ch** ☕120/260 – 1/2 p 195/260.

Le POULIGUEN 44510 Loire-Atl. 63 ⑭ G. Bretagne – 4 488 h.

18 de la Baule ✆ 40 60 46 18 NE : 10 km.

Office de Tourisme Port Sterwitz ✆ 40 42 31 05.

Paris 454 – La Baule 3 – Guérande 5,5 – ♦Nantes 77 – St-Nazaire 18.

- **Jules Verne,** 2 r. Alger ✆ 40 42 32 79 – wc wc ☎. AE ⓓ VISA
  R (résidents seul.) – ☕ 22 – **8 ch** 180/230 – 1/2 p 170/185.
- **Orée du Bois** sans rest, r. Mar.-Foch ✆ 40 42 32 18 – wc wc ☎. VISA.
  ☕ 25 – **15 ch** 180/220.
- **Voile d'Or,** av. Plage ✆ 40 42 31 68, – AE ⓓ VISA
  fermé 15 nov. au 15 déc., mardi soir et merc. hors sais. – **R** 70/250, enf. 50.

TOYOTA Gar. de la Plage, ✆ 40 60 50 15

POULLAOUEN 29246 Finistère 58 ⑥⑦ – 1 731 h.

Paris 514 – Carhaix-Plouguer 10 – Châteaulin 47 – Huelgoat 11 – Landerneau 58 – Morlaix 37.

- **Argoat** sans rest, ✆ 98 93 55 33
  fermé 1er au 15 sept., 1er au 15 fév. et jeudi – ☕ 14 – **11 ch** 75/85.
- **Le Louis XIII,** ✆ 98 93 54 22 – AE E VISA
  fermé lundi soir (sauf 15 juil. au 15 août) et mardi – **R** 85/200, enf. 35.

OUZAUGES **85700** Vendée **67** ⑯ **G. Poitou Vendée Charentes** – **5 792 h.**

ir Puy Crapaud ✲★★ SE : 2,5 km – Bois de la Folie ≤★ NO : 1 km.

Office de Tourisme à la Mairie ✆ 51 57 01 37 et 2 bis pl. Calvaire (juil.-août) ✆ 51 91 82 46.

s 387 – Bressuire 28 – Chantonnay 21 – Cholet 36 – ♦Nantes 81 – La Roche-sur-Y. 54.

Aub. de la Bruyère M ⑤, **rte de la Pommeraie** ✆ **51 91 93 46, Télex 701804,** ≤ plaine vendéenne, ☂, ▣, ⚘ – |‡| TV ⇔wc ⋒wc ☎ P – ⛰ 25 à 100. AE ⊙ E VISA
R *(fermé lundi du 15 sept. au 15 juin)* 44/175 ♁, enf. 40 – ☕ 27 – **30 ch** 170/299 – 1/2 p 279/331.

La Chouannerie sans rest, **rte de Bressuire** ✆ **51 57 01 69,** ≤, ⛱, ⚘ – TV ⇔wc ☎ P
8 ch.

NAULT Gillemot, 34 rte de la Gare, ✆ 51 57 01 44 N

OUZAY **37** I.-et-L. **68** ④ – rattaché à Sainte-Maure-de-Touraine.

POUZIN **07250** Ardèche **76** ⑳ **G. Vallée du Rhône** – **2 728 h.**

s 586 – Avignon 107 – Die 61 – Montélimar 29 – Privas 14 – Valence 27.

Avenue, ✆ **75 63 80 43** – ⇔wc ☎. AE ⊙ E VISA
fermé 1er au 15 mai, 15 au 30 août, sam. midi et dim. – **R** 50 ♁, enf. 30 – ☕ 18 – **14 ch** 90/170 – 1/2 p 120.

ROEN Pheby, ✆ 75 63 80 16

RADELLES **43420** H.-Loire **76** ⑰ – **624 h. alt. 1 150.**

s 552 – Alès 107 – Aubenas 59 – Langogne 7,5 – Mende 58 – Le Puy 34.

L'Arche, av. du Puy ✆ **71 00 82 98,** ⚘ – ⇔wc ⋒wc ☎ P. E VISA
fermé 1er oct. au 25 déc. – **R** 68/145 ♁, enf. 35 – ☕ 21 – **16 ch** 125/210 – 1/2 p 150/180.

RADES **43** H.-Loire **76** ⑥ **G. Auvergne** – **113 h.** – ✉ **43300** Langeac.

ir Site★.

s 506 – Brioude 43 – Mende 97 – Monistrol-d'A. 17 – Le Puy 41 – St-Chély-d'A. 64 – St-Flour 66.

Chalet de la Source ⑤, **rte Langeac NO 1,5 km** ✆ **71 74 02 39,** ≤ – ⇔wc ⋒wc ☎ P. ⊙ VISA
1er mai-2 oct. – **R** 70/210, enf. 45 – ☕ 20 – **17 ch** 110/198 – 1/2 p 158/195.

PRADET **83220** Var **84** ⑮ – **7 965 h.**

Syndicat d'Initiative pl. Gén.-de-Gaulle ✆ 94 21 71 69.

s 846 – Draguignan 81 – Hyères 10 – ♦Toulon 9.

Azur ⑤ (annexe, ⌂ M, 15 ch-⇔wc ☎), **163 av. Raimu** ✆ **94 21 68 50,** ☂, ⚘ – ⋒wc P. E VISA. ⚘
R *(fermé 20 déc. au 1er fév., dim. soir et lundi du 21 sept. au 19 juin)* 90/130, enf. 40 – ☕ 25 – **33 ch** 110/250 – 1/2 p 140/200.

Le Stratos, ✆ **94 21 23 62** – ▤. AE ⊙ E VISA
fermé fév., dim. soir et lundi – **R** 155/230.

aux Oursinières S : 3 km par D 86 – ✉ **83220** Le Pradet :

L'Escapade M ⑤ sans rest, ✆ **94 21 72 76,** « **Jardin fleuri** », ⛱ – ⇔wc ⋒wc ☎ ⇔ P. VISA. ⚘
☕ 35 – **12 ch** 400/580, 4 appartements 690.

RALOGNAN-LA-VANOISE **73710** Savoie **74** ⑱ **G. Alpes du Nord** – **634 h. alt. 1 404** – Sports d'hiver : 1 410/2 360 m ⛷1 ⛷13, ⛷.

ir Site★ – Parc national de la Vanoise★★ – La Chollière★ SO : 1,5 km puis 30 mn.

Office de Tourisme ✆ 79 08 71 68, Télex 980240.

s 638 – Chambéry 101 – Moûtiers 28.

Télémark M ⑤, ✆ **79 08 00 44, Télex 309199,** ≤, ⛱, ⚘, ✂ – TV ☎ ♿ ⇔ – ⛰ 35
40 ch.

Les Airelles M ⑤, **les Darbelays, N : 0,8 km** ✆ **79 08 70 32,** ≤, ☂ – ⇔wc ⋒wc ☎ ⇔ P. ⚘ rest
4 juin-12 sept. et 15 déc.-20 avril – **R** 80/90, enf. 40 – ☕ 25 – **16 ch** 250/320 – 1/2 p 185/280.

Grand Bec, ✆ 79 08 71 10, ≤, ☂, ⛱, ⚘, ✂ – |‡| ⇔wc ⋒wc ☎ P. VISA. ⚘ rest
4 juin-18 sept. et 20 déc.-20 avril – **R** 80/120, enf. 47 – ☕ 24 – **39 ch** 200/310 – 1/2 p 260/300.

tourner →

Capricorne Ⓜ, ☎ **79 08 71 63,** ← – wc wc ☎ Ⓟ. VISA. ※
mai-fin sept. et 15 déc.-15 avril – **R** 77/132 – 28 – **15 ch** 200/280.

Parisien, ☎ **79 08 72 31,** ←, – wc ☎ Ⓟ. ※ rest
4 juin-20 sept. et 18 déc.-18 avril – **R** 70/100, enf. 30 – 21 – **22 ch** 100/250
1/2 p 160/220.

Gentianes, ☎ **79 08 72 24,** ←, – Ⓟ. E VISA
fermé fin sept. à mi-oct. – **R** 65/170.

PRA-LOUP 04 Alpes-de-H.-P. 81 ⑧ – rattaché à Barcelonnette.

PRAMOUSQUIER 83 Var 84 ⑰ – rattaché à Cavalière.

Le PRARION 74 H.-Savoie 74 ⑧ – rattaché aux Houches.

PRAT-DE-BOUC 15 Cantal 76 ③ – rattaché à Murat.

PRATS-DE-MOLLO-LA-PRESTE 66230 Pyr.-Or. 86 ⑱ **G. Pyrénées Roussillon** (plan)
1 146 h. alt. 745.

Voir Ville haute★.

Office de Tourisme pl. Le Foiral ☎ 68 39 70 83.

Paris 967 – Céret 31 – ♦Perpignan 61.

Park H. d'Estamarius , ☎ **68 39 70 04,** ←, parc, , ※ – wc ☎ Ⓟ
70. ⓓ
30 avril-22 oct. – **R** 60/100, enf. 35 – 20 – **85 ch** 125/235 – 1/2 p 135/245.

Touristes, ☎ **68 39 72 12,** ←, – wc ☎ Ⓟ. E VISA
1er avril-fin oct. – **R** 70/130, enf. 45 – 42 – **40 ch** 120/200.

Bellevue, ☎ **68 39 72 48** – wc wc
1er avril-15 nov. – **R** 65/120, enf. 40 – 17 – **18 ch** 100/165 – 1/2 p 130/170.

Costabonne, Le Foiral ☎ **68 39 70 24** – wc wc
1er avril-31 oct. – **R** 65/100 , enf. 25 – 16 – **18 ch** 80/160 – 1/2 p 150/170.

Ausseil, ☎ **68 39 70 36** – wc wc. ※ ch
1er fév.-30 oct. – **R** *(fermé lundi du 1er fév. au 1er avril)* 54/84 , enf. 32 – 17 –
22 ch 80/130 – 1/2 p 110/150.

Aïre i Sol, ☎ **68 39 72 46,** ←, – ※ rest
15 mai-30 sept. – **R** 50/80 , enf. 30 – 13 – **20 ch** 67/82 – 1/2 p 110/216.

Crémaillère avec ch, **rte de la Preste : 2 km par D 115 A** ☎ **68 39 70 62,** ←,
Ⓟ. ※ ch
hôtel : 1er avril-31 oct. ; rest. fermé 1er au 10 nov., 20 au 31 mars et lundi du 10 n... au 31 mars – **R** 57/95 – 15 – **4 ch** 100 – 1/2 p 130.

à La Preste – Stat. therm. (avril-11 nov.) – ✉ **66230** Prats-de-Mollo :

Val de Tech , ☎ **68 39 71 12,** ← – wc ☎. ※ rest
1er avril-12 nov. – **R** 80/90 – 23 – **40 ch** 130/220 – 1/2 p 145/250.

Ribes , ☎ **68 39 71 04,** ← **vallée,** – wc wc Ⓟ. ※ rest
6 avril-22 oct. – **R** 70/75 – 16 – **25 ch** 95/145 – 1/2 p 130/180.

CITROEN Pagès-Xatart, ☎ 68 39 71 51 RENAULT Vial, ☎ 68 39 70 23

Les PRAZ-DE-CHAMONIX 74 H.-Savoie 74 ⑧⑨ – rattaché à Chamonix.

PRAZ-ST-BON 73 Savoie 74 ⑱ – rattaché à Courchevel.

PRAZ-SUR-ARLY 74 H.-Savoie 74 ⑦ – 767 h. alt. 1 036 – Sports d'hiver : 1 036/1 900 m 1...
✉ **74120** Megève.

Office de Tourisme ☎ 50 21 90 57.

Paris 605 – Albertville 26 – Chambéry 75 – Mégève 4 ,5.

Mont Charvin, ☎ **50 21 90 05,** , ※ – wc wc ☎ Ⓟ. E VISA. ※
mi juin-fin sept. et vacances de Noël-vacances de printemps – **R** 80/195 – 2...
31 ch 135/250 – 1/2 p 205/245.

Le Cannibal's, rte de Megève : 1 km ☎ **50 21 91 94,** – Ⓟ
fermé merc. hors sais. – **R** 90/130 .

FORD Gar. du Crêt du Midi, ☎ 50 21 90 30 ☎ 50 21 40 84

PRÉCY-SUR-OISE 60460 Oise 56 ⑪, 196 ⑦ – 2 694 h.

Voir Église★ de St-Leu-d'Esserent NE : 3,5 km, G. Environs de Paris.

Paris 58 – Beauvais 34 – Chantilly 10 – Creil 13 – Pontoise 30 – Senlis 18.

Le Condor, 14 r. Watteau ☎ **44 27 60 77** – VISA. ※
fermé merc. – **R** 150/350.

RÉFAILLES 44 Loire-Atl. 67 ① – 775 h. – ✉ 44770 La Plaine-sur-Mer.
›ir Pointe St-Gildas★ O : 2 km, G. Poitou Vendée Charentes.
Syndicat d'Initiative Grande-Rue (mai-sept.) ✆ 40 21 62 22.
ris 444 – ♦Nantes 62 – Pornic 10 – St-Brévin-les-Pins 18.

St-Paul, ✆ 40 21 60 25, ⛱, 🌳 – ⋒wc ☎ 🚗. AE ① E VISA
mars-nov. – **R** 72/210 – ☕ 24 – **41 ch** 160/210 – ½ p 220/260.

TROEN Gar. Hamon, ✆ 40 21 65 80

RÉMERY 58700 Nièvre 65 ⑭ G. Bourgogne – 2 603 h.
ris 234 – La Charité-sur-Loire 28 – Château-Chinon 56 – Clamecy 40 – Cosne-sur-L. 48 – Nevers 29.

✕ **Agriculture,** r. Gare ✆ 86 68 11 96 – ✽
fermé 25 au 31 août, vacances de fév. et lundi – **R** (déj. seul.) 45/160 ♁.

TROEN Modern. Gar., ✆ 86 68 12 82 RENAULT Caliste, ✆ 86 68 10 76
UGEOT-TALBOT Just Jany, ✆ 86 68 13 92

RÉMESQUES 59 Nord 51 ⑮⑯ – rattaché à Lille.

a PRENESSAYE 22 C.-du-N. 58 ⑳ – rattaché à Loudéac.

e PRÉ-ST-GERVAIS 93 Seine-St-Denis 56 ⑪, 101 ⑯ – voir à Paris, Environs.

a PRESTE 66 Pyr.-Or. 86 ⑰ – rattaché à Prats-de-Mollo.

REUILLY-SUR-CLAISE 37290 I.-et-L. 68 ⑤⑥ G. Poitou Vendée Charentes – 1 553 h.
Syndicat d'Initiative à la Mairie ✆ 47 94 50 04.
›is 302 – Le Blanc 30 – Châteauroux 64 – Châtellerault 35 – Loches 36 – Poitiers 61 – ♦Tours 81.

✕ **Image,** ✆ 47 94 50 07 – AE E VISA
R (dim. et fêtes prévenir) 55/165, enf. 35.

RIAY 01 Ain 74 ③ – 787 h. – ✉ 01160 Pont d'Ain.
ris 455 – Bourg-en-Bresse 26 – ♦Lyon 47 – Nantua 44.

✕✕ **Mère Bourgeois,** ✆ 74 35 61 81 – AE ① E VISA
fermé 4 au 23 janv., lundi (sauf juil.-août) et dim. soir – **R** 71/182 ♁.

RIVAS P 07000 Ardèche 76 ⑲ G. Vallée du Rhône – 10 638 h.
Office de Tourisme 3 r. Elie-Reynier ✆ 75 64 33 35.
ris 600 ② – Alès 104 ④ – Mende 139 ④ – Montélimar 33 ③ – Le Puy 119 ④ – Valence 39 ②.

PRIVAS

›amp de Mars (Pl. du) 2
planade (Cours de l') 5
publique (R. de la) 20

›omérac (Av. de) 3
ux (Av. de) 4
rope Unie (Av. de l') 6
ugier (Av. Clément) 7
iat (R. P.) 8
iral (Pl. du) 9
re (Av. de la) 12
obiles (Bd des) 14
oulin de Madame (Av. du) 16
lais (Cours du) 18
collets (Pl. des) 19
alingrad (Rond-Point de) 21
mple (Cours du) 22
rnon (Bd de) 23

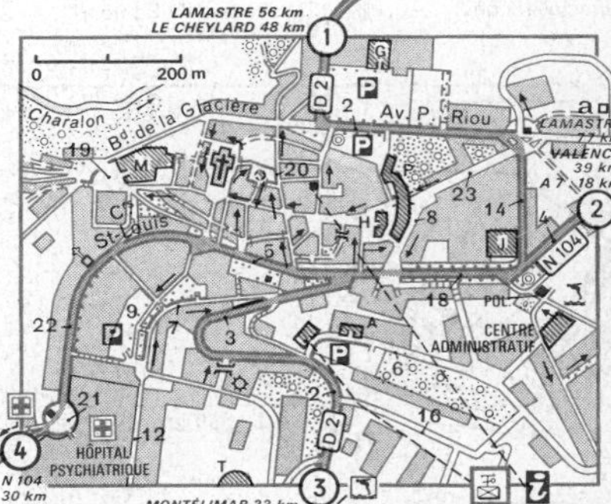

La Chaumette M 🐕, av. Vanel (a) ✆ 75 64 30 66, 🌳 – |♦| TV ⛀wc ⋒wc ☎ P – 🏛 50. AE ① E VISA. ✽ rest
R *(fermé sam. midi sauf fériés)* 78/220 ♁, enf. 40 – ☕ 30 – **36 ch** 220/275 – ½ p 257/287.

au Col de l'Escrinet par ④ : 13 km – ✉ 07200 Aubenas :

Escrinet 🐕, ✆ 75 87 10 11, ≤ vallée, ⛱, 🌳 – TV ⛀wc ⋒wc ☎ 🚗 P. AE. ✽ rest
16 mars-16 nov. et fermé dim. soir et lundi midi sauf du 14 juin au 15 sept. – **R** (prévenir) 90/170 – ☕ 25 – **20 ch** 200/260 – ½ p 230/270.

à Alissas par ③ : 4 km – ✉ **07210** Chomérac :

XX **Lous Esclos,** ✆ 75 65 12 73, 🏞 – **P**. **E** VISA
fermé 23 déc. au 10 janv., sam. midi, dim. soir et lundi – **R** 80/120.

FORD Vacher et Lardon, N 104 à Veyras ✆ 75 64 33 33
PEUGEOT, TALBOT Gds Gar. Midi, N 104 à Coux par ② ✆ 75 64 23 33
RENAULT Seita, rte de Montélimar par ③ ✆ 75 64 33 01

V.A.G. Gar. Perrier, Z.I. rte de Montélimar ✆ 75 64 02 07

R.I.P.A., Zone Ind. du Lac ✆ 75 64 05 56

PROVENCHÈRES-SUR-FAVE

88490 Vosges **62** ⑱ **G. Alsace et Lorraine** – 685 h.
Paris 400 – Épinal 64 – St-Dié 14 – Sélestat 34 – ♦Strasbourg 75.

Aub. du Spitzemberg 🐦, à la Petite Fosse, NO : 7 km par D 45 et vc forestière ✆ 29 51 20 46, <, « Dans la forêt vosgienne », 🏞 – ⊟wc ⋒wc ☎ 🏞 25. **E** VISA
16 mars-14 nov. et fermé mardi – **R** 55/110 🍷 – ☕ 21 – **9 ch** 190/200 – ½ p 225/2

Si vous devez faire étape dans une station ou dans un hôtel isolé, prévenez par avance, ***surtout en saison.***
Une réservation confirmée par écrit est toujours plus sûre.

PROVINS

SP **77160** S.-et-M. **61** ④ **G. Champagne** – 12 682 h.

Voir Ville Haute★★ ABY : **remparts ★★** AY, **tour de César★★** : <★ BY , **Grange aux Dîmes** AY **E** – **Anges musiciens★★** et **vierge★** dans l'église St-Ayoul CZ **D.**

Env. St-Loup-de-Naud : portail★★ de l'église★ 7 km par ④.

i Office de Tourisme Tour César ✆ (1) 64 00 16 65.

Paris 86 ⑤ – **Châlons-sur-Marne 97** ② – **Fontainebleau 53** ④ – **Meaux 64** ⑤ – **Melun 48** ⑤ **Sens 46** ④.

PROVINS

Cordonnerie (R. de la) . . . CZ 24
Friperie (R. de la) . . . CZ 37
Hugues le Grand (R.) . . . CZ 43
Leclerc (Pl. du Mar.) . . . BZ 47
Val (R. du) . . . BZ 79

Anatole-France (Av.) . . . BZ 2
Arnoul (R. Victor) . . . CZ 3
Balzac (Pl. Honoré de) . . . BZ 4
Bordes (R. des) . . . CZ 7
Bourquelot (R. Félix) . . . CY 8
Capucins (R. des) . . . BZ 12
Champbenoist (Rte de) . . . CZ 13
Changis (R. de) . . . CZ 14
Châtel (Pl. du) . . . AY 18
Chomton (Bd Gilbert) . . . BYZ 19
Collège (R. du) . . . BY 23
Courloison (R.) . . . CY 27
Couverte (R.) . . . AY 28
Desmarets (R. Jean) . . . AY 29
Ferté (Av. de la) . . . CY 33
Fourtier-Masson (R.) . . . BZ 34
Garnier (R. Victor) . . . BCZ 39
Gd Quartier Gén. (Bd du) . . . CZ 42
Jacobins (R. des) . . . BY 44
Nocard (R. Edmond) . . . CZ 54
Opoix (R. Christophe) . . . BZ
Palais (R. du) . . . BYZ
Plessier (Bd du Gén.) . . . CZ
Pompidou (Av. Georges) BY
Pont-Pigy (R. du) . . . BZ
Prés (R. des) . . . BY
Remparts (Allée des) . . . AY
St-Ayoul (Pl.) . . . CZ
St-Ayoul (⊕) . . . CZ
St-Jean (R.) . . . AY
St-Quiriace (Pl. et ⊕) . . . BZ
Ste-Croix (⊕) . . . BYZ
Souvenir (Av. du) . . . CY
Verdun (Av. de) . . . CY
29e Dragons (Pl. du) . . . CY

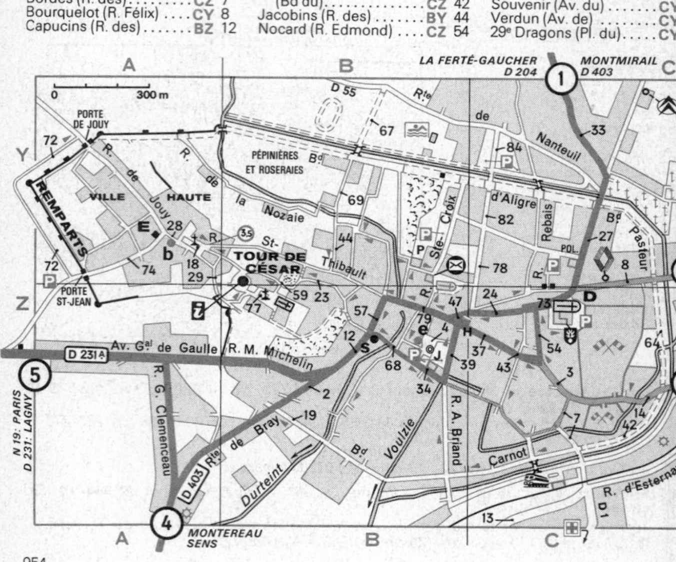

Ibis M, par ⑤ : 1 km ✆ 60 67 66 67, Télex 691882 – TV ⇔wc ☎ ♿ P – 🏋 60. E VISA
R 85, enf. 35 – ☕ 26 – **51 ch** 210/230.

XX **Vieux Remparts** (chambres prévues), 3 r. Couverte - Ville Haute ✆ (1) 64 00 02 89, ☂, ☂ – AE VISA AY **b**
fermé mardi soir et merc. en mars et avril – **R** 120/210.

XX **Le Médiéval,** 6 pl. H.-de-Balzac ✆ (1) 64 00 01 19, ☂ – AE ⊙ E VISA BZ **e**
fermé vend. du 1er oct. au 1er avril et sam. midi – **R** 150.

XX **La Croix D'Or** avec ch, 1 r. Capucins ✆ (1) 64 00 01 96, ☂ – ⇔ rest TV ⇔wc ☎. AE ⊙ E VISA BZ **s**
R 75/200, enf. 35 – ☕ 23 – **8 ch** 100/200.

au Port-Montain S : 16 km par D 1 et D 49 - CZ – ✉ **77114** Gouaix :

XX **Aub. Port-Montain** avec ch, ✆ (1) 64 01 81 05, ←, ☂, ☂ – ⇔wc ☎ P. E VISA
fermé 2 janv. au 15 fév., dim. soir et lundi de sept. à mai – **R** 90/160, enf. 55 – ☕ 28 – **10 ch** 110/195 – 1/2 p 290.

TROEN SPDA, 32 rampe St-Syllas ✆ (1)64 92 70
AT Gar. du Griffon, 21 r. Edmond Nocard (1)64 00 50 66
RD Auto Sces du Dome, 5 av. A.-France (1)64 00 00 95
EL Gar. de Champagne, 2 r. A.-Briand (1)64 00 04 86 N
UGEOT-TALBOT Autom. de la Brie, 1 av. la Voulzie, Zone Ind. par rte Champbenoist ✆ (1)64 00 11 50

RENAULT Gar. Briard, 19 r. Bourquelot ✆ (1)64 00 06 66 N ✆ (1)64 00 09 76
V.A.G. Gar. Randon, 23 r. Max Michelin ✆ (1)64 00 56 13

Agricopneu, 20 r. Garnier à Chalmaison ✆ (1)64 08 87 04
La Centrale du Pneu, 39 r. Courloison ✆ (1)64 00 03 23
OTICO 20 r. Garnier-les-Praillons à Chalmaison ✆ (1)64 08 60 75

UBLIER 74 H.-Savoie 70 ⑰ – rattaché à Amphion.

UGET-THÉNIERS 06260 Alpes-Mar. 81 ⑲, 195 ⑬⑭ G. Alpes du Sud (plan) – 1 532 h.

oir Vieille ville★ – Groupe sculpté★ et retable de N.-D.-de-Secours★ dans l'église B – atue ★ de Maillol – N : Pays de la Roudoule★ : site★★ du pont de St-Léger★ et site★ village de la Croix.

v. Entrevaux : Site★★, Ville forte★, ←★ de la citadelle O : 7 km.

ris 830 – Barcelonnette 96 – Cannes 84 – Digne 88 – Draguignan 110 – Manosque 129 – ♦Nice 65.

X **Les Acacias,** E : 1,5 km sur N 202 ✆ 93 05 05 25, ☂ – P. AE E VISA
fermé 1er au 30 janv. et merc. – **R** 68/115, enf. 35.

TROEN Casalengo, quartier St-Roch ✆ 93 05 00 25 N

UGEY 25 Doubs 66 ⑮ – rattaché à Besançon.

UGNY-CHATENOD 73 Savoie 74 ⑮ – rattaché à Aix-les-Bains.

UJOLS 47 L.-et-G. 79 ⑤ – rattaché à Villeneuve-sur-Lot.

ULIGNY-MONTRACHET 21 Côte d'Or 69 ⑨ G. Bourgogne – 528 h. – ✉ **21190** Meursault.

ris 324 – Autun 43 – Beaune 12 – Chagny 5 – Chalon-sur-Saône 22.

✿ **Le Montrachet,** ✆ 80 21 30 06, ☂ – ⇔wc ⋒ ☎. AE ⊙ E VISA
fermé 1er déc. au 10 janv. – **R** *(fermé merc.)* 185/290, enf. 60 – ☕ 32 – **22 ch** 280/340
Spéc. Escargots à la lie de Puligny, Flan de haddock au beurre de citron, Blanc de volaille de Bresse au foie gras. **Vins** Blagny, Puligny-Montrachet.

USSY 73 Savoie 74 ⑰ – 291 h. alt. 750 – ✉ **73260** Aigueblanche.

ris 606 – Albertville 23 – Chambéry 70 – Moûtiers 12.

Bellachat ⋟, ✆ 79 22 50 87, ← – ⋟
fermé 30 nov. au 1er fév. et merc. – **R** 65/110 ♂ – ☕ 17 – **7 ch** 140/180 – 1/2 p 110/130.

UTANGES-PONT-ECREPIN 61210 Orne 60 ② G. Normandie Cotentin – 967 h.

ris 213 – Alençon 57 – Argentan 20 – Briouze 14 – Falaise 17 – La Ferté-Macé 22 – Flers 32.

Lion Verd, ✆ 33 35 01 86 – ⇔wc ☎. AE E VISA
fermé 24 déc. au 31 janv. et vend. soir hors sais. – **R** 50/150 ♂, enf. 20 – ☕ 16 – **20 ch** 65/220 – 1/2 p 110/130.

TROEN Pottier, à Pont-Ecrepin ✆ 33 35 00 52

UTEAUX 92 Hauts-de-Seine 55 ⑳, 101 ⑭ – voir à Paris, Environs.

Le PUY 🅿 **43000** H.-Loire **76** ⑦ **G. Auvergne** – 25 968 h. alt. 630.

Voir Site*** – Cathédrale*** : trésor** et cloître** BY – Chapelle St-Michel d'Aiguilhe** AY – Rocher Corneille ≤* BY – Musée Crozatier : section lapidaire, dentelles* AZ **M1** – Pèlerinage (15 août) – Orgues d'Espaly* : ✻** 3 km par – Espaly St-Marcel : ≤* du rocher St-Joseph 2 km par ④.

Env. Ruines du château de Polignac* : ✻* 6 km par ⑤.

ℹ Office de Tourisme pl. du Breuil ☎ 71 09 38 41 et 23 r. Tables ☎ 71 05 99 02.

Paris 522 ⑤ – Alès 165 ② – Aurillac 169 ⑤ – Avignon 206 ② – ♦Clermont-Ferrand 130 ⑤ – ♦Grenoble 190 ① – ♦Lyon 133 ① – Mende 91 ② – ♦St-Etienne 77 ① – Valence 113 ①.

🏨 **Regina** Ⓜ, 34 bd Mar.-Fayolle ☎ 71 09 14 71, Télex 990971 – 🛗 📺 🛁wc 🚿wc ☎. AE ⓓ E VISA — BZ
R *(fermé fév. et vend.)* 100/200, enf. 50 – ☕ 25 – **40 ch** 170/340 – ½ p 220/250.

🏨 **Chris'tel** Ⓜ, 15 bd A.-Clair ☎ 71 02 24 44 – 🛗 ▤ rest 📺 🛁wc ☎ 🅿 – 🏃 60. E VISA — AZ
mi-janv.-mi-nov. et fermé vend. midi et sam. midi – **R** 60/120 – ☕ 25 – **30 ch** 195/260 – ½ p 220.

🏨 **Parc** Ⓜ sans rest, 4 av. Clément Charbonnier ☎ 71 02 40 40 – 🛗 📺 🛁wc 🚿wc ☎ 🅿. ⓓ VISA — AZ
☕ 21 – **24 ch** 220/340.

🏨 **Licorn'H.** Ⓜ, 25 av. Ch. Dupuy ☎ 71 02 46 22 – 🛗 📺 🛁wc ☎. E VISA — BZ
R *(fermé dim. soir et lundi)* 83/195, enf. 55 – ☕ 23 – **47 ch** 160/280 – ½ p 210/240.

🏠 **Val Vert**, par ② : 1,5 km sur N 88 ☎ 71 09 09 30 – 🛁 🚿wc ☎ 🅿. E VISA
fermé 15 déc. au 15 janv. et dim. du 15 oct. au 1er juin – **R** (dîner seul.) (résident seul.) 60 – ☕ 19 – **26 ch** 100/230 – ½ p 179/220.

XX **Sarda,** 12 r. Chênebouterie ✆ 71 09 58 94 – E VISA AY **f**
fermé fin sept. à fin oct., dim. soir et lundi hors sais. – **R** 85/260.

XX **Bateau Ivre,** 5 r. Portail d'Avignon ✆ 71 09 67 20 – E VISA BZ **k**
fermé 1er au 15 juil., dim. et lundi – **R** carte 130 à 220.

au Pont de Sumène : 8 km par ① N 88 et VO – ✉ **43540** Blavozy :

Moulin de Barette, ✆ 71 03 00 88, – TV wc wc ☎ – 50 à 500. E VISA
fermé janv., fév., dim. soir et lundi sauf du 1er juin au 30 août – **R** 65/200 ꝭ, enf. 50 – 20 – **30 ch** 155/300 – $^1/_2$ p 240/300.

ICHELIN, Agence, Z. I. de Blavozy, à St-Germain-Laprade BY ✆ **71 03 02 15**

TROEN Pouderoux, Zone Ind. de Corsac à ves Charensac par ① ✆ 71 05 44 88
AT Gar. Roche, 53 r. de la Gazelle ✆ 71 05 64
RD Velay-Autom., Zone Ind. à Brives-Charsac par ① ✆ 71 09 61 35
EL-BEDFORD Gar. République, 26 bd République ✆ 71 05 56 44
UGEOT-TALBOT Gd Gar. de Corsac, Z.I. de sac à Brives-Charensac par ① ✆ 71 09 39
NAULT Gd Gar. Velay, Zone Ind. Corsac à ves-Charensac par ① ✆ 71 02 36 55
NAULT Gar. Boyer, 63 bis av. Mar.-Foch ② ✆ 71 09 37 16
SEAT Le Puy Autom., Rocade D'Aiguille ✆ 71 02 29 01
TOYOTA Escudero, 18 bd de la République ✆ 71 09 02 81
Gar. Bonnet, 44 bd St-Louis ✆ 71 09 20 59
Gar. Pradines, 6 pl. Cl.-Charbonnier ✆ 71 09 32 03

Chaussende Pneus, Zone Ind. Corsac à Brives-Charensac ✆ 71 02 05 01
Pascal-Pneu, la Chartreuse à Brives-Charensac ✆ 71 09 35 89
R.I.P.A., 44 av. Ch.-Dupuy à Brives-Charensac ✆ 71 02 13 41

Pas de publicité payée dans ce guide.

UY DE DÔME 63 P.-de-D. 73 ⑬⑭ **G. Auvergne** – alt. 1 465 – ✉ **63870** Orcines.
ir Balcon d'orientation ✻★★★.
cès par route taxée.
is 414 – ♦Clermont-Ferrand 15.

UY DE SANCY 63 P.-de-D. 73 ⑬ – ressources hôtelières voir au Mont-Dore.

UYLAURENS 81700 Tarn 82 ⑩ – 2 779 h.
is 729 – Albi 53 – Carcassonne 58 – Castres 22 – Gaillac 46 – Montauban 83 – ♦Toulouse 49.

Gd H. Pagès, square Ch.-de-Gaulle ✆ 63 75 00 09 – wc wc. E VISA
R 50/160 ꝭ, enf. 35 – 20 – **21 ch** 100/180 – $^1/_2$ p 150.

UY-L'ÉVÊQUE 46700 Lot 79 ⑦ **G. Périgord Quercy** – 2 333 h.
is 593 – Cahors 31 – Gourdon 41 – Sarlat-la-Canéda 58 – Villeneuve-sur-Lot 44.

Bellevue, ✆ 65 21 30 70, ≤ vallée du Lot, – wc. E VISA
15 mars-15 nov. et fermé dim. soir et lundi hors sais. – **R** 75/190 ꝭ – 25 – **15 ch** 100/200 – $^1/_2$ p 150/220.

AT-LANCIA-LADA Gar. Foissac, ✆ 65 21 30
RENAULT Gar. Cros, ✆ 65 21 30 49

UY MARY 15 Cantal 76 ③ **G. Auvergne** – 22 km - alt. 1 787.
ir ✻★★★.
cès 1 h AR du Pas de Peyrol★★.

UYMIROL 47270 L.-et-G. 79 ⑮ **G. Pyrénées Aquitaine** – 794 h.
Golf Club d'Espalais ✆ 63 29 04 56, au S par D 248 : 13 km.
is 647 – Agen 17 – Moissac 43 – Villeneuve-sur-Lot 30.

XXX ✿✿ **L'Aubergade** (Trama) (chambres prévues), 52 r. Royale ✆ 53 95 31 46, « Maison du 13e s. », – AE E VISA
fermé lundi de sept. à juin sauf fériés – **R** 240/380 et carte, enf. 60
Spéc. Assiette de canard, Morue aux poireaux, Larme de chocolat aux griottines. **Vins** Côtes de Duras, Côtes de Buzet.

UYOO 64 Pyr.-Atl. 78 ⑦⑧ – 1 123 h. – ✉ **64270** Salies de Béarn.
is 775 – Dax 28 – Orthez 14 – Pau 55 – Peyrehorade 16 – Salies-de-Béarn 7,5 – Tartas 45.

Voyageurs, N 117 ✆ 59 65 12 83, – wc wc ☎ . E VISA
fermé vacances de Noël, de fév., lundi (sauf hôtel) et dim. soir – **R** 65/160 – 16 – **15 ch** 120/170 – $^1/_2$ p 180/230.

PUY-ST-VINCENT 05 H.-Alpes 77 ⑰ – 298 h. alt. 1 390 – Sports d'hiver : 1 400/2 700 m 1 – ✉ 05290 Vallouise.

Voir Les Prés ←* SE : 2 km, **G. Alpes du Sud.**

Maison du Tourisme Bât. Communal (saison) ✆ 92 23 35 80.

Paris 708 – L'Argentière-la-B. 9,5 – Briançon 25 – Gap 82 – Guillestre 30 – Pelvoux (Comm de) 13.

Saint-Roch M, aux Prés E : 1 km par D 4 ✆ 92 23 32 79, ← vallée montagnes, – wc ☎ P.
20 juin-31 août et 18 déc. au 20 avril – **R** 85/115 (déj. à la carte en hiver), enf. 50 – 25 – **15 ch** 221.

La Pendine, aux Prés E : 1 km par D 4 ✆ 92 23 32 62, ←, – wc ☎
15 juin-15 sept. et 15 déc.-15 avril – **R** 62/150, enf. 45 – 21 – **32 ch** 145/250 ½ p 158/240.

PYLA-SUR-MER 33115 Gironde 78 ⑫ **G. Pyrénées Aquitaine.**

Office de Tourisme Rond-Point du Figuier ✆ 56 54 02 22 et Dune de Pyla (juin-se ✆ 56 22 12 85.

Paris 652 – Arcachon 4 – Biscarrosse 34 – ♦Bordeaux 65.

Voir plan d'Arcachon agglomération

Maminotte sans rest, **allée Acacias** ✆ **56 54 55 73** – wc wc **12 ch**. AY

H. Beau Rivage sans rest, bd Océan ✆ 56 54 01 82 – wc. E VISA AY
1er avril-30 sept. – 25 – **22 ch** 140/400.

Rest. Beau Rivage, bd Océan ✆ 56 54 01 60, – E VISA. AY
1er avril-30 sept. – **R** 80/130, enf. 50.

à Pilat-Plage S : D 112 – ✉ **33115** Pyla-sur-Mer.

Voir Dune** : **.

Oyana, ✆ 56 22 72 59, ← bassin – wc ☎ AZ
1er avril-1er oct. et fermé lundi – **R** 70/91 – **17 ch** 145/295 – ½ p 240/295.

QUARRÉ-LES-TOMBES 89630 Yonne 65 ⑯ **G. Bourgogne** – 772 h.

Paris 235 – Auxerre 72 – Avallon 19 – Château-Chinon 57 – Clamecy 49 – ♦Dijon 96 – Saulieu 28.

Nord et Poste, ✆ 86 32 24 55 – 70
R 80/160 – 18 – **35 ch** 110/240 – ½ p 150/195.

aux Lavaults : SE : 5 km par D 10 – ✉ **89630** Quarré-les-Tombes :

Aub. de l'Atre, ✆ 86 32 20 79, « Jardin fleuri » – AE E VISA
fermé 7 janv. au 27 fév., mardi soir et merc. hors sais. – **R** 85/235, enf. 55.

RENAULT Gar. Naulot, ✆ 86 32 23 58 N

QUATRE-CROIX 45 Loiret 61 ⑬ – rattaché à Courtenay.

QUATRE-ROUTES-D'ALBUSSAC 19 Corrèze 75 ⑨ – alt. 600 – ✉ **19380** St-Chamant.

Voir Roche de Vic * S : 2 km puis 15 mn, **G. Berry Limousin.**

Paris 502 – Aurillac 72 – Brive la Gaillarde 26 – Mauriac 69 – St-Céré 39 – Tulle 19.

Roche de Vic, ✆ 55 28 15 87, – wc P. E VISA
fermé janv., fév. et lundi hors sais. (sauf fériés) – **R** 50/140 – 16 – **14 ch** 75/1 – ½ p 120/150.

Aub. Limousine, ✆ 55 28 15 83, – wc P. AE E VISA
fermé 1er nov. au 15 déc. et lundi sauf juil.-août – **R** 65/110 – 20 – **12** 90/130 – ½ p 160.

QUÉDILLAC 35 I.-et-V. 59 ⑮ – 1 029 h. – ✉ **35290** St-Méen-le-Grand.

Paris 391 – Dinan 26 – Lamballe 39 – Loudéac 52 – Ploërmel 43 – ♦Rennes 40.

Relais de la Rance, ✆ 99 06 20 20 – TV wc wc ☎ P. AE E VISA. res
fermé 1er fév. au 1er mars, dim. soir du 1er oct. à Pâques et lundi (sauf hôtel) **R** 55/260 – 22 – **16 ch** 108/260 – ½ p 150/190.

Les QUELLES 67 B.-Rhin 62 ⑧ – ✉ **67130** Schirmeck.

Paris 413 – St-Dié 43 – Senones 31 – ♦Strasbourg 56.

Neuhauser, ✆ 88 97 06 81, ←, – TV wc wc ☎ P. AE VISA
fermé 15 au 30 nov., 15 au 31 janv. et merc. sauf juil.-août – **R** 80/200 – 23 **14 ch** 155/250 – ½ p 225/335.

Le QUESNOY 59530 Nord 53 ⑤ **G. Flandres Artois Picardie** – 4 942 h.

Voir Fortifications★ YZ.

Office de Tourisme r. Mar.-Joffre ✆ 27 49 05 28.

Paris 222 ① – Cambrai 33 ⑤ – Guise 41 ④ – ♦Lille 70 ① – Maubeuge 28 ② – Valenciennes 18 ①.

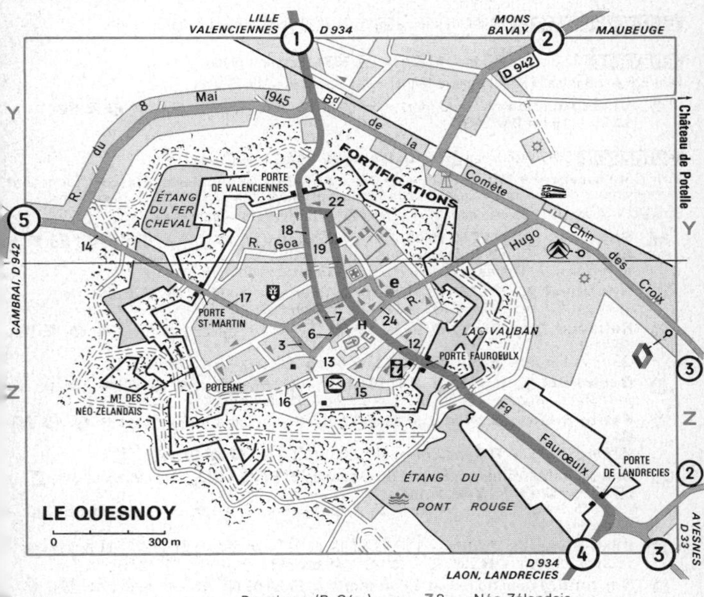

Fournier (R. Casimir) .... Z 6
Gambetta (R. Léon) .... Z 7
Tanis (R. Désiré) .... Y 18
Weibel (R. Henri) .... Z 24
Bouttieaux (R. Gén.) ...... Z 3
Joffre (R. du Mar.) .... Z 12
Leclerc (Pl. du Gén.) ...... Z 13
Libération (Av. de la) ..... Y 14
Lombards (R. des) .... Z 15
Néo-Zélandais (Av. d'honneur des) .... Z 16
Nouvelle-Zélande (R. de) .. Z 17
Thiers (R.) .... Y 19
Valenciennes (Petite-R.) .. Y 22

XX **Host. Parc** avec ch, r. V.-Hugo ✆ **27 49 02 42** – wc wc ☎ P – 30. AE E VISA. ch Z **e**
fermé 3 au 15 janv. – **R** *(fermé dim. soir et lundi)* 63/190, enf. 55 – 20 – **7 ch** 130/200 – ½ p 180.

CITROEN Lyskawa, ✆ 27 49 02 60
RENAULT Lebrun, 74 chemin des Croix ✆ 27 49 08 36

QUESTEMBERT 56230 Morbihan 63 ④ **G. Bretagne** – 5 213 h.

Paris 435 – Ploërmel 36 – Redon 33 – ♦Rennes 88 – La Roche-Bernard 22 – Vannes 27.

XXXX ✿✿ **Bretagne** (Paineau) M avec ch, r. **St-Michel** ✆ **97 26 11 12**, – TV wc ☎ P. AE ① VISA
fermé 3 janv. au 1er mars, dim. soir (sauf juil.-août) et lundi – **R** (nombre de couverts limité - prévenir) 150/385 et carte, enf. 100 – 58 – **6 ch** 390/560 – ½ p 440/560
Spéc. Huîtres en paquets, Pithiviers de langoustines au velouté de mousserons. **Vins** Muscadet.

CITROEN Gar. Le Ray, ✆ 97 26 10 43
PEUGEOT-TALBOT Gar. Le Ray, ✆ 97 26 15 94
RENAULT Gar. Marquer, ✆ 97 26 10 41 N

QUETTEHOU 50630 Manche 54 ③ **G. Normandie Cotentin** – 1 336 h.

Syndicat d'Initiative à la Mairie (juil.-août) ✆ 33 54 11 68.

Paris 348 – Barfleur 10 – Cherbourg 28 – St-Lô 66 – Valognes 15.

XX **La Chaumière** avec ch, ✆ **33 54 14 94** – TV wc. E VISA
fermé 25 oct. au 9 nov., vacances de fév. et merc. – **R** 50/160 – 12 – **5 ch** 80/150 – ½ p 170/220.

CITROEN Gar. Godefroy ✆ 33 54 13 50
RENAULT Gar. Dujardin ✆ 33 54 11 44 N

QUETTREVILLE-SUR-SIENNE 50660 Manche 54 ⑫ – 1 014 h.

Paris 340 – Avranches 43 – Coutances 10 – Granville 19 – St-Lô 37.

- **Au Château de la Tournée,** 33 47 62 91 – wc. E VISA. ch
  fermé 25 sept. au 11 oct. dim. hors sais. et lundi – **R** 150/220, enf. 50 – 16 – **10 ch** 130/150 – 1/2 p 150.

La QUEUE-EN-BRIE 94 Val-de-Marne 61 ①②, 101 ㉘㉙ – voir à Paris, Environs.

QUEYRAC 33 Gironde 71 ⑯ – 1 127 h. – ✉ **33340** Lesparre-Médoc.

Paris 535 – ♦ Bordeaux 72 – Lesparre-Médoc 8,5 – Soulac-sur-Mer 23.

- **Vieux Acacias** sans rest, 56 59 80 63, – wc wc. E VISA
  25 – **15 ch** 170/246.

QUIBERON 56170 Morbihan 63 ⑫ **G. Bretagne** – 4 812 h. – Casino.

Voir Côte sauvage★★ NO : 2,5 km – Office de Tourisme et Accueil de France (Informations et réservations d'hôtels pas plus de 5 jours à l'avance) 7 r. Verdun 97 50 07 84, Télex 950538.

Paris 502 – Auray 28 – Concarneau 101 – Lorient 49 – Quimper 113 – Vannes 46.

- **Sofitel** M, 97 50 20 00, Télex 730712, ←, – rest
  – 100. AE E VISA. rest
  fermé janv. – **Thalassa R** 185/245 – **116 ch** 948/1278.
- **Ker Noyal**, 97 50 08 41, « Jardin fleuri » – . AE E VISA.
  1er mars-31 oct. – **R** 150/180 – 40 – **102 ch** 360/400 – 1/2 p 360/410.
- **Bellevue**, r. Tiviec 97 50 16 28, – wc wc. E VISA.
  rest
  20 mars-6 nov. – **R** 140/160 – 27 – **44 ch** 260/360 – 1/2 p 290/330.
- **Roch Priol**, r. Sirènes 97 50 04 86 – wc wc. E VISA. rest
  fermé déc. et janv. – **R** 69/180 – 24 – **51 ch** 180/250 – 1/2 p 240/290.
- **Petite Sirène,** 15 bd Mer 97 50 17 34, ← – cuisinette wc. VISA.
  20 mars-5 nov. – **R** *(fermé merc.)* 75/200 – 22 – **20 ch** 195/429.
- **Ibis** M, r. Marronniers, Pointe du Goulvois 97 30 47 72, Télex 951935, –
  wc – 80. E VISA
  fermé 3 au 28 janv. – **R** carte 75 à 120, enf. 37 – 29 – **76 ch** 320/420 – 1/2 p 234/424.
- **Beau Rivage,** r. Port-Maria 97 50 08 39, ← – wc wc. E VISA.
  1er avril-25 sept. – **R** 72/145 – 26 – **49 ch** 218/273 – 1/2 p 215/275.
- **Neptune,** 4 quai de Houat à Port Maria 97 50 09 62, ← – wc. VISA.
  fermé 20 déc. au 10 fév. et lundi du 10 fév. au 22 mai – **R** 65/165, enf. 40 – 23 – **22 ch** 190/250 – 1/2 p 300/350.
- **Hoche,** pl. Hoche 97 50 07 73, – wc wc. VISA
  début fév.-30 sept. – **R** 72/195 – 24 – **39 ch** 160/340 – 1/2 p 185/290.
- **Druides,** 6 r. Port Maria 97 50 14 74 – wc wc. ch
  hôtel : 1er avril-30 sept., rest : 15 mai-30 sept. – **R** 68/140, enf. 30 – 22 – **30 ch** 200/300 – 1/2 p 240/290.
- **Gulf Stream** M, bd Chanard 97 50 16 96, ←, – wc wc. E VISA
  rest
  1er mars-15 nov. – **R** *(1er juin-30 sept.)* (1/2 pens. seul.) – 25 – **23 ch** 200/330 – 1/2 p 230/295.
- **Gd Large,** 1 bd Hoedic à Port Maria 97 50 13 39, ← – wc wc. AE E
  VISA
  fermé 1er au 15 déc. et 15 au 31 janv. – **R** 56/160, enf. 40 – 25 – **18 ch** 210/270 – 1/2 p 220/250.
- XX **Le Relax,** 27 bd Castero à la plage de Kermorvan 97 50 12 84, ←, –
  E VISA
  fin mars-mi nov. et fermé dim. soir et mardi sauf juil.-août – **R** 53/160.
- XX **Ancienne Forge,** 20 r. Verdun 97 50 18 64 – AE VISA
  fermé 4 janv. au 15 fév., lundi en juil.-août et merc. – **R** 70/125.
- XX **La Goursen,** quai Océan à Port Maria 97 50 07 94 – AE VISA
  Pâques-mi-nov. et fermé mardi sauf le soir en juil.-août – **R** carte 145 à 255.
- X **Pêcheurs,** r. Kervozes à Port Maria 97 30 40 43 – AE E VISA
  fermé mi-nov. à mi-déc., dim. soir et lundi hors sais. – **R** 60/120.

à Port Haliguen E : 2 km par D 200 – ✉ **56170** Quiberon :

- **Europa,** 97 50 25 00, ←, – cuisinette. E VISA. rest
  26 mars-2 oct. – **R** 105/190, enf. 70 – 30 – **56 ch** 240/350 – 1/2 p 285/300.

à St-Julien N : 2 km – ✉ **56170** Quiberon :

- **Baie** sans rest, 97 50 08 20 – wc wc. E VISA
  Pâques-15 oct. – 21 – **19 ch** 130/295.
- **Au Vieux Logis**, 97 50 12 20 – wc wc. E VISA. rest
  Pâques-sept. – **R** 50/150, enf. 34 – 20 – **22 ch** 131/200 – 1/2 p 200/230.

à St-Pierre N : 4,5 km par D 768 – ✉ **56510** St-Pierre.

Voir Pointe du Percho ⋞ ★ au NO : 2,5 km.

Plage, ✆ **97 30 92 10,** ⋞ – cuisinette wc wc ☎ Ⓟ. AE E VISA.
25 mars-15 avril et 30 avril-6 oct. – **R** 79/130 – 28 – **49 ch** 200/460 – 1/2 p 200/300.

ROEN Gar. St-Christophe, 21 av. Gén.-de-
ılle ✆ 97 50 07 71
JGEOT Gar. Le Garrec, 6 av. du Gén.-de-
ılle ✆ 97 50 08 01

RENAULT S.O.D.A.P. 10 av. du Gén.-de-Gaulle, ✆ 97 50 07 42 N ✆ 97 50 03 66
V.A.G. Le Borgne, 39 av. du Gén.-de-Gaulle, ✆ 97 50 16 37

JIBERVILLE 76 S.-Mar. **52** ③ – ✉ **76860** Ouville-la-Rivière.

's 200 – Dieppe 16 – ♦ Rouen 68 – St-Valéry-en-Caux 18.

L'Huitrière, ✆ **35 83 02 96,** – TV wc wc ☎ Ⓟ. E VISA.
fermé 1er déc. au 15 janv., dim. soir et vend. d'oct. à mars – **R** 63/230 – 21 – **17 ch** 95/230 – 1/2 p 165/185.

Les Falaises, ✆ **35 83 04 03** – TV wc wc ☎ Ⓟ. E VISA.
1er mars-15 oct. et fermé mardi soir et merc. – **R** 60/150 – 21 – **14 ch** 180/240 – 1/2 p 190.

JIÉVRECHAIN 59 Nord **53** ⑤ – rattaché à Valenciennes.

JILLAN 11500 Aude **86** ⑦ **G. Pyrénées Roussillon – 4 564 h.**

ir Défilé de Pierre Lys★ S : 5 km.

)ffice de Tourisme pl. Gare ✆ 68 20 07 78.

is 828 – Andorre 114 – Carcassonne 51 – Foix 62 – Limoux 27 – ♦Perpignan 74 – Prades 92.

La Chaumière, bd Ch.-de-Gaulle ✆ **68 20 17 90** – wc wc ☎ – 50. E VISA. ch
fermé 1er nov. au 20 déc., vend. soir et sam. midi de janv. à avril – **R** 55/190 – 25 – **37 ch** 90/280 – 1/2 p 180/240.

Pierre Lys, av. Carcassonne ✆ **68 20 08 65,** – wc wc ☎ Ⓟ. E VISA
fermé 15 nov. au 15 déc. – **R** 55/175 – 20 – **18 ch** 140/220 – 1/2 p 180/220.

Cartier, bd Ch.-de-Gaulle ✆ **68 20 05 14** – TV wc wc ☎. E VISA
fermé 15 déc. au 15 mars – **R** *(fermé sam. sauf de mai à sept.)* 55/100, enf. 38 – 24 – **32 ch** 84/252 – 1/2 p 180/280.

au Sud : 10 km sur D117 (carrefour D117 - D107) – ✉ **11140** Axat :

Rébenty, ✆ **68 20 50 78** – AE E VISA
fermé 1er au 22 oct., 1er au 23 mars, lundi soir et mardi, sauf du 13 juil. au 25 août – **R** 68/95.

'ROEN Gar. Potier, rte de Carcassonne,
18 ✆ 68 20 04 27
JGEOT-TALBOT Gar. Roosli, 14 bd Char-
-de-Gaulle ✆ 68 20 01 01
NAULT Gar. Escur, rte de Carcassonne, ZA
38 20 06 66 N ✆ 68 20 01 79

V.A.G. Gar. Dubois, Zone Artisanale, rte Carcassonne ✆ 68 20 07 92

SAUNIER 65 bd Charles-de-Gaulle ✆ 68 20 00 49

UIMPER P **29000** Finistère **58** ⑮ **G. Bretagne – 60 162 h.**

ir Cathédrale★★ BZ **– Grandes fêtes de Cornouaille★ (fin juillet) – Le vieux Quim-r★ : Rue Kéréon★** ABY **– Jardin de l'Évêché ⋞★** BZ **K – Mont-Frugy ⋞★** ABZ **– ısées : Beaux-Arts★★** BY **H, Breton★** BZ **M, Faïenceries de Quimper★** AX **B – Descente l'Odet★★ en bateau 1 h 30.**

de Quimper et de Cornouaille ✆ 98 56 97 09, à la Forêt-Fouesnant par ④ : 17 km.

de Quimper-Pluguffan ✆ 98 94 01 28 par ⑥ : 7 km.

✆ 98 90 50 50.

Office de Tourisme et A.C. 3 r. Roi Gradlon ✆ 98 95 04 69.

'is 553 ③ – ♦Brest 72 ① – Lorient 66 ③ – ♦Rennes 205 ③ – St-Brieuc 130 ① – Vannes 115 ③.

Plan page suivante

Griffon et rest Créach Gwenn M, rte Bénodet par ⑤ : 3 km ✆ **98 90 33 33, Télex 940063,** – ch TV ☎ Ⓟ – 30 à 150. AE E VISA
hôtel : fermé 20 déc. au 6 janv. ; rest. : fermé 20 déc. au 20 janv. et sam. soir et dim. hors sais. – **R** 75/170 – 24 – **48 ch** 225/300.

Novotel M, rte Bénodet ✆ **98 90 46 26, Télex 941362,** – rest TV ☎ Ⓟ – 150. AE E VISA
R grill carte environ 120, enf. 40 – 38 – **92 ch** 320/360.

QUIMPER

Astor (R.) .... AYZ 2
Chapeau-Rouge (R. du) . AY 9
Kéréon (R.) .... AY
Kerguélen (Bd de) ...... BZ 23
Parc (R. du) .... ABZ 34
St-François (R.) .... BZ 45
St-Mathieu (R.) .... AZ 47

Bécharles (Av. de) ...... BV 3
Beurre (Pl. au) .... BY 4
Boucheries (R. des) ..... BY 6
Concarneau (R. de) ...... BX 10
Frugy (R. du) .... ABX 14
Gare (Av. de la) .... BX 15
Guéodet (R. du) .... BY 16
Jacob (Pont Max) .... AZ 18
Le Hars (R. Th.) .... BZ 24
Libération (Av. de la) .... BX 25

Locmaria (Allées) .... AZ 26
Luzel (R.) .... BY 28
Mairie (R. de la) .... BY 29
Moulin-Vert (R. du) ..... AV 30
Pont-l'Abbé (R. de) ..... AX 35
Potiers (Ch. des) .... BX 37
Poulguinan (Bd de) ...... AX 38
Résistance et du Gén.
de Gaulle (Pl. de la) ... AZ 40

Ronarc'h (R. Amiral) .... A
St-Corentin (Pl.) .... B
Ste-Catherine (R.) .... B
Sallé (R. du) .... B
Steir (Q. du) .... A
Terre-aux-Ducs (Pl.) .... A
Tourbie (Pl. de la) .... B
Tour-d'Auvergne (R.) .... B
Ty-Nay (Rte de) .... B

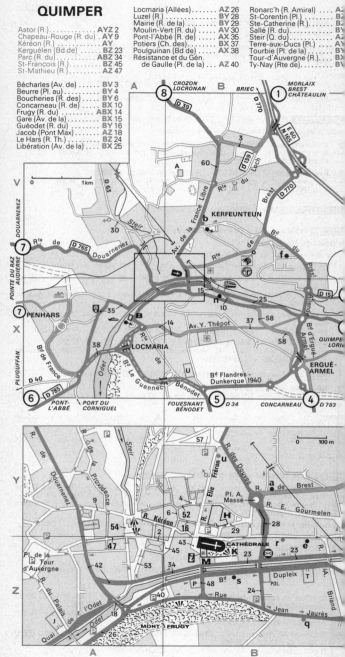

Tour d'Auvergne, 13 r. Réguaires ✆ 98 95 08 70, Télex 941100 – |\$| TV ⇔wc ⋒wc ☎ P. AE E VISA BZ e
fermé 23 déc. au 8 janv. – **R** *(ouvert mai-oct.)* 80/150, enf. 43 – ☕ 26 – **45 ch** 125/268 – 1/2 p 245/316.

Dupleix M sans rest, 34 bd Dupleix ✆ 98 90 53 35, Télex 941103 – |\$| TV ⇔wc ⋒wc ☎ ♿ – 🏛 60. AE ⓓ E VISA. ✻ BZ s
☕ 24 – **29 ch** 260/307.

Gradlon sans rest, 30 r. Brest ✆ 98 95 04 39 – ⇔wc ⋒wc ☎. AE ⓓ E VISA. ✻
fermé 20 déc. au 15 janv., sam. et dim. du 15 nov. au 1er mars – ☕ 25 – **25 ch** 175/280. BY a

Ibis M, r. G.-Eiffel ✆ 98 90 53 80, Télex 940007 – TV ⇔wc ☎ ♿ P – 🏛 60. E VISA – **R** carte 75 à 120 ⅄ – ☕ 24 – **72 ch** 210/260. BV f

Sapinière sans rest, rte Bénodet par ⑤ : 4 km ✉ 29000 Quimper ✆ 98 90 39 63, ✻ – ⋒wc ☎ P – 🏛 100. AE ⓓ E VISA. ✻
fermé 20 sept. au 10 oct. – ☕ 20 – **40 ch** 90/170.

Terminus sans rest, 15 av. Gare ✆ 98 90 00 63 – ⋒wc ☎. AE E VISA. ✻ BX n
☕ 20 – **25 ch** 80/160.

XX ✿ **Le Capucin Gourmand** (Conchon), 29 r. Réguaires ✆ 98 95 43 12 – E VISA
fermé 1er au 10 juil., sam. midi et dim. – **R** 100/140 BZ r
Spéc. Salade gourmande bigoudène, Sifflets de filets de sole aux artichauts, Crème brûlée à la cassonade.

X **Le Parisien,** 13 r. J.-Jaurès ✆ 98 90 35 29 – E VISA BZ q
fermé dim. et fériés – **R** carte 110 à 185.

X **La Rotonde,** 36 av. France Libre ✆ 98 95 09 26 – E VISA BV b
fermé 15 juin au 15 juil., vacances de fév., sam. midi et dim. – **R** 68/220.

X **L'Ambroisie,** 49 r. Elie Fréron ✆ 98 95 00 02 – AE E VISA. ✻ BY u
fermé 15 au 30 sept. et dim. – **R** 89/148.

à Pluguffan O : 7 km par D 40 – ✉ **29000** Quimper :

La Coudraie M 🐎 sans rest, impasse du Stade ✆ 98 94 03 69, ⛲ – ⇔wc ⋒wc ☎ P. VISA
fermé vacances de printemps, 1er au 15 nov., sam. et dim. en hiver – ☕ 25 – **11 ch** 140/190.

à Ty Sanquer : 7 km par ① et D 770 – ✉ **29000** Quimper :

X **Aub. Ty Coz,** ✆ 98 94 50 02 – E VISA
fermé 4 au 20 avril, 15 sept. au 6 oct., dim. soir et lundi – **R** 70/180.

-A-ROMEO Jourdain, 36 rte de Bénodet 98 90 60 64
STIN-ROVER Kemper-Autom., 13 av. de la ération, ✆ 98 90 18 49
ROEN S.C.A.F. Diffusion Automobiles, rte Bénodet à Ménez-Bily par ⑤ ✆ 98 90 33 47 ✆ 98 90 28 05
RD Bretagne-Autom., 105 av. de Ty-Bos 98 90 32 00 N ✆ 98 90 28 05
NCIA-AUTOBIANCHI Prestige Autos, 28 de Ty-Douar ✆ 98 52 05 43
RCEDES-BENZ Belléguic, ZI rte de Coray, 98 90 03 69 N ✆ 98 90 28 05
EL Damian, 70 rte de Brest ✆ 98 95 18 38
JGEOT-TALBOT Nédélec, 66 rte de Brest 98 95 42 74
RENAULT Gar. de l'Odet, ZAC de Kernevez Rte de Douarnenez par ⑦ ✆ 98 55 29 46
TOYOTA Gar. Vigouroux 337 rte de Benodet ✆ 98 90 13 44
V.A.G. Gar. Honoré, KM 4 rte de Rosporden ✆ 98 94 63 00

Ⓟ Bégot et Fils, 79 rte de Brest ✆ 98 95 09 33
Comptoir et Atelier du Pneu, r. Lebon Z.I. Hippodrome ✆ 98 90 18 87
Lorans-Pneus, Rue O. de Serre Z.I. Hippodrome ✆ 98 53 35 26
Simon Pneus, Le Melenec, rte d'Elliant à Ergue Gaberic ✆ 98 90 17 73

JIMPERLÉ 29130 Finistère 58 ⑫⑰ G. Bretagne – 11 697 h.

ir Église Ste-Croix★★ BY B – Rue Dom-Morice★ BY 9.

)ffice de Tourisme Pont Bourgneuf (juin-oct.) ✆ 98 96 04 32.

is 508 ② – Carhaix-Plouguer 56 ① – Concarneau 34 ③ – Pontivy 54 ② – Quimper 46 ③ – nnes 160 ② – St-Brieuc 111 ① – Vannes 70 ②.

Plan page suivante

Hermitage 🐎, S : 2 km par D 49 - BZ - ✆ 98 96 04 66, « Parc », ⛱ – ⇔wc ⋒wc ☎ P – 🏛 30 à 80. E VISA
R voir rest **Relais du Roch** ci-après – ☕ 30 – **28 ch** 220/350.

XX **Relais du Roch** -Hôtel Hermitage-, S : 2 km par D 49 - BZ - ✆ 98 96 12 97 – P. E VISA
fermé 20 déc. au 5 janv. et lundi – **R** 75/160, enf. 30.

X **Bistro de la Tour,** 2 r. Dom. Morice ✆ 98 39 29 58 – E VISA BY a
fermé sam. midi et dim. soir hors sais. et lundi – **R** 78/198, enf. 40.

X **Aub. de Toulfoën** avec ch, S : 3 km par D 49 - BZ - ✆ 98 96 00 29, ⛲ – ⇔ ⋒ P – 🏛 30. AE ⓓ E VISA. ✻ ch
fermé 25 sept. au 31 oct. et lundi du 1er nov. au 1er mai – **R** 85/200 – ☕ 21 – **9 ch** 120/165.

QUIMPERLÉ

Pour un bon usage des plans de villes, voir les signes conventionnels p. 23.

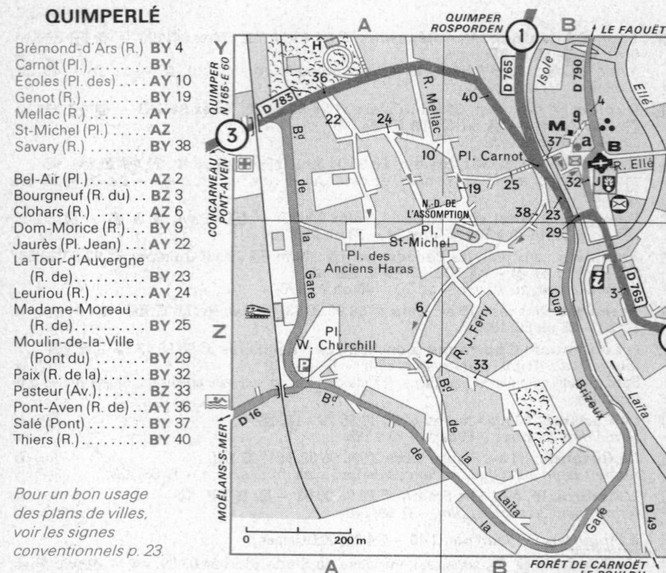

CITROEN Gar. Gaudart, rte de Quimper à Roz-Glass par ① ✆ 98 96 20 30
FIAT Central Auto, 22 rte de Lorient ✆ 98 39 08 39
PEUGEOT-TALBOT Ouest-Autom., rte Lorient par ② ✆ 98 96 11 91 N ✆ 98 96 21 26

V.A.G. Gar. Quimperlois, 41 rte de Lorie ✆ 98 39 32 24

Lorans-Pneus, 40 rte Quimper ✆ 98 96 01

*Demandez chez le libraire le catalogue des **cartes et guides Michelin***

QUINCIÉ-EN-BEAUJOLAIS 69 Rhône 73 ⑨ – 1 018 h. – ✉ 69430 Beaujeu.
Paris 425 – Beaujeu 5 – Bourg-en-Bresse 50 – ♦Lyon 56 – Mâcon 36 – Roanne 70.

Mont-Brouilly M, E : 2,5 km par D 37 ✆ 74 04 33 73, – rest wc P. AE E VISA
fermé 15 au 28 fév., dim. soir et lundi de nov. à mars – **R** 70/180, enf. 50 – – **26 ch** 190/230 – 1/2 p 185/260.

Aub. du Pont des Samsons, E : 2,5 km par D 37 ✆ 74 04 32 09 – P. AE VISA
fermé 13 au 28 juin, 10 au 31 janv., dim. soir et lundi – **R** 60/280.

QUINCY-VOISINS 77860 S.-et-M. 56 ⑫⑬, 196 ㉒㉓ – 3 171 h.
Paris 48 – Lagny-sur-Marne 15 – Meaux 7 – Melun 49.

Aub. Demi-Lune avec ch, D 436 ✆ (1) 60 04 11 09, – E VISA
fermé 16 au 26 août, 15 au 25 fév. dim. soir et merc. – **R** 56/140 – 25 – **5 c** 150/200.

QUINÉVILLE 50 Manche 54 ③ **G. Normandie Cotentin** – 192 h. – ✉ **50310** Montebourg.
9 de Fontenay-sur-Mer ✆ 33 21 44 27 par D 421.
Paris 341 – Bayeux 73 – Cherbourg 36 – St-Lô 59.

Château de Quinéville ✆ 33 21 42 67, ←, parc – wc wc P – 25. VISA
1er avril-31 déc. – **R** *(fermé le midi du 1er oct. au 31 déc. sauf vacances scolaire* 70/150 – 25 – **12 ch** 220/250 – 1/2 p 270/325.

QUINSAC 33 Gironde 75 ⑪ – 1 829 h. – ✉ **33360** Latresne.
Paris 592 – ♦Bordeaux 15 – Langon 33 – Libourne 35.

Robinson, SE : 2 km sur D 10 ✆ 56 21 31 09, – P. VISA
15 mars-15 nov. et fermé mardi – **R** carte 165 à 295.

UINTIN 22800 C.-du-N. 59 ⑫⑬ G. Bretagne – 3 223 h.
ris 464 – Guingamp 29 – Lamballe 35 – Loudéac 31 – Quimper 110 – St-Brieuc 19.

Commerce ⚘, r. Rochonen ✆ 96 74 94 67 – ⋒wc ☎. VISA. ✻ ch
fermé 15 déc. au 15 janv., dim. soir et lundi midi sauf juil.-août et fériés – **R** 56/142 – ☕ 19 – **14 ch** 95/175 – 1/2 p 135/174.

TROEN Gar Le Floch, ✆ 96 74 93 77 N   Le Fur, pl. de la République ✆ 96 74 94 96

ABASTENS 81800 Tarn 82 ⑨ G. Pyrénées Roussillon – 3 834 h.
ir Chapiteaux★ de l'église N.-D.-du-Bourg.
Office de Tourisme 6 pl. St-Michel (15 mai-15 oct.) ✆ 63 33 70 18.
ris 695 – Albi 39 – Carcassonne 106 – Castres 61 – Lavaur 22 – Montauban 49 – ♦Toulouse 37.

Pré Vert, promenade Lices ✆ 63 33 70 51, ⛱, ⛱ – ⊟wc ⋒wc ☎ Ⓟ. E VISA
fermé déc. et dim. soir sauf hôtel en sais.) – **R** 55/150 ♁, enf. 38 – ☕ 22 – **13 ch** 120/280 – 1/2 p 250/300.

UGEOT, TALBOT Bourdet, à Couffouleux ✆ 63 33 71 66   RENAULT Mouisset, ✆ 63 33 75 23 N

ABASTENS-DE-BIGORRE 65140 H.-Pyr. 85 ⑧ – 1 299 h.
ris 781 – Aire-sur-l'Adour 60 – Castelnau-Magnoac 46 – Mirande 29 – Plaisance 27 – Tarbes 19.

Platanes, ✆ 62 96 61 77 – ⋒ ☎
fermé 1er au 15 oct. et sam. sauf juil.-août – **R** 50/95 ♁, enf. 30 – ☕ 15 – **7 ch** 90/95 – 1/2 p 125.

Chez Yvonne avec ch, ✆ 62 96 60 20 – ⋒ Ⓟ. VISA
fermé 1er au 8 mai, dim. soir et vend. – **R** 50/90 ♁, enf. 35 – ☕ 15 – **6 ch** 55/120.

ABOT 41 L.-et-Ch. 64 ⑨ – rattaché à Lamotte-Beuvron.

AGUENÈS-PLAGE 29 Finistère 58 ⑪ G. Bretagne – ✉ 29139 Nevez.
is 536 – Carhaix-Plouguer 74 – Concarneau 17 – Pont-Aven 12 – ♦Quimper 39 – Quimperlé 29.

Chez Pierre ⚘, ✆ 98 06 81 06, ⛱ – ⊟wc ⋒wc ☎ Ⓟ. E VISA. ✻ rest
31 mars-17 avril et 7 mai-26 sept. – **R** *(fermé merc. du 22 juin au 14 sept.)* 95/190, enf. 65 – ☕ 22 – **29 ch** 150/290 – 1/2 p 175/256.

Men Du ⚘ sans rest, ✆ 98 06 84 22, ≤, ⛱ – ⊟wc ⋒wc ☎ Ⓟ. ✻
Pâques-fin sept. – ☕ 25 – **14 ch** 200/250.

RAINCY Seine-St-Denis 56 ⑪ – voir à Paris, Environs.

AISMES 59 Nord 53 ④ – rattaché à Valenciennes.

AMATUELLE 83350 Var 84 ⑰ G. Côte d'Azur – 1 766 h.
ir Col de Collebasse ≤★ S : 4 km.
is 879 – Hyères 61 – Le Lavandou 38 – St-Tropez 12 – Ste-Maxime 18 – ♦Toulon 79.

Le Baou Ⓜ ⚘, ✆ 94 79 20 48, Télex 462152, ≤ mer, ⛱, ⛱ – ▮ TV ☎ ⇔ Ⓟ – 🏛 80. AE ⓞ E VISA
1er avril-16 oct. et fermé le midi du 15 mai au 15 sept. – **R** 235/320, enf. 150 – ☕ 50 – **34 ch** 550/940 – 1/2 p 550/745.

AMBERCHAMP 88 Vosges 62 ⑰ – rattaché à Gérardmer.

AMBLE 74 H.-Savoie 70 ⑰ – rattaché à Habère-Poche.

AMBOUILLET ⟨SP⟩ 78120 Yvelines 60 ⑧⑨, 196 ㉗㉘ G. Environs de Paris – 22 487 h.
ir Boiseries★ du château Z – Parc★ Y : laiterie de la Reine★ B, chaumière des quillages★ E – Bergerie nationale★ Z – Forêt de Rambouillet★.
Office de Tourisme pl. Libération ✆ (1) 34 83 21 21.
s 53 ① – Chartres 41 ③ – Etampes 44 ③ – Mantes-la-Jolie 49 ① – ♦Orléans 90 ③ – Versailles ①.

Plan page suivante

Climat de France Ⓜ, N 10 ✆ 34 85 62 62, Télex 695645, ✂ – TV ⊟wc ☎ ♿ Ⓟ. AE E VISA
R 56/98 ♁, enf. 37 – ☕ 25 – **67 ch** 206/251.

Ibis, par ③ : 2,5 km par N 10 ✆ (1) 30 41 78 50, Télex 698429, ✂ – TV ⊟wc ☎ ♿ Ⓟ – 🏛 25 à 200. E VISA
R carte 75 à 120 ♁, enf. 50 – ☕ 26 – **62 ch** 230/250.

St-Charles sans rest, 15 r. Groussay ✆ (1) 34 83 06 34, ⛱ – TV ⊟wc ⋒wc ☎ Ⓟ   Y b
fermé fév. – ☕ 20 – **14 ch** 120/270.

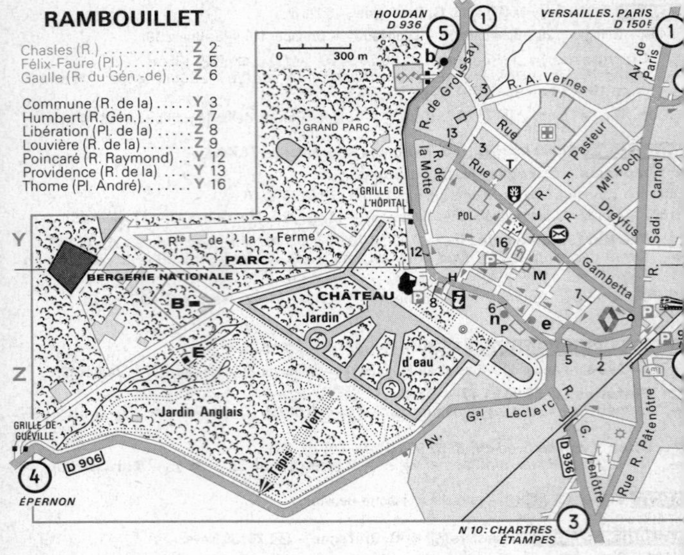

XX **Cheval Rouge,** 78 r. Gén.-de-Gaulle ✆ 34 85 80 61 – AE ⓓ E VISA — Z
R 90/160, enf. 60.

X **Poste,** 101 r. Gén.-de-Gaulle ✆ (1) 34 83 03 01 – AE VISA — Z
fermé 15 au 31 août, vacances de fév., dim. soir et lundi – **R** (nombre de couve
limité - prévenir) 88/120 ♁.

aux Chaises par ④ et D 80 : 11 km – ✉ **78120** Rambouillet :

XX **Maison des Champs,** ✆ (1) 34 83 50 19, « **Jardin fleuri** » – AE VISA
fermé août, fév. lundi soir, mardi soir et merc. – **R** (nombre de couverts limi
prévenir) carte 160 à 225.

BMW SEAT Soravia 27-29 r. Patenotre ✆ (1)34 85 77 77
CITROEN Van de Maele, r. G.-Lenôtre par ③ ✆ (1)30 41 81 81
FIAT Gar. Hude, 15 r. de la Louvière ✆ (1)30 41 03 41
FORD Couvreur-Autos, 1 r. Etang-de-la-Tour ✆ (1)30 41 72 47
PEUGEOT, TALBOT Préhel, 56 r. Lenôtre, Bel Air par ③ ✆ (1)30 41 01 70
RENAULT Gar. de la Gare, 9 r. Sadi-Car ✆ (1)30 59 89 42
V.A.G. Sofriga 122 r. de Clairefontaine ✆ (1 41 87 68

RAMONVILLE-ST-AGNE **31** H.-Gar. **82** ⑧ – rattaché à Toulouse.

RANCÉ **01** Ain **74** ⑩ – 323 h. – ✉ **01390** St-André-de-Corcy.

Paris 444 – Bourg-en-Bresse 43 – ♦ Lyon 30 – Villefranche-sur-Saône 15.

X **Rancé,** ✆ 74 00 81 83 – E – **R** 68/215.

RANÇON **87** H.-Vienne **72** ⑦ **G. Berry Limousin** – 652 h. – ✉ **87290** Chateauponsac.

Paris 375 – Bellac 12 – ♦Limoges 44 – La Souterraine 34.

X **L'Oie et le Gril,** ✆ 55 68 15 06 – VISA
fermé 15 au 30 sept., vacances de fév., mardi soir et merc. – **R** 85.

RANDAN **63310** P.-de-D. **73** ⑤ **G. Auvergne** – 1 514 h.

Syndicat d'Initiative à la Mairie (fermé après-midi) ✆ 70 41 50 02.

Paris 363 – Aigueperse 14 – ♦Clermont-Ferrand 40 – Gannat 23 – Riom 25 – Thiers 32 – Vichy 14.

Centre, ✆ 70 41 50 23 – ⋒. E VISA
hôtel: 1er juin-15 oct. et fermé mardi et merc. sauf juil.-août – **R** *(fermé 20 oct 10 déc., mardi soir et merc. sauf juil.-août)* 60/170 ♁ – ☕ 17 – **10 ch** 80/11
½ p 130/170.

XX **Host. du Parc** avec ch, ✆ **70 41 51 89** – ⋒
1er mars-15 nov. et fermé dim. soir en hiver – **R** 70/160 ♁, enf. 30 – ☕ 18 – **9**
85/98 – ½ p 130/150.

CITROEN Elambert, ✆ 70 41 51 62
RENAULT Planche, ✆ 70 41 56 69

ANES 61 Orne 60 ② G. Normandie Cotentin – 1 018 h. – ✉ 61150 Écouché.
ʼyndicat d'Initiative à la Mairie ✆ 33 39 73 87.
is 213 – Alençon 40 – Argentan 20 – Bagnoles-de-l'Orne 19 – Falaise 35.

St Pierre, ✆ 33 39 75 14 – wc wc ☎ – 150. E VISA
R *(fermé vend. soir)* 58/150 ß, enf. 45 – 25 – **12 ch** 120/230 – ½ p 195/220.

Jean Anne, ✆ 33 39 75 16 – E VISA
fermé merc. sauf fériés – **R** 49/150 ß.

ANG 25 Doubs 66 ⑰ – 518 h. – ✉ 25250 L'Isle-sur-le-Doubs.
is 463 – Baume-les-D. 22 – Belfort 38 – ♦Besançon 51 – Lure 39 – Montbéliard 27 – Vesoul 53.

Moderne avec ch, ✆ 81 96 32 54 – P. E VISA
fermé 15 au 31 oct., 7 au 28 fév. et lundi (sauf hôtel en juil.-août) – **R** 46 /140 ß, enf. 46 – 17 – **10 ch** 60/110 – ½ p 100.

ʼON-L'ÉTAPE 88110 Vosges 62 ⑦ – 7 219 h.
ʼyndicat d'Initiative r. J.-Ferry (15 juin-15 sept.) ✆ 29 41 83 25.
s 370 – Épinal 46 – Lunéville 34 – ♦Nancy 69 – Neufchâteau 107 – St-Dié 16 – Sarrebourg 51.

Motel l'Eau Vive sans rest, r. J.-B. Demenge prolongée ✆ 29 41 44 68, –
wc ☎ P. E VISA
fermé 24 déc. au 10 janv. – 18 – **12 ch** 170/230.

Relais Lorraine Alsace, 31 r. J.-Ferry ✆ 29 41 61 93 – AE E VISA
fermé nov. et lundi sauf juil.-août – **R** 53/126 ß.

ASTEAU 84 Vaucluse 81 ② – rattaché à Vaison-la-Romaine.

ʼUZAN 33 Gironde 75 ⑫ G. Pyrénées Aquitaine – 888 h. – ✉ 33420 Branne.
ʼyndicat d'Initiative à la Mairie ✆ 57 84 13 04.
s 597 – Bergerac 62 – ♦Bordeaux 38 – Libourne 23 – Marmande 44.

La Gentilhommière, ✆ 57 84 13 42 – P. AE
fermé 15 au 30 nov. et lundi – **R** 78/200 ß.

RAYOL 83820 Var 84 ⑰ G. Côte d'Azur – 868 h – **Voir Site★.**
s 890 – Cannes 99 – Draguignan 63 – Le Lavandou 13 – ♦Toulon 54.

Bailli de Suffren M, ✆ 94 05 67 67, Télex 420535, ← Mer, , – TV
☎ P – 60. AE E VISA
R 170 bc/200 bc, enf. 100 – 55 – **43 ch** 1000/1200, 3 appartements 1500.

ʼZ (Pointe du) ★★★ 29 Finistère 58 ⑬ G. Bretagne – Voir ✱★★.
s 607 – Douarnenez 37 – Pont-L'Abbé 47 – Quimper 50.

à La Baie des Trépassés par D 784 et VO : 3,5 km – ✉ 29113 Audierne :

Baie des Trépassés , ✆ 98 70 61 34, ←, – wc wc ☎ P. E VISA
fermé 5 janv. au 5 fév. – **R** 65/200 – 23 – **27 ch** 158/254 – ½ p 200/267.

ʼZAC-SUR-L'ISLE 24 Dordogne 75 ⑤ – rattaché à Périgueux.

ʼZÈS 87640 H.-Vienne 72 ⑧ – 881 h.
s 370 – Argenton-sur-Creuse 69 – Bellac 39 – Guéret 56 – ♦Limoges 26.

Familles, ✆ 55 71 03 61, – P. ch
fermé nov., vend. soir et sam. hors sais. – **R** 45/95 ß – 16 – **7 ch** 80/100 – ½ p 120.

(Ile de) ★ 17 Char.-Mar. 71 ⑫ G. Poitou Vendée Charentes.
ʼès : Transports maritimes, pour La Pointe de Sablanceaux.
depuis La Pallice (5,5 km : O de La Rochelle). En 1987 : services quotidiens : ʼson, toutes les 20 mn ; hors sais. toutes les 30 mn - Traversée 15 mn – Voyageurs ʼ0 F (AR), autos 78 F (AR), par Régie Départementale des Passages d'Eau ✆ 46 42 61 48 Rochelle).

Ars-en-Ré – 1 083 h. – ✉ 17590.
Syndicat d'Initiative pl. Carnot (fermé matin hors saison) ✆ 46 29 46 09.

Le Parasol M , rte St-Clément des Baleines, NO : 0,5 km ✆ 46 29 46 17, –
cuisinette wc wc ☎ P
fermé 15 nov. au 15 déc. – **R** *(fermé mardi d'oct. à mars)* 89/185 ß – 25 – **29 ch** 250/315 – ½ p 320/430.

Le Martray, Le Martray E : 3 km par D 735 ✆ 46 29 40 04, – wc wc ☎
P. AE VISA
25 mars-6 nov. – **R** 80/140 – 25 – **14 ch** 180/250 – ½ p 230/250.

ʼROEN Blanchard, ✆ 46 29 40 43 RENAULT Gar. du Moulin Bleu, ✆ 46 29 40 89

Le Bois-Plage – 1 561 h. – ✉ **17580**.

Syndicat d'Initiative r. Barjottes (fermé après-midi hors saison) ☎ 46 09 23 26.

Les Gollandières, ☎ **46 09 23 99**, – wc wc ☎ – AE E VISA
15 mars-10 nov. – **R** 130 – 30 – **32 ch** 250/350 – ½ p 320/385.

La Flotte – 1 879 h. – ✉ **17630**.

Office de Tourisme quai Sénac (fermé matin hiver) ☎ 46 09 60 38.

Richelieu M, ☎ **46 09 60 70, Télex 791492**, ←, – TV ☎ – 40. E VISA
15 mars-15 nov. et 15 déc.-5 janv. – **R** 190/350 – 50 – **30 ch** 450/850 ½ p 500/950
Spéc. Huîtres chaudes à la julienne de légumes, Suprême de barbue au beurre vert, Homard g au beurre rouge (mars à nov.). **Vins** Blanc et rouge de Ré.

Hippocampe sans rest, ☎ **46 09 60 68** – wc wc
16,50 – **17 ch** 72/188.

PEUGEOT, TALBOT Gar. Chauffour, ☎ 46 09 60 25

Rivedoux-Plage – 900 h. – ✉ **17940**.

Syndicat d'Initiative pl. République (15 juin-15 sept.) ☎ 46 09 80 62.

Aub. de la Marée, ☎ **46 09 80 02**, ←, « **Beau jardin fleuri** », – wc ☎. E VISA
hôtel: avril-1er nov.; rest.: 11 mai-1er nov. et fermé lundi midi et mardi hors sais
R 105/280 – 30 – **26 ch** 290/400 – ½ p 250/330.

FORD Nautic-Gar., ☎ 46 09 80 11

St-Clément-des-Baleines – 518 h. – ✉ **17590** Ars-en-Ré.

Voir Phare des Baleines ★ **N : 2,5 km.**

Syndicat d'Initiative r. Mairie (juin-15 sept.) ☎ 46 29 24 19.

Le Chat Botté, ☎ **46 29 42 09**, – wc. E VISA.
fermé 19 au 30 oct., 5 janv. au 5 fév. et merc. – **R** 62/160.

St-Martin-de-Ré – 2 402 h. – ✉ **17410**.

Voir Fortifications★.

Office de Tourisme av. V.-Bouthillier ☎ 46 09 20 06.

Les Colonnes, 19 quai Job-Foran ☎ **46 09 21 58**, ← – wc ☎. VISA
fermé 15 déc. au 4 fév. – **R** *(fermé merc.)* 75/150 – 28 – **30 ch** 250/31
½ p 330/410.

RENAULT Gar. Neveur, ☎ 46 09 44 22

Ste-Marie-de-Ré – 1 317 h. – ✉ **17740**.

Syndicat d'Initiative Moulin de l'Abbé ☎ 46 30 22 92.

Atalante M, ☎ **46 30 22 44**, ←, – TV wc wc ☎ – 100. AE E VISA. rest
R 105/250, enf. 40 – **65 ch** 330/590 – ½ p 395/535.

RÉALMONT 81120 Tarn 83 ① – 2 547 h.

Paris 715 – Albi 20 – Castres 22 – Graulhet 17 – Lacaune 56 – St-Affrique 85 – ♦Toulouse 75.

Noël, r. H. de Ville ☎ 63 55 52 80, – wc ☎ – 60 à 150. AE E
fermé dim. soir et lundi d'oct. à juin – **R** (nombre de couverts limité - préve 130/290, enf. 50 – 22 – **14 ch** 93/280 – ½ p 215/310
Spéc. Assiette des trois poissons à la crème d'ail, Tournedos forestière, Foie gras chaud aux câ à l'albigeoise. **Vins** Gaillac, Minervois.

RENAULT Conrazier, ☎ 63 55 51 38

RECOUVRANCE 29 Finistère 58 ④ – rattaché à Brest.

REDON 35600 I.-et-V. 63 ⑤ **G. Bretagne** – 10 252 h.

Voir Tour★ de l'église St-Sauveur Y B.

Office de Tourisme pl. Parlement ☎ 99 71 06 04 et au port de Plaisance par quai Surc (15 juin-1er sept.).

Paris 411 ① – Ancenis 82 ② – La Baule 63 ② – Châteaubriant 58 ② – Dinan 105 ① – Laval 138 Nantes 77 ② – Ploërmel 46 ① – ♦Rennes 66 ① – St-Nazaire 51 ②.

REDON

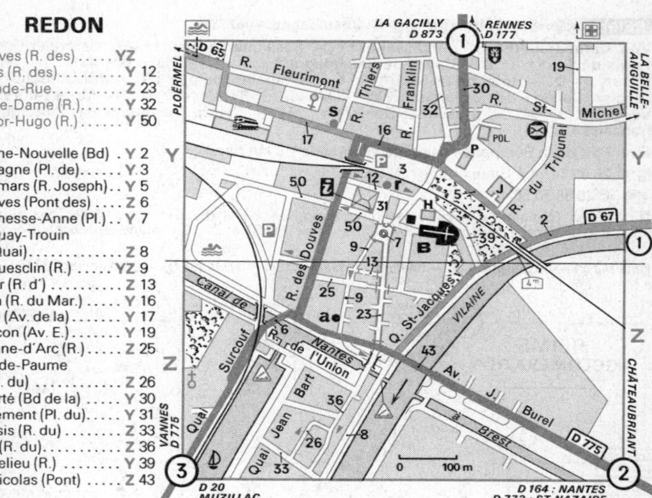

ves (R. des) . . . . . YZ
s (R. des) . . . . Y 12
nde-Rue . . . . Z 23
e-Dame (R.) . . . . . . Y 32
or-Hugo (R.) . . . . . . Y 50

ne-Nouvelle (Bd) . Y 2
agne (Pl. de) . . . . . . Y 3
mars (R. Joseph) . . Y 5
ves (Pont des) . . . . Z 6
hesse-Anne (Pl.) . . Y 7
uay-Trouin
uai) . . . . Z 8
uesclin (R.) . . . . . YZ 9
r (R. d') . . . . Z 13
n (R. du Mar.) . . . . . Y 16
(Av. de la) . . . . Y 17
con (Av. E.) . . . . Y 19
ne-d'Arc (R.) . . . . . Z 25
de-Paume
. du) . . . . Z 26
rté (Bd de la) . . . . . Y 30
ement (Pl. du) . . . . . Y 31
sis (R. du) . . . . Z 33
(R. du) . . . . Z 36
elieu (R.) . . . . Y 39
icolas (Pont) . . . . . Z 43

France sans rest, **30 r. Duguesclin** ☎ **99 71 06 11** – wc wc ☎. **E** VISA — Z **a**
fermé 24 déc. au 3 janv. – ☕ 17 – **20 ch** 65/175.

Gare Relais du Gastronome M avec ch, **10 av. Gare** ☎ **99 71 02 04** – TV wc ☎. AE ⓓ **E** VISA — Y **s**
fermé 1er au 7 mars, sam. midi et dim. soir du 15 sept. au 15 juin – **R** 98/260, enf. 66 – ☕ 28 – **5 ch** 280/330.

La Bogue, 3 r. des Etats ☎ **99 71 12 95** – **E** VISA — Y **r**
fermé 1er au 15 janv., mardi soir et merc. – **R** 90/190, enf. 40.

par ① **et rte de la Gacilly : 3 km** – ✉ **35600** Redon :

Moulin de Via, ☎ **99 71 05 16,** – **P**. VISA
fermé 1er au 15 janv., 1er au 10 sept., dim. soir et lundi – **R** 140/250, enf. 50.

par ② **et rte Nantes : 6 km par D 164** – ✉ **44460** St-Nicolas-de-Redon (Loire-Atl.) :

Aub. du Poteau Vert avec ch, ☎ **99 71 13 12,** – wc **P** – 50. AE ⓓ **E** VISA
fermé 2 au 8 nov., 2 au 23 janv., dim. soir et lundi – **R** 90/205, enf. 45 – ☕ 20 – **6 ch** 150/170.

OEN Gar. Vinouze, av. J.-Burel à St-las-de-Redon (44) par ② ☎ 99 71 00 36
D Gar. Rouxel, 8 r. de la Barre ☎ 99 71 17
GEOT-TALBOT Gar. Chalme, 8 av. J.-Burel Nicolas-de-Redon par ② ☎ 99 71 08 45
AULT Ets Ménard, Zone Ind. de Brian- par av. Bonne-Nouvelle Y ☎ 99 71 17 36
99 71 31 30

V.A.G Gar. Mazarguil, 120 r. de Vannes ☎ 99 71 17 81

Métayer, Zone Ind. Portuaire, rte de Vannes ☎ 99 71 18 50

CHSFELD **67** B.-Rhin **62** ⑨ – 247 h. – ✉ **67140** Barr.
430 – Barr 7 – Sélestat 17 – •Strasbourg 44 – Molsheim 27 – Villé 13.

Bleesz avec ch, ☎ **88 85 50 61** – wc ☎ **P**. ⓓ
fermé janv., fév., merc. soir et jeudi – **R** 70/95 – ☕ 22 – **8 ch** 135/160 – 1/2 p 210.

CHSTETT **67** B.-Rhin **62** ⑩ – rattaché à Strasbourg.

LHAC **43** H.-Loire **76** ⑤ – rattaché à Langeac.

LLANNE **04110** Alpes de H. P. **81** ⑮ **G. Alpes du Sud** – 892 h.
758 – Apt 27 – Digne 67 – Forcalquier 19 – Manosque 17.

Aub. de Reillanne avec ch, S : 1 km sur D 214 ☎ **92 76 45 95,** – wc ☎. AE ⓓ **E** VISA
fermé déc. à fév. – **R** *(fermé lundi)* carte 200 à 265, enf. 80 – ☕ 45 – **7 ch** 395/415 – 1/2 p 690/720.

REIMS <SP> **51100** Marne **56** ⑥⑯ **G. Champagne** – 181 985 h.

Voir Cathédrale★★★ BY : Tapisseries★★ – Basilique St-Rémi★★ CZ : intérieur★★★ – Palais du Tau★★ BY **S** – Caves de Champagne★ BCX, CZ – Place Royale★ BY – Po Mars★ BX **Q** – Hôtel de la Salle★ BY **E** – Chapelle Foujita★ BX – Bibliothèque★ l'ancien Collège des Jésuites BZ **W** – Musée St-Rémi★★ BZ **M3** – Musée-hôtel Vergeur★ BX **M2** – Musée St-Denis★ BY **M1** – Centre historique de l'automob française★ CY **M**.

Env. Fort de la Pompelle : casques allemands★ 9 km par ③.

18 ☎ 26 03 60 14 à Gueux par ⑧ : 9,5 km.

☎ 26 88 50 50.

i Office de Tourisme et Accueil de France (Informations et réservations d'hôtels, pas plus 5 jours à l'avance) 1 r. Jadart ☎ 26 47 25 69, Télex 830631 et 2 r. Guillaume-de-Machault – A 7 bd Lundy ☎ 26 47 34 76.

Paris 142 ⑦ – Bruxelles 214 ⑩ – Châlons-sur-Marne 45 ④ – ♦Lille 198 ⑨ – Luxembourg 232 ④.

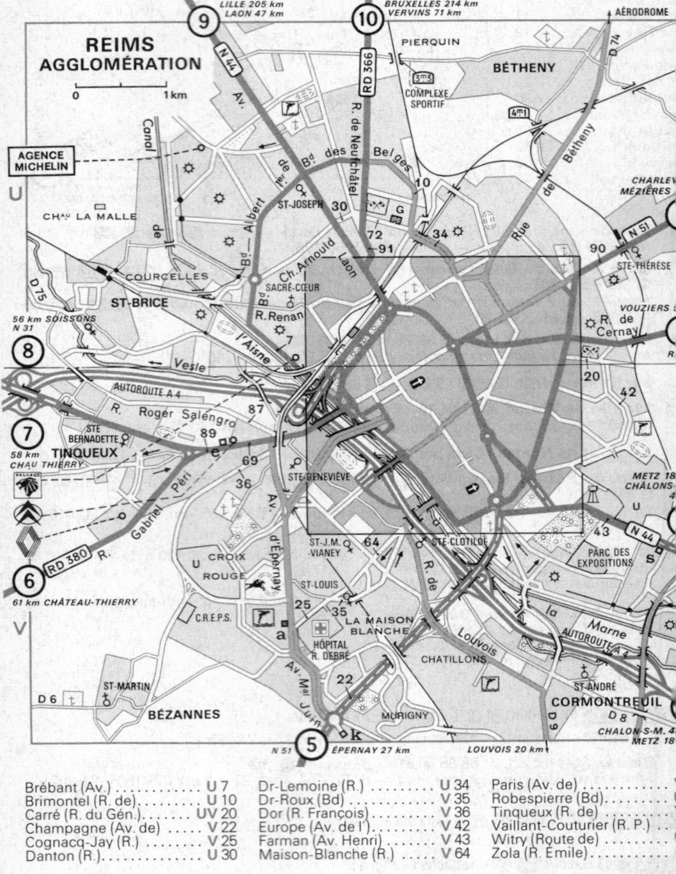

Brébant (Av.)	U 7	Dr-Lemoine (R.)	U 34	Paris (Av. de)	
Brimontel (R. de)	U 10	Dr-Roux (Bd)	V 35	Robespierre (Bd)	
Carré (R. du Gén.)	UV 20	Dor (R. François)	V 36	Tinqueux (R. de)	
Champagne (Av. de)	V 22	Europe (Av. de l')	V 42	Vaillant-Couturier (R. P.)	
Cognacq-Jay (R.)	V 25	Farman (Av. Henri)	V 43	Witry (Route de)	
Danton (R.)	U 30	Maison-Blanche (R.)	V 64	Zola (R. Émile)	

✿✿✿ **Boyer "Les Crayères"** Ⓜ, 64 bd Vasnier ☎ **26 82 80 80, Télex 830** ←, « Élégante demeure ouvrant sur un parc », – ▤ TV ☎ Ⓟ – AE ⓞ E VISA C

fermé 24 déc. au 13 janv. – **R** *(fermé mardi midi et lundi)* (nombre de couv limité - prévenir) carte 310 à 450 – ☕ 70 – **15 ch** 900/1480

Spéc. Terrine de poireaux au foie gras, Panaché de poissons grillés au beurre de truffes, File canard rouennais. **Vins** Chouilly blanc, Tauxières.

L'Assiette Champenoise (Lallement) M, 40 av. Paul Vaillant-Couturier à Tinqueux ✉ 51430 Tinqueux ✆ 26 04 15 56, « Parc » – TV ☎ ♿ P – 🏛 40. AE ⓓ E VISA V e
R carte 255 à 335 – ☕ 28 – **30 ch** 400
Spéc. Foie de canard chaud, Poêlée de St-Jacques sauce aux herbes folles, Rognons et ris de veau à l'anis étoilé. **Vins** Coteaux champenois rouge et blanc.

Altéa Champagne M, 31 bd P.-Doumer ✆ 26 88 53 54, Télex 830629 – ascenseur cuisinette TV ☎ garage – 🏛 30 à 300. AE ⓓ E VISA AY v
Les Ombrages R 75/175 🍷 – ☕ 40 – **121 ch** 305/390, 3 appartements 600 – 1/2 p 358/473.

Paix, 9 r. Buirette ✆ 26 40 04 08, Télex 830974, piscine, jardin – ascenseur TV ☎ ♿ garage – 🏛 50 à 150. AE ⓓ E VISA AY q
R carte 100 à 150 🍷 – ☕ 27 – **105 ch** 265/400.

Gd H. du Nord sans rest, 75 pl. Drouet-d'Erlon ✆ 26 47 39 03, Télex 842157 – ascenseur TV bainwc douchewc ☎. AE ⓓ E VISA AY p
fermé 23 déc. au 2 janv. – ☕ 22 – **50 ch** 210/260.

Univers, 41 bd Foch ✆ 26 88 68 08, Télex 842120 – ascenseur TV bainwc douchewc ☎ – 🏛 70 à 120. AE ⓓ E VISA AX a
R *(fermé dim. soir)* 70/150 – ☕ 20 – **41 ch** 110/220.

Europa sans rest, 8 bd Joffre ✆ 26 40 36 20 – ascenseur TV bainwc douchewc ☎. AE ⓓ E VISA
fermé 23 déc. au 12 janv. – ☕ 22 – **32 ch** 180/240. AX t

Crystal 🔇 sans rest, 86 pl. Drouet-d'Erlon ✆ 26 88 44 44, Télex 830485 – ascenseur TV bainwc douchewc ☎. AE E VISA AXY n
☕ 21 – **28 ch** 130/260.

Continental sans rest, 93 pl. Drouet-d'Erlon ✆ 26 40 39 35, Télex 830585 – ascenseur TV bainwc douchewc ☎. AE E VISA AXY r
fermé 16 déc. au 2 janv. – ☕ 23 – **60 ch** 190/270.

Welcome sans rest, 29 r. Buirette ✆ 26 47 39 39, Télex 842145 – ascenseur TV bainwc douchewc ☎. AE E VISA AY u
fermé 20 déc. au 5 janv. – ☕ 20 – **68 ch** 98/235.

Dom Pérignon, 14 r. Capucins ✆ 26 47 33 64 – douchewc ☎. AE ⓓ E VISA AY b
R *(fermé dim.)* 66/259 🍷, enf. 45 – ☕ 22 – **10 ch** 189/220 – 1/2 p 250.

Libergier sans rest, 20 r. Libergier ✆ 26 47 28 46 – bainwc douchewc ☎. AE E VISA
fermé 22 déc. au 2 janv. – ☕ 21 – **17 ch** 140/260. AY e

Ardenn'H. sans rest, 6 r. Caqué ✆ 26 47 42 38 – douchewc ☎. AE ⓓ E VISA. chiens interdits
☕ 18 – **14 ch** 122/175. AY y

Consuls sans rest, 7 r. Gén.-Sarrail ✆ 26 88 46 10 – douchewc ☎. E VISA BX s
☕ 22 – **23 ch** 95/175.

Le Florence, 43 bd Foch ✆ 26 47 12 70, terrasse – AE ⓓ E VISA AX n
fermé 25 juil. au 10 août, vacances de fév. et dim. soir – **R** 170/320
Spéc. Marinière de crustacés au beurre de Champagne, Canette pochée au vin de Bouzy rouge, Feuilleté de poires chaudes caramélisées. **Vins** Chouilly, Cumières.

Le Chardonnay, 184 av. Epernay ✆ 26 06 08 60 – AE ⓓ E VISA V a
fermé 30 juil. au 29 août, 17 déc. au 9 janv., sam. midi et dim. – **R** 180/320
Spéc. Terrine de volaille au foie gras et homard, Morue fraîche grillée à l'huile d'olive, Pièce de boeuf au Bouzy. **Vins** Cumières, Ludes.

Foch, 37 bd Foch ✆ 26 47 48 22 – AE ⓓ E VISA AX a
fermé 11 au 25 juil., 16 au 30 janv., dim. soir et lundi – **R** 130/250 bc.

Vonelly avec ch, 13 r. Gambetta ✆ 26 47 22 00 – douchewc ☎. AE E VISA. chiens interdits rest
R *(fermé dim. soir et lundi)* 90/200, enf. 60 – ☕ 20 – **14 ch** 150/170. BY d

Continental, 95 pl. Drouet d'Erlon ✆ 26 47 01 47 – AE ⓓ E VISA AXY r
R 76/300, enf. 63.

Le Forum, 34 pl. Forum ✆ 26 47 56 87 – ⓓ E VISA BXY z
fermé dim. soir et lundi – **R** 55/138 🍷.

rte Châlons-sur-Marne par ③ : 3 km – ✉ **51100** Reims :

Mercure M, ✆ 26 05 00 08, Télex 830782, terrasse, piscine, jardin – ascenseur climatisation rest TV ☎ ♿ P – 🏛 150. AE ⓓ E VISA V s
R carte 115 à 170 🍷 – ☕ 33 – **98 ch** 300/330.

à Cormontreuil par ④ : 4 km – ✉ **51350** Cormontreuil :

Confortel, Zac de Cormontreuil ✆ 26 82 01 02, Télex 830382 – TV douchewc ☎ ♿ P. E VISA
R 59 bc/79 🍷, enf. 37 – ☕ 22 – **31 ch** 182 – 1/2 p 253/320.

rte d'Épernay vers ⑤ : 5 km :

Campanile, Carrefour av. G.-Pompidou ✉ 51100 Reims ✆ 26 36 66 94, Télex 830262, terrasse, jardin – TV bainwc ☎ P. VISA V k
R 63 bc/86 bc, enf. 38 – ☕ 24 – **41 ch** 200/220 – 1/2 p 287/330.

RÉPERTOIRE DES RUES DU PLAN DE REIMS

REIMS

ette (R.) . . . . **AY** 12
ucins (R. des) . . . . **BYZ**
nes (R. des) . . . . **BZ** 16
égie (Pl.) . . . . **BY** 17
é (R. Gén.) . . . . **UV** 20
eret (Bd) . . . . **CX**
es (R.) . . . . **BXY**
ay (R. de) . . . . **CX**

Champagne (Av. de) . . . . **V** 22
Champ de Mars (R. du) . . . . . **BX**
Chanzy (R.) . . . . **BY**
Chézel (R. Clovis) . . . . **BZ**
Clemenceau (Av. G.) . . . . **CY**
Clovis (R.) . . . . **ABY**
Cognacq-Jay (R.) . . . . **V** 25
Colbert (R.) . . . . **BXY** 26

Courcelles (R. de) . **AX**
Courlancy (R. de) . **AZ**
Crayères (R. des) . . **CZ**
Danton (R.) . . . . **U** 30
Dauphinot (Bd) . . . **CX**
Desteuque (R. E.) . **BY** 31
Diancourt (Bd) . . . **CZ**
Dieu-Lumière (Bd) **BZ**
Dieu-Lumière (R.) **CZ** 32
Dr-Henrot (Bd) . . . **BZ**
Dr-Jacquin (R.) . . **BXY** 33
Dr-Lemoine (R.) . . . . **U** 34
Dr-Roux (Bd) . . . . . . **V** 35
Dor (R. François) . . . **V** 36
Doumer (Bd Paul) . **AY**
Droits-de-l'Homme
(Pl.) . . . . **CZ** 37
Dubois (R. Th.) . . . **AY** 39
Epernay (Av. d') . . . . **V**
Europe (Av. de l') . . . **V** 42
Fabien (R. Col.) . . . **AY**
Farman (Av. H.) . . . . **V** 43
Foch (Bd) . . . . **AX**
Forum (Pl.) . . . . **BY** 47
Gambetta (R.) . . . **BYZ**
Gaulle (Av. de) . . **AYZ**
Gerbert (R.) . . . . . **BCY** 50
Giraud (Av. Gén.) . **CZ**
Gobelins (R. des) . **CX**
Gosset (R.) . . . . **BX**
Gouraud
(Rd-Pt Gén.) . . . **CZ** 51
Grand-Cerf (R. du) **CZ** 52
Jamin (Bd) . . . . **CX**
Jamot (Pl. Paul) . . . **BY** 56
Jard (R. du) . . . . **BY**
J.-J.-Rousseau (R.) **BX** 58
Joffre (Bd) . . . . **AX**
Juin (Av. Mar.) . . . . . **V**
Jules-César (Bd) . . **BX**
Lambert (Bd Victor) **CZ** 59
Langlet (Crs J.-B.) . **BY** 60
Laurent (R. Gust.) **CY**
Leclerc (Bd Gén.) . **AY**
Lenoir (R. C.) . . . . **BCX**
Lesage (R.) . . . . . **ABX**
Libergier (R.) . . . . . **ABY**
Louvois (R. de) . . . . . **V**
Lundy (Bd) . . . . **BX**
Magdeleine (R.) . . **AY** 63
Maison-Blanche (R.) **V** 64
Marchandeau
(Av. P.) . . . . **AZ**
Mars (R. de) . . . . . . **BX**
Martyrs de la
Résistance (Pl.) . **BY** 66
Mont d'arène (R.) . **AX**
Montlaurent (R.) . . **CY** 67
Moulins (R. des) . . **BZ**
Myron-Herrick (Pl.) **BY** 68
Neufchâtel (R. de) . . **U**
Paix (Bd de la) . . . . **BCY**
Paris (Av. de) . . . . . . **V** 69
Payen (R.) . . . . **AY**
Pasteur (Bd) . . . . . . **CY**
Péri (R. Gabriel) . . . . **V**
Pommery (Bd) . . **CYZ**
Prés.-Roosevelt
(R.) . . . . **AX** 70
Prés. Wilson (Bd) . **AZ**
Renan (R. Ernest) . . . **U**
République (Pl.) . . . **BX** 71
Robespierre (Bd) . . . **U** 72
Roederer (Bd L.) . **AXY**
Royale (Pl.) . . . . **BY**
St-Marceaux (Bd) **CY**
St-Nicaise (Pl.) . . . **CZ** 78
Salengro (R. Roger) **V**
Sarrail (R. Gén.) . **ABX** 82
Sillery (R. de) . . . . . **CY**
Simon (R.) . . . . **BZ**
Temple (R. du) . . . . **BX** 86
Thiers (R.) . . . . **AX**
Tinqueux (R. de) . . . . **V** 87
Université (R. de l') **BY** 88
Vaillant
Couturier (R.) . . . . **V** 89
Vasnier (Bd H.) . . . **CZ**
Venise (R. de) . . . **BYZ**
Vesles (R. de) . . . . . **AY**
Voltaire (R.) . . . . . . **BY**
Witry (Route de) . . . **U** 90
Yser (Av. de l') . . . . **CY**
Zola (R. Émile) . . . . . **U** 91

rte de Soissons par ⑧ : 4 km :

Novotel [M], ✉ 51430 Tinqueux ☎ 26 08 11 61, Télex 830034, ☂, ⛱, ♣ – rest TV ☎ ♿ P – 🔺 50 à 180. AE ⦿ E VISA
R carte environ 120, enf. 40 – ☕ 38 – **125 ch** 310/320.

Ibis [M], ✉ 51430 Tinqueux ☎ 26 04 60 70, Télex 842116, ♣ – TV ⛀wc ☎ ♿ – 🔺 30. E VISA
R *(fermé dim.)* (dîner seul.) carte 75 à 120, enf. 37 – ☕ 25 – **51 ch** 230/240.

à Sillery par ③ et D 8E : 11 km – ✉ **51500** Sillery :

XX **Relais de Sillery,** ☎ 26 49 10 11, ☂, parc animalier, ♣ – E VISA
fermé dim. soir et lundi – **R** 75/168.

à Champigny-sur-Vesle par ⑧ : 6 km – ✉ **51370** St Brice Courcelles :

XX **La Garenne,** N 31 ☎ 26 08 26 62 – AE E VISA
fermé 1er au 21 août, dim. soir et lundi – **R** 90/160, enf. 50.

Autres ressources hôtelières :

Voir *Berry-au-Bac* par ⑨ : 20 km, *Montchenot* par ⑤ : 11 km, et *Sept-Sault* ③ : 23 km.

MICHELIN, Agence régionale, Chemin de St-Thierry, Zone Ind. des 3 Fontaine St-Brice-Courcelles U ☎ 26 09 19 32

BMW Héraut, 16 av. de Paris ☎ 26 08 63 68 N ☎ 26 09 29 38
FORD Gar. St-Christophe, 35 r. Col-Fabien ☎ 26 08 24 66
LANCIA-AUTOBIANCHI Fornage, 4 av. Benoit-Frachon ZA Neuvillette ☎ 26 09 20 52
PEUGEOT Gds Gar. de Champagne, 16 av. Brébant U ☎ 26 04 01 08
PORSCHE-MITSUBISHI J.P.M., 395 av. de Laon ☎ 26 09 44 46
RENAULT Succursale, 8 r. Col.-Fabien AY ☎ 26 08 96 50
TOYOTA Morvan, 397 av. de Laon ☎ 26 09 56 11

V.A.G. Gar. du Rhône, bd S.-Allende, Z.A Neuvillette ☎ 26 87 13 61

Champagne-Pneus, 35 r. C.-Lenoir ☎ 2 20 30
Leclerc-Pneu, 19 rte Magdeleine ☎ 26 88 2 et Zone Ind. S.E. bd Val de Vesle ☎ 26 05 0
Pneumatiques Maltrait-Cunrath, 12 r. du Cl ☎ 26 47 48 47
Poulain et Roffi, 30 r. Courmeaux ☎ 26 47 7
Reims-Pneus, 27 r. du Champ-de-Mars 88 30 15

Périphérie et environs

CITROEN Succursale, 38 av. P.-V.-Couturier à Tinqueux V ☎ 26 08 96 24 N ☎ 26 08 67 07
FIAT Gar. Miral, Zone Ind. Moulin de l'Ecaille à Tinqueux ☎ 26 08 29 30
MAZDA Gar. Moreau, r. Rosa Luxemburg, La Neuvilette ☎ 26 87 31 32

NISSAN, OPEL-GM Reims-Autos, 2 R.-Salengro à Tinqueux ☎ 26 08 21 08
RENAULT Gar. Moine, Zone Ind. Mouli l'Ecaille à Tinqueux V ☎ 26 08 96 31 N
VOLVO Gar. Delhorbe, 52 av. Nationale Neuvilette ☎ 26 09 21 31

Ensure that you have up to date ***Michelin maps*** *in your car.*

RELEVANT 01 Ain 74 ② – rattaché à Châtillon-sur-Chalaronne.

La REMIGEASSE 17 Char.-Mar. 71 ⑭ – voir à Oléron (Ile d').

REMIREMONT 88200 Vosges 62 ⑯ G. Alsace et Lorraine – 10 860 h.

Voir Rue Ch.-de-Gaulle★ AB – Crypte★ de l'église N.-Dame A

Syndicat d'Initiative 2 pl. H.-Utard (fermé matin hors saison) ☎ 29 62 23 70.

Paris 386 ⑤ – Belfort 67 ② – Colmar 80 ① – Épinal 27 ⑤ – ♦Mulhouse 82 ② – Vesoul 64 ④.

Plan page ci-contre

Poste, 67 r. Ch.-de-Gaulle ☎ 29 62 55 67 – ⛀wc ⛆wc ☎ 🚗. AE ⦿ VISA
fermé 16 au 29 août, 16 déc. au 9 janv., vend. soir et sam. d'oct. à juin sauf féri
R 63/170 – ☕ 22 – **21 ch** 180/240 – ½ p 231/268.

Chanoinesses [M], 16 fg Val-d'Ajol ☎ 29 62 27 46, Télex 960277 – TV ⛀wc ☎ – 🔺 25. AE ⦿ E VISA
R *(fermé dim.)* 65 bc, enf. 30 – ☕ 25 – **16 ch** 179/250 – ½ p 267/348.

Cheval de Bronze sans rest, 59 r. Ch. de Gaulle ☎ 29 62 52 24 – cuisin ⛀wc ⛆wc ☎ 🚗 – 🔺 25. VISA
fermé dim. hors sais. – ☕ 22 – **36 ch** 100/250.

XX **Le Clos Heurtebise,** chemin Heurtebise ☎ 29 62 08 04, ♣ – P. E VISA
fermé 20 juin au 11 juil., vacances de fév., dim. soir et lundi – **R** 70/190.

par ⑤, sortie St-Nabord-Centre : 5 km – 3 779 h. – ✉ **88200** Remiremont :

Montiroche sans rest, échangeur de St-Nabord ☎ 29 62 06 59, ≤, parc – ☎ P
fin mars-fin oct. – ☕ 27 – **14 ch** 160/190.

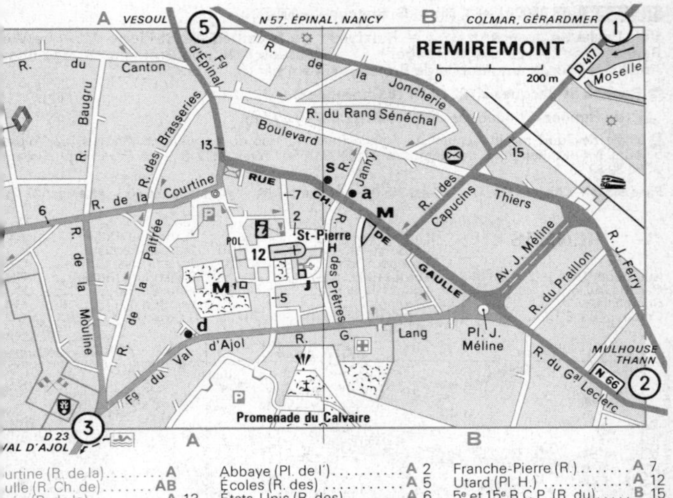

urtine (R. de la) . . . . A
ulle (R. Ch. de) . . . . AB
vée (R. de la) . . . . A 13
Abbaye (Pl. de l') . . . . A 2
Écoles (R. des) . . . . A 5
États-Unis (R. des) . . . . A 6
Franche-Pierre (R.) . . . . A 7
Utard (Pl. H.) . . . . A 12
5e et 15e B.C.P. (R. du) . . . . . B 15

à Fallières par ④ et D 3 : 4 km – ✉ **88200** Remiremont :

Pré Brayeu, ✆ 29 62 23 67, parc – 📺 wc wc ☎ 🅟. E VISA.
fermé 28 déc. au 3 janv. – **R** (résidents seul.) 60 – 22 – **17 ch** 128/216 – 1/2 p 160/185.

à Dommartin-lès-Remiremont par ② et D 23 : 4 km – ✉ **88200** Remiremont :

XX **Le Karélian,** ✆ 29 62 44 05 – 🅟. ⓓ E VISA
R carte 125 à 190.

TROEN Gar. Anotin, Les Bruyères, rte de ulhouse par ② ✆ 29 23 29 45 N ✆ 29 23 00

EUGEOT-TALBOT Choux Autom., à St ienne les Remiremont par D 23 ✆ 29 23 28 N ✆ 29 61 07 65

ENAULT Gar. Pierre, 13 r. de la Maix ✆ 29 62 95

Comptoir du Pneu, 13 pl. J.-Méline ✆ 29 23 23 32
Geoffroy-Villaume, Ranfaing à St-Nabord ✆ 29 62 23 13

EMOMONT 68 H.-Rhin **62** ⑱ – rattaché à Orbey.

EMOULINS 30210 Gard **80** ⑲⑳ **G. Provence** – 1 866 h.

ris 689 – Alès 49 – Arles 38 – Avignon 22 – Nîmes 20 – Orange 34 – Pont-St-Esprit 39.

Moderne, pl. des Gds Jours ✆ 66 37 20 13, – ☎. AE ⓓ E VISA
fermé 21 oct. au 20 nov., vacances de fév., vend. soir et sam. du 4 sept. au 24 juin – **R** 48/100, enf. 35 – 18 – **23 ch** 90/150 – 1/2 p 165/170.

Aub. de Castillon, rte de Bagnols-sur-Cèze, N 86 à 4 km ✆ 66 37 02 70, – wc wc 🅟. ⓓ E VISA
fermé 15 fév. au 15 mars – **R** *(fermé mardi soir et merc. hors sais.)* 53/130, enf. 30 – 15 – **15 ch** 100/165.

XX **Aub. des Escaravats,** ✆ 66 37 10 24 – VISA
fermé juin, lundi soir, mardi soir, merc. soir et dim. hors sais. – **R** 80/290.

ENAULT S.O.D.E.M., ✆ 66 37 04 25

ENAISON 42370 Loire **73** ⑦ – 2 322 h.

oir Barrage de la Tache : rocher-belvédère* O : 5 km, **G. Vallée du Rhône.**

ris 382 – Chauffailles 46 – Lapalisse 40 – Roanne 11 – ♦St-Étienne 90 – Thiers 58 – Vichy 66.

Central, pl. 11-Novembre ✆ 77 64 25 39 – wc ☎. E VISA
fermé 13 sept. au 13 oct., 10 au 25 fév. – **R** *(fermé dim. soir et merc.)* 53/200 – 22 – **10 ch** 83/200 – 1/2 p 158/225.

XXX **Jacques-Coeur** avec ch, ✆ 77 64 25 34 – . AE ⓓ E VISA
fermé mi-fév. à mi-mars, lundi sauf juil.-août et dim. soir – **R** *(sauf week-ends et fériés)* 65/235 – 18 – **10 ch** 92/135 – 1/2 p 145/188.

RENNES Ⓟ **35000** I.-et-V. 59 ⑰ **G. Bretagne** – **200 390 h.**

Voir Palais de Justice BY J – Retable** de la cathédrale St-Pierre AY – Le Vie Rennes* ABY – Jardin du Thabor* BY – Musées BYM : de Bretagne**, des Beau Arts** – Musée automobile de Bretagne* 4 km par ②.**

Rennes St-Jacques ✆ 99 64 24 18 Chavagne par ⑦ : 6 km.

de Rennes-St-Jacques ✆ 99 31 91 77 par ⑦ : 7 km.

Office de Tourisme et Accueil de France (Informations et réservations d'hôtels, pas plus 5 jours à l'avance) Pont de Nemours ✆ 99 79 01 98, Télex 741218 – A.C.O. 11 pl. Bretag ✆ 99 30 89 88.

Paris 348 ③ – Angers 119 ④ – ♦Brest 245 ⑨ – ♦Caen 177 ② – ♦Le Mans 154 ③ – ♦Nantes 107 ⑥.

RENNES

Bourgeois (Bd L.) .... DV 3
Canada (Av. du) .... CV 6
Churchill (Av. W.) .... CU 12
Combes (Bd. E.) .... DV 13
Duchesse Anne (Bd de la) .... DU 15
Laennec (Bd) .... DU 31
Leroux (Bd Oscar) ...... DV 36
Lorient (R. de) .... CU 38
Maginot (Av. du Sergent) ..... DU 39
Pompidou (Bd G.) CV
St-Jean-Baptiste de la Salle (Bd)....... CU
Strasbourg (Bd de) ..... DU
Vitré (Bd de) .... DU
Yser (Bd de l') CV
3-Croix (Bd des) .... CU

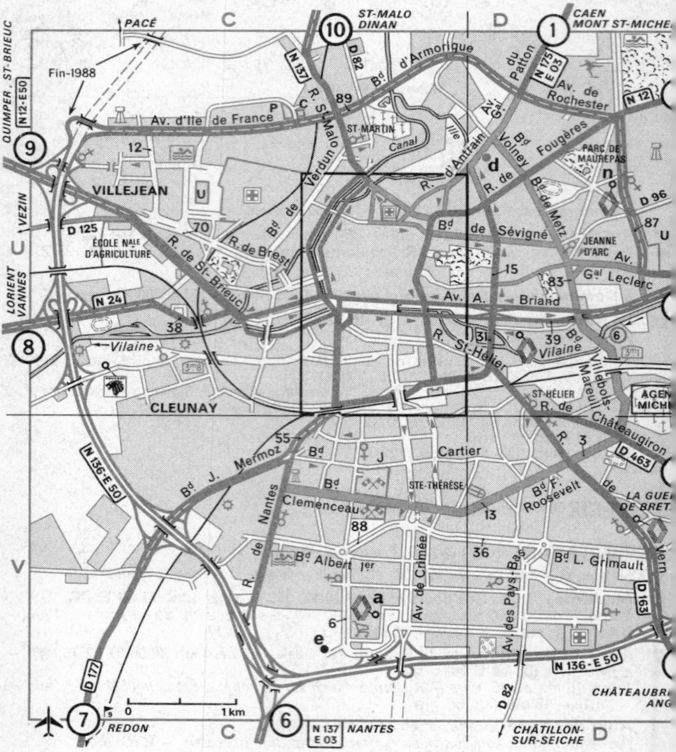

Altéa Parc du Colombier Ⓜ, 1 r. Cap.-Maignan ✆ 99 31 54 54, Télex 730905 – rest – 30 à 300. AE E VISA ABZ
La Table Ronde R 115/180, enf. 45 – 40 – **140 ch** 380/430 – 1/2 p 495/535.

Novotel Ⓜ, par Rocade Sud : centre commercial ✆ 99 50 61 32, Télex 74014 – 25 à 150. AE E VISA CV
R grill carte environ 120, enf. 40 – 38 – **98 ch** 370/410.

Anne de Bretagne Ⓜ sans rest, 12 r. Tronjolly ✆ 99 31 49 49, Télex 741255 – – 30. E VISA AZ
28 – **42 ch** 270/310.

Président sans rest, 27 av. Janvier ✆ 99 65 42 22 – AE E VISA BZ
24 – **34 ch** 240/300.

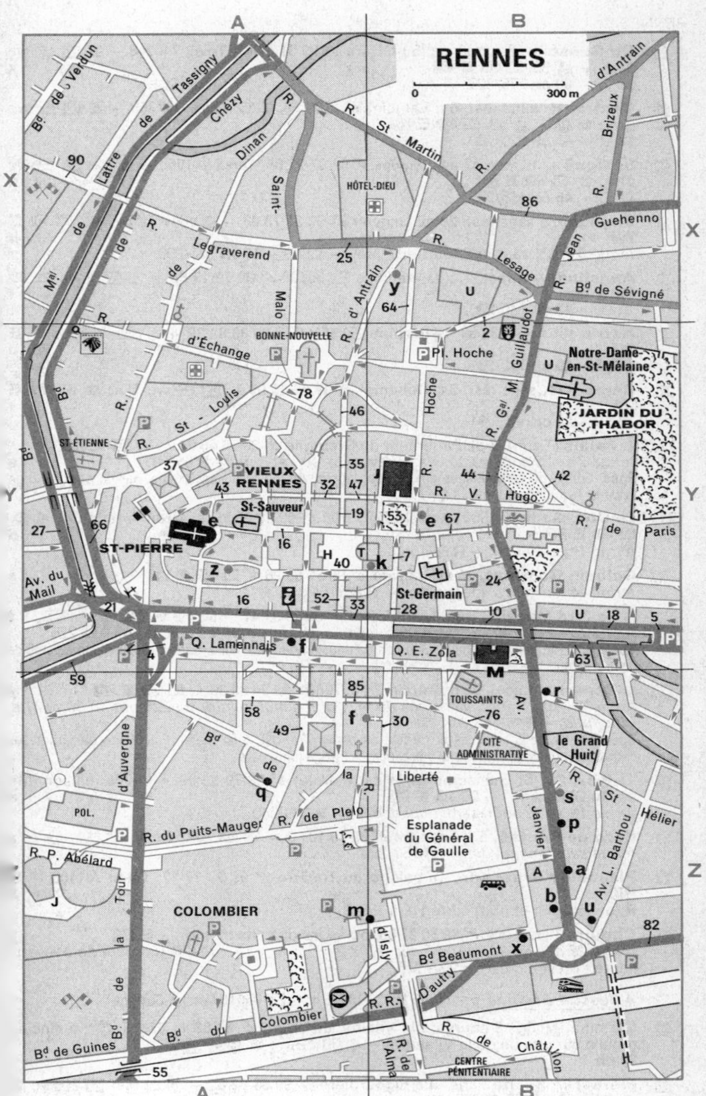
RENNES
0
300 m
A
B
X
Y
Z
HÔTEL-DIEU
BONNE-NOUVELLE
ST-ÉTIENNE
VIEUX RENNES
St-Sauveur
ST-PIERRE
St-Germain
Notre-Dame-en-St-Mélaine
JARDIN DU THABOR
TOUSSAINTS
CITÉ ADMINISTRATIVE
le Grand Huit
Esplanade du Général de Gaulle
COLOMBIER
POL.
CENTRE PÉNITENTIAIRE
Pl. Hoche
Q. Lamennais
Q. E. Zola
Av. du Mail
Bd de Guines
Bd Beaumont
R. du Puits-Mauger
R. P. Abélard
Bd de Sévigné
R. de Paris
R. de Châtillon
R. de l'Alma
R. d'Isly
R. Dautry
R. St-Hélier
Av. L. Barthou
Av. Janvier
R. St-Martin
R. d'Antrain
R. Legraverend
R. d'Échange
R. St-Louis
R. Lesage
R. Jean Guehenno
R. Brizeux
R. V. Hugo
R. Gal M. Guillaudot
R. Hoche
Bd de la Tour d'Auvergne
Bd de la Liberté
R. de Plelo
Bd du Colombier
R. de Dinan
R. de Chézy
Bd de Verdun
Bd Mal de Lattre de Tassigny
R. St-Malo

Du Guesclin M sans rest, 5 pl. Gare ✆ 99 31 47 47, Télex 740748 – ascenseur TV bain wc ☎ ♿ – 30. AE ⓓ E VISA BZ **x**
28 – **68 ch** 275/305.

Central H. sans rest, 6 r. Lanjuinais ✆ 99 79 12 36, Télex 741259 – ascenseur TV bain wc douche wc ☎ Ⓟ – 40. AE ⓓ E VISA
25 – **43 ch** 220/280.

Sévigné sans rest, 47 av. Janvier ✆ 99 67 27 55, Télex 741058 – ascenseur TV bain wc douche wc ☎. AE ⓓ E VISA BZ **a**
22 – **46 ch** 185/235.

Voyageurs sans rest, 28 av. Janvier ✆ 99 31 73 33 – ascenseur bain wc douche wc ☎. AE ⓓ E VISA. BZ **b**
fermé 5 au 21 août et 23 déc. au 8 janv. – 19 – **34 ch** 124/200.

Angelina sans rest, 1 q. Lamennais ✉ 35100 ✆ 99 79 29 66 – ascenseur TV douche wc ☎. AE ⓓ E VISA AY **f**
20 – **27 ch** 130/230.

Astrid sans rest, 32 av. L.-Barthou ✉ 35100 ✆ 99 30 82 38 – ascenseur bain wc douche wc ☎. E VISA BZ **u**
20 – **30 ch** 120/235.

Garden-H. sans rest, 3 r. Duhamel ✆ 99 65 45 06 – TV bain wc douche wc ☎. AE ⓓ E VISA BZ **r**
19 – **22 ch** 116/231.

XXX ❁ **Palais** (Tizon), 7 pl. Parlement de Bretagne ✆ 99 79 45 01 – AE ⓓ E VISA
fermé 7 au 29 août, vacances de fév., dim. soir et lundi – **R** 90/160 BY **e**
Spéc. Crème de langoustines aux épices douces, Andouille du pays cuite au foin et son Kuign Patatez, Turbot rôti au four.

XXX **Le Coq-Gadby,** 156 r. Antrain ✉ 35700 ✆ 99 38 05 55, « Jardin intérieur » – Ⓟ. AE ⓓ E VISA DU **d**
fermé 1er au 21 août – **R** 88/165.

XXX **Galopin Gourmet,** 21 av. Janvier ✆ 99 31 55 96 – AE ⓓ E VISA BZ **s**
fermé 14 juil. au 15 août et dim. – **R** 85/154.

XXX ❁ **Le Piré** (Angelle), 18 r. Mar.-Joffre ✆ 99 79 31 41 – AE ⓓ E VISA ABZ **f**
fermé 15 au 30 août, 23 au 29 déc., sam. midi, dim. et fêtes – **R** carte 170 à 275
Spéc. Brick de foie gras chaud, Saumon à l'infusion de citronnelle, Canard de Challans à l'arabica (avril à sept.).

XXX ❁ **Corsaire** (Luce), 52 r. Antrain ✉ 35700 ✆ 99 36 33 69 – AE ⓓ E VISA BX **y**
fermé 1er au 21 août, vacances de fév., dim. (sauf le midi du 22 août au 30 juin) e lundi midi – **R** 75/148, enf. 60
Spéc. Poelée de St-Jacques et de foie de canard (mi oct. à fin mars), Estouffade de turbot aux choux, Pot au feu de ris de veau aux asperges (avril à juin).

XX **Ti-Koz,** 3 r. St-Guillaume (près cathédrale) ✆ 99 79 33 89, « Vieille maison dite de Du Guesclin » – AE ⓓ E VISA AY **e**
fermé 1er au 22 août, sam. midi et dim. – **R** 100/240.

XX **Escu de Runfaô,** 5 r. Chapitre ✆ 99 79 13 10 – AE ⓓ VISA AY
fermé sam. midi et dim. – **R** 150/250.

XX **Piccadilly Brasserie,** 15 galerie du Théâtre ✆ 99 78 17 17, Télex 741408 – E VISA ABY
R (ouvert jour et nuit) carte 110 à 180 ꞓ.

XX **Chouin,** 12 r. d'Isly ✆ 99 30 87 86, poissons et fruits de mer – E VISA
fermé 29 juil. au 22 août, 25 déc. au 2 janv., dim. et lundi – **R** (nombre de couvert limité - prévenir) carte 120 à 175.

à Cesson-Sévigné par ③ : 6 km – 10 945 h. – ✉ **35510** Cesson-Sévigné :

Germinal M ⚘, 9 cours de la Vilaine, au bourg ✆ 99 83 11 01, ←, terrasse, « Ancie moulin sur une île de la Vilaine » – ascenseur TV bain wc ☎ Ⓟ – 25
20 ch.

Floréal M ⚘, rte Paris - La Rigourdière ✆ 99 83 82 82 – ascenseur ▤ rest TV bain wc ☎ ♿ Ⓟ – 80. ⓓ E VISA. ✂ rest
R *(fermé dim.)* 60/120 ꞓ – 28 – **51 ch** 240/270 – 1/2 p 370/400.

Ibis M, Centre Hôtelier - La Perrière ✆ 99 83 93 93, Télex 740321 – ascenseur TV bain wc ☎ ♿ Ⓟ – 25. E VISA
R carte 75 à 120 ꞓ, enf. 34 – 25 – **76 ch** 215/230 – 1/2 p 280/310.

XX **Aub. de la Hublais,** 28 r. Rennes - N 157 ✆ 99 83 11 06 – Ⓟ. AE E VISA
fermé 16 au 31 août et dim. soir – **R** 75/190.

à Noyal-sur-Vilaine par ③ : 12 km – 3 841 h. – ✉ **35530** Noyal-sur-Vilaine :

XX **Forges** M avec ch, ✆ 99 00 51 08 – TV bain wc douche wc ☎ Ⓟ. AE ⓓ E VISA
fermé 15 janv. au 7 fév., dim. soir et soirs fériés – **R** 65/195 – 22 – **11 ch** 17 240.

à Chartres-de-Bretagne par ⑥ : 10 km – 4 869 h. – ✉ 35131 Chartres-de-Bretagne :

Chaussairie Ⓜ sans rest, N 137 ✆ 99 41 14 14, – TV ⌂wc ☎ ♿ Ⓟ – 25. AE ⓓ E VISA
☕ 20 – **33 ch** 180/240.

à Pont-Réan par ⑦ : 15 km – ✉ 35170 Bruz.
Voir Église★ de Bruz NE : 3 km.

Relais Beau Rivage, ancienne D 177 ✆ 99 42 21 64 – Ⓟ. AE E VISA
fermé 1er au 15 fév., dim. soir et merc. – **R** 56/138 - **Grill R** 47 bc, carte le dim.

au Boël par ⑦ et D 131 : 17 km – ✉ 35580 Guichen :

Aub. Vieux Moulin, ✆ 99 42 27 00, ≤, – E VISA
R *(fermé merc.)* 78/150, enf. 35.

au Pont-de-Pacé par ⑨ : 10 km – ✉ 35740 Pacé :

Pont, ✆ 99 60 61 06, , – Ⓟ. VISA
fermé 11 au 30 juil., dim. soir et lundi – **R** 56/128.

La Griotte, ✆ 99 60 62 48, , – AE E VISA
fermé 1er au 26 août, dim. soir, mardi soir et merc. – **R** 85/170.

Autres ressources hôtelières :
Voir *Liffré* par ② : 17 km.

ICHELIN, Agence régionale, Z.I. de Chantepie, r. Veyettes par ④ ✆ **99 50 72 00**

LFA-ROMEO, HONDA Guénée, 21 r. de est ✆ 99 59 24 02
USTIN, ROVER, BMW J.-Huchet, 316 rte :-Malo ✆ 99 59 11 22 ☒ ✆ 99 59 12 43
TROEN Succursale, 4 r. Breillou Z.I. Sud Est Chantepie par ④ ✆ 99 53 15 15 ☒ ✆ 99 50 70
TROEN Pinel, Z.A. la Fourrerie à Noyal sur laine par ③ ✆ 99 00 55 70
ATSUN-NISSAN Morice, 309 rte de St Malo 99 59 23 69
AT Gar. Monnier, 20 r. Malakoff ✆ 99 65 00
ORD Gar. de l'Europe, 73 av. Mail ✆ 99 59 01
ORD Gar. de Sévigné, 73 r. de Rennes à Ces-on Sévigné ✆ 99 83 19 19
ERCEDES-BENZ Delourmel-Autom., 9 r. erisaie, Zone Ind. à St-Grégoire ✆ 99 38 10 10 ✆ 99 59 12 43
PEL Honoré, rte de Fougères ✆ 99 36 34 37
EUGEOT Sourget, r. J.-Valles CU ✆ 99 31 01 5 et 20 bd de Chezy AX ✆ 99 30 19 78
EUGEOT-TALBOT Filiale, rte Paris, Cesson-évigné par ③ ✆ 99 83 16 06
ORSCHE-MITSUBISHI Inter Auto Sport, 109 Fougères ✆ 99 36 16 41

RENAULT Succursale, rte de Fougères, lieu-dit les Longs-Champs par ② ✆ 99 38 41 41 et centre Alma, r. du Bosphore CV a ✆ 99 51 50 22
RENAULT Goupil, av. Joseph Jean à Bruz par ⑥ ✆ 99 52 61 13
RENAULT Louyer, 103 bd de Vitré DU n ✆ 99 36 39 47
RENAULT Gar. Coulon, 147 r. de Vern DV ✆ 99 50 57 56
TOYOTA Gar. Defrance, 98 rte de Lorient ✆ 99 59 11 66
V.A.G. Floc, 53 bis r. de Rennes à Cesson-Sévigné ✆ 99 83 94 94 ☒ ✆ 99 59 12 43
V.A.G. Générale Auto Rennaise, ZAC Beauregard R.A. Meynier ✆ 99 59 61 87
VOLVO Defrance, 40 av. Sergent-Maginot ✆ 99 67 21 11

Fresnel-Pneus, 70 av. Mail ✆ 99 59 35 29
SOS Pneus, 7 r. Sauvaie Z.I. Sud-Est ✆ 99 53 71 00
Vallée Pneus r. des Charmilles à Cesson Sévigné ✆ 99 53 77 77
Vallée Pneus, Z.I. rte de Lorient, 67 r. Manoir de Servigné ✆ 99 59 13 47
Vallée-Pneus, 58 r. Poulain-Duparc ✆ 99 30 57 55

La RÉOLE 33190 Gironde 79 ③ **G. Pyrénées Aquitaine** – 4 483 h.
Office de Tourisme à l'Hôtel de Ville ✆ 56 61 10 11 et pl. Libération (juin-15 sept.) ✆ 56 61 13 55.
aris 580 – Bergerac 68 – ♦Bordeaux 66 – Libourne 46 – Marmande 19.

à Gironde-sur-Dropt O par N 113 : 4 km – ✉ 33190 La Réole :

Les Trois Cèdres, ✆ 56 71 10 70, , – ch ⌂wc ☎ Ⓟ. E VISA.
fermé 3 au 21 nov. et lundi – **R** 65/180 – ☕ 28 – **14 ch** 180/220 – ½ p 210.

EUGEOT-TALBOT Gar. Leyrat, av. Chaigne 56 61 00 79

La Réole Pneus, 16 bis r. Dr-Rougier ✆ 56 1 14 65

Pneu Sce Réolais, Zone Ind. Frimont ✆ 56 61 04 51

RETHEL 08300 Ardennes 56 ⑦ **G. Champagne** – 8 942 h.
aris 181 ④ – Charleville-Mézières 44 ② – Laon 70 ④ – ♦Reims 39 ④ – Verdun 107 ③.

Plan page suivante

Moderne, pl. Gare **(e)** ✆ 24 38 44 54 – TV ⌂wc wc ☎ . AE ⓓ E VISA. ch
fermé 24 déc. au 4 janv. – **R** 140 – ☕ 25 – **25 ch** 112/230 – ½ p 170/275.

Au Sanglier des Ardennes, 1 r. P.-Curie **(a)** ✆ 24 38 45 19 – ⌂wc ☎. AE ⓓ E VISA
fermé 24 déc. au 2 janv. – **R** *(fermé dim.)* 58/130, enf. 30 – ☕ 22 – **24 ch** 95/240 – ½ p 130/280.

RETHEL

Caen (Pl. de)
Colbert (R.)
Curie (R. Pierre) 12
Drapier (R. Lucien) 13
République (Pl. de la) .. 16
Thiers (R.) 32

Anatole-France (Pl.) ... 2
Brèche (R. de la) 3
Briand (R. Aristide) 4
Carnot (R.) 7
Clément (R. J.-B.) 10
Dolet (R. Étienne) 15
Ferry (R. Jules) 17
Gaulle (Av. du Gén.-de) 18
Hourtoulle (Pl.) 19
Jaurès (Av. Jean) 20
Lattre-de-Tassigny (Pl. de) 21
Linard (R.) 22
Mazarin (R.) 23
Neuville (R. de la) 24
Noiret-Chaigneau (Pl.) 26
Pépinière (R. de la) 28
Petits Monts (Bd des) .. 29
Reims (R. de) 30
Roberotte-Labesse (R.) 33
St-Nicolas (Bd) 36
Tour (Chemin de la) ... 37
4e-Armée (Bd de la) ... 38

Les plans de villes sont orientés le Nord en haut.

CITROEN Rethel-Automobiles, Z.I. du Foirail ✆ 24 38 19 89
FIAT, LANCIA-AUTOBIANCHI Millart, 37 av. Gambetta ✆ 24 38 44 18
FORD S.R.A., Zone Ind., r. de Bitburg ✆ 24 38 19 48
PEUGEOT-TALBOT Dachy Auto Loisirs, r. Comtesse, Zone Ind. Pargny par ② ✆ 24 38 51 88

RENAULT Centre-Auto-Rethélois, r. de Sucrerie ✆ 24 38 19 20
V.A.G. Charpentier, Zone Ind. de Pargny, r. de Bitburg ✆ 24 38 49 15

Fischbach-Pneu, 5 r. des Dames ✆ 24 38 0 70

RETHONDES **60** Oise **56** ③, **196** ⑪ – rattaché à Compiègne.

RETJONS **40** Landes **79** ⑫ – 315 h. – ✉ **40120** Roquefort.

Paris 677 – Aire-sur-l'Adour 45 – Auch 105 – Langon 54 – Marmande 70 – Mont-de-Marsan 30.

Host. Landaise, S : 1,5 km sur D 932 ✆ **58 93 36 33**, , parc – wc. VISA
R 65/125, enf. 35 – 15 – **7 ch** 90/160 – ½ p 150/240.

RETOURNAC **43130** H.-Loire **76** ⑦ **G. Vallée du Rhône** – 2 268 h.

Voir Gorges de la Loire★ NE et O – Église★ de Chamalières-sur-Loire O : 5 km.

Paris 561 – Ambert 58 – Monistrol-sur-Loire 22 – Le Puy 37 – ♦St-Étienne 52 – Yssingeaux 14.

Mourgue, 53 av. Gare ✆ 71 59 42 10 – . rest
15 mai-1er nov. – **R** 56/93 – 16,50 – **15 ch** 60/160 – ½ p 130/195.

PEUGEOT TALBOT Gar. Durand, av. de la Gare ✆ 71 59 20 83

REUILLY-SAUVIGNY **02** Aisne **56** ⑮ – 163 h. – ✉ **02850** Jaulgonne.

Paris 111 – Château-Thierry 15 – Épernay 33 – Laon 72 – Montmirail 29 – ♦Reims 47.

XXX **Aub. Le Relais** avec ch, N 3 ✆ 23 70 35 36, – . AE E VISA. ch
fermé 25 août au 10 sept., fév., mardi soir et merc. – **R** 106/175, enf. 72 – 30 – **7 ch** 220/280.

REVARD (Mont) **73** Savoie **74** ⑮ **G. Alpes du Nord** – alt. 1 538 – Sports d'hiver : 1 300/1 500 m 6, – ✉ **73100** Aix-les-Bains.

Voir ✻★★★ – **Accès : d'Aix-les-Bains par ② et D 913 : 21 km.**

Paris 558 – Aix-les-Bains 21 – Annecy 47 – Chambéry 26 – Trévignin 14.

Chalet Bouvard, ✆ 79 54 00 80, ← – wc wc . VISA
juin-oct. et 15 déc.-20 avril ; ouvert dim. toute l'année – **R** 65/100, enf. 40 – **30 ch** 120/230 – ½ p 150/200.

X **Quatre Vallées,** ✆ 79 54 00 43, ← lac et montagnes, – VISA
fermé 1er nov. au 20 déc. et mardi d'oct. à mai – **R** (déj. seul.) 80/135.

VEL 31250 H.-Gar. 82 ⑳ G. Gorges du Tarn – 7 704 h.
yndicat d'Initiative pl. Philippe-VI-de-Valois ✆ 61 83 50 06.
743 – Carcassonne 44 – Castelnaudary 19 – Castres 27 – Gaillac 60 – ♦Toulouse 53.

Midi, 34 bd Gambetta ✆ 61 83 50 50, – wc ☎. AE E VISA
R *(fermé 11 nov. au 2 déc., dim. soir et lundi midi d'oct. à avril)* 55/180 – 18 – **17 ch** 70/170 – 1/2 p 140/160.

Le Lauragais, 25 av. Castelnaudary ✆ 61 83 51 22, « Intérieur rustique », – P. AE VISA
R 105/290.

à St-Ferréol SE : 3 km par D 629 – ✉ 31250 Revel.
Voir Bassin de St-Ferréol★.

Hermitage sans rest, ✆ 61 83 52 61, ←, – wc ☎ P. AE E VISA
fermé 30 oct. au 15 nov., et 2 janv. au 28 fév. – 18,50 – **14 ch** 130/185.

OEN Fabre, 6 av. de la Gare ✆ 61 83 53
GEOT-TALBOT Baylet, rte de Castres 83 54 10
Lavail-Pneus rte Castelnaudary ✆ 61 83 50 09

VILLE 50 Manche 54 ③ – 1 246 h. – ✉ 50760 Barfleur.
Pointe de Saire : blockhaus ←★ SE : 2,5 km, G. Normandie Vallée de la Seine.
354 – Carentan 45 – Cherbourg 32 – St-Lô 73 – Valognes 22.

Au Moyne de Saire, ✆ 33 54 46 06 – wc ☎ P. E VISA. ch
fermé 12 nov. au 1er janv. – **R** *(fermé dim. soir et vend. hors sais.)* 55/150, enf. 45 – 25 – **12 ch** 95/200 – 1/2 p 140/190.

VIN 08500 Ardennes 53 ⑱ G. Champagne – 10 603 h.
Point de vue de la Faligeotte★ E : 2 km.
ureau de Tourisme à la Mairie ✆ 24 40 10 44.
239 – Charleville-Mézières 23 – Givet 32 – Rocroi 12.

Le J'y cours, 9 av. J.-B.-Clément ✆ 24 40 01 27 – VISA
fermé 15 sept. au 15 oct., 18 fév. au 15 mars et sam. – **R** (déj. seul.) 43 bc/80.

OEN Verrier, 230 r. J.-Moulin ✆ 24 40 11
PEUGEOT-TALBOT Gar. de la Campagne, 638 r. W.-Rousseau ✆ 24 40 12 34

Y 30 Gard 80 ⑯ – rattaché au Vigan.

REYS DE SAULCE 26 Drôme 77 ⑪ – rattaché à Saulce-sur-Rhône.

ZÉ 44 Loire-Atl. 67 ③ – rattaché à Nantes.

RHIEN 70 H.-Saône 66 ⑦ – rattaché à Ronchamp.

INAU 67860 B.-Rhin 62 ⑩ – 2 331 h.
458 – Marckolsheim 26 – Molsheim 36 – Obernai 26 – Sélestat 29 – ♦Strasbourg 33.

Bords du Rhin, au passage du bac ✆ 88 74 60 36, – wc ☎ P. AE ⓓ E VISA
fermé 15 janv. au 15 fév. – **R** *(fermé lundi soir et mardi)* 40/125 – 16 – **15 ch** 150/160 – 1/2 p 145.

✿ **Vieux Couvent** (Albrecht), ✆ 88 74 61 15 – AE ⓓ E VISA
fermé 27 juin au 9 juil., 24 déc. au 15 janv., mardi soir et merc. – **R** 130/250, enf. 80
Spéc. Symphonie de ravioli, Matelote à l'alsacienne, Chariot de desserts. **Vins** Sylvaner, Pinot noir.

OEN Furstenberger, ✆ 88 74 60 59

RHUNE (Montagne de) 64 Pyr.-Atl. 85 ② G. Pyrénées Aquitaine – alt. 900.
✱★★★.
ès : par chemin de fer à crémaillère du col de St-Ignace.

NS 83560 Var 84 ④ – 1 723 h.
ndicat d'Initiative (juil.-août) ✆ 94 80 33 37.
773 – Aix-en-Provence 39 – Avignon 98 – Draguignan 69 – Manosque 37 – ♦Toulon 77.

Esplanade, ✆ 94 80 31 12, ← – wc
R 55/120 – 15 – **8 ch** 95/140 – 1/2 p 100/140.

AULT Sepulveda, N 561, quartier St-Esprit ✆ 94 80 30 78

RIBEAUVILLÉ ⟨SP⟩ **68150** H.-Rhin **62** ⑱⑲ **G. Alsace et Lorraine** – 4 611 h.

Voir Tour des Bouchers★ A – **Hunawihr : Centre de réintroduction des cigogn**
S : 3 km par ④.

Office de Tourisme 1 Grand'Rue ✆ 89 73 62 22.

Paris 427 ⑤ – Colmar 15 ③ – Gérardmer 63 ④ – ♦Mulhouse 59 ④ – St-Dié 41 ⑤ – Sélestat 15 ②

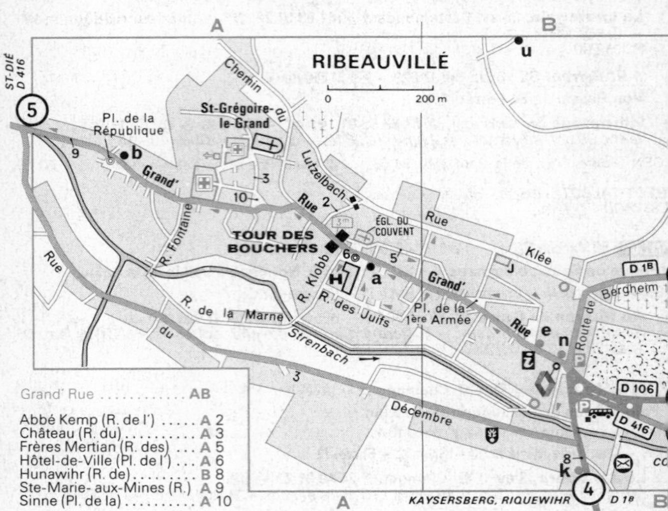

Grand' Rue .... AB

Abbé Kemp (R. de l') ..... A 2
Château (R. du) .... A 3
Frères Mertian (R. des) ... A 5
Hôtel-de-Ville (Pl. de l') ... A 6
Hunawihr (R. de) .... B 8
Ste-Marie- aux-Mines (R.) A 9
Sinne (Pl. de la) .... A 10

Clos St-Vincent ⑤, NE : 1,5 km par VO ✆ 89 73 67 65, ⛱, « Dans le vign dominant la plaine d'Alsace, ← », ⛱ – |♦| ℗. E VISA
mi mars-mi nov. – **R** *(fermé mardi et merc.)* carte 190 à 290 – **11 ch** ☕500/800.

Tour sans rest, 1 r. Mairie ✆ 89 73 72 73 – |♦| ⛀wc ⛆wc ☎. ⓓ E VISA. ✂
fermé janv. à mi-mars – ☕ 22 – **32 ch** 180/270.

Cheval Blanc, 122 Grand'Rue ✆ 89 73 61 38 – ⛀wc ⛆wc ☎. E VISA
1er fév.-30 nov. – **R** *(fermé vend. soir et lundi hors sais.)* 80/130 ♂ – ☕ 18 – 2
130/180 – ½ p 145/150.

XXX ❀ **Vosges** (Matter) Ⓜ avec ch, **2 Grand'Rue** ✆ **89 73 61 39** – |♦| TV ⛀wc
☎. AE E VISA. ✂ ch
fermé 2 janv. au 15 mars et lundi (sauf hôtel du 1er avril au 15 nov.) – **R** 130/3
☕ 35 – **18 ch** 245/350 – ½ p 290/340
Spéc. Parfait de foie gras d'oie, Matelote de sandre, Pigeonneau en compote. **Vins** Riesling, T
Pinot gris.

XX **Haut-Ribeaupierre,** 1 rte de Bergheim ✆ 89 73 62 64, ⛱ – E VISA
fermé mars, mardi soir et merc. – **R** 85/200, enf. 50.

XX **Relais des Menétriers,** 10 A av. Gén. de Gaulle ✆ 89 73 64 52 – AE ⓓ E VI
fermé 7 au 13 nov., fév., dim. soir et lundi sauf fériés – **R** 70/210, enf. 50.

rte de Ste Marie-aux-Mines **par** ⑤ **: 4 km :**

La Pépinière ⑤, ✆ 89 73 64 14, ←, ⛱ – ⛀wc ⛆wc ☎ 🚗 ℗ – 🏔 30.
VISA
1er avril-30 nov. – **R** *(fermé mardi sauf le soir du 1er juin au 31 oct. et merc.*
88/330, enf. 50 – ☕ 26 – **19 ch** 175/280 – ½ p 240/280.

CITROEN Gar. Wickersheim, à Hunawihr par ④ ✆ 89 73 62 02 N

RENAULT Gar. Jessel, ✆ 89 73 61 33 N
V.A.G. Gar. Fulweber ✆ 89 73 61 17

RIBÉRAC **24600** Dordogne **75** ④ **G. Périgord Quercy** – 4 291 h.

Syndicat d'Initiative pl. Gén.-de-Gaulle ✆ 53 90 03 10.

Paris 507 – Angoulême 58 – Barbezieux 57 – Bergerac 51 – Libourne 71 – Nontron 49 – Périgueu

France, r. M.-Dufraisse ✆ 53 90 00 61, ⛱, ⛱ – ⛀wc ⛆wc ☎ – 🏔 40.
VISA
R 55/155, enf. 30 – ☕ 18 – **19 ch** 85/170 – ½ p 110/150.

à Petit Bersac NO : 13 km par D 20 et VO – ✉ **24600** Ribérac :

Mas de Montet, ☎ 53 90 08 71, « Manoir du 17e s., parc » – TV wc wc ☎ P – 40. VISA
fermé janv., fév. et mardi – **R** 100/300 – 30 – **13 ch** 290/400.

ROEN Lafargue, ☎ 53 90 05 38
JGEOT-TALBOT Fargeout, ☎ 53 90 01 09
RENAULT D.A.P. ☎ 53 90 19 19
Sce du Pneu, ☎ 53 90 05 06

BOU (Lac de) 49 M.-et-L. 67 ⑥ – rattaché à Cholet.

CHARDMÉNIL 54 M.-et-M. 62 ⑤ – rattaché à Nancy.

CHEMONT 57 Moselle 57 ③④ – 2 166 h. – ✉ **57270** Uckange.
s 332 – Briey 20 – Longwy 46 – ♦Metz 20 – Rombas 7 – Thionville 9,5 – Verdun 77.

L'Ornelle, D 953 ☎ 87 71 24 10 – P. AE E VISA
fermé 5 au 11 avril, 4 au 25 juil., 26 déc. au 3 janv. et sam. – **R** 65/180.

EC-SUR-BÉLON 29124 Finistère 58 ⑪⑯ – 4 059 h.
yndicat d'Initiative pl. Église (Pâques-fin sept.) ☎ 98 06 97 65.
s 520 – Carhaix-Plouguer 61 – Concarneau 19 – Quimper 38 – Quimperlé 13.

Aub. de Kerland M, SE : 3 km par D 24 ☎ 98 06 42 98, ≤, « Dans un parc dominant le Bélon » – TV ☎ P – 100. E VISA
fermé vacances de fév. – **R** *(fermé dim. soir et lundi midi d'oct. à Pâques)* 95/250, enf. 58 – 23 – **19 ch** 280/450 – 1/2 p 440/600.

Chez Mélanie avec ch, **face église** ☎ **98 06 91 05, collection de tableaux** – .
AE E VISA
fermé 15 au 22 nov. et 1er au 8 fév. – **R** *(fermé mardi sauf juil.-août)* (dim. et fêtes prévenir) 98/360, enf. 70 – 35 – **7 ch** 148/205 – 1/2 p 250/280.

EDISHEIM 68 H.-Rhin 66 ⑩ – rattaché à Mulhouse.

EUPEYROUX 12240 Aveyron 80 ① – 2 634 h. alt. 718.
s 632 – Albi 54 – Carmaux 38 – Millau 93 – Rodez 38 – Villefranche-de-Rouergue 24.

Commerce, ☎ 65 65 53 06, – wc wc ☎ P. E VISA
fermé 19 déc. au 19 janv., dim. soir et lundi midi sauf juil.-août – **R** 55/160, enf. 40 – 16 – **28 ch** 90/160 – 1/2 p 140/160.

ROEN Malrieu, ☎ 65 65 53 47
RENAULT Gar. Costes, ☎ 65 65 54 15

EUTORT-DE-RANDON 48 Lozère 76 ⑮ – 661 h. alt. 1 130 – ✉ **48700** St-Amans.
s 566 – Mende 18 – Le Puy 80 – St-Alban-sur-Limagnole 30 – St-Chély-d'Apcher 30.

Plateau du Roy, N 106 ☎ 66 47 33 03, ≤, – wc wc ☎ P. VISA
15 mai-15 oct. – **R** 72/125 – 22 – **17 ch** 200/220 – 1/2 p 300/350.

EUX-MINERVOIS 11 Aude 83 ⑫ **G. Pyrénées Roussillon** – 1 893 h. – ✉ **11160** Caunes-ervois – **Voir** Église★.
s 880 – Béziers 57 – Carcassonne 26 – Mazamet 57 – Narbonne 39.

Logis de Mérinville avec ch, ☎ 68 78 11 78 – wc. E VISA
fermé 2 janv. au 1er fév. – **R** *(fermé mardi soir et merc.)* 60/110, enf. 35 – 15 – **8 ch** 95/125 – 1/2 p 165/170.

GNAC 12390 Aveyron 80 ① – 1 739 h.
s 617 – Aurillac 90 – Figeac 39 – Rodez 28 – Villefranche-de-Rouergue 28.

Marre, ☎ 65 64 51 56, – wc wc P – 30. E VISA
fermé vacances de printemps, Noël au Jour de l'An et dim. – **R** 46/120 – 14 – **18 ch** 80/130 – 1/2 p 165/190.

GNY 70 H.-Saône 66 ⑭ – rattaché à Gray.

LLIEUX-LA-PAPE 69 Rhône 74 ⑪⑫ – rattaché à Lyon.

LLY-SUR-LOIRE 41 L.-et-Ch. 64 ⑯ – 367 h. – ✉ **41150** Onzain.
s 202 – Amboise 13 – Blois 21 – Montrichard 17 – ♦Tours 37.

Château de la Hte Borde, ☎ 54 20 98 09, , « parc » – wc wc ☎ P – 35. E VISA.
1er avril-15 nov. et fermé lundi (sauf hôtel) et dim. soir – **R** 65/200 – 24 – **18 ch** 108/250 – 1/2 p 150/221.

RIMBACH-PRÈS-GUEBWILLER 68 H.-Rhin 62 ⑱ – 188 h. – ✉ 68500 Guebwiller.

Paris 476 – Belfort 58 – Cernay 18 – Colmar 33 – Guebwiller 9 – ♦Mulhouse 26 – Thann 25.

Aigle d'Or ⑤, ✆ 89 76 89 90, ← – ⋒ ⇔ **P**. AE ⦿ E VISA. ✗
fermé 22 fév. au 21 mars et lundi d'oct. à avril – **R** 40/120 ⅄, enf. 30 – **21** ⊏70/160 – 1/2 p 115/150.

RIOM ⟨SP⟩ 63200 P.-de-D. 73 ④ G. Auvergne – 18 901 h.

Voir Église N.-D.-du-Marthuret★ : Vierge à l'Oiseau★★★ ZB – Maison des Consuls★ – Hôtel Guimoneau★ YE – Palais de Justice : Ste-Chapelle★ YJ – Cour★ de l'Hôtel Ville YH – Musées : Auvergne★ YM1, Mandet★ YM2 – Mozac : chapiteaux★★, trésor de l'église★ 2 km par ⑤ – Marsat : Vierge noire★★ dans l'église SO : 3 km par D 83 Z.

Env. Châteaugay : donjon★ du château et ✻★ 7,5 km par ④ et D 15 E – Églis d'Ennezat 9 km par ③.

ℹ Office de Tourisme 16 r. Commerce (fermé après-midi sauf avril-oct.) ✆ 73 38 59 45.

Paris 373 ② – ♦Clermont-Fd 15 ④ – Montluçon 76 ① – Moulins 81 ② – Thiers 44 ③ – Vichy 39 ②

RIOM

Commerce (R. du) ..... YZ 5
Horloge (R. de l') .... Y 10
Hôtel-de-Ville (R. de l') .. Y 12
St-Amable (R. et ⊞) .... Y 24

Bade (Fg de la) .... Y 2
Chancelier-de-l'Hospital (Bd) .... Y 3
Clémentel (Bd Étienne) .. Z 4
Croisier (R.) .... Z 6
Fédération (Pl. de la) .... Y 9
Laurent (Pl. J.-B.) .... Z 13
Layat (Fg de) .... Y 14
Libération (Av. de la) .... Z 15
Madeline (Av. du Cdt) ... Y 16
Marthuret (⊞) .... Z B
Marthuret (R.) .... Z 17
Martyrs-de-la Résistance (Pl. des) ... Y 18
Menut (Pl. Marinette) .. YZ 19
Pré-Madame (Prom. du) Y 21
République (Bd de la) ... Y 22
St-Louis (R.) .... Y 25
Taules (Carrefour des) ... Y 27

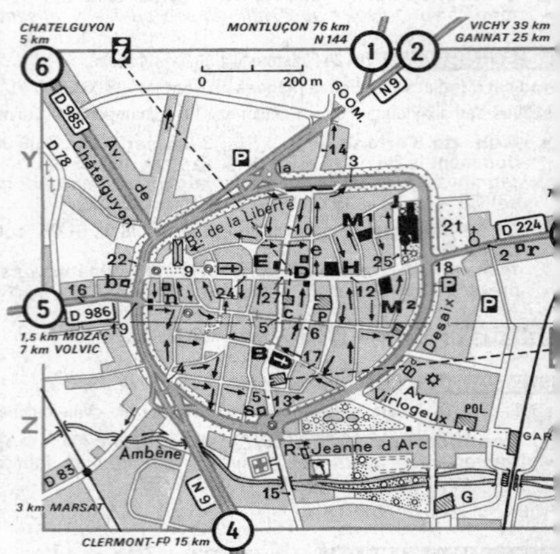

Mikégé sans rest, 40 pl. J.-B.-Laurent ✆ 73 38 04 12 – TV ⇔wc ⋒wc ☎. E VISA
⊏ 20 – **15 ch** 120/228.

La Caravelle sans rest, 21 bd République ✆ 73 38 31 90 – ⏐ ⇔ ⋒wc ☎. E VISA
⊏ 16 – **25 ch** 85/155.

Lyon sans rest, 107 fg La-Bade ✆ 73 38 07 66, ← – ⋒wc ☎ **P**. ✗
fermé 29 avril au 9 mai et 28 août au 13 sept. – ⊏ 16 – **15 ch** 70/125.

Les Petits Ventres, 6 r. A.-Dubourg ✆ 73 38 21 65 – AE E VISA
fermé 29 août au 26 sept., 2 au 9 janv., sam. midi, dim. soir et lundi – **R** 80/195.

Le Jacobin, 6 r. Soubrany ✆ 73 63 19 08 – E VISA
fermé du 15 sept. au 7 oct., 10 fév. au 1er mars, dim. soir du 15 nov. au 1er avril, s midi et mardi – **R** 85/155.

CITROEN Place, Z.A. 86 av. Jean-Jaurès à Mozac par ⑤ ✆ 73 38 03 93
PEUGEOT-TALBOT Clermontoise-Auto, 81 av. de Clermont par av. Libération ✆ 73 38 23 05
RENAULT Gaudoin, Z.A. à Mozac par ⑤ ✆ 73 38 20 76
Poughon Pneus, 10 r. Aimable Faucon ✆ 38 18 72

RIOM-ÈS-MONTAGNES 15400 Cantal 76 ②③ G. Auvergne – 3 659 h. alt. 842.

Voir Église St-Georges★.

ℹ Office de Tourisme pl. Gén.-de-Gaulle (fermé matin sauf juil.-août) ✆ 71 78 07 37.

Paris 492 – Aurillac 94 – Mauriac 36 – Murat 39 – Ussel 54.

Modern'H., face gare ✆ 71 78 00 13 – ⇔wc ⋒wc ☎. E VISA
fermé vend. soir et sam. midi du 20 sept. au 20 avril – **R** 50/100 – ⊏ 16 – **26** 60/130 – 1/2 p 125/155.

CITROEN Tible, ✆ 71 78 00 35 N
PEUGEOT-TALBOT Riom-Automobiles, ✆ 71 78 03 08
RENAULT Jouve, pl. du Monument ✆ 71 07 22

ON-DES-LANDES 40370 Landes 78 ⑤ – 2 489 h.
is 712 – ♦Bayonne 82 – ♦Bordeaux 122 – Dax 33 – Mimizan 48 – Mont-de-Marsan 42.

X **Le Relais des Landes** avec ch, rte Tartas ✆ 58 57 10 20 – ⌂. E VISA
fermé janv. et lundi hors sais. – **R** 65/190 – 15 – **13 ch** 85/140 – ½ p 120/145.

NAULT Sporting Gge, ✆ 58 57 10 30

ORGES 42 Loire 73 ⑦ – rattaché à Roanne.

OZ 70190 H.-Saône 66 ⑮ – 816 h.
is 426 – Belfort 77 – ♦Besançon 22 – Gray 47 – Vesoul 25 – Villersexel 37.

Logis Comtois, ✆ 84 91 83 83 – wc wc ☎ P
fermé 15 déc. au 31 janv. – **R** *(fermé dim. soir et lundi midi)* 64/115 – 19 – **25 ch** 110/200 – ½ p 160/180.

NAULT Pernin, ✆ 84 91 82 10

QUEWIHR 68340 H.-Rhin 62 ⑱⑲ **G. Alsace et Lorraine (plan)** – 1 045 h.
ir Village★★★ – Office de Tourisme r. Gén.-de-Gaulle (avril-11 nov.) ✆ 89 47 80 80.
s 431 – Colmar 13 – Gérardmer 62 – Ribeauvillé 4,5 – St-Dié 46 – Sélestat 19.

Le Riquewihr M sans rest, rte Ribeauvillé ✆ 89 47 83 13, ← – TV ☎ P. AE E VISA – 27 – **49 ch** 170/250.

H. Le Schoenenbourg M sans rest, r. Piscine ✆ 89 49 01 11, ← – TV wc wc ☎ ♿. E VISA
R voir rest. **Aub. Schoenenbourg** ci-après – 35 – **25 ch** 260/340.

Couronne sans rest, 5 r. Couronne ✆ 89 49 03 03 – TV wc ☎. AE E VISA
25 mars-15 nov. – 28 – **24 ch** 225/285.

A L Oriel M sans rest, 3 r. Ecuries Seigneuriales ✆ 89 49 03 13 – TV wc ☎. AE E VISA – *1er avril-1er déc.* – 27 – **13 ch** 220/320.

X **Aub. Schoenenbourg** -Hôtel Le Schoenenbourg-, r. Piscine ✆ 89 47 92 28, – E VISA
fermé 11 janv. au 11 fév., merc. soir et jeudi – **R** carte 190 à 255.

X **A L'Arbaletrier,** 12 r. Gén. de Gaulle ✆ 89 49 01 21 – AE E VISA
fermé 21 au 29 juin, janv., vacances de fév., mardi soir et merc. – **R** 65/160, enf. 30.

à Zellenberg E : 1 km sur D 1B – ✉ 68340 Riquewihr :

Au Riesling M, ✆ 89 47 85 85, ← – wc wc ☎ P. AE E VISA.
fermé janv. et fév. – **R** *(fermé dim. soir)* 65/200, enf. 38 – 28 – **36 ch** 190/280 – ½ p 265/275.

SCLE 32400 Gers 82 ② – 1 889 h.
s 738 – Aire-sur-l'Adour 17 – Auch 70 – Condom 61 – Mirande 55 – Pau 55 – Tarbes 52.

Paix, ✆ 62 69 70 14 – wc ☎
fermé oct. et lundi sauf juil.-août – **R** 55/120 – 13 – **16 ch** 55/125 – ½ p 130.

à Termes d'Armagnac NE : 8,5 km par D 935 et D 3 – ✉ 32400 Riscle :

X **Relais de la Tour** avec ch, ✆ 62 69 22 77, – wc wc ☎ P. VISA. rest
fermé fév., dim. soir (sauf hôtel) et lundi – **R** 55/155 – 20 – **11 ch** 160/200 – ½ p 200/220.

ROEN Coulom, ✆ 62 69 70 08
JGEOT-TALBOT Laffargue, ✆ 62 69 72 61
RENAULT Caritey ✆ 62 69 70 31

S-ORANGIS 91 Essonne 61 ①, 101 ㊱ – voir à Paris, Environs.

SOUL 05 H.-Alpes 77 ⑱ – rattaché à Guillestre.

VA-BELLA 14 Calvados 55 ② – voir à Ouistreham-Riva-Bella.

VALET 63 P.-de-D. 73 ⑭ – rattaché à St-Nectaire.

VE-DE-GIER 42800 Loire 73 ⑲ **G. Vallée du Rhône** – 15 850 h.
s 490 – ♦Lyon 37 – Montbrison 58 – Roanne 99 – ♦St-Etienne 22 – Thiers 129 – Vienne 27.

XX **Host. Renaissance** avec ch, ✆ 77 75 04 31, – wc ☎ P. AE E VISA
fermé dim. soir de janv. à mars sauf fêtes – **R** 150/450, enf. 70 – 58 – **8 ch** 200/450.

à Ste-Croix-en-Jarez SE : 10 km par D 30 – ✉ 42800 Rive-de-Gier :

X **Le Prieuré** avec ch, ✆ 77 20 20 09 – TV ☎. AE E VISA.
fermé fév. et lundi – **R** 50/170 – 24 – **4 ch** 170/200 – ½ p 200/230.

STIN-ROVER-SEAT Gar. Ferreira, 10 r. Gorki ✆ 77 75 01 55
ROEN Bellon, 9 r. J.-Guesde ✆ 77 75 00 39
OPEL Putinier, 18 av. Mar.-Juin ✆ 77 75 02 30
PEUGEOT-TALBOT Boutin, 44 r. Cl.-Drivon ✆ 77 75 04 22 N

RIVEDOUX-PLAGE 17 Char.-Mar. 71 ⑫ – voir à Ré (Ile de).

RIVESALTES 66600 Pyr.-Or. 86 ⑨⑲ **G. Pyrénées Roussillon** – 7 454 h.

de Perpignan-Rivesaltes : ✆ **68 61 28 98 : 4 km.**

Syndicat d'Initiative r. L.-Rollin (fermé matin sauf mai-sept.) ✆ 68 64 04 04.

Paris 900 – Narbonne 57 – ♦Perpignan 10 – Quillan 69.

Alta Riba, av. Gare ✆ 68 64 01 17 – wc wc ☎ – 100. E VISA
fermé 15 déc. au 15 janv. – **R** 56/150 – 20 – **54 ch** 135/200.

Debèze sans rest, **11 r. A.-Barbès (près église)** ✆ **68 64 05 88** – . AE VISA
18 – **16 ch** 80/180.

CITROEN Galabert, 13 av. Gambetta ✆ 68 64 07 67

RENAULT Gar. Sales, r. Dugommier ✆ 68 15 73

RIVIÈRE-SUR-TARN 12640 Aveyron 80 ④ – 711 h.

Paris 641 – Mende 71 – Millau 12 – Rodez 71 – Sévérac-le-Château 30.

Andrieu, ✆ 65 59 81 40, – wc . E VISA.
fermé 1er au 15 oct. – **R** 55/115 – 20 – **22 ch** 85/150 – 1/2 p 128/193.

RENAULT Gar. Vayssière, ✆ 65 60 80 05

La RIVIÈRE-THIBOUVILLE 27 Eure 55 ⑮ – ✉ **27550** Nassandres.

Paris 137 – Bernay 14 – Évreux 35 – Lisieux 38 – Le Neubourg 16 – Pont-Audemer 33 – ♦Rouen 49.

Soleil d'Or avec ch, ✆ 32 45 00 08, – TV wc wc ☎ . E VISA
fermé 25 janv. au 10 mars et merc. sauf juil.-août – **R** 70/240, enf. 55 – 35
12 ch 140/280.

PEUGEOT-TALBOT Gar. Chaise, N 13 à Nassandres ✆ 32 45 00 33

ROANNE 42300 Loire 73 ⑦ **G. Vallée du Rhône** – 49 638 h.

Env. Belvédère de Commelle-Vernay ≤★ : 7 km au S par quai P. Sémard BZ.

Domaine de Champlong ✆ **77 69 70 60** par ④.

Office de Tourisme avec A.C. cours République ✆ 77 71 51 77.

Paris 390 ⑥ – Bourges 196 ⑥ – Chalon-sur-Saône 134 ① – ♦Clermont-Ferrand 105 ④ – ♦Dijon 20 – ♦Lyon 86 ③ – Montluçon 138 ⑥ – ♦St-Étienne 78 ③ – Valence 185 ③ – Vichy 74 ⑥.

Plan page ci-contre

✿✿✿ **H. des Frères Troisgros** M, pl. Gare ✆ **77 71 66 97, Télex 307507** – rest TV ☎ . AE E VISA AY
fermé janv., merc. midi et mardi – **R** (nombre de couverts limité - prévenir) 230/ et carte – 58 – **17 ch** 475/600, 5 appartements 900
Spéc. Compression de homard "César", Pièce de boeuf au Fleurie à la moëlle, Duomo aux frambo
Vins Beaujolais, Pouilly-fuissé.

Gd Hôtel, 18 cours République ✆ **77 71 48 82, Télex 300573** – TV ☎ – 100. AE E VISA AY
fermé 2 au 17 août et 23 déc. au 3 janv. – **R** voir rest. **L'Astrée** ci-après – 2
38 ch 218/298.

Terminus sans rest, **face gare** ✆ **77 71 79 69** – TV wc ☎ . E VISA
23 – **55 ch** 168/250. AY

L'Astrée - Gd Hôtel-, **17 bis cours République** ✆ **77 72 74 22** – AE VISA AY
fermé 25 juil. au 16 août et 26 déc. au 10 janv., sam. et dim. – **R** 90/230.

Côté Jardin, 10 r. Benoît Malon ✆ **77 72 81 88** BZ
fermé sam. midi et dim. – **R** 87/200.

au Coteau (rive droite de la Loire) – 8 380 h. – ✉ **42120** Le Coteau :

Artaud, 133 av. Libération ✆ **77 68 46 44** – TV wc wc ☎ – 150 VISA BZ
R *(fermé 5 au 25 juil. et dim. sauf fêtes)* 75/250 – 22 – **25 ch** 190/320.

Ibis M, **53 bd Ch.-de-Gaulle, Z. I. Le Coteau** ✆ **77 68 36 22, Télex 300610** – wc ☎ – 25 à 70. AE E VISA
R *(fermé dim. midi)* carte 75 à 120 , enf. 39 – 25 – **63 ch** 210/270.

✿ **Aub. Costelloise** (Alex), **2 av. Libération** ✆ **77 68 12 71** – VISA BZ
fermé 25 juil. au 25 août, 25 déc. au 3 janv., dim. et lundi – **R** carte 160 à 235
Spéc. Minute de turbot et de saumon, Pigeon rôti en crapaudine, Turbot aux épices. **Vins** C Roannaises.

Ma Chaumière, 3 r. St-Marc ✆ **77 67 25 93** – E VISA. BZ
fermé août, dim. soir et lundi – **R** 75/180 .

s.-Lorraine (Av.) . . . AZ 2
natole-France (R.) ABZ 3
och (R. Mar.) . . . . . . BZ
aulle (R. Ch.-de) . . . BZ 9
aurès (R. Jean) . . . . . BZ
iand (Pl. Aristide) . . BZ 4
adore (R. de) . . . . . . BY 5
arnot (R.) . . . . BZ 6
emenceau (Pl.) . . . . BY 7
-de-Ville (Pl. de l') . BZ 10
Lattre-de-T. (Pl. de) . . . . . . BY 12
Libération (Av. de la) . . . . . . BZ 13
N.-D.-des-Victoires (⊞) . . BZ
Prom.-Populle (Pl. des) . . . AZ 14
République (Cours de la) . AY 15
Roche (R. Alexandre) . . . . . BY 16
St-Étienne (⊞) . . . . BY
St-Louis (⊞) . . . . AZ
Ste-Anne (⊞) . . . . AY
Vachet (R. Julien) . . . . AY 20

à Riorges O : 3 km par D 31 - AZ – 8 993 h. – ✉ **42153** Riorges :

XX **Le Marcassin** avec ch, **rte St-Alban-les-Eaux** ✆ **77 71 30 18**, – TV wc . AE E VISA. ch
fermé 1er au 21 août et vacances de fév. – **R** *(fermé vend. soir et dim. soir du 1er oct. au 30 avril et sam.)* 60/200 – ☕ 25 – **10 ch** 135/190.

par ⑥, rte St-Germain : 7 km – ✉ **42640** St-Germain-L'Espinasse :

Relais de Roanne, ✆ **77 71 97 35, Télex 307554** – rest TV wc wc ☎
P – 40. AE E VISA
R *(fermé 2 au 29 janv.)* 62/220 – ☕ 24 – **30 ch** 165/240.

ICHELIN, Agence, Zone Ind. Arsenal Sud, 8 av. de la Marne par ① ✆ **77 72 06 09**

RD Gar. de la Poste, 56 r. R.-Salengro ✆ 77 51 51
ANCIA-AUTOBIANCHI Gar. de France 126 . Paris ✆ 77 72 46 44
ENAULT Gar. Central, 40 av. Gambetta, ✆ 77 60 65

VOLVO Gd Gar. Gobelet, 54 av. Gambetta ✆ 77 72 30 22

Comptoir Roannais C/c, bd C.-Benoit ✆ 77 71 49 21

Périphérie et environs

TROEN Lagoutte, N 7, Les Plaines à Le Coteau par ③ ✆ 77 67 00 22 **N** ✆ 77 72 41 77
ATSUN-NISSAN Gar. Sinoir, 16 av. Ch.-de-Gaulle à Riorges ✆ 77 71 73 42
AT, MERCEDES SOGEMO, Aiguilly, D 482 à ougy ✆ 77 72 26 22
EUGEOT-TALBOT SAGG, rte Paris, Riorges 7 par ⑥ ✆ 77 71 66 17
ENAULT Lafay, bd Ch.-de-Gaulle Le Côteau ar ③ ✆ 77 71 04 08

V.A.G. Gar. Route Bleue, 29 bd des Etines Zone Ind. ✆ 77 67 34 00

Comptoir du Pneu, 4 pl. de l'Eglise, le Coteau ✆ 77 67 05 15
Piot-Pneu, 47 bd Ch.-de-Gaulle, Zone Ind., Le Coteau ✆ 77 70 04 44

ROBINSON 32 Gers 82 ⑤ – rattaché à Auch.

ROBION 84 Vaucluse 81 ⑫ – rattaché à Cavaillon.

ROCAMADOUR 46 Lot 75 ⑱⑲ **G. Périgord Quercy** (plan) – 795 h. – ✉ **46500** Gramat.
Voir Site★★★ – remparts ☼★★★ – Tapisseries★ dans l'Hôtel de Ville – Vierge noire dans la chapelle Notre-Dame – Musée-trésor Francis Poulenc★.
Office de Tourisme à la Mairie (Rameaux, Pâques, mai-sept.) ✆ 65 33 62 59.
Paris 542 – Brive-la-Gaillarde 55 – Cahors 59 – Figeac 46 – Gourdon 36 – St-Céré 29 – Sarlat-la-C. 6

- **Beau Site et Notre Dame,** ✆ **65 33 63 08, Télex 520421,** ≤, **« Bel aménagement intérieur »** – ascenseur **P**. AE ⓓ E VISA
  26 mars-31 oct. – **R** 82/180, enf. 46 – ☕ 32 – **55 ch** 180/325 – ½ p 206/372.
- **Château et Relais Amadourien** ✈, rte du Château par D 673 : 1,5 km ✆ **65 62 22, Télex 521871,** ≤, – wc wc ☎ **P** – 80. E VISA
  1er avril-10 nov. – **R** 55/220, enf. 36 – ☕ 25 – **58 ch** 190/250 – ½ p 230/280.
- **Belvédère,** à l'Hospitalet ✆ **65 33 63 25,** ≤ Rocamadour, – wc wc ☎ E VISA
  20 mars-5 nov. – **R** 55/180, enf. 32 – ☕ 22 – **18 ch** 180/250 – ½ p 200/220.
- **Panoramic,** à l'Hospitalet ✆ **65 33 63 06,** ≤, – wc ☎ **P**. ⓓ E VISA
  1er mars-11 nov. – **R** 53/180 – ☕ 23 – **13 ch** 180/205.
- **Ste-Marie** ✈, ✆ **65 33 63 07,** ≤, **« Terrasse avec vue agréable »** – wc wc ☎ . E VISA. rest
  23 mars-9 oct. – **R** 45/175, enf. 25 – ☕ 22 – **22 ch** 130/200 – ½ p 200.
- **Lion d'Or,** ✆ 65 33 62 04 – ascenseur wc. E VISA
  26 mars-13 nov. – **R** 52/170, enf. 30 – ☕ 22 – **32 ch** 90/200 – ½ p 187/244.
- XX **Bellevue** avec ch, (à l'annexe 13 ch ≤ Rocamadour, wc wc ☎) l'Hospitalet ✆ **65 33 62 10,** – **P**. AE ⓓ E VISA
  mars-nov. et fermé jeudi hors sais. sauf vacances scolaires – **R** 68/250 – ☕ 23 **20 ch** 110/220.

rte Lacave : 4 km par D 247 – ✉ **46500** Gramat :

- **Aub. de la Garenne** M ✈, ✆ **65 33 65 88,** ≤, parc, – wc ☎ **P**. E VISA
  R 65/210, enf. 39 – ☕ 25 – **41 ch** 120/350 – ½ p 150/320.

à l'Est : 4,5 km par D 36 et N 681 : Château de Roumegouse, voir Gramat.

Garage Sirieys, ✆ 65 33 63 15

La ROCHE-BERNARD 56130 Morbihan 63 ⑭ **G. Bretagne** – 838 h.
Voir Pont★ – de la Bretesche ✆ **40 88 30 03, SE : 11 km.**
Paris 439 – ♦Nantes 70 – Ploërmel 57 – Redon 28 – St-Nazaire 36 – Vannes 40.

- **Deux Magots,** ✆ 99 90 60 75 – wc ☎. E VISA.
  fermé 15 déc. au 15 janv., dim. soir hors sais. et lundi (sauf hôtel en sais.) **R** 48/170 – ☕ 20 – **15 ch** 200/400.
- **Bretagne** sans rest, ✆ **99 90 60 65** – wc ☎ **P**.
  Pâques-fin oct. – ☕ 15 – **15 ch** 92/216.
- XXX ✿ **Aub. Bretonne** (Thorel) avec ch, ✆ **99 90 60 28,** – TV wc. E VISA
  fermé 14 nov. au 12 déc., vend. midi et jeudi – **R** 130/250 – ☕ 25 – **5 ch** 180/250
  Spéc. Quadrilatère de langouste aux pommes épicées, Infusion de pigeonneau et escalopes de poitrine, Délices de Solange.

à Camoël SO : 10 km par D 774 et rte de Pénestin – ✉ **56130** La Roche Bernard :

- **La Vilaine,** ✆ **99 90 01 55** – wc ☎ **P**. ⓓ E VISA
  fermé fév. et mardi – **R** 55/155 🍷, enf. 40 – ☕ 20 – **24 ch** 140/240 – ½ p 170/250.

CITROEN Gar. Biton, ✆ 99 90 61 11

RENAULT Gar. Priour, ZA des Métairies, rte de St-Dolay à Nivillac ✆ 99 90 71 90 N ✆ 99 9 72 92

La ROCHE-CANILLAC 19 Corrèze 75 ⑩ – 185 h. – ✉ **19320** Marcillac-la-Croisille.
Paris 508 – Argentat 21 – Aurillac 75 – Mauriac 55 – St-Céré 63 – Tulle 26 – Ussel 61.

- **Aub. Limousine,** ✆ **55 29 12 06,** – wc wc ☎ **P**. E VISA. rest
  Pâques-30 sept. – **R** 60/170, enf. 50 – ☕ 18 – **26 ch** 140/203 – ½ p 155/185.

ROCHECORBON 37 I.-et-L. 64 ⑮ – rattaché à Tours.

La ROCHE-DES-ARNAUDS 05 H.-Alpes 77 ⑯ – 763 h. alt. 950 – ✉ **05400** Veynes.
Paris 673 – Die 81 – Gap 15 – Serres 28 – Veynes 12.

- **Céüse H.,** D 994 ✆ **92 57 82 02,** – wc ☎ **P**. E VISA
  fermé 1er au 15 nov. – **R** 55/95, enf. 35 – ☕ 20 – **30 ch** 100/230 – ½ p 160/180.

ROCHE D'OËTRE 61 Orne 55 ⑪ **G. Normandie Cotentin – Voir Site★★.**

ROCHEFORT ⟨SP⟩ **17300** Char.-Mar. **71** ⑬ **G. Poitou Vendée Charentes** – 27 716 h. – Stat. erm. (fév.-21 déc.).

oir Maison de Loti★ BZ **B** – Musée d'Art et d'histoire★ BZ **M1** – Echillais : façade★ de église 4,5 km par ③.

Office de Tourisme av. Sadi-Carnot ✆ 46 99 08 60.

aris 466 ① – ◆Limoges 191 ② – Niort 61 ① – La Rochelle 35 ④ – Royan 41 ③ – Saintes 40 ②.

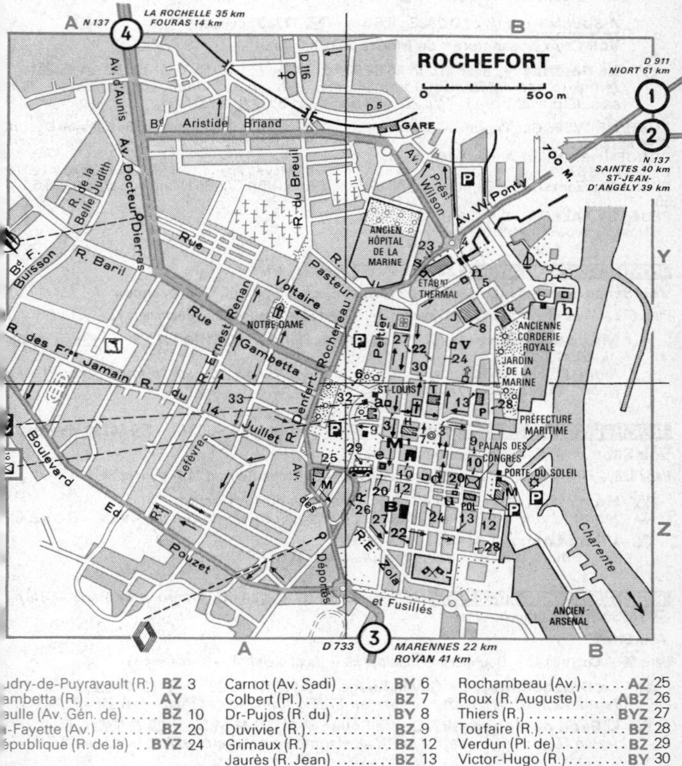

udry-de-Puyravault (R.)	BZ 3	Carnot (Av. Sadi)	BY 6	Rochambeau (Av.)	AZ 25
ambetta (R.)	AY	Colbert (Pl.)	BZ 7	Roux (R. Auguste)	ABZ 26
aulle (Av. Gén. de)	BZ 10	Dr-Pujos (R. du)	BY 8	Thiers (R.)	BYZ 27
-Fayette (Av.)	BZ 20	Duvivier (R.)	BZ 9	Toufaire (R.)	BZ 28
épublique (R. de la)	BYZ 24	Grimaux (R.)	BZ 12	Verdun (Pl. de)	BZ 29
		Jaurès (R. Jean)	BZ 13	Victor-Hugo (R.)	BY 30
égon (Porte)	BY 4	Loti (R. Pierre)	BYZ 22	3e R.I.C. (Av. du)	BZ 32
égon (R.)	BY 5	Pelletan (Av. Camille)	BY 23	4-Septembre (R. du)	AZ 33

La Corderie Royale M, r. Audebert (à la Corderie Royale) ✆ 46 99 35 35, Télex 792283, « Ancienne artillerie royale », – 40 à 200. AE E VISA. rest — BY **h**
La Pérouse R carte 200 à 280 - **Les Jardins du Roy** (coffee shop) **R** 120 bc – 35 – **51 ch** 350/570, 3 appartements 670 – $^1/_2$ p 455/490.

Fimotel Remparts M, aux Thermes ✆ 46 87 12 44, Télex 790258 – TV wc wc – 30 à 70. AE E VISA. rest — BY **s**
R 60/150 , enf. 32 – 25 – **63 ch** 210/298 – $^1/_2$ p 262/285.

Arcade M sans rest, 1 r. Bégon ✆ 46 99 31 31, Télex 791695 – TV wc . E VISA — BY **n**
23 – **44 ch** 183/193.

Le Paris, 27 av. La Fayette ✆ 46 99 33 11 – TV wc wc . E VISA.
R *(fermé dim.)* 65/230 , enf. 40 – 20 – **40 ch** 150/220 – $^1/_2$ p 185/255. — BZ **d**

France sans rest, 55 r. Dr-Peltier ✆ 46 99 34 00 – TV wc wc — BZ **a**
début mars-fin déc. – 21 – **32 ch** 105/245.

Lafayette sans rest, 10 r. Lafayette ✆ 46 99 03 31 – wc . AE E VISA
23 ch 95/160. — BZ **u**

Roca-Fortis sans rest, 14 r. République ✆ 46 99 26 32 – TV wc . E VISA
18 – **17 ch** 128/198. — BY **v**

XX **Tourne-Broche,** 56 av. Ch.-de-Gaulle ✆ 46 99 20 19 – AE E VISA BZ
fermé 1er au 15 juil., 1er au 10 fév., lundi soir et dim. – **R** 69/150 ♁.

par ③ : 3 km rte de Royan – ✉ **17300** Rochefort :

La Belle Poule, ✆ 46 99 71 87, – wc ☎ **P**. **O** E VISA
fermé dim. soir hors sais. – **R** 98/152 – 21 – **21 ch** 185/225 – 1/2 p 255/275.

à Soubise par ③ et D 238E : 8,5 km – ✉ **17780** Soubise.
Voir Croix hosannière★ de Moëze SO : 3,5 km.

XXX **Le Soubise** avec ch, ✆ **46 84 92 16,** – wc wc ☎ **P**. AE **O** E VISA
fermé 15 oct. au 15 nov., 15 au 31 janv., dim. soir et lundi sauf juil.-août – **R** (e saison, prévenir) 143 – 22 – **23 ch** 159/273 – 1/2 p 300/360.

AUSTIN, ROVER Gar. Central, 31 av. Lafayette ✆ 46 99 00 65
CITROEN Rochefort Autom., 186 bis av. Dr-Dieras ✆ 46 87 41 55
FORD Gar. Zanker, 76 r. Gambetta ✆ 46 87 07 55
PEUGEOT-TALBOT S.O.C.A.R. 58 av. du 11-Novembre par ③ ✆ 46 99 02 76
RENAULT Peyronnet, av. Fusillés-et-Déporté ✆ 46 87 36 20

Moyet-Pneus, 67 r. du Breuil ✆ 46 99 20 62
Rochefort C/c, 80 r. Grimaux ✆ 46 99 02 67

ROCHEFORT-DU-GARD **30650** Gard 80 ⑳ – 2 018 h.
Voir Sanctuaire de N.-D. de Grâce : terrasse ≤★ NE : 2 km, G. Provence.
Paris 672 – Alès 61 – Arles 49 – Avignon 11 – Nîmes 33 – Orange 23 – Remoulins 12.

Mas de la Rouvette M, NE : 1 km sur D 976 ✆ **90 31 73 11,** – wc ☎ **P** 50. ch
fermé 15 janv. au 28 fév. – **R** *(fermé merc. du 1er oct. au 15 fév. et mardi)* 80/15 ♁, enf. 45 – 25 – **18 ch** 180/195 – 1/2 p 270.

ROCHEFORT-EN-TERRE **56** Morbihan 63 ④ **G. Bretagne** – 613 h. – ✉ **56220** Malansac.
Voir Site★ – Maisons anciennes★.
Paris 425 – Ploërmel 33 – Redon 25 – ♦Rennes 78 – La Roche-Bernard 24 – Vannes 34.

XXX **Host. Lion d'Or,** ✆ 97 43 32 80, « Maison du 16e siècle »
fermé 12 janv. au 1er mars, dim. soir, lundi soir et mardi sauf juil.-août – **R** 60/200.

XX **Vieux Logis,** ✆ 97 43 31 71 – E VISA
fermé mars, dim. soir et lundi sauf août – **R** 88/170.

ROCHEFORT-EN-YVELINES **78** Yvelines 60 ⑨, 196 ㊶ **G. Environs de Paris** – 610 h.
✉ **78730** St-Arnoult-en-Yvelines.
Voir Site★.
Paris 50 – Chartres 42 – Dourdan 8 – Étampes 26 – Rambouillet 15 – Versailles 33.

XX **La Brazoucade,** 51 r. Guy le Rouge ✆ (1) 30 41 49 09 – **P**. AE E VISA
fermé 22 août au 6 sept., 19 janv. au 11 fév., lundi soir et mardi – **R** 70/136.

XX **L'Escu de Rohan,** 15 r. Guy le Rouge ✆ (1) 30 41 31 33 – AE E VISA
fermé 16 août au 7 sept., 2 au 18 janv., dim. soir et merc. – **R** 95 (sauf sam.)/160.

ROCHEFORT-MONTAGNE **63210** P.-de-D. 73 ⑬ – 1 155 h. alt. 850.
Paris 416 – Aubusson 89 – ♦Clermont-Ferrand 33 – Mauriac 80 – Le Mont-Dore 19 – Ussel 53.

Centre, ✆ 73 65 82 10, – wc .
fermé 18 au 28 juin, oct., sam. soir et dim. hors sais. – **R** 46/75 ♁ – 16 – **14 c** 68/150 – 1/2 p 100/125.

Puy-de-Dôme, ✆ 73 65 82 19 – E. ch
hôtel : 15 juin-15 oct. ; rest. : fermé 15 sept. au 15 oct. le soir du 15 oct. au 15 ju sam. et dim. en hiver – **R** 58/75 ♁ – 17 – **7 ch** 70/95 – 1/2 p 130.

CITROEN Lassalas, ✆ 73 65 82 70
PEUGEOT-TALBOT Clermont, ✆ 73 65 82 N

ROCHEFORT-SUR-LOIRE **49190** M.-et-L. 63 ⑳ **G. Châteaux de la Loire** – 1 819 h.
Voir O : Corniche angevine★ – La Haie-Longue ≤★ du monument SO : 3 km – Village de Béhuard N : 3 km.
Syndicat d'Initiative Grand'Cour (juil.-août) ✆ 41 78 81 70.
Paris 313 – Angers 20 – Chalonnes-sur-Loire 9 – Cholet 45.

Grand Hôtel, r. R.-Gasnier ✆ **41 78 70 06,** , – wc ☎. **O** E VISA. rest
fermé 15 janv. au 15 fév., dim. soir et lundi hors sais. – **R** 68/145 ♁, enf. 40 – – **8 ch** 140/165 – 1/2 p 145/155.

RENAULT Gar. Hubert, ✆ 41 78 70 38

ROCHEFOUCAULD 16110 Charente 72 ⑭ G. Poitou Vendée Charentes (plan) – 3 328 h.
ir Château★.
Syndicat d'Initiative r. des Halles (15 juin-15 sept.) ✆ 45 63 07 45.
is 443 – Angoulême 22 – Confolens 41 – ♦Limoges 83 – Nontron 46 – Ruffec 42.

La Vieille Auberge, 13 Fg La Souche ✆ 45 62 02 72 – wc wc – 40. AE E VISA
fermé dim. soir et lundi midi (sauf fériés) de déc. à Pâques – **R** 50/185 – 19,50 – **28 ch** 79/190 – 1/2 p 130/180.

TROEN Bordron, ✆ 45 62 01 41 | RENAULT Cyclope, ✆ 45 63 03 91 N ✆ 45 63 94 95

OCHEGUDE 26 Drôme 81 ② – rattaché à Orange.

ROCHE-GUYON 95780 Val-d'Oise 55 ⑱, 196 ②③ G. Environs de Paris – 567 h.
ir Bords de la Seine ≤★ – Route des Crêtes★ : ≤★★ N : 3 km.
is 80 – Évreux 41 – Gisors 31 – Mantes-la-Jolie 16 – Pontoise 44 – Vernon 12.

St-Georges, ✆ (1) 34 79 70 16, ≤ – – 40
R 80/125 – 25 – **15 ch** 120/170.

à Chantemesle E : 3 km – ✉ **95780** La Roche-Guyon.
Voir Statues★ dans l'église de Vétheuil SE : 4 km.

XX **Aub. Lapin Savant** avec ch, ✆ (1) 34 78 13 43, ≤, – wc – 30. E VISA. ch
fermé nov., vacances de fév., merc. soir et jeudi – **R** 140 – 35 – **12 ch** 300/350.

ROCHE-L'ABEILLE 87 H.-Vienne 72 ⑰ – rattaché à St-Yrieix-La-Perche.

Le Guide change,
changez de guide tous les ans.

OCHE-LEZ-BEAUPRÉ 25 Doubs 66 ⑮ – rattaché à Besançon.

ROCHELLE P 17000 Char.-Mar. 71 ⑫ G. Poitou Vendée Charentes – 78 231 h. – sino: X.
ir Vieux Port★★ Z – Tour de la Lanterne★ : ★★ Z B – Le quartier ancien★★ : Hôtel Ville★ Z H, Hôtel de la Bourse★ YZ C, Maison Henri II★ Y K, Porte de la Grosse rloge★ Z F, Rues du Palais★ Z, Chaudrier★ Y, du Minage (arcades★) Y, des Merciers★, de l'Escale★ Z – Tour St-Nicolas★ ZD – Plan-relief★ (tour Chaine) Z E – Parc arruyer★ Y – Musées : Histoire naturelle★★ Y M3, d'Orbigny★ Y M2, eaux-Arts★ Y M1, du Nouveau Monde★ Y M4.
de la Rochelle-Laleu : T.A.T ✆ 46 42 18 27, NO : 4,5 km - X.
Office de Tourisme et Accueil de France (Informations et réservations d'hôtels, pas plus de ours à l'avance) 10 r. Fleuriau ✆ 46 41 14 68, Télex 791661 A.C. 32 r. Dupaty ✆ 46 41 02 06.
ris 468 ② – Angoulême 141 ③ – ♦Bordeaux 188 ④ – ♦Nantes 147 ② – Niort 63 ②.

Plan page suivante

Les Brises M sans rest, chemin digue Richelieu (av. P.-Vincent) ✆ 46 43 89 37, Télex 790821, ≤ les îles – E VISA — X q
35 – **50 ch** 325/460.

Yachtman M, 23 quai Valin ✆ 46 41 20 68, Télex 790762, – TV – 70 à 150. AE E VISA — Z r
R *(fermé dim. soir et lundi du 1er oct. au 22 mars)* 75/110, enf. 36 – 40 – **40 ch** 310/430 – 1/2 p 460.

France-Angleterre et rest. Le Richelieu, 22 r. Gargoulleau ✆ 46 41 34 66, Télex 790717, – TV – 30 à 80. AE E VISA — Y r
R *(fermé 15 déc. au 15 janv., lundi midi et dim.)* 120/160 – 33 – **76 ch** 140/310 – 1/2 p 280/450.

Champlain sans rest, 20 r. Rambaud ✆ 46 41 23 99, « Bel intérieur et agréable jardin » – TV – 40. AE E VISA — Y b
15 mars-15 nov. – 33 – **29 ch** 210/330, 4 appartements 430.

St-Jean d'Acre et rest. Au Vieux Port, 4 pl. Chaîne ✆ 46 41 73 33, Télex 790913, ≤, – TV wc wc – 35. AE E VISA. rest — Z f
R 75/100 – 32 – **49 ch** 230/295 – 1/2 p 260.

H. Trianon et Plage, 6 r. Monnaie ✆ 46 41 21 35, – wc wc . AE E VISA. rest — Z b
fermé 23 déc. au 1er fév. – **R** *(fermé vend. du 15 oct. au 1er avril)* 75/140, enf. 40 – 23 – **25 ch** 210/290 – 1/2 p 230/263.

St-Nicolas M sans rest, 13 r. Sardinerie ✆ 46 41 71 55 – TV wc . AE E VISA — Z d
25 – **76 ch** 210/250.

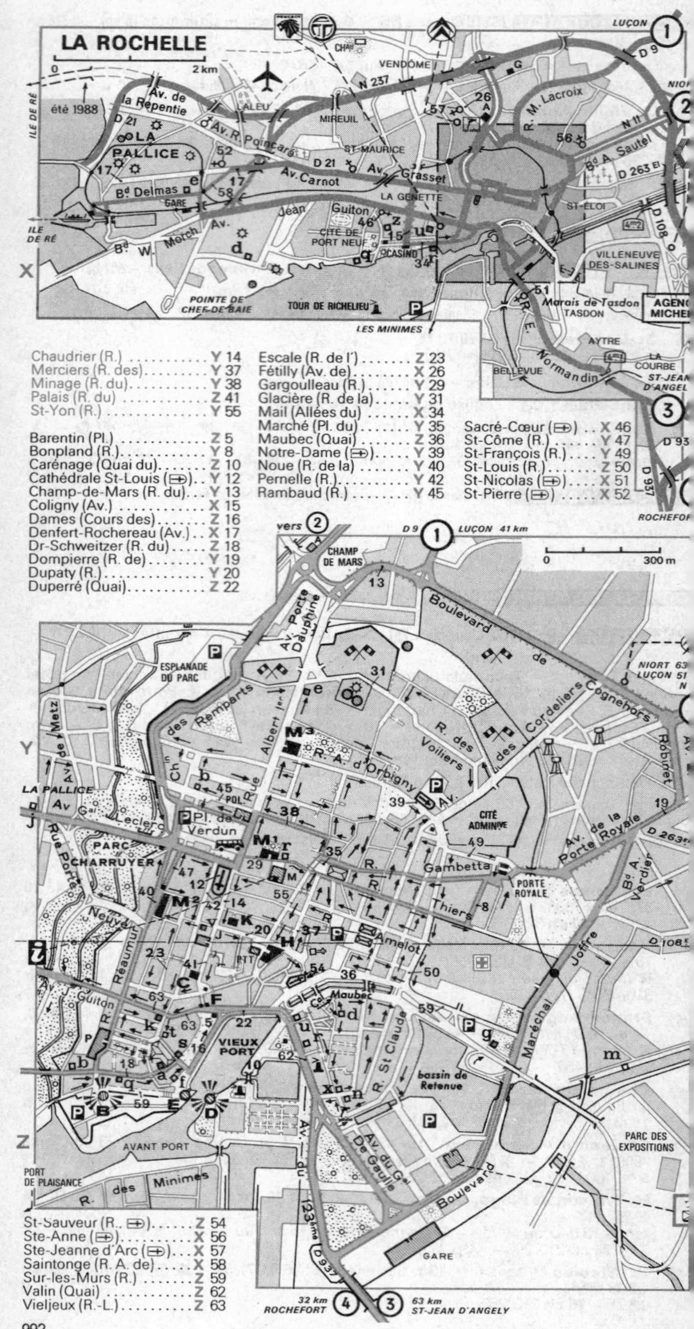
LA ROCHELLE
0
2 km
ILE DE RÉ
été 1988
Av. de la Repentie
LALEU
MIREUIL
VENDÔME
N 237
LUÇON
D 9
R. M. Lacroix
N 11
LA PALLICE
Av. R. Poincaré
ST-MAURICE
D 21
Av. Carnot
Av. Grasset
Bd A. Sautel
D 263
Bd Delmas
GARE
LA GENETTE
ST-ELOI
ILE DE RÉ
Bd W. Motch Av.
Jean Guiton
CITÉ DE PORT NEUF
CASINO
D 108
VILLENEUVE DES-SALINES
POINTE DE CHEF-DE-BAIE
TOUR DE RICHELIEU
LES MINIMES
Marais de Tasdon
TASDON
R. E. Normandin
AYTRE
BELLEVUE
LA COURBE
ST-JEAN D'ANGELY
D 93
D 937
ROCHEFORT
Chaudrier (R.) .... Y 14
Merciers (R. des) .... Y 37
Minage (R. du) .... Y 38
Palais (R. du) .... Z 41
St-Yon (R.) .... Y 55
Barentin (Pl.) .... Z 5
Bonpland (R.) .... Y 8
Carénage (Quai du) .... Z 10
Cathédrale St-Louis .... Y 12
Champ-de-Mars (R. du) .... Y 13
Coligny (Av.) .... X 15
Dames (Cours des) .... Z 16
Denfert-Rochereau (Av.) .... X 17
Dr-Schweitzer (R. du) .... Z 18
Dompierre (R. de) .... Y 19
Dupaty (R.) .... Y 20
Duperré (Quai) .... Z 22
Escale (R. de l') .... Z 23
Fétilly (Av. de) .... X 26
Gargoulleau (R.) .... Y 29
Glacière (R. de la) .... Y 31
Mail (Allées du) .... X 34
Marché (Pl. du) .... Y 35
Maubec (Quai) .... Z 36
Notre-Dame .... Y 39
Noue (R. de la) .... Y 40
Pernelle (R.) .... Y 42
Rambaud (R.) .... Y 45
Sacré-Cœur .... X 46
St-Côme (R.) .... Y 47
St-François (R.) .... Y 49
St-Louis (R.) .... Z 50
St-Nicolas .... X 51
St-Pierre .... X 52
vers 2
D 9
LUÇON 41 km
CHAMP DE MARS
0
300 m
Boulevard de Cordeliers Cognehors
Av. Porte Dauphine
ESPLANADE DU PARC
NIORT 63
LUÇON 51
Ch. des Remparts
Rue Albert Ier
R. A. d'Orbigny
R. des Voiliers
Av. Robinet
Av. de Metz
LA PALLICE
Av. Gal Leclerc
Pl. de Verdun
CITÉ ADMINIVE
Av. de la Porte Royale
D 263
PARC CHARRUYER
R. Gambetta
PORTE ROYALE
Bd A. Verdier
R. Thiers
Rue Porte Neuve
R. Réaumur
Amelot
D 108
Av. J. Guiton
Cr Maubec
VIEUX PORT
R. St Claude
Av. Maréchal Joffre
bassin de Retenue
AVANT PORT
Av. du Gal De Gaulle
PARC DES EXPOSITIONS
PORT DE PLAISANCE
R. des Minimes
Av. du 123ème
Boulevard
GARE
D 937
St-Sauveur (R.) .... Z 54
Ste-Anne .... X 56
Ste-Jeanne d'Arc .... X 57
Saintonge (R. A. de) .... X 58
Sur-les-Murs (R.) .... Z 59
Valin (Quai) .... Z 62
Vieljeux (R.-L.) .... Z 63
32 km ROCHEFORT
63 km ST-JEAN D'ANGELY

H. La Cagouille [M] sans rest, **Canal de Rompsay** 46 27 31 31, – wc – 40. E VISA Z m
R voir rest **La Cagouille** ci-après – 25 – **40 ch** 220/250.

Le Rochelois [M] sans rest, **66 bd Winston Churchill** 46 43 34 34, ← **les îles,** – wc . E VISA X d
25 – **36 ch** 220/280.

Tour de Nesle [M] sans rest, **2 quai Louis Durand** 46 41 05 86 – wc wc. AE E VISA. Z u
22 – **28 ch** 180/260.

Ibis, pl. Cdt de la Motte Rouge 46 41 60 22, Télex 791431 – wc – 40. E VISA Z n
R carte 75 à 120 , enf. 35 – 25 – **76 ch** 230/265.

Le Manoir sans rest, **8 bis av. Gén. Leclerc** 46 67 47 47 – wc . E VISA Y j
fermé janv. – 22 – **18 ch** 220/300.

Terminus H. sans rest, **11 pl. Cdt de la Motte Rouge** 46 50 69 69 – wc wc . AE VISA Z x
21 – **27 ch** 120/250.

Le Savary sans rest, **2 r. Alsace-Lorraine** 46 34 83 44 – wc . AE E VISA X z
20 – **30 ch** 130/240.

Atlantic H. sans rest, **23 r. Verdière** 46 41 16 68 – wc wc Z t
19 – **26 ch** 98/280.

❀❀ **Richard Coutanceau, plage de la Concurrence** 46 41 48 19, ← – . AE E VISA X r
fermé lundi soir et dim. – **R** 170/340 et carte, enf. 80
Spéc. Mouclade Rochelaise (juin à nov.), Bar au fumet de St-Emilion, Homard rôti aux légumes croquants. **Vins** Haut Poitou, Mareuil.

❀ **La Marmite** (Marzin), **14 r. St-Jean du Pérot** 46 41 17 03 – . AE E VISA Z a
fermé 15 au 31 janv. et merc. – **R** 150/340
Spéc. Mouclade rochelaise (juin à déc.), Homard au Sauternes (avril à nov.), Filet de bar au jus de truffes. **Vins** Haut Poitou, Mareuil.

❀ **Serge** (Coulon), **46 Cours des Dames** 46 41 18 80, ←, – . AE E VISA Z s
fermé 15 janv. au 8 fév. et mardi hors sais. – **R** 98/180
Spéc. Fruits de mer, Crustacés et poissons cuisinés.

les Quatre Sergents, 49 r. St Jean du Pérot 46 41 35 80 – AE E VISA Z q
fermé dim. soir et lundi – **R** 60/142 , enf. 38.

Le Rabelais, 22 r. St Jean du Pérot 46 41 63 97 – AE E VISA Z a
R 95/230.

Le Claridge, 1 r. Admyrauld 46 41 35 71 – AE VISA Y v
fermé sam. midi et dim. – **R** 88/135 , enf. 40.

Prince Albert, 58 r. Albert-1er 46 41 06 60 Y e

Rest. La Cagouille -Hôtel La Cagouille-, bd Joffre 46 27 19 18 – E VISA Z g
R 67/130, enf. 35.

Parc, 38 r. Th.-Renaudot 46 34 15 58 – AE E VISA X u
fermé 1er au 15 oct., 15 au 28 fév. et lundi – **R** 69/159, enf. 45.

La Closerie, 20 r. Verdière 46 41 57 05 – E VISA Z k
fermé 1er au 15 fév. et jeudi sauf juil.-août – **R** 95/150.

à La Pallice O : 5 km – **17000** La Rochelle :

La Terrasse sans rest, **10 bd Mar.-Lyautey** 46 42 61 86 – wc wc . E VISA X e
fermé janv. – 23 – **40 ch** 125/240.

à Aytré par ④ : 5 km – 7 381 h. – **17440** Aytré :

La Maison des Mouettes, bd Plage 46 44 29 12, ←, – . AE E VISA
fermé 1er au 15 oct., fév. et lundi (sauf juil.-août et fêtes) – **R** (dim. et fêtes prévenir) 110/320.

à Nieul-sur-Mer NO : 5 km par D 164 – **17137** Nieul-sur-Mer :

Le Nalbret, 46 37 81 56, – . AE E VISA
fermé vacances de fév., lundi soir et dim. hors sais. – **R** 70 bc/220 , enf. 49.

à Dompierre-sur-Mer par ② : 8 km – 3 474 h. – **17139** Dompierre-sur-Mer :

Aub. du Vieux Noyer avec ch, 46 35 31 32, , – wc . AE E VISA
fermé 23 sept. au 8 oct., mi-janv. à mi-fév., mardi (sauf hôtel) et lundi soir – **R** 130/290 – 35 – **5 ch** 260/300 – 1/2 p 365.

au Breuil par ② NE sur N 137 : 12 km – **17230** Marans :

Aub. du Breuil, 46 37 04 31 – . AE E VISA
fermé 1er au 15 fév. et lundi – **R** 90/160, enf. 55.

MICHELIN, Agence, Z.I. de Périgny, av. Louis Lumière, Voie D X ✆ **46 44 12 76**

AUSTIN-ROVER La Genette-Automobile, 8 r. de Tunis ✆ 46 34 92 78
BMW Cormier, Z.A.C. de Beaulieu à Puilboreau ✆ 46 68 04 77 **N** ✆ 46 67 16 16
CITROEN S.O.R.D.A., 99 bd de Cognehors ✆ 46 27 19 68
CITROEN Gar. Bretonnier, 8 r. de la Trompette ✆ 46 34 79 79
FIAT Gar. Lenoir, 170 r. E.-Normandin ✆ 46 44 46 24
FORD Porte Dauphine Autom., 2 à 12 av. Porte Dauphine ✆ 46 67 51 11
LANCIA-AUTOBIANCHI Gar. Laporte, 178 av. E.-Normandin ✆ 46 44 46 66
MERCEDES-BENZ S.A.V.I.A., Centre Commercial de Beaulieu à Puilboreau ✆ 46 67 54 22
PEUGEOT-TALBOT Brenuchot, 1 av. Guiton ✆ 46 34 87 82
PEUGEOT-TALBOT Brenuchot ZAC de Beaulieu à Puilbo reau par ② ✆ 46 67 36 44
RENAULT Gar. Chataignier, ZAC Villeneuve Salines, r. J.-P.-Sartre ✆ 46 44 01 00
V.A.G. Comptoir Autom.-Rochelais, 141 av. E.-Normandin ✆ 46 44 30 47

Ⓜ Charente-Pneus, N 137 à Angoulins ✆ 46 56 80 94
Moyet-Pneus, 31 av. de Rompsay ✆ 46 27 08 00
Perry-Pneu 9 r. St-Louis ✆ 46 41 13 20 et 153 bd A.-Sautel ✆ 46 34 85 71

La ROCHE MAURICE **29** Finistère **58** ⑤ – rattaché à Landerneau.

La ROCHE-POSAY **86270** Vienne **68** ⑤ **G. Poitou Vendée Charentes** – **1 404 h.** – **Stat therm.** – **Casino.**

du Connétable ✆ **49 86 20 21.**

Office de Tourisme cours Pasteur ✆ 49 86 20 37.

Paris 314 – Le Blanc 30 – Châteauroux 76 – Châtellerault 23 – Loches 48 – Poitiers 49 – ♦Tours 80.

- **Thermal St Roch,** ✆ 49 86 21 03, – wc **42 ch.**
- **Europe** sans rest, ✆ 49 86 21 81, – wc wc
  1er avril-15 oct. – 21 – **31 ch** 105/135.
- **Esplanade,** ✆ 49 86 20 48 – wc wc . E VISA
  début mars-fin nov. – **R** 58/160, enf. 35 – 15 – **25 ch** 90/150.
- **Host. St Louis,** r. St Louis ✆ 49 86 20 54 – wc . E VISA
  mars-fin oct. – **R** 55/150 – 18 – **20 ch** 100/200 – ½ p 155/215.

ROCHER **07** Ardèche **80** ⑧ – rattaché à Largentière.

Les ROCHES-DE-CONDRIEU **38370** Isère **74** ⑪ – **1 728 h.**

Paris 501 – Annonay 35 – ♦Grenoble 104 – Rive-de-Gier 22 – Vienne 12.

- **Bellevue,** ✆ 74 56 41 42, ← – wc wc – 30. AE E VISA
  fermé 1er au 11 août, 6 fév. au 1er mars, dim. soir d'oct. à avril, mardi midi d'avril oct. et lundi – **R** (dim. et fêtes prévenir) 95/250 – 25 – **18 ch** 145/220.

PEUGEOT-TALBOT, RENAULT Capellaro, ✆ 74 56 41 32

ROCHES-LÈS-BLAMONT **25** Doubs **66** ⑱ – **493 h.** – ✉ **25310** Hérimoncourt.

Paris 499 – ♦Besançon 83 – Montbéliard 16 – Pont de Roide 13.

- **Aub. Vieille Forge,** ✆ 81 35 18 40, – . E VISA
  fermé 15 au 28 fév. et merc. – **R** 85/360, enf. 60.

La ROCHE-SUR-FORON **74800** H.-Savoie **74** ⑥ **G. Alpes du Nord** – **7 400 h.**

Office de Tourisme pl. Andrevetan ✆ 50 03 36 68.

Paris 556 – Annecy 33 – Bonneville 8 – ♦Genève 25 – Thonon-les-Bains 42.

- **Les Afforets et rest. la Renaissance** M, r. Egalité ✆ 50 03 35 01, –
  wc wc – 25 à 80. AE E VISA
  fermé 16 août au 1er sept. et dim. hors sais. – **R** 45/220 – 24 – **26 ch** 170/2
  – ½ p 240/270.

à Amancy-Vozerier E : 2,5 km – ✉ **74800** La Roche-sur-Foron :

- **Le Marie-Jean,** rte Bonneville ✆ 50 03 33 30 – . AE E VISA
  fermé 1er au 22 août, dim. soir et lundi – **R** 150/240.

à Arbusigny NO : 12 km par D 6 – ✉ **74800** La Roche-sur-Foron :

- **Aub. de la Poémière,** ✆ 50 94 51 47
  fermé janv., dim. soir, lundi et mardi – **R** (prévenir) 115/160.

PEUGEOT-TALBOT Duret, av. des Afforêts, Zone Ind. ✆ 50 03 05 00 **N** ✆ 50 03 20 93
Ⓜ Piot-Pneu, av. L.-Rannard ✆ 50 03 10 46

ROCHE-SUR-YON P 85000 Vendée 67 ⑬⑭ G. Poitou Vendée Charentes – 48 156 h.

ffice de Tourisme Galerie Bonaparte, pl. Napoléon ✆ 51 36 00 85 – A.C.O. 17 r. Lafayette 1 36 24 60.

416 ① – Cholet 65 ② – ♦Nantes 67 ① – Niort 88 ③ – La Rochelle 73 ④.

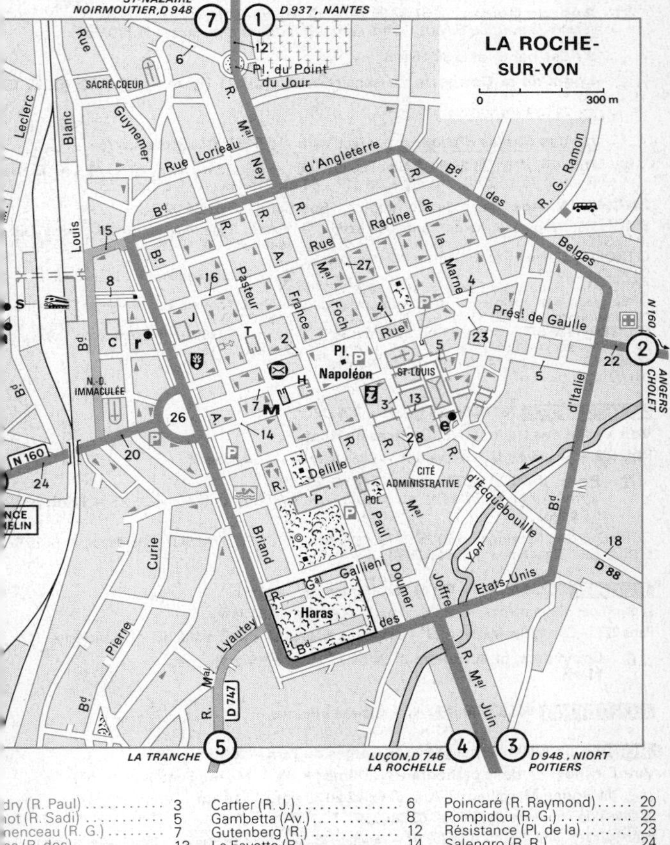

dry (R. Paul)	3	Cartier (R. J.)	6	Poincaré (R. Raymond)	20
iot (R. Sadi)	5	Gambetta (Av.)	8	Pompidou (R. G.)	22
nenceau (R. G.)	7	Gutenberg (R.)	12	Résistance (Pl. de la)	23
es (R. des)	13	La Fayette (R.)	14	Salengro (R. R.)	24
		Manuel (R.)	15	Vendée (Pl. de la)	26
nde (R. S.)	2	Molière (R.)	16	Victor-Hugo (R.)	27
helot (R. M.)	4	Moulin Rouge (R. du)	18	93e (R. du)	28

Gallet, 75 bd Mar.-Leclerc **(n)** ✆ **51 37 02 31, Télex 701803** – ch TV wc wc ☎ AE ① E VISA
fermé 23 déc. au 9 janv. et dim. du 30 sept. au 31 mars – **R** 110/270, enf. 50 – **12 ch** ☐300/500 – 1/2 p 292/376.

Napoléon sans rest, **50 bd A.-Briand (r)** ✆ **51 05 33 56** – TV wc wc ☎ – 60. AE ① E VISA
fermé 23 déc. au 4 janv. – ☐ 22 – **29 ch** 185/295.

Vendée sans rest, **4 r. Malesherbes (e)** ✆ **51 37 28 67** – wc wc ☎. E VISA
☐ 23 – **33 ch** 110/250.

Le Vincennes M sans rest, **81 bd Mar. Leclerc (s)** ✆ **51 62 73 22** – TV wc wc ☎. AE E VISA
☐ 23 – **9 ch** 145/265.

tourner →

rte Nantes par ① : 2 km – ✉ **85000** La Roche-sur-Yon :

Campanile Ⓜ, ✆ **51 37 27 86, Télex 701766,** – TV ⌂wc ☎ Ⓟ. VISA
R 63 bc/86 bc, enf. 38 – ☕ 24 – **42 ch** 200/220 – ½ p 287/330.

rte Cholet par ② : 5 km – ✉ **85000** La Roche-sur-Yon :

XX **Aub. de Noiron,** ✆ **51 37 05 34** – Ⓟ. AE ⓓ E VISA
fermé 29 août au 8 sept., lundi sauf juil.-août et dim. soir – **R** 119/250.

à l'Est par ③ et D 80 : 5 km :

Logis de la Couperie sans rest, ✆ **51 37 21 19,** – ⌂wc ☎ Ⓟ. AE E
☕ 23 – **9 ch** 120/340.

rte des Sables d'Olonne par ⑥ : 1 km – ✉ **85000** La Roche-sur-Yon :

Ibis Ⓜ, ✆ **51 36 26 00, Télex 700601,** – TV ⌂wc ☎ ♿ Ⓟ – 130. E VISA
R carte 75 à 120 ß, enf. 32 – ☕ 25 – **64 ch** 215/280 – ½ p 290/355.

MICHELIN, Agence, r. de Montréal, Z.I. Sud par ⑥ ✆ **51 05 02 74**

BMW Gar. Napoléon, rte de Nantes, ZI Nord, ✆ 51 37 36 27
CITROEN Guénant-Auto, rte de Nantes par ① ✆ 51 62 29 64
FORD Gar. Baudry, bd Lavoisier ✆ 51 36 22 35
OPEL Gar. des Jaulnières, rte d'Aubigny ZA des Jaulnières, ✆ 51 05 36 74
PEUGEOT-TALBOT Sorin, 17 bd Sully par rte de Nantes par ⑦ ✆ 51 37 08 15
RENAULT Gd Gar. Moderne, rte de Nantes par ① ✆ 51 62 11 57
V.A.G. Tixier, RN160 rte des Sables, Les (zeaux ✆ 51 05 19 33

La Roche Pneus, 17 r. Mar.-Foch ✆ 51 13
Le Pneu Yonnais, rte de Nantes, Zone Ind. ✆ 51 37 05 77
Vendée-Pneus, r. du Commerce, Zone Ind ✆ 51 36 07 15

La ROCHETTE 73110 Savoie 74 ⑯ – 3 262 h.

Voir Vallée des Huiles★ NE, G. Alpes du Nord.

Paris 569 – Albertville 37 – Allevard 10 – Chambéry 32 – ♦Grenoble 48.

Parc, ✆ **79 25 53 37,** – Ⓟ. E VISA
fermé lundi du 1er sept. au 30 juin – **R** 70/150 ß, enf. 50 – ☕ 23 – **12 ch** 90/1
½ p 140/150.

CITROEN Gar. Fachinger ✆ 79 25 52 73
FORD Gar. Blanchin, ✆ 79 25 50 28 N
PEUGEOT-TALBOT Maréchal, ✆ 79 25 52

ROCROI 08230 Ardennes 53 ⑱ G. Champagne – 2 789 h.

Syndicat d'Initiative pl. A.-Hardy (Pâques-sept.) ✆ 24 54 24 46.

Paris 227 – Charleville-Mézières 29 – Laon 83 – ♦Reims 92 – St-Quentin 102 – Valenciennes 112.

Commerce, pl. A.-Briand ✆ **24 54 11 15** – ⌂wc wc
11 ch.

La RODERIE 44 Loire-Atl. 67 ③ – rattaché à Bouaye.

RODEZ Ⓟ 12000 Aveyron 80 ② G. Gorges du Tarn – 26 346 h. alt. 632.

Voir Clocher★★★ de la cathédrale N.-Dame★★ BY – **Musée Fenaille★** BZ **M1.**

de Rodez-Marcillac : T.A.T. ✆ **65 42 20 30 par ③ : 10 km.**

Office de Tourisme pl. Foch ✆ 65 68 02 27.

Paris 642 ③ – Albi 78 ② – Alès 209 ① – Aurillac 105 ① – Brive-la-Gaillarde 156 ③ – ♦Clermont-Fer 226 ① – Montauban 129 ③ – Périgueux 215 ③ – ♦Toulouse 158 ②.

Plan page ci-contre

Tour Maje Ⓜ sans rest, **bd Gally** ✆ **65 68 34 68** – TV ⌂wc wc ☎. AE VISA
☕ 25 – **45 ch** 262/360. BZ

Biney Ⓜ sans rest, **7 bd Gambetta** ✆ **65 68 01 24** – ⌂wc wc ☎. ⓓ E VISA
fermé 17 déc. au 3 janv. – ☕ 22 – **28 ch** 140/220. BY

Parc sans rest, **pl. Armes** ✆ **65 68 11 22** – TV ⌂wc wc ☎ – 30. AE VISA. BY
fermé 23 déc. au 5 janv., sam. et dim. du 15 nov. au 15 mars – ☕ 24 – **20** 118/260.

Midi, 1 r. Béteille ✆ **65 68 02 07** – wc ☎ Ⓟ. E VISA AY
fermé 15 déc. au 15 fév., lundi (sauf hôtel), sam. soir et dim. sauf juil.-août – 55/110 ß – ☕ 22 – **34 ch** 110/300 – ½ p 232/270.

Clocher sans rest, **4 r. Séguy** ✆ **65 68 10 16** – ⌂wc wc . BY
fermé 20 déc. au 15 janv. et dim. – ☕ 22 – **24 ch** 90/220.

XX **St-Amans,** 12 r. Madeleine ✆ **65 68 03 18** – . E VISA BZ
fermé 15 fév. au 15 mars, dim. soir et lundi – **R** 100/200.

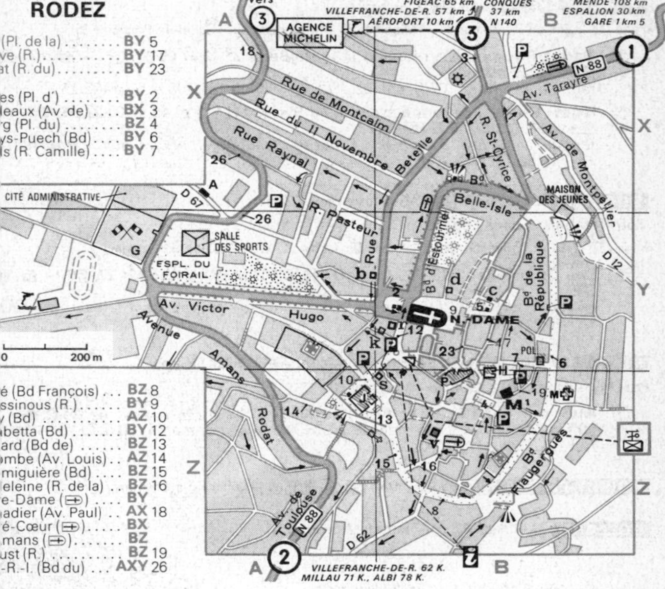

rte de Marcillac-Vallon N : 3,5 km par D 901 – ✉ **12850** Onet-le-Château :

Host. de Fontanges Ⓜ, rte Marcillac ✆ 65 42 20 28, Télex 521142, parc, – TV ☎ Ⓟ – 100. AE ⓓ E VISA
R 79/169, enf. 50 – ☕ 25 – **42 ch** 250/280, 4 appartements 380 – 1/2 p 270/320.

à Gages par ① et N 88 : 10 km – ✉ **12630** Gages :

Relais de la Plaine, ✆ 65 42 29 03, – Ⓟ. rest
fermé oct., vend. soir et sam. – **R** 50/80 ♁, enf. 35 – ☕ 16 – **22 ch** 75/145 – 1/2 p 140/160.

à Olemps par ② et D 653 : 3 km – ✉ **12000** Rodez :

Les Peyrières, ✆ 65 68 20 52, – wc wc ☎ Ⓟ. VISA. ch
fermé 24 déc. au 2 janv. – **R** *(fermé dim. soir et lundi midi)* 50/150 ♁, enf. 40 – ☕ 20 – **50 ch** 115/240 – 1/2 p 130/270.

rte Rignac par ③ : 6,5 km – ✉ **12000** Rodez :

Le Régent Ⓜ, parc Saint Joseph ✆ 65 67 03 30, « Parc ombragé » – TV ☎ ♿ Ⓟ – 80. AE ⓓ E VISA
fermé 10 janv. au 10 fév. – **R** 140/200 – ☕ 40 – **18 ch** 270/380 – 1/2 p 400.

CHELIN, Agence Régionale, Rue. des Artisans, Z.A. de Bel Air par ③ ✆ **65 42 17 88**

N, FIAT Gar. Higonenc, rte Decazeville 5 42 20 11
ROEN Rouergue Automobiles, rte d'Espa- à Sebazac-Concoures par ① ✆ 65 46 96 50 ? 65 47 01 61
RD Boutonnet, La Gineste, rte Decazeville 5 42 20 12
RCEDES, OPEL Gar. Benoit, La Primaube c ✆ 65 71 48 31
GEOT-TALBOT Caussignac et Guiet, rte Conques, par ③ ✆ 65 42 20 18
AULT Gge Fabre-Rudelle, Rte d'Espalion net le Chateau par ① ✆ 65 67 04 10

V.A.G. Gar. Besset et Jean, Zone Artisanale Bel-Air ✆ 65 42 20 14

Ⓜ Central-Pneu, Zone Ind. de la Prade à Onet le château ✆ 65 67 16 11
Escoffier-Pneus, Zone Ind. de la Prade à Onet le Château ✆ 65 67 07 43
Le Relais du Pneu, 48 av. Toulouse La Mouline à Olemps ✆ 65 68 02 32
Tout pour le pneu, 40 r. Béteille ✆ 65 68 01 13

Routes enneigées

Pour tous renseignements pratiques, consultez les cartes Michelin **« Grandes Routes »** **998**, **999**, **915** ou **989**.

ROGNAC 13340 B.-du-R. 84 ② – 9 330 h.

Paris 746 – Aix-en-Provence 26 – ♦Marseille 32 – Martigues 25 – Salon-de-Provence 25.

- **Cadet Roussel,** Carrefour N 113 - rte Berre ✆ 42 87 00 33, – rest wc wc ☎ P. E VISA
  fermé dim. – **R** 52/107 ℥, enf. 52 – ☕ 18 – **13 ch** 120/200 – 1/2 p 185/260.
- XX **Host. Royal Provence** avec ch, au Sud sur N 113 ✆ 42 87 00 27, ≤, , wc ☎ P. AE ⓓ E VISA
  fermé 9 au 31 juil., 2 au 9 janv., lundi soir (sauf hôtel) et dim. soir – **R** 65/180 – 22 – **10 ch** 130/175 – 1/2 p 175.

ROGNES 13840 B.-du-R. 84 ③ **G. Provence** – 2 216 h.

Voir Retables ★ dans l'église.

Paris 737 – Aix-en-Provence 19 – Cavaillon 38 – Manosque 54 – Salon-de-Provence 22.

- XX **Les Olivarelles,** NO : 6 km par D 543, D 66D et VO ✆ 42 50 24 27, – P. VISA
  fermé 1er au 15 nov., vacances de fév., dim. soir et lundi sauf fêtes – **R** (préve 82/180, enf. 50.

ROGNY 89 Yonne 65 ② **G. Bourgogne** – 740 h. – ✉ **89220** Bléneau.

Paris 145 – Auxerre 60 – Gien 24 – Montargis 33.

- XX **Aub. des Sept Ecluses** avec ch, ✆ 86 74 52 90 – wc wc ☎. AE E VISA
  fermé 19 au 30 sept., 15 janv. au 20 fév., lundi soir et mardi – **R** 120/170 – ☕ 2 **7 ch** 150/190 – 1/2 p 190/220.

ROISSY-EN-FRANCE 95 Val-d'Oise 56 ⑪, 101 ⑧ – voir à Paris, Environs.

ROLLAND 33 Gironde 75 ② – rattaché à Coutras.

☞ *Pour être inscrit au* ***guide Michelin***
- pas de piston,
- pas de pot de vin !

ROMAGNE-SOUS-MONTFAUCON 55 Meuse 56 ⑩ – 211 h. – ✉ **55110** Dun-sur-Meuse

Voir Cimetière américain, **G. Alsace et Lorraine.**

Paris 231 – Bar-le-Duc 79 – Ste-Menehould 45 – Verdun 43 – Vouziers 35.

- XX **Aub. du Coq Gaulois,** ✆ 29 80 93 72 – AE E VISA.
  fermé 16 au 30 sept., 18 fév. au 4 mars, dim. soir et lundi – **R** 55/200 ℥, enf. 30.

ROMANÈCHE-THORINS 71 S.-et-L. 74 ① **G. Bourgogne** – 1 699 h. – ✉ **71570** La Chap de Guinchay.

Paris 408 – Chauffailles 52 – ♦Lyon 56 – Mâcon 17 – Villefranche-sur-Saône 29.

- ❀ **Maritonnes** (Fauvin), près gare ✆ 85 35 51 70, Télex 351060, « Parc fleuri, – ☎ P – 30. AE ⓓ E VISA
  fermé 30 mai au 6 juin, 15 déc. au 26 janv., dim. soir du 1/10 au 30/6, mardi mid 1/7 au 30/9 et lundi – **R** 160/300 – ☕ 40 – **20 ch** 320/380
  Spéc. Grenouilles sautées fines herbes, Escalope de saumon au Fleurie, Fricassée de volaill Bresse à la crème et aux morilles. **Vins** Chenas, Pouilly-Fuissé.

ROMANS-SUR-ISÈRE 26100 Drôme 77 ② **G. Vallée du Rhône** – 33 888 h.

Voir Tentures★★ de l'église St-Barnard AZ **B.**

Paris 560 ⑤ – Die 73 ④ – ♦Grenoble 81 ② – ♦St-Étienne 93 ⑤ – Valence 18 ④ – Vienne 71 ⑤.

Plan page ci-contre

- **Terminus** sans rest, 48 av. P.-Sémard ✆ 75 02 46 88 – wc wc ☎ – E VISA AY
  ☕ 22 – **32 ch** 90/260.
- **Cendrillon** sans rest, 9 pl. Carnot ✆ 75 02 83 77 – wc ☎. AE ⓓ E VISA AY
  ☕ 20 – **28 ch** 176/245.
- **Magdeleine** sans rest, 31 av. P.-Sémard ✆ 75 02 33 53 – TV wc wc ☎ VISA AY
  fermé dim. – ☕ 22 – **16 ch** 150/230.
- XX **Ponton,** 40 pl. Jacquemart ✆ 75 02 29 91 – VISA AY
  fermé dim. soir et lundi – **R** 98/200, enf. 50.

ROMANS-SUR-ISÈRE BOURG-DE-PÉAGE

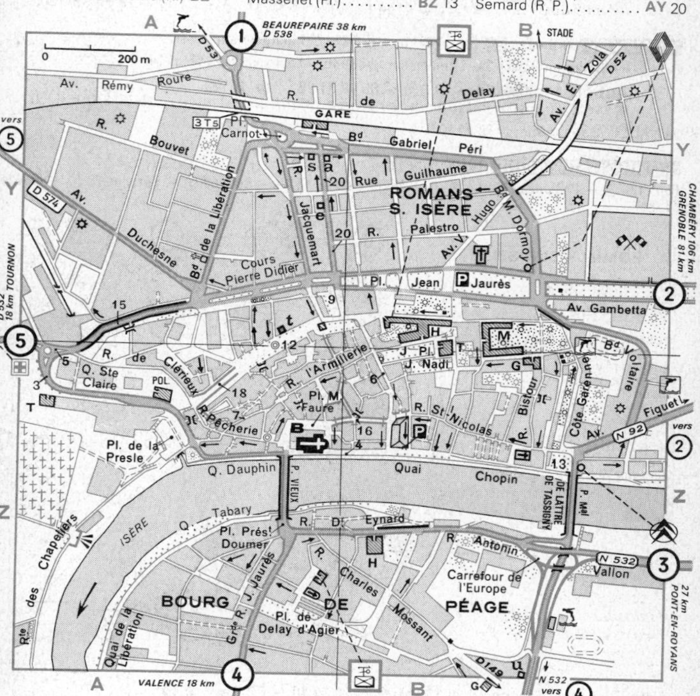

à Bourg-de-Péage ABZ – 8 680 h. – ✉ **26300** Bourg-de-Péage :

🏨 **Yan's** Ⓜ sans rest, ✆ **75 72 44 11** – TV wc wc ☎ Ⓟ. AE E VISA — BZ **u**
☕ 28 – **23 ch** 210/320.

✕✕ **Astier,** à Pizançon par ③ : 2 km par N 532 ✆ **75 70 06 27** – ▤. E VISA
fermé 10 juil. au 1er août, sam. soir et dim. – **R** 130/170.

E : par ② et N 97 : 4 km – ✉ **26750** St Paul-lès-Romans :

🏨 **Karene H.** Ⓜ, ✆ **75 05 12 50,** – TV wc ☎ ♿ Ⓟ. AE ◑ E VISA
R (dîner seul.) (résidents seul.) 60 – ☕ 24 – **20 ch** 220/275.

à Granges-les-Beaumont par ⑤ : 6 km – ✉ **26600** Tain l'Hermitage :

✕✕✕ **Les Cèdres,** ✆ **75 71 50 67,** – Ⓟ. E VISA
fermé 24 août au 1er sept., mardi soir et merc. – **R** 98/200, enf. 50.

✕✕ **Lanaz** avec ch, ✆ **75 71 50 56,** – wc ☎ Ⓟ. E VISA
fermé 1er au 10 mai, 3 au 27 sept. et sam. – **R** 60/147 ♁ – ☕ 16 – **7 ch** 118/147 – 1/2 p 178/255.

à St Paul-lès-Romans par ③ : 8 km – ✉ **26750** St Paul-lès-Romans :

✕✕ **La Malle Poste,** ✆ **75 45 35 43** – AE ◑ E VISA
fermé 29 août au 15 sept., 3 au 19 janv., mardi soir et merc. – **R** 150/250, enf. 45.

ITROEN Romans-Automobiles, pl. Massenet ✆ 75 70 00 66
ORD Larat, 21 av. Gambetta ✆ 75 70 07 01
ORD Larat, 231 grde r. J.-Jaurès à Bourg-de-Péage ✆ 75 02 85 00
PEL Vincent, 9 r. G.-Martin ✆ 75 70 51 59
EUGEOT-TALBOT Gar. des Dauphins, Zone Ind., N 92 par ② ✆ 75 70 24 66

RENAULT Standard Automobiles, 6 bd Max-Dormoy ✆ 75 02 29 55 N
Gar. Fillat, 47 av. J.-Moulin ✆ 75 02 07 66

Dorcier, 41 cours P.-Didier ✆ 75 02 24 64
Piot-Pneu, Zone Ind., N 92 ✆ 75 70 45 67

ROMBAS 57120 Moselle 57 ③ – 11 733 h.

Paris 314 – Briey 15 – ♦Metz 19 – Thionville 19 – Verdun 71.

Europa, 19 r. Clemenceau à **Clouange** ✉ 57120 Rombas ✆ 87 67 07 88 – wc wc ☎ Ⓟ – 40. AE ⓓ E VISA
fermé 8 au 31 juil., vend. soir et sam. midi – **R** 68/120 – 17 – **19 ch** 98/160.

ROMENAY 71 S.-et-L. 69 ⑳ – 1 641 h. – ✉ **71470** Montpont-en-Bresse.

Paris 377 – Bourg-en-Bresse 36 – Chalon-sur-Saône 45 – Louhans 19 – Mâcon 36.

✗ **Aub. la Maillardière,** D 975 ✆ 85 40 31 25 – Ⓟ. E VISA
fermé 20 juin au 6 juil., 14 nov. au 13 déc., mardi soir et merc. – **R** 78/170, enf. 50.

RENAULT Gar. du Sud, ✆ 85 40 30 54

ROMILLY-SUR-SEINE 10100 Aube 61 ⑤ – 16 291 h.

Paris 124 ⑤ – Châlons-s.-Marne 74 ① – Nogent-sur-S. 18 ⑤ – Sens 60 ⑤ – Sézanne 26 ① – Troyes 38 ③.

ROMILLY-SUR-SEINE

Boule-d'Or (R. de la) 3
Gornet Boivin (R.)
Martyrs (Pl. des) 17

Brossolette (Av. P.) 4
Carnot (Rue) 5
Château (Av. du) 6
Gambetta (R.) 8
Gaulle (R. Gén. de) 9
Jaurès (Av. Jean) 10
Lattre-de-Tassigny (R. Mar. de) 12
Leclerc (Av.) 13
Liberté (Av. de la) 14
Magenta (R.) 16
Partouneaux (R.) 19
Pasteur (R.) 21
St-Martin (⊞)

Dans la liste des rues des plans de ville, les noms en rouge indiquent les principales voies commerçantes.

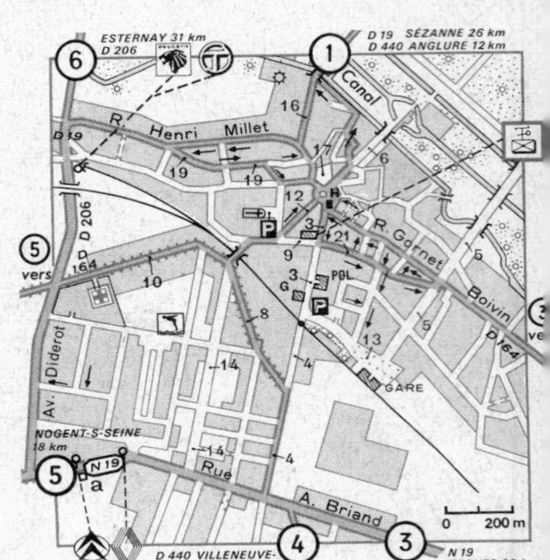

Climat de France Ⓜ, N 19 **(a)** ✆ **25 24 92 40** – TV wc ☎ Ⓟ
34 ch.

*à **Pars-Les-Romilly*** par ④ : 3 km – ✉ **10100** Romilly-sur-Seine :

✗ **Host. Le Bourdeau,** ✆ 25 24 34 93 – Ⓟ. AE VISA
fermé 8 au 25 août, vacances de fév., dim. soir et merc. – **R** 55/160.

CITROEN Garnerot, 126 r. A.-Briand N 19 ✆ 25 24 79 48
FORD Gar. D'Agostino, 6 r. E.-Zola ✆ 25 24 71 58
PEUGEOT-TALBOT Crelier, Rond-Point du Val-Thibault ✆ 25 24 74 45
RENAULT Brillais, bd Robespierre ✆ 25 24 85 77 N ✆ 25 24 70 38

V.A.G. Gar. Rocca, 55 av. J.-Jaurès ✆ 25 24 9 42

La Centrale du Pneu, 223 r. A.-Briand ✆ 2 24 79 40

ROMORANTIN-LANTHENAY 41200 L.-et-Ch. 64 ⑱ **G. Châteaux de la Loire** – 18 187 h – **Voir Maisons anciennes★ B** – **Vues des ponts★** – **Musée de Sologne★ H.**

Office de Tourisme pl. Paix ✆ 54 76 43 89.

Paris 210 ① – Blois 41 ⑤ – Châteauroux 67 ③ – ♦Orléans 68 ① – ♦Tours 89 ④ – Vierzon 33 ③.

Plan page ci-contre

Gd H. Lion d'Or Ⓜ, 69 r. Clemenceau **(a)** ✆ **54 76 00 28, Télex 75099** « **Terrasse fleurie** » – TV ☎ Ⓟ – 50. AE ⓓ E VISA
fermé début janv. à mi-fév. – **R** (nombre de couverts limité - prévenir) 260/420 e carte – 60 – **10 ch** 400/600
Spéc. Cuisses de grenouilles à la Rocambole, Langoustines rôties aux épices douces, Macarons a lait d'amandes glacé et chocolat chaud. **Vins** Vouvray, Bourgueil.

Le Lanthenay, à Lanthenay par ① 2,5 km, pl. Église ✆ 54 76 09 19, wc wc ☎. E VISA
fermé mi-fév. à mi mars, lundi (sauf hôtel) et dim. soir – **R** 85/170 – 18 – **12 c** 105/190 – 1/2 p 208/258.

ROMORANTIN-LANTHENAY

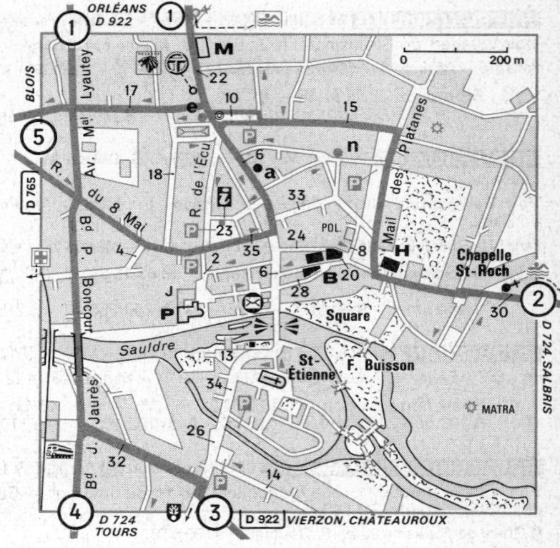

XX **Le Colombier** avec ch, **10 pl. Vieux-Marché (n)** ☎ **54 76 12 76,** – wc ⋒wc ☎ **P**. AE ⓓ E VISA
fermé 15 au 22 sept., 15 janv. au 13 fév. et lundi sauf fériés – **R** 80/160 – 22 – **11 ch** 144/220.

XX **Orléans** avec ch, **2 pl. Gén.-de-Gaulle (e)** ☎ **54 76 01 65** – wc ☎. E VISA
fermé 3 au 24 déc. – **R** *(fermé vend. hors sais.)* 80/180 – 25 – **10 ch** 110/240.

...ROEN Gar. Blanchard, 91 fg d'Orléans ☎ 54 ...18 07
...RD Girard, 86 fg Orléans par ① ☎ 54 76 11 ...
...NCIA-AUTOBIANCHI Gar. Lerepenti, 10 r. l'Écu ☎ 54 76 02 42

PEUGEOT-TALBOT Hureau, 14 fg Orléans ☎ 54 76 01 98
RENAULT Gar. de Paris, 12-14 av. de Paris par Fg.-d'Orléans ☎ 54 76 06 68
V.A.G. Gar. Leclerc, 42 av. de Blois ☎ 54 76 13 73

...ONCE-LES-BAINS **17 Char.-Mar.** 71 ⑭ **G. Poitou Vendée Charentes** – ✉ **17390 ...Tremblade.**

Syndicat d'Initiative pl. Brochard ☎ 46 36 06 02.

...is 519 – Marennes 9 – Rochefort 31 – La Rochelle 63 – Royan 28.

Le Grand Chalet M, **2 av. La Cèpe** ☎ **46 36 06 41,** ← **île d'Oléron,** – ⋒wc ☎ **P**. E VISA. rest
20 fév.-15 nov. – **R** *(fermé dim. soir du 15 sept. au 1er mai)* 90/250, enf. 50 – 24 – **28 ch** 210/260 – ½ p 208/233.

...ROEN Gar. Molle, bd Joffre à la Tremblade ...46 36 09 54

PEUGEOT TALBOT Gar. Horseau, 62 bd Joffre à la Tremblade ☎ 46 36 13 23

...ONCHAMP **70250** H.-Saône 66 ⑦ – 3 139 h.

...ir Chapelle★★, G. Jura.

Syndicat d'Initiative à la Mairie ☎ 84 20 64 70.

...is 419 – Belfort 21 – Lure 12 – Luxeuil-les-Bains 31 – Vesoul 43.

Le Ronchamp M sans rest, **rte de Belfort** ☎ **84 20 60 35,** – TV wc ⋒wc ☎ **P**. E VISA
fermé 15 déc. au 1er fév. et dim. soir en hiver – 18 – **21 ch** 160/215.

au Rhien N : 3 km – ✉ **70250** Ronchamp :

XX **Rhien Carrer** avec ch, ☎ **84 20 62 32,** – wc **P** – 35. E VISA. ch
R 45/170 – 15 – **20 ch** 80/140 – ½ p 120/150.

à Champagney E : 4,5 km par D 4 – 3 290 h. – ✉ **70290** Champagney :

Commerce, ☎ **84 23 13 24,** – ⋒wc **P**. AE ⓓ E VISA
fermé oct. – **R** *(fermé lundi hors sais. sauf fériés)* 55/160, enf. 35 – 20 – **25 ch** 80/150 – ½ p 150/180.

Michelin n'accroche pas de panonceau aux hôtels et restaurants qu'il signale.

ROPPENTZWILLER 68 H.-Rhin 66 ⑩ – 708 h. – ✉ **68480** Ferrette.

Voir Village★ de Grentzingen NO : 5 km, G. Alsace et Lorraine.

Paris 529 – Altkirch 15 – •Bâle 25 – Belfort 49 – Colmar 76 – Delle 29 – Montbéliard 47.

XX **Eicher,** ✆ 89 25 81 38 – P. VISA. ✻
fermé 1er au 25 août, mardi soir et lundi – **R** (en sem. dîner à la carte) 48/180.

ROQUEBILLIÈRE 06 Alpes-Mar. 84 ⑲, 195 ⑯ G. Côte d'Azur – 1 654 h. alt. 612 – ✉ 064 Lantosque.

Voir Belvédère : site★, <★ de la terrasse E : 4 km – Vallon de la Gordolasque E : 2 km.

Paris 971 – Barcelonnette 125 – Cannes 72 – Digne 146 – Menton 65 – •Nice 55.

St Sébastien, au Vieux Village ✆ 93 03 45 38, <, ☂, ⛱, ⛩, ✂ – |♦| ⇔wc P. E VISA
fermé janv. – **R** 80/150 – ☕ 25 – **23 ch** 240/360 – 1/2 p 215/240.

ROQUEBRUN 34 Hérault 83 ⑭ G. Gorges du Tarn – 573 h. – ✉ **34460** Cessenon.

Paris 851 – Béziers 30 – Lodève 63 – •Montpellier 97 – Narbonne 51 – St-Pons 39.

X **Petit Nice** avec ch, ✆ 67 89 64 27, <, ☂ – ⋒wc. ✻ ch
R 100 bc/220 bc, enf. 65 – ☕ 20 – **9 ch** 150/200 – 1/2 p 170/190.

ROQUEBRUNE-CAP-MARTIN 06190 Alpes-Mar. 84 ⑩, 195 ㉘ G. Côte d'Azur – 12 578

Voir Village perché★★ : rue Moncollet★, ✻★★ du donjon★ – Cap Martin <★★ X – <★ de l'hôtel Vistaëro SO : 4 km.

ℹ Office de Tourisme 20 av. P.-Doumer ✆ 93 35 62 87.

De Roquebrune : Paris 955 – Menton 5 – Monte-Carlo 7 – •Nice 26.

Plans : voir à Menton

Vista Palace M ⛲, Grande Corniche O : 4 km par D 2564 ✆ 93 35 01 50, Tél 461021, < Monaco, ⛱, ⛩ – |♦| ⇔ ch ▤ rest TV ☎ ♿ ⟵ P – 🏃 50. AE ⓓ VISA. ✻ rest
fermé 1er au 25 mars et 1er nov. au 31 déc. – **R** 280/495 – ☕ 60 – **71 ch** 1100/13 – 1/2 p 1340/1540.

Alexandra sans rest, 93 av. W.-Churchill ✆ 93 35 65 45, < – |♦| ▤ TV ☎ P. ⓓ E VISA AX
fermé 1er oct. au 15 déc. – ☕ 25 – **40 ch** 280/530.

Victoria sans rest, 7 prom. Cap-Martin ✆ 93 35 65 90, < – ▤ TV ☎. AE ⓓ VISA AX
1er fév.-5 nov. – **30 ch** ☕314/470.

Regency sans rest, 98 av. J.-Jaurès par ③ : 2,5 km ✆ 93 35 00 91, < – ⇔wc E VISA. ✻
fermé 12 nov. au 20 déc. – ☕ 20 – **12 ch** 200/250.

Westminster, 14 av. L.-Laurens, quartier Bon-Voyage par ③ : 3 km ✆ 93 35 68, <, ⛩ – ⇔wc ⋒wc ☎. E VISA. ✻
fermé 23 oct. au 26 déc. et 8 janv. au 15 fév. – **R** (pour résidents ; en sais. dîn seul.) 65/110 – ☕ 22 – **30 ch** 170/240 – 1/2 p 175/200.

Reine d'Azur, 29 prom. Cap-Martin ✆ 93 35 76 84, ☂, ⛩ – ⋒. E VISA. ✻ rest
1er fév.-30 oct. – **R** (résidents seul.) – ☕ 20 – **17 ch** 105/152 – 1/2 p 17 240. AX

XXX ✿ **Roquebrune** (Mme Marinovich), 100 av. J.-Jaurès par ③, (corniche inférieur ✆ 93 35 00 16, <, ☂ – AE ⓓ E VISA
fermé 9/11 au 9/12, 9/1 au 20/1, jeudi midi et merc. du 15/9 au 31/5 et le midi sa week-ends du 1er/6 au 14/9 – **R** (prévenir) 290
Spéc. Bouillabaisse, Bourride, Marmite du pêcheur. Vins Bellet, Bandol.

XX **Hippocampe,** av. W.-Churchill ✆ 93 35 81 91, < **baie et littoral,** ☂ – ✻
fermé mai, oct., 2 au 30 janv. et lundi – **R** (déj. seul. de sept. à juin ; dîner en sai sauf jeudi et dim.) 135/275. AX

XX **Au Gd Inquisiteur,** r. Château (accès à pied) au village par ③ : 3,5 km ✆ 93 05 37, « Intérieur rustique » – ▤. AE. ✻
fermé 7 au 24 mars, 14 nov. au 26 déc., le midi en sais. et lundi – **R** (préven 110/185.

XX **Le Corail,** 7 promenade du Cap ✆ 93 41 37 69, ☂, cuisine vietnamienne chinoise – AE ⓓ E VISA
fermé 15 nov. au 15 déc., lundi midi et mardi midi (en juil.-août-sept.) et lundi ho sais. – **R** carte 110 à 160.

X **Les Lucioles,** au village par ③ : 3,5 km ✆ 93 35 02 19, <, ☂ – AE E VISA
1er avril-30 oct. et fermé vend. midi et jeudi – **R** 150.

à Monte-Carlo Beach : ressources hôtelières voir à Monaco

CITROEN Gar. de Carnolès, 159 av. Verdun ✆ 93 35 77 85

ROQUEFAVOUR 13 B.-du-R. 84 ②③ – ✉ 13122 Ventabren.
Voir Aqueduc★, G. Provence.
Paris 746 – Aix-en-Provence 12 – ♦Marseille 31 – Martigues 37 – Salon-de-Provence 28.

Arquier ✆ 42 24 20 45, ←, parc – wc ☎ P – 30. E VISA.
fermé fév., dim. soir et lundi hors sais. – **R** 110/240 – 25 – **18 ch** 100/220 – 1/2 p 210/260.

ROQUEFORT 40120 Landes 79 ⑪⑫ **G. Pyrénées Aquitaine** – 1 828 h.
Paris 684 – Agen 94 – Aire-sur-l'Adour 37 – Auch 99 – Langon 61 – Mont-de-Marsan 22.

Le Colombier ✆ 58 45 50 57, – wc P. E VISA
R 40/110, enf. 30 – 16 – **20 ch** 53/120 – 1/2 p 125/150.

FORD Gar. Masion, ✆ 58 45 50 68
PEUGEOT-TALBOT Pallas, ✆ 58 45 50 25
RENAULT Gar. Duboscq, ✆ 58 45 50 67
RENAULT Gar. Duparc, à Sarbazan ✆ 58 45 66 52

ROQUEFORT-LES-PINS 06330 Alpes-Mar. 84 ⑨ – 3 432 h.
Syndicat d'Initiative à la Mairie (fermé après-midi) ✆ 93 77 00 08.
Paris 916 – Cannes 18 – Grasse 15 – ♦Nice 25.

Aub. du Colombier avec ch, ✆ **93 77 10 27, Télex 461942**, ←, parc, – wc ☎ P – 30. AE E VISA
fermé 10 janv. au 10 mars. – **R** *(fermé mardi du 1er oct. au 1er avril)* 180, enf. 110 – 45 – **14 ch** 270/600 – 1/2 p 425/515.

ROQUEFORT-SUR-SOULZON 12250 Aveyron 80 ⑭ **G. Gorges du Tarn** – 880 h. alt. 630.
Voir Caves de Roquefort★ – Rocher St-Pierre ←★.
Paris 667 – Lodève 65 – Millau 24 – Rodez 82 – St-Affrique 14 – Le Vigan 76.

Grand Hôtel (Lenfant), ✆ 65 59 90 20 – wc P. AE E VISA
1er avril-15 oct. et fermé dim. soir et lundi sauf juil.-août – **R** 98/185 – 29 – **16 ch** 190/325
Spéc. Oeufs brouillés aux écrevisses, Huîtres gratinées au Gaillac perlé, Nougat glacé.

Les localités dont les noms sont soulignés de rouge sur les cartes Michelin à 1/200 000 sont citées dans ce guide. Utilisez une carte récente pour profiter de ce renseignement.

La ROQUE-GAGEAC 24 Dordogne 75 ⑰ **G. Périgord Quercy** – 404 h. – ✉ **24250** Domme.
Voir Site★★.
Paris 552 – Cahors 54 – Fumel 59 – Lalinde 46 – Périgueux 69 – Sarlat-La-Canéda 13.

Belle Étoile, ✆ 53 29 51 44, ←, – wc ☎. E VISA. ch
27 mars-15 oct. – **R** 80/210 – 22 – **16 ch** 140/210 – 1/2 p 220/230.

Gardette, ✆ 53 29 51 58, – wc wc P.
27 mars-15 oct. – **R** 80/180 – 22 – **15 ch** 130/220 – 1/2 p 200/230.

Plume d'Oie, ✆ 53 29 57 05, – E VISA
20 mars-15 nov. et fermé lundi – **R** 80/180.

rte de Vitrac SE : 4 km par D 703 – ✉ **24250** Domme :

Le Périgord M ✆ 53 28 36 55, parc – rest wc wc ☎ P – 200. AE VISA
fermé dim. soir et lundi du 15 nov. au 31 mars – **R** 75/170, enf. 35 – 28 – **40 ch** 200/250 – 1/2 p 300/320.

ROQUEMAURE 30150 Gard 81 ⑪⑫ **G. Provence** – 4 054 h.
Paris 670 – Alès 69 – Avignon 16 – Bagnols-sur-Cèze 19 – Nîmes 45 – Orange 11 – Pont-St-Esprit 30.

Château de Cubières, ✆ 66 82 64 28, « Demeure du 18e s., parc » – wc wc P – 30. VISA
R *(fermé 15 au 30 nov., dim. soir, lundi et mardi du 20 fév. au 20 mars)* 100/165, enf. 55 – 26 – **19 ch** 175/260.

ROSAY 78 Yvelines 55 ⑱, 196 ⑮ – rattaché à Mantes-la-Jolie.

ROSBRUCK 57 Moselle 57 ⑯ – rattaché à Forbach.

ROSCOFF 29211 Finistère 58 ⑥ **G. Bretagne** (plan) – 3 787 h.
Voir Église★ – Aquarium Ch. Pérez★ – St-Pol-de-Léon : Anc. cathédrale★★ – clocher★★ de la chapelle du Kreisker★ : ✵★★ de la tour S : 5 km par D 769.
Office de Tourisme r. Gambetta ✆ 98 69 70 70.
Paris 564 – ♦Brest 64 – Landivisiau 27 – Morlaix 27 – Quimper 99.

Gulf Stream, rue Marquise de Kergariou 98 69 73 19, ≤, – P. AE VISA.
1er avril-20 oct. – **R** 115/290 – 30 – **32 ch** 270/300.

Brittany et rest. Ar Maner, bd Ste-Barbe 98 69 70 78, Télex 940397, ≤, – wc P – 120. E VISA.
hôtel : ouvert mars-nov. ; rest. : fermé lundi hors sais. – **R** 88/230, enf. 50 – 35 – **17 ch** 250/420 – 1/2 p 270/470.

Talabardon, pl. Église 98 61 24 95, ≤ – wc wc. E VISA
mars-nov. – **R** *(fermé dim. soir)* 90/165, enf. 85 – 28 – **38 ch** 185/275, 3 appartements 320 – 1/2 p 250/375.

Triton sans rest, r. Dr Bagot 98 61 24 44, – wc wc P. E VISA
fermé 15 nov. au 1er fév. – 25 – **45 ch** 145/255.

Le Corsaire, pl. Église 98 61 22 61 – wc. E VISA
fermé 1er déc. au 31 janv. – **R** voir rest. **Le Temps de Vivre** ci-après – 25 – **42 ch** 200/240 – 1/2 p 305/345.

Bellevue, r. Jeanne d'Arc 98 61 23 38, ≤ – wc wc. E VISA. rest
mai-10 oct. – **R** 80/180 – 25 – **20 ch** 95/235 – 1/2 p 145/220.

Les Tamaris sans rest, r. Édouard Corbière 98 61 22 99, ≤ – wc wc. E VISA
1er avril-31 oct. – 22 – **27 ch** 160/240.

La Résidence sans rest, r. des Johnies 98 69 74 85 – wc. E VISA
22 – **31 ch** 170/240.

Régina, r. Ropartz Morvan 98 61 23 55 – wc wc. E VISA
Pâques-15 oct. – **R** 68/140, enf. 40 – 23 – **50 ch** 160/255 – 1/2 p 190/240.

XX **Le Temps de Vivre** -Hôtel Le Corsaire, pl. Église 98 61 27 28, ≤ – . AE E VISA.
fermé déc., janv., dim. soir et lundi du 31 oct. au 31 mars – **R** 98/248, enf. 45.

CITROEN Gar. Scouarnec, r. Joseph Bara 98 61 23 05

RENAULT Gar. Hamon, 69 r. A.-de-Mun 98 69 72 09

Pour bien utiliser ce guide reportez-vous aux explications p. 16 à 23.

ROSHEIM 67560 B.-Rhin 62 ⑨ G. Alsace et Lorraine – 3 766 h.

Voir Église St-Pierre et St-Paul★.

Office de Tourisme à la Mairie (15 juin-15 sept.) 88 50 40 10.

Paris 483 – Erstein 22 – Molsheim 6,5 – Obernai 6 – Sélestat 29 – ◆Strasbourg 29.

Host. du Rosenmeer M, 45 av. Gare 88 50 43 29 – TV wc P – 25. E VISA
R *(fermé 3 au 15 janv. et lundi)* 85/270 – 24 – **19 ch** 190/220 – 1/2 p 280/320.

XX **Aub. Cerf,** 120 r. Gén.-de-Gaulle 88 50 40 14. E VISA
fermé dim. soir et lundi – **R** 50/165.

X **La Petite Auberge,** 41 r. Gén.-de-Gaulle 88 50 40 60 – E VISA
fermé 20 au 30 juin, 8 janv. au 8 fév., mardi soir et merc. du 1er nov. au 30 mai – **R** 50/180.

PEUGEOT-TALBOT Gar. Jost, 88 50 40 53 N

La ROSIÈRE 73 Savoie 74 ⑱⑲ G. Alpes du Nord – alt. 1 820 – Sports d'hiver : 1 850/2 642 16 – 73700 Bourg-St-Maurice.

Altiport 79 06 80 48.

Office de Tourisme 79 06 80 51.

Paris 668 – Bourg-St-Maurice 23 – Chambéry 124 – Chamonix 61 – Val d'Isère 48.

Relais Petit St-Bernard, 79 06 80 48, ≤ montagnes, – wc P. VISA. ch
20 juin-10 sept. et 20 déc.-20 avril – **R** 70/75 – 24 – **20 ch** 120/230.

Roc Noir, 79 06 80 49, ≤ montagnes – wc wc.
1er déc.-1er mai – **R** 50/160 – 30 – **30 ch** 240/270 – 1/2 p 250/290.

Les ROSIERS 49 M.-et-L. 64 ⑫ G. Châteaux de la Loire – 1 933 h. – 49350 Gennes.

Syndicat d'Initiative à la Mairie 41 51 80 04.

Paris 286 – Angers 30 – Baugé 26 – Bressuire 64 – Cholet 62 – La Flèche 44 – Saumur 15.

Val de Loire, pl. Église 41 51 80 30 – wc – 25. E VISA
fermé fév., lundi de sept. à mai et dim. soir – **R** 50/140 – 17 – **11 ch** 135/17
1/2 p 220/250.

XXX ✿ **Jeanne de Laval** (Augereau) avec ch, rte Nationale ✆ 41 51 80 17, « Jardin fleuri » – ▤ rest ▣ ⇔wc ⋒wc ☎ Ⓟ. AE ⓓ E VISA. ✀ rest
fermé 8 janv. au 15 fév. et lundi sauf fériés – **R** (nombre de couverts limité - prévenir) 170/300 dîner à la carte en sem. – ⊒ 40 – **14 ch** 260/450 – ½ p 450/550
Spéc. Foie gras de canard au torchon, Suprême de turbot homardine, Ris de veau braisé aux truffes.
Vins Saumur-Champigny, Savennières.

Annexe Ducs d'Anjou 🏨 ⛴ sans rest, ✆ 41 51 80 17, ⛱ – Ⓟ. AE ⓓ E VISA
⊒ 40 – **8 ch** 260/450 – ½ p 450/550.

XX **La Toque Blanche,** O : 0,5 km par D 952 ✆ 41 51 80 75 – VISA
← *fermé 23 août au 9 sept., 9 au 25 fév., dim. soir, mardi soir et merc.* – **R** 58/140.

OSOY 89 Yonne 61 ⑭ – rattaché à Sens.

OSPORDEN 29140 Finistère 58 ⑯ **G. Bretagne** – 3 842 h.
ir Clocher★ de l'église.
Syndicat d'Initiative r. Le Bas (juil.-août) ✆ 98 59 27 26.
is 535 – Carhaix-Plouguer 51 – Châteaulin 48 – Concarneau 13 – Quimper 22 – Quimperlé 26.

🏨 ✿ **Bourhis** Ⓜ, pl. Gare ✆ 98 59 23 89, Télex 941808 – ⇅ ▣ ☎ ♿. AE ⓓ E
← VISA
fermé 28 fév. au 23 mars, 14 au 29 nov., dim. soir et lundi du 1er oct. au 15 juin – **R rest.** 135/280 - **Grill Le Jardin** *(fermé lundi du 1er oct. au 15 juin, sam. soir et dim.)* **R** 60/70 ⅙ – ⊒ 29 – **27 ch** 275/295 – ½ p 255/280
Spéc. Darne de turbot au coulis d'artichaut, Ris de veau à la langouste, Nougat glacé aux deux sauces.

🏨 **Gai Logis,** rte Quimper ✆ 98 59 22 38, ⛱ – ⋒ Ⓟ. E VISA
← *fermé 15 fév. au 15 mars et sam. du 15 sept. au 15 juin* – **R** 50/230 ⅙ – ⊒ 20 – **18 ch** 110/180 – ½ p 130/170.

JGEOT-TALBOT Monfort, rte de Concar-ıu ✆ 98 59 22 72

RENAULT Castrec, 1 r. de la Gare, ✆ 98 59 20 25

OUBAIX 59100 Nord 51 ⑥⑯ **G. Flandres Artois Picardie** – 101 886 h.
ir Chapelle d'Hem★ : vitraux★★ 5 km par ⑥ voir plan de Lille KS **B**.
des Flandres ✆ 20 72 20 74 par ⑦ : 8 km ; ⛳ du Sart ✆ 20 72 02 51 par ⑦ : 5 km ; ⛳ de gode à Villeneuve d'Ascq ✆ 20 91 17 86 par ⑦ : 6 km ; ⛳⛳ de Bondues ✆ 20 23 20 62 r D 9 : 8 km - AX.
)ffice de Tourisme à l'Hôtel de Ville ✆ 20 73 70 19 – A.C. 42 r. Mar.-Foch ✆ 20 73 92 80.
is 230 ⑦ – Kortrijk 22 ② – ♦Lille 11 ⑦ – Tournai 19 ⑤.

Plan pages suivantes

🏨 **Gd Hôtel Altéa** sans rest, 22 av. J.-Lebas ✆ 20 73 40 00 – ⇅ ▣ ⇔wc ⋒wc ☎ – 🏛 30 à 150. AE ⓓ E VISA BY **r**
⊒ 38 – **92 ch** 230/375.

🏨 **Flandres,** 59 r. Holden à Croix ✉ 59170 Croix ✆ 20 72 35 01 – ▣ ⇔wc ⋒wc ☎. AE VISA AZ **k**
fermé 29 juil. au 22 août – **R** *(fermé dim.)* 77 ⅙ – ⊒ 19 – **31 ch** 153/225 – ½ p 213/260.

🏨 **Centre** sans rest, 1 r. P.-Motte ✆ 20 73 13 14 – ⇔wc ⋒wc ☎. E VISA. ✀ BY **e**
⊒ 16 – **22 ch** 75/165.

XX **Le Caribou,** 8 r. Mimerel ✆ 20 70 87 08 – Ⓟ. AE E VISA. ✀ BY **u**
fermé 10 juil. à fin août, le soir (sauf vend. et sam.), sam. midi et lundi – **R** (dîner sur commande) carte 200 à 285.

X **Chez Charly,** 127 r. J.-B.-Lebas ✆ 20 70 78 58 – VISA. ✀ AX **a**
fermé août et sam. – **R** (déj. seul.) 90/130.

à Lys-lez-Lannoy par ⑤ et D 206 : 5 km – ✉ 59390 Lys-lez-Lannoy :

X **Aub. de la Marmotte,** ✆ 20 75 30 95 – Ⓟ. E VISA plan de Lille LS **f**
fermé août, vacances de fév., dim. soir, mardi soir et merc. – **R** 80/120.

à Forest-sur-Marque par ⑤ et D 952 : 9 km – ✉ 59510 Hem :

X **Aub. de la Marque,** face Église ✆ 20 41 01 95 – VISA plan de Lille KT **q**
fermé 27 juil. au 20 août, dim. soir et merc. – **R** 100/150, enf. 50.

STIN-ROVER Gar. Devernay, 17 r. r.-Foch ✆ 20 73 07 27
ROEN Cabour et Van Cauwenberghe, 71 r. :ine AX **a** ✆ 20 36 01 00 🅽 ✆ 20 75 40 03
RD Gar. St-Jean 118 r. St-Jean ✆ 20 73 48
JGEOT-TALBOT S.I.A.N., 65 r. Tourcoing ✆ 20 70 90 98
NAULT Succursale, 55 r. Mar.-Foch BY 20 73 90 00

RENAULT Gar. Destailleurs, 10 r. Alsace AX ✆ 20 70 54 21

Ⓜ Crépy Pneus, 29 r. de l'Ouest ✆ 20 70 98 02
Pneus et Services D.K, 21 av. Lagache ✆ 20 75 44 70
Prévost, 29 r. Victor-Hugo ✆ 20 75 53 79

au-dessus voir plan de Tourcoing

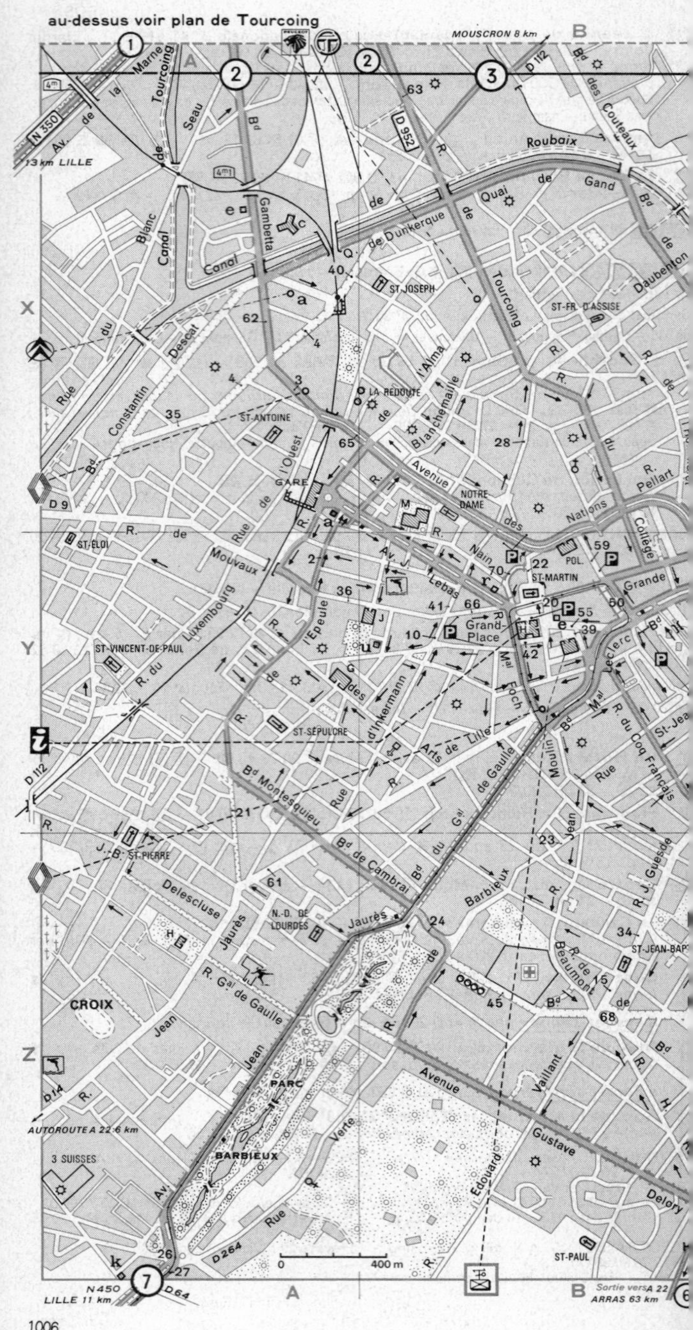

ROUBAIX

ıle (R. de l') .... AY
ıd-Place .... BY
ıde-Rue .... BCY
ıoy (R. de).......... CZ
ıs (Av. J.) .... BY
te (R. Pierre)........ BY 55
ail
. du Général)....... BY 66

Alger (R. d')............ CX
Alma (R. de l') .... ABX
Alouette (R. de l') .... AY 2
Alsace (R. d') .... AX 3
Armentières (Bd d')....... AX 4
Arts (R. des)........... ABY
Avelghem (R. d') .... CX 8
Barbieux (R. de) .... BZ
Beaumont (R. de) .... BZ
Beaurepaire (Bd de) ..... CY
Belfort (Bd de) .... CY
Blanchemaille (R. de) .... BX

Blanc-Seau (R. du)........ AX
Bois (R. du) .... BY 10
Brame (Av. Jules)........ CY
Cambrai (Bd de) ...... ABZ
Carnot (Pl.) .... CY
Carnot (R.)............... CX
Cartigny (R. de) CX
Castermant (R. Ch.)..... CX 14
Cateau (Bd du) .... BZ 15
Chemin Vert (R. du) ..... CZ 16
Collège (R. du)........ BXY
Colmar (Bd de)........... CY 18
Constantine (R. de) ..... CX 19
Contour St-Martin .... BY 20
Coq Français (R. du) ..... BY
Courbet (R. Amiral) .... AYZ 21
Couteaux (Bd des)....... BX
Curé (R. du).............. BY 22
Daguessau (R.)........... BZ 23
Daubenton (R.)........... BX
Delescluse (R. J.-B.) .... AYZ
Delory (Av. Gustave).... ABZ
Descat (Bd Constantin).. AX
Douai (Bd de)............ BZ 24
Dunkerque (Q. de) ..... ABX
Faidherbe (Pl. du Gén.) . CY 25
Fer à Cheval (Carr. du).... AZ 26
Flandre (Av. de) .... AZ 27
Fosse-aux-chênes (R.) ... BX 28
Foch (R. Mar.)............ BY
Fourmies (Bd de)...... BCZ
Fraternité (Pl. de la) ..... CZ 30
Gambetta (Bd) .... BCY
Gambetta (Bd)
TOURCOING .... AX
Gand (Quai de)........... BX
Gaulle (Bd du Gén. de) .. BY
Gaulle (R. Gén. de) ...... AZ
Goujon (R. Jean).......... BZ 34
Gounod (R. Ch.) .... AX 35
Grand chemin (R. du) .. ABY 36
Guesde (R. Jules) .... BCYZ
Halle (R. de la) .... BY 39
Halluin (Bd) .... ABX 40
Hommelet (R. de l') ...... BX
Hospice (R. de l') .... BY 41
Hôtel-de-Ville (R. de l') .. BY 42
Inkermann (R. d')....... ABY
Jaurès (Av. J.)............ AZ
Jaurès (R. J.) CROIX ..... AZ
Jouffroy (R.) .... CZ
Lacordaire (Bd)........... BZ 45
Lagache (Av. J.) .... CYZ
Leclerc (Bd Mar.) .... BY
Leconte-Baillon (R.)...... CZ 47
Liberté (Pl. de la).......... BY 50
Lille (R. de) .... BY
Linné (Av.)................ CZ
Luxembourg (R. du)....... AY
Lyon (Bd de)........... BCZ
Marne (Av. de la)
TOURCOING .... AX
Metz (Bd de).............. BX
Montesquieu (Bd) .... AY
Motte (Av. Alfred)......... CZ
Moulin (R. Jean) .... BYZ
Mouvaux (R. de) ...... AXY
Mulhouse (Bd de) .... CY
Nadaud (R.)............... CY 56
Nain (R.).................. BY
Nyckès (Pont)............ CY 58
Oran (R. d') CX
Ouest (R. de l') .... AX
Pauvrée (R.).............. BY 59
Pellart (R.) .... BX
Prof. Langevin (R. du) ... AZ 61
Regnault (R. Henri)....... BZ
Reims (Bd de)............ CZ
République (Bd de la) ... AX 62
Roubaix (R. Pierre de) ... CY
Roubaix (R. de)
TOURCOING .... BX 63
Rousseau (R. J.-J.)....... CZ 64
St-Jean (R.) .... BY
St-Vincent-de-Paul (R.) ABX 65
Salengro (Av. R.) .... CZ
Sévigné (R. de)........... CY 67
Strasbourg (Bd de) CX
Tourcoing (R. de) .... BX
Travail (Pl. du) .... BZ 68
Vaillant (R. Ed.) .... BZ
Verdun (Av. de) .... CY
Verte (R.) .... AZ
Vieil abreuvoir (R. du) ... BY 70

ROUDOUALLEC 56 Morbihan 58 ⑯ – 856 h. – ✉ 56110 Gourin.

Paris 521 – Carhaix-Plouguer 30 – Concarneau 36 – Lorient 65 – Quimper 32 – Vannes 109.

✕ **Bienvenue,** ☏ 97 34 50 01 – Ⓟ. E VISA
fermé 1er au 15 fév. et mardi hors sais. – **R** 51/220.

ROUEN P **76000** S.-Mar. 55 ⑥ **G. Normandie Vallée de la Seine** – 105 083 h.

Voir Cathédrale*** EY – **Le Vieux Rouen***** DEXY : ✻** du beffroi DY, Ég St-Ouen** FX, Église** et Aître** St-Maclou FY, Palais de Justice** DEX J, Rue Gros Horloge** DEY 39, Rue St-Romain** EY 57, Place du Vieux-Marché* DX 65, V rière** de l'église Ste-Jeanne d'Arc DX K, Rue Ganterie* EX, Rue Damiette* FY 28, I Martainville* FGY, Église St-Godard* EX S, Demeure* (musée de l'Education) FY M5 Vitraux* de l'église St-Patrice DX F – Musées: Beaux-Arts** EX M1, Le Secq Tournelles** EX M2, Céramique** EX M4, Antiquités** FVX M3 – Côte Ste-Cather ✻*** B, 3,5 km – Bonsecours : ✻** du calvaire et <** du monument à Jeanne d'. B N, 3 km – Canteleu <* de la terrasse de l'église A, 4 km – Route d'accès au Cer Universitaire A R ✻** par rue Chasselièvre AB 23.

18 ☏ 35 76 38 65 près Mont-St-Aignan AB, N : 4 km – ☏ 35 98 50 50.

Office de Tourisme et Accueil de France (Informations, change et réservations d'hôtels pas p de 5 jours à l'avance) 25 pl. Cathédrale ☏ 35 71 41 77, Télex 770940 – A.C.O. 46 r. Gén.-Gir. ☏ 35 71 44 89 – Paris 139 ⑥ – ♦Amiens 115 ① – ♦Caen 124 ⑥ – ♦Calais 219 ① – ♦Le Havre 87 – ♦Lille 220 ① – ♦Le Mans 196 ⑥ – ♦Rennes 303 ⑥ – ♦Tours 277 ⑥.

ROUEN

Alliés (Av. des) . . . . . A 2
Ango (R. Jean) . . . . . A 4
Béthencourt (Quai de) . . . . A 6
Bonsecours (Rte de) . . . . . B 7
Brossolette (Bd) . . . . . A 9
Bruyères (Rd-Pt des) . . . . . A 13
Caen (Av. de) . . . . . AB 15
Canteleu (Rte de) . . . . . A 18
Carnot (Av.) . . . . . A 21
Chasselièvre (R.) . . . . . AB 23
Clères (Chemin de) . . . . . B 24
Corneille (R. Pierre) . . . . . B 25
Corniche (Rte de la) . . . . . B 26
Elbeuf (R. d') . . . . . B 34
Havre (Rte du) . . . . . A 35
Jaurès (Av. Jean) . . . . . A 36
Jaurès (Bd Jean) . . . . . A 37
Leclerc-de-Hautecloque (Av. du Gén.) . . . . . A 38
Lesseps (Bd Ferdinand de) A 39
Mont-Riboudet (Av. du) . . . A 42
Pène (R. Annie-de) . . . . . B
Pitres (Chemin de) . . . . . B
Renard (R. du) . . . . . AB
Rondeaux (Av. Jean) . . . . . A
Roosevelt (Bd Franklin) . . . A
Ste-Lucie (Rd-Pt) . . . . . A
Siegfried (Bd André) . . . . . A
Sotteville (R. de) . . . . . B
Val-d'Eauplet (R. du) . . . . . B
Verdun (Bd de) . . . . . A
11-Novembre (Bd du) . . . . A
14-Juillet (Av. du) . . . . . B

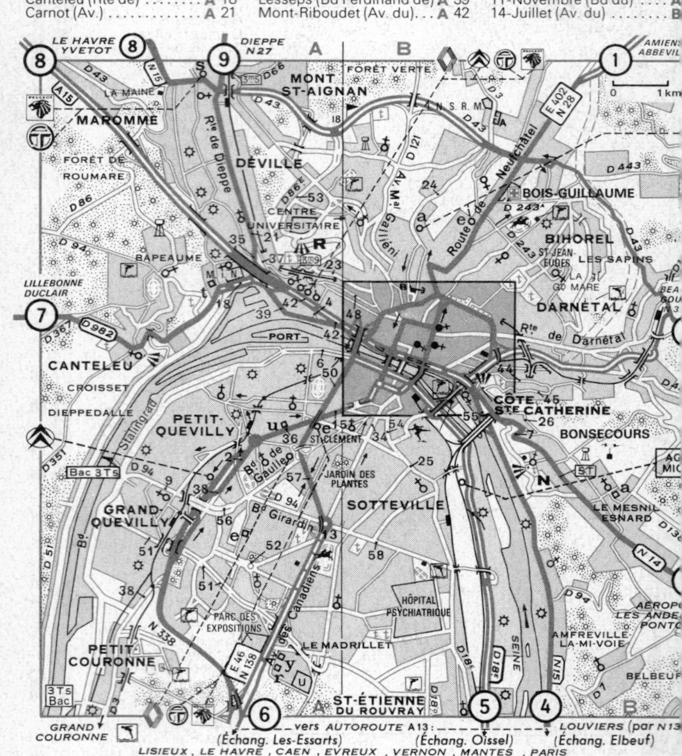

Pullman Albane M sans rest, r. Croix de Fer ✆ 35 98 06 98, Télex 180949 – TV ☎ – 50. AE E VISA — EY f
121 ch 475/640, 4 appartements 950.

Dieppe et rest. Le Quatre Saisons, pl. B.-Tissot ✆ 35 71 96 00, Télex 180413 – TV ☎. AE E VISA — EV z
R 140 – 30 – **42 ch** 295/355.

Gd H. Nord sans rest, 91 r. Gros-Horloge ✆ 35 70 41 41, Télex 771938 – wc wc ☎. VISA — DY u
18 – **62 ch** 145/235.

Ibis Rouen Centre M, 56 quai G.-Boulet ✆ 35 70 48 18, Télex 771393 – TV wc ☎ P – 30 à 80. E VISA — CX a
R 62/85, enf. 34 – 25 – **88 ch** 225/255.

Viking sans rest, 21 quai du Havre ✆ 35 70 34 95, ← – TV wc wc ☎. E VISA — DY y
19 – **37 ch** 140/230.

Astrid sans rest, pl. Gare ✆ 35 71 75 88 – TV wc wc ☎. AE E VISA — EV s
19 – **40 ch** 170/220.

Normandie sans rest, 19 r. Bec ✆ 35 71 55 77, Télex 771350 – TV wc wc ☎. AE E VISA — EY n
20 – **23 ch** 210/240.

Québec sans rest, 18 r. Québec ✆ 35 70 09 38 – TV wc wc ☎. AE E VISA — EY q
fermé 23 déc. au 9 janv. et les week-ends de nov. à fév. – 17 – **38 ch** 148/240.

Lisieux sans rest, 4 r. Savonnerie ✆ 35 71 87 73 – TV wc wc ☎. E VISA — EY b
18 – **27 ch** 95/210.

Bordeaux sans rest, 9 pl. République ✆ 35 71 93 58 – wc wc ☎. E VISA — EY e
19 – **45 ch** 115/251.

Bristol sans rest, 4 r. aux Juifs ✆ 35 71 54 21 – TV wc ☎. AE E VISA — EY a
23 – **15 ch** 149/189.

Gaillardbois sans rest, 12 pl. Gaillardbois ✆ 35 70 34 28 – wc ☎. VISA — EY z
20 – **20 ch** 90/200.

Vieille Tour sans rest, 42 pl. Hte-Vieille-Tour ✆ 35 70 03 27 – wc ☎. E VISA — EY d
16,50 – **23 ch** 85/215.

✿ **Gill** (Tournadre), 60 r. St-Nicolas ✆ 35 71 16 14 – . AE E VISA — EY r
fermé 22 août au 13 sept., vacances de fév., lundi (sauf le soir du 1er mai au 31 oct.), dim. et fériés – **R** carte 215 à 320
Spéc. Minestrone de crustacés (automne-hiver), Pigeon à la rouennaise, Millefeuille.

✿ **Bertrand Warin,** 9 r. Pie ✆ 35 89 26 69 – AE VISA — DX h
fermé 9 au 31 août, 3 au 4 janv., dim. (sauf le midi de sept. à juin) et lundi – **R** (nombre de couverts limités-prévenir) 275
Spéc. Pousses d'épinards sur son rouget en papillote (mai à sept.), Canette à la rouennaise, Millefeuille au chocolat et pommes caramélisées.

Couronne, 31 pl. Vieux-Marché ✆ 35 71 40 90, « Maison normande du 14e s. » – AE E VISA. — DX d
R 160/230.

✿ **Beffroy** (L'Hernault), 15 r. Beffroy ✆ 35 71 55 27, Cadre normand – AE E VISA
fermé 1er au 23 août, vacances de fév., dim. et lundi – **R** carte 210 à 290 — EX b
Spéc. Fricassée de petits gris forestière (oct.-mars), Pigeon au Banyuls et gousses d'ail confites (saison), Feuilleté de pommes (oct.-mars).

Dufour, 67 r. St-Nicolas ✆ 35 71 90 62, « Cadre vieux normand » – AE VISA
fermé août, dim. soir et lundi – **R** carte 140 à 190. — EY w

Vieux Moulin, à Bapeaume r. Samuel Lecoeur ✉ 76820 Bapeaume ✆ 35 36 39 59 – P. AE VISA — A t
R 90/230, enf. 70.

Reverbère, 5 pl. République ✆ 35 07 03 14 – VISA — EY e
fermé 8 au 21 août et dim. – **R** 120 bc/240 bc.

Bois Chenu, 23 pl. de la Pucelle d'Orléans ✆ 35 71 19 54 – AE E VISA — DX r
fermé 1er au 20 août, vacances de fév., mardi soir et merc. – **R** 80/120, enf. 50.

P'tits Parapluies, 46 r. Bourg l'Abbé ✆ 35 88 55 26 — FX e

Marine, 42 quai Cavelier-de-la-Salle ✉ 76100 ✆ 35 73 10 01 – AE E VISA — DY p
fermé 1er au 31 août, dim. soir et sam. – **R** 53/110.

Pascaline, 5 r. Poterne ✆ 35 89 67 44 – VISA — EX k
R 48/70, enf. 30.

La Vieille Auberge, 37 r. St-Étienne-des-Tonneliers ✆ 35 70 56 65 – E VISA
fermé 1er au 15 août et lundi – **R** 65/140. — DY v

à Petit Quevilly SO : 4 km – ✉ **76140** Petit Quevilly :

Fimotel, 112 av. Jean-Jaurès ✆ 35 62 38 50, Télex 770132 – TV wc ☎ P – 35. AE E VISA — A u
R 57/78, enf. 34 – 25 – **42 ch** 240/260 – $^1/_2$ p 280.

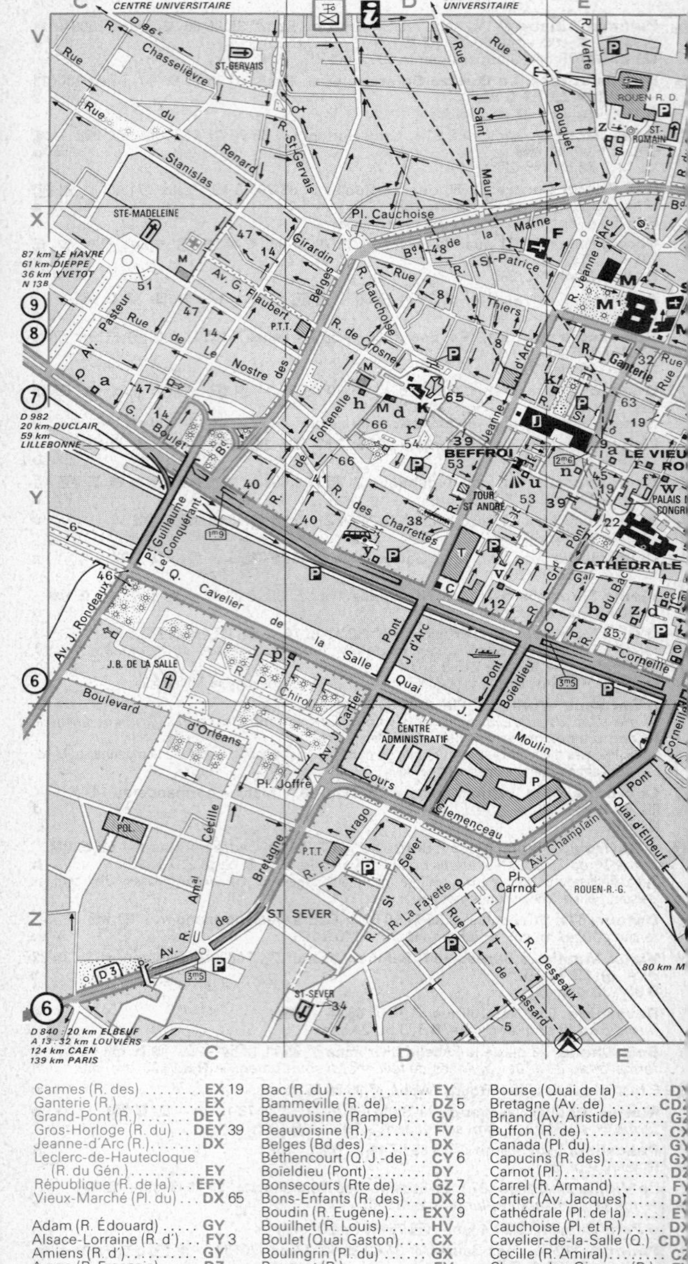

CENTRE UNIVERSITAIRE
CENTRE UNIVERSITAIRE
ST-GERVAIS
R. Chasselièvre
Rue du Renard
Rue Stanislas
R. St-Gervais
Rue Saint Maur
Rue Bouquet
R. Verte
ROUEN R. D.
ST-ROMAIN
STE-MADELEINE
Pl. Cauchoise
Bd de la Marne
87 km LE HAVRE
61 km DIEPPE
36 km YVETOT
N 138
Av. G. Flaubert
Girardin
Belges
R. Cauchoise
Rue St-Patrice
Rue Thiers
R. Jeanne d'Arc
Av. Pasteur
Rue de Le Nostre
R. de Crosne
P.T.T.
R. Ganterie
Q. G. Boulet
D 982
20 km DUCLAIR
59 km LILLEBONNE
BEFFROI
LE VIEUX
TOUR ST ANDRÉ
PALAIS DES CONGRÈS
R. de Fontenelle
R. des Charrettes
CATHÉDRALE
Pl. Guillaume Le Conquérant
Q. Cavelier de la Salle
Pont J. d'Arc
Pont Boïeldieu
Quai J. Moulin
R. du Bac
Corneille
Av. J. Rondeaux
J.B. DE LA SALLE
Boulevard d'Orléans
R. Chirol
Av. J. Cartier
CENTRE ADMINISTRATIF
Cours Clemenceau
Pl. Joffre
Av. Champlain
Quai d'Elbeuf
Pont Corneille
R. Cécille
Av. de Bretagne
Arago
P.T.T.
St Sever
Pl. Carnot
ROUEN-R.-G.
R. La Fayette
ST SEVER
R. Amal
Av. de Bretagne
R. Desseaux
Rue de Lessard
80 km M
ST-SEVER
D 3
D 840 : 20 km ELBEUF
A 13 : 32 km LOUVIERS
124 km CAEN
139 km PARIS

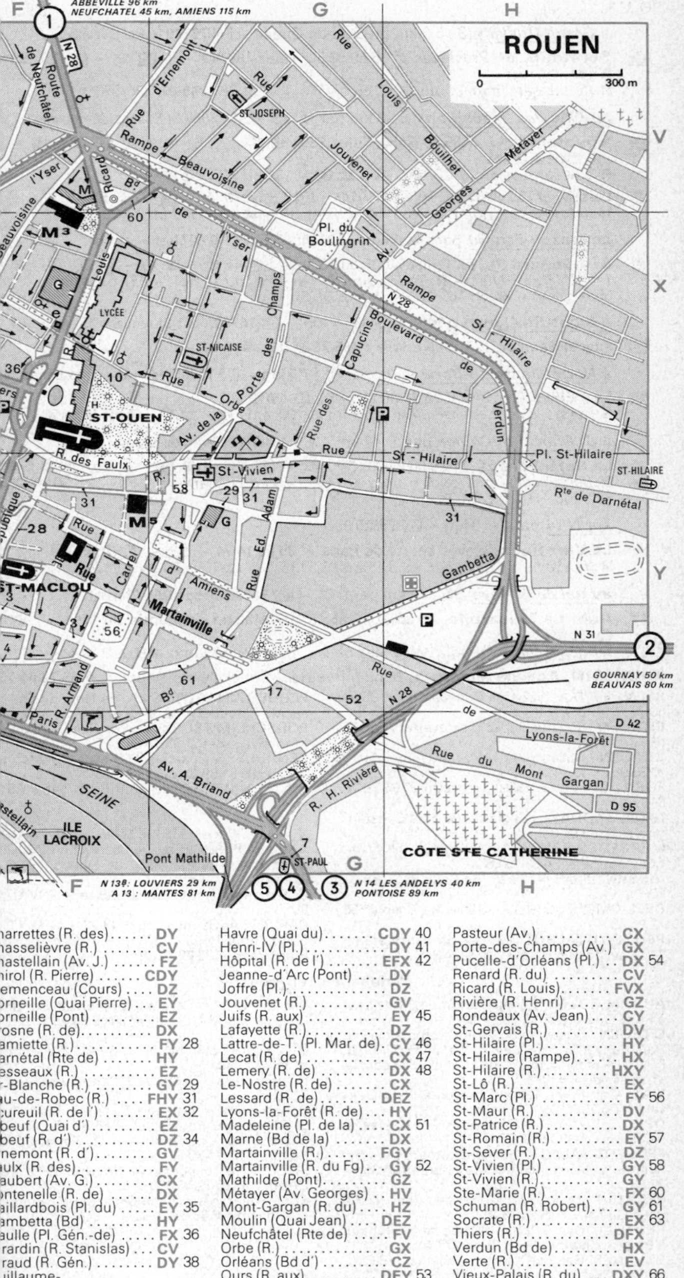

ROUEN
0
300 m
ABBEVILLE 96 km
NEUFCHATEL 45 km, AMIENS 115 km
F
G
H
V
X
Y
1
2
3
4
5
N 28
Route de Neufchâtel
Rue d'Ernemont
Rue
ST-JOSEPH
Rue Louis Bouilhet
Jouvenet
Av. Georges Métayer
Rampe Beauvoisine
Bd Ricard
l'Yser
M
M³
60
de
l'Yser
Pl. du Boulingrin
Av.
Rampe St Hilaire
N 28
Boulevard de Verdun
Louis
G
LYCÉE
e
Rue des Champs
Capucins
ST-NICAISE
36
10
Rue Orbe
Porte des
Av. de la
ST-OUEN
H
Rue des
P
R. des Faulx
Rue St-Hilaire
Pl. St-Hilaire
ST-HILAIRE
St-Vivien
R.
58
29
31
Rte de Darnétal
31
Adam
Rue Ed.
31
28
Rue
M⁵
G
d'
Amiens
Gambetta
ST-MACLOU
Rue
Carrel
Martainville
56
3
4
N 31
GOURNAY 50 km
BEAUVAIS 80 km
Rue
N 28
de
61
Bd
17
52
R. Armand
Paris
D 42
Lyons-la-Forêt
Rue du Mont Gargan
D 95
Av. A. Briand
SEINE
R. H. Rivière
ILE LACROIX
Pont Mathilde
7
ST-PAUL
CÔTE STE CATHERINE
N 138: LOUVIERS 29 km
A 13 : MANTES 81 km
N 14 LES ANDELYS 40 km
PONTOISE 89 km

à Grand Quevilly S : 5,5 km près bd de Gaulle – ✉ **76120** Grand Quevilly :

Soretel Ⓜ, av. Provinces ✆ **35 69 63 50**, Télex 180743 – |♦| TV ☎ – 🏛 120. AE E VISA. ✱ rest A
R *(fermé sam. midi et dim. soir)* 68 bc/155 ⅄ – ☕ 26 – **45 ch** 225/290.

au Parc des Expositions S : 6 km par N 138 – ✉ **76800** St-Étienne-du-Rouvray :

Novotel Ⓜ, ✆ **35 66 58 50**, Télex 180215, 🌳, ⛱, ✗ – |♦| ≡ TV ☎ ♿ Ⓟ – 210. AE ⓓ E VISA A
R grill carte environ 120, enf. 45 – ☕ 38 – **135 ch** 335/355.

Ibis Ⓜ, ✆ **35 66 03 63**, Télex 771014 – TV ⇔wc ☎ ♿ – 🏛 40. E VISA A
R *(fermé sam. et dim.)* carte 75 à 120, enf. 34 – ☕ 24 – **108 ch** 220/245.

Le Mesnil-Esnard par ③ : 6 km – 5 347 h. – ✉ **76240** Le Mesnil-Esnard :

St-Léonard, pl. Église ✆ **35 80 16 88** – ⇔wc ⋒wc ☎ Ⓟ – 🏛 30. VISA. ✱
fermé 18 au 30 juil. – **R** *(fermé dim. soir et lundi du 1ᵉʳ nov. au 31 mars)* 80/160, en 55 – ☕ 18 – **20 ch** 160/180 – ½ p 220/235. B

à Mont-St-Aignan par ① et D 43 : 7 km – ✉ **76730** Mont-St-Aignan :

XXX Pascal Saunier, 12 r. Belvédère ✆ **35 71 61 06**, 🏞 – Ⓟ.

à Notre-Dame-de-Bondeville par ⑨ : 7,5 km – ✉ **76960** Notre-Dame-de-Bondeville

XX **Les Elfes** avec ch, ✆ **35 74 36 21** – ⋒. AE ⓓ E VISA
R *(fermé le soir : mardi, merc. et dim.)* 70/200, enf. 60 – ☕ 17 – **7 ch** 100/120.

à St Martin-du-Vivier par ① : 8 km – ✉ **76160** St Martin-du-Vivier :

La Bertelière Ⓜ, ✆ **35 60 44 00**, 🌳, 🏞 – TV ⇔wc ☎ Ⓟ – 🏛 50. AE ⓓ E VISA
R *(fermé sam. midi et dim. soir)* 65/140 et dîner à la carte, enf. 50 – ☕ 30 – **32 c** 320/350 – ½ p 225/325.

sur N 14 par ③ : 9 km – ✉ **76520** Boos :

XX **Le Vert Bocage** avec ch, rte de Paris ✆ **35 80 14 74** – ⇔wc ⋒ Ⓟ. E VISA
R *(fermé lundi du 1ᵉʳ oct. au 31 mars)* 80/135 ⅄ – ☕ 16 – **20 ch** 80/170.

au Val de la Haye SO : 10 km par D 51 – ✉ **76830** Dieppedalle-Croisset :

XX **Aub. La Muserolle,** ✆ **35 32 40 85**, 🌳, « Maison normande du 17ᵉ s. », 🏞 Ⓟ. E VISA
fermé mi-juil. à mi-août, vacances de fév., dim. soir et lundi – **R** 69/112.

MICHELIN, Agence régionale, 24 bd Industriel à Sotteville-lès-Rouen B ✆ **35 73 63 73**

BMW S.R.D.A., 122 r. de Constantine ✆ 35 98 33 77
CITROEN Succursale, 26 r. Lafayette DZ ✆ 35 69 77 77
CITROEN Succursale, 144 av. Mt-Riboudet A ✆ 35 98 35 50
FORD Gar. Guez, 135 r. Lafayette ✆ 35 72 76 84
LADA, SKODA Le Bastard, 135 r. de Constantine ✆ 35 98 54 68
MERCEDES-BENZ Autotechnic, 99 r. de Constantine ✆ 35 88 16 88
NISSAN S.E.R.A., 32 av. de Caen ✆ 35 63 01 10
OPEL-GM-US S.N.O.A., 31 av. de Caen ✆ 35 72 11 63
PEUGEOT-TALBOT S.I.A. de Normandie, 71,73 av. de Caen A e ✆ 35 72 24 84
PEUGEOT-TALBOT S.I.A. de Normandie, 1 av. Mt-Riboudet A ✆ 35 89 81 44
PORSCHE-MITSUBISHI Gar. Pillet, 118 bis a Mont-Riboudet ✆ 35 70 84 24
RENAULT Succursale, 200 r. de Constanti A ✆ 35 89 81 89 N ✆ 35 98 68 04
V.A.G. U.D.T., 90 av. Mont Riboudet ✆ 35 45 45

A.M.C.-Pneus, 110 r. d'Elbeuf ✆ 35 72 70 9
Anselin-Pneus, 55 av. de Caen ✆ 35 62 00 24
Blard-Pneus-Center, 46 r. de Lillebonne ✆ 71 72 97
CAP, Hangar N° 10 quai de Lesseps ✆ 35 07 99
CAP, 25 r. A.-Carrel ✆ 35 71 49 28
Normandie-Pneus, 28 r. F.-Arago pl. d Emmurées ✆ 35 72 32 38

Périphérie et environs

AUSTIN, ROVER Rédélé-Autom., 1 r. Chevreul à Petit-Quevilly ✆ 35 73 24 02
CITROEN Succursale, Centre Commercial de Bois-Cany à Grand-Quevilly A ✆ 35 69 77 77 N
FIAT Albion-Auto, r. du Canal, Bapeaume ✆ 35 74 46 74
FIAT Gar. Pillet, 128 av. J.-Jaurès, Petit-Quevilly ✆ 35 72 96 96
OPEL J.C.L. Autom., 67 r. Jules Ferry à Deville les Rouen ✆ 35 75 07 87
PEUGEOT-TALBOT Bossart Autos, 94 r. Martyrs de la Résistance à Maromme A s ✆ 35 74 22 83
RENAULT Succursale, 20 pl. des Chartreux à Petit-Quevilly A ✆ 35 73 01 73
RENAULT Gar. Astoria, 1871 rte de Neufchatel à Bois-Guillaume B e ✆ 35 61 17 14
RENAULT Gar. du Chemin de Clères, 138 Chemin de Clères à Bois-Guillaume B a ✆ 35 71 22 70
V.A.G. U.D.T., Centre Commercial du Boi Cany, le Grand-Quevilly ✆ 35 69 69 45

Marsat-Pneus, 141 pl. A.-Briand à Maromm ✆ 35 74 27 69
Regnier, 18 av. J.-Jaurès à Petit-Quevilly ✆ 72 67 01
Rouen-Pneus, r. Cateliers Zone Ind. Madrillet St-Étienne-du-Rouvray ✆ 35 65 34 13
S.R.C.-Pneus, bd Industriel à Sotteville-lè Rouen ✆ 35 72 50 90
SITEC, 51 à 59 bd du 11-Novembre, Le Pe Quevilly ✆ 35 72 16 06
Subé-Pneurama, r. de la Chesnaie, St-Étienn du-Rouvray ✆ 35 65 24 53

UFFACH 68250 H.-Rhin 62 ⑲ G. Alsace et Lorraine – 4 939 h.

454 – ♦Bâle 60 – Belfort 60 – Colmar 15 – Guebwiller 10 – ♦Mulhouse 28 – Thann 27.

⌂ ✿ **Château d'Isenbourg**, ✆ 89 49 63 53, Télex 880819, ≤, – 30. E VISA
fermé début janv. à mi-mars – **R** 200/280, enf. 80 – 58 – **37 ch** 550/1045 – ½ p 603/833
Spéc. Piccatas de foie d'oie chaud à la compote de figues, Feuillantine aux fruits rouges (mai à oct.). **Vins** Riesling, Pinot noir.

A la Ville de Lyon M, 1 rue Poincaré ✆ 89 49 62 49 – wc wc – 40. AE E VISA
fermé 29 fév. au 20 mars – **R** *(fermé lundi)* 78/240 – 19 – **43 ch** 145/215 – ½ p 220.

à Bollenberg SO : 6 km par N 83 et VO – ✉ **68111** Westhalten :

Bollenberg, ✆ 89 49 62 47, Télex 880896 – TV wc wc – 45. AE E VISA
R voir rest. **Vieux Pressoir** ci-après – 30 – **50 ch** 250/270 – ½ p 297/417.

Vieux Pressoir -Hôtel Bollenberg-, ✆ 89 49 60 04, Télex 880896, – AE E VISA
fermé 23 déc. au 4 janv. – **R** 120/300, enf. 50.

ROEN Sauter, ✆ 89 49 61 46 — Habermacher, ✆ 89 49 60 08
NDA Gar. du Château ✆ 89 49 60 28

UFFILLAC 24 Dordogne 75 ⑱ – ✉ **24370** Carlux.

536 – Brive-la-Gaillarde 49 – Gourdon 25 – Sarlat-la-Canéda 17.

Aux Poissons Frais, ✆ 53 29 70 24, – wc VISA
fermé oct. – **R** 55/170 – 22 – **20 ch** 116/210 – ½ p 189/210.

UGÉ 44660 Loire-Atl. 63 ⑦ – 2 082 h.

352 – Châteaubriant 10 – Laval 80 – ♦ Rennes 45.

Koste Ar C'Hoad, ✆ 40 28 84 18 – E VISA
R *(fermé dim.)* (dîner pour résidents seul.) 50/60 – 18 – **15 ch** 75/145 – ½ p 143/203.

ROUGET 15290 Cantal 76 ⑪ – 910 h. alt. 606.

562 – Aurillac 25 – Figeac 44 – Laroquebrou 15 – St-Céré 37 – Tulle 76.

Voyageurs, ✆ 71 46 10 14 – wc wc ch
R 40 bc/70 bc, enf. 25 – 14 – **38 ch** 120/140 – ½ p 98.

ROËN Gar. Fau ✆ 71 46 11 03 — PEUGEOT-TALBOT Gar. Lajarrige ✆ 71 46 15 63

UGIVILLE 88 Vosges 62 ⑰ – rattaché à St-Dié.

UILLAC 16170 Charente 72 ⑬ – 1 799 h.

437 – Angoulême 24 – Cognac 25 – Ruffec 37 – St-Jean-d'Angély 41.

Commerce avec ch, 26 r. Jarnac ✆ 45 21 77 13, – wc – 130. E VISA
fermé 1er au 15 sept., dim. soir et lundi – **R** 48/82 – 14 – **8 ch** 65/125 – ½ p 120/140.

ULLET 16 Charente 72 ⑬ – rattaché à Angoulême.

UMAZIÈRES-LOUBERT 16270 Charente 72 ⑤ – 3 146 h.

433 – Angoulême 48 – Chabanais 13 – Confolens 18 – ♦Limoges 59 – Nontron 65 – Ruffec 39.

Commerce M, av. Gare ✆ 45 71 21 38, – wc – 70. VISA
fermé 18 déc. au 2 janv. – **R** 52/170 – 24 – **20 ch** 180/300 – ½ p 210/250.

GEOT-TALBOT Gar. Voisin, ✆ 45 71 21 27

s ROUSSES 39220 Jura 70 ⑮⑯ G. Jura – 2 573 h. alt. 1 120 – Sports d'hiver : 1 120/1 680 m

r Gorges de la Bienne★ O : 3 km.

ffice de Tourisme ✆ 84 60 02 55.

467 – ♦Genève 47 – Gex 30 – Lons-le-Saunier 66 – Nyon 25 – St-Claude 33.

✿ **France** (Petit) M, ✆ 84 60 01 45, – – 30. AE E VISA
fermé 6 au 29 juin et 14 nov. au 14 déc. – **R** 99/286 – 27 – **34 ch** 243/320 – ½ p 242/300
Spéc. Ravioli d'escargots bressane, Duo de turbot et saumon au jus de rôti aux pleurotes (saison), Égrainé de ris de veau au vin jaune. **Vins** Pupillin, Arbois.

La Redoute (Annexe M -7 ch), 84 60 00 40 – wc – 30. E VISA
fermé 15 nov. au 1er déc. – **R** 70/250 – 20 – **26 ch** 195/210 – 1/2 p 210/240.

Relais des Gentianes, 84 60 50 64, , – wc wc . AE E VISA
1er juil.-30 sept., 15 oct.-23 mai – **R** 80/265, enf. 40 – **14 ch** 180/270 – 1/2 p 185/2

Christiania, 84 60 01 32, < – wc wc
26 ch.

Chamois , à Noirmont N : 2 km 84 60 01 48, < – wc . VISA. res
fermé mai et 15 nov. au 15 déc. – **R** 65/120 – **12 ch** 190/210 – 1/2 p 200/240.

des Rousses, 84 60 00 02 – wc . VISA
15 juin-30 sept., 15 déc.-15 avril et week-ends de nov. – **R** 59/80 – 19 – **13**
80/120 – 1/2 p 140/160.

à la Cure SE : 2,5 km – **39220** Les Rousses :

Arbez, 84 60 02 20 – AE E VISA.
fermé juin, nov., lundi soir et mardi hors sais. – **R** 89/240.

RENAULT Gar. des Neiges, 84 60 02 54

Si vous cherchez un hôtel tranquille,
ne consultez pas uniquement les cartes p. 46 à 53,
mais regardez également dans le texte
les établissements indiqués avec le signe .

ROUSSILLON 84 Vaucluse 81 ⑬ **G. Provence (plan)** – 1 313 h. – **84220** Gordes.
Voir Site★ du village★.
Paris 726 – Apt 11 – Avignon 48 – Bonnieux 12 – Carpentras 44 – Cavaillon 27 – Sault 36.

Mas de Garrigon M , **N : sur D 2 : 3 km par C 7** 90 05 63 22, < Luber
, – . AE E VISA. rest
R *(fermé 16 nov. au 27 déc., dim. soir et lundi)* (prévenir) 160/350 – 50 – **7**
500/650 – 1/2 p 550/750.

Résidence des Ocres sans rest, **rte Gordes** 90 05 60 50 – wc
. AE E VISA
fermé 15 nov. au 15 déc. et fév. – 20 – **15 ch** 190/230.

David, 90 05 60 13, < **falaises et vallée** – E VISA
fermé 15 janv. au 15 mars, lundi et mardi – **R** (week-end et fêtes prévenir) 100/2
enf. 45.

Val des Fées, 90 05 64 99 – E VISA.
15 fév.-15 nov. et fermé merc. (hors sais.) et jeudi – **R** 125/180.

La Tarasque, 90 05 63 86 – . AE E VISA
fermé 15 janv. au 15 fév. et merc. – **R** (prévenir) 150/220, enf. 60.

ROUTOT 27350 Eure 55 ⑲ **G. Normandie Vallée de la Seine** – 1 079 h.
Voir La Haye-de-Routot : ifs millénaires★ N : 4 km.
Paris 152 – Bernay 47 – Évreux 68 – ♦Le Havre 54 – Pont-Audemer 18 – ♦Rouen 36.

L'Écurie, 32 57 30 30 – E VISA
fermé 18 janv. au 12 fév., dim. soir et lundi – **R** 80/190.

CITROEN Gar. Bocquier, 32 57 30 48
PEUGEOT-TALBOT Gar. Lefieux, 32 57 31 23
RENAULT Gar. Dehayes, 32 57 30 20

ROUVRES-EN-XAINTOIS 88 Vosges 62 ⑭ – 385 h. – **88500** Mirecourt.
Paris 318 – Épinal 43 – Lunéville 61 – Mirecourt 9 – ♦Nancy 57 – Neufchâteau 31 – Vittel 24.

Burnel avec ch, au village 29 65 64 10 – wc wc . AE E VISA
fermé 20 au 31 déc. et dim. soir hors sais. – **R** 55/195 , enf. 35 – 20 – **18**
125/240 – 1/2 p 200/230.

ROUVRES-LA-CHÉTIVE 88 Vosges 62 ⑬ – rattaché à Neufchâteau.

ROYAN 17200 Char.-Mar. 71 ⑮ **G. Poitou Vendée Charentes** – 18 125 h. – Casino : Spor
Casino à Pontaillac A.
Voir Front de mer★ – Église N.-Dame★ B E.
18 de la Côte de Beauté 46 23 16 24 par ④ : 7 Km.
Bac : pour la Pointe de Grave : renseignements 56 09 60 84.
Office de Tourisme Palais des Congrès 46 38 65 11, Télex 790441 et pl. Poste 46 05 04 71.
Paris 504 ① – ♦ Bordeaux 121 ② – Périgueux 174 ② – Rochefort 41 ⑤ – Saintes 38 ①.

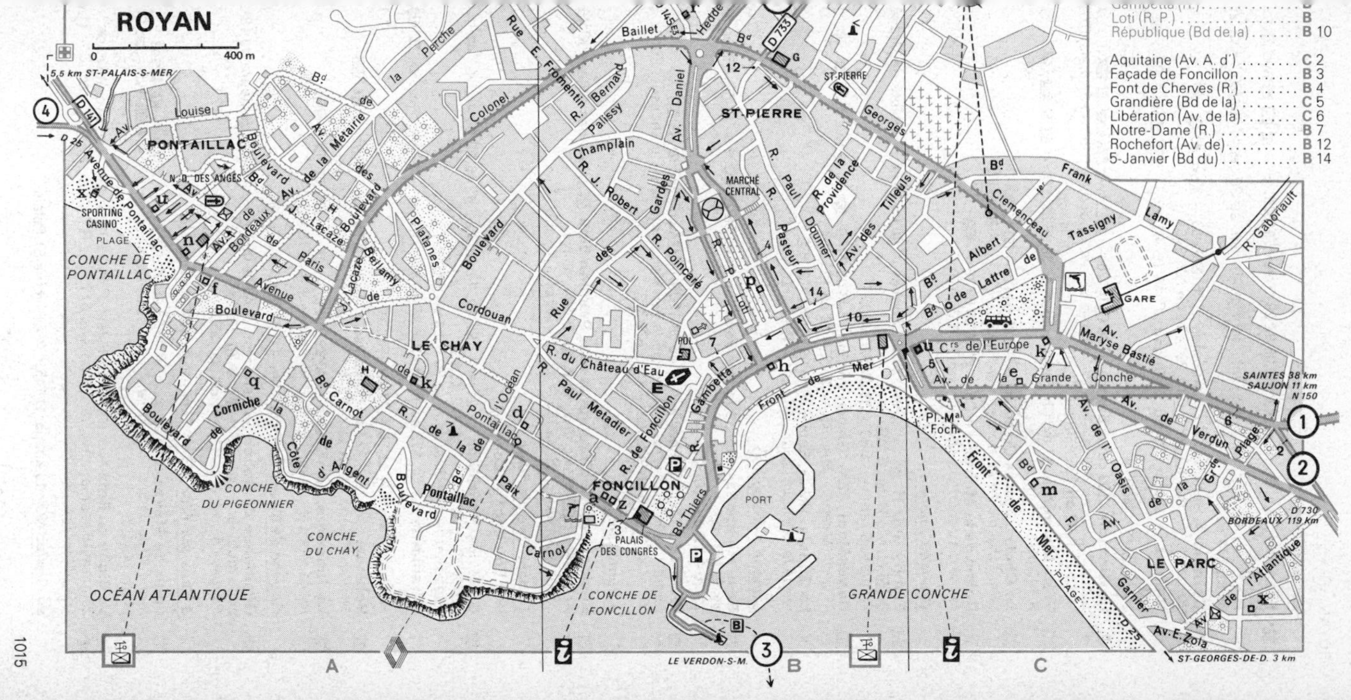
ROYAN
0
400 m
Loti (R. P.) . . . . B
République (Bd de la) . . . . . . B 10
Aquitaine (Av. A. d') . . . . C 2
Façade de Foncillon . . . . B 3
Font de Cherves (R.) . . . . B 4
Grandière (Bd de la) . . . . C 5
Libération (Av. de la) . . . . C 6
Notre-Dame (R.) . . . . B 7
Rochefort (Av. de) . . . . B 12
5-Janvier (Bd du) . . . . B 14
5,5 km ST-PALAIS-S-MER
D 141
D 25
PONTAILLAC
N.-D. DES ANGES
SPORTING CASINO
PLAGE
CONCHE DE PONTAILLAC
Avenue de Pontaillac
LE CHAY
CONCHE DU PIGEONNIER
CONCHE DU CHAY
OCÉAN ATLANTIQUE
Corniche
Boulevard
Côte d'Argent
Bd Carnot
Cordouan
Platanes
Bellamy
Lacaze
Colonel
Rue E. Fromentin
R. Bernard
Palissy
Champlain
R. J. Robert
Gardes
Av. Daniel
Baillet
Hedde
D 733
ST-PIERRE
MARCHÉ CENTRAL
R. Paul Doumer
R. Pasteur
R. de la Providence
Av. des Tilleuls
Georges
Clemenceau
Bd Frank
Lamy
Tassigny
Albert
de Lattre
R. Gaboriault
GARE
Av. Maryse Bastié
Crs de l'Europe
Av. de la Grande Conche
Pl. Mal Foch
Front de Mer
R. du Château d'Eau
R. Poincaré
R. Paul Métadier
R. de Foncillon
R. Gambetta
Rue des
FONCILLON
PALAIS DES CONGRÈS
Bd Thiers
PORT
CONCHE DE FONCILLON
GRANDE CONCHE
LE VERDON-S-M.
SAINTES 38 km
SAUJON 11 km
N 150
Av. de Verdun
Plage
Av. de l'Oasis
Gde
D 730
BORDEAUX 119 km
LE PARC
Garnier
Av. de l'Atlantique
Av. E. Zola
D 25
ST-GEORGES-DE-D. 3 km
A
B
C

En ville :

France M, 2 r. Gambetta ✆ 46 05 02 29, Télex 791565, ≤ – |‡| TV ⇔wc ⋒wc ☎. AE ⦿ E VISA B
R *(1er fév.-15 nov., et fermé lundi sauf du 1er juil. au 30 sept.)* 70/180 – ☕ 27 – **38 ch** 270/500.

Corinna ⛰ sans rest, 5 r. Amazones ✆ 46 39 82 53 – ⋒wc ☎ P. ✻ A
Pâques et fin mai-fin sept. – ☕ 20 – **14 ch** 195/240.

Vialard sans rest, 23 bd A.-Briand ✆ 46 05 84 22 – TV ⇔wc ⋒wc ☎. VISA B
24 ch ☕122/240.

Le Girondin, 109 cours Europe ✆ 46 05 01 26 – |‡| ⇔wc ⋒wc ☎. E VISA C
fermé 15 déc. au 31 janv. – **R** *(fermé dim. soir et lundi du 1er oct. au 31 mars)* 57/2.. – ☕ 21 – **47 ch** 125/230.

Trois Marmites, 37 av. Ch. Regazzoni ✆ 46 38 66 31, ☂ – AE E VISA. ✻ B
R 140/180.

Le Chalet, 6 bd La Grandière ✆ 46 05 04 90 – AE E VISA C
fermé 15 janv. au 13 mars et merc. sauf juil.-août – **R** 95/170.

Relais de la Mairie, 1 r. Chay ✆ 46 39 03 15 – VISA A
fermé dim. soir hors sais. et mardi – **R** 55/130.

Grande Conche :

Family Golf H. M sans rest, 28 bd Garnier ✆ 46 05 14 66, ≤ Pointe de Grave – |‡| TV ⇔wc ☎ P. E VISA C
Pâques-30 sept. – ☕ 30 – **33 ch** 320/450.

Beauséjour, 32 av. Grande Conche ✆ 46 05 09 40, ☂ – ⇔wc ⋒wc ☎. ✻ C
1er avril-30 sept. – **R** 82/93 – ☕ 23 – **14 ch** 171/234.

Le Squale, 102 av. Semis ✆ 46 05 51 34 – E VISA C
fermé fév. et mardi sauf juil.-août – **R** 92/160.

Conche de Foncillon :

Beau Rivage sans rest, 9 façade Foncillon ✆ 46 38 73 11, ≤ – |‡| TV ⇔wc ⋒wc ☎. E VISA. ✻ B
☕ 26 – **22 ch** 250/320.

Bleuets, 21 façade Foncillon ✆ 46 38 51 79 – ⇔wc ⋒wc ☎. E VISA. ✻ B
fermé 15 déc. au 4 janv. – **R** *(fermé le week-end hors sais.)* (dîner seul.) 55/86, en.. 50 – ☕ 22 – **16 ch** 205/255 – 1/2 p 203/313.

à Pontaillac :

Résidence de Saintonge et rest Pavillon bleu ⛰, allée des Algues ✆ 46 .. 00 00, ⛫ – TV ⇔wc ⋒wc ☎ ♿ P. E VISA. ✻ rest A
26 mars-30 sept. – **R** 60/155 – ☕ 27 – **40 ch** 170/260.

Conche de Pontaillac.

Voir Corniche★ et Conche★.

Gd H. de Pontaillac sans rest, 195 av. Pontaillac ✆ 46 39 00 44, ≤, ⛫ – ⇔wc ⋒wc ☎ 🚗 – 🏛 120. E VISA A
Pâques et 1er mai-30 sept. – ☕ 30 – **55 ch** 270/350.

Miramar sans rest, 173 av. Pontaillac ✆ 46 39 03 64, ≤ – ⇔wc ⋒wc ☎. AE ⦿ VISA A
Pâques-fin sept. – ☕ 30 – **23 ch** 270/320.

Bellevue sans rest, 122 av. Pontaillac ✆ 46 39 06 75, ≤ – ⋒wc ☎ P. VISA A
1er mars-15 nov. **31 ch** ☕230/245.

La Jabotière, près Casino ✆ 46 39 91 29, ≤, ☂ – ▤. AE ⦿ E VISA A
fermé janv., fév., dim. soir et lundi hors sais. – **R** 150/220.

Conche de Nauzan NO : 2,5 km – ✉ **17640** Vaux-sur-Mer :

Résidence de Rohan ⛰ sans rest, ✆ 46 39 00 75, ≤, « Belle demeure du 19e s., beau mobilier », ⛫, ✻ – TV ☎ P. AE VISA
Pâques-15 nov. – ☕ 34 – **41 ch** 360/550.

à Vaux-sur-Mer NO : 4,5 km – ✉ **17640** Vaux-sur-Mer :

Logis de Mélisandre avec ch, ✆ 46 38 46 00, ☂, ⛫ – ⋒wc ☎ P. E VISA
fermé 15 au 31 oct., 2 au 21 janv., dim. soir et lundi hors sais. – **R** 95/175 – ☕ 24 – **11 ch** 140/220 – 1/2 p 200.

La Biche au Bois avec ch, rte St-Palais ✆ 46 39 01 52, ☂ – ⇔wc ⋒wc. ✻
25 mars-18 sept. et merc. du 25 mars au 31 mai – **R** 45/125, enf. 30 – ☕ 16 – **11 c..** 120/130 – 1/2 p 191/196.

au Grallet NO : 10 km par D 145, XXX , voir à **St-Palais**

W Gar. Bienvenue, 43 av. M.-Bastié ✆ 46)1 62
ROEN Casagrande, 24 bd de Lattre-de-signy ✆ 46 05 04 26
ROEN Corpron, 20 bd Clemenceau ✆ 46)7 66
TSUN-NISSAN Gar. Cassagnau, 44 av. .-Leclerc ✆ 46 05 01 66
T Boisnard, rte de Saintes ✆ 46 05 05 26
RD Gar. Zanker, 11 r. Notre Dame ✆ 46 05 37
RCEDES-BENZ, Thomas, Zone Commer-e, rte de Saintes ✆ 46 05 05 49

PEUGEOT-TALBOT Gar. Richard, Zone Commerciale, rte de Saintes par ① ✆ 46 05 03 55
RENAULT Gar. du Chay, 75 av. de Pontaillac ✆ 46 38 48 88
V.A.G. Automobiles 17, Zone Commerciale, rte de Saintes ✆ 46 05 54 75

Moyet-Pneus, 50 bd de Lattre-de-Tassigny ✆ 46 05 54 24
Royan-Pneus, av. de la Libération ✆ 46 05 46 93

YAT 63130 P.-de-D. **73** ⑭ **G. Auvergne – 4 094 h. – Stat. therm. (avril-29 oct.) – Casino:** BY.
ir Église St-Léger★ AZ **B.**
des Volcans à Orcines ✆ 73 62 15 51 par ③ : 9 km.
yndicat d'Initiative pl. Allard (fermé nov. et vacances de Noël) ✆ 73 35 81 87.
s 403 ① – Aubusson 92 ③ – La Bourboule 49 ③ – ♦Clermont-Fd 3,5 ① – Le Mont-Dore 47 ②.

Accès et sorties : voir plan de Clermont-Ferrand

ROYAT

ès
v. Jean) .... ABZ
onale (R.) .... AZ 16
(Av. J.) .... BZ 3
d (Pl.) .... BY 4
-Site (Av.) ..... BY 7
Cohendy (R. A.) ..... AZ 8
Gambetta (Bd) ...... BY 9
Gare (Av. de la) ..... BY 13
La-Bruyère (R.) ..... BY 14
Paulet (R. P.) ..... AZ 17
Rouzaud (Av.) ..... BY 19
Royat (Av. de) ..... BY 21
Souvenir (R. du) ..... AZ 22
Vaquez (Bd) ..... BY 25
Victoria (R.) ..... AZ 27

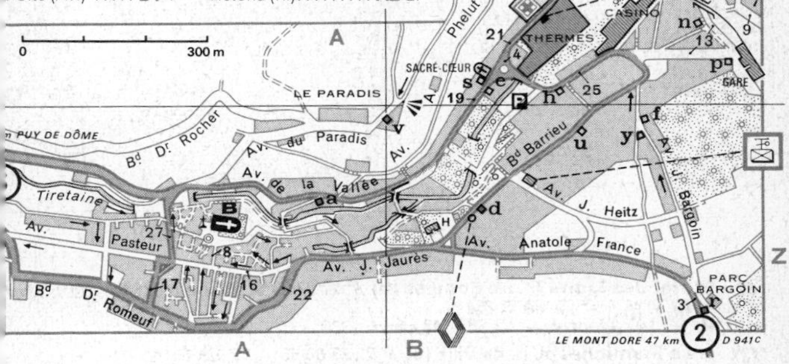

Métropole, bd Vaquez ✆ 73 35 80 18 – ✆ ♿. E VISA. rest — BY **h**
1er mai-30 sept. – **R** 125 – ☕ 30 – **77 ch** 150/460, 5 appartements 700.

Royal H. St-Mart, av Gare ✆ 73 35 80 01, – P – 35. VISA — BY **n**
1er mai-30 sept. – **R** 100/230 – ☕ 30 – **61 ch** 200/385.

Richelieu, 3 av. A.-Rouzaud ✆ 73 35 86 31 – TV wc wc. E VISA. rest — BY **e**
10 avril-début oct. – **R** 89 – ☕ 25 – **60 ch** 150/350.

Parc Majestic sans rest, av. Jocelyn-Bargoin ✆ 73 35 84 36, – wc wc P — BZ **f**
20 ch.

Univers, av. Gare ✆ 73 35 81 28 – wc wc. rest — BY **p**
10 avril-5 oct. – **R** 89/100 – ☕ 20 – **44 ch** 105/225.

Athena sans rest, 2 av. Rouzaud ✆ 73 35 80 32 – TV wc wc. AE E VISA — BY **s**
☕ 26 – **24 ch** 180/270.

Chalet Camille, bd Barrieu ✆ 73 35 80 87, – wc P. VISA. rest — BZ **u**
1er avril-25 oct. – **R** 75/85 – ☕ 20 – **23 ch** 150/200.

Cottage, av. Jocelyn-Bargoin ✆ 73 35 82 53, – P. rest — BZ **y**
1er avril-30 sept. – **R** 58/80 – ☕ 15 – **33 ch** 70/200.

Le Paradis, av. Paradis ✆ 73 35 85 46, ≤ Royat et Clermont, – P. AE E VISA — BZ **v**
fermé janv., 3 au 12 oct., dim. soir et lundi – **R** 130/180, enf. 40.

Belle Meunière avec ch, av. Vallée ✆ 73 35 80 17, – wc wc. AE E VISA — AZ **a**
fermé 31 oct. au 21 nov., 9 au 28 fév, dim. soir et merc. – **R** 130/280 – ☕ 25 – **12 ch** 230 – 1/2 p 260.

XX **La Pépinière** avec ch, 11 av. Pasteur ✆ 73 35 81 19 – ⋔wc ☎ **P**. E VISA AZ
hôtel : ouvert 1er avril-31 oct. ; rest. : fermé 1er nov. au 12 déc. – **R** *(fermé mardi nov. à mars et lundi)* 98/175 – ☕ 17 – **21 ch** 80/135 – ½ p 140/205.

XX **L'Hostalet,** bd Barrieu ✆ 73 35 82 67 – E VISA BZ
4 avril-2 janv. et fermé mardi midi, dim. soir et lundi – **R** 90 bc/150.

XX **Aub. Écu de France,** av. J.-Agid ✆ 73 35 81 81 – E VISA BZ
fermé 1er au 15 nov., 1er au 15 mars, dim. soir, mardi soir et merc. hors sais. **R** 65/160.

par ③ sur D 68 : 2,5 km – ✉ **63130** Royat :

XX **Le Pont des Soupirs** avec ch, ✆ 73 35 82 66 – ⋔ **P**. E VISA
15 mars-2 nov. et vacances de Noël – **R** *(fermé merc.)* 120/210 – ☕ 20 – **9** 130/180.

CITROEN Gar. Boyer, 50 av. des Thermes, à Chamalières ✆ 73 37 71 57
RENAULT Royat-centre-Auto, 49 bd Barrieu ✆ 73 35 82 20
RENAULT Valleix, 57 bd Gambetta, à Chamalières BY ✆ 73 93 11 43

ROYE 80700 Somme 52 ⑳ G. Flandres Artois Picardie – 6 708 h.

Paris 110 ⑤ – ♦Amiens 42 ⑥ – Arras 74 ⑦ – Compiègne 40 ⑤ – St-Quentin 46 ②.

ROYE

Pour un bon usage des plans de villes, voir les signes conventionnels p. 23.

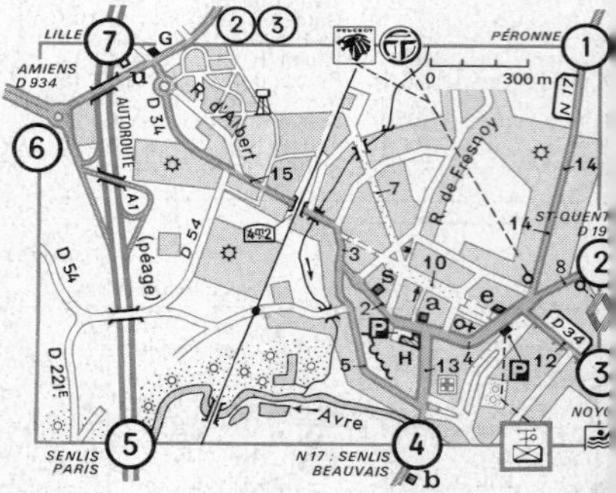

Motel des Lions Ⓜ, rte Rosières (u) ✆ 22 87 20 61, Télex 140586 – TV ⌂wc ♿ **P** – 🎪 130. AE ⓓ E VISA
R 100/140 🍷, enf. 41 – ☕ 38 – **43 ch** 240/300 – ½ p 290/310.

XXX ✿ **La Flamiche,** pl. H. de Ville (a) ✆ 22 87 00 56 – AE ⓓ E VISA
fermé 10 au 18 juil., 17 déc. au 17 janv., dim. (sauf mai et août) et lundi – **R** 17 380
Spéc. St-Jacques aux truffes fraîches (nov. à fév.), Fricassée d'anguille aux fruits rouges, Colvert aux betteraves rouges (mi-juil.-fin janv.).

XXX **Croix d'Or,** 123 rte de Paris (b) ✆ 22 87 11 57, ⛱ – **P**. AE ⓓ E VISA
fermé 1er au 26 août, vacances de fév., mardi soir et merc. – **R** 110 carte le dim.

XX **Central** avec ch, 36 r. d'Amiens (s) ✆ 22 87 11 05 – ▤ rest ⋔. AE ⓓ E VISA
fermé 23 déc. au 4 janv., 7 au 13 mars, dim. soir et lundi – **R** 65/170 – ☕ 16 – **10** 90/130.

XX **Nord** avec ch, pl. République (e) ✆ 22 87 10 87 – ⋈. E VISA. ⋇ ch
fermé 18 au 28 juil., 15 fév. au 2 mars, mardi soir et merc. – **R** 75/210 – ☕ 21 – **7** 80/150.

FORD Gar. Dallet, 5 pl.de la République ✆ 22 87 10 89
PEUGEOT-TALBOT Carlier, pl. de la République ✆ 22 87 01 08
RENAULT Péronne Automobile Roye, 10 r. de Nesle ✆ 22 87 07 88
Ⓜ Fischbach Pneu, 12 r. de Péronne ✆ 22 11 03

ROZAY-EN-BRIE 77540 S.-et-M. 61 ③ – 1 944 h.

Paris 60 – Coulommiers 18 – Meaux 36 – Melun 31 – Provins 39 – Sézanne 58.

XX **France** avec ch, ✆ (1) 64 25 77 57 – ⌂wc ⋔wc ☎. AE ⓓ E VISA
fermé vacances de fév. – **R** *(fermé merc.)* 140 bc/220 – ☕ 25 – **10 ch** 157/230.

CITROEN Gar. Lemaire, ✆ (1)64 25 60 61
RENAULT Gar. Mirat, ✆ (1)64 09 60 54
V.A.G. Gar. Cardinand, ✆ (1)64 09 60 65

ROZIER 48 Lozère 80 ④⑤ G. Gorges du Tarn – 111 h. – ✉ **48150** Meyrueis.
r Terrasses du Truel ≤★ E : 3,5 km.
/. Corniche du Causse Noir ≤★★ SE : 13 km puis 15 mn.
yndicat d'Initiative (15 juin-15 sept.) ✆ 65 62 60 89.
s 642 – Florac 62 – Mende 63 – Millau 21 – Sévérac-le-Château 31 – Le Vigan 78.

Gd H. Muse et Rozier M, à la Muse (D 907) rive dte du Tarn ✉ 12720 Peyreleau (Aveyron) ✆ 65 62 60 01, ≤, « Au bord de l'eau », – ♿ TV ☎ P – 45. AE E VISA. rest
Pâques-début oct. – **R** 130/170, enf. 60 – 34 – **35 ch** 290/430, 3 appartements 610 – 1/2 p 315/360.

Voyageurs, ✆ 65 62 60 09 – wc wc ☎. E VISA.
1er mars-1er oct. – **R** 70/120, enf. 30 – 18 – **21 ch** 140/200 – 1/2 p 160/180.

Doussière sans rest, ✆ 65 62 60 25 – wc wc
Pâques-11 nov. – 15 – **20 ch** 80/150.

EIL-MALMAISON 92 Hauts-de-Seine 55 ⑳, 101 ⑬ – voir à Paris, Environs.

JFFEC 16700 Charente 72 ④ G. Poitou Vendée Charentes – 4 766 h.
ffice de Tourisme pl. d'Armes ✆ 45 31 05 42.
s 400 – Angoulême 43 – Cognac 62 – Confolens 43 – Niort 68 – Poitiers 66 – St-Jean-d'Angély 62.

à Verteuil-sur-Charente S : 6 km par N 10 et D 26 – ✉ **16510** Verteuil-sur-Charente.
Voir Mise au tombeau★ dans l'église.

La Paloma, rte Villars ✆ 45 31 41 32 – wc P. VISA. rest
fermé dim. soir et lundi – **R** 55/120, enf. 35 – 17 – **10 ch** 100/170.

ROEN Vienne-Sud-Autom., N 10 à Ville-s ✆ 45 31 42 04
T Gar. Lavaud, av. Blanc ✆ 45 31 01 45
JGEOT-TALBOT Gar. Pol Loussert, rte de deaux ✆ 45 31 05 27

PEUGEOT-TALBOT Moreau, 6 à 10 rte de Bordeaux ✆ 45 31 02 09
Piot-Pneu, 48 rte de Bordeaux ✆ 45 31 02 75
Rogeon-Pneus, Notre-Dame des Vignes ✆ 45 31 07 95

JFFIEUX 73 Savoie 74 ⑤ – 454 h. – ✉ **73310** Chindrieux.
s 518 – Aix-les-Bains 21 – Bellegarde-sur-Valserine 35 – Bourg-en-Bresse 90 – ♦Lyon 110.

Château de Collonges, ✆ 79 54 27 38, ≤, parc, – P. AE E VISA. rest
fermé 5 janv. au 8 fév., mardi midi et lundi – **R** 175/400, enf. 100 – 45 – **9 ch** 440/520 – 1/2 p 430/490.

JGY 57 Moselle 57 ④ – rattaché à Metz.

JMILLY 74150 H.-Savoie 74 ⑤ G. Alpes du Nord – 9 236 h.
s 535 – Aix-les-Bains 20 – Annecy 17 – Bellegarde-sur-Valserine 35 – Belley 45 – ♦Genève 51.

Poste, 17 r. Ch.-de-Gaulle ✆ 50 01 28 61, – ☎. E VISA. ch
fermé 25 sept. au 25 oct., lundi (sauf hôtel) et dim. soir – **R** 52/140 – 17 – **14 ch** 90/150 – 1/2 p 170/227.

à Moye NO : 4 km par D 231 – ✉ **74150** Rumilly :

Relais du Clergeon, ✆ 50 01 23 80, ≤, – wc wc ☎ ♿ P – 50. E VISA. ch
fermé vacances de nov., 1er au 15 janv., vacances de fév. dim. soir et lundi – **R** 60/210 – 23 – **19 ch** 105/270 – 1/2 p 160/230.

ROEN Gar. Lacrevaz, 7 r. J.-Béard ✆ 50 01 75
JGEOT-TALBOT Gantelet, rte d'Aix les ns ✆ 50 01 41 81 N ✆ 50 01 01 64

RENAULT Desvignes, 3 r. J.-Béard ✆ 50 01 10 83

JNGIS 94 Val-de-Marne 61 ①, 101 ㉕㉖ – voir à Paris, Environs.

JOMS 07120 Ardèche 80 ⑨ G. Provence – 1 839 h.
r Défilé★ NO : 2,5 km – Gorges de la Beaume★ O : 4 km.
s 654 – Alès 52 – Aubenas 24 – Pont-St-Esprit 54.

Savel, ✆ 75 39 60 02, parc – wc P – 25. E VISA
fermé 4 au 12 oct. et fév. – **R** *(fermé dim. soir et lundi d'oct. à mai)* 60/145 – 22 – **15 ch** 195/255 – 1/2 p 210/242.

rte des Vans - D 111 – ✉ **07120** Ruoms :

La Chapoulière, à 3,5 km ✆ 75 39 65 43, – wc P. E VISA
1er mars-1er nov. et fermé merc. sauf juil.-août – **R** 58/150, enf. 35 – 25 – **10 ch** 130/200 – 1/2 p 200/270.

Domaine du Rouret, près Grospierres SO : 13 km par D 111 – ✉ 07120 Ruom

Le Caleou Ⓜ, ✆ 75 93 60 00, Télex 345478, ≤, « Parc ombrag complexe de loisirs », – 250. AE ⓞ E rest
15 mars-15 nov. – **R** 135, enf. 60 – 40 – **118 ch** 390/825 – ½ p 495/575.

CITROEN Dupland, ✆ 75 39 61 23 N ✆ 75 39 61 94
FIAT Perbost, ✆ 75 39 62 55
RENAULT Bouschon, ✆ 75 39 61 08 N

RUPT-SUR-MOSELLE 88360 Vosges 62 ⑯⑰ – 3 570 h.

Paris 398 – Epinal 39 – Lure 37 – Luxeuil-les-Bains 30 – Remiremont 12 – Le Thillot 11.

Centre avec ch, r. Église ✆ 29 24 34 73 – wc ☎ ⓟ. AE ⓞ E VISA
fermé janv., dim. soir et lundi sauf vacances scolaires – **R** 58/250 – 19 – 1
95/240 – ½ p 120/230.

RUYNES-EN-MARGERIDE 15320 Cantal 76 ⑭⑮ – 591 h. alt. 914.

Paris 514 – Aurillac 89 – Langeac 47 – Le Puy 81 – St-Chély-d'Apcher 31 – St-Flour 13.

Moderne , ✆ 71 23 41 17, – wc wc ⓟ – 50. AE E VISA
1er mars-15 oct. – **R** 45/130, enf. 30 – 18 – **38 ch** 70/130 – ½ p 120/140.

RENAULT Brun, ✆ 71 23 42 31

RY 76116 S.-Mar. 55 ⑦ G. Normandie Vallée de la Seine – 544 h.

Voir Porche★ de l'église.

Paris 113 – Buchy 19 – Fleury 14 – Gournay-en-Bray 31 – Lyons-la-Forêt 14 – ♦Rouen 20.

Aub. La Crevonnière avec ch, ✆ 35 23 60 52, ≤, « Dans un jardin au bor l'eau » – ⓟ. AE E VISA. ch
fermé 15 janv. à fin fév., mardi soir et merc. – **R** 68/165 – 28 – **4 ch** 140/180.

CITROEN Gar. Duval, ✆ 35 23 60 76

SAALES 67420 B.-Rhin 62 ⑧ – 919 h.

Voir Vallée de la Bruche★ NE, G. Alsace et Lorraine.

Paris 399 – Molsheim 47 – Raon-l'Étape 29 – St-Dié 20 – Sélestat 40 – ♦Strasbourg 69.

Roche des Fées, ✆ 88 97 70 90 – wc wc . AE ⓞ E VISA
fermé 15 au 21 oct., 15 nov. au 1er déc., 15 janv. au 12 fév., mardi soir et merc. d à avril – **R** 58/165 , enf. 28 – 17 – **14 ch** 85/145 – ½ p 155.

Les SABLES-D'OLONNE 85100 Vendée 67 ⑫ G. Poitou Vendée Charente

16 657 h. – Casinos: de la plage AZ, Casino des Sports CY.

Voir Le Remblai★ BCZ.

Office de Tourisme r. Mar.-Leclerc ✆ 51 32 03 28.

Paris 453 ② – Angoulême 204 ④ – Cholet 101 ② – ♦Nantes 94 ② – Niort 110 ④ – Poitiers 184 (
Rochefort 129 ④ – La Rochelle 90 ④ – La Roche-sur-Yon 36 ②.

Plan page ci-contre

Atlantic H. Ⓜ, 5 prom. Godet ✆ 51 95 37 71, Télex 710474, ≤, – 30. AE ⓞ E VISA BY
R *(fermé dim. hors sais.)* 110/182 – 38 – **30 ch** 250/600 – ½ p 430/490.

Roches Noires Ⓜ sans rest, 12 prom. G.-Clemenceau ✆ 51 32 01 71, ≤ – wc wc ☎ . AE ⓞ E VISA BY
1er fév.-15 nov. – 32 – **37 ch** 250/550.

Beau Rivage, 40 prom. G.-Clemenceau ✆ 51 32 03 01, ≤ – wc wc AE ⓞ E VISA CZ
fermé 3 au 13 oct., 19 déc. au 14 janv., dim. soir et lundi (sauf fêtes) du 25 sept 31 mai – **R** 135/385 – 35 – **21 ch** 170/380, 4 appartements
Spéc. Homard au Chardonnay, Aiguillettes de bar aux champignons, Farandole des desserts.

Arundel, 8 bd F.-Roosevelt ✆ 51 32 03 77, Télex 701755 – wc ☎. AE E VISA AZ
15 fév.-1er oct. – **R** *(fermé 15 fév. au 1er juin et jeudi)* 90 – 28 – **42 ch** 330/38 ½ p 283/308.

Chêne Vert, 5 r. Bauduère ✆ 51 32 09 47 – wc ☎. E VISA CZ
fermé 1er au 20 oct., 20 déc. au 5 janv. et dim. hors sais. – **R** 51/62 – 2 **33 ch** 160/235 – ½ p 165/235.

Antoine, 60 r. Napoléon ✆ 51 95 08 36 – wc ☎ . E VISA. AZ
1er avril-30 sept. – **R** (dîner seul.) 80/90 – 20 – **19 ch** 140/200 – ½ p 155/210.

Alizé H. sans rest, 78 av. Alcide-Gabaret ✆ 51 32 44 90 – wc. BY
25 mars-30 sept. – 17 – **22 ch** 90/180.

tourner

LES SABLES-D'OLONNE

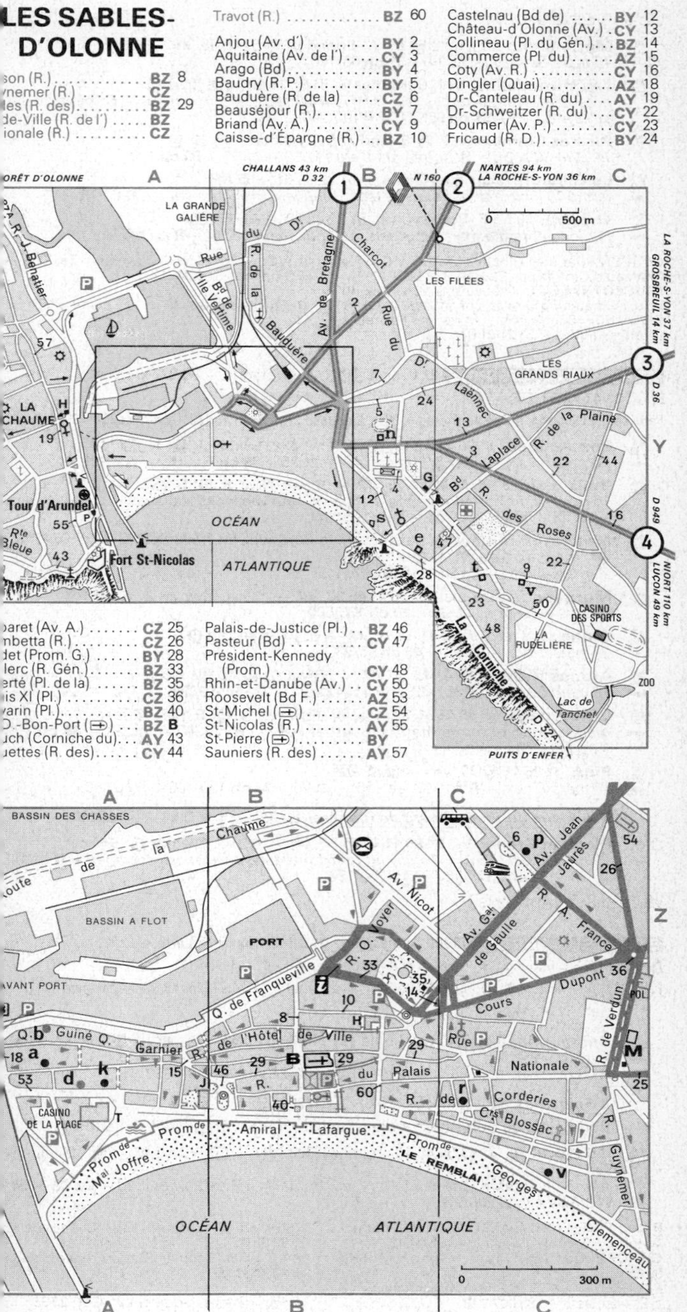

Merle Blanc sans rest, 59 av. A.-Briand ✆ 51 32 00 35, – wc wc CY
15 mars-30 sept. – 17 – **31 ch** 68/170.

Les Hirondelles, 44 r. Corderies ✆ 51 95 10 50 – wc CZ
hôtel : 1er avril-20 sept. ; rest. : 1er juin-20 sept. et fermé lundi – **R** (pension seu 80/90 – 19 – **54 ch** 95/200 – P 190/240.

Pins et Calme, 43 av. A.-Briand ✆ 51 21 03 18 – CY
1er avril-30 sept. – **R** *(fermé lundi soir)* 80/90 – 19 – **50 ch** 150.

Le Clipper, 19 bis quai Guiné ✆ 51 32 03 61 – E VISA AZ
fermé 10 janv. à début mars et merc. sauf le soir en juil.-août – **R** 60/130.

Théâtre, 20 bd F.-Roosevelt ✆ 51 32 00 92 – E VISA AZ
fév.-oct. et fermé merc. hors sais. et lundi en juil.-août – **R** 42/125.

CITROEN Gar. des Olonnes, av. René Coty, le Château d'Olonne par ④ ✆ 51 32 01 63
PEUGEOT-TALBOT Olonauto, ZAC le Pas du bois, le Château d'Olonne par ④ ✆ 51 21 06 18
RENAULT Central Gar., 6 rte de Nantes à Olonne sur Mer ✆ 51 21 01 07
V.A.G. Tixier, la Mouzinière, Le Châtea d'Olonne ✆ 51 32 41 04
Pneus Sablais, 14 av. J.-Jaurès ✆ 51 32 92

SABLES-D'OR-LES-PINS 22 C.-du-N. 59 ④ G. Bretagne – ✉ 22240 Fréhel.

9 ✆ 96 41 42 57, SE.

Paris 450 – Dinan 44 – Dol-de-Bretagne 59 – Lamballe 27 – St-Brieuc 39 – St-Cast 20 – St-Malo 45.

Bon Accueil, ✆ 96 41 42 19, , – wc E VISA. rest
Pâques-fin sept. – **R** 63/118, enf. 47 – 25 – **39 ch** 95/280 – 1/2 p 152/246.

Voile d'Or, ✆ 96 41 42 49, ←, – wc wc E VISA. ch
15 mars-15 nov. et fermé lundi hors sais. sauf vacances scolaires – **R** 68/230, enf. – 22 – **18 ch** 120/235 – 1/2 p 175/250.

Manoir St-Michel sans rest, à la Carquois, E : 1,5 km par D 34 ✆ 96 41 48 8 – wc wc
20 mars-4 nov. – 26 – **18 ch** 200/320.

Morgane M sans rest, ✆ 96 41 46 90, – wc wc . E VISA
10 avril-30 sept. – 28 – **20 ch** 180/300.

Diane sans rest, ✆ 96 41 42 07, – wc wc
26 mars-3 oct. – 25 – **46 ch** 95/280.

Ajoncs d'Or, ✆ 96 41 42 12, – wc . E VISA. rest
15 mai-25 sept. – **R** 60/125, enf. 40 – 24 – **75 ch** 150/265 – 1/2 p 145/240.

L'Abordage, ✆ 96 41 51 11, ← – wc . E VISA. rest
mars-fin oct. et fermé mardi en oct. et nov. – **R** 59/240 – 22 – **39 ch** 270 1/2 p 240/270.

Pins, ✆ 96 41 42 20, – . E VISA
26 mars-8 nov. – **R** 60/130, enf. 36 – 25 – **22 ch** 130/140 – 1/2 p 180.

à la Plage du Vieux Bourg de Pléhérel E : 3,5 km par D 34 – ✉ 22240 Fréhel :

Plage et Fréhel , ✆ 96 41 40 04, ←, – wc wc . rest
20 mars-5 oct., 25 oct.-15 nov. et fermé mardi sauf vacances scolaires – **R** 58/145 20 – **28 ch** 137/170 – 1/2 p 150/190.

Gar. Hamon, ✆ 96 41 42 48

SABLÉ-SUR-SARTHE 72300 Sarthe 64 ① G. Châteaux de la Loire – 12 721 h.

Office de Tourisme pl. R.-Elizé ✆ 43 95 00 60 avec A.C. ✆ 43 95 04 17.

Paris 251 ③ – Angers 52 ⑥ – La Flèche 26 ④ – Laval 43 ⑦ – ♦Le Mans 48 ③ – Mayenne 59 ⑦.

Plan page ci-contre

Campanile, 9 av. Ch. de Gaulle **(s)** ✆ 43 95 30 53, , – TV wc – 60. VISA
R 63 bc/86 bc, enf. 38 – 24 – **31 ch** 200/220 – 1/2 p 287/330.

à Solesmes NE : 3 km par D 22 – ✉ 72300 Sablé-sur-Sarthe.

Voir Saints de Solesmes★★ dans l'église★ (chant grégorien) – Pont ←★.

Gd Hôtel M, ✆ 43 95 45 10, Télex 722903, – TV wc – 100. AE VISA
fermé fév. et dim. soir du 1er nov. au 1er mars – **R** 93/210, enf. 35 – 28 – **34** 240/370 – 1/2 p 220/278.

BMW, FIAT, LANCIA-AUTOBIANCHI Viaduc-Autos, av. Gén.-de-Gaulle ✆ 43 95 04 42
CITROEN Gar. Gayet, rte du Mans par ③ ✆ 43 95 06 51
PEUGEOT-TALBOT Sablé-Auto-Diffusion, 113 r. St-Nicolas ✆ 43 95 00 82 N
RENAULT Fressonnet, 13 pl. Champ-de-Fo ✆ 43 95 01 42
V.A.G. Gar. Bodinier, 3 r. du role à Solesm ✆ 43 95 45 08
Perry-Pneus, r. du Pont ✆ 43 92 20 35

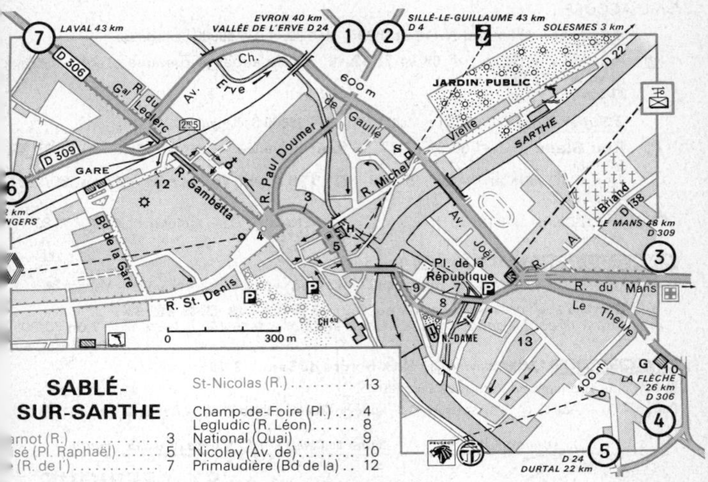

SABLÉ-SUR-SARTHE

...arnot (R.) 3
...sé (Pl. Raphaël) 5
... (R. de l') 7
St-Nicolas (R.) 13
Champ-de-Foire (Pl.) 4
Legludic (R. Léon) 8
National (Quai) 9
Nicolay (Av. de) 10
Primaudière (Bd de la) .. 12

...ABRES **40630 Landes 78 ④ G. Pyrénées Aquitaine** – 1 104 h.
...oir Ecomusée ★ de Marquèze NO: 4 km.
...ris 681 – Arcachon 86 – ♦Bayonne 110 – ♦Bordeaux 93 – Mimizan 40 – Mont-de-Marsan 35.

Aub. des Pins , ✆ **58 07 50 47, parc,** – wc wc ☎ – 60. VISA.
fermé 15 janv.-15 fév. et lundi hors sais. – **R** 65/200, enf. 45 – ☕ 24 – **14 ch** 100/210 – 1/2 p 180/210.

...ACHÉ **37 I.-et-L. 64 ⑭** – rattaché à Azay-le-Rideau.

...ACLAY **91 Essonne 60 ⑩, 101 ㉓** – voir à Paris, Environs.

...AGY **71 S.-et-L. 70 ⑬** – rattaché à Louhans.

...AHORRE **66 Pyr.-Or. 86 ⑰** – rattaché à Vernet-les-Bains.

...IGNES **15240 Cantal 76 ② G. Auvergne** – 957 h.
...is 476 – Aurillac 83 – ♦Clermont-Ferrand 92 – Mauriac 27 – Le Mont-Dore 57 – Ussel 38.

Relais Arverne , ✆ **71 40 62 64,** – wc ☎ . AE E VISA
fermé 1er au 8 oct., 15 janv. au 15 fév., vend. soir et dim. soir – **R** 44/135 – ☕ 14 – **11 ch** 80/130 – 1/2 p 92/127.

Les Terrasses , ✆ **71 40 63 75** – . E. ch
fermé 15 déc. au 31 janv. – **R** 45/80 – ☕ 14 – **10 ch** 60/100.

...NAULT Gar. Tribout, av. de la Gare ✆ 71 40 ...1
Gar. Brigoux, rte d'Auzer, ✆ 71 40 62 11

...ILLAGOUSE **66800 Pyr.-Or. 86 ⑯ G. Pyrénées Roussillon** – 837 h. alt. 1 305.
...r Gorges du Sègre★ E : 2 km.
...ffice de Tourisme (juil.-août) ✆ 68 04 72 89.
...s 1001 – Bourg-Madame 9 – Font-Romeu 12 – Mont-Louis 12 – ♦Perpignan 91.

Planes (La Vieille Maison Cerdane), ✆ **68 04 72 08** – TV wc wc ☎ . E VISA
fermé 15 oct. au 15 déc. – **R** 70/180, enf. 45 – ☕ 25 – **20 ch** 110/195 – 1/2 p 178/208.

Planotel M , ✆ **68 04 72 08,** ←, – TV wc ☎ . E VISA
juin-sept. et vacances scolaires – **R** voir H. **Planes** – ☕ 25 – **20 ch** 130/200 – 1/2 p 178/208.

à Llo E : 2 km par D 33 – alt. 1 412 – ✉ **66800** Saillagouse – **Voir Site★.**

Aub. Atalaya , ✆ **68 04 70 04,** ←, **« Jolie auberge rustique »,** – wc wc ☎. E VISA. rest
fermé 5 nov. au 20 déc. – **R** *(fermé mardi midi et lundi hors sais.)* 125/250 – ☕ 35 – **9 ch** 350/400 – 1/2 p 390.

à Eyne NE : 8 km par N 116 et D 29 – alt. 1 600 – ✉ **66800** Saillagouse :

🏨 **Aub. d'Eyne** Ⓜ ⛰, ☎ 68 04 71 12, ←, « jolie auberge rustique », 🌳 – 🛁wc 🚿wc ☎ 🚗 Ⓟ
11 ch.

à Super-Eyne NE : 10 km – alt. 1 750 – ✉ **66800** Saillagouse :

🏨 **Roc Blanc** ⛰, ☎ 68 04 72 72, ← forêt et vallée – 🛁wc 🚿wc ☎. AE E VISA
⊘ rest
1er juil.-10 sept. et 1er déc.-15 avril – **R** 75/95 🍷, enf. 45 – ☕ 20 – **23 ch** 160/250 – ½ p 165/245.

CITROEN Ets Rougé, ☎ 68 04 70 55 RENAULT Gar. Domenech, ☎ 68 04 70 30

SAINS-DU-NORD 59177 Nord 53 ⑥ – 3 409 h.

Paris 213 – Avesnes-sur-Helpe 7 – Fourmies 10 – Guise 39 – Hirson 23 – ♦Lille 106 – Vervins 34.

✗ **Centre** avec ch, r. Léo-Lagrange ☎ 27 59 15 02 – Ⓟ. AE E VISA. ⊘
fermé 15 août à début sept., dim. soir et lundi – **R** 55/145 🍷 – ☕ 15 – **7 ch** 70/80.

ST-AFFRIQUE 12400 Aveyron 80 ⑬ G. Gorges du Tarn – 9 188 h.

ℹ Office de Tourisme bd Verdun ☎ 65 99 09 05.

Paris 674 ② – Albi 82 ④ – Castres 94 ④ – Lodève 72 ② – Millau 31 ② – Rodez 81 ①.

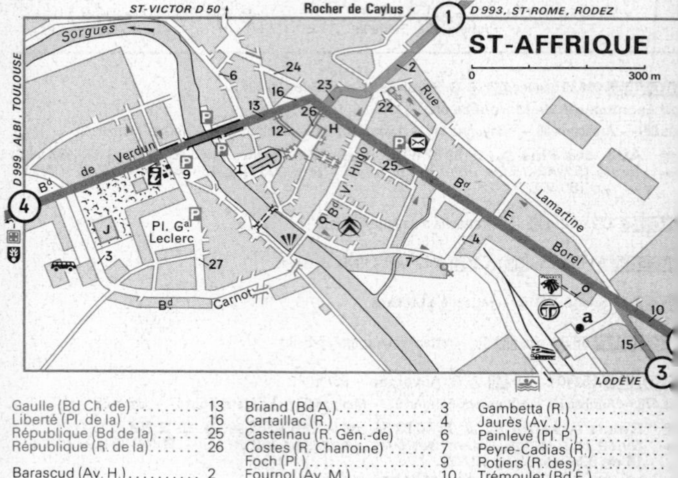

Gaulle (Bd Ch. de) 13
Liberté (Pl. de la) 16
République (Bd de la) 25
République (R. de la) 26

Barascud (Av. H.) 2
Briand (Bd A.) 3
Cartaillac (R.) 4
Castelnau (R. Gén.-de) 6
Costes (R. Chanoine) 7
Foch (Pl.) 9
Fournol (Av. M.) 10
Gambetta (R.) ....
Jaurès (Av. J.) ....
Painlevé (Pl. P.) ....
Peyre-Cadias (R.) ....
Potiers (R. des) ....
Trémoulet (Bd E.) ....

🏨 **Moderne,** à la gare (a) ☎ 65 49 20 44 – 🛁wc 🚿wc ☎. E VISA
fermé 15 déc. au 15 janv. – **R** 68/160 🍷, enf. 48 – ☕ 28 – **37 ch** 86/237
½ p 124/175.

CITROEN Bousquet, 29 bd V.-Hugo ☎ 65 49 30 15
PEUGEOT-TALBOT Pujol, 36 bd E.-Borel ☎ 65 49 21 09
PEUGEOT-TALBOT Martin, av. J.-Bourgougnon ☎ 65 99 01 42

Ⓜ Maury, rte de Vabres, Le Vern ☎ 65 99 06
Vaygalier-Maison du Pneu, 7 bd de Verd
☎ 65 49 01 23

ST-AGRÈVE 07320 Ardèche 76 ⑨⑲ G. Vallée du Rhône (plan) – 2 723 h. alt. 1 050.

Voir Mont Chiniac ←★★.

ℹ Syndicat d'Initiative à la Mairie (15 juin-15 sept.et vacances scolaires) ☎ 75 30 15 06.

Paris 578 – Aubenas 76 – Lamastre 21 – Privas 73 – Le Puy 52 – ♦St-Étienne 73 – Yssingeaux 39.

🏨 **Faurie,** 36 av. Cévennes ☎ 75 30 11 60, 🌳 – 🚿wc 🚗 Ⓟ. ⊘ rest
22 mai-fin sept. – **R** 75/100 🍷 – ☕ 18 – **30 ch** 90/200 – ½ p 165/185.

🏨 **L'Arrachée** Ⓜ sans rest, av. Cévennes ☎ 75 30 10 12, 🏊 – 🛁wc 🚿
VISA
☕ 23 – **10 ch** 165/230.

Boissy-Teyssier, ✆ 75 30 12 43 –
fermé 20 sept. au 20 oct. et sam. hors sais. – **R** 55/100 – 17 – **11 ch** 100/130 – 1/2 p 130/200.

Cévennes, ✆ 75 30 10 22, – . E VISA. rest
fermé nov. et merc. du 15 sept. au 15 juin – **R** 59/150, enf. 40 – 18 – **10 ch** 90/260 – 1/2 p 150/180.

PEUGEOT, TALBOT Chazallet, ✆ 75 30 12 23

Gar. Grandouiller-Maneval, ✆ 75 30 26 08 N ✆ 75 30 16 91

ST-AIGNAN 41110 L.-et-Ch. 64 ⑰ G. Châteaux de la Loire (plan) – 3 690 h.

Voir Crypte★★ de l'église★.

Office de Tourisme (juil.-15 sept.) ✆ 54 75 22 85.

Paris 219 – Blois 39 – Châteauroux 64 – Romorantin-Lanthenay 33 – ♦Tours 61 – Vierzon 57.

Gd H. St-Aignan, ✆ 54 75 18 04, ← – wc wc – 25. E VISA
fermé lundi – **R** 98/210 – 23 – **23 ch** 98/280 – 1/2 p 198/260.

Relais Touraine et Sologne, Le Boeuf Couronné N : 1 km ✉ 41140 Noyers-sur-Cher ✆ 54 75 15 23 – . E VISA.
fermé 4 janv. au 20 fév., mardi soir et merc. du 1er oct. au 30 mai – **R** 86/225.

Gare avec ch, à la gare de Noyers N : 2 km sur D 675 ✉ 41140 Noyers-sur-Cher ✆ 54 75 16 38 – . E VISA
fermé 3 janv. au 3 fév., dim. soir et lundi – **R** 52/169 – 18 – **11 ch** 82/124 – 1/2 p 150/180.

FORD Gar. St-Michel, ✆ 54 75 23 92 N
PEUGEOT-TALBOT Gar. Danger, La Croix-Michel ✆ 54 75 19 72

RENAULT Gar. Duvoux, à Noyers sur Cher ✆ 54 75 20 45

ST-AIGULIN 17360 Char.-Mar. 75 ③ – 2 220 h.

Paris 511 – Angoulême 64 – Bergerac 68 – Jonzac 49 – Libourne 38 – Périgueux 71.

France, à la gare (15 r. Leclerc) ✆ 46 04 80 08, , –
fermé 6 au 20 sept., 1er au 15 mars – **R** 42/160 – 17 – **12 ch** 72/200 – 1/2 p 130/150.

ST-ALBAIN (Aire de) 71 S.-et L. 69 ⑲ – Aire de Service A6 - voir à Mâcon.

ST-ALBAN-DE-MONTBEL 73 Savoie 74 ⑮ – rattaché à Aiguebelette (Lac d').

ST-ALBAN-LES-EAUX 42 Loire 73 ⑦ – 813 h. – ✉ 42370 Renaison.

Paris 389 – Lapalisse 45 – Montbrison 59 – Roanne 12 – ♦St-Étienne 90 – Thiers 54 – Vichy 62.

St-Albanais, ✆ 77 65 84 23 – AE E VISA
fermé 25 juil. au 15 août, vacances de fév., mardi soir et merc. – **R** 60/170 , enf. 40.

ST-ALBAN-SUR-LIMAGNOLE 48120 Lozère 76 ⑮ – 2 160 h. alt. 950.

Paris 549 – Espalion 74 – Mende 41 – Le Puy 75 – St-Chély-d'Apcher 13 – Sévérac-le-Château 84.

Centre, ✆ 66 31 50 04 – wc . E VISA. rest
fermé janv. et dim. soir du 1er nov. au 22 mai – **R** 45/100 – 17,50 – **20 ch** 75/175 – 1/2 p 140/190.

Relais St Roch M, Château de la Chastre ✆ 66 31 55 48, , – TV wc . VISA
R *(fermé lundi)* 62/120 , enf. 42 – 25 – **10 ch** 170/270 – 1/2 p 158/195.

ST-AMAND-MONTROND SP 18200 Cher 69 ①⑪ G. Berry Limousin – 12 801 h.

Voir Ancienne abbaye de Noirlac★★ 4 km par ⑦.

Env. Château de Meillant★★ 8 km par ①.

Office de Tourisme pl. République ✆ 48 96 16 86.

Paris 280 ⑦ – Bourges 44 ⑦ – Châteauroux 67 ⑥ – Montluçon 49 ④ – Moulins 85 ③ – Nevers 70.

Plan page suivante

Croix d'Or, 28 r. 14 Juillet ✆ 48 96 09 41 – wc . VISA. ch A e
fermé 10 janv. au 1er fév. et vend. soir hors sais. – **R** 60/200 , enf. 35 – 18 – **16 ch** 125/240.

Pont du Cher avec ch, 2 av. Gare ✆ 48 96 00 51, ←, – wc . E VISA
R *(fermé dim. soir et lundi sauf fériés)* 52/120 – 14 – **13 ch** 60/110 – 1/2 p 110/130.

Boeuf Couronné, 86 r. Juranville ✆ 48 96 42 72 – . AE E VISA A a
fermé 1er au 15 juil., 1er au 21 janv. et merc. – **R** 55/115 .

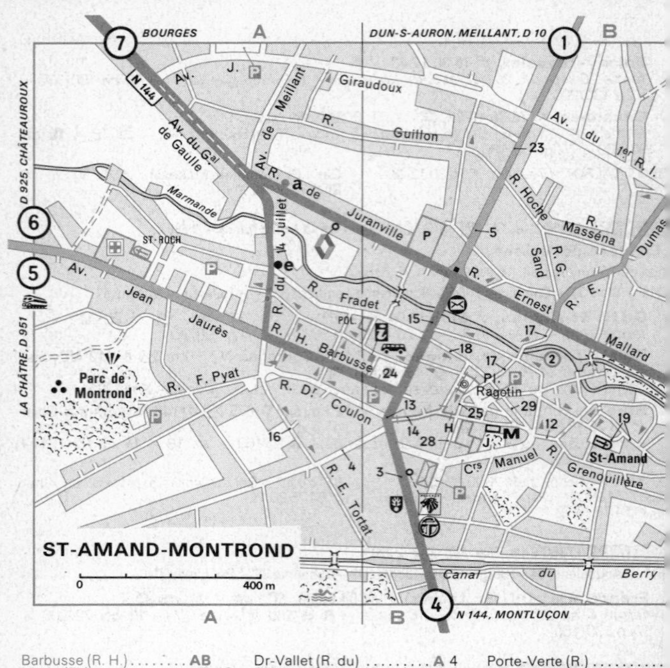

Barbusse (R. H.) . . . . AB
Mutin (Pl.) . . . . B 13
Mutin (R. Porte) . . . . B 14
Nationale (R.) . . . . B 15

Constant (R. B.) . . . . B 3

Dr-Vallet (R. du) . . . . A 4
Dubreuil (Promenades) . . . B 5
Hôtel-Dieu (R. de l') . . . . . . B 12
Petit-Vougan (R. du) . . . . . . A 16
Pont-Pasquet (R. du) . . . . . B 17
Porte-de-Bourges (R.) . . . . B 18

Porte-Verte (R.) . . . .
République (Av. de la) . . . .
République (Pl. de la) . . . . .
Rochette (R.) . . . .
Vallette (R. J.) . . . .
Vieilles-Prisons (R. des) . . .

à Bruère-Allichamps **par ⑦ rte de Noirlac : 8,5 km – ✉ 18200** St-Amand-Mont

Les Tilleuls, ☏ 48 61 02 75, ← – wc wc **P**. ✖ ch
fermé 21 au 31 déc., fév., dim. soir de nov. à fin janv. et merc. – **R** 78/150 ⅋ 16,50 – **13 ch** 90/152 – ½ p 140/170.

FORD Gar. Marembert, 94 av. Gén.-de-Gaulle ☏ 48 96 26 93
PEUGEOT-TALBOT Desson, 15 r. B.-Constant ☏ 48 96 10 07
RENAULT Gar. Centre, 45 r. Juranville ☏ 48 96 05 89

B.V.A., 33 rte de Lignières à Orval par ⑥ 96 09 16 **N** ☏ 48 96 23 15

Ets Chirault, r. du 14-Juillet ☏ 48 96 02
Godignon, 75 av. Gén.-de-Gaulle ☏ 48 96

ST-AMBROIX 30500 Gard 80 ⑧ – 3 847 h.

Paris 687 – Alès 19 – Aubenas 55 – Mende 102.

à St-Brès **N : 1,5 km par D 904 – ✉ 30500** St-Ambroix :

Aub. St-Brès M, ☏ **66 24 10 79,** – wc wc ☎ **P**. AE **E** VISA
fermé du 2 au 16 janv. – **R** *(fermé lundi d'oct. à mai)* 65/220 ⅋, enf. 45 – **9 ch** 130/180 – ½ p 270/325.

à Courry **NO : 7 km par D 904 – ✉ 30500** St-Ambroix :

Aub. Croquembouche M avec ch, ☏ **66 24 13 30,** – **P**. **E** VISA. ✖ rest
fermé 1er au 15 oct. et mardi d'oct. au 1er avril – **R** 65/210 – 26 – **5 ch** 210/2 ½ p 210.

Thomas-Pneus, ☏ 66 24 17 91

ST AMOUR 39160 Jura 70 ⑬ – 2 602 h.

Paris 406 – Bourg-en-Bresse 28 – Chalons-sur-S. 74 – Lons-le-Saunier 33 – Mâcon 57 – Tournus 4

Fred et Martine, r. Bresse ☏ **84 48 71 95** – VISA
fermé merc. (sauf juil.-août) et mardi soir – **R** 65/200 ⅋.

RENAULT Gar. Comas, ☏ 84 48 73 52 **N**

-AMOUR-BELLEVUE 71 S.-et-L. 74 ① – 455 h. – ✉ **71570** La Chapelle-de-Guinchay.
s 404 – Bourg-en-B. 45 – •Lyon 68 – Mâcon 12 – Villefranche-sur-Saône 41.

X **Chez Jean Pierre,** ✆ 85 37 41 26 – E VISA
fermé fév., merc. soir et jeudi – **R** 65/200 ♁.

-ANDRÉ-D'APCHON 42 Loire 73 ⑦ **G. Vallée du Rhône** – 1 699 h. – ✉ **42370** Renaison.
s 384 – Lapalisse 42 – Montbrison 61 – Roanne 11 – •St-Étienne 89 – Thiers 55 – Vichy 60.

XX **Lion d'Or** avec ch, ✆ 77 65 81 53 – ⇔wc ⋒. VISA
fermé 15 au 26 juil., 1er au 26 janv., dim. soir et lundi – **R** 70/200 – ☕ 22 – **6 ch** 90/165 – 1/2 p 180/210.

-ANDRÉ-DE-CORCY 01390 Ain 74 ② – 2 131 h.
s 453 – Bourg-en-Bresse 38 – •Lyon 24 – Meximieux 21 – Villefranche-sur-Saône 24.

à St-Marcel N : 3 km par N 83 – ✉ **01390** St-André-de-Corcy :

Manoir des Dombes ⚘ sans rest, ✆ 72 26 13 37, ⛱ – ⇔wc ☎ P. AE ⦿ E VISA
fermé janv. – ☕ 22 – **16 ch** 140/286.

X **La Colonne,** ✆ 72 26 11 06 – E VISA
fermé 1er au 7 sept., 23 déc. au 12 janv., lundi soir et mardi – **R** 105/140.

JGEOT-TALBOT Gar. Durand, ✆ 72 26 11 60

-ANDRÉ-DE-CUBZAC 33240 Gironde 71 ⑧ – 5 243 h.
s 557 – Angoulême 93 – Blaye 26 – •Bordeaux 25 – Jonzac 63 – Libourne 20 – Saintes 94.

à Gueynard NE : 8 km sur N 10 – ✉ **33240** Gauriaguet :

Le Girondin avec ch, ✆ 57 68 71 32 – TV ⋒wc ☎ P. E VISA
fermé déc. mardi soir et merc. – **R** 45/169 ♁ – ☕ 22 – **10 ch** 180.

RD Gar. de l'Europe, 168 RN ✆ 57 43 03 95
EL Gar. Abbadie, 25 RN ✆ 57 43 01 42
IGEOT, TALBOT Gar. Cluzeau, RN 10 ✆ 57 0 77
RENAULT C.A.R.I.P RN 137 à Pugnac ✆ 57 68 80 50

-ANDRÉ-LES-ALPES 04170 Alpes-de-H.-Pr 81 ⑱ **G. Alpes du Sud** – 861 h. alt. 894.
yndicat d'Initiative r. Principale (juil.-août) ✆ 92 89 02 46.
s 785 – Castellane 21 – Colmars 28 – Digne 43 – Manosque 84 – Puget-Théniers 45.

Le Colombier, rte d'Allos : 1,5 km ✆ 92 89 07 11, ←, ⛱ – TV ⇔wc ⋒wc ☎ P. AE ⦿ E VISA
fermé 3 au 24 oct. – **R** 59/125, enf. 35 – ☕ 22 – **22 ch** 169/235 – 1/2 p 169/205.

Monge sans rest, ✆ 92 89 01 06, ⛱ – ⋒wc ☎. E VISA. ✗
1er avril-31 oct. – ☕ 20 – **25 ch** 100/230.

Gd Hôtel ⚘, à la gare ✆ 92 89 05 06, ⛱ – ⋒ P
Pâques-oct. – **R** 54/135 – ☕ 18 – **24 ch** 75/135 – 1/2 p 168/180.

Clair Logis, rte Digne ✆ 92 89 04 05, ←, ⛱, ⛱ – ⇔wc ⋒wc ☎ ⛟ P. AE E VISA. ✗ rest
25 mars-15 nov. – **R** 50/120, enf. 35 – ☕ 22 – **12 ch** 90/180 – 1/2 p 155/200.

Gd. H. Parc avec ch, pl. Église ✆ 92 89 00 03, ⛱, ⛱ – ⇔wc ⋒wc ⛟ P. ✗ rest
fermé 1er déc. au 1er fév. – **R** *(fermé lundi hors sais.)* 80/150 – ☕ 23 – **12 ch** 85/200 – 1/2 p 190/230.

IAULT Gar. Larouzière ✆ 92 89 01 62
✆ 92 89 04 11
Chabot ✆ 92 89 00 01

-ANDRÉ-LES-VERGERS 10 Aube 61 ⑯ – rattaché à Troyes.

-ANTHÈME 63660 P.-de-D. 73 ⑰ **G. Vallée du Rhône** – 1 023 h. alt. 940 – Sports d'hiver : 0/1 410 m ⛷3 ⛷ – Paris 456 – Ambert 22 – •Clermont-Ferrand 111 – Montbrison 24.

Voyageurs, ✆ 73 95 40 16 – ⋒wc ⛟. ⦿ E VISA
Vacances de Pâques au 1er nov. et vacances de Noël et de fév. – **R** 44/131 – ☕ 17,50 – **30 ch** 69/163 – 1/2 p 135/159.

-ANTOINE 05 H.-Alpes 77 ⑰ – rattaché à Pelvoux (Commune de).

-ANTOINE 38 Isère 77 ③ **G. Vallée du Rhône** – 779 h. – ✉ **38160** St-Marcellin.
r Abbatiale★ – Paris 561 – •Grenoble 67 – Romans-sur-Isère 32 – St-Marcellin 12.

X **Jean Pierre Blanc,** Mail de l'Abbaye ✆ 76 36 42 83, ⛱ – AE ⦿ VISA
fermé fév., lundi soir et mardi – **R** 102/300, enf. 60.

-ANTOINE-PLOUEZOCH 29 Finistère 58 ⑥ – rattaché à Morlaix.

ST-ANTONIN-DU-VAR 83 Var 84 ⑥ – ✉ 83510 Lorgues.

Paris 841 – Cannes 80 – Draguignan 20 – ♦ Marseille 94 – ♦ Toulon 76.

XX **Lou Cigaloun** avec ch, ☎ 94 04 42 67, ≤, , – wc ⓟ. E VISA
fermé 15 au 31 oct., 15 au 28 fév. et mardi – **R** 65/230 , enf. 60 – 25 – 7
180/240 – ½ p 240/330.

ST-ANTONIN-NOBLE-VAL 82140 T.-et-G. 79 ⑲ **G. Périgord Quercy** – 1 869 h.

Voir Ancien hôtel de ville★ – Gorges de l'Aveyron★ par route de corniche★★ (D 1
SO : 3,5 km – Paris 649 – Albi 55 – Cahors 58 – Montauban 41 – Villefranche de Rouergue 41.

RENAULT Gar. Blatger, ☎ 63 30 61 42 N

ST ARNOULT 14 Calvados 55 ③ – rattaché à Deauville.

ST-ARNOULT-EN-YVELINES 78730 Yvelines 60 ⑨, 196 ㉘㊵ **G. Environs de Pari**
4 448 h – **Voir Vaisseau★ de l'église.**

18 **de Rochefort en Yvelines** ☎ **(1) 30 41 31 81, NE : 5 km.**

Paris 53 – Chartres 41 – Dourdan 8 – Etampes 26 – Rambouillet 14 – Versailles 36.

XX **La Remarde,** ☎ (1) 30 41 20 09 – VISA
fermé 25 juil. au 27 août, 24 au 31 déc., dim. soir, mardi soir et merc. – **R** 63/125

RENAULT Leroux, 53 r. Lerouge à Rochefort-en-Yvelines ☎ (1)30 41 31 18

ST-AUBAN 04 Alpes-de-H.-P. 81 ⑯ – rattaché à Château-Arnoux.

ST-AUBIN-SUR-MER 14750 Calvados 55 ① **G. Normandie Cotentin** – 1 446 h.

Office de Tourisme Digue Favreau (mars-1er nov.) ☎ 31 97 30 41.

Paris 256 – Arromanches-les-Bains 19 – Bayeux 26 – Cabourg 31 – ♦Caen 18.

Clos Normand, ☎ 31 97 30 47, ≤ – wc wc ☎ ⓟ. E VISA
24 mars-2 oct. – **R** 78/220, enf. 55 – 22 – **29 ch** 155/220 – ½ p 200/250.

St-Aubin, ☎ 31 97 30 39, ≤ – wc wc ☎. AE E VISA. rest
15 fév.-15 nov. et fermé dim. soir et lundi sauf du 15 mai au 30 sept. – **R** 80/
enf. 45 – 25 – **26 ch** 100/220 – ½ p 180/300.

ST-AULAIRE 19 Corrèze 75 ⑧ – rattaché à Objat.

ST-AVÉ 56 Morbihan 63 ③ – rattaché à Vannes.

ST-AVOLD 57500 Moselle 57 ⑮ **G. Alsace et Lorraine** – 17 023 h.

Paris 370 – Haguenau 114 – Lunéville 76 – ♦Metz 45 – ♦Nancy 73 – Saarbrücken 30 – Sarreguem
28 – ♦Strasbourg 124 – Thionville 68 – Trier 96.

Novotel M, sur N 33 (échangeur A 32) ☎ **87 92 25 93, Télex 860966,** ,
l'orée de la forêt », , – rest TV ☎ ♿ ⓟ – 200. AE ⓓ E VISA
R grill carte environ 120, enf. 40 – 38 – **61 ch** 310/350.

Europe et rest. Atlantic, 7 r. Altmayer ☎ 87 92 00 33 – TV wc w
ⓟ – 50. AE ⓓ E VISA
R *(fermé dim.)* 120/200 – 30 – **34 ch** 250/280 – ½ p 310/330.

XXX **Le Neptune,** à la piscine ☎ 87 92 27 90 – ⓟ. AE ⓓ E VISA.
fermé 15 août au 15 sept., 2 au 10 janv., sam. midi, dim. soir et lundi – **R** carte 2
315.

au NO par D 72 et D 25D : 5 km – ✉ **57740** Longeville-lès-St-Avold :

XX **Moulin d'Ambach,** ☎ 87 92 18 40 – ⓟ. E VISA
fermé 11 juil. au 3 août, 1er au 15 janv., lundi soir et mardi – **R** 79/180 , enf. 45.

CITROEN Gar. Rein, 65 r. Gén.-Mangin ☎ 87 92 23 57 N
RENAULT Pierrard, 13 av. G.-Clemenceau ☎ 87 91 12 60 N

V.A.G. Gar. Jacob, 7 r. des Moulins ☎ 8 00 57

Berwald, N 3 Moulin-Neuf ☎ 87 91 19 07
Leclerc-Pneu, 12 r. Mar. Foch ☎ 87.92.29.75

ST-AYGULF 83 Var 84 ⑱, 195 ㉝ **G. Côte d'Azur** – ✉ **83600** Fréjus.

Office de Tourisme pl. Poste ☎ 94 81 22 09.

Paris 877 – Brignoles 69 – Draguignan 33 – Fréjus 7 – St-Raphaël 9 – Ste-Maxime 14.

Catalogne M sans rest, ☎ **94 81 01 44, Télex 462879,** ≤, , – ☎ ⓟ. AE
E VISA.
début avril-fin oct. – 25 – **32 ch** 332/410.

X **La Glycine,** ☎ 94 81 30 23, – . AE ⓓ E VISA
fermé 20 déc. au 10 fév. et mardi (sauf le soir en juil.-août) – **R** 92/210.

X **La Cassandière,** ☎ 94 81 26 59 – ⓟ. E VISA
fermé 1er au 15 déc., dim. soir et merc. de mi-sept. à mi-juin – **R** 79/152.

-BENOIT 01 Ain 74 ⑭ – 548 h. – ✉ 01300 Belley.

s 499 – Belley 18 – Bourg-en-Bresse 69 – ♦Lyon 69 – La Tour-du-Pin 26 – Vienne 73 – Voiron 41.

Billiemaz, au pont d'Evieu SO : 2,5 km ℘ 74 39 72 56, – . E VISA
fermé 1er au 21 sept. et merc. – **R** 57/150, enf. 50.

-BENOIT 86 Vienne 68 ⑬⑭ – rattaché à Poitiers.

-BENOIT-SUR-LOIRE 45730 Loiret 64 ⑩ **G. Châteaux de la Loire** – 1 925 h.

r Basilique★★ (chant grégorien).

s 142 – Bourges 90 – Châteauneuf-sur-Loire 10 – Gien 31 – Montargis 43 – ♦Orléans 35.

Labrador sans rest, ℘ 38 35 74 38, – wc wc . E
fermé 1er janv. au 15 fév. et lundi du 1er oct. au 31 déc. – 25 – **22 ch** 135/280.

-BERTRAND-DE-COMMINGES 31 H.-Gar. 85 ⑳ **G. Pyrénées Aquitaine** – 228 h. – 31510 Barbazan.

r Site★★ – Cathédrale★ : boiseries★★, cloître★★ et trésor★ – Basilique St-Just★ de cabrière NE : 2 km.

s 849 – Bagnères-de-Luchon 33 – Lannemezan 25 – St-Gaudens 17 – Tarbes 61 – ♦Toulouse 107.

Comminges , ℘ 61 88 31 43, ≤, – wc .
1er avril-15 nov. et fermé mardi sauf juil.-août – **R** 70/120 – 25 – **10 ch** 130/270 – $^1/_2$ p 220/280.

-BONNET 05500 H.-Alpes 77 ⑯ – 1 376 h. alt. 1 025.

. ≤★★ du col du Noyer O : 10 km, **G. Alpes du Nord.**

yndicat d'Initiative r. Maréchaux ℘ 92 50 02 57.

s 652 – Gap 15 – ♦Grenoble 90 – La Mure 52.

La Crémaillère , ℘ 92 50 00 60, ≤, – wc wc . AE E VISA.
rest
Pâques-30 sept. et vacances de fév. – **R** 65/120 – 23 – **21 ch** 150/210 – $^1/_2$ p 170/190.

ROEN Gar. Espitallier, ℘ 92 50 52 52
IGEOT-TALBOT Champsaur-Autom., ℘ 92 2 33 N
RENAULT Gar. Piot, à la Fare-en-Champsaur ℘ 92 50 53 80

-BONNET-DE-JOUX 71220 S.-et-L. 69 ⑱ – 951 h.

r Château de Chaumont★ NO : 3 km.

. Butte de Suin ★★ SE : 7 km puis 15 mn, **G. Bourgogne.**

s 392 – Chalon-sur-Saône 55 – Charolles 14 – Mâcon 53 – Montceau-les-Mines 37.

Val de Joux avec ch, ℘ 85 24 72 39 – . E VISA.
fermé 1er au 6 août, 19 déc. au 1er fév., dim. soir (sauf hôtel) du 15 sept. à déc. et lundi – **R** 50/117 – 17 – **5 ch** 63/128.

CIA-AUTOBIANCHI Gar. Express, ℘ 85 24 91 11

-BONNET-LE-FROID 43 H.-Loire 76 ⑨ – 180 h. alt. 1 127 – ✉ 43290 Montfaucon-en-Velay.

s 558 – Aubenas 96 – Annonay 26 – ♦St-Étienne 59 – Tournon 53 – Yssingeaux 32.

Cimes avec ch, ℘ 71 59 93 72 – ch wc wc . E VISA
15 avril-1er nov. et fermé dim. soir et lundi sauf juil.-août – **R** 95/260 – 45 – **7 ch** 180 – $^1/_2$ p 220/240.

-BRÈS 30 Gard 80 ⑧ – rattaché à St-Ambroix.

-BRÉVIN-LES-PINS 44250 Loire-Atl. 67 ① – 8 769 h. – Casino: à St-Brévin-l'Océan.

ès **Pont de St-Nazaire : péage en 1987 : auto 22 à 30 F (conducteur et passagers npris), auto et caravane 38 F, camion et véhicule supérieur à 1,5 t : 38 à 95 F moto 5 F, tuit pour vélos et piétons). (Tarifs spéciaux pour les résidents de la Loire Atlantique).**

ffice de Tourisme 10 r. Église ℘ 40 27 24 32 et pl. d'Ouessant (Pâques-15 sept.) ℘ 40 27 24 33.

s 444 – Challans 63 – ♦Nantes 57 – Noirmoutier-en-l'Ile 71 – Pornic 17 – St-Nazaire 14.

Petit Trianon, 239 av. Mindin ℘ 40 27 22 16, – wc wc . E VISA
fermé hôtel : 15 au 31 janv., dim. soir et lundi de sept. à avril – **R** *(fermé janv., dim. soir et lundi du 15 sept. au 1er juin)* 54/208, enf. 30 – 24 – **18 ch** 116/203 – $^1/_2$ p 185/217.

à Mindin N : 3 km – ✉ 44250 St-Brévin-les-Pins :

Débarcadère, ℘ 40 27 20 53, ≤, – wc . AE E VISA
1er fév.-15 nov. et fermé dim. soir de sept. à mai – **R** 95/120 – 20 – **17 ch** 100/185 – $^1/_2$ p 140/190.

La Boissière , ℘ 40 27 21 79, , – wc . AE E VISA. rest
15 mai-30 sept. – **R** 60/150 – 22 – **23 ch** 150/225 – $^1/_2$ p 175/205.

CITROEN Gar. S.A.M.O. Diaz, 55 av. Mar. Foch ☎ 40 27 20 23
FIAT, LADA, LANCIA AUTOBIANCHI Gar. des Pins, 168 av. R.-Poincaré ☎ 40 27 21 25
FORD Gar. Charriau Evain 3 av. de la Saulzaie ☎ 40 27 44 83 N ☎ 40 21 70 37
FORD Gar. de la Hautière 46 r. de la Hau St Brevin l'Ocean ☎ 40 27 20 91 N
RENAULT Gar. Clisson, 32 r. Albert Chassa ☎ 40 27 20 07 N

ST-BRICE-EN-COGLÈS 35460 I.-et-V. 59 ⑱ – 2 479 h.
Paris 338 – Avranches 34 – Fougères 15 – ♦Rennes 44 – St Malo 60.

Lion d'Or, r. Chateaubriand ☎ 99 98 61 44, – wc ☎ P. E VISA.
R *(fermé dim. soir en hiver)* 38/99 – 18 – **21 ch** 84/155 – 1/2 p 128/170.

FORD Gar. Guerinel ☎ 99 98 61 27 N ☎ 99 98 67 67
PEUGEOT TALBOT Gar. Leblanc ☎ 99 9 17

ST-BRIEUC P 22000 C.-du-N. 59 ③ **G. Bretagne** – 51 399 h.
Voir Cathédrale★ AY – Tertre Aubé ≤★ BV – Env. Pointe du Roselier★ NO : 8,5 km D 24 BV – 18 des Ajoncs d'Or ☎ 96 71 90 74 par ① : 23 km.
de St-Brieuc : ☎ 96 94 94 45 E : 3,5 km AX – ☎ 96 94 50 50.
Office de Tourisme 7 r. St-Gouéno ☎ 96 33 32 50 – A.C.O. 6 pl. Duguesclin ☎ 96 33 16 20.
Paris 451 ② – ♦Brest 144 ④ – ♦Caen 228 ② – Cherbourg 247 ② – Dinan 60 ② – Lorient 117 ③ Morlaix 86 ④ – Quimper 130 ③ – ♦Rennes 100 ② – St-Malo 76 ②.

Plan page ci-contre

Le Griffon , r. de Guernesey par ④ : 3,5 km ☎ 96 94 57 62, Télex 950 « Parc », – ☎ P – 50. AE E VISA
R 130/230 – 34 – **42 ch** 225/290, 3 appartements 330 – 1/2 p 253/385.

Pomme d'Or M, à **Langueux** : 4 km par r. Dr. Rahuel - BX - 22360 Langu ☎ 96 61 12 10, Télex 950766 – TV wc ☎ P – 50 à 120. E VISA
fermé 24 déc. au 6 janv. et dim. midi – **R** 60/150 – 20 – **46 ch** 180/23 1/2 p 198/270.

Chêne Vert M, à **Plérin** N : 3 km, échangeur St-Laurent-de-la-Mer 22 Plérin ☎ 96 74 63 20, Télex 741323, – TV wc ☎ – 30 à 50. AE VISA
R *(fermé 21 déc. au 3 janv., et dim.)* 60/140, enf. 40 – 21 – **60 ch** 205/26 1/2 p 190/210.

Ker Izel sans rest, 20 r. Gouët ☎ 96 33 46 29 – TV wc ☎. E VISA. A
25 – **22 ch** 200/250.

Theatre sans rest, pl. Poste-et-Théâtre ☎ 96 33 23 18 – wc ☎. AE E VISA
21 – **10 ch** 160/200. A

Pignon Pointu sans rest, 16 r. J.-J.-Rousseau ☎ 96 33 02 39 – TV wc wc E VISA. B
fermé 17 déc. au 2 janv. – 20 – **17 ch** 110/250.

Beaucemaine sans rest, à **Ploufragan** SO : 5 km par r. Luzel - AX - 22 Ploufragan ☎ 96 78 05 60 – wc P. AE E VISA.
19 – **25 ch** 100/230.

St-Georges sans rest, 1 ter r. de Robien ☎ 96 94 24 06 – ☎ P A
fermé 24 déc. au 10 janv. et dim. de nov. à avril – 14 – **27 ch** 95/152.

XXX **Relais des Rosaires** à **Plérin** par ① : 4 km, échangeur Plérin-les-Rosa rte des Rosaires 22190 Plérin ☎ 96 74 54 55 – P. AE E VISA.
fermé 5 au 18 avril, dim. soir (sauf juil.-août) et lundi – **R** 98/260.

XXX **Croix Blanche,** 61 r. Genève à Cesson - BV - E : 2 km 22000 St-Brieuc ☎ 9 16 97
fermé dim. soir et vend. – **R** 100/150.

XX ✿ **La Vieille Tour** (Hellio), NE : 3 km par D 24, Sous la Tour - BV - 22190 Pl ☎ 96 33 10 30, ≤ – AE E VISA
fermé 25 juin au 10 juil., 23 déc. au 5 janv., sam. midi (sauf fériés) et din
R (nombre de couverts limité - prévenir) 160/270
Spéc. St-Jacques (nov. à mars), Homard rôti (mars à oct.), Grand dessert.

XX **Printania,** Sous la Tour NE : 3 km par D 24 BV 22190 Plérin ☎ 96 33 27 36
VISA – *fermé jeudi* – **R** 98/210.

XX **Le Quatre Saisons,** 61 chemin des Courses à **Cesson** -BV - E : 4 km 22 St-Brieuc ☎ 96 33 20 38 – VISA
fermé 21 août au 5 sept., vacances de fév., dim. soir et lundi – **R** 120/250.

à Yffiniac par ② : 8 km – 22120 Yffiniac :

La Baie M, aire de repos RN 12 ☎ 96 72 64 10, Télex 741107 – TV wc P – 100. E VISA
R 64/120, enf. 40 – 21 – **42 ch** 188/198 – 1/2 p 188/268.

à Tremuson par ④ : 8 km – 22440 Ploufragan :

XX **Le Buchon,** ☎ 96 94 85 84 – P. VISA
fermé 15 janv. au 7 fév., lundi soir et mardi – **R** 70/300.

ST-BRIEUC

Chapitre (R. du) .... **AZ** 3
Charbonnerie (R.) .... **AY** 4
Glais-Bizoin (R.) .... **ABY** 20
Jouallan (R.) .... **AY** 26
St-Gilles (R.) .... **AY** 43
St-Guillaume (R.) .... **BZ** 46

Abbé-Garnier (R.) .... **AX** 2
Commune (Bd de la) .... **BY** 12
Corderie (R. de la) .... **AX** 13
Ferry (R. Jules) .... **AX** 16
Gambetta (Bd) .... **AV** 17
Hérault (Bd) .... **AV** 23
Le Gorrec (R.P.) .... **AZ** 28
Libération (Av. de la) .... **BZ** 29
Lycéens-Martyrs (R. des) **AZ** 32

Martray (Pl. du) .... **AY** 33
Plélo (Bd de) .... **BV** 34
Quinquaine (R.) .... **AY** 38
Résistance (Pl. de la) .... **AY** 39
Rohan (R. de) .... **AYZ** 40
St-Gouéno (R.) .... **AY** 44
Victor-Hugo (R.) .... **BX** 50
3-Frères-Le Goff (R.) .... **AY** 52
3-Frères-Merlin (R.) .... **AY** 53

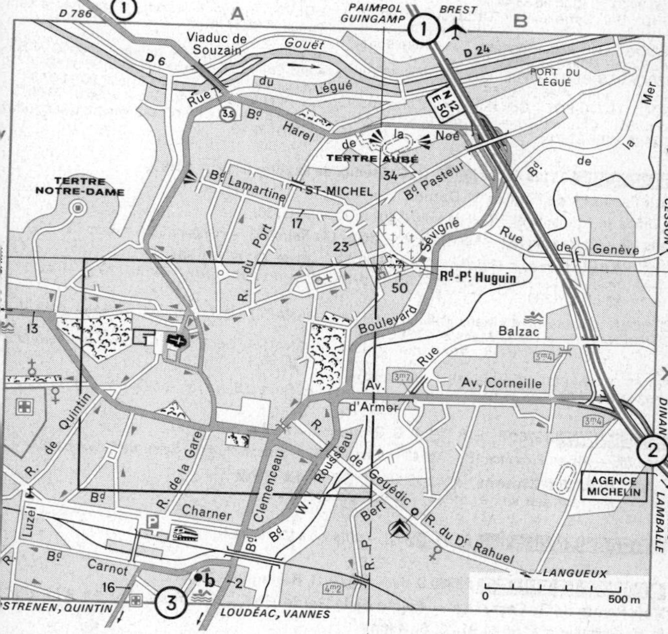

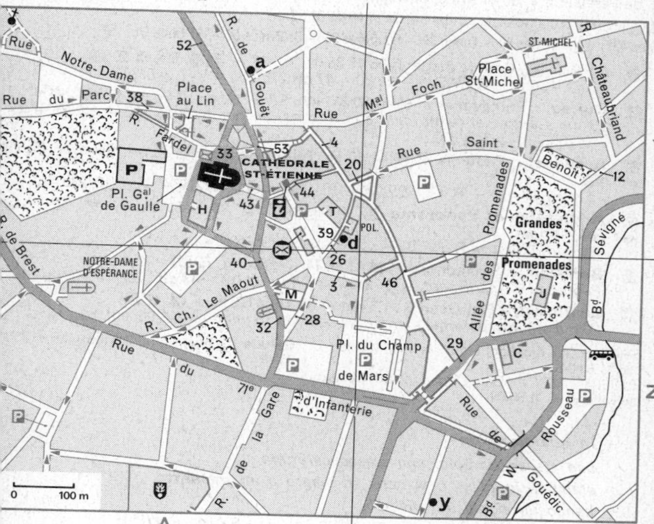

MICHELIN, Agence, Z.A.C. de la Hazaie à Langueux par ② ✆ **96 33 44 61**

BMW Gar. Chaudet, Z.A. de Douvenant, r. des Landes ✆ 96 33 20 42
CITROEN S.A.V.R.A., 101 r. Gouédic ✆ 96 33 24 05 N ✆ 96 33 44 07
FIAT Générale Autom. de l'Ouest, 16 r. J.-Ferry ✆ 96 94 01 20 N ✆ 96 33 44 07
FORD Gar. Garreau, 44 r. Dr. Rahuel ✆ 96 33 40 15
HONDA Gar. Auto-Services, Les Chatelets à Ploufragan ✆ 96 94 21 46
MERCEDES-BENZ, OPEL Gar. Hamon, 19 bd de l'Atlantique ✆ 96 94 43 59
PEUGEOT-TALBOT Gds Gar. des Côtes-du-Nord, 65 r. Chaptal, Zone Ind. par ② ✆ 96 33 04 24 N ✆ 96 33 44 07
RENAULT S.B.D.A., r. Monge, Zone Ind. pa de Gouédic, BX ✆ 96 33 66 28 N ✆ 96 33 44 (
RENAULT Monfort, 28 r. de la Vallée à Plé par ① ✆ 96 74 52 61
V.A.G. Sélection Auto, 14 r. Chaptal, ✆ 96 18 48
VOLVO Bretagne-Autom., r. Laennec à La gueux ✆ 96 33 36 68

Andrieux-Pneus, 6 r. de Paris ✆ 96 33 71 5
Auto-Pneus, 55 bd Atlantique ✆ 96 94 66 66
Desserrey-Pneus, 32 r. E.-Zola ✆ 96 94 07 33
Eco Pneus, Le Pont du Gouet ✆ 96 61 70 60
Lorans Pneus, r. Eiffel ZI Douvenant à Langue ✆ 96 61 72 58

ST-CALAIS 72120 Sarthe 64 ⑤ **G. Châteaux de la Loire** (plan) – 4 779 h.

Voir Façade★ de l'église N.-Dame.

Office de Tourisme pl. Hôtel de Ville (saison) ✆ 43 35 00 36.

Paris 185 – Châteaudun 59 – ♦Le Mans 45 – Nogent-le-Rotrou 53 – ♦Orléans 93 – ♦Tours 73.

Angleterre, r. Guichet ✆ **43 35 00 43** – E VISA. ch
fermé 6 au 20 juin, 24 déc. au 15 janv., dim. soir et lundi – **R** 55/110 – 17
13 ch 85/180.

CITROEN Costes, rte du Mans ✆ 43 35 00 59
CITROEN Parisse, rte du Mans ✆ 43 35 01 26
FORD Daguenet, rte de Vendome ✆ 43. 35.05.51
PEUGEOT-TALBOT Trottier, 19 r. de l'Image ✆ 43 35 01 52 N ✆ 43 35 19 90
RENAULT Gar. Poitou, 5 r. Image ✆ 43 35 46
RENAULT Gar. Ribault, la Croix-de-Pierre ✆ 35 00 98

Botras, 8 av. Gén.-de-Gaulle ✆ 43 35 00 9

ST-CANNAT 13760 B.-du-R. 84 ② **G. Provence** – 2 384 h.

Paris 735 – Aix-en-Provence 16 – Apt 40 – Cavaillon 36 – ♦Marseille 46 – Salon-de-Provence 18.

✗ **Aub. St-Cannat,** ✆ **42 28 20 22,** – E VISA
fermé mardi soir et merc. – **R** 68/102, enf. 38.

ST-CASSIEN (Lac de) 83 Var 84 ⑧ – rattaché à Montauroux.

ST-CAST-LE-GUILDO 22380 C.-du-N. 59 ⑤ **G. Bretagne** – 3 246 h.

Voir Pointe de St-Cast ≤★★ – Pointe de la Garde ≤★★ – Pointe de Bay ≤★ S : 5 km.

de Pen Guen ✆ 96 41 91 20, S : 4 km.

Office de Tourisme pl. Gén.-de-Gaulle ✆ 96 41 81 52.

Paris 432 – Avranches 89 – Dinan 36 – Fougères 99 – St-Brieuc 50 – St-Malo 34.

Ar Vro, Grande Plage ✆ **96 41 85 01**, ≤, – AE E VISA
4 juin-4 sept. – **R** 150/270 – 30 – **47 ch** 270/350 – 1/2 p 340/370.

Dunes, r. Primauguet ✆ **96 41 80 31,** – wc wc. E VISA.
23 mars-3 nov. et fermé dim. soir et lundi en oct. – **R** 95/280 – 23 – **27** 170/235 – 1/2 p 248/270.

Arcades, r. Piétonne ✆ **96 41 80 50, Télex 740802** – wc wc. AE VISA
15 mars-1er nov. – **R** 60/170, enf. 35 – **32 ch** 260/320 – 1/2 p 210/235.

Angleterre et Panorama, r. Fosserole ✆ **96 41 91 44,** ≤, – VISA. rest
10 juin-11 sept. – **R** 65/100 – 19 – **38 ch** 95/100 – 1/2 p 153.

Bon Abri, r. Sémaphore ✆ **96 41 85 74** – wc. E VISA. rest
Pâques et 22 mai-8 sept. – **R** 72/94, enf. 45 – 19 – **43 ch** 110/155 – 1/2 p 142/

XX **Le Biniou,** à Pen-Guen S : 1,5 km ✆ **96 41 94 53,** ≤ – E VISA
20 mars-6 nov. et fermé mardi du 7 sept. au 18 juin – **R** 72/290, enf. 50.

CITROEN Gar. des Rochettes, rte de Matignon ✆ 96 41 84 04
PEUGEOT-TALBOT Gar. Depagne, bd de la Vieuxville ✆ 96 41 86 67
Gar. des Dunes, Bd de la Vieuxville ✆ 96 4 26

In questa guida
uno stesso simbolo, uno stesso carattere
stampati in rosso o in nero, in magro o in ***grassetto***
hanno un significato diverso.
Leggete attentamente le pagine esplicative (p. 30 a 37).

ST-CÉRÉ 46400 Lot **75** ⑲⑳ **G. Périgord Quercy** (plan) – 4 207 h.

Voir Site★ – Tapisseries de Jean Lurçat★ au casino – Château de Montal★★ O : 3 km.

Env. Cirque d'Autoire★ : ≤★★ par Autoire (site★) O : 8 km.

Office de Tourisme pl. République (fermé matin hors saison) ℘ 65 38 11 85.

Paris 541 – Aurillac 64 – Brive-la-Gaillarde 54 – Cahors 77 – Figeac 44 – Tulle 57.

Paris et du Coq Arlequin, bd Dr-Roux ℘ 65 38 02 13, , , , – wc wc ☎ P. E VISA. rest
fermé janv., fév. et lundi du 15 oct. au 31 déc. – **R** 80/195, enf. 50 – 30 – **30 ch** 165/300 – ½ p 245/280.

France M, av. Fr.-de-Maynard ℘ 65 38 02 16, , , – rest wc ☎ P. VISA
fermé vacances de Noël, sam. midi et vend. hors sais. – **R** 70/160, enf. 40 – 25 – **30 ch** 150/300 – ½ p 150/270.

XXX **Ric,** rte Leyme par D 48 : 2 km ℘ 65 38 04 08, <, , – P. VISA
fermé lundi sauf juil.-août et fériés – **R** 85/180.

FORD Gar. du Haut-Quercy, rte de Padirac ℘ 65 38 18 71 N ℘ 65 38 20 73
MERCEDES-V.A.G. Payrot, av. Fr-de-Maynard ℘ 65 38 01 07
PEUGEOT-TALBOT Fournier, 104 av. V.-Hugo ℘ 65 38 12 50
RENAULT Gar. du Stade, av. Anatole-de-Monzié ℘ 65 38 02 12
Meublat, rte de Monteil ℘ 65 38 16 54

ST-CERGUES 74 H.-Savoie **70** ⑯⑰ – 2 126 h. alt. 615 – ✉ **74140** Douvaine.

Paris 548 – Annecy 54 – Annemasse 9 – Bonneville 23 – ♦Genève 16 – Thonon-les-Bains 21.

France, ℘ 50 43 50 32, , – wc wc ☎ P – 40. E VISA
fermé 25 avril au 2 mai, 14 oct. au 21 nov., dim. soir et lundi du 11 sept. au 19 juin – **R** 80/195 – 20 – **22 ch** 100/175 – ½ p 155/190.

à Machilly N : 1 km sur D 206 – ✉ **74140** Douvaine :

XX **Refuge des Gourmets,** ℘ 50 43 53 87 – P. AE E VISA.
fermé juil., dim. soir et lundi – **R** 108/163.

ST-CERNIN 15310 Cantal **76** ② **G. Auvergne** – 1 271 h. alt. 767.

Voir Boiseries★ de l'église St-Louis.

Paris 521 – Aurillac 22 – Brive-la-Gaillarde 113 – Mauriac 36.

Tilleuls , ℘ 71 47 60 73, < – ☎ P. E
fermé oct. – **R** 48/88 – 15 – **10 ch** 87 – ½ p 115.

ST-CHAMOND 42400 Loire **73** ⑲ **G. Vallée du Rhône** – 40 571 h.

Paris 500 ① – Feurs 51 ④ – ♦Lyon 47 ① – Montbrison 47 ④ – ♦St-Étienne 12 ④ – Vienne 37 ①.

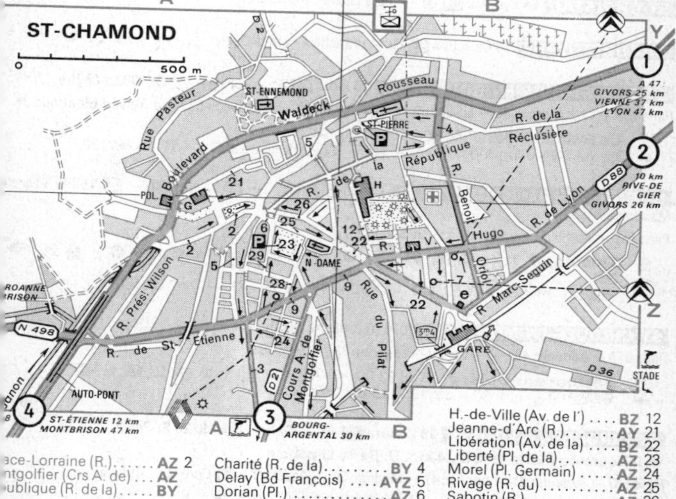

...ace-Lorraine (R.) ..... **AZ** 2	Charité (R. de la) .... **BY** 4	H.-de-Ville (Av. de l') .... **BZ** 12
...ntgolfier (Crs A. de) .... **AZ**	Delay (Bd François) .... **AYZ** 5	Jeanne-d'Arc (R.) .... **AY** 21
...ublique (R. de la) ..... **BY**	Dorian (Pl.) .... **AZ** 6	Libération (Av. de la) .... **BZ** 22
...nevialle (R. Maurice) . **AZ** 3	Dugas-Montbel (R.) ...... **BZ** 7	Liberté (Pl. de la) .... **AZ** 23
	Gambetta (R.) .... **ABZ** 9	Morel (Pl. Germain) ..... **AZ** 24
		Rivage (R. du) .... **AZ** 25
		Sabotin (R.) .... **AZ** 26
		Timbaud (R. P.) .... **AZ** 28
		Trois-Frères (R. des) .... **AZ** 29

XX **Chemin de Fer** avec ch, 27 av. Libération ✆ 77 22 00 15 – ⇔ ⋒ ☏. VISA BZ
← *fermé 23 juil. au 23 août, dim. soir et sam.* – **R** 46 bc/160 ♁ – ☕ 18 – **12 ch** 8
120.

à l'Horme par ② : 3 km – 4 889 h. – ✉ **42152** l'Horme :

⌂ **Vulcain** Ⓜ sans rest, ✆ 77 22 17 11 – ⇕ ⇔wc ⋒wc ☎ ⇌ Ⓟ. AE ⊙ VISA
☕ 22 – **30 ch** 137/242.

CITROEN Chataing, 3 bis r. R.-Chambovet ✆ 77 22 01 72
CITROEN Gar. Reymond, 24 r. Victor-Hugo ✆ 77 22 02 62
FORD Martinez, 10 r. St-Etienne ✆ 77 22 03 69
PEUGEOT-TALBOT Boniface-Vallée du Gier, C.D. 88, bretelle Autoroute St-Julien par ② ✆ 77 22 59 77
RENAULT Fonsala-Autom., bd Fonsala par ✆ 77 22 22 98
RENAULT Varenne, 26 r. Gambetta ✆ 77 22 58
V.A.G. Quinson-Tardy 14 rte de St Etier ✆ 77 22 03 17
Quiblier, 38 r. Victor-Hugo ✆ 77 22 03 75

ST-CHARTIER 36 Indre 68 ⑲ – rattaché à La Châtre.

ST-CHÉLY-D'APCHER 48200 Lozère 76 ⑮ – 5 543 h. alt. 1 000.

ℹ Syndicat d'Initiative pl. 19-Mars-1962 ✆ 66 31 03 67.

Paris 537 – Mende 48 – Millau 106 – Le Puy 85 – Rodez 98 – St-Flour 35.

⌂ **Jeanne d'Arc,** 49 av. Gare ✆ 66 31 00 46, ⛱ – ⇔wc ⋒ ☎ ⇌ Ⓟ. AE ⊙
← VISA. ⛌
R 50/130 ♁ – ☕ 20 – **15 ch** 100/150 – 1/2 p 150/170.

à La Garde N : 9 km par D 4 – ✉ **48200** St-Chély-d'Apcher :

⌂ **Rocher Blanc** (Annexe ⌂ Ⓜ), ✆ 66 31 90 09 – ⋒wc ☎ Ⓟ. E VISA
← *mars-nov.* – **R** 65/145 ♁ – ☕ 20 – **20 ch** 90/180 – 1/2 p 170/200.

CITROEN Barrandon, 35 av. de la République ✆ 66 31 00 33 N ✆ 66 31 15 60
RENAULT Chauvet, 42 av. de la République ✆ 66 31 06 12 N ✆ 66 31 03 27
◉ Terrisson-Pneus, Croix des Anglais, N 9 ✆ 31 23 93

ST-CHÉLY-D'AUBRAC 12470 Aveyron 80 ③④ – 556 h. alt. 800 – Sports d'hiver à Brameloι 1 120/1 388 m ⛷6 ⛷.

Paris 586 – Espalion 21 – Mende 75 – Rodez 52 – St-Flour 75 – Séverac-le-Château 58.

⌂ **Voyageurs-Vayrou,** ✆ 65 44 27 05 – VISA. ⛌ ch
← *20 mars-30 nov. et vacances de fév.* – **R** 51/117 ♁ – ☕ 15 – **13 ch** 117/160
1/2 p 130.

ST-CHRISTAU 64 Pyr.-Atl. 85 ⑥ – voir à Lurbe-St-Christau.

ST-CHRISTOPHE 14 Calvados 55 ⑪ – rattaché à Pont-d'Ouilly.

ST-CHRISTOPHE-EN-BOUCHERIE 36 Indre 68 ⑳ – 308 h. – ✉ **36400** La Châtre.

Paris 283 – Châteauroux 45 – La Châtre 16 – Issoudun 36 – Montluçon 59 – St-Amand-Montrond 36.

⌂ **Le Relais,** D 940 ✆ 54 30 01 07 – ⋒. ⛌ ch
← *fermé fév. et lundi hors sais.* – **R** 55/125, enf. 35 – ☕ 16 – **10 ch** 88/120.

ST-CIRGUES-DE-JORDANNE 15 Cantal 76 ②⑫ – 223 h. alt. 800 – ✉ **15590** Lasce Mandailles.

Paris 551 – Aurillac 17 – Murat 45 – St-Simon 11.

⌂ **Tilleuls,** ✆ 71 47 92 19, ⛱, ⛳, ⛱ – ⛌ ⇔wc ⋒wc ☎ ⇌ Ⓟ – 🏃 25. ⊙
← VISA
Pâques-1er nov. – **R** 50/150 – ☕ 20 – **17 ch** 85/170 – 1/2 p 120/160.

ST-CIRGUES-EN-MONTAGNE 07510 Ardèche 76 ⑱ – 458 h.

Paris 577 – Aubenas 40 – Privas 72 – Langogne 32 – Le Puy 53.

⌂ **Parfum des Bois,** ✆ 75 38 93 93, ⋞ – ⇔wc ⋒wc ☎ Ⓟ. AE ⊙ E VISA
← **R** 65/160 ♁, enf. 30 – ☕ 19 – **28 ch** 135/230 – 1/2 p 150/230.

ST-CIRGUES-LA-LOUTRE 19 Corrèze 75 ⑩ – 267 h. – ✉ **19220** St-Privat.

Voir Tours de Merle★★ SO : 4 km, G. Berry Limousin.

Paris 537 – Argentat 21 – Aurillac 47 – Mauriac 38 – Pleaux 17 – St-Céré 59 – Tulle 51.

⌂ **Aub. Ruines de Merle** ⛰, ✆ 55 28 27 15 – Ⓟ. ⛌
← *fermé 1er au 15 mars* – **R** 55/75 ♁ – ☕ 15 – **9 ch** 80/110 – 1/2 p 110/120.

T-CIRQ-LAPOPIE 46 Lot 79 ⑨ **G. Périgord Quercy** – 179 h. – ✉ **46330** Cabrerets.

oir Site★★ – Vestiges de l'ancien château ⩽★★ – Le Bancourel ⩽★.

ris 606 – Cahors 33 – Figeac 45 – Villefranche-de-Rouergue 36.

XX **Aub. du Sombral "Aux Bonnes Choses"** M avec ch, ✆ **65 31 26 08**, – wc wc ☎. E
fermé mardi soir et merc. sauf vacances scolaires et ouvert hôtel : 15 mars au 15 nov. ; rest. : 15 fév. au 15 nov. – **R** 70/220 – 28 – **10 ch** 160/230.

T-CLAIR 83 Var 84 ⑯ – rattaché au Lavandou.

T-CLAUDE SP **39200** Jura 70 ⑮ **G. Jura** – 13 156 h.

oir Site★★ – Cathédrale★ : stalles★★ BZ **B – Place Louis-XI ⩽★** BZ **– Gorges du umen★ par ②.**

ıv. Route de Morez (D 69) ⩽★★ 7 km par ① – Crêt Pourri ★ E : 6 km puis 30 mn par 304 BZ.

Office de Tourisme et A.C. 1 av. Belfort ✆ 84 45 34 24.

ris 452 ③ – Annecy 84 ② – Bourg-en-Bresse 73 ③ – ♦Genève 61 ② – Lons-le-Saunier 60 ③.

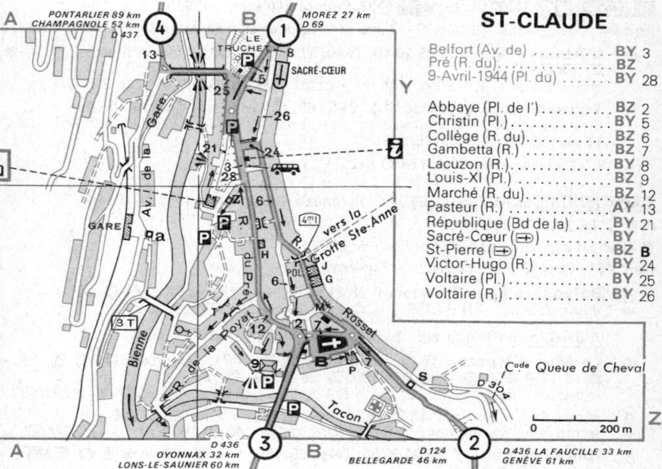

St-Hubert M, rte Genève ✆ **84 45 10 70** – wc wc ☎ P. E VISA — BZ **s**
fermé 20 déc. au 4 janv. – **R** *(fermé sam. midi et vend.)* 80/200, enf. 50 – 21 – **30 ch** 158/230 – ½ p 175/200.

Jura H. M sans rest, 40 av. Gare ✆ **84 45 24 04** – wc wc ☎ . E VISA — AZ **a**
21 – **23 ch** 135/200.

Poste sans rest, 1 r. Reybert ✆ **84 45 52 34** – — BZ **z**
fermé sam. sauf vacances scolaires – 16,50 – **15 ch** 70/220.

par ② et D 290 : 3 km - BZ – ✉ **39200** St-Claude :

Joly , au Martinet (près camping) ✆ **84 45 12 36**, ⩽, parc – wc ☎ P. E VISA.
fermé 25 oct. au 31 janv., dim. soir et lundi sauf du 1er mai au 14 sept. – **R** 80/150 – 22 – **15 ch** 130/220 – ½ p 175/225.

à Villard-St-Sauveur par ② et D 290 : 5 km - BZ – ✉ **39200** St-Claude :

Au Retour de la Chasse , ✆ **84 45 11 32**, ⩽, – cuisinette TV wc wc ☎ P. AE ⓓ E VISA
fermé 31 mai au 10 juin, dim. soir et lundi sauf vacances scolaires – **R** 70/220 – 21 – **16 ch** 105/200 – ½ p 155/195.

TROEN Duchène, 21 rte Valfin par ④ ✆ 84 12 07 N
AT MERCEDES Gar. de Genève, 11 r. Lt-oidurot ✆ 84 45 21 01
ORD Gar. Grenard, 23 r. Carnot ✆ 84 45 06 N ✆ 84 45 34 83
EUGEOT, TALBOT Gar. Carnot, ZA d'Etables, e de Lyon par ③ ✆ 84 45 11 07

RENAULT Lacuzon-Autom., 21 r. Carnot par ③ ✆ 84 45 12 03
V.A.G. Central Gar., 6 r. Voltaire ✆ 84 45 01 52
Jura-Pneu, 28 r. Collège ✆ 84 45 15 37
Tessaro-Pneus, r. du Plan d'Acier, ZI ✆ 84 45 12 74

ST-CLÉMENT-DES-BALEINES 17 Ch.-Mar. 71 ⑫ – voir à Ré (Ile de).

ST-CLÉMENT-DES-LEVÉES 49 M.-et-L. 64 ⑫ – 909 h. – ✉ **49350** Gennes.

Paris 290 – Angers 34 – Baugé 30 – Saumur 12 – ♦Tours 76.

XX **Beau Site** avec ch, D 952 ✆ 41 38 43 76, ≤ – Ⓟ. E VISA
fermé 15 janv. au 4 mars, mardi soir et merc. – **R** 65/135 🍷 – ☕ 19 – **8 ch** 120.

ST-CLOUD 92 Hauts-de-Seine 55 ⑳, 101 ⑭ – voir à Paris, Environs.

ST-CÔME 30 Gard 80 ⑲ – rattaché à Nîmes.

ST-CYBRANET 24 Dordogne 75 ⑰ – 282 h. – ✉ **24250** Domme.

Paris 554 – Cahors 55 – Fumel 51 – Gourdon 29 – Lalinde 49 – Périgueux 72 – Sarlat-la-Canéda 16.

Relais Fleuri, ✆ 53 28 33 70, 🍽 – Ⓟ. AE E VISA. ✗ ch
Pâques-fin oct. et fermé merc. de mars à juin – **R** 71/128 🍷 – ☕ 19 – **7 ch** 82/138 – ½ p 171/249.

ST-CYPRIEN 24220 Dordogne 75 ⑯ **G. Périgord Quercy** – 1 730 h.

Paris 544 – Bergerac 53 – Cahors 75 – Fumel 53 – Gourdon 43 – Périgueux 54 – Sarlat-la-Canéda 21.

L'Abbaye ⑤, ✆ 53 29 20 48, Télex 572720, ≤, 🍽, « jardin fleuri », ⛱ – ☎ Ⓟ AE ⓓ E VISA
3 avril-3 nov. – **R** 112/270, enf. 55 – ☕ 30 – **24 ch** 230/600 – ½ p 265/400.

Terrasse, pl. J. Ladignac ✆ 53 29 21 69, 🍽 – 🛁wc 🚿wc ☎. E VISA
1er mars-2 nov. – **R** *(fermé dim. soir et lundi hors sais.)* 75/170, enf. 45 – ☕ 25 – **17 ch** 160/260 – ½ p 195/260.

RENAULT Castillon-Veyssière, ✆ 53 29 20 23

ST-CYPRIEN 66750 Pyr.-Or. 86 ⑳ **G. Pyrénées Roussillon** – 4 405 h. – Casino .

⛳9 ⛳18 ✆ 68 21 01 71, N : 1 km.

ℹ Syndicat d'Initiative parking Nord du Port ✆ 68 21 01 33.

Paris 915 – Céret 33 – ♦Perpignan 15 – Port-Vendres 20.

Belvédère ⑤, r. P.-Benoît ✆ 68 21 05 93, ≤ – 🛁wc 🚿wc ☎ Ⓟ. ✗
4 juin-28 sept. – **R** 60/155 🍷 – ☕ 21 – **30 ch** 220/230 – ½ p 220.

à St-Cyprien-Plage NE : 3 km par D 22 – ✉ **66750** St Cyprien :

Le Mas d'Huston Ⓜ ⑤, au golf ✆ 68 21 01 71, Télex 500834, ≤, ⛱, 🎾 – ▤ rest 📺 ☎ ♿ Ⓟ – 🎪 40 à 120. AE ⓓ E VISA. ✗ rest
fermé 28 nov. au 16 déc. et fév. – **R** 120/170 – **46 ch** ☕430/600 – ½ p 390/520.

Mar i Sol, r. Rodin ✆ 68 21 00 17, ≤ – 🛗 🛁wc 🚿wc ☎. E VISA
fermé janv., fév. et mardi – **R** 65/130 – ☕ 20 – **40 ch** 180/210 – ½ p 202/227.

Ibis Ⓜ sans rest, ✆ 68 21 30 30, Télex 500459, ≤ – 🛗 🛁wc ☎ ♿ Ⓟ. E VISA
☕ 24 – **34 ch** 233/285.

XX **Le Plaisance,** Quai A.-Rimbaud ✆ 68 21 14 34, ≤, 🍽 – E VISA
fermé 2 janv. au 1er fév., dim. soir et lundi du 15 oct. au 15 mai – **R** 90/140.

à St-Cyprien-Sud : 3 km – ✉ **66170** St-Cyprien :

La Lagune Ⓜ ⑤, ✆ 68 21 24 24, ≤, 🍽, « Entre mer et lagune », ⛱, 🎾 🛁wc ☎ ♿ Ⓟ. VISA
15 avril-15 oct. – **R** 90/98 🍷, enf. 55 – ☕ 30 – **36 ch** 210/480 – ½ p 255/300.

RENAULT Gar. des Albères, ✆ 68 21 02 44 RENAULT Gar. Vandellos, ✆ 68 21 05 47

ST-CYR-EN-TALMONDAIS 85 Vendée 71 ⑪ – 277 h. – ✉ **85540** Moutiers-les-Mauxfaits.

Voir Collections d'art★ du château de la Court d'Aron E : 1 km, **G. Poitou Vendée Charentes.**

Paris 442 – Luçon 13 – La Roche-sur-Yon 29 – Les Sables d'Olonne 36 – La Tranche-sur-Mer 18.

XX **Aub. de la Court d'Aron,** ✆ 51 30 81 80, 🍽 – Ⓟ. AE E VISA
fermé jeudi d'oct. à avril – **R** 75/150, enf. 52.

RENAULT Gar. Thuaud, ✆ 51 30 80 56 N ✆ 51 30 86 80

ST-CYR-L'ÉCOLE 78 Yvelines 60 ⑩, 101 ㉒ – voir à Paris, Environs.

ST-DALMAS-DE-TENDE 06 Alpes-Mar. 84 ⑩⑳, 195 ⑧⑨ – alt. 696 – ✉ **06430** Tende.

Voir S : Haute vallée de la Roya★★ – Gorges de Bergue★ S : 3 km, **G. Côte d'Azur.**

Paris 878 – Fontan 8 – ♦Nice 79 – Sospel 36.

Terminus ⑤, ✆ 93 04 60 10 – Ⓟ. ✗
avril-oct. – **R** 70/115 – ☕ 18 – **22 ch** 83/172 – ½ p 155/193.

ST-DALMAS-VALDEBLORE 06 Alpes-Mar. 84 ⑲, 195 ⑥ – voir à Valdeblore.

ST-DENIS 93 Seine-St-Denis 56 ⑪, 101 ⑯ – voir à Paris, Environs.

ST-DENIS-D'ANJOU 53 Mayenne 64 ① G. Châteaux de la Loire – 1 279 h. – ✉ 53290 Grez-en-Bouère.

Paris 262 – Angers 42 – ♦Le Mans 58 – Sablé-sur-Sarthe 10.

XX **Aub. Roi René,** ☏ 43 70 52 30, – Ⓟ. E VISA
fermé fév., mardi soir et merc. – **R** 75/170 ♁.

ST-DENIS-DE-L'HÔTEL 45 Loiret 64 ⑩ – rattaché à Jargeau.

ST-DENIS-SUR-SARTHON 61420 Orne 60 ② – 1 053 h.

Paris 202 – Alençon 12 – Argentan 40 – Domfront 49 – Falaise 63 – Flers 59 – Mayenne 49.

La Faïencerie, ☏ 33 27 30 16, parc – wc wc ☎ Ⓟ. E
Pâques-31 oct. et fermé mardi midi – **R** 80/140 – ☕ 30 – **18 ch** 140/300 – $^1/_2$ p 300.

RENAULT Gar. Poirier, ☏ 33 27 30 32

ST-DÉZERY 19 Corrèze 73 ⑪ – rattaché à Ussel.

ST-DIDIER-EN-VELAY 43140 H.-Loire 76 ⑧ – 2 826 h. alt. 835.

Paris 531 – Annonay 48 – Firminy 15 – Lamastre 69 – Le Puy 58 – ♦St-Étienne 25 – Yssingeaux 31.

XX **Aub. Velay** avec ch, pl. Fontaine ☏ 71 61 01 54 – . AE E VISA
fermé 1er au 15 janv., dim. soir et lundi – **R** 65/193 ♁ – ☕ 16 – **8 ch** 72/130.

*Auf den **Michelin-Straßenkarten** im Maßstab 1 : 200 000 sind alle im Führer erwähnten Orte rot unterstrichen.*

ST-DIÉ 88100 Vosges 62 ⑰ G. Alsace et Lorraine – 26 539 h.

Voir Cloître gothique★ B S – Chapiteaux★ de la cathédrale B.

Office de Tourisme 31 r. Thiers ☏ 29 55 17 62.

Paris 386 ④ – Belfort 128 ② – Colmar 56 ② – Épinal 50 ③ – ♦Mulhouse 100 ② – ♦Strasbourg 90 ①.

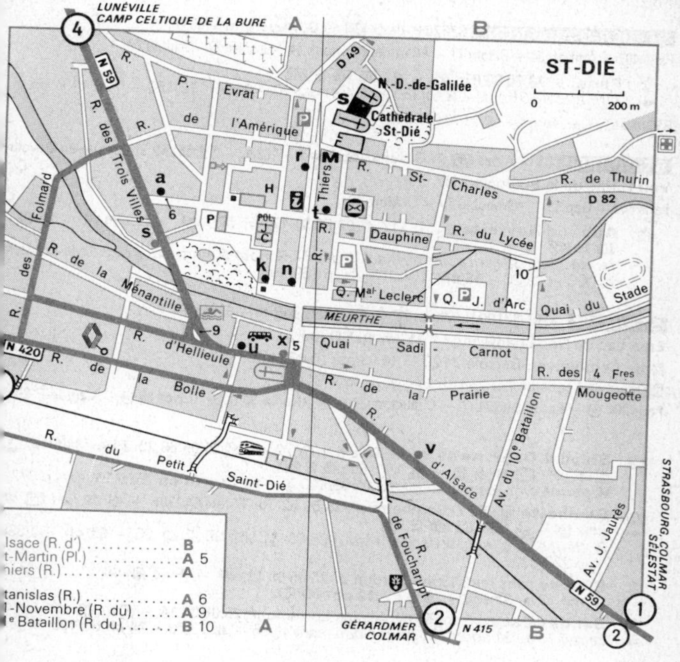

France sans rest, 1 r. Dauphine ✆ 29 56 32 61 – TV ⇔wc ⋒wc ☎. AE E VISA
☕ 20 – **11 ch** 220/250. B

Stanislas sans rest, 32 r. Stanislas ✆ 29 55 06 44 – |♦| TV ⇔wc ⋒wc ☎ P – 50. AE ◑ E VISA A
fermé 15 déc. au 10 janv. et dim. de déc. à mars – ☕ 20 – **24 ch** 140/220.

Vosges et Commerce sans rest, 57 r. Thiers ✆ 29 56 16 21 – TV ⋒wc ☎ 🚗
40. AE ◑ E VISA A
☕ 20 – **30 ch** 100/250.

Globe sans rest, 2 quai de Lattre ✆ 29 56 13 40 – ⇔wc ⋒wc ☎. AE E VISA
fermé 1er au 10 janv. et dim. en janv. et fév. – ☕ 19,50 – **18 ch** 96/250. A

Parc sans rest, 5 r. J.-J. Baligan ✆ 29 56 36 54 – ⇔ ⋒wc ☎ A
☕ 22 – **7 ch** 130/170.

Tétras, 4 r. Hellieule ✆ 29 56 10 12 A

Petit Chantilly, r. 11 Novembre ✆ 29 56 15 43 – AE ◑ E VISA A
fermé 15 août au 15 sept., jeudi soir et vend. – **R** 65/98 🍷, enf. 45.

Moderne avec ch, 64 r. Alsace ✆ 29 56 11 71 – ⋒ 🚗 P. E VISA B
fermé 15 au 30 juin, 19 au 31 déc., vend. soir et sam. sauf juil.-août – **R** 56/138 – 17 – **14 ch** 80/110 – 1/2 p 135/160.

Voyageurs avec ch, 22 r. Hellieule ✆ 29 56 21 56 – ⋒. VISA. ✻ ch A
fermé 26 juin au 5 juil. et 18 déc. au 19 janv. – **R** *(fermé dim. soir et lundi)* 66 🍷
☕ 19 – **12 ch** 80/120 – 1/2 p 144/180.

à Rougiville O : 6 km par ③ – ✉ **88100** St-Dié :

Le Haut Fer ⛰, ✆ 29 55 03 48, ←, 🏊, 🎾 – TV ⋒wc ☎ P – 60. AE E VISA
fermé 1er janv. au 6 fév., dim. soir et lundi sauf juil.-août – **R** 160/200 🍷 – ☕ 15
16 ch 180/210 – 1/2 p 230/250.

CITROEN Vosges-Autom., 134 r. d'Alsace par ① ✆ 29 56 29 95 N ✆ 29 56 60 70
FIAT Gasser, 18 quai Carnot ✆ 29 56 19 66
FORD Gar. Thouzet, rte de Raon ✆ 29 56 23 30
HONDA, OPEL Gar. Charaud, 1 av. J.-Jaurès ✆ 29.56.20.96
PEUGEOT-TALBOT Gar. Fort et Vincent, rte de Raon N59 par ④ ✆ 29 56 68 37 N ✆ 29 55 00 95
RENAULT Ets Husson, 52 r. de la Bolle ✆ 56 28 57 N ✆ 29 56 60 70
⊛ Pneus et Services D.K, 126 r. d'Alsace ✆ 56 11 34
Villaume, 73 r. Alsace ✆ 29 56 11 08

ST-DIER-D'AUVERGNE 63520 P.-de-D. 73 ⑮ G. Auvergne – 653 h.

Paris 407 – Ambert 34 – Billom 17 – ♦Clermont-Ferrand 44 – Issoire 37 – Thiers 27.

Paris, ✆ 73 70 80 67, 🌳 – P. AE ◑ E VISA
fermé 15 au 31 oct. – **R** 60/150, enf. 40 – ☕ 20 – **20 ch** 110/160 – 1/2 p 145/155.

RENAULT Gar. Terrissé, ✆ 73 70 80 56 N

ST-DISDIER 05 H.-Alpes 77 ⑮ G. Alpes du Nord – 163 h. – ✉ 05250 St-Etienne-en-Dévolu

Voir Défilé de la Souloise★ N.

Paris 642 – Gap 56 – ♦Grenoble 79 – La Mure 42.

Aub. La Neyrette ⛰, D 117 ✆ 92 58 81 17, ←, 🌳, 🌲 – ⇔wc ⋒wc ☎ P.
◑ E VISA
fermé 20 au 30 avril et 1er nov. au 15 déc. – **R** *(fermé merc. sauf vacances scolai*
70/130 – ☕ 20 – **12 ch** 110/210 – 1/2 p 150/190.

ST-DIZIER ⟨SP⟩ 52100 H.-Marne 61 ⑨ G. Champagne – 37 445 h.

Env. Lac du Der-Chantecoq★★ 11 km au SO par ④.

⛳ de Combles-en-Barrois ✆ 29 45 16 03 par ① : 23 km.

ℹ Office de Tourisme Pavillon du Jard ✆ 25 05 31 84.

Paris 204 ⑤ – Bar-le-Duc 24 ① – Chaumont 74 ③ – ♦Nancy 99 ② – Troyes 85 ④ – Vitry-le-F. 29

Plan page ci-contre

Soleil d'Or M, rte de Bar-le-Duc par ① : 2 km ✆ 25 05 68 22, Télex 840946, 🏊
|♦| ▤ rest TV ☎ ♿ P – 150. AE ◑ E VISA
R *(fermé dim., sam. midi et fériés)* 88/110 🍷 – ☕ 29 – **61 ch** 257/410 – 1/2 p 372.

Gambetta M, 62 r. Gambetta ✆ 25 56 52 10, Télex 842365 – |♦| ▤ rest TV ☎
🚗 P – 250. AE ◑ E VISA
R *(fermé dim. soir et fériés le soir)* 65/95 🍷, enf. 35 – ☕ 25 – **63 ch** 180/33
1/2 p 220/320.

Picardy sans rest, 15 av. Verdun ✆ 25 05 09 12, 🌲 – ⋒wc P. ✻
fermé 13 au 21 août – ☕ 17 – **12 ch** 130/200.

Bar de l'Est avec ch, 56 av. Alsace Lorraine ✆ 25 05 03 14 – ⋒wc P. ✻
fermé 10 au 31 août – **R** *(fermé dim. soir)* 42/95 – ☕ 13,50 – **24 ch** 60/125.

ST-DIZIER

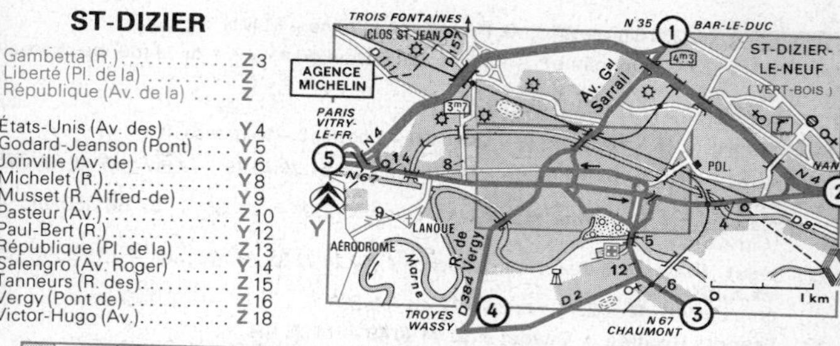

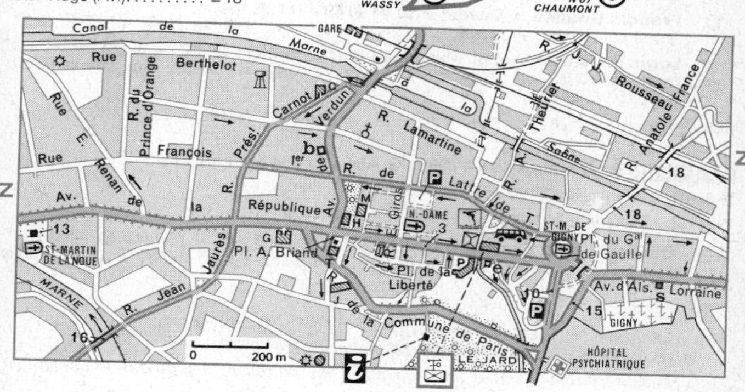

à ***Manarval*** par ③ : 3 km – ✉ **52100** St-Dizier :

Champagne, ✆ 25 05 67 54 – TV ⊟wc ⋒wc ☎ Ⓟ – 🏊 35. VISA
fermé 27 juil. au 10 août dim. soir et lundi midi – **R** 59/138 ⅄ – ☕ 23 – **28 ch** 149/188 – ½ p 245.

MICHELIN, Agence, Z.I. St-Jean, Voie Sud Y ✆ **25 05 07 84**

ALFA ROMEO Champagne Autom., 28, r. Vergy ✆ 25 05 39 37
AUTOBIANCHI, LANCIA Gar. Stabile, 776 bis r. République ✆ 25 05 40 22
BMW, OPEL Gar. Masson, 92 bis r. E.-Renan ✆ 25 56 19 81
CITROEN Gar. Fontaine, 34 av. R.-Salengro ✆ 25 05 20 68
FORD Dynamic-Motors, rte de Bar-le-Duc ✆ 25 56 03 98

PEUGEOT-TALBOT C.A.B., 6 av. de Parchim ✆ 25 56 19 72
RENAULT Fogel, 20 av. états-Unis ✆ 25 56 19 79
V.A.G. Auto Hall 52, 50 av. République ✆ 25 05 09 90

Ⓜ Barrois-Pneus, rte de Bar-le-Duc, Bettancourt-la-Ferrée ✆ 25 05 19 16
Saunier-St-Dizier-Pneu, 111 r. E.-Renan ✆ 25 05 23 54

ST-DOULCHARD 18 Cher 69 ① – rattaché à Bourges.

ST-DYÉ-SUR-LOIRE 41 L.-et-Ch. 64 ⑦⑧ – 762 h. – ✉ **41500** Mer.
Paris 172 – Beaugency 21 – Blois 14 – ♦Orléans 41 – Romorantin-Lanthenay 45.

Manoir Bel Air ⛰, ✆ 54 81 60 10, ≤, ⛱, parc – ⊟wc ⋒wc ☎ 🚗 Ⓟ – 🏊 40. E VISA. ✈ rest
fermé 20 janv. au 20 fév. – **R** 85/180 – ☕ 25 – **38 ch** 200/300 – ½ p 260/280.

SAINTE... – voir suite nomenclature des Saints.

ST-ELOY-LES-MINES **63700** P.-de-D. 73 ③ – 5 493 h.
Paris 350 – ♦Clermont-Ferrand 61 – Guéret 85 – Montluçon 30 – Moulins 70 – Vichy 59.

Ibis Ⓜ, ✆ **73 85 21 50, Télex 392009** – ✈ ch TV ⊟wc ☎ ♿ Ⓟ – 🏊 25 à 40. E VISA
fermé 26 déc. au 7 janv. – **R** *(fermé week-ends du 16 oct. au 15 mars)* carte 75 à 120 ⅄, enf. 37 – ☕ 25 – **29 ch** 192/230 – ½ p 170/263.

CITROEN Gar. Mercier, 1 r. Jean-Jaurès ✆ 73 85 03 68
PEUGEOT-TALBOT Gar. Heurtault et Wrobleski, rte des Nigonnes ✆ 73 85 03 92
PEUGEOT-TALBOT Gar. St-Christophe, 112 r. Jean-Jaurès ✆ 73 85 06 60 N

RENAULT Gar. Léonard, 170 r. Jean-Jaurès ✆ 73 85 00 30
RENAULT Gar. Gidel, RN 144 La Boule ✆ 73 85 06 83 N

ST-EMILION 33330 Gironde 75 ⑫ G. Pyrénées Aquitaine – 3 040 h.

Voir Site★ – Église monolithe★ – Cloître des Cordeliers★ – ≤★ de la tour du châte du Roi.

Office de Tourisme pl. Créneaux ✆ 57 24 72 03.

Paris 582 – Bergerac 56 – ♦Bordeaux 39 – Langon 49 – Libourne 8 – Marmande 60.

Aub. de la Commanderie, r. Cordeliers ✆ 57 24 70 19 – wc ⋒ ☎. E
mars-nov. – **R** *(fermé mardi hors sais.)* 90/250 – ☕ 30 – **15 ch** 150/250
1/2 p 300/600.

Host. Plaisance avec ch, pl. Clocher ✆ 57 24 72 32, ≤, – wc ☎. E VISA
fermé janv. – **R** 96/204 – ☕ 38 – **12 ch** 400/630.

Francis Goullée, r. Guadet ✆ 57 24 70 49 – ▤. E VISA
fermé août, dim. soir et lundi du 15 sept. au 1er avril – **R** 85/180 ♨, enf. 35.

Logis de la Cadène, pl. Marché-au-Bois ✆ 57 24 71 40, – E VISA
fermé 25 au 30 juin, 1er au 8 sept., janv., le soir d'oct. à juin, dim. soir et lund
R 60/150 ♨, enf. 45.

BMW-OPEL Auto 10, ✆ 57 51 70 60 — RENAULT Vallade, ✆ 57 24 72 68

ST-ÉTIENNE 04230 Alpes-de-H.-P. 81 ⑮ G. Alpes du Sud – 679 h. alt. 697.

Syndicat d'Initiative à la Mairie ✆ 92 76 02 57.

Paris 733 – Digne 46 – Forcalquier 17 – Sault 47 – Sisteron 30.

St Clair ⛰, S : 2 km par D 13 ✆ 92 76 07 09, ≤, – ⋒wc ☎ ⓟ. ch
fermé 20 nov. au 15 déc. – **R** *(fermé lundi d'oct. à avril)* 85/130 – ☕ 24 – **27**
205/260 – 1/2 p 165/295.

*Les pastilles numérotées des plans de ville ①, ②, ③ sont répétées sur les **cartes Michelin** à 1/200 000. Elles facilitent ainsi le passage entre les **cartes** et les **guides Michelin**.*

ST-ÉTIENNE P 42000 Loire 73 ⑲, 76 ⑨ G. Vallée du Rhône – 206 087 h.

Voir Musée d'Art et d'Industrie : musée d'Armes★ et peintures modernes★ du mu des Beaux-Arts Z **M.**

Env. Guizay ≤★★ S : 10 km V **– Gouffre d'Enfer★★ SE : 11 km par D 8** V.

de St-Étienne-Bouthéon : ✆ 77 36 54 79 par ⑤ : 15 km.

Office de Tourisme 12 r. Gérentet ✆ 77 25 12 14 – A.C. du Forez 9 r. Général-Foy ✆ 77 32 55

Paris 513 ① – ♦Clermont-Ferrand 147 ④ – ♦Grenoble 139 ① – ♦Lyon 59 ① – Valence 93 ②.

Plans pages suivantes

Altéa Parc de l'Europe M, r. Wuppertal SE du plan, par cours Fauriel ✆ 7 22 75, Télex 300050 – ▤ rest TV ☎ ⓟ – 50 à 200. AE E VISA
La Ribandière *(fermé 23 déc. au 2 janv., sam. midi et dim.)* **R** carte 165 à 260, en – ☕ 38 – **120 ch** 295/365.

Astoria M ⛰ sans rest, r. H.-Déchaud SE du plan, par cours Fauriel ✉ 42 ✆ 77 25 09 56, Télex 307237 – TV wc ⋒wc ☎ ⓟ – 30. AE E VISA
☕ 22 – **33 ch** 195/280.

Midi M sans rest, 19 bd Pasteur ✉ 42100 ✆ 77 57 32 55, Télex 300012 – wc ⋒wc ☎. AE E VISA
fermé août – ☕ 24 – **33 ch** 205/280.

Terminus du Forez, 31 av. Denfert-Rochereau ✆ 77 32 48 47, Télex 307191 – TV ⋒wc ☎ ⓟ – 60. AE E VISA
R voir rest. **La Loco** ci-après – ☕ 19 – **65 ch** 165/280.

Ibis M, 35 pl. Massenet, NO du plan par bd Thiers ou A 72 ✆ 77 93 31 87, T 307340, – ▤ TV wc ☎ ♿ ⓟ – 120. AE E VISA
R *(fermé dim. midi)* carte 75 à 120 ♨, enf. 39 – ☕ 25 – **85 ch** 240/270.

Carnot M sans rest, 11 bd J. Janin ✆ 77 74 27 16 – TV wc ⋒wc ☎. VISA
fermé 12 au 22 août – ☕ 26 – **24 ch** 158/222.

Hot. Cheval Noir sans rest, 11 r. F.-Gillet ✆ 77 33 41 72 – ⋒wc ☎. AE E
fermé 5 au 25 août – ☕ 18 – **45 ch** 95/170.

Touring-Continental sans rest, 10 r. F.-Gillet ✆ 77 32 58 43 – TV wc ⋒w ⓟ. E VISA
☕ 20 – **25 ch** 82/160.

Central sans rest, 3 r. Blanqui ✆ 77 32 31 86 – ⋒wc ☎. VISA
fermé août – ☕ 20 – **25 ch** 90/170.

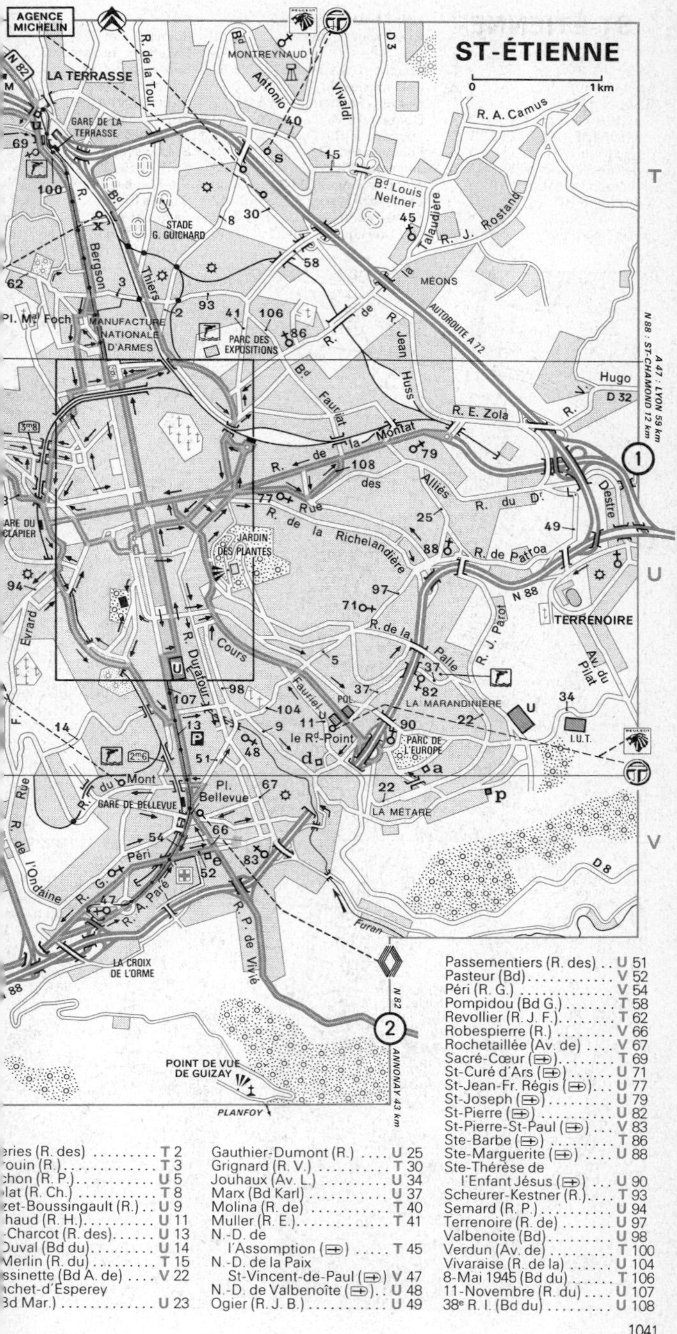

eries (R. des) . . . . T 2
rouin (R.) . . . . T 3
chon (R. P.) . . . . U 5
plat (R. Ch.) . . . . T 8
zet-Boussingault (R.) . . U 9
haud (R. H.) . . . . U 11
-Charcot (R. des) . . . . . . U 13
Duval (Bd du) . . . . U 14
Merlin (R. du) . . . . T 15
ssinette (Bd A. de) . . . . V 22
nchet-d'Esperey
3d Mar.) . . . . U 23

Gauthier-Dumont (R.) . . . . U 25
Grignard (R. V.) . . . . T 30
Jouhaux (Av. L.) . . . . U 34
Marx (Bd Karl) . . . . U 37
Molina (R. de) . . . . T 40
Muller (R. E.) . . . . T 41
N.-D. de
l'Assomption (⊞) . . . . . T 45
N.-D. de la Paix
St-Vincent-de-Paul (⊞) V 47
N.-D. de Valbenoîte (⊞) . . U 48
Ogier (R. J. B.) . . . . U 49

Passementiers (R. des) . . U 51
Pasteur (Bd) . . . . V 52
Péri (R. G.) . . . . V 54
Pompidou (Bd G.) . . . . T 58
Revollier (R. J. F.) . . . . T 62
Robespierre (R.) . . . . V 66
Rochetaillée (Av. de) . . . . V 67
Sacré-Cœur (⊞) . . . . T 69
St-Curé d'Ars (⊞) . . . . U 71
St-Jean-Fr. Régis (⊞) . . . U 77
St-Joseph (⊞) . . . . U 79
St-Pierre (⊞) . . . . U 82
St-Pierre-St-Paul (⊞) . . . V 83
Ste-Barbe (⊞) . . . . T 86
Ste-Marguerite (⊞) . . . . . U 88
Ste-Thérèse de
l'Enfant Jésus (⊞) . . . U 90
Scheurer-Kestner (R.) . . . . T 93
Semard (R. P.) . . . . U 94
Terrenoire (R. de) . . . . . . U 97
Valbenoîte (Bd) . . . . U 98
Verdun (Av. de) . . . . T 100
Vivaraise (R. de la) . . . . . U 104
8-Mai 1945 (Bd du) . . . . . T 106
11-Novembre (R. du) . . . . U 107
38e R. I. (Bd du) . . . . U 108

ST-ÉTIENNE

Bérard (R. P.) . . . . Y 4
Foy (R. Gén.) . . . . Y 20
Gambetta (R.). . . . . Z
Gaulle (R. Ch. de) X
Gervais (R. E.) . . . . Y 27
Grand Moulin (R. du) . . . . . Y 28
Hôtel-de-Ville (Pl. de l') . . . Y 32
Libération (Av. de la) . . . . . Y
Michelet (R.). . . . . Z
Peuple (Pl. du) . . . . Y 55
Président Wilson (R.) . . . . . Y 59

République (R. de la) . . . . . Y
Résistance (R. de la). . . . . . Y 61

Bouchard (Crs J.). . . . . Z 6
Chavanelle (Pl.) . . . . Z 7
Denfert- Rochereau (Av.) . Y 12
Dormoy (R. M.) . . . . Y 16
Fougerolle (R.). . . . . Z 17
Fourneyrond (Pl.) . . . . Y 19
Jacquard (Pl.). . . . . Y 33
Mendes-France (Bd P.) . . . Z 39
La Nativité (⊞) . . . . X 42
Notre-Dame (⊞) . . . . Z 43
N.-D. de Lourdes (⊞) . . . . . Z 46

Papin (R. D.). . . . . Z 5
Pointe-Cadet (R.) . . . . Z 5
Rivière (R. du Sergent) . . . X 6
Sadi-Carnot (Pl.) . . . . X 6
St-Charles (⊞). . . . . Y 7
St-Ennemond (⊞) . . . . Z 7
St-Étienne (⊞). . . . . Y 8
St-Jean-Baptiste (⊞) . . . . X 7
St-Louis (⊞) . . . . Z 8
St-Roch (⊞) . . . . Z 8
Ste-Marie (⊞) . . . . Y 8
Sauzéa (R. H.) . . . . Y 9
Servet (R. M.). . . . . Y 9
Villebœuf (Pl.) . . . . Z 1

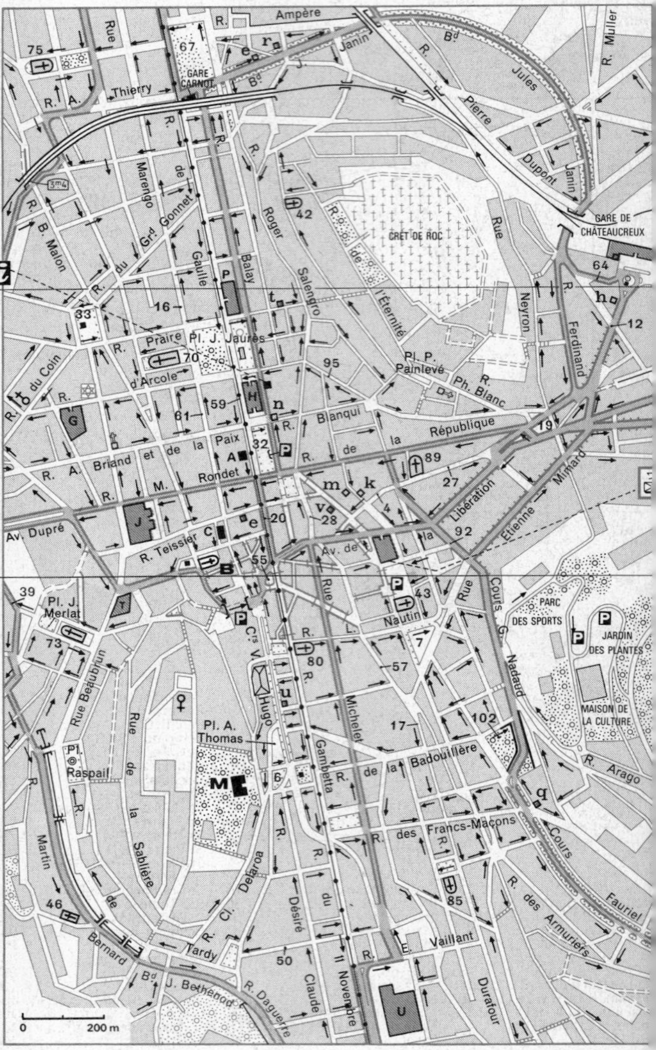

XXX ❀❀ **Pierre Gagnaire,** 3 r. G.-Teissier ✆ 77 37 57 93 – AE ⓓ E VISA Y e
fermé 7 au 29 août, 20 au 26 déc., vacances de fév., dim. et lundi – **R** 195/420 et carte
Spéc. Chaud-froid d'huîtres à la betterave, Bouillon d'asperge au homard (avril à sept.), Soufflé au chocolat. **Vins** Coteaux du Vivarais.

XXX **Clos des Lilas,** 28 r. Virgile ✉ 42100 ✆ 77 25 28 13, 🍽 – AE ⓓ E VISA V p
fermé août, vacances de fév., dim. soir et lundi – **R** 150/250, enf. 60.

XXX **Le Chantecler,** 5 cours Fauriel ✉ 42100 ✆ 77 25 48 55 – AE ⓓ E VISA Z q
fermé 1er au 28 août, sam. et dim. – **R** 110/160.

XX **Monte Carlo,** 19 bis cours V.-Hugo ✆ 77 32 43 63 – AE ⓓ VISA Z u
fermé 31 août au 14 sept. et merc. – **R** 110/260.

XX **La Loco** -Hôtel Terminus du Forez-, 29 av. Denfert-Rochereau ✆ 77 32 48 47, Télex 307191 – ▤ Ⓟ. AE ⓓ E VISA Y h
fermé dim. – **R** 55/165 ♁.

XX ❀ **Le Bouchon** (Lejeune), 7 r. Robert ✆ 77 32 93 32 – ▤. AE ⓓ VISA. ✂ Y t
fermé 10 juil. au 1er août, 19 déc. au 3 janv., sam. midi et dim. (sauf fêtes le midi) – **R** (nombre de couverts limité - prévenir) 110/260
Spéc. St-Jacques (oct. à avril), Poissons et crustacés, Chariot de desserts. **Vins** St-Joseph, St-Véran.

XX **Le Régency,** 17 bd J.-Janin ✆ 77 74 27 06 – E VISA X r
fermé août, sam. et dim. – **R** 95/154 ♁.

X **Le Gratin,** 30 r. St-Jean ✆ 77 32 32 60 – AE ⓓ E VISA Y v
fermé 1er au 15 août, sam. midi, dim. soir et lundi midi – **R** 60/140 ♁.

à St-Priest-en-Jarez par ⑤ : 4 km – 206 087 h. – ✉ **42270** St-Priest-en-Jarez :

XXX **Clos Fleuri,** 76 av. A.-Raimond ✆ 77 74 63 24, 🍽, « Terrasse et jardin fleuris » – Ⓟ. AE ⓓ E VISA
fermé 1er au 18 août, vacances de fév. dim. soir et lundi – **R** 115/320, enf. 65.

à Andrézieux Bouthéon par ⑤ : 17 km – 8 957 h. – ✉ **42160** Andrézieux Bouthéon.
Env. Lac de Grangent★★ S : 9 km.

Novotel M ⛰, Z.I. Centre-Vie ✆ 77 36 55 63, Télex 900722, 🍽, ⛱ – ▤ ▤ TV ☎ ♿ Ⓟ – 🏛 200. AE ⓓ E VISA
R grill carte environ 120, enf. 40 – ☕ 38 – **98 ch** 315.

MICHELIN, Agence, Z.I. de Montreynaud, 9 r. V.-Grignard T ✆ 77 74 22 88

LFA-ROMEO Gar. de la Rue Balay, 40 r. Balay 77 32 62 89
TROEN Sté Commerciale, 1 r. V.-Grignard T 77 74 91 77 N ✆ 77 37 22 64
AT Ouillon, Zone Ind. de Montreynaud, r. -Neyret ✆ 77 79 08 45
ORD E.D.A., Z.I. de Montreynaud 17-19 r. -Delory ✆ 77 74 42 44
ADA, SKODA Biosca, 25 r. Désiré-Claude 77 32 91 95
ANCIA-AUTOBIANCHI Gar. de Fourneyron, pl. Fourneyron ✆ 77 32 56 02
ERCEDES-BENZ SALTA, 82 r. Marengo 77 74 57 77
PEL St-Étienne Autom., 50 rue Désiré-aude ✆ 77 32 50 25
UGEOT-TALBOT Boniface, Zone Ind. de ontreynaud 13-15 r. G.-Delory T s ✆ 77 74 74
UGEOT-TALBOT Gar. du Rond Point, 23 r. Déchaud U ✆ 77 25 05 80

PEUGEOT-TALBOT Boniface, 24 à 28 r. du Mont V ✆ 77 57 17 37
RENAULT Succursale, 5 r. Claude-Oddé T x ✆ 77 74 91 44 N
RENAULT Bellevue-Autom.-Granet, 1 r. Thimonier V ✆ 77 57 28 28
V.A.G Rel. du Soleil, Z.I. Verpillieux 14 r. de Talaudière ✆ 77 32 39 95
V.A.G. Gar. Rocle, rte de l'Étrat à St-Priest-en-Jarez ✆ 77 74 26 44 et 80 r. du Dr-Charcot ✆ 77 59 11 00

Ⓜ Briday-Pneus, 36 r. de la Montat ✆ 77 33 06 20
Forez-Pneus, 66 r. Désiré-Claude ✆ 77 57 29 68
Métifiot, Zone Ind. de Montreynaud 12 r. V.-Grignard ✆ 77 79 06 03
Pastourel, 2 r. Jean-Snella ✆ 77 74 42 66
Piot-Pneu, 22 r. Jean-Neyret ✆ 77 33 06 81

-ÉTIENNE-CANTALES 15 Cantal **76** ⑪ – 172 h. – ✉ **15150** Laroquebrou.
is 548 – Aurillac 23 – Figeac 62 – Mauriac 54.

Pradel ⛰, ✆ 71 46 35 09, ≤, 🍽 – ⛀wc ☎ Ⓟ. VISA
fermé 15 janv. au 1er mars et mardi sauf juil.-août – **R** 45/95 ♁ – ☕ 17 – **20 ch** 120/180 – ½ p 135/198.

-ÉTIENNE-DE-BAIGORRY 64430 Pyr.-Atl. **85** ③ **G. Pyrénées Aquitaine** – 1 691 h.
ir Église St-Étienne★ – **ℹ** Syndicat d'Initiative pl. Église ✆ 59 37 47 28.
s 820 – Cambo-les-Bains 31 – Pau 114 – St-Jean-Pied-de-Port 11.

❀ **Arcé** ⛰, ✆ 59 37 40 14, ≤, 🍽, « Terrasse au bord de l'eau », ⛱, 🌳 – TV ⛀wc ⛆wc ☎ 🚗 Ⓟ. VISA. ✂ rest
15 mars-11 nov. – **R** (dim. prévenir) carte 180 à 280, enf. 60 – ☕ 35 – **24 ch** 270/380, 3 appartements 650 – ½ p 250/390
Spéc. Mousse de poissons aux crustacés et anguilles, Trésors fumés de nos rivières, Tournedos navarrais. **Vins** Irouleguy, Jurançon.

Panoramique Cortea, sur D 15 ✆ 59 37 41 89, ≤, 🍽, 🌳 – ⇹ ch TV ⛀wc ⛆wc ☎ Ⓟ – 🏛 80. ⓓ VISA. ✂ ch
1er mars-11 nov. – **R** 110/210, enf. 70 – ☕ 27 – **20 ch** 180/300 – ½ p 210/280.

ST-ÉTIENNE-DE-CHOMEIL 15 Cantal 76 ② – 378 h. alt. 700 – ✉ **15400** Riom-ès-Montagne
Paris 486 – Aurillac 95 – ◆Clermont-Ferrand 100 – Riom-ès-Montagnes 14.

Aub. du Mont Redon sans rest, ☎ 71 78 31 15 – wc.
fermé 13 sept. au 5 oct. – 18 – **6 ch** 110/130.

ST-ÉTIENNE-DE-FURSAC 23 Creuse 72 ⑧ – rattaché à la Souterraine.

ST-ÉTIENNE-DE-MONT-LUC 44360 Loire-Atl. 63 ⑯ – 5 283 h.
Paris 400 – ◆Nantes 20 – ◆Rennes 104 – St-Nazaire 46.

XX **Aub. les Bleuets,** rte de Savenay D 17 : 6 km ☎ 40 57 85 36 – Ⓟ. AE E VISA
fermé 25 juil. au 15 août, 2 au 9 janv. et lundi – **R** 108/230.

CITROEN Gar. Boulvert ☎ 40 86 80 35

ST-ÉTIENNE-DE-TINÉE 06660 Alpes-Mar. 81 ⑨, 195 ④ **G. Alpes du Sud** – 2 030 h. alt. 1 1
Voir Site★ – Clocher★ de l'église – Vallée de la Tinée★★ N et S.
Syndicat d'Initiative r. Communes de France ☎ 93 02 41 96.
Paris 794 – Barcelonnette 58 – Briançon 126 – Cannes 110 – ◆Nice 91 – Puget-Théniers 80.

Pinatelle , ☎ 93 02 40 36, ←, ,
15 mai-30 sept. et 4 déc.-15 avril – **R** 70/148 – **14 ch** (1/2 pens. seul.) – 1/2 p 155/1

ST-ÉTIENNE-DU-BOIS 01370 Ain 70 ⑬ – 1 876 h.
Paris 415 – Bourg-en-Bresse 16 – Lons-le-Saunier 50 – Nantua 60.

X **Les Mangettes,** S : 4,5 km sur N 83 ☎ 74 22 70 66, – Ⓟ. E VISA
fermé 26 juil. au 10 août, dim. soir, lundi soir et mardi – **R** 70/150.

CITROEN Gar. Gourdan, ☎ 74 30 51 75

ST-ÉTIENNE-DU-GRÈS 13 B.-du-R. 80 ⑳ – rattaché à St-Rémy-de-Provence.

ST-ÉVARZEC 29 Finistère 58 ⑮ – 2 544 h. – ✉ **29170** Fouesnant.
Paris 547 – Concarneau 14 – Pont-l'Abbé 25 – Quimper 10 – Quimperlé 40.

XX **La Fontaine des Chapons,** à l'Arbre du Chapon NO : 2 km ☎ 98 56 20 04 – AE E VISA.
fermé mi-nov. à mi-déc., mardi soir hors sais. et merc. – **R** 80/200, enf. 38.

ST-FARGEAU 89170 Yonne 65 ③ **G. Bourgogne** – 1 701 h.
Voir Château★.
Paris 181 – Auxerre 45 – Cosne-sur-Loire 32 – Gien 42 – Montargis 53.

XX **Le Vaudreuil,** 2 pl. Château ☎ 86 74 04 37, – AE ① VISA
fermé mardi soir et merc. sauf juil.-août – **R** 85/185, enf. 47.

CITROEN Ropars, rte de Montargis ☎ 86 74 06 10 N
FORD Ciechelski, 7 av. de la Gde Demoiselle, ☎ 86 74 01 39 N
PEUGEOT-TALBOT Chambrillon, promen du Grillon ☎ 86 74 08 20 N

ST-FÉLIX 74 H.-Savoie 74 ⑮ – 1 224 h. – ✉ **74540** Alby-sur-Chéran.
Paris 547 – Aix-les-Bains 14 – Annecy 19 – Rumilly 11.

Relais des Deux Savoies, ☎ 50 60 90 02, , , – rest Ⓟ – 50. ① E VISA
fermé début janv. à mi-fév. et mardi hors sais. – **R** 150/300 – 40 – **20** 250/500.

X **Carrin** avec ch, ☎ 50 60 90 09, – VISA. rest
fermé 7 au 31 janv. et mardi sauf vacances scolaires – **R** 48/103 – 18 – **6** 85/150.

ST-FÉLIX-LAURAGAIS 31540 H.-Gar. 82 ⑲ **G. Pyrénées Roussillon** – 1 188 h.
Voir Site★.
Paris 748 – Auterive 45 – Carcassonne 54 – Castres 37 – Gaillac 70 – ◆Toulouse 43.

Aub. du Poids Public, ☎ 61 83 00 20, Télex 532477, ←, , « Bel aménagem intérieur », – wc wc Ⓟ – 25. AE VISA
fermé 6 janv. au 14 fév. – **R** *(fermé dim. soir du 15 oct. au 15 mars)* 88/160 – – **13 ch** 190/210 – 1/2 p 190/215.

ST-FERRÉOL 31 H.-Gar. 82 ⑳ – rattaché à Revel.

-FIRMIN 05800 H.-Alpes 77 ⑯ G. Alpes du Nord – 465 h. alt. 900.

s 636 – Corps 11 – Gap 31 – ♦Grenoble 74 – La Mure 36 – St-Bonnet 18.

Alpes, ✆ 92 55 20 02, ≤, 🌳 – |♦| ⇔wc ⋒wc ☎ 🚗. AE ◑ E VISA
R 60/120 ♁, enf. 40 – ☕ 17 – **26 ch** 136/165 – 1/2 p 140/170.

au Séchier E : 4 km – alt. 900 – ✉ **05800** St-Firmin :

Loubet ⛰, ✆ 92 55 21 12, ≤, 🌳 – ⇔ ⋒wc 🅟
début juin-fin sept. – **R** (résidents seul.) 52/130 – ☕ 18 – **23 ch** 96/200 – 1/2 p 120/190.

-FLORENTIN 89600 Yonne 61 ⑮ G. Bourgogne – 6 757 h.

r Vitraux★ de l'église E.

ffice de Tourisme 10 r. Terrasse (juin-sept.) ✆ 86 35 11 86.

s 162 ④ – Auxerre 31 ③ – Chaumont 134 ② – ♦Dijon 154 ② – Sens 44 ④ – Troyes 50 ①.

ST-FLORENTIN

nde-Rue 5
Martin (R.) 15

l (R. du Fg-d') 2
(Pl.) 3
(R. du Fg) 4
mbarde (R. de la) 6
e (Pl. de la) 7
drecies (Fg) 9
lerc (R. Gén.) 10
ntarmance (R.) 12
t (R. du) 13
npart (R. Basse-du) 14
Martin (R. du Fg) 17

r bien lire
plans de villes
r signes et abréviations p. 23.

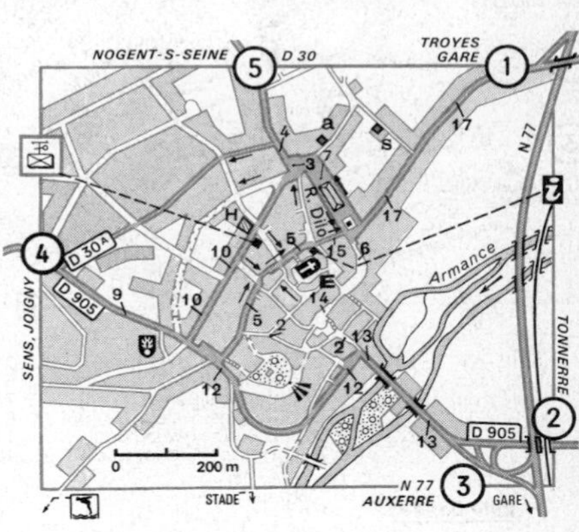

Tilleuls ⛰, 3 r. Decourtive **(s)** ✆ 86 35 09 09, 🌳, 🌳 – ⇔wc ⋒wc ☎ 🅟. E VISA. ⚘ rest
fermé 2 nov. au 2 déc., dim. soir et lundi – **R** 80/180, enf. 45 – ☕ 25 – **10 ch** 180/235.

XX ❀ **Grande Chaumière** (Bonvalot) M ⛰ avec ch, **3 r. Capucins (a)** ✆ **86 35 15 12,** 🌳 – ⇔wc ⋒wc ☎ 🅟. AE ◑ E VISA
fermé 2 au 8 sept., 20 déc. au 20 janv. et merc. – **R** 90/260 – ☕ 32 – **10 ch** 260/360
Spéc. Foie gras frais de canard, Rognons de veau à l'Epineuil, Bavarois à l'orange.

à Venizy par ⑤ : 4,5 km par D 30 et D 129 – ✉ **89210** Brienon-sur-Armençon :

Moulin des Pommerats ⛰, ✆ 86 35 08 04, ≤, 🌳, « jardin fleuri » – ⇔wc ⋒wc ☎ 🅟 – 🏔 60. ◑ E VISA. ⚘ ch
R *(fermé dim. soir et lundi hors sais.)* 78/260, enf. 38 – ☕ 30 – **19 ch** 250/420 – 1/2 p 290.

à Neuvy-Sautour par ① : 7 km – ✉ **89570** Neuvy-Sautour :

XX **Dauphin,** ✆ 86 56 30 01 – 🅟. E VISA
fermé 16 au 30 août, 16 au 30 janv., mardi soir, merc. soir et lundi – **R** 78/220, enf. 40.

TROEN Gar. Bleu, rte de Troyes ✆ 86 35 12

PEL-TOYOTA Gar. Moderne, 17 pl. Dilo ✆ 86 02 50

PEUGEOT-TALBOT Gar. de l'Europe, av. 8-Mai par ④ ✆ 86 35 06 05

RENAULT S.A.F.A., rte de Paris par ④ ✆ 86 35 06 26

T-FLORENT-LE-VIEIL 49410 M.-et-L. 63 ⑲ G. Châteaux de la Loire – 2 560 h.

oir Tombeau★ dans l'église – Esplanade ≤★.

Syndicat d'Initiative à la Mairie (juin-sept.) ✆ 41 78 50 39.

ris 336 – Ancenis 14 – Angers 42 – Châteaubriant 55 – Château-Gontier 63 – Cholet 37 – Laval 92.

Host. de la Gabelle, ✆ 41 72 50 19, ≤ – ⇔wc ⋒wc ☎. AE ◑ E VISA
fermé 23 déc. au 3 janv., 13 au 23 fév., vend. soir et dim. soir en hiver – **R** 53/150 ♁, enf. 37 – ☕ 20 – **20 ch** 130/200 – 1/2 p 175/250.

EUGEOT-TALBOT Gar. Alloyer, ✆ 41 72 50 07

ST-FLOUR ⟨SP⟩ **15100** Cantal **76** ④⑭ **G. Auvergne** – 9 148 h. alt. 881.

Voir Site★★ – Cathédrale★B – Brassard★ dans le musée de la Haute Auvergne M1
Plateau de la Chaumette : calvaire ⩤★ S : 3 km par D 40 puis 30 mn.

Office de Tourisme 2 pl. Armes ✆ 71 60 22 50.

Paris 502 ① – Aurillac 76 ④ – Issoire 71 ① – Millau 141 ② – Le Puy 113 ① – Rodez 118 ③.

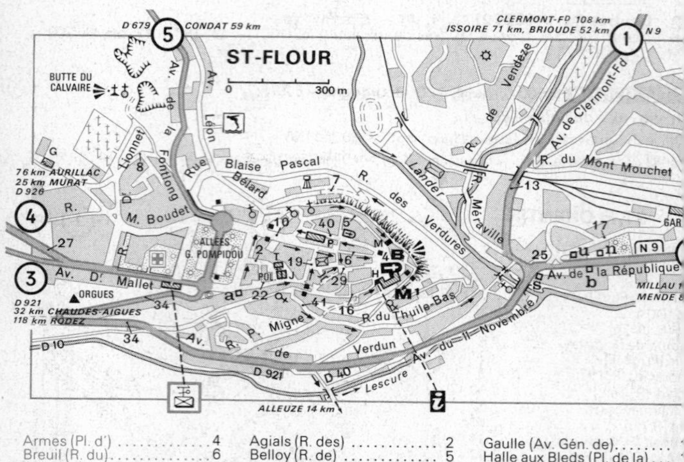

Armes (Pl. d')	4	Agials (R. des)	2	Gaulle (Av. Gén. de)	
Breuil (R. du)	6	Belloy (R. de)	5	Halle aux Bleds (Pl. de la)	
Collège (R. du)	10	Cardinal Bernet (R. du)	7	Lioran (Av. du)	
Lacs (R. des)	22	Cardinal Saliège (Av. du)	8	Orgues (Av. des)	
Liberté (Pl. de la)	25	Delorme (Av. du Cdt)	13	Sorel (R.)	
Marchande (R.)	29	Frauze (R. de la)	16	Thuile-Haut (R. du)	

Ville basse :

L'Étape Ⓜ, 18 av. République **(b)** ✆ 71 60 13 03 – ⎮♦⎮ ch TV ⇔. AE ⓓ E VISA
fermé dim. soir et lundi sauf juil.-août – **R** 68/240 – ☐ 26 – **23 ch** 230/260
½ p 220/230.

St-Jacques, 6 pl. Liberté **(s)** ✆ 71 60 09 20, ⛱ – ⎮♦⎮ wc wc ☎. E VISA
fermé 11 nov. au 10 janv., vend. soir et sam. midi – **R** 62/175, enf. 58 – ☐ 21
28 ch 180/250 – ½ p 180/195.

Nouvel H. Bonne Table, av. République **(n)** ✆ 71 60 05 86, ✂ – ⎮♦⎮ wc wc
☎ ⇔ Ⓟ. AE E VISA
27 mars-1er nov. – **R** 55/150, enf. 48 – ☐ 20 – **48 ch** 150/220 – ½ p 175/230.

L'Eventail, 9 av. République **(u)** ✆ 71 60 14 07 – ⎮♦⎮ wc wc ☎ Ⓟ
25 mai-20 sept. – **R** 55/100 – ☐ 18,50 – **23 ch** 100/160 – ½ p 145/160.

Ville haute :

Europe, 12 cours Ternes **(a)** ✆ 71 60 03 64, ⩤ vallée – ⎮♦⎮ wc wc ☎. E VISA
mars-nov. – **R** 58/180 ♨, enf. 40 – ☐ 20 – **45 ch** 110/230 – ½ p 130/190.

FIAT Gar. des Orgues, av. de Verdun ✆ 71 60 34 76
FORD Tournadre, Les Rosiers Rte de Clermont ✆ 71 60 21 25
OPEL LADA Gar. Quérel r. M.-Boudet ✆ 71 60 09 64
PEUGEOT-TALBOT Montplain-Autom. av. du Lioran, Z.I.-Montplain par ④ ✆ 71 60 02 43 N ✆ 71 60 18 85

RENAULT Berthet, av. République par ② ✆ 71 60 01 81
SEAT-ALFA-ROMEO Teissedre, Zone In Montplain, rte d'Aurillac ✆ 71 60 20 66 N ✆ 71 60 10 35

ST-FRANÇOIS-LONGCHAMP 73 Savoie **74** ⑰ **G. Alpes du Nord** – 221 h – Sports d'hiver
1 450/2 305 m ⚡16 – ✉ **73130** La Chambre.

Paris 607 – Albertville 61 – Chambéry 73 – Moûtiers 36 – St-Jean-de-Maurienne 24.

Station haute : Longchamp – alt. 1 610 – ✉ **73130** La Chambre.

Syndicat d'Initiative ✆ 79 59 10 56.

Cheval Noir, ✆ 79 59 10 88, ⩤, ⛱ – wc ☎ Ⓟ. E VISA. ✂ rest
1er juil.-31 août et 20 déc.-20 avril – **R** 75/140, enf. 36 – ☐ 20 – **20 ch** 130/25
7 appartements 360 – ½ p 210/280.

-GALMIER 42330 Loire 73 ⑱ **G. Vallée du Rhône** – 3 796 h. – Casino.

r Vierge du Pilier★ et triptyque★ dans l'église.

ffice Municipal du Tourisme et A.C. bd Sud ✆ 77 54 06 08.

s 501 – ♦Lyon 60 – Montbrison 24 – Montrond-les-B. 10 – Roanne 60 – ♦St-Étienne 22.

La Charpinière M, ✆ **77 54 10 20**, parc, – TV wc ☎ P – 50. AE E VISA. rest
R 68/300, enf. 50 – 28 – **35 ch** 300/330 – ½ p 360/440.

Voyageurs, pl. Hôtel de Ville ✆ **77 54 00 25** – wc. E VISA. ch
fermé 1er au 20 août, 20 déc. au 10 janv., dim. soir (sauf hôtel), vend. soir et sam. –
R 57/150 – 16 – **11 ch** 100/190.

Aub. du Parc, bd Dr Cousin ✆ **77 54 01 57** – AE E VISA
fermé oct. et lundi – **R** 70/200, enf. 40.

Poste, r. Maurice André ✆ **77 54 00 30**, ← – AE E VISA
fermé 26 juil. au 7 août, 19 janv. au 9 fév. et jeudi – **R** (déj. seul.) (dim. prévenir) 65/200.

ROEN Gar. Brosse ✆ 77 54 00 13
JGEOT-TALBOT Morel, ✆ 77 54 00 92
RENAULT Gar. Pailleux, ✆ 77 54 06 71

-GAUDENS SP 31800 H.-Gar. 86 ① **G. Pyrénées Aquitaine** – 12 098 h.

r Bd Jean-Bepmale et bd des Pyrénées ←★ Z.

ffice de Tourisme pl. Mas-St-Pierre ✆ 61 89 15 99.

s 791 ② – Auch 76 ① – Foix 90 ② – Lourdes 83 ⑤ – Tarbes 64 ⑤ – ♦Toulouse 89 ②.

ST-GAUDENS

ublique (R. de la). Y 14
rs (R.) . . . . Y 15
or-Hugo (R.) . . . . . Z

logne (Av. de) . . . Y 2
(Av. Mar.) . . . . . . Z 3
sés (R. des) . . . . . . Y 4
(Av. de l') . . . . Y 5
rès (Pl. Jean) . . . YZ 6
re (Av. Mar.) . . . . . Z 7
erc (R. Gén.). . . . . Y 8
he (R.) . . . . Y 9
is (Pl. du) . . . . Y 10
eur (Bd) . . . . Y 12
nées (Bd des) . . . Z 13
ouse (Av. de). . . . Y 16

guides Rouges,
guides Verts et
cartes Michelin
t complémentaires.
isez-les ensemble.

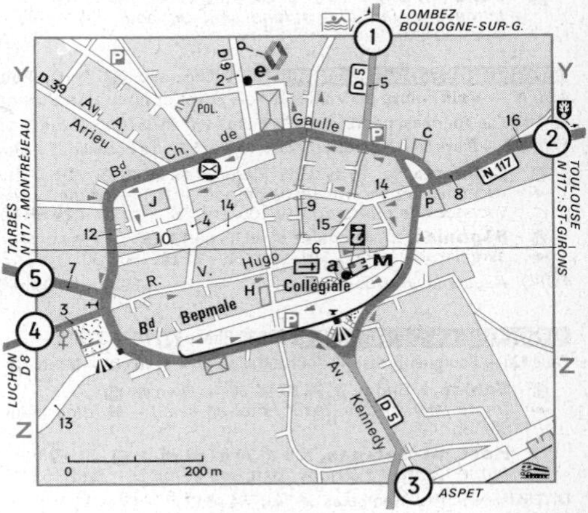

Commerce, av. Boulogne ✆ **61 89 44 77** – TV wc wc ☎. AE VISA Y e
fermé 26 déc. au 29 janv. – **R** 58/150 – 20 – **50 ch** 85/210 – ½ p 160/245.

Esplanade sans rest, 7 pl. Mas St-Pierre ✆ **61 89 15 90** – wc ☎ Z a
25 – **10 ch** 120/175.

à Villeneuve-de-Rivière par ⑤ : 6 km – ✉ **31800** St-Gaudens :

Host. des Cèdres, ✆ **61 89 36 00**, – TV ☎ P – 35. VISA
R 110/250, enf. 50 – 35 – **18 ch** 270/360 – ½ p 390.

Autres ressources hôtelières :

Voir *Sauveterre-de-Comminges* par ④ : 9,5 km.

ROEN G.A.M., à Landorthe par ② ✆ 61 95 69
JGEOT, TALBOT Comet, N 117 à Landorthe ② ✆ 61 89 60 00
NAULT S.I.A.C., 14 av. de Boulogne ✆ 61 54 00

Cazères Pneus, 5 av. Hector-d'Espony à Cazères ✆ 61 97 27 33
Central-Pneu, 47 bd Ch.-de-Gaulle ✆ 61 89 11 24
Comptoir du Pneu, 162 av. de Toulouse ✆ 61 89 28 25

ST-GENIEZ-D'OLT 12130 Aveyron 80 ④ G. Gorges du Tarn – 2 201 h.
Syndicat d'Initiative les Cloîtres (juil.-15 sept.) ✆ 65 70 43 42 et à la Mairie (hors sai ✆ 65 70 40 01 – Paris 615 – Espalion 27 – Florac 93 – Mende 69 – Rodez 46 – Séverac-le-Ch. 24.

France, ✆ 65 70 42 20, ⛱, ✕ – ⧉ ⇔wc ⋒wc ☏ – 🅐 80. E VISA
10 mars-31 oct. – R 50/125 ⚓, enf. 38 – ☕ 20 – **42 ch** 90/185 – ½ p 155/180.

Poste ⛰, ✆ 65 47 43 30, ⛱, ⛱, ⛱, ✕ – ⧉ ⇔wc ⋒wc ☏ Ⓟ. E VISA
1er avril-15 nov. – R 55/180 ⚓ – ☕ 23 – **50 ch** 80/190 – ½ p 180/245.

CITROEN Deltour, ✆ 65 47 51 79
RENAULT Fages, ✆ 65 70 41 40

ST-GENIS-POUILLY 01630 Ain 70 ⑮ – 4 655 h.
Paris 526 – Bellegarde-sur-Valserine 28 – Bourg-en-Bresse 109 – ♦Genève 11 – Gex 11.

Motel International, sur D 984 SO : 2 km ✆ 50 42 02 72, ← – ⇔wc ☏ Ⓟ
◑ E VISA
fermé lundi (sauf hôtel) et dim. soir – R 55/140 – ☕ 22 – **45 ch** 185/250.

CITROEN Gar. du Centre, ✆ 50 42 10 03 Ⓝ ✆ 50 42 06 19
RENAULT Pelletier, ✆ 50 42 12 91
Pneu 01, ✆ 50 42 07 85

ST-GENIX-SUR-GUIERS 73 Savoie 74 ⑭ G. Alpes du Nord – 1 692 h.
Ressources hôtelières : voir **Aoste.**

ST-GEOIRE-EN-VALDAINE 38620 Isère 74 ⑭ G. Alpes du Nord – 1 588 h.
Voir Stalles★ de l'église.
Paris 528 – Belley 47 – Chambéry 35 – ♦Grenoble 43 – ♦Lyon 84 – La Tour-du-Pin 25.

Val d'Ainan, ✆ 76 07 50 04 – ⇔wc ☏. ◑ E VISA
fermé janv., fév., dim. et lundi sauf juil.-août – R 70/190 – ☕ 22 – **15 ch** 140/18
½ p 190/210.

ST-GEORGES-DE-DIDONNE 17110 Char.-Mar. 71 ⑮ G. Poitou Vendée Charentes
4 287 h. – **Voir Pointe de Vallières★ – Forêt et pointe de Suzac★ S : 3 km.**
Office de Tourisme bd Michelet (fév.-sept.) ✆ 46 05 09 93 et à la Mairie (oct.-janv.) ✆ 46 05 07
Paris 505 – Blaye 89 – ♦Bordeaux 125 – Jonzac 58 – La Rochelle 75 – Royan 3.

Colinette ⛰, 16 av. Gde-Plage ✆ 46 05 15 75, ⛱ – ⋒wc
vacances de fév.-vacances de nov. – R *(fermé dim. soir et lundi d'oct. à avril s vacances de printemps)* 50/105, enf. 38 – ☕ 18 – **28 ch** 101/174 – ½ p 130/172.

Bégonias, pl. Michelet ✆ 46 05 08 13, ⛱ – ⇔wc ⋒wc. AE E VISA. ✻
avril-1er oct. – R 65/115 – ☕ 24 – **21 ch** 180/230.

FORD Augeraud, ✆ 46 05 07 50
RENAULT Saint-Georges Automobiles, ✆ 05 08 14

ST-GEORGES-DE-RENEINS 69830 Rhône 74 ① – 3 190 h.
Paris 420 – Bourg-en-Bresse 43 – Chauffailles 47 – ♦Lyon 40 – Mâcon 31 – Villefranche-sur-Saône

Sables, r. Saône ✆ 74 67 64 08 – ⋒wc ☏ Ⓟ
fermé janv. et dim. (sauf hôtel en sais.) – R (dîner seul.) 56/80 – ☕ 16 – **18** 86/135.

Host. St-Georges, N 6 ✆ 74 67 62 78 – Ⓟ. AE ◑
fermé 12 déc. au 26 janv., dim. soir et merc. – R 52/160.

DATSUN-NISSAN Gar. Salus, ✆ 74 67 64 46 Ⓝ ✆ 74 67 64 12

St-GEORGES-D'OLÉRON 17 Char.-Mar. 71 ⑬ – voir à Oléron.

ST-GEORGES-LA-POUGE 23 Creuse 72 ⑩ – 418 h. – ✉ 23250 Pontarion.
Paris 378 – Aubusson 21 – Bourganeuf 24 – Guéret 34 – Montluçon 71.

Domaine des Mouillères ⛰, ✆ 55 66 60 64, ←, ⛱, « Dans la campag limousine », ⛱ – ⇔wc. VISA
1er avril-1er oct. – R carte 90 à 130 – ☕ 30 – **7 ch** 190/240 – ½ p 220/260.

ST-GEORGES-SUR-LOIRE 49170 M.-et-L. 63 ⑲⑳ G. Châteaux de la Loire – 3 015 h.
Voir Château de Serrant★★ NE : 2 km.
Paris 312 – Ancenis 32 – Angers 18 – Châteaubriant 63 – Château-Gontier 54 – Cholet 46.

Tête Noire, r. Nationale ✆ 41 39 13 12 – E VISA. ✻
fermé 1er au 10 août, vacances de fév. et sam. – R 90/170.

Relais d'Anjou, r. Nationale ✆ 41 39 13 38, ⛱ – AE E VISA
fermé 27 juin au 10 juil., 4 au 19 janv., dim. soir et lundi – R 65/180.

ST-GEOURS-DE-MAREMNE 40 Landes 78 ⑰ – 1 238 h. – ✉ 40230 St-Vincent-de-Tyrosse
Paris 737 – ♦Bayonne 36 – Castets 23 – Dax 17 – Mont-de-Marsan 65.

Host. Landaise, face poste ✆ 58 57 30 25, « Intérieur rustique », ⛱
R (déj. seul. du 15 sept. au 30 juin) 110/170.

ST-GERMAIN-DE-JOUX 01490 Ain 74 ④⑤ – 536 h.
Paris 486 – Bellegarde-sur-Valserine 12 – Belley 63 – Bourg-en-Bresse 69 – Nantua 13 – St-Claude 34.

Reygrobellet, N 84 ✆ 50 59 81 13 – wc wc ☎ Ⓟ. VISA.
fermé 14 au 24 mars, 1er oct. au 10 nov., mardi soir et merc. – **R** 78/195 – 20 – **10 ch** 165/190 – 1/2 p 210/240.

ST-GERMAIN-DES-VAUX 50 Manche 54 ① – 273 h. – ✉ 50440 Beaumont-Hague.
Voir Baie d'Ecalgrain★★ S : 3 km – Port de Goury★ NO : 2 km.
Env. Nez de Jobourg★★ 30 mn S : 7,5 km – ≤★★ sur anse de Vauville SE : 9,5 km par Herqueville, G. Normandie Cotentin.
Paris 386 – Barneville-Carteret 49 – Cherbourg 29 – Nez-de-Jobourg 8 – St-Lô 107.

XX **L'Erguillère** avec ch, à **Port Racine** ✆ **33 52 75 31, ≤, « Jardin fleuri dominant la mer »** – wc Ⓟ
fermé janv., fév., dim. soir et lundi sauf vacances scolaires – **R** 135/180 – 27 – **10 ch** 230/247 – 1/2 p 220/247.

PEUGEOT-TALBOT Troude, à Beaumont Hague ✆ 33 52 70 12
RENAULT Lecoq, à Beaumont ✆ 33 52 76 58

ST-GERMAIN-DE-TALLEVENDE 14 Calvados 59 ⑨ – rattaché à Vire.

ST-GERMAIN-DU-BOIS 71330 S.-et-L. 70 ③ – 1 952 h.
Paris 357 – Chalon-sur-Saône 32 – Dole 52 – Lons-le-Saunier 29 – Mâcon 72 – Tournus 44.

X **Host. Bressane** avec ch, ✆ **85 72 04 69** – wc Ⓟ. E VISA
fermé 10 au 19 juin, 23 déc. au 8 janv., dim. soir sauf juil.-août et vend. – **R** 50/103 – 17 – **9 ch** 63/172.

ST-GERMAIN-DU-CRIOULT 14 Calvados 59 ⑩ – rattaché à Condé-sur-Noireau.

ST-GERMAIN-DU-PLAIN 71370 S.-et-L. 70 ②⑫ – 1 598 h.
Paris 355 – Bourg-en-Bresse 63 – Chalon-sur-Saône 14 – Lons-le-Saunier 50 – Tournus 20.

Poste sans rest, ✆ **85 47 31 56** – wc
18 – **9 ch** 85/258.

ST-GERMAIN-EN-LAYE 78 Yvelines 55 ⑲⑳, 101 ⑫ – voir à Paris, Environs.

ST-GERMAIN-LAVAL 42260 Loire 73 ⑰ **G. Vallée du Rhône** – 1 680 h.
Syndicat d'Initiative à la Mairie ✆ 77 65 41 30.
Paris 416 – L'Arbresle 67 – Montbrison 29 – Roanne 35 – ♦St-Étienne 62 – Thiers 47 – Vichy 69.

Aub. des Voyageurs, ✆ **77 65 40 84** – wc. E VISA
R 45/180, enf. 35 – 18 – **13 ch** 90/120 – 1/2 p 155.

Touristes, ✆ **77 65 41 08** – wc wc
fermé fév. et mardi – **R** 44/160 – 17 – **13 ch** 78/150 – 1/2 p 120/145.

PEUGEOT-TALBOT Rambaud ✆ 77 65 41 09 N

ST-GERMAIN-L'HERM 63630 P.-de-D. 73 ⑯ – 766 h. alt. 1 000.
Paris 460 – Ambert 29 – Brioude 32 – ♦Clermont-Ferrand 68 – Le Puy 67 – ♦St-Étienne 106.

France, ✆ **73 72 00 27, ≤,** – . AE E VISA. rest
fermé 30 sept. au 10 nov. – **R** 60/120 – 16 – **25 ch** 65/140 – 1/2 p 130/140.

CITROEN Gar. Confolent, ✆ 73 72 00 77 N

ST-GERMER-DE-FLY 60850 Oise 55 ⑧⑨ **G. Normandie Vallée de la Seine** – 1 355 h.
Voir Église★.
Paris 92 – Les Andelys 42 – Beauvais 26 – Gisors 20 – Gournay-en-Bray 8 – ♦Rouen 58.

XX **Aub. de l'Abbaye,** ✆ **44 82 50 73** – E VISA
fermé 16 au 31 août, 5 au 30 janv., dim. soir, mardi soir et merc. – **R** 90/128.

ST-GERMIER 81 Tarn 83 ① – rattaché à Castres.

ST-GERVAIS-D'AUVERGNE 63390 P.-de-D. 73 ③ **G. Auvergne** – 1 545 h. alt. 725.
Syndicat d'Initiative à la Mairie ✆ 73 85 71 53.
Paris 367 – Aubusson 74 – ♦Clermont-Ferrand 55 – Gannat 48 – Montluçon 48 – Riom 40 – Ussel 88.

Castel H. , ✆ **73 85 70 42,** – wc wc ☎ Ⓟ. E VISA.
fermé janv. – **R** 60/150 – 22 – **25 ch** 70/175 – 1/2 p 125/160.

Relais d'Auvergne, rte Châteauneuf ✆ **73 85 70 10** – wc. VISA
R 55/110, enf. 30 – 20 – **19 ch** 75/160 – 1/2 p 110/140.

RENAULT Guittonny ✆ 73 85 72 39

ST-GERVAIS-LES-BAINS 74170 H.-Savoie 74 ⑧ G. Alpes du Nord – 4 717 h. alt. – Stat. therm. (3 mai-sept.) – Sports d'hiver : 850/2 350 m 3 34, .

Voir Route du Bettex★★★ 3 km par ③ – SE : Le Nid d'Aigle ≤★★ par Tramway Mont-Blanc.

Env. par D 43 Le Planey ✻★★ S : 10,5 km – Site★★ de St-Nicolas-de-Véroce S : 9 km

 ✆ 50 66 50 50.

Office de Tourisme av. Mont-Paccard ✆ 50 78 22 43, Télex 385607.

Paris 598 ⑤ – Annecy 87 ⑤ – Bonneville 41 ⑤ – Chamonix 25 ① – Megève 11 ③ – Morzine 56 ⑤

Carlina M, au téléphérique du Bettex (w) ✆ 50 93 41 10, ≤, , – AE ① E VISA. *15 juin-30 sept. et 20 déc.-15 avril* – **R** 100/210 – 27 – **34 ch** 287/368 – 1/2 p 343/360.

Host. du Nérey, av. Mont d'Arbois (y) ✆ 50 93 45 21, ≤, , , – wc wc – 50. AE ① E VISA *20 déc.-30 sept.* – **R** 90/180, enf. 40 – 25 – **35 ch** 200/280 – 1/2 p 280/340.

Val d'Este, pl. Église (b) ✆ 50 93 65 91, ≤ – wc wc . AE ① E VISA *fermé 15 nov. au 10 déc.* – **R** 82/210 , enf. 70 – 25 – **15 ch** 180/250 – 1/2 p 205/240.

L'Adret sans rest, chemin La Mollaz (d) ✆ 50 93 50 60, ≤ – wc wc . *1er juin-26 sept. et 20 déc.-Pâques* – 22 – **15 ch** 136/270.

Maison Blanche , r. Vieux Pont du Diable (s) ✆ 50 78 19 38, ≤ – wc wc . AE ① E VISA *1er mai-30 sept. et 20 déc.-15 avril* – **R** 85/165 – 23 – **14 ch** 195/225 – 1/2 p 150/169.

<u>au Bettex</u> SO : 8 km ou par téléphérique, station intermédiaire, – alt. 1 400 – ✉ **74170** St-Gervais :

Arbois-Bettex , ✆ 50 93 12 22, ≤ Massif Mt-Blanc, , , – . ① E VISA. rest *juil.-août et Noël-Pâques* – **R** carte 135 à 190 - grill La Côterie *(en hiver seul.)* **R** carte 110 à 150 – 30 – **27 ch** 240/395 – 1/2 p 310/340.

ST-GERVAIS-LES-BAINS LE FAYET

Comtesse (R.) ....
Diable (Pont du) ....
Gontard (Av.) ....
Miage (Av. de) ....
Mont-Blanc (R. et jardin du) .
Mont-Lachat (R. du) ....

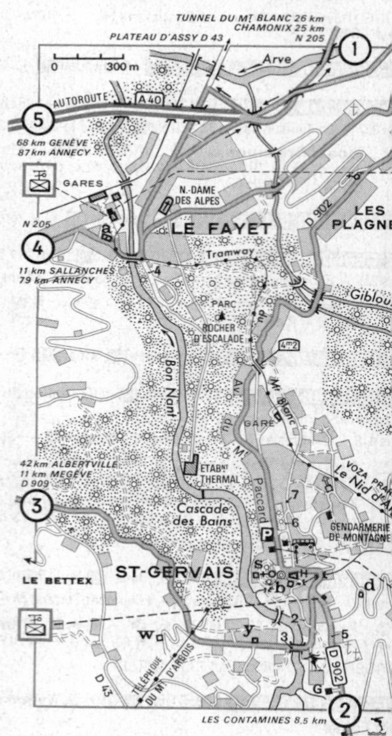

Flèche d'Or , ✆ 50 93 11 54, ≤ Massif Mt-Blanc, – wc . E VISA *juil.-août et Noël-Pâques* – **R** 75/120, enf. 42 – 28 – **17 ch** 165/272 – 1/2 p 19 342.

Belle Étoile , ✆ 50 93 11 83, ≤ Massif Mt-Blanc, – wc . rest *juil.-août et Noël-Pâques* – **R** 72 – 22 – **20 ch** 156/260 – 1/2 p 170/235.

<u>au Mt-d'Arbois</u> par téléphérique – ✉ **74190** Le Fayet :

Chez la Tante , à la station supérieure ✆ 50 21 31 30, , « ✻ exceptionn de la chaîne des Aravis au Mt-Blanc » – rest wc wc . ch *28 juin-31 août et 20 déc.-15 avril* – **R** self (déj. seul.) 75/85 – **21 ch** 200/350 1/2 p 270/280.

<u>au Prarion</u> - Ressources hôtelières : Voir *Les Houches*.

FORD Tuaz, ✆ 50 78 30 75 MAZDA-OPEL Gar. du Berchat, ✆ 50 78 21 9

Le Fayet – ✉ **74190** Le Fayet.
ℹ Syndicat d'Initiative ☎ 50 93 64 64.

La Chaumière, av. Genève **(a)** ☎ **50 93 60 10** – wc wc ☎ P. AE E VISA
fermé 30 sept. au 20 déc. – **R** *(fermé lundi hors sais.)* 59/120, enf. 40 – 25 – **22 ch** 220/294 – 1/2 p 190/291.

Central sans rest, **av. Gare (a)** ☎ **50 78 15 99** – wc wc ☎ P. E VISA
fermé nov. – 26 – **30 ch** 135/280.

Ressources hôtelières aux environs de St-Gervais : voir carte à Chamonix

GILLES 30800 Gard 83 ⑨ **G. Provence** (plan) – 10 845 h.
Façade★★ et crypte★ de l'église – Vis de St-Gilles★.
yndicat d'Initiative Maison Romane (mars-déc.) ☎ 66 87 33 75.
730 – Aigues-Mortes 37 – Arles 16 – Beaucaire 24 – Lunel 30 – ♦Montpellier 57 – Nîmes 19.

Cours, 10 av. F.-Griffeuille ☎ **66 87 31 93,** – wc wc ☎. AE ⓓ E VISA
fermé 20 déc. au 31 janv. – **R** 39/119, enf. 27 – 17 – **26 ch** 88/198 – 1/2 p 175/280.

La Rascasse avec ch, **16 av. F.-Griffeuille** ☎ **66 87 42 96** – wc
R *(fermé mardi soir hors sais. et merc.)* 58/90 – 17 – **5 ch** 130/160.

à l'Est **3,5 km sur N 572** – ✉ **13200** Arles :

Les Cabanettes M, ☎ **66 87 31 53, Télex 480451,** <, – wc
wc ☎ P – 30. AE ⓓ E VISA
fermé mi-janv. à mi-fév. – **R** 110/220 – 33 – **29 ch** 345/415 – 1/2 p 325/480.

GEOT TALBOT Crumière, 71 bd Gambetta
87 31 25

Peysson-Pneus, 3 pl. F.-Mistral ☎ 66 87 33 25

-GILLES-CROIX-DE-VIE 85800 Vendée 67 ⑫ **G. Poitou Vendée Charentes** – 6 339 h.
ffice de Tourisme bd Égalité ☎ 51 55 03 66.
455 – Challans 20 – Cholet 99 – ♦Nantes 78 – La Roche-sur-Yon 43 – Les Sables-d'Olonne 30.

Embruns, 16 bd Mer ☎ **51 55 11 40** – TV wc ☎. E VISA.
fermé 18 au 25 avril, 7 nov. au 7 déc., vend. soir et sam. du 24 sept. au 1er mai sauf vacances scolaires – **R** 75/170 – 25 – **17 ch** 150/350 – 1/2 p 170/280.

Marina, Grande Plage ☎ **51 55 30 97** – wc wc ☎. E VISA. rest
fermé 15 déc. au 31 janv., dim. soir de nov. à mars et lundi d'oct. à mai – **R** 65/140 – 24 – **40 ch** 173/270 – 1/2 p 222/242.

Bourrine de Riez, sur la Corniche, O : 2 km ✉ **85270 St-Hilaire-de-Riez** ☎ **51 55 01 83** – AE E VISA
avril-déc. et fermé lundi soir et mardi sauf juil.-août – **R** 65/200.

ROEN Goillandeau, rte des Sables, Km 3 à
and ☎ 51 55 89 94

PEUGEOT-TALBOT EL.ME.CA., 2 r. Pasteur ☎ 51 55 10 19

-GINGOLPH 74 H.-Savoie 70 ⑱ **G. Alpes du Nord** – 665 h. – ✉ **74500** Évian-les-Bains.
yndicat d'Initiative à la Mairie ☎ 50 76 72 28.
s 549 – Annecy 101 – Évian-les-Bains 17 – Montreux 21.

National, ☎ **50 76 72 97,** <, – ☎ P. E VISA.
fermé 20 oct. au 20 nov., vacances de fév., mardi soir et merc. d'oct. à mai – **R** 70/160 – 19 – **14 ch** 120/220 – 1/2 p 170/190.

Ducs de Savoie, ☎ **50 76 73 09,** <, – wc wc ☎ P. E VISA
fermé 11 janv. au 11 fév., lundi et mardi hors sais. – **R** 100/200 – 21 – **12 ch** 150/180 – 1/2 p 180/205.

JGEOT, TALBOT Gar. Bare, ☎ 50 76 71 06

T-GIRONS <SP> 09200 Ariège 86 ③ – 7 716 h.
ir St-Lizier : Cloître★ de la cathédrale N : 2 km, **G. Pyrénées Aquitaine.**
Office de Tourisme pl. A.-Sentein ☎ 61 66 14 11.
is 801 ① – Auch 111 ① – Foix 44 ② – St-Gaudens 46 ① – ♦Toulouse 99 ①.

Plan page suivante

❀ **Eychenne**, 8 av. P.-Laffont ☎ **61 66 20 55, Télex 521273,** « **Bel aménagement intérieur** », – ☎ P – 35. AE ⓓ E VISA **B a**
fermé 22 déc. au 31 janv. – **R** 94/235 – 33 – **48 ch** 130/385 – 1/2 p 235/415
Spéc. Foie de canard aux raisins, Confit de canard aux cèpes, Soufflé au Grand Marnier.

Mirouze, 19 av. Gallieni ☎ **61 66 12 77,** – wc wc ☎ P. E VISA **A v**
fermé 24 déc. au 1er janv. – **R** 60/90 – 17,50 – **25 ch** 70/180 – 1/2 p 115/160.

Gd H. de France, 4 pl. Poilus ☎ **61 66 00 23** – wc wc ☎. VISA **B t**
fermé 15 au 28 fév. – **R** 60/170 – 22 – **20 ch** 90/200 – 1/2 p 160/180.

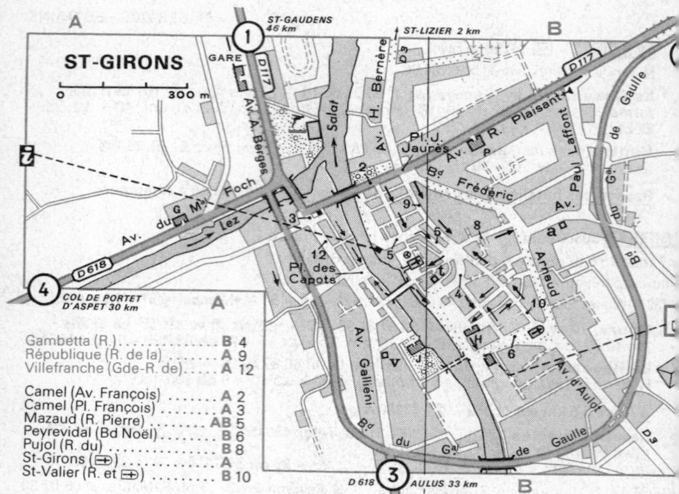

à Lorp-Sentaraille par ① : 4 km – ✉ **09190** St-Lizier :

Horizon 117, ✆ **61 66 26 80,** – wc wc ☎ Ⓟ. AE ⓓ E VISA
fermé 15 oct. au 4 nov. – **R** *(fermé dim. soir et lundi midi du 4 nov. au 1er j*
55/145 ♨, enf. 40 – ☕ 23 – **20 ch** 165/230 – ½ p 180/250.

CITROEN Sté Autom. du Couserans, av. de la Résistance, L'Arial par ③ ✆ 61 66 34 45
PEUGEOT Carbonne, rte Toulouse à St-Lizier par ① ✆ 61 66 31 00 N
RENAULT Austria-Autos, rte de Toulouse, St-Lizier par ① ✆ 61 66 32 32 N

Ⓜ Central Pneu, 77 rte de Foix ✆ 61 66 44 1
Reynes, 48 bd. F.-Arnaud ✆ 61 66 07 53
Solapneu, chantereine, St-Lizier ✆ 61 66 00

ST-GOBAIN 02410 Aisne 56 ④ **G. Flandres Artois Picardie** – 2 297 h. – **Voir** Forêt★★.
Paris 129 – Compiègne 55 – La Fère 11 – Laon 20 – Noyon 31 – St-Quentin 35 – Soissons 28.

Parc, ✆ **23 52 80 58,** – Ⓟ. E VISA
fermé 15 juil. au 15 août, dim. soir et lundi – **R** 80/150.

ST-GROUX 16 Charente 72 ③ – rattaché à Mansle.

ST-GUÉNOLÉ 29 Finistère 58 ⑭ **G. Bretagne** – ✉ **29132** Penmarch.
Voir Musée préhistorique★ – ⋞★★ du phare d'Eckmühl★ S : 2,5 km – Église★ Penmarch SE : 3 km – Pointe de la Torche ⋞★ NE : 4 km.
Syndicat d'Initiative pl. J.-Ferry (15 juin-15 sept.) ✆ 98 58 81 44.
Paris 580 – Douarnenez 43 – Guilvinec 8 – Plonéour-Lanvern 17 – Pont-l'Abbé 14 – Quimper 34.

Sterenn M, rte Eckmühl ✆ **98 58 60 36,** ⋞ **pointe de Penmarch** – wc
Ⓟ. E VISA
27 mars-2 oct. et fermé merc. sauf du 15 juin au 14 sept. – **R** 78/300, enf. 50 – ☕
– **16 ch** 220/280 – ½ p 250/300.

Mer, ✆ **98 58 62 22** – wc wc ☎. E VISA
fermé 15 janv. au 26 fév., dim. soir et lundi d'oct. à avril – **R** 125/370, enf. 80 – ☕
– **17 ch** 140/240 – ½ p 300/360.

Les Ondines, rte phare d'Eckmühl ✆ **98 58 60 36** – wc wc ☎. E VISA
14 mai-18 sept. et fermé merc. sauf du 15 juin au 18 sept. – **R** voir H. **Sterenn** –
26 – **19 ch** 190/230 – ½ p 220/240.

ST-HILAIRE-DU-HARCOUËT 50600 Manche 59 ⑨ **G. Normandie Cotentin** – 5 511 h.
Office de Tourisme pl. Église ✆ 33 49 15 27 et à la Mairie ✆ 33 49 10 06.
Paris 290 – Alençon 99 – Avranches 27 – ♦Caen 98 – Fougères 28 – Laval 66 – St-Lô 69.

La Résidence sans rest, **rte Fougères** ✆ **33 49 10 14, Télex 171445** – TV
wc ☎ – 80. E VISA
15 mars-15 nov. – ☕ 20 – **25 ch** 170/250.

Lion d'Or, rte Avranches ✆ **33 49 10 82,** – wc wc ☎ Ⓟ – 30. E VISA
fermé 10 au 30 oct., 3 au 24 fév., dim. soir et lundi midi sauf vacances scolaires
R 60/95 ♨ – ☕ 19 – **21 ch** 145/190 – ½ p 200/260.

Cygne, rte Fougères ✆ 33 49 11 84, Télex 171445 – wc wc ☎ – 60. AE ① E VISA
fermé 20 déc. au 10 janv., vend. soir et sam. midi du 1er oct. au 31 mars – **R** 58/100 enf. 37 – 19 – **45 ch** 140/230 – ½ p 185/235.

Relais de la Poste, r. Mortain ✆ 33 49 10 31 – wc . E VISA
fermé vacances de Noël et dim. soir – **R** 46/98 , enf. 28 – 15 – **12 ch** 88/165.

CITROEN Gar. Ledebt-Aubril, 77 r. de Paris ✆ 33 49 10 89
FORD Gar. Lerbourg, ✆ 33 49 12 56
OPEL Gar. Lemaréchal-Lelandais, 98 r. de Paris ✆ 33 49 21 90
PEUGEOT-TALBOT Gar. Lemonnier, rte de Paris ✆ 33 49 24 90
RENAULT Gar. Boulaux, 64 r. de Paris ✆ 33 49 20 71
Gar. Blouin-Dupont, 101 r. de la République ✆ 33 49 11 41
Gar. Garnier, 126 r. de Mortain, ✆ 33 49 12 02

ST-HILAIRE-DU-ROSIER 38840 Isère 77 ③ – 1 559 h.

Paris 578 – ♦Grenoble 63 – Romans-sur-Isère 18 – St-Marcellin 8.

XXX ✿ **Bouvarel** avec ch, S : 3 km ✆ 76 36 50 87, ≤, , « Jardin » – wc wc ☎ Ⓟ. AE ① E VISA
fermé janv., dim. soir et lundi hors sais. – **R** 170/395 – 38 – **14 ch** 250/300 – ½ p 500/530
Spéc. Chausson aux truffes, Ravioles maison, Turbot braisé au champagne. **Vins** Chante Alouette, St-Joseph.

ST-HILAIRE-LE-CHÂTEAU 23 Creuse 72 ⑨⑩ – 352 h. – ✉ 23250 Pontarion.

Paris 380 – Aubusson 25 – Bourganeuf 14 – Guéret 31 – ♦Limoges 63 – Montluçon 81.

XX **du Thaurion** Ⓜ avec ch, ✆ 55 64 50 12 – wc ☎ Ⓟ. AE ① E VISA
Pâques-1er nov. et fermé jeudi midi et merc. sauf juil.-août – **R** 60/320 – 33 – **10 ch** 180/280 – ½ p 280/350.

ST-HILAIRE-ST-MESMIN 45 Loiret 64 ⑨ – rattaché à Orléans.

ST-HIPPOLYTE 25190 Doubs 66 ⑱ G. Jura – 1 179 h.

Voir Site★ – Syndicat d'Initiative à la Mairie ✆ 81 96 55 74.

Paris 498 – ♦Bâle 94 – Belfort 50 – ♦Besançon 81 – Montbéliard 30 – Pontarlier 72.

Bellevue, rte Maîche ✆ 81 96 51 53 – wc wc ☎ Ⓟ. AE ① E VISA
fermé 1er au 15 janv., dim. soir du 1er oct. au 31 mars – **R** 45/190 , enf. 30 – 17 – **15 ch** 75/180 – ½ p 120/150.

ST-HIPPOLYTE 68590 H.-Rhin 62 ⑲ G. Alsace et Lorraine – 1 191 h.

Paris 435 – Colmar 20 – Ribeauvillé 7 – St-Dié 45 – Sélestat 9 – Villé 17.

Aux Ducs de Lorraine rest. Munsch , ✆ 89 73 00 09, ≤, « Aile récente avec ch. de grand confort », – TV ☎ Ⓟ – 30. AE ① E VISA. ch
fermé 28 nov. au 15 déc. et 10 janv. au 3 mars – **R** *(fermé lundi)* 100/275 – 38 – **40 ch** 230/500, 3 appartements 750 – ½ p 330/430.

Parc , ✆ 89 73 00 06 – wc wc ☎ Ⓟ. AE ① E VISA. ch
fermé 20 juin au 4 juil., 19 au 31 déc., vacances de fév. et lundi hors sais. – **R** *(fermé merc. soir hors sais. et lundi)* 50/100 carte le dim. – 18 – **22 ch** 100/250 – ½ p 180/260.

La Vignette, ✆ 89 73 00 17 – wc wc ☎. E VISA. ch
fermé déc., janv. et jeudi (sauf hôtel en sais.) – **R** 75/150 , enf. 55 – 18 – **16 ch** 120/200 – ½ p 145/185.

ST-HIPPOLYTE 63 P.-de-D. 73 ④ – rattaché à Châtelguyon.

ST-HONORAT (Ile) ★★ 06 Alpes-Mar. 84 ⑨, 195 ㉟㊴ G. Côte d'Azur.

Voir Ancien monastère fortifié★ : ≤★★ – Tour de l'île★★.

Accès par transports maritimes.

– depuis **Golfe-Juan et Juan-les-Pins** (escale à l'Ile Ste Marguerite). En 1987 : de mars à oct., 2 à 5 services quotidiens - Traversée 30 mn – 45 F (AR) - par Transports Maritimes Cap d'Antibes, 21 av. de la Liberté ✆ 93 63 81 31 (Golfe-Juan).

– depuis **Cannes** (escale à l'Ile Ste Marguerite). En 1987 : en saison 9 départs quotidiens, hors saison : 5 départs quotidiens - Traversée 30 mn – 30 F (AR) - par Cie Esterel-Chanteclair, gare Maritime des Iles ✆ 93 39 11 82 (Cannes).

ST-HONORÉ-LES-BAINS 58360 Nièvre 69 ⑥ G. Bourgogne – 831 h. – Stat. therm. (mars-25 sept.) – Casino – Office de Tourisme pl. F.-Bazot ✆ 86 30 71 70.

Paris 288 – Château-Chinon 27 – Luzy 22 – Moulins 66 – Nevers 67 – St-Pierre-le-Moutier 64.

Henry Robert, ✆ 86 30 72 33, ≤, parc, – wc wc Ⓟ. AE E VISA
1er mai-30 sept. – **R** 75/200, enf. 50 – 22 – **14 ch** 145/200 – ½ p 200/210.

Aub. du Pré Fleuri, ✆ 86 30 74 96, , – TV wc ☎ Ⓟ. AE ① E VISA
fermé vacances de fév. – **R** 80/150, enf. 60 – 24 – **9 ch** 240/260 – ½ p 220/245.

ST-IGNACE (col de) 64 Pyr.-Atl. 85 ② – rattaché à Ascain.

ST JACQUES 06 Alpes-Mar. 84 ⑧ – rattaché à Grasse.

ST-JACQUES-DES-BLATS 15580 Cantal 76 ③ – 387 h. alt. 991.

Paris 524 – Aurillac 33 – Brioude 75 – Issoire 92 – St-Flour 42.

Griou M, ✆ 71 47 06 25, ←, ≋, – ⊟wc ⋒wc ☎ **P**. AE ⊙ E VISA
10 mai-15 oct. et 15 déc.-30 avril – **R** 50/90, enf. 38 – ☕ 16,50 – **13 ch** 100/1[...]
1/2 p 120/145.

Touristes (annexe M, ☎), ✆ 71 47 05 86, – ⋒wc **P**. E
✻ rest
10 mai-10 oct. et 18 déc.-15 avril – **R** 48/85 – ☕ 16 – **21 ch** 100/140 – 1/2 p 105/[...]

ST-JACUT-DE-LA-MER 22750 C.-du-N. 59 ⑤ **G. Bretagne** – 893 h.

Voir Pointe du chevet ←★ : 2 km.

Syndicat d'Initiative r. du Châtelet (saison) ✆ 96 27 71 91.

Paris 429 – Dinan 25 – Dol-de-B. 38 – Lamballe 38 – St-Cast 16 – St-Malo 24 – St-Brieuc 58.

Vieux Moulin ≫, ✆ 96 27 71 02, ≋, – ⊟wc ⋒ **P**. E VISA. ✻
mars-oct. – **R** (dîner seul.) 55/130 – ☕ 25 – **30 ch** 100/230 – 1/2 p 180/235.

ST-JAMES 50240 Manche 59 ⑧ **G. Normandie Cotentin** – 2 895 h.

Voir Cimetière américain.

Paris 310 – Avranches 18 – Fougères 22 – ♦Rennes 62 – St-Lô 74 – St-Malo 58.

Normandie, pl. Bagot ✆ 33 48 31 45 – TV ⊟wc ⋒ ☎. E VISA
R *(fermé vend. soir du 15 nov. au 15 fév.)* 57/165, enf. 50 – ☕ 22 – **15 ch** 168/26[...]
1/2 p 180/200.

Une voiture bien équipée, possède à son bord des cartes Michelin à jour.

ST-JEAN (col) 04 Alpes-de-H.-P. 81 ⑦ – rattaché à Seyne.

ST-JEAN 31 H.-Gar. 82 ⑧ – rattaché à Toulouse.

ST JEAN-AUX-AMOGNES 58270 Nièvre 69 ④ – 340 h.

Paris 251 – Château-Chinon 52 – Clamecy 70 – Nevers 16.

Rendez-vous des Chasseurs, ✆ 86 58 63 55,
fermé fév. et merc. – **R** 48/110.

ST-JEAN-AUX-BOIS 60 Oise 56 ②③, 196 ⑪ **G. Environs de Paris** – 302 h. – ✉ 60 Cuise-la-Motte.

Voir Église★.

Paris 83 – Beauvais 68 – Compiègne 11 – Senlis 33 – Soissons 37 – Villers-Cotterêts 21.

La Bonne Idée ≫ avec ch, ✆ 44 42 84 09, Télex 155026, – ▤ rest TV
☎ ♿ **P** – 🏛 30. E VISA
fermé 22 août au 2 sept., mi-janv. à mi-fév., merc. midi et mardi – **R** 140/350 – ☕
– **23 ch** 320/380.

ST-JEAN-CAP-FERRAT 06230 Alpes-Mar. 84 ⑩, 195 ㉗ **G. Côte d'Azur** – 2 215 h.

Voir Fondation Ephrussi-de-Rothschild★★ **M** : site★★, musée Ile de France★★, jardin[...] – Phare ✻★★ – Pointe de St-Hospice ←★ de la chapelle.

Office de Tourisme 59 av. D.-Semeria ✆ 93 76 08 90.

Paris 941 ④ – Menton 23 ③ – ♦Nice 10 ④.

Plan page ci-contre

✻ **Gd H. du Cap-Ferrat** M ≫, **au Cap-Ferrat, bd Gén.-de-Gaulle (a)** ✆ **93 76 21, Télex 470184,** ←, ≋, **« Vaste parc,** ✂, **en bordure de mer,** **, funicula[...] privé »** – ▤ ☎ **P** – 🏛 70. AE ⊙ E VISA. ✻ rest
3 mai-19 sept. – **Club Dauphin** à la piscine *(déj. seul.)* **R** carte 250 à 315, enf. 95
57 ch ☕ 1410/2830, 8 appartements
Spéc. Ravioli de langouste, Carré d'agneau de Sisteron rôti, Tatin de pêches jaunes. **Vins** Côtes Provence, Gassin.

✻ **Voile d'Or** M ≫, **au Port (f)** ✆ **93 01 13 13, Télex 470317,** ← **port et golfe,**
– ▤ ☎ – 🏛 25
mars-fin oct. – **R** carte 350 à 470 – ☕ 80 – **50 ch** 840/2520, 5 appartements
Spéc. Blanc de St-Pierre "Belle Provence", Filet de loup aux deux caviars, Coeur de charolais. **V**[...] Bellet, Bandol.

ST-JEAN-CAP-FERRAT

s flèches noires
liquent les sens
ques supplémen-
taires l'été

rt-1er (Av.) 2
ale (Av.) 3
-Unis (Av. des) 5
e (Bd Gén. de) . . 6
seuil (Av.) 7
ation (Bd) 9
noz (Av. J.) 12
able (Ch. de) 13
e (Av. du) 14
an (Pont) 16
an (Bd H.) 17
eria (Av. D.) 18
un (Av. de) 20
on (Av. C.) 21

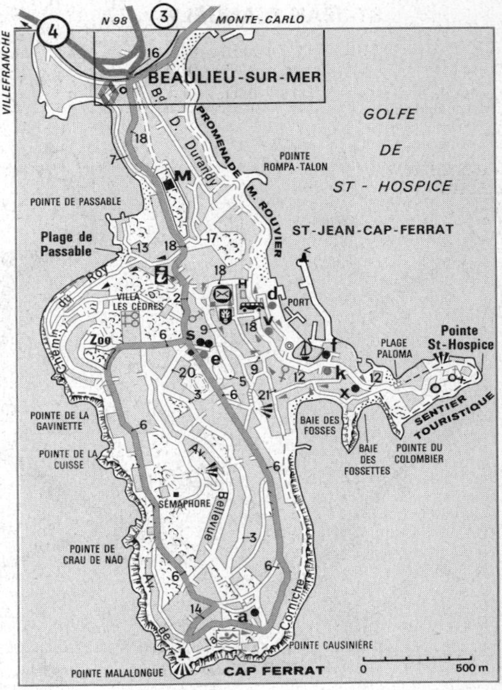

Promeneurs,
campeurs,
fumeurs

soyez
prudents !
e feu est le plus terrible ennemi de la forêt

Panoramic sans rest, av. Albert-1er **(s)** ✆ **93 76 00 37,** ≤ **Cap et golfe,** – wc wc ☎ Ⓟ. AE ⓓ E VISA
28 janv.-10 nov. – ☐ 40 – **20 ch** 385/500.

Brise Marine, av. J.-Mermoz **(x)** ✆ **93 76 04 36,** ≤ **Cap et golfe,** – ch wc wc ☎. E VISA. rest
début fév.-fin oct. – **R** *(fermé dim.)* (dîner seul.) (résidents seul.) 103 – **15 ch** ☐348/455 – ½ p 297/445.

La Bastide, av. Albert 1er **(s)** ✆ **93 76 06 78,** – wc Ⓟ. AE VISA
fermé nov. – **R** *(fermé lundi)* 135 – **10 ch** ☐135/220 – ½ p 200/230.

Provençal, 2 av. D.-Semeria **(v)** ✆ **93 76 03 97,** ≤ **port et golfe,** – . E VISA
fermé 8 nov. au 29 déc. et mardi – **R** 170.

Les Hirondelles, av. J.-Mermoz **(k)** ✆ **93 76 04 04,** ≤ **port,** – E VISA
15 mars-31 oct. et fermé dim. et lundi sauf fêtes – **R** carte 260 à 315.

✿ **Petit Trianon** (Brouchet), bd Gén.-de-Gaulle **(e)** ✆ **93 76 05 06,** , « **Pergola fleurie** » – AE ⓓ E VISA.
fév.-15 oct. et fermé merc. soir et jeudi – **R** 190/280
Spéc. Mousseline de rascasse, Langouste soufflée, Médaillon de veau dauphinois. **Vins** Rians, Bandol.

Le Sloop, au nouveau Port **(d)** ✆ **93 01 48 63,** ≤, – E VISA
fermé 15 nov. au 15 déc., janv., dim. soir et merc. soir en hiver – **R** 155.

Autres ressources hôtelières : **Voir *Beaulieu-sur-Mer* et *Villefranche*.**

AULT Gar. Toso, ✆ 93 01 05 89

JEAN-D'ANGÉLY SP **17400** Char.-Mar. **71** ③④ **G. Poitou Vendée Charentes** –
h. – Syndicat d'Initiative square Libération ✆ 46 32 04 72.
443 ② – Angoulême 65 ② – Cognac 36 ③ – Niort 47 ① – La Rochelle 70 ④ – Saintes 34 ⑤.

Plan page suivante

Paix, 5 av. Gén.-de-Gaulle ✆ **46 32 00 93,** – TV ☎ Ⓟ – 25 à 50. E VISA
R 57/120 – ☐ 23 – **35 ch** 110/220 – ½ p 180/270. B **a**

Place, pl. Hôtel de Ville ✆ **46 32 01 44** – TV wc ☎. E VISA B **u**
R *(fermé dim.)* 38/55 – ☐ 20 – **10 ch** 165/230.

ST-JEAN-D'ANGÉLY

Bancs (R. des) .... A 4
Gambetta (R.) .... A
Grosse-Horloge (R.) .... B 8
Hôtel-de-Ville (Pl. de l') .... B 9
Taillebourg (Fg) .... A

Abbaye (R. de l') .... A 2
Aguesseau (R. d') .... A 3
Bourcy (R. Pascal) .... B 6
Dubreuil (R. A.) .... A 7
Jacobins (R. des) .... B 12

Niort (R. de la Porte de) ....
Port-Mayon (Av. du) .... A
Remparts (R. des) ....
Rose (R.) ....
Texier (R. Michel) ....
Tour-Ronde (R.) ....
Verdun (R. de) ....

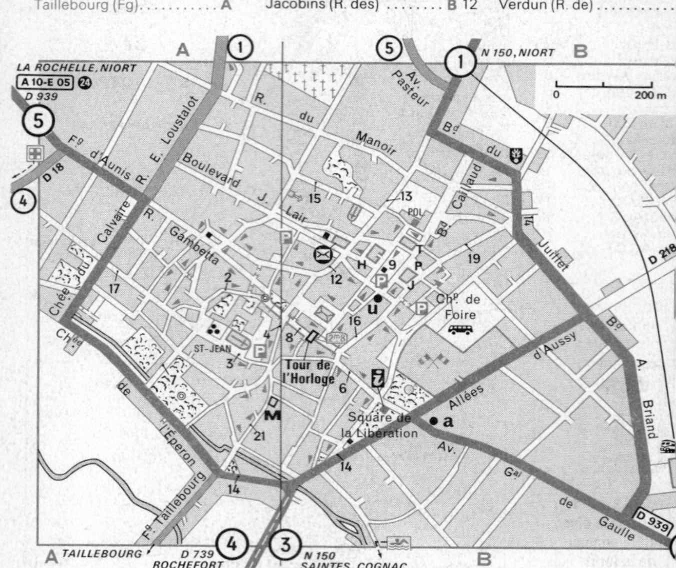

MERCEDES-BENZ S.A.V.I.A., Zone Ind. du Point-du-Jour N° 2 ✆ 46 59 03 03
PEUGEOT, TALBOT Nouraud-Amy, Zone Ind., 27 av. Point-du-Jour par ② ✆ 46 59 09 09
RENAULT Guiberteau et Gaudin, rte de Saintes par ③ ✆ 46 32 40 22

V.A.G. Gar. Drevet, 19 fg Taillebourg ✆ 4 01 74

Pneu-équipement, Zone Ind. av. Point-Jour ✆ 46 32 12 43

ST-JEAN-D'ARVEY 73 Savoie 74 ⑮⑯ – 903 h. – ✉ **73230** St-Alban-Leysse.
Paris 547 – Albertville 54 – Annecy 46 – Chambéry 9 – Les Déserts 5,5.

Therme, ✆ 79 28 40 33, ←, – Ⓟ.
1er fév.-31 oct. – **R** 60/85 – 17,50 – **25 ch** 105/130 – ½ p 135/140.

ST-JEAN-DE-BOISEAU 44 Loire-Atl. 67 ③ – rattaché à Nantes.

ST-JEAN-DE-BRAYE 45 Loiret 64 ⑨ – rattaché à Orléans.

ST-JEAN-DE-CHEVELU 73 Savoie 74 ⑮ – 307 h. – ✉ **73170** Yenne.
Paris 508 – Aix-les-Bains 17 – Bellegarde-sur-Valserine 60 – Belley 21 – Chambéry 19 La Tour-du-Pin 44.

La Source, S : 3,5 km par rte du Col du Chat ✆ 79 36 80 16, ←, – ch
R 62/160 – 21 – **12 ch** 95/120 – ½ p 150/170.

ST-JEAN-DE-GONVILLE 01 Ain 74 ⑤ – 841 h. – ✉ **01630** St-Genis-Pouilly.
Paris 520 – Annecy 57 – Bellegarde-sur-Valserine 22 – Bourg-en-Bresse 103 – ♦Genève 19 Gex 19.

XXX **Demornex** avec ch, ✆ 50 56 35 34, « Jardin fleuri » – Ⓟ. AE VISA
fermé 27 juin au 11 juil., 9 au 31 janv., dim. et lundi – **R** 100/300 – 23 – **10** 95/140.

ST-JEAN-DE-LA-BLAQUIÈRE 34 Hérault 83 ⑤ – rattaché à Lodève.

JEAN-DE-LIER 40 Landes 78 ⑥ – 339 h. – ✉ 40380 Montfort-en-Chalosse.

738 – Castets 29 – Dax 21 – Mont-de-Marsan 38 – Montfort-en-Chalosse 12 – Orthez 40.

Cantelutz, 58 57 21 94, – wc – 25.
1er avril-30 oct. – **R** 54/135, enf. 54 – 21,50 – **12 ch** 82/157 – 1/2 p 118/146.

JEAN-DE-LOSNE 21170 Côte-d'Or 70 ③ **G. Bourgogne** – 1 476 h.

ndicat d'Initiative av. Gare d'Eau (mai-15 oct.) 80 29 05 48 et à la Mairie (hors saison) 29 05 44.

343 – Auxonne 17 – ♦Dijon 32 – Dole 22 – Genlis 20 – Gray 52 – Lons-le-Saunier 62.

Saônotel, 80 29 04 77 – wc wc. E VISA
fermé 1er nov. au 7 déc., et merc. – **R** 42/160 – 18 – **12 ch** 65/170 – 1/2 p 133/218.

Aub. de la Marine, à Losne 80 29 05 11 – wc. AE E VISA
fermé lundi – **R** 48/110 – 22 – **18 ch** 78/128 – 1/2 p 130/190.

EOT-TALBOT Gaillard, 80 29 05 53 N

JEAN-DE-LUZ 64500 Pyr.-Atl. 85 ② **G. Pyrénées Aquitaine** – 12 921 h. – Casino: BY.

Église St-Jean-Baptiste★★ AZ **B** – **Maison de l'Infante★** AZ **D** – **Corniche basque★★** ④ – **Sémaphore de Socoa** ≤★★ **5 km par** ④.

la Nivelle 59 47 18 99, S : 1 km ; 18 de Chantaco 59 26 14 22 par ② : 2,5 km.

ice de Tourisme pl. Mar.-Foch 59 26 03 16.

792 ① – ♦Bayonne 21 ① – Biarritz 15 ① – Pau 128 ① – San-Sebastiàn 33 ③.

Plan page suivante

Chantaco M, **face golf par ② : 2 km 59 26 14 76, Télex 540016,** ≤, **parc,** « **Élégant intérieur** » – TV. AE E VISA. rest
avril-oct. – **R** 160/210, enf. 80 – 60 – **20 ch** 500/1000, 4 appartements 1150 – 1/2 p 650/800.

Gd Hôtel M, **43 bd Thiers 59 26 12 32, Télex 571487,** ≤, – rest TV – 40. AE E VISA BY **s**
fermé janv. et fév. – **R** 210/340, enf. 100 – 65 – **45 ch** 800/1100, 6 appartements 1100/1600 – 1/2 p 875/1375.

Madison sans rest, **25 bd Thiers 59 26 35 02** – TV wc. AE E VISA BY **q**
27 – **25 ch** 198/290.

Commerce M sans rest, **3 bd Cdt-Passicot 59 26 31 99, Télex 540518** – TV wc. VISA BZ **d**
36 ch 160/300.

Gd H. Poste sans rest, **83 r. Gambetta 59 26 04 53** – TV wc. AE E VISA BY **z**
25 – **34 ch** 185/300.

Plage, 33 r. Garat 59 51 03 44, ≤ – wc. E VISA. AY **v**
Pâques-15 oct. – **R** 77 – 22 – **30 ch** 165/330.

Les Goëlands, 4 av. Etcheverry 59 26 10 05, – wc wc. VISA. BY **k**
fermé 15 déc. au 31 janv. – **R** *(fermé d'oct. à mai)* (résidents seul.) 85/100 – **43 ch** 155/320 – 1/2 p 235/310.

Petit Trianon sans rest, **56 bd V.-Hugo 59 26 11 90** – wc wc. AE. BY **d**
10 janv.-10 oct. et fermé dim. hors sais. – 22 – **26 ch** 180/250.

La Fayette, 20 r. République 59 26 17 74, – wc wc – 40. AE E VISA AZ **x**
fermé 3 janv. au 10 fév. – **R** (1er étage) *(fermé lundi sauf fériés)* 75/180, enf. 40 – 25 – **18 ch** 181/240 – 1/2 p 225/245.

Prado, promenade Plage 59 51 03 71 – wc wc BY **e**
R Brasserie – **38 ch**.

Villa Bel Air, Promenade J.-Thibaut 59 26 04 86, ≤ – wc wc. VISA. rest BY **h**
15 mars-15 nov. – **R** (snack le midi) *(1er juin-30 sept.)* 75 – 25 – **23 ch** 200/299 – 1/2 p 212/250.

Agur sans rest, **96 r. Gambetta 59 26 21 55** – wc wc. AE E VISA. BY **u**
15 mars-15 nov. – 20 – **21 ch** 170/290.

Continental, 15 av. Verdun 59 26 01 23 – wc wc. AE E VISA. rest BZ **a**
hôtel : fermé 1er nov. au 15 déc.; rest. ouvert 1er juin-30 sept. – **R** (dîner seul.) (résidents seul.) 85 – 25 – **21 ch** 160/260 – 1/2 p 180/235.

Trinquet-Maïtena, r. Midi 59 26 05 13 – wc wc. E VISA BY **m**
R *(fermé 1er oct. au 31 mai)* 80 – 20 – **13 ch** 165/220 – 1/2 p 370/400.

Atherbea sans rest, **10 bd Thiers 59 26 14 14** – wc wc. E VISA BY **a**
20 mars-1er déc. – 19 – **18 ch** 119/235.

Paris sans rest, **1 bd Cdt-Passicot 59 26 00 62** – wc wc. E VISA. BZ **n**
fermé 1er janv. au 10 fév. – 20 – **29 ch** 110/200.

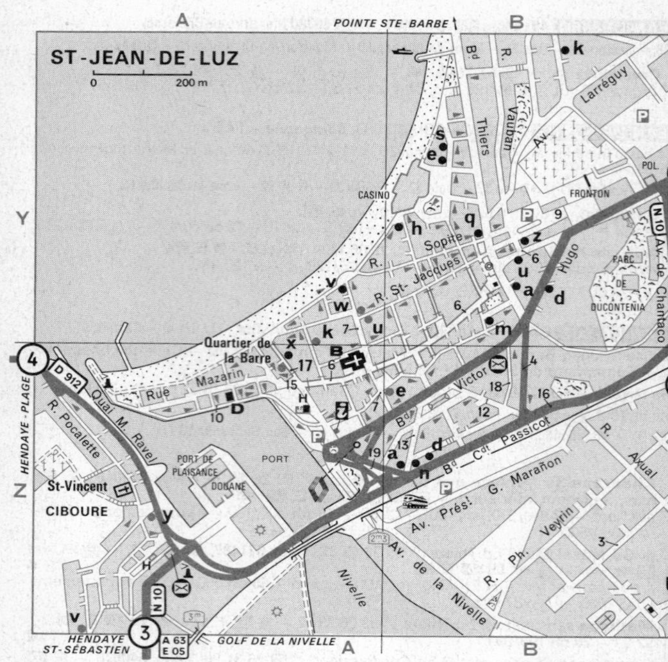

Gambetta (R.) .... ABY 6	Chauvin-Dragon (R.) .... BZ 4	Louis-XIV (Pl.) .... AZ
Garat (R.) .... AYZ 7	Grandes Allées .... BY 9	Pyrénées (Av. des) ...... BZ
Victor-Hugo (Bd) .... BYZ	Infante (Quai de l') ...... AZ 10	République (R. de la) .... AZ
	Jaurréguiberry (Av.) ..... BZ 12	Salagoity (R. de) .... BZ
Bibal (R. F.) .... BZ 3	Labrouche (Av.) .... BZ 13	Verdun (Av. de) .... AZ

XX **Léonie,** 6 r. Garat ℘ 59 26 37 10 – AE ⓓ E VISA BZ
fermé vacances de fév. et lundi sauf le soir en sais. – **R** (1er étage) 100/130.

X **Taverne Basque,** 5 r. République ℘ 59 26 01 26, 斧 – AE ⓓ E VISA AZ
fermé fév., mars, merc. soir et jeudi sauf juil.-août – **R** 70/210, enf. 50.

X **Vieille Auberge,** 22 r. Tourasse ℘ 59 26 19 61 – E VISA AY
23 mars-11 nov. et fermé mardi midi en sais., mardi soir et merc. hors sais. **R** 65/110, enf. 45.

X **Ramuntcho,** 24 r. Garat ℘ 59 26 03 89 – E VISA AY
fermé 1er déc. au 31 janv., dim. soir d'oct. à mai et lundi sauf juil.-août – **R** 70/90

X **Petit Grill Basque,** 4 r. St-Jacques ℘ 59 26 80 76 – E VISA AY
fermé 20 déc. au 20 janv. et vend. – **R** 58/95.

FORD Autos-Durruty, Zone Ind. de Layatz ℘ 59 26 45 94
RENAULT Gar. Lamerain 4 bd Victor-Hugo ℘ 59 26 04 02 et Zone ind. de Layatz, N 10 par ① ℘ 59 26 94 80

Côte Basque Pneus, Z.I. de Jalday ℘ 59 45 81

Ciboure AZ du plan – 6 205 h. – ✉ **64500** St-Jean-de-Luz.

Voir Chapelle N.-D. de Socorri : site★ 5 km par ③.

XX **Chez Dominique,** quai M.-Ravel ℘ 59 47 29 16, 斧, **produits de la mer** VISA AZ
fermé 4 au 17 avril, oct., dim. soir (sauf juil.-août) et lundi – **R** carte environ 220.

X **Chez Mattin,** 63 r. E.-Baignol ℘ 59 47 19 52 – AE E VISA. ※ AZ
fermé janv., fév. et lundi – **R** carte environ 170.

par rte de la Corniche par ④ : 3 km – ✉ **64122** Urrugne :

XX **Aub. de la Corniche,** ℘ 59 47 30 23, ≤ Pyrénées, 斧 – Ⓟ
fermé janv. et lundi – **R** 70/90.

V.A.G. Gar. de l'Avenir, Q. Marinella ℘ 59 47 26 56

-JEAN-DE-MAURIENNE 73300 Savoie 77 ⑦ **G. Alpes du Nord** – 10 086 h.

Ciborium★ et stalles★ de la cathédrale AY **E.**

ffice de Tourisme pl. Cathédrale ☎ 79 64 03 12.

609 ① – Albertville 60 ① – Chambéry 71 ① – ♦Grenoble 103 ① – Torino 134 ②.

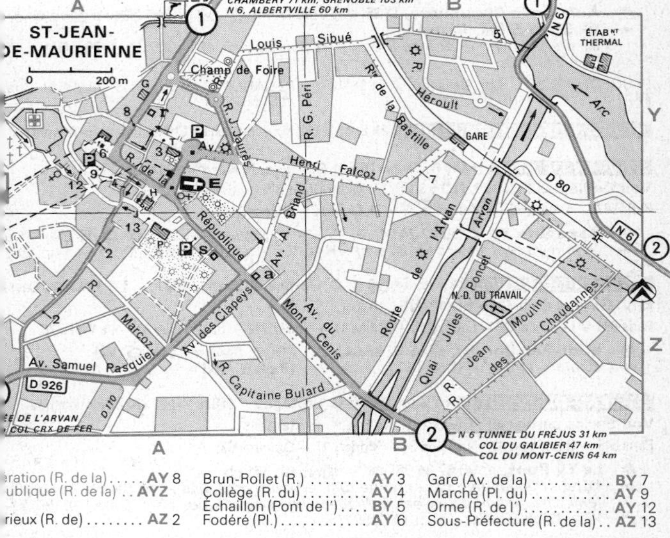

ération (R. de la) . . . . . **AY** 8	Brun-Rollet (R.) . . . . **AY** 3	Gare (Av. de la) . . . . **BY** 7
ublique (R. de la) . . **AYZ**	Collège (R. du) . . . . **AY** 4	Marché (Pl. du) . . . . **AY** 9
	Échaillon (Pont de l') . . . . **BY** 5	Orme (R. de l') . . . . **AY** 12
rieux (R. de) . . . . **AZ** 2	Fodéré (Pl.) . . . . **AY** 6	Sous-Préfecture (R. de la) . . **AZ** 13

St Georges sans rest, **334 r. République** ☎ **79 64 01 06,** – TV wc wc ☎ **P.** AE E VISA — AZ **s**
25 – **22 ch** 120/200.

Europe, 15 av. Mont-Cenis ☎ **79 64 00 21** – wc ☎ **P.** AE E VISA — AZ **a**
R 60/145 – 18 – **25 ch** 83/175 – $^1/_2$ p 160/180.

Bernard, 18 r. Libération ☎ **79 64 01 53** – wc ☎ — AY **r**
fermé nov. et lundi – **R** 60/150 – 20 – **15 ch** 90/160 – $^1/_2$ p 150/250.

A ROMEO FIAT LANCIA D.D.A., la Bastille le la Gare ☎ 79 64 00 51
ROEN Deléglise, quai Jules-Poncet ☎ 79 5 88 N
GEOT-TALBOT Alpettaz, N 6, Les Plans ② ☎ 79 64 13 88 N ☎ 79 59 60 22
AULT Duverney, N 6 à St-Julien Mont-is par ② ☎ 79 64 12 33 N ☎ 79 59 60 22

V.A.G. Maurienne Autom., 353 r. des Chaudannes, Zone Ind. Le Parquet ☎ 79 64 08 89 N ☎ 79 64 26 63
Piot-Pneu, angle pl. Champ-de-Foire ☎ 79 64 05 74
Tessaro-Pneus, les Plans ☎ 79 64 10 75

Richiedete nelle librerie il catalogo delle ***pubblicazioni Michelin***

-JEAN-DE-MONTS 85160 Vendée 67 ⑪ **G. Poitou Vendée Charentes** – 5 611 h. –
no: La Pastourelle.

ffice de Tourisme Palais des Congrès, av. Forêt ☎ 51 58 00 48, Télex 711391.

451 – Cholet 99 – ♦Nantes 76 – Noirmoutier 32 – La Roche-sur-Yon 55 – Les Sables-d'O. 47.

Tante Paulette, 32 r. Neuve ☎ **51 58 01 12,** – wc ☎. AE E VISA. ch
1er mars-début nov. – **R** 70/125, enf. 41 – 17 – **41 ch** 100/190 – $^1/_2$ p 140/200.

La Cloche d'Or , 26 av. Tilleuls ☎ **51 58 00 58** – wc wc ☎. E VISA.
25 mars-fin sept. et fermé lundi hors sais. – **R** 75/160 – **24 ch** 220 – $^1/_2$ p 180/220.

Le Richelieu M avec ch, **8 av. des Oeillets** ☎ **51 58 06 78** – TV wc ☎ **P.** AE E VISA. ch
fermé janv. et merc. sauf du 1er mai au 1er oct. – **R** 92/220 – 25 – **9 ch** 250/260 – $^1/_2$ p 270/280.

L'Espadon avec ch (annexe wc ☎), **8 av. Forêt** ☎ **51 58 03 18,** – wc ☎ **P.** E VISA
fermé janv. et fév. – **R** 55/200, enf. 50 – 22 – **50 ch** 150/180 – $^1/_2$ p 220/230.

sur D 38 (rte N.-D. de Monts) : 3 km – ✉ **85160** St-Jean-de-Monts :

✗ **La Quich'Notte,** ☎ 51 58 62 64, « Bourrine aménagée » – Ⓟ. AE E VISA
vacances de printemps-1er nov. et fermé lundi hors sais. – **R** (dîner seul. 16 sept. au 1er nov.) 54/85, enf. 29.

à Orouet SE : 7 km – ✉ **85160** St-Jean-de-Monts :

Aub. de la Chaumière, D 38 ☎ **51 58 67 44,** ⛱, ⚔ – ⇹ ⌂wc ⋔wc ☎ ♿ ◂ Ⓟ. AE ◑ E VISA. ⅌ rest
31 mars-6 avril et 29 avril-3 oct. – **R** 65/165, enf. 42 – ☕ 24 – **29 ch** 150/28 ½ p 230/300.

PEUGEOT, TALBOT Gar. Besseau, ☎ 51 58 29 47
RENAULT Gar. Vrignaud, 30 rte de Chal ☎ 51 58 26 74

ST-JEAN-DE-REBERVILLIERS 28 E.-et-L. 60 ⑦ – rattaché à Châteauneuf-en-Thymerais.

ST-JEAN-DE-SIXT 74450 H.-Savoie 74 ⑦ **G. Alpes du Nord** – 696 h. alt. 956.
Voir Défilé des Étroits★ NO : 3 km – ℹ Syndicat d'Initiative ☎ 50 02 70 14.
Paris 567 – Annecy 29 – Bonneville 23 – La Clusaz 3 – ♦Genève 48.

Beau Site ⛰, ☎ **50 02 24 04,** ←, ⛱, ⛲ – ⌂wc ⋔wc ☏ ⇔ Ⓟ. E VISA. ⅌ re
20 juin-20 sept. et 20 déc.-20 avril – **R** 55/105 – ☕ 20 – **20 ch** 120/200 – ½ p 160/1

ST-JEAN-DU-BRUEL 12 Aveyron 80 ⑮ **G. Gorges du Tarn** – 843 h. – ✉ **12230** La Cavale
Env. Gorges de la Dourbie★★ NE : 10 km.
Paris 684 – Le Caylar 26 – Lodève 45 – Millau 41 – Rodez 112 – St-Affrique 52 – Le Vigan 36.

Midi-Papillon ⛰, ☎ **65 62 26 04,** ← – ⌂wc ⋔wc ☏ ⇔ Ⓟ. VISA
20 mars-11 nov. – **R** 61/160 ♂ – ☕ 17 – **19 ch** 63/158 – ½ p 140/176.

ST-JEAN-DU-DOIGT 29 Finistère 58 ⑥ **G. Bretagne** – 656 h. – ✉ **29228** Plougasnou.
Voir Enclos paroissial : trésor ★★, église ★, fontaine ★.
Paris 545 – Guingamp 63 – Lannion 34 – Morlaix 17 – Quimper 93.

Le Ty Pont, ☎ **98 67 34 06,** ⛲ – ⋔wc ☏. ⅌ ch
hôtel : Pâques-mi oct., et fermé dim. et lundi hors sais. – **R** *(fermé 1er au 15 n janv., fév., le soir de mi-oct. à Pâques, dim. soir et lundi d'oct. à mai)* 49/180 ♂ – 18 – **37 ch** 88/170 – ½ p 137/157.

ST-JEAN-DU-GARD 30270 Gard 80 ⑰ **G. Gorges du Tarn** – 2 619 h.
Voir Musée des Vallées Cévenoles★.
Paris 732 – Alès 27 – Florac 53 – Lodève 93 – ♦Montpellier 81 – Nîmes 61 – Le Vigan 59.

L'Oronge, Gde-rue ☎ **66 85 30 34,** ⛱ – ▤ rest TV ⌂wc ⋔wc ☎ ⇔. AE ◑ VISA
1er avril-2 janv. et fermé dim. soir et lundi hors sais. – **R** 50 bc/170 – ☕ 23 – **32** 100/250 – ½ p 160/210.

Aub. du Péras Ⓜ, rte d'Anduze ☎ **66 85 35 94,** ⛱ – ⇹ ch ⌂wc ☎ Ⓟ. AE ◑
fermé janv., fév. et merc. hors sais. – **R** 55/150 ♂, enf. 23 – ☕ 19 – **10 ch** 178/20 ½ p 150/247.

✗ **Corniche des Cévennes** avec ch, **rte de Florac : 1 km** ☎ **66 85 30 38,** ←, ⛱, – ⋔wc Ⓟ. VISA
1er mars-30 nov. et fermé jeudi d'oct. à Pâques – **R** 62 bc/90 ♂, enf. 40 – ☕ 2C **16 ch** 100/150 – ½ p 162.

PEUGEOT, TALBOT Rossel, ☎ 66 85 30 32

ST-JEAN-EN-ROYANS 26190 Drôme 77 ③ **G. Alpes du Nord** – 2 945 h.
ℹ Syndicat d'Initiative Pavillon du Tourisme (fermé matin sauf juil.-août) ☎ 75 48 61 39.
Paris 587 – Die 63 – Romans-sur-Isère 27 – St-Marcellin 23 – Valence 45 – Villard-de-Lans 33.

au Col de la Machine SE : 11 km – alt. 1 010.

du Col ⛰, ☎ **75 48 26 36,** ←, ⛱ – ⋔wc ⇔ Ⓟ. E VISA
fermé 12 nov. au 15 déc. – **R** 69/125, enf. 45 – ☕ 20 – **16 ch** 96/180 – ½ p 125/1

FIAT Gar. Royannais, ☎ 75 48 66 86
PEUGEOT-TALBOT Lyonne, ☎ 75 48 60 18 N
RENAULT Usclard, ☎ 75 47 55 39 N ☎ 75 47 53 92
V.A.G. Villard, ☎ 75 48 61 02 N ☎ 75 48 62 C

ST-JEAN-LA-RIVIÈRE 06 Alpes-Mar. 84 ⑲, 195 ⑯ – ✉ **06450** Lantosque.
Voir Saut des Français ←★★ S : 5 km – Env. Madone d'Utelle ✵★★★ et retable★ l'église d'Utelle SO : 15 km, **G. Côte d'Azur.**
Paris 957 – Levens 13 – ♦Nice 41 – Puget-Théniers 44 – St-Martin-Vésubie 24.

✗ **Giletti,** ☎ **93 03 17 11,** ←, ⛱
R (déj. seul.) 65/100.

ST-JEAN-LE-BLANC 45 Loiret 64 ⑨ – rattaché à Orléans.

ST-JEAN-LE-THOMAS 50 Manche 59 ⑦ – 442 h. – ✉ 50530 Sartilly.
Paris 351 – Avranches 17 – Granville 16 – St-Lô 72 – Villedieu-les-Poêles 30.

Bains, ☎ 33 48 84 20, 🏊, 🌳 – ⇌wc ⋒wc ☎ Ⓟ. AE ⓓ E VISA. ✻ ch
20 mars-10 oct. – **R** 51/154, enf. 31 – ☕ 20 – **31 ch** 92/220 – $^1/_2$ p 140/204.

ST-JEANNET 06640 Alpes-Mar. 84 ⑨, 195 ㉕㉖ G. Côte d'Azur – 2 469 h.
Voir Site★ – ≤★.
Paris 934 – Antibes 24 – Cannes 34 – Grasse 34 – ♦Nice 27 – St-Martin-Vésubie 57 – Vence 8.

XX **Aub. St.-Jeannet** avec ch, ☎ 93 24 90 06, ≤, 🍽 – ⇌wc. AE ⓓ E VISA. ✻ ch
fermé 10 janv. au 1er mars, lundi (sauf le soir en sais.) et dim. soir – **R** 200/320, enf. 70 – ☕ 30 – **9 ch** 150/200 – $^1/_2$ p 250/280.

X **Chante Grill**, ☎ 93 24 90 63
fermé nov. et le soir du 1er oct. au 30 juin – **R** 95/130, enf. 45.

ST-JEAN-PIED-DE-PORT 64220 Pyr.-Atl. 85 ③ G. Pyrénées Aquitaine – 1 773 h.
Voir Trajet des pèlerins★.
ℹ Office de Tourisme pl. Ch.-de-Gaulle ☎ 59 37 03 57.
Paris 823 ③ – ♦Bayonne 52 ③ – Dax 86 ① – Pau 98 ① – San-Sebastiàn 97 ③.

ST-JEAN-PIED-DE-PORT

Citadelle (R. de la) 3
Espagne (R. d') 4
Gaulle (Pl. Ch.-de) 10
Eyhéraberry (Allée d') 5
Floquet (Pl.) 6
France (Porte de) 7
Lasse (Rte de) 12
Pont Neuf 13
Renaud (Av.) 14
St-Jacques (Ch. de) 15
St-Jacques (Porte) 16
St-Michel (Rte de) 18
Ste-Eulalie (Rue) 19
11-Novembre (R. du) 21

To go a long way quickly, use Michelin maps at a scale of 1 : 1 000 000.

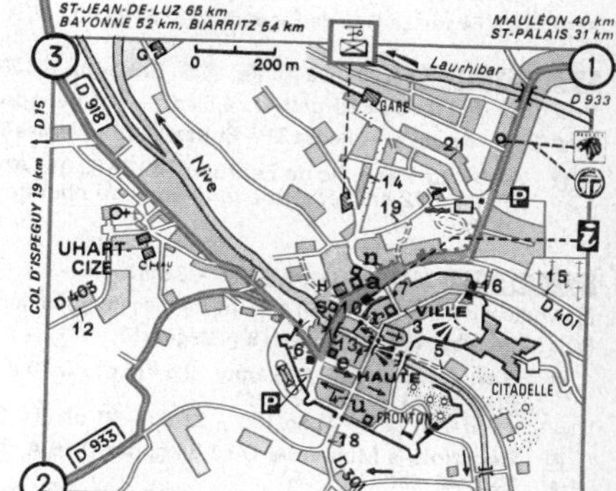

🏨 ✿✿ **Pyrénées** (Arrambide), pl. Gén.-de-Gaulle **(a)** ☎ 59 37 01 01, ≤, 🍽 – 🛗 ☎ – 🏛 30. AE E VISA. ✻
fermé 21 nov. au 20 déc., 5 au 25 janv., lundi soir de nov. à mars et mardi (sauf fériés) du 15 sept. au 30 juin – **R** (dim. et saison - prévenir) 140/320 et carte – ☕ 35 – **25 ch** 240/520 – $^1/_2$ p 320/400
Spéc. Foie gras frais de canard au naturel, Saumon frais grillé (mars à août), Pigeon rôti aux ravioli de cèpes. **Vins** Jurançon, Madiran.

Continental sans rest, 3 av. Renaud **(n)** ☎ 59 37 00 25 – 🛗 ⇌wc ⋒wc ☎ Ⓟ. AE E VISA. ✻
1er mars-30 nov. – ☕ 29 – **22 ch** 190/300.

Central, pl. Gén.-de-Gaulle **(s)** ☎ 59 37 00 22, 🍽 – ⇌wc ⋒ ☎. AE ⓓ E VISA. ✻
fermé 22 déc. au 5 fév. – **R** 75/160 – ☕ 28 – **14 ch** 160/280 – $^1/_2$ p 260/320.

Haïzpea 🐎, à Uhart-Cize 1,5 km par D 403 ☎ 59 37 05 44, ≤, parc – ⇌wc ⋒ ☎ Ⓟ. ✻
1er juin-30 sept. – **R** (½ pension seul.) **10 ch** – $^1/_2$ p 185/235.

Plaza Berri 🐎 sans rest, av. Fronton **(u)** ☎ 59 37 12 79 – ⋒wc ☎. ✻
☕ 22 – **8 ch** 124/158.

Ramuntcho, r. de France **(r)** ☎ 59 37 03 91 – ⋒. ⓓ E VISA
fermé 25 nov. au 26 déc. – **R** *(fermé merc.)* 60/75 – ☕ 20 – **17 ch** 105/150 – $^1/_2$ p 135/160.

XX **Etche Ona** avec ch, 59 37 01 14 **(e)** – ⋒ ☎. ✻ ch
fermé 11 nov. au 20 déc. et vend. sauf vacances scolaires – **R** 70/220 – ☕ 22 – **5 ch** 116/160 – $^1/_2$ p 207/224.

XX **Ipoutchaïnia** avec ch, à **Ascarat** 1,5 km par D 15 ☎ 59 37 02 34, 🍽 – ⇌wc Ⓟ. ✻
fermé 15 nov. au 15 déc. – **R** 60/160, enf. 35 – ☕ 18 – **12 ch** 130/160 – $^1/_2$ p 180/200.

à *Aincillé* par ① et D 18 : 7 km – ✉ **64220** St-Jean-Pied-de-Port :

Pecoïtz ≫, ✆ 59 37 11 88, ←, – wc wc P
1er mars-31 déc. et fermé merc. sauf du 1er juin au 31 oct. – **R** 54/150 – 17 – **16 ch** 90/160 – 1/2 p 120/140.

à *Estérençuby* S : 8 km par D 301 et VO – ✉ **64220** St-Jean-Pied-de Port :

Artzaïn-Etchéa ≫, ✆ 59 37 11 55, ← – wc wc P
fermé 2 janv. au 1er fév. (sauf rest.) – **R** *(fermé merc. hors sais.)* 50/170 – 22 – **16 ch** 110/160 – 1/2 p 150/155.

PEUGEOT, TALBOT Gar. des Pyrénées, ✆ 59 37 00 81

ST-JEAN-POUTGE 32 Gers 82 ④ – 314 h. – ✉ **32190** Vic Fezensac.

Paris 701 – Aire-sur-l'Adour 60 – Auch 22 – Condom 27 – Mont-de-Marsan 82 – Roquefort 75.

de la Baïse, ✆ 62 64 62 11 – P – 35. AE E VISA
fermé oct. et lundi – **R** 70/210 – 20 – **20 ch** 120/180.

ST-JEOIRE 74490 H.-Savoie 74 ⑦ – 1 959 h.

Paris 562 – Annecy 57 – Bonneville 17 – Chamonix 57 – ♦Genève 31 – Megève 43 – Morzine 32.

Alpes, ✆ 50 35 80 33, – wc wc P. E VISA
fermé 25 avril au 15 mai, 25 sept. au 18 nov. et lundi hors sais. sauf vacanc scolaires – **R** 48/185 – 17 – **20 ch** 85/210 – 1/2 p 145/195.

SEAT Gar. Favrat, La Tour de Fer ✆ 50 35 87 54 N ✆ 50 35 90 44

ST-JOACHIM 44720 Loire-Atl. 63 ⑮ **G. Bretagne** – 4 260 h.

Voir Tour de l'île de Fédrun★ O : 4,5 km – Promenade en chaland★★.

Paris 438 – ♦Nantes 61 – Redon 39 – St-Nazaire 15 – Vannes 63.

XX **Aub. du Parc,** Ile de Fedrun ✆ 40 88 53 01, – P. AE E VISA.
15 mars-12 nov. et fermé lundi (sauf le midi en juil.-août) et dim. soir – **R** 82/1 enf. 80.

ST-JORIOZ 74410 H.-Savoie 74 ⑥ – 3 348 h.

Syndicat d'Initiative (15 juin-15 sept., fermé matin sauf juil.-août) ✆ 50 68 61 82.

Paris 548 – Albertville 36 – Annecy 9 – Megève 51.

Bon Accueil ≫, à Epagny : 2,5 km par D 10 A ✆ 50 68 60 40, ←, , – wc P. E VISA. rest
1er mai-30 oct. – **R** 85/190 – 30 – **21 ch** 200/330 – 1/2 p 190/280.

Semnoz, à Monnetier O : 1,5 km par D 10 A ✆ 50 68 60 28, , – wc VISA. rest
1er mai-30 sept. – **R** 65/100, enf. 50 – 28 – **38 ch** 175/200 – 1/2 p 150/170.

à *La Magne* S : 7 km – ✉ **74410** St-Jorioz :

La Cochette ≫, ✆ 50 68 50 08, ←, , – P. E VISA
R 80/150, enf. 50 – 20 – **15 ch** 90/160 – 1/2 p 175/230.

ST-JULIEN 56 Morbihan 63 ⑫ – rattaché à Quiberon.

ST-JULIEN-CHAPTEUIL 43260 H.-Loire 76 ⑦ **G. Vallée du Rhône** – 1 684 h. alt. 821.

Voir Site★.

Env. Montagne du Meygal★ : Grand Testavoyre ★★ NE : 14 km puis 30 mn.

Syndicat d'Initiative à la Mairie ✆ 71 08 70 14.

Paris 548 – Lamastre 53 – Privas 105 – Le Puy 20 – St-Agrève 32 – Yssingeaux 17.

XX **Vidal,** ✆ 71 08 70 50 – E VISA
fermé 5 janv. au 20 fév., lundi soir et mardi sauf juil.-août et fériés – **R** 80/250, e 50.

PEUGEOT-TALBOT Gar. Abrial, ✆ 71 08 72 20 N

RENAULT Gar. de Chapteuil, ✆ 71 08 72 N ✆ 71 08 72 79

ST-JULIEN-DE-JORDANNE 15 Cantal 76 ② – alt. 920 – ✉ **15590** Lascelle Mandailles.

Voir Vallée de Mandailles★★, G. Auvergne.

Paris 544 – Aurillac 24 – Mauriac 54 – Murat 37.

Touristes, ✆ 71 47 94 71, ←, – P. E VISA
vacances de printemps-15 sept. et vacances de nov., de Noël et de fév. – **R** 60/1 – 15 – **18 ch** 60/120 – 1/2 p 120/130.

ST-JULIEN-D'EMPARE 12 Aveyron 79 ⑩ – rattaché à Figeac.

T-JULIEN-DU-VERDON 04 Alpes-de-H.-Pr 81 ⑱ **G. Alpes du Sud** – 67 h. alt. 914 – ✉ **04170** André-les-Alpes.

ir Clue de Vergons★ E : 2 km – Lac de Castillon★ – Route de Toutes Aures★ E.

is 793 – Castellane 14 – Digne 50 – Puget-Théniers 38.

Le Pidanoux, ✆ 92 89 05 87, ≤ – ⊟ Ⓟ. VISA
15 mars-15 nov. – **R** 60/120 – ⊡ 17 – **17 ch** 100/150.

T-JULIEN-EN-CHAMPSAUR 05 H.-Alpes 77 ⑯ – 258 h. alt. 1 140 – ✉ **05500** St-Bonnet-Champsaur.

is 657 – Gap 17 – ♦Grenoble 95 – La Mure 57 – Orcières 20.

Les Chenêts ⛰, ✆ 92 50 03 15 – ⊟wc ⋔wc ☎ 🚗. E VISA
fermé 30 sept. au 20 déc. – **R** 65/95 🍷 – ⊡ 29 – **20 ch** 150/180 – $^1/_2$ p 160/175.

T-JULIEN-EN-GENEVOIS ⟨SP⟩ **74160** H.-Savoie 74 ⑥ – 6 911 h.

Country Club de Bossey ✆ 50 43 75 25.

is 528 – Annecy 34 – Bonneville 35 – ♦Genève 9 – Nantua 55 – Thonon-les-Bains 45.

Savoie H. Ⓜ sans rest, av. L.-Armand ✆ 50 49 03 55 – |♦| TV ⊟wc ⋔wc ☎ Ⓟ. AE ⓓ E VISA
⊡ 25 – **20 ch** 170/240.

Le Soli Ⓜ ⛰ sans rest, r. Mgr. Paget ✆ 50 49 11 31 – |♦| ⊟wc ⋔wc ☎ Ⓟ. AE E VISA
fermé 23 déc. au 3 janv. – ⊡ 25 – **26 ch** 160/200.

XX ✿ **Diligence et Taverne du Postillon** (Favre), av. Genève ✆ 50 49 07 55 – ▤. AE ⓓ E VISA
fermé 5 au 25 juil., 31 déc. au 9 janv., dim. soir et lundi – **R** (brasserie) 105 à 150 🍷
Taverne (sous-sol) **R** 200/250, enf. 80
Spéc. Suprême de truite rose en court-bouillon d'écrevisses, Morilles (mars à juin), Pigeonneau en cocotte. **Vins** Crépy, Mondeuse.

XX ✿ **Abbaye de Pomier** (Mathon), S : 8 km par N 201 et VO ✆ 50 04 40 64, « Terrasse avec ≤ campagne genevoise », 🌳 – Ⓟ. ⓓ E VISA
15 mars-15 déc. et fermé merc. midi et mardi – **R** 140/290, enf. 120
Spéc. Millefeuille de champignons des bois (saison), Saumon au vinaigre d'érable, Canette aux trois manières. **Vins** Chignin, Mondeuse.

au Col du Mont-Sion S : 9,5 km – ✉ **74350** Cruseilles :

H. Rey Ⓜ, ✆ 50 44 13 29, ≤, parc, 🏊, 🎾 – |♦| TV ⊟wc ⋔wc ☎ ♿ Ⓟ. E VISA. 🚫 ch
fermé 3 au 18 nov. et 5 au 26 janv. – **R** voir rest. **Clef des Champs** ci-après – ⊡ 25 – **31 ch** 223/280 – $^1/_2$ p 242/270.

X **Clef des Champs** -Hôtel Rey- avec ch, ✆ 50 44 13 11, ≤, 🌳, parc – ⊟wc ⋔ ☎ Ⓟ. E VISA. 🚫 ch
fermé 27 oct. au 18 nov., 5 au 26 janv., vend. midi et jeudi sauf juil.-août – **R** 70/240 – ⊡ 25 – **8 ch** 180/250 – $^1/_2$ p 218/248.

EL Leclerc et Maréchal, rte d'Annecy ✆ 50 28 31
JGEOT-TALBOT Rey et Dufosset, 3 r. de la ière ✆ 50 49 28 33

RENAULT Rond-Point-Auto, rte d'Annemasse ✆ 50 49 07 35

-JULIEN-LA-VÊTRE 42 Loire 73 ⑰ – rattaché à Noirétable.

-JULIEN-SUR-CHER 41 L.-et-Ch. 64 ⑱⑲ – rattaché à Villefranche-sur-Cher.

-JUNIEN 87200 H.-Vienne 72 ⑥ **G. Berry Limousin** – 11 194 h.

r Collégiale★ BY B.

ffice de Tourisme pl. Champ-de-Foire (juin-15 sept.) ✆ 55 02 17 93.

s 412 ① – Angoulême 73 ③ – Bellac 33 ① – Confolens 27 ③ – ♦Limoges 30 ① – Ruffec 70 ③.

Plan page suivante

Relais de Comodoliac Ⓜ, 22 av. Sadi-Carnot ✆ 55 02 27 26, Télex 590336, 🌳 – TV ☎ ♿ Ⓟ – 🏛 40. AE ⓓ E VISA AY **n**
R 100/170, enf. 58 – ⊡ 28 – **28 ch** 180/265.

Concorde sans rest, 49 av. H.-Barbusse ✆ 55 02 17 08 – TV ⊟wc ⋔wc ☎ Ⓟ. AE E VISA BY **s**
fermé vacances de Noël et dim. de nov. à mars – ⊡ 20 – **26 ch** 138/230.

Boeuf Rouge, 57 bd V. Hugo ✆ 55 02 31 84 – ⊟wc ⋔wc ☎ Ⓟ. E VISA BY **d**
R *(fermé dim. sauf juin à sept.)* 62/149 🍷 – ⊡ 20 – **18 ch** 145/165 – $^1/_2$ p 210/250.

Modern'H., 44 av. P.-Vaillant-Couturier ✆ 55 02 17 82 – 🚫 rest BZ **e**
fermé 24 déc. au 14 janv., dim. soir et sam. – **R** 47/88 🍷 – ⊡ 17 – **17 ch** 80/100 – $^1/_2$ p 110.

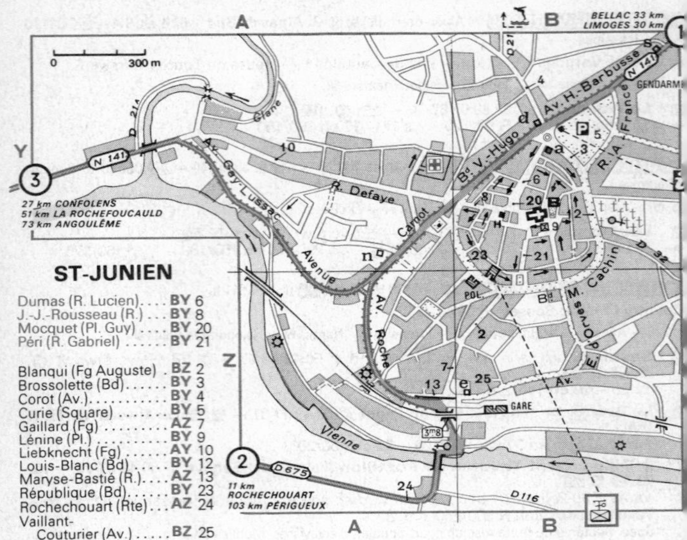

XX **Le Corot** avec ch, 46 r. L.-Dumas ✆ 55 02 17 74 – ⋔. E VISA. ✻ ch — BY
fermé fév., dim. soir et lundi – **R** 60/160 ₰ – ☐ 20 – **8 ch** 77/132 – ½ p 150/170.

<u>*au Pont à la Planche*</u> par ① et D 675 : 5 km – ✉ **87200** St-Junien :

X **Rendez-vous des Chasseurs** avec ch, ✆ **55 02 19 73** – ▤ rest ⛍ ⋔ ⓟ. E VISA
fermé 1er au 20 fév. et vend. – **R** 58/170 ₰, enf. 30 – ☐ 16 – **7 ch** 70/150 ½ p 140/180.

CITROEN Gar. Vigier, Le Pavillon par ① ✆ 55 02 31 29
PEUGEOT-TALBOT Europ Gar., 4 av. d'Oradour-sur-Glane par ① ✆ 55 02 16 28
RENAULT St-Junien-Autos, 49 av. Oradour-sur-Glane par ① ✆ 55 02 38 37 N
Pneus et C/c, 1 r. Montrozier ✆ 55 02 14 5…

ST-JUST 01 Ain 74 ③ – rattaché à Bourg-en-Bresse.

ST-JUST-EN-CHEVALET 42430 Loire 73 ⑦ – 1 798 h. alt. 654.
Paris 395 – L'Arbresle 85 – Montbrison 47 – Roanne 30 – ♦St-Étienne 80 – Thiers 29 – Vichy 51.

Poste, r. Thiers ✆ 77 65 01 42 – ⋔wc. ⓓ VISA
fermé 15 au 30 oct., 15 au 28 fév. et mardi hors sais. – **R** 55/150 ₰ – ☐ 20 – **12 ch** 80/160.

X **Londres** avec ch, pl. Rochetaillée ✆ 77 65 02 42 – ⋔. E VISA. ✻ rest
fermé 4 au 18 avril, 1er au 15 nov., vend. soir et sam. sauf juil.- août – **R** 80/200 ₰ ☐ 22 – **8 ch** 85/130 – ½ p 135/145.

PEUGEOT, TALBOT Chaux, ✆ 77 65 04 13 N
Dulac, à Juré ✆ 77 62 54 13 N

ST-JUSTIN 40 Landes 79 ⑫ – 914 h. – ✉ **40240** Labastide d'Armagnac.
Paris 695 – Aire-sur-l'Adour 36 – Auch 86 – ♦Bordeaux 116 – Marmande 71 – Mont-de-Marsan 25.

Cadet de Gascogne, ✆ 58 44 80 77, ☂ – ⋔ ⛍. ✻
R 40/100 ₰ – ☐ 13 – **10 ch** 80/130 – ½ p 130/140.

ST-LAGER 69 Rhône 74 ① – 881 h. – ✉ **69220** Belleville.
Paris 421 – Bourg-en-Bresse 47 – Charolles 66 – ♦Lyon 52 – Mâcon 32 – Villefranche-sur-S. 25.

X **Aub. St-Lager,** ✆ 74 66 16 08, ☂ – AE E VISA
fermé mardi soir et merc. – **R** 72/205, enf. 40.

ST LAMBERT 78 Yvelines 60 ⑨, 196 ㉙, 101 ㉑ **G. Environs de Paris** – 421 h. – ✉ 784…
St-Rémy-lès-Chevreuse – Paris 41 – Rambouillet 23 – Versailles 14.

XXX ✿ **Les Hauts de Port Royal** (Poirier), D 91 ✆ (1) 30 44 10 21, ☂, « jardin »
VISA
R carte 205 à 315
Spéc. Aumônières de saumon fumé aux huîtres chaudes, Rognon de veau aux framboises (jui… oct.), Ris de veau à la langouste (sept. à janv.).

T-LARY-SOULAN 65170 H.-Pyr. 85 ⑲ **G. Pyrénées Aquitaine** – 921 h. alt. 830 – Sports iver : 1 700/2 450 m 3 28.

Office de Tourisme 62 39 50 81, Télex 520360.

is 860 – Arreau 12 – Auch 103 – Luchon 44 – St-Gaudens 66 – Tarbes 69.

Motel de la Neste M, 62 39 42 79, ← – cuisinette wc . E VISA.
hôtel : 1er juin-20 sept et 18 déc.-25 avril ; rest : 15 juin-15 sept. et 18 déc.-25 avril – **R** 60/148, enf. 23 – 22 – **22 ch** 220/280 – 1/2 p 185/210.

Mir, 62 39 40 03, – wc wc .
20 mai-30 sept. et 10 déc.-15 avril – **R** 80/115 – 19 – **26 ch** 100/220 – 1/2 p 150/210.

Terrasse Fleurie, 62 39 40 26 – ch wc wc . AE
15 juin-15 sept. et 15 déc.-15 avril – **R** 68/128, enf. 26 – 20 – **28 ch** 95/190 – 1/2 p 132/210.

Pons "Le Dahu", 62 39 43 66, – wc . AE E VISA. rest
R 55/80 – 18 – **31 ch** 100/160.

à Espiaube NO : 11 km par D 123 et VO – alt. 1 600 – 65170 St-Lary :

La Sapinière, 62 98 44 04, Télex 520360, ← – wc wc . rest
1er juil.-1er sept. et 20 déc.-20 avril – **R** 50/160 – 19 – **17 ch** 140/230 – 1/2 p 170/190.

NAULT Douce et Fils, 62 39 43 52

T-LATTIER 38 Isère 77 ③ – 902 h. – 38840 St-Hilaire-du-Rosier.

is 574 – ♦Grenoble 68 – Romans-sur-Isère 14 – St-Marcellin 13.

Brun, Les Fauries, N 92 76 36 54 76, – wc wc
R 70/150 – 22 – **11 ch** 130/155 – 1/2 p 170.

XX **Lièvre Amoureux** avec ch, 76 36 50 67, Télex 308534, , « Jardin fleuri », – wc . AE E VISA
fermé janv., dim. soir et lundi de nov. à avril – **R** carte 155 à 275, enf. 50 – 40 – **14 ch** 120/280 – 1/2 p 500.

X **Aub. Viaduc,** N 92 76 36 51 65, – . VISA
fermé déc., lundi soir (hors sais.), mardi soir et merc. – **R** 95/195.

-LAURENT-DE-COGNAC 16 Charente 72 ⑪ – rattaché à Cognac.

-LAURENT-DE-LA-SALANQUE 66250 Pyr.-Or. 86 ⑳ – 4 542 h.

v. Fort de Salses** NO : 9 km, **G. Pyrénées Roussillon.**

Syndicat d'Initiative à la Mairie (15 juin-15 sept.) 65 28 31 03.

is 898 – Elne 22 – Narbonne 60 – ♦Perpignan 14 – Quillan 79 – Rivesaltes 10.

Commerce, 2 bd Révolution 68 28 02 21 – rest . VISA.
fermé 29 oct. au 15 nov., 15 au 28 fév., dim. soir et lundi (sauf rest. en juil.-août) – **R** 68/145 – 22 – **22 ch** 108/195.

Aub. du Pin, rte Perpignan 68 28 01 62, – wc . E VISA
fermé 2 janv. au 3 mars, dim. soir et lundi – **R** 55 bc/140 – 19 – **20 ch** 130/150 – 1/2 p 200/220.

ROEN Gar. Formenty, 68 28 01 08 N 68 45 96
RENAULT Gar. Tarrius 68 28 14 67
JGEOT-TALBOT Gar. Balouet, 68 28 32

-LAURENT-DE-MURE 69720 Rhône 74 ⑫ – 3 340 h.

is 479 – ♦Lyon 18 – Pont-de-Chéruy 16 – La Tour-du-Pin 38 – Vienne 31.

Le St-Laurent, 78 40 91 44, , parc – wc wc – 25. AE E VISA
fermé vend. soir, dim. soir et sam. – **R** 65/175, enf. 60 – 25 – **30 ch** 160/250.

-LAURENT-DU-PONT 38380 Isère 77 ⑤ **G. Alpes du Nord** – 4 125 h.

ir Gorges du Guiers Mort** SE : 2 km – Site* de la Chartreuse de Curière SE : 4 km.

is 543 – Chambéry 29 – ♦Grenoble 33 – La Tour-du-Pin 40 – Voiron 15.

Beauséjour, av. V.-Hugo 76 55 21 88 – . E VISA
hôtel : 30 mars-15 juin, 1er juil.-1er nov. et fermé lundi – **R** *(fermé 15 au 30 juin, nov., le soir de déc. à mars et lundi)* 70/170 – 22 – **12 ch** 130/240 – 1/2 p 160/180.

ROEN Favre, 76 55 20 24 N
RENAULT Roudet, 76 55 21 03
JGEOT-TALBOT Gar. Mérigaud 76 55 40

ST-LAURENT-DU-VAR 06700 Alpes-Mar. 84 ⑨, 195 ㉖ **G. Côte d'Azur** – 20 719 h.

Voir Corniche du Var★ N – Syndicat d'Initiative 136 bd Point du Jour ✆ 93 07 85 01.

Paris 926 – Antibes 16 – Cagnes-sur-Mer 5 – Cannes 27 – Grasse 31 – ♦Nice 9,5 – Vence 14.

Motel Delta 21 sans rest, rte Bord de mer ✆ 93 31 75 50, – cuisinette wc
25 ch.

Le Gabian sans rest, N 7 ✆ 93 31 24 95 – cuisinette wc wc ☎ Ⓟ.
fév.-oct. – 17 – **21 ch** 260/295.

ST-LAURENT-EN-GRANDVAUX 39150 Jura 70 ⑮ **G. Jura** – 1 813 h. alt. 908.

Paris 446 – Champagnole 22 – Lons-le-Saunier 46 – Morez 12 – Pontarlier 60 – St-Claude 30.

Commerce, ✆ 84 60 11 41, – wc wc . VISA
fermé 1er nov. au 20 déc., dim. soir et lundi sauf vacances scolaires – **R** 45/150 – 18 – **20 ch** 95/200 – 1/2 p 150/200.

Place (chez Maurice), ✆ 84 60 13 97 – VISA.
fermé 15 mai au 15 juin, 15 sept. au 15 oct., lundi et mardi hors sais. – **R** (déj. seu 64/105.

Gar. Bouvet, ✆ 84 60 11 78

ST-LAURENT-EN-ROYANS 26 Drôme 77 ③ – 1 347 h. – ✉ **26190** St-Jean-en-Royans.

Paris 591 – ♦Grenoble 65 – Romans-sur-Isère 27 – St-Marcellin 19 – Valence 45 – Villard-de-Lans 29.

Bérard, ✆ 75 48 61 13, ,
fermé janv., lundi soir et mardi sauf juil.-août – **R** 65/140 – 18 – **8 ch** 110 1/2 p 150.

RENAULT Garage Magnan, ✆ 75 48 65 38

ST-LAURENT-LE-MINIER 30 Gard 83 ⑥ – rattaché à Ganges.

ST-LAURENT-MÉDOC 33112 Gironde 71 ⑰ **G. Pyrénées Aquitaine** – 2 916 h.

Env. Château Mouton-Rothschild★ : musée★★ N : 10 km.

Paris 557 – Blaye (par le bac) 16 – ♦Bordeaux 43 – Lesparre-Médoc 20.

Lion d'Or avec ch, ✆ 56 59 40 21 – Ⓟ – **14 ch.**

ST-LAURENT-NOUAN 41 L.-et-Ch. 64 ⑧ **G. Châteaux de la Loire** – 3 191 h. – ✉ 412 La Ferté-St-Cyr – 18 des Bordes ✆ 54 87 72 13, à 6 km.

Paris 160 – Beaugency 9 – Blois 28 – ♦Orléans 30.

Relais des Sapins, ✆ 54 87 70 71, , – wc wc ☎ Ⓟ – 80. VISA
R 55/150 , enf. 35 – 20 – **42 ch** 200/240 – 1/2 p 255/355.

ST LAURENT-SUR-MANOIRE 24 Dordogne 75 ⑥ – rattaché à Périgueux.

ST-LAURENT-SUR-SÈVRE 85 Vendée 67 ⑤ **G. Poitou Vendée Charentes** – 4 492 h. ✉ **85290** Mortagne-sur-Sèvre.

Paris 361 – Bressuire 36 – Cholet 12 – ♦Nantes 62 – La-Roche-sur-Yon 60.

Hermitage, r. Jouvence ✆ 51 67 83 03, – wc wc ☎ Ⓟ. E VISA
R *(fermé dim.)* 68/150 – 23 – **17 ch** 180/250 – 1/2 p 225/310.

à La Trique (79 Deux-Sèvres) N : 1 km – ✉ **85290** Mortagne-sur-Sèvre :

Baumotel La Chaumière avec ch, ✆ 51 67 88 12, Télex 701758, ≤, , pa « Atmosphère originale évoquant l'époque de la Vendée Militaire », – wc ☎ Ⓟ – 30. E VISA
fermé vacances de fév. – **R** 98/250, enf. 52 – 37 – **20 ch** 254/395 – 1/2 p 250/49

ST-LÉGER 17 Char.-Mar. 71 ⑤ – rattaché à Pons.

ST-LÉGER-EN-YVELINES 78 Yvelines 60 ⑧⑨, 196 ㉗ – 973 h. – ✉ **78610** Le Perra en-Yvelines.

Paris 55 – Dreux 39 – Mantes-la-Jolie 43 – Montfort-l'Amaury 7,5 – Rambouillet 11 – Versailles 33.

Gros Billot, ✆ (1) 34 86 30 11, – wc wc ☎ – 30. E VISA. ch
fermé dim. soir et lundi – **R** carte 145 à 215 – 20 – **19 ch** 150/250 – 1/2 p 260/33

ST-LÉGER-LES-MÉLÈZES 05 H.-Alpes 77 ⑯ **G. Alpes du Nord** – 190 h. alt. 1 260 – Spo d'hiver : 1 260/2 001 m 14 – ✉ **05260** Chabottes.

Paris 668 – Gap 21 – ♦Grenoble 105.

Ecureuil, ✆ 92 50 40 49, ≤, – wc wc Ⓟ. rest
1er juil.-31 août et 20 déc.-10 avril – **R** 65/120 – 22 – **40 ch** 175/195 1/2 p 165/195.

T-LÉONARD-DE-NOBLAT 87400 H.-Vienne 72 ⑱ G. Berry Limousin – 5 318 h.

ɔir Église★ : clocher★★.

Office de Tourisme r. R.-Salengro (fermé matin hors saison) ✆ 55 56 25 06.

ɾis 406 – Aubusson 67 – Brive-la-Gaillarde 97 – Guéret 61 – ♦Limoges 21.

Gd St Léonard, rte Clermont ✆ 55 56 18 18 – wc wc. AE ◑ E VISA. rest
fermé 2 au 9 mai, 15 déc. au 15 janv. et lundi (sauf le soir en sais.) – **R** 95/210 – 28 – **14 ch** 90/180 – ½ p 208/288.

Modern, 6 bd A. Pressmann ✆ 55 56 00 25 – wc ☎. E VISA
fermé 13 au 21 oct., fév., dim. soir et lundi hors sais. – **R** 110/200, enf. 55 – 21 – **8 ch** 165/200.

à la Gare de Brignac NO : 10 km par D 941 et D 124 – ✉ **87400** St-Léonard-de-Noblat :

Beau Site, ✆ 55 56 00 56, , parc – wc wc 🅟
fermé 28 oct. au 7 nov., 7 au 22 fév., lundi midi et vend. soir du 1ᵉʳ oct. au 31 mai – **R** 55/135 – 15 – **11 ch** 75/160 – ½ p 135/210.

ΓROEN Gar. Valade, rte de Clermont ✆ 55 04 53
UGEOT-TALBOT Gar. Ducros, rte de Bujaɩf ✆ 55 56 17 17
RENAULT Balage Gar. Moulinjeune, bd A.-Pressemane ✆ 55 56 04 91

T-LÉONARD-DES-BOIS 72 Sarthe 60 ⑫ G. Normandie Cotentin – 512 h. – ✉ **72590** Georges-le-Gaultier.

ɔir Alpes Mancelles★.

Syndicat d'Initiative à la Mairie ✆ 43 97 28 10.

ɾis 212 – Alençon 20 – Fresnay-sur-Sarthe 12 – Laval 75 – ♦Le Mans 50 – Mayenne 46.

Touring H. Ⓜ , ✆ 43 97 28 03, Télex 722006, <, « Jardin au bord de la Sarthe », – TV ☎ 🅟 – 80. AE ◑ E VISA. rest
15 fév.-15 nov. – **R** *(fermé vend. soir et sam. du 15 oct. au 15 mars)* 80/180, enf. 45 – 24 – **33 ch** 195/320 – ½ p 190/250.

T-LÉOPARDIN-D'AUGY 03 Allier 69 ⑬ – 518 h. – ✉ **03160** Bourbon-l'Archambault.

ɾis 283 – Bourbon-l'Archambault 16 – Bourges 80 – Moulins 26 – Nevers 45.

Centre, ✆ 70 66 22 78 –
7 ch.

T-LIEUX-LÈS-LAVAUR 81 Tarn 82 ⑨ – rattaché à Lavaur.

T-LÔ Ⓟ 50000 Manche 54 ⑬ G. Normandie Cotentin – 24 792 h.

ɔir Haras★ B.

Office de Tourisme 2 r. Havin ✆ 33 05 02 09 – A.C.O. Hall de Publi 7, 51 r. St-Thomas 33 57 06 49.

ɾis 303 ② – ♦Caen 63 ② – Cherbourg 77 ⑦ – Fougères 96 ⑤ – Laval 135 ⑤ – ♦Rennes 131 ⑤.

Plan page suivante

Gd H. Univers, 1 av. Briovère ✆ 33 05 10 84, < – wc wc ☎ – 30 à 80. AE ◑ E VISA — A s
fermé vacances de fév., sam. midi et dim. du 3 nov. au 1ᵉʳ avril – **R** 50/130 – 18 – **24 ch** 110/190 – ½ p 150/180.

Voyageurs, 5 av. Briovère ✆ 33 05 08 63, Télex 170753, <, – TV wc wc ☎. AE ◑ E VISA — A s
fermé 15 déc. au 15 janv., lundi (sauf hôtel) et dim. soir de sept. à juin. – **R** 55/180 – 18 – **15 ch** 140/280 – ½ p 145/195.

Terminus, 3 av. Briovère ✆ 33 05 08 60, < – TV wc ☎. E VISA. ch — A s
fermé 9 déc. au 9 janv. et sam. (sauf rest.) de nov. à mars – **R** *(fermé dim.)* 49/105, enf. 28 – 19,50 – **15 ch** 101/182 – ½ p 160/175.

Armoric sans rest, 15 r. Marne ✆ 33 05 61 32 – TV wc wc ☎. E VISA — A a
15 – **20 ch** 65/170.

Régence sans rest, 18 r. St-Thomas ✆ 33 05 50 80 – TV wc wc — A u
18 – **15 ch** 75/173.

Les Remparts sans rest, 3 r. Près ✆ 33 57 08 06, – TV wc ☎. AE E VISA
18 – **14 ch** 65/150. — A n

Le Marignan avec ch, pl. Gare ✆ 33 05 15 15, <, – TV wc wc ☎ – 60. AE ◑ E VISA — A s
fermé vacances de fév. – **R** 55/190 – 22 – **18 ch** 75/215 – ½ p 150/220.

Crémaillère avec ch, pl. Préfecture ✆ 33 57 14 68 – TV wc wc ☎. E VISA
fermé 15 au 30 oct., 15 au 22 fév. et sam. du 1ᵉʳ oct. à Pâques – **R** 60/150 – 18 – **12 ch** 100/165 – ½ p 170/270. — A e

ST-LÔ

Havin (R.) . . . . **A** 13
Leclerc (R. Mar.) . . . . **B**
St-Thomas (R.) . . . . **A**
Torteron (R.) . . . . **A**

Alsace-Lorraine (R.) . . . . . **A** 2
Baltimore (R. de) . . . . **A** 3
Belle (R. du) . . . . **A** 4
Feuillet (R. Octave) . . . . . . **A** 7
Gaulle (Pl. Gén. de) . . . . . . **A** 8
Grimouville (R. de) . . . . . . **A** 9
Lattre-de-T. (R. Mar. de) . **B** 14

Neufbourg (R. du) . . . . **B** 1
Notre-Dame (Pl.) . . . . **A** 1
Noyers (R. des) . . . . **A** 1
Platanes (Av. des) . . . . **B** 2
Poterne (R. de la) . . . . **A** 2
Ste-Croix (Pl., ⊟) . . . . **B** 2
80e et 136e (R. des) . . . . . . **A** 2

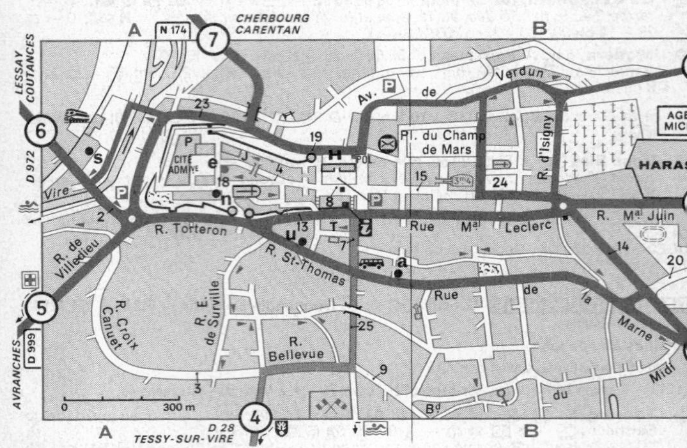

MICHELIN, Agence, Z.I., r. L.-Jouhaux par ② ✆ **33 57 91 97**

ALFA ROMEO Manche Alfa rte de Coutances à Agneaux ✆ 33 05 19 34
AUSTIN-ROVER Gar. Tocze, 834 av. de Paris ✆ 33 57 13 92
BMW Deléhelle, ZA la Chevalerie ✆ 33 05 15 55
CITROEN DI.CO.MA., ZA de la Chevalerie par ④ ✆ 33 57 48 30
DATSUN Gar. Dessoude, 29 rte de Coutances à Agneaux ✆ 33 05 30 52
FORD Manche Auto Services, 700 av. de Paris ✆ 33 05 39 39
LANCIA AUTOBIANCHI Elisabeth, 52 rte de Coutances à Agneaux ✆ 33 05 30 28

MAZDA-INNOCENTI Gar. de Norman Promenade des Alluvions ✆ 33 05 13 20
MERCEDES-BENZ, TOYOTA Gar. Margue rte de Torigni ✆ 33 57 00 10
PEUGEOT-TALBOT Éts Duval, av. de Paris ② ✆ 33 57 04 50
Gar. Marie, 164 rte de Tessy ✆ 33 57 12 98

Ⓜ La Chevalerie Pneus, r. Jules Vallés ZI d Chevalerie ✆ 33 57 43 44
Ledoyen Pneus, 559 av. de Paris ✆ 33 57 73
Schmitt-pneus, 290 av. de Paris ✆ 33 57 40

ST-LOUIS **68300** H.-Rhin **66** ⑩ – **18 753 h.**

Paris 549 – Altkirch 28 – ✦Bâle 5 – Belfort 62 – Colmar 66 – Ferrette 24 – ✦Mulhouse 31.

🏨 **Pfiffer** sans rest, 77 r. Mulhouse ✆ **89 69 74 44** – |≑| ⇔wc ⋒wc ☎ 🚗 **P**. **E** V
fermé 11 au 25 juil. et 23 déc. au 14 janv. – ☕ 25 – **36 ch** 130/300.

✕ **A la Ville de Mulhouse,** 105 r. Mulhouse ✆ **89 69 17 77** – **VISA**
fermé juil., 22 déc. au 1er janv., mardi et merc. – **R** 57/104 🍷.

à Huningue E : 2 km par D 469 – 6 679 h. – ✉ **68330** Huningue :

🏨 **Tivoli,** 15 av. Bâle ✆ **89 69 73 05** – |≑| TV ⇔wc ⋒wc ☎ **P**. **E** **VISA**
fermé août et Noël à Nouvel An – **R** *(fermé dim. soir et lundi)* 120/280 – ☕ 3
40 ch 200/290 – 1/2 p 250/300.

à Village-Neuf NE : 3 km par N 66 et D 21 – ✉ **68300** St-Louis :

✕✕ **Mayer,** 2 r. St-Louis ✆ **89 67 11 15** – **P**. **E** **VISA**
fermé 25 juil. au 15 août, 22 déc. au 3 janv. et lundi de juil. à mars – **R** 150/280 🍷.

à Hésingue O : 4 km par D 419 – ✉ **68220** Hegenheim :

✕✕ **Au Boeuf Noir** avec ch, ✆ **89 69 76 40** – **P**. **E** **VISA**
fermé 1er au 23 août, 22 fév. au 1er mars, sam. midi, dim. soir et lundi – **R** 135/30
☕ 19 – **7 ch** 125/135.

à l'Aéroport de Bâle-Mulhouse NO : 5 km par N 66 et D 12 ✕✕ voir à Bâle

CITROEN Flury, 11 r. du Rhône ✆ 89 69 13 02
FORD Sax-Autom., 10 r. des Prés ✆ 89 67 47 94
OPEL-GM, TOYOTA Gar. Feldbauer, 20 r. des Prés ✆ 89 69 22 26
PEUGEOT, TALBOT Gar. Ledy, pl. de l'Europe ✆ 89 69 80 35 **N**

RENAULT Gar. Bader, 81 av. du Gén.-Gaulle ✆ 89 69 00 15

Ⓜ Pneus et Services D. K, 65 av. du Gén.-Gaulle ✆ 89 69 81 08

T-LOUIS-DE-MONTFERRAND 33 Gironde 71 ⑧ – 1 340 h. – ✉ 33440 Ambares et Lagrave.
is 571 – Blaye 45 – ♦ Bordeaux 14 – Libourne 36 – St-André-de-Cubzac 17.

X **Relais du Marais** avec ch, ✆ 56 77 41 19 – P. AE VISA.
fermé 16 juil. au 15 août, 24 déc. au 2 janv., sam. soir et dim. – **R** 90 bc/125 – 15 – **5 ch** 100/135 – ½ p 165/200.

T-LOUP 03 Allier 69 ⑭ – rattaché à Varennes-sur-Allier.

T-LOUP-SUR-SEMOUSE 70800 H.-Saône 66 ⑥ – 4 908 h.
is 358 – Bourbonne-les-Bains 48 – Épinal 50 – Gray 81 – Remiremont 32 – Vesoul 33 – Vittel 59.

Trianon, pl. J.-Jaurès ✆ 84 49 00 45 – wc wc. E VISA. rest
fermé fév. – **R** *(fermé vend. soir et sam. midi hors sais.)* 45/160, enf. 35 – 16,50 – **10 ch** 120/160 – ½ p 125/150.

RD Gar. Dormoy, ✆ 84 49 02 46

T-LYPHARD 44 Loire-Atl. 63 ⑭ G. Bretagne – 2 364 h. – ✉ 44410 Herbignac.
ir Clocher de l'église ✶★★.
is 436 – La Baule 17 – ♦Nantes 71 – Redon 40 – St-Nazaire 21.

X **Le Nezil,** SO : 3 km par D 47 ✆ 40 91 41 41, – P. E VISA
fermé 1er au 15 oct., 1er au 15 mars, mardi soir (hors sais.) et merc. – **R** 100/180.

-MACAIRE-EN-MAUGES 49450 M.-et-L. 67 ⑤ – 5 415 h.
is 356 – Ancenis 39 – Angers 61 – Cholet 12 – ♦Nantes 47.

La Gâtine, ✆ 41 55 30 23 – wc.
fermé 14 juil. au 15 août – **R** *(fermé dim. soir et lundi)* 57/190 – 20 – **15 ch** 78/165.

-MACLOU 27 Eure 55 ④ – 416 h. – ✉ 27210 Beuzeville.
s 177 – Bolbec 29 – Évreux 78 – ♦Le Havre 44 – Honfleur 15 – Pont-Audemer 9.

X **La Crémaillère** avec ch, ✆ 32 41 17 75 – E VISA
fermé 26 sept. au 9 oct., 14 au 21 nov., merc. soir et jeudi – **R** 50/95 – 16 – **7 ch** 90/120 – ½ p 150/170.

-MAIME 04 Alpes-de-H.-Pr 81 ⑮ – rattaché à Manosque.

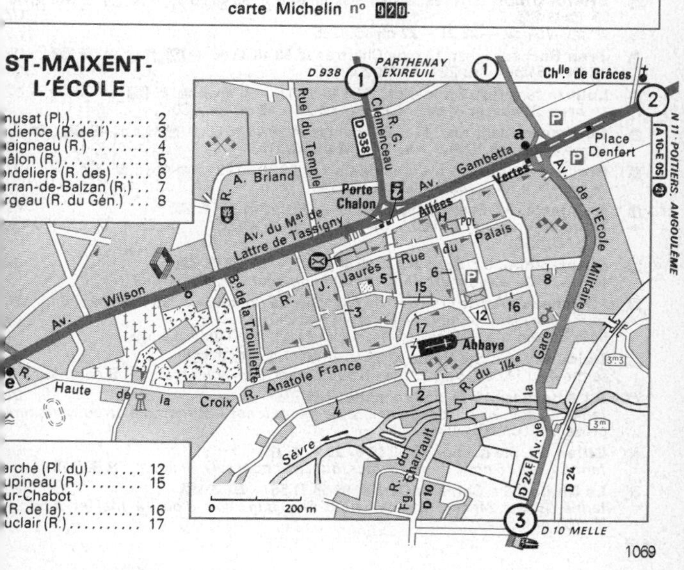

ST-MAIXENT-L'ÉCOLE 79400 Deux-Sèvres 68 ⑫ G. Poitou Vendée Charentes – 9 358 h.

Voir Église abbatiale★ – du Petit Chêne ✆ 49 63 28 33, par ⑤ D 6 : 20 km.

Office de Tourisme Porte Châlon ✆ 49 05 54 05.

Paris 382 ② – Angoulême 100 ② – Niort 24 ④ – Parthenay 29 ① – Poitiers 50 ②.

Plan page précédente

Cheval Blanc, 8 av. Gambetta **(a)** ✆ 49 05 50 06, – wc wc ☎ – 80. E VISA
R 65/120, enf. 45 – 20 – **38 ch** 170/220 – 1/2 p 235/255.

Lika M, rte de Niort **(e)** ✆ 49 05 63 64, – wc ☎ – 40. E VISA
R 54/75, enf. 22 – 25 – **20 ch** 190 – 1/2 p 230.

à Soudan E : 7,5 km par ② – ✉ **79800** La Mothe-St-Héray :

l'Orangerie, ✆ 49 76 08 05, – wc . AE E VISA.
fermé janv. et dim. d'oct. à Pâques – **R** 70/150 – 18 – **10 ch** 80/190.

PEUGEOT Brochet, 87 av. G.-Clemenceau par ① ✆ 49 76 13 42
RENAULT Gar. Mouzin, 13 av. Wilson ✆ 49 05 50 72
Moinet Pneus, 12 av. de Blossac ✆ 49 05 22

ST-MALO 35400 I.-et-V. 59 ⑥ G. Bretagne – 47 324 h. – Casino: AXY.

Voir Site★★★ – Remparts★★★ DZ **– Château★★** DZ **: musée de la ville★ M , Tourelles guet ★★, Quic-en-Groigne★** DZ **E – Fort national★ : ≤★★ 15 mn** AX **– Vitraux★ de cathédrale St-Vincent** DZ **– Usine marémotrice de la Rance : digue ≤★ S : 4 km.**

de Dinard-Pleurtuit-St-Malo : T.A.T. ✆ 99 46 15 76 par ③ : 8 km.

Office de Tourisme Esplanade St-Vincent ✆ 99 56 64 48.

Paris 415 ③ – Alençon 178 ③ – Avranches 65 ③ – Dinan 29 ③ – ♦Rennes 69 ③ – St-Brieuc 86 ③

Plans pages suivantes

Intra muros :

Central, 6 Gde-Rue ✆ 99 40 87 70 – ☎ – 25. AE E VISA DZ
R *(fermé janv.)* 90/130, enf. 60 – 32 – **46 ch** 250/450 – 1/2 p 300/400.

Elizabeth M sans rest, 2 r. Cordiers ✆ 99 56 24 98 – wc wc ☎. AE E VISA DZ
32 – **17 ch** 275/386.

Ajoncs d'Or sans rest, 10 r. Forgeurs ✆ 99 40 85 03 – wc wc ☎. AE VISA. DZ
fermé 14 nov. au 14 déc. – 30 – **23 ch** 300/375.

Quic en Groigne M sans rest, 8 r. d'Estrées ✆ 99 40 86 81 – wc wc . AE E VISA DZ
fermé 15 janv. au 15 fév. – 23 – **15 ch** 180/260.

Bristol Union sans rest, 4 pl. Poissonnerie ✆ 99 40 83 36 – wc wc AE E VISA DZ
1er fév.-15 nov. – 21 – **27 ch** 160/255.

Jean Bart sans rest, 12 r. de Chartres ✆ 99 40 33 88 – wc ☎. E VISA DZ
15 fév.-15 nov. – 22 – **17 ch** 200/250.

Louvre sans rest, 2 r. Marins ✆ 99 40 86 62 – wc ☎. E VISA DZ
1er mars-20 nov. et 24 déc.-4 janv. – 22 – **45 ch** 150/230.

Commerce sans rest, 11 r. St-Thomas ✆ 99 40 85 56 – wc . E VISA.
fermé 4 janv. au 10 fév. – 19 – **42 ch** 90/210. DZ

Brochet sans rest, 1 r. Corne de Cerf ✆ 99 56 30 00 – wc ☎. VISA. DZ
15 mai-1er nov. – 25 – **22 ch** 150/240.

Noguette, 9 r. Fosse ✆ 99 40 83 57 – wc . E VISA DZ
fermé 10 nov. au 16 déc. – **R** *(fermé lundi)* 46/220 – 22 – **12 ch** 150/250
1/2 p 180/220.

L'Astrolabe, 8 r. Cordiers ✆ 99 40 36 82 – AE E VISA DZ
fermé 15 fév. au 15 mars et mardi sauf juil.-août – **R** 90/170.

Duchesse Anne (Thirouard), 5 pl. Guy La Chambre ✆ 99 40 85 33, –
fermé déc., janv. et merc. – **R** carte 155 à 240 DZ
Spéc. Homard grillé, Foie gras de canard, (oct. à mai), Tarte Tatin (oct. à mai).

Delaunay, 6 r. Ste Barbe ✆ 99 40 92 46 – AE E VISA DZ
fermé 4 au 11 oct., 8 au 22 nov., 8 au 22 mars, dim. soir et lundi – **R** carte 150 à 2

A l'Abordage, 5 pl. Poissonnerie – E VISA DZ
fermé 15 nov. au 15 déc., vacances de fév. et lundi – **R** (nombre de couverts limi prévenir) 100/160, enf. 40.

Gilles, 2 r. Pie qui boit ✆ 99 40 97 25 – E VISA DZ
fermé 12 au 15 nov., 1er au 15 mars, dim. soir hors sais. et jeudi – **R** 80/115.

Le Chalut, 8 r. Corne de Cerf ✆ 99 56 71 58 – AE E VISA DZ
fermé 10 au 24 oct., 9 janv. au 6 fév., dim. soir d'oct. à mai et lundi – 85/160, enf. 55.

St-Malo Est et Paramé – ✉ **35400** St-Malo :

✿ **Thermes et rest Cap Horn** M, aux Thermes marins, 100 bd Hébert ☎ 99 56 02 56, Télex 740184, ≤, – rest – 25. AE E VISA. rest BX **n**
fermé janv. – **R** 90/200 – 30 – **92 ch** 205/590, 6 appartements 655 – 1/2 p 405/610.

Mercure M sans rest, 2 chaussée du Sillon ☎ 99 56 84 84, Télex 740583, ≤ – – 50. AE E VISA AY **d**
30 33 – **70 ch** 300/410.

La Villefromoy M sans rest, 7 bd Hébert ☎ 99 40 92 20, – wc . AE E VISA CX **s**
fermé 13 nov. au 16 déc. et 2 janv. au 16 mars – 40 – **25 ch** 300/445.

Alexandra M sans rest, 138 bd Hébert ☎ 99 56 11 12, ≤ – wc wc . AE E VISA BX **h**
28 – **15 ch** 270/400.

Marmotte M sans rest, 76 chaussée Sillon ☎ 99 40 36 36, Télex 741560 – wc – 60. AE E VISA BX **d**
27 – **88 ch** 210/335.

Du-Guesclin M sans rest, 1 pl. Du-Guesclin ☎ 99 56 01 30 – wc wc . AE E VISA BY **r**
33 – **22 ch** 280/340.

Gd H. Courtoisville, 69 bd Hébert ☎ 99 40 83 83, – wc wc . E VISA. BX **a**
fin mars-15 nov. – **R** 88/93 – 29 – **53 ch** 250/420 – 1/2 p 210/290.

Digue sans rest, 49 chaussée du Sillon ☎ 99 56 09 26, Télex 730736, ≤ – wc . AE E VISA. BX **r**
1er avril-6 oct. – 29 – **49 ch** 220/340.

Logis de Brocéliande sans rest, 43 chaussée du Sillon ☎ 99 56 86 60, ≤ – wc wc . E VISA. BX **v**
fermé dim. de nov. à fév. – 27 – **9 ch** 190/310.

Alba sans rest, 17 r. Dunes ☎ 99 40 37 18, ≤ – wc wc . E VISA. BX **w**
1er fév.-15 nov. – 22 – **22 ch** 160/270.

Chateaubriand sans rest, 8 bd Hébert ☎ 99 56 01 19, ≤ – wc wc . E VISA. CX **d**
fermé 15 nov. au 20 déc. et 5 janv. au 10 fév. – 21 – **23 ch** 125/300.

Rochebonne, 15 bd Chateaubriand ☎ 99 56 01 72 – wc wc . E VISA
fermé 15 janv. au 15 fév. et lundi du 20 sept. au 1er mai – **R** 70/155 – 20 – **39 ch** 160/248 – 1/2 p 180/250. CX **t**

Ambassadeurs sans rest, 11 chaussée du Sillon ☎ 99 40 26 26, ≤ – wc wc . VISA BX **f**
fermé 15 nov. au 15 déc. et 15 janv. au 15 fév. – 23 – **19 ch** 170/250.

Jersey sans rest, 53 chaussée du Sillon ☎ 99 56 10 41, ≤ – wc wc . E VISA. BX **k**
fermé 15 au 30 nov. et janv. – 22 – **19 ch** 145/295.

Eden sans rest, 1 r. Étang ☎ 99 40 23 48 – wc wc . E VISA CX **b**
15 mars-15 nov. – 20 – **24 ch** 145/210.

Le Manoir, 102 bd Hébert ☎ 99 56 11 08 – wc wc . E VISA. BX **e**
début mars-mi nov. – **R** 53/95 – 19 – **17 ch** 90/230.

Courlis sans rest, 9 r. Bains ☎ 99 56 00 15 – wc CX **z**
15 mars-15 oct. – 20 – **12 ch** 100/170.

St-Malo Sud et St-Servan-sur-Mer – ✉ **35400** St-Malo.

Voir Corniche d'Aleth ≤★★ AZ – Parc des Corbières ≤★ AZ – Belvédère du Rosais ★ AZB **B** – Tour Solidor★ AZ : musée du Cap Hornier★, ≤ ★.

Valmarin M sans rest, 7 r. Jean-XXIII ☎ 99 81 94 76, « Élégante malouinière du 18e s., parc » – . AE VISA AZ **n**
fermé janv. et fév. – 30 – **10 ch** 320/420.

La Korrigane M sans rest, 39 r. Le Pomellec ☎ 99 81 65 85, « Demeure ancienne au confort raffiné », – . AE E VISA BZ **b**
mars-nov. – 30 – **10 ch** 450.

Inter-Hôtel M, 138 bd Talards ☎ 99 82 05 10, Télex 741583 – wc wc – 30. AE E VISA. rest BZ **e**
15 mars-30 nov. – **R** (dîner seul.) 75/140 – 25 – **60 ch** 218/284 – 1/2 p 263/383.

Ibis M, Centre Com. La Madeleine S : 3 km par av. Gén. de Gaulle CZ ☎ 99 82 10 10, Télex 730626 – wc – 60. E VISA
R carte 75 à 120, enf. 39 – 27 – **73 ch** 225/265 – 1/2 p 212/284.

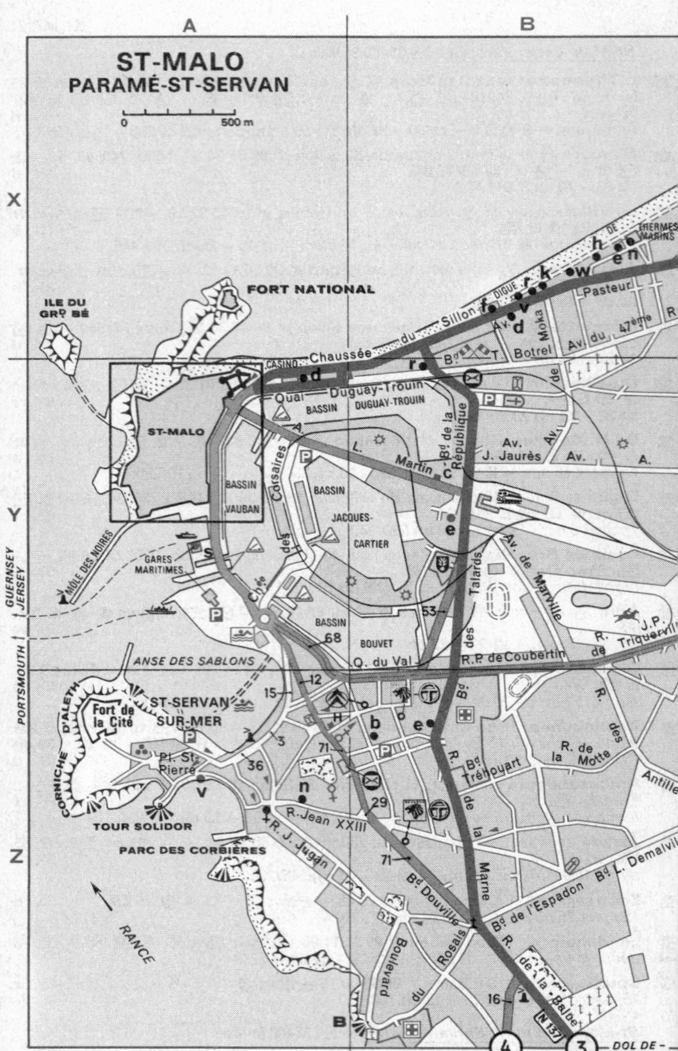

XXX **Métairie de Beauregard,** par ③ et rte de Château Malo ✆ 99 81 37 06, 🚗 Ⓟ. AE ⓓ VISA
15 juin-31 août – **R** carte 170 à 290.

XX **Les Écluses,** gare maritime de la Bourse ✆ 99 56 81 00, ← – Ⓟ. E VISA — AY
fermé 15 nov. au 20 fév., dim. soir et lundi – **R** 70/150.

XX **Aub. Hermine** avec ch, 4 pl. Hermine ✆ 99 56 31 32 – TV ⛀wc ⛆wc ☎. AE
E VISA. ✻ ch — BY
R *(fermé 25 déc. au 5 janv. et dim. sauf fériés)* 95/190 – ☕ 23 – **13 ch** 115/240
½ p 225/323.

XX **L'Atre,** 7 esplanade Cdt Menguy (Port Solidor) ✆ 99 81 68 39, ← –
✻ — AZ
fermé mi-déc. à mi-janv., mardi soir hors sais. et merc. – **R** 58/160.

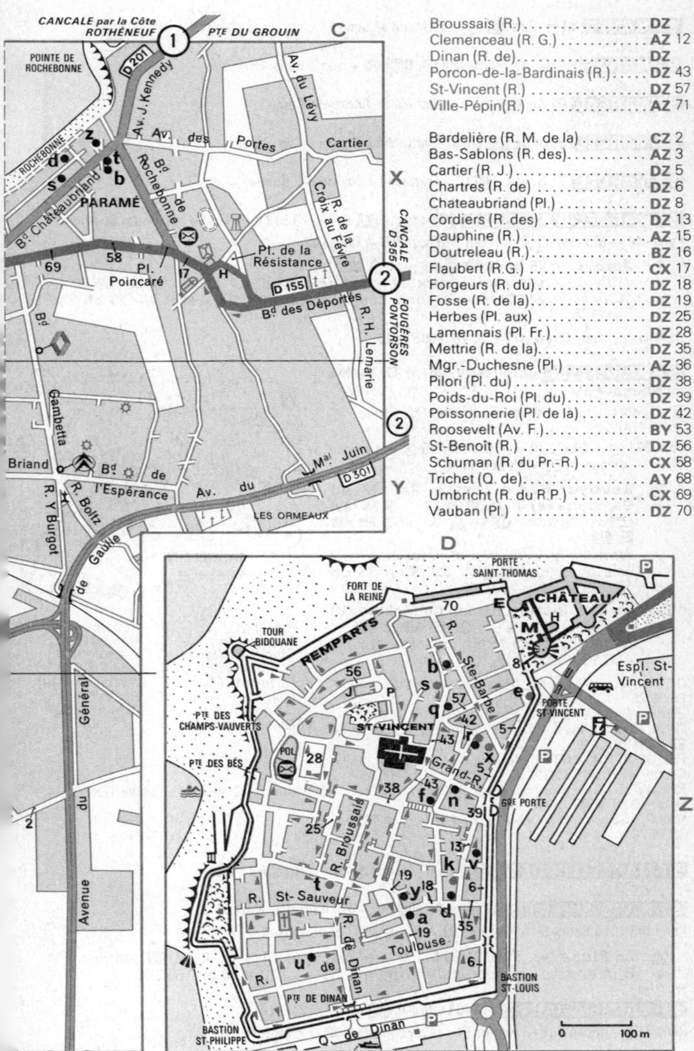

Broussais (R.) . . . . **DZ**
Clemenceau (R. G.) . . . . **AZ** 12
Dinan (R. de) . . . . **DZ**
Porcon-de-la-Bardinais (R.) . . . . . **DZ** 43
St-Vincent (R.) . . . . **DZ** 57
Ville-Pépin (R.) . . . . **AZ** 71

Bardelière (R. M. de la) . . . . **CZ** 2
Bas-Sablons (R. des) . . . . **AZ** 3
Cartier (R. J.) . . . . **DZ** 5
Chartres (R. de) . . . . **DZ** 6
Chateaubriand (Pl.) . . . . **DZ** 8
Cordiers (R. des) . . . . **DZ** 13
Dauphine (R.) . . . . **AZ** 15
Doutreleau (R.) . . . . **BZ** 16
Flaubert (R.G.) . . . . **CX** 17
Forgeurs (R. du) . . . . **DZ** 18
Fosse (R. de la) . . . . **DZ** 19
Herbes (Pl. aux) . . . . **DZ** 25
Lamennais (Pl. Fr.) . . . . **DZ** 28
Mettrie (R. de la) . . . . **DZ** 35
Mgr.-Duchesne (Pl.) . . . . **AZ** 36
Pilori (Pl. du) . . . . **DZ** 38
Poids-du-Roi (Pl. du) . . . . **DZ** 39
Poissonnerie (Pl. de la) . . . . **DZ** 42
Roosevelt (Av. F.) . . . . **BY** 53
St-Benoît (R.) . . . . **DZ** 56
Schuman (R. du Pr.-R.) . . . . **CX** 58
Trichet (Q. de) . . . . **AY** 68
Umbricht (R. du R.P.) . . . . **CX** 69
Vauban (Pl.) . . . . **DZ** 70

CITROEN Gar. Côte d'Émeraude, 131 bd Gambetta ✆ 99 81 66 69 **N** ✆ 99 82 08 97
CITROEN Gar. de l'Hôtel de Ville, 25 r. Georges V ✆ 99 81 62 13
FIAT, LANCIA-AUTOBIANCHI Gar. Leborgne, 77 bd des Talards ✆ 99 56 39 47
FORD Carrosserie Malouine, 35-67 av. du Gal de Gaulle ✆ 99 81 92 15
NISSAN Gar. de la Rance 12 bd de la Rance ✆ 99 81 89 83
OPEL GM US St Malo Auto Sce, 63 av. du Gal de Gaulle ✆ 99 82 66 66
PEUGEOT TALBOT Gar. de l'Arrivée, 81 r. Ville Pépin ✆ 99 81 20 85

PEUGEOT-TALBOT Dutan, Z.A.C. La Madeleine, N 137 par ③ ✆ 99 81 95 68
PEUGEOT-TALBOT Goibert 3 r. E. Brouard ✆ 99 81 60 77
RENAULT Gar. Malouins, 61 bd Gambetta ✆ 99 56 11 02
V.A.G. Gar. du Gd St-Malo, ZAC la Grassinais r. Gal de Gaulle ✆ 99 81 58 60
VOLVO-SEAT Gar. Surcouf Centre Comm. La Découverte, av. Gén. de Gaulle ✆ 99 81 61 74

Ⓜ Service Pneus, 16 r. de la Marne ✆ 99 81 20 93
Vallée-Pneu, 49 quai Duguay-Trouin ✆ 99 56 74 74

ST-MAMET 31 H.-Gar. 85 ⑳ – rattaché à Luchon.

ST-MANDÉ 94 Val-de-Marne 56 ⑪, 101 ㉖ – voir à Paris, Environs.

ST-MARCEL 01 Ain 74 ② – rattaché à St-André-de-Corcy.

ST-MARCEL 36 Indre 68 ⑰⑱ – rattaché à Argenton-sur-Creuse.

ST-MARCEL 71 S.-et-L. 69 ⑨ – rattaché à Chalon-sur-Saône.

ST-MARCEL-D'ARDÈCHE 07 Ardèche 80 ⑨⑩ – 1 519 h. – ✉ 07700 Bourg St-Andéol.

Paris 640 – Montélimar 41 – Pont-St-Esprit 9,5 – Privas 68.

Jardin, ✆ 75 04 66 10 – rest. E
hôtel ouvert 1er avril-30 sept. et fermé lundi sauf juil.-août – **R** *(fermé 30 sept. au 30 oct., 1er au 20 mars et lundi sauf juil.-août)* 55/120 – 15 – **20 ch** 95/110 – 1/2 p 115.

RENAULT Gar. Chalvesche, ✆ 75 04 65 54 N

ST-MARCELLIN 38160 Isère 77 ③ **G. Vallée du Rhône** – 6 935 h.

Syndicat d'Initiative à l'Hôtel de Ville ✆ 76 38 41 61.

Paris 563 ① – Die 72 ③ – ♦Grenoble 55 ② – Valence 44 ④ – Vienne 75 ① – Voiron 36 ②.

Savoyet-Serve (annexe M), 16 bd Gambetta **(a)** ✆ 76 38 04 17 – rest wc wc – 35 à 50. AE E VISA
fermé janv., dim. soir et lundi midi hors sais. – **R** 62/180 – 25 – **76 ch** 100/300 – 1/2 p 200/280.

La Tivollière, Château du Mollard **(b)** ✆ 76 38 21 17, – P. AE E VISA
fermé 15 janv. au 15 fév., dim. soir et lundi – **R** 130/300.

CITROEN Gar. Costaz, 16 avenue des Alpes ✆ 76 38 09 25
FORD Giraud, 4 rte de Romans ✆ 76 38 07 06
OPEL Lascoumes, 27 av. Provence ✆ 76 38 12 34 N ✆ 76 38 33 48
PEUGEOT-TALBOT Cuzin, rte de Chatte par av. Dr Carrier ✆ 76 38 25 90
RENAULT Gar. Francoz, ZA à St-Sauveur par ② ✆ 76 38 39 88
V.A.G. Gar. Jourdan, 4 bis av. de Romans ✆ 76 38 14 74

Baillet (R. J.) 2
Beauvoir (R.) 3
Brenier-de-Montmorand (R.) ... 4
Champ de Mars .. 5
Durivail (R. A.) ... 6
Gambetta (Bd) ... 7
Gare (Av. de la) .. 8
Provence (Av.) .. 9
Riondel (Bd) 12
St-Laurent (R.) .. 13
Stendhal (Bd B.) 14
Vercors (Av. du) 16
Vinay (Fg de) ... 17
19 Mars 1962 (R. du) 19

Mouren, 19 av. Provence ✆ 76 38 01 14

ST-MARCELLIN-DE-VARS 05 H.-Alpes 77 ⑱ – rattaché à Vars.

ST-MARC-SUR-MER 44 Loire-Atl. 63 ⑭ – ✉ 44600 St-Nazaire.

Paris 446 – La Baule 12 – ♦Nantes 69 – Pornic 36 – St-Nazaire 8.

La Plage ✆ 40 91 99 01, ← – wc – 40. E VISA. rest
R *(fermé dim. soir et lundi)* 55/180, enf. 55 – 20 – **33 ch** 165/205.

ST-MARS-LA-JAILLE 44540 Loire-Atl. 63 ⑱

Paris 328 – Ancenis 18 – Angers 51 – Chateaubriant 29 – ♦Nantes 51.

Relais St-Mars, 1 r. Industrie ✆ 40 97 00 13 – AE E VISA
fermé août, vacances de fév., dim. soir et lundi – **R** 95/280, enf. 60.

ST-MARTIN-AUX-CHARTRAINS 14 Calvados 55 ③ – rattaché à Pont-l'Évêque.

ST-MARTIN-BELLEVUE 74 H.-Savoie 74 ⑥ – rattaché à Annecy.

ST-MARTIN-D'AUXIGNY 18110 Cher 65 ⑪ – 1 705 h.

Paris 229 – Bonny-sur-Loire 60 – Bourges 15 – Gien 61 – ♦Orléans 97 – Salbris 41 – Vierzon 34.

St-Georges, à la Pipière D 940 ✆ 48 64 50 14 – wc – 30. VISA
fermé 19 au 26 juil., fév. et dim. soir du 15 nov. au 15 mars – **R** 66/142 – 25 **10 ch** 95/230.

CITROEN Pinet, ✆ 48 64 50 21
RENAULT Fachaux, ✆ 48 64 50 26

T-MARTIN-DE-BELLEVILLE 73440 Savoie 74 ⑰ G. Alpes du Nord – 1 842 h. alt. 1 450 – ›orts d'hiver : 1 450/2 703 m ⛷6 – Paris 629 – Chambéry 92 – Moûtiers 19.

XX **La Bouitte,** à St-Marcel SE : 2 km ✆ 79 00 66 27, ☂ – Ⓟ. AE ⓓ E VISA
8 juil.-7 sept., 11 déc.-30 avril et fermé mardi en été – **R** 125/210, enf. 55.

ar. des Chapelles, ✆ 79 00 61 48

T-MARTIN-DE-CASTILLON 84 Vaucluse 81 ⑭ – rattaché à Apt.

T-MARTIN-DE-CRAU 13310 B.-du-R. 83 ⑩ – 10 155 h.
ris 726 – Arles 17 – ♦Marseille 79 – Martigues 40 – St-Rémy-de-Pr. 23 – Salon-de-Pr. 24.

Aub. des Épis, ✆ 90 47 31 17, ☂ – ⌂wc ⋒ ☎ Ⓟ. AE ⓓ E VISA
fermé 1er fév. au 7 mars, dim. soir et lundi hors sais. – **R** 62/190 – ☕ 23 – **12 ch** 140/280 – ½ p 230/300.

Crau-Pneus, rte de Salon, quartier Lion d'Or ✆ 90 47 00 74

T-MARTIN-DE-LA-PLACE 49 M.-et-L. 64 ⑫ – 1 019 h. – ✉ 49160 Longué.
›ir Château de Boumois★ SE : 3 km, G. Châteaux de la Loire.
ris 287 – Angers 38 – Baugé 28 – La Flèche 46 – Les Rosiers 7,5 – Saumur 7,5.

XX **Cheval Blanc** avec ch, ✆ 41 38 42 96, ☂ – ⌂wc ⋒wc ☎. AE E VISA. ⚘ rest
fermé 2 janv. au 16 fév., dim. soir et lundi du 1er oct. au 30 juin – **R** 80/200 – ☕ 20 – **8 ch** 165/255 – ½ p 180/210.

T-MARTIN-DE-RÉ 17 Char.-Mar. 71 ⑫ – voir à Ré (Ile de).

T-MARTIN-DE-VALAMAS 07310 Ardèche 76 ⑲ – 1 516 h.
›v. Ruines de Rochebonne★ : site★★ E : 7 km, G. Vallée du Rhône.
Syndicat d'Initiative à la Mairie (hors saison) ✆ 75 30 41 76 et r. Poste (15 juin-15 sept.) 75 30 47 72.
ris 593 – Aubenas 61 – Le Cheylard 9,5 – Lamastre 30 – Privas 58 – Le Puy 67 – St-Agrève 15.

Poste, ✆ 75 30 43 79, ≤ – ⋒wc 🚗. E VISA
fermé 20 déc. au 31 janv. – **R** 60/110 ♁, enf. 35 – ☕ 20 – **11 ch** 65/130 – ½ p 120/140.

TROEN Pourtier, ✆ 75 30 41 68 N
EUGEOT-TALBOT Saroul et Volle, ✆ 75 30 09 N
RENAULT Gar. Mounier Frères, ✆ 75 30 40 76 N ✆ 75 29 31 85

T-MARTIN-DU-FAULT 87 H.-Vienne 72 ⑦ – rattaché à Limoges.

T-MARTIN-DU-LAC 71 S.-et-L. 73 ⑦ – rattaché à Marcigny.

T-MARTIN-D'URIAGE 38 Isère 77 ⑤ – rattaché à Uriage-les-Bains.

T-MARTIN-DU-TOUCH 31 H.-Gar. 82 ⑦ – rattaché à Toulouse.

T-MARTIN-DU-VAR 06670 Alpes-Mar. 84 ⑨, 195 ⑯ – 1 528 h.
ris 943 – Antibes 35 – Cannes 45 – ♦Nice 27 – Puget-Théniers 38 – St-Martin-V. 38 – Vence 23.

XXX ❀❀ **Issautier** (Auberge Belle Route), S : 3 km sur N 202 ✆ 93 08 10 65 – Ⓟ. AE ⓓ E VISA
fermé 28 oct. au 8 nov., vacances de fév., dim. soir et lundi – **R** (nombre de couverts limité - prévenir) 225/350 et carte
Spéc. Courgette avec sa fleur farcie, Loup en feuillantine, Rognon de veau au confit d'oignons rouges. **Vins** Bellet, Flassans.

T-MARTIN-DU-VIVIER 76 S.-Mar. 55 ⑦ – rattaché à Rouen.

T-MARTIN-EN-BRESSE 71620 S.-et-L. 69 ⑩ – 1 295 h.
ris 345 – Beaune 35 – Chalon-sur-Saône 17 – ♦Dijon 68 – Dôle 54 – Lons-le-Saunier 45.

Au Puits Enchanté, ✆ 85 47 71 96 – ⌂wc ⋒wc Ⓟ. E VISA
fermé 20 au 26 juin, 18 janv. au 7 mars, dim. soir et mardi hors sais. – **R** 72/150 – ☕ 17,50 – **10 ch** 103/160 – ½ p 130/150.

T-MARTIN-LA-GARENNE 78 Yvelines 55 ⑱, 196 ③ – rattaché à Mantes.

T-MARTIN-LA-MÉANNE 19 Corrèze 75 ⑩ – 393 h. – ✉ 19320 Marcillac-La-Croisille.
oir Barrage du Chastang★ SE : 5 km, G. Berry Limousin.
ris 485 – Aurillac 67 – Brive-la-Gaillarde 58 – Mauriac 51 – St-Céré 56 – Tulle 34 – Ussel 59.

Voyageurs, ✆ 55 29 11 53, ☂ – 🚗 Ⓟ. E VISA. ⚘ rest
fermé 16 au 23 nov., 2 au 31 janv. et lundi – **R** (en sais. prévenir) 54/145, enf. 36 – ☕ 17 – **19 ch** 66/118 – ½ p 145.

ST-MARTIN-LE-BEAU 37 I.-et-L. 64 ⑮ G. Châteaux de la Loire – 2 051 h. – ✉ 3727 Montlouis-sur-Loire.

Paris 230 – Amboise 9,5 – Blois 45 – Loches 33 – ♦Tours 22.

XX **La Treille** avec ch, ✆ 47 50 67 17 – ⋒wc. VISA
fermé 15 sept. au 17 oct., 2 au 21 fév., dim. soir et lundi hors sais. – **R** 55/200 – 27 – **8 ch** 170/200 – ½ p 170/190.

ST-MARTIN-LE-VINOUX 38 Isère 77 ⑤ – rattaché à Grenoble.

ST-MARTIN-VÉSUBIE 06 Alpes-Mar. 84 ⑲, 195 ⑥ G. Côte d'Azur (plan) – 1 156 h. alt. 96 – ✉ 06450 Lantosque.

Voir Venanson : ≤*, fresques* de la chapelle St-Sébastien S : 4,5 km – Route d Valdeblore O – Env. Le Boréon** (cascade*) N : 8 km – Vallon de la Madone d Fenestre* et cirque** NE : 12 km.**

ℹ Office de Tourisme pl. Félix-Faure (juin-sept., vacances scolaires) ✆ 93 03 21 28.

Paris 981 – Antibes 72 – Barcelonnette 115 – Cannes 82 – Digne 156 – Menton 75 – ♦Nice 65.

Edward's et Châtaigneraie ⛰, ✆ 93 03 21 22, « Parc » – ⋒wc ⓟ. rest
18 juin-12 sept. – **50 ch** (pension seul.) – P 210/270.

ST-MARTORY 31360 H.-Gar. 82 ⑯ G. Pyrénées Aquitaine – 1 166 h.

Paris 773 – Auch 84 – St-Gaudens 19 – St-Girons 30 – ♦Toulouse 71.

X **France,** ✆ 61 90 21 17 – E VISA
fermé 24 au 31 déc. et sam. d'oct. à juin – **R** 45 bc/160, enf. 28.

ST-MATHIEU (Pointe de) 29 Finistère 58 ③ – rattaché au Conquet.

ST-MATHURIN-SUR-LOIRE 49 M.-et-L. 64 ⑪ – 1 934 h. – ✉ 49250 Beaufort-en-Vallée.

Paris 286 – Angers 20 – Baugé 25 – La Flèche 43 – Les Rosiers 10 – Saumur 25.

XX **La Promenade,** E : 1,5 km sur D 952 ✆ 41 57 01 50, ≤ – ⓟ. AE E VISA
fermé fév., dim. soir et lundi – **R** 70/195, enf. 50.

ST-MAUR-DES-FOSSÉS 94 Val-de-Marne 101 ㉗ – voir à Paris, Environs.

ST-MAURICE 94 Val-de-Marne 56 ⑪, 101 ㉖㉗ – voir à Paris, Environs.

ST-MAURICE-DE-GOURDANS 01 Ain 74 ⑬ G. Vallée du Rhône – 1 157 h. – ✉ 0180 Meximieux.

Voir Intérieur* de l'église.

Paris 464 – Belley 63 – Bourg-en-Bresse 47 – ♦Lyon 40 – La Tour-du-Pin 49 – Vienne 55.

XX **Relais St-Maurice** ⛰ avec ch, rte Meximieux ✆ 74 61 81 45, – ⋒wc ⓟ. E VISA
fermé 1er au 15 sept., 1er au 24 janv., sam. midi et vend. – **R** 75/210 🍷 – 19 – **9 ch** 100/140 – ½ p 160/200.

ST-MAURICE-EN-TRIÈVES 38 Isère 77 ⑭⑮ – 132 h. alt. 840 – ✉ 38930 Clelles-en-Trièves.

Paris 624 – Clelles 12 – Die 50 – Gap 63 – ♦Grenoble 61 – Serres 46.

Au Bon Accueil ⛰, ✆ 76 34 70 13, ≤ – ⋒ ⓟ
Pâques-30 sept. et 11 oct.-30 nov. – **R** 45/60 🍷 – 15 – **18 ch** 65/95 – ½ p 90/105

ST-MAURICE-LES-CHARENCEY 61 Orne 60 ⑤ – 508 h. – ✉ 61190 Tourouvre.

Paris 133 – L'Aigle 17 – Alençon 58 – Mortagne-au-Perche 22 – Verneuil 17.

XX **Le Gué Hamel,** N12 ✆ 33 25 61 17, – ⓟ. E VISA
fermé mardi – **R** carte 150 à 220.

CITROEN Houssay, ✆ 33 25 62 55 RENAULT Gar. Soret, ✆ 33 25 72 55

ST-MAURICE-SUR-MOSELLE 88560 Vosges 66 ⑧ G. Alsace et Lorraine – 1 774 h. –

Sports d'hiver au Ballon d'Alsace : 900/1 250 m ⛷3, et à la Tête du Rouge Gazon ⛷5.

Env. Ballon d'Alsace ※* 9,5 km au Sud par D 465 puis 30 mn.**

ℹ Syndicat d'Initiative à la Mairie ✆ 29 25 11 21 et au Chalet (juil.-août après-midi seul. ✆ 29 25 12 34.

Paris 415 – Belfort 39 – Bussang 3,5 – Épinal 57 – Thann 31 – Le Thillot 7.

Au Pied des Ballons, ✆ 29 25 12 54, ≤, – TV wc ⋒wc ☎ ⓟ. E VISA
fermé 9 nov. au 4 déc. et lundi midi hors sais. – **R** 50/220 🍷 – 18 – **12 ch** 155/235, 10 chalets – ½ p 190.

CITROEN Gar. Vuillemin, ✆ 29.25.11.23 N

ST-MAXIMIM 30 Gard 80 ⑲ – rattaché à Uzès.

ST-MAXIMIN-LA-STE-BAUME 83470 Var 84 ④⑤ G. Provence – 5 552 h.
Voir Basilique** – Ancien couvent royal*.
Syndicat d'Initiative à la Mairie ✆ 94 78 00 09.
Paris 792 – Aix-en-Pr. 43 – Brignoles 20 – Draguignan 77 – ♦Marseille 50 – Rians 23 – ♦Toulon 55.

XX **Chez Nous,** bd J.-Jaurès ✆ 94 78 02 57, – AE ⓓ E VISA
fermé 20 déc. au 18 janv. et merc. – **R** 75/185, enf. 45.

FORD STP Sce Autos, chemin du Moulin ✆ 94 78 00 89 — Gérard-Pneus, Z.I. N 7, ✆ 94 78 14 49

ST-MÉDARD 40 Landes 82 ① – rattaché à Mont-de-Marsan.

ST-MÉDARD-CATUS 46 Lot 79 ⑦ – rattaché à Catus.

ST-MÉDARD-EN-JALLES 33 Gironde 71 ⑨ – rattaché à Bordeaux.

ST-MICHEL-DE-MAURIENNE 73140 Savoie 77 ⑦ – 3 502 h. alt. 712.
Paris 621 – Briançon 69 – Chambéry 84 – Modane 17 – St-Jean-de-Maurienne 14.

Savoy H., r. Gén.-Ferrié ✆ 79 56 55 12 – wc wc. AE E VISA. rest
fermé oct., lundi (sauf hôtel) et dim. soir – **R** 75/160 – 20 – **20 ch** 90/190 – ½ p 150/180.

Alpes, r. Gén.-Ferrié ✆ 79 56 51 22, – wc wc Ⓟ. AE ⓓ E VISA
fermé lundi – **R** 50/150 – 19 – **22 ch** 80/190 – ½ p 149/209.

CITROEN Gar. Gros, ✆ 79 56 53 61 — Gar. Juillard, ✆ 79 56 55 85

ST-MICHEL-DES-ANDAINES 61 Orne 60 ① – rattaché à La Ferté-Macé.

ST-MICHEL-EN-GRÈVE 22 C.-du-N. 58 ⑦ G. Bretagne – 398 h. – ✉ 22300 Lannion.
Voir Lieue de Grève* SO.
Paris 526 – Carhaix-Plouguer 69 – Guingamp 39 – Lannion 11 – Morlaix 27 – St-Brieuc 70.

Plage, ✆ 96 35 74 43, ← – wc. AE E VISA
R 68/98, enf. 50 – 20 – **38 ch** 130/220 – ½ p 200/250.

ST-MICHEL-EN-L'HERM 85580 Vendée 71 ⑪ G. Poitou Vendée Charentes – 1 993 h.
Paris 451 – Luçon 15 – La Rochelle 44 – La Roche-sur-Yon 47 – Les Sables-d'Olonne 54.

Central, pl. Mairie ✆ 51 30 20 24, – wc Ⓟ. ⓓ E VISA
fermé 15 sept. au 15 oct. et lundi hors sais. – **R** 50/160 – 20 – **24 ch** 110/200 – ½ p 150/200.

CITROEN Sourdonnier, ✆ 51 30 23 09

ST-MICHEL-MONT-MERCURE 85 Vendée 67 ⑮ G. Poitou Vendée Charentes – 1 827 h.
✉ 85700 Pouzauges.
Voir ** de la tour de l'église.
Paris 379 – Bressuire 35 – Cholet 29 – Clisson 46 – La Roche-sur-Yon 52.

X **Aub. Mt-Mercure,** près Église ✆ 51 57 20 26, ← bocage vendéen, – Ⓟ.
fermé 1er au 15 sept., mardi soir et merc. – **R** 70/150.

ST-MICHEL-SUR-LOIRE 37 I.-et-L. 64 ⑭ – rattaché à Langeais.

ST-MIHIEL 55300 Meuse 57 ⑫ G. Alsace et Lorraine – 5 555 h.
Voir Pâmoison de la Vierge* dans l'église St-Michel AZ E – Sépulcre** dans l'église St-Étienne BZ F – du Lac de Madine ✆ 29 89 32 50 à la base de Loisirs ; à Heudicourt-sous-les-Côtes par ①.
Syndicat d'Initiative pl. Jacques-Bailleux (Pâques-oct.) ✆ 29 89 04 50 – A.C. 25 r. Carnot ✆ 29 89 10 97.
Paris 291 ⑤ – Bar-le-Duc 33 ④ – ♦Metz 66 ① – ♦Nancy 62 ② – Toul 50 ③ – Verdun 35 ⑥.

Plan page suivante

à Heudicourt-sous-les-Côtes NE : 15 km par D 901 et D 133 – ✉ 55210 Vigneulles-lès-Hattonchâtel :

Lac de Madine (annexe cuisinette), ✆ 29 89 34 80 – wc wc Ⓟ – 30. E VISA
fermé janv. et lundi d'oct. à avril – **R** 58/160 – 20 – **30 ch** 110/220 – ½ p 215/270.

à Bouconville-sur-Madt par ② et D 907 : 15 km – ✉ 55300 St Mihiel.
Env. Butte de Montsec : **, monument * N : 13 km, G. Alsace et Lorraine.

Relais des Deux Cheminées, ✆ 29 90 42 79 – AE E VISA.
fermé 20 août au 10 sept., vacances de fév., mardi soir et lundi – **R** (nombre de couverts limité - prévenir) 92/210, enf. 55.

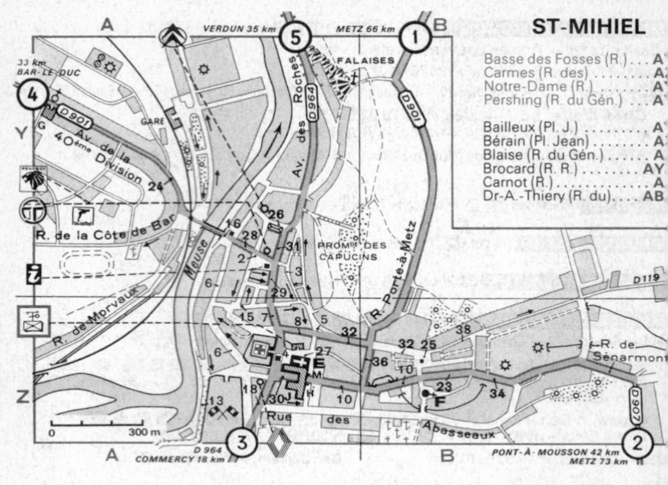

ST-MIHIEL

Basse des Fosses (R.) . . . A
Carmes (R. des) . . . . A
Notre-Dame (R.) . . . . A
Pershing (R. du Gén.) . . . A

Bailleux (Pl. J.) . . . . A
Bérain (Pl. Jean) . . . . A
Blaise (R. du Gén.) . . . . . A
Brocard (R. R.) . . . . AY
Carnot (R.) . . . . A
Dr-A.-Thiery (R. du) . . . . AB

Dragons (Prom. des) . . . . AZ 13
Écoles (R. des) . . . . AZ 15
Foch (Pl.) . . . . AY 16
Fort (R. du) . . . . AZ 18
Larzillère-Beudant (R.) . . . BZ 23
Libération (Av. de la) . . . . AY 24
Ligier-Richier (Pl.) . . . . BZ 25
Manège (Pl. du) . . . . AY 26
Moines (Pl. des) . . . . AZ 27
Nantes (R. de) . . . . AY 28
Palais-de-Justice (R. du) . A
Poincaré (R.) . . . . AB
Porte-à-Nancy (R.) . . . . B
Tête-d'Or (R. de la) . . . . . . B
Tisserands (R. des) . . . . B

CITROEN Gar. Moderne-Collin, 10 r. du Marché ✆ 29 89 05 80
PEUGEOT-TALBOT Gar. Duvergé, 5 r. Gén. Pershing ✆ 29 89 00 42
RENAULT Gar. Brix, pl. J.-Berain ✆ 29 8 76

ST-NABORD **88 Vosges 62 ⑯ – rattaché à Remiremont.**

☛ *Pas de publicité payée dans ce guide.*

ST-NAZAIRE <SP> **44600** Loire-Atl. **63** ⑮ **G. Bretagne – 68 947 h.**

Voir Base de sous-marins★ et sortie sous-marine du port★ BZ – **Terrasse panoramiq** BZ **B** – **Pont routier de St-Nazaire-St-Brévin★.**

✈ **de St-Nazaire-Montoir-la Baule** ✆ **40 90 15 89, NE : 8 km** BY.

Pont de St-Nazaire : péage en 1987 : auto 22 à 30 F (conducteur et passagers comp auto et caravane 38 F, camion et véhicule supérieur à 1,5 t : 38 à 95 F, moto 5 F, (gra pour vélos et piétons).

i Office de Tourisme pl. François-Blancho ✆ 40 22 40 65 – A.C.O. 33 rue Gén.-de-Ga ✆ 40 22 46 62.

Paris 439 ① – La Baule 17 ② – ♦Nantes 62 ① – ♦Rennes 119 ① – Vannes 76 ③.

Plan page ci-contre

Berry M, 1 pl. Gare ✆ **40 22 42 61, Télex 700952** – 🛗 TV ⇔wc ⋒wc ☎. AE ◑ VISA A
R 95/165 🍷 – ☕ 27 – **27 ch** 150/380 – ½ p 205/480.

Europe sans rest, 2 pl. Martyrs-de-la-Résistance ✆ **40 22 49 87** – TV ⇔wc ⋒ ☎ Ⓟ. AE ◑ E VISA A
☕ 22 – **39 ch** 130/330.

Parc sans rest, 27 rte Côte d'Amour (D 92) ✆ **40 70 56 74** – TV ⇔wc ☎. VISA
fermé 15 déc. au 2 janv. – ☕ 23 – **32 ch** 180/280.

Korail H. M, pl. Gare ✆ **40 01 89 89, Télex 701940** – 🛗 TV ⋒wc ☎ – 🏃 60 ◑ E VISA A
R carte 90 à 140 🍷 – ☕ 25 – **55 ch** 199/329 – ½ p 250/350.

Bretagne sans rest, 7 av. République ✆ **40 66 55 66** – 🛗 ⇔wc ⋒wc ☎. AE ◑ VISA A
☕ 20 – **32 ch** 95/240.

Dauphin sans rest, 33 r. J.-Jaurès ✆ **40 66 59 61** – ⇔wc ⋒wc ☎. E VISA A
☕ 18 – **20 ch** 98/189.

Touraine sans rest, 4 av. République ✆ **40 22 47 56**, 🌳 – ⇔ ⋒ ☎. ◑ E VISA A
☕ 15 – **18 ch** 77/145.

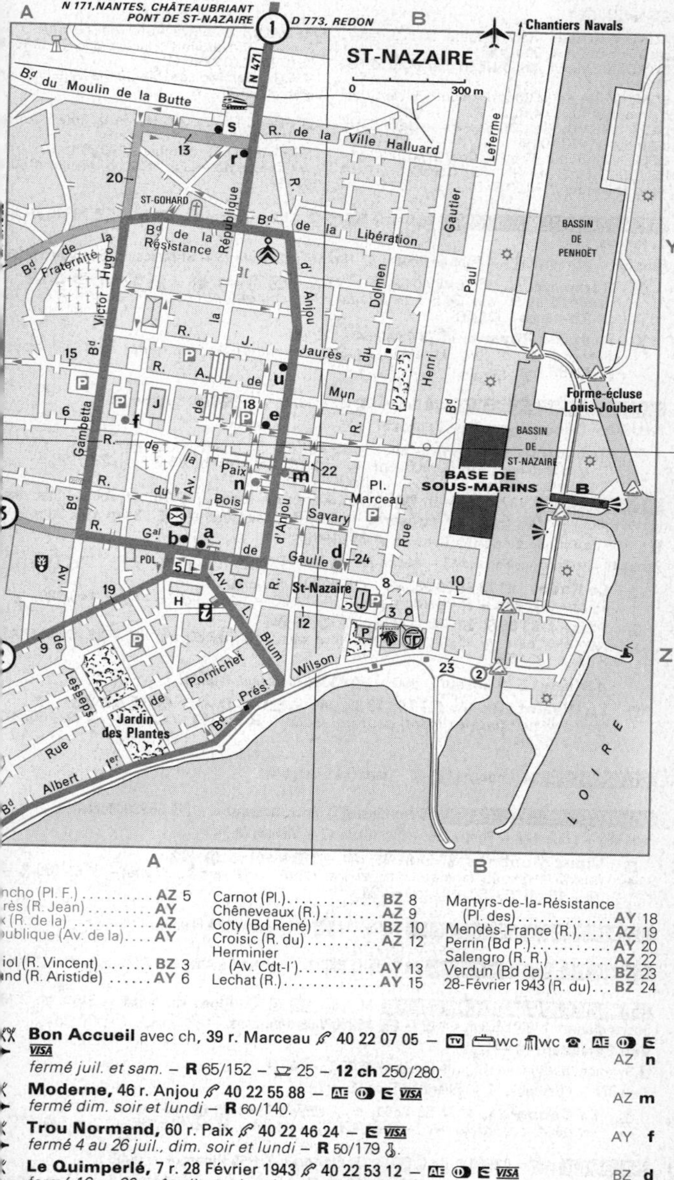

Bon Accueil avec ch, 39 r. Marceau ✆ 40 22 07 05 – TV wc wc ☎. AE ◑ E VISA — AZ **n**
fermé juil. et sam. – **R** 65/152 – ☕ 25 – **12 ch** 250/280.

Moderne, 46 r. Anjou ✆ 40 22 55 88 – AE ◑ E VISA — AZ **m**
fermé dim. soir et lundi – **R** 60/140.

Trou Normand, 60 r. Paix ✆ 40 22 46 24 – E VISA — AY **f**
fermé 4 au 26 juil., dim. soir et lundi – **R** 50/179 🍷.

Le Quimperlé, 7 r. 28 Février 1943 ✆ 40 22 53 12 – AE ◑ E VISA — BZ **d**
fermé 16 au 30 août, dim. soir et lundi – **R** 59/136.

rte de Pornichet par ③ : 5,5 km – ✉ **44600** St Nazaire :

Aquilon M, ✆ 40 53 50 20, Télex 700066, –, – rest TV ☎ ♿ P – 80. AE ◑ E VISA
R 79/203 🍷 – ☕ 27 – **72 ch** 275/345 – ½ p 260/300.

tourner →

AUSTIN, ROVER Gar. Hougard, 30 r. B.-Marcet à Trignac ✆ 40 90 10 08
CITROEN Minot, 49 bd Libération ✆ 40 22 55 74
FORD Auto de la Côte d'Amour, 79 rte Côte d'Amour ✆ 40 70 44 10
LADA, VOLVO Gar. Dumas, 98 rte de la Côte d'Amour ✆ 40 70 08 99
OPEL Gar. Bodet, 10 bd R.-Coty ✆ 40 22 32 57
PEUGEOT-TALBOT Gar. de l'Océan, 3 r. Fernand Pelloutier ✆ 40 22 59 20

RENAULT Centre-Auto de l'Etoile, Express St-Nazaire-Pornichet par ② ✆ 4 35 07 N ✆ 40 22 45 41
V.A.G. Gar. Moison, 60 r. de la Ville Hal ✆ 40 22 30 30

Picaud-Pneus, 210 rte de la Côte d'Ar ✆ 40 70 00 39
SOFRAP, 20 r. H.-Gautier, ✆ 40 66 15 15
la Clinique du Pneu, 18-22 bd Hôpital ✆ 4 07 19

ST-NAZAIRE-EN-ROYANS 26 Drôme 77 ③ **G. Alpes du Nord** – 576 h. – ✉ **26190** St-en-Royans.

Paris 578 – ♦Grenoble 61 – Pont-en-Royans 9 – Romans-sur-Isère 18 – St-Marcellin 15 – Valence

XX **Rome** avec ch, ✆ **75 48 40 69**, ← – rest TV ⋒ P – 80. AE E VISA
fermé 22 au 30 juin, 24 oct. au 22 nov., dim. soir et lundi sauf juil.-août – **R** 85/1 – 22 – **9 ch** 130/220.

X **Rest. du Royans**, ✆ **75 48 40 84** – E VISA
fermé 6 au 22 juin, 26 sept. au 26 oct., mardi soir et merc. sauf juil.-ao **R** 75/165, enf. 35.

ST-NAZAIRE-LE-DÉSERT 26 Drôme 81 ③ – 197 h. – ✉ **26340** Saillans.

Paris 740 – Die 39 – Nyons 61 – Valence 67.

X **Aub. du Désert** avec ch, ✆ **75 27 51 43**, – wc P
15 mars-15 nov. – **R** 80/200, enf. 40 – 28 – **9 ch** 185/310 – ½ p 283/328.

ST-NECTAIRE 63710 P.-de-D. 73 ⑭ **G. Auvergne** (plan) – 650 h. alt. 760 – Stat. th (25 mai-sept.) – **Voir Église**★★ : **trésor**★★ – **Puy de Mazeyres** ✱★ E : 3 km puis 30 mn.

Office de Tourisme Anciens Thermes ✆ 73 88 50 86.

Paris 441 – ♦Clermont-Ferrand 43 – Issoire 26 – le Mont-Dore 25.

Le Savoy, ✆ **73 88 50 28**, – wc ⋒wc . rest
24 mai-24 sept. – **R** (résidents seul.) – 20 – **32 ch** 92/185 – ½ p 145/180.

Paix, ✆ **73 88 50 20**, – ⋒wc P. E VISA
fermé 1er nov. au 15 déc. et mardi hors sais. – **R** 70/160, enf. 32 – **27 ch** 164 – ½ p 180/195.

à Rivalet E : 7 km sur D 996 – ✉ **63320** Montaigut-le-Blanc :

XX **Le Rivalet** avec ch, ✆ **73 96 73 92**, – wc ⋒wc P. AE VISA
fermé janv., lundi et mardi sauf juil.-août – **R** 85/210 – 24 – **7 ch** 165/2 ½ p 274/294.

ST-NEXANS 24 Dordogne 75 ⑮ – rattaché à Bergerac.

ST-NICOLAS-DES-EAUX 56 Morbihan 63 ② **G. Bretagne** – ✉ **56930** Plumeliau.

Paris 465 – Lorient 48 – Pontivy 16 – Quimperlé 47 – Vannes 48.

Vieux Moulin, ✆ **97 51 81 09**, – wc ⋒ P. VISA
fermé 1er fév. au 1er mars, dim. soir et lundi du 1er oct. au 31 mai – **R** 55/160 – 19 – **12 ch** 91/180 – ½ p 180/242.

ST-NICOLAS-LA-CHAPELLE 73 Savoie 74 ⑦ – rattaché à Flumet.

ST-NICOLAS-LES-ARRAS 62 P.-de-C. 53 ② – rattaché à Arras.

ST-NIZIER-DU-MOUCHEROTTE 38 Isère 77 ④ **G. Alpes du Nord** – 515 h. alt. 1 1 Sports d'hiver : 1 160/1 250 m 4 – ✉ **38250** Villard-de-Lans.

Voir Belvédère ✱★★.

Syndicat d'Initiative (15 juin-15 sept.) ✆ 76 53 40 60.

Paris 577 – ♦Grenoble 17 – Villard-de-Lans 18.

Le Concorde, ✆ **76 53 42 61**, ← – wc ⋒wc P. ch
fermé 25 oct. au 15 déc. – **R** 64/120 – 18 – **31 ch** 118/180 – ½ p 140/170.

ST-OMER 62500 P.-de-C. 51 ③ **G. Flandres Artois Picardie** – 15 497 h.

Voir Basilique N.-Dame★★ AZ **E** – **Hôtel Sandelin et musée**★★ AZ **K** – **Anc. chap des Jésuites**★ AZ **F** – **Jardin public**★ AZ.

Env. Ascenseur des Fontinettes★ 5,5 km par ② – de Ruminghem ✆ 21 93 0 par ⑤.

Office de Tourisme bd Pierre Guillain ✆ 21 98 40 88.

Paris 255 ② – Abbeville 86 ④ – ♦Amiens 113 ② – Arras 75 ⑤ – Béthune 44 ④ – Boulogne-sur 53 ⑤ – ♦Calais 40 ⑤ – Dunkerque 39 ① – Ieper 54 ② – ♦Lille 64 ②.

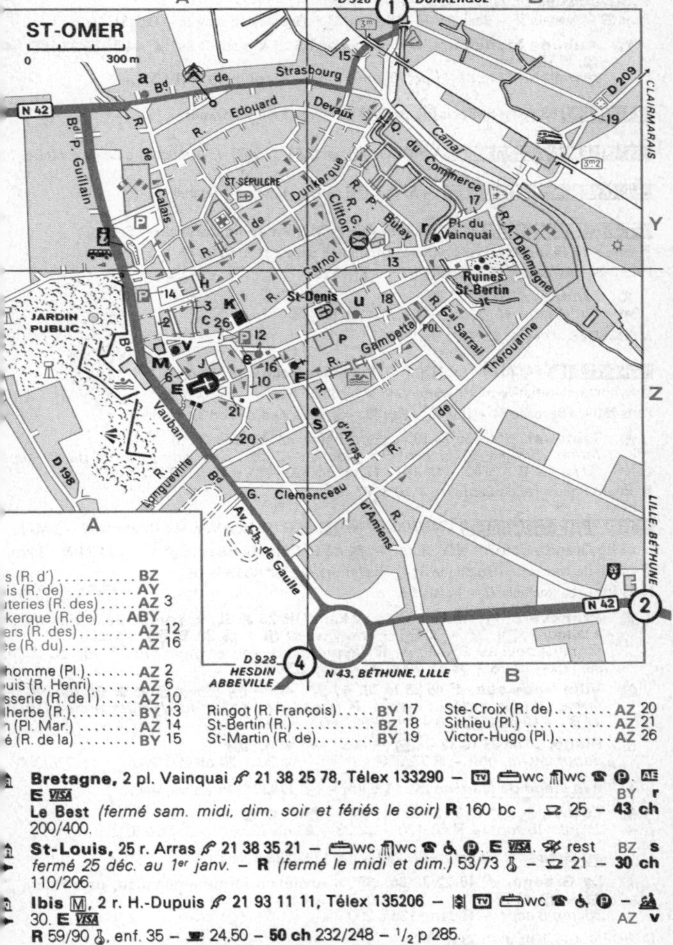

s (R. d') .... BZ
is (R. de) .... AY
iteries (R. des) ..... AZ 3
kerque (R. de) .... ABY
ers (R. des) .... AZ 12
ée (R. du) .... AZ 16

homme (Pl.) .... AZ 2
uis (R. Henri) .... AZ 6
sserie (R. de l') .... AZ 10
lherbe (R.) .... BY 13
n (Pl. Mar.) .... AZ 14
é (R. de la) .... BY 15

Ringot (R. François) ..... BY 17
St-Bertin (R.) .... BZ 18
St-Martin (R. de) .... BY 19

Ste-Croix (R. de) .... AZ 20
Sithieu (Pl.) .... AZ 21
Victor-Hugo (Pl.) .... AZ 26

Bretagne, 2 pl. Vainquai ✆ 21 38 25 78, Télex 133290 – TV wc wc ☎ P. AE E VISA — BY r
Le Best *(fermé sam. midi, dim. soir et fériés le soir)* **R** 160 bc – 25 – **43 ch** 200/400.

St-Louis, 25 r. Arras ✆ 21 38 35 21 – wc wc ☎ ♿ P. E VISA. rest — BZ s
fermé 25 déc. au 1er janv. – **R** *(fermé le midi et dim.)* 53/73 – 21 – **30 ch** 110/206.

Ibis M, 2 r. H.-Dupuis ✆ 21 93 11 11, Télex 135206 – TV wc ☎ ♿ P – 30. E VISA — AZ v
R 59/90, enf. 35 – 24,50 – **50 ch** 232/248 – 1/2 p 285.

La Truye qui File, 8 r. Bleuets ✆ 21 38 41 34, Télex 160600 – VISA — BZ u
fermé août, dim. soir et lundi sauf fériés – **R** 90/165, enf. 45.

Le Cygne, 8 r. Caventou ✆ 21 98 20 52 – E VISA — AZ e
fermé 7 au 31 déc., sam. midi et mardi sauf fériés – **R** 75/130.

Crémaillère, 12 bd Strasbourg ✆ 21 38 42 77 – AE E VISA — AY a
fermé 18 oct. au 8 nov., 19 déc. au 3 janv., dim. soir et lundi – **R** carte 110 à 190.

à Tilques par ⑤, N 43 et VO : 6 km – ✉ **62500** St-Omer :

Le Vert Mesnil , ✆ 21 93 28 99, Télex 133360, ←, parc, – TV wc ☎ P – 25 à 120 – **45 ch**.

-A-ROMEO, MAZDA Obry, 13 av. L.-Blum rques ✆ 21 98 41 43
STIN-ROVER Gar. Molmy, 83 av. L.-Blum ongueneesse ✆ 21 38 12 07
ROEN Gar. Boulant, 35 r. Jean Derheims 21 38 20 88 ✆ 21 98 42 13
RD Gar. de l'Europe, Centre Cial Maillebois ongueneesse ✆ 21 38 00 95
EL-GM Gar. Lemoine, Zone Ind. Fort Maillebois à Longuenesse ✆ 21 38 11 87

PEUGEOT-TALBOT SADA-Damide, r. St-Adrien - prolongée à Longuenesse ✆ 21 98 04 44 ✆ 21 98 49 10
RENAULT Gar. Audomarois, rte d'Arques à Longuenesse par ② ✆ 21 38 25 77
V.A.G. Gar. Delattre, rte Nat. de Calais à Salperwick ✆ 21 93 68 37

Equipneu, r. du Lobel, Zone Ind., Arques ✆ 21 38 42 43
Renova Pneu, 16 bis r. Pasteur ✆ 21 38 43 66

ST-OMER-EN-CHAUSSÉE 60860 Oise 55 ⑨ – 1 132 h.

Paris 89 – Aumale 35 – Beauvais 13 – Breteuil 33 – Gournay-en-Bray 28 – Poix 31.

XX **Aub. de Monceaux,** aux Monceaux S : 1 km sur D 901 ✆ 44 84 50 32, –
P. E VISA
fermé 2 au 11 août, 11 au 25 janv., merc. soir et jeudi – **R** 120.

ST-OUEN 93 Seine-St-Denis 55 ⑳, 101 ⑮ – voir à Paris, Environs.

ST-OUEN-L'AUMÔNE 95 Val-d'Oise 55 ⑳, 196 ⑥, 101 ② – rattaché à Cergy Pontoise.

ST-OYEN-MONTBELLET 71 S.-et-L. 69 ⑲⑳ – rattaché à Fleurville.

ST-PAIR-SUR-MER 50380 Manche 59 ⑦ **G. Normandie Cotentin** – Casino.

Office de Tourisme r. Ch.-Mathurin (15 juin-15 sept.) ✆ 33 50 52 77.

Paris 349 – Avranches 23 – Granville 3,5 – St-Lô 60.

X **France,** ✆ 33 90 71 89
fermé janv. et mardi – **R** 48/120 ♁, enf. 30.

MERCEDES Drey, ✆ 33 50 21 65

ST-PALAIS 64120 Pyr.-Atl. 85 ④ **G. Pyrénées Aquitaine** – 2 205 h.

Syndicat d'Initiative pl. Hôtel de Ville ✆ 59 65 71 78.

Paris 791 – ♦Bayonne 54 – Dax 55 – Pau 80 – St-Jean-Pied-de-Port 31.

Trinquet, ✆ 59 65 73 13 – wc wc. E VISA. ch
fermé 26 mars au 11 avril, 16 sept. au 12 oct., dim. soir et lundi du 1er sept. a 30 juin – **R** 70/140 – 18 – **12 ch** 95/200 – 1/2 p 160/180.

Béarn Pneus, rte de Sardasse ✆ 59 65 97 48

ST-PALAIS-SUR-MER 17420 Char.-Mar. 71 ⑮ **G. Poitou Vendée Charentes** – 2 447 h.

Voir La Grande Côte★★ NO : 3 km – de la Côte de Beauté ✆ 46 23 16 24 N : 3 km.

Office de Tourisme Résidence St-Palais (fermé oct.) ✆ 46 23 11 09.

Paris 509 – La Rochelle 77 – Royan 5,5.

Primavera, rte Gde Côte : 2 km ✆ 46 23 20 35, ←, parc, « **Belle villa 1900 fa à la mer** », – wc wc P – 30. E VISA. ch
fermé 2 nov. au 25 déc. – **R** *(fermé mardi soir et merc. du 1er oct. au 31 ma* 90/175 – 28 – **35 ch** 200/400 – 1/2 p 200/300.

Villa Nausicaa, ✆ 46 23 14 78, ←, – wc wc P. VISA. rest
fermé 1er janv. à début mars – **R** *(fermé dim. soir et lundi d'oct. à mai)* 110/180 30 – **15 ch** 220/420 – 1/2 p 380/580.

Plage, ✆ 46 23 10 32 – wc wc. VISA
début fév.-mi nov. – **R** 75/200, enf. 45 – 30 – **29 ch** 200/250 – 1/2 p 275/300.

à la plage de Nauzan SE : 1,5 km – ✉ **17420** St-Palais-sur-Mer :

Téthys, ✆ 46 38 31 00, ←, – wc P
1er juin-15 sept. – **R** 60/170 – 23 – **23 ch** 220/260 – 1/2 p 230/278.

au Grallet N : 6 km par D 242 – ✉ **17920** Breuillet :

XXX **La Grange,** ✆ 46 22 72 64, « **Ancienne ferme aménagée, parc fleuri,** – P. E VISA
26 juin-3 sept. – **R** carte 135 à 290.

CITROEN Gar. Valz ✆ 46 23 10 53

ST-PANCRACE 06 Alpes-Mar. 84 ⑨ – rattaché à Nice.

ST-PANTALÉON 71 S.-et-L. 69 ⑦⑧ – rattaché à Autun.

ST-PARDOUX 63440 P.-de-D. 73 ④ – 378 h. alt. 600.

Paris 369 – Aubusson 105 – ♦Clermont-Ferrand 39 – Montluçon 52 – Vichy 43.

Bon Accueil, ✆ 73 97 40 02 – P
fermé 15 oct. au 15 nov. et sam. – **R** 60/130 ♁, enf. 35 – 14,50 – **10 ch** 85/160.

RENAULT Malleret, ✆ 73 97 40 94

ST-PARDOUX 79 Deux-Sèvres 68 ⑪ – 1 185 h. – ✉ **79310** Mazières-en-Gatine.

Paris 384 – Fontenay-le-Comte 53 – Niort 32 – Parthenay 11 – St-Maixent-l'École 28.

X **Voyageurs,** ✆ 49 63 40 11 – VISA
fermé 11 au 22 fév. et lundi sauf fériés – **R** 52/154 ♁.

CITROEN Guérin, ✆ 49 63 40 06

PEUGEOT-TALBOT Gar. Martin, ✆ 49 63 4
N

PARDOUX-LA-CROISILLE 19 Corrèze 75 ⑩ – 168 h. – ✉ 19320 Marcillac-la-Croisille.
477 – Aurillac 81 – Mauriac 45 – St-Céré 68 – Tulle 28 – Ussel 51.

Beau Site 🐎, ☏ 55 27 85 44, ←, parc, ⛱, 🎾 – ⌂wc ⌂wc ☎ Ⓟ – 🏛 60. ✗ rest
3 mai-10 oct. – **R** (nombre de couverts limité - prévenir) 95/200 – ☕ 25 – **32 ch** 180/225 – ½ p 192/225.

PATRICE 37 I.-et-L. 64 ⑬, 67 ⑩ – 560 h. – ✉ 37130 Langeais.
268 – Angers 74 – Chinon 28 – Saumur 32 – ♦Tours 34.

Host. du Château de Rochecotte Ⓜ 🐎, ☏ 47 96 90 62, parc – 📺 ☎ Ⓟ – 🏛 80. AE ⦿ E VISA. ✗ rest
fermé 1er fév. au 15 mars – **R** 140 – ☕ 40 – **13 ch** 300/480 – ½ p 530/620.

PAUL 04520 Alpes-de-H.-P. 81 ⑧⑨ **G. Alpes du Sud** – 208 h alt. 1 470.
Pont du Châtelet★★ NE : 4,5 km – Paris 740 – Barcelonnette 22 – Briançon 62.

PAUL 06570 Alpes-Mar. 84 ⑨, 195 ㉕ **G. Côte d'Azur** – 2 565 h.
Site★ – Remparts★ – Fondation Maeght★★.
ffice de Tourisme Maison Tour, r. Grande (fermé 15 nov.-15 déc.) ☏ 93 32 86 95.
927 – Antibes 16 – Cagnes-sur-Mer 7 – Cannes 27 – Grasse 22 – ♦Nice 20 – Vence 4,5.

La Colombe d'Or, ☏ 93 32 80 02, Télex 970607, ⛱, « Peintures modernes, cadre "vieille Provence" ⛱ et jardin romain » – ▤ ch 📺 ☎ Ⓟ. AE ⦿ E VISA
fermé 14 nov. au 20 déc. et 10 au 20 janv. – **R** carte 180 à 360 – ☕ 40 – **15 ch** 720, 9 appartements 920/1220 – ½ p 540/640.

par route de la Colle et des Hauts de St-Paul :

✿ **Mas d'Artigny** Ⓜ 🐎, ☏ 93 32 84 54, Télex 470601, ⛱, « Luxueux ensemble hôtelier, ←, ⛱, 🎾, parc » – ⧉ ▤ ch 📺 ☎ ♿ Ⓟ – 🏛 80 à 250. E VISA
R carte 300 à 400 – ☕ 75 – **52 ch** 600/1520, 29 appartements 1990/2200 – ½ p 935/1095
Spéc. Hure de légumes au homard, Canon d'agneau rôti, Millefeuille aux fruits exotiques. **Vins** Vidauban, Pignans.

sur la route de la Colle, D 7 :

Le Hameau 🐎 sans rest, ☏ 93 32 80 24, ←, « Jardin en terrasses » – cuisinette ⌂wc ⌂wc ☎ Ⓟ. E VISA
15 fév.-20 nov. – ☕ 32 – **14 ch** 240/380.

Orangers 🐎 sans rest, ☏ 93 32 80 95, ←, « Beau jardin » – ⌂wc ☎
☕ 30 – **9 ch** 360/520.

Climat de France 🐎, ☏ 93 32 94 24, ←, ⛱, ⛱ – cuisinette 📺 ⌂wc ⌂wc ☎ Ⓟ. AE E VISA
R 65/108 🍷, enf. 42 – ☕ 32 – **19 ch** 245/440 – ½ p 362/430.

PAUL-DES-LANDES 15 Cantal 76 ⑪ – 1 017 h. – ✉ 15250 Jussac.
s 553 – Aurillac 12 – Figeac 65 – Laroquebrou 13 – Mauriac 61 – St-Céré 52 – Tulle 72.

Voyageurs, ☏ 71 46 30 05, ⛱ – ⌂ Ⓟ
fermé 15 au 30 juin, 15 oct. au 8 nov., dim. soir et lundi midi du 8 nov. au 30 avril – **R** 55/85 🍷, enf. 35 – ☕ 15 – **11 ch** 70/90 – ½ p 100/105.

NAULT Gar. Nangeroni, ☏ 71 46 30 01 N

PAUL-DE-VARCES 38 Isère 77 ④ – rattaché à Grenoble.

PAUL-EN-BORN 40 Landes 78 ④⑭ – 474 h. – ✉ 40200 Mimizan.
s 691 – Arcachon 58 – ♦Bordeaux 103 – Castets 56 – Mimizan 7 – Mont-de-Marsan 75.

L'Écureuil, ☏ 58 07 41 16 – ⌂wc ☎ Ⓟ. E VISA. ✗ ch
fermé 20 déc. au 5 janv. et sam. – **R** 65/99, enf. 50 – ☕ 20 – **12 ch** 86/145 – ½ p 155/190.

PAUL-EN-CHABLAIS 74 H.-Savoie 70 ⑰⑱ – 1 003 h. alt. 827 – ✉ 74500 Évian-les-Bains.
is 586 – ♦Genève 44 – Lausanne 73 – Montreux 43 – Thonon-les-Bains 11.

Host. de Gavot 🐎, rte Thollon ☏ 50 75 30 38, ←, ⛱, ⛱ – 📺 ⌂wc ⌂wc ☎ Ⓟ. VISA
fermé 15 nov. au 15 déc. – **R** *(fermé lundi hors sais.)* 70/150, enf. 39 – ☕ 25 – **24 ch** 155/250 – ½ p 210/225.

PAUL-LE-JEUNE 07460 Ardèche 80 ⑧ – 819 h.
ir Banne : ruines de la citadelle ←★ N : 5 km, **G. Vallée du Rhône.**
is 676 – Alès 30 – Aubenas 44 – Pont-St-Esprit 52 – Vallon-Pont-d'Arc 27 – Villefort 37.

XX **Moderne** avec ch, ☏ 75 39 82 75 – ⌂wc 🚗. E VISA
fermé fév. et merc. hors sais. – **R** 75/200, enf. 40 – ☕ 20 – **11 ch** 95/150 – ½ p 150/170.

ST-PAUL-LES-MONESTIER 38 Isère 77 ⑭ – rattaché à Monestier-de-Clermont.

ST PAUL-LES-ROMANS 26 Drôme 77 ③ – rattaché à Romans-sur-Isère.

ST-PAUL-LEZ-DURANCE 13115 B.-du-R. 84 ④ – 485 h.
Paris 768 – Aix-en-Provence 35 – Cavaillon 65 – Manosque 27.

XX **Fougassier de St Paul,** ☎ 42 57 42 43 – AE ⓓ E VISA
1er avril-2 janv. et fermé dim. soir sauf juil. et août et lundi – **R** 109/155.

RENAULT Rel. de Cadarache, D 952 ☎ 42 57 41 75 N

ST-PÉ-DE-BIGORRE 65270 H.-Pyr. 85 ⑫ **G. Pyrénées Aquitaine** – 1 897 h.
Paris 797 – Laruns 41 – Lourdes 10 – Pau 31 – Pontacq 16 – Tarbes 29.

Pyrénées, ☎ 62 41 80 08 – wc ⋒wc ☎. AE E VISA
fermé 15 nov. au 15 janv. – **R** 55/165 ♁, enf. 30 – ☕ 18,50 – **43 ch** 115/150
1/2 p 125/140.

ST-PÉE-SUR-NIVELLE 64 Pyr.-Atl. 85 ② – 3 056 h. – ✉ 64310 Ascain.
Paris 790 – ♦Bayonne 19 – Cambo-les-Bains 18 – Pau 131 – St-Jean-de-Luz 13.

Nivelle, ☎ 59 54 10 27 – ⇔. AE E VISA
fermé fév. – **R** 80/130 – ☕ 21 – **35 ch** 110/240 – 1/2 p 190/260.

à Ibarron O : 1,5 km – ✉ 64310 Ascain :

Bonnet, ☎ 59 54 10 26, Télex 541104, ≤, ⛱, 🌳, ✂ – 🛗 wc ⋒wc ☎ Ⓟ – 60. AE ⓓ E VISA
fermé 14 nov. au 10 déc., 2 au 14 janv. et lundi d'oct. à Pâques – **R** 80/170 ♁, enf. – ☕ 21 – **60 ch** 195/206 – 1/2 p 208/214.

XX **Fronton** avec ch, ☎ 59 54 10 12 – ⋒. AE ⓓ VISA
fermé 15 janv. au 15 fév. et merc. hors sais. – **R** 110/200, enf. 50 – ☕ 20 – **10** 120/170 – 1/2 p 150/170.

par rte de St-Jean-de-Luz et D 307 : 4 km – ✉ 64310 Ascain :

Aub. Basque ⛰, ☎ 59 54 10 15, ≤, « Jardin » – ⋒wc ☎ Ⓟ. ✂
juin-fin sept. – **R** (½ pens. seul.) **16 ch** – 1/2 p 180/200.

ST-PÉRAY 07130 Ardèche 77 ⑪⑫ – 5 200 h.
Voir Ruines du château de Crussol : site* et ≤** SE : 2 km, G. Vallée du Rhône.**
ℹ Syndicat d'Initiative 45 r. République (15 juin-15 sept.) ☎ 75 40 46 75.
Paris 562 – Lamastre 36 – Privas 39 – Tournon 14 – Valence 4.

à Cornas sur N 86, au Nord : 2 km – ✉ 07130 St-Péray :

X **Ollier,** ☎ 75 40 32 17, 🌳, 🌳 – VISA
fermé 16 août au 6 sept., vacances de fév., lundi soir de nov. à avril, mardi soir merc. – **R** 70/120.

à Soyons S : 7 km par N 86 – ✉ 07130 St-Péray :

La Musardière Ⓜ, quartier du Vivier ☎ 75 60 83 55, Télex 346387, 🌳, parc, ✂ – 🛗 📺 ☎ ♿ Ⓟ – 🏛 30. AE ⓓ E VISA
fermé 20 déc. au 20 janv. – **R** *(fermé sam. midi)* 95/165, enf. 70 – ☕ 30 – **12** 300/480 – 1/2 p 470.

à St-Romain-de-Lerps NO : 9 km par D 287 – ✉ 07130 St-Péray.
Voir ✳*, G. Vallée du Rhône.**

Château du Besset Ⓜ ⛰, SO : 3 km par VO ☎ 75 58 52 22, Télex 345261, 🌳, « Château sur la colline, beaux aménagements, parc, ⛱, ✂ » – ⇔ ch ☎ 🚗. AE ⓓ E VISA
28 mars-23 oct. – **R** carte 250 à 400 – **6 ch** ☕1700/1900, 4 appartements 2400
1/2 p 1000/1150.

ST-PÈRE 89 Yonne 65 ⑮⑯ – rattaché à Vézelay.

ST-PHILBERT-DE-BOUAINE 85660 Vendée 67 ③ – 2 048 h.
Paris 408 – Cholet 53 – ♦Nantes 27 – Noirmoutier-en-l'Ile 73 – la Roche-sur-Yon 38.

Relais des Etangs, ☎ 51 41 92 44, ✂ – wc ⋒wc ☎ Ⓟ – 🏛 30. E VISA
fermé 24 déc. au 4 janv. et dim. soir – **R** 44/145 ♁ – ☕ 20 – **10 ch** 130/160.

ST-PHILIBERT 56 Morbihan 63 ⑫ – rattaché à La Trinité-sur-Mer.

ST-PIERRE-DE-BOEUF 42410 Loire 77 ① – 1 051 h.
Paris 513 – Annonay 23 – ♦Lyon 50 – ♦St-Étienne 50 – Tournon 45 – Vienne 22.

XX **La Diligence,** ☎ 74 87 12 19 – Ⓟ. AE E VISA
fermé 15 au 31 juil., dim. soir et lundi sauf fériés – **R** 80/200.

-PIERRE-DE-CHARTREUSE 38 Isère 77 ⑤ G. Alpes du Nord – 563 h. alt. 888 – Sports
ver : 900/1 800 m 2 10, – ✉ 38380 St-Laurent-du-Pont.

r Terrasse de la Mairie ←★ – Prairie de Valombré ←★ sur couvent de la Grande rtreuse O : 4 km et belvédère des Sangles ←★★ O : 6 km puis 30 mn – La Scia ★ télébenne – Site★ de Perquelin E : 3,5 km – La Correrie : musée Cartusien★ du vent de la Grande Chartreuse NO : 3,5 km – Décoration★ de l'église de St-Hugues-Chartreuse S : 4 km.

ffice de Tourisme ✆ 76 88 62 08.

s 553 – Belley 66 – Chambéry 40 – ♦Grenoble 29 – La Tour-du-Pin 51 – Voiron 26.

Beau Site, ✆ 76 88 61 34, ←, – cuisinette wc ⋒wc ☎ – 40. AE ⓓ E VISA
2 mai-15 oct., 20 déc.-15 avril et fermé merc. sauf vacances scolaires – **R** 80/150, enf. 35 – 25 – **34 ch** 150/280 – ½ p 210/260.

Nord, ✆ 76 88 61 10, – wc ⋒wc
fermé 1er au 15 mai et 1er au 15 oct. – **R** 65/135 – 20 – **19 ch** 80/150 – ½ p 185/220.

Aub. Atre Fleuri avec ch, **S : 3 km sur D 512** ✆ **76 88 60 21,** , – wc ⋒wc Ⓟ. VISA
fermé 20 au 27 juin, vacances de nov. au 26 déc., mardi soir et merc. – **R** 50/160 – 22 – **8 ch** 140/160 – ½ p 150/260.

au Col du Cucheron N : 3,5 km par D 512 – Sports d'hiver : 1 050/1 550 m 6 – ✉ 38380 St-Laurent-du-Pont :

Chalet H. du Cucheron avec ch, ✆ **76 88 62 06,** ← – ⋒wc. AE ⓓ E VISA. rest
fermé 15 oct. au 15 déc. et mardi sauf vacances scolaires – **R** 64/125, enf. 44 – 18 – **10 ch** 90/150 – ½ p 170/220.

-PIERRE-DELS-FORCATS 66 Pyr.-Or. 86 ⑯ – rattaché à Mont-Louis.

-PIERRE D'ENTREMONT 73670 Savoie 74 ⑮ G. Alpes du Nord – 754 h. alt. 640.

r Cirque de St-Même★★ SE : 4,5 km – Gorges du Guiers Vif★★ et Pas du Frou★★ 5 km – Château du Gouvernement★ : ←★ SO : 3 km.

yndicat d'Initiative ✆ 79 65 81 90.

s 549 – Belley 61 – Chambéry 25 – Les Echelles 12 – ♦Grenoble 50 – ♦Lyon 106.

Le Grand Som M, ✆ 79 65 80 22, ← – ⋒wc ☎ ♿. E VISA
fermé 20 oct. au 20 déc., mardi soir et merc. – **R** 75/140, enf. 50 – 22 – **20 ch** 130/180 – ½ p 190/210.

H. du Château de Montbel, ✆ 79 65 81 65, ← – wc ☎ . E.
fermé fin oct. au 15 déc., dim. soir et lundi hors sais. – **R** 60/120 , enf. 40 – 20 – **15 ch** 115/170 – ½ p 140/180.

-PIERRE-DES-CORPS 37 I.-et-L. 64 ⑮ – rattaché à Tours.

-PIERRE-DES-NIDS 53370 Mayenne 60 ② – 1 528 h.

s 207 – Alençon 15 – Argentan 45 – Domfront 48 – Laval 78 – Mayenne 48.

Dauphin avec ch, rte Alençon ✆ 43 03 52 12 – TV ⋒wc ☎ – 30. E VISA.
fermé 22 août au 8 sept., vacances de fév. et merc. – **R** 70/210 – 21 – **9 ch** 135/255 – ½ p 195/230.

-PIERRE-D'OLÉRON 17 Char.-Mar. 71 ⑬ – voir à Oléron (Ile d').

-PIERRE-DU-VAUVRAY 27430 Eure 55 ⑰ – rattaché à Louviers.

-PIERRE-EN-FAUCIGNY 74 H.-Savoie 74 ⑦ – rattaché à Bonneville.

-PIERRE-LE-MOUTIER 58240 Nièvre 69 ③ G. Bourgogne – 2 261 h.

yndicat d'Initiative à la Mairie ✆ 86 37 42 09.

s 261 – Autun 109 – Bourges 67 – Château-Chinon 84 – Montluçon 76 – Moulins 31 – Nevers 23.

Vieux Puits sans rest, **près Église** ✆ **86 37 41 96** – ⋒wc ☎
fermé janv. – 22 – **11 ch** 165/215.

La Vigne-Relais Gastronomique, rte de Decize ✆ **86 37 41 66,** , parc – Ⓟ. E VISA
fermé vacances de fév., mardi soir et merc. – **R** (dim. et fêtes prévenir) 108/225.

ROEN Gar. Belli, pl. J.-d'Arc ✆ 86 37 40 60
EL Puyet, RN 7 les Allières ✆ 86 37 48 26
JGEOT-TALBOT St-Pierroise Rép. Auto, rte Moulins ✆ 86 37 40 74 N ✆ 86 37 46 99

RENAULT Gar. Garnaud, 26 r. du Cdt Leiffeit ✆ 86 37 42 50 N

-PIERRE-QUIBERON 56 Morbihan 63 ⑪⑫ – rattaché à Quiberon.

ST-POL-SUR-TERNOISE 62130 P.-de-C. 51 ⑬ – 6 322 h.

Paris 205 ② – Abbeville 55 ④ – Arras 34 ② – Béthune 29 ① – Boulogne-sur-Mer 74 ⑤ – Doullens 28 ③ – St-Omer 55 ⑤.

H. Lion d'Or sans rest, 68 r. Hesdin (a) ✆ 21 03 12 93, – TV wc wc ☎. AE ⓓ E VISA
fermé dim. soir de nov. à mars – ☕ 21 – **35 ch** 82/232.

Rest. Lion d'Or avec ch, 74 r. Hesdin (a) ✆ 21 03 10 44 – TV wc wc ☎. AE E VISA
fermé dim. soir de nov. à fév. – **R** 68/136 , enf. 40 – ☕ 26 – **10 ch** 160/240 – 1/2 p 188/228.

CITROEN Martinage, rte Nationale à St-Michel-sur-Ternoise par ② ✆ 21 41 01 54
RENAULT Bailleul, 184 r. Béthune par ① ✆ 21 03 06 55 N
RENAULT Frevent Gar., 55 av. Lebas à Frévent par ③ ✆ 21 03 61 97

ST-POL-SUR-TERNOISE

Carmes (R. des) . . . 2
Carnot (Bd) 3
Drecq (R. J.) 4
Faidherbe (R.) .
Frévent (R. de) .
Gambetta (Bd) .
Gaulle (Av. de) .
Hesdin (R. d') . .
Pt-Simon (R. du)
Wathieumetz (R

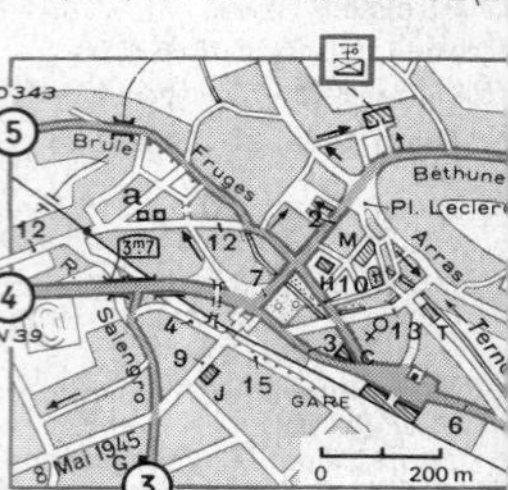

ST-PONS-DE-THOMIÈRES 34220 Hérault 83 ⑬ G. Gorges du Tarn – 2 998 h.

Voir Grotte de la Devèze★ SO : 5 km.

Office de Tourisme pl. Foirail (juin-oct.) ✆ 67 97 06 65.

Paris 875 – Béziers 51 – Carcassonne 71 – Castres 51 – Lodève 73 – Narbonne 52 – St-Aff 88.

Château de Ponderach , S : 1,2 km par rte de Narbonne ✆ 67 97 02 57, parc – wc ☎ P – 40. AE ⓓ E VISA
1er avril-10 oct. – **R** 150/320, enf. 68 – ☕ 58 – **11 ch** 250/395 – 1/2 p 495/575.

au Nord : 10 km sur D 907 – ✉ **34220** St-Pons :

Aub. du Cabaretou avec ch, ✆ **67 97 02 31,** ≤ **vallée et montagne,** wc ☎ P. AE ⓓ E VISA. rest
15 mars-2 nov. et fermé merc. sauf du 1er mai au 31 août – **R** 85/280 – ☕ 3 **10 ch** 120/230 – 1/2 p 260/340.

RENAULT Prax, ✆ 67 97 01 42

ST-POURÇAIN-SUR-SIOULE 03500 Allier 69 ⑭ G. Auvergne – 5 433 h.

Voir Anc. abbatiale Ste-Croix★AY B.

Syndicat d'Initiative bd Ledru-Rollin (15 juin-20 sept.) ✆ 70 45 32 73.

Paris 323 ① – Montluçon 59 ⑤ – Moulins 31 ① – Riom 50 ③ – Roanne 79 ② – Vichy 27 ③.

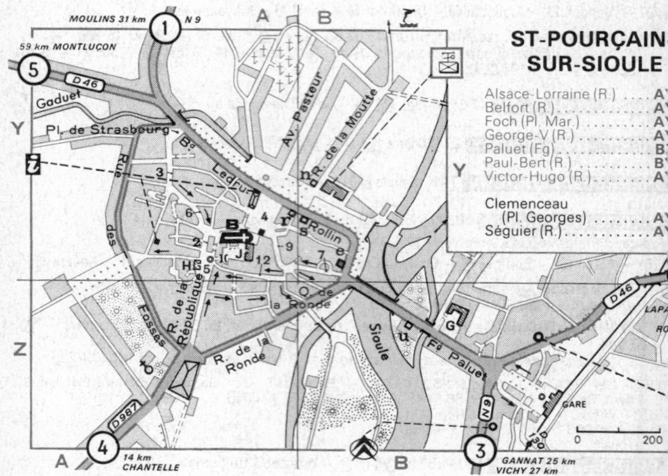

Chêne Vert, bd Ledru-Rollin ✆ 70 45 40 65, – wc ☎ – 80. AE E VISA ABY **s**
fermé 4 au 12 oct., 5 janv. au 5 fév., merc. midi et mardi d'oct. à juin – **R** 75/250, enf. 40 – 25 – **35 ch** 110/220.

Le Club sans rest, r. du Chêne-Vert ✆ 70 45 43 18 – wc AY **r**
fermé 24 avril au 8 mai et 13 nov. au 11 déc. – 20 – **12 ch** 85/190.

Deux Ponts, îlot de Tivoli ✆ 70 45 41 14, – wc wc – 60 à 100. E VISA BZ **u**
fermé 10 nov. au 20 déc., 1er au 15 mars, lundi (sauf hôtel) et dim. soir du 1er oct. au 1er juin – **R** 55/180, enf. 38 – 23 – **27 ch** 90/195 – 1/2 p 176/270.

Globe, r. M. Berthelot ✆ 70 45 30 42 – – 50. E VISA. rest BY **n**
fermé 6 au 16 juin, mi-oct. à mi-nov., dim. soir et lundi hors sais. – **R** 60/170 – 18 – **15 ch** 75/130.

Host. des Cours, bd Ledru-Rollin ✆ 70 45 31 92 – . E VISA BY **e**
fermé 4 janv. au 5 fév. et jeudi – **R** 54/160.

TROEN Gar. de Paris, ✆ 70 45 33 99 N 53 e de Gannat
ORD Gaulmin, 7 pl. de la Liberté ✆ 70 45 37

PEUGEOT-TALBOT Gar. Orpelière, 53 fg National par ④ ✆ 70.45.31.79
RENAULT Bussonnet, 7 rte de Varennes ✆ 70 45 30 48

T-PREST 28 E.-et-L. 60 ⑧ – rattaché à Chartres.

T-PRIEST 69 Rhône 74 ⑫ – rattaché à Lyon.

T-PRIEST-EN-JAREZ 42 Loire 73 ⑲ – rattaché à St-Étienne.

T-PRIEST-TAURION 87480 H.-Vienne 72 ⑧ **G. Berry Limousin** – 2 268 h.
nv. Ambazac : chasse** et dalmatique* dans l'église N : 9 km par D 44.
ris 397 – Bellac 49 – Bourganeuf 40 – Limoges 14 – La Souterraine 55.

Relais du Taurion, ✆ 55 39 70 14, , – . E VISA. rest
fermé 15 déc. au 15 janv., dim. soir et lundi midi hors sais. – **R** 75/150 – 20 – **12 ch** 80/175 – 1/2 p 125/165.

T-PRIVAT-D'ALLIER 43460 H.-Loire 76 ⑯ – 551 h. alt. 800.
ris 534 – Brioude 72 – Cayres 20 – Langogne 55 – Le Puy 22 – St-Chély-d'Apcher 63 – St-Flour 72.

Vieille Auberge, ✆ 71 57 20 56 – wc wc . VISA
fermé 15 oct. au 1er nov. et 10 janv. au 1er mars – **R** 48/130 – 17 – **30 ch** 80/135 – 1/2 p 110/125.

T-PROJET-DE-CASSANIOUZE 15 Cantal 76 ⑪⑫ – ✉ **15340** Calvinet.
ris 611 – Aurillac 47 – Entraygues-sur-Truyère 19 – Figeac 53 – Rodez 46 – Villefranche-de-R. 64.

Pont , ✆ 71 49 94 21, <, parc – wc . AE E VISA
1er avril-1er nov. – **R** 55/140, enf. 40 – 18 – **17 ch** 90/155 – 1/2 p 130/155.

T-QUAY-PORTRIEUX 22410 C.-du-N. 59 ③ **G. Bretagne** – 3 399 h. – Casino.
ir Sémaphore <** – Chemin de ronde <*.
des Ajoncs d'Or ✆ 96 71 90 74 O : 7 km.
Office de Tourisme et Accueil de France (Informations, change et réservations d'hôtels pas plus 5 jours à l'avance) 17 bis r. Jeanne-d'Arc ✆ 96 70 40 64, Télex 950702.
is 470 – Étables-sur-Mer 4 – Guingamp 28 – Lannion 55 – Paimpol 26 – St-Brieuc 21.

Ker Moor M , 13 r. Pt le Sénécal ✆ 96 70 52 22, < côte et mer, , – ☎ – 30 à 50. AE E VISA
fermé 15 déc. au 30 janv. – **R** *(fermé sam.)* 130/220 – 30 – **28 ch** 288/360 – 1/2 p 318/476.

Gerbot d'Avoine, bd Littoral ✆ 96 70 40 09 – wc ☎ . E VISA. ch
fermé 20 nov. au 13 déc., 4 au 25 janv., dim. soir et lundi hors sais. – **R** 58/210, enf. 40 – 20 – **26 ch** 120/225 – 1/2 p 155/210.

rte de Lanvollon O : 2,5 km sur D 9 – ✉ **22410** St-Quay-Portrieux :

Aub. de la Chapelle, ✆ 96 71 92 52, .

RD Gar. du Port, 46 quai de la République 6 70 40 70

RENAULT Gar. Moderne, 69 bd Mar.-Foch ✆ 96 70 40 21

ST-QUENTIN <SP> **02100** Aisne **53** ⑭ **G. Flandres Artois Picardie** – 65 067 h.

Voir Basilique★ BY – **Pastels de Quentin de la Tour**★★ **au musée Lécuyer** AY **M.**

Office de Tourisme à l'Hôtel de Ville ☎ 23 67 05 00.

Paris 146 ⑥ – ♦Amiens 74 ⑦ – Charleroi 118 ③ – ♦Lille 109 ① – ♦Reims 90 ④ – Valencie
79 ①.

ST-QUENTIN

Croix-Belle-Porte (R.) . . . **AY** 6
États-Généraux (R. des) . **AY** 8
Hôtel-de-Ville (Pl. de l') . . **AZ** 17
Isle (R. d') . . . . **BZ**
Lyon (R. de) . . . . **BZ** 24
Raspail (R.) . . . . **AY**
Sellerie (R. de la) . . . . . . **BZ** 33
Zola (R. Émile) . . . . **AZ**

Basilique (Pl. de la) . . . . **ABY** 2
Brossolette (R. Pierre) . . . **AZ** 3
Canonniers (R. des) . . . . . **AZ** 4
Danton (R.) . . . . **BZ** 7
Faidherbe (Av.) . . . . **AZ** 10
Fontaine (R.) . . . . **AZ** 12
Gaulle (Av. Gén. de) . . . . . **BZ** 13
Gouvernement (R. du) . . . **BY** 15
Lafayette (Pl.) . . . . **AY** 20
Leclerc (R. Gén.) . . . . **BZ** 21
Lécuyer (R.) . . . . **AY** 22
Le Sérurier (R.) . . . . **AY** 23
Marché-Franc
(Pl. du) . . . . **BZ** 25
Mulhouse (R. de) . . . . **BY** 26
Péri (R. Gabriel) . . . . A
Picard (R. Ch.) . . . . B
Pompidou (R. G.) . . . . A
Prés. J.-F.-Kennedy
(R. du) . . . . A
St-André (R.) . . . . A
Sous-Préfecture
(R. de la) . . . . B
Thomas (R. A.) . . . . A
Toiles (R. des) . . . . B
Verdun (Bd de) . . . . A
Voltaire (R.) . . . . A
8-Octobre (Pl. du) . . . . . . B

CAMBRAI ① A ② BOHAIN-EN-VERMANDOIS B
N 44 ST-JEAN VÉLODROME D 8 Bd Roosevelt R. C. Desmoulin
Y Richelieu M R. Raspail Champs Élysées R. de Beaudreuil PALAIS DES SPORTS Bd Gambetta
Place Longueville Bd Jaurès BASILIQUE H J. Martin
N 29 : AMIENS ⑦ R. É. Zola R. H. Martin Bd R. Michelet R. d'Isle R. Bénézet
38 Pl. Dufour Denelle Z Bd Victor Hugo R. Dachery Bd L. Blum Pl. de la Liberté Étang d'Isle
⑥ PARIS COMPIÈGNE : D 930 Vieux Port BASSIN DU QUAI GAYANT LA SOMME
0 200 m CHAUNY: D 1 SOISSONS ⑤ A B AGENCE MICHELIN CHAUNY: LAON: N 4

Gd Hôtel et rest. Président, 6 r. Dachery ☎ 23 62 69 77, Télex 140225 – ch rest TV ☎ P – 40. AE E VISA BZ
R *(fermé 2 au 23 août, 1er au 15 fév., dim. soir et lundi)* 165/275 – 45 – **24** 380/480
Spéc. Foie gras de canard, Pomme de ris de veau rôtie au genièvre, Soufflé à la chicorée et coulis.

Diamant M sans rest, 14 pl. Basilique ☎ 23 64 19 19, Télex 145886 – cuisine TV wc ☎ . AE E VISA ABZ
28 – **43 ch** 298/330.

Paix, Albert 1er et rest. Le Brésilien, 3 pl. du 8-Octobre ☎ 23 62 77 62, Té 140225 – TV wc wc ☎ P – 40. AE E VISA BZ
R carte 100 à 140 – 25 – **82 ch** 130/285.

France et Angleterre sans rest, 28 r. E.-Zola ✆ 23 62 13 10, Télex 140986 – 📺 🛁wc 🚿wc ☎ 🚗. E VISA AZ d
fermé 23 au 31 déc. – ☕ 24 – **28 ch** 155/255.

Mémorial Ⓜ sans rest, 8 r. Comédie ✆ 23 09 20 09 – 📺 🛁wc 🚿wc ☎ Ⓟ. ⓓ E VISA AZ b
☕ 34 – **15 ch** 280/460.

Au Petit Chef, 31 r. Émile-Zola ✆ 23 62 28 51 – AE ⓓ E VISA AZ s
fermé dim. – **R** 65/150 🍷.

Le Pichet, 6 bd Gambetta ✆ 23 62 03 67 – E VISA BZ u
fermé lundi sauf le midi d'oct. à juin et dim. soir – **R** 100 bc/190 bc, enf. 50.

Le Riche, 10 r. Toiles ✆ 23 62 33 53 – E VISA ABZ e
fermé 15 juil. au 10 août, 26 au 31 déc. dim. soir et mardi – **R** 70/180 🍷.

par ⑦ sur N 29 : 1 km – ✉ **02100** St-Quentin :

Campanile Ⓜ, ✆ 23 09 21 22, Télex 150596, 🌳, 🍴 – 📺 🛁wc ☎ ♿ Ⓟ – 👥 50. VISA
R 63 bc/86 bc, enf. 38 – ☕ 24 – **40 ch** 200/220 – $^{1}/_{2}$ p 287/330.

à Neuville St-Amand SE : 3 km par r. du Gén.-Leclerc puis D 12 - BZ – ✉ **02100** St-Quentin :

⟨ ✿ **Château** (Meiresonne), ✆ 23 68 41 82, parc – Ⓟ. ⓓ E VISA
fermé 1er au 22 août, 24 au 31 déc., vacances de fév., dim. soir, merc. soir et lundi – **R** (prévenir) 140/275, enf. 60
Spéc. Panaché de poissons, Emincé de canard au cidre et à la crème, Feuilleté chaud aux fruits.

à Holnon par ⑦ : 6 km – ✉ **02760** Holnon :

Pot d'Étain, ✆ 23 09 61 46, 🌳, 🍴 – Ⓟ. AE E VISA
R 75/300, enf. 40.

:HELIN, Agence, 6 rte de Chauny par ④ ✆ 23 68 03 29

/ Auto Sport ZAC La Vallée r. Ch.-Linré 62 39 55
OEN Béma ZAC La Vallée r. Parmentier) ✆ 23 09 23 23
St-Quent'Auto, 92 av. des Fusillés-Fon- -Notre-Dame ✆ 23 68 19 87
) Gar. Moderne, r. du Cdt-Raynal ✆ 23 90
. Fiszel-Auto, 32 bd V.-Hugo ✆ 23 67 21
;EOT-TALBOT Center-Auto Anc. Ets Fa- e, 418 rte de Paris par ⑥ ✆ 23 62 34 23
RENAULT Gueudet, rte de Vermand par ⑦ ✆ 23 67 47 47
SEAT-VOLVO Ets Lesot, 52 av. Faidherbe ✆ 23 62 29 41
V.A.G. Gar. du Cambrésis, 98 r. A.-Dumas ✆ 23 62 45 43

⊛ Joncourt-Pneus, 51 ter av. Gén.-de-Gaulle ✆ 23 62 59 37
Pneus-Lepilliez-Dubois, 3 pl. Basilique ✆ 23 62 33 30 et Zone Ind., r. de Picardie à Gauchy

QUENTIN-SUR-LE-HOMME **50** Manche **59** ⑧ – rattaché à Avranches.

RAMBERT-D'ALBON **26140** Drôme **77** ① – 4 062 h.
517 – Annonay 19 – La Côte-St-André 42 – St-Vallier 11 – Tournon 26 – Valence 50 – Vienne 29.

Croix d'Or, r. Nationale ✆ 75 31 00 35 – 🚿wc ☎ 🚗. AE E VISA
fermé 16 sept. au 1er oct., 15 fév. au 1er mars et dim. – **R** 54/148, enf. 38 – ☕ 22 – **11 ch** 98/240 – $^{1}/_{2}$ p 165/210.

OEN Gar. Cochard, ✆ 75 31 01 74
RENAULT Gar. Ortega, ✆ 75 31 01 49 N

RAPHAËL **83700** Var **84** ⑧, **195** ㉝ **G. Côte d'Azur** – 24 310 h. – Casino: Z.
Collection d'amphores★ dans le musée archéologique Y **M.**
: Valescure ✆ 94 82 40 46, NE par D 37 : 6 km.
fice de Tourisme et A.C. r. W.-Rousseau ✆ 94 95 16 87.
874 ③ – Aix-en-Provence 119 ③ – Cannes 43 ④ – ♦Marseille 131 ③ – ♦Toulon 96 ③.

Accès et sorties : voir plan de Fréjus

Plan page suivante

Beau Séjour sans rest, prom. Prés.-Coty ✆ 94 95 03 75, ← – 🛗 🛁wc 🚿wc ☎. ⓓ E VISA Z m
20 mars-1er nov. – ☕ 22 – **40 ch** 250/350.

Excelsior, bd F.-Martin ✆ 94 95 02 42, ← – 🛗 🛁wc 🚿wc ☎. AE ⓓ E VISA
R 115/215 – ☕ 30 – **40 ch** 137/341 – $^{1}/_{2}$ p 228/333. Z h

Le Liberté, 56 r. Liberté ✆ 94 95 53 21 – 🚿wc ☎. E VISA Y t
27 mars-15 oct. – **R** voir rest. **Pastorel** ci-après – ☕ 19 – **25 ch** 170/220.

France sans rest, pl. Galliéni ✆ 94 95 17 03 – 🛗 🚿wc ☎ Y v
fermé déc. – ☕ 20 – **28 ch** 200.

Provençal sans rest, 197 r. Garonne ✆ 94 95 01 52 – 🚿wc ☎. E VISA. ✻ Y a
fermé janv. – ☕ 20 – **28 ch** 130/225.

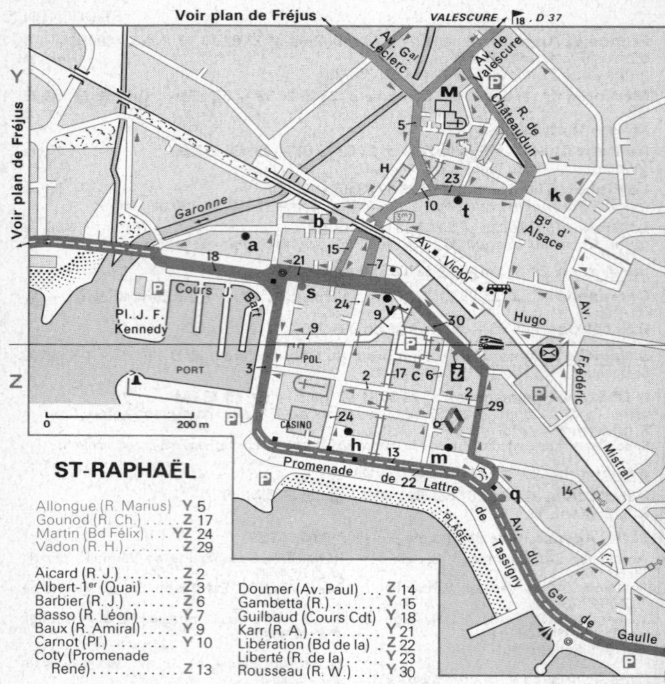

XXX **La Voile d'Or,** 1 bd Gén.-de-Gaulle ✆ 94 95 17 04, ← – AE ⓓ E VISA
fermé 14 au 26 nov., mardi midi et merc. midi du 1er juin au 31 août, mardi so... merc. hors sais. – **R** 140/220, enf. 120.

XX **Pastorel** -Hôtel Le Liberté-, 54 r. Liberté ✆ 94 95 02 36 – AE E VISA
fermé août, 15 déc. au 15 janv., dim. soir et lundi – **R** 130.

XX **Sirocco,** 35 quai Albert 1er ✆ 94 95 39 99, ←, terrasse – AE ⓓ E VISA
fermé 15 janv. au 15 fév. et mardi – **R** 98/180, enf. 50.

XX **Le Tisonnier,** 70 r. Garonne ✆ 94 95 28 51 – AE ⓓ E VISA
fermé mi-nov. à mi-déc. et lundi – **R** 89/195.

XX **l'Aristocloche,** 15 bd St Sébastien ✆ 94 95 28 36 – AE ⓓ
fermé 19 juin au 4 juil., lundi midi et dim. – **R** carte 130 à 210.

au NE : 5 km par D 37 et rte Golf – ✉ **83700** St-Raphaël :

Golf H. de Valescure M, à 5 km ✆ 94 82 40 31, Télex 461085, ←, terrasse, p... – ascenseur TV ☎ ♿ P – 40 à 60. AE ⓓ E VISA. rest
15 mars-15 nov. et 15 déc.-10 janv. – **R** 140 – **40 ch** 399/515 – 1/2 p 562.

San Pedro M, av. Col. Brooke (à 5 km) ✆ 94 83 65 69, terrasse, parc, – ascenseur ☎ P. AE ⓓ E VISA. rest
fermé 2 janv. au 1er fév. et lundi du 15 sept. au 15 juin – **R** 165/290 – 40 – **28** ... 460/590.

La Chêneraie, à 3,5 km ✆ 94 83 65 03, ←, terrasse, parc – TV wc wc ☎ P VISA
fermé 1er fév. au 15 mars – **R** *(fermé dim. soir et lundi)* 175/280 – 35 – **10** ... 350/400 – 1/2 p 370/400.

à Boulouris par ① : 5 km – ✉ **83700** St-Raphaël :

La Potinière M, ✆ 94 95 21 43, terrasse, parc, – TV wc ☎ P. AE rest
fermé 5 nov. au 20 déc. – **R** *(fermé jeudi du 1er oct. au 31 mars)* 110/179 – **21** ... 305/472, 4 appartements 550 – 1/2 p 346/385.

CITROEN Gar. Bacchi, 658 av. de Verdun par D37 Y ✆ 94 95 98 51
FORD Gar. Vagneur, 142 av. Valescure ✆ 94 95 42 78
RENAULT Gd Gar. des Bains, 98 r. J.-Bar... ✆ 94 95 16 72

REMÈZE 07 Ardèche 80 ⑨ – 474 h. – ✉ 07700 Bourg-St-Andéol.

681 – Aubenas 47 – Montélimar 44 – Orange 50 – Privas 71.

Le Terroir, ☎ 75 04 15 02
15 mars-11 nov. et fermé lundi (sauf le soir en juil.-août) et dim. soir – **R** 55/170, enf. 38.

RÉMY 21 Côte-d'Or 65 ⑦ – rattaché à Montbard.

RÉMY 71 S.-et L. 69 ⑨ – rattaché à Chalon-sur-Saône.

RÉMY 79 Deux-Sèvres 71 ① – rattaché à Niort.

RÉMY-DE-PROVENCE 13210 B.-du-R. 81 ⑫ **G. Provence** – 8 439 h.

Hôtel de Sade : dépôt lapidaire★ B – Cloître★ de l'ancien monastère de St-Paul-Mausole par ③ – Les Antiques★★ : Mausolée★★, Arc municipal★, Ruines de Glanum★ par ③ – Env. ✲★★ de la Caume 7 km par ③.

fice de Tourisme pl. J.-Jaurès ☎ 90 92 05 22.

706 ① – Arles 25 ④ – Avignon 21 ① – ♦Marseille 91 ② – Nîmes 42 ④ – Salon-de-Pr. 37 ②.

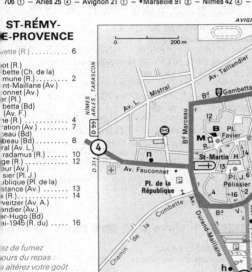

ST-RÉMY-DE-PROVENCE

ette (R.) 6
ot (R.)
bette (Ch. de la)
mune (R.) 2
nt-Maillane (Av.)
onnet (Av.)
r (Pl.)
betta (Bd)
(Av. F.)
ne (R.) 4
ation (Av.) 7
eau (Bd)
beau (Bd) 8
ral (Av. L.)
radamus (R.) 10
ge (R.) 12
eur (Av.)
sier (Pl. J.)
ublique (Pl. de la)
stance (Av.) 13
(R.) 14
weitzer (Av. A.)
andier (Av.)
r-Hugo (Bd)
ai-1945 (R. du) 16

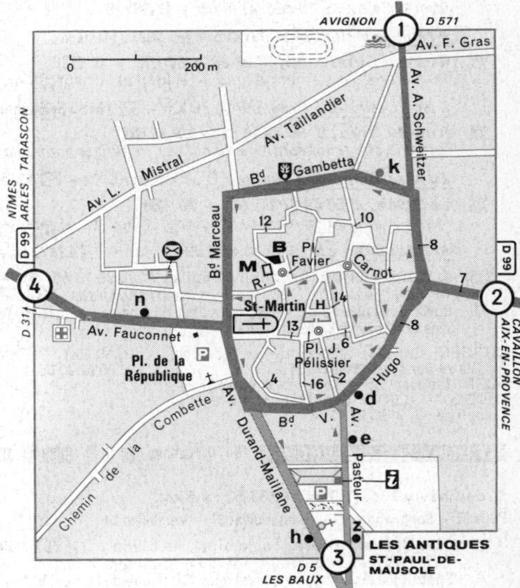

ez de fumez ours du repas : altérez votre goût gênez vos voisins.

Château des Alpilles Ⓜ sans rest, O : 2 km par D 31 ☎ 90 92 03 33, Télex 431487, « Demeure du 19e s. dans un parc », ⛱, 🎾 – 🛗 cuisinette 📺 ☎ 🅟. AE ⓓ E VISA
27 mars-12 nov. et 20 déc.-3 janv. – ☕ 50 – **16 ch** 560/690.

Host. du Vallon de Valrugues Ⓜ, Chemin Canto Cigalo par ② ☎ 90 92 04 40, Télex 431677, ←, ⛱, 🌳, 🎾 – 🛗 ☎ 🅟. E VISA. ✱
1er mars-3 nov. – **R** 230/320 – ☕ 42 – **24 ch** 440/480, 10 appartements 536/646.

Les Antiques sans rest, 15 av. Pasteur **(e)** ☎ 90 92 03 02, « Beaux salons, parc, club hippique », ⛱ – 🅟. AE ⓓ E VISA
27 mars-15 oct. – ☕ 40 – **27 ch** 310/370.

Château de Roussan sans rest, rte Tarascon par ④ : 2 km ☎ 90 92 11 63, ←, « Demeure du 18e s. dans un parc » – 🛁wc ☎ 🚗 🅟. VISA. ✱
20 mars-20 oct. – ☕ 42 – **12 ch** 330/540.

Le Castelet des Alpilles, pl. Mireille **(h)** ☎ 90 92 07 21, 🏖, 🌳 – 🛁wc 🚿wc ☎ 🅟. AE ⓓ VISA
20 mars-6 nov. – **R** 90/190 – ☕ 34 – **20 ch** 85/350 – 1/2 p 275/390.

Mas des Carassins sans rest, 1 chemin Gaulois par ③ ☎ 90 92 15 48, ←, 🌳 – 🛁wc ☎ 🅟. ✱
fermé 1er janv. au 1er mars – ☕ 32 – **10 ch** 250/370.

Canto Cigalo sans rest, chemin Canto Cigalo par ② 90 92 14 28, ←, wc wc ☎ P.
1er mars-31 oct. – 29 – **20 ch** 200/285.

Aub. Sant Roumierenco, NE : 2 km par ② et rte Noves 90 92 12 5 – wc wc ☎ P. E VISA.
fermé 15 janv. au 15 fév. et merc. du 15 nov. au 15 mars – **R** 110/205 – 38 – 240/395 – 1/2 p 265/345.

Van Gogh sans rest, av. J.-Moulin par ② 90 92 14 02, – wc ☎ P.
1er mars-5 nov. – 21 – **18 ch** 200/230.

Soleil sans rest, av. Pasteur (z) 90 92 00 63, – wc wc ☎ P. AE E VISA.
1er mars-14 nov. – 23 – **15 ch** 185/240.

Cheval Blanc sans rest, 6 av. Fauconnet (n) 90 92 09 28 – wc ☎ P
18 – **22 ch** 140/160.

Arts, 30 bd Victor-Hugo (d) 90 92 08 50 – wc ☎. AE VISA
hôtel : 30 mars-30 oct., 12 nov.-30 janv. et fermé merc. en hiver ; rest. : 3 r 30 oct. et fermé merc. – **R** 65/140 – 25 – **17 ch** 100/210 – 1/2 p 177/220.

XX **Jardin de Frédéric,** 8 bd Gambetta (k) 90 92 27 76 – AE E VISA
fermé 15 nov. au 15 déc. et merc. – **R** 98/175.

à Maillane NO : 7 km par D 5 – **13910** Maillane :

XX **Oustalet Maïanen,** 90 95 74 60, – E VISA
1er mars-1er nov. et fermé lundi – **R** (déj. seul. sauf juil.-août) 80/150, enf. 50.

à St-Etienne-du-Grès par ④ : 9 km – **13150** St-Etienne-du-Grès :

XX **Aub du Grès,** 90 49 18 61 – E VISA
fermé le soir (sauf sam.) du 15 oct. au 1er avril et sam. midi – **R** 95/160.

au Mas-Blanc-des-Alpilles O : 7 km par D 99 – **13150** Tarascon :

XX **La Rode,** 90 49 07 21, – . VISA
fermé 1er fév. au 15 mars et le soir du 1er nov. au 31 janv. – **R** 92/128.

à Verquières par ②, D 30 et D 29 : 11 km – **13670** St.-Andiol :

XXX ✿ **Coupe Chou** (Ravoux), pl. Eglise 90 95 18 55,
fermé 11 janv. au 11 fév. lundi et mardi sauf fêtes – **R** (prévenir) 150/300
Spéc. Galantine de gigot d'agneau, Flan de lapereau au basilic, Petits paquets à la marsei
Vins Coteaux des Baux, Cairanne.

CITROEN Gar. des Alpilles, rte de Tarascon, av. Gleize par ④ 90 92 09 34
FORD Merklen, Zone d'activité 90 92 01 24
PEUGEOT-TALBOT Gar. Maurin, rte de Tarascon par ④ 90 92 13 16
RENAULT Gar. Cabassut, rte Tarascon p 90 92 00 35

ST-RÉMY-LÈS-CHEVREUSE

78470 Yvelines 60 ⑨⑩, 196 ㉙, 101 ㉜ G. Environs de – 5 265 h.

de Chevry 2, (1) 60 12 40 33 SE : 4,5 km.

Paris 37 – Longjumeau 21 – Rambouillet 21 – Versailles 14.

XX ✿ **La Cressonnière** (Toulejbiez), rte Milon (1) 30 52 00 41, – AE VISA
fermé 15 au 31 août, dim. soir de nov. à mars, mardi et merc. – **R** 145/250
Spéc. Rouelles d'anguille en meurette, Cassolette de homard et filet de sole, Pigeonneau rôti de chou braisé.

TOYOTA Gar. du Claireau, (1)30 52 41 00

ST-RÉMY-SUR-DUROLLE

63550 P.-de-D. 73 ⑥ G. Auvergne – 2 022 h. alt. 650.

Voir Calvaire ✻★.

Paris 395 – Chabreloche 12 – ♦Clermont-Ferrand 54 – Thiers 8,5.

XX **Vieux Logis** avec ch, N : 3,5 km sur D 201 73 94 30 78, ←, – wc w E VISA
fermé fév., dim. soir et lundi soir – **R** (nombre de couverts limité-prévenir) 80/ enf. 35 – 15 – **4 ch** 110/120.

ST-RESTITUT

26 Drôme 81 ① G. Vallée du Rhône – 630 h. – **26130** St-Paul-Trois-Chât

Voir Décoration★ de l'église et belvédère ←★ 15 mn – Cathédrale★ de St-Paul-T Châteaux NO : 4 km.

Paris 635 – Bollène 9 – Montélimar 31 – Nyons 36 – Valence 74.

Aub. des Quatre-Saisons, 75 04 71 88, « Maisons romanes aménag en hostellerie », – wc ☎. AE E VISA
fermé 14 nov. au 6 déc., 12 janv. au 2 fév., lundi soir hors sais., lundi midi en sa mardi midi – **R** 70/220 – 35 – **10 ch** 240/410 – 1/2 p 315/450.

-ROMAIN-DE-LERPS 07 Ardèche 77 ⑪ – rattaché à St-Péray.

-ROMAIN-EN-VIENNOIS 84 Vaucluse 81 ③ – 644 h. – ✉ **84110** Vaison la Romaine.

s 673 – Avignon 51 – Nyons 13 – Orange 31 – Vaison-la-Romaine 4.

L'Amourié avec ch, ☎ 90 46 43 72 – wc. E VISA. ch
fermé 1er au 15 oct., 1er janv. au 1er fév., lundi soir et mardi du 15 sept. au 15 juin – **R** 60/120 – 20 – **5 ch** 180/200 – 1/2 p 260.

-ROME-DE-CERNON 12490 Aveyron 80 ⑬⑭ – 878 h.

s 660 – Lodève 58 – Millau 17 – Rodez 75 – St-Affrique 14 – Le Vigan 69.

Commerce, ☎ 65 62 33 92 – .
fermé 19 déc. au 5 janv. – **R** 45/100 – 20 – **13 ch** 80/110 – 1/2 p 110/140.

-SALVADOUR 19 Corrèze 75 ⑨ – rattaché à Seilhac.

-SAMSON-DE-LA-ROQUE 27 Eure 55 ④ – 292 h. – ✉ **27680** Quillebeuf-sur-Seine.

r Phare de la Roque ★ N : 2 km, **G. Normandie Vallée de la Seine.**

s 185 – Beuzeville 12 – Bolbec 23 – Évreux 81 – ♦Le Havre 38 – Honfleur 21 – Pont-Audemer 13.

Relais du Phare, pl. Église ☎ 32 57 61 68, , – AE E VISA
fermé lundi soir et mardi – **R** 170/200.

-SATURNIN-LÈS-APT 84 Vaucluse 81 ⑭ – rattaché à Apt.

-SAUD-LACOUSSIÈRE 24 Dordogne 72 ⑯ – 1 045 h. – ✉ **24470** St Pardoux-la-Rivière.

s 453 – Brive-la-Gaillarde 113 – Châlus 23 – ♦Limoges 58 – Nontron 16 – Périgueux 68.

Host. St-Jacques , ☎ 53 56 97 21, , « Terrasse et jardin fleuri », , – TV wc wc . E VISA
1er avril-mi oct. et fermé lundi hors sais.; ouvert dim. et fêtes toute l'année – **R** 55/120, enf. 30 – 30 – **24 ch** 200/300 – 1/2 p 217/290.

-SAVIN 38 Isère 74 ⑬ – rattaché à Bourgoin-Jallieu.

-SAVIN 65 H.-Pyr. 85 ⑰ – rattaché à Argelès-Gazost.

-SAVIN 86310 Vienne 68 ⑮ **G. Poitou Vendée Charentes** – 1 058 h.

r **Église abbatiale★★ : Peintures murales★★★ – Pont-Vieux ←★.**

s 343 – Le Blanc 19 – Poitiers 41.

La Grange, rte d'Antigny ☎ 49 48 07 06, – wc
fermé fév. et mardi d'oct. à mai – **R** 50/180 – 18 – **9 ch** 120/185.

ROEN Gar. Central, ☎ 49 48 00 23

-SAVINIEN 17350 Char.-Mar. 71 ④ **G. Poitou Vendée Charentes** – 2 299 h.

. Château de la Roche Courbon★ et Jardins★ : ←★★ SO : 10 km.

yndicat d'Initiative pl. Bonnet (juin-sept.) ☎ 46 90 21 07.

s 458 – Rochefort 28 – La Rochelle 60 – St-Jean-d'Angély 15 – Saintes 19 – Surgères 30.

ROEN Gar. Roy, ☎ 46 90 21 12 N — RENAULT Gar. Garnier, ☎ 46 90 20 24

-SÉBASTIEN-SUR-LOIRE 44 Loire-Atl. 67 ③ – rattaché à Nantes.

-SEINE-L'ABBAYE 21440 Côte d'Or 65 ⑲ **G. Bourgogne** – 339 h.

s 287 – Autun 75 – ♦Dijon 27 – Châtillon-sur-Seine 57 – Montbard 48.

Poste , ☎ 80 35 00 35, – wc wc . E VISA
fermé fév. et mardi d'oct. à mars – **R** 110/170, enf. 50 – 25 – **22 ch** 120/200 – 1/2 p 220/270.

-SERNIN-SUR-RANCE 12380 Aveyron 80 ⑫ **G. Gorges du Tarn** – 636 h.

s 706 – Albi 50 – Cassagnes-Bégonhès 58 – Castres 75 – Lacaune 30 – Rodez 83 – St-Affrique 32.

Carayon, ☎ 65 99 60 26, ←, – TV wc wc – 80. AE E VISA
fermé dim. soir du 1er nov. au 1er avril – **R** 55/235 , enf. 35 – 20 – **23 ch** 140/165 – 1/2 p 169/199.

ROEN Gar. Bardy, ☎ 65 99 61 61

-SERVAN-SUR-MER 35 I.-et-V. 59 ⑥ – rattaché à St-Malo.

ST-SEVER 40500 Landes 78 ⑥ **G. Pyrénées Aquitaine** – 4 800 h.

Voir Chapiteaux★ de l'église – Syndicat d'Initiative pl. Tour-du-Sol ☎ 58 76 00 10.

Paris 725 – Aire-sur-l'Adour 32 – Dax 48 – Mont-de-Marsan 17 – Orthez 37 – Pau 69 – Tartas 23.

Relais du Pavillon (Dumas) M, au N : 2 km D 933 ☎ **58 76 20 22**, rest wc wc ☎. AE E VISA
fermé dim. soir du 1er nov. au 31 mars – **R** 90/250 – 22 – **14 ch** 160/250
1/2 p 220/280
Spéc. Foie de canard en terrine, Foie de canard aux raisins, Brochette gourmande. Vins Tursan, Madiran.

France et Ambassadeurs, pl. Cap-du-Pouy ☎ **58 76 00 01** – wc
fermé dim. soir – **R** 55/170 ₰, enf. 35 – 18 – **22 ch** 50/135.

PEUGEOT Junca, 23 r. du Castallet ☎ 58 76 02 95

RENAULT Gar. Cazenave, 27 rue du Castet ☎ 58 76 00 19

STS-GEOSMES 52 H.-Marne 66 ③ – rattaché à Langres.

ST-SORLIN-D'ARVES 73 Savoie 77 ⑥⑦ **G. Alpes du Nord** – 309 h. alt. 1 550 – ✉ 73 St-Jean-d'Arves.

Voir Site★ de l'église de St-Jean-d'Arves SE : 2,5 km – **Env. Col de la Croix de Fer** ✻★★ O : 7,5 km – Col du Glandon ≤★ puis Combe d'Olle★★ O : 10 km.

Paris 632 – Albertville 80 – Le Bourg-d'Oisans 44 – Chambéry 91 – St-Jean-de-Maurienne 20.

Chardon Bleu , ☎ **79 59 71 47**, ≤ – ☎ . E VISA.
1er juil.-31 août et 10 déc.-15 avril – **R** 70/120, enf. 50 – 25 – **26 ch** 120/160
1/2 p 150/210.

ST-SULPICE 81370 Tarn 82 ⑨ – 4 016 h.

Paris 689 – Albi 47 – Castres 53 – Montauban 43 – ♦Toulouse 31.

XX **Aub. de la Pointe,** ☎ **63 41 80 14,** – . AE E VISA
fermé 1er au 7 fév. et merc. d'oct. à juin – **R** 56/140 ₰, enf. 45.

RENAULT Gomez, ☎ 63 41 80 57 N

Graniti, ☎ 63 40 01 70

ST-SULPICE-SUR-LÈZE 31 H.-Garonne 82 ⑰ – 1 264 h. – ✉ **31410** Noé.

Paris 739 – Auterive 13 – Foix 52 – St-Gaudens 61 – ♦ Toulouse 35.

XX **La Commanderie,** pl. H. de Ville ☎ **61 97 33 61,** , – VISA
fermé 15 au 30 sept., 15 au 28 fév., lundi soir et mardi – **R** 70/200 ₰, enf. 45.

ST-SYLVAIN 14 Calvados 54 ⑯ – 903 h. – ✉ **14190** Grainville-Langannerie.

Paris 215 – ♦Caen 20 – Falaise 20 – Lisieux 41 – St-Pierre-sur-Dives 13.

XX **Aub. Crémaillère,** ☎ **31 78 11 18** – AE VISA
fermé vacances de fév., lundi soir et mardi – **R** 80/140.

ST SYMPHORIEN 72 Sarthe 60 ⑫ – 517 h. – ✉ **72480** Bernay-en-Champagne.

Paris 227 – Alençon 52 – Laval 57 – ♦Le Mans 27 – Mayenne 55.

XX **Relais de la Charnie** avec ch, ☎ **43 20 72 06,** – wc wc ☎. E VISA
fermé 18 au 27 juil., vacances de fév., dim. soir et lundi – **R** 60/160 ₰, enf. 48 – 18 – **10 ch** 78/180 – 1/2 p 135/210.

ST-SYMPHORIEN-DE-LAY 42470 Loire 73 ⑧ – 1 544 h.

Paris 408 – ♦Lyon 69 – Montbrison 50 – Roanne 17 – ♦St-Étienne 67 – Thizy 17.

NE par N 7 et D 26 : 1,5 km – ✉ **42470** St Symphorien-de-Lay :

X **Aub. des Terrasses,** ☎ **77 64 72 87,** ≤, – . E VISA
fermé 4 au 11 août, 9 janv. au 6 fév., dim. soir et lundi – **R** 60/125 ₰.

à Neaux NO : 3 km sur N 7 – ✉ **42470** St-Symphorien-de-Lay :

XX **Relais de l'Ecoron,** ☎ **77 64 78 60** – AE VISA
fermé 27 sept. au 30 oct., mardi soir et merc. – **R** 54/145 ₰, enf. 30.

ST-SYMPHORIEN-DE-MARMAGNE 71 S.-et-L. 69 ⑦⑧ – rattaché à Marmagne.

ST-THÉGONNEC 29223 Finistère 58 ⑥ **G. Bretagne** – 2 133 h.

Voir Enclos paroissial★★ – **Env.** Enclos paroissial★★ de Guimiliau SO : 7,5 km.

Paris 550 – Châteaulin 52 – Landivisiau 12 – Morlaix 12 – Quimper 73 – St-Pol-de-Léon 23.

XXX **Aub. St-Thégonnec** avec ch, pl.Mairie ☎ **98 79 61 18,** – ☎. AE E VISA rest
fermé 15 déc. au 1er fév., lundi midi en juil.-août, dim. soir et lundi de sept. à juin –
R 105/280, enf. 50 – 22 – **7 ch** 100/170 – 1/2 p 180/240.

ST-THIBAULT 18 Cher 65 ⑫⑬ – rattaché à Sancerre.

-THIBAULT-DES-VIGNES 77 S.-et-M. 56 ⑫ – rattaché à Lagny-sur-Marne.

-TROJAN-LES-BAINS 17 Char.-Mar. 71 ⑭ – voir à Oléron (Ile d').

-TROPEZ 83990 Var 84 ⑰ **G. Côte d'Azur** – 6 248 h.

ir Musée de l'Annonciade** Z – Port* YZ – Môle Jean Réveille <* Y – Citale* Y : <* des remparts, ** du donjon – Chapelle Ste-Anne <* S : 4 km par av. Roussel Z.

)ffice de Tourisme quai J.-Jaurès ✆ 94 97 45 21 et Maison du Tourisme 23 av. Gén.-Leclerc 94 97 41 21, Télex 461440.

① : Paris 875 – Aix-en-Provence 120 – Brignoles 63 – Cannes 75 – Draguignan 50 – ♦Toulon 69.

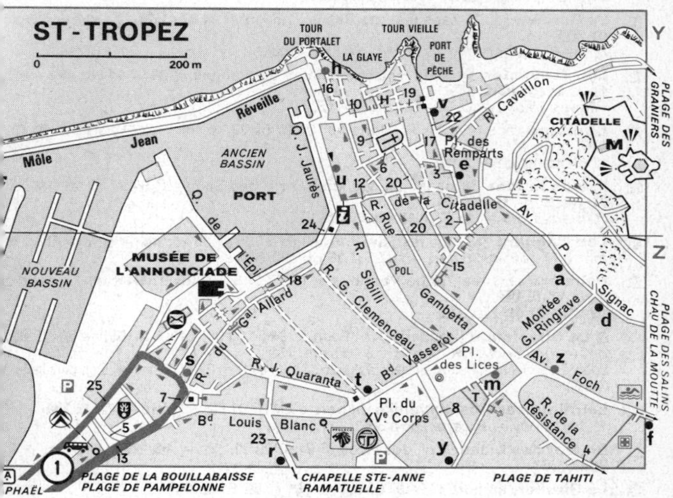

En saison : sens unique (flèche noire), zone piétonne dans la vieille ville.

ire-du-Chemin (R.) ...... Y 2	Guichard (R. du Cdt) ..... Y 9	Péri (Quai Gabriel) ...... Z 18
umale (Bd d') .... Y 3	Hôtel-de-Ville (Pl. de l') .. Y 10	Ponche (R. de la) .... Y 19
elle-Isnarde (Ch. de la) .. Z 4	Laugier (R. V.) .... Y 12	Portail-Neuf (R. du) .... YZ 20
anqui (Pl. Auguste) ..... Z 5	Leclerc (Av. Général) .... Z 13	Remparts (R. des) .... Y 22
ocher (R. du) .... Y 6	Miséricorde (R.) .... Z 15	Roussel (Av. Paul) .... Z 23
oix-de-Fer (Pl. de la) .... Z 7	Mistral (Quai Frédéric) ... Y 16	Suffren (Quai) .... Y 24
angeon (Av.) .... Z 8	Ormeau (Pl. de l') .... Y 17	11-Novembre (Av. du) ... Z 25

Byblos M, av. P.-Signac **(d)** ✆ **94 97 00 04, Télex 470235**, <, , « **Demeures provençales richement meublées** », , – ▤ TV ☎ – P – 60 à 150. AE ◑ VISA Z **d**
mars-oct. – **La Braiserie R** carte 235 à 410 – ☐ 92 – **70 ch** 1370/1980, 37 appartements.

Résidence de la Pinède M, à la plage de la Bouillabaisse par ① : 1 km ✆ **94 97 04 21, Télex 470489**, <, , , – ▤ rest TV ☎ ♿ P. AE ◑ E VISA. rest
Pâques-15 oct. – **R** 250/350, enf. 150 – **40 ch** ☐1000/2000, 5 appartements – ½ p 800/1100.

La Mandarine M, rte de Tahiti ✆ **94 97 21 00, Télex 970461**, <, , , – TV ☎ P. AE ◑ E VISA
1er avril-5 oct. – **R** 230/290 – **40 ch** ☐980/1260.

La Bastide de St Tropez M, rte Carles : 1 km ✆ **94 97 58 16**, <, , , – TV ☎ ♿ P. AE ◑ VISA
15 fév.-30 oct. et vacances de Noël – **R** 220 – ☐ 76 – **17 ch** 1500/1800 – ½ p 1766/2032.

Le Yaca M, 1 bd Aumale **(e)** ✆ **94 97 11 79, Télex 462140**, , , – ▤ ch TV ☎. AE ◑ E VISA Y **e**
1er avril-15 oct. et 20 déc.-5 janv. – **R** (dîner seul.) 200 bc/250 bc – ☐ 50 – **22 ch** 700/1200.

Résidence des Lices M sans rest, ✆ **94 97 28 28**, , – TV ☎ P. AE ◑ E VISA Z **y**
Pâques-2 nov. – ☐ 40 – **41 ch** 320/850.

La Tartane M, rte des Salins 3 km ☎ 94 97 21 23, <, « Jardin », ch ☎ ℗. E VISA. rest
15 mars-5 nov. – **R** grill (déj. seul.) 120/180 – 47 – **12 ch** 450/630.

La Ponche, pl. Révelin (v) ☎ 94 97 02 53, – ch wc wc ☎ Y
1er avril-15 oct. – **R** 150/300 – **23 ch** 550/850.

Les Capucines sans rest, quartier Treizain par ① : 2 km ☎ 94 97 70 05, – wc wc ☎ ℗. AE E VISA.
1er avril-20 oct. – 38 – **24 ch** 370/800.

Treizain sans rest, quartier Treizain par ① : 2 km ☎ 94 97 70 08, <, wc wc ☎ ℗. AE E VISA
5 mars-15 oct. – 31 – **17 ch** 389/550.

La Barlière M sans rest, rte Salins : 1,5 km ☎ 94 97 41 24, – wc ℗. VISA
fermé 6 janv. au 6 fév. – 35 – **14 ch** 420/480.

Lou Troupelen sans rest, chemin des Vendanges ☎ 94 97 44 88, – wc ☎ ℗. E VISA Z
Pâques-15 oct. – 32 – **44 ch** 247/420.

Ermitage sans rest, av. P.-Signac ☎ 94 97 52 33, <, – wc wc ☎ ℗. Z
27 ch 350/550.

Pré de la Mer sans rest, 2,5 km par rte des Salins ☎ 94 97 12 23, – wc ☎ ℗. E VISA.
20 mars-5 nov. – 42 – **12 ch** 450/650.

Lou Cagnard sans rest, av. P.-Roussel ☎ 94 97 04 24, – wc wc ☎
fermé 15 nov. au 26 déc. – 25 – **19 ch** 150/280. Z

Palmiers sans rest, 26 bd Vasserot ☎ 94 97 01 61, Télex 970941, – wc ☎. E VISA Z
24 – **22 ch** 220/330.

XXXX ✿ **Le Chabichou** (Rochedy), av. Foch ☎ 94 54 80 00, Télex 461051 – . E VISA
début mai-2 oct. – **R** carte 310 à 460, enf. 130 Z
Spéc. Tropézienne d'huîtres glacées, Taboulé de loup au four, Gigot de chevreau en persillade. Gassin.

XXX **Leï Mouscardïns,** extrémité du port ☎ 94 97 01 53, < golfe – . E VISA Y
1er fév.-2 nov. – **R** carte 235 à 350.

XX **Bistrot des Lices,** 3 pl. des Lices ☎ 94 97 29 00, – VISA Z
R 220/350.

XX **Le Girelier,** au port ☎ 94 97 03 87, <, – AE E VISA Y
fermé 15 nov. au 15 déc. – **R** 120/150.

X **La Frégate,** 52 r. Allard ☎ 94 97 07 08, – E VISA Z
Pâques-nov. et fermé merc. sauf le soir de juil. à sept. – **R** 80/140.

par ① et D 93 – ✉ **83350** Ramatuelle :

Les Bergerettes M, à 5 km ☎ 94 97 40 22, <, , parc, – ☎ ℗ VISA
avril-oct. – **R** grill carte environ 170 – 60 – **29 ch** 680/780.

Deï Marres M, à 3 km ☎ 94 97 26 68, <, – wc ☎ ℗. AE VISA.
15 mars-15 oct. – **R** grill 85 bc/130, enf. 60 – 35 – **27 ch** 350/650.

XXX Aub. des Vieux Moulins avec ch, à 4 km ☎ 94 97 17 22, – wc ☎ ℗
5 ch.

Ouest par ① et rte Gassin : 3,5 km – ✉ **83990** St-Tropez :

Mas de Chastelas M, ☎ 94 56 09 11, Télex 462393, <, , parc, « Ancienne magnanerie au milieu des vignobles », – ☎ ℗. AE E VISA. rest
22 avril-30 sept. – **R** (dîner seul.) 260/360, enf. 90 – 58 – **21 ch** 470/1020, appartements 1500/1850.

à la Plage de Tahiti SE : 4 km – ✉ **83350** Ramatuelle :

La Figuière M, ☎ 94 97 18 21, <, – ☎ ℗.
26 mars-2 oct. – **R** grill carte environ 200 – **42 ch** 350/720.

St-Vincent M sans rest, ☎ 94 97 36 90, <, – ☎ ℗
30 mars-3 nov. – **16 ch** 630/765.

St-André sans rest, ☎ 94 97 21 54, – wc ☎ ℗. VISA.
26 mars-30 sept. – 40 – **28 ch** 380/450.

La Ferme d'Augustin sans rest, ☎ 94 97 23 83, <, – wc wc ☎ ℗
avril-oct. – 42 – **34 ch** 360/650.

CITROEN Azzena, à Gassin ☎ 94 56 10 38

PEUGEOT-TALBOT Gar. L.-Blanc, bd L.-Bl ☎ 94 97 00 03

T-USUGE 71 S.-et-L. 70 ⑬ – rattaché à Louhans.

T-VAAST-LA-HOUGUE 50550 Manche 54 ③ **G. Normandie Cotentin** – 2 359 h.

de Fontenay-sur-Mer ✆ 33 21 44 27 S : 16 km.

Office de Tourisme quai Vauban (15 juin-15 sept.) ✆ 33 54 41 37.

is 350 – Carentan 40 – Cherbourg 30 – St-Lô 68 – Valognes 17.

France et Fuchsias, r. Mar.-Foch ✆ **33 54 42 26,** parc – wc wc ☎. E VISA. ch
fermé 3 janv. au 1er mars, lundi et mardi midi d'oct. à juin sauf vacances scolaires – **R** 60/190, enf. 35 – 23 – **32 ch** 120/320 – 1/2 p 150/255.

UGEOT Gar. du Port, ✆ 33 54 43 64 ✆ 33 54 11 33

T-VALÉRIEN 89150 Yonne 61 ⑬ – 1 437 h.

is 112 – Auxerre 63 – Nemours 32 – Sens 14.

Aub. du Gatinais, ✆ **86 88 62 78** – E VISA
fermé fév., mardi et merc. sauf fériés – **R** *(sauf sam.)* 80/200.

UGEOT-TALBOT Gar. Février, ✆ 86 88 61 05

T-VALÉRY-EN-CAUX 76460 S.-Mar. 52 ③ **G. Normandie Vallée de la Seine** – 5 814 h. – sino.

ir Falaise d'Aval ←* O : 15 mn.

Office de Tourisme pl. Hôtel de Ville (mai-sept.) ✆ 35 97 00 63.

is 198 – Bolbec 42 – Dieppe 32 – Fécamp 32 – ◆Rouen 59 – Yvetot 30.

Altéa M, 14 av. Clemenceau ✆ **35 97 35 48,** Télex 172308 – wc ☎ – 40. AE E VISA. rest
R *(fermé sam. du 20 déc. au 28 fév.)* 65/150, enf. 49 – 40 – **153 ch** 230/350 – 1/2 p 325.

Terrasses, à la plage ✆ **35 97 11 22,** ← – wc wc . E VISA
fermé 20 déc. à fin janv. et merc. sauf juil. et août – **R** 88/159 – 20 – **12 ch** 150/250.

Bains, pl. Marché ✆ **35 97 04 32** – wc
1er fév.-30 nov. et fermé mardi en juil.-août, dim. soir (sauf hôtel) et lundi hors sais. – **R** 65/90 – 18 – **15 ch** 85/180 – 1/2 p 150.

Port, ✆ **35 97 08 93,** ← – . VISA
fermé 1er au 15 sept., vacances de fév., jeudi soir, dim. soir et lundi – **R** 110/260, enf. 50.

Pigeon Blanc, près vieille Église ✆ **35 97 03 55** – E VISA
fermé 15 déc. au 15 janv., dim. soir hors sais., jeudi soir et vend. – **R** 62/160.

TROEN Soudé, ✆ 35 97 01 88 — RENAULT Gar. Dupuis, ✆ 35 97 08 44

T-VALLIER 26240 Drôme 77 ① **G. Vallée du Rhône** – 4 556 h.

ir Défilé de St-Vallier* SO.

is 529 – Annonay 21 – ◆St-Étienne 61 – Tournon 15 – Valence 33 – Vienne 40.

Albert Lecomte, 116 av. J.-Jaurès, rte de Lyon ✆ **75 23 01 12,** – . AE E VISA
fermé 4 au 26 août, vacances scolaires de fév., dim. soir et lundi – **R** 125/270.

Voyageurs avec ch, 2 av. J.-Jaurès ✆ **75 23 04 42** – rest wc – 25. AE E VISA
fermé 31 mai au 21 juin, dim. soir et lundi – **R** 60/190 – 18 – **9 ch** 110/150.

TROEN-VAG Gar. de l'Europe, ✆ 75 23 02 — **RENAULT** Martin-Nave, ✆ 75 23 13 34
Gar. Trouiller, ✆ 75 23 07 78
UGEOT-TALBOT Gar. Sud St-Val, ✆ 75 23 79
Delphis, ✆ 75 23 24 14

T-VALLIER-DE-THIEY 06460 Alpes-Mar. 84 ⑧, 195 ㉓ **G. Côte d'Azur** – 931 h. alt. 724.

ir Pas de la Faye ←** NO : 5 km – Col de la Lèque ←* SO : 5 km.

Syndicat d'Initiative pl. du Tour ✆ 93 42 78 00.

is 913 – Cannes 29 – Castellane 51 – Draguignan 61 – Grasse 12 – ◆Nice 51.

Le Préjoly, ✆ **93 42 60 86,** , – wc ☎. AE E VISA
fermé 15 déc. au 10 janv. – **R** *(fermé mardi)* 95/195 – 32 – **20 ch** 180/350 – 1/2 p 250/380.

In this guide,
a symbol or a character, printed in red or black in light or ***bold*** *type, does not have the same meaning.*
Please read the explanatory pages carefully (pp. 22 to 29).

ST-VÉRAN 05490 H.-Alpes **77** ⑲ **G. Alpes du Sud** – 275 h. alt. 2 040 : la plus haute comm d'Europe – Sports d'hiver : 1 750/2 560 m ≰14 – **Voir Village★★.**

Syndicat d'Initiative ✆ 92 45 82 21 – Paris 730 – Briançon 51 – Guillestre 32.

Grand Tétras Ⓜ, ✆ 92 45 82 42, ←, – wc wc ☎. VISA
11 juin-11 sept. et 18 déc.-fin vacances de printemps – **R** 54/83 – 24 – **21** 145/240 – 1/2 p 190/280.

Chalets du Villard, ✆ 92 45 82 08, ←, – cuisinette wc wc ☎
19 juin-19 sept. et vacances de Noël-vacances de printemps – **R** grill (en hi dîner seul.) 50 bc/120 bc – 22 – **26 ch** 140/340 – 1/2 p 230/300.

ST-VINCENT-DE-TYROSSE 40230 Landes **78** ⑰ – 4 474 h.

Paris 744 – ♦Bayonne 25 – Dax 24 – Mont-de-Marsan 72 – Pau 95 – Peyrehorade 24.

Côte d'Argent sans rest, rte Hossegor ✆ 58 77 02 16, – wc wc Ⓟ. AE E VISA
fermé 30 déc. au 30 janv. – 20 – **22 ch** 160/250.

Twickenham, av. Gare ✆ 58 77 01 60, , , – wc wc ☎ Ⓟ. AE
VISA
fermé 27 sept. au 20 oct. et lundi sauf juin et sept. – **R** 49/150 – 20 – **20** 110/180 – 1/2 p 200/250.

XXX ✿ **Le Hittau** (Dando), ✆ 58 77 11 85, , « **Ancienne bergerie dans un jar fleuri** » – Ⓟ. AE E VISA
fermé mi-fév. à mi-mars, lundi (sauf le soir en juil.-août) et dim. soir – **R** 92/280
Spéc. Foie chaud au vinaigre de Xérès, Escalopines de canard au poivre vert, Saumon frais (sais
Vins Jurançon, Madiran.

X **Les Gourmets,** N 10 ✆ 58 77 16 97, – E VISA
fermé mi-janv. à fin fév., mardi soir, merc. soir et jeudi soir hors sais. – **R** 46/120

RENAULT Darrigade, ✆ 58 77 03 33 N — Comptoir Landais Pneu, ✆ 58 77 00 88

ST-VINCENT-STERLANGES 85 Vendée **67** ⑮ – 600 h. – ✉ **85110** Chantonnay.

Paris 397 – Cholet 46 – ♦Nantes 67 – Niort 63 – Poitiers 124.

XX **Aub. du Parc,** ✆ 51 40 23 17, , – Ⓟ. AE E VISA
fermé 1er au 15 oct., 1er au 15 mars et mardi – **R** 65/175 , enf. 35.

ST-VINCENT-SUR-JARD 85 Vendée **67** ⑪ **G. Poitou Vendée Charentes** – 528 h. ✉ **85520** Jard-sur-Mer.

Syndicat d'Initiative r. Clemenceau (juil.-août matin seul.) ✆ 51 90 42 06.

Paris 452 – Challans 67 – Luçon 32 – La Roche-sur-Yon 33 – Les Sables-d'Olonne 22.

Bon Accueil (annexe **La Résidence** , 16 ch wc), pl. Église ✆ 51 33 88 – wc Ⓟ – 30. E VISA
1er avril-1er oct. – **R** 50/160 , enf. 45 – 26 – **35 ch** 120/250 – 1/2 p 160/230.

Océan , S : 1 km (près maison de Clemenceau) ✆ 51 33 40 45 – wc
Ⓟ. E VISA
15 fév.-15 nov. et fermé jeudi hors sais. – **R** 55/170 , enf. 38 – 22 – **31** 110/180 – 1/2 p 170/215.

X **Chalet St Hubert** avec ch (annexe 10 ch), rte Jard ✆ 51 33 40 33 –
wc Ⓟ. AE E VISA
fermé 1er au 20 mars, 12 nov. au 20 déc., mardi soir et merc. d'oct. à fin mai
R 60/140, enf. 45 – 18 – **20 ch** 110/210 – 1/2 p 130/200.

ST-VIT 25410 Doubs **66** ⑭⑮ – 2 419 h.

Paris 396 – ♦Besançon 18 – Dole 28 – Gray 39 – Pontailler-sur-Saône 40 – Salins-les-Bains 37.

XX **Le Tisonnier,** E : 5 km rte Besançon ✆ 81 58 50 01 – Ⓟ. E VISA
R 67/165 , enf. 25.

CITROEN Faivre-Naudot, ✆ 81 55 13 33 N ✆ 81 87 71 53

ST-VRAIN 91770 Essonne **60** ⑩, **196** ㊸ – 2 295 h.

Voir Parc animalier et de loisirs ★, **G. Environs de Paris.**

Paris 41 – Corbeil-Essonnes 16 – Étampes 23 – Melun 31.

XX **Host. de St-Caprais** avec ch, r. St-Caprais ✆ (1) 64 56 15 45, , – re
wc. E VISA
R *(fermé dim. soir et lundi)* 85/120 – 30 – **6 ch** 180 – 1/2 p 220/240.

ST-WANDRILLE-RANÇON 76 S.-Mar. **55** ⑤ – 1 184 h. – ✉ **76490** Caudebec-en-Caux.

Voir Abbaye★ (chant grégorien), **G. Normandie Vallée de la Seine.**

Paris 167 – Barentin 18 – Duclair 15 – Lillebonne 20 – ♦Rouen 35 – Yvetot 14.

XX **Aub. Deux Couronnes,** ✆ 35 96 11 44, « **Maison normande ancienne** » –
VISA
fermé 5 au 23 sept., 26 janv. au 9 fév., dim. soir et lundi – **R** 98/120 , enf. 52.

YORRE 03 Allier 73 ⑤ – rattaché à Vichy.

-YRIEIX-LA-PERCHE 87500 H.-Vienne 72 ⑰ G. Berry Limousin – 8 037 h.

r Collégiale du Moûtier★ B.

ffice de Tourisme 6 r. Plaisances (juil.-août) ✆ 55 75 94 60.

s 436 ① – Brive 62 ③ – ♦Limoges 40 ① – Périgueux 62 ④ – Rochechouart 52 ⑤ – Tulle 74 ②.

ST-YRIEIX-LA-PERCHE

el-de-Ville (Bd de l') 12

ne (Pl.) 2
damy (R.) 3
Lemoyne (Av.) 5
y (Av. Jules) 6
nbetta (Av.) 7
e (Av. de la) 8
enberg (Av.) 9
oges (Av. de) 14
nénie (R. de) 15
rceau (Av.) 16
rché (R. du) 18
on (Pl. de la) 19
t-las-Bordas (R. du) 21
erne (R. de la) 22
ublique (Pl. de la) 24
bault (Av.) 25
eptembre (Pl.) 27
Régiment d'Infanterie (R. du) .. 28

r un bon usage des plans villes, voir les signes ventionnels p. 23.

D 704 ① LIMOGES 40 km
0 200 m
GARE
CHÂLUS 27 km ⑤
D 901
R. des Étangs
R. de l'Aiguillette
Av. Mal de Lattre de T.
R. Giraudoux
TULLE 74 km ②
D 901
D 57
D 704 PÉRIGUEUX 62 km SARLAT 90 km ④ ③ D 18 BRIVE 62 km

✕ **Host. Tour Blanche** avec ch, 74 bd Hôtel de Ville **(e)** ✆ 55 75 18 17 – wc ⋔wc Ⓟ. E VISA
fermé 10 fév. au 10 mars et merc. d'oct. à mai sauf fériés – **R** 65/190 ₰, enf. 40 – ☕ 19 – **14 ch** 95/200 – ½ p 163/198.

à la Roche l'Abeille par ① : 12 km – ✉ **87800** Nexon :

✿✿ **Moulin de la Gorce** (Bertranet) ⛰, S : 2 km par D 17 ✆ **55 00 70 66**, ≤, « **En bordure d'étang, parc** » – TV ☎ Ⓟ. AE ⓓ E VISA
fermé 4 janv. au 12 fév., dim. soir et lundi hors sais. – **R** 200/400 et carte, enf. 95 – ☕ 45 – **9 ch** 300/450 – ½ p 600/800
Spéc. Copeaux de bar au Champagne, Foie de canard poêlé aux truffes, Lièvre à la royale (20 oct. au 4 janv.).

ROEN Lenfant, Av. de Périgueux par ④ 5 75 00 30
NAULT Saint-Yrieix Autom., rte de Limoges ① ✆ 55 75 90 80 N ✆ 55 08 18 18
G. Faurel, 9 bis bd Hôtel de Ville ✆ 55 75 0

Pneus et Caoutchouc, 3 av. de Limoges, ✆ 55 08 14 98

E-ADRESSE 76 S.-Mar. 55 ③ – rattaché au Havre.

E-ANNE-D'AURAY 56 Morbihan 63 ② G. Bretagne – 1 554 h. – ✉ **56400** Auray.

r Trésor★ de la basilique – Pardon (26 juil.).

s 476 – Auray 6 – Hennebont 30 – Locminé 27 – Lorient 38 – Quimperlé 54 – Vannes 16.

Croix Blanche, 25 r. Vannes ✆ **97 57 64 44**, – wc ⋔wc ☎ Ⓟ. E VISA.
fermé 15 au 30 nov., 15 janv. au 15 fév., mardi midi et lundi du 15 sept. au 1er mai – **R** 47/182, enf. 38 – ☕ 27 – **23 ch** 100/243 – ½ p 171/205.

Le Myriam ⛰ sans rest, r. Parc ✆ **97 57 70 44** – wc ☎ Ⓟ
Pâques-1er oct. – ☕ 17 – **30 ch** 180/210.

Paix, 26 r. Vannes ✆ **97 57 65 08** – ⋔wc
1er mars-5 oct. – **R** 50/100 – ☕ 16 – **24 ch** 120/160.

✕ **L'Auberge** avec ch, 56 r. Vannes ✆ **97 57 61 55** – ⋔. E VISA
fermé 5 au 26 oct., 4 au 20 janv., mardi soir et merc. – **R** 54/190, enf. 40 – ☕ 14 – **6 ch** 84/137 – ½ p 122/140.

NAULT Gar. Josset, ✆ 97 57 64 13

STE-ANNE-LA-PALUD (Chapelle de) 29 Finistère 58 ⑭ **G. Bretagne.**
Voir Pardon (fin août).
Paris 569 – ✦Brest 66 – Châteaulin 19 – Crozon 38 – Douarnenez 16 – Plomodiern 11 – Quimper 25

Plage, à la plage ✉ 29127 Plomodiern ✆ 98 92 50 12, Télex 941377, ≤, – 🅟 – 30. AE E VISA. rest
1er avril-12 oct. – **R** 160/300 – ☕ 42 – **30 ch** 500/680, 4 appartements 900
1/2 p 550/650
Spéc. Cotriade de Malamok, Langouste et homard grillés, Crêpes farcies.

STE-APPOLINE 78 Yvelines 60 ⑨, 196 ⑯ – rattaché à Pontchartrain.

La STE-BAUME 83 Var 84 ⑭ **G. Provence** – alt. 670 – ✉ **83640** St-Zacharie.
Voir Forêt de la Ste-Baume au SE de l'Hôtellerie** – Paris 813 – Nans-les-Pins 12.

Ressources hôtelières : voir à ***Nans-les-Pins***

STE-CÉCILE-LES-VIGNES **84290** Vaucluse 81 ② – 1 838 h.
Paris 650 – Avignon 47 – Bollène 12 – Nyons 26 – Orange 16 – Vaison-la-Romaine 22.

XXX **Le Relais,** ✆ 90 30 84 39, – 🅟. E VISA
fermé 1er au 15 oct., 1er au 15 mars, dim. soir et lundi – **R** 130/210, enf. 50.

Comtat-Pneus, ✆ 90 30 88 11

STE-CROIX 01 Ain 74 ② – rattaché à Montluel.

STE-CROIX-AUX-MINES 68 H.-Rhin 62 ⑱ – 2 010 h. – ✉ **68160** Ste-Marie.
Voir Vallée de la Liepvrette* E, G. Alsace et Lorraine.
Tunnel de Ste-Marie-aux-Mines SO : 2 km : Péage en 1987 aller simple : autos 15, cami 30 à 58 F, motos 8,50 F - Tarifs spéciaux AR pour autos et camions.
Paris 410 – Colmar 40 – Ribeauvillé 23 – St-Dié 25 – Sélestat 18.

XX **Central** avec ch, ✆ 89 58 73 27 – wc ☎. AE E VISA.
fermé 15 au 30 juin, 15 au 19 fév., dim. soir et lundi – **R** 120/250 – ☕ 20 – 9 90/180.

CITROEN Gar. Vogel, à Ste-Marie-aux-Mines ✆ 89 58 74 73
FORD Gar. Schroth, Echery à Ste-Marie-aux-Mines ✆ 89 58 71 06
PEUGEOT Gar. Moeglen, à Ste-Marie-a Mines ✆ 89 58 70 40

STE-CROIX-EN-JAREZ 42 Loire 73 ⑲ – rattaché à Rive-de-Gier.

STE-ÉNIMIE **48210** Lozère 80 ⑤ **G. Gorges du Tarn** (plan) – 500 h.
Env. ≤ sur le canyon du Tarn S : 6,5 km par D 986.**
Office de Tourisme (juin-sept.) ✆ 66 48 53 44.
Paris 611 – Florac 27 – Mende 28 – Meyrueis 29 – Millau 56 – Sévérac-le-Château 46 – Le Vigan 86

Château de la Caze : voir à La Malène.
Burlatis sans rest, ✆ 66 48 52 30 – wc wc. E VISA.
1er mai-30 sept. – ☕ 20 – **18 ch** 180/220.

STE-FEYRE 23 Creuse 72 ⑩ – rattaché à Guéret.

STE-FOY-LA-GRANDE **33220** Gironde 75 ⑬⑭ **G. Périgord Quercy** – 3 218 h.
Paris 554 ⑤ – ✦Bordeaux 70 ⑤ – Langon 57 ④ – Marmande 44 ③ – Périgueux 64 ①.

Plan page ci-contre

Gd Hôtel, 117 r. République **(a)** ✆ 57 46 00 08, – wc ☎. AE E V
fermé 10 au 24 oct., 4 au 17 janv., dim. soir et lundi du 1er oct. au 30 juin sauf fé – **R** 80/200, enf. 50 – ☕ 35 – **18 ch** 180/290 – 1/2 p 245/300.

Victor Hugo, 101 r. V.-Hugo **(e)** ✆ 57 46 18 03 – wc wc ☎. AE E VISA
fermé 4 au 18 sept. et vacances de fév. – **R** brasserie *(fermé dim.)* carte 80 à 130 – ☕ 20 – **12 ch** 160/220.

Boule d'Or, pl. J.-Jaurès **(s)** ✆ 57 46 00 76, – wc wc .
fermé 5 au 19 sept., 20 déc. au 20 fév. et lundi sauf juil.-août – **R** 53/160 – ☕ – **24 ch** 110/200 – 1/2 p 165/235.

XX **Vieille Auberge** avec ch, r. Pasteur **(v)** ✆ 57 46 04 78 – . E VISA. ch
fermé 5 au 21 avril, 24 oct. au 10 nov., dim. soir et lundi – **R** 60/180 – ☕ 18 **7 ch** 86/125 – 1/2 p 155/180.

à l'aérodrome de Ste Foy-la-Grande par ⑤ : D 936 et VO : 3,5 km – ✉ 33 Ste Foy-la-Grande :

XX **Horizon,** ✆ 53 24 84 14, ≤ – 🅟. VISA
fermé déc.et janv. – **R** 92/176.

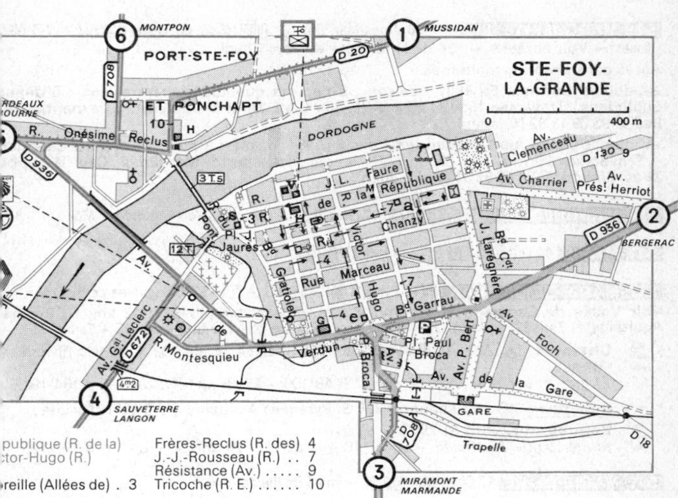

publique (R. de la)
ctor-Hugo (R.)
reille (Allées de) . 3

Frères-Reclus (R. des) 4
J.-J.-Rousseau (R.) .. 7
Résistance (Av.) 9
Tricoche (R. E.) 10

USTIN, JAGUAR, ROVER, TRIUMPH Letel-, 5 pl. Broca ✆ 57 46 15 85
UGEOT-TALBOT A.C.A.L., à Pineuilh ✆ 57 33 10
NAULT Daniel, 26 Bd Gratiolet ✆ 57 46 01

Service du Pneu, à Port Ste Foy ✆ 53.24.76.00

TE-FOY-TARENTAISE **73640** Savoie **74** ⑲ **G. Alpes du Nord** – **609 h. alt. 1 051.**

ris 650 – Chambéry 113 – Moûtiers 39 – Val d'Isère 19.

Le Monal M, ✆ 79 06 90 07, ← – ascenseur wc wc ☎. VISA. rest
fermé 10 mai au 15 juin et 10 oct. au 20 nov. – **R** 68/90 – 27 – **27 ch** 90/210 – 1/2 p 150/175.

TE-GEMME-MORONVAL **28** E.-et-L. **60** ⑦, **196** ㉕ – rattaché à Dreux.

TE-GENEVIÈVE-SUR-ARGENCE **12420** Aveyron **76** ⑬ – **1 174 h. alt. 800.**

v. Barrage de Sarrans★★ N : 8 km, G. Gorges du Tarn.

ris 571 – Aurillac 59 – Chaudes-Aigues 37 – Espalion 47 – Mende 114.

Voyageurs, ✆ 65 66 41 03, – wc wc
fermé 20 sept. au 8 oct., dim. soir et sam. de sept. à juin – **R** 50/150 – 15 – **17 ch** 70/150 – 1/2 p 100/130.

TE-HERMINE **85210** Vendée **67** ⑮ – **2 340 h.**

ris 419 – Fontenay-le-Comte 22 – ♦Nantes 89 – La Roche-sur-Yon 34 – Les Sables-d'Olonne 61.

Relais de la Marquise, ✆ 51 27 30 11 – wc P. E VISA.
fermé 14 oct. au 6 nov., 26 déc. au 8 janv., dim. soir en hiver, vend. soir et sam. – **R** 50/150 – 16 – **12 ch** 80/140.

TE-LIVRADE-SUR-LOT **47110** L.et-G. **79** ⑤ – **5 960 h.**

oir Fongrave : retable★ de l'église O : 5 km, G. Pyrénées Aquitaine.

Office de Tourisme av. René-Bouchon (15 juin-15 sept.) ✆ 53 01 45 88 et à la Mairie (hors saison) 53 01 04 76.

ris 618 – Agen 39 – Marmande 43 – Nérac 49 – Tonneins 26 – Villeneuve-sur-Lot 9,5.

Midi, N 74 ✆ 53 01 00 32 – cuisinette rest wc wc ☎. AE [illegible] E VISA
1er avril-20 mai et 1er juin-30 nov. – **R** 62/160, enf. 36 – 16 – **23 ch** 140/190 – 1/2 p 170/220.

à Teysset : 9 km par D 667 – ✉ **47380** Monclar d'Agenais :

XX **Teysset,** ✆ 53 84 95 56, – P. AE E VISA
fermé 15 janv. au 28 fév., vend. soir et jeudi – **R** 108/205.

TROEN Gar. Getto, bd du Nord ✆ 53 01 01 [illegible]

FORD Mandelli ✆ 53 01 04 61
HONDA Boudou, bd du Nord ✆ 53 01 02 09

STE-MARGUERITE (Ile) ** 06 Alpes-Mar. 84 ⑨, 195 ㉟㊴ G. Côte d'Azur – ✉ 0640 Cannes – Voir Forêt** – <* de la terrasse du Fort-Royal.

Accès par transports maritimes.

depuis **Cannes**. En 1987 : saison : 9 départs quotidiens, hors saison : 5 départs quotidiens - Traversée 15 mn - 25 F (AR) - par Cie Esterel-Chanteclair, gare maritime des Iles ✆ 93 39 11 82 (Cannes).

depuis **Golfe-Juan et Juan-les-Pins**. En 1987 : de mars à oct., 2 à 5 départs quotidiens - Traversée 20 mn – 35 F (AR) - par Transports Maritimes Cap d'Antibes 21 av. Liberté ✆ 93 63 81 31 (Golfe Juan).

STE-MARGUERITE-SUR-MER 76 S.-Mar. 52 ④ – rattaché à Varengeville-sur-Mer.

STE-MARIE 44 Loire-Atl. 67 ① – rattaché à Pornic.

STE-MARIE-DE-CAMPAN 65 H.-Pyr. 85 ⑲ – alt. 857 – ✉ **65200** Bagnères-de-Bigorre.
Voir Vallée de Campan* S – **Env.** *** du col d'Aspin SE : 13 km, **G. Pyrénées Aquitaine** – Paris 823 – Arreau 26 – Bagnères-de-Bigorre 12 – Luz-St-Sauveur 35 – Tarbes 33.

Chalet H., NO : 1 km sur D 935 ✆ 62 91 85 64, <, – wc wc P rest
21 mai-1er oct. et 20 déc.-20 avril – **R** 48/105 – **25 ch** 121/229 – 1/2 p 134/196.

à Campan NO : 6,5 km par D 935 **G. Pyrénées Aquitaine** – ✉ **65710** Campan :

Beauséjour, ✆ 62 91 75 30 –
fermé 15 nov. au 15 déc. – **R** 40/110 – 16 – **21 ch** 100/110 – 1/2 p 120/145.

STE-MARIE-DE-RÉ 17 Char.-Mar. 71 ⑫ – voir à Ré (Ile de).

STE-MARIE-DE-VARS 05 H.-Alpes 77 ⑱ – rattaché à Vars.

STES-MARIES-DE-LA-MER – voir après Saintes.

STE-MARINE 29 Finistère 58 ⑮ **G. Bretagne** – ✉ **29120** Pont-l'Abbé.
Paris 559 – Bénodet 5,5 – Concarneau 26 – Pont-l'Abbé 9,5 – Quimper 19.

XX ✿ **Le Jeanne d'Arc** (Fargette) avec ch, ✆ **98 56 32 70** – P
avril-30 sept. et fermé lundi soir et mardi d'avril à juin sauf fériés – **R** (nombre de couverts limité - prévenir) 140/340 – 23 – **9 ch** 115/150 – 1/2 p 180/200
Spéc. Homard en cocotte, Paupiette de turbot aux langoustines, Nage de St Pierre aux fonds d'artichauts.

STE-MAURE 10 Aube 61 ⑯ – rattaché à Troyes.

STE-MAURE-DE-TOURAINE 37800 I.-et-L. 68 ④⑤ **G. Châteaux de la Loire** – 4 130 h.
Syndicat d'Initiative r. du Château (15 juin-15 sept.) ✆ 47 65 66 20.
Paris 271 – Le Blanc 69 – Châtellerault 35 – Chinon 33 – Loches 31 – Thouars 71 – •Tours 37.

XX **Gueulardière** avec ch, rte Nationale ✆ 47 65 40 71 – P. AE E VISA rest
fermé 14 au 28 nov., 16 au 30 janv., lundi d'avril à sept. et dim. soir d'oct. à mars – **R** 60/160 – 20 – **16 ch** 75/190.

XX **Veau d'Or** avec ch, 13 r. Dr Patry ✆ **47 65 40 41** – wc P. E VISA
fermé 11 au 26 oct., 10 fév. au 4 mars, mardi soir et merc. – **R** 55/150 – 17 – **11 ch** 80/125.

à Pouzay SO : 8 km – ✉ **37800** Ste-Maure-de-Touraine :

X **Gardon Frit,** ✆ 47 65 21 81, – E VISA
fermé janv., mardi soir et merc. – **R** 79/160.

CITROEN Bou, à Noyant ✆ 47 65 82 18 N
CITROEN Gar. Rico, ✆ 47 65 40 46 N
PEUGEOT-TALBOT Saint-Aubin, ✆ 47 65 40 85 N
RENAULT Blain, ✆ 47 65 41 13 N

STE-MAXIME 83120 Var 84 ⑰ **G. Côte d'Azur** – 7 364 h. – Casino: A.
Voir Sémaphore ** N : 1,5 km – de Beauvallon ✆ **94 96 16 98 par ③ : 4 km.**
Office de Tourisme avec A.C. Promenade Simon-Lorière ✆ 94 96 19 24, Télex 970080.
Paris 877 ① – Aix-en-Provence 122 ① – Cannes 61 ② – Draguignan 36 ① – •Toulon 73 ③.

Plan page ci-contre

Belle Aurore, La Croisette par ③ ✆ 94 96 02 45, « En bordure de mer <, plage, » – P. AE E VISA
15 mars-15 oct. – **R** 190/320 – 60 – **16 ch** 630/1100 – 1/2 p 725/1100.

Résidence Brutus sans rest, bd Mer par ③ ✆ 94 96 13 55, Télex 970080, < mer et golfe – AE VISA
1er avril-30 sept. – 38 – **49 ch** 200/450.

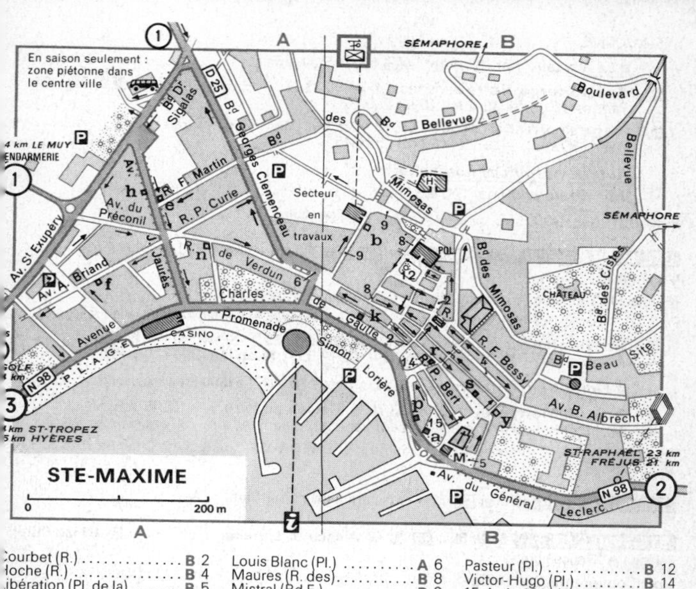

Courbet (R.) .... B 2	Louis Blanc (Pl.) .... A 6	Pasteur (Pl.) .... B 12
Hoche (R.) .... B 4	Maures (R. des) .... B 8	Victor-Hugo (Pl.) .... B 14
Libération (Pl. de la) ...... B 5	Mistral (Bd F.) .... B 9	15-Août-1944 (Pl. du) ...... B 15

Calidianus M sans rest, quartier de la Croisette par ③ : 1 km ☎ 94 96 23 21, ←, 🏊, 🌳, 🎾 – wc ☎ P
fermé janv. – 35 – **27 ch** 370.

Poste M, 7 bd. F.-Mistral ☎ 94 96 18 33, 🌳, 🏊 – ⇅ wc ⋒wc ☎. AE ⦿. ✻ rest — B b
hôtel : 26 mars-25 oct. ; rest : 28 mai-25 sept. – **R** 155 – 38 – **24 ch** 270/480 – ½ p 340/440.

Muzelle-Montfleuri , bd Montfleuri par ② ☎ 94 96 19 57, ←, 🌳, 🌳 – ⇅ wc ⋒wc ☎ P. VISA. ✻ rest
15 mars-15 oct. – **R** 115/150 – 37 – **31 ch** 245/410 – ½ p 270/355.

"Croisette" Résidence sans rest, bd Romarins par av. St-Exupéry et r. G.-Pompidou ☎ 94 96 17 75, 🌳 – ⇅ wc ⋒wc ☎ P. ⦿ E VISA
15 mars-31 oct. – 24 – **20 ch** 231/313.

Royal Bon Repos sans rest, r. J.-Aicard ☎ 94 96 08 74 – cuisinette ⋒wc ☎ P — B y
1er avril-15 oct. – 23 – **23 ch** 210/330.

Chardon Bleu sans rest, r. Verdun ☎ 94 96 02 08 – TV wc ⋒wc ☎. AE E VISA — A n
fermé 20 au 31 janv. – 33 – **25 ch** 250/360.

L'Ensoleillée, av. J.-Jaurès ☎ 94 96 02 27 – wc ⋒wc ☎. ✻ — A e
hôtel : 1er avril-1er oct. ; rest. : 1er mai-1er oct. – **R** 80/100 – 20 – **29 ch** 150/220.

Le Revest, 48 av. J.-Jaurès ☎ 94 96 19 60, 🏊 – wc ⋒wc ☎ — A h
1er avril-20 oct. – **R** 65/110 – 25 – **26 ch** 140/230 – ½ p 230/270.

Préconil sans rest, bd A.-Briand ☎ 94 96 01 73 – ⋒wc ☎ — A f
15 mars-30 oct. – 20 – **19 ch** 157/235.

XX **L'Esquinade,** sur le port ☎ 94 96 01 65, 🌳, produits de la mer – ⦿ — B p
fermé 3 nov. au 18 déc. et merc. sauf juil.-août – **R** carte 150 à 360.

XX **La Gruppi,** av. Ch.-de-Gaulle ☎ 94 96 03 61, ←, 🌳, produits de la mer – ▤. E VISA — B k
fermé lundi (sauf fériés) de sept. à juin – **R** carte 175 à 260.

XX **Sans Souci,** r. Paul-Bert ☎ 94 96 18 26, 🌳 — B s
25 mars-6 oct. et fermé mardi en avril et mai – **R** 86/96.

XX **L'Hermitage,** sur le port ☎ 94 96 17 77, 🌳 — B a
R carte 125 à 230.

X **La Réserve,** pl. Victor-Hugo ☎ 94 96 18 32, 🌳 – ▤. VISA — B r
1er avril-16 oct. – **R** 76/110.

tourner →

à La Nartelle par ② : 4 km – ✉ **83120** Ste-Maxime :

Host. Vierge Noire sans rest, ☎ 94 96 33 11 – wc ☎ P. AE ⓓ E VISA.
Pâques-15 oct. – ☐ 29 – **10 ch** 290/320.

Plage sans rest, ☎ 94 96 14 01, ← – wc ⋒wc ☎ P. E VISA
2 avril-30 sept. – ☐ 22 – **18 ch** 227/345.

Autres ressources hôtelières :

Voir *Beauvallon* par ③ : 4,5 km.

RENAULT Gar. de l'Arbois, av. Gén.-Leclerc ☎ 94 96 14 03

STE-MENEHOULD

51800 Marne **56** ⑲ **G. Champagne** – 5 807 h.

Voir ←★ du "château".

Office de Tourisme 15 pl. Gén.-Leclerc (fermé matin) ☎ 26 60 85 83.

Paris 221 – Bar-le-Duc 48 – Châlons-sur-Marne 42 – ♦Reims 78 – Verdun 47 – Vitry-le-François 51.

St-Nicolas avec ch, 36 r. Chanzy ☎ 26 60 80 59 – wc ⋒ ☎. E VISA
fermé merc. – **R** 60/95 🍷, enf. 38 – ☐ 17,50 – **14 ch** 80/125 – 1/2 p 125.

à Florent-en-Argonne NE : 7,5 km par D 85 – ✉ **51800** Ste-Menehould :

Aub. la Menyère, ☎ 26 60 93 70, « Maison du 16e s. » – AE E VISA.
fermé dim. soir et lundi – **R** (sauf vend. soir, sam. et dim.) 38 et carte 🍷.

PEUGEOT-TALBOT Crochet, 61 av. Bournizet ☎ 26 60 84 78 RENAULT Roudier, rte Chalons ☎ 26 60 80

STE-MONTAINE

18 Cher **64** ⑳ – rattaché à Aubigny-sur-Nère.

STE-ODILE (Mont)

67 B.-Rhin **62** ⑨ **G. Alsace et Lorraine** – alt. 761 – ✉ **67530** Ottrc
Pèlerinage 13 décembre.

Voir Couvent de Ste-Odile ☼★★.

Paris 434 – Molsheim 23 – Sélestat 28 – ♦Strasbourg 42.

SAINTES

17100 Char.-Mar. **71** ④ **G. Poitou Vendée Charentes** – 27 486 h.

Voir Vieille ville★ AZ – **Arènes★** Y – **Église St-Eutrope : église inférieure★★** AZ **D**
Abbaye aux Dames : église abbatiale★ BZ – **Arc de Germanicus★** BZ **F** – **Musée d**
Beaux-Arts★ AZ **M2.**

☎ 46 74 27 61 par ② : 3 km.

☎ 45 74 50 50.

Office de Tourisme Esplanade A.-Malraux ☎ 46 74 23 82.

Paris 469 ⑧ – ♦Bordeaux 116 ⑥ – Niort 73 ⑧ – Poitiers 137 ⑧ – Rochefort 40 ⑨ – Royan 38 ⑦.

Plan page ci-contre

Relais du Bois St-Georges M, r. Royan (D 137) ☎ 46 93 50 99, Té 790488, ←, parc, – TV ☎ & P – 50 à 70. VISA Y
R 120, enf. 75 – ☐ 50 – **30 ch** 250/680 – 1/2 p 460/680.

Commerce Mancini, r. des Messageries ☎ 46 93 06 61, Télex 791012 – ☎. AE ⓓ E VISA AZ
R *(fermé dim. soir et lundi d'oct. au 30 mars)* 70/220, enf. 60 – ☐ 30 – **40** 120/320, 6 appartements 270/320.

Bosquets M sans rest, rte Rochefort : 2 km ☎ 46 74 04 47, – TV wc ⋒ ☎ P. E VISA Y
fermé 23 déc. au 2 janv. – ☐ 20 – **35 ch** 180/220.

Messageries M sans rest, r. Messageries ☎ 46 93 64 99, Télex 793132 – wc ⋒wc ☎. E VISA AZ
fermé 29 déc. au 1er janv. – ☐ 22 – **36 ch** 148/215.

Trois Sapins M sans rest, rte Rochefort : 2 km ☎ 46 74 42 70 – TV wc ⋒ ☎ & P. VISA. Y
☐ 22 – **36 ch** 197/260.

Avenue M, 116 av. Gambetta ☎ 46 74 05 91 – wc ⋒wc ☎ P – 60. AE E VISA. ch BZ
R voir rest. **Brasserie Louis** ci-après – ☐ 22 – **15 ch** 115/220.

France et rest. Chalet, pl. Gare ☎ 46 93 01 16, , – TV wc ⋒wc – 25 à 80. AE E VISA BZ
fermé nov. – **R** *(fermé vend. de déc. à Pâques)* 60/150 🍷, enf. 30 – ☐ 23 – **26** 170/220.

Logis Santon, 54 cours Genêt ☎ 46 74 20 14, , – P. AE ⓓ E VISA Y
fermé 15 au 30 sept., 20 au 28 fév., lundi midi et dim. – **R** 85/155.

Brasserie Louis -Hôtel Avenue-, 116 av. Gambetta ☎ 46 74 16 85 – P. AE ⓓ VISA BZ
fermé janv. et lundi hors sais. – **R** 66/90 🍷, enf. 39.

SAINTES

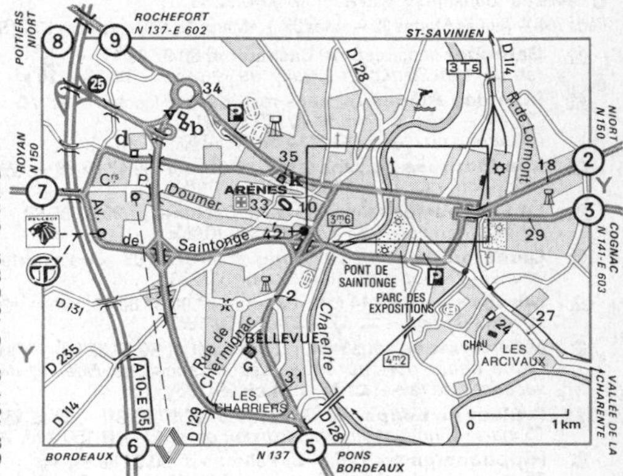

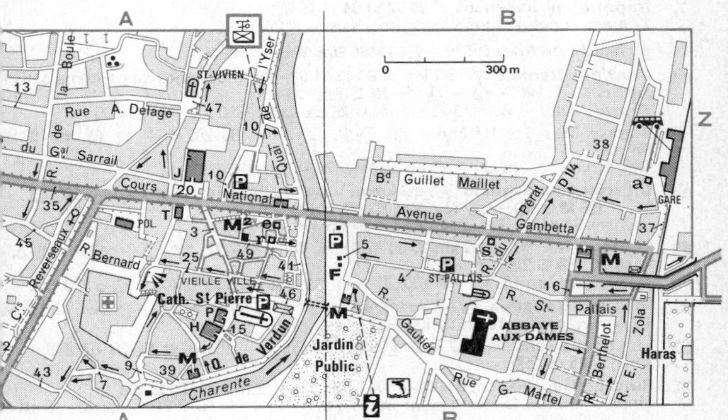

<u>***rte de Rochefort***</u> par ⑨ : 6 km – ✉ **17810** St-Georges-des-Coteaux :

XX **La Vieille Forge,** ✆ 46 92 98 30, – **P**. AE E VISA
fermé dim. soir et lundi soir – **R** 65/165, enf. 55.

TROEN Ardon, rte Bordeaux par ⑤ ✆ 46 93 22 **N** ✆ 46 93 28 07
AT Dufour, 20 av. S.-Allende à Bellevue ✆ 46 12 04
RD S.A.V.I.A.L. Automobiles, Zone Ind. des arriers, rte Bordeaux ✆ 46 93 43 44
UGEOT-TALBOT Guerry, av. de Saintonge, ne Ind., rte de Royan ✆ 46 93 48 33

RENAULT Bagonneau, Zone Ind., 137 cours P.-Doumer ✆ 46 93 67 66
V.A.G. Basty, 7 r. F.-Mestreau ✆ 46 93 43 88

Aubert-Pneus, ZI de l'Ormeau de Pied ✆ 46 93 11 03
Moyet-Pneus, 14 r. Gauthier ✆ 46 74 26 86
Relais du Pneu, av. de Nivelles ✆ 46 74 15 03

TE-SAVINE **10** Aube **61** ⑯ – rattaché à Troyes.

TE-SÉVÈRE-SUR-INDRE **36160** Indre **68** ⑲⑳ **G. Berry Limousin** – **1 056 h.**

ris 314 – Châteauroux 51 – La Châtre 15 – Guéret 46 – Montluçon 69.

X **Ecu de France** avec ch, ✆ 54 30 52 72 – wc. AE E VISA.
fermé 13 sept. au 4 oct., 4 au 11 fév., dim. soir (sauf hôtel) et lundi – **R** 60/150 – 20 – **7 ch** 90/200 – ½ p 140/170.

Ne cherchez pas au hasard un hôtel agréable et tranquille, mais consultez les cartes p. 56 à 63.

STES-MARIES-DE-LA-MER 13460 B.-du-R. 83 ⑲ **G. Provence** (plan) – 2 045 h.
Voir Église★ – Pèlerinage des Gitans★★ (24 et 25 mai).
Office de Tourisme av. Van Gogh ☎ 90 47 82 55.
Paris 764 – Aigues-Mortes 32 – Arles 38 – ♦Marseille 129 – ♦Nîmes 53 – St-Gilles 34.

Galoubet sans rest, rte Cacharel ☎ 90 97 82 17, ≤, – wc wc ☎. 🅟.
fermé 1er au 28 déc. et 10 janv. au 1er mars – 23 – **20 ch** 230/300.

Mas des Rièges sans rest, par rte Cacharel et VO : 1 km ☎ 90 47 85 07, – wc wc ☎ 🅟. AE E.
25 mars-3 nov. – 26 – **14 ch** 280/340.

Lou Marquès sans rest, 6 r. Vibre ☎ 90 47 82 89 – wc wc ☎.
mars-oct. – 17 – **14 ch** 183.

Le Fangassier sans rest, 12 rte Cacharel ☎ 90 97 85 02 – wc wc ☎.
fin mars- fin oct. – 17 – **20 ch** 170/205.

Camargue sans rest, av. Arles ☎ 90 97 82 03 – cuisinette wc wc ☎.
1er avril-30 sept. – 18 – **32 ch** 163/200.

Mirage sans rest, 14 r. C.-Pelletan ☎ 90 97 80 43, – wc wc ☎. VISA.
20 mars-15 oct. – 17 – **27 ch** 150/185.

Méditerranée sans rest, r. F.-Mistral ☎ 90 97 82 09 – wc ☎.
fermé début nov. au début des vacances de Noël et début janv. au début d vacances de fév. – 17 – **14 ch** 99/195.

XXX **Brûleur de Loups,** av. G.-Leroy ☎ 90 97 83 31 – AE E VISA
15 mars-15 nov. et fermé mardi soir et merc. – **R** 150, enf. 70.

XX **Hippocampe** avec ch, r. C.-Pelletan ☎ 90 97 80 91, – wc
15 mars-11 nov. et fermé mardi – **R** 90/163 – 17 – **3 ch** 220.

X **Impérial,** pl. Impériaux ☎ 90 97 81 84 – E VISA
27 mars-11 nov. et fermé mardi hors sais. – **R** 89/120.

au Nord : rte Arles D 570 – ✉ **13460** Stes-Maries-de-la-Mer :

Pont des Bannes , à 1 km ☎ 90 47 81 09, , « Cabanes de gardians dans l marais », , – 🅟 – 25. E VISA. rest
15 avril-15 oct. – **R** 185/250, enf. 70 – **25 ch** 445/650 – 1/2 p 425/805.

Annexe Mas Ste Hélène M, ☎ 90 47 83 29, ≤ – ☎ 🅟. E VIS rest
fermé 2 janv. au 15 fév. – **15 ch** 445/475 – 1/2 p 425/630.

L'Étrier Camarguais , à 2 km et VO ☎ 90 47 81 14, Télex 403144, , , – TV ☎ 🅟 – 35 à 100. AE E VISA
25 mars-31 déc. – **R** 152 – 37 – **27 ch** 410 – 1/2 p 599.

Le Boumian , à 1,5 km ☎ 90 47 81 15, Télex 403222, , – wc ☎ – 50. E VISA. rest
fermé 3 janv. au 15 fév. – **R** 170/200, enf. 70 – **28 ch** 370/400 – 1/2 p 370/540.

Mas des Roseaux sans rest, à 1 km ☎ 90 97 86 12, ≤, – wc ☎ 🅟.
1er avril-30 sept. – **15 ch** 500.

La Lagune sans rest, à 2,5 km ☎ 90 47 84 34, – wc ☎ 🅟. AE VISA
26 – **15 ch** 290.

XX **Pont de Gau** avec ch, à 5 km ☎ 90 47 81 53 – wc ☎. AE E VISA
fermé 5 janv. au 15 fév. et merc. du 15 oct. à Pâques – **R** 72/210 – 20 – **9 ch** 1 – 1/2 p 220/300.

route du Bac du Sauvage NO – ✉ **13460** Stes-Maries-de-la-Mer :

Mas de la Fouque M, 4 km par D 38 et chemin privé ☎ 90 47 81 02, Tél 403155, ≤, , parc, « dans la Camargue », , – TV ☎ 🅟. AE VISA
26 mars-2 nov. – **R** *(fermé mardi)* 200/280 – 60 – **13 ch** 700/1400 – 1/2 p 600/90

Le Clamador sans rest, 4 km par D 38 ☎ 90 97 84 26, ≤ – wc ☎ 🅟. AE VISA
1er avril-10 oct. – 22 – **20 ch** 220/250.

au Nord : 7 km par D 85A – ✉ **13460** Stes-Maries-de-la-Mer :

Mas du Clarousset par chemin privé, ☎ 90 47 81 66, , , – wc 🅟. AE E VISA
R *(fermé mardi sauf fériés)* 160/200, enf. 55 – 45 – **10 ch** 500/520 – 1/2 p 705.

Host. Mas Calabrun , ☎ 90 47 83 23, , , , – wc wc ☎ AE VISA. rest
fermé 3 janv. au 5 fév. – **R** 100/160, enf. 40 – 33 – **26 ch** 355 – 1/2 p 330/345.

SALBRIS 41300 L.-et-Ch. 64 ⑲ **G. Châteaux de la Loire** – 6 134 h.
Paris 188 – Blois 67 – Bourges 50 – Montargis 101 – ♦Orléans 56 – Vierzon 23.

Parc M, 10 av. Orléans ☎ 54 97 18 53, Télex 751164, parc – TV ☎ 🅟. AE E VISA. ch
R *(fermé 15 janv. au 15 fév.)* 85/170 – 27 – **29 ch** 170/360 – 1/2 p 260/390.

Dauphin, 57 bd République ☎ 54 97 04 83, – wc ☎ 🅟. E VISA
fermé 4 au 26 janv., dim. soir et lundi – **R** 68/220 , enf. 40 – 24 – **10 ch** 110/20 – 1/2 p 210/300.

✗ **Clé des Champs,** 52 av. Orléans ✆ 54 97 14 15, 🏞 – **P**. AE ◑ E VISA
fermé 17 au 20 sept., 27 fév. au 20 mars, jeudi soir d'oct. à avril, dim. soir et merc. – **R** 62/125 ♗.

TROEN Gar. Vincent, 41 bd République ✆ 54 16 46
RD-LANCIA-AUTOBIANCHI Gar. Deniau, bd République ✆ 54 97 00 42
PEUGEOT-TALBOT Gar. Grimault, 56 av. Nancay ✆ 54 97 00 07
RENAULT Gar. le Bozec, 92 rte d'Orléans ✆ 54 97 05 14

ALERNES 83690 Var 84 ⑥ **G. Côte d'Azur** – 2 933 h.
ris 835 – Aix-en-Provence 93 – Digne 92 – Draguignan 23 – ♦Marseille 93 – ♦Toulon 82.

Host. Allègre, ✆ 94 70 60 30, 🏞 – ⋔wc ☎
fermé mi-janv. à fin fév., dim. soir et lundi – **R** 52/100 ♗ – ☕ 15 – **26 ch** 97/180 – ½ p 130/190.

TROEN Gar. Piaget, ✆ 94 70 60 44 N ✆ 94 70 53
RENAULT Gar. Garabedian, ✆ 94 70 72 38

ALERS 15410 Cantal 76 ② **G. Auvergne (plan)** – 470 h. alt. 951.
oir Grande-Place★★ – Église★ – Esplanade de Barrouze ≤★.
ris 503 – Aurillac 49 – Brive-la-Gaillarde 102 – Mauriac 19 – Murat 43.

Le Baillage M ⛰, ✆ 71 40 71 95, 🏞 – ⛀wc ⋔wc ☎ 🚗 **P**. AE E VISA
fermé 15 nov. au 15 déc. – **R** 55/100, enf. 30 – ☕ 18 – **30 ch** 175/240.

Remparts ⛰ (annexe 13 ch M ⛰), ✆ 71 40 70 33, ≤ **Monts du Cantal** – ⛀wc ⋔wc ☎. E VISA
fermé 20 oct. au 15 déc. – **R** 58/95, enf. 35 – ☕ 19 – **31 ch** 175/240 – ½ p 160/200.

Beffroi ⛰, ✆ 71 40 70 11 – ⛀wc ⋔wc ☎ **P**. E VISA
fermé 25 déc. au 2 fév. – **R** 65/130, enf. 35 – ☕ 25 – **10 ch** 150/210 – ½ p 140/170.

au Theil SO : 6 km par D 35 et D 37 – ✉ **15140** St-Martin-Valmeroux :

Host. de la Maronne M ⛰, ✆ 71 69 20 33, ≤, 🏊, 🏞, 🎾 – cuisinette ⛀wc ⋔wc ☎ **P**. E VISA
1er avril-5 nov. – **R** (dîner seul.) 100 – ☕ 20 – **24 ch** 210/280 – ½ p 210/270.

à Anglards-de-Salers NO : 11 km par D 22 – ✉ **15380** Anglards-de-Salers :

Commerce ⛰, ✆ 71 40 00 33 – ⋔. ✂
15 mars-15 oct. – **R** 60/90 – ☕ 16 – **27 ch** 95/150 – ½ p 130/140.

TROEN Gar. Moderne, ✆ 71 40 70 80 N
RENAULT Gar. Roux, ✆ 71 40 72 04 N

ALÈVE (Mont) ★★ **74** H.-Savoie 74 ⑥ **G. Alpes du Nord** – alt. 1 380 au Grand Piton, 1 184 à la ble d'orientation des Treize Arbres ☀★★ (13 km SO d'Annemasse par ④, D 41 puis 15 mn) – Sports hiver : 900/1 200 m ⛷1 ⛷1 ⛷.

Dusonchet ⛰, à la Croisette - Alt. 1 176 ✉ 74560 Monnetier-Mornex ✆ 50 94 52 04, ≤ – ⛀wc ⋔wc **P**. ✂
fermé 1er nov. au 15 déc. et merc. sauf juil.-août – **R** 60/130, enf. 35 – ☕ 20 – **10 ch** 130/220 – ½ p 175.

SALIES-DE-BÉARN

oustère (R. Élysée)	4
rdin-Public (Cours du)	8
anne d'Albret (Pl.)	10
-Vincent (R.)	24
ains (R. des)	2
gnot (Pl. du)	3
s-Foix (Av. des)	5
re (Av. de la)	7
clabote (R.)	13
nabère (Bd du Gén.)	15
clerc (Av. du Mar.)	16
artinàa (R.)	18
caut (Av. Félix)	19
rénées (Av. des)	21
-Martin (R.)	23
nnerie (R. de la)	26
mple (Pl. du)	27
ulet (R. Paul-Jean)	28

our aller loin rapidement, ilisez les ***cartes Michelin*** *1/1 000 000.*

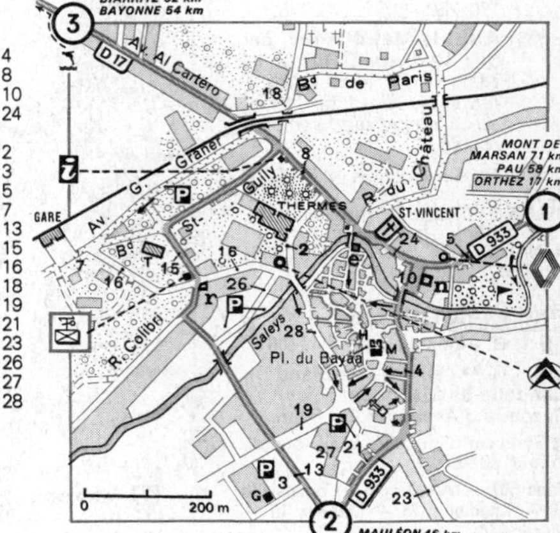

SALIES-DE-BÉARN **64270** Pyr.-Atl. **78** ⑧ **G. Pyrénées Aquitaine** – **5 175 h.** – **Stat. therm.**

Office de Tourisme 1 bd St-Guily ✆ 59 38 00 33.

Paris 777 ③ – ♦Bayonne 54 ③ – Dax 36 ① – Orthez 17 ① – Pau 58 ① – Peyrehorade 18 ③.

Plan page précédente

Du Golf Ⓜ, par ① : 1 km ✆ 59 65 02 10, ≤, ⛱, 🏊, 🌳, 🎾 – 🛗 📺 🛁wc ☎ Ⓟ – 🏋 40. AE ① E VISA
fermé nov. – **R** 75/150, enf. 50 – ☕ 25 – **33 ch** 205/270 – ½ p 245/255.

Le Blason, pl. J.-d'Albret **(n)** ✆ 59 38 00 53 – 🛁wc 🚿 ☎
fermé janv. – **R** 48/75 – ☕ 18 – **27 ch** 71/132 – ½ p 138/194.

Larquier, r. Salines **(r)** ✆ 59 38 10 43, 🌳 – 🚿wc Ⓟ. 🐕
1er avril-30 sept. – **R** 65/100 – ☕ 17 – **20 ch** 80/120.

Terrasse, r. Loumé **(e)** ✆ 59 38 09 83, ⛱ – E VISA
fermé fév. et lundi – **R** 48/105 🍷, enf. 30.

CITROEN Gar. des Thermes, ✆ 59 38 14 45 RENAULT Gar. Hourdebaigt, ✆ 59 38 06 19

SALIES-DU-SALAT **31260** H.-Gar. **86** ② **G. Pyrénées Aquitaine** – **2 195 h.** – **Stat. ther** (2 mai-30 oct.) – Casino – Paris 777 – Auch 88 – St-Gaudens 22 – St-Girons 25 – ♦Toulouse 76.

Gd Hôtel 🐦, ✆ 61 90 56 43, ⛱, 🌳 – 🛁wc 🚿wc Ⓟ. 🐕
6 juin-15 sept. – **R** 57/110, enf. 30 – ☕ 17 – **26 ch** 98/190 – ½ p 155/220.

SALIGNAC EYVIGNES **24590** Dordogne **75** ⑰ **G. Périgord Quercy** – **1 035 h.**

Paris 522 – Brive-la-Gaillarde 34 – Cahors 84 – Perigueux 70 – Sarlat-la-Canéda 17.

La Terrasse, ✆ 53 28 80 38 – 🛁wc 🚿wc. E VISA
27 mars-2 nov. et fermé sam. hors sais. – **R** 58/100 🍷, enf. 35 – ☕ 20 – **14 ch** 145/200 – ½ p 150/180.

SALINS-LES-BAINS **39110** Jura **70** ⑤ **G. Jura** – **4 181 h.** – **Stat. therm.** (avril-nov.) – Casino: Y.

Voir Site★ – Fort Belin★ Z B – Fort St-André★ O : 4 km par D 94 (S du plan).

Syndicat d'Initiative pl. des Salines ✆ 84 73 01 34.

Paris 409 ④ – ♦Besançon 45 ④ – Dole 45 ④ – Lons-le-Saunier 52 ④ – Poligny 25 ④ – Pontarlier 43 ②.

Gd H. Bains, pl. Alliés ✆ 84 37 90 50, 🏊 – 🛗 🛁wc 🚿wc ☎ Ⓟ. E VISA Y **a**
fermé 5 janv. au 5 fév. et hôtel : dim. et lundi du 1er oct. au 30 avril – **R** 71/200 🍷, enf. 50 – ☕ 23 – **32 ch** 170/250 – ½ p 170/275.

Aub. le Val d'Héry, par ③ : 3 km sur D 467 ✆ 84 73 06 54, ⛱ – AE E VISA
fermé fév., lundi du 1er oct. au 30 mai et dim. soir – **R** 76/176.

CITROEN Gar. Salinois, ✆ 84 73 08 63 N
PEUGEOT-TALBOT Vurpillot, ✆ 84.73.05.45 N
RENAULT Gar. Vieille-Girardet, ✆ 84 73 11 56

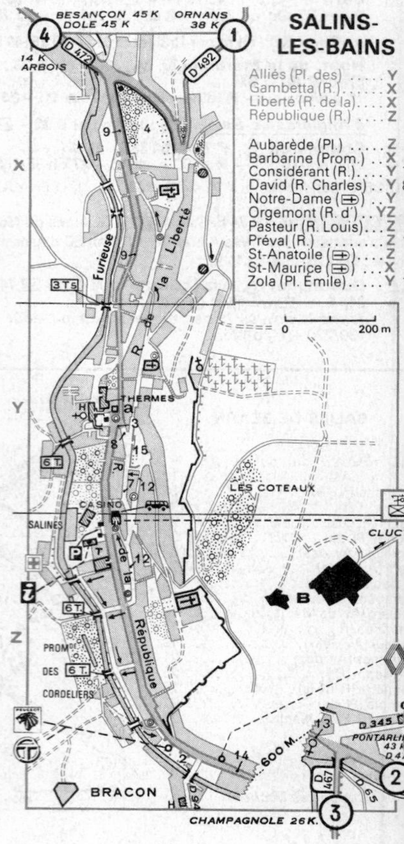

SALLANCHES **74700** H.-Savoie **74** ⑧ **G. Alpes du Nord** – **10 509 h.**

Voir ✻★★ sur le Mt-Blanc – Chapelle de Médonnet : ✻★★ – Cascade d'Arpenaz★ N : 5 km.

Syndicat d'Initiative quai Hôtel de Ville ✆ 50 58 04 25.

Paris 587 – Annecy 75 – Bonneville 29 – Chamonix 28 – Megève 13 – Morzine 44.

La Crémaillère M, 1,5 km par ancienne rte Combloux ☎ 50 58 32 50, Télex 385398, ≤ Mt-Blanc, – TV wc ☎ P – 25 à 50. AE E VISA
R 75/260 ⅃, enf. 42 – ☐ 35 – **43 ch** 220/330 – 1/2 p 240/270.

Les Sorbiers et rest. Les Darblots, 17 r. Paix ☎ 50 58 01 22, Télex 309422, ≤, parc – TV wc wc ☎ P – 30. AE E VISA
R *(fermé dim. soir et lundi midi sauf vacances scolaires)* 80/180 ⅃ – ☐ 27 – **36 ch** 92/272 – 1/2 p 189/269.

Mont-Blanc sans rest, 8 r. Mont Blanc ☎ 50 58 12 47 – wc. E VISA
☐ 20 – **23 ch** 85/160.

St-Jacques sans rest, 1 quai St-Jacques ☎ 50 58 01 35 – wc. VISA.
fermé 1er au 8 nov. – ☐ 16 – **9 ch** 115/150.

Bernard Villemot, 13 r. Dr Berthollet ☎ 50 93 74 82 – AE E VISA
fermé 1er au 15 nov., 3 au 23 janv., le midi du 15 juin au 15 sept., dim. soir et lundi – **R** 95/200 ⅃, enf. 65.

à Cordon SO : 4 km par D 113 – alt. 871 – Sports d'hiver : 1 050/1 600 m 3 – ✉ 74700 Sallanches :

Chamois d'Or, ☎ 50 58 05 16, ≤ chaîne Mont-Blanc, – TV ☎ P – 25. AE E VISA
1er juin-15 sept. et 20 déc.-15 avril – **R** 95/135, enf. 65 – ☐ 30 – **30 ch** 260/320 – 1/2 p 255/325.

Roches Fleuries, ☎ 50 58 06 71, ≤ chaîne et Mont Blanc, « Bel intérieur », – TV ☎ P. E VISA. rest
30 avril-25 sept. et 18 déc.-18 avril – **R** 120/250, enf. 70 – ☐ 30 – **29 ch** 280/290 – 1/2 p 260/320.

Le Cordonant M, ☎ 50 58 34 56, ≤ chaîne Mont-Blanc, – wc wc ☎ P. E VISA. rest
fermé 30 sept. au 15 déc. – **R** 75/120 – ☐ 24 – **15 ch** 180/205 – 1/2 p 185/205.

Solneige, ☎ 50 58 04 06, ≤ chaîne Mont-Blanc, – wc wc ☎ P
fermé fin sept. au 18 déc. – **R** 72/95 – ☐ 20 – **29 ch** 102/172 – 1/2 p 163/193.

Les Rhodos, ☎ 50 58 13 54, ≤ chaîne Mt-Blanc – wc wc P. AE E VISA. rest
1er juin-20 sept. et Noël-Pâques – **R** 70/95 – ☐ 22 – **30 ch** 160/190 – 1/2 p 158/215.

Le Perron, ☎ 50 58 11 18, ≤ Mont Blanc – wc wc P. VISA. rest
R 70/100, enf. 40 – ☐ 25 – **15 ch** 200/250 – 1/2 p 225/260.

Le Planet, ☎ 50 58 04 91, , ≤ chaîne Mont-Blanc – wc P. VISA. rest
1er juin-25 sept. et 15 déc.-30 avril – **R** 75/95 – ☐ 25 – **37 ch** 140/160 – 1/2 p 170/190.

Quatre Saisons, ☎ 50 58 04 40, ≤, – wc wc P. E VISA. rest
fermé 4 oct. au 20 déc. – **R** *(fermé 24 oct. au 20 déc. et lundi en oct.)* 65/85 – ☐ 21 – **15 ch** 160/172.

ROEN Gar. Greffoz, 50 av. de Genève ☎ 50 :0 49
T Gar. St-Martin, rte de Passy, St-Martin-Arve ☎ 50 58 41 88
RD Gar. des Alpes, rte de Chamonix ☎ 50 4 44
IOCENTI-MAZDA Gar. Levet, 51 av. de ıève ☎ 50 58 06 28
RCEDES-BENZ, V.A.G. Gar. des Fontanets, du Fayet ☎ 50 58 36 44 N ☎ 50 21 00 27
PEUGEOT-TALBOT Gar. de Warens, 44 av. de Genève ☎ 50 58 11 32
SEAT Gar. des Aravis, 999 rte du Fayet ☎ 50 58 24 75

Dhoomun, Z.I. sortie autoroute ☎ 50 58 47 45
Sallanches-Pneus, 7 av. Genève ☎ 50 58 00 34

LLES-ARBUISSONNAS-EN-BEAUJOLAIS 69 Rhône 73 ⑨ G. Vallée du Rhône – h. – ✉ 69460 St-Etienne-des-Oullières.

s 428 – Bourg-en-Bresse 50 – Chauffailles 46 – ♦Lyon 42 – Mâcon 38 – Villefranche-sur-Saône 11.

La Benoite, ☎ 74 67 52 93, – P. E VISA
fermé 26 juil. au 14 août, 1er au 15 mars et merc. – **R** 65/150 ⅃, enf. 45.

ROEN Gar. du Chapitre, à Fond-de-Salles ☎ 74 67 54 09

LLES-CURAN 12410 Aveyron 80 ⑬ – 1 424 h. alt. 833.

s 681 – Albi 77 – Millau 37 – Rodez 40 – St-Affrique 41.

✿ **Host. du Lévézou** (Bouviala), ☎ 65 46 34 16, , Demeure du 14e s., – TV wc wc ☎ P. AE E VISA. rest
1er avril-15 oct. et fermé dim. soir et lundi sauf du 15 juin au 15 sept. – **R** (dim. et fêtes prévenir) 73/260, enf. 50 – ☐ 25 – **22 ch** 80/250 – 1/2 p 200/250
Spéc. Feuilleté au roquefort, Confit de canard, Tripoux rouergats. **Vins** Faugères.

Aub. du Pareloup, ☎ 65 46 35 22 – . E VISA
1er avril-1er oct. – **R** 45/100 ⅃, enf. 35 – ☐ 15 – **16 ch** 90/120 – 1/2 p 145.

Les SALLES-SUR-VERDON 83 Var 84 ⑥ G. Alpes du Sud – 131 h. – ✉ 83630 Aups.

Paris 833 – Brignoles 60 – Draguignan 50 – Manosque 63 – Moustiers-Ste-Marie 13.

Aub. des Salles ⋟, ✆ 94 70 20 04, ≤, – wc wc ☎. E VISA
15 mars-14 nov. et fermé mardi hors sais. – **R** 70/170, enf. 42 – ☐ 26 – **22** 170/226.

Le Verdon M ⋟, ✆ 94 70 20 02, ≤, – wc wc ☎. ✻ ch
1er mars-30 oct. – **R** 50/150 – ☐ 25 – **19 ch** 410/500 – 1/2 p 410/450.

SALMIECH 12 Aveyron 80 ⑫ – 741 h. – ✉ 12120 Cassagnes-Begonhès.

Paris 665 – Albi 65 – Millau 65 – Rodez 24.

du Céor, ✆ 65 46 70 13, – wc . E
vacances de printemps-31 oct., vacances de Noël et de fév. – **R** 55/195 ♁, enf. 37 ☐ 16,50 – **29 ch** 80/140 – 1/2 p 152/187.

Um diesen Führer bestens zu nutzen, siehe Erklärungen S. 40 bis 47.

SALON-DE-PROVENCE 13300 B.-du-R. 84 ② G. Provence – 35 845 h.

Voir Château de l'Empéri : musée★★ BYZ.

Env. Table d'orientation de Lançon ≤★★ SE : 12 km puis 15 mn.

de l'École de l'Air ✆ 90 53 90 90 par ② : 3 km.

Office de Tourisme et A.C. 56 cours Gimon ✆ 90 56 27 60.

Paris 722 ① – Aix-en-Pr. 35 ② – Arles 41 ③ – Avignon 46 ① – ♦Marseille 55 ② – Nîmes 71 ③.

SALON-DE-PROVENCE

Carnot (Cours) . . . . AY 4
Crousillat (Pl.) . . . . BY 12
Frères-Kennedy (R. des) . . . . AY
Gimon (Cours) . . . . BZ
Victor-Hugo (Cours) . . . . BY 38

Ancienne Halle (Pl.) . . . . . BY 2
Capucins (Bd des) . . . . . . BZ 3
Centuries (Pl. des) . . . . . . BY 6
Clemenceau (Bd Georges) . . . . AY 7
Coren (Bd Léopold) . . . . AY 8
Craponne (Allées de) . . . . BZ 10
Farreyroux (Pl.) . . . . BZ 13
Ferrage (Pl. de la) . . . . BZ 14
Fileuses-de-Soie (R. des) . . . . AY 15
Gambetta (Pl.) . . . . BZ 18
Horloge (R. de l') . . . . BY 20
Ledru-Rollin (Bd) . . . . AY 22
Médicis (Pl. C. de) . . . . . . BZ 24
Mistral (Bd Frédéric) . . . . BY 26
Moulin d'Isnard (R.) . . . . . BY 27
Nostradamus (Bd) . . . . AY 28
Pasquet (Bd Louis) . . . . BZ 30
Pelletan (Cours Camille) . . . . . . AY 32
République (Bd de la) . . . . AY 33
Raynaud-d'Ursule (R.) . . . BZ 34
St-Laurent (Square) . . . . . BY 35
St-Michel (R.) . . . . BY 36

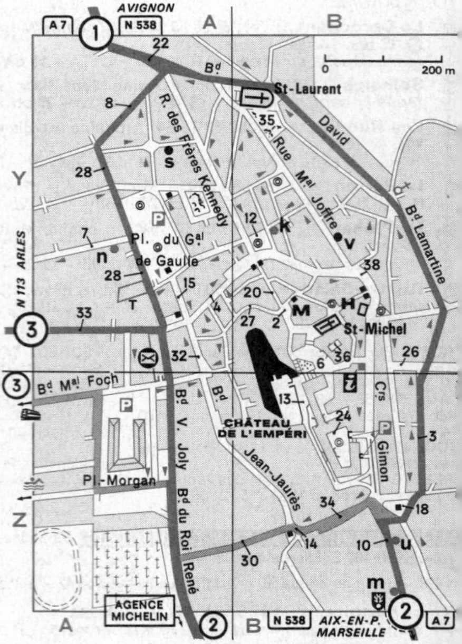

Midi sans rest, 518 allées Craponne par ② ✆ 90 53 34 67 – TV wc wc P. AE VISA
☐ 22 – **27 ch** 150/220.

Roi René sans rest, 561 allées Craponne par ② ✆ 90 53 20 22 – wc ☎. E VISA. ✻
fermé Noël au jour de l'An – ☐ 20 – **30 ch** 150/250.

Vendôme sans rest, 34 r. Mar.-Joffre ✆ 90 56 01 96 – wc wc ☎. AE ⓓ VISA. ✻ BY
☐ 19 – **22 ch** 190.

Sélect-H. ⋟ sans rest, 35 r. Suffren ✆ 90 56 07 17 – wc ☎ . E VISA. ✻ AY
☐ 18 – **19 ch** 140/170.

XX ✿ **Robin,** 1 bd G.-Clemenceau ✆ 90 56 06 53 – ▤. AE ⓓ E VISA — AY n
fermé vacances de fév., dim. soir et lundi – **R** carte 230 à 300
Spéc. Civet de homard au Banyuls, Jambonnette de volaille, Chèvre frais à l'Armagnac. **Vins** Rousset, Palette.

XX **Le Touring,** 20 pl. Crousillat ✆ 90 56 00 07, ☂ – AE — BY k
fermé fév. et merc. sauf juil.-août – **R** 70/160.

XX **Craponne,** 146 allées Craponne ✆ 90 53 23 92 – VISA — BZ m
fermé juil., dim. soir et lundi – **R** 68/161.

X **Le Poêlon,** 71 allées Craponne ✆ 90 53 31 38 – AE E VISA — BZ u
fermé merc. soir et jeudi – **R** 89/155.

rte de Pélisanne : 2 km – ✉ **13300** Salon de Provence :

Ibis M, ✆ 90 42 23 57, Télex 441591, ☂, ⛱, ☛ – TV ⇔wc ☎ ♿ P – 🏠 30 à 50. E VISA
R *(fermé sam. midi et dim. midi)* carte 70 à 130 ♁, enf. 36 – ☕ 25 – **48 ch** 220/245 – ½ p 189/203.

au NE : 5 km par D 16 BY et voie privée – ✉ **13300** Salon-de-Provence :

Abbaye de Ste-Croix ⛰, ✆ 90 56 24 55, Télex 401247, ≤, ☂, parc, ⛱ – ☎ P – 🏠 30 à 150. AE ⓓ E VISA. ✳ rest
début mars-début nov. – **R** *(fermé lundi midi)* 185/325, enf. 60 – ☕ 55 – **19 ch** 540/790, 5 appartements 1400 – ½ p 810/1670.

au SO : 5 km par ②, N 113, D 19 et voie privée – ✉ **13250** Cornillon :

Devem de Mirapier M ⛰, ✆ 90 55 99 22, ≤, ☂, parc, ⛱, ✂ – ▤ TV ⇔wc ☎ ♿ P – 🏠 30. AE ⓓ E VISA. ✳ rest
fermé 15 déc. au 15 janv. – **R** *(fermé lundi)* 150/200, enf. 70 – ☕ 35 – **16 ch** 295/420 – ½ p 380/460.

à la Barben SE : 8 km par ②, N 572 et D 22E – ✉ **13330** Pélissanne.

Voir Château★ E : 2 km.

X **Touloubre** ⛰ avec ch, ✆ 90 55 16 85, ☂, ☛ – ⇔wc ☎ P – 🏠 50. AE VISA. ✳ ch
fermé 15 au 30 nov., 15 janv. à début fév., dim. soir et lundi – **R** 100/250, enf. 60 – ☕ 30 – **8 ch** 120/250.

***sur Autoroute A 7 :* Aire de Lançon** SE : 11 km par ② – ✉ **13680** Lançon :

Mercure M, ✆ 90 42 87 11, Télex 440183, ☂, ⛱ – |‡| ▤ TV ☎ ♿ – 🏠 120. AE ⓓ E VISA
R (dîner seul.) carte 95 à 115 ♁ – ☕ 35 – **98 ch** 310/370.

CHELIN, Agence, r. des Canesteux, Z.I. du Quintin par bd du Roi René AZ ✆ 90 53 35 46

A ROMEO HONDA A + B Autom. 35 r. iel-Kinet ✆ 90 56 27 32
RD Ets Cardona, rte de Miramas, quart. Aires de la Dime ✆ 90 42 17 80
IAULT S.A.P.A.S., 666 bd du Roi-René AZ) 42 13 13 N

◉ Bués-Pneus, quartier Crau-Sud déviation N 113 ✆ 90 53 30 40
Omnica, bd du Roi-René ✆ 90 53 15 75
Pyrame, 411 bd du Roi-René ✆ 90 53 30 38

LSES-LE-CHÂTEAU 66 Pyr.-Or. 86 ⑨ – 2 098 h. – ✉ **66600** Rivesaltes.

r **Fort★★, G. Pyrénées Roussillon.**

ccueil Pyrénées-Roussillon sur A 9 Salses-le-Château (juil.-août) ✆ 68 38 60 75.

SALVAGES 81 Tarn 83 ① – rattaché à Castres.

LVAGNY 74 H.-Savoie 74 ⑧ – rattaché à Samoëns.

MATAN 32130 Gers 82 ⑯ – 1 978 h.

729 – Auch 35 – Gimont 17 – Montauban 77 – St-Gaudens 56 – Tarbes 91 – ♦Toulouse 48.

Maigné, ✆ 62 62 30 24 – ⛩ – 🏠 30
fermé 20 sept. au 20 oct. – **R** 75 bc/190 bc – ☕ 15 – **17 ch** 80/120 – ½ p 160/180.

MOËNS 74340 H.-Savoie 74 ⑧ **G. Alpes du Nord** – 1 956 h. alt. 720 – Sports d'hiver : 2 480 m ⛷1 ⛷15 ⛷.

r **Place du Gros Tilleul★ – Jardin alpin Jaysinia★.**

. **La Rosière** ≤★★ N : 6 km – **Cirque du Fer à Cheval★★** E : 13 km.

ffice de Tourisme ✆ 50 34 40 28, Télex 385924.

586 – Annecy 85 – Bonneville 36 – Chamonix 63 – ♦Genève 68 – Megève 49 – Morzine 30.

Neige et Roc M, ✆ 50 34 40 72, ←, ⛱, ✿, ✗ – |♦| cuisinette ⇔wc ⫛wc Ⓟ – 25. E VISA. ✗ rest
4 juin-15 sept. et 15 déc.-15 avril – **R** 80/160 – ☕ 27 – **50 ch** 260, 18 studios $^1/_2$ p 210/280.

Glaciers, ✆ 50 34 40 06, ←, ⛱, ✿, ✗ – |♦| ⇔wc ⫛wc ☎ Ⓟ. AE E VISA. ✗ res
10 juin-15 sept. et 15 déc.-15 avril – **R** 70/120, enf. 35 – ☕ 30 – **50 ch** 250/290 $^1/_2$ p 300.

La Renardière M sans rest, ✆ 50 34 45 62, ←, ⛱, ✿ – |♦| cuisinette ⇔ ⫛wc ☎ Ⓟ. E VISA
25 juin-4 sept. et 20 déc.-20 avril – ☕ 24 – **23 ch** 200/250.

Sept Monts, ✆ 50 34 40 58, ←, ⛱, ⛱, ✿ – |♦| ⇔wc ⫛ ☎ Ⓟ. E VISA. ✗
R 82/150, enf. 46 – ☕ 26,50 – **36 ch** 190/265 – $^1/_2$ p 235/275.

Les Drugères, ✆ 50 34 43 84, ⛱, ✿ – ⇔wc ⫛wc ☎ Ⓟ. VISA
1er juin-15 sept. et 15 déc.-15 avril – **R** 77/98 – ☕ 23 – **22 ch** 150/230 – $^1/_2$ p 220/2

Gai Soleil, ✆ 50 34 40 74, ←, ⛱ – |♦| ⇔wc ☎. E VISA. ✗ rest
12 juin-11 sept. et 17 déc.-20 avril – **R** 50/80 ⅋ – ☕ 28 – **20 ch** 240 – $^1/_2$ p 155/22

Edelweiss ⛰, NE : 1,5 km par rte Planpraz ✆ 50 34 41 32, ← montagnes, ✿ ⇔ ⫛ Ⓟ. ✗
15 juin-10 sept. et 18 déc.-15 avril – **R** 70/100 – ☕ 18 – **12 ch** 160/200 – $^1/_2$ p 180/1

à Morillon O : 4,5 km – ✉ **74440** Taninges :

Morillon, ✆ 50 90 10 32, ←, ✿ – ⇔wc ⫛wc ☎ Ⓟ. E. ✗
20 juin-5 sept. et 20 déc.-15 avril – **R** 65/80, enf. 30 – ☕ 20 – **25 ch** 140/200 $^1/_2$ p 160/250.

Le Sauvageon ⛰, SE : 1,5 km par D 255 et VO ✆ 50 90 10 25, ←, ✿, ✗ ⇔wc ☎ Ⓟ. E VISA. ✗ rest
15 mai-15 oct., 1er déc.-15 avril et fermé dim. soir et lundi hors sais. – **R** 95/150 enf. 50 – ☕ 26 – **20 ch** 125/230 – $^1/_2$ p 200/215.

à Verchaix O : 6 km par D 907 – ✉ **74440** Taninges :

Chalet Fleuri ⛰, ✆ 50 90 10 11, ←, ✿ – ✗ rest
1er juin-30 sept. et 20 déc.-20 avril – **R** 57/110 – ☕ 18 – **30 ch** 85/115 – $^1/_2$ p 115/1

à Salvagny SE : 9 km par D 907 et D 29 – ✉ **74740** Sixt-Fer-à-Cheval :

Le Petit Tetras ⛰, ✆ 50 34 42 51, ← – ⇔wc ⫛wc ☎ Ⓟ. Ⓓ E VISA. ✗ rest
1er juin-15 sept. et 18 déc.-12 avril – **R** 70/135, enf. 45 – ☕ 26 – **26 ch** 140/240 $^1/_2$ p 200/250.

à Nambride E : 10 km par D 907 – ✉ **74740** Sixt-Fer-à-Cheval :

Bout du Monde M ⛰, ✆ 50 34 47 60, ←, ✿ – |♦| ⇔wc ☎ Ⓟ. E VISA. ✗ rest
fermé 30 sept. au 16 déc. – **R** 70/120, enf. 45 – ☕ 30 – **25 ch** 190 – $^1/_2$ p 220.

CITROEN Gar. Central, ✆ 50 34 43 82 N

SAMOIS-SUR-SEINE 77920 S.-et-M. 61 ②, 196 ㊻ G. Environs de Paris – 1 575 h.

Voir Ensemble★ (quai, île du Berceau) – Tour Dénecourt ✵★ SO : 5 km.

Paris 62 – Fontainebleau 7,5 – Melun 14 – Montereau-Faut-Yonne 21.

Host. Country Club ⛰, quai F.D. Roosevelt ✆ (1) 64 24 60 34, ←, ⛱, ✗ ⇔wc ⫛wc ☎ – 30. E VISA. ✗ ch
fermé 20 déc. au 4 janv., dim. soir et lundi – **R** 99/178 – ☕ 30 – **16 ch** 230/28 $^1/_2$ p 355/405.

SANARY-SUR-MER 83110 Var 84 ⑭ G. Côte d'Azur – 11 689 h.

Voir Chapelle N.-D.-de-Pitié ←★ B – Site★ de N.-D.-de-Pépiole E : 5 km.

ℹ Office de Tourisme Jardins de la Ville ✆ 94 74 01 04.

Paris 827 ① – Aix-en-Provence 71 ① – La Ciotat 27 ① – ♦Marseille 54 ① – ♦Toulon 12 ②.

Plan page ci-contre

Gd H. des Bains, bd d'E.-d'Orves (a) ✆ 94 74 13 47, ←, ✿ – |♦| TV ⇔wc ⫛ ☎ Ⓟ. AE Ⓓ E VISA
R *(fermé lundi du 1er janv. au 15 avril et du 1er oct. au 31 déc.)* 90/180 – ☕ 27 **30 ch** 210/300 – $^1/_2$ p 230/280.

Tour, quai Gén-de-Gaulle (n) ✆ 94 74 10 10, ←, ⛱ – ⇔wc ⫛wc ☎. Ⓓ E VISA
fermé 30 nov. au 10 janv. – **R** *(fermé mardi hors sais.)* 100/180 – ☕ 26 – **28** 140/260 – $^1/_2$ p 200/280.

Primavera, av. Port-Issol (e) ✆ 94 74 00 36 – ⫛wc ☎ Ⓟ
mars-oct. – **R** *(fermé merc. sauf juil.-août)* 90/180 – ☕ 25 – **14 ch** 154/237.

Synaya ⛰, chemin Olive (r) ✆ 94 74 10 50, ✿ – ⇔wc ⫛wc ☎ Ⓟ. E ✗ rest
mars-oct. – **R** (½ pens. seul.) – ☕ 17 – **11 ch** – $^1/_2$ p 135/165.

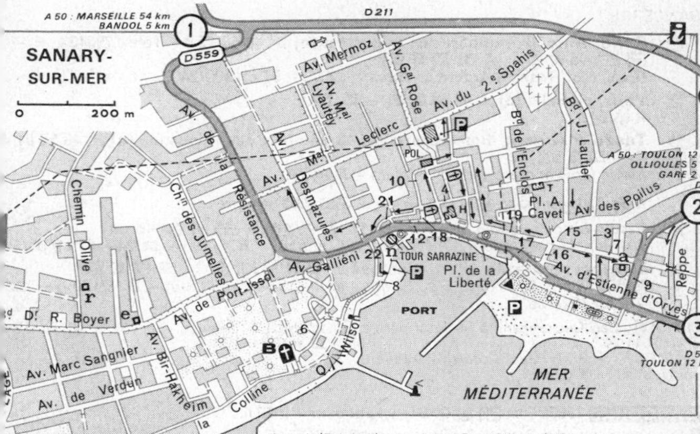

A 50 : MARSEILLE 54 km
BANDOL 5 km

SANARY-SUR-MER

0 200 m

A 50 : TOULON 12 km
OLLIOULES 5 km
GARE 2 km
D 11

D 559
TOULON 12 km

MER MÉDITERRANÉE

PORT-ISSOL

Zone piétonne en saison

Avenir (Bd de l')	3	Giboin (R.)	15
Blanc (R. Louis)	4	Granet (R.)	16
Colline (R. de la)	6	Jean-Jaurès (R.)	17
Clemenceau (Av. Georges)	7	Pacha (Pl. Michel)	18
Esménard (Quai)	8	Péri (R. Gabriel)	19
Europe-Unie (Av. de l')	9	Poilus (Av. des)	20
Gaillard (R.)	10	Prudhomie (R. de la)	21
Gaulle (Quai Gén. de)	12	Tour (Pl. de la)	22

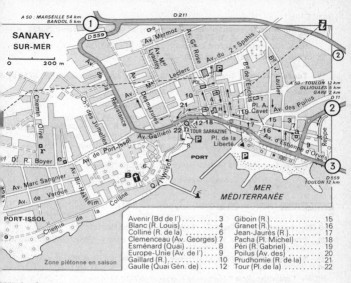

XXX **Le Castel,** rte Bandol : 3,5 km ✆ 94 29 82 98, ⩤, 🏕 – **P**. AE ⓞ E VISA
vacances de nov., de fév. et dim. soir hors sais. sauf fériés – **R** 105/180.

Autres ressources hôtelières :

Voir *Six-Fours-les-Plages* par ③ : 4 km.

ANCERRE 18300 Cher 65 ⑫ G. Berry Limousin – 2 286 h.

oir Site★ – Esplanade de la porte César⩤★★ – Tour des Fiefs ✳★ – Carrefour D923 D7 ⩤★★ O : 4 km.

Syndicat d'Initiative à l'Hôtel de Ville ✆ 48 54 00 26 et Nouvelle Place (juin-sept.) ✆ 48 54 08 21.

ris 199 ① – Bourges 46 ③ – La Charité-sur-Loire 26 ② – Salbris 75 ③ – Vierzon 71 ③.

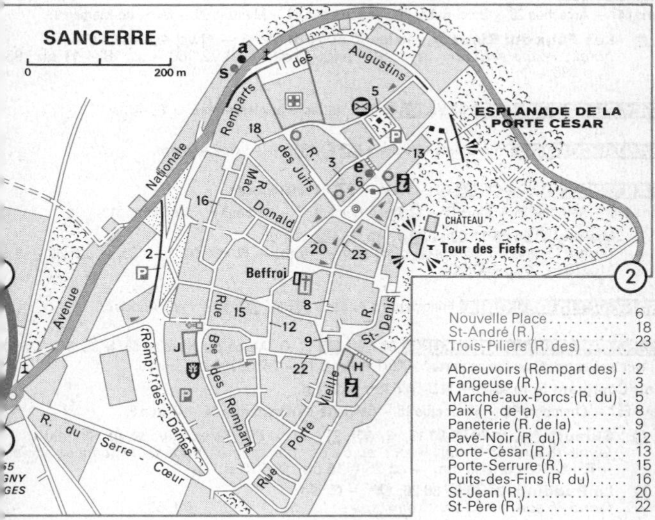

SANCERRE

0 200 m

ESPLANADE DE LA PORTE CÉSAR

SANCERGUES, LA CHARITÉ, D 920

Nouvelle Place	6
St-André (R.)	18
Trois-Piliers (R. des)	23
Abreuvoirs (Rempart des)	2
Fangeuse (R.)	3
Marché-aux-Porcs (R. du)	5
Paix (R. de la)	8
Paneterie (R. de la)	9
Pavé-Noir (R. du)	12
Porte-César (R.)	13
Porte-Serrure (R.)	15
Puits-des-Fins (R. du)	16
St-Jean (R.)	20
St-Père (R.)	22

Panoramic M, rempart des Augustins **(a)** 48 54 22 44, Télex 783433, – wc – 80. AE E VISA
R voir rest. **Tasse d'Argent** ci-après – 25 – **57 ch** 190/240.

Tour, pl. Halle **(e)** 48 54 00 81 – AE VISA
R 95/242.

Tasse d'Argent -Hôtel Panoramic-, 18 Rempart des Augustins **(s)** 48 54 01 – AE E VISA.
fermé janv. et merc. de nov. à mars – **R** 70/230.

à St-Thibault par ① et D 4 : 5 km – **18300** Sancerre :

Étoile avec ch, quai Loire 48 54 12 15, – . ch
10 mars-14 nov. et fermé merc. sauf juil. et août – **R** 75/195 – 24 – **11 ch** 85/1

L'Auberge avec ch, 37 r. J.-Combes 48 54 13 79, – AE E VISA
fermé 15 nov. au 5 déc., 5 au 22 mars et mardi sauf juil.-août – **R** 55/120 – – **5 ch** 102/155.

CITROEN Gar. Declomesnil à St-Satur par ① 48 54 11 34
PEUGEOT-TALBOT Gar. Cotat-Mulhausen, par ③ 48 54 00 62
RENAULT Bonlieu, par ③ 48 54 12 N 48 54 32 91

SANCOINS **18600** Cher 69 ③ **G. Berry Limousin** – 3 667 h.

Syndicat d'Initiative, r. M. Lucas (mai-sept.) 48 74 65 85.

Paris 260 – Bourges 51 – Montluçon 72 – Nevers 39 – St-Amand-Montrond 38.

Parc sans rest, r. M.-Audoux 48 74 56 60, parc – wc wc .
fermé 2 au 16 janv. – 18 – **11 ch** 140/200.

St-Joseph, 48 74 56 13 – wc wc . AE E VISA. rest
fermé dim. soir hors sais. – **R** 60/180, enf. 30 – 20 – **11 ch** 110/200.

CITROEN Central Gar., 2 bis r. Marguerite Audoux 48 74 50 42

SANCY (Puy de) 63 P.-de-D. 73 ⑬ **G. Auvergne** – alt. 1 886.

Voir ★★★.

Accès : à 4 km du Mont-Dore ② puis téléphérique, du terminus au sommet : 20 mn.

SAND 67 B.-Rhin 62 ⑩ – 762 h. – **67230** Benfeld.

Paris 447 – Barr 15 – Erstein 6,5 – Molsheim 24 – Obernai 14 – Sélestat 19 – ◆Strasbourg 28.

Host. La Charrue , 88 74 42 66 – ch wc wc . E VISA
R *(fermé dim. soir et lundi)* 70/145 , enf. 37 – 18 – **26 ch** 141/176 – $^1/_2$ p 160/1

OPEL Gar. Schneider, 88 74 42 02

SANGUINET **40460** Landes 78 ③ **G. Pyrénées Aquitaine** – 1 368 h.

Paris 647 – Arcachon 26 – Belin-Beliet 26 – ◆Bordeaux 59 – Mimizan 39 – Mont-de-Marsan 93.

Les Eaux qui Rient , au lac 58 78 61 15, – wc. rest
hôtel : 1er mars-15 nov., rest. : 1er mars-15 déc. – **R** 72/160 – 18 – **11 ch** 185 $^1/_2$ p 185.

SAN-PEIRE-SUR-MER 83 Var 84 ⑰⑱ – rattaché aux Issambres.

SANTA-COLOMA Principauté d'Andorre 86 ⑭, 43 ⑥ – voir à Andorre.

SANTENAY 41 L.-et-Ch. 64 ⑥ – 262 h. – **41190** Herbault.

Paris 198 – Amboise 25 – Blois 17 – Château-Renault 17 – Herbault 5 – Vendôme 31.

Union, 54 46 11 03 – wc . E VISA. ch
fermé 15 fév. au 15 mars, dim. soir et lundi – **R** 48/160, enf. 35 – 20 – **5** 110/200 – $^1/_2$ p 160/200.

SANT-JULIA-DE-LORIA Principauté d'Andorre 86 ⑭, 43 ⑥ – voir à Andorre.

Le SAPPEY-EN-CHARTREUSE 38 Isère 77 ⑤ **G. Alpes du Nord** – 557 h. alt. 940 – Spo d'hiver au Sappey et au Col de Porte : 1 000/1 700 m 11 – **38700** La Tronche.

Voir Charmant Som ★★★ NO : 4,5 km puis 1 h.

Paris 567 – Chambéry 52 – ◆Grenoble 15 – St-Pierre-de-Chartreuse 14 – Voiron 38.

Skieurs , 76 88 80 15, , , , – wc wc . rest
fermé 18 avril au 9 mai, 1er oct. au 5 déc., dim. soir et lundi sauf vacances scolai – **R** 100/148 carte le dim. – 25 – **18 ch** 140/230.

Le Pudding, 76 88 80 26, – E.
fermé 15 août au 15 sept., dim. soir et lundi – **R** 90/200, enf. 50.

ARCEY 69490 Rhône 73 ⑨ – 568 h.

is 454 – ♦Lyon 36 – Tarare 11 – Villefranche-sur-Saône 21.

Chatard, ✆ 74 01 20 01, 🍽 – ⋒wc ☎. **E** VISA. ✗ ch
fermé 12 nov. au 5 déc., 28 fév. au 10 mars, lundi soir et mardi – **R** 80/150 – ☕ 20 – **10 ch** 100/150 – 1/2 p 200.

ARE 64 Pyr.-Atl. 85 ② **G. Pyrénées Aquitaine** – 1 930 h. – ✉ **64310** Ascain.

is 798 – Cambo-les-Bains 24 – Pau 137 – St-Jean-de-Luz 14 – St-Pée-sur-Nivelle 8.

❀ **Arraya (Fagoaga),** ✆ 59 54 20 46, ←, 🍽, « Cadre rustique basque, jardin » – ⛀wc ⋒wc ☎ **P**. AE **E** VISA. ✗ ch
21 mai-2 nov. – **R** 100/170, enf. 50 – ☕ 40 – **21 ch** 280/360 – 1/2 p 260/330
Spéc. Charlotte de laitue et sauté de gésiers de canard confits, Chartreuse d'oie et ris de veau au chou vert, Suprêmes de pigeon sauvage. **Vins** Jurançon, Madiran.

Picassaria ⛰, S : 2 km par VO ✆ 59 54 21 51, ← – ⛀wc ⋒wc ☎ **P**. **E** VISA
1er mars-30 nov. et fermé merc. d'oct. à juin – **R** 75/110, enf. 50 – ☕ 18 – **32 ch** 100/170 – 1/2 p 170/220.

Lastiry, ✆ 59 54 20 07, 🍽 – **P**. ✗
15 mars-15 nov. et fermé lundi – **R** 60/130 🍷, enf. 50 – **80 ch** ☕150.

ARLAT-LA-CANÉDA ⟨SP⟩ **24200** Dordogne 75 ⑰ **G. Périgord Quercy** – 10 627 h.

r Vieux Sarlat★★ : Maison de la Boétie★ Z **D**, place des Oies★ Y, rue des Consuls★ : Hôtel de Malle- e★ Y **B**, hôtel Plamon★ Y **E** Musée-aquarium★ Y **M1** – /. Décor★ et mobilier★ du teau de Puymartin NO : n par ④.

ffice de Tourisme pl. Liberté 53 59 27 67 et av. Gén.-de- lle (juil.-août) ✆ 53 59 18 87.

s 538 ① – Bergerac 74 ③ – e-la-Gaillarde 51 ① – Cahors) – Périgueux 66 ④.

St-Albert, pl. Pasteur ✆ 53 59 01 09 – TV ⛀wc ⋒wc ☎ – 🏋 35. AE ⓓ **E** VISA. ✗ ch
fermé dim. soir et lundi du 1er nov. au 1er avril – **R** 80/210 – ☕ 23 – **57 ch** 130/280 – 1/2 p 200/260. Z **n**

La Madeleine, 1 pl. Petite-Rigaudie ✆ 53 59 10 41 – TV ⛀wc ⋒wc ☎. **E** VISA Y **e**
hôtel : 15 mars-31 déc. ; rest. : 15 mars-15 nov. – **R** 97/235, enf. 50 – ☕ 31 – **19 ch** 259/311, 3 appartements 357 – 1/2 p 357/475.

Salamandre Ⓜ, r. Abbé Surguier ✆ 53 59 35 98, ⛱ – ☎. AE ⓓ **E** VISA. ✗ Z **s**
R 90/150 – ☕ 25 – **35 ch** 185/270, 5 appartements 400 – 1/2 p 210/250.

La Couleuvrine, 1 pl. Bouquerie ✆ 53 59 27 80 – |≋| ⋒wc ☎. AE ⓓ **E** VISA Y **d**
fermé janv. – **R** *(fermé mardi d'oct. à juin)* 75/150 – ☕ 23 – **18 ch** 140/220 – 1/2 p 180/210.

Compostelle sans rest, 18 av. Selves ✆ 53 59 08 53 – TV ⛀wc ⋒wc ☎ Y **r**
27 mars-11 nov. – ☕ 24 – **12 ch** 187/220.

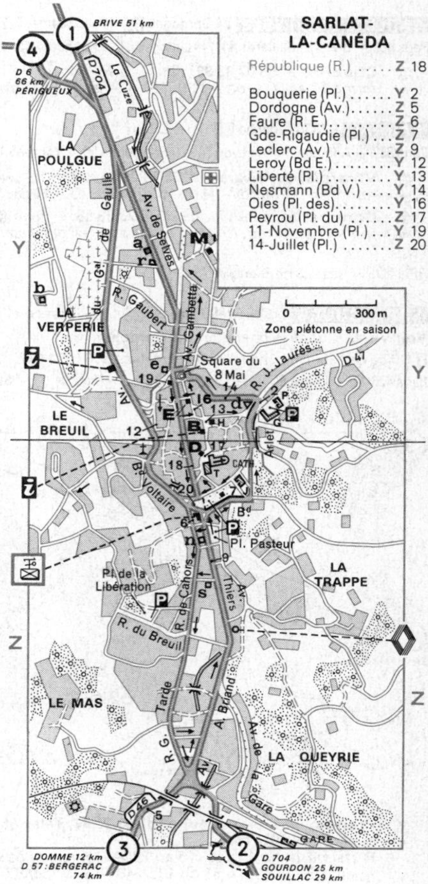

Host. la Verperie, ✆ 53 59 00 20, ⩽, « Jardin ombragé et fleuri » – wc ☎ **P**. AE ⓓ E VISA
fermé vacances de Noël – **R** *(fermé dim. hors sais.)* 68/150 – ☕ 20 – **15 ch** 130/2 – 1/2 p 130/180.

Marcel avec ch, 8 av. Selves ✆ 53 59 21 98 – wc wc **P**
15 fév.-15 nov. – **R** *(fermé lundi sauf juil.-août)* 55/170 – ☕ 22 – **15 ch** 95/160 1/2 p 160/220.

au Sud par ② et C 1 : 2 km :

La Hoirie, ✆ 53 59 05 62, ⩽, « Maison périgourdine dans un parc », wc wc ☎ **P**. AE ⓓ E VISA. rest
15 mars-14 nov. – **R** (dîner seul.) 150/250 – ☕ 33 – **13 ch** 250/380.

par route des Eyzies, ④ : 3 km :

Host. Meysset, ✆ 53 59 08 29, ⩽, parc – **P**. AE ⓓ E VISA
28 avril-8 oct. – **R** 150/190 – ☕ 38 – **26 ch** 294/336 – 1/2 p 312/334.

CITROEN Sarlat-Autos, rte Vitrac par ③ ✆ 53 59 10 64
FIAT-LANCIA-AUTOBIANCHI Lacombe, 3 av. Gambetta ✆ 53 59 00 93
FORD Fournet, rte de Vitrac ✆ 53 59 05 23
OPEL Marchese, 13 bis r. A.-Briand ✆ 53 59 37 67
PEUGEOT-TALBOT S.M.A.S., av. la Dordog par ③ ✆ 53 59 10 75
RENAULT Robert, 33 av. Thiers ✆ 53 59 35
Service du Pneu, Zone Ind. de Madra ✆ 53 59 00 33

SARLIAC-SUR-L'ISLE 24 Dordogne 75 ⑥ – 755 h. – ✉ 24420 Savignac-les-Églises.

Paris 482 – Brive-la-Gaillarde 81 – •Limoges 87 – Périgueux 15.

Chabrol, ✆ 53 07 83 39, – wc.
fermé 10 au 30 sept. – **R** 50/150 – ☕ 15 – **12 ch** 60/110.

SARRAS 07370 Ardèche 77 ① – 1 669 h.

Paris 530 – Annonay 19 – •Lyon 70 – •St-Étienne 58 – Tournon 16 – Valence 35.

Vivarais, av. Vivarais ✆ 75 23 01 88, – wc ☎ **P**
fermé fév. et mardi – **R** 60/150 – ☕ 20 – **10 ch** 115/175.

Commerce, av. Vivarais ✆ 75 23 03 88 – wc **P**. ch
fermé 10 oct. au 15 nov., lundi midi et dim. soir – **R** 50/90 – ☕ 15 – **11** 80/155.

RENAULT Cézard, rte Bleue ✆ 75 23 03 56 N

SARREBOURG 57400 Moselle 62 ⑧ G. Alsace et Lorraine – 15 139 h.

Voir Vitrail★ dans la chapelle des Cordeliers B.

Office de Tourisme Chapelle des Cordeliers ✆ 87 03 11 82.

Paris 425 ④ – Épinal 84 ④ – Lunéville 53 ④ – •Metz 94 ④ – St-Dié 67 ④ – Sarreguemines 53 ①.

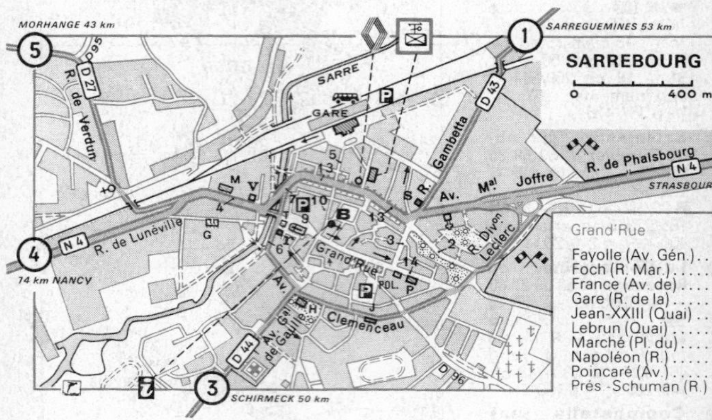

France, 3 av. France (v) ✆ 87 03 21 47, Télex 861844 – rest wc wc ☎ – 50. E VISA. rest
R *(fermé 1er au 15 nov., 15 au 28 fév., dim. soir et sam. du 1er nov. au 30 avril)* 65/ enf. 45 – ☕ 26 – **53 ch** 135/248 – 1/2 p 158/205.

XX **Mathis,** 7 r. Gambetta **(s)** ✆ 87 03 21 67 – **E** VISA
fermé 28 juil. au 10 août, vacances de fév., dim. soir et lundi – **R** 130/210.

XX **Chez Eddy,** N : 2 km par D 27 et D 95 ✆ 87 03 32 01, ≤, – **P**. **E** VISA
fermé août, mardi soir et merc. – **R** 85/160 ♁.

XX **du Soleil** avec ch, 5 r. Halles **(r)** ✆ 87 03 21 71 – ch wc. VISA. ch
fermé 19 déc. au 2 janv., 15 au 30 janv., dim. soir et lundi – **R** 72/175 ♁ – ☕ 20 – **14 ch** 85/220 – ½ p 165/215.

ALFA-ROMEO - AUSTIN - MAZDA Est Gar. 8 av. Poincaré ✆ 87 03 23 48
CITROEN Gar. Oblinger N 4 par ④ ✆ 87 23 89 56
FIAT Europ'Auto, ZA rte de Niderviller ✆ 87 03 22 12
PEUGEOT-TALBOT Sarrebourg-Auto, N 4, à Imling par ④ ✆ 87 23 89 66
RENAULT Billiar, 25 av. Poincaré ✆ 87 03 21 14

Kautzmann, 5 r. du Dr-Schweitzer ✆ 87 03 23 53
Pneus et Services D.K, voie A.-Malraux ✆ 87 03 21 87

SARREGUEMINES ⟨SP⟩ 57200 Moselle 57 ⑯⑰ G. Alsace et Lorraine – 25 178 h.

Office de Tourisme r. Maire-Massing ✆ 87 98 80 81.

Paris 395 ③ – Colmar 149 ② – Épinal 151 ② – Karlsruhe 138 ① – Lunéville 93 ② – ♦Metz 69 ③ – ♦Nancy 90 ② – St-Dié 134 ② – Saarbrücken 18 ③ – ♦Strasbourg 105 ②.

Alsace et Rôtisserie Ducs de Lorraine, 10 r. Poincaré ✆ 87 98 44 32, – TV **P** – 30. AE **E** VISA. — ABY **r**
R 120/360 – **La Taverne R** 70/165 ♁ – ☕ 31 – **28 ch** 250/325.

Union, 28 r. Geiger ✆ 87 95 28 42 – TV wc wc **P**. AE **E** VISA — BX **s**
R *(fermé 23 déc. au 2 janv., sam. midi et dim.)* 55/135 ♁ – ☕ 20 – **25 ch** 155/210 – ½ p 200/250.

Deux Étoiles sans rest, 4 r. Gén.-Crémer ✆ 87 98 46 32 – wc. AE **E** VISA – ☕ 16 – **18 ch** 100/155. — AY **a**

X **Laroche,** 3 pl. Gare ✆ 87 98 03 23 – **E** VISA — ABZ **x**
fermé 9 au 30 juil., 24 déc. au 7 janv., vend. soir et sam. – **R** 52/85 ♁.

à Neufgrange S : par D 919 : 3 km – ✉ **57910** Neufgrange :

XXX **Le Grillon,** 1 rue de la Tuilerie ✆ 87 98 43 60 – Ⓟ. AE ⓓ E VISA
fermé dim. soir et lundi – **R** 92/265, enf. 45.

par ③ : 2 km – ✉ **57200** Sarreguemines :

XXX ✿ **Aub. St-Walfrid** (Schneider), rte de Grosbliederstroff ✆ **87 98 43 75,** , – Ⓟ. E VISA
fermé 1er au 15 août, 1er au 15 janv., dim. et lundi – **R** 100/300
Spéc. Jambon fumé maison, Filet de truite rosée farci, Gibier (saison).

XXX **Vieux Moulin,** 135 r. France ✆ 87 98 22 59 – Ⓟ. AE ⓓ E VISA
fermé 11 août au 3 sept., mardi et merc. – **R** 108/280.

MICHELIN, Agence, rte de Sarreinsming ZI par ① ✆ **87 95 42 40**

ALFA ROMEO NISSAN Bang Sarreguemines, 17 av. Gare ✆ 87 95 63 93
BMW Gar. Haas, 57 rte de Nancy ✆ 87 95 06 26
CITROEN Gar. Herber, 79 r. Clemenceau ✆ 87 98 84 81
CITROËN Gar. Obry 18 rte de Nancy ✆ 87 98 05 54
FORD Salon de l'Auto, 29 r. Poincaré ✆ 87 98 49 30
LANCIA-AUTOBIANCHI Sarre Auto, 4 bd des Faïenceries ✆ 87 98 05 50
OPEL S.A.M.A. à Grosbliederstroff ✆ 87 98 10 04
PEUGEOT-TALBOT Derr, r. Gutenberg Zone Ind. par ① ✆ 87 95 67 94
RENAULT Gar. Rebmeister, Z.I. r. des Frères Lumière par ① ✆ 87 95 10 88 N
V.A.G. Gd Gar. Niederlender, 1 A rte de Nancy ✆ 87 98 54 78

APS, Zone Ind. r. Gutenberg ✆ 87 98 16 00
Berwald, 22 a r. Claire-Oster ✆ 87 95 06 42
Relais du Pneu, 120 av. Foch ✆ 87 95 18 24

SARRE-UNION 67260 B.-Rhin 57 ⑰ – 3 173 h.

Paris 408 – Lunéville 75 – ♦Metz 83 – ♦Nancy 81 – St-Avold 38 – Sarreguemines 25 – ♦Strasbourg 81.

Au Cheval Noir, r. Phalsbourg ✆ **88 00 12 71** – TV wc wc ☎ Ⓟ – 80. AE ⓓ E VISA. ch
fermé 1er au 21 oct. – **R** *(fermé lundi)* 40/220 – 25 – **21 ch** 100/175 – $^1/_2$ p 135/210.

CITROEN Gar. Stutzmann, ✆ 88 00 10 70 N
Weiss-Pneus, à Diemeringen ✆ 88 00 42 60

SARS-POTERIES 59216 Nord 53 ⑥ G. Flandres Artois Picardie – 1 699 h – Voir Musée du Verre★ – Paris 216 – Avesnes-sur-Helpe 9 – Charleroi 43 – ♦Lille 108 – Maubeuge 19.

H. Fleuri sans rest, ✆ **27 61 62 72,** – wc Ⓟ
fermé 20 déc. au 5 janv. – 28 – **11 ch** 150/200.

XXX ✿ **Aub. Fleurie** (Lequy), ✆ **27 61 62 48** – Ⓟ. AE ⓓ E VISA
R *(fermé 21 au 28 août, mi-janv. à mi-fév., dim. soir et lundi)* (nombre de couverts limité - prévenir) 125/230
Spéc. Agneau de lait rôti (déc. à juin), Gibier (fin sept. à mars).

SARZEAU 56370 Morbihan 63 ⑬ G. Bretagne – 4 443 h.

Voir Ruines★ du château de Suscinio SE : 3,5 km.

Syndicat d'Initiative r. Gén.-de-Gaulle, Bât. des Trinitaires (saison) ✆ 97 41 82 37.

Paris 470 – ♦Nantes 110 – Redon 62 – Vannes 22.

à la Grée-Penvins SE : 7,5 km par D 198 – ✉ **56370** Sarzeau :

XXX **Espadon,** ✆ **97 67 34 26,** « Auberge rustique » – AE ⓓ E VISA
fermé mardi soir et merc. de nov. à Pâques – **R** 60/260, enf. 55.

CITROEN Clinchard, rte de St-Gildas ✆ 97 41 81 23
RENAULT Pépion, 17 r. des Venetes ✆ 97 4 84 12

SASSETOT-LE-MAUCONDUIT 76 S.-Mar. 52 ⑫ – 890 h. – ✉ 76540 Valmont.

Paris 209 – Bolbec 28 – Fécamp 15 – ♦Rouen 64 – St-Valéry-en-Caux 21 – Yvetot 29.

XX **Relais des Dalles,** près château ✆ **35 27 41 83,** , « Jardin fleuri » – AE E VIS
fermé merc. soir de sept. à juin – **R** (dim. prévenir) 55/170.

SATHONAY-CAMP 69 Rhône 74 ⑫ – rattaché à Lyon.

SATILLIEU 07290 Ardèche 76 ⑨ – 1 869 h.

Paris 545 – Annonay 14 – Lamastre 37 – Privas 93 – St-Vallier 20 – Tournon 31 – Yssingeaux 54.

Gentilhommière M , rte de Lalouvesc ✆ **75 34 94 31,** Télex 345548, « Parc ombragé », , – wc wc ☎ Ⓟ – 60. E VISA
R *(fermé 1er nov. au 30 mars, vend. soir et dim. soir sauf juil. et août)* 75/170 , en 37 – 37 – **51 ch** 260/280 – $^1/_2$ p 250.

Julliat-Roche, ✆ **75 34 95 86,** , – rest wc . AE ⓓ VISA
fermé janv., fév. et dim. soir hors sais. – **R** 60/180 – 22 – **11 ch** 130/260 $^1/_2$ p 180/210.

RENAULT Géry, ✆ 75 34 95 53 N ✆ 75 34 40 54

AUGUES 43170 H.-Loire 76 ⑯ G. **Auvergne** – 2 497 h. alt. 960.

yndicat d'Initiative à la Mairie ✆ 71 77 84 46.

s 513 – Brioude 50 – Mende 74 – Le Puy 44 – St-Chély-d'Apcher 41 – St-Flour 50.

La Terrasse, ✆ 71 77 83 10 – wc ☎. VISA
R *(fermé 15 déc. au 1er fév. et dim. hors sais.)* 47/115 ⅄, enf. 23 – ☕ 17 – **16 ch** 75/127.

NAULT Giris, ✆ 71 77 80 08 N — Gar. Villedieu ✆ 71 77 84 11 N

AUJON 17600 Char.-Mar. 71 ⑮ – 4 777 h. – Stat. therm.

yndicat d'Initiative pl. Ch.-de-Gaulle ✆ 46 02 83 77.

s 493 – ♦Bordeaux 123 – Marennes 22 – Rochefort 32 – La Rochelle 64 – Royan 11 – Saintes 26.

Commerce, r. Saintonge ✆ 46 02 80 50, ⛱, – wc wc ☎ Ⓟ. E VISA
16 mars-14 déc. et fermé dim. soir et lundi d'oct. à juin – **R** 72/105 ⅄ – ☕ 21 – **19 ch** 124/235 – ½ p 178/225.

à Châlons par D 1 : 7 km au Nord – ✉ **17600** Saujon :

Moulin de Châlons Ⓜ, rte Royan ✆ 46 22 82 72, parc, « Ancien moulin à marée du 18e s., belle décoration intérieure » – wc wc ☎ Ⓟ. AE ⓓ E VISA
10 mai-20 sept. et fermé mardi hors sais. – **R** 110/340 – ☕ 40 – **14 ch** 280/400 – ½ p 245/350.

La Galiote avec ch, rte Royan ✆ 46 22 81 94, « Bel intérieur », – wc wc Ⓟ. E VISA
R *(fermé mardi soir et merc. hors sais.)* 85/200, enf. 45 – ☕ 22 – **9 ch** 145/215 – ½ p 242/310.

ROEN Central Gar., ✆ 46 02 80 25 — RENAULT Gar. du Parc, ✆ 46 02 81 45
GEOT-TALBOT Daviaud, ✆ 46 02 80 30
✆ 46 02 82 45

When looking for a hotel or restaurant use the most efficient method.
Look for the names of towns underlined in red
on the Michelin maps scale : 1:200 000.
But make sure you have an up to date map !

ULCE-SUR-RHÔNE 26 Drôme 77 ⑪ – 1 210 h. – ✉ **26270** Loriol.

591 – Crest 25 – Montélimar 17 – Privas 26 – Valence 30.

La Capitelle ⛰, à Mirmande SE : 3 km ✆ 75 63 02 72, ←, ⛱, « Demeure ancienne » – wc wc ☎. ⓓ E VISA. ✗ rest
1er mars-15 nov. et fermé mardi – **R** 70/120, enf. 40 – ☕ 28 – **13 ch** 140/290.

Clutier, aux Reys de Saulce S : 1 km N 7 ✆ 75 63 00 22, ⛱, – ▤ rest wc wc ☎ Ⓟ – 50. AE E VISA
fermé 15 déc. au 15 janv., dim. soir hors sais. et lundi – **R** 60/135 ⅄ – ☕ 18 – **20 ch** 90/240 – ½ p 160/330.

ULCHOY 62 P.-de-C. 51 ⑫ – 233 h. – ✉ **62870** Campagne-lès-Hesdin.

190 – Abbeville 34 – Arras 74 – Berck-Plage 24 – Doullens 44 – Hesdin 18 – Montreuil 15.

Val d'Authié, ✆ 21 90 30 20, ⛱ – VISA. ✗
R 70/135 ⅄.

ULGES 53 Mayenne 60 ⑪ G. **Normandie Cotentin** – 348 h. – ✉ **53340** Ballée.

250 – Château-Gontier 40 – La Flèche 48 – Laval 37 – ♦Le Mans 60 – Mayenne 43.

Ermitage Ⓜ ⛰, ✆ 43 90 52 28, – TV wc ☎ – 25. E VISA
fermé janv., fév., dim. soir et lundi du 25 sept. au 25 avril – **R** 55/170 ⅄ – ☕ 19 – **30 ch** 100/250 – ½ p 175/220.

ULIEU 21210 Côte-d'Or 65 ⑰ G. **Bourgogne** – 3 183 h.

Basilique St-Andoche★ – Le Taureau★ par Pompon.

aison du Tourisme r. d'Argentine (mars-sept.) ✆ 80 64 00 21.

250 ① – Autun 41 ④ – Avallon 39 ① – Beaune 76 ② – Clamecy 77 ① – ♦Dijon 73 ②.

Plan page suivante

Poste Ⓜ, 1 r. Grillot **(t)** ✆ 80 64 05 67, Télex 350540 – ▤ rest TV ☎ ♿ Ⓟ – 50. AE ⓓ E VISA
R 98/288, enf. 55 – ☕ 28 – **48 ch** 100/345.

Tour d'Auxois, pl. Abreuvoir **(u)** ✆ 80 64 13 30, ⛱ –
fermé 1er déc. au 15 janv., dim. soir et lundi – **R** 62/145, enf. 35 – ☕ 18 – **30 ch** 60/130.

SAULIEU

Marché (R. du) 17

Abattoir (R. de l') 2
Argentine (R. d') 3
Bertin (R. J.) 4
Collège (R. du) 6
Courtépée (R.) 7
Foire (R. de la) 8
Gambetta (R.) 10
Gare (Av. de la) 12
Gaulle (Pl. Ch. de) 14
Grillot (R.) 15
Sallier (R.) 18
Tanneries (R. des) 20
Vauban (R.) 21

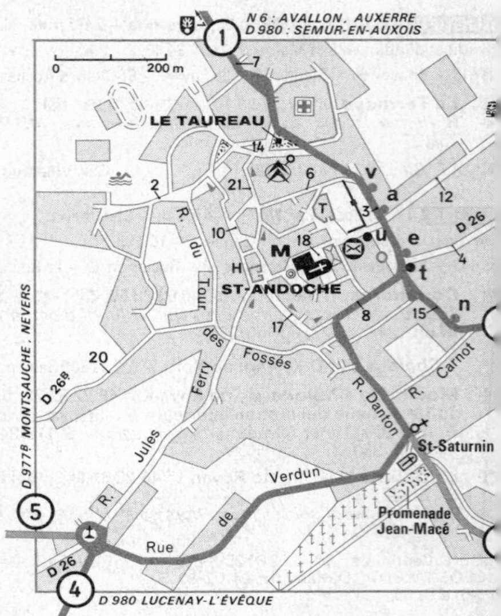

Les localités citées dans **le guide Michelin** sont soulignées de rouge sur les **cartes Michelin** à 1/200 000.

XXX ✿✿ **Côte d'Or** (Loiseau) avec ch, **2 r. Argentine (e)** ✆ **80 64 07 66, Télex 350...** — TV wc wc ☎ . AE E VISA
R 195 (déj. seul.)/470 – ☕ 60 – **15 ch** 253/529
Spéc. Escargots aux orties, Grenouilles à la purée d'aïl, Blanc de volaille et foie gras chaud.

Résidence M, ✆ **80 64 07 66, Télex 350778, « Décoration contem... raine »** – AE E VISA
☕ 60 – 9 appartements 863/1495.

XX **Borne Impériale** avec ch, **16 r. Argentine (v)** ✆ **80 64 19 76** – . AE VISA
fermé 15 nov. au 15 déc. et merc. hors sais. – **R** 85/185 – ☕ 25 – **7 ch** 92/19...
1/2 p 200.

XX **Aub. du Relais** avec ch, **8 r. Argentine (a)** ✆ **80 64 13 16** – wc . VISA
fermé 4 janv. au 2 fév., merc. soir et jeudi sauf août – **R** 85/190, enf. 28 – ☕ 2...
5 ch 170/210 – 1/2 p 260/280.

X **Vieille Auberge** avec ch, **17 r. Grillot (n)** ✆ **80 64 13 74** – P. E VISA
fermé 1er déc. au 15 janv., mardi soir et merc. sauf vacances de Printemps et 14 juil. au 1er sept. – **R** 58/145 – ☕ 22 – **7 ch** 90/115.

CITROEN Gar. Griesser, ✆ 80 64 17 99 — Gar. Moderne, ✆ 80 64 08 08
RENAULT S.C.A.S.A., par ② ✆ 80 64 03 45 N

SAULT 84390 Vaucluse 81 ⑭ **G. Provence** – 1 231 h. alt. 765.

Voir Nef★ de l'église.

Env. Gorges de la Nesque★★ : belvédère★★ SO : 11 km par D 942.

Syndicat d'Initiative av. Promenade (15 juin-15 sept.) ✆ 90 64 01 21.

Paris 721 – Aix-en-Provence 92 – Apt 37 – Avignon 68 – Carpentras 45 – Digne 93 – Gap 102.

Deffends , rte St Trinit ✆ **90 64 01 41**, ←, , parc, – wc ☎ P. E VISA
1er avril-15 déc. – **R** 115/160 – ☕ 30 – **10 ch** 240 – 1/2 p 239.

Albion M sans rest, av. Oratoire ✆ **90 64 06 22** – wc wc ☎. E VISA
1er avril-15 nov. – ☕ 22 – **10 ch** 190/230.

à Aurel N : 5 km par D 942 – ✉ **84390** Sault :

Relais du Ventoux , ✆ **90 64 00 62** – wc. rest
20 mars-31 déc. – **R** *(fermé vend. hors sais.)* 55/100 – ☕ 20 – **14 ch** 110/15...
1/2 p 150/170.

RENAULT Gar. de la Lavande, ✆ 90 64 02 41

SAULX-LES-CHARTREUX 91 Essonne 60 ⑩, 196 ㉛ – voir à Paris, Environs (Longjumeau)

SAULZET-LE-CHAUD 63 P.-de-D. 73 ⑭ – rattaché à Ceyrat.

AUMUR 49400 M.-et-L. 64 ⑫ **G. Châteaux de la Loire** – 33 953 h.

ir Château** : musée d'Arts décoratifs**, musée du Cheval*, tour du Guet ※* BZ Église N.-D.-de-Nantilly* : tapisseries** BZ – Vieux quartier* BY : Hôtel de ville* H, pisseries* de l'église St-Pierre – Musée de la Cavalerie* AY **M1** – Musée des ndés* AY **M2** – St-Hilaire-St-Florent : école nationale d'Equitation* NO : 2 km par ⑤.

)ffice de Tourisme et Accueil de France (Informations, change et réservations d'hôtels pas plus 5 jours à l'avance) et A.C.O. pl. Bilange ✆ 41 51 03 06, Télex 722386.

is 293 ① – Angers 45 ⑥ – Châtellerault 76 ③ – Cholet 66 ③ – Laval 120 ① – ♦Le Mans 940 ① – antes 125 ④ – Niort 116 ④ – Poitiers 90 ③ – ♦Tours 66 ①.

SAUMUR

eaurepaire (R.) . . . . **AY**
ilange (Pl. de la) . . . . **BY** 2
aulle (Av. Général de) . . **BX**
eclerc (R. du Mar.) . . . . . **AZ**

Orléans (R. d') . . . . **ABY**
Portail-Louis (R. du) . . . . **BY** 10
Roosevelt (R. Fr.) . . . . . . **BY** 13
St-Jean (R.) . . . . **BY** 15

Cadets (Pont des) . . . . . **BX** 3
Dr-Bouchard (R. du) . . . **AZ** 4

Dupetit-Thouars (Pl.) . . . **BZ** 5
Fardeau (R.) . . . . **AZ** 6
Nantilly (R. de) . . . . **BZ** 7
Poitiers (R. de) . . . . **AZ** 9
République (Pl. de la) . . **BY** 12
St-Pierre (Pl.) . . . . **BY** 16
Tonnelle (R. de la) . . . . . **BY** 17

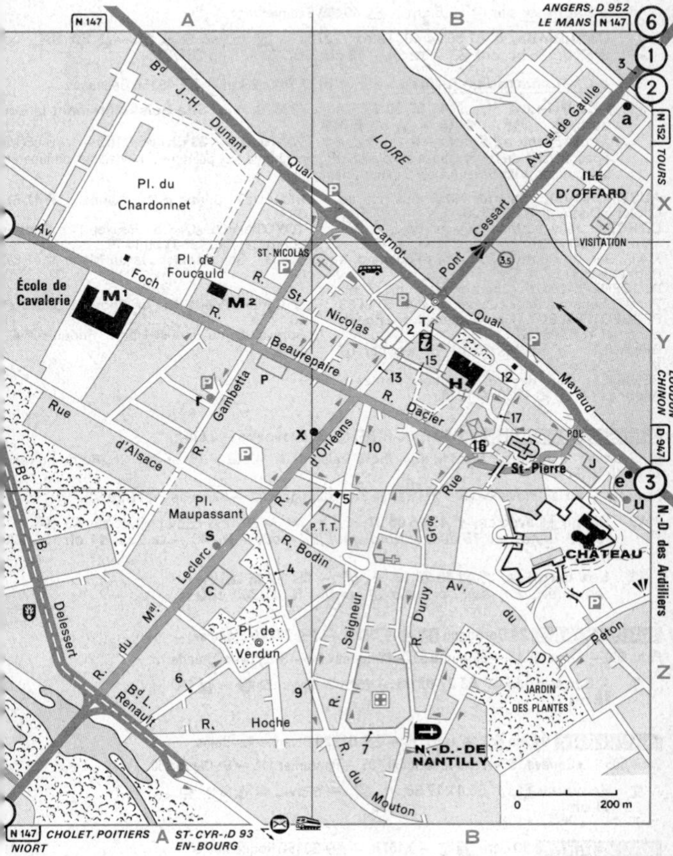

Roi René M, 94 av. Gén.-de-Gaulle ✆ **41 67 45 30** – ▮ ⇔wc ☎ ⇔ – 🏠 40. AE E VISA — BX **a**
R *(fermé 25 déc. au 2 janv., dim. soir et lundi hors sais.)* 68/156, enf. 56 – ☕ 25 – **38 ch** 215/295.

Anne d'Anjou M sans rest, **32 quai Mayaud** ✆ **41 67 30 30**, ← – ▮ ⇔wc ⇔wc ☎ ♿ Ⓟ – 🏠 50. AE ① E VISA. ※ — BY **e**
fermé 23 déc. au 4 janv. – ☕ 29 – **50 ch** 200/450.

Londres sans rest, 48 r. Orléans ☎ 41 51 23 98 – TV ⌂wc ⋒wc ☎ P. AE ① VISA — ABY
fermé mi-déc. à mi-janv. – ☕ 22 – **28 ch** 120/240.

Croix Verte, 49 r. Rouen par ① ☎ 41 67 39 31 – ▤ rest ⌂wc P. ① VISA
fermé 20 déc. au 1er fév. – **R** *(fermé dim. sauf le midi du 15 mars au 15 déc. et ve soir)* 49/150 ♂, enf. 45 – ☕ 19,50 – **18 ch** 85/170 – 1/2 p 130/160.

XXX **Les Menestrels,** 11 r. Raspail ☎ 41 67 71 10 – AE E VISA — BZ
fermé 15 au 30 janv., lundi midi et dim. – **R** 103/190, enf. 50.

XX **Gambetta,** 12 r. Gambetta ☎ 41 67 66 66, 🌂 – AE ① E VISA — AY
fermé 11 au 17 sept., 4 janv. au 3 fév., dim. soir et lundi sauf juil. et août – 145/185 ♂, enf. 80.

XX **L'Escargot,** 30 r. Mar.-Leclerc ☎ 41 51 20 88 – E VISA — AZ
fermé 2 au 25 nov., 20 fév. au 10 mars, mardi soir et merc. du 1er oct. au 30 avri **R** 70/103, enf. 30.

à Bagneux par ④ : 1,5 km – ✉ **49400** Saumur :

Campanile, ☎ 41 50 14 40, Télex 722709 – TV ⌂wc ☎ ♿ P – 🏛 30. VISA
R 63 bc/86 bc, enf. 38 – ☕ 24 – **43 ch** 200/220 – 1/2 p 287/330.

à Chênehutte-les-Tuffeaux par ⑤ et D 751 : 8 km – ✉ **49350** Gennes :

✿ **Le Prieuré** 🐎, ☎ 41 67 90 14, Télex 720379, ←, « Site boisé dominant la Loi parc, 🏊 », 🎾 – ☎ P – 🏛 50. E VISA
fermé 5 janv. au 5 mars – **R** 215/355, enf. 120 – ☕ 58 – **33 ch** 465/1150 – 1/2 p 560/9
Spéc. Persillé de langoustines et volaille, Gigotin de lotte aux palourdes, Médaillons de laperea la moutarde. **Vins** Savennières, Saumur-Champigny.

AUSTIN ROVER Saumur Auto Plus, rte de Cholet à Distré ☎ 41 50 35 00
CITROEN Jolly, bd Mar.-Juin par bd J.-H. Dunant, ☎ 41 50 41 01
FIAT Gar. du Centre, 136 r. Pont-Fouchard, à Bagneux ☎ 41 50 10 39
PEUGEOT-TALBOT Charbonneau, 103 r. du Pont-Fouchard à Bagneux par ④ ☎ 41 50 11 33
PEUGEOT-TALBOT Gar. Guillemet, 5 r. Rouen par ① ☎ 41 67 48 68
RENAULT C.E.S.A.M., 86 rte Rouen par ① ☎ 41 67 38 66
RENAULT Gar. Renard, r. Albert Pottier à Allonnes par ① ☎ 41 52 00 12 N
RENAULT Boutin, 81 r. d'Orléans ☎ 41 51 33
TOYOTA-VOLVO Gar. Rouxel, 14 r. Pont Fo chard Bagneux ☎ 41 50 11 72
V.A.G. Gar. Rabiller, rte du Mans ☎ 41 67 69

Godelu-Pneus, Rte de Cholet à Distre ☎ 50 17 96
Soréval Anjou-Pneus, 1 bd L.-Renault ☎ 41 08 46

SAUSSET-LES-PINS 13960 B.-du-R. 84 ⑫ G. Provence – 3 876 h.

Syndicat d'Initiative à la Mairie (hors saison) ☎ 42 45 06 15 et bd Ch.-Roux (juil.-ao ☎ 42 45 16 34.

Paris 777 – Aix-en-Provence 45 – ♦Marseille 31 – Martigues 12 – Salon-de-Provence 56.

XX **Plage** M avec ch, ☎ 42 45 06 31, ←, 🏊, 🌳 – ▤ rest ⌂wc ⋒wc ☎. AE VISA
fermé 15 nov. au 15 déc. et lundi sauf juil.-août – **R** 140 – ☕ 25 – **11 ch** 150/220 1/2 p 320.

XX **Les Girelles,** ☎ 42 45 26 16, ←, 🌂 – AE ① E VISA
fermé fév., dim. soir hors sais. et lundi – **R** 140/300, enf. 70.

SAUSSIGNAC 24 Dordogne 75 ⑭ – 399 h. – ✉ 24240 Sigoulès.

Paris 568 – Bergerac 17 – Libourne 52 – Périgueux 64 – Ste-Foy-la-Grande 13.

A Saussignac, ☎ 53 27 92 08 – ⌂wc ⋒wc ☎ P – 🏛 40
18 ch.

SAUVERNY 01 Ain 70 ⑯ – 555 h. – ✉ 01220 Divonne-les-Bains.

Paris 505 – ♦Genève 15 – Lons-le-Saunier 105 – Pontarlier 111 – St-Claude 50.

Sauverny M, ☎ 50 41 17 66, ←, 🌂 – ⌂wc ☎ ♿ 🚗 P
11 ch.

SAUVETERRE 30 Gard 81 ⑪ – 1 161 h. – ✉ 30150 Roquemaure.

Paris 674 – Alès 73 – Avignon 12 – Nîmes 49 – Orange 15 – Pont-St-Esprit 34 – Villeneuve-lès-Avignor

Host. de Varennes 🐎, ☎ 66 82 59 45, ←, 🌂, parc – ⋒wc ☎ P – 🏛 50
R *(fermé mardi sauf le soir en juil.-août et lundi)* 115/200 – ☕ 20 – **15 ch** 140/2 – 1/2 p 255/275.

XXX **Host. La Crémaillère,** rte Avignon : 1 km ☎ 66 82 55 05, 🌂, 🌳 – P. AE ① VISA
fermé janv., mardi soir et merc. – **R** 115/270 ♂, enf. 60.

AUVETERRE-DE-BÉARN 64390 Pyr.-Atl. 85 ④ G. Pyrénées Aquitaine – 1 596 h.

oir Site★ – <★★ du vieux pont.

Syndicat d'Initiative à la Mairie (saison) ✆ 59 38 50 17.

ris 785 – ♦Bayonne 62 – Dax 45 – Mont-de-Marsan 80 – Oloron-Ste-Marie 41 – Pau 66.

A Boste, ✆ 59 38 50 62 – ⋔wc. AE ⓓ VISA. ✻
fermé 1er oct. au 15 nov., dim. soir et lundi – **R** 55/120 ₰ – ☕ 23 – **10 ch** 75/155 – 1/2 p 160/240.

TROEN Serres, ✆ 59 38 50 21
UGEOT-TALBOT Maisonnave ✆ 59 38 52
N

RENAULT Bidegain ✆ 59 38 52 52

AUVETERRE-DE-COMMINGES 31 H.-Gar. 86 ① – 654 h. – ✉ 31510 Barbazan.

ris 853 – Bagnères-de-Luchon 36 – Lannemezan 32 – St-Gaudens 9,5 – Tarbes 68 – ♦Toulouse 100.

Host. des 7 Molles ⛰, à Gesset S : 3 km par D 9 ✆ 61 88 30 87, <, parc, ⛱, ✻ – |‡| TV ☎ ♿ P – 🏛 30. AE ⓓ E VISA
fermé 15 nov. au 6 déc., 6 janv. au 1er fév., dim. soir et lundi du 15 oct. au 15 avril – **R** (dim., fêtes, juil. et août - prévenir) 130/200 – ☕ 35 – **19 ch** 320/480 – 1/2 p 350/410.

AUVETERRE-DE-ROUERGUE 12 Aveyron 80 ① G. Gorges du Tarn – 793 h. – ✉ 12800 ucelle.

is 644 – Albi 54 – Millau 95 – Rodez 40 – St-Affrique 89 – Villefranche-de-Rouergue 44.

Aub. du Sénéchal ⛰, ✆ 65 47 05 78, ☂ – ⌂wc ⋔wc ☎. AE ⓓ E VISA. ✻
1er mai-11 nov. et fermé lundi sauf juil.-août – **R** (nombre de couverts limité - prévenir) 80/250 ₰ – ☕ 25 – **14 ch** 180/210 – 1/2 p 220.

AUX 65 H.-Pyr. 85 ⑧ – rattaché à Lourdes.

SAUZE 04 Alpes-de-H.-P. 81 ⑧ – rattaché à Barcelonnette.

AUZON 56 Morbihan 63 ⑪ – voir à Belle-Ile-en-Mer.

The numbered circles on the town plans ①, ②, ③ are duplicated on the ***Michelin maps*** *at a scale of 1:200 000. These references, common to both guide and map, make it easier to change from one to the other.*

AVERNE <SP> 67700 B.-Rhin 57 ⑱ G. Alsace et Lorraine – 10 484 h.

r Château★ : façade★★ B – Maisons anciennes★ B E – St-Jean-Saverne : chapelle Michel★, <★ N : 4,5 km par D 115 puis 30 mn A – Château du Haut-Barr★ : <★★ : 5 km par D 102 puis D 171 A – Vallée de la Zorn★ O.

ffice de Tourisme Château des Rohan ✆ 88 88 91 80 47.

s 448 ① – Lunéville 82 ⑤ – St-Avold 84 ① – Sarreguemines 65 ① – ♦Strasbourg 39 ③.

Plan page suivante

Chez Jean, 3 r. Gare ✆ 88 91 10 19 – |‡| TV ⌂wc ⋔wc ☎ – 🏛 40. ⓓ E VISA. ✻ A d
fermé 22 déc. au 10 janv., dim. soir et lundi sauf juil.-août – **R** 65/160 ₰ - **Winstub R** carte 80 à 180 ₰ – ☕ 22 – **27 ch** 100/250 – 1/2 p 200/260.

Geiswiller, 17 r. Côte ✆ 88 91 18 51, Télex 890901 – |‡| TV ⌂wc ⋔wc ☎ 🚗 P. AE ⓓ E VISA. ✻ rest A a
R 60/230 ₰, enf. 48 – ☕ 24 – **38 ch** 170/250 – 1/2 p 215/235.

Europe sans rest, 7 r. Gare ✆ 88 71 12 07 – |‡| TV ⌂wc ⋔wc ☎ ♿. AE ⓓ E VISA ☕ 22 – **29 ch** 160/230. A e

Boeuf Noir, 22 Grand'Rue ✆ 88 91 10 53 – ⌂wc ⋔wc ☎. E VISA A b
fermé dim. soir et mardi – **R** 40/165 ₰ – ☕ 20 – **20 ch** 70/160 – 1/2 p 145/165.

Fischer, 15 r. Gare ✆ 88 91 19 53 – ⌂wc ⋔wc ☎ P. E VISA. ✻ A s
fermé 20 déc. au 10 janv., vend. soir et sam. (sauf hôtel hors. sais.) – **R** 40/150 ₰ – ☕ 22 – **18 ch** 130/210 – 1/2 p 150/220.

ROEN Wallior, 21 r. St-Nicolas ✆ 88 91 17
D Saverne-Autos, 40 rte de Paris ✆ 88 91 5
L Gar. Diemer, 32 r. de l'Ermitage ✆ 88 91 0
GEOT-TALBOT Gar. Ohl, 37 rte Paris ✆ 88 7 15

RENAULT Billiar, 116 r. St-Nicolas par ③ ✆ 88 91 22 22 N

Ⓜ Pneus et Services D.K, 26 r. de l'Ermitage ✆ 88 91 18 22

SAVERNE

Grand' Rue .... AB	Gaulle (Pl. Gén. de) .... B	
Clés (R. des) .... B 3	Bouxwiller (R. de) .... B 2	Joffre (R. Mar.) .... B
Églises (R. des) .... B 8	Côte (R. de la) .... A 5	Pères (R. des) .... B
Gare (R. de la) .... A 13	Dettwiller (R. de) .... B 6	Poincaré (R.) .... A
	Foch (R. Mar.) .... A 12	Poste (R. de la) .... B
		19-Novembre (R. du) ..... A

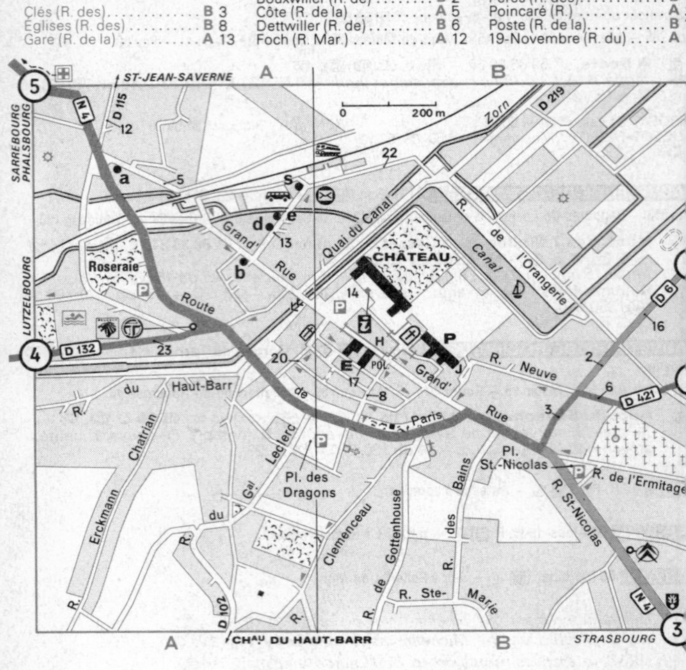

SAVIGNÉ-L'ÉVÊQUE 72 Sarthe 60 ⑬ – rattaché au Mans.

SAVIGNY-LÈS-BEAUNE 21420 Côte-d'Or 69 ⑨ – 1 405 h.
Paris 319 – Beaune 6 – Bouilland 10 – ♦Dijon 38.

L'Ouvrée ⑤, ☎ 80 21 51 52, ⛱, 🌳 – ⌂wc ⌂wc ☎ ♿ 🅟 – 🏔 25. E VISA
fermé 1er fév. au 15 mars – **R** 75/171 – ☕ 22 – **22 ch** 170/210 – ½ p 260/294.

PEUGEOT-TALBOT Gar. Busquin, ☎ 80 21 52 06

SAVIGNY-SUR-ORGE 91 Essonne 61 ①, 101 ㉟㊱ – voir à Paris, Environs.

SAVINES-LE-LAC 05160 H.-Alpes 81 ⑦ **G. Alpes du Sud** – 859 h. alt. 810.
Voir Forêt de Boscodon★★ SE : 15 km – 🅘 Syndicat d'Initiative ☎ 92 44 20 44.
Paris 695 – Barcelonnette 46 – Briançon 59 – Digne 87 – Gap 28 – Guillestre 32 – Sisteron 72.

Flots Bleus sans rest, ☎ 92 44 20 89, ≤, 🌳 – ⌂wc ⌂wc ☎ 🅟 – 🏔 30
1er fév.-30 oct. – ☕ 22 – **20 ch** 200/270.

Eden Lac ⑤, ☎ 92 44 20 53, ≤, ⛱, 🌳 – TV ⌂wc ⌂wc ☎ 🅟 – 🏔 50. AE VISA
fermé 20 nov. au 20 déc. – **R** 60/110 ♨, enf. 40 – ☕ 27 – **24 ch** 190/250
½ p 250/300.

Relais Fleuri, ☎ 92 44 20 32, ≤, ⛱ – 🅟. VISA
15 mai-15 oct. – **R** 70/160.

SAVONNIÈRES 37 I.-et-L. 64 ⑭ – rattaché à Tours.

SCAER 29111 Finistère 58 ⑯ – 6 039 h.
Paris 528 – Carhaix-Plouguer 37 – Châteaulin 48 – Concarneau 27 – Pontivy 65 – Quimper 36.

Brizeux, 56 r. Jean-Jaurès ☎ 98 59 40 59 – ⌂wc ⌂wc. E VISA
fermé 4 janv. au 14 fév. – **R** *(fermé dim. soir et lundi)* 65/195 ♨ – ☕ 21 – **17**
80/195 – ½ p 155/195.

Ster Pneus, ☎ 98 59 44 62

SCAFFARELS 04 Alpes-de-H.-P. 81 ⑱, 195 ⑫ – rattaché à Annot.

SCEAUX 92 Hauts-de-Seine 60 ⑩, 101 ㉕ – voir à Paris, Environs.

SCEAUX-SUR-HUISNE 72 Sarthe 60 ⑭⑮ – 463 h. – ✉ 72160 Connerré.
Paris 174 – La Ferté-Bernard 11 – ♦Le Mans 33 – Nogent-le-Rotrou 32 – St-Calais 35 – Vibraye 15.

XX **Aub. Panier Fleuri,** N 23 ✆ 43 93 40 08 – AE ⓓ VISA
fermé 15 au 30 juin, mardi soir et merc. – **R** 55/152 ♂.

SCHIRMECK 67130 B.-Rhin 62 ⑧ **G. Alsace et Lorraine** – 2 533 h.
Syndicat d'Initiative à la Mairie ✆ 88 97 00 02.
Paris 410 – ♦Nancy 109 – St-Dié 40 – Saverne 53 – Sélestat 56 – ♦Strasbourg 49.

Relais du Château ⛰, 5 r. Mar.-de-Lattre-de-Tassigny ✆ 88 97 97 50, ☂, ☂ – ✂ rest TV ⌂wc ☎ Ⓟ – 🏛 40. AE ⓓ E VISA
R *(fermé jeudi de nov. à avril)* 85/285 ♂, enf. 50 – ☕ 35 – **15 ch** 175/460 – ½ p 270/380.

La Rubanerie ⛰, à la Claquette SO : 2 km ✆ 88 97 01 95, « Jardin » – ⌂wc ⌂wc ☎ ♿ Ⓟ. AE ⓓ VISA. ✂ rest
R *(fermé dim. en été)* 95/120 ♂ – ☕ 25 – **16 ch** 200/255 – ½ p 205/225.

CITROEN Gar. Beraud, à la Broque ✆ 88 97 05 43

La SCHLUCHT (Col de) 88 Vosges 62 ⑱ **G. Alsace et Lorraine** – alt. 1 139 – Sports d'hiver : 1 139/1 250 m ⛷3 – **Voir Route des Crêtes★★★** N et S.
Paris 425 – Colmar 37 – Épinal 56 – Gérardmer 15 – Guebwiller 46 – St-Dié 39 – Thann 48.

Collet ⛰, **au Collet : 2 km sur rte de Gérardmer,** ✉ **88400 Gérardmer,** ✆ **29 63 11 43,** ≤, ☂ – TV ⌂wc ☎. AE ⓓ E VISA
fermé 1er au 10 mai et 11 nov. au 18 déc. – **R** 70/200 ♂, enf. 38 – ☕ 25 – **23 ch** 190/250 – ½ p 200/260.

SCHWEIGHOUSE-SUR-MODER 67 B.-Rhin 57 ⑲ – rattaché à Haguenau.

La SÉAUVE-SUR-SEMÈNE 43470 H.-Loire 76 ⑧ – 1 018 h. alt. 735.
Paris 534 – Le Puy 55 – ♦ St-Étienne 29.

Source, ✆ 71 61 03 79, ≤ – ⌂wc ⌂wc ☎ Ⓟ. E VISA
R 55/100 ♂, enf. 35 – ☕ 16 – **15 ch** 100/150 – ½ p 140.

SEBOURG 59 Nord 53 ⑤ – rattaché à Valenciennes.

Le SECHIER 05 H.-Alpes 77 ⑯ – rattaché à St-Firmin.

SECONDIGNY 79130 Deux-Sèvres 67 ⑰ – 2 153 h.
du Petit Chêne ✆ 49 63 28 33, au S par D 130 : 17 km.
Paris 387 – Bressuire 27 – Fontenay-le-Comte 39 – Niort 35 – Parthenay 14 – La Roche-sur-Yon 86.

Écu de France, ✆ 49 63 70 22 – ⌂wc Ⓟ – 🏛 25. E VISA
R 47/100 ♂, enf. 30 – ☕ 14 – **15 ch** 65/133 – ½ p 165/195.

CITROEN Gar. Bernier, ✆ 49 63 70 20 — Gar. Guérin ✆ 49 63 70 27

SEDAN 08200 Ardennes 53 ⑲ **G. Champagne** – 24 535 h – **Voir Château fort★** BY.
Office de Tourisme 4 pl. Crussy ✆ 24 29 31 14 et Château Fort (Rameaux-25 oct.) ✆ 24 27 22 93.
Paris 238 ② – Châlons-sur-Marne 113 ② – Charleville-Mézières 24 ② – Liège 149 ① – Luxembourg 98 ① – ♦Metz 145 ① – Namur 108 ① – ♦Reims 96 ② – Thionville 123 ① – Verdun 80 ①.

Plan page suivante

Europe, 5 pl. Gare ✆ 24 27 18 71 – 🛗 TV ⌂wc ⌂wc ☎ 🚗 Ⓟ – 🏛 25. AE ⓓ E VISA — AZ **e**
fermé 27 déc. au 6 janv. et dim. soir – **R** 70/160 – ☕ 24 – **23 ch** 140/220.

XX ✿ **Au Bon Vieux Temps** (Leterme), 3 pl. Halle ✆ 24 29 03 70 – AE ⓓ E VISA. ✂ — BYZ **r**
fermé 26 janv. au 28 fév., dim. soir et lundi – **R** 110/166
Spéc. Suprême de turbot à l'oseille, Noisette de chevreuil Grand Veneur, Soufflé glacé au nougat. Vins Bouzy.

X **Chariot d'Or,** 20 pl. Torcy ✆ 24 27 04 87 — AY **v**
R 45/130 ♂.

CITROEN Gar. Froussart 40 av. Philippoteaux ✆ 24 59 78 58 N ✆ 24 33 40 35
FORD Gar. Turenne, 20 av. Philippoteaux ✆ 24 32 88
OPEL-GM Gar. St-Christophe, 1 av. Philippoteaux ✆ 24 27 17 89
PEUGEOT-TALBOT S.I.S.A., 6 av. Gén.-de-Gaulle ✆ 24 27 13 25

RENAULT Ardennes-Autos, 19 av. de Verdun ✆ 24 27 35 40 N
V.A.G. Poncelet, 2 pl. de Torcy ✆ 24 27 01 01
Pneu-Station, 45 av. Ch.-de-Gaulle, Balan ✆ 24 27 44 22

SEDAN

Armes (Pl. d')	BY 3	Crussy (Pl.)	BY 8	Martyrs-de-la-Résistance (Av. des)	AY
Carnot (R.)	BY 6	Écossais (Bd des)	BY 9	Pasteur (Av.)	AZ
Gambetta (R.)	BY 12	Fleuranges (R. de)	AY 10	Promenoir-des-Prêtres	BY
Halle (Pl. de la)	BY 15	Goulden (Pl.)	BY 14	Rochette (Bd de la)	BY
Leclerc (Av. du Mar.)	BY 24	Harcourt (Pl. d')	BY 17	Rovigo (R.)	BY
Ménil (R. du)	BY 30	Jardin (Bd du Gd)	BY 18	Strasbourg (R. de)	BZ
		La-Rochefoucauld (R. de)	BY 20	Turenne (Pl.)	BY
Alsace-Lorraine (Pl. d')	BZ 2	Lattre-de-Tassigny (Bd Mar.-de)	AZ 21	Vesseron-Lejay (R.)	AY
Calonne (Pl.)	BY 5	Law (Bd)	BY 23	Wuidet-Bizot (R.)	BZ
		Margueritte (Av. du Gén)	ABY 26	30 Floréal (Bd du)	BY

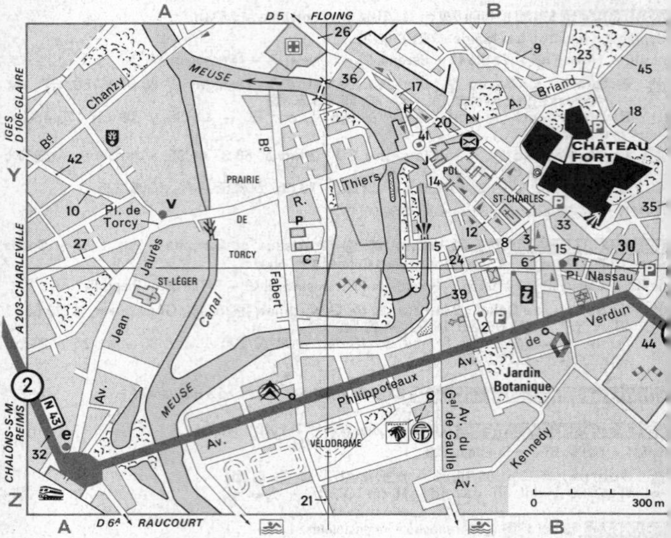

☛ *To go a long way quickly, use* ***Michelin maps*** *at a scale of 1: 1 000 000.*

SÉES **61500** Orne **60** ③ **G. Normandie Cotentin** (plan) – 5 173 h.

Voir Cathédrale★ : choeur et transept★★ – Forêt d'Ecouves★★ SO : 5 km.

Syndicat d'Initiative à la Mairie (avril-fin sept.) ✆ 33 28 74 79.

Paris 186 – L'Aigle 43 – Alençon 22 – Argentan 23 – Domfront 65 – Mortagne-au-Perche 33.

Cheval Blanc avec ch, 1 pl. St-Pierre ✆ **33 27 80 48** – . VISA.
fermé 16 oct. au 7 nov., 1er au 15 fév., jeudi soir et vend. de juin à sept., vend. soir et sam. hors sais. – **R** 55/170, enf. 38 – 19 – **9 ch** 80/120 – 1/2 p 147/185.

à Macé : 5,5 km par rte d'Argentan et D 303 – ✉ **61500** Sées :

Ile de Sées, ✆ 33 27 98 65, parc, – wc ☎ – 25. E VISA.
fermé 15 déc. au 15 janv., dim. soir et lundi – **R** 78/150, enf. 45 – 21 – **16** 150/205 – 1/2 p 220.

CITROEN Gar. Hugeron, 60 r. de la République ✆ 33 27 80 14
PEUGEOT Gar. Boivin, 38 r. Gén.-Leclerc ✆ 33 27 80 14
RENAULT Gar. Herouin, rte de Mortagne ✆ 27 84 10

SÉEZ **73** Savoie **74** ⑱ – 1 300 h. alt. 904 – ✉ **73700** Bourg-St-Maurice.

Syndicat d'Initiative (fermé matin hiver seul.) ✆ 79 07 00 65.

Paris 641 – Aosta 83 – Bourg-St-Maurice 3 – Chambéry 104 – Val-d'Isère 28.

Malgovert, ✆ 79 07 02 05, ←, – wc wc ☎. AE.
10 juin-1er oct., 20 déc.-20 avril, vacances scolaires et week-ends – **R** 68/80 – – **20 ch** 110/220.

Belvédère, E : 11 km par N 90 ✉ **73700** Bourg-St-Maurice ✆ **79 07 02 04** vallée et montagne – wc . E VISA
1er juil.-31 août et vacances de Noël-vacances de printemps – **R** 58/140 – – **28 ch** 127/242 – 1/2 p 157/196.

CITROEN Alpes-Gar., ✆ 79 07 02 01

EGOS 32 Gers 82 ② – rattaché à Aire-sur-l'Adour.

ÉGURET 84 Vaucluse 81 ② – rattaché à Vaison-la-Romaine.

ÉGUR-LES-VILLAS 15 Cantal 76 ③ – 404 h. alt. 1 000 – ✉ **15300** Murat.
is 510 – Allanche 12 – Aurillac 64 – Condat 18 – Mauriac 56 – Murat 18 – St-Flour 43.

Santoire M, à La Carrière du Monteil de Ségur S : 4 km sur D 3 ☎ 71 20 70 68, ←, ⛱, ✂ – cuisinette ⋔wc ☎ Ⓟ – 🏔 40. E VISA
fermé 10 nov. au 15 déc. – **R** 50/130 – ☕ 15 – **32 ch** 115/140 – 1/2 p 160/180.

EICHES-SUR-LE-LOIR 49140 M.-et-L. 64 ① – 2 207 h.
is 270 – Angers 19 – Château-Gontier 42 – Château-la-Vallière 52 – La Flèche 28 – Saumur 45.

Host. St-Jacques ⛰, à Matheflon N : 2 km par VO ☎ 41 76 20 30 – ⛀ ⋔wc ☎ Ⓟ
fermé lundi midi – **R** 52/130 🍷 – ☕ 15 – **10 ch** 70/130 – 1/2 p 130/185.

SEIGLIÈRE 23 Creuse 73 ① – rattaché à Aubusson.

EIGNELAY 89250 Yonne 65 ⑤ G. Bourgogne – 1 485 h.
is 170 – Auxerre 14 – Chablis 25 – Joigny 21 – Nogent-sur-S. 79 – St-Florentin 18 – Tonnerre 42.

Commerce, ☎ 86 47 71 21 – ⋔. E VISA. ✻ rest
fermé 15 août au 15 sept., dim. et lundi – **R** 45/80 🍷 – ☕ 14 – **19 ch** 80/125 – 1/2 p 140/160.

EILHAC 19700 Corrèze 75 ⑨ – 1 440 h.
is 468 – Aubusson 102 – Brive-la-Gaillarde 33 – ♦Limoges 72 – Tulle 16 – Uzerche 16.

Relais des Monédières, à Montargis de Seilhac SE : 1 km ☎ 55 27 04 74, parc, ✂ – ⛀wc ⋔wc ☎ 🚗 Ⓟ. ✻ ch
fermé 30 oct. au 1er déc. – **R** 50/150 🍷 – ☕ 18 – **19 ch** 140/230 – 1/2 p 150/200.

à St-Salvadour NE : 8 km par D 940, D 44 et D 173E – ✉ **19700** Seilhac :

Ferme du Léondou, ☎ 55 21 60 04, 🍽 – Ⓟ
fermé 15 au 30 nov., janv. et merc. (sauf le midi en juil.-août) – **R** 45/190 🍷.

EILLANS 83 Var 84 ⑦, 195 ㉒ G. Côte d'Azur – 1 609 h. – ✉ **83440** Fayence.
ir N.-D. de l'Ormeau : retable★★ SE : 1 km.
Syndicat d'Initiative Le Valat (mai-sept.) ☎ 94 76 85 91.
is 894 – Castellane 56 – Draguignan 32 – Fayence 7,5 – Grasse 31 – St-Raphaël 41.

France et rest. Clariond ⛰, ☎ 94 76 96 10, Télex 970530, ←, ⛱, ⛱, 🍽 – ⛀wc ⋔wc ☎ Ⓟ. E VISA
fermé 7 au 28 janv. et merc. hors sais. – **R** 160/210 – ☕ 35 – **26 ch** 330/350 – 1/2 p 330/350.

Deux Rocs ⛰, ☎ 94 76 87 32, ⛱ – ⛀wc ⋔wc ☎. ✻ rest
1er avril-30 oct. – **R** *(fermé jeudi midi et mardi)* 120/180 – ☕ 29 – **15 ch** 180/380 – 1/2 p 235/330.

Aub. Mestre Cornille, ☎ 94 76 87 31, ⛱, exposition de tableaux – E VISA
fermé 1er au 15 juin, 10 janv. au 10 fév., lundi soir et mardi – **R** 90/150.

EIN (Ile de) ★ 29162 Finistère 58 ⑫ G. Bretagne – 504 h.
ir Phare ✻★.
cès par transports maritimes.
depuis Audierne En 1987 : juil.-août, 3 services quotidiens ; hors saison, 1 service otidien (sauf mercredi) - Traversée 1 h 10 mn – 78 F (AR). Renseignements : quai n-Jaurès ☎ 98 70 02 38 et ☎ 98 70 02 37.

Aub. des Sénans, ☎ 98 70 90 01.

EIX 09140 Ariège 86 ③ G. Pyrénées Aquitaine – 953 h.
ir Vallée du Haut Salat★ S.
s 820 – Ax-les-Thermes 76 – Foix 62 – St-Girons 18.

Aub. des Deux Rivières avec ch, au pont de la Taule S : 5 km ☎ 61 66 83 57, 🍽 – Ⓟ. E VISA. ✻
fin mai-15 sept., week-ends de nov. à mai et vacances scolaires – **R** 58/105 🍷, enf. 30 – **15 ch** ☕79/160 – 1/2 p 100/147.

ÉLESTAT ⟨SP⟩ 67600 B.-Rhin 62 ⑲ G. Alsace et Lorraine – 15 482 h.
r Vieille ville★ : Église Ste-Foy★ BY, Église St-Georges★ BY, Bibliothèque humaniste★ BY M – Volerie des Aigles : démonstrations de dressage★ au château de Kintzm : 5 km par ④ puis 30 mn.
ffice de Tourisme La Commanderie, bd Gén.-Leclerc ☎ 88 92 02 66.
s 429 ① – Colmar 22 ③ – Gérardmer 72 ③ – St-Dié 43 ⑤ – ♦Strasbourg 47 ①.

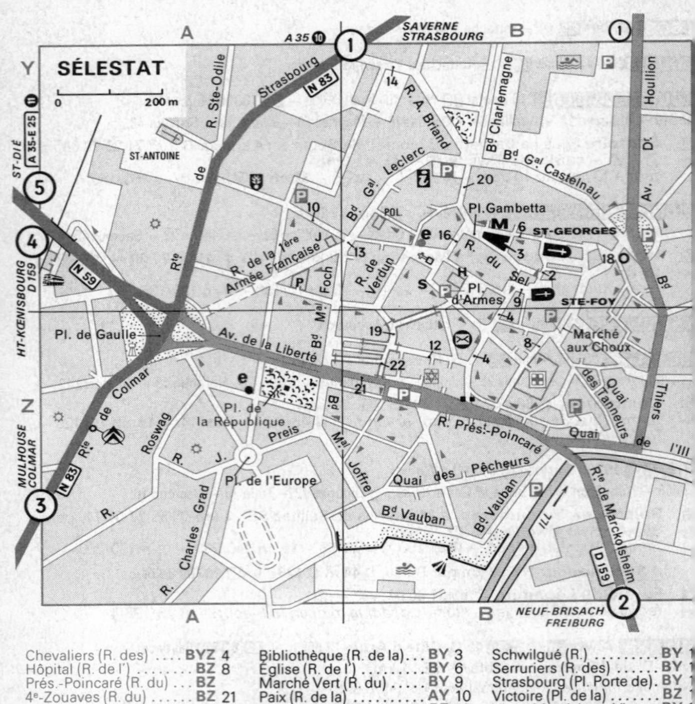

Chevaliers (R. des) .... **BYZ** 4	Bibliothèque (R. de la) ... **BY** 3	Schwilgué (R.) .... **BY** 1
Hôpital (R. de l') .... **BZ** 8	Église (R. de l') .... **BY** 6	Serruriers (R. des) .... **BY** 1
Prés.-Poincaré (R. du) ... **BZ**	Marché Vert (R. du) ...... **BY** 9	Strasbourg (Pl. Porte de). **BY** 1
4e-Zouaves (R. du) ...... **BZ** 21	Paix (R. de la) .... **AY** 10	Victoire (Pl. de la) .... **BZ** 1
	Sainte-Barbe (R.) .... **BZ** 12	Vieux Marché aux Vins .. **BY** 2
Babil (R. du) .... **BY** 2	Schaal (Pl. du Gén.) ... **ABY** 13	17-Novembre (R. du) .... **BZ** 2

Vaillant M, pl. République ✆ 88 92 09 46 – 閣 TV ⇔wc ⋒wc ☎. AE E VISA AZ
rest
R *(fermé 20 déc. au 2 janv., en mars et dim. soir et lundi hors sais.)* 65/190 ⅓ – 25 – **47 ch** 195/325 – 1/2 p 190/215.

Belle Vue M, 9 rte Ste-Marie-aux-Mines, N 59 par ⑤ ✆ 88 92 92 88, – ⇔wc ⋒wc ☎ ⇔ P. AE ⓓ E VISA. rest
fermé 20 déc. au 2 janv. – **R** *(fermé dim. sauf le soir de juin à sept.)* 85/280 ⅓ – 28 – **22 ch** 200/280 – 1/2 p 250/280.

XXX ❀ **Edel,** 7 r. Serruriers ✆ 88 92 86 55, – AE ⓓ E VISA BY
fermé 3 au 17 août, 21 déc. au 4 janv., dim. soir hors sais., mardi soir et merc.
R 150/280
Spéc. Fondant de saumon, Croustillant de foie chaud de canard à l'alsacienne, Découverte de tr poissons. **Vins** Riesling, Tokay.

XX **Vieille Tour,** 8 r. Jauge ✆ 88 92 15 02 – E VISA BY
fermé 1er au 18 juil., dim. soir et lundi – **R** 62/250 ⅓.

à Baldenheim **E : 8,5 km par D 21 - BY - et D 209 – ✉ 67600 Sélestat :**

XXX ❀ **Couronne,** r. Sélestat ✆ 88 85 32 22 – P. AE ⓓ E VISA
fermé 4 au 12 janv., dim. soir et lundi sauf fériés – **R** 90/270 ⅓
Spéc. Foie gras de canard et d'oie, Rouelle de sole et saumon et sa fricassée de girolles (mai à no Gibier (1er juin au 15 janv.). **Vins** Riesling, Pinot noir.

BMW, **MAZDA** Gar. Walter, 33 rte de Ste Marie aux Mines à Chatenois ✆ 88 82 07 22
CITROEN Alsauto, 14 rte de Colmar ✆ 88 92 38 99
CITROEN Gar. Ménétré, 89 rte Strasbourg par ① ✆ 88 92 08 42
FIAT, MERCEDES-BENZ Gar. Ligner, 24 rte de Sélestat à Chatenois ✆ 88 82 05 20
PEUGEOT-TALBOT Sélestat Autom., 109 rte Colmar par ③ ✆ 88 82 28 28

RENAULT Centre Alsace Autom., ZI Nord, Westrich par ① ✆ 88 92 88 77
V.A.G. Gar. Michel, 49 rte Strasbourg ✆ 88 10 75

Ets Kautzmann, 28 Rte de Colmar ✆ 88 38 00
Pneus et Services D.K, 95 rte de Colmar ✆ 92 14 95

ELLES-ST-DENIS 41 L.-et-Ch. 64 ⑲ G. Châteaux de la Loire – 1 172 h. – ✉ 41300 Salbris.
ris 195 – Blois 56 – Mennetou-sur-Cher 16 – Romorantin-Lanthenay 15 – Salbris 11 – Vierzon 25.

XX **Cheval Blanc,** ☏ 54 96 21 11 – Ⓟ. AE ⓓ E VISA
fermé 15 fév. au 15 mars, lundi soir et mardi – **R** 70/168 🍷, enf. 39.

ELONNET 04 Alpes-de-H.-P. 81 ⑦ – rattaché à Seyne.

EMBADEL-GARE 43 H.-Loire 76 ⑥ – rattaché à La Chaise-Dieu.

EMBLANÇAY 37360 I.-et-L. 64 ⑭ – 1 124 h.
ris 251 – Angers 93 – Blois 68 – ♦Le Mans 67 – ♦Tours 17.

Mère Hamard, pl. Eglise ☏ 47 56 62 04 – wc wc ☎. AE ⓓ E VISA
fermé vacances de nov., de fév., dim. soir et lundi (sauf hôtel de Pâques au 15 oct.) – **R** 75/180 – ☕ 30 – **9 ch** 135/185 – ½ p 165/240.

EMÈNE 43 H.-Loire 76 ⑧ – rattaché à Aurec-sur-Loire.

SEMNOZ 74 H.-Savoie 74 ⑥⑯ G. Alpes du Nord – ✉ 74000 Annecy.
ir Crêt de Châtillon ✲★★★ (accès par D 41 : d'Annecy 20 km ou du col de Leschaux km, puis 15 mn).

sur D 41 – ✉ 74000 Annecy :

Semnoz Alpes 🐎, au sommet, alt. 1 704 ☏ 50 01 23 17, ≤ Mont-Blanc, 🌂 – wc wc 🚗 Ⓟ. VISA. ✻ rest
22 mai-30 sept. et 20 déc.-vacances de Pâques – **R** 56/150 🍷, enf. 35 – ☕ 19 – **16 ch** 80/220 – ½ p 190/230.

Rochers Blancs 🐎, près du sommet, alt. 1 650 ☏ 50 01 23 60, ≤, 🌂 – wc Ⓟ. AE E VISA
hôtel : fermé fin sept. au 30 nov. et 1er au 15 mai ; rest. : fermé fin oct. au 30 nov. et 1er au 15 mai – **R** 55/130 🍷 – ☕ 22 – **25 ch** 140/210 – ½ p 160/180.

MUR-EN-AUXOIS 21140 Côte-d'Or 65 ⑰⑱ G. Bourgogne – 5 364 h.
r Site★ – Église N.-Dame★ **B** – Pont Joly ≤★.
ffice de Tourisme avec A.C. pl. Gaveau ☏ 80 97 05 96.
s 249 ③ – Auxerre 86 ③ – Avallon 42 ③ – Beaune 82 ③ – ♦Dijon 81 ③ – Montbard 19 ①.

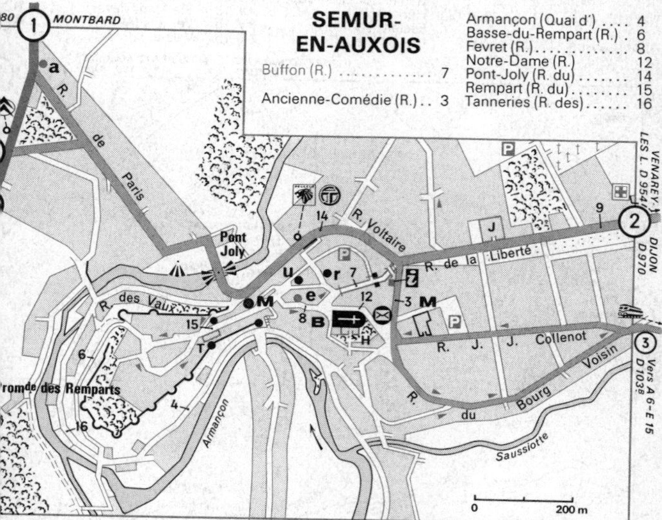

Lac, au lac de Pont E : 3 km par D 103B ☏ 80 97 11 11 – wc wc ☎ Ⓟ. ⓓ VISA. ✻ ch
fermé 15 déc. au 1er fév., dim. soir et lundi sauf juil.-août – **R** 70/150 – ☕ 25 – **23 ch** 105/230 – ½ p 200/260.

Cymaises 🐎 sans rest, 7 r. Renaudot **(u)** ☏ 80 97 21 44, 🌳 – wc ☎ Ⓟ. E VISA
fermé 15 fév. au 1er mars – ☕ 21 – **11 ch** 178/220.

Gourmets, r. Varenne **(r)** 80 97 09 41, – wc . E VISA
fermé 1er au 8 juin, 15 nov. au 15 déc., lundi soir du 15 déc. au 31 mars et marc
R (dim. prévenir) 70/140 – 18 – **15 ch** 70/160.

XX **Cambuse,** 8 r. Févret **(e)** 80 97 06 78 – AE E VISA
fermé 2 janv. au 1er fév., merc. soir et jeudi de nov. à juin sauf fériés – **R** 95/135.

X **Aub. des Quinconces,** 58 r. Paris **(a)** 80 97 02 00, – P. AE E VISA
fermé oct. et lundi sauf fériés – **R** 60/140.

CITROEN Éts Jarno, 80 97 07 89
PEUGEOT-TALBOT Cremer, par ② 80 97 13 43
PEUGEOT-TALBOT Pignon, 80 97 07 18
RENAULT Girard, par ② 80 97 05 10
V.A.G. Bizouard, 80 97 14 37

SÉNAS **13560** B.-du-R. 84 ② – 3 906 h.
Paris 712 – Aix-en-Provence 46 – Avignon 36 – ♦Marseille 66 – St-Rémy-de-Provence 25 – Sa de-Provence 12.

Terminus, N 7 90 57 20 08, – wc P. E VISA
fermé 3 au 14 nov., 3 au 20 janv. et vend. de nov. à mars – **R** 63/160 – 2
16 ch 109/188 – 1/2 p 195/260.

XX **Luberon** avec ch, N 7 90 57 20 10, – . E VISA
fermé 15 oct. au 15 déc., lundi soir et mardi du 15 déc. au 30 juin – **R** 60/160 –
17 – **7 ch** 120/180.

à Pont-Royal, rte Aix-en-Provence : 9 km – **13370** Mallemort :

Moulin de Vernègues M, N 7 90 59 12 00, Télex 401645, , « Ancien re royal de chasse, parc », , – TV P – 50 à 100. AE E VISA
R 250/300, enf. 90 – 55 – **34 ch** 580/900 – 1/2 p 850/900.

Le Provençal, N 7 90 57 40 64, – wc P. ch
fermé janv. et dim. d'oct. à fév. – **R** 50/175 , enf. 35 – 21 – **10 ch** 130/16
1/2 p 210/260.

Si vous êtes retardé sur la route, dès 19 h, confirmez votre réservation par téléphone, c'est plus sûr... et c'est l'usage.

SENLIS

Halle (Pl. de la) ..... **BY** 12
Apport-au-Pain (R. de l') . **AY** 2
Boutteville (Cours) ..... **BY** 5
Gaulle (Av. Gén.-de) .... **BY** 9
Henri-IV (Pl.) .... **AY** 13
Leclerc (Av. Gén.) ...... **BY** 15
Moulin Rieul (R. du) .... **BY** 16
Parvis (Pl. du) .... B
Poterne (R. de la) ...... B
Ste-Geneviève (R.) ..... B
Vernois (Av. F.) .... A
Villevert (R. de) .... B

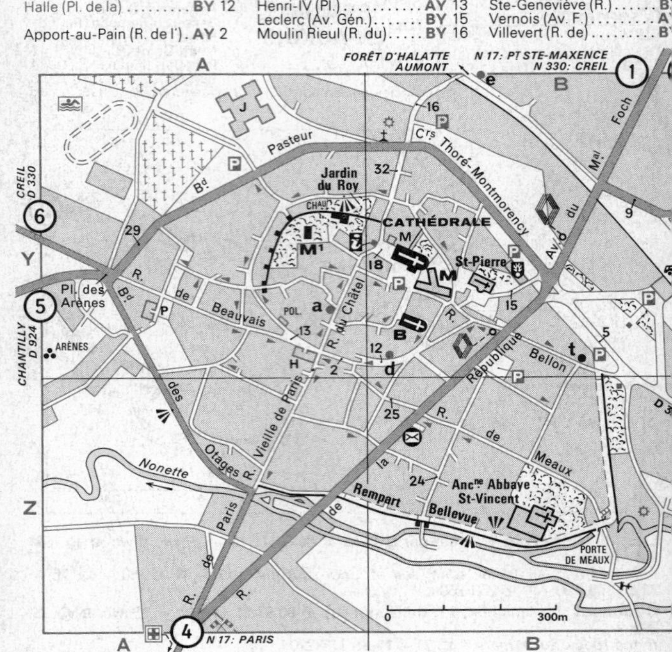

SENLIS <SP> 60300 Oise 56 ⑪⑫, 196 ⑧⑨ G. Environs de Paris – 15 280 h.
Voir Cathédrale N.-Dame★★ BY – Vieilles rues★ ABY – Place du Parvis★ BY – Église St-Frambourg★ BY B – Jardin du Roy ←★ AY – Forêt d'Halatte★ 5 km par ① – Butte d'Aumont ☀★ 4,5 km par ⑥ puis 30 mn.
Env. Ruines du château fort de Montépilloy★ 9 km par ③.
18 9 de Morfontaine ✆ 44 54 68 27 par ④ : 10 km.
Office de Tourisme pl. Parvis-Notre-Dame ✆ 44 53 06 40.
Paris 50 ③ – ♦Amiens 100 ③ – Arras 130 ③ – Beauvais 53 ⑥ – Compiègne 34 ③ – ♦Lille 171 ③ – Mantes-la-Jolie 88 ⑤ – Meaux 38 ③ – Soissons 60 ③.

Plan page ci-contre

Host. de la Porte Bellon, 51 r. Bellon ✆ 44 53 03 05, ☂, ⚘ – TV wc ⋔wc ☎. VISA. ⊁ ch BY t
fermé 20 déc. au 20 janv. et vend. (sauf hôtel en sais.) – **R** 98/160 – ☕ 22 – **19 ch** 120/280.

XX **Rôt. de Formanoir,** 17 r. Châtel ✆ 44 53 04 39 – E VISA AY a
R carte 180 à 230.

XX **Aub. La Mitonnée,** 93 r. Moulin St-Tron ✆ 44 53 10 05 – E VISA BY e
fermé 16 au 31 août, dim. soir et lundi – **R** 105/195.

XX **Les Gourmandins,** 3 pl. Halle ✆ 44 60 94 01 – E VISA BY d
R 95/285.

par ③ sur N 324 : 2 km – ✉ 60300 Senlis :

Ibis M, ✆ 44 53 70 50, Télex 140101 – TV wc ☎ ♿ P – 🏛 50. E VISA
R carte 75 à 120 ♁, enf. 44 – ☕ 26 – **50 ch** 222/310.

EUGEOT-TALBOT Safari-Senlis, 56 av. de (r)eil par ⑥ ✆ 44 53 16 46
ENAULT S.A.C.L.I., 64 av. Gén.-de-Gaulle par ④ ✆ 44 53 08 18 N
ENAULT Delacharlery, 3-5 av. Mar.-Foch 44 53 09 68 N ✆ 44 53 08 18
RENAULT SACO, 89 r. de la République BY ✆ 44 53 61 16
V.A.G. Gar. du Valois, 29 rte de Crépy ✆ 44 53 02 17
Gar. Briziou, cours Boutteville ✆ 44 53 02 53

ENLISSE 78 Yvelines 60 ⑨, 196 ㉙, 101 ㉛ – 413 h. – ✉ 78720 Dampierre.
ris 47 – Longjumeau 30 – Rambouillet 15 – Versailles 24.

XXX **Aub. du Pont Hardi** ✾ avec ch, ✆ (1) 30 52 50 78, ☂, « Beau jardin fleuri » – wc ⋔ ☎ P – **5 ch**.

ENNECEY-LÈS-DIJON 21 Côte-d'Or 66 ⑫ – rattaché à Dijon.

ENON 55 Meuse 57 ② G. Alsace et Lorraine – 246 h. – ✉ 55230 Spincourt.
is 296. – Longuyon 21 – ♦Metz 75 – Verdun 29.

XX **La Tourtière,** ✆ 29 85 98 30 – E VISA. ⊁
fermé 29 août au 5 sept., 10 au 25 fév., mardi soir et merc. – **R** 145/217 ♁, enf. 37.

ENS <SP> 89100 Yonne 61 ⑭ G. Bourgogne – 26 961 h.
ir Cathédrale★★ : trésor★★ – Palais synodal-Officialité★ D.
Office de Tourisme pl. J.-Jaurès ✆ 86 65 19 49, Télex 800306.
is 118 ⑥ – Auxerre 57 ③ – Châlons-sur-Marne 133 ① – ♦Dijon 205 ③ – Fontainebleau 53 ⑥ – aux 102 ⑥ – Montargis 51 ④ – ♦Reims 149 ① – Soissons 159 ⑥ – Troyes 65 ②.

Plan page suivante

Paris et Poste, 97 r. République **(a)** ✆ 86 65 17 43, Télex 801831, ☂, « Salle à manger rustique bourguignon » – ▤ rest TV ☎. AE ◑ E VISA
R 150/280, enf. 70 – ☕ 34 – **26 ch** 265/380, 4 appartements 492 – $1/2$ p 320/395.

H. Résidence R. Binet sans rest, 20 r. R.-Binet **(b)** ✆ 86 95 21 50 – ⇅ TV wc ⋔wc ☎ P. E VISA
fermé dim. du 1er oct. au 31 mars – ☕ 20 – **33 ch** 125/250.

Parc ✾ sans rest, 9 cours Tarbé **(u)** ✆ 86 64 26 99, ⚘ – TV wc ⋔wc ☎. AE ◑ E VISA
☕ 26 – **21 ch** 97/250.

X **Aub. de la Vanne,** 176 rte Lyon par ③ ✆ 86 65 13 63, ☂, « Terrasse au bord de l'eau », ⚘ – P. AE E VISA
fermé 23 déc. au 23 janv., jeudi soir et vend. – **R** 66/182.

X **Soleil Levant,** 51 r. E.-Zola par ④ ⑤ **(s)** ✆ 86 65 71 82 – AE ◑ E VISA
fermé 1er déc. au 5 janv., sam. midi et vend. – **R** 70/120.

X **Clos des Jacobins,** 49 Grande rue **(t)** ✆ 86 95 29 70 – E VISA
fermé 15 au 31 août, 24 déc. au 2 janv., vacances de fév., dim. soir, mardi soir et merc. – **R** (prévenir) 98/108.

X **Palais,** 18 pl. République **(v)** ✆ 86 65 13 69 – E VISA
fermé 1er au 15 janv., dim. soir et lundi – **R** 66/120.

SENS

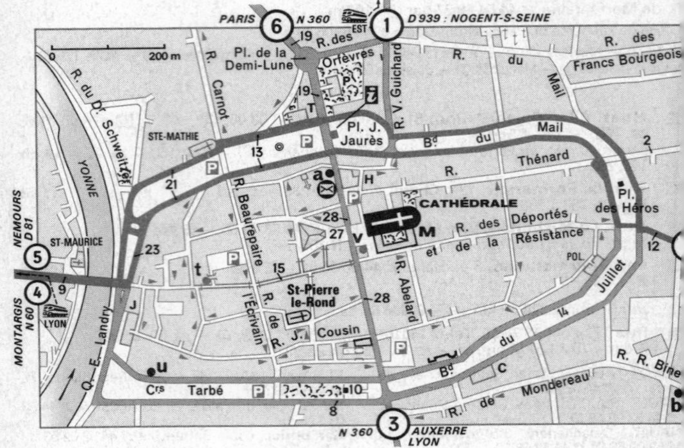

à Soucy par ① : 7 km – ✉ 89100 Sens :

XX **Aub. du Regain** avec ch, ✆ 86 86 64 62, – **VISA**
fermé 16 août au 23 sept., dim. soir et lundi – **R** 90/200 – 20 – **7 ch** 100/20
½ p 190/300.

à Malay-le-Petit par ② : 8 km – ✉ 89100 Sens :

XX **Aub. Rabelais** avec ch, ✆ 86 88 21 44, – **P**. **E** **VISA**
fermé 15 au 31 oct., 10 au 31 janv., merc. soir et jeudi – **R** 115/190 – 30 – 7
135/165.

à Rosoy par ③ : 5,5 km – ✉ 89100 Sens :

X **L'Hélix** avec ch, ✆ 86 97 92 10 – **TV** wc **P**. **AE** **E** **VISA**
fermé vend. (sauf hôtel) et dim. soir – **R** 100/215, enf. 47 – 20 – **10 ch** 150/18
½ p 230/250.

à Subligny par ④ : 7 km sur N 60 – ✉ 89100 Sens :

X **Relais de Subligny,** ✆ 86 88 83 22, – **P**. **VISA**
fermé mardi (sauf le midi du 1er mai au 30 sept.) et merc. – **R** 70/160, enf. 28.

à Villeroy par ⑤ : 6 km – ✉ 89100 Sens :

XXX **Relais de Villeroy** **M** avec ch, ✆ 86 88 81 77, – wc wc **P**. **AE** **VISA**
fermé 25 juil. au 11 août, 19 déc. au 5 janv., lundi (sauf hôtel) et dim. so
R 110/260 – 20 – **8 ch** 165/215.

BMW Éts Berni, 13 av. de Lörrach ✆ 86 65 70 90 **N** ✆ 86 65 19 97
CITROEN Gd Gar. de l'Yonne, rte de Lyon par ③ ✆ 86 65 12 92
FIAT Gar. Prieur, rte de Lyon, Pont Bruant par ③ ✆ 86 95 23 50 **N** ✆ 86 65 19 97
PEUGEOT-TALBOT S.E.G.A.M., 16 bd Kennedy, par ③ ✆ 86 65 19 12
RENAULT Sté Senonaise d'Autom., Carr. Ste-Colombe N 6 à St-Denis-les-Sens par ⑥ ✆ 86 65 18 33 **N**

V.A.G. Gar. de la Vanne, 184 rte de Lyon 65 00 37

La Centrale du Pneu, 105 r. du Gén Gaulle ✆ 86 65 24 33
Serdin Pneus, 78 rte de Paris ✆ 86 65 26 03
Sovic, 18 bd Kennedy ✆ 86 65 25 05

SEPT-SAULX

SEPT-SAULX 51 Marne **56** ⑰ – 338 h. – ✉ 51400 Mourmelon-le-Grand.

Paris 165 – Châlons-sur-Marne 26 – Épernay 29 – ◆Reims 23 – Rethel 47 – Vouziers 60.

❀ **Cheval Blanc** (Robert) , ✆ 26 03 90 27, Télex 830885, parc, – **TV**
wc **P**. **AE** **E** **VISA**
fermé 15 janv. au 15 fév. – **R** 170/260 – 38 – **23 ch** 215/350 – ½ p 460/520
Spéc. Écrevisses au Champagne (juil. à janv.), Sandre braisé au coteau champenois, Soufflé champenois. **Vins** Mareuil rouge.

EREILHAC 87620 H.-Vienne 72 ⑰ – 1 462 h.

is 416 – Châlus 15 – Confolens 52 – ♦Limoges 20 – Nontron 49 – Périgueux 81 – St-Yrieix-la-P. 42.

Motel des Tuileries, aux Betoulles NE : 2 km sur N 21 ☎ 55 39 10 27 – wc – 25. E VISA
fermé nov., vacances de fév., dim. soir et lundi hors sais. – **R** (dim. prévenir) 60/180 – 20 – **10 ch** 160/200.

XX ❀ **La Meule** (Mme Jouhaud) avec ch, **N 21** ☎ **55 39 10 08** – wc. AE E VISA
fermé 5 au 22 janv. et mardi de nov. au 1er avril – **R** 180/320 – 40 – **10 ch** 180/250 – 1/2 p 430/570
Spéc. Saumon sauvage à la croûte de sel, Canette au miel et son pâté, Chaud-froid au Grand-Marnier.

EREZIN-DU-RHÔNE 69 Rhône 74 ⑪ – 1 925 h. – ✉ **69360** St-Symphorien-d'Ozon.

is 476 – ♦Grenoble 104 – ♦Lyon 16 – Rive-de-Gier 22 – La Tour-du-Pin 55 – Vienne 15.

La Bourbonnaise, ☎ 78 02 80 58, Télex 305551, « Jardin fleuri » – wc wc – 30. AE E VISA
R *(fermé dim. soir d'oct. à avril)* 62/235, enf. 38 – 26 – **36 ch** 149/239 – 1/2 p 209/279.

ERRABONE 66 Pyr.-Or. 86 ⑱ **G. Pyrénées Roussillon – Voir Le Prieuré★★.**

SERRAT Principauté d'Andorre 86 ⑭, 43 ⑥ – voir à Andorre.

ERRAVAL 74 H.-Savoie 74 ⑰ – 313 h. alt. 763 – ✉ **74230** Thones.

is 569 – Albertville 26 – Annecy 30 – Bonneville 42 – Faverges 10 – Megève 41 – Thônes 10.

Tournette, ☎ 50 27 50 13, ←, – wc. E VISA.
fermé nov. et mardi hors sais. – **R** 48/95 – 22 – **18 ch** 80/180 – 1/2 p 150/180.

ERRE-CHEVALIER 05 H.-Alpes 77 ⑱ **G. Alpes du Sud** – Sports d'hiver : 1 350/2 800 m 56, – **Voir** ★★.

Chantemerle : Paris 672 – Briançon 6 – Gap 93 – ♦Grenoble 110 – Col du Lautaret 22.

à Chantemerle – alt. 1 350 – ✉ **05330** St-Chaffrey – **Env. Col de Granon** ★★ N : 12 km – Office de Tourisme ☎ 92 24 00 34, Télex 400152.

La Balme M, ☎ **92 24 01 89**, ←, – wc. AE E VISA. rest
début juin-fin sept. et début déc.-fin avril – **R** snack (dîner seul.) carte environ 90 – **25 ch** 300/400.

Plein Sud M sans rest, ☎ **92 24 17 01**, ←, – wc. AE VISA.
mi-juin-mi-sept. et mi-déc.-mi-avril – 30 – **42 ch** 320/400.

Boule de Neige, ☎ **92 24 00 16** – wc. VISA
Noël-Pâques – **R** 90 – 35 – **10 ch** 130/260 – 1/2 p 175/220.

X **La Fourchette**, ☎ **92 24 06 66**
25 juin-15 sept. et 10 déc.-15 avril – **R** 68/119, enf. 38.

à Villeneuve-la-Salle – alt. 1 452 – ✉ **05240** La-Salle-les-Alpes.
Voir Eglise St-Marcellin★ de La-Salle-les-Alpes.
Office de Tourisme ☎ 92 24 71 88.

Vieille Ferme, ☎ **92 24 76 44**, ←, « **Belle salle voûtée, rôtisserie** », – wc wc. E VISA. rest
25 juin-4 sept. et 10 déc.-15 avril – **R** 110/180, enf. 60 – 23 – **30 ch** 200/450 – 1/2 p 175/340.

Christiania, ☎ **92 24 76 33**, ←, – wc wc. VISA. rest
15 juin-15 sept. et 1er déc.-18 avril – **R** 68/80, enf. 30 – 30 – **24 ch** 180/330 – 1/2 p 215/305.

XX **Aux Trois Pistes** avec ch, ☎ **92 24 74 50**, ←, – wc wc. AE E VISA
20 fév.-10 sept. et 15 déc.-20 avril – **R** 70/140, enf. 40 – 26 – **15 ch** 120/250.

X **Aub. Ensoleillée** avec ch, ☎ **92 24 74 04**, – wc. E VISA
début juin-15 sept., début déc.-Pâques – **R** 66/96, enf. 40 – 22 – **8 ch** 90/192 – 1/2 p 160/200.

au Monêtier-les-Bains – 970 h. alt. 1 470 – ✉ **05220** Le Monêtier-les-Bains :

Europe M, ☎ **92 24 40 03** – wc wc. AE E VISA
1er juin-30 sept. et 15 déc.-20 avril – **R** 65/140 – 25 – **32 ch** 250/280 – 1/2 p 250.

Bergerie, ☎ **92 24 41 20** – wc. VISA
15 juin-15 sept. et 20 déc.-15 avril – **R** 60/90, enf. 38 – 19 – **12 ch** 105/175 – 1/2 p 160/180.

XX **Aub. du Choucas** (chambres prévues), ☎ **92 24 42 73**, « **Salle voutée ancienne** », –.
20 juin-30 sept. et 20 déc.-20 avril – **R** 169, enf. 69.

ROEN Gar. Puy et Dovetta, à St-Chaffrey 2 24 00 07

OPEL Gar. du Téléphérique, à St-Chaffrey ☎ 92 24 01 65

SERRE-PONÇON (Barrage et Lac de) ★★ 05 H.-Alpes 81 ⑦ G. Alpes du Sud.
Voir Belvédère★★.

SERRES 05700 H.-Alpes 81 ⑤ G. Alpes du Sud – 1 213 h. alt. 663.
Bureau du Tourisme r. Marius-Meyere ✆ 92 67 12 31.
Paris 669 – Die 65 – Gap 42 – ◆Grenoble 109 – La Mure 80 – Manosque 87 – Nyons 64.

Fifi Moulin ⑤, ✆ 92 67 00 01, ≤, – wc wc ☎. AE ① E VISA
vacances de fév.-10 nov. et fermé merc. d'oct. à mai – **R** 80/150 – ☐ 22 – **25 c**
182/250 – 1/2 p 193/227.

CITROEN Alleoud, ✆ 92 67 00 28
PEUGEOT-TALBOT Gonsolin, ✆ 92 67 03 60
N ✆ 92 67 04 26
RENAULT Keyser, 4 av. Marius Meyère ✆ 9
67 00 11 N

SERRIÈRES 07340 Ardèche 77 ① G. Vallée du Rhône – 1 342 h.
Syndicat d'Initiative quai J.-Roche (mai-1er oct.) ✆ 75 34 06 01.
Paris 517 – Annonay 15 – Privas 91 – Rive-de-Gier 40 – ◆St-Étienne 54 – Tournon 37 – Vienne 28.

XX **Schaeffer** avec ch, ✆ 75 34 00 07 – ⇔. AE ① E VISA
fermé janv., lundi soir et mardi sauf juil.-août – **R** 98/240 – ☐ 20 – **12 ch** 88/160.

X **Parc,** ✆ 75 34 00 08, .

V.A.G. Gar. Gines, ✆ 75 34 02 25 N ✆ 75 59 13 16

SERVOZ 74 H.-Savoie 74 ⑧ G. Alpes du Nord – 435 h. alt. 815 – ✉ 74310 Les Houches.
Voir Gorges de la Diosaz★ : chutes★★ E : 1 km.
Syndicat d'Initiative (vacances scolaires) ✆ 50 47 21 68.
Paris 604 – Annecy 92 – Bonneville 43 – Chamonix 14 – Megève 23 – St-Gervais-les-Bains 12.

Chamois ⑤, ✆ 50 47 20 09, ≤, , – wc ☎ ⓟ. ① VISA
fermé 2 au 15 mai, 15 nov. au 15 déc. et merc. hors sais. – **R** 72/150 – ☐ 28 – **7 c**
170/200 – 1/2 p 175/207.

La Sauvageonne, ✆ 50 47 20 40, ≤, – wc ☎ ⓟ. E VISA. ✻
fermé mai et 1er nov. au 10 déc. – **R** *(fermé merc. hors sais.)* 59/150 ⅓, enf. 40 – ☐
24 – **10 ch** 175/198 – 1/2 p 175.

Cimes Blanches ⑤, au Mont, N : 2 km ✆ 50 47 20 05, ≤, – ⓟ. VISA. ✻
15 juin-15 sept. et 15 déc.-15 avril – **R** 60/120 ⅓ – ☐ 27 – **10 ch** 130/150
1/2 p 145/150.

SESSENHEIM 67770 B.-Rhin 57 ⑳, 87 ③ G. Alsace et Lorraine – 1 530 h.
Paris 497 – Haguenau 18 – ◆Strasbourg 36 – Wissembourg 33.

XX **L'Agneau,** à Dengolsheim S : sur D 468 ✆ 88 86 95 55 – ⓟ. ① E VISA
fermé 28 août au 18 sept., 10 au 31 janv., sam. midi, mardi soir et merc. – **R** car
140 à 210 ⅓.

SÈTE 34200 Hérault 83 ⑯ G. Gorges du Tarn – 40 466 h.
Voir Circuit★ du Mt-St-Clair ✻★★ 1,5 km, AZ.
Office de Tourisme 60 Grand'Rue Mario-Roustan ✆ 67 74 73 00.
Paris 789 ③ – Béziers 46 ② – Lodève 63 ③ – ◆Montpellier 34 ③.

Plan page ci-contre

Grand Hôtel, 17 quai Mar.-de-Lattre-de-Tassigny ✆ 67 74 71 77, Télex 480225
ch ☎ ⇔ – 40. AE ① E VISA AY
fermé 21 au 31 déc. – **R** voir rest. **La Rotonde** ci-après – ☐ 26 – **47 ch** 190/37
4 appartements 510.

Orque Bleue sans rest, 10 quai Aspirant Herbert ✆ 67 74 72 13, ≤ – wc
wc ☎. AE ① E VISA. ✻ BZ
fermé 10 janv. au 1er avril et dim. de nov. au 10 janv. – ☐ 23 – **30 ch** 246/296.

Régina sans rest, 6 bd D.-Casanova ✆ 67 74 31 41 – wc wc ☎. E VISA. ✻
fermé 12 nov. au 21 déc. – ☐ 20 – **20 ch** 115/215. AY

Hippocampe sans rest, 3 r. Longuyon ✆ 67 74 51 14 – wc wc ☎. E VISA
☐ 19 – **20 ch** 110/195. BY

XX **La Palangrotte,** rampe P.-Valéry ✆ 67 74 80 35, – . AE ① E VISA AZ
fermé 10 janv. au 7 fév., dim. soir et lundi sauf juil.-août – **R** 115/230, enf. 60.

XX **Le Chalut,** 38 quai Gén.-Durand ✆ 67 74 81 52, produits de la mer – ✻ AZ
fermé mi-déc. à début fév. et merc. – **R** 100.

XX **La Rotonde** -Grand Hôtel-, 17 quai Mar.-de-Lattre-de-Tassigny ✆ 67 46 12 20
AE VISA AY
fermé 20 déc. au 5 janv., sam. midi et dim. soir sauf juil.-août – **R** 70/95, enf. 45.

XX **Jacques Coeur,** 17 r. P.-Valéry ✆ 67 74 33 70 – AE ① VISA AZ
fermé vacances de fév. et dim. soir – **R** 89/230, enf. 45.

X **Rest. Alsacien,** 25 r. P.-Sémard ✆ 67 74 77 94 – E VISA BY
fermé 10 juin au 10 juil., 22 déc. au 3 janv., dim. soir et lundi – **R** 76.

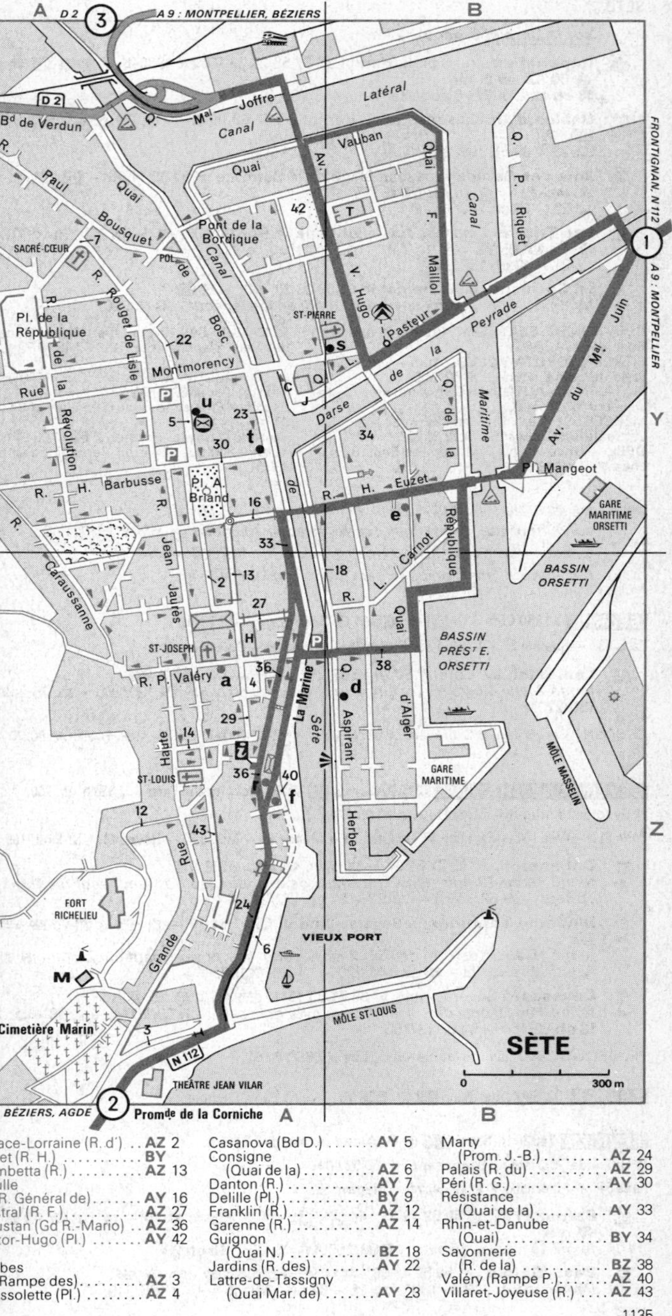

ace-Lorraine (R. d') . . **AZ** 2
:et (R. H.) . . . . **BY**
mbetta (R.) . . . . **AZ** 13
ılle
R. Général de) . . . . **AY** 16
stral (R. F.) . . . . **AZ** 27
ıstan (Gd R.-Mario) . . **AZ** 36
tor-Hugo (Pl.) . . . . **AY** 42

ıbes
Rampe des) . . . . **AZ** 3
ssolette (Pl.) . . . . **AZ** 4

Casanova (Bd D.) . . . . **AY** 5
Consigne
(Quai de la) . . . . **AZ** 6
Danton (R.) . . . . **AY** 7
Delille (Pl.) . . . . **BY** 9
Franklin (R.) . . . . **AZ** 12
Garenne (R.) . . . . **AZ** 14
Guignon
(Quai N.) . . . . **BZ** 18
Jardins (R. des) . . . . **AY** 22
Lattre-de-Tassigny
(Quai Mar. de) . . . . **AY** 23

Marty
(Prom. J.-B.) . . . . **AZ** 24
Palais (R. du) . . . . **AZ** 29
Péri (R. G.) . . . . **AY** 30
Résistance
(Quai de la) . . . . **AY** 33
Rhin-et-Danube
(Quai) . . . . **BY** 34
Savonnerie
(R. de la) . . . . **BZ** 38
Valéry (Rampe P.) . . . . . . **AZ** 40
Villaret-Joyeuse (R.) . . . . **AZ** 43

sur la Corniche par ② : 2 km :

Impérial sans rest, pl. É.-Herriot ✆ 67 53 28 32, Télex 480046 – 30. AE ⓓ E VISA
38 ch 278/685, 6 appartements 445/685.

Sables d'Or sans rest, pl. É.-Herriot ✆ 67 53 09 98 – wc wc VISA.
23 – **30 ch** 199/269.

Joie des Sables sans rest, plage de la Corniche ✆ 67 53 11 76 – wc – 25. AE ⓓ E VISA.
23 – **25 ch** 280.

Les Tritons sans rest, bd Joliot-Curie ✆ 67 53 03 98, – wc wc . AE ⓓ E VISA
21 – **40 ch** 159/250.

La Corniche, pl. É.-Herriot ✆ 67 53 03 30, – E VISA
fermé janv., fév., merc. en hiver et lundi en juil. et août – **R** 60/220.

ALFA-ROMEO, **SEAT** Sète-Autom., 46 quai de Bosc ✆ 67 74 36 66
CITROEN **TOYOTA-VOLVO** Auto Agence Sétoise, 13 quai L.-Pasteur ✆ 67 74 54 00
FIAT-LANCIA-AUTOBIANCHI Auto-Hall, 5 pl. Delille ✆ 67 74 04 00
MERCEDES Gar. du Midi, 26 quai Mar. de Lattre de Tassigny ✆ 67 74 72 96 N
OPEL France-Auto, Zone Ind. des Eaux Blanches ✆ 67 48 48 61

RENAULT Sète-Exploitation-Autos, Zone des Eaux Blanches par ④ ✆ 67 48 79 79

Comptoir Méridional du C/c, 1005 rte Montpellier ✆ 67 48 80 50
Escoffier-Pneus, 18 quai F.-Maillol ✆ 67 7 21
Guittard, 2 quai L.-Pasteur ✆ 67 74 08 91
Martinez-Pneus, 24 quai République ✆ 67 93 61

Le pastiglie numerate delle piante di città ①, ②, ③ sono riportate anche sulle ***carte stradali Michelin*** *in scala 1/200 000. Questi riferimenti, comuni nella guida e nella carta stradale, facilitano il passaggio da una pubblicazione all'altra.*

SEURRE 21250 Côte-d'Or 69 ⑩, 70 ② G. Bourgogne – 2 795 h.

Paris 337 – Beaune 26 – Chalon-sur-Saône 38 – ♦Dijon 39 – Dole 41.

Le Castel, av. Gare ✆ 80 20 45 07, – wc . E VISA
fermé 2 janv. au 25 fév. et lundi du 1er nov. au 30 avril – **R** 120/200 – 25 – 20 135/220.

CITROEN Gar. Milan, à Labruyère ✆ 80 21 05 78

PEUGEOT-TALBOT Gar. Fuant, ✆ 80 20 4 N

SÉVÉRAC-LE-CHÂTEAU 12150 Aveyron 80 ④ G. Gorges du Tarn – 2 838 h. alt. 750.

Syndicat d'Initiative r. des Douves ✆ 65 47 67 31.

Paris 611 – Alès 144 – Espalion 47 – Florac 73 – Mende 65 – Millau 32 – Rodez 49 – St-Flour 109.

Commerce, ✆ 65 71 61 04 – wc . AE E VISA
fermé 1er au 15 nov., janv., vacances de fév., dim. soir et lundi sauf du 15 juin 15 sept. – **R** 60/150 – 22 – **21 ch** 172/210 – 1/2 p 170.

Moderne Terminus, à Sévérac-gare ✆ 65 47 64 10 – wc wc VISA
fermé 15 au 31 oct., 15 déc. au 2 janv., vend. soir et sam. sauf juil.-août – **R** 50/ , enf. 35 – 23 – **20 ch** 140/220 – 1/2 p 170/190.

Causses, à Sévérac-gare ✆ 65 71 60 15 – wc . E VISA
fermé 4 au 26 oct., dim. soir et lundi midi hors sais. – **R** 58/100 , enf. 38 – 2 **13 ch** 82/164 – 1/2 p 113/155.

PEUGEOT-TALBOT Dardevet, Sévérac-Gare ✆ 65 71 60 61

SÈVRES 92 Hauts-de-Seine 60 ⑩, 101 ㉔ – voir à Paris, Environs.

SEVRIER 74320 H.-Savoie 74 ⑥ G. Alpes du Nord – 2 465 h.

Office de Tourisme (18 mai-sept.) ✆ 50 52 40 56.

Paris 544 – Albertville 40 – Annecy 5 – Megève 55.

Eramotel M, ✆ 50 52 43 83, <, , , – wc – 50. AE ⓓ E rest
fermé 15 nov. au 15 déc. – **R** 98/150 – 30 – **18 ch** 290.

Beau-Séjour, ✆ 50 52 41 06, – wc wc .
Pâques-sept. – **R** 85/180 – 25 – **32 ch** 124/245 – 1/2 p 195/240.

à Letraz : N 2 km sur N 508 – ✉ 74320 Sevrier :

Aub. de Létraz (Collon) Ⓜ, ☎ 50 52 40 36, Télex 309801, ≤, « Restaurant élégant », – ▣ TV ☎ & ⇔ P – 25 à 80. AE ⓓ E VISA. ch
fermé 11 au 28 janv. – **R** *(fermé dim. soir et lundi midi d'oct. à fin mai)* 210/350 – 45 – **24 ch** 450/850 – 1/2 p 370/590
Spéc. Terrine de queue de boeuf, Feuillantine de pintade en chemise de choux, Nougat glacé au Grand Marnier. **Vins** Seyssel, Crépy.

Beauregard, rte d'Annecy ☎ 50 52 40 59, Télex 370679, ≤, – ▣ TV wc wc ☎ P – 35. E VISA
fermé 19 déc. au 19 janv. – **R** *(fermé dim. soir du 15 nov. au 15 mars)* 64/156, enf. 52 – 22 – **31 ch** 210/260 – 1/2 p 221/250.

La Fauconnière, rte d'Annecy ☎ 50 52 41 18, – wc ☎ P. E VISA.
fermé janv. – **R** *(fermé lundi midi et dim. de sept. à mai)* 75/125 – 22 – **20 ch** 165/210 – 1/2 p 185/210.

CITROEN Alp'Auto, ☎ 50 52 41 44

SEWEN 68 H.-Rhin 66 ⑧ – 516 h. – ✉ 68290 Masevaux.

Voir Lac d'Alfeld★ O : 4 km, G. Alsace et Lorraine.

Paris 437 – Altkirch 39 – Belfort 32 – Colmar 65 – ♦Mulhouse 38 – Thann 30 – Le Thillot 28.

Au Relais des Lacs, ☎ 89 82 01 42, ≤, – wc wc ☎. AE ⓓ E VISA
fermé 6 janv. au 6 fév., mardi soir et merc. – **R** 70/150 – 20 – **16 ch** 90/170 – 1/2 p 130/230.

Vosges, E : 0,5 km ☎ 89 82 00 43, ≤, – wc ☎ ⇔ P. AE ⓓ E VISA. rest
fermé 7 nov. au 20 déc., 5 janv. au 7 fév., dim. soir d'oct. à avril et jeudi de sept. à juin – **R** 70 bc/200, enf. 40 – 19 – **20 ch** 75/185 – 1/2 p 135/185.

SEYNE 04140 Alpes-de-H.-P. 81 ⑦ G. Alpes du Sud – 1 287 h. alt. 1 200 – Sports d'hiver : 1 320/1 760 m 8 – **Voir** Col du Fanget ≤★ SO : 5 km.

ℹ Syndicat d'Initiative pl. d'Armes (15 juin-15 sept. et vacances scolaires) ☎ 92 35 11 00.

Paris 712 – Barcelonnette 45 – Briançon 104 – Digne 42 – Gap 45 – Guillestre 77.

Au Vieux Tilleul, SE : 1,5 km par D 7 et VO ☎ 92 35 00 04, ≤, patinoire, – wc wc ☎ P. AE E VISA. rest
vacances de printemps-30 sept., week-ends et vacances scolaires en hiver – **R** 70/180, enf. 40 – 22 – **18 ch** 110/260 – 1/2 p 170/255.

Bellevue, ☎ 92 35 00 32, ≤, – wc ☎ P. AE ⓓ E VISA
fermé 11 nov. au 1er déc. et dim. soir d'oct. à janv. sauf vacances scolaires – **R** 46/120 – 21 – **21 ch** 130/210 – 1/2 p 165/205.

à Selonnet NO : 4 km par D 900 – ✉ 04460 Selonnet :

Relais de la Forge Ⓜ, ☎ 92 35 16 98 – wc wc ☎ & P. E VISA
fermé 14 nov. au 12 déc., dim. soir et lundi sauf du 20 juin au 1er oct. – **R** 57/140, enf. 32 – 19 – **15 ch** 125/205 – 1/2 p 199/259.

au col St Jean au N : 12 km par D 900 – alt. 1 333 – Sports d'hiver : 1 300/2 000 m 11 – ✉ 04140 Seyne :

Le St-Jean, ☎ 92 35 03 28, ≤ – wc ☎. AE E VISA
fermé 4 nov. au 16 déc., merc. du 20 avril au 15 juin et du 15 sept. au 1er nov. – **R** 48/200, enf. 35 – 19 – **30 ch** 132/181 – 1/2 p 180/185.

La SEYNE-SUR-MER 83500 Var 84 ⑮ G. Côte d'Azur – 58 146 h. – Casino: des Sablettes.

Voir ≤★ de la terrasse du fort Balaguier E : 3 km.

ℹ Office de Tourisme 6 r. Léon-Blum ☎ 94 94 73 09.

Paris 833 – Aix-en-Provence 77 – La Ciotat 33 – ♦Marseille 60 – ♦Toulon 7.

Moderne sans rest, 2 r. Léon-Blum ☎ 94 94 86 68 – wc wc ☎. VISA
23 – **18 ch** 120/230.

Univers sans rest, 11 quai S.-Fabre ☎ 94 94 85 70, ≤ – ☎ – **8 ch**.

XX **Aubergade,** 20 r. Faidherbe ☎ 94 94 81 95 – ▤. E VISA
fermé 14 juil. au 15 août, vacances de fév., dim. et lundi – **R** 60/135, enf. 40.

à Fabrégas S : 4 km par D 18 et VO – ✉ 83500 La Seyne :

XX **Chez Daniel "rest. du Rivage"**, ☎ 94 94 85 13, produits de la mer – P
fermé fév. et merc. – **R** (prévenir) 180/320, enf. 60.

CITROEN Succursale, quart. Berthe, rte de Sanary ☎ 94 94 71 90
PEUGEOT TALBOT S.O.T.R.A., av. Estienne-d'Orves, q. Bregaillon ☎ 94 94 18 95
RENAULT La Seyne Autom., D 26, camp Laurent, bretelle-autoroute ☎ 94 94 19 55
Auto Sce 83, Cent. Comm. Mammouth, ☎ 94 30 13 87

Aude, 105 av. Gambetta ☎ 94 87 09 38
Vulcanisation Seynoise, 2 r. Mabily ☎ 94 94 83 48
Vulcopneu Leca, Zone Ind. Camp Laurent, lot. Bernard ☎ 94 87 22 22

SEYSSEL 74 H.-Savoie 74 ⑤ G. Jura – 1 558 h.

Syndicat d'Initiative pl. Orme ☎ 50 59 26 56.

Paris 520 – Aix-les-B. 33 – Annecy 39 – Bellegarde 22 – Belley 30 – Bourg-en-Br. 98 – ♦Genève 49.

Rhône (Herbelot), rive droite ✉ 01420 ☎ 50 59 20 30, ←, – wc wc. AE ① E VISA
hôtel : 15 fév.-15 nov. et fermé dim. soir ; rest. : 2 mai-30 sept. et fermé dim. soir et lundi midi – **R** (nombre de couverts limité - prévenir) 95/275 – 30 – **15 ch** 100/275 – 1/2 p 225/300
Spéc. Escargots de Bourgogne, Lavaret "Robert's" (mai à oct.), Poularde de Bresse aux morilles. **Vins** Roussette, Seyssel.

Berlincourt, rive gauche ✉ 74910 ☎ 50 59 22 09 – wc ☎. E VISA
fermé lundi sauf juil.-août – **R** 55/150 – 22 – **14 ch** 90/180 – 1/2 p 140/170.

Beau Rivage, rive droite ✉ 01420 ☎ 50 59 20 08, ← – wc wc. VISA
fermé 9 au 17 juin, 10 au 26 oct., 13 au 28 janv., lundi soir et mardi – **R** 60/180 enf. 38 – 24 – **18 ch** 100/250 – 1/2 p 170/230.

dans le Val de Fier S : 3 km par D 991 et D 14 – ✉ 74910 Seyssel.

Voir Val du Fier★, G. Alpes du Nord.

Rôt. du Fier (Michaud), ☎ 50 59 21 64, , – ℗. E VISA.
fermé 15 au 25 juin, vacances de nov., de fév., mardi soir et merc. – **R** (nombre de couverts limité - prévenir) 105/300, enf. 65
Spéc. Omble chevalier au beurre, Filet de canard au vinaigre de myrtilles, Pâtisseries. **Vins** Roussette de Seyssel, Vins du Bugey.

CITROEN Gar. Rossi, ☎ 50 59 21 85 N

PEUGEOT-TALBOT Vigouroux, ☎ 50 59 22 44

SEYSSUEL 38 Isère 74 ⑳, 74 ⑪ – rattaché à Vienne.

SÉZANNE 51120 Marne 61 ⑤ G. Champagne – 6 177 h.

Syndicat d'Initiative pl. République (juin-sept.) ☎ 26 80 51 43.

Paris 111 ④ – Châlons-sur-Marne 57 ② – Meaux 75 ④ – Melun 90 ④ – Sens 79 ③ – Troyes 60 ③.

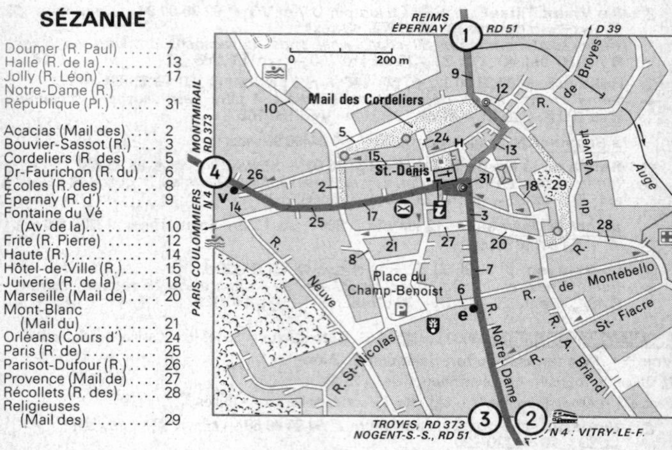

Ménil sans rest, 42 bis r. Parisot-Dufour (v) ☎ 26 81 41 11 – TV wc ☎. E VISA
fermé dim. soir – 21 – **9 ch** 185.

Croix d'Or, 53 r. N.-Dame (e) ☎ 26 80 61 10 – wc ☎. AE ① E VISA
fermé 16 au 24 oct. et 1er au 15 janv. – **R** *(fermé lundi)* 48/180 – 22 – **13 ch** 80/185 – 1/2 p 160/240.

Relais Champenois et Lion d'Or avec ch, 157 r. Notre-Dame (s) ☎ 26 80 58 03 – . AE E VISA
R 53/150, enf. 38 – 20 – **14 ch** 82/230.

CITROEN Vissuzaine, av. J.-Jaurès ☎ 26 80 50 02
PEUGEOT-TALBOT Gar. Notre-Dame, Zone Ind., rte Troyes par ③ ☎ 26 80 71 01
RENAULT S.C.A.T., Zone Ind., rte de Troyes par ③ ☎ 26 80 57 31

Fischbach-Pneu, Carrefour N 4 Fontaine-bleau ☎ 26 80 57 78

SIERCK-LES-BAINS 57480 Moselle 57 ④ G. Alsace et Lorraine – 1 665 h.
Voir <★ du château fort – Paris 356 – Luxembourg 32 – •Metz 45 – Thionville 18 – Trier 52.

XXX **La Vénerie,** ✆ 82 83 72 41, parc, « Cadre élégant » – P. AE ①
fermé 20 janv. au 1er mars, merc. soir et lundi – **R** 115/230.

à Montenach SE : 3,5 km sur D 956 – ✉ **57480** Sierck-les-Bains :

X **Aub. de la Klauss,** ✆ 82 83 72 38, – P. AE E VISA
fermé 19 déc. au 20 janv. et lundi – **R** 80/150 ♁.

SIERENTZ 68510 H.-Rhin 66 ⑩ – 1 666 h.
Paris 551 – Altkirch 18 – •Bâle 18 – Belfort 52 – Colmar 52 – •Mulhouse 17.

XX **Aub. St-Laurent** avec ch, **1 r. Fontaine** ✆ **89 81 52 81** – wc P. E VISA
fermé 4 au 19 juil., 1er au 15 janv., lundi et mardi – **R** 160/300 ♁, enf. 60 – 25 – **10 ch** 75/180 – 1/2 p 180/205.

PEUGEOT TALBOT Gar. Bissel ✆ 89 81 50 00

SIEYES 04 Alpes-de-H.-P. 81 ⑰ – rattaché à Digne.

SIGNY-L'ABBAYE 08460 Ardennes 53 ⑰ G. Champagne – 1 494 h.
Paris 204 – Charleville-Mézières 34 – Hirson 40 – Laon 71 – Rethel 23 – Rocroi 31 – Sedan 46.

Aub. de l'Abbaye, ✆ 24 52 81 27 – wc
fermé 5 janv. au 28 fév., merc. soir et jeudi – **R** 55/120 ♁, enf. 55 – 21 – **13 ch** 120/240 – 1/2 p 130/240.

CITROEN Gar. Thomassin, rte de Rethel ✆ 24 52 80 24
RENAULT Turquin, ✆ 24 52 81 37

SILLERY 51 Marne 56 ⑰ – rattaché à Reims.

SINARD 38 Isère 77 ⑭ – 281 h. alt. 790 – ✉ **38650** Monestier-de-Clermont.
Paris 592 – •Grenoble 31 – Monestier-de-Clermont 5 – La Mure 38 – Vizille 27.

du Violet , ✆ 76 34 03 16, <, – wc P. AE ① E VISA. rest
fermé 4 janv. au 1er fév., vend. soir et sam. hors sais. – **R** 68/180 ♁, enf. 45 – 19 – **13 ch** 95/165 – 1/2 p 160/195.

SINSAT 09 Ariège 86 ⑤ – rattaché à Tarascon-sur-Ariège.

SION 54 M.-et-M. 62 ④ G. Alsace et Lorraine – ✉ **54330** Vézelise.
Voir ✱★ du calvaire – Signal de Vaudémont ✱★★ (monument à Barrès) S : 2,5 km.
Paris 321 – Épinal 52 – •Nancy 37 – Toul 37 – Vittel 43.

Notre Dame , ✆ 83 25 13 31, <, – P. E VISA
15 mars-15 nov. – **R** 57/97 ♁, enf. 22 – 18 – **15 ch** 90/167 – 1/2 p 150/175.

SIORAC-EN-PÉRIGORD 24 Dordogne 75 ⑯ G. Périgord Quercy – 871 h. – ✉ 24170 Belvès – Paris 546 – Bergerac 45 – Cahors 67 – Périgueux 57 – Sarlat-la-Canéda 29.

Scholly , ✆ 53 31 60 02, Télex 550787 – wc wc P – 80. AE ① E VISA
fermé 15 janv. au 15 fév. – **R** 130/300, enf. 60 – 35 – **32 ch** 150/330 – 1/2 p 300/350.

Aub. Petite Reine, S : 1 km sur D 710 ✆ 53 31 60 42, , , – wc wc P – 50. E VISA. ch
avril-oct. – **R** 75/180 ♁, enf. 26 – 24 – **35 ch** 200/240.

SISTERON 04200 Alpes-de-H.-P. 81 ⑤⑥ G. Alpes du Sud – 6 572 h.
Voir Site★★ – Citadelle★ : <★ – Église Notre-Dame★ B.
Office de Tourisme à l'Hôtel de Ville ✆ 92 61 12 03 – Paris 703 ① – Barcelonnette 97 ① – Carpentras 135 ② – Digne 39 ② – Gap 48 ① – •Grenoble 141 ①.

Plan page suivante

Gd H. du Cours sans rest, **pl. Église (r)** ✆ **92 61 04 51, Télex 405923** – P. AE ① E VISA
16 mars-14 nov. – 26 – **50 ch** 160/320.

Tivoli, pl. Tivoli **(u)** ✆ **92 61 15 16,** – wc wc . AE ① E VISA
fermé 20 déc. au 15 fév., sam. soir et dim. hors sais. – **R** 65/145 – 20 – **19 ch** 86/230 – 1/2 p 120/190.

ALFA-ROMEO, TOYOTA Alpes-Autom., av. de la Libération ✆ 92 61 01 64 N
FIAT Gar. Moderne, rte Marseille ✆ 92 61 03 ? N ✆ 92 61 39 90
MERCEDES Diffusion-Auto-Grandes-Alpes, Zone Ind. de Proviou-Sud ✆ 92 61 06 66
PEUGEOT-TALBOT Gar. Meyer, rte de Gap par ① ✆ 92 61 43 77

V.A.G. Gar. Roca et Espitallier, 1 av. J.-Jaurès ✆ 92 61 07 09
Ayme-Pneus, av. de la Libération ✆ 92 61 08 15

SISTERON

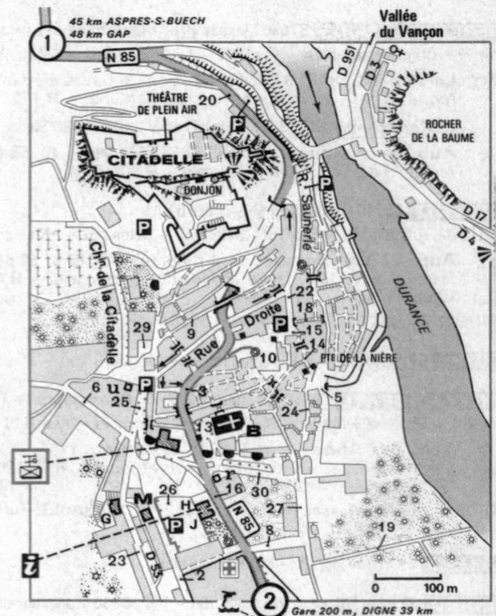

Pour un bon usage des plans de villes, voir les signes conventionnels p. 23.

SIX-FOURS-LES-PLAGES 83140 Var 84 ⑭ **G. Côte d'Azur – 25 577 h.**

Voir Fort de Six-Fours ✻★ N : 2 km – Presqu'île de St-Mandrier★ : ✻★★ E : 5 km – ✻★★ du cimetière de St Mandrier-sur-Mer E : 4 km.

Env. Chapelle N.-D.-du-Mai ✻★★ S : 6 km.

Syndicat d'Initiative plage de Bonnegrâce ✆ 94 07 02 21.

Paris 834 – Aix-en-Provence 75 – La Ciotat 31 – ♦Marseille 58 – ♦Toulon 11.

- **L'Isly H.** sans rest, 101 bis r. République ✆ 94 25 43 68 – wc . E VISA
  fermé dim. du 15 nov. au 15 fév. – 20 – **20 ch** 170/230.
- **Aub. St-Vincent,** au pont du Brusc ✆ 94 25 70 50, – . AE E VISA
  fermé dim. soir hors sais. et lundi sauf le soir en sais. – **R** 100/230.

à la Plage de Bonnegrâce N : 1 km – ✉ 83140 Six-Fours-les-Plages :

- **Ile Rose,** ✆ 94 07 10 56, ← – wc wc . AE E VISA
  R *(fermé dim. soir et lundi du 1er nov. à Pâques)* 70/90 – 22 – **24 ch** 160/260.

Mendez Pneus, 454 av. Mar.-Juin ✆ 94 74 70 80 Paulhiac, 1745 av. de la Mer ✆ 94 07 41 07

SIZUN 29237 Finistère 58 ⑤ **G. Bretagne – 1 811 h.**

Voir Enclos paroissial★ – Bannières★ dans l'église de Locmélar N : 5 km.

Office de Tourisme pl. Abbé-Broch (15 juin-15 sept.) ✆ 98 68 88 40.

Paris 548 – Carhaix-Plouguer 52 – Châteaulin 34 – Landerneau 17 – Morlaix 32 – Quimper 57.

- **Voyageurs,** ✆ 98 68 80 35 –
  fermé 9 sept. au 2 oct. et sam. soir hors sais. – **R** 46/90 – 19 – **16 ch** 75/130 – ½ p 102/130.

CITROEN Gar. Jegou ✆ 98 68 80 47 RENAULT Dolou, ✆ 98 68 80 38 N

SOCHAUX 25600 Doubs 66 ⑧ – 5 254 h.

Paris 487 – Audincourt 4 – Belfort 18 – ♦Besançon 81 – Montbéliard 5.

Voir plan de Montbéliard agglomération

- **Motel de Sochaux** sans rest, 3 r. Gd Charmont ✆ 81 94 16 04 – wc wc BY s
  fermé août – 15 – **12 ch** 95/156.
- ❀ **Luc Piguet,** 9 r. Belfort ✆ 81 95 15 14, – . AE E VISA BY z
  fermé 1er au 21 août, vacances de fév., dim. soir et lundi (sauf fériés) – **R** 100/210, enf. 65
  Spéc. Ravioli d'escargots et sa fondue de champignons, Feuillantine de ris de veau, Chariot des desserts. Vins Pinot blanc.

à Brognard NE : 3,5 km par N 437 et D 278 – ✉ 25600 Sochaux :

X **Château,** rte Allenjoie ✆ 81 95 24 02, ☂, ☂ – Ⓟ. E VISA
fermé sam. midi et dim. soir – **R** 84/260, enf. 56.

CHELIN, Agence, r. du Crépon à Vieux Charmont, ✆ 81 32 06 94
NSTRUCTEUR : S.A. des Automobiles Peugeot, ✆ 81 91 83 42

OISSONS ⟨SP⟩ **02200** Aisne 56 ④ **G. Flandres Artois Picardie** – 32 236 h.

ir Anc. Abbaye de St-Jean-des-Vignes★★ AZ – **Intérieur★★ de la Cathédrale Gervais et St-Protais★** AY – **Musée de l'anc. abbaye de St-Léger★** BY **M.**

Office de Tourisme 1 av. Gén.-Leclerc ✆ 23 53 08 27 et A.C. cour St-Jean-des-Vignes 23 53 17 37.

s 101 ⑥ – ♦Amiens 101 ⑦ – Arras 133 ⑦ – Compiègne 38 ⑦ – Laon 37 ② – ♦Lille 168 ① – aux 65 ⑥ – ♦Reims 56 ③ – St-Quentin 59 ① – Senlis 61 ⑥.

SOISSONS

ège (R. du) . . . . AY 5
nmerce (R. du) . . . . . . BY 6
Christophe (R.) . . . . . . AY 33
Martin (R.) . . . . BY 35

uebuse (R. de l') . . . . . BZ 2
teau-Thierry (Av. de) . BZ 4

Compiègne (Av. de) . . . . AY 8
Desmoulins (Bd C.) . . . . . BZ 12
Gambetta (Bd L.) . . . . BY 14
Intendance (R. de l') . . . . BY 15
Leclerc (Av. Gén. et Div.) . BZ 22
Marquigny (Pl. Fernand) . . . . BY 23
Paix (R. de la) . . . . BY 24
Panleu (R. de) . . . . AY 25
Prés. Kennedy (Av.) . . . . . AZ 26

Quinquet (R.) . . . . ABY 28
Racine (R.) . . . . BZ 29
République (Pl. de la) . . . . BZ 30
St-Antoine (R.) . . . . BY 31
St-Christophe (Pl.) . . . . . . AY 32
St-Jean (R.) . . . . AZ 34
St-Rémy (R.) . . . . AY 36
Strasbourg (Bd de) . . . . . BY 37
Villeneuve (R. de) . . . . BZ 39

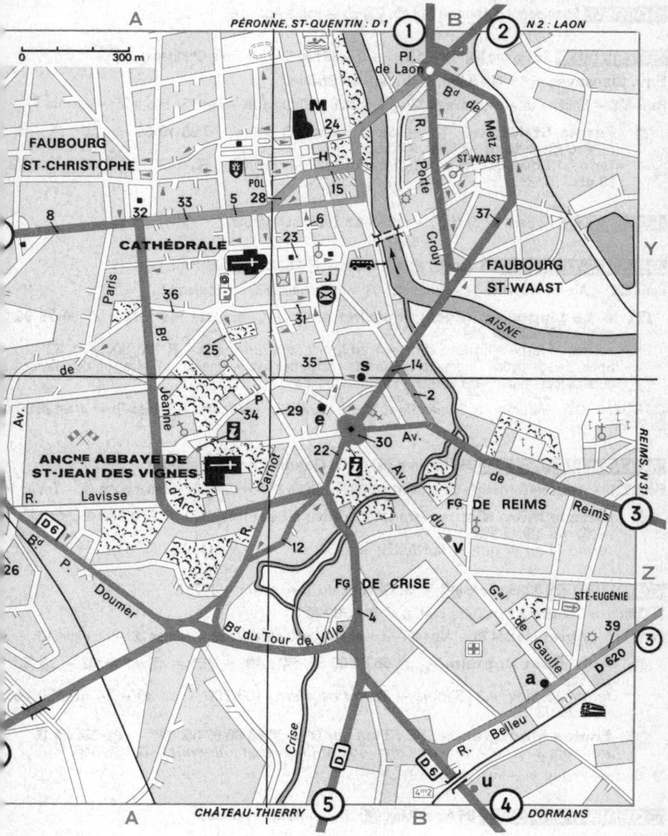

Motel des Lions, rte Reims par ③ : 3 km ✆ 23 73 29 83, Télex 140568, -
wc - 50. AE E VISA
R 90/130, enf. 40 - 35 - **28 ch** 230/290 - ½ p 265/280.

Lion Rouge, 1 r. Gustave Alliaume ✆ 23 53 31 52 - wc . E VISA
R *(fermé dim.)* 48/170 - 25 - **24 ch** 110/250 - ½ p 190/280. BZ

Gare sans rest, pl. Gare ✆ 23 53 31 61 - . E VISA. BZ
fermé août et lundi - 16,50 - **12 ch** 85/136.

Avenue, 35 av. Ch.-de-Gaulle ✆ 23 53 10 76 - VISA BZ
fermé 1er au 21 août, lundi soir et dim. - **R** 65/140.

Grenadin, 19 rte Fère-en-Tardenois ✆ 23 73 20 57, - E VISA BZ
fermé 1er au 30 août, dim. soir et lundi - **R** 48/135 .

CITROEN Soissons-Auto, 8 bd Gambetta ✆ 23 59 13 24
FIAT S.E.V.A., 94 bis av. de Compiègne ✆ 23 53 31 63
FORD Europ Auto, 55 av. de la Gare ✆ 23 59 03 29
MERCEDES-BENZ Idoine, 3 av. de Compiègne ✆ 23 53 04 41
OPEL Diffusion Auto, 10 av. de Compiègne ✆ 23 53 10 69
RENAULT Larminaux, rte Reims par ③ ✆ 23 73 34 34
SEAT Gar. de l'Europe, 9 bis av. de Reims ✆ 23 59 77 27
TOYOTA Gar. Central, 7 r. St-Jean ✆ 23 53 2 57
VAG Veltour Automobiles, 96 bd Jeanne d'Arc ✆ 23 53 59 59
VOLVO Ile-de-France-Autom., 34 r. C.-Desmoulins ✆ 23 53 30 72

Auto Pneu Savart, 7 av. de Laon ✆ 23 59 4 31
Fischbach-Pneu, 60 av. de Compiègne ✆ 23 5 25 76
Hurand Pneus, r. de Croizy ✆ 23 59 61 40

SOLDEU
Principauté d'Andorre 86 ⑮, 43 ⑦ - voir à Andorre.

SOLÉRIEUX
26 Drôme 81 ② - 132 h. - ✉ **26130** St-Paul-Trois-Châteaux.

Env. Clansayes ≤** N : 9 km, **G. Vallée du Rhône.**

Paris 638 - Bollène 15 - Montélimar 33 - Nyons 29 - Orange 28 - Pont-St-Esprit 25 - Valence 77.

Ferme St-Michel , rte de la Baume D 341 ✆ 75 98 10 66, ≤, , , -
wc wc . E VISA. rest
fermé 15 déc. au 15 janv., dim. soir et lundi midi - **R** 70/120, enf. 40 - 22 -
10 ch 170/230.

SOLESMES
72 Sarthe 64 ①② - rattaché à Sablé-sur-Sarthe.

SOLLIÈS-TOUCAS
83 Var 84 ⑮ - 2 098 h. - ✉ **83210** Solliès-Pont.

Paris 832 - Aix-en-Provence 77 - Brignoles 33 - ♦ Marseille 68 - ♦ Toulon 17.

Le Lingousto (Ryon), (transfert prévu à Cuers, rte Pierrefeu) ✆ 94 28 90 2
- . AE VISA
fermé 15 janv. à fin fév., dim. soir et lundi sauf juil.-août - **R** 170/300, enf. 80
Spéc. Salade tiède "Lingousto", Fleurs de courgettes farcies (mai-sept.), Mesclun de poissons a oursins (oct.-mars). **Vins** Côtes de Provence, Bandol.

CITROEN Gar. Mounier, à Solliès-Pont ✆ 94 28 94 82

Solliès-Pneus, à Solliès-Pont ✆ 94 28 90 40

SOLRE-LE-CHATEAU
59740 Nord 53 ⑥ **G. Flandres Artois Picardie** - 2 153 h.

Paris 221 - Avesnes-sur-Helpe 14 - Charleroi 38 - Hirson 31 - ♦Lille 113 - Maubeuge 18 - Trélon 14.

Chez la Mère Maury, (transfert prévu à Beaufort), N2 ✆ 27 67 80 49, ≤, ,
- . AE E VISA
fermé 14 au 27 nov. - **R** 175/220, enf. 50.

SOMMIÈRES
30250 Gard 83 ⑧ **G. Gorges du Tarn** (plan) - 3 026 h.

Office de Tourisme 1 pl. République ✆ 66 80 99 30.

Paris 737 - Aigues-Mortes 28 - Alès 42 - Lunel 13 - ♦Montpellier 28 - Nîmes 28 - Le Vigan 63.

Aub. Pont Romain , ✆ 66 80 00 58, , - wc wc - 80.
VISA
fermé 15 janv. au 15 mars - **R** *(fermé merc.)* 135/200 - 30 - **14 ch** 150/280
½ p 250/315.

Enclos Montgranier, SE : 3 km par D 12 ✆ 66 80 92 00, - . AE E
mi-mars à mi-nov. et fermé dim. soir et lundi sauf juil.-août - **R** 165/345.

Bourrel-Pneus, pl. Aires, ✆ 66 80 91 31

SOPHIA-ANTIPOLIS
06 Alpes-Mar. 84 ⑨ - rattaché à Antibes.

SORGES 24 Dordogne 75 ⑥ G. Périgord Quercy – 911 h. – ✉ 24420 Savignac-les-Églises.
Syndicat d'Initiative Maison de la Truffe (fermé matin sauf août) ✆ 53 05 90 11.
Paris 473 – Brantôme 25 – ♦Limoges 77 – Nontron 45 – Périgueux 24 – Thiviers 13 – Uzerche 74.

Mairie, ✆ 53 05 02 11, ← – wc wc . AE E VISA
R *(fermé 25 juin au 4 juil., 22 au 31 oct., 21 janv. au 6 fév. et merc.)* 80/300 – 20 – **11 ch** 85/175 – 1/2 p 140/165.

Aub. de la Truffe, sur N 21 ✆ 53 05 02 05, , – wc wc . E VISA
R *(fermé 25 juin au 4 juil., 22 au 31 oct., 22 janv. au 6 fév. et lundi)* 52/200 , enf. 40 – 20 – **19 ch** 140/220 – 1/2 p 140/180.

SORGUES 84700 Vaucluse 81 ⑫ – 14 126 h.
Paris 682 – Avignon 11 – Carpentras 16 – Cavaillon 28 – Orange 18.

Davico, ✆ 90 39 11 02 – wc wc . E VISA. ch
fermé 15 au 31 août, 24 déc. au 4 janv. et dim. (sauf hôtel en juin-juil.-août) – **R** 78/167 – 25 – **30 ch** 151/255 – 1/2 p 254/323.

à Entraigues E : 4,5 km par D 38 – ✉ 84320 Entraigues :

Le Béal, ✆ 90 83 17 22, – wc wc . E VISA
R *(fermé sam. midi et dim. soir d'oct. à mai)* 70/210 – 25 – **21 ch** 156/230 – 1/2 p 225/320.

CITROEN Gar. Rolland, N7, rte d'Orange ✆ 90 83 30 04
PORSCHE Gar. AUPAR, Zone Ind. ✆ 90 39 90 ...
RENAULT Modern'gar., 76 rte d'Avignon ✆ 90 ... 15 86
Manu-Pneus, Village d'Entreprises Ero ✆ 90 39 66 89

SOSPEL 06380 Alpes-Mar. 84 ⑳, 195 ⑱ G. Côte d'Azur – 2 278 h.
Voir Retable de l'Immaculée Conception★ dans l'église St-Michel – Route★★ du col de Braus SO – Route★ du col de Brouis ←★ N – Vallée de la Bévera★ et gorges de Piaon★★ NO : 4 km – Paris 974 – Menton 22 – ♦Nice 43.

Étrangers, bd Verdun ✆ 93 04 00 09, Télex 970439, , – rest wc wc – 30. E VISA
fermé 25 nov. au 1er fév. – **R** 62/115 , enf. 48 – **39 ch** 150/255 – 1/2 p 220/245.

Aub. Provençale , rte Menton à 1,5 km ✆ 93 04 00 31, ← – wc wc
fermé 11 au 30 nov. – **R** *(fermé jeudi midi du 1er oct. au 1er mars)* 60/135 – 22 – **10 ch** 80/260 – 1/2 p 170/260.

Gare, espl. Gianotti ✆ 93 04 00 14, – . AE E VISA. ch
R 70/110, enf. 45 – 22 – **10 ch** 101/160 – 1/2 p 177/240.

PEUGEOT-TALBOT Rey-Autos-Bévéza-Roya, ✆ 93 04 01 24

La SOTTERIE 79 Deux-Sèvres 71 ② – rattaché à Coulon.

SOUBISE 17 Char.-Mar. 71 ⑬⑭ – rattaché à Rochefort.

SOUCY 89 Yonne 61 ⑭ – rattaché à Sens.

SOUDAN 79 Deux-sèvres 68 ⑫ – rattaché à St Maixent l'Ecole.

SOUESMES 41 L.-et-Ch. 64 ⑳ – 1 122 h. – ✉ 41300 Salbris.
Paris 199 – Aubigny-sur-Nère 21 – Blois 78 – Bourges 49 – Cosne-sur-Loire 62 – Gien 51 – Salbris 11.

Aub. Croix Verte avec ch, ✆ 54 98 83 70 – wc
fermé 1er au 15 sept., 1er au 15 fév., dim. soir et lundi – **R** 60/90 – 20 – **20 ch** 70/120.

SOUILLAC 46200 Lot 75 ⑱ G. Périgord Quercy (plan) – 4 062 h.
Voir Anc. église abbatiale : bas-relief "Isaïe"★★, revers du portail★.
Office de Tourisme bd Malvy ✆ 65 37 81 56.
Paris 524 – Brive-la-Gaillarde 37 – Cahors 66 – Figeac 74 – Gourdon 29 – Sarlat-la-Canéda 29.

Les Granges Vieilles , rte Sarlat O : 1,5 km ✆ 65 37 80 92, , parc – wc wc – 50.
fermé 2 au 31 janv. – **R** 75/200 – 24 – **11 ch** 200/340 – 1/2 p 230/280.

Le Quercy sans rest, 1 r. Récège ✆ 65 37 83 56 – wc wc . VISA
15 mars-15 déc. – 22 – **25 ch** 175/195.

Gd Hôtel, 1 allée Verninac ✆ 65 32 78 30, – wc wc . AE E VISA
1er avril-31 oct. et fermé merc. sauf de juin à sept. – **R** 55/175, enf. 35 – 21 – **30 ch** 160/235 – 1/2 p 166/203.

Puy d'Alon sans rest, av. J.-Jaurès ✆ 65 37 89 79, – wc wc
fermé fév. – 26 – **11 ch** 170/235.

tourner →

Ambassadeurs, 12 av. Gén.-de-Gaulle ✆ 65 32 78 36 – wc wc ☎ VISA
fermé 28 sept. au 28 oct., 22 au 28 fév., vend. soir et sam. du 1er nov. à fin juin fériés – **R** 46/158, enf. 46 – 21 – **28 ch** 125/210 – ½ p 180/284.

Renaissance, 2 av. J.-Jaurès ✆ 65 32 78 04, – TV wc wc ☎ P. E VISA
avril-30 oct. – **R** 65/140, enf. 38 – 28 – **21 ch** 190/260 – ½ p 175/220.

Périgord, 31 av. Gén.-de-Gaulle ✆ 65 32 78 28, – wc P – 30. E VISA
mai-30 sept. – **R** 65/130, enf. 38 – 22 – **31 ch** 100/240 – ½ p 150/210.

Vieille Auberge avec ch, pl. Minoterie ✆ 65 32 79 43, Télex 533715, cuisinette wc wc – 60. AE E VISA
15 mars-15 nov. – **R** 90/200, enf. 50 – 22 – **20 ch** 120/200 – ½ p 230/250.

Aub. du Puits avec ch, 5 pl. Puits ✆ 65 37 80 32, – wc ☎. ch
fermé 2 nov. au 6 janv., dim. soir et lundi hors sais. – **R** 48/190 – 19 – 1 85/150 – ½ p 165/228.

Autres ressources hôtelières :

Voir *Lacave* S : 1 km, *Cressensac* N : 17 km.

PEUGEOT-TALBOT Gar. Cadier, rte Sarlat ✆ 65 37 82 72
RENAULT Sanfourche, rte Sarlat ✆ 65 32 73 03 N ✆ 65 32 76 61

Pneus-Service, 19 av. J.-Jaurès ✆ 65 3 88

SOULAC-SUR-MER 33780 Gironde 71 ⑯ **G. Pyrénées Aquitaine** – 2 590 h. – Casino Plage.

Office de Tourisme pl. Marché ✆ 56 09 86 61.

Paris 515 – Arcachon 134 – •Bordeaux 94 – Lesparre-Médoc 30 – Royan (bac) 9,5.

à l'Amélie-sur-Mer SO : 4,5 km par VO – ✉ **33780** Soulac-sur-Mer :

Pins , ✆ 56 09 80 01, – wc ☎ P. E VISA. ch
fermé 1er janv. au 15 mars, dim. soir et vend. du 1er oct. à Pâques – **R** 65/195, er – 27 – **35 ch** 135/265 – ½ p 165/235.

PEUGEOT-TALBOT, SEAT, MAZDA Gar. du Monastère, ✆ 56 09 80 44

RENAULT Gar. de la Gare, ✆ 56 09 85 55

SOULAGES-BONNEVAL 12 Aveyron 76 ⑬ – rattaché à Laguiole.

SOUMOULOU 64420 Pyr.-Atl. 85 ⑦ – 837 h.

Paris 779 – Lourdes 24 – Nay 16 – Pau 17 – Pontacq 11 – Tarbes 23.

Béarn, ✆ 59 04 60 09, – wc wc ☎ P – 35. AE E VISA
fermé 15 janv. au 15 fév., dim. soir et lundi d'oct. à juil. – **R** 50/160, enf. 40 – – **13 ch** 90/240 – ½ p 157/215.

SOUPPES-SUR-LOING 77460 S.-et-M. 61 ⑫ – 4 358 h.

Paris 90 – Fontainebleau 26 – Melun 42 – Montargis 23 – •Orléans 84 – Sens 45.

France M, 72 av. Mar.-Leclerc ✆ (1) 64 29 81 88, Télex 692125, – wc ☎ P – 60. AE E VISA
R 85/185 , enf. 48 – 31 – **30 ch** 190/285 – ½ p 245/330.

La Cassolette, 11 r. P. Rollin ✆ (1) 64 29 88 77 – VISA
fermé dim. soir et lundi – **R** 98/138.

PEUGEOT-TALBOT Gar. du Centre, 52 av. Mar.-Leclerc ✆ 64 29 70 68

RENAULT Souppes Autom., Gar. Cornu av. Mar.-Leclerc ✆ 64 29 70 32 N

Le SOUQUET 40 Landes 78 ⑤ – ✉ **40260** Castets.

Paris 700 – •Bordeaux 113 – Castets 12 – Mimizan 38 – Mont-de-M. 53 – St-Julien-en-Born Tartas 26.

Paris-Madrid M , ✆ 58 89 60 46, , , , – wc wc P. E
15 mars-15 oct. – **R** *(fermé lundi midi du 15 mars au 30 juin)* 90/140 – **16 ch** 160/230 – ½ p 240/300.

SOURDEVAL 50150 Manche 59 ⑨ – 3 582 h.

Voir Vallée de la Sée★ O, G. Normandie Cotentin.

Paris 269 – Avranches 38 – Domfront 36 – Flers 32 – Mayenne 63 – St-Hilaire-du-H. 26 – Vire 13.

Le Temps de Vivre avec ch, ✆ 33 59 60 41 – P. VISA
fermé 3 au 11 juil. et lundi – **R** 43/105 – 14 – **8 ch** 61/80 – ½ p 119/135.

PEUGEOT-TALBOT Gar. Postel, ✆ 33 59 60 35 N

SOUSCEYRAC 46190 Lot 75 ⑳ – 1 058 h.

'aris 548 – Aurillac 48 – Cahors 92 – Figeac 40 – Mauriac 73 – St-Céré 16.

Au Déjeuner de Sousceyrac, ✆ 65 33 00 56, – wc wc. E VISA
fermé janv., fév. et lundi hors sais. – **R** 85/160, enf. 65 – 20 – **10 ch** 100/130 – 1/2 p 190.

SOUSSANS 33 Gironde 71 ⑧ – rattaché à Margaux.

SOUSTONS 40140 Landes 78 ⑯ – 5 113 h.

/oir Étang de Soustons★ O : 1 km, **G. Pyrénées Aquitaine.**

Syndicat d'Initiative La Grange de Labouyrie (fermé matin hors saison) ✆ 58 41 59 84.

'aris 737 – Castets 23 – Dax 28 – Mont-de-Marsan 76 – St-Vincent-de-Tyrosse 13.

La Bergerie, av. Lac ✆ 58 41 11 43, **« Demeure landaise dans un parc »** – wc. E VISA.
1er avril-15 nov. – **R** (résidents seul.) (dîner seul.) 130/150 – 25 – **12 ch** 180/250 – 1/2 p 250/280.

Château Bergeron, r. du Vicomte ✆ 58 41 58 14, parc – wc. AE E VISA.
15 mai-15 sept. – **R** (dîner seul. pour résidents) 130/150 – 25 – **17 ch** 180/230 – 1/2 p 230/280.

Host. du Marensin, pl. Sterling ✆ 58 41 15 16 – . ch
fermé nov. – **R** *(fermé sam.)* 45/120, enf. 28 – 15 – **14 ch** 130/176 – 1/2 p 149/172.

✿ **Pavillon Landais** (Ducassé) avec ch, av. Lac ✆ 58 41 14 49, **« Belle vue sur lac, parc »** – TV wc. AE E VISA
fermé 22 déc. au 1er mars, dim. soir et lundi midi du 22 sept. au 1er juin sauf vacances scolaires – **R** 120/160 – 26 – **8 ch** 200/230 – 1/2 p 237/247
Spéc. Foie de canard chaud aux pommes, Filets de sole Pavillon, Gibier (oct. à mai). **Vins** Jurançon, Madiran.

ITROEN Lartigau, 12 av. Mar.-Leclerc ✆ 58 1 14 80
EUGEOT-TALBOT Desbieys, 7 r. d'Aste ✆ 58 1 10 57
PEUGEOT-TALBOT Gar. Bouyrie, 6 av. Gén.-de-Gaulle ✆ 58 41 51 75

Die im Michelin-Führer
verwendeten Zeichen und Symbole haben –
dünn oder ***fett*** *gedruckt, rot oder schwarz –*
jeweils eine andere Bedeutung.
Lesen Sie daher die Erklärungen (S. 38 bis 45) aufmerksam durch.

La SOUTERRAINE 23300 Creuse 72 ⑧ **G. Berry Limousin** – 5 850 h.

/oir Église★ B.

Office de Tourisme pl. Gare (fermé après-midi hors saison) ✆ 55 63 10 06.

aris 342 ⑤ – Bellac 40 ③ – Châteauroux 73 ⑤ – Guéret 34 ① – ♦Limoges 56 ③.

LA SOUTERRAINE

1arché (Pl. du)	29
ızanet (R. Barthélémy)	2
ernhausen (Pl. de)	3
ités (R. des)	4
oq (R. du)	7
r-Bridot (R. du)	8
ont-aux-Moines (R. de la)	9
ont-Froide (R.)	12
ossés-des-Canards (R. des)	13
ossés-des-Gentils (R. des)	14
ossés-St-Michel (R. des)	17
aulle (Bd Ch.-de)	18
uichet (R. du)	19
aute-St-Michel (R.)	22
ermitage (R. de l')	23
avaud (R. de)	24
eclerc (Av. du Gén.)	27
efaure (Pl. A.)	28
1ontaudon (R. H.)	32
coty (R. A.)	33
épublique (R. de la)	34
t-Jacques (R.)	37
Mai 1945 (Bd du)	38

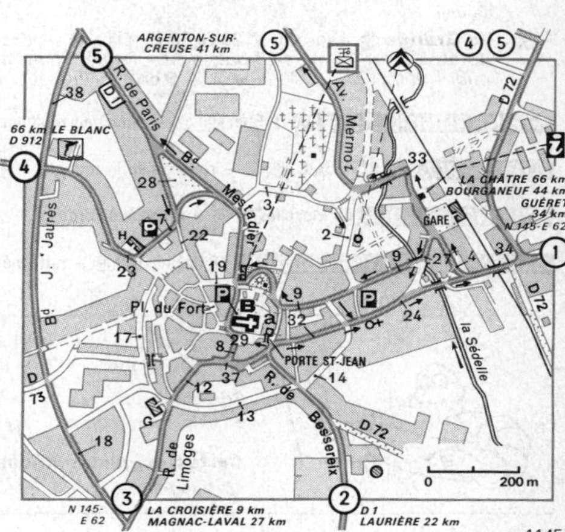

Porte Saint-Jean, r. des Bains **(a)** ✆ 55 63 03 83 – wc ☎ . AE ⓓ E VISA
rest
fermé 1er au 25 janv. – **R** 59/130 , enf. 35 – 21 – **14 ch** 95/188 – ½ p 176
244.

à St-Etienne-de-Fursac par ② : 11 km – ✉ **23290** St-Etienne-de-Fursac :

Moderne-Nougier, ✆ 55 63 60 56, – TV wc wc ☎ . ⓓ E VISA
fermé 15 janv. au 28 fév., dim. soir et lundi du 1er sept. au 30 juin – **R** 92/220, enf. 5
– 25 – **12 ch** 222/255 – ½ p 220.

CITROEN Chambraud, ✆ 55 63 08 89
FORD Gar. du Massif Central, à St-Maurice la Souterraine ✆ 55 63 11 34 N
Gar. Rousseau, 22 à 26 r. de Lavaud ✆ 55 6
00 25

SOUVIGNY **03210** Allier **69** ⑭ **G. Auvergne** – 1 929 h.

Voir Prieuré St-Pierre★★.

des Avenelles ✆ 70 20 00 95, à l'Est par D 945 : 13 km.

Paris 304 – Bourbon-l'Archambault 15 – Montluçon 55 – Moulins 12.

Aub. des Tilleuls, ✆ 70 43 60 70 – AE ⓓ
fermé 6 au 22 juin, 10 au 25 oct., 8 au 23 fév., lundi et mardi – **R** 80/150.

SOUVIGNY-EN-SOLOGNE **41** L.-et-Ch. **64** ⑩ – 430 h. – ✉ **41600** Lamotte-Beuvron.

Paris 175 – Gien 42 – Lamotte-Beuvron 14 – Montargis 63 – ♦Orléans 44.

Aub. Croix Blanche avec ch, ✆ 54 88 40 08 – Ⓟ. VISA
fermé 18 janv. au 4 mars, mardi soir et merc. – **R** 70/205 – 24 – **9 ch** 105 -
½ p 150/162.

Perdrix Rouge, ✆ 54 88 41 05 – E VISA
fermé 1er au 21 mars, 27 juin au 5 juil., 11 au 18 janv., lundi soir et mardi – **R** (dim
et fêtes-prévenir) 70/270.

RENAULT Gar. Paret, ✆ 54 88 43 18

SOYONS **07** Ardèche **77** ⑪⑫ – rattaché à St-Péray.

SPEZET **29135** Finistère **58** ⑯ – 2 076 h.

Voir Chapelle N.-D.-du-Crann★ : vitraux★★ S : 1 km, **G. Bretagne.**

Syndicat d'Initiative (juil.-août) ✆ 98 93 80 03.

Paris 520 – Carhaix-Plouguer 18 – Châteaulin 32 – Concarneau 51 – Pontivy 67 – Quimper 44.

STAINS **93** Seine-St-Denis **56** ⑪, **101** ⑯ – voir à Paris, Environs.

STAINVILLE **55** Meuse **62** ① – 416 h. – ✉ **55500** Ligny-en-Barrois.

Paris 225 – Bar-le-Duc 19 – Commercy 36 – Joinville 35 – Neufchâteau 70 – St-Dizier 20 – Toul 59.

✿ **La Petite Auberge,** ✆ 29 78 60 10 – AE ⓓ E VISA
fermé 22 juil. au 12 août, dim. soir et lundi – **R** (nombre de couverts limité
prévenir) 82/190, enf. 65
Spéc. Escalope de saumon frais à l'oseille, Pièce de boeuf forestière, Gâteau au chocolat. **Vins** Côte
de Toul.

La Grange avec ch, ✆ 29 78 60 15, , – wc. AE ⓓ E VISA
*hôtel : ouvert 1er mars-15 nov., rest. : fermé 2 janv. au 10 fév., mardi soir et mer
midi* – **R** 65/180, enf. 40 – 20 – **9 ch** 120/170.

STEINBRUNN-LE-BAS **68** H.-Rhin **66** ⑩ – rattaché à Mulhouse.

STELLA-PLAGE **62** P.-de-C. **51** ⑪ – rattaché au Touquet.

STIRING-WENDEL **57** Moselle **57** ⑥ – rattaché à Forbach.

STOSSWIHR-AMPFERSBACH **68** H.-Rhin **62** ⑱ – rattaché à Munster.

Participez à notre effort permanent
de mise à jour

Adressez-nous vos remarques
et vos suggestions.

Cartes et guides Michelin
46 avenue de Breteuil - 75341 Paris Cedex 07

TRASBOURG P **67000** B.-Rhin **62** ⑩ **G. Alsace et Lorraine** – **252 264 h.** communauté
aine 409 161 h. – **Voir Cathédrale***** : **horloge astronomique***, <* CX - <* **de la rue**
ercière CX **53** – **Cité ancienne***** BCX : **la Petite France**** BX, **Rue du Bain-aux-**
antes** BX **7**, **Place de la Cathédrale*** CX **17**, **Maison Kammerzell*** CX **e**, **Château des**
han* CX, **Cour du Corbeau*** CX **18**, **Ponts couverts*** BX **B**, **Place Kléber*** CV **53** –
rrage Vauban ** BX **D** – **Mausolée** dans l'église St-Thomas** CX **E** – **Hôtel de**
le* CV **H** – **Orangerie*** DEU – **Promenades sur l'Ill et les canaux*** CX – **Visite du**
rt* en bateau CY – **Musées : Œuvre N.-Dame***** CX **M1**, **au château des Rohan**
usées)**, CX **Alsacien*** CX **M2**, **Historique*** CX **M3**.

à Illkirch-Graffenstaden ✆ 88 66 17 22 FS.

de Strasbourg-Entzheim : Air-France ✆ 88 32 78 79 par D 392 : 12 km FR.

✆ 88 22 50 50.

Office de Tourisme et Accueil de France (Informations et réservations d'hôtels, pas plus 5 jours à l'avance) Palais des Congrès, av. Schutzenberger ✆ 88 35 03 00, Télex 870860 ; pl. Gare 88 32 51 49 et 10 pl. Gutenberg ✆ 88 32 57 07 – Bureau d'Accueil, Pont Europe (Opération de ange) ✆ 88 61 39 23 – A.C. 5 av. Paix ✆ 88 36 04 34.

is 489 ① – ♦Bâle 145 ③ – Bonn 360 ③ – ♦Bordeaux 930 ① – Frankfurt 218 ③ – Karlsruhe 81 ③
♦Lille 544 ① – Luxembourg 223 ① – ♦Lyon 482 ④ – Stuttgart 157 ③.

Plans : Strasbourg p. 2 à 6

Hilton M, av. Herrenschmidt ✆ 88 37 10 10, Télex 890363, – cuisinette ch – 30 à 350. AE E VISA. rest — CT **e**
La Maison du Boeuf *(fermé 31 juil. au 22 août, 12 au 27 fév. et sam. midi)* **R** carte 215 à 315, enf. 70 – **Le Jardin R** carte 115 à 200, enf. 70 – 62 – **247 ch** 680/730, 5 appartements.

Sofitel M, pl. St-Pierre-le-Jeune ✆ 88 32 99 30, Télex 870894, , patio – – 120. AE E VISA. rest — CV **s**
Le Saint Pierre *(fermé 1er au 15 août et dim.)* **R** carte 200 à 260 – 60 – **180 ch** 860, 5 appartements.

Holiday Inn M, 20 pl. Bordeaux ✆ 88 35 70 00, Télex 890515, , – ch – 50 à 600. AE E VISA — CT **n**
La Louisiane R carte 135/220 – 70 – **170 ch** 625/810.

Régent Contades M sans rest, 8 av. Liberté ✆ 88 36 26 26, Télex 890641 – . AE E VISA — CV **f**
fermé 23 déc. au 2 janv. – 52 – **32 ch** 550/850.

Terminus-Gruber, 10 pl. Gare ✆ 88 32 87 00, Télex 870998 – – 60. AE E VISA — BV **m**
R *(fermé 20 déc. au 15 janv.)* 130/175 – **La Brasserie R** 65 – 38 – **70 ch** 220/500, 8 appartements 500/650 – 1/2 p 350/590.

Novotel M, quai Kléber ✆ 88 22 10 99, Télex 880700 – – 30 à 200. AE E VISA — BV **k**
R carte environ 120, enf. 40 – 38 – **97 ch** 410/460.

France M sans rest, 20 r. Jeu-des-Enfants ✆ 88 32 37 12, Télex 890084 – – 30. AE E VISA — BV **v**
26 – **70 ch** 295/420.

Monopole-Métropole sans rest, 16 r. Kuhn ✆ 88 32 11 94, Télex 890366, « Décor alsacien » – – 30. AE E VISA — BV **p**
fermé Noël au jour de l'An – **94 ch** 285/410.

Gd Hôtel sans rest, 12 pl. Gare ✆ 88 32 46 90, Télex 870011 – – 25. AE E VISA — BV **m**
35 – **90 ch** 320/420, 5 appartements 480.

des Rohan M sans rest, 17 r. Maroquin ✆ 88 32 85 11, Télex 870047 – . E VISA. – 35 – **36 ch** 245/450. — CX **u**

Nouvel H. Maison Rouge sans rest, 4 r. Francs-Bourgeois ✆ 88 32 08 60, Télex 880130 – . AE E VISA — CX **g**
40 – **130 ch** 280/430, 5 appartements 650.

Europe sans rest, 38 r. Fossé-des-Tanneurs ✆ 88 32 17 88, Télex 890220, « Maison alsacienne à colombages » – . AE E VISA — BX **g**
25 – **60 ch** 140/365.

Cathédrale M sans rest, 12 pl. Cathédrale ✆ 88 22 12 12, Télex 871054 – wc wc – 25. AE E VISA. — CX **n**
30 – **35 ch** 340/590.

La Dauphine M sans rest, 30 r. 1e Armée ✆ 88 36 26 61, Télex 880766 – wc . E VISA — CY **a**
fermé 23 déc. au 2 janv. – 27 – **45 ch** 310/350.

Royal M sans rest, 3 r. Maire Kuss ✆ 88 32 28 71, Télex 871067 – wc wc – 40. VISA. — BV **e**
29 – **52 ch** 295/375.

Villa d'Est M sans rest, 12 r. J.-Kablé ✆ 88 36 69 02, Télex 870669 – wc . AE E VISA – *fermé 22 déc. au 2 janv.* – 29 – **48 ch** 330/430. — CU **s**

St Christophe sans rest, 2 pl. Gare ✆ 88 22 30 30, Télex 880136 – wc wc . AE E VISA — BV **t**
fermé Noël-Nouvel An – 22 – **70 ch** 180/250.

RÉPERTOIRE DES RUES DE STRASBOURG

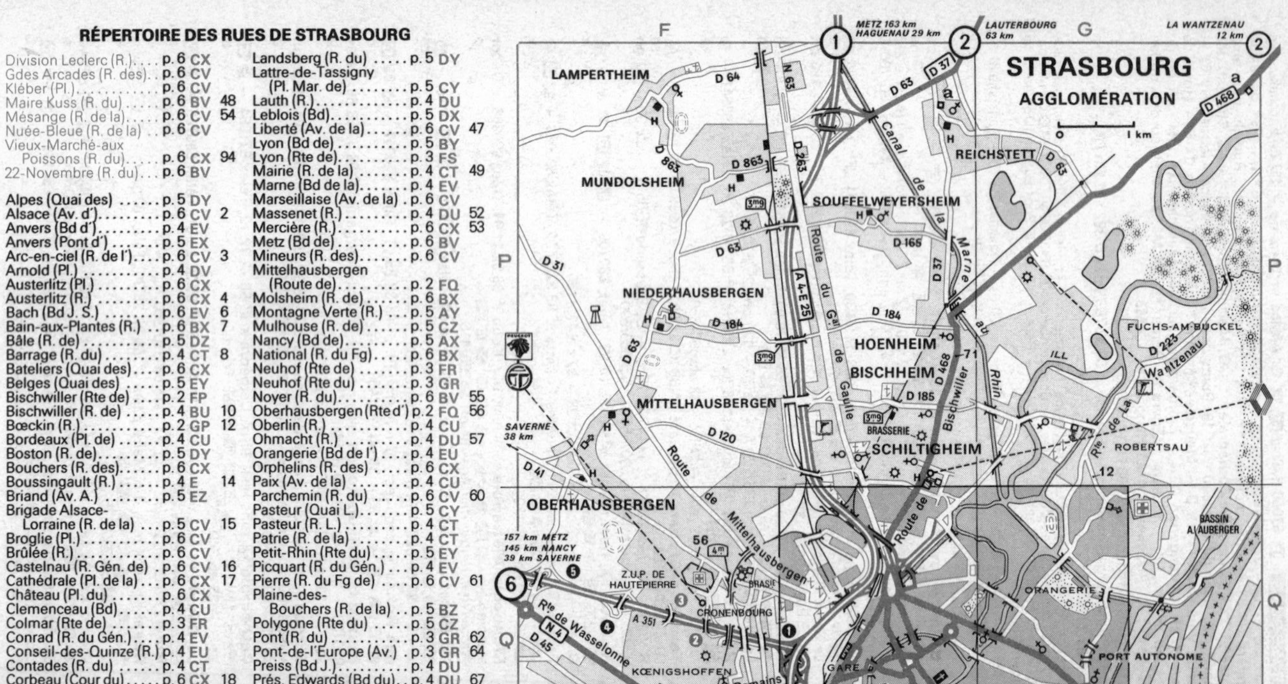

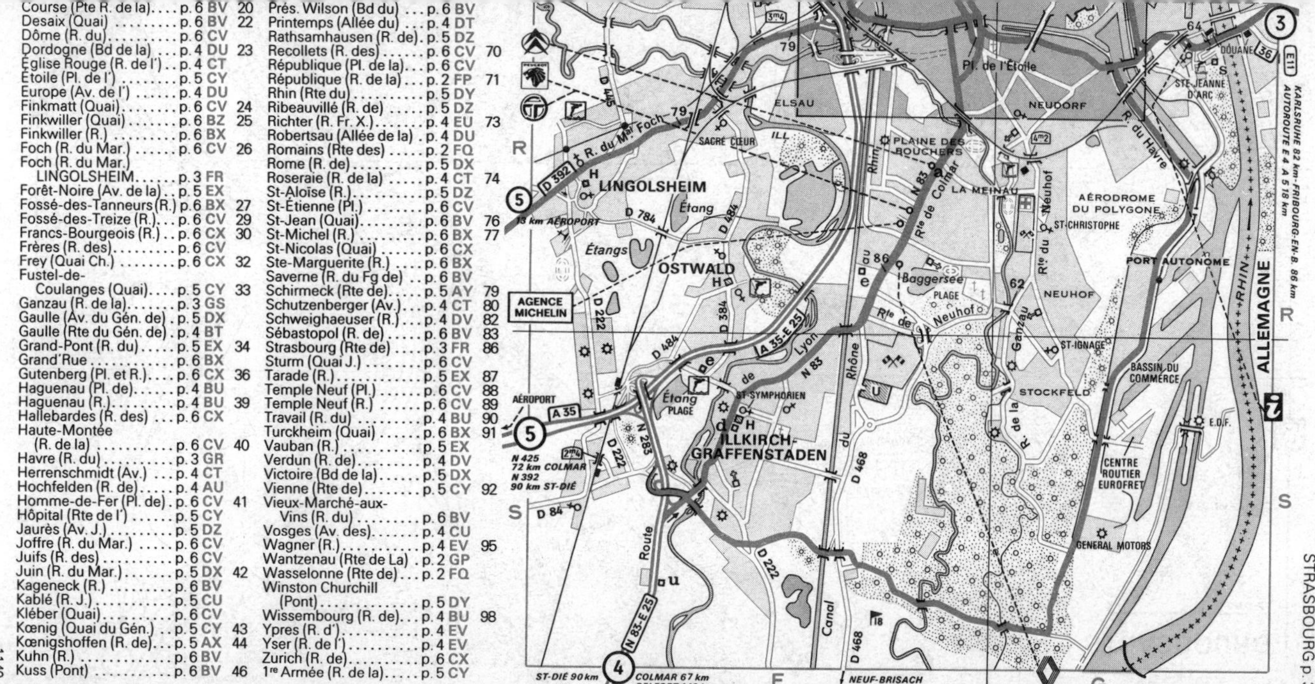

KARLSRUHE 82 km - FRIBOURG-EN-B. 86 km
AUTOROUTE E 4 A 5 18 km
E11
ALLEMAGNE
RHIN
DOUANE
STE-JEANNE D'ARC
R. du Havre
Pl. de l'Étoile
NEUDORF
ELSAU
PLAINE DES BOUCHERS
LA MEINAU
AÉRODROME DU POLYGONE
ST-CHRISTOPHE
PORT AUTONOME
NEUHOF
Rte du Neuhof
Ganzau
ST-IGNACE
STOCKFELD
R. de la
BASSIN DU COMMERCE
E.D.F.
CENTRE ROUTIER EUROFRET
GENERAL MOTORS
Rte de Colmar
N 83
Rhin
Baggersee
PLAGE
Rte de Neuhof
Rhône
du
D 468
Canal
ILL
SACRÉ CŒUR
R. du Mal Foch
D 445
D 392
LINGOLSHEIM
Étang
Étangs
D 784
D 484
OSTWALD
D 384
A 35-E 25
Lyon
de
ST-SYMPHORIEN
ILLKIRCH-GRAFFENSTADEN
Étang PLAGE
AGENCE MICHELIN
D 222
13 km AÉROPORT
AÉROPORT
A 35
N 283
N 425 72 km COLMAR
N 392 90 km ST-DIÉ
D 84
Route
N 83-E 25
ST-DIÉ 90 km
COLMAR 67 km
BELFORT 148 km
NEUF-BRISACH
R
S
F
G

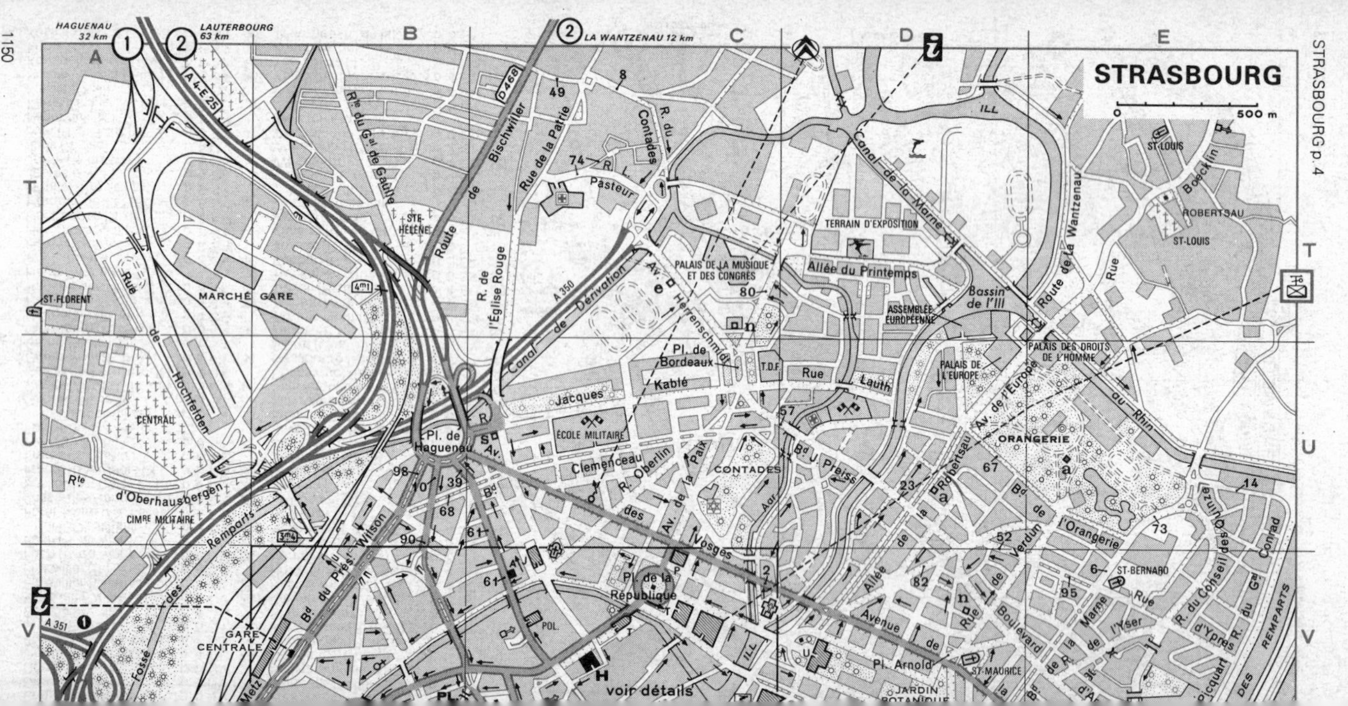
STRASBOURG
0
500 m
HAGUENAU 32 km
LAUTERBOURG 63 km
LA WANTZENAU 12 km
A 4-E 25
D 468
A 350
A 351
ROBERTSAU
ST-LOUIS
Boecklin
Route de la Wantzenau
Rue
ILL
Canal de la Marne au Rhin
TERRAIN D'EXPOSITION
Allée du Printemps
ASSEMBLÉE EUROPÉENNE
PALAIS DE L'EUROPE
PALAIS DES DROITS DE L'HOMME
Bassin de l'Ill
Av. de l'Europe
ORANGERIE
Bd de l'Orangerie
ST-BERNARD
Rue de l'Yser
R. de la Marne
R. d'Ypres
R. du Conseil des Quinze
R. du Gal Conrad
REMPARTS
DES
Allée de la Robertsau
Bd de Verdun
Boulevard de la
Avenue de
Pl. Arnold
JARDIN BOTANIQUE
ST-MAURICE
Rue Lauth
Bd J. Preiss
PALAIS DE LA MUSIQUE ET DES CONGRÈS
CONTADES
T.D.F.
Av. Herrenschmidt
Pl. de Bordeaux
Kablé
Av. de la Paix
R. Oberlin
Av. des Vosges
Pl. de la République
voir détails
Jacques
ÉCOLE MILITAIRE
Clemenceau
R. du Contades
R. L. Pasteur
Rue de la Patrie
Route de Bischwiller
R. de l'Église Rouge
Canal de Dérivation
Pl. de Haguenau
Bd du Prést Wilson
STE-HÉLÈNE
Rte du Gal de Gaulle
MARCHÉ GARE
Rue de Hochfelden
CENTRAL
CIMRE MILITAIRE
Rte d'Oberhausbergen
Remparts
Fossé des
GARE CENTRALE
Metz
ST-FLORENT
POL.
H

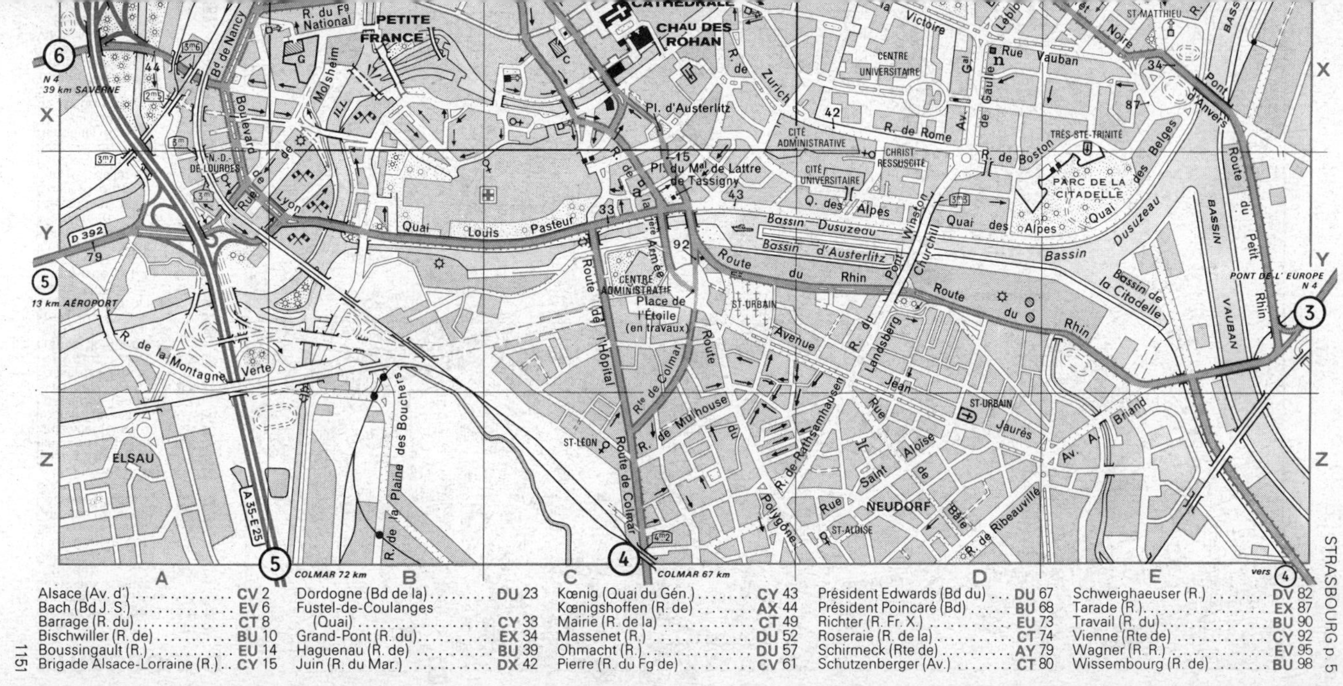

Alsace (Av. d')	CV	2	
Bach (Bd J. S.)	EV	6	
Barrage (R. du)	CT	8	
Bischwiller (R. de)	BU	10	
Boussingault (R.)	EU	14	
Brigade Alsace-Lorraine (R.)	CY	15	
Dordogne (Bd de la)	DU	23	
Fustel-de-Coulanges (Quai)	CY	33	
Grand-Pont (R. du)	EX	34	
Haguenau (R. de)	BU	39	
Juin (R. du Mar.)	DX	42	
Kœnig (Quai du Gén.)	CY	43	
Kœnigshoffen (R. de)	AX	44	
Mairie (R. de la)	CT	49	
Massenet (R.)	DU	52	
Ohmacht (R.)	DU	57	
Pierre (R. du Fg de)	CV	61	
Président Edwards (Bd du)	DU	67	
Président Poincaré (Bd)	BU	68	
Richter (R. Fr. X.)	EU	73	
Roseraie (R. de la)	CT	74	
Schirmeck (Rte de)	AY	79	
Schutzenberger (Av.)	CT	80	
Schweighaeuser (R.)	DV	82	
Tarade (R.)	EX	87	
Travail (R. du)	BU	90	
Vienne (Rte de)	CY	92	
Wagner (R. R.)	EV	95	
Wissembourg (R. de)	BU	98	

STRASBOURG

Alsace (Av. d')	CV 2
Arc-en-ciel (R. de l')	CV 3
Austerlitz (R. d')	CX 4
Bains-aux-Plantes (R. du)	BX 7
Castelnau (R. Général de)	CV 16
Cathédrale (Pl. de la)	CX 17
Corbeau (Cour du)	CX 18
Corbeau (Pl. du)	CX 19
Course (Petite Rue de la)	BV 20
Desaix (Quai)	BV 22
Finkmatt (Quai)	CV 24
Finkwiller (Quai)	BX 25
Foch (R. du Mar.)	CV 26
Fossé-des-Tanneurs (R. du)	BX 27
Fossé-des-Treize (R. du)	CV 29
Francs-Bourgeois (R. des)	CX 30
Frey (Quai Ch.)	CX 32
Gutenberg (Pl. et R.)	CX 36
Haute-Montée (R.)	CV 40
Homme de fer (Pl.)	CV 41
Kuss (Pont)	BV 46
Liberté (Av. de la)	CV 47
Maire Kuss (R. du)	BV 48
Mercière (R.)	CX 53
Mésange (R. de la)	CV 54
Noyer (R. du)	BV 55
Paix (Av. de la)	CV 58
Parchemin (R. du)	CV 60
Pierre (R. du Fg de)	CV 61
Recollets (R. des)	CV 70
St-Jean (Quai)	BV 76
St-Michel (R.)	BX 77
Sébastopol (R. de)	BV 83
Temple Neuf (Pl.)	CV 88
Temple Neuf (R.)	CV 89
Turckheim (Quai)	BX 91
Vieux-Marché-aux-Poissons (R. du)	CX 94
1re Armée (R.)	CX 99

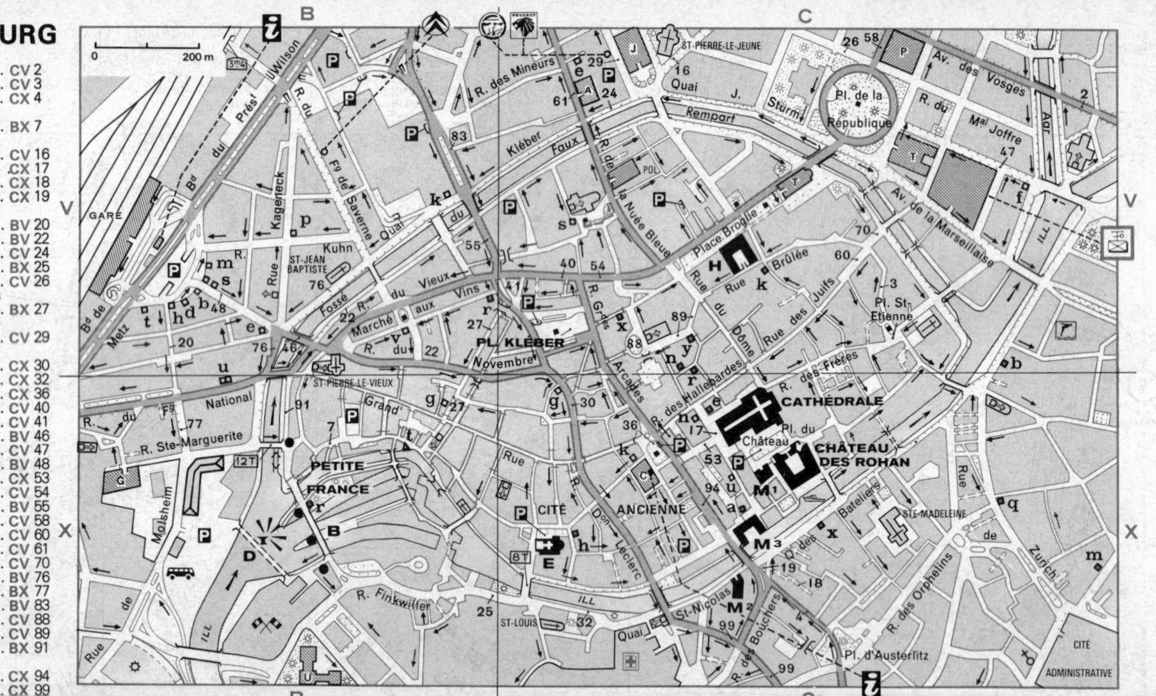

Princes sans rest, 33 r. Geiler ✆ 88 61 55 19 – |♦| ⌂wc ⋒wc ☎. AE E VISA
⊐ 25 – **43 ch** 250/300. DV **n**

Gutenberg sans rest, 31 r. Serruriers ✆ 88 32 17 15 – |♦| ⌂wc ⋒wc ☎. E VISA.
✻ – *fermé 1er au 8 janv.* – ⊐ 22 – **50 ch** 135/280. CX **k**

Bristol, 4 pl. Gare ✆ 88 32 00 83, Télex 890317 – |♦| rest TV ⌂wc ⋒wc ☎. AE ⓪ E VISA BV **h**
R *(fermé lundi)* 60/150 ⅄ – ⊐ 25 – **40 ch** 250/350 – 1/2 p 300/350.

Urbis M sans rest, 18 r. fg National ✆ 88 75 10 10, Télex 871107 – |♦| TV ⌂wc ☎ ♿. E VISA BVX **u**
⊐ 25 – **72 ch** 250.

Continental M sans rest, 14 r. Maire Kuss ✆ 88 22 28 07, Télex 880881 – |♦| TV ⌂wc ☎. AE ⓪ E VISA BV **s**
fermé 24 déc. au 2 janv. – ⊐ 20 – **48 ch** 237/280.

Pax, 24 r. fg National ✆ 88 32 14 54, Télex 880506, ⛱ – |♦| ⌂wc ⋒wc ☎ – 🅰 25 à 100. E VISA BVX **u**
fermé Noël au jour de l'An et dim. de nov. à mars – **R** 75/140 ⅄, enf. 40 – ⊐ 22 – **119 ch** 125/240.

Orangerie sans rest, 58 allée Robertsau ✆ 88 35 10 69 – |♦| TV ⌂wc ⋒wc ☎
25 ch. DU **a**

Rhin sans rest, 8 pl. Gare ✆ 88 32 35 00, Télex 880466 – |♦| ⌂wc ⋒wc ☎. AE E VISA BV **d**
⊐ 22 – **63 ch** 130/260.

Vendôme sans rest, 9 pl. Gare ✆ 88 32 45 23, Télex 890850 – |♦| TV ⌂wc ⋒wc ☎. AE ⓪ E VISA BV **b**
⊐ 22 – **48 ch** 170/260.

Couvent du Franciscain, 18 r. fg de Pierre ✆ 88 32 93 93 – |♦| ⌂wc ⋒wc ☎ ♿ Ⓟ. E VISA CV **e**
fermé 11 au 31 juil. (sauf hôtel) et 22 déc. au 5 janv. – **R** *(fermé sam. et dim.)* (dîner seul.) 35/80 ⅄ – ⊐ 20 – **29 ch** 125/200.

✻✻ **Crocodile** (Jung), 10 r. Outre ✆ 88 32 13 02 – ▤. AE ⓪ VISA. ✻ CV **x**
fermé 10 juil. au 8 août, 24 déc. au 2 janv., dim. et lundi – **R** 230 (déj.) et carte 290 à 380, enf. 85
Spéc. Caille confite Brillat-Savarin, Gratin de langouste, Canard colvert à la presse. **Vins** Riesling, Gewurztraminer.

✻✻ **Buerehiesel** (Westermann), dans le parc de l'Orangerie ✆ 88 61 62 24, « Belle demeure alsacienne dans le parc » – Ⓟ. AE ⓪ E VISA EU **a**
fermé 10 au 25 août, 22 déc. au 4 janv., vacances de fév., mardi (sauf le midi du 1er avril au 30 oct.) et merc. – **R** 240/370 et carte ⅄
Spéc. Schniederspaetle et les cuisses de grenouilles au cerfeuil, Matelote de poissons au Riesling, Pigeon au chou vert et aux échalotes confites. **Vins** Muscat, Tokay Pinot gris.

Valentin-Sorg (14e ét.), 6 pl. Homme-de-Fer ✆ 88 32 12 16, ← Strasbourg – ▤. AE ⓪ E VISA BV **r**
fermé 17 août au 1er sept., 17 fév. au 1er mars, dim. soir et mardi – **R** 150/300.

Maison Kammerzell, 16 pl. Cathédrale ✆ 88 32 42 14, « Belle maison alsacienne du 16e s. » – AE ⓪ E VISA CX **e**
fermé en fév. – **R** 171/250.

Maison des Tanneurs dite "Gerwerstub", 42 r. Bain-aux-Plantes ✆ 88 32 79 70, « Vieille maison alsacienne, au bord de l'Ill » – AE ⓪ BX **t**
fermé 10 au 22 juil., 23 déc. au 25 janv., dim. et lundi – **R** carte 140 à 210.

Zimmer, 8 r. Temple-Neuf ✆ 88 32 35 01 – AE ⓪ VISA CV **y**
fermé août, sam. et dim. – **R** 160/290.

Buffet Gare, pl. Gare ✆ 88 32 68 28. AE ⓪ E VISA BV
L'Argentoratum **R** 75/120 ⅄, enf. 24 – **L'Assiette R** 55 ⅄, enf. 24.

La Volière, 1 av. Gén.-de-Gaulle ✆ 88 61 05 79 – ▤. AE ⓪ E VISA DX **n**
fermé 13 juil. au 12 août, sam. midi et dim. – **R** 90/240.

L'Amphitryon, 4 r. Charpentiers ✆ 88 22 63 30 – AE ⓪ E VISA CV **k**
fermé 1er au 5 août, 1er au 10 fév., sam. midi et dim. – **R** 95/125 ⅄.

Bec Doré, 8 quai Pêcheurs ✆ 88 35 39 57 – AE ⓪ E VISA CV **b**
fermé 4 au 12 avril, 1er au 23 août, lundi et mardi – **R** 120 ⅄, enf. 40.

Estaminet Schloegel, 19 r. Krutenau ✆ 88 36 21 98 – E VISA CX **q**
fermé 13 au 27 juil., 23 déc. au 6 janv., dim. et lundi – **R** 120/165 ⅄.

Au Boeuf Mode, 2 pl. St Thomas ✆ 88 32 39 03, (spéc. : viandes) – AE ⓪ E VISA CX **h**
fermé dim. – **R** carte 185 à 265.

L'Arsenal, 11 r. Abreuvoir ✆ 88 35 03 69 – AE ⓪ E VISA CX **m**
fermé 15 juil. au 15 août, 15 au 31 janv., sam. et dim. sauf fêtes – **R** (nombre de couverts limité - prévenir) carte 140 à 200 ⅄, enf. 60.

Julien, 22 quai Bateliers ✆ 88 36 01 54 – AE ⓪ E VISA CX **x**
fermé 1er au 21 août, vacances de fév., sam. midi et dim. – **R** carte 180 à 250.

Ami Schutz, 1 r. Ponts Couverts ✆ 88 32 76 98, Télex 890221, ⛱ – VISA BX **r**
fermé dim. soir et lundi – **R** 130 bc.

Les winstubs : Dégustation de vins et cuisine du pays, ambiance typiquem alsacienne

Strissel, 5 pl. Grande-Boucherie ☎ 88 32 14 73, cadre rustique – ▤. E VISA
fermé 7 au 28 juil., vacances de fév., dim. et lundi – **R** 42/100 🍷. CX

S' Burjerstuewel (Chez Yvonne), 10 r. Sanglier ☎ 88 32 84 15 – E VISA
fermé 10 juil. au 10 août, lundi midi et dim. – **R** (prévenir) carte 95 à 155 🍷. CVX

Le Clou, 3 r. Chaudron ☎ 88 32 11 67 – VISA CV
fermé 14 au 28 août et dim. – **R** (dîner seul.) carte 110 à 200 🍷.

au pont de l'Europe :

Altéa Pont de l'Europe M, ☎ 88 61 03 23, Télex 870833, – TV ☎ P 100 à 350. AE ◑ E VISA GR
R 60/130 – 39 – **93 ch** 340/370.

à Lingolsheim O : 4,5 km – ✉ **67380** Lingolsheim :

Ramses M sans rest, 59 r. Mar.-Foch ☎ 88 76 11 00, Télex 870045 – TV ☎ P – 30. ◑ E VISA.
28 – **31 ch** 260/280.

à Reichstett : 7 km par D 468 et D 37 - FP – 4 464 h. – ✉ **67116** Reichstett :

Aigle d'Or sans rest, ☎ 88 20 07 87 – TV wc wc ☎. AE ◑ E VISA FP
32 – **18 ch** 205/280.

à Illkirch-Graffenstaden : 5 km par N 83 – ✉ **67400** Illkirch-Graffenstaden :

Alsace M, 187 rte Lyon ☎ 88 66 41 60, Télex 870706 – TV wc ☎ P – E VISA FS
fermé Noël à Nouvel An – **R** *(fermé vend. soir et dim.)* 65/120 🍷 – 25 – **40** 230/280 – 1/2 p 235/315.

Domino sans rest, 1 r. Rempart ☎ 88 79 12 88 – wc wc ☎ P. VISA FR
25 – **20 ch** 250/280.

à Fegersheim par ④ : 13 km – ✉ **67460** Fegersheim :

✿ **La Table Gourmande** (Reix), 43 rte Lyon ☎ 88 68 53 54, produits de la mer AE ◑ E VISA
fermé 1er au 22 août, 24 déc. au 5 janv., dim. soir et lundi – **R** (prévenir) carte 23 340
Spéc. Blanc de St-Pierre au coulis de magret fumé, Pot-au-feu de saumon au foie gras, Filet pigeon aux épices.

près de l'échangeur de Colmar A 35 10 km - FS – ✉ **67400** Illkirch-Graffenstaden

Novotel M, ☎ 88 66 21 56, Télex 890142, – ▤ rest TV ☎ P – 25 à 120. AE ◑ E VISA FS
R grill carte environ 120, enf. 40 – 38 – **76 ch** 320/350.

Mercure M, ☎ 88 66 03 00, Télex 890277, – ▤ rest TV ☎ P – 25 à 200. AE ◑ E VISA FS
R carte 125 à 165 🍷, enf. 38 – 34 – **98 ch** 325/352.

à La Wantzenau NE du plan par D 468 : 12 km – 4 084 h. – ✉ **67610** La Wantzenau

Hôtel Au Moulin M, S : 1,5 km par D 468 ☎ 88 96 27 83, ←, « Ancien mou sur un bras de l'Ill », – TV wc wc ☎ P. AE E VISA GP
fermé 24 déc. au 2 janv. – **R** voir rest **Au Moulin** ci-après – 30 – **19 ch** 1 295.

Relais de la Poste M, 21 r. Gén. de Gaulle ☎ 88 96 20 64, – ▤ rest wc wc ☎ P – 25. AE ◑ E VISA
R *(fermé 15 au 31 août, vacances de fév., dim. soir et lundi)* 195/300 🍷 – 30 **19 ch** 200/450.

A la Gare, 32 r. Gare ☎ 88 96 63 44 – wc wc ☎ P. VISA
hôtel : fermé 31 juil. au 12 août – **R** *(fermé sam.)* 39/180 🍷, enf. 30 – 20 – **17** 140/210.

✿ **A la Barrière** (Aeby), 3 rte Strasbourg ☎ 88 96 20 23, – P. AE ◑ E VISA
fermé 10 août au 2 sept., vacances de fév., merc. soir et jeudi – **R** (dim. préver carte 210 à 270 🍷
Spéc. Foie gras d'oie, Panaché de la marée au beurre de basilic, Suprême de canard au foie d' (juin). Vins Kaefferkopf, Riesling.

✿ **Zimmer,** 23 r. Héros ☎ 88 96 62 08 – AE ◑ E VISA
fermé 26 juil. au 16 août, dim. soir et lundi – **R** 130/200 🍷
Spéc. Terrine de chevreuil au foie gras, Matelote au Riesling, Assiette aux trois filets de volaille. V Pinot noir, Kaefferkopf.

Rest. Au Moulin -Hôtel Au Moulin-, S : 1,5 km par D 468 ☎ 88 96 20 01, « Jardin fleuri » – P. AE ◑ E VISA GP
fermé 29 juin au 24 juil., 6 au 20 janv., fériés le soir et merc. – **R** 140/245.

Schaeffer, 1 quai Bateliers ☎ 88 96 20 29, – P. AE ◑ E VISA
fermé 15 au 31 juil., 5 au 18 janv., dim. soir et lundi – **R** 108/190 🍷.

à Ittenheim par ⑥ : 12,5 km – ✉ 67117 Ittenheim :

Au Boeuf, ✆ 88 69 01 42, – wc wc ℗. E VISA. ch
fermé 15 juin au 10 juil., 20 déc. au 20 janv. et lundi – **R** 54/110 – 16 – **14 ch** 140 – $^1/_2$ p 160.

MICHELIN, Agence régionale, 9 r. Livio, Strasbourg-Meinau FR ✆ **88 39 39 40**

ALFA ROMEO Gar. Boulevards, 42 bd d'Anvers ✆ 88 61 10 38 N
BMW Gar. Le Building Socoma, 24 r. Fossé-des-Tanneurs ✆ 88 32 31 21
CITROEN Succursale, 200 rte de Colmar FR a ✆ 88 79 99 10
CITROEN Gar. Astoria, 46 av. des Vosges CU ✆ 88 35 27 04
CITROEN Herberich, 30 r. fg-Saverne BV ✆ 88 32 69 35
FIAT-LANCIA Gar. des Halles, 60 r. du Marché gare ✆ 88 28 26 10
FIAT Finck, 201 rte des Romains ✆ 88 30 20 39
MERCEDES-BENZ Select-Station Service, 1 b pl. Haguenau ✆ 88 23 10 50
PEUGEOT-TALBOT Kroely, 17 r. Fossée-des-Treize CV ✆ 88 32 43 00
PEUGEOT-TALBOT Strasbourg Hautepierre Autom., av. Pierre Corneille FQ ✆ 88 28 90 28 N ✆ 88 27 11 11
PEUGEOT-TALBOT Strasbourg Meinau Autom., 270 rte de Colmar FR ✆ 88 79 46 46
PORSCHE-MITSUBISHI Gar. Porte de France, 3 quai Gén.-Koenig ✆ 88 35 54 52
RENAULT Succursale Ponts Couverts, ZAC Hautepierre r. Peguy FQ ✆ 88 28 78 88
V.A.G. Gd Gar. du Polygone, 25 rte de Colmar ✆ 88 34 31 33
VOLVO Albert-Auto., 48 rte de l'Hopital ✆ 88 34 29 51

Kautzmann, 280 rte de Colmar ✆ 88 79 99 20
Kautzmann, 8 bd Poincaré ✆ 88 32 42 04 et 15 r. Vauban ✆ 88 61 32 35
Letzelter, 8 r. de la Schwanau ✆ 88 34 25 80
Louis, 24 r. du Mar.-Lefebvre ✆ 88 39 02 93
Metzger, 34 r. du fg de Pierre ✆ 88 32 39 20
Vulca-Moderne, 7 av. J.-Jaurès ✆ 88 34 05 10

Périphérie et environs

RENAULT Succursale, 4 rte de Strasbourg à Illkirch Graffenstaden FR ✆ 88 79 99 85
RENAULT Gar. Simon, 1 r. des Pompiers à Schiltigheim FP ✆ 88 33 62 22 av. Énergie à Bischeim GP ✆ 88 83 56 42
V.A.G. Gd Gar. du Polygone, N 83 à Illkirch-Graffenstaden ✆ 88 66 66 99 33 rte de Brumath à Hoenheim ✆ 88 83 76 40

Metzger, 121 r. Gén.-Leclerc à Ostwald ✆ 88 30 22 72
Pneus Accessoires Distribution, Zl. Sud 1 r. Hoeltel à Illkirch ✆ 88 66 21 30
Pneus et Services D.K, 2 rte de Strasbourg à Illkirch-Graffenstaden ✆ 88 39 21 10
Vulcastra, 58 rte de Brumath à Souffelweyersheim ✆ 88 20 22 75

SUBLIGNY 89 Yonne 61 ⑭ – rattaché à Sens.

SUC-AU-MAY 19 Corrèze 72 ⑲ **G. Berry Limousin – Voir ✳★★★ 15 mn.**

SUCÉ-SUR-ERDRE 44 Loire-Atl. 63 ⑰ – rattaché à Nantes.

SUCY-EN-BRIE 94 Val-de-Marne 61 ①, 101 ㉘ – voir à Paris, Environs.

SULLY-SUR-LOIRE 45600 Loiret 65 ① **G. Châteaux de la Loire** – 5 825 h.
Voir Château★ : charpente★★.
✆ 38 36 52 08 par ⑥ : 4 km.
Office de Tourisme pl. Gén.-de-Gaulle ✆ 38 36 23 70.
Paris 139 ① – **Bourges 82** ④ – **Gien 25** ① – **Montargis 40** ① – **♦Orléans 48** ① – **Vierzon 74** ④.

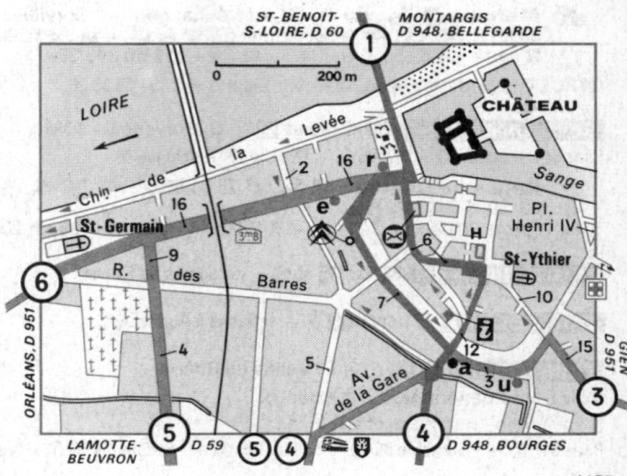

Pont de Sologne, r. Porte-de-Sologne **(a)** 38 36 26 34 – wc wc P VISA
fermé 22 déc. au 10 janv. – **R** 75/150 – 22 – **24 ch** 68/188 – 1/2 p 122/170.

XXX **Host. Grand Sully** avec ch, bd Champ-de-Foire **(u)** 38 36 27 56 – TV wc P. AE E VISA
fermé 20 déc. au 10 janv. et dim. soir – **R** 135/195 – 35 – **10 ch** 250/320.

XX Esplanade avec ch, pl. Pilier **(r)** 38 36 20 83, **5 ch**.

aux Bordes **par ① et D 961 : 6 km – 45460** Les Bordes :

XX **La Bonne Étoile,** 38 35 52 15 – E VISA
fermé 12 au 22 sept., fév., dim. soir et lundi – **R** 60/150.

RENAULT Gar. Beury, 2 bd Jeanne-d'Arc 38 36 33 08

SUNDHOFFEN 68 H.-Rhin 62 ⑲ – rattaché à Colmar.

SUPER-BESSE 63 P.-de-D. 73 ⑬ – rattaché à Besse-en-Chandesse.

SUPER-EYNE 66 Pyr.-Or. 86 ⑯ – rattaché à Saillagouse.

SUPER-LIORAN 15 Cantal 76 ③ – rattaché au Lioran.

SUPER-SAUZE 04 Alpes-de-H.-Pr 81 ⑧ – rattaché à Barcelonnette.

Le SUQUET 06 Alpes-Mar. 84 ⑲, 195 ⑯ – **06450** Lantosque.

Paris 962 – Levens 17 – ♦Nice 45 – Puget-Théniers 48 – Roquebillière 10 – St-Martin-Vésubie 20.

Aub. Bon Puits M, 93 03 17 65, – ch wc P
fermé janv., fév. et mardi hors sais. – **R** 68/120, enf. 65 – 20 – **10 ch** 160/230 1/2 p 200/230.

SURESNES 92 Hauts-de-Seine 55 ⑳, 101 ⑭ – voir à Paris, Environs.

SURGÈRES 17700 Char.-Mar. 71 ③ **G. Poitou Vendée Charentes** – 6 491 h.

Voir Église N.-Dame★.

Office de Tourisme pl. Martyrs-de-la-Résistance (juin-sept.) 46 07 20 02.

Paris 440 – Luçon 61 – Niort 35 – Rochefort 26 – La Rochelle 36 – St-Jean-d'Angély 29.

Ronsard, pl. Château 46 07 00 63 – . VISA. ch
fermé sam. – **R** 55/120 – **11 ch** 80/150 – 1/2 p 165/200.

CITROEN Dupont, 9 rte La Rochelle 46 07 01 71
PEUGEOT-TALBOT Glénaud, 1 r. Brillouet 46 07 01 16
Woodman-Pneus, Zone Ind. Ouest 46 11 03

SURVILLIERS-ST-WITZ 95470 Val-d'Oise 56 ⑪, 196 ⑧ – 3 701 h.

Paris 35 – Chantilly 14 – Lagny 32 – Luzarches 10 – Meaux 37 – Pontoise 40 – Senlis 14.

Novotel M, sur D 16 par échangeur A1 Survilliers (1) 34 68 69 80, Tél 695910, – rest TV P – 25 à 300. AE E VISA
R grill carte environ 120, enf. 40 – 38 – **79 ch** 360/390.

Mercure M, sur D 126 près échangeur A1 Survilliers (1) 34 68 28 28, Tél 695917, – rest TV P – 25 à 200. AE E VISA
R carte 105 à 150, enf. 41 – 34 – **112 ch** 340/350.

CITROEN Gar. de la Liberté, 12 r. de la Liberté (1)34 68 36 26

SUZE-LA-ROUSSE 26790 Drôme 81 ② **G. Provence** – 1 396 h.

Paris 645 – Bollène 7 – Nyons 28 – Orange 17 – Valence 80.

Relais du Château M, 75 04 87 07, – wc P – 40. AE E VISA. rest
fermé 20 déc. au 10 janv. – **R** 60/150 – 23 – **38 ch** 200/270 – 1/2 p 308/358.

TAHITI (Plage de) 83 Var 84 ⑰⑱ – rattaché à St-Tropez.

TAILLECOURT 25 Doubs 66 ⑧ – rattaché à Audincourt.

TAIN-TOURNON 77 ①② **G. Vallée du Rhône.**

Voir Route panoramique★★★ par ④.

voir à Tain-l'Hermitage et à Tournon.

Paris 547 ② – ♦Grenoble 99 ② – Le Puy 106 ⑤ – ♦St-Étienne 75 ① – Valence 18 ② – Vienne 59

Tain-l'Hermitage 26600 Drôme – 5 638 h.

Office de Tourisme 70 av. J.-Jaurès ✆ 75 08 06 81.

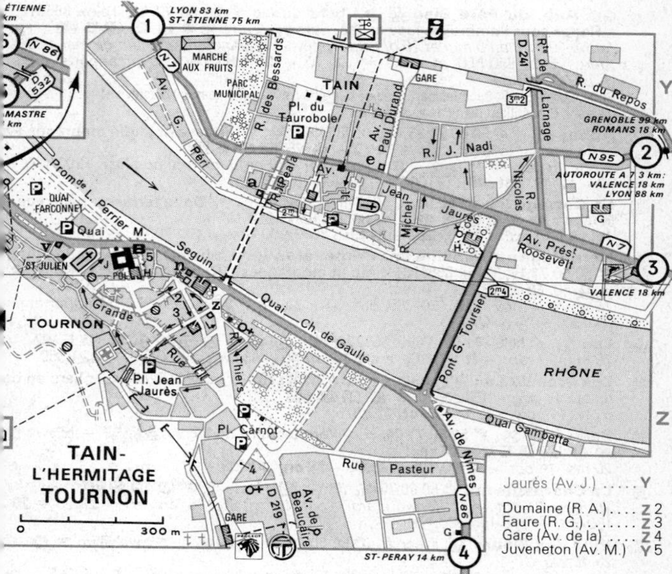

Commerce, 1 av. P. Durand ✆ 75 08 65 00, Télex 345573, jardin, piscine – ascenseur, tv, wc – 80. AE E VISA Y e
fermé 15 nov. au 15 déc. – **R** 90/290 – 29 – **41 ch** 250/360 – ½ p 250/300.

Deux Côteaux sans rest, 18 r. J.-Péala ✆ 75 08 33 01 – wc ☎ Y a
fermé 5 au 25 nov. et week-ends du 25 nov. au 15 mars – 18,50 – **22 ch** 130/238.

Reynaud, 82 av. Pr. Roosevelt ✆ 75 07 22 10, terrasse – P. AE E VISA
fermé janv., dim. soir et lundi – **R** 120/260, enf. 70.

route de Romans par ② : 4 km – ✉ **26200** Tain-l'Hermitage :

L'Abricotine M, ✆ 75 07 44 60, ←, – wc P. E VISA
fermé 22 nov. au 1er déc. et dim. de nov. à mars – **R** (dîner seul.) (résidents seul.) 45 – 24 – **10 ch** 210/240.

Tournaire-Pneus, 8 av. Prt-Roosevelt ✆ 75 08 28 97

Tournon 07300 Ardèche 77 ① – 9 707 h.

Voir Terrasses★ du château YB.

Syndicat d'Initiative pl. St-Julien ✆ 75 08 10 23.

Château, 12 quai M.-Seguin ✆ 75 08 60 22, Télex 345156, ←, terrasse – tv wc ☎ – 50. AE E VISA Y n
fermé 1er au 20 nov., sam. et dim. hors sais. – **R** 85/230 – 27 – **14 ch** 180/330.

Paris sans rest, pl. S. Mallarmé ✆ 75 08 01 11, Télex 345156 – ascenseur tv wc wc ☎. AE E VISA Z z
fermé dim. hors sais. – **R** voir H. du **Château** – 27 – **22 ch** 240/330.

Chaumière avec ch, 76 quai Farconnet ✆ 75 08 07 78, « Cadre rustique » – tv wc ☎. AE E VISA Y v
13 mars-1er nov. et fermé lundi soir et mardi hors sais. – **R** 78/170, enf. 42 – 23 – **10 ch** 160/270.

W Centre Rhône Automobile, 63 av. de ...nes ✆ 75 08 14 09
...ROEN Gélibert, quai Farconnet ✆ 75 08 01

PEUGEOT-TALBOT Fournier, r. V.-d'Indy ✆ 75 08 11 22

...LENCE 33 Gironde 71 ⑨ – rattaché à Bordeaux.

TALLOIRES 74 H.-Savoie 74 ⑥ G. Alpes du Nord – 931 h. – ✉ 74290 Veyrier-du-Lac.
Voir Site★★★ – Site★★ de l'Ermitage St-Germain★ E : 4 km.

du lac d'Annecy ✆ **50 60 12 89, NO : 1 km** – Office de Tourisme ✆ 50 60 70 64, Tél 309257 – Paris 551 – Albertville 33 – Annecy 13 – Megève 48.

Aub. du Père Bise Ⓜ, **bord du lac** ✆ **50 60 72 01, Télex 385812,** « Repas sous l'ombrage, face au lac, parc », – ☎ Ⓟ. AE ⓓ E VISA
fermé 19 avril au 5 mai et 15 déc. au 15 fév. – **R** *(fermé mardi sauf de mai à sept. merc. midi)* 350/550 et carte – 70 – **25 ch** 500/1600, 9 appartements ½ p 800/1850
Spéc. Corolle de St-Jacques parfumée au curry (fév. et mars), Fricassée d'écrevisses aux chanterel (saison), Croustillant de ris de veau truffé.

Abbaye, ✆ **50 60 77 33, Télex 385307,** « Terrasse et jardin ombragés av belle vue sur le lac », – ☎ Ⓟ – 25. AE ⓓ E VISA
fermé 18 déc. au 15 janv. – **R** *(fermé dim. soir et lundi midi hors sais.)* 200/400, e 90 – 48 – **31 ch** 705/1000 – ½ p 495/730.

Le Cottage, ✆ **50 60 71 10, Télex 309454,** « De la terrasse, belle vue s le lac », – TV ☎ Ⓟ – 30. AE ⓓ E VISA. rest
1er avril-15 oct. – **R** 180/280 – **34 ch** 600/900 – ½ p 400/700.

Hermitage et Domaine des Primevères Ⓜ, **chemin de la cascade d'Ang** ✆ **50 60 71 17, Télex 385196,** < **lac et montagnes,** , **parc,** , – TV ☎ – 50. AE ⓓ E VISA. rest
15 mars-1er nov. – **R** 130/285, enf. 60 – 48 – **35 ch** 320/550, 14 appartemer 650/900 – ½ p 400/470.

Lac, ✆ **50 60 71 08, Télex 309274,** , , – TV ☎ Ⓟ. AE ⓓ E VISA
28 mai-30 sept. – **R** 140/160, enf. 80 – 40 – **43 ch** 350/500 – ½ p 420/560.

Les Prés du Lac Ⓜ sans rest, ✆ **50 60 76 11, Télex 309288,** <, « **Parc au bo du lac** », – TV wc ☎ Ⓟ. AE ⓓ VISA
6 fév.-11 nov. – 55 – **9 ch** 720/875.

Beau Site, ✆ **50 60 71 04,** <, « **Parc au bord du lac** », , – wc Ⓟ. AE ⓓ E VISA. rest
20 mai-1er oct. – **R** 120/195 – 35 – **38 ch** 195/400.

La Charpenterie, ✆ **50 60 70 47,** – TV wc ☎. AE ⓓ E VISA
26 mars-31 oct. – **R** *(fermé mardi d'oct. à mai)* 85/165, enf. 55 – 25 – **20** 190/310 – ½ p 195/290.

Villa des Fleurs avec ch, ✆ **50 60 71 14,** , – wc wc ☎ Ⓟ – 20. E VISA
fermé 10 nov. au 15 déc., 10 janv. au 10 fév., dim. soir et lundi – **R** 108/235 – – **7 ch** 230/280 – ½ p 250/280.

à Angon S : 2 km par D 909A – ✉ **74290** Veyrier-du-Lac :

Les Grillons, ✆ **50 60 70 31,** <, – wc Ⓟ. E VISA. rest
1er avril-11 nov. – **R** 115/160, enf. 45 – 30 – **34 ch** 280/360 – ½ p 220/300.

La Bartavelle, ✆ **50 60 70 68,** –
15 mai-15 sept. – **R** carte 100 à 160 – 20 – **7 ch** 90/160 – ½ p 130/165.

TALMONT 17 Char.-Mar. 71 ⑮ G. Poitou Vendée Charentes – 79 h. – ✉ 17120 Cozes.
Voir Site★ de l'église Ste-Radegonde★.
Paris 502 – Blaye 76 – La Rochelle 88 – Royan 16 – Saintes 35.

L'Estuaire avec ch, au Caillaud ✆ **46 90 43 85,** <, – Ⓟ. E VISA. ch
hôtel ouvert 1er mars-30 sept. et fermé mardi et merc. sauf juil.-août – **R** *(fe 4 janv. au 4 fév., 1er au 10 oct., mardi soir et merc. sauf juil-août)* 68/142 – 16 – **7 ch** 100/170 – ½ p 150/180.

LA TAMARISSIÈRE 34 Hérault 83 ⑮ – rattaché à Agde.

TAMNIÈS 24 Dordogne 75 ⑰ – 284 h. – ✉ 24620 Les Eyzies-de-Tayac.
Paris 517 – Brive-la-Gaillarde 51 – Les Eyzies-de-Tayac 14 – Périgueux 59 – Sarlat-la-Canéda 15.

Laborderie, ✆ **53 29 68 59,** <, , **parc,** – wc wc Ⓟ. E rest
19 mars-14 nov. – **R** 70/230 – 24 – **32 ch** 150/290 – ½ p 170/260.

TANCARVILLE (Pont routier de) ★ 76 S.-Mar. 55 ④ G. Normandie Vallée de la Sein 1 139 h. – ✉ 76430 St-Romain-de-Colbosc – **Voir** <★ **sur estuaire.**
Péage : auto 4 à 9 F (conducteur et passagers compris), remorque 2,50 F, camion de 6 à 23 F, gratuit pour piétons et deux-roues.
Du centre du pont : Paris 175 – ♦Caen 77 – ♦Le Havre 29 – Pont-Audemer 19 – ♦Rouen 59.

à Tancarville-Écluse – ✉ **76430** St-Romain-de-Colbosc :

Marine avec ch, au pied du pont D 982 ✆ **35 39 77 15,** < **pont,** – wc Ⓟ. E VISA. ch
fermé 18 juil. au 11 août, vacances de fév., dim. soir et lundi – **R** 120 bc/220, enf – 25 – **8 ch** 150/250 – ½ p 300.

ANINGES 74440 H.-Savoie 74 ⑦ **G. Alpes du Nord** – 2 756 h. alt. 640.
Office de Tourisme av. Thézières ✆ 50 34 25 05.
ris 575 – Annecy 74 – Bonneville 25 – Chamonix 52 – ♦Genève 55 – Megève 38 – Morzine 19.

XX **La Crémaillère,** à Flérier SO : 1 km ✆ 50 34 21 98, ←, 🌳, 🌳 – Ⓟ. ⊙ E VISA
fermé janv., merc. (sauf juil.-août) et mardi soir – **R** 70/165.

UGEOT-TALBOT Gar. Anthonioz, ✆ 50 34 45
RENAULT Gar. Delfante, ✆ 50 34 20 71 N
Gar. Klipfel, ✆ 50 34 22 27

ANUS 81 Tarn 80 ⑪ – 565 h. – ✉ **81190** Mirandol-Bourgnounac.
ris 669 – Albi 32 – Millau 89 – Rodez 46 – St-Affrique 73.

XX **Voyageurs** avec ch, ✆ 63 76 30 06, 🌳 – TV ⋒wc ☎ 🚗. AE E VISA. ✻ ch
fermé 1er au 8 nov., vacances de fév. et vend. sauf juil.-août – **R** 60/210 ♁, enf. 40 – ☕ 20 – **17 ch** 145/200 – 1/2 p 160/250.

APONAS 69 Rhône 73 ⑩ – rattaché à Belleville.

ARARE 69170 Rhône 73 ⑨ **G. Vallée du Rhône** – 10 935 h.
Syndicat d'Initiative pl. Madeleine ✆ 74 63 06 65.
is 473 – ♦Lyon 45 – Montbrison 62 – Roanne 41 – Villefranche-sur-Saône 32.

Mère Paul, O par N 7 : 2 km ✆ 74 63 14 57 – ⌂wc ⋒ ☎ Ⓟ. E VISA
fermé 1er au 8 juil., 1er au 15 sept., mardi soir et merc. – **R** 42/150 ♁ – ☕ 18 – **10 ch** 110/180.

XX **Jean Brouilly,** 3 ter r. Paris par ③ ✆ 74 63 24 56 – Ⓟ. AE ⊙ E VISA
fermé 7 au 17 août, vacances de fév., dim. et lundi – **R** 120/270 ♁, enf. 60.

E : 3 km par N 7 – ✉ **69490** Pontcharra-sur-Turdine :

Git'Otel M, ✆ 74 63 44 01, 🌳 – TV ⌂wc ☎ Ⓟ – 🏃 40. AE ⊙ E VISA
R *(fermé dim.)* 58/130 ♁ – ☕ 23 – **35 ch** 160/245.

*à **Pontcharra-sur-Turdine*** E : 5,5 km par N 7 – ✉ **69490** Pontcharra-sur-Turdine :

France, ✆ 74 05 72 97 – ⋒wc ☎ Ⓟ. AE ⊙ E VISA. ✻ ch
fermé août, dim. soir et lundi – **R** 90/200 – ☕ 25 – **11 ch** 113/235 – 1/2 p 215/320.

X **Bains,** sur D 33 ✆ 74 05 71 09, 🌳 – VISA
fermé fin janv. à fin fév. et mardi – **R** 45/95 ♁.

ROEN Central Gar., 28 r. République ✆ 74 06 10
RD Beylier, 17 r. Serroux ✆ 74 63 05 41 N
EL Duperray, 14 av. Ed.-Herriot ✆ 74 63 03
JGEOT-TALBOT Dubois, N 7 ✆ 74 63 03 80
NAULT Laurent, rte Valsonne ✆ 74 63 04
RENAULT Gar. Vericel, 46-48 av. Ed. Herriot ✆ 74 63 15 92
RENAULT Gar. du Mortier, RN 7 à Pontcharra-sur-Turdine ✆ 74 05 73 08
V.A.G. Gar. du Viaduc 33 rte de Paris ✆ 74 63 06 04

TARASCON

les (R. des) ..... YZ
irie
Pl. de la) .... Y 15
nge (R.) .... Y
etan (R. E.) .... Z 19
udhon (R.) .... Z 20
tor-Hugo (Bd) .... Z
ueduc
R. de l') .... Y 2
rurier
Pl. Colonel) ...... Z 3
nqui (R.) .... Z 4
nd
Crs Aristide) ..... Z 5
teau (Bd du) ..... Y 6
teau (R. du) ..... Y 7
ital (R. de l') ..... Z 9
rès (R. Jean) ..... Y 12
-de-Paume
R. du) .... YZ 14
aud (R. Ed.) .... YZ 16
tral
R. Frédéric) ...... Z 18
in (R.) .... Y 23
ublique
Av. de la) .... Z 24
engro (Av. R.) .... Y 25

Guide change,
ngez de guide
s les ans.

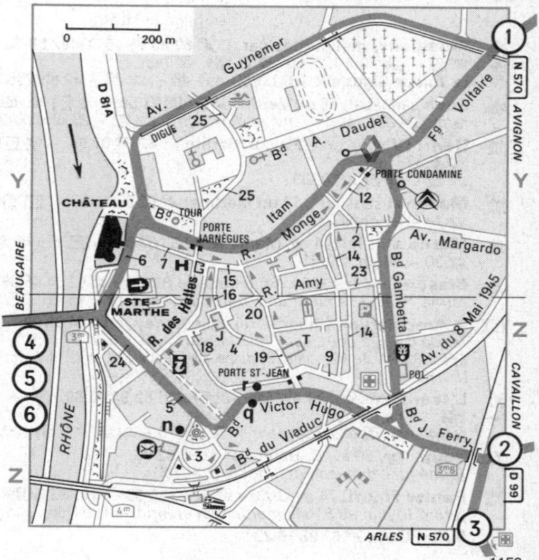

TARASCON 13150 B.-du-R. 81 ⑪ G. Provence – 11 024 h.

Voir Château★★ : ※★★ Y – Église Ste-Marthe★ Y.

Office de Tourisme 59 r. Halles ☎ 90 91 03 52.

Paris 713 ⑥ – Arles 18 ③ – Avignon 23 ① – ♦Marseille 100 ③ – Nîmes 26 ⑤.

Plan page précédente

Provence sans rest, 7 bd Victor-Hugo ☎ 90 91 06 43 – TV wc ☎. AE ① E Z
34 – **11 ch** 220/350.

St-Jean, 24 bd Victor-Hugo ☎ 90 91 13 87 – wc wc ☎. AE ① E VISA. ※
fermé 15 déc. au 15 janv. et merc. de sept. à mars – **R** 66/170, enf. 25 – 20 Z
12 ch 170/195 – 1/2 p 255/280.

Terminus, pl. Colonel-Berrurier ☎ 90 91 18 95, – wc wc ☎. AE ① Z
VISA
fermé 10 fév. au 15 mars, sam. midi et merc. – **R** 50/95 – 19 – **22 ch** 80/160
1/2 p 140/220.

CITROEN Gar. Chabas, 8 bd Gambetta ☎ 90 91 12 71 N ☎ 90 91 15 55
RENAULT Rostain, 59 bd Itam ☎ 90 91 00 38
Tarascon-Pneus, 1 Pl. Emile Combe ☎ 90 54 36

TARASCON-SUR-ARIÈGE 09400 Ariège 86 ④⑤ G. Pyrénées Roussillon – 3 848 h.

Voir Grotte de Niaux★★ (dessins préhistoriques) SO : 4 km.

Office de Tourisme pl. Ste-Quitterie ☎ 61 05 63 46 et à la Mairie ☎ 61 05 64 00.

Paris 777 – Ax-les-Thermes 26 – Foix 16 – Lavelanet 29.

Host. Poste, av. V.-Pilhes ☎ 61 05 60 41, , – wc wc ☎. AE ① E
R 60/150 – 18 – **30 ch** 100/240 – 1/2 p 190/305.

Confort sans rest, 3 quai A.-Sylvestre ☎ 61 05 61 90 – wc wc ☎ P
VISA
19 – **14 ch** 98/192.

à Sinsat S : 6 km sur N 20 – ✉ **09310** Les Cabannes :

Leal, ☎ 61 64 78 26 – wc wc P. E VISA
fermé déc. et janv. – **R** *(fermé merc. de fin sept. à mai)* 50/120 – 15 – **20**
75/130 – 1/2 p 138/190.

CITROEN Gar. du Stade, ☎ 61 05 89 20
PEUGEOT-TALBOT Comelera, ☎ 61 05 61 1

TARBES P 65000 H.-Pyr. 85 ⑧ G. Pyrénées Aquitaine – 54 055 h.

Voir Jardin★ et Musée Massey (musée international des Hussards★ AB M).

9 ☎ 62 96 06 22 par ⑤ : 3 km.

de Tarbes-Ossun-Lourdes ☎ 62 32 92 22 par ⑥ : 9 km.

☎ 62 37 50 50.

Syndicat d'Initiative pl. Verdun ☎ 62 93 36 62 – A.C. 6 r. E.-Ténot ☎ 62 93 03 30.

Paris 790 ① – ♦Bordeaux 211 ① – Lourdes 19 ⑥ – Pau 40 ⑦ – ♦Toulouse 153 ④.

Plan page ci-contre

Président, rte Lourdes par ⑥ ☎ 62 93 98 40, Télex 530522, <, – rest
☎ P – 30 à 120. AE ① E VISA. ※ rest
Le Toit de Bigorre R 160 bc/50, enf. 40 – 26 – **57 ch** 235/320.

Foch sans rest, 18 pl. Verdun ☎ 62 93 71 58 – TV ☎. AE E VISA
fermé 24 déc.-au 1er janv. et dim. soir – 22 – **29 ch** 200/260.

Henri IV sans rest, 7 av. B. Barère ☎ 62 34 01 68 – TV wc wc ☎
① E VISA
22 – **24 ch** 180/260.

Martinet sans rest, 13 bd Martinet ☎ 62 37 96 30 – TV wc ☎ P. AE E VISA
18 – **24 ch** 85/210.

Marne sans rest, 4 av. Marne ☎ 62 93 03 64 – TV wc ☎ . AE ① E VISA
20 – **26 ch** 100/210.

Blason sans rest, 26 r. Régiment de Bigorre ☎ 62 34 48 88 – wc ☎
fermé 14 au 31 août et dim. hors sais. – 18 – **15 ch** 135/160.

XXX ✿ **Amphitryon** (Ribardière), 38 r. Larrey ☎ 62 34 08 99 – AE ① VISA
fermé 6 au 22 août, sam. midi et dim. – **R** 130/200
Spéc. Ravioli de foie frais, Palombe aux choux (oct.-déc.), Magret au gros sel. **Vins** Jurar Madiran.

XX **L'Isard** avec ch, 70 av. Mar.-Joffre ☎ 62 93 06 69, – TV wc wc ☎.
VISA. ※ ch
fermé fév., dim. soir et sam. – **R** 48/170 – 20 – **8 ch** 100/150.

XX **Toup' Ty,** 86 av. B.-Barère ☎ 62 93 32 08 – VISA
fermé juil., dim. soir et lundi – **R** 70/150.

XX **Panier Fleuri,** 74 av. Joffre ☎ 62 93 10 80 – . AE E VISA
fermé 15 juin au 8 juil., mardi midi et lundi – **R** 69/95.

X **Buffet Gare,** ☎ 62 93 16 22

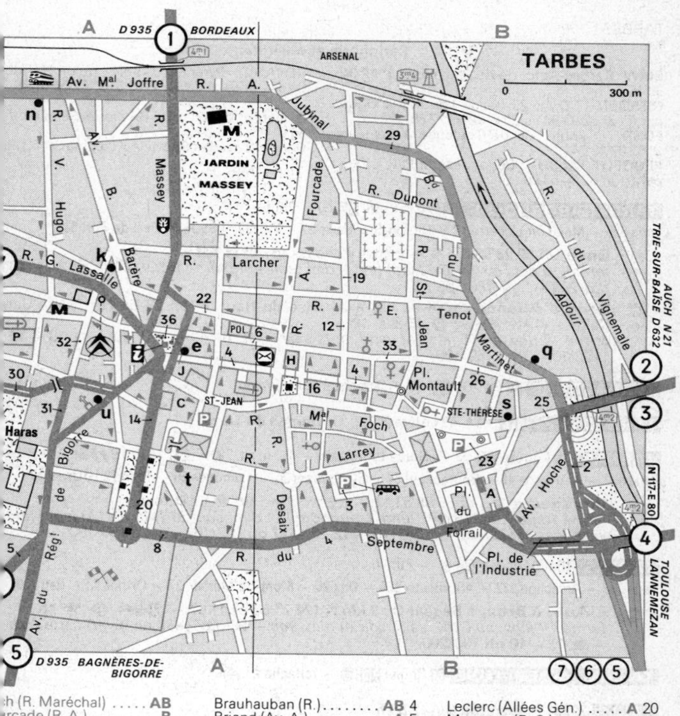

...h (R. Maréchal) ..... AB	Brauhauban (R.) .... AB 4	Leclerc (Allées Gén.) ...... A 20
...rcade (R. A.) .... B	Briand (Av. A.) .... A 5	Magnoac (R. G.) .... A 22
...cher (R. J.) .... AB	Clemenceau (R. G.) ...... B 6	Marcadieu (Pl.) .... B 23
...énées (R. des) .... A 31	Cronstadt (R. de) .... A 8	Marne (Av. de la) .... B 25
...mond (R.) .... A 32	Deville (R.) .... B 12	Michelet (R.) .... B 26
...dun (Pl. de) .... A 36	Gambetta (Cours) .... A 14	Parmentier (Pl.) .... B 28
	Jaurès (Pl. Jean) .... B 16	Péreire (R.) .... B 29
...our (Quai de) .... B 2	Joffre (Av. Mar.) .... A 18	Pradeau (Prom. du) .... A 30
...s (Pl. aux) .... B 3	Laporte (R. H.) .... B 19	St-Frai (R. Marie) .... B 33

rte de Lourdes par ⑥ :

Concorde M, à 3 km ✉ 65310 Laloubère ✆ 62 93 51 18, Télex 530194, – TV ☎ P. AE ⓓ E VISA. rest
R 70/140 – ☕ 25 – **42 ch** 200/280 – 1/2 p 190/270.

Campanile, à 4 km ✉ 65310 Laloubère ✆ 62 93 83 20, Télex 530571 – rest TV wc ☎ ♿ P – 40. VISA
R 63 bc/86 bc, enf. 38 – ☕ 24 – **42 ch** 200/220 – 1/2 p 287/330.

L'Aragon, à 4 km ✉ 65290 Juillan ✆ 62 93 99 33, – wc wc ☎ P. AE ⓓ E VISA
fermé 1er au 26 janv., dim. soir et lundi de nov. à mars – **R** 60/290 – ☕ 20 – **14 ch** 145/240 – 1/2 p 190/240.

à l'Aéroport par ⑥ : 9 km – ✉ **65290** Juillan :

Caravelle, ✆ 62 32 99 96, ≤ Pyrénées – P. AE ⓓ VISA
fermé 11 au 21 juil., 9 janv. au 1er fév., dim. soir et lundi – **R** (1er étage) 135/220.

par ⑦ : 6 km rte de Pau – ✉ **65420** Ibos :

La Chaumière du Bois M, ✆ 62 31 02 42, , parc, – wc ☎ P. AE E VISA
fermé 20 déc. au 5 janv. – **R** *(fermé dim. soir et lundi)* 75/250 , enf. 45 – ☕ 25 – **23 ch** 230/280 – 1/2 p 230/320.

...A-ROMEO-NISSAN Raoux, bd Kennedy ...2 93 28 97
...ROEN Garoby, 23 r. Lassalle ✆ 62 93 31 36
...G. Gar. Tolsan, rte de Pau ✆ 62 34 35 83

Central-Pneu, 1 bd Mar.-de-Lattre-de-Tassigny ✆ 62 34 74 96
Dours, 13 bis cours de Reffye ✆ 62 93 01 84
Saliot, 10 r. Clément ✆ 62 34 52 01

Périphérie et environs

BMW Tarbes-Auto, rte de Pau à Ibos ✆ 62 34 38 45
CITROEN T.D.A., 28 rte de Lourdes à Odos par ⑥ ✆ 62 93 94 95 N ✆ 62 93 72 55
FORD C.-Fabre, rte de Toulouse à Séméac ✆ 62 37 18 74
PEUGEOT-TALBOT Benoît, rte de Pau à Ibos par ⑦ ✆ 62 34 53 90

RENAULT Pyrénées-Autom., rte de Lourdes Odos par ⑥ ✆ 62 34 38 83 N ✆ 62 36 51 38

Dours, 49 bis r. Dr Guinier à Séméac ✆ 36 51 95
Germa, 2 av. des Sports à Aureilhan ✆ 62 36 52

TARDETS-SORHOLUS 64470 Pyr.-Atl. 85 ⑤ – 787 h.
Paris 820 – Mauléon-Licharre 13 – Oloron-Ste-Marie 27 – Pau 60 – St-Jean-Pied-de-Port 53.

Gave, ✆ 59 28 53 67, ← – wc wc P. AE E VISA
fermé 10 nov. au 15 fév. (sauf rest.), dim. soir et lundi – **R** 50/120 – 24 – **10**
125/220 – 1/2 p 180/195.

Pont d'Abense avec ch, à Abense-de-Haut ✆ 59 28 54 60, , « Jard fleuri » – wc P. E VISA.
fermé 15 nov. au 15 janv. et vend. hors sais. – **R** 60/140, enf. 40 – 18 – **12**
110/210 – 1/2 p 160/180.

TARGASONNE 66 Pyr.-Or. 86 ⑯ – rattaché à Font-Romeu.

TARN (Gorges du) ★★★ 48 Lozère 80 ⑤ G. Gorges du Tarn.

TARNAC 19 Corrèze 72 ⑳ G. Berry Limousin – 472 h. alt. 700 – ✉ 19170 Bugeat.
Paris 427 – Aubusson 49 – Bourganeuf 54 – Eymoutiers 24 – ♦Limoges 69 – Tulle 72 – Ussel 47.

Voyageurs, ✆ 55 95 53 12 – wc wc ☎. VISA. rest
fermé 10 janv. au 15 fév., lundi (sauf hôtel) et dim. soir du 1/10 au 1/6 (sauf fêtes vacances scolaires) – **R** 68/140 – 22 – **17 ch** 102/182 – 1/2 p 150/190.

TARTAS 40400 Landes 78 ⑥ – 2 976 h.
Paris 727 – Arcachon 132 – ♦Bordeaux 135 – Dax 25 – Mont-de-Marsan 27 – Orthez 43 – Pau 100.

L'Aub. à Bros, à Bégaar O : 2 km N 124 ✆ 58 73 41 67 – P. ch
fermé 1er janv. au 6 fév. sam. soir et dim. soir – **R** (déj. seul. en hiver) carte 85 à 1
– 12 – **10 ch** 100/200.

TASSIN-LA-DEMI-LUNE 69 Rhône 73 ⑳ – rattaché à Lyon.

TAULÉ 29231 Finistère 58 ⑥ – 2 722 h.
Paris 545 – ♦Brest 57 – Morlaix 7 – Quimper 83 – St-Pol-de-Léon 14.

Relais des Primeurs, à la gare N : 1,5 km ✆ 98 67 11 03, – wc P VISA. ch
fermé sept., vend. soir et sam. midi sauf juil.-août – **R** 52/156, enf. 38 – 16
16 ch 122/133 – 1/2 p 150/165.

TAUSSAT-LES-BAINS 33148 Gironde 78 ②
Paris 628 – Andernos-les-Bains 4,5 – Arcachon 36 – ♦Bordeaux 48.

Plage, ✆ 56 82 06 01, – wc wc
hôtel : fermé oct. et lundi hors sais. ; rest. : ouvert mai à sept. et fermé lundi h sais. – **R** 50/130 – 23 – **15 ch** 170/220 – 1/2 p 200/240.

TAVEL 30126 Gard 81 ⑪ – 1 383 h.
Paris 678 – Alès 67 – Avignon 14 – Nîmes 39 – Orange 20 – Pont-St-Esprit 33 – Roquemaure 8,5.

Aub. de Tavel (Bonnevaux) M avec ch, ✆ 66 50 03 41, , – TV wc ☎ P – 30. AE E VISA
fermé 3 nov. au 15 déc. et 15 janv. au 15 mars – **R** *(fermé lundi sauf juil.-a*
180/280, enf. 60 – 35 – **11 ch** 255/345 – 1/2 p 267/347
Spéc. Morue fraîche à l'ail doux, Filet d'agneau caramélisé au gingembre, Escalope de foie gra Beaumes de Venise. **Vins** Tavel, Lirac.

Host. du Seigneur avec ch, ✆ 66 50 04 26, tableaux – E VISA. ch
fermé 15 déc. au 15 janv. et jeudi – **R** 70/100 – 25 – **7 ch** 100/150.

TAVERS 45 Loiret 64 ⑧ – rattaché à Beaugency.

Le TEIL 07 Ardèche 80 ⑩ G. Vallée du Rhône – 8 352 h. – ✉ 07400 Le Teil-d'Ardèche.
Voir Baptistère ★ de l'église de Mélas – Office de Tourisme pl. P.-Sémard "Les Sablo ✆ 75 49 10 46 – Paris 610 – Aubenas 37 – Montélimar 6 – Privas 28.

L'Ardéchois, N 86 sortie Sud ✆ 75 49 21 39 – E VISA
fermé 1er au 15 août, sam. midi, dim. soir, lundi et les soirs fériés – **R** 90/180, 45.

Coissieux, N 86 sortie Sud ✆ 75 49 06 83 – AE VISA
fermé 1er au 21 juil., mardi soir et merc. – **R** 75/200.

Le TEILLEUL 50640 Manche 59 ⑨ – 1 542 h.
Paris 271 – Avranches 46 – Domfront 19 – Fougères 38 – Mayenne 38 – St-Lô 77.

Clé des Champs, E : 1 km sur N 176 ☎ 33 59 42 27 – wc. AE E VISA
fermé 1er fév. au 7 mars et dim. soir du 1er oct. au 1er avril – **R** 60/135 – 19 – **20 ch** 97/210 – 1/2 p 165/220.

PEUGEOT-TALBOT Gar. Lemonnier, ☎ 33 59 40 20
RENAULT Gar. Bonsens, ☎ 33 59 40 28

TELGRUC-SUR-MER 29 Finistère 58 ⑭ – 1 844 h. – ✉ **29127** Plomodiern.
Paris 572 – Châteaulin 23 – Douarnenez 33 – Quimper 42.

Aub. du Gerdann, E : 2 km sur D 887 ☎ 98 27 78 67 – E VISA.
fermé 10 au 25 oct., fév., lundi soir hors sais. et mardi – **R** 68/210, enf. 38.

TEMPLERIE 35 I.-et-V. 59 ⑲ – rattaché à Fougères.

TENCE 43190 H.-Loire 76 ⑧ **G. Vallée du Rhône** – 2 733 h. alt. 840.
Syndicat d'Initiative pl. Chatiague ☎ 71 59 81 99.
Paris 559 – Le Chambon-sur-Lignon 8,5 – Lamastre 41 – Le Puy 46 – ♦St-Étienne 53 – Yssingeaux 19.

Le Gd Hôtel (Placide), ☎ 71 59 82 76, , parc – wc wc. E VISA. rest
Pâques-1er nov. et fermé dim. soir et lundi sauf du 15 juin au 15 sept. – **R** 115/320 – 30 – **18 ch** 270/350 – 1/2 p 400
Spéc. Massalé de langoustines et samoussas d'encornets, Foie gras chaud au coulis de cèpes, Pain gratiné sauce Cardinal. **Vins** St-Joseph.

PEUGEOT-TALBOT Gar. Bachelard, ☎ 71 59 80 20 N ☎ 71 59 83 30

TENDE 06430 Alpes-Mar. 84 ⑳ **G. Côte d'Azur** – 2 045 h. alt. 816.
de Vievola ☎ 93 04 61 02, N par N 204 : 4,5 km.
Paris 874 – Cuneo 45 – Menton 57 – ♦Nice 83 – Sospel 40.

Centre sans rest, 12 pl. République ☎ 93 04 62 19 – wc wc. E VISA
fermé 1er au 20 fév. – 16 – **17 ch** 90/130.

TERMES D'ARMAGNAC 32 Gers 82 ② – rattaché à Riscle.

TERMIGNON 73 Savoie 77 ⑧ **G. Alpes du Nord** – 344 h. alt. 1 300 – ✉ **73500** Modane.
Paris 655 – Chambéry 120 – Col du Lautaret 75 – Modane 17 – St-Jean-de-Maurienne 48.

Doron, ☎ 79 20 50 44 – . rest
vacances de printemps, 20 juin-10 sept., vacances de Noël et de fév. – **R** 62/75 bc – 18 – **16 ch** 88/105 – 1/2 p 130/155.

La TERRIÈRE 85 Vendée 71 ⑪ – rattaché à La Tranche-sur-Mer.

TERTENOZ 74 H.-Savoie 74 ⑰ – rattaché à Faverges.

TESSÉ-LA-MADELEINE 61 Orne 60 ① – rattaché à Bagnoles-de-l'Orne.

La TESSOUALLE 49 M.-et-L. 67 ⑥ – rattaché à Cholet.

La TESTE 33260 Gironde 78 ②⑫ – 19 030 h.
☎ 56 54 44 00, O : 2 km.
Office de Tourisme pl. J.-Hameau ☎ 56 66 45 59.
Paris 646 – Andernos-les-Bains 35 – Arcachon 4 – Belin-Beliet 39 – Biscarrosse 34 – ♦Bordeaux 59.

France sans rest, ☎ 56 66 27 69 – wc .
fermé 22 oct. au 12 nov. – 22 – **15 ch** 137/220.

AUTOBIANCHI-LANCIA-**NISSAN** Auto-Port, Parc Ind., rte Cazaux ☎ 56 54 12 13
CITROEN S.A.C.A., RN 650 Le Lapin ☎ 56 54 ..01
PEUGEOT-TALBOT Estrade, Zone Ind., bd Industrie ☎ 56 54 14 69
RENAULT Arc-Auto, Zone Ind. ☎ 56 54 14 50 ☎ 56 54 35 11
RENAULT Gar. de la Côte, 36 av. Gén.-de-Gaulle ☎ 56 66 31 98
Lascaray, 53 av. Gén.-de-Gaulle ☎ 56 66 27 22

TETEGHEM 59 Nord 51 ④ – rattaché à Dunkerque.

Le TEULET 19 Corrèze 75 ⑳ – ✉ **19430** Mercoeur.
Paris 536 – Argentat 24 – Aurillac 30.

Relais du Teulet, ☎ 55 28 71 09 – VISA. ch
fermé sam. de nov. à Pâques – **R** 48/115 , enf. 30 – 15 – **10 ch** 85/150.

TEYSSET 47 Lot-et-Gar. 79 ⑤ – rattaché à Ste-Livrade-sur-Lot.

THANN 68800 H.-Rhin 66 ⑨ **G. Alsace et Lorraine (plan)** – 7 788 h.
Voir Collégiale St-Thiébaut★★ – Office de Tourisme 6 pl. Joffre (juin-sept.) 89 37 96 20.
Paris 447 – Belfort 42 – Colmar 44 – Épinal 88 – Guebwiller 25 – ♦Mulhouse 22.

Kléber, 39 r. Kléber 89 37 13 66 – wc wc. E VISA. rest
fermé 1er au 17 juil., 18 déc. au 8 janv. – **R** *(fermé dim.)* 50/145, enf. 40 – 22 – **15 ch** 95/205 – 1/2 p 160/190.

FIAT, LANCIA, AUTOBIANCHI Boeglin, 64 rte Mulhouse, Vieux-Thann 89 37 04 03
PEUGEOT-TALBOT Jeker, 16 rte de Rodere par D 103 et D 35 89 37 81 72

THANNENKIRCH 68 H.-Rhin 62 ⑲ **G. Alsace et Lorraine** – 367 h. – **68590** St-Hippolyte.
Voir Route★ **de Schaentzel (D 48¹) N : 3 km** – Paris 424 – Colmar 21 – St-Dié 39 – Sélestat 15

Touring, 89 73 10 01, ← – wc wc. rest
Pâques-1er nov. – **R** 68/148, enf. 32 – 26 – **31 ch** 170/239 – 1/2 p 207/246.

Aub. la Meunière, 89 73 10 47, ←, , – wc. VISA
3 mars-15 nov. – **R** *(fermé merc.)* 75/120 – 20 – **12 ch** 150/220 – 1/2 p 190/210

THANVILLÉ 67 B.-Rhin 62 ⑲ – rattaché à Villé.

Le THEIL 15 Cantal 76 ② – rattaché à Salers.

THEIX 56 Morbihan 63 ③ – rattaché à Vannes.

THEIZÉ 69 Rhône 73 ⑨ – 944 h. – **69620** Le Bois-d'Oingt.
Paris 449 – Chauffailles 51 – ♦Lyon 34 – Tarare 23 – Villefranche-sur-Saône 12.

Espérance, près Église 74 71 22 26, ← – . AE E VISA
fermé 20 sept. au 20 oct., mardi soir et merc. – **R** *(du 1er janv. au 30 avril ouve seul. dim. midi et sam.)* 70/110 – 16 – **9 ch** 80/120.

THEL 69 Rhône 73 ⑧ – rattaché à Cours.

THÈMES 89 Yonne 61 ⑭ – **89410** Cézy.
Paris 137 – Auxerre 36 – La Celle-St-Cyr 4 – Joigny 8,5 – Montargis 50 – Sens 27.

P'tit Claridge avec ch, 86 63 10 92, , – . AE E VISA. ch
fermé mardi – **R** 80/200 – 25 – **13 ch** 80/160 – 1/2 p 150/220.

THENISY 77 S.-et-M. 61 ③④ – 156 h. – **77520** Donnemarie-Dontilly.
Paris 86 – Coulommiers 42 – Melun 46 – Montereau-faut-Yonne 21 – Provins 15 – Sens 38.

Aub. Fleurie, (1) 60 67 33 02 – . E VISA
fermé fév. et merc. – **R** (dîner prévenir) 97.

THÉOULE-SUR-MER 06590 Alpes-Mar. 84 ⑧, 195 ㉞ **G. Côte d'Azur** – 1 010 h.
Office de Tourisme av. Lerins 93 49 28 28 et 37 av. Miramar (juil.-août) 93 75 48 48.
Paris 900 – Cannes 10 – Draguignan 57 – ♦Nice 41 – St-Raphaël 36.

Gd Hôtel sans rest, 93 49 96 04 – wc . VISA
Pâques-1er oct. – 25 – **24 ch** 220/330.

à la Galère S : 1,8 km par N 98 – **06590** Théoule :

Villa Anna Guerguy "La Galère" , 93 75 44 54, , « Jardins en terrasse ← littoral et les îles » – .
fermé janv. – **R** *(fermé merc. sauf fériés et le soir du 15 juil. au 30 août)* (nombre couverts limité - prévenir) carte 315 à 400 – 55 – **14 ch** 740/960.

Autres ressources hôtelières : **Voir *Miramar* S : 6 km.**

THÉRONDELS 12 Aveyron 76 ⑬ – 606 h. alt. 960 – **12600** Mur-de-Barrez.
Paris 559 – Aurillac 49 – Chaudes-Aigues 54 – Espalion 68 – Murat 59 – Rodez 88 – St-Flour 57.

Miquel, 65 66 02 72 – wc wc. E VISA. rest
fermé 1er au 15 oct. et janv. – **R** 48/70 – 17 – **22 ch** 70/105 – 1/2 p 92/116.

THÉSÉE 41 L.-et-Ch. 64 ⑰ **G. Châteaux de la Loire** – 1 157 h. – **41140** Noyers-sur-Cher.
Paris 221 – Blois 34 – Châteauroux 77 – Montrichard 9,5 – Romorantin-Lanthenay 40 – Vierzon 64.

Host. Moulin de la Renne, 54 71 41 56, ←, – wc . VISA
fermé début janv. à début mars, mardi soir et merc. hors sais. – **R** 70/148, enf. 42 22 – **15 ch** 88/170 – 1/2 p 190/260.

La Mansio avec ch, 54 71 40 07 – . E VISA
fermé 2 janv. au 8 fév., mardi soir et merc. de fin sept. à Pâques – **R** 60/150 – 20 – **9 ch** 100 – 1/2 p 150/160.

THIBERVILLE 27230 Eure 55 ⑭ – 1 657 h.

Paris 158 – Bernay 13 – Brionne 23 – Évreux 56 – Lisieux 17 – Orbec 16 – Pont-Audemer 27.

Levrette, ✆ 32 46 80 22 – P. AE E VISA
fermé fév., dim. soir et jeudi – **R** 70/120 – 18 – **7 ch** 90/135.

THIÉBLEMONT-FARÉMONT 51 Marne 61 ⑨ – rattaché à Vitry-le-François.

THIERS SP 63300 P.-de-D. 73 ⑯ G. Auvergne – 16 820 h.

Voir Site★★ – Le Vieux Thiers★ : Maison du Pirou★ **B** – Terrasse du Rempart ✳★ – Rocher de Borbes ≤★ S : 3,5 km par D 102.

Office de Tourisme pl. Pirou ✆ 73 80 10 74.

Paris 385 ③ – Bourg-en-Bresse 182 ① – Chalon-sur-Saône 231 ① – ♦Clermont-Ferrand 47 ② – Issoire 56 ② – ♦Lyon 136 ① – Le Puy 124 ② – Roanne 59 ① – ♦St-Étienne 107 ① – Vichy 36 ③.

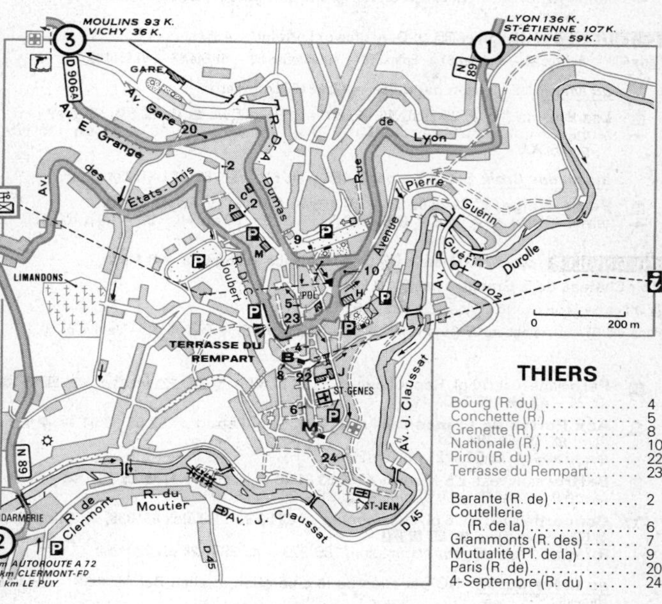

THIERS

Bourg (R. du)	4
Conchette (R.)	5
Grenette (R.)	8
Nationale (R.)	10
Pirou (R. du)	22
Terrasse du Rempart	23
Barante (R. de)	2
Coutellerie (R. de la)	6
Grammonts (R. des)	7
Mutualité (Pl. de la)	9
Paris (R. de)	20
4-Septembre (R. du)	24

rte de Clermont par ② : 5 km sur N 89 – ✉ 63300 Thiers :

Parc de Geoffroy M, ✆ 73 80 58 88, Télex 392280, parc – TV wc P – 80. AE E VISA
R 95/285 – 35 – **31 ch** 260/295 – $^1/_2$ p 380.

Fimotel M, ✆ 73 80 64 40, Télex 392000 – TV wc P – 30. AE E VISA
R 62/78, enf. 34 – 25 – **42 ch** 205/250 – $^1/_2$ p 192/272.

Autres ressources hôtelières :

Voir *Pont-de-Dore* par ② : 6 km.

CITROEN Sauvagnat, 57 av. L.-Lagrange par ✆ 73 80 67 66

FORD Dugat, 50 av. L.-Lagrange ✆ 73 80 50

PEUGEOT-TALBOT Thiers-Autom., 52 av. L.-Lagrange par ② ✆ 73 80 57 54

RENAULT S.A.R.A.C Zone Ind. du Felet par ✆ 73 80 55 10

V.A.G. Gar. Perron, 79 av. L.-Lagrange ✆ 73 80 20 49

Estager-Pneu, Zone des Molles, av. L.-Lagrange ✆ 73 80 15 97

THIÉZAC **15450** Cantal **76** ⑫⑬ **G. Auvergne** – 742 h. alt. 805.

Voir Pas de Compaing★ NE : 3 km.

Syndicat d'Initiative ✆ 71 47 01 21.

Paris 531 – Aurillac 27 – Murat 24 – Vic-sur-Cère 6.

Casteltinet M, ✆ 71 47 00 60, ←, – TV ⋒wc ✆ P. E VISA. ✗ rest
15 mai-15 oct. et 7 janv.-1er mai – **R** 60/160, enf. 40 – ☕ 20 – **23 ch** 160/190 – 1/2 p 170/180.

Elancèze M (annexe **Belle Vallée**), ✆ 71 47 00 22, ←, – ⌂wc ⋒wc P. AE E VISA
fermé 20 nov. au 20 déc. – **R** 55/130 ♁, enf. 40 – ☕ 17,50 – **31 ch** 115/160 – 1/2 p 125/160.

Commerce, ✆ 71 47 01 67 – ⋒wc. VISA. ✗ rest
fermé 15 nov. au 1er déc. – **R** 50/160 ♁, enf. 30 – ☕ 14 – **35 ch** 90/150 – 1/2 p 120/14

Le THILLOT **88160** Vosges **66** ⑧ **G. Alsace et Lorraine** – 4 867 h.

Paris 408 – Belfort 44 – Colmar 81 – Épinal 50 – ♦Mulhouse 59 – St-Dié 63 – Vesoul 63.

au Menil NE : 3,5 km par D 486 – ✉ **88160** Le Thillot :

Les Sapins ⛰, ✆ 29 25 02 46, ←, – ⌂wc ⋒wc ☎ P. E VISA. ✗ rest
fermé 12 nov. au 15 déc. – **R** 65/120 ♁, enf. 45 – ☕ 19 – **21 ch** 155/175 – 1/2 p 175/205.

au col des Croix SO : 4 km par D 486 – alt. 678 – ✉ **88160** Le Thillot :

Perce-Neige, ✆ 29 25 02 63 – TV ⌂wc ⋒wc ☎ P. AE ◐ E VISA
fermé 10 nov. au 20 déc. – **R** 60/150 ♁ – ☕ 20 – **20 ch** 110/180 – 1/2 p 160/180.

THIONVILLE ⟨SP⟩ **57100** Moselle **57** ③④ **G. Alsace et Lorraine** – 41 448 h.

Voir Château de la Grange★ par ① : 2 km.

Office de Tourisme 16 r. Vieux-Collège ✆ 82 53 33 18.

Paris 340 ③ – Luxembourg 35 ⑥ – ♦Metz 29 ③ – ♦Nancy 83 ③ – Trier 70 ② – Verdun 87 ③.

Plan page ci-contre

Parc sans rest, 10 pl. République ✆ 82 53 71 80 – ⇕ TV ⌂wc ⋒wc ✆. AE E VIS
☕ 24 – **42 ch** 160/260. AZ

Aux Portes de France sans rest, 1 pl. Gén.-Patton ✆ 82 53 30 01 – ⇕ ⌂
⋒wc ☎. AE ◐ VISA. ✗ BY
fermé août – ☕ 22 – **21 ch** 105/210.

Beffroi sans rest, 2 r. Mersch ✆ 82 53 31 30 – ⇕ ⌂wc ⋒ ☎. E VISA. ✗ BY
fermé 9 juil. au 1er août et dim. – ☕ 21 – **24 ch** 78/194.

XXX **Concorde** avec ch, 6 pl. Luxembourg ✆ 82 53 83 18, Télex 861338, ✻ Thionville
⇕ TV ⌂wc ⋒wc ☎. AE E VISA BY
R *(fermé 1er au 28 août et dim. soir)* 166/270 – ☕ 28 – **25 ch** 220/280.

au Crève-Coeur : NO par allée de la Libération et allée Bel Air - AY – ✉ 571
Thionville :

Horizon ⛰, 50 rte Crève-Coeur ✆ 82 88 53 65, Télex 860870, ←, , – ⌂
☎ P – 🏛 25. AE ◐ E VISA
fermé janv. – **R** *(fermé sam. midi)* 180/280, enf. 80 – ☕ 40 – **10 ch** 270/520 – 1/2 p 340/460.

XX **Aub. Crève-Coeur,** ✆ 82 88 50 52, – P. AE ◐ E VISA
fermé dim. soir (hors sais.) et lundi soir – **R** 100/220 ♁.

AUSTIN, LANCIA-AUTOBIANCHI, ROVER Gar. du Fort, rte de Yutz, Percée Sud ✆ 82 56 11 74
CITROEN Gar. Moderne Thionville Florange, 36 rte d'Esch-sur-Alzette par ⑥ ✆ 82 88 10 15 N ✆ 82 53 32 46
FIAT Gar. du Centre, 50 av. de Guise ✆ 82 53 27 13
FORD Central Auto, 1 r. de la Digue et 62 rte de Metz ✆ 82 88 55 48

PEUGEOT-TALBOT Gar. Moderne, 10 Douai ✆ 82 53 30 08 N
V.A.G. Gar. Diettert, 39 av. Clemenceau ✆ 53 26 04 N ✆ 82 53 10 98
VOLVO Gar. Vaillant, 18 r. de Verdun ✆ 82 58 81

Leclerc-Pneu, boucle du Ferronnier Zc Ind. du Linkling 2 ✆ 82 88 43 28

Périphérie et environs

BMW Gar. Burlet, 27 rte de Verdun à Terville ✆ 82 88 58 83
PEUGEOT-TALBOT Gar. de la Fensch, 14 r. Verdun à Florange par ⑤ ✆ 82 58 46 21 N
RENAULT Gd Gar. de la Moselle, 25 r. de Verdun à Terville par ⑤ ✆ 82 88 49 60 N
V.A.G. Gar. Diettert, 4 r. de la République à Hettange-Grande ✆ 82 53 10 98 N

Becker Pneus, 22 rte de Metz à Florar ✆ 82 88 45 45
Terville-Pneus, Zone Ind. boucle Ferronnie Terville ✆ 82 88 44 89

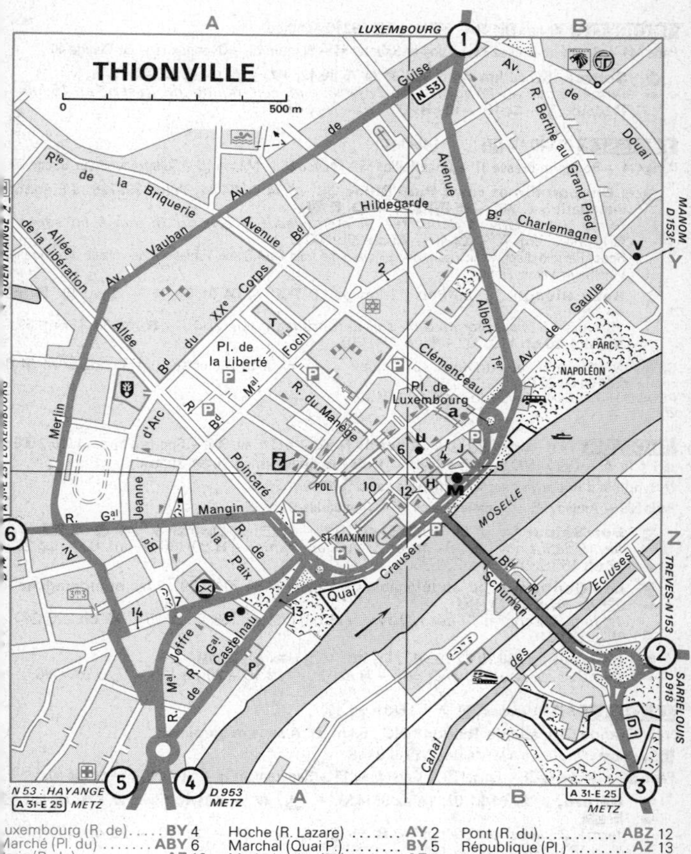

*En **juin** et en **septembre**,*
les hôtels sont moins chers qu'en pleine saison, le service est plus soigné.

THIVARS 28 E.-et-L. 60 ⑰, 196 ㊲ – rattaché à Chartres.

THIVIERS 24800 Dordogne 75 ⑥ **G. Périgord Quercy** – 4 215 h.

Syndicat d'Initiative pl. Mar.-Foch ✆ 53 55 12 50.

Paris 460 – Brive-la-Gaillarde 82 – ♦Limoges 64 – Nontron 32 – Périgueux 37 – St-Yrieix-la-Perche 31.

France et Russie Ⓜ sans rest, **51 r. Gén.-Lamy** ✆ **53 55 17 80**, – wc ☎ Ⓟ
35 – **11 ch** 125/270.

CITROEN Beaufils, ✆ 53 55 00 74
PEUGEOT-TALBOT Boucher, ✆ 53 55 00 86
RENAULT Gar. Joussely, ✆ 53 55 01 24
Maury-Pneus, ✆ 53 55 17 11

THIZY 89 Yonne 65 ⑥⑦ – 135 h. – ✉ **89420** Guillon.

Voir Montréal : stalles★ et retable★ de l'église S : 5 km, G. Bourgogne.

Paris 219 – Avallon 17 – Montbard 37 – Tonnerre 45.

✕ **L'Atelier** avec ch, ✆ **86 32 11 92**, – wc ☎ Ⓟ. E VISA
4 mars-29 nov. et fermé merc. et jeudi – **R** 90/180 – 27 – **8 ch** 170/280 – ½ p 223/393.

THOIRETTE 39 Jura 70 ⑭ – 293 h. – ✉ 39240 Arinthod.

Paris 444 – Bourg-en-Bresse 33 – Lons-le-Saunier 54 – Nantua 20 – Oyonnax 16 – St-Claude 40.

Source, SO : 1 km sur D 936 ✆ 74 76 80 42, – Ⓟ. E VISA
fermé 15 oct. au 1er nov., 1er au 21 janv., dim. soir et lundi du 15 sept. au 15 juin – **R** 50/160 – 18 – **10 ch** 100/170 – 1/2 p 110/130.

THOISSEY 01140 Ain 74 ① – 1 481 h.

Paris 414 – Bourg-en-Bresse 37 – Chauffailles 53 – ♦Lyon 56 – Mâcon 16 – Villefranche-sur-Saône 29.

❀ **Chapon Fin et rest. Paul Blanc**, ✆ 74 04 04 74, Télex 305728, « Élégante installation », – TV Ⓟ. E VISA
fermé début janv. à début fév. et mardi (sauf le soir du 15 juin à fin sept.) – **R** 190/400, enf. 70 – 40 – **25 ch** 235/600
Spéc. Raviole d'écrevisses (juin-déc.), Foie d'oie frais Paul Blanc, Fricassée de volaille aux morilles. **Vins** Saint-Véran, Fleurie.

Beau Rivage, au Port : 1 km par D 7 ✆ 74 04 01 66, ← – wc Ⓟ. E VISA ch
15 mars-15 oct. et fermé dim. soir et lundi (sauf juil.-août) – **R** 70/136, enf. 32 – 20 – **10 ch** 110/162 – 1/2 p 144/170.

CITROEN Delorme, à St-Didier-sur-Chalaronne ✆ 74 04 03 26 N
PEUGEOT-TALBOT Gar. Thoissey ✆ 74 04 02 25
Berry, à St-Didier-sur-Chalaronne ✆ 74 04 0 68

THOLLON 74 H.-Savoie 70 ⑱ **G. Alpes du Nord** – 416 h. alt. 992 – Sports d'hiver : 1 000/2 000 m 1 16 – ✉ **74500** Évian-les-Bains – **Voir Pic de Mémise** ** 30 mn.

Syndicat d'Initiative (fermé matin hors saison) ✆ 50 70 90 01.

Paris 599 – Annecy 95 – Évian-les-Bains 11 – Thonon-les-Bains 20.

Bon Séjour, ✆ 50 70 92 65, – wc wc Ⓟ. E VISA
fermé début nov. au 18 déc. et 25 avril au 10 mai – **R** 80/190, enf. 60 – 28 – **22 ch** 160/230 – 1/2 p 200/230.

Les Gentianes, au télécabine E : 2 km ✆ 50 70 92 39, ← lac et montagnes – wc wc Ⓟ. VISA
1er juin-30 sept. et 14 déc.-20 avril – **R** 58/170, enf. 58 – 25 – **22 ch** 220/240 – 1/2 p 220/310.

Bellevue, ✆ 50 70 92 79, ←, – Ⓟ. E VISA
fermé 25 avril au 10 mai et nov. – **R** 62/120 – 16 – **20 ch** 125 – 1/2 p 160/180.

Le THOLY 88530 Vosges 62 ⑰ – 1 583 h. alt. 600.

Voir Grande Cascade de Tendon★ NO : 5 km, **G. Alsace et Lorraine.**

Syndicat d'Initiative à la Mairie ✆ 29 61 81 18.

Paris 390 – Bruyères 21 – Épinal 30 – Gérardmer 10 – Remiremont 18 – St-Amé 10 – St-Dié 40.

Gérard, ✆ 29 61 81 07, Télex 961408, ←, – wc wc Ⓟ. AE E VISA
fermé 28 sept. au 30 oct. – **R** 55/120, enf. 30 – 20 – **22 ch** 130/210 – 1/2 p 180/190.

Grande Cascade, NO : 5 km sur D 11 ✆ 29 33 21 08, Télex 961408 – wc w Ⓟ. AE E VISA. rest
fermé fin oct. à début déc. – **R** 55/160 – 18 – **22 ch** 85/160 – 1/2 p 120/160.

THONES 74230 H.-Savoie 74 ⑦ **G. Alpes du Nord** – 4 461 h. alt. 626.

Voir Vallée de Manigod★★ S : 3 km.

Office de Tourisme 1 pl. Avet ✆ 50 02 00 26.

Paris 559 – Albertville 36 – Annecy 20 – Bonneville 32 – Faverges 20 – Megève 41.

Nouvel H. Commerce, r. Clefs ✆ 50 02 13 66 – TV wc wc – 45. E VISA. rest
fermé 18 au 30 avril et 24 oct. au 8 déc. – **R** *(fermé lundi hors sais.)* 56/153, enf. 4 – 26 – **25 ch** 155/312 – 1/2 p 170/250.

Gd Hôtel sans rest, r. Clefs ✆ 50 02 06 24 – wc Ⓟ. VISA
fermé 15 avril au 5 mai et lundi hors sais. – 25 – **16 ch** 140/200.

Hermitage, av. Vieux-Pont ✆ 50 02 00 31 – wc wc Ⓟ. E VISA.
fermé 1er au 10 mai et 25 oct. au 15 nov. et vend. soir – **R** 45/110, enf. 35 – 1 – **40 ch** 68/155 – 1/2 p 120/140.

THONON-LES-BAINS SP 74200 H.-Savoie 70 ⑰ **G. Alpes du Nord** – 25 894 h. – Sta therm. (7 janv.-22 déc.).

Voir Les Belvédères★★ ABY – **Voûtes★** de l'église St-Hippolyte AY **E** – **Domaine d Ripaille★** N : 2 km BY.

Office de Tourisme pl. Marché ✆ 50 71 50 88.

Paris 569 ③ – Annecy 73 ③ – Chamonix 100 ③ – ♦Genève 33 ④.

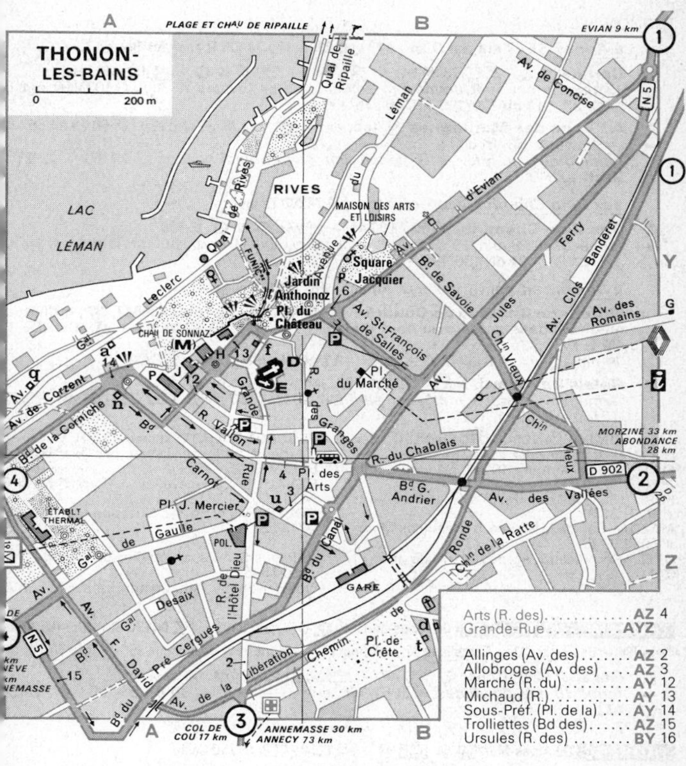

Arts (R. des) . . . . AZ 4
Grande-Rue . . . . AYZ

Allinges (Av. des) . . . . AZ 2
Allobroges (Av. des) . . . . AZ 3
Marché (R. du) . . . . AY 12
Michaud (R.) . . . . AY 13
Sous-Préf. (Pl. de la) . . . . AY 14
Trolliettes (Bd des) . . . . . . AZ 15
Ursules (R. des) . . . . BY 16

Savoie et Léman (École hôtelière), 2 bd Corniche ✆ **50 71 13 80, Télex 385905**, ←, – 🅟 – 50. AE ⓓ E VISA. rest — AY **n**
fermé sept., vacances de nov., de Noël, de fév., de printemps, sam. soir et dim. sauf juil.-août – **R** 65/160 – **31 ch** 178/352, 4 appartements 467 – ½ p 270/292.

Duché de Savoy, av. Gén.-Leclerc ✆ **50 71 40 07**, – wc wc ☎. E VISA. ch — AY **a**
mi-mars-début nov. – **R** *(fermé lundi)* 80/190 – 24 – **17 ch** 170/240.

Alpazur H. sans rest, 8 av. Gén.-Leclerc ✆ **50 71 37 25**, ←, – wc ☎. E VISA. – *1er avril-31 oct.* – 23 – **26 ch** 120/210. — AY **q**

Corniche, 24 bd Corniche ✆ **50 71 64 77**, ←, – wc wc ☎ 🅟. E VISA
juin-oct. – **R** 70/120 – 25 – **18 ch** 130/200 – ½ p 210/250. — AZ **a**

Trianon du Léman, av. Corzent ✆ **50 71 25 78**, ←, – wc wc ☎ 🅟. VISA. ch — AY **s**
1er avril-25 sept. – **R** 80/210, enf. 50 – 25 – **17 ch** 130/240 – ½ p 200/290.

Villa des Fleurs sans rest, 4 av. Jardins ✆ **50 71 11 38**, – wc wc 🅟. – *vacances de fév. et Pâques-fin sept.* – 20 – **11 ch** 135/220. — BZ **d**

Bocage H. sans rest, 38 bd Corniche ✆ **50 71 01 20**, – wc wc 🅟 — AZ **z**
fermé oct. – **7 ch** 260.

A l'Ombre des Marronniers, 17 pl. Crête ✆ **50 71 26 18**, – wc wc. – *fermé 3 nov. au 3 déc.* – **R** *(fermé dim. soir et lundi du 1er oct. au 1er juin)* 65/125 – 17 – **22 ch** 95/180 — BZ **t**

XXX ✿ **Le Prieuré** (Plumex), 68 Grande rue ✆ **50 71 31 89**, « Décor 17e s. » – AE ⓓ E VISA — AY **f**
fermé lundi (sauf le soir en juil.-août) et dim. soir – **R** (1er étage) 150/300
Spéc. Bouquet de perches en civet, Blanquette de St-Jacques au vin jaune, Feuillantine aux deux chocolats. **Vins** Ripaille.

XX **Clos Savoyard,** 50 av. Genève par ④ : 2 km ✆ **50 71 03 91**, – 🅟. E VISA
fermé mardi soir et merc. – **R** 120/250.

X **Victoria,** 5 pl. Arts ✆ **50 71 02 82** – AE ⓓ E VISA — AZ **u**
fermé 15 au 30 juin et 23 déc. au 13 janv. – **R** 79/120.

à Armoy SE : 7 km par D 26 - BZ – alt. 620 – ✉ **74200** Thonon-les-Bains :

Carlina M, ✆ **50 73 94 94**, ←, – ⇔wc ☎ ℗ – 60. ✻ rest
15 mars-1er nov. – **R** *(fermé dim. soir et lundi du 15 mars au 1er juil.)* 100/190, enf. 55
– ☕ 27 – **18 ch** 170/195 – ½ p 215/230.

A l'Écho des Montagnes (annexe M ⇔wc ☎), ✆ **50 73 94 55**,
– ⇔wc ☎ ℗. ✻ ch
fermé 6 déc. au 5 fév. – **R** *(fermé dim. soir et lundi hors sais.)* 60/150 – ☕ 21 –
50 ch 100/190.

aux Cinq Chemins par ④ : 7 km – ✉ **74200** Thonon :

Des Cinq Chemins, ✆ 50 72 63 45 – ⇔wc ☎ ℗. E VISA
fermé 12 au 29 juin, 25 déc. au 17 janv., dim. soir et lundi sauf juil.-août – **R** 54/10
– ☕ 23 – **21 ch** 135/190 – ½ p 135/165.

à Bonnatrait par ④ : 9 km **G. Alpes** – ✉ **74140** Douvaine :

Hôtellerie Château de Coudrée, ✆ **50 72 62 33, Télex 309047**, « Château médiéval dans un parc au bord du lac », – ☎ ℗ – 40 à 100. E VISA
1er mai-30 oct. – **R** 200/350 – ☕ 52 – **17 ch** 580/980 – ½ p 578/690.

Relais Savoyard, N 5 ✆ **50 72 60 06**, – ⇔wc ☎ ℗
fermé janv., mardi soir et merc. sauf juil.-août – **R** 75/220 – ☕ 22 – **26 ch** 110/22
– ½ p 155/210.

ALFA-ROMEO, LANCIA-AUTOBIANCHI Gar. Grillet, av. de Senevulaz ✆ 50 71 37 43
FIAT Tailliez Autom., 10 av. Gén.-de-Gaulle ✆ 50 71 32 92
FORD Gar. de Thuyset, 16 av. des Prés-Verts ✆ 50 71 31 50
MAZDA Gar. de la Source, 5 chemin de Morcy ✆ 50 71 39 78
OPEL Gar. Ricaud, av. des Abattoirs ✆ 50 71 02 11
PEUGEOT-TALBOT Lemuet, RN 5 Croisé d'Anthy à Anthy sur Léman par ④ ✆ 50 71 3 58 N ✆ 50 26 27 99
RENAULT Degenève, av. J.-Ferry ✆ 50 71 0 74 N ✆ 50 71 78 83
VOLVO Millet, N 202, Direction Morzine ✆ 5 70 12 12

Pneus-Service, av. du Clos de la Forge, Tull ✆ 50 71 45 23
Quiblier-Pneus, r. du Commerce ✆ 50 71 38 72

THORAME-HAUTE-GARE 04 Alpes-de-H.-P. 81 ⑱ – alt. 1 135 – ✉ **04170** St-André-les-Alpes
Paris 796 – Beauvezer 11 – Castellane 32 – Colmars 17 – Digne 54 – Manosque 95 – Puget-Th. 56.

Gare, ✆ 92 89 02 54, ←, – ⇔wc wc. E VISA. ✻ rest
fermé 15 nov. au 20 déc. – **R** 62/105, enf. 37 – ☕ 20 – **15 ch** 56/206 – ½ p 135
173.

THORENC 06 Alpes-Mar. 81 ⑲, 195 ㉓ – alt. 1 250 – ✉ **06750** Caille.
Voir Col de Bleine ←** N : 4 km, **G. Alpes du Sud.**
Paris 831 – Castellane 35 – Draguignan 65 – Grasse 40 – ♦Nice 79 – Vence 42.

Voyageurs, ✆ **93 60 00 18**, ←, – wc ☎. ✻ ch
1er fév.-31 oct. – **R** 75/130 – ☕ 24 – **15 ch** 100/210 – ½ p 200/220.

THORIGNÉ-SUR-DUÉ 72 Sarthe 60 ⑭ – rattaché à Connerré.

Le THORONET 83 Var 84 ⑥ – 819 h. – ✉ **83340** Le Luc.
Voir Abbaye du Thoronet** O : 4,5 km, **G. Côte d'Azur.**
Paris 843 – Brignoles 25 – Draguignan 22 – St-Raphaël 47 – ♦Toulon 64.

XX Relais de l'Abbaye avec ch, NO : 3 km par D 84 ✆ **94 73 87 59**, ←, wc ☎
5 ch.

THOUARS 79100 Deux-Sèvres 67 ⑧ **G. Poitou Vendée Charentes** – 11 913 h.
Voir Façade ** **de l'église St-Médard** * – **Site** * – **Maisons anciennes** * **D, E.**
Office de Tourisme avec A.C. 17 pl. St-Médard ✆ 49 66 17 65.
Paris 327 ② – Bressuire 29 ④ – Châtellerault 69 ③ – Cholet 58 ⑤ – La Roche-sur-Yon 111 ⑤.

Plan page ci-contre

Château M, rte Parthenay **(a)** ✆ **49 66 18 52**, ← – ⇔wc ☎. E VISA. ✻ ch
fermé dim. soir – **R** 51/150 – ☕ 18,50 – **20 ch** 130/152.

Le Relais M sans rest, **par ① : 3 km rte Saumur** ✆ **49 66 29 45** – ⇔wc wc ☎
℗. ✻
☕ 16 – **15 ch** 120/150.

CITROEN Papin, 56 av. V.-Leclerc ✆ 49 66 21 45
RENAULT Salvra, 41 bd P.-Curie ✆ 49 66 21 78

Thouars-Pneus, 24-26 pl. Lavault ✆ 49 66 0 52

THOUARS

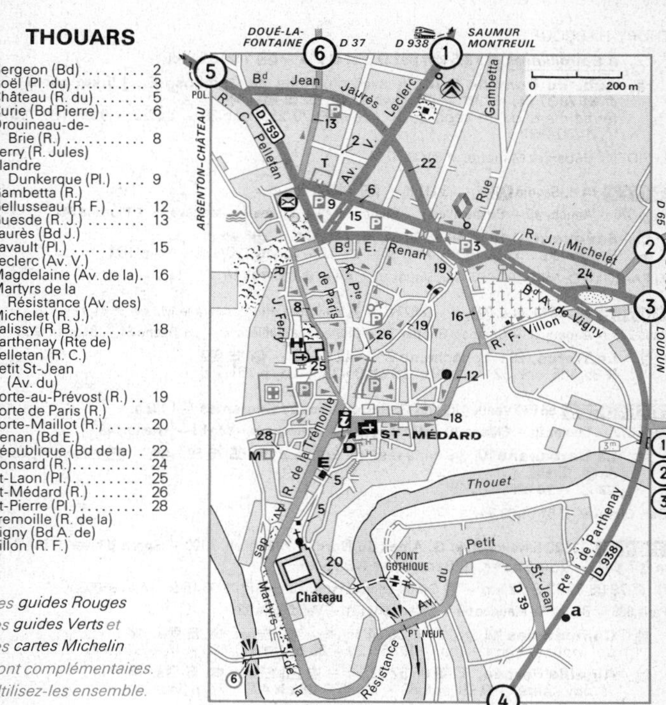

es guides Rouges
es guides Verts et
es cartes Michelin
ont complémentaires.
tilisez-les ensemble.

THOURON 87 Hte-Vienne 72 ⑦ – 344 h. – ✉ **87140** Nantiat.

aris 387 – Bellac 23 – Guéret 73 – ♦Limoges 22.

✕ **Pomme de Pin** avec ch, NE : 2,5 km par VO ✆ **55 75 71 05** – wc ☎. E VISA
fermé 1er au 15 juin et janv. – **R** *(fermé mardi midi et lundi)* 85/175, enf. 45 – ☕ 19 – **4 ch** 180/260 – ½ p 250/290.

THUEYTS 07330 Ardèche 76 ⑱ **G. Vallée du Rhône** (plan) – 1 013 h.

oir Coulée basaltique★.

Syndicat d'Initiative pl. Champ-de-Mars (juil.-août matin seul.).

aris 648 – Privas 50 – Le Puy 72.

Platanes, N 102 ✆ **75 93 78 66,** – ▤ rest wc wc ☎ Ⓟ. E VISA
10 fév.-8 nov. et fermé mardi du 10 fév. à Pâques et en oct. – **R** 52/150, enf. 40 – ☕ 18 – **30 ch** 95/190 – ½ p 150/200.

Nord, N 102 ✆ **75 36 40 38,** – wc ☎. VISA
fermé 15 oct. au 30 nov. et lundi du 1er oct. au 30 mars – **R** 65/180 – ☕ 27 – **26 ch** 110/200 – ½ p 160/250.

Marronniers, ✆ **75 36 40 16,** – wc wc ☎ Ⓟ. VISA. rest
10 mars-20 déc. et fermé lundi hors sais. – **R** 65/145 – ☕ 18 – **19 ch** 130/190 – ½ p 185.

THURY-HARCOURT 14220 Calvados 55 ⑪ **G. Normandie Cotentin** – 1 615 h.

oir Parc et jardins du château★ – Boucle du Hom★ NO : 3 km.

de Clécy-Cantelou ✆ 31 69 72 72, S par D 562 et D 133A : 11 km.

Office de Tourisme pl. St-Sauveur ✆ 31 79 70 45.

aris 264 – ♦Caen 26 – Condé-sur-Noireau 19 – Falaise 26 – Flers 31 – St-Lô 53 – Vire 45.

✕✕ **Relais de la Poste** avec ch, rte Caen ✆ **31 79 72 12,** – wc wc ☎ Ⓟ. AE ⓓ E VISA
fermé déc. et janv. – **R** 110/190, enf. 55 – ☕ 30 – **9 ch** 160/230 – ½ p 266/410.

à Goupillières N : 8,5 km par D 6 et D 212 – ✉ **14210** Evrecy :

XX **Aub. du Pont de Brie** ⛰ avec ch, Halte de Grimbosq E : 1,5 km par D 171 ✆ 31 79 37 84, ≤, 🌳 – 📺 ⋒wc ☎ Ⓟ. AE E VISA. ✖
fermé merc. du 1er sept. au 1er juil. – **R** 70/220, enf. 38 – ☕ 20 – **9 ch** 100/160 – 1/2 p 200/250.

CITROEN Hébert et Mariette, ✆ 31 79 70 74

THYEZ 74 H.-Savoie **74** ⑦ – 3 117 h. – ✉ **74300** Cluses.

Paris 570 – Annecy 49 – Bonneville 11 – Chamonix 49 – Cluses 7 – Megève 35 – Morzine 34.

Savoyard, D 19 ✆ 50 98 60 54, ≤, 🍴, 🌳 – Ⓟ. ✖ ch
R *(fermé sam.)* 65/120 🍷, enf. 30 – ☕ 12 – **25 ch** 120/135 – 1/2 p 180.

ALFA-ROMEO, MERCEDES Gar. Vallée de L'Arve, ✆ 50 98 41 16

TIERCÉ 49125 M.-et-L. **64** ① – 2 627 h – 🅸 Syndicat d'Initiative à la Mairie ✆ 41 42 62 18.

Paris 275 – Angers 21 – Château-Gontier 36 – Château-la-Vallière 63 – La Flèche 34 – Saumur 56.

Le Tiercé, 25 r. Longchamp ✆ 41 42 64 02 – Ⓟ. E VISA
R 85/135, enf. 32 – ☕ 19 – **18 ch** 85/135 – 1/2 p 161/201.

TIFFAUGES 85130 Vendée **67** ⑤ **G. Poitou Vendée Charentes** – 1 188 h.

Paris 372 – Cholet 20 – Clisson 19 – Montaigu 16 – La Roche-sur-Yon 53 – ♦Nantes 48.

La Barbacane Ⓜ ⛰ sans rest, pl. Église ✆ 51 65 75 59, 🌳 – 📺 ⛀wc ⋒wc ☎ ♿ Ⓟ. E VISA
☕ 22 – **14 ch** 181/245.

Gar. Chauvet ✆ 51 91 62 36

TIGNES 73320 Savoie **74** ⑲ **G. Alpes du Nord** – 1 486 h. alt. 2 100 – Sports d'hiver : 1 550/3 500 m 🚡7 ⛷44 – **Voir Site**** – **Barrage**** NE : 5 km.

⛳9 ✆ 79 06 37 42 S : 2 km – 🅸 Office de Tourisme au Lac ✆ 79 06 15 55, Télex 980030.

Paris 668 – Bourg-St-Maurice 30 – Chambéry 131 – Val d'Isère 13.

Campanules Ⓜ ⛰, ✆ 79 06 34 36, ≤ – 🛗 ⛀wc ☎. E VISA. ✖ rest
juil.-août et déc.-1er mai – **R** 85/120 – **36 ch** ☕380/480 – 1/2 p 320/400.

Aiguille Percée, ✆ 79 06 52 22, ≤ – 🛗 📺 ⛀wc ☎. E VISA. ✖ rest
1er nov.-3 mai – **R** 98, enf. 60 – ☕ 35 – **38 ch** 400 – 1/2 p 350.

Pramecou ⛰, ✆ 79 06 36 33, ≤ – ⛀wc ⋒wc ☎. ✖
10 déc.-1er mai – **R** 95/105, enf. 40 – ☕ 45 – **32 ch** 230/420 – 1/2 p 300/400.

Paquis ⛰, ✆ 79 06 37 33, ≤ – 🛗 📺 ⛀wc ⋒wc ☎. VISA. ✖ rest
1er juil.-31 août et 20 oct.-20 avril – **R** 85/95, enf. 50 – ☕ 40 – **40 ch** 210/420 – 1/2 p 350/370.

Terril Blanc, ✆ 79 06 32 87, ≤, 🍴 – ⛀wc ☎ Ⓟ. VISA
1er juil.-30 août et 19 déc.-1er mai – **R** 68/95, enf. 40 – ☕ 38 – **18 ch** 360/390 – 1/2 p 360/380.

Gentiana ⛰, ✆ 79 06 52 46, ≤ – ⛀wc ⋒wc ☎. ✖ rest
25 juin-28 août et 29 oct.-3 mai – **R** 65/150 – ☕ 30 – **18 ch** 200/340 – 1/2 p 335/350

Neige et Soleil, ✆ 79 06 32 94, ≤ – ⛀wc ⋒wc ☎. E VISA. ✖ rest
5 déc.-3 mai – **R** 95/105 – ☕ 32 – **29 ch** 185/365 – 1/2 p 250/350.

Alpaka ⛰, ✆ 79 06 32 58, ≤ – ⛀wc ⋒wc ☎ – **15 ch.**

Lo Terrachu, ✆ 79 06 31 37, ≤ – ⛀wc ☎. E VISA. ✖ rest
1er juil.-30 août et 20 déc.-30 avril – **R** 90, enf. 30 – **11 ch** (1/2 pens. seul.) – 1/2 p 190/330.

au Val Claret SO : 2 km – ✉ **73320** Tignes :

Ski d'Or Ⓜ ⛰, ✆ 79 06 51 60, Télex 375974, ≤ – 🛗 ☎
15 déc.-1er mai – **R** carte 180 à 270, enf. 100 – **22 ch** (1/2 pens. seul.) – 1/2 p 650.

Curling Ⓜ ⛰ sans rest, ✆ 79 06 34 34, Télex 309605, ≤ – 🛗 📺 ☎. AE ⓓ E VISA
1er juil.-29 août et 29 oct.-2 mai – **35 ch** ☕450/600.

Vanoise ⛰, ✆ 79 06 31 90, ≤, 🎾 – 🛗 📺 ⛀wc ⋒wc ☎. E VISA. ✖ rest
30 juin-15 sept. et 28 oct.-15 mai – **R** 80/110 – ☕ 30 – **21 ch** 280/400 – 1/2 p 260/330

aux Boisses NE : 5 km – alt. 1 810 – ✉ **73320** Tignes :

Mélèzes, ✆ 79 06 40 02, ≤ – ⛀wc ⋒wc ☎ Ⓟ. ✖
15 déc.-30 avril – **R** 75/85 – **18 ch** ☕185/310 – 1/2 p 210/245.

TIL-CHÂTEL 21 Côte-d'Or **66** ⑫ **G. Bourgogne** – 755 h. – ✉ **21120** Is-sur-Tille.

Paris 338 – Châtillon-sur-Seine 76 – ♦Dijon 26 – Dole 65 – Gray 42 – Langres 42.

Poste, ✆ 80 95 03 53 – ⋒ 🚗. ✖ ch
fermé vacances de nov., de Noël, de fév., dim. soir et sam. d'oct. à mai et week-end de déc. à janv. – **R** 76/100 – ☕ 15,50 – **12 ch** 59/99.

ILLÉ 60 Oise 52 ⑰ – rattaché à Beauvais.

ILLY-SUR-SEULLES 14250 Calvados 54 ⑮ – 1 092 h.
ris 261 – Balleroy 17 – Bayeux 12 – •Caen 20 – St-Lô 38 – Vire 47.

Jeanne d'Arc, ✆ 31 80 80 13 – ⋒ – **14 ch**.

TROEN Onfray, ✆ 31 80 80 14

ILQUES 62 P.-de-C. 51 ③ – rattaché à St-Omer.

es TINES 74 H.-Savoie 74 ⑧⑨ – rattaché à Chamonix.

INTÉNIAC 35190 I.-et-V. 59 ⑯ G. Bretagne – 2 598 h.
oir Château de Montmuran★ et église des Iffs★ SO : 5 km.
ris 373 – Avranches 63 – Dinan 24 – Dol-de-Bretagne 30 – Fougères 60 – •Rennes 27 – St-Malo 42.

XX **Voyageurs** avec ch, ✆ 99 68 02 21, – wc ⋒wc ☎ Ⓟ. AE ⓓ E VISA
fermé 15 déc. au 15 janv., dim. soir et lundi sauf juil.-août – **R** 60/150, enf. 30 – 21 – **16 ch** 135/230 – 1/2 p 150/180.

ar. Lozé ✆ 99 68 01 03

OCQUEVILLE-SUR-EU 76 S.-Mar. 52 ⑤ – 146 h. – ✉ 76910 Criel-sur-Mer.
ris 179 – Dieppe 20 – Eu 13 – Neufchâtel-en-Bray 44 – • Rouen 81 – Le Tréport 12.

X **Le Quatre Pain,** près Église ✆ 35 86 75 40 – E VISA
fermé janv., dim. soir et lundi – **R** 72/120, enf. 42.

ONNAY-BOUTONNE 17380 Char.-Mar. 71 ③ G. Poitou Vendée Charentes – 1 059 h.
ris 452 – Niort 52 – Rochefort 21 – Saintes 31 – St-Jean-d'Angély 18.

Le Prieuré ✆ 46 33 20 18, – wc ⋒wc ☎ Ⓟ. VISA
fermé 23 déc. au 3 janv., vend., sam. et dim. du 1er nov. au 30 mars – **R** *(1er avril-30 oct.)* carte 135 à 195, enf. 60 – 33 – **16 ch** 180/250 – 1/2 p 250/400.

Beau Rivage, ✆ 46 33 20 01 – wc ⋒
fermé 17 sept. au 15 oct. et lundi (sauf le soir en sais.) – **R** 58/150 – 17 – **7 ch** 105/170.

ONNEINS 47400 L.-et-G. 79 ④ – 9 366 h.
Syndicat d'Initiative bd Ch.-de-Gaulle ✆ 79 22 79.
ris 616 ⑤ – Agen 41 ③ – •Bordeaux 107 ⑤ – rac 37 ③ – Villeneuve-sur-Lot 36 ②.

Castel Ferron Ⓜ, rte Marmande ✆ 53 84 59 99, parc – TV wc ⋒wc ☎ Ⓟ – 25. AE ⓓ E VISA
R 85/180 – 32 – **17 ch** 270/430 – 1/2 p 320/360.

Fleurs sans rest, **(e)** ✆ 53 79 10 47, – wc ⋒
fermé dim. – 15 – **12 ch** 110/150.

TROEN Baudrin, rte de Bordeaux ✆ 53 79 02
UGEOT-TALBOT Garonne-Auto, rte de Bordeaux par ⑤ ✆ 53 79 14 75 N
ENAULT Dupouy, rte de Bordeaux ✆ 53 84 50 N

Delapierre, 46 bd Marx-Dormoy ✆ 53 79 02 85
P.E.R., bd Sébastopol ✆ 53 84 53 52

TONNEINS

Badie (Allée Maxime) . . 2
Bellevue (R.) 3
Gardolle (Bd de la) . . 4
Gaulle (Bd Ch.-de) . . . 6
Jaurès (Pl. Jean) . 7
Joffre (R. Mar.) . . 8
Pont (Av. du) 10
St-Pierre (Espl.) . 12

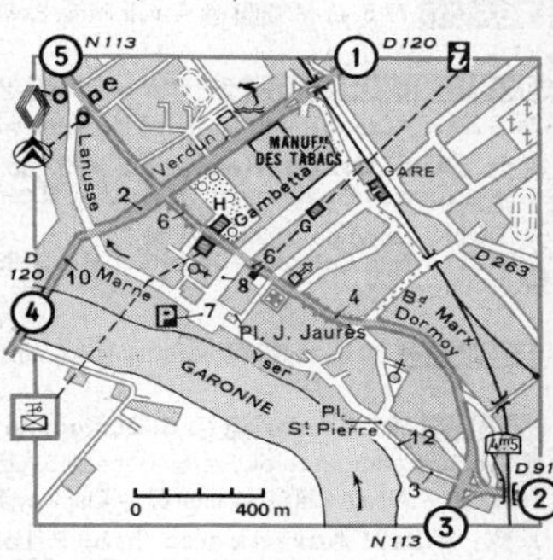

ONNERRE 89700 Yonne 65 ⑥ G. Bourgogne – 6 181 h.
oir Ancien hôpital : charpente★ et Mise au tombeau★ – Env. Château★★ de Tanlay 5 km par ② – Office de Tourisme pl. Marguerite-de-Bourgogne (avril-sept.) ✆ 86 55 14 48
Paris 198 ③ – Auxerre 35 ③ – Châtillon-sur-S. 49 ② – Joigny 54 ① – Montbard 46 ② – Troyes ①.

Plan page suivante

Centre, 63 r. Hôpital **(b)** ✆ 86 55 10 56 – ⋒wc. E VISA
fermé 2 au 11 janv. – **R** 55/220 – 18,50 – **29 ch** 70/210 – 1/2 p 150/210.

XXX ❀❀ **Abbaye St-Michel** (Cussac) avec ch, r. St-Michel, sud du plan, ✆ 86 55 05 99, Télex 801356, ≤, « Parc fleuri », – TV wc ☎ Ⓟ. AE ⓓ E VISA
fermé début janv. à mi fév., mardi midi et lundi d'oct. à avril – **R** 270 et carte – 60 – **10 ch** 550/800, 5 appartements 1200/1800
Spéc. Crème de chou-fleur aux coquillages, Filet de sandre à la coriandre, Tête de veau. Vins Epineuil, Irancy.

X **Le Saint Père,** 2 av. G.-Pompidou **(a)** ✆ 86 55 12 84 – VISA
fermé 10 sept. au 3 oct., vacances de fév., dim. soir et lundi – **R** 50/160, enf. 45.

TONNERRE

Dans la liste des rues des plans de ville, les noms en rouge indiquent les principales voies commerçantes.

Les plans de villes sont orientés le Nord en haut.

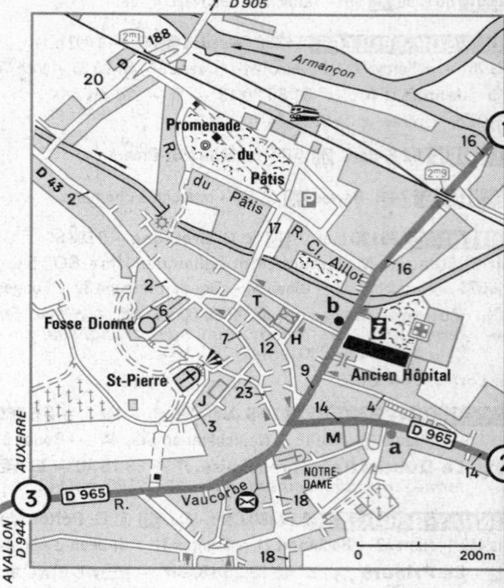

CITROEN Gar. Viard, rte de Paris par ① ✆ 86 55 08 12 🄽 ✆ 25 70 02 92
PEUGEOT-TALBOT Hérault-Autos, 22 r. Chevalier d'Éon par ① ✆ 86 55 08 98
PEUGEOT-TALBOT Gar. Maupois, 86 bis r. G.-Pompidou par ② ✆ 86 55 14 11

RENAULT Perrot, rte de Paris par ① ✆ 86 15 89
V.A.G. Gar. Lambert, 61 r. Vaucorbe ✆ 86 01 48

SOVIC, r. G.-Pompidou ✆ 86 55 16 29

TORCY 71 S.-et-L. 69 ⑧ – rattaché au Creusot.

TORCY 77 S.-et-M. 101 ⑳ – voir Paris, Environs.

TORIGNI-SUR-VIRE 50160 Manche 54 ⑭ **G. Normandie Cotentin** – 2 967 h.

Paris 295 – ♦Caen 51 – St-Lô 13 – Villedieu-les-Poêles 35 – Vire 26.

XX **Aub. Orangerie** avec ch, ✆ **33 56 70 64** – TV. E VISA
fermé fév., dim. soir et lundi – **R** 59/147 – 16 – **7 ch** 140/170 – 1/2 p 180/202.

CITROEN Lemoine, ✆ 33 56 71 53 🄽
CITROEN Gar. Burnouf, à Tessy-sur-Vire ✆ 33 56 30 15

RENAULT Pagnon, à St-Amand ✆ 33 56 72 4

TORNAC 30 Gard 80 ⑰ – rattaché à Anduze.

TOUCY 89130 Yonne 65 ④ **G. Bourgogne** – 2 865 h.

Syndicat d'Initiative pl. Frères-Genêt (15 juin-15 sept.) ✆ 86 44 15 66.

Paris 160 – Auxerre 24 – Avallon 67 – Clamecy 44 – Cosne-sur-Loire 50 – Joigny 30 – Montargis 60.

XX **Ville d'Auxerre** avec ch, bd P.-Larousse ✆ **86 44 02 77** – Ⓟ. E VISA
fermé dim. soir et lundi – **R** 80/200 – 20 – **16 ch** 100/150 – 1/2 p 180.

X **Lion d'Or,** r. L.-Cormier ✆ **86 44 00 76** – E VISA
fermé 1er au 15 déc., 1er au 15 janv., lundi soir et mardi – **R** 72/120.

CITROEN Ragon, ✆ 86 44 11 99

TOUËT-SUR-VAR 06 Alpes-Mar. 81 ⑲⑳, 195 ⑭ **G. Alpes du Sud** – 320 h. – ✉ 067
Villars-sur-Var.

Env. Villars-sur-Var : retable du maître-autel★ : mise au tombeau★★, retable d
l'Annonciation★ dans l'Église E : 8,5 km.

Paris 840 – ♦Nice 55 – Puget-Théniers 10 – St-Étienne-de-Tinée 70 – St-Martin-Vésubie 63.

Poste, ✆ **93 05 71 03** – wc
fermé 1er déc. au 15 janv. et merc. – **R** 60/100 – 18 – **10 ch** 90/220 – 1/2 p 135/17

X **Chasseurs,** ✆ **93 05 71 11,** – E VISA
fermé fév. et mardi – **R** (déj. seul. d'oct à juin sauf vend. et sam. : déj. et dîne 90/138.

OUGUES 74 H.-Savoie 70 ⑯ – rattaché à Douvaine.

OUL <SP> **54200** M.-et-M. 62 ④ **G. Alsace et Lorraine** – 17 752 h.

oir Ancienne cathédrale St-Étienne** et cloître* BZ – Église St-Gengoult* et oître** BZ.

Syndicat d'Initiative parvis Cathédrale ✆ 83 64 11 69 – A.C. 7 r. Michatel ✆ 83 43 08 27.

ris 281 ⑤ – Bar-le-Duc 61 ⑤ – ♦Metz 64 ① – ♦Nancy 23 ② – St-Dizier 77 ⑤ – Verdun 81 ①.

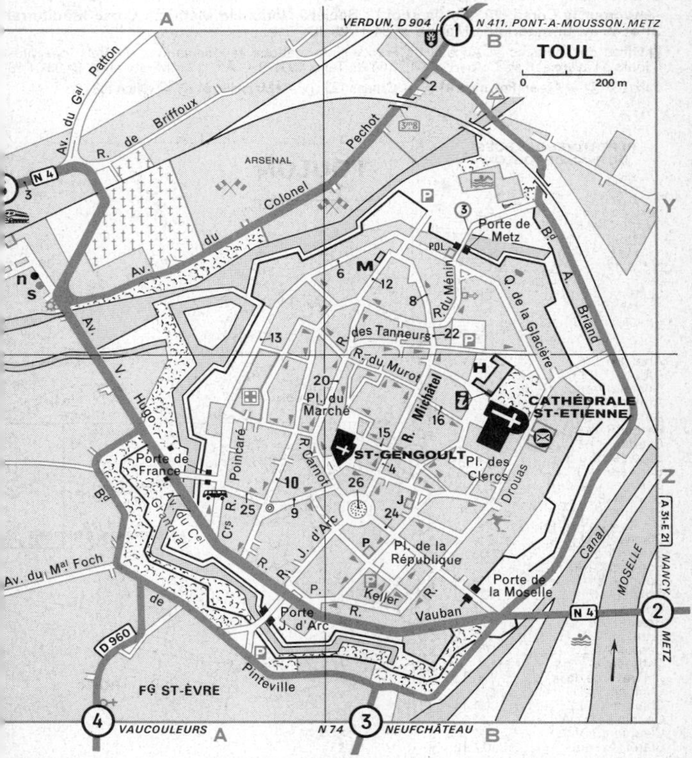

-Chapuis (R. du)	BZ 4	Albert 1er (Av.)	BY 2	Hôpital Militaire (R. de l')	AYZ 13
ambetta (R.)	AZ 9	Clemenceau (Av.)	AY 3	Lafayette (R.)	BZ 15
ichâtel (R.)	BZ	Écuries (R. des)	BY 6	Liouville (R.)	BZ 16
épublique (R. de la)	BZ 24	Foy (R. du Gén.)	BY 8	Petite Boucherie (R.)	ABZ 20
jers (R.)	AZ 25	Gengoult (R. du Gén.)	AZ 10	Porte des Cordeliers (R.)	BY 22
Évêchés (Pl. des)	BZ 26	Gouvion St-Cyr (R.)	BY 12		

Europe sans rest, 35 av. V.-Hugo ✆ 83 43 00 10 – wc wc – 22 – **23 ch** 100/220. AY n

XX **La Belle Époque,** 31 av. V.-Hugo ✆ 83 43 23 71 – E VISA. AY s
fermé 15 au 31 août, 15 au 28 fév., sam. en sais. et dim. – **R** (nombre de couverts limité - prévenir) 68/180.

à la Z. I. Croix de Metz par ① et rte Villey-St-Etienne : 6 km – ✉ **54200** Toul :

XX ✿ **Le Dauphin** (Vohmann), ✆ 83 43 13 46, , – **P**. VISA
fermé 2 au 20 nov., 5 au 19 janv., dim. soir et lundi – **R** 130/290
Spéc. Pâté chaud de lapereau à la sauge, Aiguillette de St Pierre au Sauternes, Pigeonneau en croûte de sel.

TROEN Michel, N 411 Z.I Croix d'Argent par ✆ 83 43 08 61

UGEOT-TALBOT Mathiot-Meny, av. 1re Armée Française, rte de Troyes par ④ ✆ 83 43 74

RENAULT Simard, 22 av. Gén.-Leclerc à Dommartin par ② ✆ 83 43 02 53

TOULON P 83000 Var 84 ⑮ G. Côte d'Azur – 181 405 h.

Voir Rade★★ – Corniche du Mont Faron★★ : ≤★ BCU – Vieille ville★ FY : Atlantes★ l'ancien hôtel de ville FY F, Musée naval★ EY M – Port★.

Env. Tour Beaumont (Mémorial du Débarquement★ et ☀★★★) au Nord – Circ du Mont Faron★★★ N : 18 km par D 46 et V 40 BU – Baou de 4 Oures ☀★★ NO : 7 par D 62 AU et D 262 – Mont Caume ☀★★ NO : 15 km par D 62 AU – Fort de la Cro Faron ≤★ N : 7 km CU – Gorges d'Ollioules★ par ⑤ : 10 km.

✈ de Toulon-Hyères : ☏ 94 57 41 93 par ① : 21 km – 🚗 ☏ 94 91 50 50.

⛴ pour la Corse (20 juin-fin sept.) : Société Nationale Maritime Corse-Méditerran 21 et 49 av. Infanterie de Marine ☏ 94 41 25 76 FGY.

ℹ Office de Tourisme et Accueil de France (Informations et réservations d'hôtels, pas plus 5 jours à l'avance) 8 av. Colbert ☏ 94 22 08 22, Télex 400479 – A.C. 17 r. Mirabeau ☏ 94 93 01 18.

Paris 837 ④ – Aix-en-Provence 81 ④ – Cannes 123 ① – ♦Marseille 64 ④ – ♦Nice 153 ①.

RÉPERTOIRE DES RUES DU PLAN DE TOULON

🏨 **Altéa Tour Blanche** M, au pied du téléphérique du Mont Faron ☎ 94 24 41 57, Télex 400347, ≤ Toulon et la rade, 🌳, 🏊, 🌴 – 🛗 TV ☎ ♿ P – 🏛 80 à 300. AE ⓓ E VISA BU **a**
La Tour Blanche **R** 130/170, enf. 60 – ☕ 42 – **92 ch** 290/650 – 1/2 p 370/520.

🏨 **Gd Hôtel** sans rest, 4 pl. Liberté ☎ 94 22 59 50, Télex 430048 – 🛗 TV ☎ 🚗. AE ⓓ E VISA – ☕ 38 – **45 ch** 302/392. FX **k**

🏨 **Nouvel H.** sans rest, 224 bd Tessé ☎ 94 89 04 22 – 🛗 ▤ TV 🛁wc 🚿wc ☎ ☕ 20 – **29 ch** 132/245. FX **f**

🏨 **Amirauté** sans rest, 4 r. A.-Guiol ☎ 94 22.19 67 – 🛗 TV 🛁wc 🚿wc ☎. AE ⓓ E VISA – ☕ 22 – **64 ch** 84/279. EX **d**

🏨 **Dauphiné,** 10 r. Berthelot ☎ 94 92 20 28, 🌳 – 🛗 TV 🛁wc 🚿wc ☎ – 🏛 25. AE ⓓ E VISA FX **s**
R 100/160, enf. 50 – ☕ 20 – **57 ch** 190/230 – 1/2 p 204/283.

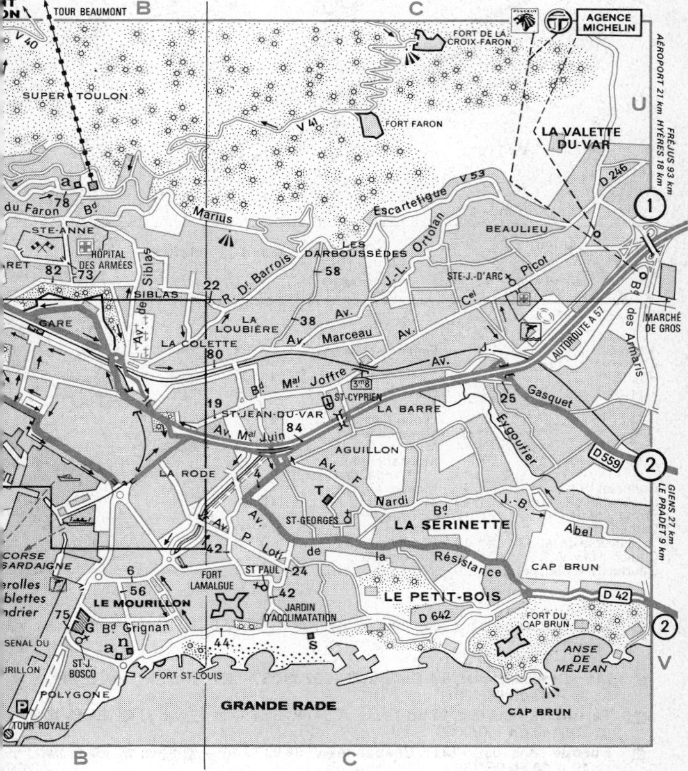

…ulins (Av. des) . . . . AU
…raire (R.) . . . . EX 49
…rier (R. du) . . . . EY
…rdi (Av. F.) CV
…colas (Bd Cdt) . . . . . DEX
…guès (Av. Gén.) . . . . . . DX
…my (R. Amiral) . . . . EZ
…èvres (Pl. des) . . . . EY 53
…olan (Av. J.-L.) . . . . . CUV
…steur (Pl. L.) . . . . EZ
…ul-Bert (Bd) . . . . EZ
…letan (Bd E.) . . . . BV 56
…i (Pl. G.) . . . . DX
…roud (Av. C.) . . . . CU 58
…vresc (R.) . . . . DX
…on (Bd L.) . . . . AU 63
…ot (Av. Col.) . . . . CUV
…ncaré (R. H.) . . . . EY

Pont-de-Bois (Ch. du) . . . AV 65
Pressensé (R. F. de) . . . . . EY 66
Puget (Pl.) . . . . EXY
Rageot-de-la-Touche (Av.) . . . . . . DX
Raynouard (Bd) . . . . EX
République (Av.) . . . . . . DEY 68
Résistance (Av. de la) . . . CV
Richard (Bd G.) . . . . EX
Rivière-Neuve (Q. de la) AUV 69
Roosevelt (Av. F.) . . . . . . EYZ
Routes (Av. des) . . . . AU 70
Sadi-Carnot (Pl.) . . . . AU 71
St-Bernard (R.) . . . . EY
St-Roch (Av.) . . . . DX 72
Ste-Anne (Bd) . . . . BX 73
Ste-Anne (Pont) . . . . DX
Semard (R. P.) . . . . EY

Siblas (Av. de) . . . . EX
Sinse (Q. de la) . . . . EZ
Stalingrad (Q.) . . . . EY
Tessé (Bd de) . . . . EX
Tirailleurs-Sénégalais (Av. des) . . . . BV 75
Toesca (Bd P.) . . . . DX
Valbourdin (Av.) . . . . AU 76
Vauban (Av.) . . . . DX
Vence (Bd Amiral) . . . . . . BU 78
Vert-Côteau (Av.) . . . . . BCV 80
Victoire (Av. de la) . . . . . BU 82
Victor-Hugo (Pl.) . . . . EX
Vienne (R. H.) . . . . DX
Weygand (Av. Gén.) . . . . CV 84
9e-D.I.C. (Rd-Pt de la) . . . . EZ
112e-Régt-d'Infanterie (Bd du) . . . . EX

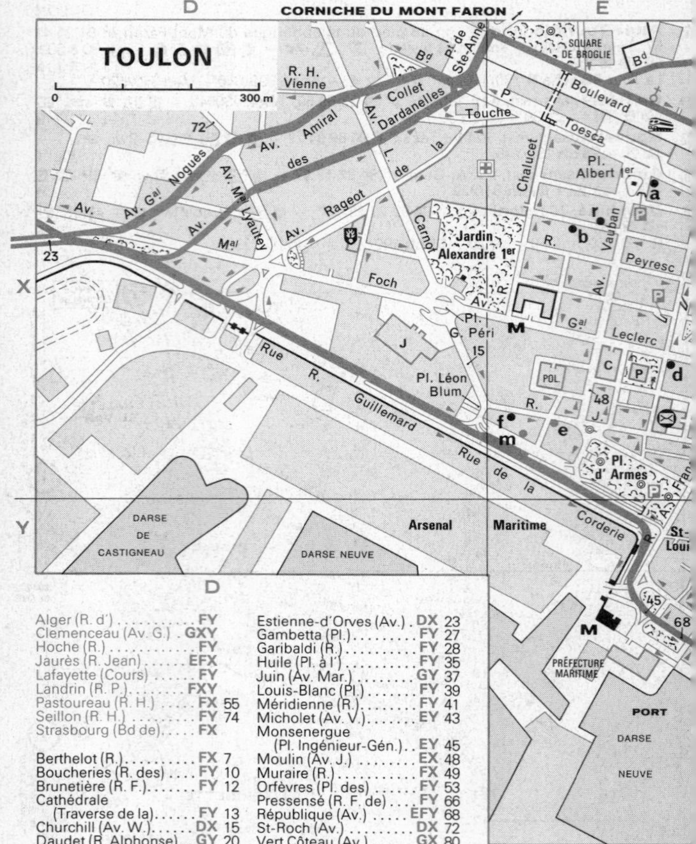

Alger (R. d') . . . . FY
Clemenceau (Av. G.) . GXY
Hoche (R.) . . . . FY
Jaurès (R. Jean) . . . . . . EFX
Lafayette (Cours) . . . . . . FY
Landrin (R. P.) . . . . FXY
Pastoureau (R. H.) . . . . . FX 55
Seillon (R. H.) . . . . FY 74
Strasbourg (Bd de) . . . . . FX

Berthelot (R.) . . . . FX 7
Boucheries (R. des) . . . . FY 10
Brunetière (R. F.) . . . . . . FY 12
Cathédrale (Traverse de la) . . . . FY 13
Churchill (Av. W.) . . . . . . DX 15
Daudet (R. Alphonse) . . GY 20
Estienne-d'Orves (Av.) . DX 23
Gambetta (Pl.) . . . . FY 27
Garibaldi (R.) . . . . FY 28
Huile (Pl. à l') . . . . FY 35
Juin (Av. Mar.) . . . . GY 37
Louis-Blanc (Pl.) . . . . FY 39
Méridienne (R.) . . . . FY 41
Micholet (Av. V.) . . . . EY 43
Monsenergue (Pl. Ingénieur-Gén.) . . EY 45
Moulin (Av. J.) . . . . EX 48
Muraire (R.) . . . . FX 49
Orfèvres (Pl. des) . . . . . . FY 53
Pressensé (R. F. de) . . . . FY 66
République (Av.) . . . . . . EFY 68
St-Roch (Av.) . . . . DX 72
Vert Côteau (Av.) . . . . . . GX 80

🏨 **La Résidence** sans rest, 18 r. Gimelli ✆ 94 92 92 81 – |♦| ⊏⊐wc ⋒wc ☎. ⓓ VISA — EX
☕ 20 – **27 ch** 100/230.

🏨 **Maritima** sans rest, 9 r. Gimelli ✆ 94 92 39 33 – |♦| ⊏⊐wc ⋒wc ☎. E VISA — EX
☕ 20 – **48 ch** 90/180.

🏨 **Terminus** sans rest, 14 bd Tessé ✆ 94 89 23 54 – |♦| ⊏⊐wc ⋒ ☎. AE ⓓ E VISA — EX
☕ 20 – **40 ch** 100/200.

🏨 **Europe** sans rest, 7 bis r. Chabannes ✆ 94 92 37 44 – |♦| ⋒wc ☎. ⓓ E VISA — FX
☕ 19 – **30 ch** 95/185.

🏨 **Le Jaurès** sans rest, 11 r. J.-Jaurès ✆ 94 92 83 04 – ⊏⊐wc ⋒wc ☎. VISA — EX
☕ 15 – **16 ch** 100/150.

XX **La Ferme,** 6 pl. L.-Blanc ✆ 94 41 43 74 – ▤. VISA — FY
fermé août et dim. – **R** 79.

XX **Le Dauphin,** 21 bis r. J.-Jaurès ✆ 94 93 12 07 – ▤. E VISA — EX
fermé 9 juil. au 8 août, sam. midi, dim. et fériés – **R** 125/180.

X **Au Sourd,** 10 r. Molière ✆ 94 92 28 52, 🏖 – VISA — FX
fermé 1er juil. au 1er août, dim. et lundi – **R** 110.

X **Pascal,** square L.-Verane ✆ 94 92 79 60, cuisine tunisienne – AE ⓓ VISA — FY
fermé lundi – **R** carte 100 à 150.

X **Madeleine,** 7 r. Tombades ✆ 94 92 67 85 – ⓓ E VISA — FY
fermé mardi soir et merc. – **R** 82.

X **Poivre et Sel,** 20 allées A. Courbet ✆ 94 62 03 27 – E VISA — EX
fermé 14 juil. au 15 août, dim. soir et lundi – **R** 82/175.

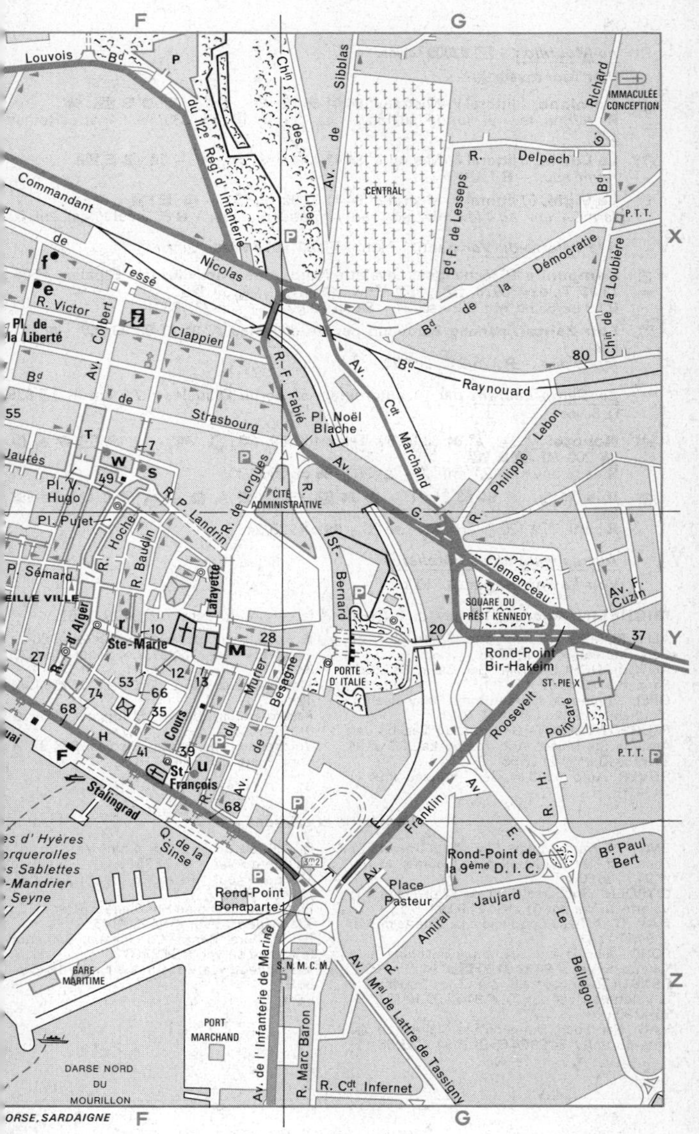

Les hôtels ou restaurants agréables sont indiqués dans le guide par un signe rouge.

Aidez-nous en nous signalant les maisons où, par expérience, vous savez qu'il fait bon vivre.

Votre guide Michelin sera encore meilleur.

au Mourillon – ✉ **83000** Toulon.

Voir Tour royale ⁂★.

Corniche, 1 littoral F.-Mistral ✆ 94 41 35 12, ← – |♦| TV. AE ⓓ E VISA. BV
R *(fermé fév. et lundi)* 98/180 – ☕ 35 – **18 ch** 230/350, 4 appartemen 375.

Le Lutrin, 8 littoral F.-Mistral ✆ 94 42 43 43, ←, ☂, – AE ⓓ E VISA BV
fermé sam. – **R** 120/195.

La Vigie, 57 littoral F.-Mistral ✆ 94 41 37 92, ←, ☂ – Ⓟ. E VISA CV
fermé 4 janv. au 4 fév., dim. soir sauf juil.-août et merc. – **R** 85 (sauf fêtes), enf. 50.

à la Valette-du-Var par ① : 7 km – ✉ **83160** La Valette-du-Var :

Campanile Ⓜ, échangeur Lavalette Nord, zone d'activités des Espalins ✆ 94 2 13 01, Télex 430978, ☂ – TV wc ☎ ♿ Ⓟ – 30. VISA
R 63 bc/86 bc, enf. 38 – ☕ 24 – **50 ch** 200/220 – $^1/_2$ p 287/330.

Lou Pantaï, parking Barnéoud par rte d'Hyères ✆ 94 21 03 39, ☂, – VISA
fermé dim. – **R** 125/210, enf. 70.

Le Camp Laurent par ④ autoroute A50 sortie Ollioules : 7,5 km – ✉ 835 La Seyne :

Novotel Ⓜ, ✆ 94 63 09 50, Télex 400759, ☂, ☂, – |♦| ▤ TV ☎ ♿ Ⓟ 200. AE ⓓ E VISA
R carte environ 120, enf. 40 – ☕ 38 – **86 ch** 290/330.

Ibis Ⓜ, ✆ 94 63 21 21 – |♦| ▤ TV wc ☎ ♿ Ⓟ – 30 à 120. AE ⓓ VISA
R carte 75 à 120 ♂, enf. 40 – ☕ 25 – **60 ch** 225/245.

Autres ressources hôtelières :

Voir *La Pauline* par ① : 10 km.

MICHELIN, Agence, 1824 av. du Col.-Picot à la Valette du Var CU ✆ **94 27 01 67**

ALFA-ROMEO St-Roch-auto-Sport, 8 av. du Gén.-Pruneau ✆ 94 42 53 08
AUTOBIANCHI-LANCIA Gar. Cuzin, 69 bd de Paris ✆ 94 89 46 67
OPEL Champ-de-Mars Autom., Palais Réaltor, pl. Champ-de-Mars ✆ 94 41 74 21
PEUGEOT-TALBOT Gds Gar. du Var, bd des Armaris Ste-Musse Aut. Toulon-Est CU ✆ 94 23 90 55 N ✆ 94 27 25 56
ROVER Autorex, 13 av. Gén.-Pruneau ✆ 94 41 18 14

Aude, chem. Belle-Visto ✆ 94 24 27 60
Escoffier-Pneus, 704 av. Col. Picot ✆ 94 20 63
Marcel-Pneus, 126 r. du Dr-Gibert ✆ 94 42 42
Pasero-Pneus, 26 bd L.-Bourgeois ✆ 94 36 01
Vulcopneu Leca, bd Cdt-Nicolas ✆ 94 93 04 et pl. Pasteur ✆ 94 41 42 87

Périphérie et environs

BMW Bavaria-Motors, av. de l'Université, Zone Ind. les Espaluns à La Valette du Var ✆ 94 75 36 60
CITROEN Succursale, av. de l'Université à la Valette du Var par ① ✆ 94 21 90 90
FIAT D.I.A.T., La Coupiane à La Valette du Var ✆ 94 27 17 41
FORD Gar. d'Azur, av. de l'Université à la Valette du Var ✆ 94 21 04 00 N ✆ 94 21 11 83
RENAULT Succursale, Z.A.C. les Espaluns à la Valette du Var par ① ✆ 94 27 90 10 N ✆ 94 20 40 90
VAG Gar. Foch, Domaine Ste-Claire à La Valette-du-Var ✆ 94 23 24 66 N ✆ 94 27 25 56

Guillamon, 80 av. Char.-Verdun à Valette-du-Var ✆ 94 27 36 31
Mendez-Pneus, 101 av. Ed.-Herriot, L'Escaill ✆ 94 24 54 25
Piot-Pneu, Domaine Ste-Claire, r. P. et M. Cu à la Valette du Var ✆ 94 23 23 46
Rallye-Store, Centre Commercial Barnéoud la Valette du Var ✆ 94 21 03 35
Vulcopneu Leca, Zone Ind. à La Garde ✆ 94 83 97

TOULOUSE P **31000** H.-Gar. **82** ⑧ **G. Pyrénées Roussillon** – 354 289 h.

Voir Basilique St-Sernin*** FX – Les Jacobins** (église) FY – Le Capitole * FY – Hôtel d'Assézat* FY **B** – Cathédrale* GY – Tour d'escalier* de l'hôtel de Bernuy FY **S** – Musées : Augustins** (sculptures***) GY **M1**, Histoire naturelle** GY **M2**, St-Raymond** FX **M3**, Paul Dupuy* GY – **M4**.

18 ☎ **61 73 45 48, S : 10 km par D 4** BV ; 18 **de Palmola Country Club** ☎ **61 84 20 50 par** ③ **: 24 km.**

✈ **de Toulouse-Blagnac** : ☎ **61 71 11 14** - AT.

🚗 ☎ **61 62 50 50.**

ℹ Office de Tourisme et Accueil de France (Informations et réservations d'hôtels, pas plus de 5 jours à l'avance) Donjon du Capitole ☎ 61 23 32 00, Télex 531508 – A.C. 17 allées Jean-Jaurès ☎ 61 62 76 21.

Paris 705 ① – Barcelona 387 ⑦ – ♦Bordeaux 244 ① – ♦Lyon 535 ⑦ – ♦Marseille 404 ⑦.

Plans : Toulouse p. 2 à 5

Le Concorde M, 16 bd Bonrepos ☎ 61 62 48 60, Télex 531686 – |\$| ≡ TV ☎ 🚗 – 🏛 40 à 220. AE ⓓ E VISA GX **z**
fermé août, sam., dim. et fériés – **R** 95 – **97 ch** ☕440/640.

Gd H. de l'Opéra M, 1 pl. Capitole ☎ 61 21 82 66, Télex 521998, 🏊 – |\$| ≡ TV ☎ – 🏛 100. AE ⓓ E VISA FY **q**
R voir rest. **Les Jardins de l'Opéra** ci-après – ☕ 50 – **46 ch** 330/940, 4 appartements 1050.

Paris M sans rest, 18 allées J. Jaurès ☎ 61 62 98 30, Télex 521950 – |\$| ≡ TV ☎. AE ⓓ E VISA GY **d**
☕ 41 – **40 ch** 380/425.

Victoria sans rest, 76 r. Bayard ☎ 61 62 50 90, Télex 521748 – |\$| TV ☎ – 🏛 30. AE ⓓ E VISA GX **s**
fermé 24 déc. au 2 janv. – **78 ch** ☕210/300.

Altéa Wilson M sans rest, 7 r. Labéda ☎ 61 21 21 75, Télex 530550 – |\$| ≡ TV ☎ – 🏛 50. AE ⓓ E VISA GY **y**
☕ 47 – **91 ch** 495/625, 4 appartements 755.

d'Occitanie (École hôtelière) M, 5 r. Labéda ☎ 61 21 15 92, Télex 532178 – |\$| ☎. AE VISA. ✈ rest GY **y**
fermé vacances scolaires – **R** *(fermé sam. soir, dim. et fériés)* 100/135 – **17 ch** ☕160/330, 3 appartements 440.

Mercure M, r. St-Jérome (pl. Occitane) ☎ 61 23 11 77, Télex 520760, 🍽 – |\$| ≡ TV ☎ ♿ – 🏛 25 à 250. AE ⓓ E VISA GY **s**
R 66 bc/109 bc 🍼, enf. 60 – ☕ 43 – **170 ch** 410/490.

Logitel-In M sans rest, 91 r. Riquet ☎ 61 62 76 89, Télex 532121 – |\$| cuisinette ≡ TV ☎ P. AE ⓓ E VISA HY **n**
☕ 42 – **28 ch** 380/450, 16 appartements 480/650.

Caravelle M sans rest, 62 r. Raymond-IV ☎ 61 62 70 65, Télex 530438 – |\$| ≡ TV ☎ 🚗 – 🏛 25. AE ⓓ E VISA GX **m**
☕ 30 – **30 ch** 300/380.

Royal sans rest, 6 r. Labéda ☎ 61 23 38 70 – |\$| TV 🛁wc 🚿wc ☎ – 🏛 25. AE ⓓ E VISA GY **h**
☕ 24 – **25 ch** 246/377.

Orsay M sans rest, 8 bd Bonrepos ☎ 61 62 71 61 – |\$| TV 🛁wc 🚿wc ☎ ♿ P. AE ⓓ E VISA GX **n**
☕ 22 – **40 ch** 196/243.

Le Président M sans rest, 45 r. Raymond IV ☎ 61 63 46 46 – TV 🛁wc 🚿wc ☎ ♿ 🚗. AE ⓓ E VISA GX **k**
☕ 26 – **31 ch** 240/310.

Raymond IV sans rest, 16 r. Raymond-IV ☎ 61 62 89 41 – |\$| TV 🛁wc 🚿wc ☎ 🚗. AE ⓓ E VISA GX **d**
fermé 24 déc. au 3 janv. – ☕ 27 – **41 ch** 230/300.

Touristic H. sans rest, 25 pl. V.-Hugo ☎ 61 23 14 55 – |\$| TV 🛁wc 🚿wc ☎. E VISA GY **u**
☕ 20 – **38 ch** 150/230.

Progrès sans rest, 10 r. Rivals ☎ 61 23 21 28 – |\$| 🛁wc 🚿wc ☎. AE E VISA FY **n**
☕ 28 – **33 ch** 170/290.

Terminus M sans rest, 13 bd Bonrepos ☎ 61 62 44 78, Télex 531593 – |\$| TV 🛁wc ☎ ♿. AE ⓓ E VISA GX **s**
☕ 25 – **64 ch** 198/300.

Ours Blanc sans rest, 2 r. V.-Hugo ☎ 61 21 62 40 – |\$| TV 🛁wc 🚿wc ☎. VISA GY **m**
☕ 20 – **37 ch** 125/250.

Albion sans rest, 28 r. Bachelier ☎ 61 63 60 36 – |\$| TV 🛁wc 🚿wc ☎ 🚗. AE ⓓ VISA GY **a**
fermé 1er au 16 août – ☕ 20 – **27 ch** 180/200.

RÉPERTOIRE DES RUES DU PLAN DE TOULOUSE

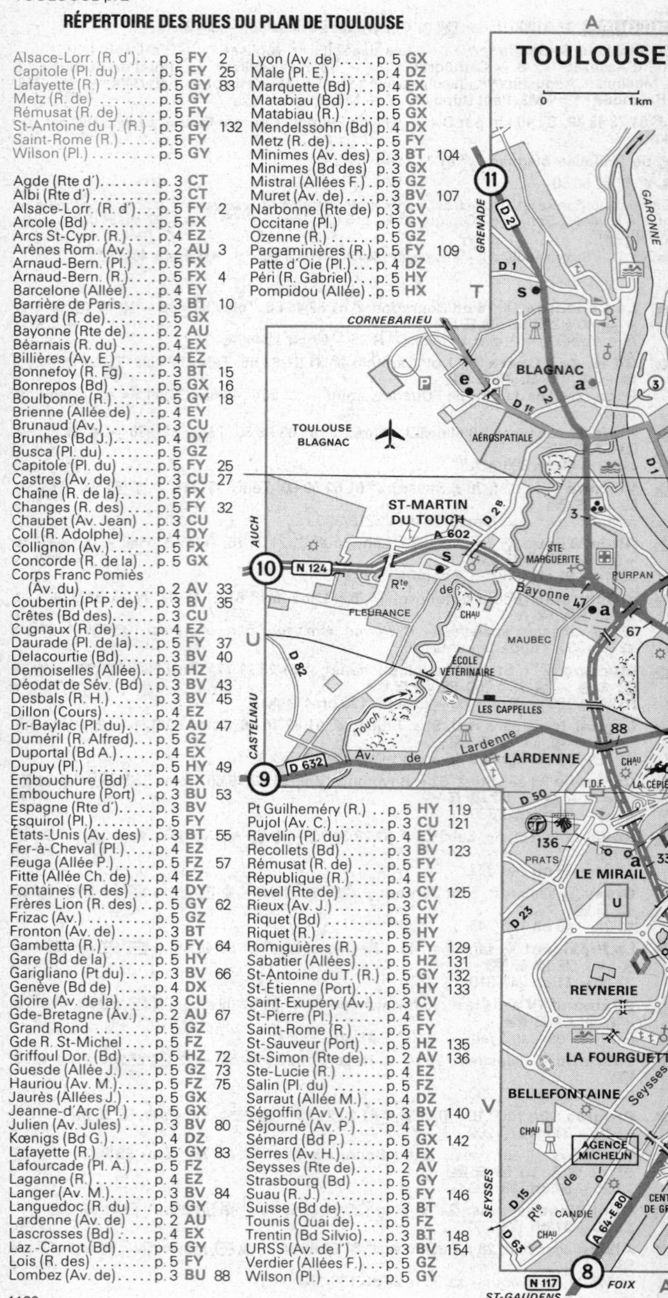

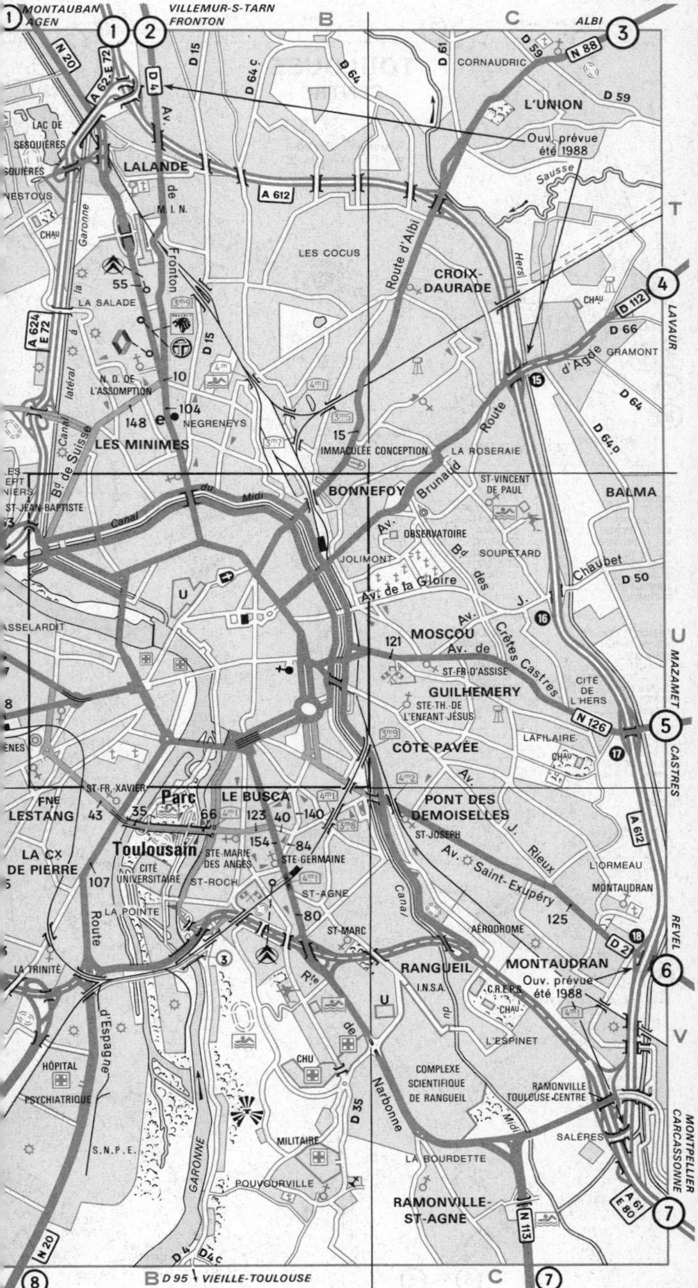

MONTAUBAN AGEN
VILLEMUR-S-TARN FRONTON
ALBI
LAVAUR
MAZAMET CASTRES
REVEL
MONTPELLIER CARCASSONNE
D 95 VIEILLE-TOULOUSE

LAC DE SESQUIÈRES
LALANDE
M. I. N.
LES COCUS
CORNAUDRIC
L'UNION
Ouv. prévue été 1988
CROIX-DAURADE
GRAMONT
LA SALADE
N. D. DE L'ASSOMPTION
NEGRENEYS
LES MINIMES
IMMACULÉE CONCEPTION
LA ROSERAIE
BONNEFOY
ST-VINCENT DE PAUL
BALMA
ST-JEAN-BAPTISTE
OBSERVATOIRE
SOUPETARD
JOLIMONT
MOSCOU
ST-FR.-D'ASSISE
GUILHEMERY
CITÉ DE L'HERS
STE-TH.-DE L'ENFANT-JÉSUS
CÔTE PAVÉE
LAFILAIRE
ST-FR.-XAVIER
FNE LESTANG
Parc Toulousain
LE BUSCA
PONT DES DEMOISELLES
ST-JOSEPH
LA Cx DE PIERRE
CITÉ UNIVERSITAIRE
STE-MARIE DES ANGES
STE-GERMAINE
ST-ROCH
ST-AGNE
L'ORMEAU
MONTAUDRAN
LA POINTE
ST-MARC
AÉRODROME
LA TRINITÉ
RANGUEIL
I.N.S.A.
C.R.E.P.S.
Ouv. prévue été 1988
L'ESPINET
HÔPITAL PSYCHIATRIQUE
CHU
COMPLEXE SCIENTIFIQUE DE RANGUEIL
RAMONVILLE TOULOUSE-CENTRE
S.N.P.E.
MILITAIRE
SALÈRES
LA BOURDETTE
POUVOURVILLE
RAMONVILLE-ST-AGNE

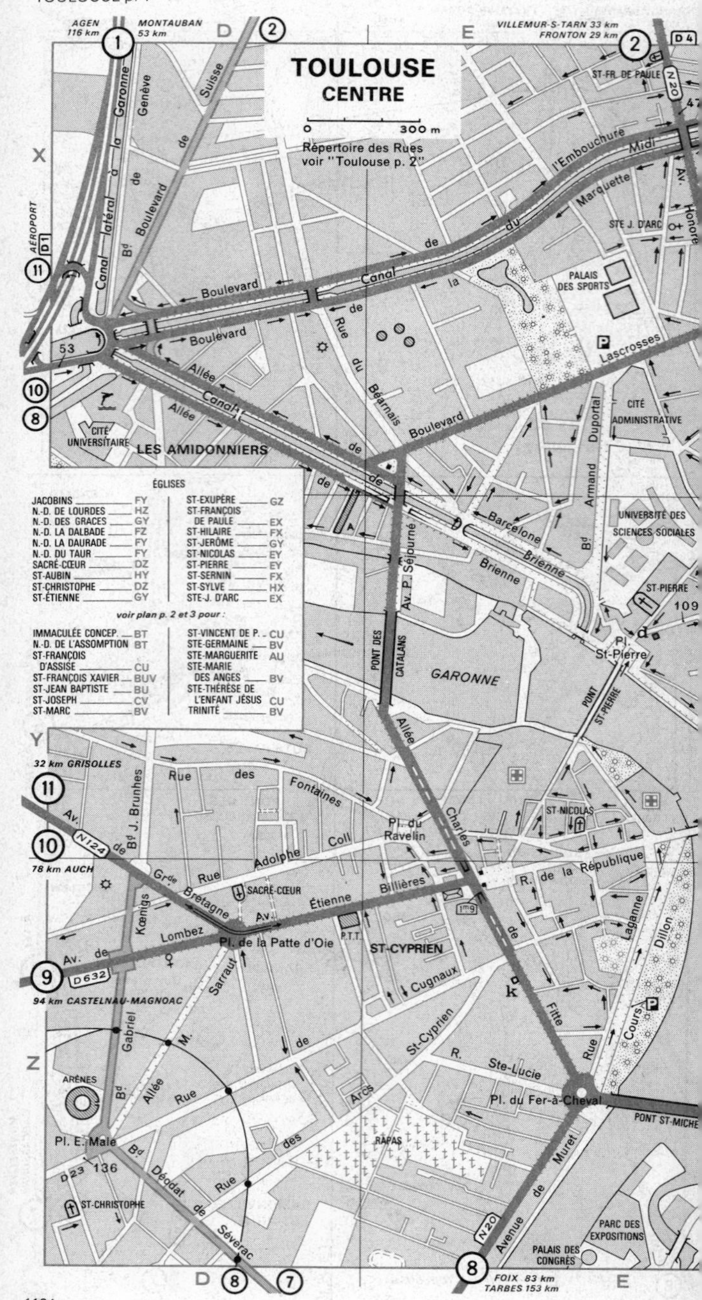
TOULOUSE
CENTRE
0 300 m
Répertoire des Rues
voir "Toulouse p. 2"
AGEN 116 km
MONTAUBAN 53 km
VILLEMUR-S-TARN 33 km
FRONTON 29 km
AÉROPORT
32 km GRISOLLES
78 km AUCH
94 km CASTELNAU-MAGNOAC
FOIX 83 km
TARBES 153 km
ÉGLISES
JACOBINS FY
N.-D. DE LOURDES HZ
N.-D. DES GRACES GY
N.-D. LA DALBADE FZ
N.-D. LA DAURADE FY
N.-D. DU TAUR FY
SACRÉ-CŒUR DZ
ST-AUBIN HY
ST-CHRISTOPHE DZ
ST-ÉTIENNE GY
ST-EXUPÈRE GZ
ST-FRANÇOIS DE PAULE EX
ST-HILAIRE FX
ST-JERÔME GY
ST-NICOLAS EY
ST-PIERRE EY
ST-SERNIN FX
ST-SYLVE HX
STE-J. D'ARC EX
voir plan p. 2 et 3 pour :
IMMACULÉE CONCEP. BT
N.-D. DE L'ASSOMPTION BT
ST-FRANÇOIS D'ASSISE CU
ST-FRANÇOIS XAVIER BUV
ST-JEAN BAPTISTE BU
ST-JOSEPH CV
ST-MARC BV
ST-VINCENT DE P. CU
STE-GERMAINE BV
STE-MARGUERITE AU
STE-MARIE DES ANGES BV
STE-THÉRÈSE DE L'ENFANT JÉSUS CU
TRINITÉ BV
LES AMIDONNIERS
CITÉ UNIVERSITAIRE
PALAIS DES SPORTS
CITÉ ADMINISTRATIVE
UNIVERSITÉ DES SCIENCES SOCIALES
GARONNE
PONT DES CATALANS
PONT ST-PIERRE
Pl. St-Pierre
ST-NICOLAS
Pl. du Ravelin
SACRÉ-CŒUR
Pl. de la Patte d'Oie
ST-CYPRIEN
ARÈNES
Pl. E. Male
ST-CHRISTOPHE
RAPAS
Pl. du Fer-à-Cheval
PONT ST-MICHEL
PARC DES EXPOSITIONS
PALAIS DES CONGRÈS
Boulevard de Suisse
Boulevard de Genève
Canal latéral à la Garonne
Canal du Midi
Boulevard de la Marquette
Boulevard de l'Embouchure
Rue du Béarnais
Allée de Barcelone
Allée de Brienne
Bd Armand Duportal
Av. P. Séjourné
Allée Charles de Fitte
Rue des Fontaines
Rue Adolphe Coll
Av. Étienne Billières
R. de la République
Av. de Grde Bretagne
Av. de Lombez
Bd J. Brunhes
Bd Kœnigs
Bd Gabriel
Allée M.
Rue Sarraut
Rue de Cugnaux
Rue St-Cyprien
R. Ste-Lucie
Rue des Arcs
Bd Déodat de Séverac
Avenue de Muret
Cours Dillon
Rue Laganne
Av. Honoré
Lascrosses
ST-FR. DE PAULE
STE J. D'ARC
ST-PIERRE
P.T.T.

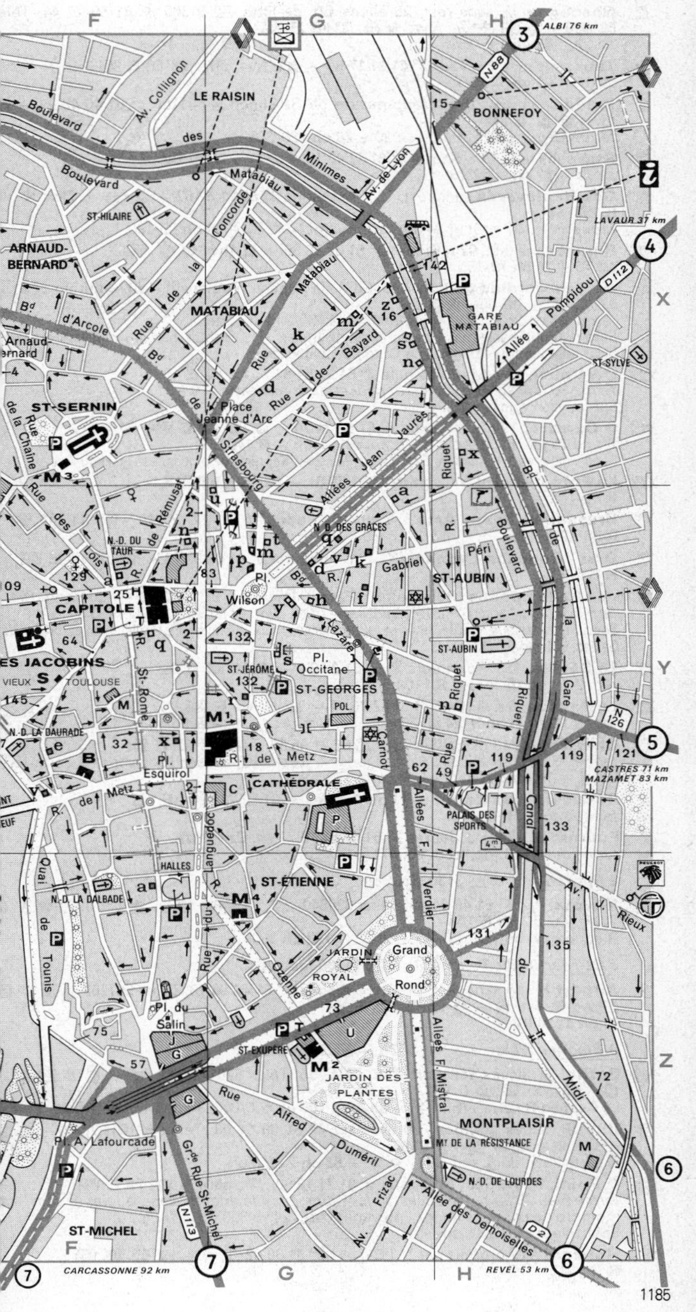
ALBI 76 km
LE RAISIN
BONNEFOY
Boulevard des Minimes
Boulevard Matabiau
Av. Collignon
Av. de Lyon
Rue de la Concorde
ST-HILAIRE
ARNAUD-BERNARD
MATABIAU
GARE MATABIAU
LAVAUR 37 km
Allée Pompidou
ST-SYLVE
Bd d'Arcole
Rue de Bayard
Bd de Strasbourg
Place Jeanne d'Arc
Allées Jean Jaurès
ST-SERNIN
Rue de la Chaîne
Rue des Lois
N.-D. DU TAUR
R. de Rémusat
N.-D. DES GRÂCES
R. Gabriel Péri
ST-AUBIN
Boulevard de la Gare
Pl. Wilson
Bd Lazare
CAPITOLE
LES JACOBINS
VIEUX TOULOUSE
R. St-Rome
ST-JÉRÔME
Pl. Occitane
ST-GEORGES
POL.
Rue Riquet
N.-D. LA DAURADE
Pl. Esquirol
R. de Metz
CATHÉDRALE
Allées F. Verdier
PALAIS DES SPORTS
Canal du Midi
CASTRES 71 km
MAZAMET 83 km
HALLES
ST-ÉTIENNE
N.-D. LA DALBADE
Quai de Tounis
R. Languedoc
Rue Ozenne
JARDIN ROYAL
Grand Rond
Av. J. Rieux
Pl. du Salin
ST-EXUPÉRY
JARDIN DES PLANTES
Allées F. Mistral
MONTPLAISIR
Mt DE LA RÉSISTANCE
N.-D. DE LOURDES
Pl. A. Lafourcade
Rue Alfred Duméril
Gr.de Rue St-Michel
Av. Frizac
Allée des Demoiselles
ST-MICHEL
CARCASSONNE 92 km
REVEL 53 km

Gascogne M sans rest, 25 allées Ch.-de-Fitte ✉ 31300 ✆ 61 59 27 44, Téle 521090 – TV wc wc ☎ P. AE ⓓ E VISA EZ
23 – **48 ch** 195/250.

Taur sans rest, 2 r. Taur ✆ 61 21 17 54 – wc wc ☎. AE E VISA FY
18 – **41 ch** 170/230.

Prado sans rest, 26 r. Prado par rte de St-Simon ✉ 31100 ✆ 61 40 49 29 – wc ☎ P. E VISA AU
fermé 15 juil. au 15 août – 20 – **22 ch** 180/240.

Star sans rest, 17 r. Baqué ✆ 61 47 45 15 – wc ☎. E VISA BT
21 – **17 ch** 165/215.

Gds Boulevards sans rest, 12 r. Austerlitz ✆ 61 21 67 57 – wc wc ☎. E VISA. GY
fermé 1er au 27 août et 24 déc. au 1er janv. – 20 – **30 ch** 85/190.

Riquet sans rest, 92 r. Riquet ✆ 61 62 55 96 – wc ☎ P. VISA HX
16 – **74 ch** 79/155.

XXX ❀❀ **Les Jardins de l'Opéra** -Gd H. de l'Opéra- (Toulousy), 1 pl. Capitole ✆ 61 2 07 76, – ▤. AE ⓓ E VISA FY
fermé 11 au 21 août, dim. et fériés – **R** 160/340 et carte
Spéc. Ravioli de foie gras frais au fumet de truffes, Vice versa de poivrons rouges et calamar Millefeuille aux fruits rouges. **Vins** Côtes-du-Frontonnais.

XXX ❀❀ **Vanel,** 22 r. M.-Fontvieille ✆ 61 21 51 82 – ▤. AE E GY
fermé 30 juil. au 30 août, lundi midi et dim. – **R** carte 210 à 310
Spéc. Pigeon, Agneau, Millefeuille.

XXX ❀ **Darroze,** 19 r. Castellane ✆ 61 62 34 70 – ▤. AE ⓓ E VISA. GY
fermé 15 juil. au 15 août et vacances de fév. – **R** 140/300
Spéc. Foie gras de canard froid ou chaud, Poissons, Suprême de pigeonneau au chou vert.

XXX **La Frégate,** 16 pl. Wilson ✆ 61 21 59 61 – ▤. AE ⓓ E VISA GY
R 80/145 ♖.

XX **Brasserie "Beaux Arts",** 1 quai Daurade ✆ 61 21 12 12, – ▤. AE ⓓ VISA FY
R 88/129 ♖.

XX **Orsi "Bouchon Lyonnais",** 13 r. Industrie ✆ 61 62 97 42 – ▤. AE ⓓ E VISA GY
R 105/228.

XX ❀ **La Belle Époque** (Roudgé), 3 r. Pargaminières ✆ 61 23 22 12 – ▤. AE ⓓ VISA EY
fermé 15 au 31 juil., 1er au 7 janv., sam. midi, dim. et fériés – **R** 200/250
Spéc. Petits tastous, Poêlée de ris et rognon de veau aux champignons, Millefeuille au pralin. **Vin** Gaillac, Côtes-du-Frontonnais.

XX **Le Séville,** 45 r. Tourneurs ✆ 61 21 37 97 – ▤. AE ⓓ E VISA FY
fermé 1er au 15 août – **R** 110 bc/200.

XX **Le Paysan,** 9 r. G.-Péri ✆ 61 62 70 44 – ▤. AE ⓓ E VISA GY
fermé 14 au 21 août, 24 au 30 déc., sam. midi et dim. – **R** 85/148.

XX **Chez Emile,** 13 pl. St-Georges ✆ 61 21 05 56 – ▤. AE ⓓ E VISA GY
fermé 23 déc. au 2 janv., dim. et lundi – **Rez-de-Chaussée** (poissons) **R** carte 150 200 ♖ – **1er étage** (viandes) **R** carte 170 à 200 ♖.

X **Rôtisserie des Carmes,** 11 pl. Carmes ✆ 61 52 73 82 – E VISA FZ
fermé sam. – **R** 63/112.

X **Fournil,** 36 allées J. Jaurès ✆ 61 62 66 19 – ▤. AE ⓓ VISA GY
fermé dim. – **R** (déj. seul.) 56/80 ♖.

à Purpan - AU – ✉ **31300** Toulouse :

Novotel M, ✆ 61 49 34 10, Télex 520640, – ▤ ch TV ☎ – 400. AE ⓓ E VISA AU
R carte environ 150, enf. 45 – 38 – **123 ch** 380.

à St-Martin-du-Touch AU – ✉ **31300** Toulouse :

Airport H. M sans rest, 176 rte Bayonne ✆ 61 49 68 78, Télex 521752 – ▤ wc ☎ P – 25. AE ⓓ E VISA AU
48 ch 249/279.

à Blagnac : 7 km - AT – 14 942 h. – ✉ **31700** Blagnac :

Sofitel M, accès aéroport ✆ 61 71 11 25, Télex 520178, – ▤ TV ☎ P – 300. AE ⓓ E VISA AT
Le Caouec R carte 175 à 245 – 45 – **100 ch** 600/670, 3 appartements 680.

Ibis M, accès aéroport, 80 av. Parc ✆ 61 30 01 00, Télex 521062, – wc ☎ P – 70. E VISA AT
R carte 75 à 120 ♖, enf. 33 – 25 – **88 ch** 240/255.

XXX ❀ **Pujol,** 21 av. Gén.-Compans ✆ 61 71 13 58, , parc – P. ⓓ E VISA AT
fermé 6 au 28 août, vacances de fév., dim. (sauf le midi de sept. à juin) et sam. – (nombre de couverts limité - prévenir) carte 245 à 330
Spéc. Foie de canard, Cassoulet.

XXX **Horizon,** à l'Aéroport par D 1 E - AT - ✆ 61 30 02 75, ← – ▤. AE ⓓ VISA
R 114/215.

au Sud-Ouest : 8 km par D 23 - AV – ✉ **31100** Le Mirail :

Diane et rest. Saint-Simon M, 3 rte St Simon ✆ 61 07 59 52, Télex 530518, parc, – rest – 30. AE E VISA. rest
R *(fermé sam. midi, et dim.)* 123/147, enf. 50 – 27 – **35 ch** 285/365 – 1/2 p 302/485.

XXX **Les Ombrages,** 48 bis rte St Simon ✆ 61 07 61 28 – P. AE E VISA
fermé 1er au 15 août, 23 déc. au 7 janv. et lundi – **R** 95/200, enf. 50.

à Ramonville-St-Agne : 8 km CV – 10 912 h. – ✉ **31520** Ramonville-St-Agne :

La Chaumière M, 102 av. Tolosane ✆ 61 73 02 02, Télex 520646, – ch P – 150. AE E VISA
R 65/250 – 30 – **43 ch** 290/320.

à Vieille Toulouse S : 9 km par D 4 - BV – ✉ **31320** Castenet :

La Flânerie sans rest, rte Lacroix-Falgarde ✆ 61 73 39 12, < vallée, parc – P. AE E VISA
35 – **12 ch** 173/415.

à Aucamville par ① : 7 km – ✉ **31140** Aucamville :

Les Pins, 94 rte Fronton ✆ 61 70 26 04, – ch wc wc P – 40 à 80. E VISA
fermé 7 au 16 août – **R** *(fermé dim. soir et lundi midi)* 85/215, enf. 60 – 30 – **36 ch** 180/240.

à Lacourtensourt par ① : 8 km – ✉ **31140** Aucamville :

XXX **La Feuilleraie,** ✆ 61 70 16 01, « Dans un parc, » – P. AE E VISA
R carte environ 250.

à St-Jean par ③ : 9 km – 6 512 h. – ✉ **31240** L'Union :

Horizon 88 M, ✆ 61 74 34 15, – P – 30. VISA
R *(fermé août et dim.)* 76/170 – 28 – **36 ch** 195/300.

à Fonsegrives par ⑤ : 8 km – ✉ **31130** Fonsegrives :

XX **La Grange,** ✆ 61 24 00 55, – P. E VISA
R 87/140, enf. 50.

à Labège par ⑥ et D 16 : 12 km – ✉ **31321** Castanet Tolosan :

Le Patio M, ✆ 61 39 29 00, Télex 532057, – rest wc wc P – 30. AE E VISA
R 98, enf. 45 – 35 – **84 ch** 327/387.

à Vigoulet-Auzil par ⑦ sortie Ramonville et D 35 : 12 km – ✉ **31320** Castanet :

XXX ❀ **Aub. de Tournebride** (Nony), ✆ 61 73 34 49, – P. AE E VISA
fermé 12 au 26 août, 10 au 31 janv., dim. soir et lundi – **R** carte 180 à 265, enf. 50
Spéc. Petite marmite des pêcheurs, Steak au pot, Émincé de veau aux pâtes fraîches et foie de canard.

à Villeneuve-Tolosane par ⑧ et D 15 : 13 km – 6 438 h. – ✉ **31270** Cugnaux :

Promenade, 22 allée Platanes ✆ 61 92 04 45, – . AE E VISA
R 80/170 – 15 – **10 ch** 105/165 – 1/2 p 166.

à Tournefeuille par ⑨ : 8,5 km – 8 541 h. – ✉ **31170** Tournefeuille :

Les Chanterelles M sans rest, S : 1 km par D 63 ✆ 61 86 21 86, « Pavillons dans un jardin fleuri et ombragé » – wc P.
23 – **10 ch** 260/330.

à Colomiers par ⑩ : 12 km – 23 583 h. – ✉ **31770** Colomiers :

Castella et rest. Le Columerin, près Église ✆ 61 78 68 68, Télex 530893 – wc P. VISA
R *(fermé août, dim. soir et lundi)* 60/170 – 20 – **33 ch** 200.

MICHELIN, Agence régionale, Z.I., 30 bd de Thibaud AV ✆ 61 41 11 54

LFA ROMEO Arquier, rte Castres, Lasbordes 61 24 05 92 N ✆ 61 42 99 11
LFA-ROMEO-FERRARI Autorama, 59-61 av. Lombez ✆ 61 49 49 49
UTOBIANCHI-LANCIA, NISSAN Langue-oc Autos, 24 bd Matabiau ✆ 61 62 86 48
MW Pelras, 145 r. Nicolas Vauquelin ✆ 61 53 53
MW Soulié, 15 Gde-Rue-St-Michel ✆ 61 52 75
ITROEN Succursale, 142 av. des Etats-Unis e ✆ 61 47 67 01 N

CITROEN France Auto, 2 av. des Crêtes à Ramonville St-Agne par N 113 CV ✆ 61 73 81 73
CITROEN Samazan, 29 av. du 14e-R.I. BV ✆ 61 52 90 17
CITROEN Carrière, rte Castres à Lasbordes par ⑤ ✆ 61 24 24 27
FIAT, LANCIA-AUTOBIANCHI S.O.M.E.D.A. 58 rte Bayonne ✆ 61 49 11 12
FIAT, LANCIA-AUTOBIANCHI AUTO NORD, 127 av. États-Unis ✆ 61 47 14 00
FORD Auto-Services, 134 rte de Revel ✆ 61 54 52 29

FORD S.L.A.D.A., 83 bd Silvio-Trentin ✆ 61 47 24 24
FORD Auto-Services, 226 rte de Narbonne ✆ 61 73 26 91
HONDA-SEAT Mondial Auto, 109 av. des Etats-Unis ✆ 61 57 40 52
LADA-SKODA Castel-Auto, 35 Ch. Lapujade ✆ 61 48 82 01
MERCEDES-BENZ Jour et Nuit, 37 av. H.-Serres ✆ 61 23 11 78
OPEL Général Autom., 16 allée Ch.-de-Fitte ✆ 61 42 91 36
OPEL GM Autefage et Magnoler, ZA r. Branly à Ramonville-St-Agne ✆ 61 73 00 00
PEUGEOT-TALBOT Ramonville Auto, 9 av. des Crêtes à Ramonville-St-Agne par N 113 CV ✆ 61 73 23 21
PEUGEOT-TALBOT S.I.A.L., 105 av. États-Unis BT a ✆ 61 47 67 67
PEUGEOT-TALBOT S.I.A.L., 23 av. J.-Rieux HZ ✆ 61 54 52 52
PEUGEOT-TALBOT S.I.A.L., rue L.-N. Vauquelin AV ✆ 61 41 23 33
PORSCHE-MITSUBISHI Europ-Auto, 10 bd d'Arcole ✆ 61 62 03 25 **N** ✆ 61 52 39 07
RENAULT Renault St Aubin, 32 r. Riquet HY ✆ 61 62 62 21 **N**
RENAULT Succursale, 75 av. États-Unis BT ✆ 61 47 79 09
RENAULT Succursale, r. L.-N.-Vauquelin AV a ✆ 61 41 11 44
RENAULT Succursale, ZA r. Branly à Ramonville St-Agne par ⑦ ✆ 61 73 81 81
RENAULT Gar. Bonnefoy, 22 fg Bonnefoy HX ✆ 61 48 84 82
RENAULT Puel, 2 r. J.-Babinet AV ✆ 61 40 41 40

SAAB Central Garage, 8 r. Gabriel-Péri ✆ 62 60 45
TOYOTA Laville, 144 av. des États Unis ✆ 57 52 00
TOYOTA, VOLVO Autos 31, 166 av. de Mu ✆ 61 42 91 50
V.A.G. Centre Mirail Auto, r. Babinet, la Re nerie ✆ 61 44 44 44
V.A.G. Ets Gauch, à Labège ✆ 61 20 05 52
V.A.G. S.C.A.U., 71 av. Toulouse à l'Uni ✆ 61 74 14 45
V.A.G. Toulouse-Automobile, 34 Gde r. Michel ✆ 61 52 64 08

Bellet-Pneus, 26 allées Ch.-de-Fitte ✆ 61 56 56
Central-Pneu av. E.-Serres à Colomiers ✆ 61 15 50
Central-Pneu, 24 r. G.-Péri ✆ 61 62 70 90, ZI av. Thibaut Mirail ✆ 61 40 28 72
Central-Pneu, 336 av. de Fronton ✆ 61 47 59 71 bd Marquette ✆ 61 23 56 29
Escoffier-Pneus, 205 av. États-Unis ✆ 61 47 80
L'Eclair Pneus 1 rte de Bessières à l'Union ✆ 74 02 96
Roudez, 15 av. Camille-Pujol ✆ 61 80 88 46
Solapneu, 82 r. N-Vauquelin ✆ 61 40 36 86
Solapneu, 85 bd Suisse ✆ 61 47 61 90
Solapneu, 211 rte Narbonne ✆ 61 52 11 89
Solapneu, Zone Ind. Montaudran, 10 av. Dau ✆ 61 80 19 98
Stand du Pneu, 25 allées F.-Verdier ✆ 61 52 54
Toulouse-Pneu, Zone Ind. de Prat-Gimo Balma ✆ 61 48 62 04

TOUQUES 14 Calvados 55 ③ – rattaché à Deauville.

Le TOUQUET-PARIS-PLAGE 62520 P.-de-C. 51 ⑪ **G. Flandres Artois Picardie** – 5 425
– Casinos: La Forêt BZ, Quatre saisons AY.

Voir Phare ← BY R – Vallée de la Canche* par ①.**

18 18 9 ✆ **21 05 20 22, S : 2,5 km par ②.**

Office de Tourisme Palais de l'Europe ✆ 21 05 21 65, Télex 134955.

Par ① : Paris 220 – Abbeville 58 – Arras 99 – Boulogne-sur-Mer 32 – ♦Lille 132 – St-Omer 70.

Plan page ci-contre

Westminster, av. Verger ✆ **21 05 48 48, Télex 160439,** – 25 à 200. AE E VISA. rest — BZ
25 mars-1er déc. – **R** 140/180, enf. 45 – **Coffee Shop R** carte environ 100 – 40 – **115 ch** 580/830.

Manoir H., aux Golfs par ② : 2,5 km ✆ **21 05 20 22, Télex 135565,** ←, – 40. AE E VISA.
fermé janv. et fév. – **R** 185/195 et carte le dim. – **42 ch** 565/740 – ½ p 640/1225

Novotel-Thalamer M, **sur la plage** ✆ **21 05 24 00, Télex 160480,** ←, – 25 à 120. AE E VISA — AZ
fermé 8 au 31 janv. – **R** carte environ 120, enf. 40 – 45 – **104 ch** 510/550.

Bristol M sans rest, **17 Grande rue** ✆ **21 05 49 95** – . AE E VISA — AZ
32 – **48 ch** 350/480.

Côte d'Opale, 99 bd Dr J.-Pouget ✆ **21 05 08 11,** ←, **« Terrasse fleurie »** rest wc. AE E VISA — AZ
hôtel : fermé début janv. à début mars ; rest. : ouvert fin mars au 11 nov. – 140/350 – 32 – **28 ch** 200/400 – ½ p 272/370.

Ibis M, **sur la plage** ✆ **21 09 87 00, Télex 134273,** ←, – wc – 50. E VISA. rest — AZ
R carte 75 à 120 – 25 – **90 ch** 305/367.

Plage sans rest, **bd Dr J.-Pouget** ✆ **21 05 03 22,** ← – wc wc. E VISA — AZ
15 mars-15 nov. – 23 – **29 ch** 160/265.

Nouvel H. sans rest, **89 r. Paris** ✆ **21 84 55 61** – wc wc. VISA — AY
16 mars-14 déc. – 20 – **20 ch** 100/250.

Forêt sans rest, **73 r. Moscou** ✆ **21 05 09 88** – wc. AE E VISA. — AZ
fermé janv. – **10 ch** 165/190.

LE TOUQUET-PARIS-PLAGE

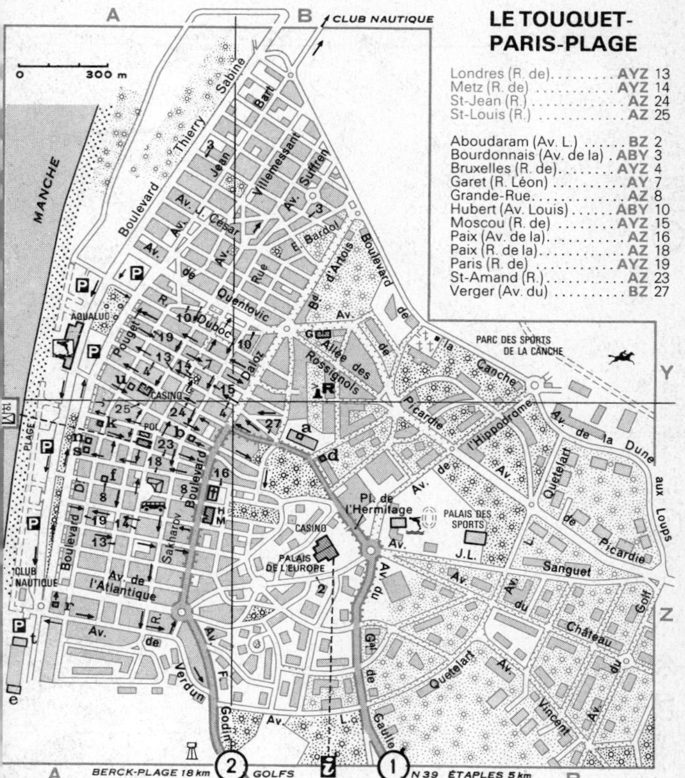

XXXX ✻ **Flavio-Club de la Forêt,** av. Verger ✆ 21 05 10 22 – AE ⓓ E VISA — BZ **d**
mars-mi-nov., mi-déc.-1er janv., week-ends de mi-nov. à mi-déc. et fermé merc. sauf juil.-août – **R** 230 (sauf sam. soir)/450
Spéc. Carte des homards, Amuse bouche de coquillages et crustacés (oct. à mai), Barbue au vin de rhubarbe (mai à sept.).

XXX **Georges II,** bd Dr. J.-Pouget ✆ 21 05 00 68 – ▤ — AZ **r**
fermé mardi soir et merc. hors sais. – **R** carte 230 à 335.

X **Diamant Rose,** 110 r. Paris ✆ 21 05 38 10 – E VISA — AZ **k**
fermé 5 au 17 oct., 15 déc. au 31 janv., mardi soir et merc. – **R** 65/90, enf. 50.

à l'Aéroport E : 2,5 km BZ :

XX **L'Escale,** ✆ 21 05 23 22 – Ⓟ. AE ⓓ E VISA
fermé jeudi soir sauf vacances scolaires – **R** carte 165 à 255 – **Brasserie R** 60 bc/95, 🍼, enf. 35.

à Stella-Plage par ② : 7 km – ✉ **62780** Cucq :

Dell'Hôtel, bd E.-Labrasse ✆ 21 94 60 86 – |≡| ⇌wc ⚲wc ☎. E VISA. ✂
fermé janv. – **R** *(fermé dim. soir et mardi sauf juil.-août)* 60/90, enf. 35 – ☕ 20 – **30 ch** 100/220 – ½ p 170/280.

RENAULT G.C.R., Cent. Comm. de la Canche ✆ 21 94 91 00

TOURCOING 59200 Nord **51** ⑥ **G. Flandres Artois Picardie** – 97 121 h.

des Flandres ✆ 20 72 20 74 par ① : 9,5 km ; 18 du Sart ✆ 20 72 02 51 par ① : 12 km ; 18 de Bondues ✆ 20 23 20 62, SO : 7 km.

Syndicat d'Initiative Grand'Place ✆ 20 26 89 03 – A.C. 13 r. Desurmont ✆ 20 26 56 37.

Paris 234 ⑧ – Kortrijk 19 ⑥ – Gent 61 ⑥ – ♦Lille 13 ⑧ – Oostende 66 ⑦ – Roubaix 4 ②.

au-dessous, voir plan de Roubaix

In this guide,
a symbol or a character,
printed in red or black, in light or **bold** type,
does not have the same meaning.
Please read the explanatory pages carefully
(pp. 24 to 31).

TOURCOING

0 — 500 m

Straße	Planquadrat	Nr.
Brun-Pain (R. du)	AY	
Cloche (R. de la)	DY	8
Croix-Rouge (R. de la)	DXY	
Dron (Av. Gustave)	CDZ	
Gand (R. de)	CXY	
Grand'Place	CY	18
Leclerc (R. du Gén.)	CY	25
Menin (R. de)	BXY	
Nationale (R.)	ABY	
St-Jacques (R.)	BCY	38
Tournai (R. de)	CY	42
Berthelot (Chée M.)	DXY	
Blanche-Porte (R. de la)	ABZ	
Blanc-Seau (R. du)	CZ	3
Bois (R. du)	AY	
Calvaire (R. du)	BY	
Carliers (R. des)	CZ	
Carnot (R.)	CZ	
Chanzy (R.)	BCZ	5
Château (R. du)	DY	
Chateaubriand (R.)	DZ	6
Chêne-Houpline (R. du)	DXY	
Cherbourg (Quai de)	BZ	7
Condorcet (R.)	DY	9
Croix-Blanche (R. de la)	DX	13
Curie (Chée Pierre)	DX	
Delobel (R.)	BY	15
Doumer (R. Paul)	CY	
Dunkerque (R. de)	AZ	
Égalité (Bd de l')	DXY	
Faidherbe (R.)	CZ	
Famelart (R.)	CZ	16
Fin-de-la-Guerre (R.)	AXY	
Forest (Chée Fernand)	BCX	
Francs (R. des)	AYZ	
Froissart (R. Jean)	AY	17
Gambetta (Bd)	CZ	
Gramme (Chée)	CDX	
Guisnes (R. de)	DY	
Halluin (Bd d')	AX	
Hassebroucq (Pl. V.)	CY	20
Ingres (R.)	BCX	
Joffre (Av. du Mar.)	DZ	22
Jouhaux (Bd L.)	DZ	
Lamartine (R.)	DX	
Lartillier (R. L.)	CY	23
Latte (R. de la)	BXY	
Lefrançois (Av. Alfred)	DZ	26
Levant (R. du)	DY	
Lille (R. de)	ABY	
Marne (Av. de la)	BZ	
Millet (Av. Jean)	BY	29
Mont-à-Leux (R. du)	DZ	30
Moulin-Fagot (R. du)	DY	31
Papin (Chée Denis)	AX	
Paris (R. de)	AYZ	
Piats (R. des)	DY	
Pont-de-Neuville (R. du)	DX	
Racine (R.)	ABX	
République (Pl. de la)	CY	32
Résistance (Pl. de la)	CY	34
Ribot (R. A.)	CY	35
Roncq (R. de)	ABX	
Roubaix (R. de)	CDZ	
Roussel (Pl. C. et A.)	BCY	37
Sasselange (R. Ed.)	BZ	39
Testelin (R. A.)	DX	40
Thiers (R.)	CZ	41
Tilleul (R. du)	DYZ	
Touquet (R. du)	DY	
Tourcoing (R. de)	AZ	
Union (R. de l')	DZ	
Ursulines (R. des)	BYZ	
Victoire (Pl. de la)	BCZ	43
Virolois (R. du)	DY	
Watt (Chaussée)	AY	
Wattine (R. Ch.)	BCZ	44
Winoc-Chocqueel (R.)	DY	

Die im Michelin-Führer
verwendeten Zeichen und Symbole haben – dünn oder **fett** gedruckt, in rot oder schwarz – jeweils eine andere Bedeutung.
Lesen Sie daher die Erklärungen (S. 40 - 47) aufmerksam durch.

Novotel M, au Nord près échangeur de Neuville-en-Ferrain ✉ 59960 Neuville-en-Ferrain ✆ 20 94 07 70, Télex 131656, ⛱, 🏊, 🌳 – ⇅ ▤ rest ▣ ☎ ♿ 🅟 – 🏛 30 à 300. AE ⦿ E VISA plan Lille JKR
R grill carte environ 120, enf. 40 – ☕ 38 – **96 ch** 330/360.

Fimotel M, 320 bd Gambetta ✆ 20 70 38 00, Télex 131234, ⛱ – ⇅ ▣ ⇔wc ☎ ♿ 🅟 – 🏛 50. E VISA plan Roubaix AX
R 59/78, enf. 34 – ☕ 26 – **40 ch** 241/261.

Ibis M, r. Carnot ✆ 20 24 84 58, Télex 132695 – ⇅ ▣ ⇔wc ☎ – 🏛 25. E VISA CY
R carte 75 à 120 ♂, enf. 34 – ☕ 25 – **102 ch** 230/250.

XXX **La Saucière,** 189 bd Gambetta ✆ 20 26 67 90 – E VISA CZ
fermé 1er août au 9 sept., vacances de fév., sam. et dim. – **R** 200/275.

XXX **P'tit Bedon,** 5 bd Egalité ✆ 20 25 00 51 – AE ⦿ VISA DY
fermé 15 au 30 juil., 4 au 16 sept. et lundi – **R** 130 bc, carte le dim.

XX **Le Plessy,** 31 av. Lefrançois ✆ 20 25 07 73 – ⦿ VISA DZ
fermé août, dim. soir et lundi – **R** 92/150.

X **Milano,** 66 r. Haze ✆ 20 26 43 08 – VISA CY
fermé août et sam. – **R** carte 120 à 200.

AUSTIN-ROVER Gar. Devernay, 203 r. de Dunkerque ✆ 20 26 80 28
CITROEN Gar. Corselle, 4 r. F.-Roosevelt CY ✆ 20 01 55 51
CITROEN Vigneau et Delehaye, 135 r. Nationale BY ✆ 20 26 68 71
FORD Gar. Ponthieux, 75 r. de Roubaix ✆ 20 26 67 05 N ✆ 20 75 40 03
PEUGEOT Gar. de L'Autoroute, 13 r. du Dronckaert à Roncq par ⑦ ✆ 20 37 89 15
RENAULT D.I.A.N.O.R., 53 r. du Dronckaert à Roncq par ⑦ ✆ 20 94 01 35
RENAULT SNAT, 95 r. du Tilleul DZ ✆ 20 2 74 18 N
RENAULT Ropital, 19 quai Cherbourg BZ ✆ 2 26 61 94
V.A.G. Beulque, 20 r. du Tilleul ✆ 20 24 36 45

◉ Nord-Pneu, 9 bis r. F.-Buisson ✆ 20 25 31 7
Promo-Pneus, 486 r. du Blanc Seau ✆ 20 36 4 58

La TOUR-D'AIGUES 84240 Vaucluse 84 ③ G. Provence – 2 479 h.

Paris 755 – Aix-en-Pr. 26 – Apt 41 – Avignon 83 – Cavaillon 51 – Manosque 27 – Salon-de-Pr. 47.

XX **Host. du Château,** (1er étage) ✆ 90 77 43 55
fermé fév. et lundi – **R** 98/200.

AUSTIN-ROVER Gar. Staiano, D 9 à Sannes ✆ 99 77 75 61
RENAULT Felines, ✆ 90 77 40 47 N ✆ 90 7 45 19

La TOUR-D'AUVERGNE 63680 P.-de-D. 73 ⑬ G. Auvergne – 900 h. alt. 990 – Sports d'hiver 1 200/1 400 m ⛷3 ⛷.

ℹ Syndicat d'Initiative à la Mairie ✆ 73 21 54 80.

Paris 443 – ♦Clermont-Ferrand 60 – Mauriac 57 – Le Mont-Dore 17 – Ussel 60.

Lac, rte de Bort ✆ 73 21 52 19, ← – 🚿 ☎ 🅟. ⚘ rest
fermé 1er oct. au 15 déc. – **R** 53/100 ♂ – ☕ 15 – **12 ch** 105/172 – 1/2 p 126/189.

RENAULT Gar. Maillard, ✆ 73 21 50 43

Le TOUR-DU-PARC 56 Morbihan 63 ⑬ – 571 h. – ✉ 56370 Sarzeau.

Paris 475 – Muzillac 22 – Redon 59 – La Roche-Bernard 37 – Vannes 22.

La Croix du Sud M 🌳, ✆ 97 67 30 20, Télex 951948, 🏊, 🌳, 🎾 – ▣ ⇔wc ☎ ♿ 🅟 – 🏛 30. AE ⦿ E VISA
R *(fermé dim. soir et lundi de nov. à Pâques)* 120/320, enf. 60 – ☕ 27 – **16 c** 264/275, 8 appartements 286/396 – 1/2 p 386/408.

La TOUR-DU-PIN ⟨SP⟩ 38110 Isère 74 ⑭ G. Vallée du Rhône – 7 037 h.

Paris 511 ⑥ – Aix-les-B. 53 ① – Chambéry 47 ④ – ♦Grenoble 67 ④ – ♦Lyon 55 ④ – Vienne 53 ④.

Plan page ci-contre

France et rest. Bec Fin, 12 av. Alsace-Lorraine **(a)** ✆ 74 97 00 08 – ⇔wc 🚿w ☎ 🚗. AE E VISA
R 60/200, enf. 42 – ☕ 22 – **30 ch** 140/190 – 1/2 p 150/210.

Dauphiné Savoie, r. A.-Briand **(n)** ✆ 74 97 03 87 – 🚿wc ☎. E VISA
fermé 17 oct. au 2 nov., 18 au 25 mars et lundi midi – **R** 58/135 ♂ – ☕ 23 – **12 c** 78/150 – 1/2 p 140/160.

à Cessieu par ⑤ : 6 km – ✉ **38110** La Tour-du-Pin :

XX **La Gentilhommière** 🌳 avec ch, ✆ 74 88 30 09 – 🅟. AE ⦿ E VISA. ⚘ ch
fermé 15 nov. au 15 déc., dim. soir et lundi – **R** 100/250, enf. 45 – ☕ 19 – **6 c** 120/180.

LA TOUR-DU-PIN

Billard (R. Marius) 4
Briand (R. Aristide) 5
Bruyères (R. des) 7
Contamin (R. Claude) 8
Dubost (Pl. Antonin) 9
Jaurès (R. Jean) 13
Lescure (R. Jean) 15
Nation (Pl. de la) 16
Pasteur (R.) 17
Paul-Bert (R.) 18
Recollets (R. des) 20
République (R. de la) 21
Sage (R. Paul) 23
Savoyat (R. Joseph) 24
Thevenon (Pl. Albert) 25
Viricel (R.) 29
11-Nov.-1918 (R. du) 30

Les plans de villes sont orientés le Nord en haut.

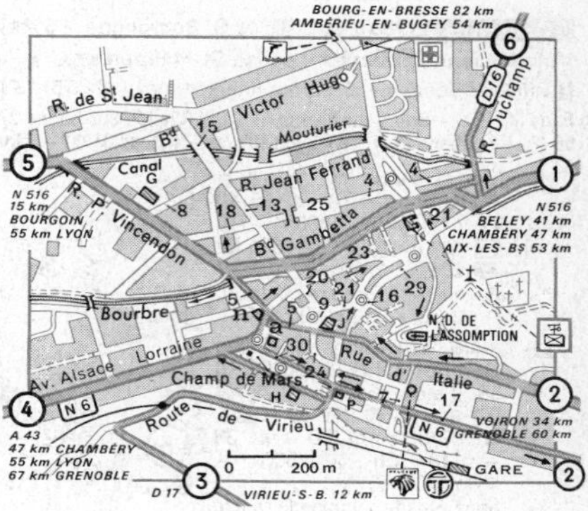

à Faverges-de-la-Tour par ①, N 75 et D 145 E : 10 km – ✉ **38110** La-Tour-du-Pin :

Château de Faverges, ☎ 74 97 42 52, Télex 300372, ←, parc, « Très beaux aménagements intérieurs », – 100. VISA. rest
12 mai-8 oct. – **R** *(fermé lundi sauf juil.-août)* 300/420 – 65 – **46 ch** 450/1200, 3 appartements 1700 – ½ p 615/1250
Spéc. Nage d'écrevisses, Filets de rouget en civet, Pigeon rôti aux choux et foie gras. **Vins** Seyssel, Pinot de Savoie.

CITROEN Gar. Vial, N 6 Zone Ind. à St-Jean-de-Soudain par ⑤ ☎ 74 97 30 34
CITROEN Monin, à St-Clair de la Tour par ① ☎ 74 97 10 82
OPEL Gar. du Centre, 1 r. Pierre Vincendon ☎ 74 97 04 57
PEUGEOT-TALBOT Brochier, 9 r. Bruyères ☎ 74 97 03 68

RENAULT Tour-Autos, Zone Ind. à St-Jean-de-Soudain par r. St-Jean ☎ 74 97 25 63
V.A.G. Alp'Gar. 23 r. Pasteur ☎ 74 97 09 84

Bargeon-Pneus, 58 av. Alsace Lorraine ☎ 74 97 32 05

TOURMALET (Col du) **65** H.-Pyr. 85 ⑱ **G. Pyrénées Aquitaine** – alt. 2 114.
Voir ✻★★.
Paris 840 – Luz-St-Sauveur 18 – La Mongie 4.

TOURNAN-EN-BRIE **77220** S.-et-M. 61 ② – 4 851 h.
Paris 44 – Brie-Comte-Robert 14 – Meaux 34 – Melun 28 – Provins 49.

XX **Aub. La Tourelle,** 1 r. Melun ☎ (1) 64 25 32 23 – VISA
fermé août, vacances de fév. et merc. – **R** (déj. seul.) carte 125 à 190.

PEUGEOT-TALBOT Gar. de la Sécurité, ☎ 64 07 04 06

TOURNEFEUILLE **31** H.-Gar. 82 ⑦ – rattaché à Toulouse.

TOURNON **07** Ardèche 77 ① – rattaché à Tain-Tournon.

TOURNON-D'AGENAIS **47370** L.-et-G. 79 ⑥ **G. Pyrénées Aquitaine** – 921 h.
Voir Site★.
Paris 603 – Agen 42 – Cahors 46 – Castelsarrasin 56 – Montauban 63 – Villeneuve-sur-Lot 26.

Midi, ☎ 53 71 70 08, – wc . **E**
fermé 29 août au 19 sept., 21 au 28 fév., vend. soir et sam. sauf juil.-août – **R** 60/100 , enf. 30 – 19 – **12 ch** 80/160 – ½ p 160/200.

RENAULT Gar. Mirabel, ☎ 53 71 72 07 **N** ☎ 53 71 73 79

TOURNUS 71700 S.-et-L. 69 ⑳ G. Bourgogne – 6 704 h.

Voir Ancienne abbaye★ : église St-Philibert★★.

Office de Tourisme pl. Carnot (mars-1er nov.) ✆ 85 51 13 10.

Paris 362 ① – Bourg-en-Bresse 51 ② – Chalon-sur-Saône 27 ① – Charolles 63 ③ – Lons-le-Saunie 56 ② – Louhans 29 ② – ♦ Lyon 102 ② – Mâcon 31 ② – Montceau-les-Mines 65 ①.

De Greuze M, 5 r. A.-Thibaudet **(e)** ✆ 85 40 77 77, Télex 351055 – AE E VISA
R voir rest. **Greuze** ci-après – 60 – **21 ch** 500/960.

✿ **Le Rempart** M, 2 av. Gambetta **(x)** ✆ 85 51 10 56, Télex 351019 – AE E VISA
R 139/330, enf. 50 – 38 – **28 ch** 230/500 – ½ p 370/450
Spéc. Salade gourmande au foie gras, Blanc de turbot rôti à l'huile d'olive, Feuillantine de fruits frais. **Vins** Mâcon blanc et rouge.

Le Sauvage, pl. Champ-de-Mars **(u)** ✆ 85 51 14 45, Télex 800726 – wc wc AE E VISA
fermé 15 nov. au 15 déc. – **R** 85/180, enf. 45 – 28 – **30 ch** 220/330 – ½ p 250/290.

Paix, 9 r. J.-Jaurès **(k)** ✆ 85 51 01 85 – wc AE E VISA
fermé 30 avril au 7 mai, 22 au 29 oct., 7 au 31 janv., merc. midi et mardi sauf juil.-août – **R** 65/136 – 21 – **23 ch** 185/255 – ½ p 180/210.

Motel Clos Mouron sans rest, par ① : 0,5 km ✆ 85 51 23 86 – wc AE E VISA
fermé dim. d'oct. à mai – 20 – **20 ch** 170/200.

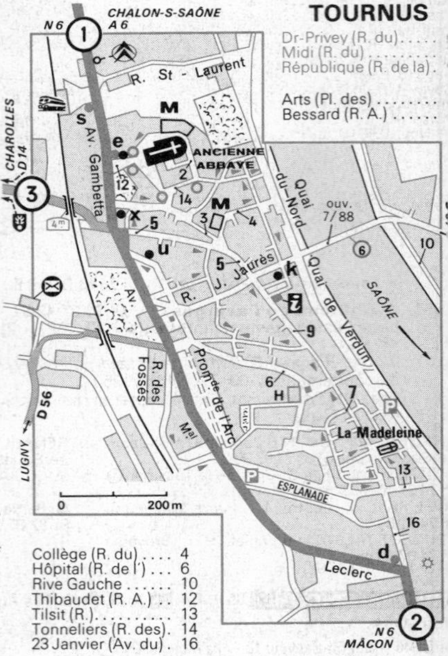

TOURNUS

Dr-Privey (R. du)
Midi (R. du)
République (R. de la)

Arts (Pl. des)
Bessard (R. A.)

Collège (R. du) 4
Hôpital (R. de l') ... 6
Rive Gauche 10
Thibaudet (R. A.) ... 12
Tilsit (R.)........ 13
Tonneliers (R. des). 14
23 Janvier (Av. du) . 16

XXX ✿✿ **Greuze** (Ducloux), 1 r. A.-Thibaudet **(e)** ✆ 85 51 13 52 – AE E VISA
fermé 1er au 10 déc. – **R** 210/400 et carte
Spéc. Pâté en croûte "Alexandre Dumaine", Quenelles de brochet, Entrecôte à la mode de Charolle **Vins** Mâcon-Uchizy, Beaujolais.

XX **Terrasses** avec ch, 18 av. 23 Janvier **(d)** ✆ 85 51 01 74 – wc – 30. E VISA
fermé 20 au 27 juin, 6 janv. au 6 fév., dim. soir et lundi – **R** 60/160 – 20 – **12 c** 90/165.

XX **Terminus,** 21 av. Gambetta **(s)** ✆ 85 51 05 54 – E VISA
fermé 5 janv. au 3 fév., 6 au 11 juin, mardi soir (sauf juil.-août) et merc. – **R** 60/17 enf. 35.

à Lacrost 2 km par D 37 – ✉ 71700 Lacrost :

X **Petite Auberge,** ✆ 85 51 18 59
fermé 20 juin au 13 juil., mardi soir et merc. – **R** 51/145.

à Martailly-lès-Brancion par ③ et D 14 : 12 km – ✉ 71700 Tournus :

X **Relais de Martailly,** ✆ 85 51 19 56 – E VISA
1er mars-15 nov. et fermé lundi sauf le soir du 15 juil. au 15 sept. – **R** 49/142.

à Brancion par ③ D 14 : 14 km – ✉ 71700 Tournus.

Voir Donjon du château ≤★.

Montagne de Brancion M sans rest, au col de Brancion ✆ 85 51 12 40, – wc wc – 50. E VISA
début mars-11 nov. – 40 – **20 ch** 200/360.

CITROEN Gar. Guillemaut, 4 av. Pasteur ✆ 85 51 03 17
FORD Gar. Pagneux, 3 av. Gambetta ✆ 85 51 06 45
RENAULT Pageaud, 3 rte de Paris par ① ✆ 8 51 07 05

TOURRETTE-SUR-LOUP 06 Alpes-Mar. 84 ⑨, 195 ㉕ G. Côte d'Azur – 2 727 h. – ✉ 06140 Vence.

Voir Vieux village★.

Paris 933 – Grasse 21 – ♦Nice 28 – Vence 6.

Aub. Belles Terrasses, rte Vence : 1 km ☎ 93 59 30 03, ← – wc wc ☎ Ⓟ
R 65/100 – 22 – **16 ch** 190 – 1/2 p 175/180.

Grive Dorée, rte Grasse ☎ 93 59 30 05, ←, – wc ☎
R 87/160, enf. 45 – 22 – **14 ch** 150/220 – 1/2 p 175/200.

XX **Chantecler,** rte Vence ☎ 93 59 34 22, ←, – E VISA
fermé merc. – **R** 85/160, enf. 45.

TOURS P 37000 I.-et-L. 64 ⑮ G. Châteaux de la Loire – 136 483 h communauté urbaine 251 320 h.

Voir Quartier de la cathédrale★★ : Cathédrale★★ CY, musée des beaux-Arts★★ CY **M2**, Historial de Touraine★ (château) CY, La Psalette★ CY **F**, Place Grégoire de Tours★ CY 20 – Vieux Tours★★ : Place Plumereau★ AY, hôtel Gouin★ AY **M4**, rue Briçonnet★ AY 3 – Quartier de St-Julien★ : musée du Compagnonnage★★ BY **M5**, Jardin de Beaune-Semblançay★ BY **B**, Prieuré de St-Cosme★ O : 3 km V **E** – Grange de Meslay★ NE : 10 km par ②.

18 de Touraine ☎ 47 53 20 28 ; domaine de la Touche à Ballan-Miré par ⑪ : 14 km.

✈ de Tours-St-Symphorien : T.A.T. ☎ 47 51 94 22 NE : 7 km U.

Office de Tourisme et Accueil de France (Informations, change et réservations d'hôtels, pas plus de 5 jours à l'avance) pl. Mar.-Leclerc ☎ 47 05 58 08, Télex 750008 – A.C.O. 4 pl. J.-Jaurès ☎ 47 05 50 19.

Paris 234 ③ – Angers 109 ⑬ – ♦Bordeaux 345 ⑩ – Chartres 140 ② – ♦Clermont-Ferrand 300 ⑦ – ♦Limoges 204 ⑩ – ♦Le Mans 82 ⑮ – ♦Orléans 112 ③ – ♦Rennes 236 ⑮ – ♦St-Étienne 425 ⑦.

Plans pages suivantes

✿✿ **Jean Bardet** M, 57 r. Groison ✉ 37100 ☎ 47 41 41 11, Télex 752463, ←, « Parc », – rest TV ☎ Ⓟ. AE ⓓ E VISA U **k**
R 195/360 et carte – 58 – **9 ch** 420/1400
Spéc. Saumon frais à la vapeur de soja, Lapin fermier aux artichauts confits, Gésiers de canard et homard rôti au four. **Vins** Vouvray, Chinon.

Méridien M, 292 av. Grammont ✉ 37200 ☎ 47 28 00 80, Télex 750922, ←, , , – TV ☎ Ⓟ – 40 à 200. AE ⓓ E VISA X **s**
R 135/190 – 45 – **119 ch** 330/490, 6 appartements 625/1350 – 1/2 p 496/586.

Univers et rest. La Touraine, 5 bd Heurteloup ☎ 47 05 37 12, Télex 751460 – TV ☎ – 30. AE ⓓ E VISA BZ **u**
R *(fermé sam.)* 95/125 – 36 – **91 ch** 390, 3 appartements 640.

Royal M sans rest, 65 av. Grammont ☎ 47 64 71 78, Télex 752006 – TV ☎ . AE ⓓ E VISA V **s**
27 – **35 ch** 249/294.

Bordeaux, 3 pl. Mar.-Leclerc ☎ 47 05 40 32, Télex 750414 – TV ☎. AE ⓓ E VISA. rest BZ **t**
R 125/165 – **50 ch** 280/390.

Central H. sans rest, 21 r. Berthelot ☎ 47 05 46 44, Télex 751173 – TV wc wc ☎ Ⓟ. AE ⓓ E VISA BY **k**
25 – **42 ch** 150/320.

Criden M sans rest, 65 bd Heurteloup ☎ 47 20 81 14 – TV wc ☎ . AE ⓓ E VISA CZ **g**
23 – **32 ch** 239/345.

des Châteaux de la Loire sans rest, 12 r. Gambetta ☎ 47 05 10 05 – wc wc ☎. AE ⓓ E VISA BZ **x**
fermé 15 déc. au 25 janv., sam. et dim. de nov. à fév. – 21 – **32 ch** 132/219.

Mirabeau sans rest, 89 bis bd Heurteloup ☎ 47 05 24 60 – TV wc wc ☎. AE E VISA. CZ **e**
fermé vacances de Noël – 22 – **25 ch** 230/265.

Europe sans rest, 12 pl. Mar.-Leclerc ☎ 47 05 42 07, « Meubles anciens, tableaux » – wc wc ☎ CZ **m**
20 – **53 ch** 150/250.

Armor sans rest, 26 bis bd Heurteloup ☎ 47 05 24 37, Télex 752020 – wc wc ☎. AE ⓓ E VISA BZ **s**
23 – **50 ch** 130/260.

Cygne sans rest, 6 r. Cygne ☎ 47 66 66 41 – wc wc ☎ . E VISA
fermé 18 déc. au 6 janv. – 25 – **19 ch** 100/220. BY **a**

Gambetta sans rest, 7 r. Gambetta ☎ 47 05 08 35 – wc wc ☎ – 70. AE E VISA BZ **e**
20 – **39 ch** 150/257.

TOURS

Alouette (Av. de l') ...... X 2
Bordeaux (Av. de) .... X 6
Bordiers (R. des) .... U 10
Brulon (R. Léon) .... X 17
Chantepie (R. de) .... X 21
Chanterie (R. de la) ...... U 23
Chevalerie (R. de la) ..... U 24
Christ-Roi (⊞) .... U 25
Churchill (Bd Winston) .. V 26
Delaroche (R.) .... U 32
Eiffel (Av. Gustave) ...... U 36
Grammont (Av. de) ...... V 39
Jaurès
(Bd et R. Jean) .... V 48
Larçay (R. de) .... X 53
Moulin (R. Jean) .... V 59
N.-D. de la Paix (⊞) .... X 61
Paul-Bert (Quai) .... U 64
Portillon (Quai de) ...... U 72
Proudhon (Av.) .... V 73
République (Av. de la) ... X 75
St-Avertin (Rte de) ...... X 77
St-Cosme (⊞) .... V E
St-Jean (⊞) .... X 81
St-Symphorien (⊞) .... U 85
Ste-Radegonde (⊞) ..... U 87
Ste-Thérèse (⊞) .... V 88
Savonnières (Rte de) .... X 89
Tranchée (Av. de la) ..... U 95
Wagner (Bd Richard) .... V 98

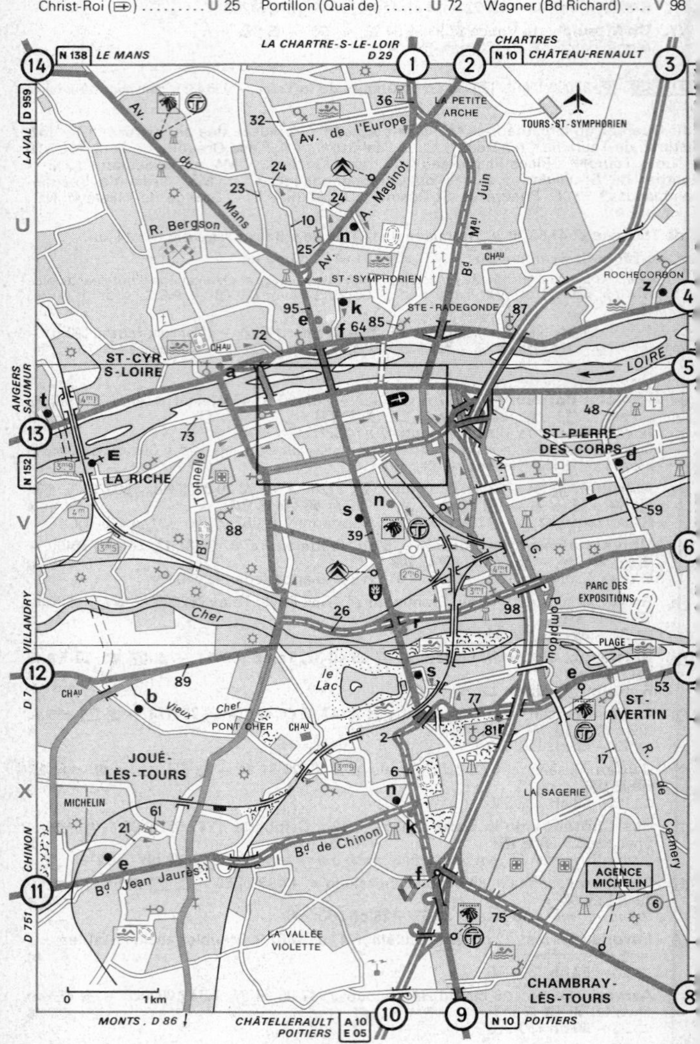

🏨 **Balzac** sans rest, 47 r. Scellerie ✆ 47 05 40 07 – TV ⇌wc ⋔wc ☎. AE ① E VISA BY
☕ 20 – **20 ch** 70/230.

🏨 **Théâtre** sans rest, 57 r. Scellerie ✆ 47 05 31 29 – TV ⇌wc ⋔wc ☎. AE ① E VISA BY
☕ 20 – **14 ch** 159/233.

Italia sans rest, 19 r. Devilde ✉ 37100 ✆ 47 54 46 75 – wc wc ☎ P. E VISA. ✻ – ☕ 25 – **20 ch** 120/220. U **n**

Rosny sans rest, 19 r. B. Pascal ✆ 47 05 23 54 – wc ☎ P. E VISA ☕ 22 – **22 ch** 95/250. BZ **a**

Colbert sans rest, 78 r. Colbert ✆ 47 66 61 56 – TV wc wc ☎. AE ◐ E VISA. ✻ – ☕ 22 – **18 ch** 120/280. BY **f**

Foch sans rest, 20 r. Mar.-Foch ✆ 47 05 70 59 – wc ☎. AE E VISA ☕ 20 – **15 ch** 91/230. AY **q**

Akilène, 22 r. Gd Marché ✆ 47 61 46 04 – |$| TV wc wc ☎. E VISA **R** 68/130 ♨, enf. 40 – ☕ 18 – **22 ch** 95/230 – $^1/_2$ p 160/190. AY **v**

XXX ✿✿ **Barrier,** 101 av. Tranchée ✉ 37100 ✆ 47 54 20 39 – ▤ P. E VISA *fermé vacances de fév., dim. soir et lundi* – **R** 200/335 et carte, enf. 50 U **e**
Spéc. Compote de joue de boeuf et de langue d'agneau à la marjolaine, Matelote d'anguilles aux pruneaux, Coq au vieux Cabernet. Vins Vouvray, Bourgueil.

XXX **La Roche Le Roy,** 55 rte St Avertin ✉ 37200 ✆ 47 27 22 00, 🌳, 🍽 – P. AE E VISA – *fermé 1er au 22 août* – **R** 148/200, enf. 50. X **r**

XXX **Les Jardins du Castel** (chambres prévues), 10 r. Groison ✉ 37100 ✆ 47 41 94 40, 🌳, 🍽 – AE ◐ VISA *fermé dim. soir et lundi* – **R** 175/295. U **f**

XXX **La Rôtisserie Tourangelle,** 23 r. Commerce ✆ 47 05 71 21, 🌳 – AE ◐ E VISA *fermé 1er au 15 mars et lundi soir du 15 oct. au 15 avril* – **R** 100/280, enf. 70. AY **z**

XXX **Au Gué de Louis XI,** 36 quai Loire ✉ 37100 ✆ 47 54 00 43 – AE ◐ E VISA *fermé 15 juil. au 15 août* – **R** 120/165. U **a**

XX **Les Tuffeaux,** 19 r. Lavoisier ✆ 47 47 19 89 – E VISA *fermé 2 au 24 janv., lundi midi et dim.* – **R** carte 160 à 250. BY **r**

XX **Coq d'Or,** 272 av. Grammont ✆ 47 20 39 51 – AE E VISA. ✻ **R** *(fermé sam. midi et dim.)* 95/180. V **r**

XX **L'Atlantic,** 59 r. Commerce ✆ 47 64 78 41, poissons et fruits de mer – E VISA *fermé août, 15 au 28 fév., dim. soir et lundi* – **R** carte 150 à 230. AY **t**

XX **Relais Buré,** 1 pl. Résistance ✆ 47 05 67 74 – AE E VISA *fermé lundi* – **R** 118/150 ♨. AY **w**

XX **La Gourmandine,** 49 r. B. Palissy ✆ 47 05 13 75 – AE VISA *fermé 20 juil. au 20 août, 24 déc. au 3 janv., lundi midi, dim. et fériés* – **R** 95. BCY **h**

X **Le Lys,** 63 r. B. Pascal ✆ 47 05 27 92 – VISA *fermé sam. midi et dim. soir* – **R** 85/130, enf. 70.

X **Ruche,** 105 r. Colbert ✆ 47 66 69 83 – AE E VISA *fermé 1er au 21 août, 23 déc. au 3 janv., lundi midi et dim.* – **R** 70. BY **a**

à La Guignière O : rte de Saumur par ⑬ – ✉ **37230** Luynes :

Le Manoir sans rest, ✆ 47 42 04 02, ≤ – wc wc ☎ 🚗. AE E VISA *fermé dim. du 1er janv. au 15 mars* – ☕ 17 – **16 ch** 98/168. V **t**

à la Membrolle-sur-Choisille NO : 6 km par N 138 et D 76 – ✉ **37390** la Membrolle-sur-Choisille :

Host. du Château de l'Aubrière 🐦, rte Fondettes ✆ 47 51 50 35, ≤, 🌳, parc – TV wc ☎ P – 🏛 50. AE E VISA. ✻ rest *fermé 20 janv. au 25 fév.* – **R** 160/190 – ☕ 30 – **11 ch** 385/450 – $^1/_2$ p 600.

à St-Pierre-des-Corps E : 3,5 km - V – ✉ **37700** Saint-Pierre-des-Corps :

Dancotel M, 10 r. J.-Moulin ✆ 47 44 44 67, Télex 752116 – |$| ▤ rest wc wc ☎ P – 🏛 25 à 100. AE ◐, E VISA V **d**
R snack *(fermé dim. soir en hiver)* 62 bc/130 ♨, enf. 31 – ☕ 22 – **32 ch** 200/220 – $^1/_2$ p 305/395.

à Rochecorbon NE : rte de Blois par ④ – ✉ **37210** Vouvray :

Les Fontaines sans rest, 6 quai Loire ✆ 47 52 52 86, ≤, parc – wc wc ☎ P. AE ◐ E VISA ☕ 20 – **15 ch** 150/250. U **z**

XX **La Lanterne,** ✆ 47 52 50 02, 🌳 – P. E VISA *fermé début janv. à fin fév., dim. soir hors sais. et lundi sauf fériés* – **R** 60/160.

XX **L'Oubliette,** ✆ 47 52 50 49, 🌳 – VISA *fermé 12 au 30 nov., 2 au 20 janv., dim. soir et lundi* – **R** 95 (sauf sam. soir)/180.

rte de Poitiers : par ⑩ échangeur Tours Sud – ✉ **37170** Chambray-les-Tours :

Novotel M, ✆ 47 27 41 38, Télex 751206, 🌳, 🏊, 🍽 – |$| ▤ TV ☎ ♿ P – 🏛 400. AE ◐ E VISA
R carte environ 120, enf. 40 – ☕ 38 – **125 ch** 315/360.

TOURS

Bordeaux (R. de) .... BZ
Commerce (R. du) .... AY 8
Grammont (Av. de) .... BZ
Halles (Pl. et R.) .... AY
Marceau (R.) .... ABYZ
National (R.) .... BYZ
Scellerie (R. de la) .... BY

Bretonneau (R.) .... AY 2
Briçonnet (R.) .... AY 3
Carmes (Pl. des) .... AY 4
Châteauneuf (R. de) .... AY 7
Constantine (R.) .... AY 9
Courrier (R. L.) .... AY 10
Courteline (R. G.) .... AY 12
Cygne (R. du) .... BY 13
Descartes (R.) .... AY 15
Foire-le-Roi (Pl.) .... BY 16
Grand-Marché (Pl. du) .... AY 18
Grand-Marché (R. du) .... AY 19
Grégoire-de-Tours (Pl.) .... CY 20
Grosse-Tour (R. de la) .... AY 22
Lavoisier (R.) .... BY 23
Manceau (R.) .... CY 24
Merville (R. du Prés.) .... AY 25
Meunier (R. Gén.) .... CY 26
Monnaie (R. de la) .... AY 28
Paix (R. de la) .... AY 30
Picou (Pl. R.) .... AY 32
Racine (R.) .... CY 33
Tanneurs (R. des) .... AY 34
Victoire (Pl. de la) .... AY 36

Pour allez loin rapidement, utilisez les cartes Michelin à 1/1 000 000.

To go a long way quickly, use Michelin maps at a scale of 1:1 000 000.

Utilizzate, per lunghe percorrenze, la carte stradali Michelin in scala 1/1 000 000.

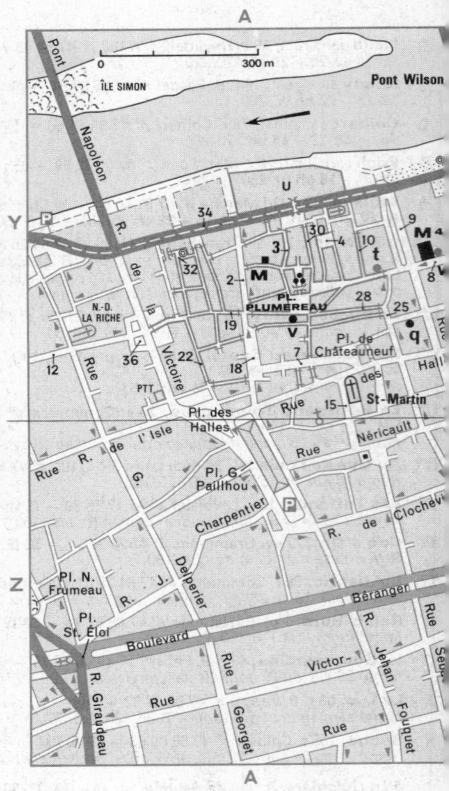

à Joué-lès-Tours SO : 5 km par D 86 - X – 37300 Joué-lès-Tours :

Château de Beaulieu, rte Villandry 47 53 20 26, parc – wc wc
– 50. E VISA
R 148/380 – 35 – **19 ch** 350/550 – 1/2 p 450/650.

Parc M sans rest, 17 bd Chinon 47 25 15 38 – TV wc wc .
VISA
25 – **30 ch** 190/240.

Chantepie M sans rest, r. Chantepie 47 53 06 09 – TV wc . E VISA
fermé 26 déc. au 15 janv. – 22,50 – **28 ch** 210/220.

Lac, av. du Lac par ⑪ 47 67 37 87 – TV wc – 35. VISA
R 56/118 , enf. 36 – 25 – **21 ch** 231 – 1/2 p 200/310.

Le Ronsard, 47 av. Bordeaux (N 10) 47 25 13 44 – . VISA.
fermé 3 au 24 août, mardi soir et merc. – **R** 120/140.

rte de Savonnières par ⑫ : 10 km sur D 7 – 37510 Joué-lès-Tours :

Cèdres sans rest, 47 53 00 28, Télex 752074, « Parc fleuri », –
wc . E VISA
fermé fév. – 40 – **34 ch** 250/395.

Rest. des Cèdres, 47 53 37 58 – . VISA
fermé 15 janv. au 15 fév., dim. soir et lundi du 1er sept. au 31 mai – **R** 120/225, e
70.

Ressources hôtelières :
Voir aussi *Luynes* par ⑬ : 13 km, *Montbazon* par ⑨ : 13 km.

MICHELIN, Agence régionale, Zone Ind. Chambray-lès-Tours X 47 28 60 59

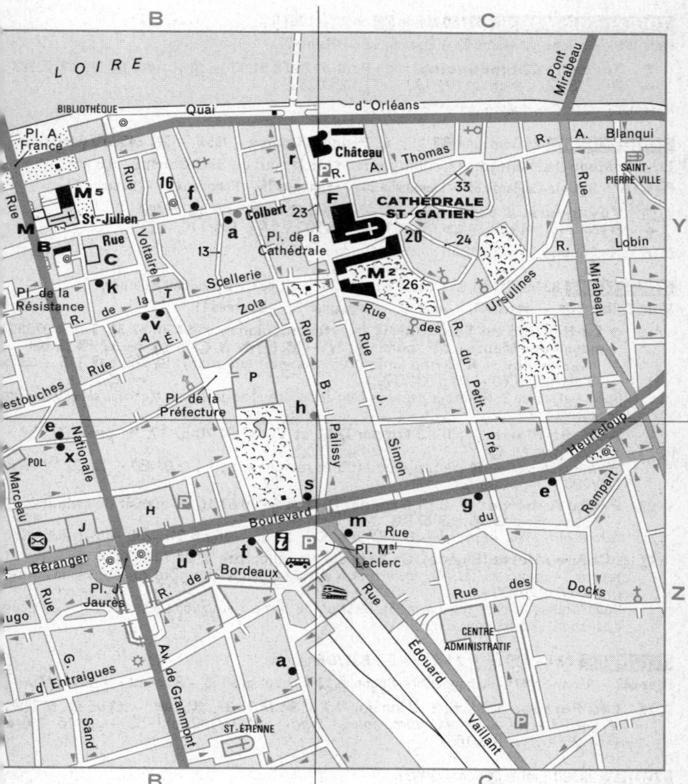

USTIN-ROVER Gar. Gauron, bd Winston hurchillué-les-Tours ✆ 47 66 67 88
ITROEN SELTA, 194 av. Maginot U ✆ 47 54 4 00
ITROEN SELTA, 157 av. de Grammont V ✆ 47 4 04 00
IAT, LANCIA-AUTOBIANCHI Gd. Gar. Ouest, 50 bd Thiers ✆ 47 38 57 10
ORD Leu Autom., 260 av. Maginot ✆ 47 41 15
ORD Gar. Pont, Z.I. Menneton ✆ 47 39 25 33 ✆ 47 41 15 15
NOCENTI, MAZDA Gar. Nouveau Tours, 31 bd Thiers ✆ 47 37 96 51
ADA-SKODA SEMVIT, 68 r. Salengro ✆ 47 02 88

PEUGEOT-TALBOT Gar. de la Passerelle, 17 r. Dr.-Fournier V ✆ 47 46 15 93
RENAULT Succursale, N 10 à Chambray-les-Tours X f ✆ 47 28 02 37
VOLVO Autos-Services, 131 quai Paul-Bert ✆ 47 54 21 66
Gar. Thiers, 187 bd Thiers ✆ 47 20 61 47

Nourry Pneus, 276 av. Maginot ✆ 47 54 19 92
Nourry-Pneus, 77-79 bd Thiers ✆ 47 39 15 19
Perry-Pneus, 74 av. de Grammont ✆ 47 05 11 55
Super-Pneus, 55 r. Voltaire ✆ 47 05 74 83
Tours-Pneus, 145 av. Maginot, N 10 ✆ 47 54 57 50 et 20 r. E. Vaillant ✆ 47 05 41 29

Périphérie et environs

MW Gar. St-Simon, av. des Fontaines à St vertin ✆ 47 27 28 24
PEL-GM Gar. Colin, 151 bd Chinon à Joué-s-Tours ✆ 47 67 35 83
EUGEOT-TALBOT Gds Gar. de Touraine, 207 . du Mans à St-Cyr U ✆ 47 51 52 53 N ✆ 47 15 15 et 13 rte de Bordeaux à Chambray les ours X ✆ 47 27 66 66 N ✆ 47 41 15 15
EUGEOT-TALBOT Gar. Gayout, Zone Ind. n° 13 r. Prony à Joué-lès-Tours par ⑪ ✆ 47 53 53

PEUGEOT-TALBOT Gar. Cazin, 31 r. Grand-mont à St-Avertin X e ✆ 47 27 02 44
V.A.G. Gar. Intersport, av. Pompidou, les Granges Galand à St-Avertin ✆ 47 28 02 56

La Maison du Pneu, 55 bd de Chinon à Joué-lès-Tours ✆ 47 25 13 66
Perry Pneus, 14 r. Jean-Perrin à Chambray-les-Tours ✆ 47 28 18 55
Tours-Pneus, 83 rte de Bordeaux, Chambray-lès-Tours ✆ 47 28 25 89

Rauchen bei Tisch verändert den Geschmack und stört die Nachbarn. Denken Sie im Restaurant daran.

TOURS-SUR-MARNE 51150 Marne 56 ⑯⑰ – 1 207 h.

Paris 154 – Châlons-sur-Marne 22 – Épernay 13 – ♦Reims 27.

Touraine Champenoise, r. du Pont ✆ 26 58 91 93 – wc P. AE ⓓ E VISA
R 60/180 – **9 ch** ☕100/170 – $^1/_2$ p 250/280.

RENAULT Gar. Croizy-Floquet, ✆ 26 58 90 99

TOURTOIRAC 24 Dordogne 75 ⑥⑦ **G. Périgord Quercy** – 756 h. – ✉ **24390** Hautefort.

Env. Château de Hautefort★★ : charpente★★ de la tour du Sud-Ouest E : 9,5 km.

Paris 471 – Brive-la-Gaillarde 55 – Lanouaille 20 – ♦Limoges 76 – Périgueux 37 – Uzerche 67.

Voyageurs, ✆ 53 51 12 29, – wc wc P. E VISA
R 45/120, enf. 35 – ☕ 15 – **11 ch** 105/180 – $^1/_2$ p 135/170.

CITROEN Bourrou, ✆ 53 51 12 16

TOURTOUR 83 Var 84 ⑥ **G. Côte d'Azur** – 384 h. alt. 633 – ✉ **83690** Salernes.

Voir Église ✳★ – Paris 846 – Aups 10 – Draguignan 20 – Salernes 11.

✿ **La Bastide de Tourtour** M, rte Draguignan ✆ **94 70 57 30, Télex 970827**
≤ massif des Maures, , parc, , – TV ☎ P – 30. AE ⓓ E VISA
1er mars-1er nov. – **R** *(fermé lundi hors sais. et mardi midi)* 210/320, enf. 110 – ☕ 5
– **25 ch** 520/1050 – $^1/_2$ p 530/770
Spéc. Grillade de St-Pierre aux poireaux, Filet de boeuf au foie gras, Selle d'agneau rôtie. **Vins** Côte de Provence.

Aub. St-Pierre, E : 3 km par D 51 et VO ✆ **94 70 57 17, ≤, parc,** , –
wc wc P
1er avril-15 oct. – **R** *(fermé jeudi)* (dîner résidents seul.) 150/180 – ☕ 32 – **15 c**
270/290 – $^1/_2$ p 300/400.

Petite Auberge, S : 1,5 km par D 77 ✆ **94 70 57 16, ≤ massif des Maures,**
– wc wc ☎ P. ⓓ E VISA
fermé janv., fév. et mardi – **R** 130, enf. 50 – ☕ 25 – **15 ch** 210/230 – $^1/_2$ p 325.

XX ✿ **Chênes Verts** (Bajade), O : 2 km sur rte Villecroze ✆ **94 70 55 06** – P
fermé 1er janv. au 20 fév., mardi soir et merc. – **R** (nombre de couverts limité prévenir) 195/290
Spéc. Truffes fraîches (nov. à mars), Mesclun de homard au citron, Rascasse farcie au beurr d'estragon. **Vins** Tourtour, Bandol.

TOURVES 83 Var 84 ⑮ – 2 137 h. – ✉ **83170** Brignoles.

Paris 802 – Aix-en-Pr. 47 – Aubagne 35 – Brignoles 12 – Draguignan 65 – Rians 30 – ♦Toulon 47.

XX **Lou Paradou** avec ch, E : 2 km sur N 7 ✆ **94 78 70 39,** , – wc P. E VISA
fermé 27 sept. au 7 oct., dim. soir et lundi – **R** 97/142, enf. 55 – ☕ 16 – **6 c**
115/125 – $^1/_2$ p 145/165.

TOURY 28390 E.-et-L. 60 ⑲ – 2 493 h.

Paris 100 – Chartres 48 – Châteaudun 51 – Étampes 33 – ♦Orléans 34 – Pithiviers 26 – Voves 30.

Parc, ✆ **37 90 50 06,** , – . E VISA
fermé 3 au 19 sept., vacances de fév. et merc. hors sais. – **R** 55/130 – ☕ 22 –
8 ch 90/160.

CITROEN Denizet, ✆ 37 90 50 25 N ✆ 37 21 94 39
FIAT Denizet, à Janville ✆ 37 90 22 57 N ✆ 37 21 94 39
RENAULT Gar. Georges, ✆ 37 90 50 35
La Centrale du Pneu, ✆ 37 90 51 61

La TOUSSUIRE 73 Savoie 77 ⑥⑦ **G. Alpes du Nord** – alt. 1 690 – Sports d'hiver : 1 800
2 400 m ⚡18 – ✉ **73300** St-Jean-de-Maurienne – **Voir Route d'accès★.**

Office de Tourisme (saison) ✆ 79 56 70 15 – Paris 627 – Chambéry 89 – St-Jean-de-Maurienne 18

Les Soldanelles, ✆ **79 56 75 29, ≤,** , – wc wc ☎ P. E VISA.
juil.-août et vacances de Noël-vacances de printemps – **R** 70/185 – ☕ 24 – **22 c**
118/170 – $^1/_2$ p 180/245.

Les Aireiles, ✆ **79 56 75 88, ≤** – wc wc ☎ P. E VISA. rest
30 juin-4 sept. et 15 déc.-20 avril – **R** 64/155, enf. 40 – ☕ 22 – **31 ch** 115/160 –
$^1/_2$ p 245.

La Ruade, ✆ **79 56 74 93, ≤** – wc wc ☎ P. AE. rest
20 déc.-20 avril – **R** 78/88 – ☕ 26 – **31 ch** 175/220.

TOUZAC 46 Lot 79 ⑥ – rattaché à Fumel (L.-et-G.).

TRACY-LE-MONT 60 Oise 56 ③ – 1 547 h. – ✉ **60170** Ribecourt-Dreslincourt.

Paris 99 – Compiègne 18 – Noyon 15 – Soissons 32.

XX **Aub. de Quennevières,** à Ollencourt NO : 2 km par D 16 et D 40 ✆ **44 75 28 5**
, – P. ⓓ E VISA
fermé fév., dim. soir, lundi soir et mardi – **R** 120.

TRAENHEIM 67 B.-Rhin 62 ⑨ – 477 h. – ✉ 67310 Wasselonne.
Paris 469 – Haguenau 41 – Molsheim 7 – Saverne 20 – ♦Strasbourg 27 – Wasselonne 6.

XX **Zuem Loejelgücker,** ✆ 88 50 38 19, « Vieille demeure alsacienne » – AE ⓓ E VISA – *fermé fév., lundi soir et mardi* – **R** 73/180 ♫.

TRAÎNEL 10 Aube 61 ④ – rattaché à Nogent-sur-Seine.

La TRANCHE-SUR-MER 85360 Vendée 71 ⑪ **G. Poitou Vendée Charentes** – 2 071 h.
ℹ Office de Tourisme pl. Liberté ✆ 51 30 33 96.
Paris 456 – Luçon 32 – Niort 93 – La Rochelle 61 – La Roche-sur-Yon 40 – Les Sables-d'Olonne 38.

Carvor, ✆ 51 30 38 26 – wc ☎. AE VISA. ✻ rest
1er avril-15 sept. – **R** 80/115 – ☕ 23 – **23 ch** 205 – 1/2 p 255/275.

Le Rêve ⛰, ✆ 51 30 34 06, ≤, ⛱, ✿ – ⚿wc ☎ Ⓟ. E VISA
1er avril-30 sept. – **R** 72/140 – ☕ 24 – **46 ch** 182/275.

Océan, ✆ 51 30 30 09, ≤, ✿ – ⚿wc Ⓟ. AE ⓓ E VISA. ✻ rest
1er avril-30 sept. – **R** 90/140, enf. 50 – ☕ 25 – **50 ch** 102/334 – 1/2 p 215/280.

XX **Milouin,** ✆ 51 30 37 05 – AE ⓓ E VISA
1er avril-30 sept. et fermé mardi – **R** 90/125 ♫, enf. 35.

à la Grière E : 2 km par D 46 – ✉ 85360 La Tranche-sur-Mer :

Cols Verts, ✆ 51 30 35 06 – |♦| wc ⚿wc ☎. E VISA. ✻
fin mars-15 nov. et fermé lundi sauf vacances scolaires – **R** 65/245, enf. 35 – ☕ 23 – **33 ch** 140/250.

Mer, ✆ 51 30 30 37 – ⚿ Ⓟ. E VISA
22 mai-15 sept. – **R** 59/130, enf. 34 – ☕ 19,50 – **40 ch** 110/160 – 1/2 p 150/190.

à la Terrière NO : 3 km par D 105 – ✉ 85360 La Tranche-sur-Mer :

Côte de Lumière, ✆ 51 30 30 35 – ⚿wc ☎ ♿. ⓓ E VISA
20 mars-30 sept. – **R** 60/120 – ☕ 25 – **27 ch** 130 – 1/2 p 140/150.

CITROEN Gar. du Château d'Eau, 14 rte de la Roche sur Yon à Angles ✆ 51 97 53 34 🅽
PEUGEOT-TALBOT Gar. Vrignaud, rte de la Tranche à Angles ✆ 51 97 52 27
RENAULT Gar. Byrotheau, à Angles ✆ 51 97 50 57
V.A.G. Gar. du Maupas, ✆ 51 30 38 43 🅽 ✆ 51 97 52 00

TRANS-EN-PROVENCE 83720 Var 84 ⑦ **G. Côte d'Azur** – 3 159 h.
Paris 857 – Brignoles 54 – Draguignan 4,5 – St-Raphaël 28 – Ste-Maxime 32.

Commerce, ✆ 94 70 80 04 – wc ⚿. VISA
fermé dim. soir et mardi – **R** 70/100, enf. 30 – ☕ 22 – **16 ch** 70/190 – 1/2 p 160.

Le TRAYAS 83113 Var 84 ⑧, 195 ㉞ **G. Côte d'Azur.**
Voir Pointe de l'Observatoire ≤★ S : 2 km – **Rocher de St-Barthélemy** ≤★★ SO : 4 km puis 30 mn – Paris 894 – Cannes 20 – Draguignan 52 – St-Raphaël 20.

Relais des Calanques, Corniche de l'Esterel ✉ 83700 St-Raphaël ✆ 94 44 14 06, ≤, ⛱, ⛵, ✿ – TV wc ⚿wc ☎ Ⓟ. E VISA
fermé 25 oct. au 26 déc. et mardi (sauf juil.-août et fériés) – **R** 110/170 – ☕ 35 – **14 ch** 240/440 – 1/2 p 360/420.

TRÉBEURDEN 22560 C.-du-N. 59 ① **G. Bretagne** – 3 228 h. – **Voir Le Castel** ≤★ – **Pointe de Bihit** ≤★ SO : 2 km – ⛳ de St-Samson ✆ 96 23 87 34, NE : 7 km.
ℹ Office de Tourisme pl. Crech'Héry (juin-sept.) ✆ 96 23 51 64.
Paris 524 – Lannion 9 – Perros-Guirec 13 – St-Brieuc 72.

Ti al-Lannec Ⓜ ⛰, ✆ 96 23 57 26, Télex 740656, ≤, parc – ☎ Ⓟ – 🏛 25. AE E VISA. ✻ rest
18 mars-14 nov. – **R** *(fermé lundi midi)* 145/250, enf. 62 – ☕ 40 – **23 ch** 270/470 – 1/2 p 345/430.

✿ **Manoir de Lan-Kerellec** ⛰, ✆ 96 23 50 09, Télex 741172, ≤, ✿ – TV ☎ Ⓟ. AE ⓓ E VISA
16 mars-14 nov. – **R** *(fermé mardi midi et lundi du 16 sept. au 14 juin)* 150/250, enf. 100 – ☕ 45 – **15 ch** 400/600
Spéc. Homard braisé au beurre de corail, Poissons et crustacés, St-Pierre au cidre à la fondue de poireaux.

Du Toëno Ⓜ sans rest, rte Trégastel NO : 2 km sur D 788 ✆ 96 23 68 78, ≤ – wc ⚿wc ☎ ♿ Ⓟ. E VISA
☕ 25 – **17 ch** 220/250.

Family, ✆ 96 23 50 31 – wc ⚿wc ☎ Ⓟ. AE E VISA. ✻ rest
R *(1er avril-30 sept. et fermé lundi du 1er avril au 15 juin)* 80/128 – ☕ 27 – **25 ch** 138/265 – 1/2 p 206/260.

Ker-an-Nod, ✆ 96 23 50 21, ≤ – wc ⚿wc ☎. ✻ rest
Pâques-nov. – **R** 75/170, enf. 50 – ☕ 35 – **20 ch** 110/270 – 1/2 p 190/260.

XX **Glann Ar Mor** avec ch, 12 r. Kerariou, au bourg ✆ 96 23 50 81, ✿ – Ⓟ. E VISA. ✻
fermé 1er au 15 oct. et merc. – **R** 57/101 – ☕ 23 – **8 ch** 97.

TRÉGASTEL-PLAGE 22730 C.-du-N. 59 ① G. Bretagne (plan) – 2 063 h.

Voir Rochers★★ – Ile Renote★★ NE – Table d'Orientation ≤★.

de St-Samson ✆ 96 23 87 34, S : 3 km.

Office de Tourisme pl. Ste-Anne ✆ 96 23 88 67.

Paris 528 – Lannion 13 – Perros-Guirec 7 – St-Brieuc 76 – Trébeurden 11 – Tréguier 27.

Belle Vue ✆ 96 23 88 18, ≤, « Jardin fleuri » – ☎ Ⓟ. E VISA
Pâques (sans rest.) et 8 mai-30 sept. – **R** 96/275 – 34 – **33 ch** 250/350 – 1/2 p 280/360.

Armoric, ✆ 96 23 88 16, ≤, – ☎ Ⓟ. AE E VISA. rest
10 mai-25 sept. – **R** 100/160, enf. 60 – 30 – **50 ch** 200/370 – 1/2 p 280/320.

Gd H. Mer et Plage, ✆ 96 23 88 03, ≤ – wc wc ☎ Ⓟ. E VISA. rest
1er mai-30 sept. – **R** 70/240 – 30 – **38 ch** 110/260 – 1/2 p 200/280.

Beau Séjour, ✆ 96 23 88 02, ≤ – TV wc wc ☎ Ⓟ. AE E VISA
20 mars-30 sept. – **R** 85/150 – 25 – **18 ch** 140/250 – 1/2 p 210/250.

Grève Blanche ✆ 96 23 88 27, ≤ mer – wc wc Ⓟ. E VISA
hôtel : 26 mars-30 sept. ; rest : 11 mai-19 sept. – **R** 110/190 – 30 – **28 ch** 124/285 – 1/2 p 255/325.

Corniche, ✆ 96 23 88 15 – wc. rest
1er juin-15 sept. – **R** (en sem. dîner seul.) 58/102, enf. 38 – 17 – **20 ch** 70/140 – 1/2 p 145/178.

Aub. Vieille Église avec ch, à Trégastel-Bourg S : 2,5 km ✆ 96 23 88 31 – Ⓟ. E VISA
fermé oct., dim. soir et vend. de sept. à juin – **R** (prévenir) 58/170 – 20 – **12 ch** 70/90 – 1/2 p 161.

Garage de la Corniche, ✆ 96 23 88 70

TRÉGUIER 22220 C.-du-N. 59 ② G. Bretagne – 3 400 h.

Voir Cathédrale St-Tugdual★★.

Env. chapelle St-Gonéry★ N : 6 km – Le Gouffre★ N : 10 km puis 15 mn.

Syndicat d'Initiative à l'Hôtel de Ville (vacances de Printemps, juil.-15 sept.) ✆ 96 92 30 19.

Paris 510 ① – Guingamp 30 ② – Lannion 18 ③ – Paimpol 15 ① – St-Brieuc 60 ①.

TRÉGUIER

Martray (Pl. du)

Chantrerie (R. de la) 2
Gambetta (R.) 3
Gaulle (Pl. Gén.-de) 4
La Chalotais (R.) 5
Le Braz (Bd A.) 6
Le Peltier (R.) 8
St-Yves (R.) 12

Les plans de villes sont orientés le Nord en haut

Pour bien lire les plans de villes, voir signes et abréviations p. 23.

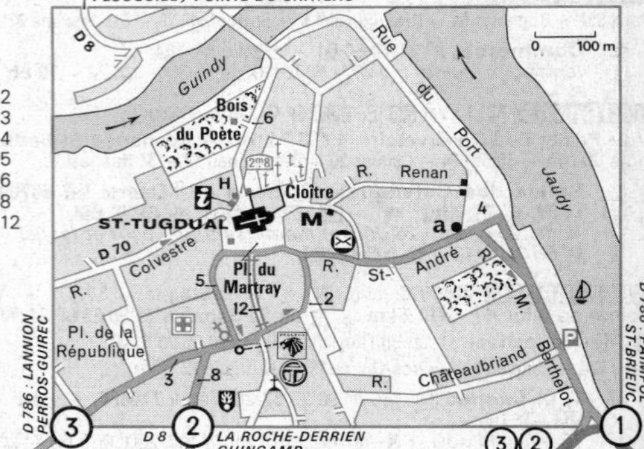

Kastell Dinec'h , rte de Lannion par ③ et VO : 2 km ✆ 96 92 49 39, « Jardin fleuri » – wc wc Ⓟ. E VISA. rest
15 mars-15 oct., 28 oct.-31 déc. et fermé mardi soir et merc. – **R** (dîner seul.) 82/230 – 30 – **15 ch** 200/320 – 1/2 p 200/270.

Estuaire, pl. Gén.-de-Gaulle **(a)** ✆ 96 92 30 25 – wc wc. E VISA. ch
fermé dim. soir et lundi de sept. à juin – **R** 66/169 – 17 – **15 ch** 80/195 – 1/2 p 130/200.

PEUGEOT-TALBOT Sté de Vente Automobile du Trégor 1 r. Gambetta ✆ 96 92 32 52

TRÉGUNC 29128 Finistère 58 ⑪⑯ – 5 919 h.

Paris 533 – Concarneau 6,5 – Pont-Aven 8,5 – Quimper 28 – Quimperlé 26.

Aub. Les Gdes Roches , NE : 0,6 km par V 3 ✆ 98 97 62 97, « Fermes aménagées dans un parc fleuri » – wc wc Ⓟ – 30. E VISA. ch
mi-mars-fin nov. – **R** *(fermé lundi)* 60/240 – 24 – **20 ch** 190/340 – 1/2 p 180/280.

Le Menhir, ✆ 98 97 62 35 – wc wc Ⓟ. VISA. ch
15 mars-15 oct. – **R** 65/250 – 20 – **28 ch** 100/230 – 1/2 p 170/225.

TRELLY 50 Manche 54 ⑫ – ✉ **50660** Quettreville.

Paris 337 – Avranches 39 – Bréhal 13 – Coutances 12 – Granville 23 – St-Lô 39 – Villedieu-les-P. 24.

XX **Verte Campagne** avec ch, au hameau Chevalier SE : 1,5 km par D 539 et VO ☎ 33 47 65 33, « Ferme normande ancienne », – wc. AE E VISA. ch
fermé 14 nov. au 6 déc., 15 au 30 janv., dim. soir et lundi d'oct. à avril – **R** 60/180, enf. 60 – 22 – **8 ch** 135/280.

TREMBLAY 35 I.-et-V. 59 ⑰ **G. Bretagne** – 1 653 h. – ✉ **35460** St-Brice-en-Coglès.

Paris 346 – Combourg 23 – Fougères 23 – ♦Rennes 42.

Roc-Land, ☎ 99 98 20 46, parc, – wc wc – 30. VISA. ch
fermé 1er au 15 nov., 15 au 28 fév., sam. soir (sauf rest.) dim. soir et lundi – **R** 75/185 – 28 – **19 ch** 160/240 – 1/2 p 220/260.

Le TREMBLAY-SUR-MAULDRE 78 Yvelines 60 ⑨, 196 ㉘ – 798 h. – ✉ **78490** Montfort-L'Amaury.

Paris 43 – Houdan 24 – Mantes 34 – Rambouillet 18 – Versailles 22.

XXX ✿ **La Gentilhommière** (Brun), ☎ (1) 34 87 80 96 – AE E VISA
fermé août, vacances de fév., dim. soir et lundi – **R** 250 bc/350 bc
Spéc. Foie gras chaud au caramel, Ris de veau en croûte de sel, Ballotine aux cinq chocolats.

TRÉMINIS 38 Isère 77 ⑮ **G. Alpes du Nord** – 191 h. alt. 959 – ✉ **38710** Mens.

Voir Site★.

Paris 637 – Gap 74 – ♦Grenoble 74 – Monestier-de-Clermont 41 – La Mure 31 – Serres 57.

Alpes , à Château-Bas ☎ 76 34 72 94, – . rest
fermé nov. – **R** 45/75 – 14 – **13 ch** 65/75 – 1/2 p 120/125.

TRÉMOLAT 24 Dordogne 75 ⑯ **G. Périgord Quercy** – 543 h. – ✉ **24510** Ste-Alvère.

Voir Belvédère de Racamadou★★ N : 2 km.

Paris 547 – Bergerac 34 – Brive-la-Gaillarde 86 – Périgueux 54 – Sarlat-la-Canéda 45.

Vieux Logis , ☎ 53 22 80 06, Télex 541025, ←, , « Jardin fleuri ouvert sur la campagne » – TV – 30. AE E VISA
R 115/230, enf. 60 – 52 – **17 ch** 495/615, 4 appartements 750 – 1/2 p 865/1290.

rte du Cingle de Trémolat NO : 2,5 km par D 31 – ✉ **24510** Ste-Alvère.

Voir Cingle★★.

Le Panoramic , ☎ 53 22 80 42, ← – wc . AE E VISA. rest
25 mars-30 sept. – **R** 80/130 – 28 – **23 ch** 145/220 – 1/2 p 225/290.

sur route de Limeuil : 6 km – ✉ **24510** Ste-Alvère.

Voir Site★ de Limeuil.

XX **Terrasses de Beauregard** avec ch, ☎ 53 22 03 15, ←, – wc . E VISA
1er mai-25 sept. et fermé merc. midi – **R** 80/275, enf. 50 – 35 – **8 ch** 180/200 – 1/2 p 210/220.

CITROEN Gar. Imbert, rte du Cingle ☎ 53 22 80 10

TRÉMONT-SUR-SAULX 55 Meuse 61 ⑩ – rattaché à Bar-le-Duc.

TREMUSON 22 C.-du-N. 59 ③ – rattaché à St-Brieuc.

TRÉPASSÉS (Baie des) 29 Finistère 58 ⑬ – rattaché à Pointe-du-Raz.

Le TRÉPORT 76470 S.-Mar 52 ⑤ **G. Normandie Vallée de la Seine** – 6 555 h. – Casinos : Z, de Mers-les-Bains Y.

Voir Calvaire des Terrasses ←★ Z E.

ℹ Office de Tourisme Esplanade Plage ☎ 35 86 05 69.

Paris 171 ① – Abbeville 37 ① – Beauvais 94 ① – Blangy 26 ① – Dieppe 30 ③ – ♦Rouen 91 ③.

Plan page suivante

Picardie, pl. P.-Sémard ☎ 35 86 02 22 – wc wc . E VISA. rest Z r
fermé 6 déc. au 20 janv., dim. soir et lundi du 1er oct. au 22 mai – **R** 90/220 – 26 – **30 ch** 135/250 – 1/2 p 245/325.

X **Homard Bleu,** 45 quai François 1er ☎ 35 86 15 89 – AE E VISA Z a
5 mars-fin nov. – **R** 70/195.

X **Le St Louis,** 43 quai François 1er ☎ 35 86 20 70 – AE E VISA Z a
fermé 15 déc. au 15 fév. et mardi – **R** 69/190.

RENAULT Gar. Moderne, 9 quai S.-Carnot ☎ 35 86 13 90 N

Gar. Lemercier, 23 r. de la Falaise ☎ 35 86 30 67

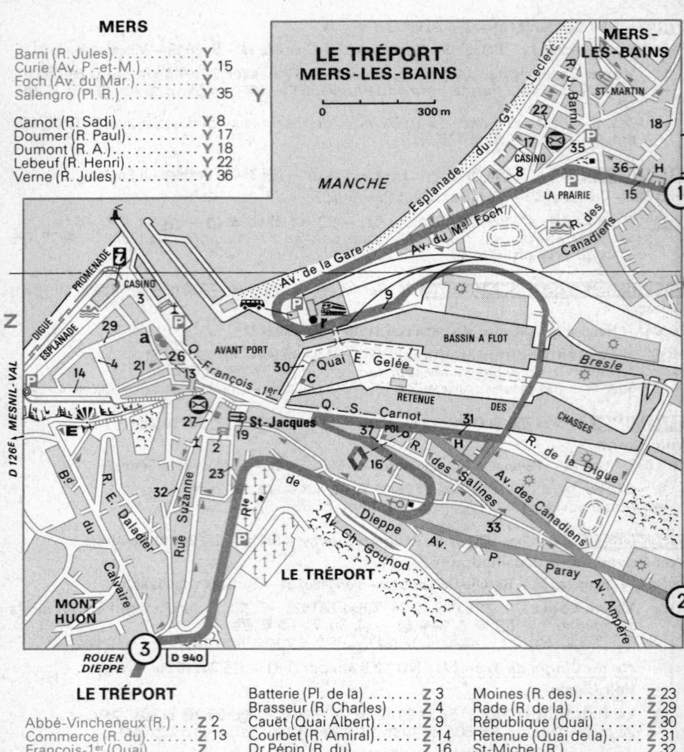

MERS

Barni (R. Jules) . . . . Y
Curie (Av. P.-et-M.) . . . . Y 15
Foch (Av. du Mar.) . . . . Y
Salengro (Pl. R.) . . . . Y 35

Carnot (R. Sadi) . . . . Y 8
Doumer (R. Paul) . . . . Y 17
Dumont (R. A.) . . . . Y 18
Lebeuf (R. Henri) . . . . Y 22
Verne (R. Jules) . . . . Y 36

LE TRÉPORT

Abbé-Vincheneux (R.) . . . Z 2
Commerce (R. du) . . . . Z 13
François-1er (Quai) . . . . . . Z
Notre-Dame (Pl.) . . . . Z 26
Paris (R. de) . . . . Z 27

Batterie (Pl. de la) . . . . Z 3
Brasseur (R. Charles) . . . . Z 4
Cauët (Quai Albert) . . . . . . Z 9
Courbet (R. Amiral) . . . . . . Z 14
Dr Pépin (R. du) . . . . Z 16
Église (Pl. de l') . . . . Z 19
Gambetta (R.) . . . . Z 21

Moines (R. des) . . . . Z 23
Rade (R. de la) . . . . Z 29
République (Quai) . . . . Z 30
Retenue (Quai de la) . . . . . . Z 31
St-Michel (R.) . . . . Z 32
St-Nicolas (R.) . . . . Z 33
Victor-Hugo (R.) . . . . Z 37

TRETS 13530 B.-du-R. 84 ④ – 4 735 h.

Paris 778 – Aix-en-Provence 23 – Brignoles 38 – ♦Marseille 44 – ♦Toulon 72.

- **Vallée de l'Arc** sans rest, 1 r. J. Jaurès ✆ 42 61 46 33 – wc wc ☎. E VISA
  25 – **17 ch** 120/200.
- **L'Oustaou du Vin,** ✆ 42 61 51 51 – AE E VISA
  fermé 15 au 28 fév., merc. soir et dim. soir – **R** 68/98 , enf. 40.

FIAT Gar. Icardi, av. du Gén.-de-Gaulle ✆ 42 29 20 36
PEUGEOT-TALBOT Gar. Arnaud et Mège, 15 bis av. Mirabeau ✆ 42 29 20 23
RENAULT Gar. Barra, Zone Ind. ✆ 42 61 50 63
V.A.G. Gar. Ferretti, Zone Ind. 4 Chemins ✆ 42 29 26 29
Trêts-Pneus, 17 av. J.-Jaurès ✆ 42 29 36 30

TRÉVEZEL (Roc) 29 Finistère 58 ⑥ G. Bretagne.

Voir ✳★★ **du D 785 : 30 mn.**

Env. Église★ de Commana O : 6 km – Allée Couverte★ de Mougau-Bian O : 6 km.

Paris 535 – Huelgoat 16.

TRÉVOU-TRÉGUIGNEC 22 C.-du-N. 59 ① – 1 312 h. – ✉ **22660** Trélévern.

Paris 518 – Guingamp 37 – Lannion 14 – Paimpol 29 – Perros-Guirec 12 – Tréguier 14.

- **Ker Bugalic** , ✆ 96 23 72 15, ←, – wc . rest
  Pâques-fin sept. et vacances de nov. – **R** (prévenir) 62/170, enf. 45 – 26 – **18 ch** 175/240 – ½ p 210/230.
- **Trestel-Bellevue** , ✆ 96 23 71 44, ←, – wc . VISA
  Pâques-début oct. – **R** 65/140, enf. 45 – 22 – **14 ch** 160/200 – ½ p 180/210.

TRÉVOUX 01600 Ain 74 G. Vallée du Rhône (plan) – 5 055 h.
Paris 440 – L'Arbresle 27 – Bourg-en-Bresse 51 – ♦Lyon 27 – Mâcon 48 – Villefranche-sur-Saône 11.

Gare avec ch, rte Lyon ✆ 74 00 12 42, – . E VISA.
fermé 1er au 30 juil., lundi soir et mardi – **R** 65/180 – 18 – **5 ch** 75/200 – 1/2 p 135/190.

RENAULT Gar. Ricol, ✆ 74 00 21 82 N

TRIE-SUR-BAÏSE 65220 H.-Pyr. 85 ⑨ – 1 075 h.
Paris 798 – Auch 48 – Lannemezan 29 – Mirande 24 – Tarbes 30.

Tour, ✆ 62 35 52 12, – wc wc . E VISA
fermé 2 au 20 janv. et lundi midi – **R** 59/82 – 19 – **11 ch** 110/180 – 1/2 p 140/180.

TRIGANCE 83 Var 84 ⑥⑦ – 122 h. alt. 734 – ✉ **83840** Comps-sur-Artuby.
Paris 816 – Castellane 20 – Comps-sur-Artuby 12 – Draguignan 44 – Grasse 72 – Manosque 91.

Château de Trigance , accès par voie privée ✆ 94 76 91 18, « Cadre médiéval, terrasse avec vue étendue sur vallée et montagnes » – wc . AE E VISA
19 mars-1er nov. – **R** *(fermé merc. midi en mars, avril et oct.)* 145/295 – 44 – **8 ch** 300/490 – 1/2 p 380/465.

La TRIMOUILLE 86290 Vienne 68 ⑯ – 1 245 h.
Paris 319 – Argenton-sur-Creuse 51 – Bellac 41 – Le Blanc 20 – Châteauroux 71 – Poitiers 62.

Paix, rte Journet ✆ 49 91 60 50 – wc wc . AE E VISA
R 58/195, enf. 40 – 20 – **13 ch** 85/200 – 1/2 p 160/170.

CITROEN Gar. Demousseau, ✆ 49 91 60 23 RENAULT Gar. Foulon, ✆ 49 91 60 56 N

La TRINITÉ-SUR-MER 56470 Morbihan 63 ⑫ **G. Bretagne** – 1 478 h.
Voir Pont de Kerisper ≤★ – Syndicat d'Initiative cours des Quais (fév.-sept.) ✆ 97 55 72 21.
Paris 485 – Auray 12 – Carnac 4,5 – Lorient 41 – Quiberon 22 – Quimperlé 58 – Vannes 30.

Le Rouzic, ✆ 97 55 72 06, ≤ – wc wc . AE E VISA
fermé 15 nov. au 15 déc. – **R** *(fermé dim. soir et lundi de fin sept. à début juin)* 69/120 – 24 – **32 ch** 160/264 – 1/2 p 244/315.

XXX **L'Azimut,** ✆ 97 55 71 88, – E VISA
fermé 1er déc. au début fév., dim. soir et lundi sauf juil., août et fériés – **R** carte 140 à 270.

XX ✿ **Les Hortensias,** ✆ 97 55 73 69, ≤, – E VISA
1er mars-30 sept., 8 oct.-30 nov. et fermé merc. et jeudi d'oct. à mai – **R** 140/190, enf. 65
Spéc. Huîtres chaudes sur compote de cabillaud, Bar poêlé aux lentilles vertes, Gâteau "Hortensias".

XX **Ostréa** avec ch, ✆ 97 55 73 23, ≤, – E VISA
26 mars-21 sept. et fermé mardi sauf juil.-août – **R** 89/195 – 21 – **12 ch** 130/145.

à St-Philibert E : 2,5 km par D 781 – ✉ **56470** La Trinité-sur-Mer :

Panorama , ✆ 97 55 00 56, « Jardin fleuri » – wc wc . VISA. rest
fin mars-fin sept. – **R** 65/130 – 20 – **25 ch** 180/210 – 1/2 p 190/250.

RENAULT Gar. Le Meur, ✆ 97 55 72 53

La TRIQUE 85 Vendée 67 ⑤ – rattaché à St. Laurent-sur-Sèvre.

TRIZAC 15 Cantal 76 – 921 h. alt. 935 – ✉ **15400** Riom-ès-Montagnes.
Office de Tourisme à la Mairie ✆ 71 78 60 37.
Paris 490 – Aurillac 78 – ♦Clermont-Ferrand 105 – Mauriac 23 – Murat 52.

Les Cimes, ✆ 71 78 60 30, – .
fermé dim. hors sais. sauf vacances scolaires – **R** 45/80 – 16 – **15 ch** 67/100 – 1/2 p 110/120.

Les TROIS-ÉPIS 68410 H.-Rhin 62 ⑱ **G. Alsace et Lorraine** – alt. 658.
Syndicat d'Initiative ✆ 89 49 80 56.
Paris 439 – Colmar 12 – Gérardmer 50 – Munster 17 – Orbey 12.

Gd Hôtel , ✆ 89 49 80 65, Télex 880229, ≤ forêt vosgienne et plaine d'Alsace, , parc, – – 80 – **50 ch**.

Marchal , ✆ 89 49 81 61, ≤ forêt vosgienne et plaine d'Alsace, parc – – 30. E VISA.
fermé 15 déc. au 15 janv. – **R** 80/200 , enf. 38 – 25 – **40 ch** 200/350 – 1/2 p 210/295.

La Chêneraie , ✆ 89 49 82 34, parc – wc wc . AE E VISA.
fermé 20 déc. au 1er fév. et merc. – **R** 75/165 dîner à la carte – 25 – **25 ch** 130/260 – 1/2 p 175/240.

Croix d'Or, ✆ 89 49 83 55, ≤ forêt vosgienne – wc wc ☎ P. rest
fermé 5 janv. au 15 fév. – **R** *(fermé merc.)* 70/175 – 24 – **12 ch** 126/200
½ p 165/203.

Villa Rosa, ✆ 89 49 81 19, ≤, – wc wc ☎. VISA. rest
fermé 27 juin au 4 juil. et 1er nov. au 6 fév. – **R** *(fermé jeudi soir)* 75/130 – 20
7 ch 150/210 – ½ p 160/220.

XX L'Auberge, ✆ 89 49 89 79, ≤ forêt vosgienne et plaine d'Alsace, , parc – P

TROISGOTS 50420 Manche 54 ⑬ G. Normandie Cotentin – 366 h.

Voir Roches de Ham ≤★★ NE : 5 km puis 15 mn.

Paris 304 – Avranches 54 – ♦Caen 60 – St Lô 15 – Vire 31.

XX **Aub. de la Chapelle-sur-Vire,** à la Chapelle-sur-Vire SE : 2 km ✆ 33 56 32 8
– AE E VISA
fermé 1er au 15 oct., 1er au 15 fév. et lundi – **R** 58/140.

TRONÇAIS 03 Allier 69 ⑫ – ✉ **03360** St-Bonnet-Tronçais.

Voir Forêt de Tronçais★★★ – Étang de St-Bonnet★ NO : 4 km – Étang de Saloup S : 5 km, G. Auvergne.

Paris 299 – Bourges 61 – Montluçon 43 – St-Amand-Montrond 24.

Le Tronçais , ✆ 70 06 11 95, parc, – wc wc ☎ P – 35. rest
1er mars-30 nov. et fermé dim. soir et lundi hors sais. – **R** 85/150 – 19 – **12 c**
125/230 – ½ p 166/204.

La TRONCHE 38 Isère 77 ⑤ – rattaché à Grenoble.

Le TRONCHET 35 I.-et-V. 59 ⑯ – 827 h. – ✉ **35540** Miniac-Morvan.

Paris 396 – Dinan 19 – ♦Rennes 50 – St-Malo 27.

Host. l'Abbatiale , ✆ 99 58 93 21, Télex 740802, parc, , – ch
wc wc ☎ P – 30 à 50. E VISA. rest
fermé 3 janv. au 20 fév. – **R** 65/140, enf. 32 – 24 – **75 ch** 204/248 – ½ p 190/22

TROO 41 L.-et-Ch. 64 ⑤ G. Châteaux de la Loire – 337 h. – ✉ **41800** Montoire.

Voir La "butte" ★ – St-Jacques-des-Guérets : peintures murales★ de l'églis S : 1 km.

Syndicat d'Initiative ✆ 54 85 08 74.

Paris 203 – Château-du-Loir 33 – ♦Le Mans 62 – ♦Tours 48 – Vendôme 25.

XX **Cheval Blanc,** r. A.-Arnault ✆ 54 72 58 22, – E VISA
fermé 15 au 31 oct., vacances de fév., lundi soir et mardi – **R** 88/230.

TROSLY-BREUIL 60 Oise 56 ③, 196 ⑪ – rattaché à Compiègne.

TROUVILLE-SUR-MER 14360 Calvados 55 ③ G. Normandie Vallée de la Seine – 6 012
– Casino : AY.

Voir Corniche ≤★ BX B.

de Deauville-St-Gatien ✆ 31 88 31 28 par D 74 : 7 km BZ.

Office de Tourisme 32 bd F.-Moureaux ✆ 31 88 36 19.

Paris 206 ② – ♦Caen 43 ③ – ♦Le Havre 74 ② – Lisieux 28 ② – Pont-L'évêque 11 ②.

Plan page ci-contre

Beach H. M, quai Albert 1er ✆ 31 98 12 00, Télex 171269, ≤, – cuisinet
TV ☎ – 150. AE VISA. rest AY
fermé janv. – **R** 75, enf. 35 – 40 – **110 ch** 352/494, 10 appartements
½ p 626/664.

Maison Normande sans rest, 4 pl. Mar.-de-Lattre-de-Tassigny ✆ 31 88 12 25
wc ☎. VISA. AY
début mars-fin sept., week-ends en hiver et fermé mardi hors sais. – 22 – **20 c**
180/360.

Reynita sans rest, 29 r. Carnot ✆ 31 88 15 13 – TV wc wc ☎. AE E VIS
AY
fermé janv. – 23 – **26 ch** 139/278.

Carmen, 24 r. Carnot ✆ 31 88 35 43 – TV wc wc ☎. AE E VISA. AY
fermé 18 au 24 avril, 17 au 23 oct. et janv. – **R** *(fermé lundi soir et mardi sa vacances scolaires)* 65/140, enf. 45 – 20 – **15 ch** 130/260.

Les Sablettes sans rest, 15 r. P.-Besson ✆ 31 88 10 66 – TV wc wc ☎. VISA
fermé 15 déc. au 1er fév. – 20 – **18 ch** 130/260. AY

XX **La Petite Auberge,** 7 r. Carnot ✆ 31 88 11 07 AY
fermé 15 nov. au 15 janv., mardi hors sais. et merc. – **R** (prévenir) 59/105.

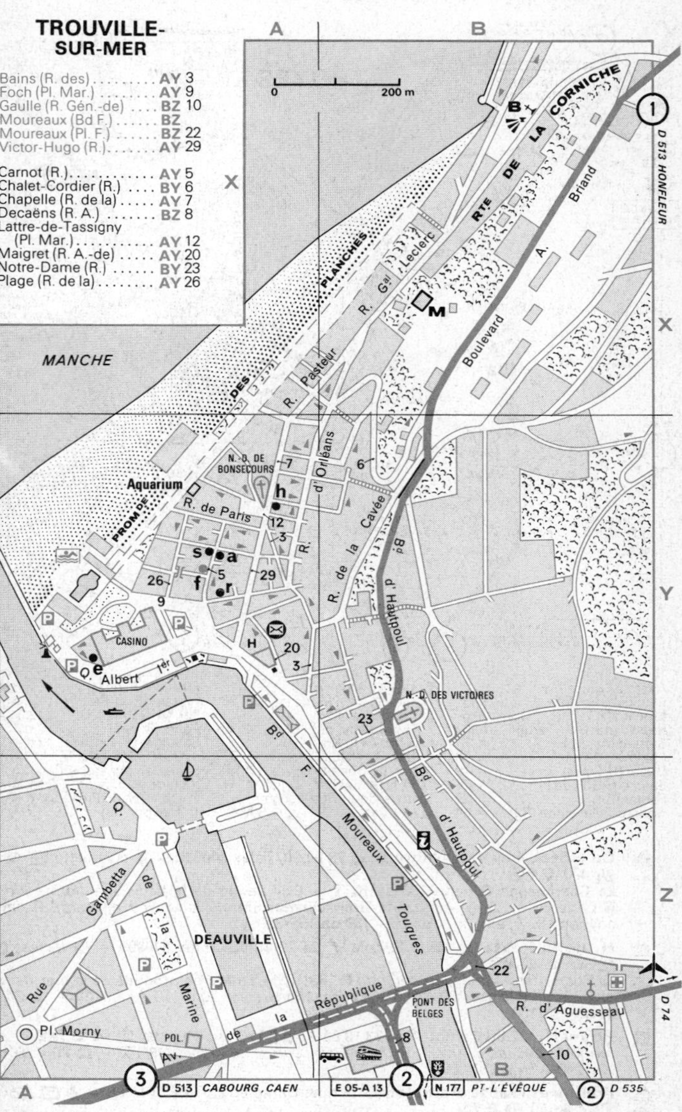

TROYES P **10000** Aube **61** ⑯⑰ **G. Champagne** – 64 769 h. – **Voir Cathédrale**★★ : Trésor★ CY – Le vieux Troyes★★ BZ – Jubé★★ de l'église Ste-Madeleine★ BZ **D** – Basilique St-Urbain★ BYZ **B** – Église St-Pantaléon★ BZ **E** – Pharmacie★ de l'Hôtel-Dieu CY **M4** – Musées : Art Moderne★★ CY **M5**, Historique de Troyes et Champagne★ dans l'hôtel de Vauluisant★ BZ **M1**, Beaux-Arts et archéologie★ CY **M3**, Maison de l'Outil et de la Pensée ouvrière★ dans l'hôtel de Mauroy★ BZ **M2** – 18 du château de la Cordelière, près Chaource ☎ 25 40 11 05 par ④ : 31 km.

Office de Tourisme et Accueil de France (Informations, change et réservations d'hôtels, pas plus de 5 jours à l'avance) 16 bd Carnot ☎ 25 73 00 36, Télex 840216 et 24 quai Dampierre (juil.-15 sept.) ☎ 25 73 36 88 - A.C. 36 bd Carnot ☎ 25 73 42 28.

Paris 162 ⑦ – ♦Amiens 276 ⑦ – ♦Dijon 152 ④ – ♦Metz 234 ① – ♦Nancy 185 ②.

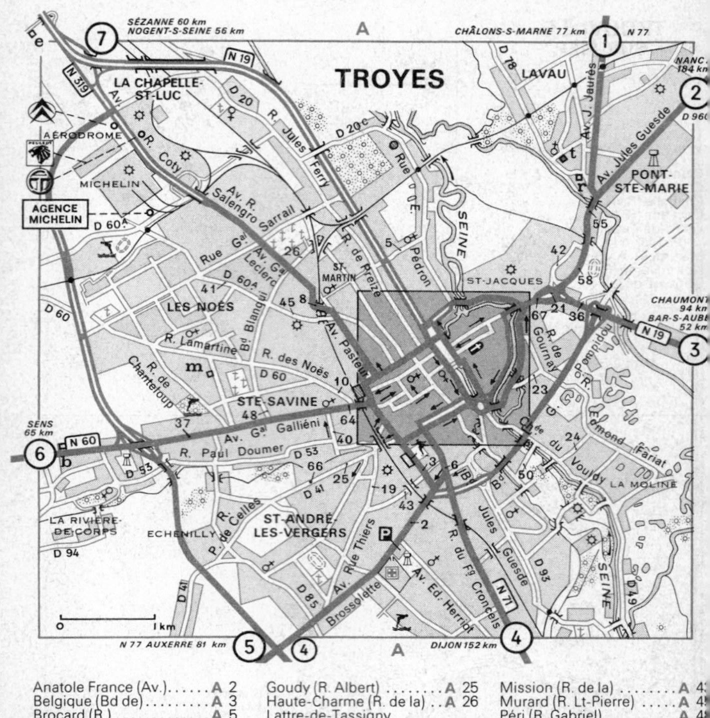

Gd Hôtel, 4 av. Mar.-Joffre ✆ 25 79 90 90, Télex 840582 – cuisinette TV ☎ 400. E VISA BZ
Le Champagne R carte 130 à 210 – **Grill Jardin de la Louisiane** *(fermé lund*
R carte 80 à 155 – **Pizzéria Grill Aquarius** *(fermé lundi soir et mardi)* **R** cart
environ 120, enf. 36 – ☕ 28 – **100 ch** 195/320.

H. de la Poste M, 35 r. E.-Zola ✆ 25 73 05 05, Télex 840995 – rest TV wc ☎. AE VISA BZ
La Poste *(fermé dim. soir et lundi)* **R** 130/169 – **La Marée** produits de la mer *(ferm sam. midi)* **R** carte 130 à 200 – **La Pizzéria R** carte 70 à 110, enf. 34 – ☕ 30 – **34 ch** 130/300.

Royal H., 22 bd Carnot ✆ 25 73 19 99 – TV wc wc ☎. AE ⓓ E VISA
fermé 17 déc. au 7 janv. – **R** *(fermé dim. soir et lundi midi)* 75/150 – ☕ 25 – **37 ch** 125/240 – $^1/_2$ p 220/300. BZ

France et rest le Dampierre, 18 quai Dampierre ✆ 25 73 11 95 – TV wc wc ☎. AE ⓓ E VISA BY
R *(fermé dim. soir du 15 nov. au 15 mars)* 60/140, enf. 35 – **60 ch** ☕90/290 – $^1/_2$ p 235/265.

Le Champenois sans rest, 15 r. P.-Gauthier ✆ 25 76 16 05 – wc ☎ VISA. – ☕ 18 – **26 ch** 80/200. BY

XXX ✿ **Le Bourgogne** (Dubois), 40 r. Gén.-de-Gaulle ✆ 25 73 02 67 – VISA. BY
fermé août, lundi soir et dim. – **R** carte 175 à 240
Spéc. Mousseline de brochet aux épinards, Escalope de foie de canard au vinaigre de framboises, Marquise au chocolat. **Vins** Rosé des Riceys, Epineuil.

XX **Le Valentino,** Cour de la Rencontre (près H. de Ville) ✆ 25 73 14 14, – AE ⓓ E VISA BZ
fermé 16 août au 9 sept., dim. soir et lundi – **R** 200.

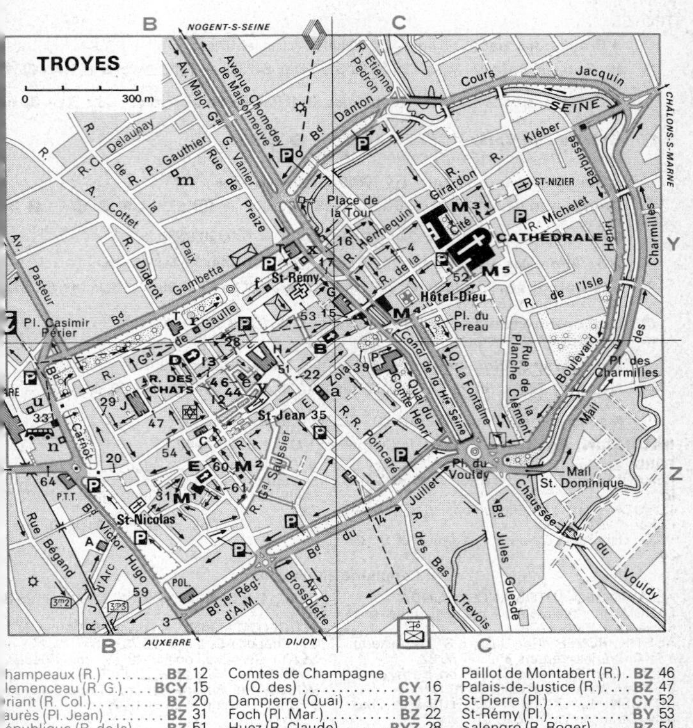

hampeaux (R.) .... **BZ** 12
lemenceau (R. G.) .... **BCY** 15
riant (R. Col.) .... **BZ** 20
aurès (Pl. Jean) .... **BZ** 31
épublique (R. de la) .... **BZ** 51
ola (R. Émile) .... **BCZ**

elgique (Bd de) .... **BZ** 3
oucherat (R.) .... **CY** 4
harbonnet (R.) .... **BZ** 13

Comtes de Champagne (Q. des) .... **CY** 16
Dampierre (Quai) .... **BY** 17
Foch (Pl. Mar.) .... **BZ** 22
Huez (R. Claude) ...... **BYZ** 28
Jaillant-Desch. (R.) ...... **BZ** 29
Joffre (Av. Mar.) .... **BZ** 33
Langevin (Pl. du Prof.) ... **BZ** 35
Libération (Pl. de la) ..... **CZ** 39
Molé (R.) .... **BZ** 44

Paillot de Montabert (R.) . **BZ** 46
Palais-de-Justice (R.) .... **BZ** 47
St-Pierre (Pl.) .... **CY** 52
St-Rémy (Pl.) .... **BY** 53
Salengro (R. Roger) ..... **BZ** 54
Tour-Boileau (R. de la) ... **BZ** 59
Trinité (R. de la) .... **BZ** 60
Turenne (R. de) .... **BZ** 61
Vanier (Av. Major Gén.) . **BY** 63
Voltaire (R.) .... **BZ** 64

✗ **Théâtre** avec ch, 35 r. J.-Lebocey ✆ 25 73 18 47 – ⊟ ⋔ – 🏔 40. AE E VISA — BY **r**
fermé 30 juil. au 29 août, dim. soir et lundi – **R** 41/150 ⚱ – ☕ 18 – **16 ch** 70/185 – ½ p 165/210.

✗ **Gd Café** (1er étage), 4 r. Champeaux ✆ 25 73 25 60 – ▤. VISA — BZ **v**
fermé mardi soir sauf en été – **R** 79/120 ⚱.

à Pont-Ste-Marie N : 3 km par N 77 - A – 5 136 h. – ✉ **10150** Pont-Sainte-Marie :

🏠 **H. Ste-Marie et Rôt. des Tonnelles,** 51 r. Roger Salengro ✆ 25 81 04 65 – ▤ rest ⋔ ☎ Ⓟ – 🏔 40. E VISA — A **r**
R *(fermé lundi)* 60/150 ⚱, enf. 35 – ☕ 22 – **18 ch** 130/180 – ½ p 195.

✗✗ **Host. "Chez Jules",** près église ✆ 25 81 13 09, 🏡 – VISA — A **t**
fermé fév., dim. soir et lundi – **R** 88/149 ⚱.

à Ste-Maure N : 7 km par D 78 – ✉ **10150** Pont-Ste-Marie :

✗✗ **Aub. de Ste Maure,** ✆ 25 81 06 85, 🏡, « En bordure de rivière » – Ⓟ. E VISA
fermé 19 déc. au 2 janv., dim. soir et lundi – **R** 150.

à Ste-Savine O : 3 km par N 60 - A – 9 694 h. – ✉ **10300** Ste-Savine :

🏨 **Chantereigne** M 🐌 sans rest, N 60 ✆ 25 74 89 35, Télex 841096 – TV ⊟wc ⋔wc ☎ ♿ Ⓟ. VISA — A **b**
☕ 20 – **30 ch** 183/217.

🏠 **Motel Savinien** 🐌, 87 r. La Fontaine ✆ 25 79 24 90 – TV ⊟wc ⋔wc ☎ ♿ Ⓟ – 🏔 30. E VISA — A **m**
R *(fermé lundi midi)* 65 bc/200 ⚱, enf. 35 – ☕ 20 – **90 ch** 155/186.

à Bréviandes par ④ : 5 km – ✉ **10800** St-Julien-les-Villas :

H. Pan de Bois M, ☎ 25 83 02 31, Télex 842578 – TV wc ☎ & P. E VISA.
fermé dim. soir hors sais. – **R** voir rest. **Grill Pan de Bois** ci-après – 30 – **32 ch** 210/260.

Grill Pan de Bois, ☎ 25 83 02 31, – P. E VISA
fermé dim. soir hors sais. et lundi – **R** 76/145 .

à Buchères par ④ : 7 km – ✉ **10800** St-Julien-les-Villas :

Campanile M, ☎ 25 49 67 67, Télex 840840, – TV wc ☎ & P – 30
VISA
R 63 bc/86 bc, enf. 38 – 24 – **42 ch** 200/220 – $^{1}/_{2}$ p 287/330.

à St-André-les-Vergers par ⑤ : 5 km – ✉ **10120** St-André-les-Vergers :

Les Épingliers M sans rest, **180 rte d'Auxerre** ☎ **25 83 05 99** – wc P. VISA
15 – **15 ch** 130/160.

La Gentilhommière, 180 rte d'Auxerre ☎ 25 82 13 96 – VISA.
fermé août, dim. soir et lundi – **R** 55/185 .

à Barberey St-Sulpice par ⑦ : 5 km – ✉ **10600** La Chapelle-St-Luc :

Novotel M, ☎ 25 74 59 95, Télex 840759, , – rest TV ☎ & P –
100. AE E VISA A e
R snack carte environ 120, enf. 40 – 38 – **84 ch** 290/335.

MICHELIN, Agence, r. G.-Bizet, la Chapelle-St-Luc A ☎ **25 74 40 13**

FORD Est-Autos, 19 bd Danton ☎ 25 80 02 70
RENAULT STAR, 15 bd Danton ☎ 25 80 02 87 N
TOYOTA Gar. des Expositions, 6 r. Pierre-Gillon ☎ 25 73 23 88
VAG Gar. Scala, 20 bd Pompidou ☎ 25 81 36 30

Devliegher, 8 bd V.-Hugo ☎ 25 73 19 94
La Centrale du pneu, 11 r. Paix ☎ 25 73 35 24
Lohly Pneus, 71 av. P.-Brossolette ☎ 25 73 1 23
Rémy, 94 Mail Charmilles ☎ 25 81 04 10

Périphérie et environs

ALFA-ROMEO-AUTOBIANCHI-HONDA-LANCIA Chanteclerc Au 1 bis av. Lombards à Rosières ☎ 25 49 62 78
AUSTIN, ROVER Gar. Juszak, 37 rte Auxerre à St-André-les-Vergers ☎ 25 82 56 87
BMW Gar. Sud-Autom., 132 bd de Dijon à St-Julien-les-Villas ☎ 25 82 03 76
CITROEN La Cité de l'Auto, N 19 à La Chapelle-St-Luc ☎ 25 74 46 98 N
DATSUN-NISSAN-MERCEDES-BENZ Ets Craeye, 50 av. Martyrs du 24 août à Buchères ☎ 25 82 38 78

OPEL Girost, N 60 à Pont-Ste-Marie ☎ 25 8 26 26
PEUGEOT-TALBOT Gds Gar. de l'Aube, N 1 à la Chapelle-St-Luc ☎ 25 79 09 56
SEAT Gar. Bruillon, 46-48 av. des Tilleuls à St-André-les-Vergers ☎ 25 49 19 38
VOLVO Rel. Europe Autom, r. Roger Salengr à Pont Ste-Marie ☎ 25 81 12 45

Barniche-Pneus, 61 av. Gén.-Leclerc à La Rivière-de-Corps ☎ 25 79 36 09
Lohly Pneus, N 77 à St Germain ☎ 25 82 06 89

TULLE P **19000** Corrèze 75 ⑨ **G. Berry Limousin – 20 642 h.**

Voir Maison de Loyac★ B **B – Clocher★ de la cathédrale** B **D.**

Env. Ste-Fortunade : chef reliquaire★ dans l'église 9 km par ③.

Office de Tourisme avec A.C. quai Baluze ☎ 55 26 59 61.

Paris 483 ① – Albi 209 ③ – Aurillac 82 ③ – Brive-la-Gaillarde 28 ⑤ – ♦ Clermont-Ferrand 149 ② – Guéret 137 ① – ♦Limoges 88 ① – Montluçon 173 ② – Périgueux 101 ⑤ – Rodez 166 ③.

Plan page ci-contre

Limouzi, 16 quai République ☎ **55 26 42 00** – wc wc ☎ & – 40 à 150
AE E VISA B s
fermé 1er au 8 janv. – **R** *(fermé dim. soir)* 70/140 – 23 – **50 ch** 140/230 – $^{1}/_{2}$ p 200/240.

Gare, 25 av. W. Churchill ☎ **55 20 04 04** – TV wc wc ☎. E VISA A k
fermé 1er au 15 sept. et vacances de fév. – **R** 70/110 , enf. 40 – 16 – **13 ch** 95/180 – $^{1}/_{2}$ p 175/230.

Le Dunant, 136 av. V.-Hugo ☎ **55 20 15 42,** – wc wc ☎ A u
fermé 15 déc. au 4 janv., sam. soir et dim. – **R** 65/150 – 19 – **12 ch** 130/195 – $^{1}/_{2}$ p 190.

Le Royal sans rest, **70 av. V.-Hugo** ☎ **55 20 04 52** – wc wc ☎. AE E VISA
– 20 – **14 ch** 85/170. A e

Bon Accueil, 10 r. Canton ☎ **55 26 70 57** – wc wc B y
fermé 15 au 31 déc. et dim. d'oct. à juin – **R** 50/65 , enf. 25 – 15 – **17 ch** 60/10 – $^{1}/_{2}$ p 130/150.

Toque Blanche avec ch, pl. M.-Brigouleix ☎ **55 26 75 41** – rest wc . AE
VISA B
fermé 10 au 31 janv. et dim. hors sais. (sauf fêtes) – **R** 100/210, enf. 50 – 18 – **10 ch** 110/180 – $^{1}/_{2}$ p 170/190.

Central, 32 r. J.-Jaurès (1er étage) ☎ **55 26 24 46** – . VISA AB a
fermé 19 juil. au 13 août, dim. soir et sam. – **R** 95/220.

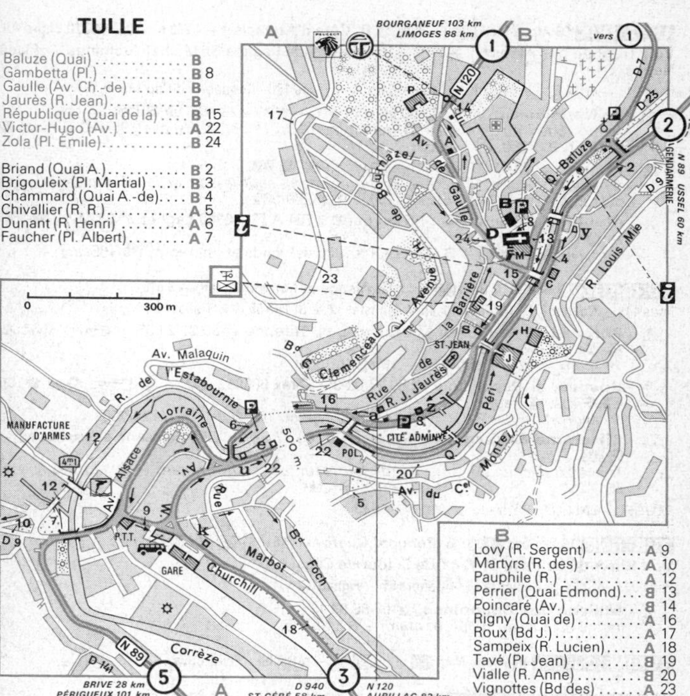

CITROEN Bru, 31 av. de Ventadour par ② ℘ 55 26 18 82
FIAT, LANCIA-AUTOBIANCHI Veyres-Périé, 17 quai G.-Péri ℘ 55 20 15 22
FORD Ets Carles, rte de Brive-Mulatet, ℘ 55 20 08 05
MERCEDES-BENZ, **OPEL** Gar. de l'Oasis rte de Brive ℘ 55 20 10 61

PEUGEOT-TALBOT Gar. Bigeargeas, rte de Limoges par ① ℘ 55 20 22 18
V.A.G. Gar. de St-Abrian, Z.I. Est ℘ 55 20 03 31 N

Cammas, 3 av. Alsace-Lorraine ℘ 55 20 06 48
Peuch, 3 av. W.-Churchill ℘ 55 20 12 28

TULLINS **38210 Isère 77 ④ – 6 106 h.**

Syndicat d'Initiative à la Mairie ℘ 76 07 00 05.

Paris 545 – Bourgoin-Jallieu 44 – La Côte-St-André 27 – ♦Grenoble 32 – St-Marcellin 23 – Voiron 13.

Malatras, S : 2 km sur N 92 ℘ **76 07 02 30,** – wc wc ☎ P – 30. E VISA
fermé vacances de nov. et merc. du 15 sept. au 15 juin – **R** 120/360, enf. 75 – 27 – **23 ch** 160/220 – $^1/_2$ p 260/280.

CITROEN Roudet, ℘ 76 07 03 40
PEUGEOT-TALBOT Gar. Penon, ℘ 76 07 01 25
RENAULT Baboulin, ℘ 76 07 02 74

La TURBALLE **44420 Loire-Atl. 63 ⑭ G. Bretagne – 3 276 h.**

Office de Tourisme pl. de Gaulle ℘ 40 23 32 01.

Paris 462 – La Baule 13 – Guérande 7 – ♦Nantes 85 – La Roche-Bernard 32 – St-Nazaire 27.

Terminus, quai St-Paul ℘ **40 23 30 29,** ← – E VISA
fermé 15 déc. au 15 janv., mardi soir et merc. – **R** 90/275, enf. 60.

La TURBIE 06 Alpes-Mar. 84 ⑩, 195 ㉗ G. Côte d'Azur (plan) – 1 969 h. – ✉ 06320 Cap-d'Ail.
Voir Trophée des Alpes★ : ※★★★ – Intérieur★ de l'église St-Michel-Archange – Place Neuve ≤★.
Paris 948 – Eze 4,5 – Menton 13 – Monte-Carlo 8 – ♦Nice 18 – Roquebrune-Cap-Martin 7.

Le Napoléon M, ✆ 93 41 00 54, ⌂, ⌂ – ⇔wc ☎. AE ◑ E VISA. ※ ch
fermé 15 fév. au 25 mars – **R** *(fermé mardi du 1er oct. au 1er avril)* 95/160 ♂ – ☕ 22 – **24 ch** 200/250 – 1/2 p 250.

France, ✆ 93 41 09 54, ⌂ – ⇔wc ⋒ ☎. E VISA
fermé 1er nov. au 15 déc. – **R** *(fermé merc. sauf le soir et jeudi midi hors sais.)* 69/125 ♂ – ☕ 22 – **17 ch** 130/250 – 1/2 p 220/300.

Moulin d'Alsace, NO : 1,5 km par D 2 204 A ✉ 06340 Laghet ✆ 93 41 11 60, ⌂ – P
fermé sept. et jeudi – **R** (déj. seul. sauf week-ends et juil.-août) 110/165, enf. 40.

TURCKHEIM 68230 H.-Rhin 62 ⑱⑲ G. Alsace et Lorraine (plan) – 3 510 h.
Paris 441 – Colmar 6,5 – Gérardmer 45 – Munster 12 – St-Dié 55 – le Thillot 65.

Berceau du Vigneron M sans rest, pl. Turenne ✆ 89 27 23 55 – ⇔wc ⋒wc ☎ P. AE VISA. ※
1er mars-1er nov. – ☕ 18,50 – **16 ch** 165/250.

Vosges, pl. République ✆ 89 27 02 37, Télex 880852, ⌂ – |♦| ⇔wc ⋒wc ☎. AE ◑ E VISA. ※ rest
1er avril-14 nov. – **R** 63/155 ♂ – ☕ 22 – **32 ch** 150/260 – 1/2 p 170/200.

L'Homme Sauvage, 19 Grand'rue ✆ 89 27 32 11, ⌂, poissons et crustacés – E VISA
fermé 26 déc. au 26 janv., mardi soir (sauf juil.-août) et merc. – **R** 110/225 ♂, enf. 50.

PEUGEOT-TALBOT Bertrand, ✆ 89 27 00 56 N

TURENNE 19 Corrèze 75 ⑧ G. Périgord Quercy – 718 h. – ✉ 19500 Meyssac.
Voir Site★ du château et ※★★ de la tour de César.
Paris 503 – Brive-la-Gaillarde 16 – Cahors 95 – Figeac 82.

Maison des Chanoines, ✆ 55 85 93 43
fermé 30 nov. au 10 fév. et mardi – **R** 119/165.

TURINI (Col de) 06 Alpes-Mar. 84 ⑲, 195 ⑰ – rattaché à Peira-Cava.

TURQUESTEIN-BLANCRUPT 57 Moselle 62 ⑧ – 25 h. – ✉ 57560 Abreschviller.
Paris 392 – Lunéville 56 – ♦Metz 107 – Sarrebourg 25 – Saverne 49 – ♦Strasbourg 73.

Aub. du Kiboki ⛰, sur D 993 ✆ 87 08 60 65, ≤, ⌂, parc, ※ – TV ⇔wc ⋒wc ☎ P. VISA. ※
fermé fév. – **R** *(fermé mardi)* carte 110 à 200 ♂, enf. 50 – ☕ 25 – **14 ch** 150/280 – 1/2 p 220/320.

TURRIERS 04 Alpes-de-H.-Pr 81 ⑥ – 286 h. alt. 1 040 – ✉ 04250 La-Motte-du-Caire.
Paris 702 – Digne 76 – Gap 35 – Sisteron 63.

Roche Cline M, ✆ 92 54 41 38, ≤, ⛱, ⌂ – ⇔wc ⋒wc ☎ P. E VISA. ※
fermé 21 déc. au 4 janv. et lundi de sept. à juin – **R** 65/85 ♂, enf. 50 – ☕ 20 – **16 ch** 110/140 – 1/2 p 220/250.

Gar. Taranger, ✆ 92 54 44 66 N

TY-SANQUER 29 Finistère 58 ⑮ – rattaché à Quimper.

UFFHOLTZ 68 H.-Rhin 66 ⑨ – rattaché à Cernay.

UHART-CIZE 64 Pyr.-Atl. 85 ③ – rattaché à St-Jean-Pied-de-Port.

Les ULIS 91 Essonne 60 ⑩, 101 ㉝ – voir à Paris, Environs.

UNAC 09 Ariège 86 ⑮ – rattaché à Ax-les-Thermes.

UNTERMUHLTHAL 57 Moselle 57 ⑱ – rattaché à Niederbronn-les-Bains.

URÇAY 03 Allier 69 ⑪⑫ – 324 h. – ✉ 03360 St-Bonnet-Tronçais.
Paris 296 – La Châtre 58 – Montluçon 34 – Moulins 67 – St-Amand-Montrond 15.

Étoile d'Or avec ch, ✆ 70 06 92 66, ⌂ – P. E VISA. ※ ch
fermé 15 au 31 oct., dim. soir et merc. – **R** 55/145 ♂, enf. 30 – ☕ 17 – **6 ch** 80/120 – 1/2 p 130.

Lion d'Or, ✆ 70 06 92 04
fermé nov. et mardi – **R** 52/150.

URCEL 02 Aisne 56 ⑤ – 470 h. – ✉ **02000** Laon.

Paris 125 – Fère-en-Tardenois 41 – Laon 13 – ♦Reims 58 – Soissons 22 – Vailly-sur-Aisne 12.

XX **Host. de France,** rte Nationale ✆ 23 21 60 08, – Ⓟ. E VISA
fermé 1er au 15 août, 15 fév. au 5 mars et merc. – **R** 65/170.

URDOS 64 Pyr.-Atl. 85 ⑯ – 162 h. alt. 760 – ✉ **64490** Bedous.

Env. Col du Somport SE : 14 km, G. Pyrénées Aquitaine.**

Paris 863 – Jaca 46 – Oloron-Ste-Marie 41 – Pau 74.

Voyageurs-Somport, ✆ 59 34 88 05, – wc wc – 60. VISA
fermé 14 nov. au 5 déc. – **R** 62/100 – 17 – **41 ch** 90/180 – 1/2 p 130/160.

URIAGE-LES-BAINS 38410 Isère 77 ⑤ **G. Alpes du Nord** – Stat. therm. (avril-oct.).

Voir Forêt de Prémol* SE : 5 km par D 111.

Syndicat d'Initiative Gare V.F.D. (cars) (avril-oct.) ✆ 76 89 10 27.

Paris 574 – ♦Grenoble 10 – Vizille 9.

Mésanges , par rte St Martin d'Uriage et rte du Bouloud : 1,5 km ✆ 76 89 70 69, <, – wc Ⓟ. E VISA.
1er mai-30 sept., vacances de fév. et week-ends de mi-janv. à fin mars – **R** 60/130, enf. 45 – 20 – **40 ch** 85/190 – 1/2 p 125/170.

Le Manoir, ✆ 76 89 10 88, – wc wc Ⓟ. E VISA
fermé 20 nov. au 12 déc., 5 au 27 janv., dim. soir et lundi – **R** 55/150, enf. 50 – 17 – **15 ch** 85/300 – 1/2 p 160/280.

à St-Martin-d'Uriage NE : 3 km par D 280 – alt. 680 – ✉ **38410** Uriage :

Belvédère sans rest, ✆ 76 89 70 47, <, – wc wc Ⓟ
21 mai-20 sept. – 20 – **30 ch** 100/200.

URMATT 67 B.-Rhin 62 ⑧⑨ – 1 121 h. – ✉ **67190** Mutzig.

Voir Église* de Niederhaslach NE : 3 km, G. Alsace et Lorraine.

Paris 421 – Molsheim 17 – Saverne 36 – Sélestat 46 – ♦Strasbourg 39 – Wasselonne 22.

Poste, ✆ 88 97 40 55, – wc wc ☎ Ⓟ. AE E VISA. ch
fermé 7 au 21 mars, 4 au 11 juil., 14 au 28 nov. et lundi – **R** 60/280 – 20 – **13 ch** 160/210 – 1/2 p 160/210.

Chez Jacques, ✆ 88 97 41 35 – TV wc wc ☎ Ⓟ. AE E VISA.
fermé 4 au 15 juil., 18 janv. au 9 fév. et lundi – **R** 44/122 – 17,50 – **14 ch** 120/170 – 1/2 p 152/165.

A la Chasse, 89 r. Gén. de Gaulle ✆ 88 97 42 64 – wc wc ☎ Ⓟ. AE E VISA
fermé 8 fév. au 8 mars et vend. – **R** 37/190 – 18 – **10 ch** 105/150.

URT 64 Pyr.-Atl. 78 ⑱ – 1 120 h. – ✉ **64240** Hasparren.

Paris 761 – ♦Bayonne 14 – Cambo-les-Bains 28 – Pau 97 – Peyrehorade 25 – Sauveterre-de-Béarn 42.

XX **Aub. Galupe,** au Port de l'Adour ✆ 59 56 21 84 – VISA
fermé vacances de nov., vacances de fév., dim. soir hors sais. et lundi – **R** 120.

URVILLE-NACQUEVILLE 50 Manche 54 ① – 1 280 h. – ✉ **50460** Querqueville.

Voir Château de Nacqueville : parc* – <* du rocher du Castel-Vendon NO : 5 km puis 15 mn, G. Normandie Cotentin – Paris 370 – Barneville-Carteret 43 – Bricquebec 33 – Cherbourg 9 – St-Lô 89.

Beaurivage, ✆ 33 03 52 40 – Ⓟ. VISA.
fermé vend. soir et sam. midi du 15 sept. au 15 mai – **R** 39/150, enf. 30 – 15 – **20 ch** 80/130 – 1/2 p 120/240.

URY 77 S.-et-M. 61 ⑪⑫ – rattaché à Fontainebleau.

USSAC 19 Corrèze 75 ⑧ – rattaché à Brive-La-Gaillarde.

USSEL <SP> 19200 Corrèze 73 ⑪ **G. Berry Limousin** – 11 989 h. alt. 631.

Office de Tourisme pl. Voltaire ✆ 55 72 11 50 et 3 bd Prade ✆ 55 96 11 32 – Paris 437 ① – Aurillac 104 ③ – ♦Clermont-Ferrand 86 ② – Guéret 101 ① – ♦Limoges 114 ④ – Tulle 63 ④.

Plan page suivante

Les Gravades Ⓜ, à St-Dézery par ② : 4 km Ussel ✆ 55 72 21 53, <, – TV wc wc ☎ Ⓟ. VISA
R *(fermé vend. soir et sam. midi de sept. à juin)* 80/150 – 23 – **20 ch** 200/300 – 1/2 p 200/250.

Gd H. Gare, av. P.-Sémard par ② (près gare) ✆ 55 72 25 98 – TV wc wc ☎ Ⓟ. E VISA
fermé 24 oct. au 7 nov. – **R** *(fermé lundi)* 90/180 – 23 – **29 ch** 100/220 – 1/2 p 190/220.

Teillard sans rest, 26 av. Thiers (r) ✆ 55 72 12 54 – . E VISA
fermé 15 déc. au 15 fév. – 18 – **24 ch** 75/180.

USSEL

Alsace-Lorraine (Pl.) ... 2
Barlaux (R. des) 3
Foch (Bd) 5
Grabié (R. F.) 6
Liberté (R. de la) 8
Marché (R. du) 12
Michelet (R.) 13
Neuve-du-Palais (R.) 14
Pénitents (R. des) 18
Récollets (R. des) 19
République (Pl. de la) .. 20
Ventadour (R. de) 22
Victor-Hugo (Bd) 23
Voltaire (Pl.) 26

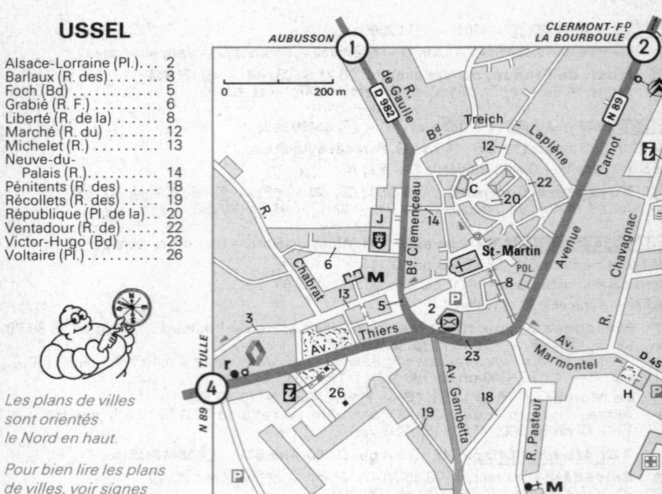

Les plans de villes sont orientés le Nord en haut.

Pour bien lire les plans de villes, voir signes et abréviations p. 23.

CITROEN Fraisse, 70 av. Carnot ✆ 55 72 17 81
FIAT, LANCIA Gar. du Centre, 5 r. A.-Chavagnac ✆ 55 72 11 54
OPEL Gar. Barbier, 20 bd Dr.Goudounèche ✆ 55 96 23 59
PEUGEOT-TALBOT Gar. du Collège, rte de Clermont par ② ✆ 55 96 10 68 N ✆ 55 72 19 95
RENAULT Gar. Thiers, 20 av. Thiers ✆ 55 96 11 01 N ✆ 55 96 14 59

V.A.G. Gar. du Stade, 23 bd Dr. Goudounèch ✆ 55 72 12 66
Gar. Salagnac, 56 av. Gén.-Leclerc ✆ 55 96 2 23
Estager Pneu, 61 av. Gén.-Leclerc ✆ 55 7 15 83

USSON-EN-FOREZ **42550 Loire 76 ⑦ G. Vallée du Rhône – 1 358 h. alt. 910.**

Paris 473 – Ambert 39 – Montbrison 50 – Le Puy 51 – St-Bonnet-le-Château 14 – ♦St-Étienne 47.

Rival, ✆ 77 50 63 65 – wc wc ☎. VISA.
fermé 16 au 30 juin et lundi hors sais. – **R** 47/155 – 16,50 – **13 ch** 88/215 – 1/2 p 166/218.

CITROEN Gar. Gardon, Le Pin Mallet ✆ 77 50 62 15

PEUGEOT-TALBOT Gar. Maitrias, ✆ 77 50 6 27
RENAULT Gar. Colombet, ✆ 77 50 60 53

USTARITZ **64480 Pyr.-Atl. 85 ② – 3 814 h.**

Syndicat d'Initiative à la Mairie (juil.-août) ✆ 59 93 00 44.

Paris 783 – ♦Bayonne 12 – Cambo-les Bains 7 – Pau 119 – St-Jean-de-Luz 25.

Arretz sans rest, ✆ **59 93 00 25** – .
1er avril-31 oct. – 22 – **8 ch** 80/150.

XX **La Patoula** avec ch, ✆ **59 93 00 56,** ←, , – wc wc ☎ ♿ Ⓟ. AE VISA
fermé 4 janv. au 15 fév., dim. soir et lundi hors sais. – **R** 125 – 30 – **9 ch** 260/30 – 1/2 p 260/320.

RENAULT Gar. Etchegaray, à Larressore ✆ 59 93 04 37 N ✆ 59 29 80 02

Gar. Iharour, à Larressore ✆ 59 93 01 79

UTELLE **06 Alpes-Mar. 84 ⑲, 195 ⑯ G. Côte d'Azur – 398 h. alt. 800 – ✉ 06450** Lantosque.

Voir Retable★ de l'église – Env. Madone d'Utelle ✳★★★ SO : 6 km.

UZERCHE **19140 Corrèze 75 ⑧ G. Berry Limousin (plan) – 3 185 h.**

Voir Ste-Eulalie ←★ E : 1 km – Office de Tourisme pl. Lunade (avril-sept.) ✆ 55 73 15 71.

Paris 452 – Aubusson 102 – Bourganeuf 85 – Brive-la-Gaillarde 35 – ♦Limoges 56 – Périgueux 94 Tulle 32.

Teyssier, r. Pont Turgot ✆ **55 73 10 05** – wc wc ☎ Ⓟ. E VISA
mi-mars à mi-nov. et fermé merc. sauf le soir en juil.-août – **R** 85/210 – 23 **17 ch** 90/200.

Ambroise, av. Paris ✆ **55 73 10 08,** , – wc wc ☎ Ⓟ. E VISA
fermé nov., dim. (sauf août) et sam. de sept. à juin – **R** 48/130 – 19 – **20 c** 94/160.

à Vigeois SO : 9 km par N 20 et D 3 – ✉ **19410** Vigeois :

XX **Les Semailles** avec ch, **rte Brive** ✆ **55 98 93 69** – ⇔wc ☎. VISA. ✱ ch
fermé 1er déc. au 31 janv., dim. soir et lundi hors sais. – **R** 75/200 – ☕ 20 – **7 ch** 90/150 – 1/2 p 150/180.

ITROEN Gar. Chauffour, ✆ 55 73 12 05
✆ 55 73 22 19
EUGEOT-TALBOT Gar. Mériguet, ✆ 55 73 26

RENAULT Gar. Bachellerie, ✆ 55 73 15 75
RENAULT Gar. Hochscheid à Vigeois, ✆ 55 98 92 59

UZÈS **30700** Gard 80 ⑲ **G. Provence** – 7 826 h.

oir **Duché★** : ≤★ de la Tour Bermonde A – **Orgues★** de la Cathédrale B **V** – **Tour** enestrelle★ B – Office de Tourisme av. Libération ✆ 66 22 68 88.

aris 685 ② – Alès 33 ④ – Arles 61 ② – Avignon 38 ② – Montélimar 81 ① – Nîmes 25 ②.

UZÈS

Alliés (Bd des) .... A 2
Gambetta (Bd) .... A
Gide (Bd Ch.) .... AB
République (R.) .... A 23
Uzès (R.J.-d') .... A 29
Vincent (Av. Gén.) .... A

Belle-Croix (Pl.) .... A 3
Boucairie (R.) .... B 4
Chauvin (Av. G.) .... A 5
Collège (R. du) .... B 6
Dampmartin (Pl.) .... A 7
Dr-Blanchard (R.) .... B 8
Duché (Pl. du) .... A 9
Entre-les-Tours (R.) .... A 10
Évêché (R. de l') .... B 12
Foch (Av.) .... A 13
Foussat (R. Paul) .... A 14
Herbes (Pl. aux) .... A 15
Marronniers (Prom.) .... B 16
Pascal (Av. M.) .... B 17
Pelisserie (R.) .... A 18
Plan-de-l'Oume (R.) .... B 19
Rafin (R.) .... B 20
St-Étienne (R.) .... A 25
St-Julien (R.) .... B 26
St-Théodorit .... B 27
Verdun (Pl. de) .... B 30
Victor-Hugo (Bd) .... A 32
4-Septembre (R.) .... A 35

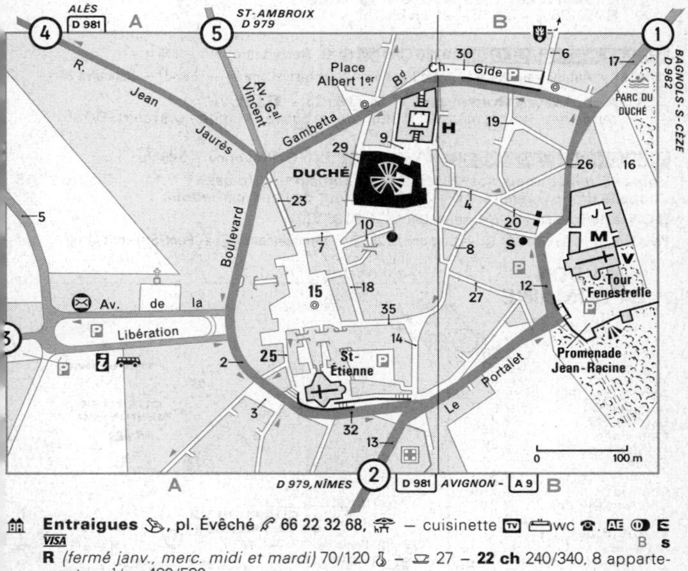

🏨 **Entraigues** 🐎, pl. Évêché ✆ **66 22 32 68**, 🌳 – cuisinette TV ⇔wc ☎. AE ⓓ E VISA — B s
R *(fermé janv., merc. midi et mardi)* 70/120 🍷 – ☕ 27 – **22 ch** 240/340, 8 appartements – 1/2 p 480/580.

🏨 **Émeraude,** rte de Nîmes par ② : 1 km ✆ **66 22 07 50**, 🌳, 🏊, 🎾 – 🛗 TV ⇔wc 🚿wc ☎ ♿ 🅟 – 🏛 25 à 50. AE ⓓ E VISA
R 80/150, enf. 80 – ☕ 25 – **66 ch** 190/270 – 1/2 p 280/320.

🏨 **St-Géniès** 🐎 sans rest, rte St-Ambroix par ⑤ ✆ **66 22 29 99** – ⇔wc 🚿wc ☎ 🅟. ✱
fermé nov. – ☕ 22 – **17 ch** 160/200.

à Saint-Maximin par ② et D 981 : 5,5 km – ✉ **30700** Uzès :

X **Aub. St-Maximim,** ✆ 66 22 26 41, 🌳 – AE ⓓ E VISA
1er avril-31 oct. et fermé lundi sauf juil.-août – **R** 90/220, enf. 60.

à Arpaillargues par ③ : 4,5 km – ✉ **30700** Uzès :

🏨 **H. d'Agoult, Château d'Arpaillargues** 🐎, ✆ **66 22 14 48**, Télex 490415, 🌳, « Demeure du 18e s., parc, 🎾, 🏊 » – TV ☎ 🅟 – 🏛 50. AE ⓓ E VISA. ✱ rest
15 mars-1er nov. – **R** *(fermé merc. hors sais.)* 115/180, enf. 90 – ☕ 40 – **25 ch** 400/900 – 1/2 p 555/805.

CITROEN Gar. Mandon, Champs-de-Mars par ② ✆ 66 22 22 64
PEUGEOT-TALBOT Laborie, av. de la Gare par ③ ✆ 66 22 59 01

RENAULT SUVRA, rte d'Alès par ④ ✆ 66 22 60 99

Rome-Pneus, 30 bd C.-Gide ✆ 66 22 26 65

VACQUIERS 31 H.-Garonne 82 ⑧ – 736 h. – ✉ 31340 Villemur-sur-Tarn.

Paris 681 – Albi 67 – Castres 75 – Montauban 35 – ♦Toulouse 26.

Villa des Pins , O : 2 km par D 30 ✆ 61 84 96 04, ←, , parc – wc wc ☎ P – 40. VISA. ch
fermé lundi (sauf hôtel) et dim. soir – **R** 60/150, enf. 25 – 18 – **15 ch** 90/220 – $1/2$ p 230/270.

VAIGES 53480 Mayenne 60 ⑪ – 969 h.

Paris 253 – Château-Gontier 37 – Laval 22 – ♦Le Mans 53 – Mayenne 32.

Commerce M, ✆ 43 90 50 07, Télex 722520, – TV wc wc ☎ P – 80. E VISA
R 80/180 – 22 – **32 ch** 180/240 – $1/2$ p 180/260.

CITROEN Gar. de la Charnie, ✆ 43 01 20 05

VAILLY-SUR-AISNE 02370 Aisne 56 ④⑤ – 1 883 h.

Paris 119 – Fère-en-Tardenois 29 – Laon 24 – ♦Reims 49 – Soissons 18.

Cheval d'Or, ✆ 23 54 70 56 – P. E VISA
R 45/125 – 15 – **21 ch** 65/150 – $1/2$ p 110/120.

VAILLY-SUR-SAULDRE 18260 Cher 65 ⑫ G. Berry Limousin – 875 h.

Paris 181 – Aubigny-sur-Nère 17 – Bourges 53 – Cosne-sur-Loire 24 – Gien 37 – Sancerre 26.

Aub. Lièvre Gourmand, ✆ 48 73 80 23 – E VISA
fermé dim. soir et merc. – **R** (nombre de couverts limité - prévenir) 90/195.

VAISON-LA-ROMAINE 84110 Vaucluse 81 ②③ G. Provence – 5 864 h.

Voir Les ruines romaines★★ Y : théâtre romain★ Y, musée★ Y M – Cloître★ Y B – Chapelle de St-Quenin★ Y D – Maître-autel★ de l'anc. cathédrale Y.

Office de Tourisme pl. Chanoine Sautel ✆ 90 36 02 11.

Paris 669 ④ – Avignon 47 ③ – Carpentras 28 ② – Montélimar 65 ④ – Pont-St-Esprit 41 ④.

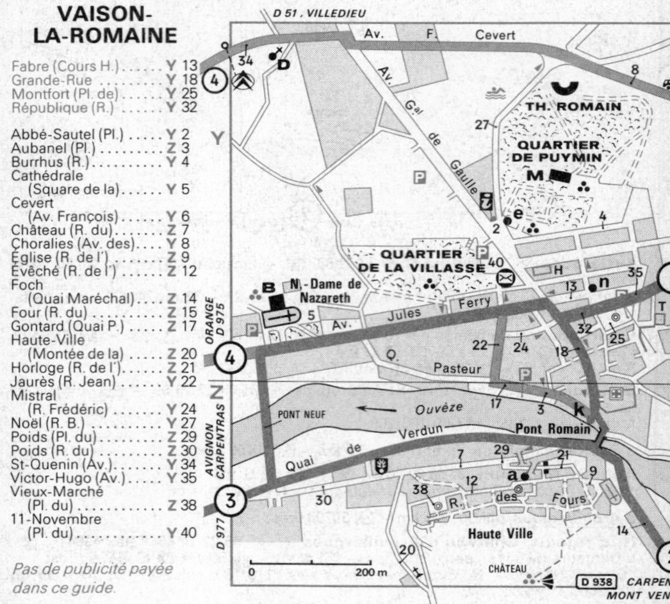

Pas de publicité payée dans ce guide.

Le Beffroi ⊗, Haute Ville ☏ 90 36 04 71, ≤, ♣, « Belle demeure du 16e s. », — ⊟wc ⋔wc ☎ Ⓟ – 30. AE ⊕ E VISA. ✂ rest Z a
fin mars-mi-nov. et mi-déc.-début janv. – **R** *(fermé mardi midi et lundi hors sais.)* 89/146, enf. 45 – ☕ 32 – **21 ch** 199/360 – 1/2 p 220/328.

Burrhus Ⓜ, 2 pl. Montfort ☏ 90 36 00 11 – ⊟wc ⋔wc ☎ . ⊕ VISA Y n
fermé nov. – **R** (dîner seul. table d'hôtes) 80 bc – ☕ 25 – **14 ch** 190/280.

Théâtre Romain, pl. Chanoine Sautel ☏ 90 36 05 87, ♣ – ⊟wc ⋔ . VISA
fermé 20 au 30 déc. – **R** 50/105, enf. 40 – ☕ 20 – **21 ch** 105/195 – 1/2 p 125/265. Y e

Le Bateleur, pl. Th.-Aubanel ☏ 90 36 28 04 Z k
fermé oct., 22 au 30 juin, dim. soir et lundi – **R** (prévenir) 85/130.

à Entrechaux par ② et D 54 : 8 km **G. Alpes du Sud** – ✉ **84340** Malaucène :

St-Hubert, ☏ 90 46 00 05, ♣, – Ⓟ. ✂
fermé 26 sept. au 10 oct., fév., mardi soir et merc. – **R** 46/200 ⅌, enf. 35.

à Seguret par ③ et D 88 : 9,5 km – ✉ **84110** Vaison-La-Romaine :

Domaine de Cabasse ⊗, rte Sablet ☏ 90 46 91 12, ≤, ⛱, – TV ⊟wc ☎ Ⓟ. VISA. ✂
15 mars-31 oct. – **R** 135/190 – **10 ch** (½ pens. seul.) – 1/2 p 400/420.

✿ **La Table du Comtat** (Gomez) ⊗ avec ch, ☏ 90 46 91 49, ≤ plaine, ⛱ – rest ▤ rest ⊟wc ⋔wc ☎ Ⓟ. AE ⊕ E VISA. ✂ rest
fermé 22 nov. au 8 déc., fév., mardi soir et merc. sauf juil.-août et fériés – **R** (nombre de couverts limité - prévenir) 180/350 – ☕ 42 – **8 ch** 315/550
Spéc. Petits choux fourrés au foie gras et langoustines, Provençale de St-Pierre (avril-oct.), Filet mignon d'agneau à la barigoule. **Vins** Séguret, Sablet.

à Rasteau par ④ et D 69 : 9 km – ✉ **84110** Vaison-la-Romaine :

Bellerive Ⓜ ⊗, sur D 69 ☏ 90 46 10 20, ≤, ♣, ⛱, – cuisinette ⊟wc ☎ Ⓟ
fermé 1er janv. au 15 mars – **R** 99/250 – ☕ 26 – **20 ch** 280 – 1/2 p 250/260.

TROEN Gar. de France, la Rocade ☏ 90 36 90
PEL-GM Adage, 7 cours Taulignan ☏ 90 36 50
EUGEOT, TALBOT, RENAULT Gar. Lagneau, Entrechaux ☏ 90 36 07 95
PEUGEOT-TALBOT De Luca, rte de Nyons par ① ☏ 90 36 24 33 N
PEUGEOT-TALBOT Gar. Magnet, à Mollans sur Ouvèze (26) ☏ 75 28 71 42
RENAULT Gar. Baffie, ZA de l'Ouvèze par ③ ☏ 90 36 36 38

ALADY 12 Aveyron 80 ② – 957 h. – ✉ **12330** Marcillac-Vallon.
ris 624 – Decazeville 19 – Rodez 18.

Combes, ☏ 65 72 70 24, – ⊟wc ⋔wc. ✂
fermé fév. – **R** *(fermé lundi du 15 sept. au 30 juil.)* 58/110 ⅌, enf. 40 – ☕ 17 – **14 ch** 105/160 – 1/2 p 150/180.

à Nuces SE : 2,5 km – ✉ **12330** Marcillac-Vallon :

La Diligence, ☏ 65 72 60 20, ♣, – Ⓟ. AE E VISA
fermé 3 janv. au 20 fév., dim. soir et lundi hors sais. – **R** 60/150, enf. 45.

e VAL-ANDRÉ 22 C.-du-N. 59 ④ – voir à Pléneuf-Val-André.

ALBERG 06 Alpes-Mar. 81 ⑨⑲, 195 ④ **G. Alpes du Sud** – alt. 1 669 – Sports d'hiver : 430/2 100 m ⛷27, – ✉ **06470** Guillaumes.

oir Intérieur★ de la chapelle N.-D.-des-Neiges.
Office de Tourisme ☏ 93 02 52 54, Télex 461002.
ris 851 – Barcelonnette 77 – Castellane 71 – Digne 109 – ♦Nice 85 – St-Martin-Vésubie 59.

Adrech de Lagas Ⓜ, ☏ 93 02 51 64, ≤ – |‡| TV ⊟wc Ⓟ. AE ⊕ E VISA
1er juil.-12 sept. et 20 déc-15 avril – **R** 175/260, enf. 45 – ☕ 30 – **22 ch** 380 – 1/2 p 335/370.

La Clé des Champs ⊗, ☏ 93 02 51 45, ≤, ♣ – ⋔ Ⓟ. E VISA. ✂ ch
1er juil.-20 sept. et 20 déc.-20 avril – **R** (résidents seul.) – ☕ 20 – **19 ch** 195 – 1/2 p 200/235.

ALBONNE 06560 Alpes-Mar. 84 ⑨, 195 ㉔㉕ **G. Côte d'Azur** – 4 032 h.
☏ 93 42 00 08 NE : 2 km.
Office de Tourisme bd Gambetta ☏ 93 42 04 16.
ris 911 – Antibes 17 – Cannes 13 – Grasse 9 – Mougins 6,5 – ♦Nice 30 – Vence 21.

Caves St-Bernardin, ☏ 93 42 03 88 – E VISA
fermé 15 nov. au 15 déc., dim. et lundi – **R** (nombre de couverts limité - prévenir) 110/150.

Bistro de Valbonne, ☏ 93 42 05 59 – E VISA
fermé nov., fév., dim. et lundi – **R** 125/185.

au Val de Cuberte SO : 1,5 km sur D 3 – ✉ **06560** Valbonne :

XX **Val de Cuberte,** ✆ 93 42 01 82, – P. VISA
fermé 12 nov. au 22 déc., le soir (sauf sam. hors sais.), mardi midi en sais. et lundi – **R** 145.

XX **Aub. Fleurie** avec ch, ✆ 93 42 02 80, , – wc wc P. VISA
fermé 15 déc. au 5 fév. – **R** *(fermé merc.)* 82/135 – 17 – **10 ch** 130/185.

RENAULT Gar. Cuberte, ✆ 93 42 02 24

VALCEBOLLÈRE **66340** Pyr.-Or. 86 ⑯

Paris 867 – Bourg-Madame 9 – ♦Perpignan 105 – Prades 62.

Les Ecureuils, ✆ 68 04 52 03 – wc . AE
10 juin-30 sept. et vacances scolaires d'hiver – **R** 82/165 – 22 – **9 ch** 125/190 – 1/2 p 155/190.

VAL CLARET **73** Savoie 74 ⑲ – rattaché à Tignes.

VALDAHON **25800** Doubs 66 ⑯ – 4 472 h. alt. 649.

Paris 445 – ♦Besançon 31 – Morteau 33 – Pontarlier 32.

Relais de Franche Comté M , ✆ 81 56 23 18, ←, – TV wc ☎ P – 30. AE ⓓ E VISA
fermé 20 déc. au 15 janv., vend. soir et sam. midi (sauf juil.-août et vacances de fé[v.]) – **R** 50/195 – 19 – **20 ch** 165/200 – 1/2 p 185/225.

à Chevigney NE : 3 km par D 27 – ✉ **25530** Vercel-Villeudieu-le-Camp :

Promenade, ✆ 81 56 24 76, – wc P – 30. E VISA.
fermé 15 sept. au 15 oct. et lundi sauf juil.-août – **R** 40/110 – 15 – **11 ch** 100/1[..] – 1/2 p 130/140.

CITROEN Gar. Pétot, ✆ 81 56 27 12 N ✆ 81 56 26 19

Le VAL-D'AJOL **88340** Vosges 62 ⑯ **G. Alsace et Lorraine** – 5 293 h.

Office de Tourisme 93 Grande-Rue ✆ 29 30 66 69 et pl. Hôtel de Ville (15 juin-15 sept.).

Paris 375 – Épinal 44 – Luxeuil-les-Bains 16 – Plombières-les-Bains 9 – Remiremont 17 – Vittel 75.

Résidence, r. Mousses ✆ 29 30 68 52, « Parc » – wc wc P – 100. [..] ⓓ E VISA. rest
fermé 15 nov. au 15 déc. – **R** 60/220 , enf. 35 – 21 – **60 ch** 80/245 – 1/2 p 180/2[..]

VALDEBLORE (Commune de) **06** Alpes-Mar. 84 ⑱⑲, 195 ⑥ **G. Côte d'Azur** – 599 h.
Sports d'hiver à la Colmiane : 1 400/1 800 m 10 – ✉ **06420** St-Sauveur-sur-Tinée.

Paris 900 – Cannes 91 – ♦Nice 73 – St-Étienne-de-Tinée 46 – St-Martin-Vésubie 11.

à St-Dalmas-Valdeblore – alt. 1 300 – ✉ **06420** St-Sauveur-sur-Tinée.

Voir Pic de Colmiane ✱★★ E : 4,5 km accès par télésiège.

Aub. des Murès , ✆ 93 02 80 11, ←, – wc wc P. E VISA
1er juin-15 oct. et 26 déc.-30 avril – **R** 95/145 – 25 – **9 ch** 215/250 – 1/2 p 230/2[..]

Lou Mercantour , ✆ 93 02 80 21, ← – wc wc P. ch
1er juin-fin sept. et vacances scolaires – **R** 80/120 – 20 – **22 ch** 120/250 – 1/2 p 160/220.

Host. des Colmianes , ✆ 93 02 83 36, ← – wc wc . rest
1er juin-20 sept. et 20 déc.-20 avril – **R** (résidents seul.) – 20 – **15 ch** 180/250 – 1/2 p 200/250.

VAL-DE-LA-HAYE **76** S.-Mar. 55 ⑥ – rattaché à Rouen.

VAL-D'ISÈRE **73150** Savoie 74 ⑲ **G. Alpes du Nord** – 1 637 h. alt. 1 840 – Sports d'hive[r] 1 850/3 450 m 6 43 – **Voir Rocher de Bellevarde ✱★★★ par téléphérique – Tête d[e] Solaise ✱★★ SE par téléphérique.**

Office de Tourisme Maison de Val d'Isère ✆ 79 06 10 83 avec Val Hôtel (Réservations d'hôte[l]) ✆ 79 06 18 90, Télex 980077 et Antenne de la Daille (20 déc.-20 avril) ✆ 79 06 14 93.

Paris 669 – Albertville 85 – Briançon 158 – Chambéry 132.

Sofitel M , ✆ 79 06 08 30, Télex 980558, ←, , – TV ☎ P – 7[..] AE ⓓ E VISA
2 juil.-29 août et 3 déc.-2 mai – **R** 220/240 – **49 ch** 630/1200, 4 appartements – 1/2 p 730/760.

Christiania , ✆ 79 06 08 25, ← – TV ☎ P. E VISA. rest
1er déc.-1er mai – **R** carte 190 à 350 – **43 ch** (1/2 pens. seul.), 5 appartements – 1/2 p 1034/1520.

La Savoyarde M , ✆ 79 06 01 55, Télex 309274, ← – TV ☎ P. AE ⓓ E VISA
1er déc.-5 mai – **R** 130 bc/200 – 50 – **43 ch** 520/1100 – 1/2 p 520/940.

Gd Paradis M , ✆ 79 06 11 73, ←, – ch TV ☎ . AE VISA. rest
juil.-août et déc.-début mai – **R** 200 – 45 – **40 ch** 540/780, 4 appartements 9[..] – 1/2 p 570/700.

Tsanteleina, ✆ 79 06 12 13, Télex 980175, ⩽, ✂ – 🛗 TV ☎ P. AE ⓓ E VISA. ✱ rest
25 juin-28 août et 3 déc.-1er mai – **R** 85/155 – ☕ 39 – **61 ch** 280/470 – ½ p 390/460.

Blizzard, ✆ 79 06 02 07, Télex 309662, ⩽ – 🛗 TV ☎. AE ⓓ E VISA. ✱ rest
15 déc.-5 mai – **R** 150/350 – ☕ 38 – **70 ch** 382/510 – ½ p 420/510.

Altitude M ⛆, ✆ 79 06 12 55, ⩽, 🏖, 🏊 – 🛗 ⛀wc ⛆wc ☎ P. VISA. ✱
1er juil.-25 août et 1er déc.-3 mai – **R** 98 – **30 ch** ☕260/560 – ½ p 260/380.

Bellier ⛆, ✆ 79 06 03 77, ⩽ – ⛀wc ⛆ ☎ P. AE ⓓ E VISA
1er déc.-1er mai – **R** (dîner seul.) carte 135 à 165 – ☕ 30 – **23 ch** 170/450 – ½ p 300/450.

Santons ⛆ sans rest, ✆ 79 06 03 67, ⩽ – ⛀wc ⛆ ☎ – **26 ch**.

La Galise, ✆ 79 06 05 04 – ⛀wc ⛆wc ☎. ✱ rest
1er déc.-30 avril – **R** 90/135, enf. 45 – ☕ 28 – **37 ch** 155/400 – ½ p 270/340.

L'Avancher ⛆, rte Fornet ✆ 79 06 02 00, ⩽, 🏊 – ⛀wc ☎. VISA
juil.-août et 1er déc.-4 mai – **R** (dîner seul.) 96/120 – ☕ 32 – **17 ch** 170/311 – ½ p 210/285.

Chamois d'Or ⛆, ✆ 79 06 00 44, ⩽ – ⛀wc ⛆ ☎ P. E VISA. ✱
2 juil.-29 août et 16 déc.-3 mai – **R** 55/80 🍷 – ☕ 28 – **24 ch** (pension seul.) – P 200/380.

à la Daille NO : 2 km – ✉ **73150** Val-d'Isère :

Samovar, ✆ 79 06 13 51, ⩽ – ⛀wc ⛆wc ☎. E VISA. ✱ rest
déc.-avril – **R** 140 – ☕ 32 – **18 ch** 410/470 – ½ p 372/436.

La Tovière, ✆ 79 06 06 57, ⩽ – ⛀wc ⛆ ☎ P. ✱ rest
1er juil.-21 août et 1er déc.-1er mai – **R** 62/85 🍷 – ☕ 25 – **26 ch** (½ pens. seul.) – ½ p 256/275.

TROEN-V.A.G. Gar. de l'Iseran, ✆ 79 06 03 RENAULT Gar. Bozzetto, ✆ 79 06 01 70

ALDOIE 90 Ter.-de-Belf. 66 ⑧ – rattaché à Belfort.

ALENÇAY 36600 Indre 64 ⑱ **G. Châteaux de la Loire** – 3 139 h.
›ir Château★★ – 🅘 Office de Tourisme à l'Hôtel de Ville ✆ 54 00 14 33 et av. Résistance
5 juin-15 sept.) ✆ 54 00 04 42.
›ris 237 ⑤ – Blois 55 ⑤ – Bourges 74 ② – Châteauroux 43 ③ – Loches 48 ④ – Vierzon 49 ①.

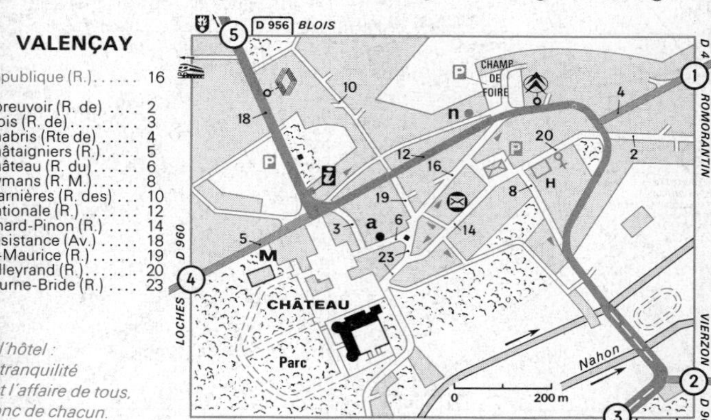

✿ Espagne (Fourré) ⛆, av. Château **(a)** ✆ 54 00 00 02, Télex 751675, « Terrasse fleurie » – TV ☎ P. AE E VISA
fermé début janv. au 1er mars, dim. soir et lundi du 1er nov. à Pâques – **R** (nombre de couverts limité-prévenir) 180/250 – ☕ 55 – **10 ch** 350/500, 6 appartements 850/950 – ½ p 550/750
Spéc. Escalope de foie de canard aux raisins, Sole Homardine, Bombe Talleyrand. **Vins** Reuilly, Valencay.

Chêne Vert, (n) ✆ 54 00 06 54, 🏖 – E
fermé 6 au 27 juin, 5 au 12 janv., dim. soir et sam. du 15 sept. au 27 juin – **R** 42/120 🍷.

TROEN Huard, ✆ 54 00 05 35 RENAULT Caisel, ✆ 54 00 02 24
UGEOT-TALBOT Debrais, par ③ ✆ 54 00 99

VALENCE P **26000** Drôme 77 ⑫ **G. Vallée du Rhône** – 68 157 h.

Voir Maison des Têtes★ AYB – Intérieur★ de la cathédrale AZD – Champ de Mars ≤ AZ – Sanguines de Hubert Robert★★ au musée AZ M1.

de Valence-Chabeuil : ☏ 75 85 28 63, par D 68 : 5 km - BYZ – Office de Tourism pl. Leclerc ☏ 75 43 04 88, Télex 345265 – A.C. 33 bis av. Félix-Faure ☏ 75 43 61 07.

Paris 560 ① – Aix-en-Provence 196 ⑤ – Avignon 125 ⑤ – ♦Clermont-Ferrand 243 ① – ♦Grenob 100 ② – ♦Lyon 100 ① – ♦Marseille 216 ⑤ – Nîmes 150 ⑤ – Le Puy 113 ⑦ – ♦St-Étienne 93 ①.

VALENCE

Alsace (Bd d') .... BY
Augier (R. Émile) ...... AYZ
Bancel (Bd G.) .... AZ 3
Félix-Faure (Av.) .... BZ
Gaulle (Bd de) .... ABZ 6
Grande-Rue .... AY 7
Madier-de-Montjau (R.) . BY 13
République (Pl. de la) ... AZ 18

Sémard (Av. Pierre) ..... AZ
Victor-Hugo (Av.) .... AZ

Balais (R. des) .... AY 2
Carnot (Av. Sadi) .... AY 4
Clerc (Bd M.) .... BZ 5
Jacquet (R. Victor) ...... AZ 8
Lacroix (R. André) .... AY 9
Leclerc (Pl. Gén.) .... BY 10
Liberté (Pl. de la) .... AY 12
Manouchian (Pl.) .... ABY 14

Manutention (R. de la) .. AY 1
Notre-Dame (⊞) .... BZ
Pérollerie (R.) .... AY 1
République (R. de la) .... AY 1
Roux (R. Barthélémy) .... AY 2
St-Apollinaire (⊞) ...... AZ D
St-Grégoire (⊞) .... AY 2
St-Jacques (Fg) .... BY 2
St-Jean (⊞) .... AY
Saunière (R.) .... AZ 2
Vernoux (R.) .... AY 2

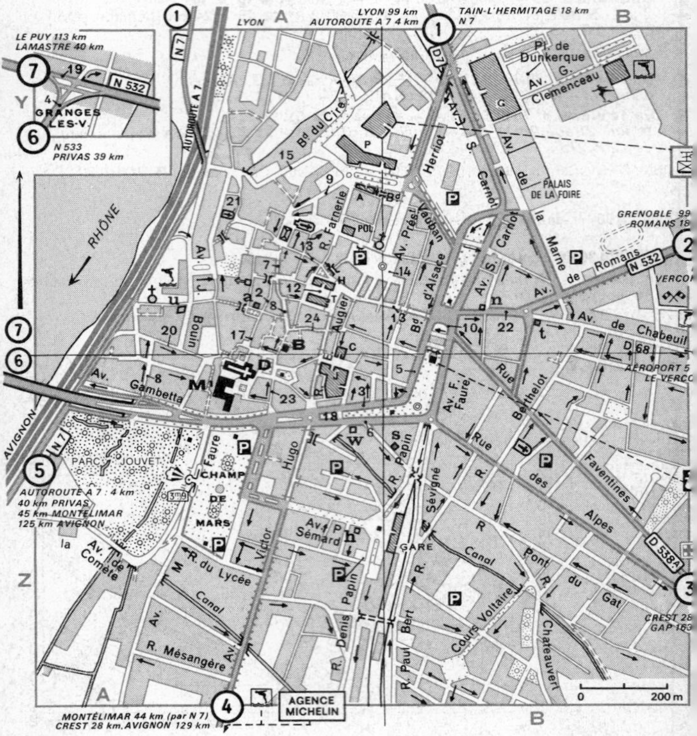

Hôtel 2000 M, rte Grenoble par ② : 1 km ☏ 75 43 73 01, Télex 345873, – TV ☎ P – 25. AE ◑ E VISA BY
R *(fermé sam. midi et dim. du 15 sept. au 15 mars)* 95/145 – 30 – **31 c** 260/420 – $^1/_2$ p 385/460.

Novotel M, 217 av. Provence par ⑤ près échangeur Valence-Sud ☏ 75 42 20 1 Télex 345823, – TV ☎ P – 25 à 300. AE ◑ E VISA
R grill carte environ 120, enf. 40 – 38 – **107 ch** 300/330.

France M sans rest, 16 bd Ch.-de-Gaulle ☏ 75 43 00 87 – wc wc – 25. AE ◑ E VISA AZ
23 – **34 ch** 198/280.

Park-H. sans rest, 22 r. J.-Bouin ☏ 75 43 37 06 – wc wc ☎ . AE ◑ VISA – 21 – **21 ch** 159/245. AY

Paris et Voyageurs sans rest, 30 av. P.-Sémard ✆ 75 44 02 83 – wc wc. AE E VISA. AZ h
20 – 36 ch 165/240.

Gd St-Jacques, 9 fg St-Jacques ✆ 75 42 44 60 – wc wc. E VISA
R (fermé 24 déc. au 30 janv. et dim.) 55/185, enf. 55 – 18 – 32 ch 95/220 – 1/2 p 163/266. BY n

XXXX ✿✿✿ Pic avec ch, 285 av. Victor-Hugo, sortie autoroute Valence-Sud ✆ 75 44 15 32, « Jardin ombragé » – wc P. AE E VISA
fermé août 15 au 24 fév., dim. soir et merc. – R (dim. prévenir) 350/450 et carte – 50 – 6 ch 400/800
Spéc. Palmier de langouste aux betteraves rouges, Tresse de loup et saumon au caviar, Foie de canard au marc de l'Hermitage. Vins Côtes du Rhône.

XX La Licorne, 13 r. Chalamet ✆ 75 43 76 83 – . AE VISA BZ s
fermé sam. midi et dim. – R (prévenir) 58/220, enf. 38.

X La Petite Auberge, 1 r. Athènes ✆ 75 43 20 30 – AE E VISA BY t
fermé août, merc. soir et dim. sauf fériés – R 76/160.

X Coelacanthe, 3 pl. de la Pierre ✆ 75 42 30 68 – AE E VISA AY a
fermé vacances de nov., de fév., lundi midi, sam. midi et dim. – R 78/180, enf. 48.

à Bourg-lès-Valence par ① : 1 km – ✉ 26500 Bourg-lès-Valence :

Seyvet, 24 av. Marc-Urtin ✆ 75 43 26 51, Télex 346338 – rest wc wc P – 35. AE E VISA
R (fermé dim. soir hors sais.) 60/140, enf. 35 – 22 – 32 ch 165/258 – 1/2 p 247/288.

à Pont de l'Isère par ① : 9 km – ✉ 26600 Tain-l'Hermitage :

XXX ✿ Chabran M avec ch, N 7, sortie autoroute Valence-Nord ✆ 75 84 60 09, Télex 346333, – rest wc P. E VISA
fermé dim. soir et lundi d'oct. à fév. – R 280/390 – 50 – 12 ch 280/600
Spéc. Ravioles du Royans, Saumon au beurre blanc et girolles sautées, Aiguillettes de boeuf au vieil Hermitage. Vins Hermitage, St-Joseph.

à Granges-lès-Valence (Ardèche) par ⑥ : 3 km – ✉ 07500 Granges-lès-Valence :

National, SO : 2 km rte Nîmes ✆ 75 41 65 33, Télex 345744 – wc wc P – 30 à 200. VISA. rest
R grill (dîner seul.) 66/79 – 25 – 52 ch 170/265 – 1/2 p 186/226.

Alpes-Cévennes sans rest, 641 av. République ✆ 75 44 61 34 – wc wc. AE E VISA
fermé 6 au 22 août et 26 déc. au 2 janv. – 18 – 28 ch 149/189.

XX Aub. des 3 Canards, 565 av. République ✆ 75 44 43 24 – P. AE E VISA
fermé 2 au 23 août, dim. soir et lundi – R 92/280, enf. 65.

Voir aussi à *St-Péray* (Ardèche) par ⑦ : 5 km

MICHELIN, Agence, 368 av. V.-Hugo par ④ ✆ 75 41 30 66

BMW Fourel, 37 av. de Marseille ✆ 75 44 20 17
CITROEN Minodier, 126 rte de Beauvallon par ④ ✆ 75 44 31 24 N ✆ 75 57 23 43
FORD Valence-Autom., 287 av. de Romans ✆ 75 42 54 44
MERCEDES-BENZ Royal-Gar., av. de Provence ✆ 75 42 12 00
PEUGEOT-TALBOT SOVACA, 125 av. M.-Faure AZ et 268 av. V.-Hugo par ④ ✆ 75 44 11 66

V.A.G. Clauzier et Genin, 269 av. Victor-Hugo ✆ 75 44 45 45
V.A.G. Gar. J.-Jaurès, 410-416 av. de Chabeuil ✆ 75 42 12 66

Barrial-Pneus, 106 av. Victor-Hugo ✆ 75 44 24 43
Dorcier, 15 à 17 av. des Beaumes ✆ 75 44 11 40
Piot-Pneu, av. de Provence, Pont-des-Anglais ✆ 75 44 13 40

Périphérie et environs

CITROEN Gar. Pélissier, 82 av. J.-Jaurès à Porte-lès-Valence par ④ ✆ 75 57 30 00 N
LADA, SKODA Gar. Moulin, 508 av. République à Guilherand (07) ✆ 75 44 44 90
PEUGEOT-TALBOT Vinson et Verd, 35 r. de la Cartoucherie à Bourg-lès-Valence par ① ✆ 75 43 01 92

RENAULT Succursale, rte de Lyon à Bourg-lès-Valence par ① ✆ 75 43 93 23

VALENCE 82400 T.-et-G. 79 ⑯ – 4 734 h.

Golf Club d'Espalais ✆ 63 29 04 56, au S par D 11 : 3 km.

Paris 673 – Agen 26 – Cahors 66 – Castelsarrasin 25 – Moissac 17 – Montauban 48.

Tout va bien, 35 r. République ✆ 63 39 54 83 – wc wc – 25. E VISA
fermé fin déc. et janv. – **R** *(fermé dim. soir hors sais. et lundi)* 73/125, enf. 50 – 22 – **22 ch** 125/170 – ½ p 190/225.

XX **La Campagnette,** NE : 2 km par rte Cahors (D 953) ✆ 63 39 65 97, , – Ⓟ. E VISA
fermé 30 mai au 3 juin, 5 au 10 sept., 1er au 15 janv., lundi (sauf le soir en juil.-août) et dim. soir – **R** 150/220, enf. 60.

PEUGEOT-TALBOT Maggiori, ✆ 63 39 50 60 RENAULT Semenadisse, ✆ 63 29 03 03 N
RENAULT Mosconi, ✆ 63 39 52 42

VALENCE-EN-BRIE 77830 S.-et-M. 61 ②③, 196 ㊼ – 495 h.

Paris 71 – Fontainebleau 16 – Melun 21 – Montereau-Faut-Yonne 8,5.

Aub. St-Georges, 1 pl. Église ✆ (1) 64 31 81 12 – wc wc . VISA
fermé 15 déc. au 15 janv., lundi et mardi – **R** 55/80 – 16 – **10 ch** 110/140.

VALENCE-SUR-BAÏSE 32310 Gers 82 ④ – 1 218 h.

Voir Abbaye de Flaran★ NO : 2 km, **G. Pyrénées Aquitaine.**

Paris 682 – Agen 49 – Auch 35 – Condom 9.

Ferme de Flaran Ⓜ, rte Condom ✆ 62 28 58 22, , , – wc Ⓟ – 30. AE E VISA
fermé janv., dim. soir et lundi sauf juil.-août – **R** 80/240 – 25 – **15 ch** 200/220 – ½ p 240/340.

VALENCIENNES SP 59300 Nord 53 ④⑤ **G. Flandres Artois Picardie** – 40 881 h.

Voir Musée des Beaux-Arts★ BYM.

✆ 27 46 30 10 E : 1,5 km - CV.

Office de Tourisme 1 r. Askièvre (fermé matin) ✆ 27 46 22 99 – A.C. 2 r. Mons ✆ 27 46 34 32.

Paris 208 ⑥ – ♦Amiens 108 ⑥ – Arras 71 ⑥ – Beauvais 180 ⑥ – Bruxelles 104 ② – Charleroi 84 ② – Charleville-Mézières 130 ③ – ♦Lille 51 ⑦ – ♦Reims 151 ③ – St-Quentin 79 ⑥.

Plan page ci-contre

Gd Hôtel, 8 pl. Gare ✆ 27 46 32 01, Télex 110701 – TV – 25 à 150. AE E VISA AX **d**
R 79/163 – 30 – **90 ch** 260/325, 6 appartements 360/385.

Notre Dame sans rest, 1 pl. Abbé-Thellier-de-Poncheville ✆ 27 42 30 00 – wc wc . E VISA BY **s**
20 – **41 ch** 110/185.

Bristol sans rest, 2 av. de Lattre-de-Tassigny ✆ 27 46 58 88 – wc . E VISA. AX **u**
19,50 – **20 ch** 110/195.

H. La Coupole sans rest, pl. Gare ✆ 27 46 37 12 – wc wc . VISA AX **e**
20 – **38 ch** 120/190.

Modern'H sans rest, 92 r. Lille ✆ 27 46 20 70 – wc wc . E VISA AX **n**
17 – **33 ch** 95/160.

XXX ✿ **L'Alberoi (Buffet-Gare),** ✆ 27 46 86 30 – AE E VISA AX
fermé dim. soir – **R** 120/230
Spéc. Langue Lucullus, Pot-au-feu de poissons, Canette rôtie au genièvre.

par l'échangeur Valenciennes-Ouest, Z.I. de Prouvy-Rouvignies, sorties ⑤ ou ⑥ – ✉ **59300** Valenciennes :

Novotel Ⓜ, SO : 5 km par N 30 ✆ 27 44 20 80, Télex 120970, , , – rest TV Ⓟ – 25 à 200. AE E VISA
R grill carte environ 120, enf. 40 – 38 – **76 ch** 335/390.

à Raismes NO : 5 km par D 169 - AV – 15 623 h. – ✉ **59590** Raismes :

XX **La Grignotière,** ✆ 27 36 91 99 – AE VISA
fermé 2 au 30 août, 2 au 9 fév., dim. soir et lundi sauf fêtes le midi – **R** 95/120.

à Haulchin SO : 10 km par ⑤ et N 30 – ✉ **59121** Haulchin :

XX **Clos St Hugues,** 3 r. P. V. Couturier ✆ 27 43 80 83, Télex 810264, , – Ⓟ. AE VISA
fermé vacances de fév. – **R** 120/240, enf. 68.

à Sebourg par ③ : 11 km par D 934 et D 250 – ✉ **59990** Saultain :

XX **Jardin Fleuri** avec ch, D 250 ✆ 27 26 53 44, « Jardin » – wc Ⓟ. AE E VISA
fermé 16 août au 1er sept. – **R** *(fermé dim. soir et lundi)* 60/130 – 18 – **12 ch** 100/160 – ½ p 180/230.

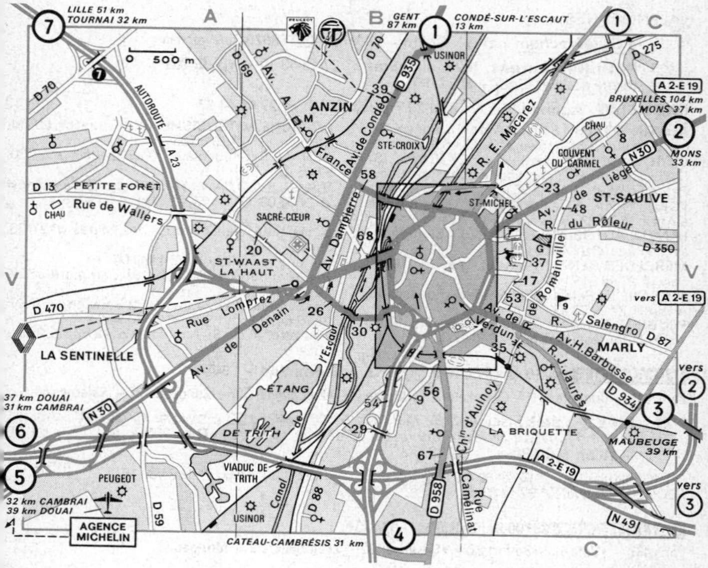

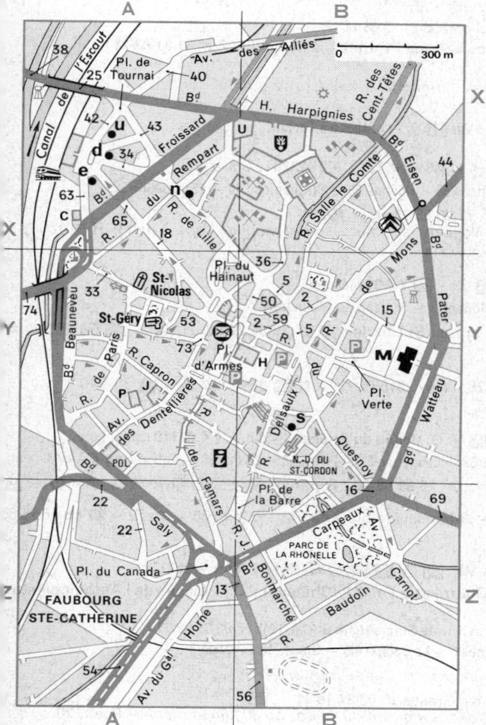

VALENCIENNES

Albert-1er (Av.) . . . . BY 2
Amsterdam (Av. d') BY 5
Armes (Pl. d') . . . . . . AY
Famars (R. de) . . . AYZ
Lille (R. de) . . . . AX
Paix (R. de la) . . . . BY 50
Paris (R. de) . . . . AY 53
St-Géry (R.) . . . . BY 59

Barbusse (R. H.) ST-SAULVE . . . . CV 8
Bourgeois (Ch. des) BV 9
Cairns (Av. Sergt) . . AZ 13
Capucins (R. des) . . BY 15
Cardon (Pl.) . . . . BZ 16
Charles-Quint (R.) . . CV 17
Clemenceau (Av. G.) AX 18
Desandrouins (Av.) BV 20
Digue (R. de la) . . . . AZ 22
Duchesnois (Av.) . . . CV 23
Dunkerque (Av. de) AX 25
Faidherbe (Av.) . . . . BV 26
Fg de Cambrai (R.) . BV 29
Fg de Paris (R. du) . . BV 30
Ferrand (R.) . . . . AY 33
Foch (Av. Mar.) . . . . . AX 34
Gare de Marly (R.) . . CV 35
Gaulle (Pl. Gén. de) . BY 36
Glacis (R. des) . . . . . CV 37
Jacob (Pont) . . . . AX 38
Jean-Jaurès (R.) . . . BV 39
Juin (Av. du Mar.) . . . AX 40
Lattre-de-Tassigny (Av. Mar. de) . . . . AX 42
Leclerc (Av. Mar.) . . AX 43
Liège (Av. de) . . . . . BX 44
Marquis (R. du) . . . . CV 48
Perdrix (R. J.) . . . . . . CV 53
Pompidou (Av. G.) . AZ 54
Reims (Av. de) . . . . . BZ 56
St-Amand (Av. de) . BV 58
Sénateur-Girard (Av.) . . . . AX 63
Tholozé (R.) . . . . AX 65
Vaillant-Couturier (R. Paul) . . . . BV 67
Vauban (Av.) . . . . . BV 68
Verdun (Av. de) . . . . BZ 69
Vieille-Poissonnerie (R.) . . . . AY 73
Villars (Av.) . . . . AY 74

à Quievrechain par ② : 12 km – 7 190 h. – ✉ **59920** Quievrechain :

XX **Petit Restaurant,** 182 r. J.-Jaurès ✆ **27 45 43 10** – Ⓟ. E VISA
fermé août et lundi – **R** 67/180 ₰.

MICHELIN, Agence, Z.I. N° 2, N 29 Prouvy par ⑤ ✆ **27 44 44 27**

AUSTIN-ROVER Service Auto Européen, Z.I. de St-Saulve à St-Saulve ✆ 27 33 08 96
CITROEN D.V.A., 3 bd Eisen ✆ 27 46 56 80 N
FIAT Gar. du Hainaut, voie express de Lille à Petite Forêt ✆ 27 46 82 36
FORD N.V.A., 51 av. A.-France, Croix d'Anzin à Anzin ✆ 27 33 19 55
LANCIA-AUTOBIANCHI Gar. du Centre, 147 av. de liège ✆ 27 46 09 92
MERCEDES-BENZ Marty et Lecourt, 10 bd Saly ✆ 27 46 34 71
NISSAN Le Relais, 17 r. Waldeck-Rousseau à Anzin ✆ 27 29 03 49
PEUGEOT-TALBOT Caffeau et Ruffin, 136 à 162 r. J.-Jaurès à Anzin ✆ 27 46 02 03
PORSCHE-MITSUBISHI Gar. Pietrzack, 29 b Carpeaux ✆ 27 29 65 65
RENAULT Succursale, 20 av. Denain ✆ 27 3 92 05 N
V.A.G. S.A.D.I.A.V., 114 rte Nationale à Aulno ✆ 27 33 03 03

Hainaut-Pneu, 11 quai des Mines ✆ 27 3 33 06
Lotterie, 4 bd Saly ✆ 27 46 41 06
Pneus et Services D.K., 317 av. Dampierre ✆ 2 46 47 03
Rénova-Pneu, Zone Ind. N° 2 Rouvignies ✆ 2 32 02 54 et 85 bd Saly ✆ 27 46 34 70
Thurotte, 46 av. St-Amand ✆ 27 42 57 57

VALENSOLE 04210 Alpes-de-H.-P. **81** ⑯ **G. Alpes du Sud** – 1 944 h.

Paris 801 – Brignoles 71 – Castellane 77 – Digne 47 – Forcalquier 30 – Manosque 21 – Salernes 58.

Piès ⛰, près piscine ✆ **92 74 83 13,** ←, ⛱, 🌳 – TV ⌂wc ☎ Ⓟ. E VISA
fermé 6 janv. au 1er fév. et merc. du 15 oct. au 15 mars – **R** 60/200 ₰, enf. 45 – ☕ 2 – **16 ch** 200/220 – 1/2 p 280.

CITROEN Tardieu, ✆ 92 74 80 43
PEUGEOT Meyer, ✆ 92 74 83 65
RENAULT Taix, ✆ 92 74 80 15

VALENTIGNEY 25700 Doubs **66** ⑧ – 14 370 h.

Paris 487 – •Bâle 69 – Belfort 23 – •Besançon 82 – Montbéliard 9 – Morteau 67.

Voir plan de Montbéliard agglomération

OPEL S.A.C.M.A., rte de Belchamp ✆ 81 30 66 11
CONSTRUCTEUR : S.A. des Cycles Peugeot, à Beaulieu CZ ✆ **81 91 83 21**

Welcome to France ! Remember, keep to the right.

La VALETTE-DU-VAR 83 Var **84** ⑮ – rattaché à Toulon.

VALFLEURY 42 Loire **73** ⑲ – 446 h. alt. 720 – ✉ **42320** La Grand'Croix.

Paris 510 – •Lyon 53 – Montbrison 58 – Roanne 99 – St-Chamond 10 – •St-Étienne 22.

de la Vallée ⛰, ✆ **77 20 85 72,** ← – Ⓟ. ✗ ch
fermé vacances de Noël, de fév., merc. soir et jeudi de sept. à juin – **R** 50/100 ₰ – ☕ 15 – **5 ch** 90/150 – 1/2 p 110.

VALFRÉJUS 73 Savoie **77** ⑧ – ✉ **73500** Modane.

Paris 639 – Chambéry 102 – Modane 7 – St-Jean-de-Maurienne 32.

Relais de Valfréjus et rest St Charles M, ✆ 79 05 22 66, ←, ⛱ – |‡| TV ⌂wc ☎ ♿ – 🏔 25
58 ch.

Vita H., ✆ 79 05 27 28, Télex 281631, ← – |‡| TV ⌂wc ☎ ♿ – 🏔 30 à 40
52 ch.

VALGORGE 07 Ardèche **80** ⑧ **G. Vallée du Rhône** – 433 h. – ✉ **07110** Largentière.

Paris 668 – Alès 86 – Aubenas 38 – Langogne 52 – Privas 68 – Le Puy 85 – Vallon-Pont-d'Arc 43.

Le Tanargue M ⛰, ✆ **75 88 98 98,** ←, parc – |‡| ⌂wc ⋔wc ☎ ♿ 🚗 Ⓟ – 🏔 30. E VISA
fermé janv. et fév. – **R** (en saison prévenir) 80/155, enf. 38 – ☕ 22 – **25 ch** 185/26 – 1/2 p 215/250.

VALLAURIS 06220 Alpes-Mar. **84** ⑨, **195** ㊳㊴ **G. Côte d'Azur** – 21 217 h.

Voir Musée National "La Guerre et la Paix"★ (Château) V **D** – Musée de l'Automobiliste★ NO : 4 km V.

ℹ Syndicat d'Initiative Parking Entrée Sud, square 8-Mai-1945 ✆ 93 63 82 58.

Paris 912 – Antibes 7,5 – Cannes 6 – Le Cannet 4,5 – Grasse 18 – •Nice 31.

Voir plan de Cannes-le Cannet-Vallauris

XX **Gousse d'Ail,** 11 av. Grasse ✆ **93 64 10 71** – VISA V
fermé 14 nov. au 21 déc., lundi soir du 1er oct. au 30 juin et mardi – **R** 80/120.

VALLERAUGUE 30570 Gard 80 ⑯ **G. Gorges du Tarn** – 1 041 h.

Paris 780 – Mende 105 – Millau 94 – Nîmes 91 – Le Vigan 22.

Les Bruyères, ✆ 67 82 20 06 – ⋒wc. E VISA
1er avril-15 oct. – **R** 62/170, enf. 40 – ☕ 18 – **28 ch** 105/230 – 1/2 p 160/250.

Petit Luxembourg, ✆ 67 82 20 44 – ⛀wc ⋒ ☎. E VISA
fermé 15 nov. au 15 janv. – **R** 55/160 ⅌, enf. 30 – ☕ 20 – **12 ch** 90/220 – 1/2 p 140/160.

VALLET 44330 Loire-Atl. 67 ④ – 5 796 h.

ℹ Syndicat d'Initiative pl. Charles-de-Gaulle (saison) ✆ 40 36 35 87.

Paris 369 – Ancenis 26 – Cholet 33 – Clisson 9 – •Nantes 24.

XX **Don Quichotte,** 35 rte Clisson ✆ 40 33 99 67, – Ⓟ. E VISA
fermé 20 sept. au 7 oct., 1er au 16 janv. mardi soir et lundi – **R** 62/160, enf. 40.

CITROEN Gar. Herbreteau ✆ 40 33 92 39
PEUGEOT TALBOT Gar. Marchais ✆ 40 36 33 93
RENAULT Gar. Leray ✆ 40 36 24 11

VALLOIRE 73450 Savoie 77 ⑦ **G. Alpes du Nord** – 943 h. alt. 1 430 – **Sports d'hiver : 1 430/ 2 550 m** 1 28.

Voir Col du Télégraphe ≤★ N : 5 km.

Altiport de Bonnenuit ✆ **79 59 02 00.**

ℹ Office de Tourisme ✆ 79 59 03 96, Télex 980553.

Paris 638 – Chambéry 101 – Lanslebourg 57 – Col du Lautaret 24 – St-Jean-de-Maurienne 31.

Gd Hôtel Valloire et Galibier, ✆ 79 59 00 95, ≤, – ⛀wc ⋒wc ☎ Ⓟ – 40. AE ⓓ
15 juin-18 sept. et 18 déc.-15 avril – **R** 85/235 – ☕ 30 – **43 ch** 255/325, 4 appartements – 1/2 p 300/400.

La Sétaz, ✆ 79 59 01 03, – ⛀wc ⋒wc ☎ Ⓟ. E VISA. rest
4 juin-25 sept. et 18 déc-20 avril – **R** 78/150, enf. 45 – ☕ 22 – **22 ch** 160/220 – 1/2 p 210/260.

Club les Carrettes Ⓜ, ✆ 79 59 00 99, ≤, – ch ⛀wc ☎ Ⓟ. E VISA.
20 juin-1er sept. et 20 déc.-16 avril – **R** 68/98, enf. 28 – ☕ 28 – **30 ch** 255/450.

Christiania, ✆ 79 59 00 57 – ⛀wc ⋒wc ☎. ⓓ E VISA. rest
25 juin-10 sept. et 15 déc.-20 avril – **R** 59/106, enf. 38 – ☕ 21 – **26 ch** 130/200 – 1/2 p 150/250.

Centre, ✆ 79 59 00 83, – ⛀wc ⋒wc ☎. VISA. rest
20 juin-18 sept. et 20 déc.-15 avril – **R** 50/105, enf. 40 – ☕ 18 – **38 ch** 110/205 – 1/2 p 190/280.

Gentianes, ✆ 79 59 03 66, – ⛀wc ⋒ Ⓟ. rest
5 juil.-20 sept. et 20 déc.-20 avril – **R** 65/105 – ☕ 19 – **25 ch** 135/220.

aux Verneys S : 2 km – ✉ **73450** Valloire :

Relais du Galibier, ✆ 79 59 00 45, ≤, – ⛀wc ⋒wc ☎ Ⓟ. E VISA. rest
20 juin-15 sept. et 20 déc.-20 avril – **R** 59/120, enf. 39 – ☕ 23 – **26 ch** 110/230 – 1/2 p 170/220.

Crêt Rond, ✆ 79 59 01 64, ≤ – ⛀wc ⋒ ☎ Ⓟ. AE. rest
25 juin-30 sept. et 15 déc.-20 avril – **R** 80, enf. 25 – ☕ 22 – **19 ch** 100/160 – 1/2 p 137/165.

Gar. Bouvet, ✆ 79 59 02 40

VALLON-EN-SULLY 03 Allier 69 ⑪⑫ – 1 775 h. – ✉ **03190** Hérisson.

Paris 307 – Cérilly 29 – La Châtre 52 – Montluçon 24 – Moulins 64 – St-Amand-Montrond 27.

X **Le Lichou,** N 144 ✆ 70 06 50 43 – Ⓟ
fermé déc. et vend. hors sais. – **R** 49/100 ⅌.

CITROEN Gar. Lachassagne, ✆ 70 06 51 85 N
RENAULT Gar. Renard, ✆ 70 06 50 26

VALLON-PONT-D'ARC 07150 Ardèche 80 ⑨ **G. Provence** – 1 823 h.

Voir Gorges de l'Ardèche★★★ au SE – Arche★★ de Pont d'Arc SE : 5 km.

Paris 663 – Alès 51 – Aubenas 33 – Avignon 79 – Carpentras 95 – Mende 119 – Montélimar 57.

Tourisme, ✆ 75 88 02 12 – ⛀wc ⋒wc ☎ Ⓟ. E VISA
fermé 15 déc. au 31 janv. et lundi d'oct. à avril – **R** 55/95, enf. 40 – ☕ 19,50 – **26 ch** 179/220 – 1/2 p 185/210.

Parc, ✆ 75 88 02 17 – ⋒wc.
fermé 3 janv. au 1er fév. – **R** *(fermé vend. du 1er oct. au 1er juin)* 55/140 – ☕ 18 – **20 ch** 110/150 – 1/2 p 175/185.

CITROEN Bonnaud, ✆ 75 88 02 25

VALLORCINE 74660 H.-Savoie 74 ⑨ **G. Alpes du Nord** – 303 h. alt. 1 261 – Sports d'hiver : 1 360/1 605 m ≴2.

Syndicat d'Initiative pl. Gare ✆ 50 54 60 71 – Paris 630 – Annecy 112 – Chamonix 16.

- **Ermitage** ⛰, au Buet SO : 2 km par N 506 et VO ✆ 50 54 60 09, ≤, – wc P. rest
  mi-juin-fin sept. et 20 déc.-mi-avril – **R** (dîner seul.) 85, enf. 50 – ☕ 24 – **14 ch** 130/260 – ½ p 175/260.
- **Buet et Gare,** au Buet SO : 2 km par N 506 ✆ 50 54 60 05, ≤, – wc P. VISA
  15 juin-30 sept. et 20 déc.-vacances de printemps – **R** 69/88 – ☕ 20 – **25 ch** 75/220 – ½ p 158/185.
- **Mont-Blanc,** ✆ 50 54 60 02, ≤, – wc wc P. E VISA
  ouvert 19 au 24 mai, 11 juin-18 sept., vacances de Noël, 23 janv.-15 mars et vacances de printemps – **R** 60/90 – ☕ 19 – **24 ch** 110/195 – ½ p 132/175.

VALLOUISE 05290 H.-Alpes 77 ⑰ **G. Alpes du Sud** – 512 h.

Voir Église★ – Paris 703 – L'Argentière-la-Bessée 10 – Briançon 25 – Gap 82.

- **Les Vallois** Ⓜ, ✆ 92 23 33 10, ≤, – wc ☎. AE ⓓ E VISA. rest
  1er juin-30 sept. et 1er déc.-30 avril – **R** 62/110 – ☕ 29 – **15 ch** 200/220 – ½ p 255/306.

VALLOUX 89 Yonne 65 ⑯ – rattaché à Avallon.

VALMOREL 73 Savoie 74 ⑰ **G. Alpes du Nord** – alt. 1 400 – Sports d'hiver : 1 200/2 400 m ≴2 ≴22 – ✉ **73260** Aigueblanche – Paris 624 – Albertville 40 – Chambéry 87 – Moutiers 19.

- H. du Bourg Ⓜ ⛰ sans rest, ✆ 79 09 86 66, ≤ – wc ☎ – **53 ch**.

VALOGNES 50700 Manche 54 ② **G. Normandie Cotentin** – 6 963 h.

de Fontenay-sur-Mer ✆ 33 21 44 27 par ② : 11 km.

✈ **de Cherbourg-Maupertus** : ✆ 33 22 91 32 par ① : 18 km par D 24.

Syndicat d'Initiative pl. Château (10 mai-sept.) ✆ 33 40 11 55.

Paris 338 ② – ♦Caen 100 ② – Cherbourg 20 ⑤ – Coutances 55 ③ – St-Lô 58 ②.

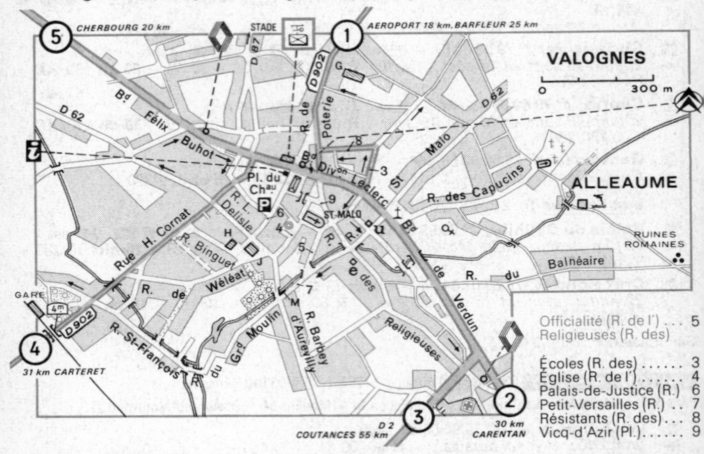

- **Haut Gallion,** rte Cherbourg ✆ 33 40 40 00 – TV wc ☎ ♿ P. AE ⓓ E VISA
  fermé 23 déc. au 8 janv. – **R** *(fermé vend. soir et sam. midi d'oct. à mai)* 60/250, enf. 32 – ☕ 24 – **40 ch** 230.
- **St Malo** sans rest, 7 r. St-Malo **(u)** ✆ 33 40 03 24 – wc. AE E VISA
  ☕ 14 – **17 ch** 67/149.
- **Louvre,** 28 r. Religieuses **(e)** ✆ 33 40 00 07 – wc ☎ P. VISA.
  fermé 1er déc. au 5 janv. – **R** *(fermé sam.)* 45/70 – ☕ 14 – **20 ch** 68/160 – ½ p 120/150.

CITROEN Gar. Jacqueline, bd Div.-Leclerc ✆ 33 40 17 59
FORD Gar. Valognais 80 r. Religieuses ✆ 33 40 01 30
OPEL Gge Luce, Tapotin à Yvetot-Bocage ✆ 33 40 29 09
PEUGEOT-TALBOT Valognes Autom. N 13 par ② ✆ 33 40 09 38
RENAULT Gar. Mangon, 10 r. F.-Buhot ✆ 33 40 18 32
RENAULT Gar. Duchenne, 1 bd de Verdun ✆ 33 40 16 13

VALRAS-PLAGE 34350 Hérault 83 ⑮ G. Gorges du Tarn – 2 590 h. – Casino.
Office de Tourisme pl. R.-Cassin ✆ 67 32 36 04.
Paris 827 – Agde 26 – Béziers 15 – ♦Montpellier 72.

- **Plage Sauvi,** ✆ 67 32 08 37 – wc wc ☎. E VISA
  hôtel ouvert 15 fév.-14 nov. seul. – **R** 58/160, enf. 35 – ☕ 24 – **20 ch** 170/250 – $^1/_2$ p 210.
- **Mira-Mar,** ✆ 67 32 00 31, ← – wc wc ☎. AE E VISA. rest
  1er avril-30 sept. – **R** 75/250, enf. 25 – ☕ 28 – **52 ch** 100/350.
- **La Chaumière** M, ✆ 67 32 04 78 – wc wc ☎. E VISA
  fermé 15 janv. au 15 fév., lundi soir et mardi en hiver – **R** 55/250 – ☕ 23 – **14 ch** 227/304 – $^1/_2$ p 230.
- **Moderne,** ✆ 67 32 25 86 – wc wc ☎ – 100. AE E VISA. rest
  20 mai-25 sept. – **R** 48/170, enf. 25 – ☕ 21 – **31 ch** 176/250 – $^1/_2$ p 175/260.

VALRÉAS 84600 Vaucluse 81 ② G. Provence (plan) – 8 796 h.
Office de Tourisme, pl. A.-Briand ✆ 90 35 04 71.
Paris 641 – Avignon 65 – Crest 56 – Montélimar 37 – Nyons 14 – Orange 35 – Pont-St-Esprit 38.

- **Gd Hôtel,** 28 av. Gén.-de-Gaulle ✆ 90 35 00 26, – wc wc ☎. E VISA
  fermé 25 déc. au 28 janv., sam. soir et dim. de nov. à fin mars – **R** *(fermé 25 déc. au 28 janv., sam. soir de nov. à fin mars et dim. sauf juil.-août)* 70/150 – ☕ 20 – **18 ch** 170/300.

CITROEN Gar. Giai, rte d'Orange ✆ 90 35 14 60

Plantin-Pneus, rte de Nyons ✆ 90 35 04 27
Pneumatique-Sce, r. Marie-Vierge ✆ 90 35 19 08

VALROS 34 Hérault 83 ⑮ – 753 h. – ✉ 34290 Servian.
Paris 817 – Agde 15 – Béziers 16 – ♦Montpellier 62 – Pézenas 7.

- **Aub. de la Tour,** N 113 ✆ 67 98 52 01, – wc ☎ P. E VISA
  fermé déc. – **R** *(fermé merc.)* 72/195, enf. 50 – ☕ 20 – **14 ch** 130/250 – $^1/_2$ p 222/272.

Gar. de la Tour, ✆ 67 98 55 42

VALS-LES-BAINS 07600 Ardèche 76 ⑲
G. Vallée du Rhône – 3 976 h. – Stat. therm. – Casino.
Syndicat d'Initiative 12 av. Farincourt ✆ 75 37 42 34.
Paris 634 ② – Aubenas 6 ③ – Langogne 58 ④ – Privas 34 ② – Le Puy 87 ④.

- **Gd H. des Bains** , (a) ✆ 75 94 65 55, , parc – ☎ P. AE E VISA
  mai-oct. – **R** 125/210, enf. 60 – ☕ 35 – **54 ch** 180/410 – $^1/_2$ p 290/385.
- **Vivarais,** av. C.-Expilly **(e)** ✆ 75 94 65 85, Télex 345866, – TV wc wc ☎ P. AE E VISA. rest
  R *(fermé dim. soir)* 100/180 – ☕ 30 – **40 ch** 250/400 – $^1/_2$ p 300/400.
- **Europe,** r. J. Jaurès **(r)** ✆ 75 37 43 94, Télex 346256 – wc wc ☎. AE E VISA. rest
  10 avril-10 oct. – **R** (en sais. prévenir) 80/145, enf. 35 – ☕ 28 – **35 ch** 160/250 – $^1/_2$ p 200/230.
- **Lyon,** av. Farincourt **(s)** ✆ 75 37 43 70 – wc wc ☎. E VISA
  1er avril-1er oct. – **R** 85/150, enf. 38 – ☕ 25 – **35 ch** 200/290 – $^1/_2$ p 190/250.
- **St-Jean** , **(u)** ✆ 75 37 42 50 – wc wc ☎ P. E VISA. rest
  23 avril-31 oct. – **R** 68/140, enf. 48 – ☕ 21 – **32 ch** 170/220 – $^1/_2$ p 240/260.
- XX **Runel,** 43 r. J. Jaurès **(b)** ✆ 75 37 48 57, – E VISA
  fermé mi-janv. à mi-fév., dim. soir et lundi sauf juil.-août – **R** 80/150.

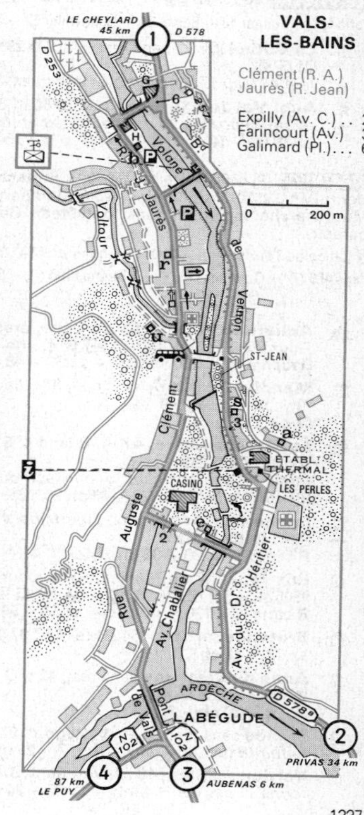

VAL-SUZON 21 Côte-d'Or 66 ⑪ **G. Bourgogne** – 178 h. – ✉ **21121** Fontaine-lès-Dijon.

Paris 297 – Auxerre 144 – Avallon 100 – Châtillon-sur-S. 67 – •Dijon 16 – Montbard 58 – Saulieu 68.

XXX **Host. Val-Suzon** ⑤ avec ch, N 71 ☎ 80 35 60 15, ≤, « Jardin fleuri avec volière » – ⌂wc ☎ Ⓟ. AE ⓞ E VISA. ✻ rest
fermé janv., jeudi midi et merc. – **R** (nombre de couverts limité - prévenir) 120/270, enf. 70 – ⊐ 35 – **7 ch** 220/320 – 1/2 p 255/375.

Annexe Le Chalet de la Fontaine aux Geais ⌂ ⑤, ☎ 80 35 61 19 – ⌂wc ⌂wc ☎ Ⓟ. AE ⓞ E VISA – ⊐ 35 – **10 ch** 220/280.

VAL-THORENS 73 Savoie 77 ⑧ – Sports d'hiver : 2 100/3 200 m ≤4 ≤27 – ✉ **73440** St-Martin-de-Belleville – 🅸 Office de Tourisme ☎ 79 00 08 08, Télex 980572.

Paris 646 – Chambéry 109 – Moûtiers 36.

Fitz Roy H. Ⓜ, ☎ 79 00 04 78, Télex 309707, ≤, ≤, ⌂ – |¢| TV ☎ ♿ – ⚑ 50. AE ⓞ E VISA. ✻ rest
1er juil.-31 août et 25 oct.-5 mai – **R** carte 220 à 340, enf. 60 – **36 ch** – 1/2 p 900/1250.

Le Val Thorens Ⓜ ⑤, ☎ 79 00 04 33, Télex 309142, ≤, ≤ – |¢| ☎. AE ⓞ E VISA. ✻ rest
1er juil.-31 août et 1er nov.-2 mai – **R** 100/150 – ⊐ 40 – **74 ch** 400/830 – 1/2 p 390/600.

Le Sherpa Ⓜ ⑤, ☎ 79 00 00 70, Télex 309279, ≤ – |¢| ⌂wc ☎ Ⓟ. ✻ rest
déc.-mai – **R** 130/200 – ⊐ 45 – **40 ch** (½ pens. seul.) – 1/2 p 280/420.

Val Chavière ⑤, ☎ 79 00 00 33, ≤, ≤ – |¢| ⌂wc ☎. AE ⓞ VISA. ✻ rest
juil.-août et 1er déc.-5 mai – **R** 110 – ⊐ 45 – **42 ch** 300/420 – 1/2 p 300/370.

Trois Vallées Ⓜ ⑤, ☎ 79 00 01 86, ≤ – TV ⌂wc ⌂wc ☎. E VISA. ✻ rest
fermé 15 mai au 20 juin et 1er sept. au 20 oct. – **R** 60/110 – **28 ch** ⊐350 – 1/2 p 200/395.

La Marmotte ⑤, ☎ 79 00 00 07 – ⌂wc ☎. E VISA
déc.-mai – ⊐ 25 – **25 ch** – 1/2 p 270/360.

Le VALTIN 88 Vosges 62 ⑱ – 87 h. alt. 760 – ✉ **88230** Fraize.

Paris 413 – Colmar 40 – Épinal 54 – Guebwiller 52 – St-Dié 28 – Col de la Schlucht 8,5.

Le Vétiné Ⓜ ⑤ sans rest, S sur D 23H ☎ 29 60 99 44, ≤ – cuisinette ⌂wc ☎ Ⓟ. AE E VISA
fermé 10 au 17 avril, merc. et dim. hors vacances scolaires – ⊐ 23 – **28 ch** 140/170.

X **Aub. Val Joli** ⑤ avec ch, ☎ 29 60 91 37, ≤, ≤ – ⌂wc ☎ Ⓟ. AE ⓞ E VISA
fermé 15 nov. au 15 déc., dim. soir et lundi sauf vacances scolaires – **R** 50/116 ♨ – ⊐ 19,50 – **10 ch** 108/193 – 1/2 p 170/250.

VANNES Ⓟ **56000** Morbihan 63 ③ **G. Bretagne** – 45 397 h. – **Voir Vieille ville**★ AZ : **Place Henri-IV**★ AZ 10, **Cathédrale**★ AZ B, **Remparts**★, **Promenade de la Garenne** ≤★★ BZ – **Musée archéologique**★ **dans le château Gaillard** AZ **M** – **Golfe du Morbihan**★★ **en bateau.**

🅸 Office de Tourisme et A.C.O. 1 r. Thiers ☎ 97 47 24 34.

Paris 456 ② – Quimper 115 ④ – •Rennes 108 ② – St-Brieuc 106 ① – St-Nazaire 76 ③.

Plan page ci-contre

Aquarium H. Ⓜ, parc du Golfe, près aquarium,SO rte Conleau ☎ 97 40 44 52, Télex 950826 – |¢| ≡ rest TV ☎ ♿ ⇔ Ⓟ – ⚑ 40 à 60. AE ⓞ E VISA
Dauphin R 97/200, enf. 60 – ⊐ 30 – **48 ch** 260/300 – 1/2 p 250/340.

Manche Océan Ⓜ sans rest, 31 r. lieut. col. Maury ☎ 97 47 26 46 – |¢| TV ⌂wc ⌂wc ☎ ⇔. AE ⓞ VISA AY **n**
42 ch ⊐120/240.

La Marébaudière, 4 r. A.-Briand ☎ 97 47 34 29, ≤ – TV ⌂wc ⌂wc ☎ Ⓟ – ⚑ 150. AE ⓞ E VISA BZ **r**
fermé 17 déc. au 2 janv. et dim. soir du 11 nov. au 27 mars – **R** voir rest. **La Marée Bleue** ci-après – ⊐ 25 – **40 ch** 200/260 – 1/2 p 195/330.

Image Ste-Anne, 8 pl. Libération ☎ 97 63 27 36, Télex 950352 – |¢| TV ⌂wc ⌂wc ☎ Ⓟ. E VISA AY **x**
R 58/98 – ⊐ 30 – **32 ch** 75/230.

Ibis Ⓜ, Z.U.P de Ménimur (r. E.-Jourdan) par rte Locminé ☎ 97 63 61 11, Télex 950521 – TV ⌂wc ☎ Ⓟ – ⚑ 50. E VISA
R carte 75 à 120 ♨, enf. 35 – ⊐ 24 – **59 ch** 205/250 – 1/2 p 210/280.

Bretagne sans rest, 34 r. Mené ☎ 97 47 20 21 – TV ⌂wc ☎. ⓞ E VISA AYZ **b**
⊐ 18 – **12 ch** 125/170.

Anne de Bretagne sans rest, 42 r. O. de Clisson ☎ 97 54 22 19 – TV ⌂wc ⌂wc ☎ ⇔. AE ⓞ E VISA BY **d**
⊐ 23 – **20 ch** 100/210.

France sans rest, 57 av. V. Hugo ☎ 97 47 27 57 – ⇹ ⌂wc ☎. E VISA. ✻ AY **a**
fermé 18 déc. au 7 janv. – ⊐ 17 – **25 ch** 95/175.

Verdun sans rest, 10 av. Verdun ☎ 97 47 21 23 – ⌂wc ☎. E VISA BZ **u**
fermé 11 déc. au 1er janv. – ⊐ 22 – **24 ch** 95/190.

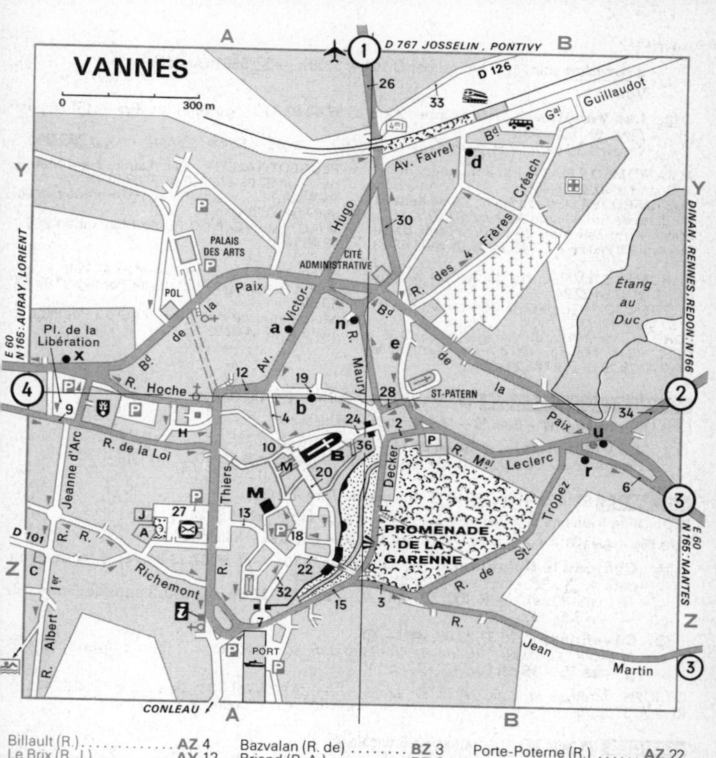

Billault (R.) .... AZ 4
Le Brix (R. J.) .... AY 12
Méné (R. du) .... AY 19
Monnaie (R. de la) .... AZ 20
St-Vincent (R.) .... AZ 32
Vierges (R. des) .... AZ 36

Alain-le-Grand (R.) .... BZ 2

Bazvalan (R. de) .... BZ 3
Briand (R. A.) .... BZ 6
Gambetta (Pl.) .... AZ 7
Gougaud (R.) .... AZ 9
Henri-IV (Pl.) .... AZ 10
Le Hellec (R.) .... AZ 13
Le Pontois (R. A.) .... AZ 15
Lices (Pl. des) .... AZ 18

Porte-Poterne (R.) .... AZ 22
Porte-Prison (R.) .... AZ 24
Prés.-Wilson (Av. du) .... BY 26
République (Pl. de la) .... AZ 27
St-Nicolas (R.) .... BY 28
St-Symphorien (Av.) .... BY 30
Strasbourg (R. de) .... BY 33
Verdun (Av. de) .... BZ 34

XX **Marée Bleue** -Hôtel La Marébaudière- avec ch, **8 pl. Bir-Hakeim** ☎ **97 47 24 29** – P. AE ◑ E VISA — BZ **u**
fermé 17 déc. au 2 janv. et dim. soir du 11 nov. au 27 mars – **R** 53 bc/216 – ☕ 20 – **16 ch** 88/120.

X **La Morgate,** 21 r. La Fontaine ☎ **97 42 42 39** – AE ◑ E VISA — BY **e**
fermé 14 au 28 nov., 15 fév. au 2 mars, dim. (sauf le midi hors sais.) et lundi (sauf le soir en saison) – **R** 71/140, enf. 44.

à St Avé **NE : 5 km par ① et D 135 près centre hospitalier – 6 618 h. – ✉ 56890**
St-Avé :

XX **Pressoir,** ☎ 97 60 87 63 – P. AE ◑ E VISA
fermé 1er au 15 mars, 4 au 18 oct., dim. soir et lundi – **R** 98/280, enf. 65.

rte Plumelec, **NE : 5 km par D 126 et VO – ✉ 56890** St-Avé :

Moulin de Lesnuhé M sans rest, ☎ **97 60 77 77**, – wc wc ☎ P. ◑ VISA
☕ 16,50 – **10 ch** 162/180.

à Theix **par ③ : 9,5 km – 3 523 h. – ✉ 56450** Theix :

Poste sans rest, **centre bourg** ☎ **97 43 01 18** – wc ☎. E VISA.
☕ 19 – **17 ch** 83/205.

à Conleau **SO : 4,5 km – ✉ 56000** Vannes – **Voir Ile Conleau★ 30 mn.**

XX **Le Roof** avec ch, ☎ **97 63 47 47**, – wc ☎ P – 40 à 200. AE ◑ E VISA
fermé 10 janv. au 15 fév. – **R** *(fermé lundi d'oct. à mars)* 75/300 – ☕ 23 – **11 ch** 180/250 – 1/2 p 230/350.

à Arradon par ④ : 7 km ou par D 101 – 3 935 h. – ✉ **56610** Arradon.

Voir ≤★.

Les Vénètes 🐌, à la pointe : 2 km ✆ 97 44 03 11, ≤ golfe et les îles – TV ⇔wc ⋒wc ☎. VISA. ✻
1er avril-30 sept. – **R** *(fermé mardi)* 91/150 – ☕ 28 – **12 ch** 226/340 – 1/2 p 283/340.

ALFA-ROMEO, FIAT Le Poulichet, 13 r. A.-Briand ✆ 97 47 45 46
AUSTIN-ROVER Gar. du Golfe, ZA de Kerlann Nord, rte de Ste-Anne-d'Auray ✆ 97 40 73 20
BMW Auto-Diffusion, ZA de Parc Lann, rte de Ste-Anne d'Auray ✆ 97 40 74 75 **N** ✆ 97 63 23 45
CITROEN S.A.V.V.A., rte de Nantes à Séné par ③ ✆ 97 54 22 74
CITROEN Gar. Borgat, rte de Pontivy par ① ✆ 97 47 43 77
FORD Autorep, 41 r. du Vincin ✆ 97 63 10 35
OPEL Gar. Mahéo, rte d'Auray Kerthomas ✆ 97 40 78 78 **N** ✆ 97 63 23 45
PEUGEOT-TALBOT Gar. Lainé, 9 av. Marne par ④ ✆ 97 63 27 27 **N** ✆ 97 63 13 76
RENAULT S V D A 95 av. Éd-Herriot par ③ ✆ 97 54 20 70
V.A.G. auto-Golfe, 8 Bd de Montsabert ✆ 97 63 49 14

Ⓜ Foucaud, 1 pl. J.-Le-Brix ✆ 97 47 12 91
Jahier, 2 r. du 65e-R.I., rte de Pontivy ✆ 97 47 18 50
Morbihannaise de Pneus, ZAC du Poulfanc à Séné ✆ 97 54 02 32

VANNES-SUR-COSSON 45 Loiret **64** ⑩ – 366 h. – ✉ **45510** Tigy.

Paris 150 – Bourges 80 – Gien 46 – Montargis 63 – ♦Orléans 35.

✕ **Le Vieux Relais,** ✆ 38 58 04 14 – VISA
fermé 29 août au 9 sept., fév., mardi soir et merc. – **R** 75/130.

Les VANS **07140** Ardèche **80** ⑧ **G. Gorges du Tarn** – 2 098 h.

i Office de Tourisme pl. Ollier (fermé après-midi hors saison) ✆ 75 37 24 48.

Paris 666 – Alès 43 – Aubenas 36 – Pont-St-Esprit 65 – Privas 66 – Villefort 24.

Château le Scipionnet, NE : 3 km par D 104 A ✆ 75 37 23 84, ≤, « 🐌 dans un parc », ⛱, ✂ – ⇔wc ⋒wc ☎ Ⓟ. **E** VISA. ✻ rest
15 mars-30 sept. – **R** 150/200, enf. 60 – ☕ 43 – **23 ch** 310/380, 3 appartements 480 – 1/2 p 385/460.

Cévennes, ✆ 75 37 23 09, 🍽 – Ⓟ
fermé 1er au 10 oct., 10 fév. au 10 mars, dim. soir et lundi – **R** (dim. prévenir) 60/125 🌡 – ☕ 16 – **16 ch** 80/110 – 1/2 p 140.

CITROEN Brueyre et Volle, ✆ 75 37 22 39 **N** ✆ 75 37 35 76
PEUGEOT-TALBOT Boissin, ✆ 75 37 21 41
RENAULT Coste, ✆ 75 37 21 19

VARCES 38 Isère **77** ④ – rattaché à Grenoble.

VARENGEVILLE-SUR-MER **76119** S.-Mar. **52** ④ **G. Normandie Vallée de la Seine** – 1 048 h.

Voir Site★ de l'église – Parc des Moustiers★ – Colombier★ du manoir d'Ango S : 1 km – Ste-Marguerite : arcades★ de l'église O : 4,5 km – Phare d'Ailly ≤★ **NO : 4 km.**

Paris 173 – Dieppe 8 – Fécamp 57 – Fontaine-le-Dun 17 – ♦Rouen 63 – St-Valéry-en-Caux 25.

La Terrasse 🐌, à Vasterival NO : 3 km par D 75 et VO 13 ✆ 35 85 12 54, ≤, 🍽, ✂ – ⇔wc ⋒wc ☎ Ⓟ. **E** VISA. ✻ rest
16 mars-14 oct. – **R** 65/150, enf. 35 – ☕ 19 – **30 ch** 100/260 – 1/2 p 150/200.

Sapins 🐌, à Ste-Marguerite-sur-Mer O : 3 km par D 75 ✆ 35 85 11 45, « Parc fleuri » – ⋒ Ⓟ. **E** VISA. ✻ rest
mars-nov. – **R** 65/130 – ☕ 25 – **25 ch** 80/120 – 1/2 p 190/200.

La VARENNE-ST-HILAIRE 94 Val-de-Marne **61** ①, **101** ㉘ – voir à Paris, Environs.

VARENNES-EN-ARGONNE **55270** Meuse **56** ⑩⑳ **G. Champagne** – 700 h.

Paris 251 – Bar-le-Duc 64 – Dun-sur-Meuse 25 – Ste-Menehould 30 – Verdun 37 – Vouziers 39.

Gd Monarque, ✆ 29 80 71 09 – ⋒. ✻ ch
fermé oct. et lundi – **R** (dîner seul.) 43/65 🌡 – ☕ 15 – **10 ch** 80/100 – 1/2 p 120/140

RENAULT Gar. Flamand, ✆ 29 80 71 35 **N**

VARENNES-JARCY 91 Essonne **61** ①, **196** ㉜㉝, **101** ㊳ – 1 243 h. – ✉ **91480** Quincy-sous-Sénart.

Paris 29 – Brunoy 8,5 – Évry 13 – Melun 20.

✕✕ **Moulin de Jarcy** 🐌 avec ch, au NO ✆ (1) 69 00 89 20, ≤, 🍽, « Fraîche terrasse au bord de l'eau » – Ⓟ. **E** VISA. ✻ ch
fermé 1er au 20 août, 20 déc. au 15 janv., mardi (sauf rest.), merc. et jeudi – **R** (dim. prévenir) 80/120 – ☕ 25 – **5 ch** 135/160.

✕✕ **Host. de Varennes,** 12 r. Mandres ✆ (1) 69 00 97 03 – Ⓟ. AE VISA
fermé 1er août au 1er sept., mardi soir et merc. – **R** carte 160 à 215.

VARENNES-SUR-ALLIER 03150 Allier 69 ⑭ – 4 917 h.

Syndicat d'Initiative à la Mairie ✆ 70 45 00 29.

Paris 322 – Digoin 58 – Lapalisse 20 – Moulins 30 – St-Pourçain-sur-Sioule 11 – Vichy 27.

Aub. de l'Orisse, SE : 2 km sur N 7 ✆ 70 45 05 60, ←, – TV ☎ P – 50. AE E VISA
fermé dim. soir du 1er nov. au 31 mars – **R** 75/350, enf. 40 – 28 – **23 ch** 195/245 – 1/2 p 230/270.

XX **Dauphin,** r. Hôtel de Ville ✆ 70 45 01 03 – AE VISA
fermé 15 nov. au 1er déc., vacances de fév. et merc. de fin sept. à début juil. – **R** 75/210 , enf. 22.

XX **Central,** pl. de la Mairie ✆ 70 45 05 07 – AE E VISA
fermé 1er au 16 juil., 1er au 16 nov., dim. soir et lundi – **R** 60/170 , enf. 42.

à St-Loup N : 5,5 km sur N 7 – ✉ **03150** Varennes-sur-Allier :

Route Bleue, ✆ 70 45 07 73 – wc P – 60. AE E VISA
fermé 15 au 30 nov., 15 au 31 janv., dim. soir et lundi de mi-nov. à fin mars – **R** 74/165, enf. 40 – 20 – **22 ch** 135/195 – 1/2 p 225.

XX **La Locaterie,** N : 1 km par N 7 ✆ 70 45 13 90, « Auberge rustique » – P
fermé 3 au 30 janv., et dim. – **R** 120/300.

CITROEN Muet, 37 av. de Lyon ✆ 70 45 00 19 N
FORD Mantin, 58 av. de Chazeuil ✆ 70 45 06 08
PEUGEOT-TALBOT Central Gar., 26 r. 4-Septembre ✆ 70 45 05 02 N
RENAULT Sabot, 13 r. Hôtel de Ville ✆ 70 45 05 23

VARETZ 19 Corrèze 75 ⑧ – rattaché à Brive-la-Gaillarde.

VARILHES 09120 Ariège 86 ⑤ – 2 007 h.

Paris 775 – Carcassonne 71 – Foix 9,5 – Pamiers 9 – St-Girons 53 – ♦Toulouse 72.

XX **Relais d'Esclarmonde,** 7 av. Pamiers ✆ 61 60 70 08 – AE E VISA
fermé sam. midi, dim. soir et lundi – **R** carte 140 à 250.

VARREDDES 77 S.-et-M. 56 ⑬, 196 ㉓ – rattaché à Meaux.

VARS 05560 H.-Alpes 77 ⑱ **G. Alpes du Sud** – 897 h. alt. 1 639.

De Ste-Marie-de-Vars : Paris 732 – Barcelonnette 37 – Briançon 47 – Digne 124 – Gap 72.

à St Marcellin de Vars – ✉ **05560** Vars :

Le Paneyron, ✆ 92 45 50 04 – . VISA. rest
7 juin-15 sept. et 10 déc.-31 avril – **R** carte environ 125 , enf. 35 – 22 – **14 ch** 105/135 – 1/2 p 145/165.

à Ste-Marie-de-Vars – alt. 1 658 – ✉ **05560** Vars :

Le Vallon , ✆ 92 46 54 72, ← – wc ☎ P – 40. E VISA.
1er juil.-25 août et 20 déc.-20 avril – **R** 85 – 22 – **34 ch** 288/330 – 1/2 p 231/275.

de la Mayt , ✆ 92 46 50 07, ← – wc wc ☎ P. E VISA. rest
1er juil.-31 août et 20 déc.-10 avril – **R** 80/98 – 25 – **21 ch** 180/250.

aux Claux – alt. 1 900 – Sports d'hiver : 1 650/2 578 m 1 30 – ✉ **05560** Vars.

Office de Tourisme cours Fontanaro ✆ 92 46 51 31, Télex 420671.

Caribou M , ✆ 92 46 50 43, ← – TV ☎ P. E VISA
20 déc.-10 avril – **R** 160/230 – **35 ch** (½ pens. seul.) – 1/2 p 460/580.

Les Escondus, ✆ 92 45 50 35, ←, – wc wc ☎. E VISA.
15 juin-15 sept. et 15 déc.-20 avril – **R** 70/125 – 30 – **22 ch** 260.

L'Écureuil M sans rest, ✆ 92 46 50 72, ← – TV wc wc ☎ P. E VISA – *1er juil.-31 août et 19 déc.-15 avril* – 23 – **17 ch** 240/300.

X **Chez Plumot,** ✆ 92 46 52 12 – E VISA
juil.-août et déc.-avril – **R** carte 150 à 190.

VARZY 58210 Nièvre 65 ⑭ **G. Bourgogne** – 1 595 h.

Syndicat d'Initiative à la Mairie ✆ 86 29 43 73.

Paris 213 – La Charité-sur-Loire 36 – Clamecy 16 – Cosne-sur-Loire 42 – Nevers 53.

H. Poste sans rest, fg de Marcy ✆ 86 29 41 89 – wc P. E VISA
fermé 15 déc. au 1er janv., 15 fév. au 1er mars et dim. du 1er sept. au 1er juil. sauf fêtes – 22 – **10 ch** 120/190.

XX **Aub. de la Poste,** ✆ 86 29 41 72 – AE VISA
fermé lundi du 30 oct. au 1er avril et dim. soir – **R** 70/250.

CITROEN Gar. Noël ✆ 86 29 43 41
PEUGEOT-TALBOT Gar. Oppin, ✆ 86 29 42 60 N ✆ 86 27 10 73
RENAULT Gar. Moreau, ✆ 86 29 42 10

VASSIVIÈRE (Lac de) 87 H.-Vienne 72 ⑲ – rattaché à Peyrat-le-Château.

VASTÉRIVAL 76 S.-Mar. 52 ④ – rattaché à Varengeville.

VATAN 36150 Indre 68 ⑧⑨ G. Berry Limousin – 2 052 h.

Paris 235 – Blois 78 – Bourges 50 – Châteauroux 31 – Issoudun 21 – Vierzon 27.

XX **France** avec ch, ✆ 54 49 74 11 – 🚗 P
fermé 13 au 20 sept., 10 janv. au 10 fév., mardi soir et merc sauf fêtes – **R** 80/190 🍷 – ☕ 24 – **11 ch** 80/180.

CITROEN Thibault, ✆ 54 49 75 27 — Leseche, ✆ 54 49 74 02
Gar. Rault, ✆ 54 49 76 58

VAUCHOUX 70 H.-Saône 66 ⑤ – rattaché à Port-sur-Saône.

VAUCIENNES-LA-CHAUSSÉE 51 Marne 56 ⑯ – rattaché à Épernay.

VAUCOULEURS 55140 Meuse 62 ③ G. Alsace et Lorraine – 2 511 h.

ℹ A.C. 23 r. Jeanne-d'Arc ✆ 29 89 42 23.

Paris 270 – Bar-le-Duc 49 – Commercy 20 – ♦Nancy 46 – Neufchateau 31.

XX **Relais de la Poste** avec ch, ✆ 29 89 40 01 – wc ☎ 🚗. E VISA. ✂
fermé 20 déc. au 20 janv., dim. soir et lundi – **R** (prévenir) 65/160 🍷 – ☕ 20 – **11 ch** 100/170 – 1/2 p 220/250.

VAUCRESSON 92 Hauts-de-Seine 60 ⑩, 101 ㉓ – voir à Paris, Environs.

VAUDEURS 89 Yonne 61 ⑮ – 438 h. – ✉ 89320 Cerisiers.

Paris 143 – Auxerre 42 – Sens 24 – Troyes 55.

XX **La Vaudeurinoise** ⛺ avec ch, ✆ 86 96 28 00, 🌳 – wc ☎ P. E VISA
fermé fév., merc. soir hors sais. et jeudi – **R** (prévenir) 120/200, enf. 55 – ☕ 30 – **7 ch** 175/250 – 1/2 p 300.

VAUDRAMPONT (Carrefour de) 60 Oise 56 ②, 196 ⑩ – ✉ 60127 Morienval.

Voir Église★ de Morienval SE : 5 km – Les Grands Monts★ SO : 4 km puis 30 mn, G. Flandres Artois Picardie.

Paris 83 – Beauvais 67 – Compiègne 10 – Crépy-en-Valois 14 – Senlis 33 – Villers-Cotterêts 23.

XX **Bon Accueil** avec ch, sur D 332 ✆ 44 42 84 04, ≤, 🌳 – 🛁 ⛲ P. E VISA
fermé 17 au 28 août, fév., lundi soir et mardi – **R** 130/245, enf. 65 – ☕ 25 – **7 ch** 135/240.

VAUGNERAY 69670 Rhône 73 ⑲ – 3 318 h.

Paris 466 – L'Arbresle 18 – ♦Lyon 17 – Montbrison 59 – Roanne 88 – Thiers 118.

XX **Au Petit Malval,** au Col de Malval alt. 732 O : 7 km par D 50 ✆ 78 45 82 66, ≤, 🌳, « Jardin » – P. AE E VISA
fermé 5 au 25 août et mardi du 1er oct. à fin mai – **R** 115/295.

VAUJANY 38 Isère 77 ⑥ G. Alpes du Nord – 419 h. alt. 1 253 – ✉ 38114 Allemond.

Voir Site★ – Cascade de la Fare★ E : 1 km – Collet de Vaujany ≤★★ NO : 5 km.

Paris 615 – Allemond 8 – Le Bourg-d'Oisans 18 – ♦Grenoble 53 – Vizille 36.

🏨 **du Rissiou** ⛺, ✆ 76 80 71 00, ≤, 🌳 – ⛲wc. E. ✂ rest
avril-15 sept., et vacances scolaires de Noël, de fév. et de printemps – **R** 60/110 🍷, enf. 30 – ☕ 18,50 – **15 ch** 120/140 – 1/2 p 120/145.

Le VAULMIER 15 Cantal 76 ② – 148 h. alt. 840 – ✉ 15380 Anglards-de-Salers.

Voir Vallée du Falgoux★ E et O – Gorge de St-Vincent★ O : 3 km, G. Auvergne.

Paris 506 – Aurillac 70 – Mauriac 22 – Murat 42 – Salers 24.

🏠 **Aub. du Mars,** ✆ 71 69 50 54, ≤, 🌳 – ⛲. AE E VISA
R 50/110 🍷 – ☕ 18 – **16 ch** 90/170 – 1/2 p 130/150.

VAULT DE LUGNY 89 Yonne 65 ⑯ – rattaché à Avallon.

VAUVENARGUES 13126 B.-du-R. 84 ③④ G. Provence – 640 h.

Paris 770 – Aix-en-Provence 14 – Brignoles 51 – Manosque 49 – ♦Marseille 45 – Rians 20.

🏨 **Au Moulin de Provence** ⛺, ✆ 42 66 02 22, ≤, 🌳 – wc ⛲wc P. E VISA. ✂ rest
fermé 3 janv. au 1er mars et lundi (sauf hôtel de mars à sept.) – **R** 95/250 – ☕ 25 – **12 ch** 160/250 – 1/2 p 200/250.

VAUX 89 Yonne 65 ⑤ – rattaché à Auxerre.

VAUX (Monts de) 39 Jura 70 ④ – rattaché à Poligny.

VAUX-LE-PÉNIL 77 S.-et-M. 61 ②, 196 ⑤ – rattaché à Melun.

VAUX-LE-VICOMTE (Château de) 77 S.-et-M. 61 ②, 196 ㉝㉞ **G. Environs de Paris** – ✉ **77950** Maincy – **Voir Château★★ et jardins★★★ – Env. Église★ de Champeaux** NE : 7 km.

VAUX-SUR-MER 17 Char.-Mar. 71 ⑮ – rattaché à Royan.

VEAUCHE **42340** Loire 73 ⑱ **G. Vallée du Rhône** – 5 707 h.
Voir Bras reliquaire★ dans l'église.
Paris 508 – ♦Lyon 76 – Montbrison 23 – Roanne 61 – ♦St-Étienne 16.

XX **Relais de l'Etrier,** N 82 ✆ 77 54 60 11, – Ⓟ. VISA
fermé 1er au 21 août, 15 au 28 fév., dim. soir et lundi – **R** 130/250 ♂, enf. 40.

VEILLAC 19 Corrèze 76 ② – rattaché à Bort-les-Orgues.

VELARS-SUR-OUCHE 21 Côte d'Or 66 ⑪ – rattaché à Dijon.

VELIZY-VILLACOUBLAY 78 Yvelines 60 ⑩, 101 ㉓ – voir à Paris, Environs.

VELLUIRE 85 Vendée 71 ⑪ – rattaché à Fontenay-le-Comte.

VENAREY-LES-LAUMES **21150** Côte d'Or 65 ⑧⑱ **G. Bourgogne.**
Voir Mont Auxois★ : ☼★ E : 4 km.
Paris 249 – Avallon 55 – ♦Dijon 67 – Montbard 14 – Saulieu 43 – Semur-en-Auxois 13 – Vitteaux 19.

Gare, ✆ 80 96 00 46, – wc wc – Ⓟ – 200. E VISA
R 70/165 – 20 – **24 ch** 150/180 – 1/2 p 210.

VENASQUE 84 Vaucluse 81 ⑬ **G. Provence** – 656 h. – ✉ **84210** Pernes-les-Fontaines.
Voir Baptistère★ – Gorges★ E : 5 km par D 4.
Paris 690 – Apt 33 – Avignon 35 – Carpentras 12 – Cavaillon 32 – Orange 35.

X **Aub. de la Fontaine,** (1er étage) ✆ 90 66 02 96 – AE ⓓ E VISA
fermé 14 nov. au 16 déc., merc. et le midi sauf dim. et fêtes – **R** 170.

VENCE **06140** Alpes-Mar. 84 ⑨, 195 ㉕ **G. Côte d'Azur** – 13 428 h.
Voir Chapelle du Rosaire★ (chapelle Matisse) A – **Place du Peyra★** B **13** – **Stalles★ de la cathédrale** B**E** – **≤★ de la terrasse du château N. D. des Fleurs NO : 2,5 km.**
Env. Col de Vence ☼★★ NO : 10 km par D 2 A.
Office de Tourisme pl. Grand-Jardin ✆ 93 58 06 38.
Paris 928 ① – Antibes 19 ① – Cannes 30 ① – Grasse 25 ② – ♦Nice 22 ①.

Alsace-Lorr. (R.) . . B 3	Meyère (Av. Col.) . B 12
Évêché (R. de l') . . B 5	Peyra (Pl. du) . . . B 13
Hôtel-de-Ville (R.) . B 6	Poilus (Av. des) . . . A 15
Place-Vieille (R.) . . B 14	Portail-Levis (R.) . . B 16
Résistance (Av.) A, B 17	Rhin-et-Dan. (Bd) . A 18
	St-Lambert (R.) . . . B 19
Juin (Pl. Mar.) . . . . . A 8	St-Véran (R.) . . . . . B 20
Marché (R. du) . . . . B 10	Tuby (Bd) . . . . A 21

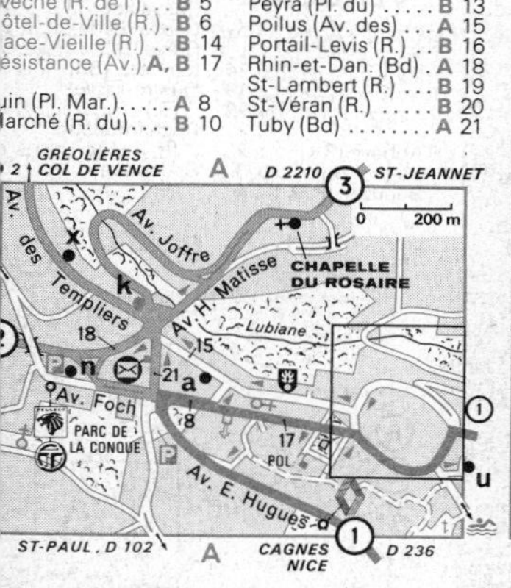

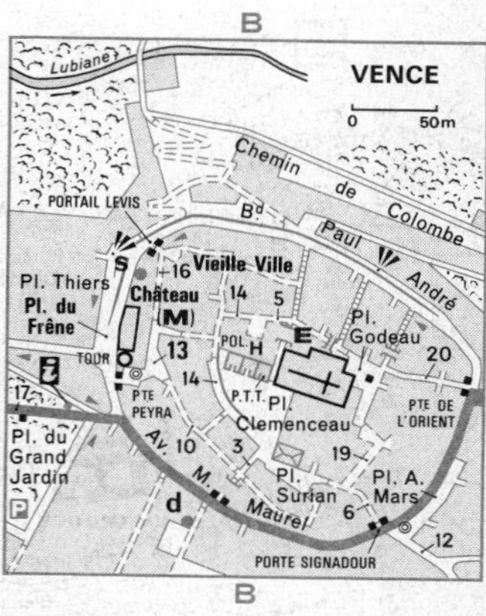

Château du Domaine St-Martin Ⓜ, N : 2,5 km rte Coursegoules par D 2 - A - ✆ 93 58 02 02, Télex 470282, ≤ Vence et littoral, , parc, – TV ☎ ♿ Ⓟ. AE ⓓ E VISA.
début mars-mi-nov. – **R** *(fermé merc. hors sais.)* 390/440 – 87 – **15 ch** 1385/2025, 10 appartements – 1/2 p 1810/2390
Spéc. Ragoût de pâtes fraîches aux truffes, Loup au fenouil et à l'estragon, Carré d'agneau provençal. **Vins** Bellet, Côtes de Provence.

Relais Cantemerle M, 258 chemin Cantemerle par D 2 ☎ 93 58 08 18, ≤, ⌒, – TV ☎ P. AE ⓓ E VISA
15 mars-début nov. – **R** *(fermé mardi hors sais.)* 150/235, enf. 80 – ☕ 45 – **20 ch** 550/750 – ½ p 395/545.

Floréal M sans rest, 440 av. Rhin et Danube par ② ☎ 93 58 64 40, Télex 461613, – ☎ P – 30. E VISA
1er mars-15 nov. – ☕ 35 – **43 ch** 350/430.

Diana M sans rest, av. Poilus ☎ 93 58 28 56 – cuisinette ☎. AE ⓓ VISA. A **a**
☕ 30 – **25 ch** 265/290.

Mas de Vence M, 539 av. E. Hugues par ① ☎ 93 58 06 16, Télex 462811,
– wc wc ☎ P. AE ⓓ VISA. rest
R 97 – ☕ 25 – **41 ch** 258/298 – ½ p 268/368.

Miramar sans rest, plateau St-Michel ☎ 93 58 01 32, ⇐, – wc wc ☎
P. AE E VISA A **u**
20 fév.-25 oct. – ☕ 25 – **17 ch** 246/326.

Parc H. sans rest, 50 av. Foch ☎ 93 58 27 27, – wc. E VISA.
mars-15 oct. – ☕ 22 – **13 ch** 192/282. A **n**

La Roseraie, rte de Coursegoules ☎ 93 58 02 20, – wc wc ☎
P. AE E VISA A **x**
hôtel : 21 mars-19 oct. ; rest. : fermé janv. – **R** 160/250 – ☕ 28 – **12 ch** 260/320.

Aub. des Seigneurs avec ch, pl. Frêne ☎ 93 58 04 24, auberge provençale – wc. E VISA B **s**
fermé 15 oct. au 1er déc., dim. soir et lundi sauf fériés – **R** 140/160 – ☕ 22 – **5 ch** 210/230.

Aub. des Templiers, 39 av. Joffre ☎ 93 58 06 05, A **k**
fermé 1er au 10 juil., 10 déc. au 10 janv., dim. soir et lundi – **R** 110/170.

Closerie des Genets avec ch, 4 imp. M. Maurel ☎ 93 58 33 25, – wc. E
VISA – **R** *(fermé 15 nov. au 10 déc. et lundi de sept. à juin)* 80/100, enf. 39 – ☕ 20
– **11 ch** 110/225 – ½ p 190/280 B **d**

MERCEDES-BENZ, PEUGEOT TALBOT Gar. Simondi, 39 av. Foch ☎ 93 58 01 21 N
RENAULT Gar. de la Rocade, 840 av. E. Hugues, la Rocade ☎ 93 58 00 29

VENDEUIL 02 Aisne 53 ⑭ – rattaché à la Fère.

VENDÔME SP 41100 L.-et-Ch. 64 ⑥ G. Châteaux de la Loire – 18 218 h.

Voir Anc. abbaye de la Trinité★ : église abbatiale★★ A – Musée★ dans les bâtiments conventuels A M – Château : terrasses ⇐★ A.

Office de Tourisme 45 r. Poterie ☎ 54 77 05 07.

Paris 171 ① – Blois 32 ③ – Lisieux 185 ① – ♦Le Mans 77 ⑥ – ♦Orléans 74 ① – ♦Tours 56 ④.

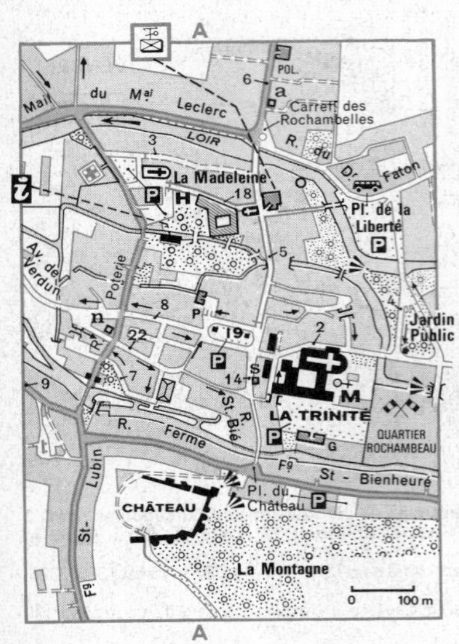

VENDÔME

Change (R. du) A 5
Poterie (R.) A
République (Pl.) A 14
St-Martin (Pl.) A 19
Saulnerie (R.) A 22

Abbaye (R.) A 2
Béguines (R.) A 3
Bourbon (R. A.) A 4

Chartrain (Fg) AB 6
Chevallier (R.) A 7
Gaulle (R. de) A 8
Grève (R.) AB 9
Kennedy (Bd) B 10
Quatre-Huyes (R.) B 12
Rochambeau (R. du Mar. de) B 15
St-Jacques (R.) A 1

🏨 **Vendôme** Ⓜ, 15 fg Chartrain ✆ 54 77 02 88, Télex 750383 – 🛗 📺 🛁wc 🚿wc ☎ 🚗. E VISA — A a
fermé 20 déc. au 5 janv. et dim. soir de nov. à mars – **R** 90/220 – ☕ 35 – **35 ch** 205/315 – ½ p 305.

🏨 **Gd. H. St-Georges,** 14 r. Poterie ✆ 54 77 25 42 – 🛗 📺 🛁wc 🚿wc ☎. AE E VISA — A n
R 115/240, enf. 60 – ☕ 25 – **34 ch** 215/295 – ½ p 280/350.

🏨 **Moderne,** face gare ✆ 54 80 27 00, 🍽 – ✂ ch 🛁 🚿 🚗. E VISA — B e
R 62/155 🍷, enf. 35 – ☕ 20 – **16 ch** 100/170 – ½ p 230.

XX **Petit Bilboquet,** rte Tours par ④ ✆ 54 77 16 60, 🍽 – Ⓟ. AE E VISA. ✂
fermé 8 au 30 août, vacances de fév., dim. soir et lundi – **R** 85/147.

XX **Le Paris,** 1 r. Darreau ✆ 54 77 02 71 – VISA — B z
fermé 14 juil. au 2 août, 25 janv. au 10 fév., dim. soir et lundi – **R** 67/125.

XX **Le Daumier,** 17 pl. République ✆ 54 77 70 15 – AE ⓓ E VISA — A s
fermé janv., dim. soir et lundi – **R** 88/220, enf. 60.

CITROEN Gar. Granger, N 10, St-Ouen par ① ✆ 54 77 13 06
FORD Coutrey, rte de Paris, St-Ouen par ① ✆ 54 77 14 40
PEUGEOT-TALBOT Automobile-Vendômoise, 33 rte de Paris, St-Ouen par ① ✆ 54 77 13 50
RENAULT Bruère, N 10 Les Grouets à St-Ouen par ①, ✆ 54 77 16 38

Ⓜ Moreau, 192 fg Chartrain ✆ 54 77 58 04
Perry-Pneus, 10 r. d'Italie ✆ 54 77 77 35

VENEUX-LES-SABLONS 77 S.-et-M. 61 ⑫, 196 ㊻ – rattaché à Moret-sur-Loing.

VENIZY 89 Yonne 61 ⑮ – rattaché à St-Florentin.

VENTABREN 13122 B.-du-R. 84 ② **G. Provence** – 2 717 h.
Voir ≤★ des ruines du Château.
Paris 749 – Aix-en-Provence 15 – ♦Marseille 32 – Salon-de-Provence 25.

XX **La Petite Auberge,** ✆ 42 28 80 01, ≤, 🍽 – AE
fermé 1er au 15 sept., 1er au 15 janv., dim. (sauf le midi de sept. à juin) et lundi – **R** 120.

VENTOUX (Mont) 84 Vaucluse 81 ③ **G. Provence et Alpes du Sud** – alt. 1 912.
Voir ✳★★★.

VENTRON 88 Vosges 62 ⑰ – 970 h. alt. 680 – ✉ **88310** Cornimont.
Env. Grand Ventron ✳★★ NE : 7 km, **G. Alsace et Lorraine.**
Paris 416 – Épinal 57 – Gérardmer 26 – Remiremont 30 – Thann 30 – Le Thillot 13.

🏨 **Les Bruyères,** ✆ 29 24 18 63 – 🛁wc 🚿wc ☎ Ⓟ – 🎪 25. AE E VISA
R *(fermé lundi hors sais.)* 43/125 🍷, enf. 32 – ☕ 16 – **19 ch** 148/188 – ½ p 170.

X **Frère Joseph** avec ch, ✆ 29 24 18 23
R 60/120 🍷 – ☕ 20 – **11 ch** 90/120 – ½ p 156.

à l'Ermitage du Frère Joseph S : 5 km par D 43 et D 43E – alt. 850 – Sports d'hiver : 900/1 100 m ⛷7 – ✉ **88310** Cornimont :

🏨 **Les Buttes** 🐎, ✆ 29 24 18 09, ≤, 🏊, 🎾 – 🛗 📺 ☎ 🚗 Ⓟ – 🎪 30. AE E VISA. ✂ rest
fermé 15 nov. au 20 déc. – **R** 100/190 🍷, enf. 50 – ☕ 30 – **30 ch** 200/330 – ½ p 270/310.

🏨 **Ermitage** 🐎, ✆ 29 24 18 29, ≤, 🎾 – 🛗 cuisinette 📺 🛁wc 🚿 ☎ 🚗 Ⓟ – 🎪 80 à 250. AE E VISA
fermé 15 oct. au 15 nov. – **R** 75/100 🍷, enf. 45 – ☕ 30 – **60 ch** 130/330 – ½ p 200/275.

VERBERIE 60410 Oise 56 ②, 196 ⑩ – 2 298 h.
Paris 68 – Beauvais 61 – Clermont 35 – Compiègne 14 – Senlis 18 – Villers-Cotterêts 30.

X **Normandie,** ✆ 44 40 92 33 – Ⓟ. E VISA. ✂
fermé 25 au 31 déc., 15 au 29 fév., dim. soir et lundi – **R** 75/160.

VERCHAIX 74 H.-Savoie 74 ⑧ – rattaché à Samoëns.

VERCHIZEUIL 71 S.-et-L. 69 ⑲ – rattaché à Verzé.

VERDON (Grand Canyon du) ★★★ 04 Alpes-de-H.-Pr 81 ⑰ **G. Alpes du Sud.**
Ressources hôtelières : voir à ***Aiguines, Cavaliers (Falaise des), Trigance, Point Sublime, La Palud-sur-Verdon.***

Le VERDON-SUR-MER 33123 Gironde 71 ⑮ **G. Pyrénées Aquitaine** – 1 616 h. – **Voir** Pointe de Grave : dune ⇐★ N : 4 km – **Bac: de la Pointe de Grave : renseignements** ✆ **56 09 60 84** – 🅘 Syndicat d'Initiative r. F.-Lebreton (juil.-août) ✆ 56 09 61 78 – **Paris 508** – Arcachon 142 – ♦Bordeaux 98 – Lesparre-Médoc 34 – Royan (bac) 4.

XX **Côte d'Argent,** ✆ **56 09 60 45,** – AE ⓓ VISA
fermé janv. et le soir (sauf vend., sam. et dim.) du 15 oct. au 30 mars – **R** 60/250, enf. 35.

CITROEN Daniel, ✆ 56 09 60 28 RENAULT Hertmanni, ✆ 56 09 61 47

VERDUN

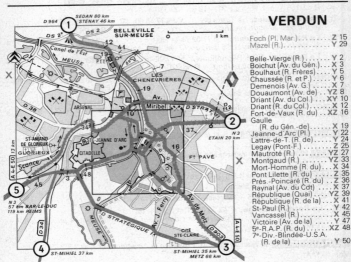

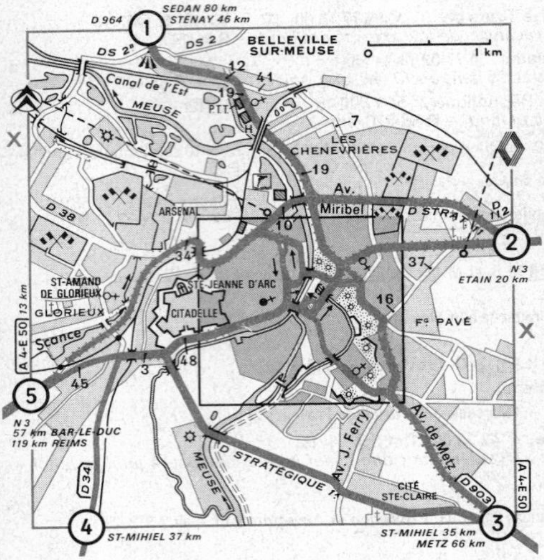

Foch (Pl. Mar.) . . . . **Z** 15
Mazel (R.) . . . . **Y** 29

Belle-Vierge (R.) . . . . **Y** 2
Boichut (Av. du Gén.) . . . . **X** 3
Boulhaut (R. Frères) . . . . . **Y** 5
Chaussée (R. et P.) . . . . . . **Y** 6
Demenois (Av. G.) . . . . **X** 7
Douaumont (Av. de) . . . . **YZ** 8
Driant (Av. du Col.) . . . . . **XY** 10
Driant (R. du Col.) . . . . **X** 12
Fort-de-Vaux (R. du) . . . **XZ** 16
Gaulle (R. du Gén.-de) . . . . **X** 19
Jeanne-d'Arc (Pl.) . . . . . . **Y** 22
Lattre-de-T. (R. de) . . . . . **Y** 24
Legay (Pont-F.) . . . . **Z** 25
Mautroté (R.) . . . . **YZ** 27
Montgaud (R.) . . . . **YZ** 33
Mort-Homme (R. du) . . . . **X** 34
Pont Lilette (R. du) . . . . . **Z** 35
Prés.-Poincaré (R. du) . . . **Z** 36
Raynal (Av. du Cdt) . . . . . **X** 37
République (Quai) . . . . . **YZ** 39
République (R. de la) . . . **X** 41
St-Paul (R.) . . . . **Y** 42
Vancassel (R.) . . . . **X** 45
Victoire (Av. de la) . . . . . . **Y** 47
5e-R.A.P. (R. du) . . . . **XZ** 48
7e-Div.-Blindée-U.S.A. (R. de la) . . . . **Y** 50

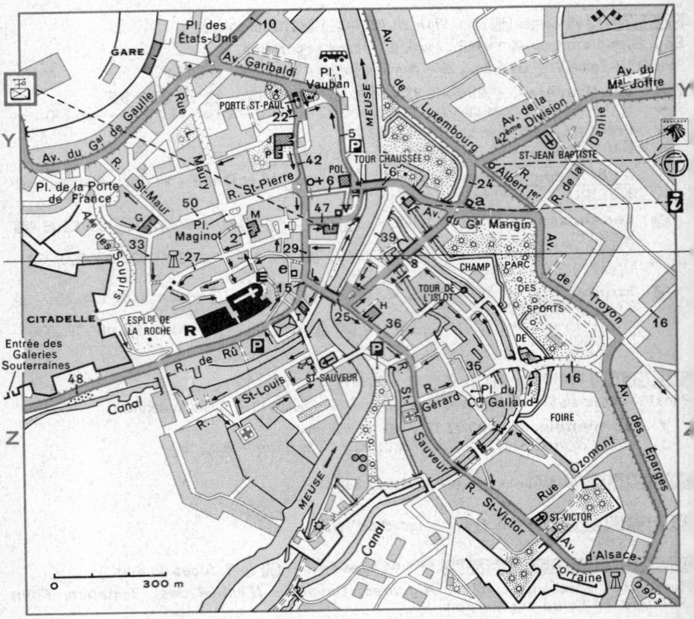

VERDUN 55100 Meuse **57** ⑪ **G. Alsace et Lorraine** – 24 120 h.

Voir Ville Haute★ : Cathédrale★ (cloître★) ZE – Palais Episcopal★ ZR – Les champs de bataille par ②.

Office de Tourisme pl. Nation (mai-15 sept.) ✆ 29 84 18 85, Télex 860464 – A.C. 17 pl. A.-Maginot ✆ 29 86 06 56.

Paris 262 ⑤ – Châlons-sur-M. 87 ⑤ – ♦Metz 66 ③ – ♦Nancy 110 ③ – ♦Reims 119 ⑤.

Plan page ci-contre

Host. Coq Hardi, 8 av. Victoire ✆ 29 86 36 36, Télex 860464 – 40. AE ⓓ VISA Y v
fermé 22 déc. au 31 janv. – **R** *(fermé merc. sauf fériés)* carte 245 à 360 – 30 – **40 ch** 135/310, 3 appartements 550
Spéc. Salade "Coq Hardi", Canard au vinaigre de framboises, Mirabelles flambées au caramel. **Vins** Chardonnay, Bouzy.

Bellevue, rond-point de-Lattre-de-Tassigny ✆ 29 84 39 41, Télex 860464 – TV – 100 à 500. AE ⓓ VISA Y a
janv. (sauf rest.) et 1er avril-15 oct. – **R** 90/140 – 30 – **72 ch** 130/310.

Montaulbain sans rest, 4 r. Vieille-Prison ✆ 29 86 00 47 – TV wc ☎. E VISA. rest Z e
20 – **10 ch** 115/180.

CITROEN Gd Gar. de la Meuse, av. Col.-Driant ✆ 29 86 44 05
FIAT Gar. du Rozelier, bd de l'Europe à Haudainville par ③ ✆ 29 84 33 47 N
FORD Rochette-Auto, 22 r. V.-Schleiter ✆ 29 86 50 49
PEUGEOT-TALBOT Verdun Auto Loisirs, 2 av. de la 42e Division ✆ 29 84 32 63
RENAULT Friob, av. d'Etain ✆ 29 84 40 72 N
V.A.G. Gar. Voie Sacrée, N3 Regret ✆ 29 86 04 51

Frattini 21 av. Douaumont ✆ 29 86 04 36
Leclerc-Pneu, 13 av. Col.-Driant ✆ 29 86 29 55
Legros Marceau et Cie, 21 r. du Fort de Vaux ✆ 29 84 61 70

VERDUN-SUR-LE-DOUBS 71350 S.-et-L. **70** ② **G. Bourgogne** – 1 139 h.

Syndicat d'Initiative r. du Pont (juil.-août) ✆ 85 91 87 52 et à la Mairie (hors saison) ✆ 85 91 52 52.

Paris 331 – Beaune 22 – Chagny 24 – Chalon-sur-S. 22 – Dole 48 – Lons-le-Saunier 55 – Mâcon 80.

XXX **Host. Bourguignonne** avec ch, rte Ciel ✆ 85 91 51 45, – wc wc ☎ Ⓟ. AE ⓓ E VISA
fermé 20 janv. au 28 fév., mardi soir et merc. sauf juil.-août – **R** 110/300 – 35 – **14 ch** 170/350 – ½ p 320.

à Chaublanc NO : 10 km par D 184 et D 183 – ✉ **71350** Verdun-sur-le-Doubs :

Moulin d'Hauterive , ✆ 85 91 55 56, Télex 801381, , parc, « Meubles anciens », , – TV wc wc ☎ Ⓟ. AE ⓓ E VISA. rest
fermé 12 déc. au 11 fév., dim. soir et lundi sauf juil.-août – **R** 180/230 – 42 – **20 ch** 350/440.

CITROEN Gar. Guenot, ✆ 85 91 51 70 N
RENAULT Gar. du Port, ✆ 85 91 52 67

VÉRETZ 37 I.-et-L. **64** ⑮ **G. Châteaux de la Loire** – 2 379 h. – ✉ **37270** Montlouis-sur-Loire.

Paris 244 – Bléré 15 – Blois 52 – Chinon 52 – Montrichard 32 – ♦Tours 10.

XX **St-Honoré** avec ch, ✆ 47 50 30 06 – wc . AE ⓓ E VISA
fermé janv., dim. soir et lundi – **R** 55/160 , enf. 30 – 20 – **9 ch** 90/170 – ½ p 110/230.

VERGÈZE 30310 Gard **83** ⑧ – 2 563 h.

Paris 740 – ♦Montpellier 36 – Nîmes 19.

Passiflore , ✆ 66 35 00 00 – wc ☎. AE
fermé 14 déc. au 11 janv. – **R** *(fermé merc. du 1er sept. au 1er juin) (dîner seul.)* 95, enf. 30 – 25 – **9 ch** 190/245.

X **Au Veri Gourmand,** pl. République ✆ 66 35 36 68 – AE E VISA
fermé nov. et lundi – **R** 54/150 , enf. 35.

PEUGEOT-TALBOT Gar. Valladier, ✆ 66 35 04 33

VERGT 24380 Dordogne **75** ⑤⑮ **G. Périgord Quercy** – 1 419 h.

Paris 519 – Bergerac 32 – Le Bugue 30 – Lalinde 31 – Périgueux 21 – Sarlat-la-Canéda 54.

X **Lou Cantou,** ✆ 53 54 91 89.

Participez à notre effort permanent de mise à jour
Adressez-nous vos remarques et vos suggestions.

Cartes et guides Michelin
46 avenue de Breteuil - 75341 Paris Cedex 07

VERMELLES 62980 P.-de-C. 53 ② – 4 339 h.

Paris 206 – Arras 27 – Béthune 10 – Lens 10 – ♦Lille 32.

XXX **Le Socrate,** N 43 ✆ 21 26 24 63 – Ⓟ. VISA
fermé lundi en juil.-août – **R** 76/180.

VERMENTON 89270 Yonne 65 ⑤ **G. Bourgogne** – 1 166 h.

Paris 189 – Auxerre 24 – Avallon 28 – Vézelay 28.

X **Aub. Espérance,** ✆ 86 53 50 42 – E VISA
fermé janv., merc. soir de nov. à mai et jeudi – **R** 68/170 ♁, enf. 30.

Le VERNET 31 H.-Gar. 82 ⑱ – 1 715 h. – ✉ **31810** Venerque.

Paris 725 – Auch 85 – Auterive 11 – Pamiers 42 – St-Gaudens 79 – ♦Toulouse 22.

Clair Logis, N 20 ✆ 61 08 25 55, ⛱, ⛟ – ⛀wc ⋔ ☎. AE ⓘ E VISA
R 95/110 ♁ – ☐ 20 – **16 ch** 150/180.

VERNET-LES-BAINS 66820 Pyr.-Or. 86 ⑰ **G. Pyrénées Roussillon** – 1 442 h. alt. 650 – Stat. therm.

Voir Site★ – Église★ de Corneilla-de-Conflent 2,5 km par ①.

Office de Tourisme pl. Mairie ✆ 68 05 55 35.

Par ① : Paris 964 – Montlouis 36 – ♦Perpignan 55 – Prades 12.

Résidence des Baüs et Mas Fleuri Ⓜ ⛰ sans rest, bd Clemenceau **(a)** ✆ 68 05 51 94, « Parc ombragé », ⛱ – ⛀wc ⋔wc ☎ Ⓟ. AE ⓘ E VISA. ⛔
1er mai-15 oct. – ☐ 33 – **35 ch** 230/330.

Princess ⛰, r. Lavandières **(k)** ✆ 68 05 56 22 – |♦| ⛀wc ⋔ ☎ 🚗 Ⓟ. VISA. ⛔ rest
fermé fév. – **R** 60/160, enf. 37 – ☐ 19 – **42 ch** 140/230 – ½ p 194/254.

Angleterre, av. Burnay **(f)** ✆ 68 05 50 58, ⛟ – ⋔wc ☎. E VISA. ⛔ ch
2 mai-26 oct. – **R** 75 – ☐ 15 – **20 ch** 90/170.

Eden, prom. Cady **(n)** ✆ 68 05 54 09 – |♦| ⛀wc ⋔wc ☎ Ⓟ. E VISA
1er avril-31 oct. – **R** 59/108 bc – ☐ 20 – **19 ch** 110/185 – ½ p 150/250.

XXX **Comte Guifred de Conflent** Ⓜ avec ch (collège d'application hôt.), av. Thermes **(u)** ✆ 68 05 51 37, ⛱, ⛟ – |♦| ⛀wc ☎ Ⓟ – 🏔 40
10 ch.

XX **Rest. Thalassa H. des Deux Lions** avec ch, **(r)** ✆ 68 05 55 42, ⛱ – ⛀wc ⋔wc Ⓟ. AE ⓘ E VISA. ⛔
fermé nov. et lundi en hiver – **R** 75/200, enf. 32 – ☐ 24 – **11 ch** 95/240.

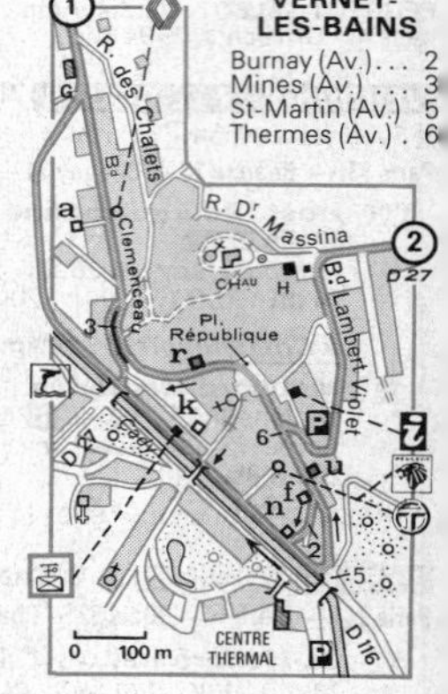

à Casteil S : 2 km par D 116 – alt. 730 – ✉ **66820** Vernet-les-Bains :

Molière ⛰, ✆ 68 05 50 97, ⛱, ⛟ – ⛀wc ⋔wc Ⓟ. E VISA
fermé 1er nov. au 15 déc. et merc. du 15 déc. à Pâques – **R** 60/130, enf. 38 – ☐ 20 – **12 ch** 110/130 – ½ p 150/160.

à Sahorre SO : 3,5 km par D 27 – ✉ **66360** Olette :

Châtaigneraie ⛰, ✆ 68 05 51 04, ←, ⛟ – ⋔wc Ⓟ. ⛔ ch
Pâques-début oct. – **R** 58/95 – ☐ 16 – **10 ch** 95/175 – ½ p 140/165.

PEUGEOT-TALBOT Gar. Villacèque, ✆ 68 05 51 14 — RENAULT Gar. Pous, ✆ 68 05 52 81

VERNEUIL-SUR-AVRE 27130 Eure 60 ⑥ **G. Normandie Vallée de la Seine** – 6 926 h.

Voir Église de la Madeleine★ – Statues★ de l'église N.-Dame.

Syndicat d'Initiative 129 pl. Madeleine (Pâques-Toussaint après-midi seul.) ✆ 32 32 17 17.

Paris 116 ③ – Alençon 75 ⑥ – Argentan 77 ⑦ – Chartres 56 ④ – Dreux 35 ③ – Évreux 39 ①.

Plan page ci-contre

Host. du Clos, 98 r. Ferté-Vidame **(n)** ✆ 32 32 21 81, Télex 172770, ⛱, ⛟, ✂ – TV ☎ ♿ Ⓟ. AE ⓘ E VISA
fermé déc., janv. et lundi (sauf hôtel de Pâques à oct.) – **R** 220 bc/260, enf. 80 – ☐ 45 – **11 ch** 380/680 – ½ p 550/680.

Saumon (annexe Ⓜ ⛰ TV), 89 pl. Madeleine **(a)** ✆ 32 32 02 36, Télex 172770 – TV ⛀wc ⋔wc ☎ ♿ – 🏔 25. E VISA
fermé 24 déc. au 6 janv. – **R** 45/125 ♁ – ☐ 20 – **28 ch** 85/210.

VERNEUIL-S-AVRE

Breteuil (Rte de) 2
Briand (R. A.) 4
Canon (R. du) 5
Casati (Bd) 7
Clemenceau (R.) 8
Demolins (Av. E.) 10
Ferté-Vidame (Rte de la) 12
Lait (R. au) 13
Madeleine (Pl. de la) 15
Notre-dame (Pl.) 16
Poissonnerie (R. de la) 18
Pont-aux-Chèvres (R. du) 19
Tanneries (R. des) 21
Thiers (R.) 22
Tour-Grise (R. de la) 24
Verdun (Pl. de) 25
Victor-Hugo (Av.) 27
Vlaminck (R. M.-de) 30

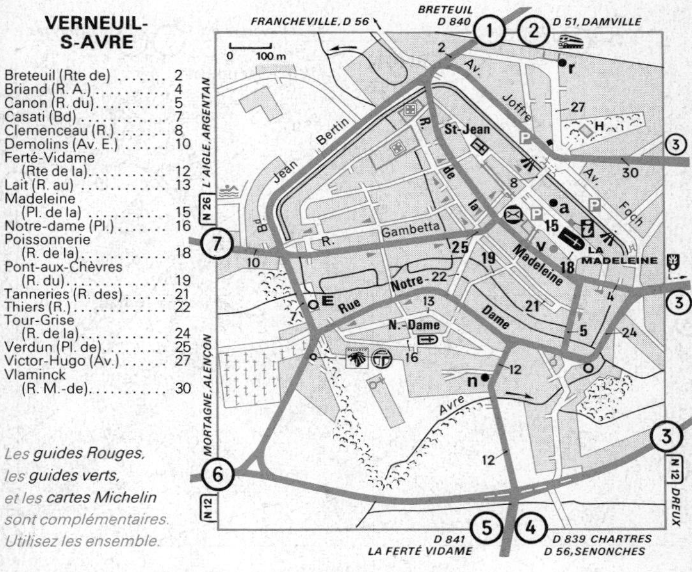

Les guides Rouges, les guides verts, et les cartes Michelin sont complémentaires. Utilisez les ensemble.

Gare, pl. Gare **(r)** ✆ 32 32 12 72, – wc ☎. E VISA
R *(fermé lundi midi en hiver)* 65/85 – 20 – **11 ch** 110/200.

Gd Sultan, 30 r. Poissonnerie **(v)** ✆ 32 32 13 41 – E VISA
fermé août, 25 déc. au 1er janv. et lundi – **R** (déj. seul.) 50/76.

CITROEN Heurtaux, rte de Paris par ③ ✆ 32 32 14 83
PEUGEOT-TALBOT Gar. Martin, Porte Mortagne ✆ 32 32 13 27
PEUGEOT-TALBOT Gar. Dore, 679 av. Gén.-de-Gaulle par ③ ✆ 32 32 16 90
RENAULT Huillery, 228 av. R. Zaigue ✆ 32 32 17 54
VOLVO Gar. Moderne, rte de Paris ✆ 32 32 00 45

Les VERNEYS **73** Savoie **77** ⑦ – rattaché à Valloire.

VERNIERFONTAINE **25** Doubs **66** ⑯ – 308 h. alt. 730 – ✉ **25580** Nods.

Paris 446 – Baume-les-Dames 37 – ♦Besançon 32 – Morteau 43 – Pontarlier 27.

Chez Ninie, ✆ 81 60 04 64 – wc wc ☎. AE ⓓ E VISA.
fermé 1er au 20 sept. – **R** 48/103, enf. 30 – 17,50 – **10 ch** 99/211 – 1/2 p 120/153.

VERNON **27200** Eure **55** ⑰⑱, **196** ①② **G. Normandie Vallée de la Seine** – 23 464 h.

Voir Église N.-Dame★ BY – **Giverny : maison Claude Monet★ E : 5 km par D 5, Château de Bisy★ 2 km par ③.**

Syndicat d'Initiative passage Pasteur ✆ 32 51 39 60.

Paris 82 ② – Beauvais 66 ⑥ – Évreux 31 ③ – Mantes-la-Jolie 25 ② – ♦Rouen 63 ③.

Plan page suivante

Strasbourg, 6 pl. Évreux ✆ 32 51 23 12 – wc wc ☎ ⓟ. E VISA BY **u**
R *(fermé 20 déc. au 10 janv., dim. soir et lundi)* 70/120 bc – 22 – **23 ch** 80/230.

Haut Marais Ⓜ sans rest, 2 rte Rouen à St-Marcel par ④ ✉ 27950 St-Marcel ✆ 32 51 41 30 – wc ☎ ⓟ
28 ch 65/180.

Les Fleurs, 71 r. Carnot ✆ 32 51 16 80 – E VISA. BX **a**
fermé 16 août au 6 sept., vacances de fév., dim. soir et lundi – **R** 98 bc/160 bc.

Beau Rivage, 13 av. Mar.-Leclerc ✆ 32 51 17 27 – AE ⓓ E VISA BY **e**
fermé 1er au 15 oct., vacances de fév., dim. soir et lundi – **R** 68/149, enf. 65.

à Port-Villez par ② : 4 km – ✉ **78270** Bonnières-sur-Seine.
Voir N.-D. de la mer ≤★ S : 2 km – Signal des Coutumes ≤★ S : 3 km.

La Gueulardière, ✆ (1) 34 76 22 12, – ⓓ VISA
fermé mi-juil. à mi-août, vacances de fév., dim. soir et lundi – **R** carte 200 à 280.

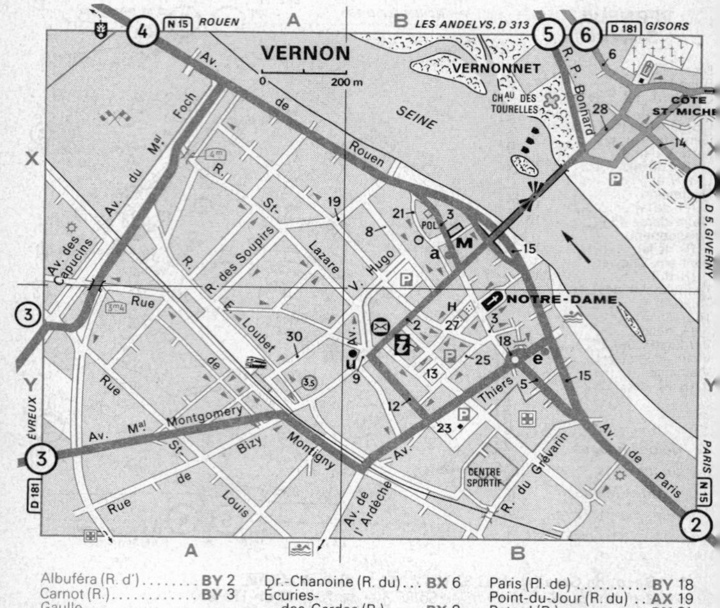

Albuféra (R. d') .... BY 2
Carnot (R.) .... BY 3
Gaulle
(Pl. Charles-de) ...... BY 13
Ste-Geneviève (R.)..... BY 27

Dr. Burnet (R.)......... BY 5

Dr.-Chanoine (R. du) ... BX 6
Écuries-
des-Gardes (R.) ..... BX 8
Évreux (Pl. d') .... BY 9
Gambetta (Av.) .... BY 12
Giverny (R. de) .... BX 14
Leclerc (Bd du Mar.) .. BXY 15

Paris (Pl. de) .... BY 18
Point-du-Jour (R. du) .. AX 19
Potard (R.) .... BX 21
République (Pl. de la) .. BY 23
St-Jacques (R.) .... BY 25
Soret (R. Jules) .... BX 28
Steiner (R. E.) .... AY 30

CITROEN S.C.A.E., N 15 à St-Just par ④ 32 51 74 51 N 32 51 40 24
FORD Auto-Normandie, r. de l'Industrie, Zone Ind. 32 51 59 39
MAZDA **VOLVO** Gar. des Sports, 5 r. de l'Artisanat 32 51 17 41

PEUGEOT-TALBOT Gervilliers, 10 av. Paris par ② 32 51 50 14
COVERPNEU, 11 bd Isambard 32 51 08 95

Marsat-Vernon-Pneus, 121 r. Carnot 32 21 26 52

VERNOUILLET **78540** Yvelines 55 ⑲ **G. Environs de Paris** – 6 424 h.

Voir Clocher★ de l'église.

Paris 43 – Mantes-la-Jolie 26 – Pontoise 19 – Rambouillet 52 – St-Germain-en-Laye 14 – Versailles 26.

XX **Aub. les Charmilles** avec ch, **38 r. P.-Doumer** (1) 39 71 64 02, – wc
VISA
R carte 140 à 195 – **10 ch** 180/300.

VERNOU-SUR-BRENNE **37** I.-et-L. 64 ⑮ **G. Châteaux de la Loire** – 2 050 h. – **37210** Vouvray.

Paris 229 – Amboise 12 – ♦Tours 14 – Vendôme 49.

XX **Host. Perce Neige** avec ch, **r. A.-France** 47 52 10 04, , parc – wc wc
– 60. AE E VISA
fermé 18 au 30 oct., janv., dim. soir et lundi hors sais. – **R** 103/195 – 25 – **15 ch** 150/250 – $1/2$ p 180/250.

CITROEN Hurson, 47 52 10 61

RENAULT Huguet, 47 52 10 78

VERQUIÈRES **13** B.-du-R. 84 ① – rattaché à St-Rémy-de-Provence.

La VERRIE **85** Vendée 67 ⑤ – 3 306 h. – **85130** La Gaubretière.

Paris 367 – Bressuire 46 – Cholet 16 – ♦Nantes 59 – La Roche-sur-Yon 52.

X **La Malle Poste** pl. Ch.-de-Gaulle, 51 65 46 14 – AE E VISA.
fermé 1er au 15 août, vacances de fév. et lundi – **R** 59/125 , enf. 38.

VERSAILLES **78** Yvelines 60 ⑨⑩, 101 ㉒ – voir à Paris, Environs.

ERS-EN-MONTAGNE 39 Jura 70 ⑤ – 217 h. alt. 610 – ✉ **39300** Champagnole.
ris 424 – Arbois 21 – Champagnole 9,5 – Lons-le-Saunier 44 – Pontarlier 44 – Salins-les-Bains 16.

Le Clavelin, ☏ 84 51 44 25, – wc ☎. AE E VISA.
fermé janv., dim. soir et lundi sauf juil.-août – **R** 55/110, enf. 40 – ☕ 20 – **7 ch** 140/186 – 1/2 p 160/200.

ER-SUR-LAUNETTE 60 Oise 56 ⑫ – rattaché à Ermenonville.

ERT-BOIS (Plage du) 17 Char.-Mar. 71 ⑭ – voir à Ile d'Oléron.

ERTES FEUILLES 02 Aisne 56 ③ – rattaché à Villers-Cotterêts.

ERTEUIL-SUR-CHARENTE 16 Charente 72 ④ – rattaché à Ruffec.

ERTOLAYE 63480 P.-de-D. 73 ⑯ – 623 h.
ris 422 – Ambert 14 – ♦Clermont-Ferrand 76 – Cunlhat 27 – Feurs 65 – Issoire 67 – Thiers 41.

Voyageurs, près gare ☏ 73 95 20 16, – wc wc ☎. VISA. rest
fermé oct. et sam. hors sais. – **R** 50/130 ⅓, enf. 43 – ☕ 17 – **28 ch** 80/180 – 1/2 p 140/160.

ERTOU 44 Loire-Atl. 67 ③ – rattaché à Nantes.

ERTUS 51130 Marne 56 ⑯ **G. Champagne** – 2 870 h. – **Voir Mont Aimé★ S : 5 km.**
ris 138 – Châlons-sur-Marne 30 – Épernay 20 – Fère-Champenoise 17 – Montmirail 38.

Host. Reine Blanche, av. Louis Lenoir ☏ 26 52 20 76 – TV wc ☎ P – 50. AE E VISA
R 120/180 – ☕ 25 – **23 ch** 195/245 – 1/2 p 270/320.

Host. du Commerce avec ch, r. Chalons ☏ 26 52 12 20 – 60. E VISA
fermé 20 août au 5 sept., 1er au 15 fév., dim. soir et lundi – **R** 130/260, enf. 70 – ☕ 20 – **11 ch** 85/130.

à Bergères-les-Vertus S : 3,5 km par D 9 – ✉ **51130** Vertus :

Mont-Aimé , ☏ 26 52 21 31, – wc wc ☎ P. AE E VISA
fermé dim. soir – **R** 75/250 ⅓, enf. 50 – ☕ 22 – **17 ch** 110/240 – 1/2 p 200/250.

es VERTUS 76 S.-Mar. 52 ④ – rattaché à Dieppe.

ERVINS SP 02140 Aisne 53 ⑯ **G. Flandres Artois Picardie** – 2 989 h.
Office de Tourisme pl. Gén.-de-Gaulle (15 avril-15 oct. matin seul.) ☏ 23 98 11 98.
ris 174 – Charleville-Mézières 69 – Laon 36 – ♦Reims 71 – St-Quentin 50 – Valenciennes 79.

✿ **Tour du Roy** (Mme Desvignes), ☏ 23 98 00 11, – TV wc wc ☎ P. AE E VISA
fermé 15 janv. au 15 fév. – **R** *(fermé dim. soir et lundi midi hors sais.)* (dim. et fêtes prévenir) 140/220, enf. 50 – ☕ 30 – **15 ch** 180/400 – 1/2 p 290/500
Spéc. Duo de foie gras et magret fumé, Méli-mélo de poissons, Gratin de fruits frais. **Vins** Avize.

TROEN Gar. Carlier, La Chaussée de Fontaine ☏ 23 98 00 08

ERZÉ 71 S.-et-L. 69 ⑲ – 579 h. – ✉ **71960** Pierreclos.
ris 396 – Charolles 49 – Cluny 11 – ♦Lyon 82 – Mâcon 14 – Tournus 33.

Rest. de Verchizeuil, E : 4 km par D 434 et D 134 ☏ 85 33 32 12, , – P
fermé août, jeudi soir et vend. – **R** 55/140, enf. 35.

e VÉSINET 78 Yvelines 55 ⑳, 101 ⑬ – voir à Paris, Environs.

ESONNE 74 H.-Savoie 74 ⑯ – rattaché à Faverges.

ESOUL P 70000 H.-Saône 66 ⑤⑥ **G. Jura** – 20 269 h.
oir Colline de la Motte ✳★ **30 mn** AY.
Office de Tourisme r. Bains ☏ 84 75 43 66, Télex 361250 – A.C. 1 quai Yves Barbier ☏ 84 76 08 23.
aris 375 ⑥ – Belfort 64 ③ – ♦Besançon 48 ④ – ♦Dijon 113 ⑥ – Dole 96 ① – Épinal 84 ② – ngres 75 ⑥ – Neufchâteau 103 ⑥ – St-Dié 112 ② – Vittel 85 ⑥.

Plan page suivante

Relais N 19 M, rte de Paris par ⑥ : 3 km ☏ 84 76 42 42, , – TV wc wc ☎ P. AE E VISA
fermé 24 déc. au 8 janv., sam. et dim. en hiver – **R** 85/220 ⅓ – ☕ 28 – **22 ch** 200/320 – 1/2 p 320/390.

Vendanges de Bourgogne, 49 bd Ch.-de-Gaulle ☏ 84 75 81 21 – wc wc ☎ P. AE E VISA AZ **v**
fermé 16 au 31 août – **R** 58/140 ⅓ – ☕ 18 – **31 ch** 90/200 – 1/2 p 150/310.

Lion M sans rest, 4 pl. République ☏ 84 76 54 44 – TV wc wc ☎ P. AE E VISA – ☕ 18 – **19 ch** 119/192. BY **a**

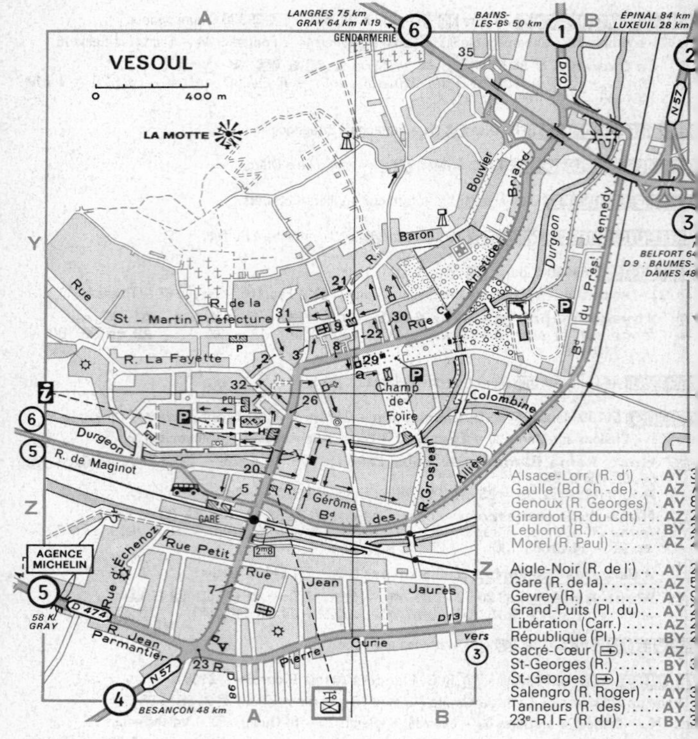

MICHELIN, Agence, Z.I. Noidans-lès-Vesoul, par ⑤ ✆ **84 76 24 22**

AUTOBIANCHI-LANCIA Goudey, 1 r. Gén.-Lelerc à Navenne ✆ 84 75 21 79
BMW Gar. Konecny, Les Regains, Z.I. r. St-Martin Prolongée ✆ 84 75 67 96
CITROEN Gd Gar. de Vesoul, 6 av. de la Mairie à Frotey-lès-Vesoul par ③ ✆ 84 75 76 77
FORD Dormoy, rte Paris ✆ 84 75 46 34
MERCEDES Gar. Lamboley, à Quincey ✆ 84 75 64 44
OPEL Gar. de la Rocade, RN 19 ✆ 84 76 50 30

PEUGEOT Succursale, rte de Gray à Noidar les Vesoul par ⑤ ✆ 84 76 51 52
RENAULT Gar. Bougueret, ZI à Noidans-le Vesoul par ⑤ ✆ 84 76 27 11

Hyper-Pneus, av. de la Gare ✆ 84 76 46 47
Pneus et Services D.K. 33 r. P.-Curie à Navenr ✆ 84 75 23 29
Pneus-Est, 22 bd Charles-de-Gaulle ✆ 84 75 3 32

VEULES-LES-ROSES **76980** S.-Mar. 52 ③ **G. Normandie Vallée de la Seine – 686 h.** Casino.

Syndicat d'Initiative à la Mairie ✆ 35 97 64 11 et r. Dr-Girard (Pâques-sept.) ✆ 35 97 63 05.

Paris 196 – Dieppe 24 – Fontaine-le-Dun 8 – ♦Rouen 57 – St-Valéry-en-Caux 8.

XXX ❀ **Les Galets (Plaisance), à la plage ✆ 35 97 61 33** – ▤. AE ⓓ VISA
fermé fév., mardi soir et merc. – **R** (nombre de couverts limité - prévenir) 200/31 enf. 120
Spéc. Homard décortiqué aux pâtes fraîches, Pigeon Nelly, Millefeuille croquant aux fruits d saison.

PEUGEOT-TALBOT Gar. Bruban, ✆ 35 97 63 66

VEULETTES-SUR-MER **76** S.-Mar. 52 ②③ **G. Normandie Vallée de la Seine – 404 h.** Casino – ✉ **76450** Cany-Barville.

Syndicat d'Initiative Esplanade du Casino (juil.-août) ✆ 35 97 51 33.

Paris 210 – Fécamp 26 – ♦Rouen 66 – Yvetot 33.

XX **Les Frégates** avec ch, ✆ **35 97 51 22**, ← – ⛟ ⋒wc ☎ – ⛺ 25. ⓓ E VISA
R *(fermé 19 déc. au 3 janv., dim. soir et lundi midi du 1er oct. au 30 juin)* 70/150 enf. 45 – ☕ 17,50 – **16 ch** 140/155 – ½ p 150/210.

Le VEURDRE 03 Allier 69 ③ **G. Auvergne** – 651 h. – ✉ **03320** Lurcy-Lévis.
Paris 269 – Bourges 65 – Montluçon 68 – Moulins 34 – Nevers 31 – St-Amand-Montrond 52.

Pont-Neuf, ☎ 70 66 40 12, Télex 392978, parc – wc wc ☎ Ⓟ – 35. AE ⓓ E VISA
fermé 2 au 10 nov. et dim. soir du 15 oct. au 30 mars – **R** 65/180, enf. 38 – 19 – **25 ch** 100/195 – ½ p 150/190.

VEYRIER-DU-LAC 74290 H.-Savoie 74 ⑥ **G. Alpes du Nord** – 1 770 h.
Syndicat d'Initiative pl. Mairie (juin-sept.) ☎ 50 60 22 71.
Paris 544 – Albertville 40 – Annecy 5,5 – Megève 55 – Thônes 15.

La Chaumière, ☎ 50 60 10 06, ←, – wc ☎. rest
début fév.-début nov. et fermé dim. soir et lundi d'oct. à avril – **R** 85/135 – 28 – **37 ch** 130/255 – ½ p 175/250.

Aub. du Colvert avec ch, ☎ 50 60 10 23, ←, – wc ☎ Ⓟ. E VISA
1er avril-15 nov. – **R** *(fermé lundi sauf juil.-août)* 240/400 – 38 – **10 ch** 300/400 – ½ p 310/360.

VÉZAC 24 Dordogne 75 ⑰ – rattaché à Beynac et Cazenac.

VÉZELAY 89450 Yonne 65 ⑮ **G. Bourgogne** – 582 h.
Voir Basilique Ste-Madeleine★★★ : tour ★ – Env. Site★ de Pierre-Perthuis SE : 6 km.
Syndicat d'Initiative r. St-Pierre (fin mars-début nov.) ☎ 86 33 23 69.
Paris 217 – Auxerre 51 – Avallon 15 – Château-Chinon 60 – Clamecy 23.

Le Pontot sans rest, ☎ 86 33 24 40, ←, – ☎. AE E VISA
1er avril-15 nov. – 50 – **8 ch** 450/800.

Poste et Lion d'Or, ☎ 86 33 21 23, Télex 800949, – ☎ Ⓟ. AE ⓓ VISA
15 mars-fin nov. – **R** *(fermé lundi)* 120/190 – 35 – **46 ch** 190/550, 3 appartements 630.

à St-Père SE : 3 km par D 957 – ✉ **89450** Vézelay – **Voir Église N.-Dame★.**

✿✿✿ **Espérance** (Meneau), ☎ 86 33 20 45, Télex 800005, ←, « Jardin dans la campagne » – rest ☎ Ⓟ. AE ⓓ VISA
fermé début janv. à début fév. – **R** *(fermé merc. midi et mardi)* (prévenir) 280 (déj.)/500 et carte – 85 – **17 ch** 300/1000, 4 appartements 2000
Spéc. Ambroisie de foie gras, Turbot rôti au jus de viande, Salmigondi de pigeon au cresson. **Vins** Bourgogne, Irancy.

VEZELS-ROUSSY 15 Cantal 76 ⑫ – 124 h. alt. 630 – ✉ **15130** Arpajon-sur-Cère.
Paris 584 – Aurillac 21 – Entraygues-sur-Truyère 49.

La Bergerie , ☎ 71 62 42 90, ← – Ⓟ
R 50/65, enf. 30 – 13 – **15 ch** 80/90 – ½ p 100/110.

VÉZÉNOBRES 30360 Gard 80 ⑱ **G. Gorges du Tarn** – 1 172 h.
Syndicat d'Initiative à la mairie (mai-1er nov.) ☎ 66 83 62 02.
Paris 714 – Alès 11 – Nîmes 33 – Uzès 29.

Le Sarrasin, rte Nîmes ☎ 66 83 55 55, – wc wc ☎ Ⓟ. AE E VISA
R (résidents seul.) carte 70 à 130, enf. 40 – 20 – **18 ch** 120/220 – ½ p 200/240.

VIA 66 Pyr.-Or. 86 ⑯ – rattaché à Font-Romeu.

VIALAS 48 Lozère 80 ⑦ – 421 h. alt. 607 – ✉ **48220** Le Pont-de-Montvert.
Paris 720 – Alès 41 – Florac 40 – Mende 77.

✿ **Chantoiseau** (Pagès) avec ch, ☎ 66 41 00 02 – wc. AE ⓓ E VISA. – *1er avril-1er nov., fermé mardi soir et merc.* – **R** 95/300, enf. 55 – 30 – **15 ch** 150/300 – ½ p 210/250
Spéc. Glacé de caille miroir en aigre doux, Ris de veau acidulé, Filet de boeuf au jus de truffes et marrons. **Vins** Costières du Gard.

VIAUR (Viaduc du) ★ 12 Aveyron 80 ⑪ **G. Gorges du Tarn** - NE de Carmaux 27 km – ✉ **12800** Naucelle.
Paris 664 – Albi 37 – Millau 96 – Rodez 41 – St-Affrique 78 – Villefranche-de-Rouergue 65.

Host. du Viaduc du Viaur , par D 574 ☎ 65 69 23 86, ← viaduc et vallée, – wc Ⓟ. AE ⓓ E VISA
1er mai-1er oct. – **R** 90/160 – 25 – **10 ch** 120/230 – ½ p 180/230.

VIBRAC 16 Charente 72 ⑬ – 232 h. – ✉ **16120** Châteauneuf-sur-Charente.
Voir Abbaye de Bassac : église★ NO : 4 km, G. Poitou Vendée Charentes.
Paris 463 – Angoulême 22 – ♦Bordeaux 107 – Cognac 31 – Jonzac 43.

Ombrages , rte d'Angeac ☎ 45 97 32 33, – wc wc Ⓟ. E VISA.
fermé vacances de nov., de Noël, de fév., dim. soir et lundi en hiver – **R** 61/170 – 20 – **10 ch** 120/170 – ½ p 175/215.

VIBRAYE 72320 Sarthe 60 ⑯ – 2 593 h.

Paris 169 – Brou 40 – Châteaudun 55 – Mamers 47 – ♦Le Mans 45 – Nogent-le-R. 37 – St-Calais 16.

Chapeau Rouge, pl. Hôtel-de-Ville ✆ 43 93 60 02 – ⋒wc Ⓟ – 🏠 50. E VISA ✗ ch
fermé 15 au 23 août, fév., dim. soir et lundi – **R** 58/135, enf. 45 – ☕ 20 – **12 c**
80/150 – ½ p 200/230.

CITROEN Guillard, ✆ 43 93 60 22 🅽 ✆ 43 93 74 25 OPEL-VOLVO Bienvenu, ✆ 43 93 60 21 🅽

VIC-EN-BIGORRE 65500 H.-Pyr. 85 ⑧ – 5 064 h.

Paris 773 – Aire-sur-l'Adour 52 – Auch 62 – Mirande 37 – Pau 42 – Tarbes 17.

Le Tivoli, pl. Gambetta ✆ 62 96 70 39, 🏠 – ⊟ ⋒wc ☎ – 🏠 50. E VISA
R *(fermé 7 au 21 sept., 7 au 28 janv., et lundi sauf fériés)* 43/120 ⅓, enf. 35 – ☕ 15 –
24 ch 68/195 – ½ p 126/228.

VIC-FÉZENSAC 32190 Gers 82 ④ – 3 851 h.

Paris 744 – Agen 68 – Auch 30 – Mont-de-Marsan 74 – Tarbes 82 – ♦ Toulouse 108.

Le d'Artagnan, 3 cours Delom ✆ 62 06 31 37 – ⋒. E VISA
R 50/138 ⅓ – **10 ch** ☕80/120 – ½ p 120/138.

Relais de Postes avec ch, 23 r. Raynal ✆ 62 06 44 22 – ⊟wc ⋒ ☎. E VISA
fermé 2 au 31 janv. – **R** 48/160, enf. 30 – ☕ 18 – **15 ch** 110/170 – ½ p 160.

VICHY ⟨SP⟩ 03200 Allier 73 ⑤ **G. Auvergne** – 30 554 h. – Stat. therm. (avril-oct.) – Casinos Élysée Palace BX r, Grand Casino AY.

Voir Parc des Sources★ AY – Parcs de l'Allier★ ABZ – Site des Hurlevents ≤★ 4,5 km par ②.

⛳18 ✆ 70 32 39 11 par ④ : 2 km.

✈ de Vichy-Charmeil ✆ 70 32 34 09 par ⑤ : 6 km.

🅸 Office de Tourisme et de Thermalisme et Accueil de France (Informations, change et réservations d'hôtels, pas plus de 5 jours à l'avance) 19 r. Parc ✆ 70 98 71 94, Télex 990278.

Paris 349 ① – Chalon-sur-Saône 160 ① – ♦Clermont-Ferrand 54 ③ – ♦Limoges 214 ④ – ♦Lyon 160 ① – Mâcon 149 ① – Montluçon 89 ⑤ – Moulins 57 ① – Roanne 74 ① – ♦St-Étienne 142 ②.

Plan page ci-contre

Pavillon Sévigné, 10 pl. Sévigné ✆ 70 32 16 22, ≤, « Dans un jardin à la française, ancienne demeure de Madame de Sévigné » – |♦| TV ☎ ♿ Ⓟ – 🏠 50. AE ⓓ E VISA. ✗ rest — AZ s
R 180 – ☕ 45 – **37 ch** 550/990 – ½ p 770.

Régina, 4 av. Thermale ✆ 70 98 20 95, 🏠 – |♦|. VISA — AX v
2 mai-1er oct. – **R** 110/165, enf. 60 – ☕ 28 – **90 ch** 190/430 – ½ p 260/400.

Aletti Thermal Palace sans rest, 3 pl. J.-Aletti ✆ 70 31 78 77 – |♦| TV ☎. ⓓ E VISA — AY n
mai-sept. – ☕ 40 – **54 ch** 375/495, 3 appartements 570.

Thermalia Novotel Ⓜ, 1 av. Thermale ✆ 70 31 04 39, Télex 990547, 🏠, 🏊, 🏠 – |♦| ▤ TV ☎ ♿ Ⓟ – 🏠 250. AE ⓓ E VISA — AX q
R snack carte environ 120, enf. 40 – ☕ 38 – **128 ch** 400/445.

Paix, 13 r. Parc ✆ 70 98 20 56, 🏠 – |♦| ☎. VISA. ✗ rest — AY u
14 mai-30 sept. – **R** 115/135 – ☕ 25 – **80 ch** 220/270 – ½ p 290/400.

Magenta, 23 av. Walter-Stucki ✆ 70 31 80 99 – |♦|. ✗ rest — AX r
début mai-fin sept. – **R** 110/150 – ☕ 30 – **62 ch** 240/300.

Albert 1er sans rest, av. Prés.-Doumer ✆ 70 31 81 10 – |♦| TV ☎. AE ⓓ VISA — BY a
15 mars-15 nov. – ☕ 25 – **35 ch** 155/350.

Portugal, 121 bd États-Unis ✆ 70 31 90 66 – |♦| ⊟wc ⋒wc ☎. E VISA. ✗ rest — AX t
1er mai-30 sept. – **R** 120/150 – ☕ 29 – **50 ch** 180/340 – ½ p 300/475.

Venise Ⓜ sans rest, 25 av. A.-Briand ✆ 70 31 83 23, Télex 392362 – |♦| ⇔ TV ⊟wc ⋒wc ☎ – 🏠 80. AE ⓓ E VISA — AY e
☕ 25 – **27 ch** 160/340.

Pavillon d'Enghien, 32 r. Callou ✆ 70 98 33 30, 🏠 – |♦| TV ⊟wc ⋒wc ☎. AE ⓓ E VISA — AX b
fermé 15 déc. au 15 fév. – **R** *(fermé sam. soir et dim. de nov. à mars)* 80/125 – ☕ 27 – **18 ch** 195/330 – ½ p 200/260.

Chambord Ⓜ, 82 r. Paris ✆ 70 31 22 88 – |♦| TV ⊟wc ⋒wc ☎. E VISA — CX e
fermé fév. – **R** voir rest. **Escargot qui tète** ci-après – ☕ 21 – **32 ch** 150/250 – ½ p 180/250.

Mimosa, 25 r. Beauparlant ✆ 70 97 53 43 – ⇔ ch TV ⊟wc ⋒wc ☎ 🚗 – 🏠 30. E VISA. ✗ — BX a
15 mars-15 déc. – **R** 70/110, enf. 35 – ☕ 22 – **27 ch** 120/220 – ½ p 210/280.

VICHY

Séville et Lisbonne, 9 bd Russie ☏ 70 98 23 41 – |≡| ⊂wc ⋔wc ☎. ✂ rest
2 mai-30 sept. – **R** 80/160 – ☐ 20 – **64 ch** 110/240 – ½ p 180/300. AY **z**

Bourbonnais, 38 pl. J.-Epinat ☏ 70 31 32 82, Télex 990493 – |≡| TV ⊂wc ⋔wc ☎ – 30. AE ① VISA BV **n**
R *(fermé 1er fév. au 10 mars, dim. soir et lundi du 1er oct. au 1er mai)* 70/200 – ☐ 25 – **32 ch** 160/300 – ½ p 235/322.

Moderne, 8 r. Dr-M.-Durand-Fardel ☏ 70 31 20 21 – |≡| ⊂wc ⋔wc ☎. VISA ✂ AX **s**
9 mai-3 oct. – **R** 85 – **32 ch** ☐150/260 – ½ p 190/250.

Cloche d'Argent, 2 r. Angleterre ☏ 70 98 22 88 – |≡| ⋔wc ☎. E VISA. ✂ rest AY **y**
15 avril-5 oct. – **R** 55/95 – ☐ 18 – **55 ch** 120/190.

Louvre, 15 r. Intendance ☏ 70 98 27 71 – |≡| ⊂wc ⋔wc ☎. AE ① E VISA. ✂ rest
début mai-début oct. – **R** 95/140, enf. 50 – ☐ 25 – **45 ch** 155/255 – ½ p 279/338. AX **n**

Royal sans rest, 12 r. Prés.-Wilson ☏ 70 98 62 14 – |≡| ⊂wc ⋔wc ☎. AE ① E VISA ABY **m**
☐ 20 – **53 ch** 125/240.

🏨 **Fréjus** ⛱, 4 r. Presbytère ☎ 70 32 17 22 – |‡| ⊏wc ⋒wc ☎. AE ◑ E VISA ✻ rest BZ
1er mai-10 oct. – **R** 90/110 – ☕ 20 – **31 ch** 122/215 – ½ p 160/222.

🏨 **Tiffany,** 59 av. P.-Doumer ☎ 70 97 92 92 – ▤ rest ⊏wc ⋒wc ☎. AE ◑ E VISA ✻ CX
fermé 15 au 30 juin et 14 au 30 nov. – **R** *(fermé dim. soir et sam.)* 82/160 – ☕ 22 – **10 ch** 130/275 – ½ p 205/285.

🏨 **Concordia,** 15 r. Roovere ☎ 70 98 29 65 – |‡| TV ⋒wc ☎. E VISA BY
◆ **R** 50/85, enf. 30 – ☕ 19 – **34 ch** 100/150 – ½ p 150/190.

🏨 **Les Amandiers** ⛱ sans rest, 16 r. Masset ☎ 70 59 96 92 – ⊏wc ⋒wc ☎. VISA BY
☕ 25 – **18 ch** 170/220.

🏨 **Trianon** sans rest, 9 r. Desbrest ☎ 70 97 95 96 – |‡| ⊏wc ⋒wc ☎. AE E VISA
fermé 10 déc. au 3 janv. – ☕ 18 – **24 ch** 90/180. BX

🏨 **Londres** sans rest, 7 bd Russie ☎ 70 98 28 27 – ⊏wc ⋒wc ☎. VISA AY
1er avril-12 oct. – ☕ 20 – **20 ch** 100/210.

🏨 **Le Carnot,** 24 bd Carnot ☎ 70 98 36 98 – |‡| ⋒wc ☎. ✻ BY
◆ *1er avril-31 oct.* – **R** 60/85 – ☕ 22 – **28 ch** 120/186 – ½ p 190/250.

XXX **Violon d'Ingres,** r. Casino ☎ 70 98 97 70, 🌳 – AE ◑ E VISA AY
fermé mardi – **R** 120/290, enf. 50.

XXX **La Grillade Strauss,** 5 pl. J.-Aletti ☎ 70 98 56 74 – AE ◑ E VISA AY
fermé nov., dim. soir et lundi en hiver – **R** 130/220.

XXX **La Rotonde du Lac,** bd de-Lattre-de-Tassigny, près "Yacht Club" ☎ 70 9 72 46, ≤ plan d'eau – ▤. AE ◑ E VISA AX
fermé mardi – **R** 180/310.

XX **Escargot qui tète** -Hôtel Chambord-, 84 r. Paris ☎ 70 31 22 88 – E VISA CX
fermé fév., dim. soir et lundi de sept. à juil. – **R** 70/170.

X **Brasserie du Casino,** 4 r. Casino ☎ 70 98 23 06 – E VISA AY
fermé 24 oct. au 23 nov., 15 au 24 fév. et merc. – **R** (déj. seul. du 15 avril au 15 oct carte 115 à 185.

X **Nièvre** avec ch, 17 av. Gramont ☎ 70 31 82 77 – ⋒ ☎. AE E VISA CX
◆ *fermé 1er au 15 nov., et dim. soir* – **R** 42/125 🍷 – ☕ 17 – **19 ch** 90/185 – ½ p 140/205

à Bellerive-sur-Allier : rive gauche - AZ – 8 535 h. – ✉ **03700** Bellerive :

🏨 **Marcotel et rest. Chateaubriand** M ⛱, ☎ 70 32 34 00, Télex 990665, ≤, 🌳 – |‡| ▤ rest TV ☎ P – 🏛 200. AE ◑ E VISA AZ
fermé 20 au 29 déc., dim. soir et lundi du 15 oct. au 15 avril – **R** 95/150 🍷 – ☕ 30 – **38 ch** 252/355, 3 appartements 420 – ½ p 348/573.

🏨 **Résidence** M ⛱ sans rest, rte Hauterive ☎ 70 32 37 11, ≤ – |‡| cuisinette ✻ TV ⊏wc ☎ P – 🏛 25. E VISA AZ
☕ 21 – **102 ch** 170/195, 12 appartements 230.

XX **Chez Mémère** ⛱ avec ch, Chemin de Halage ☎ 70 32 35 22, ≤, 🌳 – ⋒wc P VISA AZ
27 mars-30 oct. – **R** (dîner seul. et déj. dim.) 120/170 – ☕ 30 – **8 ch** 160/200.

à Abrest par ② : 4 km – ✉ **03200** Vichy :

XX **La Colombière** avec ch, SE : 1 km sur D 906 ☎ 70 98 69 15, ≤, « Jardin ombragé en terrasses » – ⊏wc ⋒wc ☎ P. AE ◑ VISA
fermé mi-janv. à mi-fév., dim. soir et lundi hors sais. – **R** (nombre de couverts limité - prévenir) 72/140 – ☕ 18 – **4 ch** 105/190.

à St-Yorre par ② : 8 km – 3 103 h. – ✉ **03270** St-Yorre :

X **Aub. Bourbonnaise** avec ch, 2 av. Vichy ☎ 70 59 41 79, 🌳 – TV ⊏wc ⋒wc
◆ P. E VISA
5 mars-11 déc. et fermé dim. soir et lundi sauf juil., août et fériés – **R** 60/180 🍷, enf 38 – ☕ 17 – **8 ch** 127/210 – ½ p 190/260.

à Vichy-Rhue par ⑤ : 5 km – ✉ **03300** Cusset :

XX **La Fontaine,** ☎ 70 31 37 45, 🌳 – P. AE ◑ E VISA
fermé 15 au 30 oct., 23 déc. au 21 janv., mardi soir et merc. – **R** 125/200.

MICHELIN, Agence, 16 av. La Croix-St-Martin CZ ☎ **70 32 34 35**

ALFA-ROMEO, AUSTIN-ROVER Vichy Automobile, 6 r. de Paris ☎ 70 98 62 73
BMW Auto-Contrôle, Zone Ind. Vichy Rhue à Creuzier le Vieux ☎ 70 98 65 80
LANCIA-AUTOBIANCHI, MERCEDES-BENZ Perfect-Gar., rte de l'Aéroport à Charmeil ☎ 70 32 51 34
PEUGEOT TALBOT Olympic Garage, rte de Vichy à Charmeil par ⑤ ☎ 70 32 42 84

RENAULT Sodavi, 18 av. de Vichy à Bellerive-sur-Allier ☎ 70 32 22 77
V.A.G. Vichy Auto Sport, 53 r. de Vingré ☎ 70 31 05 75

◉ Briday-Pneus, 40 bd de l'Hôpital ☎ 70 98 10 69

IC-LE-COMTE 63270 P.-de-D. 73 ⑮ G. Auvergne – 3 787 h.
oir Ste-Chapelle★.
ris 417 – Ambert 57 – ♦Clermont-Ferrand 23 – Issoire 17 – Thiers 39.

à Longues NO : 4 km par D 225 – ✉ **63270** Vic-le-Comte :

XX **Le Comté,** ☎ 73 39 90 31, – P. E VISA
fermé fév., dim. soir et lundi – **R** 78/230.

à Parent-Gare SO : 5 km – ✉ **63270** Vic-le-Comte :

Mon Auberge, ☎ 73 96 62 06 – wc wc ☎. E VISA
fermé 27 nov. au 1er janv. et lundi du 1er sept. au 1er juil. – **R** 72/175 – 20 – **7 ch** 90/200 – 1/2 p 200/250.

IC-SUR-AISNE 02290 Aisne 56 ③ – 1 685 h.
ris 105 – Compiègne 23 – Laon 52 – Noyon 27 – Soissons 17.

XX Lion d'Or, ☎ 23 55 50 20.

IC-SUR-CÈRE 15800 Cantal 76 ⑫ G. Auvergne (plan) – 2 113 h alt. 681 – Casino.
nv. Rocher des Pendus ✻★★ SE : 6,5 km puis 30 mn.
Office de Tourisme av. Mercier ☎ 71 47 50 68.
ris 537 – Aurillac 21 – Murat 30.

Vialette, ☎ 71 47 50 22, – wc ☎. AE E VISA.
1er mai-1er oct. et vacances de Noël, de fév. et de printemps – **R** 70/150 – 22 – **48 ch** 140/260 – 1/2 p 150/190.

Bains , ☎ 71 47 50 16, ←, , , – wc ☎ P. E VISA. rest
début mai-début oct. et vacances scolaires d'hiver – **R** 57/150 – 22 – **38 ch** 150/220 – 1/2 p 250.

Beauséjour, ☎ 71 47 50 27, parc – wc wc ☎ P. E. rest
1er mai-1er oct. – **R** 55/90 – 20 – **75 ch** 110/250 – 1/2 p 145/210.

Bel Horizon, ☎ 75 47 50 06, – wc wc ☎ P. VISA. rest
fermé 1er nov. au 10 déc. – **R** 60/200, enf. 40 – 20 – **30 ch** 150/200.

Family H., ☎ 71 47 50 49, ←, parc, – wc ☎ P. AE E VISA. rest
ouvert vacances de printemps-12 nov., vacances scolaires d'hiver et week-ends de janv. à mars – **R** 52/85 , enf. 28 – 19,50 – **39 ch** 125/199 – 1/2 p 180/200.

Touring H., ☎ 71 47 51 78, – wc ☎ P
1er mai-30 sept. – **R** 50/150 – 20 – **24 ch** 160/180 – 1/2 p 160/185.

au Col de Curebourse SE : 6 km par D 54 – ✉ **15800** Vic-sur-Cère :

Aub. des Monts , ☎ 71 47 51 71, ← montagne et vallée, parc – wc wc ☎ P. E VISA
fermé 1er nov. au 15 déc. – **R** 85/125, enf. 30 – 21 – **27 ch** 180/250 – 1/2 p 170/200.

Autres ressources hôtelières :
Voir *Thiézac* NE : 6 km.

ITROEN Gar. Borel, ☎ 71 47 50 53 N
EUGEOT-TALBOT Gar. Lours, ☎ 71 47 50 71
RENAULT Dameron, ☎ 71 47 50 32 N

IDAUBAN 83550 Var 84 ⑦ – 3 811 h.
Syndicat d'Initiative à la Mairie (15 juin-août) ☎ 94 73 00 07.
aris 844 – Cannes 65 – Draguignan 17 – Fréjus 29 – ♦Toulon 64.

XX **Concorde,** pl. G.-Clemenceau ☎ 94 73 01 19, – E VISA
fermé 10 au 25 nov. et merc. – **R** 99/180 .

VIEIL ARMAND 68 H.-Rhin 66 ⑨ G. Alsace et Lorraine – alt. 956.
Voir Monument national près D 431 puis ✻★★ (1 h).
aris 456 – Guebwiller 20.

VIEILLE-TOULOUSE 31 H.-Gar. 82 ⑱ – rattaché à Toulouse.

VIEILLEVIE 15 Cantal 76 ⑫ G. Gorges du Tarn – 197 h. – ✉ **15120** Montsalvy.
aris 615 – Aurillac 51 – Entraygues-sur-Truyère 15 – Figeac 57 – Montsalvy 13 – Rodez 50.

Terrasse (annexe M ← 15 ch), ☎ 71 49 94 00, , , , – wc wc P
fermé 1er déc. au 15 mars sauf rest. – **R** *(fermé dim. du 1er déc. au 15 mars)* 55/180 – 16 – **35 ch** 80/150 – 1/2 p 105/155.

Au moment de chercher un hôtel ou un restaurant, soyez efficace. Sachez utiliser les noms soulignés en rouge sur les **cartes Michelin** *à 1/200 000. Mais ayez une carte à jour !*

VIENNE 38200 Isère 74 ⑪⑫ **G. Vallée du Rhône** – 29 050 h.

Voir Site★ – Cathédrale St-Maurice★★ AY – **Temple d'Auguste et de Livie★★** AY
Théâtre romain★ BY**D** – **Église★ et cloître★ de St-André-le-Bas** AY**E** – **Esplanade**
Mont Pipet ≤★ BY – **Anc. église St-Pierre★ : musée lapidaire★** AZ**F**, **cité gallo-romaine**
de St-Romain-en-Gal AY – **Groupe sculpté★ de l'église de Ste-Colombe** AY**B**.

Office de Tourisme avec A.C. 3 cours Brillier ✆ 74 85 12 62.

Paris 490 ⑧ – Chambéry 96 ② – ♦Grenoble 90 ② – ♦Lyon 30 ⑧ – Le Puy 123 ⑧ – Roanne 116 ⑧
♦St-Étienne 49 ⑧ – Valence 71 ⑤ – Vichy 191 ⑧.

Éperon (R. de l')	AY 6
Marchande (R.)	AY 1
Miremont (Pl. de)	AY 1
Orfèvres (R. des)	BY 1
Ponsard (R.)	AY 1
Romestang (Cours)	AZ 1
Charité (R. de la)	BY 2
Clementine (R.)	AY 4
Clercs (R. des)	AY 5
Jacquier (R. Henri)	AY 8
Jeu-de-Paume (Pl. du)	AY 9
Peyron (R.)	AZ 1
République (Bd de la)	AZ 1
St-André-le-Bas (⊞)	AY E
St-André-le-Haut (R. et ⊞)	BY 1
St-Martin (⊞)	BY 2
St-Maurice (Pl. et ⊞)	AY 2
Table-Ronde (R. de la)	AY 2
Ursulines (R. des)	BY 2

La Résidence de la Pyramide sans rest, 41 quai Riondet ✆ 74 53 16 46, – wc wc ☎ **P**. AE VISA — AZ
fermé 1er nov. au 20 déc. – ☕ 24 – **15 ch** 150/290.

Central sans rest, 7 r. Archevêché ✆ 74 85 18 38 – TV wc wc ☎ . AE E VISA — AY
☕ 22 – **27 ch** 115/245.

Gd. H. Nord, 9 pl. Miremont ✆ 74 85 77 11, Télex 305551 – wc wc ☎ . AE ⓓ E VISA — AYZ
R *(fermé déc., dim. et jeudi)* (dîner seul.) carte 90 à 140 – ☕ 23 – **43 ch** 186/260.

Gd H. Poste, 47 cours Romestang ✆ 74 85 02 04 – TV wc wc ☎ – 50. AE ⓓ E VISA — AZ
R *(fermé 14 nov. au 12 déc. et sam. midi)* 58/125 – ☕ 20 – **42 ch** 120/200.

XXXX ✿✿ **Point-Pyramide** (travaux, ouverture prévue juil.), **14 bd F.-Point ✆ 74 53 01 96, 🏠, « Jardin fleuri » – ▤. AE ⓓ E VISA. ✻** AZ **a**
R (nombre de couverts limité - prévenir) 300/585 et carte
Spéc. Gratin de queues d'écrevisses (juil. à avril), Poularde de Bresse truffée en vessie, Feuilleté de ris de veau et crête de coq. **Vins** St Péray, St-Joseph.

XXX ✿ **Magnard (Janonat), 45 cours Brillier ✆ 74 85 10 43 – AE ⓓ E VISA** AZ **x**
fermé vacances de fév., mardi soir et merc. – **R** 90/250
Spéc. Soupière d'escargots, Saumon frais Amandine, Aiguillette de canard Grand Duc. **Vins** Viognier, Côte rôtie.

XXX **Bec Fin,** 7 pl. St-Maurice **✆ 74 85 76 72 – ▤. AE ⓓ E VISA** AY **r**
fermé 15 au 31 août, vacances de fév., dim. soir et lundi – **R** 80/250.

XX Molière, 11 r. Molière ✆ 74 53 08 41 AZ **s**

à St Romain-en-Gal (69 Rhône) – ✉ **69560** Ste Colombe-lès-Vienne :

XX **Gallo Romain,** rive droite **✆ 74 53 19 72 – Ⓟ. AE ⓓ E VISA** AY **z**
fermé 15 au 29 août et 9 au 22 janv. – **R** 95/300.

à Seyssuel par ① et D 4E : 4,5 km – ✉ **38200** Vienne :

Château des 7 Fontaines ⛰, **✆ 74 85 25 70, 🏠, ⛱, ✂ – ⛁wc ⛆wc ☎ 🚗 Ⓟ – 🏆 40. AE ⓓ E VISA**
fermé 24 déc. au 10 fév. – **R** *(fermé dim. midi, lundi midi et merc. midi en sais. et dim. hors sais.)* 95/120, enf. 48 – ☕ 25 – **15 ch** 235/275.

à Pont-Évêque par ② : 4 km – 5 542 h. – ✉ **38780** Pont-Évêque :

Midi ⛰ sans rest, pl. Église **✆ 74 85 90 11, ⛱ – ⛁wc ⛆wc ☎ Ⓟ. AE ⓓ E VISA**
fermé 24 déc. au 10 janv. – ☕ 24 – **16 ch** 220/305.

à Estrablin par ② : 9 km – ✉ **38780** Pont-Évêque :

La Gabetière sans rest, sur D 502 **✆ 74 58 01 31, parc – TV ⛁wc ⛆wc ☎ Ⓟ. AE ⓓ**
☕ 22 – **11 ch** 140/230.

à Chonas l'Amballan au Sud par ④ et N 7 : 9 km – ✉ **38121** Reventin-Vaugris :

Host. Marais St Jean Ⓜ ⛰, **✆ 74 58 83 28, 🏠, ⛱ – ☎ Ⓟ – 🏆 40. AE ⓓ E VISA**
fermé 1er au 8 nov., fév., mardi soir et merc. – **R** 120/280, enf. 50 – ☕ 40 – **10 ch** 420.

Domaine de Clairefontaine ⛰, **✆ 74 58 81 52, ←, parc, ✂ – ⛁wc ☎ Ⓟ – 🏆 30. VISA. ✻ rest**
fermé déc.-janv., dim. soir hors sais. et lundi midi – **R** 95/250 ⚱, enf. 42 – ☕ 20 – **18 ch** 110/290 – ½ p 200/250.

à Chasse-sur-Rhône **par ⑧ : 8 km (Échangeur A7 - sortie Chasse-sur-Rhône)** – 4 414 h. – ✉ **38670** Chasse-sur-Rhône :

Mercure Ⓜ, **✆ 78 73 13 94, Télex 300625 – ⇅ cuisinette ▤ TV ☎ Ⓟ – 🏆 180. AE ⓓ E VISA**
R carte 110 à 180, enf. 39 – ☕ 34 – **102 ch** 275/350.

Autres ressources hôtelières :
Voir *Condrieu* par ⑥ : 11 km.

CITROEN Gévaudan et Dumond, 163 av. Gén.-Leclerc par ④ ✆ 74 53 16 07 N
FIAT, LANCIA-AUTOBIANCHI, MERC R.V.L. 27 quai Riondet ✆ 74 53 05 54
FORD Gar. Central, 76 av. Gén.-Leclerc ✆ 74 53 13 44
PEUGEOT-TALBOT Barbier Automobile, 140 av. Gén.-Leclerc par ④ ✆ 74 53 22 75

RENAULT Gar. du Rhône, 4 cours Verdun ✆ 74 53 42 23
RENAULT Rostan, 72 rte Nationale à St-Romain-en-Gal (Rhône) par ⑦ ✆ 74 53 29 15

Delphis, 4-6 av. Beauséjour ✆ 74 53 23 05
Tessaro-Pneus, 93 av. Gén.-Leclerc ✆ 74 53 19 17

VIERVILLE-SUR-MER 14 Calvados **54** ④ **G. Normandie Cotentin** – 292 h. – ✉ **14710** Trévières.

Voir Omaha Beach : plage du débarquement du 6 juin 1944 E : 2,5 km.
Env. Pointe du Hoc O : 7,5 km – Cimetière de St-Laurent-sur-Mer E : 7,5 km.**
Paris 289 – Bayeux 22 – ♦Caen 50 – Carentan 32 – St-Lô 40.

VIERZON ⟨SP⟩ **18100** Cher **64** ⑲⑳ **G. Berry Limousin** – 34 886 h.

Env. Brinay : fresques* de l'église SE : 7,5 km par ④ et D27.
Office de Tourisme pl. M.-Thorez ✆ 48 75 20 03.
Paris 209 ① – Auxerre 141 ② – Blois 74 ⑤ – Bourges 33 ③ – Châteauroux 58 ④ – Châtellerault 143 ④ – Guéret 141 ④ – Montargis 112 ② – ♦Orléans 85 ① – ♦Tours 114 ⑤.

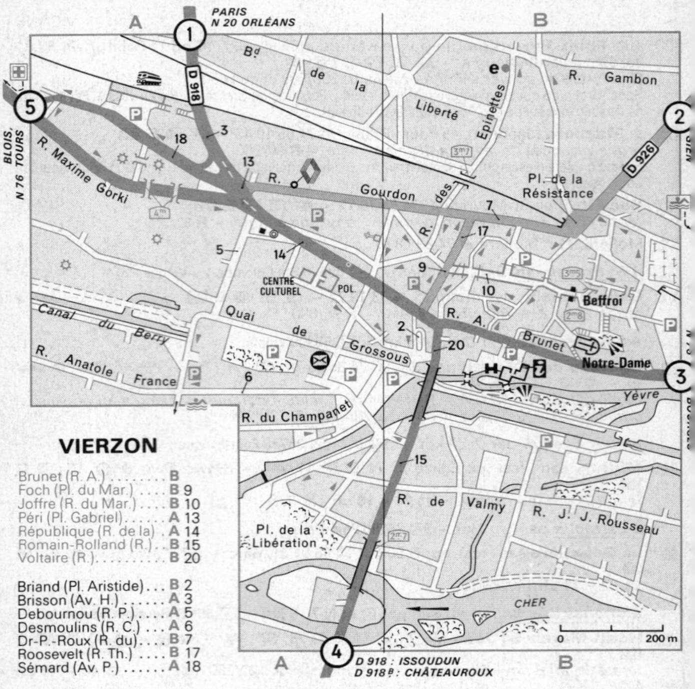

Le Sologne sans rest, rte Châteauroux par ④ : 2 km ✆ 48 75 15 20, « Beau mobilier », – wc wc ☎ Ⓟ. VISA
25 – **24 ch** 190/280.

Continental Ⓜ, rte Paris par ① ✆ 48 75 35 22 – TV wc wc ☎ Ⓟ – 35. E VISA. rest
R snack (dîner seul.)(résidents seul.) – 22 – **36 ch** 125/246.

XX **Grange des Epinettes,** 40 r. des Epinettes ✆ 48 71 68 81, – Ⓟ. AE E VISA B e
R 45/200, enf. 45.

CITROEN Gén. Autom. du Berry, 47 av. du 14-Juillet par ④ ✆ 48 71 43 22 N
FIAT Vierzon Centre Auto, 37 av. République ✆ 48 71 70 61
FORD Gar. Delouche 50 r. Breton ✆ 48 71 00 32
PEUGEOT Paris-Gar., 6 av. Ed.-Vaillant par ① ✆ 48 71 23 56

RENAULT Gar. du Centre, 41 r. Gourdon ✆ 48 71 03 33 N ✆ 48 71 45 13

Estager-Pneu, 24 r. Pasteur ✆ 48 75 15 02
Pneus Europe Service, 29 av. du 14 Juillet ✆ 48 75 06 34

VIEUX-BOUCAU-LES-BAINS **40480** Landes **78** ⑯ **G. Pyrénées Aquitaine** – 1 151 h.

Office de Tourisme Le Mail ✆ 58 48 13 47.

Paris 745 – ♦Bayonne 38 – Castets 31 – Dax 36 – Mimizan 55 – Mont-de-Marsan 84.

Côte d'Argent, ✆ 58 48 13 17 – wc Ⓟ. ch
fermé 1er oct. au 15 nov. et lundi du 15 nov. au 15 mai – **R** 70/210 – 20 – **47 ch** 95/230 – 1/2 p 155/185.

La Maremne, ✆ 58 48 12 70 – wc wc Ⓟ. AE VISA. ch
15 mars-1er nov. et fermé lundi du 15 mars au 1er juin – **R** 65/150, enf. 50 – 16 – **38 ch** 80/170 – 1/2 p 160/190.

Centre, ✆ 58 48 10 33 – .
avril-fin sept. – **R** *(fermé merc. d'oct. à mai)* (dîner seul.) 69/175 – 20 – **36 ch** 95/135 – 1/2 p 152/172.

CITROEN Duchon, ✆ 58 48 10 42
PEUGEOT-TALBOT Gar. Lafarie, ✆ 58 48 10 82

RENAULT Gar. Canicas, ✆ 58 48 15 31

VIEUX-BOURG-DE-PLÉHÉREL (Plage) **22** C.-du-N. **59** ⑫ – rattaché à Sables-d'Or-les-Pins.

VIEUX-MAREUIL 24 Dordogne 75 ⑤ **G. Périgord Quercy** – 395 h. – ✉ **24340** Mareuil.
Paris 487 – Angoulême 43 – Brantôme 15 – ♦Limoges 91 – Périgueux 42 – Ribérac 31.

XX **L'Étang Bleu** avec ch, N : 2 km par D 93 ✆ **53 60 92 63**, <, parc, – wc wc – 80. AE E VISA
fermé 1er au 8 déc., 15 janv. au 23 fév., dim. d'oct. à Pâques et lundi du 1er oct. au 31 mai – **R** 85/350, enf. 70 – 30 – **11 ch** 240/250 – 1/2 p 315/320.

VIEUX-MOULIN 60 Oise 56 ③, 196 ⑪ **G. Environs de Paris** – 418 h. – ✉ **60350** Cuise-la-Motte – **Voir Mont St- Marc★** N : 2 km – **Env. Les Beaux Monts★★** : <★ NO : 7 km.
Paris 91 – Beauvais 67 – Compiègne 9,5 – Soissons 32 – Villers-Cotterêts 23.

XXX **Aub. du Daguet,** ✆ 44 85 60 72
fermé 18 au 30 juil., vacances de fév., mardi soir du 15 nov. au 15 mai et merc. – **R** 140, enf. 70.

X **Aub. Mont St Pierre,** ✆ 44 85 60 70 – . AE E VISA
fermé 16 au 27 août, 10 au 30 janv., lundi soir et mardi – **R** 65/180.

Le VIGAN 30120 Gard 80 ⑯ **G. Gorges du Tarn** (plan) – 4 593 h.
Voir Musée Cévenol★ – Office de Tourisme pl. Triaire ✆ 67 81 01 72.
Paris 772 – Alès 65 – Lodève 52 – Mende 112 – Millau 72 – ♦Montpellier 62 – Nîmes 80.

Commerce sans rest, **26 r. des Barris** ✆ **67 81 03 28** – wc wc .
fermé oct. et dim. hors sais. – 16 – **15 ch** 50/150.

au Rey E : 5 km par D 999 – ✉ **30570** Valleraugues :

Château du Rey sans rest, ✆ **67 82 40 06, parc** – wc . E VISA
avril-nov. – 30 – **12 ch** 260/320 – 1/2 p 255/285.

à Pont d'Hérault E : 6 km par D 999 – ✉ **30570** Valleraugue :

Maurice, ✆ 67 82 40 02, <, , , – wc wc – 30. AE VISA. ch
fermé janv. – **R** 120/260 – 28 – **18 ch** 180/280 – 1/2 p 200/240.

à Aulas NO : 7 km par D 48 et D 190 – ✉ **30120** Le Vigan :

Mas Quayrol M , ✆ 67 81 12 38, <, – wc . E VISA
28 avril-2 nov. – **R** 98/180, enf. 55 – 27 – **16 ch** 220/250.

CITROEN Gar. Teissonnière, ✆ 67 81 03 11 PEUGEOT-TALBOT Gar. Arnal, ✆ 67 81 03 77

VIGEOIS 19 Corrèze 75 ⑧ – rattaché à Uzerche.

Les VIGNES 48 Lozère 80 ⑤ **G. Gorges du Tarn** – 107 h. – ✉ **48210** Ste-Enimie.
Env. Roc des Hourtous <★★ NE : 8 km puis 30 mn.
Paris 632 – Florac 52 – La Malène 12 – Mende 53 – Millau 31 – Sévérac-le-Château 21 – Le Vigan 88.

Gévaudan, ✆ 66 48 81 55, <, – wc wc
15 mars-15 nov. – **R** 46/90 , enf. 30 – 22 – **18 ch** 78/195 – 1/2 p 145/170.

VIGOULET-AUZIL 31 H.-Gar. 82 ⑱ – rattaché à Toulouse.

VILLAGE-NEUF 68 H.-Rhin 66 ⑩ – rattaché à St-Louis.

VILLANDRAUT 33730 Gironde 79 ① **G. Pyrénées Aquitaine** – 914 h.
Voir Château★ – **Église d'Uzeste★** SE : 5 km.
Paris 642 – Arcachon 79 – Bazas 14 – ♦ Bordeaux 64 – Langon 17.

Goth, ✆ 56 25 31 25, – wc. ch
fermé 15 nov. au 15 déc., fév. et vend. d'oct. à avril – **R** 47/115 – 18 – **9 ch** 100/170 – 1/2 p 160/185.

VILLANDRY 37 I.-et-L. 64 ⑭ – 742 h. – ✉ **37510** Joué-lès-Tours.
Voir Château : jardins★★★, G. Châteaux de la Loire.
Paris 252 – Azay-le-Rideau 10 – Chinon 31 – Langeais 13 – Saumur 52 – ♦Tours 20.

✿ **Cheval Rouge,** ✆ 47 50 02 07 – rest wc wc . E VISA
15 mars-6 nov. et fermé lundi sauf du 1er mai au 31 août – **R** 135/200, enf. 45 – 28 – **20 ch** 270/275 – 1/2 p 340/345
Spéc. Terrine de foie gras, Filets de sole à la mousse verte, Ris de veau bohémienne. **Vins** Vouvray, Chinon.

VILLAR-D'ARÈNE 05480 H.-Alpes 77 ⑦ – 184 h. alt. 1 650.
Paris 642 – Le Bourg-d'Oisans 31 – Gap 123 – La Grave 3 – ♦Grenoble 80 – Col du Lautaret 8.

Le Faranchin, N 91 ✆ 76 79 90 01, <, – wc wc . VISA
fermé 20 mai au 15 juin, 3 nov. au 20 déc. – **R** 50/116 , enf. 35 – 20 – **39 ch** 87/170 – 1/2 p 99/155.

VILLARD-DE-LANS 38250 Isère 77 ④ G. Alpes du Nord – 3 320 h. alt. 1 023 – Sports d'hiver 1 050/2 170 m 2 35 – **Voir Gorges de la Bourne★★★ – Côte 2000 ≤★ SE : 4,5 km puis télécabine – Env. Route★ de Valchevrière : calvaire ≤★ O : 8 km.**

Office de Tourisme pl. Mure-Ravaud ✆ 76 95 10 38, Télex 320125.

Paris 586 ① – Die 68 ② – ◆Grenoble 34 ① – ◆Lyon 125 ① – Valence 69 ② – Voiron 48 ①.

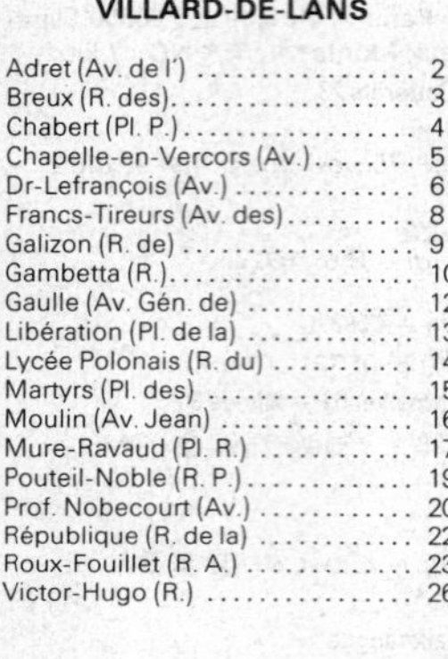

VILLARD-DE-LANS

Les plans de villes sont orientés le Nord en haut.

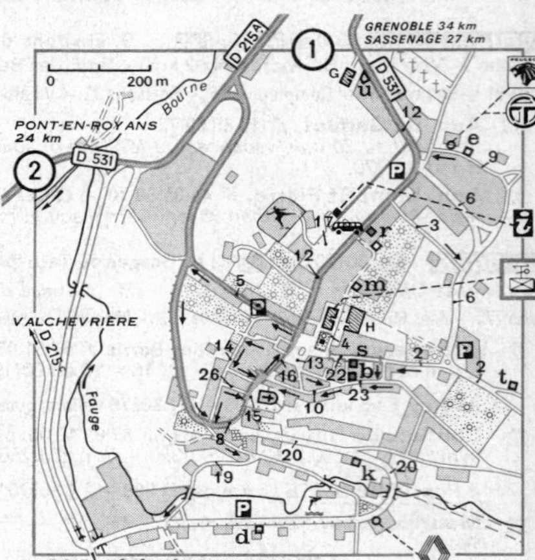

🏨 **Eterlou** , **(e)** ✆ 76 95 17 65, ≤, , , – ☎ Ⓟ. AE ⓞ E VISA. rest
11 juin-6 sept. et 20 déc.-2 avril – **R** 130/295, enf. 80 – ☕ 35 – **20 ch** 240/400 – ½ p 350/400.

🏨 **Christiania et rest. Le Tétras,** av. prof.-Nobecourt **(k)** ✆ 76 95 12 51, ≤, , – ☎ Ⓟ. AE ⓞ E VISA. rest
1er juin-25 sept. et 10 déc.-20 avril – **R** 130/290, enf. 55 – ☕ 35 – **26 ch** 290/415 – ½ p 320/380.

🏨 **Paris** , **(m)** ✆ 76 95 10 06, Télex 308448, ≤, parc, – ☎ Ⓟ – 80. AE ⓞ E VISA. rest
14 mai-1er oct. et 22 déc.-Pâques – **R** 100/170, enf. 35 – ☕ 30 – **65 ch** 390/430 – ½ p 390/436.

🏨 **H. Le Dauphin,** av. Gén. de Gaulle **(r)** ✆ 76 95 11 43, – wc wc ☎ Ⓟ. AE ⓞ E VISA
fermé 18 avril au 7 mai – **R** voir rest. **Le Dauphin** ci-après – ☕ 32 – **21 ch** 350/450.

🏨 **Pré Fleuri** M , rte des Cochettes **(t)** ✆ 76 95 10 96, ≤, – wc ☎ Ⓟ. E VISA.
20 mai-1er oct. et 20 déc.-Pâques – **R** 76/140 – ☕ 30 – **18 ch** 290 – ½ p 250/265.

🏨 **La Roche du Colombier** , rte Valchevrière par D 215C : 1 km ✆ 76 95 10 26 ≤, , – wc wc ☎ Ⓟ. rest
30 avril-30 sept. et 20 déc.-17 avril – **R** 80/125 – ☕ 25 – **27 ch** 250/290 – ½ p 200/240.

🏨 **Georges,** av. Ch. de Gaulle **(u)** ✆ 76 95 11 75, , – wc wc Ⓟ. VISA. rest
10 juin-30 sept., 20 déc.-25 avril – **R** 65/80 – ☕ 28 – **20 ch** 150/250 – ½ p 180/220.

🏨 **Villa Primerose,** Quartier des Bains **(d)** ✆ 76 95 13 17, ≤, – wc Ⓟ. E VISA
26 juin-20 sept. et 20 déc.-15 avril – **R** (dîner seul. pour résidents) 70 – ☕ 30 – **20 ch** 170/210 – ½ p 150/200.

✕✕ **Rest. Le Dauphin** -Hôtel Le Dauphin-, av. Gén. de Gaulle **(r)** ✆ 76 95 15 56, – Ⓟ. E VISA
fermé 15 nov. au 15 déc. – **R** 80/270, enf. 45.

✕ **Petite Auberge, (b)** ✆ 76 95 11 53
25 juin-30 oct., 15 déc.-20 mai et fermé merc. – **R** 48/150, enf. 35.

✕ Le Grillon, r. République **(s)** ✆ 76 95 14 18.

au Balcon de Villard SE : 4 km par D 215 et D 215B – ✉ **38250** Villard de Lans :

🏨 **Playes** , ✆ 76 95 14 42, ≤, – wc Ⓟ. E VISA.
20 juin-15 sept. et 15 déc.-20 avril – **R** 70/140 – ☕ 27 – **20 ch** 180/230 – ½ p 200/230.

PEUGEOT-TALBOT Rolland, à la Conterie ✆ 76 95 12 69

RENAULT Chavernoz, les Bains ✆ 76 95 15 61
VAG Stat. des Olympiades ✆ 76 95 11 49

VILLARD-ST-SAUVEUR 39 Jura 70 ⑮ – rattaché à St-Claude.

VILLARS-LES-DOMBES 01330 Ain 74 ② **G. Vallée du Rhône** – 2 832 h.
Voir Vierge à l'Enfant★ dans l'église – Parc ornithologique★ S : 1 km.
Paris 433 – Bourg-en-Bresse 28 – ♦Lyon 34 – Villefranche-sur-Saône 27.

X **de la Tour,** ✆ 74 98 03 21 – AE E VISA. ✂
fermé vacances de Noël, de fév., merc. soir et jeudi – **R** 62/160.

à Bouligneux NO : 4 km par D 2 – ✉ **01330** Villars-les-Dombes :

XX ✿ **Aub. des Chasseurs** (Dubreuil), ✆ 74 98 10 02, – Ⓟ. E VISA
fermé 10 janv. au 20 fév., mardi soir et merc. – **R** (nombre de couverts limité - prévenir) 100/240
Spéc. Salades de saison au foie gras cru de canard, St-Jacques et langoustines au beurre blanc (sept. à mai), Colvert rôti aux petits légumes (oct. à janv.). **Vins** Pétillant du Bugey, Saint-Véran.

au Plantay NE : 5 km par N 83 et D 70 – ✉ **01330** Villars-les-Dombes :

XX **Table des Étangs,** ✆ 74 98 15 31, – E VISA
fermé mi-janv. à mi-fév. et mardi hors sais. – **R** 98/215.

VILLARS-SOUS-DAMPJOUX 25 Doubs 66 ⑱ – 393 h. – ✉ **25190** St-Hippolyte-sur-le-Doubs.
Paris 491 – Baume-les-Dames 45 – ♦Besançon 74 – Montbéliard 23 – Morteau 48.

XX **Sur les Rives du Doubs,** à Dampjoux S : 1 km ✆ 81 96 93 82, ← – Ⓟ. ✂
fermé 15 déc. au 15 janv., mardi soir et merc. – **R** carte 130 à 160 ♁.

VILLÉ 67220 B.-Rhin 62 ⑧⑨ **G. Alsace et Lorraine** – 1 616 h.
Office de Tourisme à la Mairie ✆ 88 57 11 57.
Paris 416 – Lunéville 80 – St-Dié 36 – Ste-Marie-aux-Mines 25 – Sélestat 15 – ♦Strasbourg 54.

Bonne Franquette, 6 pl. Marché ✆ 88 57 14 25 – wc. ✂
fermé 24 déc. au 3 janv., 8 fév. au 25 mars, merc. soir et jeudi – **R** 40/140 ♁ – 20 – **10 ch** 140/180 – 1/2 p 185/240.

à Thanvillé SE : 6 km sur D 424 – ✉ **67220** Villé :

XX ✿ **Au Valet de Coeur,** ✆ 88 85 67 51 – Ⓟ. AE E VISA
fermé dim. soir et lundi sauf fériés – **R** (nombre de couverts limité - prévenir) 132/330 ♁
Spéc. Raviole de cuisses de grenouilles, Filet de sandre piqué au lard, Crépinette de ris et rognon de veau à la moutarde.

CITROEN Gar. Jost, ✆ 88 57 15 44

La VILLE-AUX-CLERCS 41 L.-et-Ch. 64 ⑥ – 969 h. – ✉ **41160** Morée.
Paris 167 – Brou 40 – Châteaudun 34 – ♦Le Mans 73 – ♦Orléans 68 – Vendôme 16.

Manoir de la Forêt, à Fort-Girard E : 1,5 km par VO ✆ 54 80 62 83, ←, parc – TV wc wc ☎ Ⓟ. E VISA
fermé dim. soir et lundi d'oct. à avril – **R** 120/300 – 27 – **22 ch** 170/310.

VILLEBON-SUR-YVETTE 91 Essonne 60 ⑩, 101 ㉞ – voir à Paris, Environs.

VILLECROZE 83 Var 84 ⑥ **G. Côte d'Azur** – 867 h. – ✉ **83690** Salernes.
Voir Belvédère★ N : 1 km – Paris 840 – Aups 8 – Brignoles 41 – Draguignan 21.

XX **Marmite du Colombier,** rte de Draguignan ✆ 94 70 63 23, – Ⓟ. E VISA
fermé 10 janv. au 10 fév. et mardi du 15 sept. au 15 juin sauf vacances scolaires – **R** 90/250, enf. 55.

au SE 3,5 km par D 557 et VO – ✉ **83690** Salernes :

X **Bien Être,** ✆ 94 70 67 57, – Ⓟ
fermé 15 janv. au 15 fév., dim. soir et merc. – **R** 85/225, enf. 45.

VILLEDIEU-LES-POÊLES 50800 Manche 59 ⑧ **G. Normandie Cotentin** – 4 971 h.
Office de Tourisme pl. Costils (juin-sept.) ✆ 33 61 05 69 et à l'Hôtel de Ville (hors saison) ✆ 33 61 00 16.
Paris 321 ② – Alençon 134 ④ – Avranches 22 ⑤ – ♦Caen 78 ② – Flers 59 ③ – St-Lô 34 ①.

Plan page suivante

Le Fruitier, r. Gén.-de-Gaulle **(x)** ✆ 33 51 14 24 – wc wc ☎. E VISA. ✂ ch
fermé 15 au 28 fév. – **R** 43/106 ♁, enf. 30 – 17 – **16 ch** 120/190 – 1/2 p 145/182.

St-Pierre et St-Michel, pl. République **(a)** ✆ 33 61 00 11 – wc wc ☎. E VISA. ✂ ch
fermé 26 déc. au 14 janv. et vend. de nov. à mars – **R** 45/137 ♁ – 16 – **23 ch** 80/220 – 1/2 p 153/233.

42

VILLEDIEU-LES-POÊLES

flèche noire : sens unique le mardi

République (Pl. de la). 18

Bourg-l'Abbesse (R. du) 2
Carnot (R.) 3
Chignon (R. du Pont) . 4
Costils (Pl. des) 5
Dr-Havard (R. du) 6
Ferry (R. Jules) 8
Flandres-Dunkerque (R.) 9
Gasté (R. Jean) 10
Gaulle (R. Gén. de) 13
Leclerc (Bd Mar.) 15
Perrière (Pl. de la) 16
Tetrel (R. Jules) 20

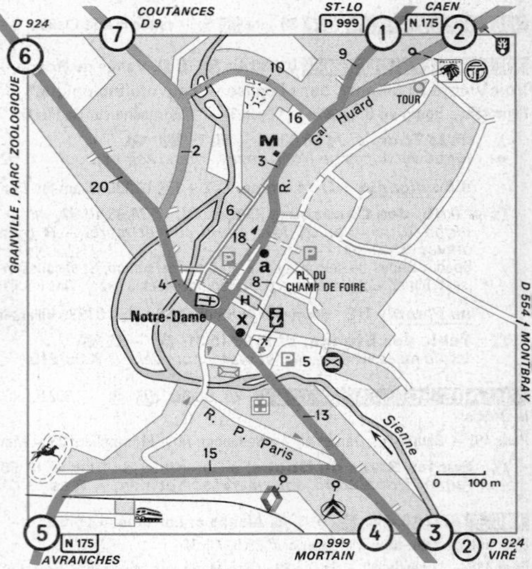

Le guide change changez de guide tous les ans

The guide changes, so renew your Guide every year.

XX **Manoir de l'Acherie** avec ch, à l'Acherie E : 3,5 km par D 554 ou par déviation N 175 ☎ 33 51 13 87, – wc ☎ ♿ **P**. E VISA.
fermé 27 juin au 11 juil. et lundi (sauf hôtel en juil.-août) – **R** 50/160 – 26 – **7 ch** 260/300 – 1/2 p 290/320.

CITROEN Pichon, av. Mar.-Leclerc ☎ 33 61 06 20

PEUGEOT-TALBOT Auto-Normandie, 11 rte de Caen ☎ 33 61 00 33

RENAULT Loren, rte d'Avranches ☎ 33 61 00 70

VILLE-EN-TARDENOIS 51 Marne 56 ⑮ G. Champagne – 332 h. – ✉ 51170 Fismes.

Paris 125 – Châlons-sur-Marne 58 – Château-Thierry 42 – Épernay 25 – Fère-en-Tardenois 25 – ♦Reims 20 – Soissons 52.

X **Le Postillon,** D 380 ☎ 26 61 83 67
fermé 1er au 7 sept., fév. et merc. – **R** 40 bc/130.

VILLEFORT 48800 Lozère 80 ⑦ G. Gorges du Tarn – 791 h. alt. 605.

Env. Belvédère du Chassezac★★ N : 9 km puis 15 mn.

Office de Tourisme r. Église ☎ 66 46 87 30.

Paris 605 – Alès 55 – Aubenas 60 – Florac 67 – Mende 59 – Pont-St-Esprit 89 – Le Puy 91.

Balme, ☎ 66 46 80 14, – wc ☎. AE E VISA
fermé 1er au 5 oct., 8 nov. au 31 janv., dim. soir et lundi hors sais. – **R** 75/180, enf. 38 – 20 – **22 ch** 70/200 – 1/2 p 155/210.

à la Garde Guérin N : 8 km par D 906 – ✉ **48800** Villefort – **Voir Donjon ★.**

Aub. Regordane , ☎ 66 46 82 88, – wc. VISA
vacances de printemps et 1er mai-1er oct. – **R** 60/120, enf. 40 – 17 – **16 ch** 108/155 – 1/2 p 160/180.

CITROEN Bedos, ☎ 66 46 80 07 ☎ 66 46 80 06

RENAULT Boulat et Michel, ☎ 66 46 80 18

VILLEFRANCHE 06230 Alpes-Mar. 84 ⑨⑩, 195 ㉗ G. Côte d'Azur – 7 411 h.

Voir Rade★★ – Vieille ville★ – Chapelle St-Pierre★ B – Musée Volti★ M1.

Office de Tourisme square F.-Binon ☎ 93 01 73 68.

Paris 937 ③ – Beaulieu-sur-Mer 4 ④ – ♦Nice 6 ③.

Plan page ci-contre

Welcome et rest. St-Pierre, 1 quai Courbet **(n)** ☎ 93 76 76 93, Télex 470281, ≤, – ☎. AE E VISA. rest
fermé 25 nov. au 18 déc. – **R** 139/289, enf. 80 – **35 ch** 350/670 – 1/2 p 270/475.

Versailles, av. Princesse-Grace **(k)** ☎ 93 01 89 56, Télex 970433, ≤ rade, , – ☎ ♿ **P**. AE E VISA
fermé mi-oct. à fin déc. – **R** 135/220, enf. 85 – 35 – **43 ch** 370/540, 3 appartements 600 – 1/2 p 490/500.

VILLEFRANCHE (ALPES-MAR.)

Cauvin (Av.) 2
Corderie (Quai de la) 3
Corne-d'Or (Bd de la) 5
Courbet (Quai) 6
Église (R. de l') 7
Gallieni (Av. Général) 9
Gaulle (Av. Général-de) 10
Grande-Bretagne (Av. de) 12
Joffre (Av. du Maréchal) ... 14
Leclerc (Av. Général) 15
Marinières (Promenade des) ... 16
May (R. de) 18
Obscure (R.) 19
Paix (Pl. de la) 20
Poilu (R. du) 22
Pollonais (Pl.) 24
Ponchardier (Quai Amiral) 25
Poullan (Pl.) 26
Sadi-Carnot (Av.) 28
Settimelli-Lazare (Bd) 30
Soleil d'Or (Av. du) 31
Verdun (Av. de) 32
Victoire (R. de la) 34
Wilson (Pl.) 35

Les cartes Michelin sont constamment tenues à jour.

Michelin maps are kept up to date.

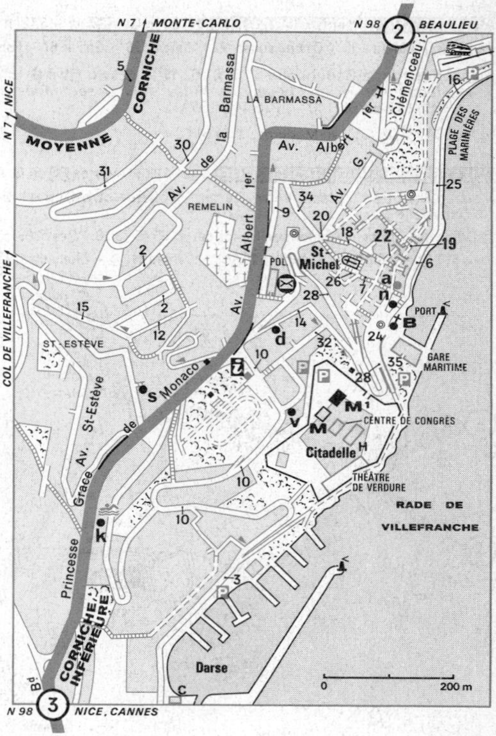

Olivettes sans rest, av. Léopold II par ④ ✆ 93 01 03 69, ≤ rade, – TV ⇔wc ⋒wc ☎ P. AE ⦿ E VISA
25 – **17 ch** 185/450.

Vauban sans rest, 11 av. Gén.-de-Gaulle **(v)** ✆ 93 01 71 20, « Décor Louis XV, jardin fleuri » – ⇔wc ⋒wc ☎. ✻
15 fév.-15 nov. – 30 – **12 ch** 170/425.

Provençal, 4 av. Mar.-Joffre **(d)** ✆ 93 01 71 42, ≤, – ⦀ ▤ rest TV ⇔wc ⋒wc ☎. AE ⦿ E VISA. ✻ rest
R *(fermé 30 oct. au 20 déc.)* 65/120, enf. 50 – 22 – **45 ch** 180/300 – $^1/_2$ p 180/270.

St-Estève M sans rest, r. Duhamel **(s)** ✆ 93 01 72 59 – ⇔wc ⋒ ☎ . AE E VISA. ✻
fermé 15 nov. au 15 déc. – 22 – **17 ch** 190/280.

XXXX **Le Massoury,** av. Léopold II par ④ ✆ 93 01 03 66, ≤ rade, – P. AE ⦿ E VISA. ✻
fermé mi-déc. à mi-fév. et merc. sauf le soir de juin à sept. – **R** 210/295 bc.

XX **Mère Germaine,** quai Courbet **(a)** ✆ 93 01 84 42, ≤, – AE E VISA
fermé 12 nov. au 24 déc., et merc. du 1er oct. au 30 avril – **R** carte 205 à 380.

VILLEFRANCHE-DE-CONFLENT 66 Pyr.-Or. 86 ⑰ **G. Pyrénées Roussillon** – **294 h.** – ✉ **66500** Prades.

Voir Ville forte*.

Syndicat d'Initiative pl. Église (juil.-août, vacances scolaires après-midi seul.) ✆ 68 96 22 96.

Paris 959 – Mont-Louis 30 – Olette 10 – ♦Perpignan 49 – Prades 6 – Vernet 5,5.

Vauban sans rest, 5 pl. Église ✆ 68 96 18 03 – ⇔wc ⋒wc ☎. E VISA
fermé déc. et janv. – 18 – **16 ch** 140/160.

X **Au Grill,** r. St-Jean ✆ 68 96 17 65, exposition de peintures – E VISA
fermé 11 nov. au 10 janv., dim. soir et lundi hors sais. – **R** 60/85 , enf. 35.

CITROËN Gar. Rouchez à Prades ✆ 68 96 11 45

FIAT Gar. Soler à Prades ✆ 68 96 52 53 N

RENAULT Gar. Bosom à Prades ✆ 68 96 11 14

Pneu Service à Prades ✆ 68 96 43 23

VILLEFRANCHE-DE-LAURAGAIS 31290 H.-Gar. 82 ⑲ – 3 127 h.

Paris 738 – Auterive 26 – Castelnaudary 22 – Castres 56 – Gaillac 67 – Pamiers 40 – ♦Toulouse 33.

France, r. République ✆ **61 81 62 17** – wc wc ☎ – 70. AE ⓓ E VISA
fermé 4 au 25 juil., 19 janv. au 1er fév. et lundi sauf fériés le midi – **R** 60/110 – 16 – **19 ch** 85/140 – 1/2 p 140/180.

PEUGEOT-TALBOT Gar. Moderne, ✆ 61 81 60 41

VILLEFRANCHE-DE-ROUERGUE ⟨SP⟩ **12200** Aveyron 79 ⑳ **G. Gorges du Tarn** – 13 869 h.

Voir La Bastide★ : place Notre-Dame★, église Notre-Dame★ E – Ancienne chartreuse St-Sauveur★ par ③.

Office de Tourisme Promenade Guiraudet ✆ 65 45 13 18, Télex 530315.

Paris 613 ⑥ – Albi 72 ③ – Aurillac 106 ⑥ – Cahors 61 ④ – Montauban 73 ④ – Rodez 56 ⑥.

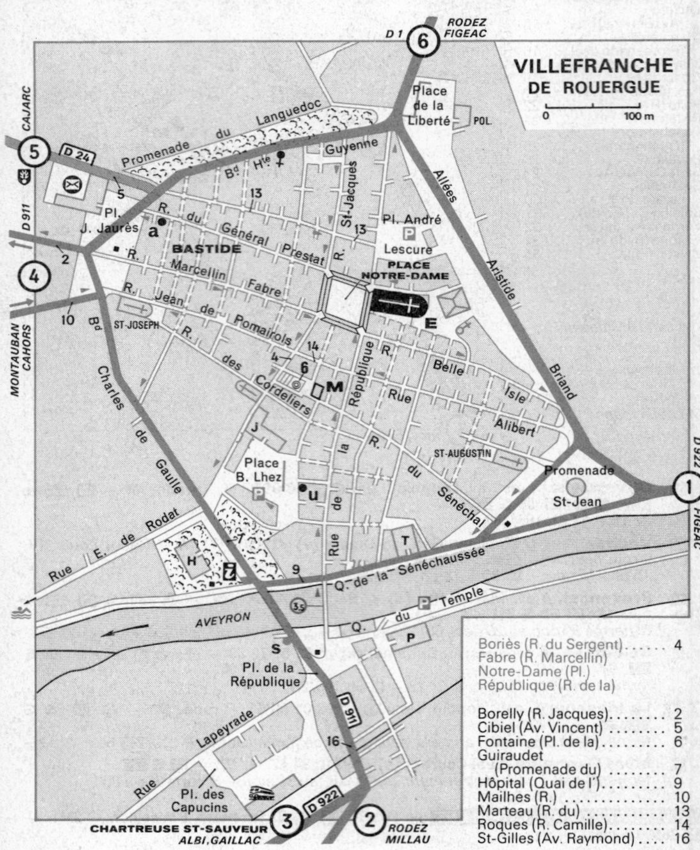

Lagarrigue , pl. B.-Lhez **(u)** ✆ **65 45 01 12** – TV wc wc ☎. E VISA.
20 mars-20 déc. et fermé dim. sauf août – **R** 60/150 – 25 – **20 ch** 140/260.

Poste, 45 r. Gén.-Prestat **(a)** ✆ **65 45 13 91** – wc wc
fermé dim. du 1er nov. au 30 avril – **R** 60/70 , enf. 30 – 20 – **20 ch** 75/160 – 1/2 p 110/140.

Univers (1er étage) avec ch (Annexe M 15 ch), **pl. République (s)** ✆ **65 45 15 63** – wc ☎. E VISA
hôtel : fermé 17 au 25 juin, 14 au 29 oct. et 26 fév. au 15 mars; rest. : fermé vend. soir et sam. du 16/9 au 11/7 – **R** 49/240 – 22 – **32 ch** 100/240 – 1/2 p 180/240.

au Farrou par ⑥ : 4 km ou par ① : 5 km – ✉ **12200** Villefranche-de-Rouergue :

Relais de Farrou M, ✆ **65 45 18 11**, – TV wc ☎ P. E VISA
fermé 2 au 17 oct., 11 au 26 déc., 6 au 17 mars, dim. soir et lundi hors sais. – **R** 65/180, enf. 38 – 24 – **14 ch** 215/310 – 1/2 p 180/230.

CITROEN Lizouret, rte de Toulonjac par ⑤ ✆ 65 45 01 74
FIAT-LANCIA-AUTOBIANCHI Gaubert Ch., rte de Montauban ✆ 65 45 19 65 N
RENAULT SADAR, rte de Cahors par ④ ✆ 65 45 21 83
Gar. du Languedoc, 45 av. de Haute-Guyenne ✆ 65 45 22 27

Central-Pneu, Les Plantades, rte Hte du Farrou ✆ 65 45 24 64
La Maison du Pneu, ZI av. du 8-Mai ✆ 65 45 14 67

VILLEFRANCHE-DU-PÉRIGORD **24550** Dordogne 75 ⑰ **G. Périgord Quercy** – **800 h.**

Paris 573 – Bergerac 65 – Cahors 40 – Périgueux 85 – Sarlat-la-Canéda 45 – Villeneuve-sur-Lot 49.

Commerce, ✆ **53 29 90 11**, – wc wc. E VISA
1er mars-15 nov. – **R** *(fermé lundi en mars, oct. et nov.)* 60/250 – 22 – **23 ch** 150/250 – 1/2 p 180/200.

Les Bruyères, rte Cahors ✆ **53 29 97 97**, – wc wc. E VISA
R *(fermé sam. midi sauf juil.-août)* 55/180, enf. 35 – 20 – **10 ch** 160/200 – 1/2 p 185/270.

VILLEFRANCHE-SUR-CHER **41** L.-et-Ch. 64 ⑱ **G. Châteaux de la Loire** – **2 064 h.** – ✉ **41200** Romorantin-Lanthenay.

Paris 219 – Blois 49 – Châteauroux 58 – Montrichard 48 – Romorantin-Lanthenay 8 – Vierzon 25.

XX **Croissant** avec ch, ✆ **54 96 41 18** – wc ☎. VISA. ch
fermé janv. et lundi – **R** 49/130, enf. 45 – 20 – **9 ch** 120/160.

X **Les Deux Pierrots, à St-Julien-sur-Cher au S : 1 km par D 922** ✉ **41320 Mennetou-sur-Cher** ✆ **54 96 40 07** – E VISA
fermé 15 au 23 nov., 15 janv. au 7 fév. et mardi – **R** 99/152.

RENAULT Gar. du Cher, ✆ 54 96 42 29

VILLEFRANCHE-SUR-SAÔNE SP **69400** Rhône 74 ① **G. Vallée du Rhône** – **29 066 h.**

Office de Tourisme et A.C. 290 rte Thizy ✆ 74 68 05 18.

Paris 433 ③ – Bourg-en-Bresse 51 ② – •Lyon 31 ③ – Mâcon 41 ③ – Roanne 73 ⑤.

Plan page suivante

Plaisance, 96 av. Libération ✆ **74 65 33 52, Télex 375746** – TV ☎ P – 50. AE E VISA. rest — AZ n
fermé 24 déc. au 2 janv. – **La Fontaine Bleue** *(fermé 20 déc. au 12 janv. et dim. sauf fériés le midi)* **R** 72/250, enf. 45 – 25 – **68 ch** 197/267.

Newport M, **av. de l'Europe par ② et contournement, sur D 70** ✆ **74 68 75 59, Télex 375733** – TV wc ☎ P – 50. E VISA
fermé 24 déc. au 2 janv. – **R** *(fermé dim. sauf le soir en juil.-août et sam. midi)* 58/119 – 25 – **29 ch** 190/210.

Ibis M, **par ③ échangeur A 6 (péage Villefranche)** ✆ **74 68 22 23, Télex 370777**, – TV wc ☎ P – 25 à 80. E VISA
R carte 75 à 120, enf. 35 – 26 – **115 ch** 190/257.

Bourgogne, 91 r. Stalingrad ✆ **74 65 06 42** – wc wc. AE E VISA — BZ f
R voir rest. **La Potinière** ci-après – 14 – **22 ch** 80/130.

XXX ✿ **Aub. Faisan Doré** (Cruz), **au Pont de Beauregard NE : 2,5 km par bd. Burdeau D 44** - BY ✆ **74 65 01 66**, – P. AE E VISA
fermé 1er au 14 mars, lundi (sauf fériés le midi) et dim. soir – **R** 170/305
Spéc. Salade de homard, Assiette des quatre poissons, Volaille de Bresse à la crème et champignons sauvages (saison). Vins Fleurie, Saint-Véran.

X **La Colonne** avec ch, 6 pl.Carnot ✆ **74 65 43 69** – ch . E VISA — BZ a
fermé 2 au 27 déc., vend. soir en hiver, sam. (sauf le soir en été) et dim. midi – **R** 47/150, enf. 30 – 17 – **14 ch** 80/140.

X **Le Cèdre,** 196 r. Roncevaux ✆ **74 68 03 69** – E VISA — AY e
fermé 25 juil. au 28 août, mardi soir et dim. – **R** 67/132.

X **Au Bec Fin,** 35 r. Barmondière ✆ **74 65 38 99** – E VISA — AZ s
fermé 5 au 27 août, dim. soir et lundi – **R** 85/130.

X **Potinière** -Hôtel Bourgogne-, 79 r. Stalingrad ✆ **74 65 37 09** – VISA — BZ f
fermé jeudi soir d'oct. à avril – **R** 56/90.

à Chervinges par ⑤ : 3 km – ✉ **69400** Villefranche-sur-Saône :

Château de Chervinges , ✆ **74 65 29 76, Télex 380772**, ←, parc, – ☎ P. AE E VISA.
fermé janv. – **R** *(fermé dim. soir et lundi du 15 sept. au 15 juin)* 150/250 dîner à la carte – 45 – **11 ch** 600/850, 6 appartements 1000/1250.

Nationale (R.) . . . . BYZ

Burdeau (Bd) . . . . BY 3
Carnot (Pl.) . . . . BZ 4
Fayettes (R. des) . . . . . . BZ 6
Gare (Av. de la) . . . . BZ 7
Jaurès (Bd J.) . . . . AZ 8
Libération (Pl. de la) . . . . AZ 9
Morin (R. Pierre) . . . . AZ 20
Notre-Dame (⊞) . . . . BZ
Paix (R. de la) . . . . AZ 22
Riottier (Route de) . . . . . BZ 23
St-Pierre (⊞) . . . . BY
Sous-Préfecture (Pl.) . . . AZ 24
Sous-Préfecture (R.) . . . BZ 25
Stalingrad (R. de) . . . . . . BZ 26

à Beauregard **NE : 3 km par D 44 - BY – ✉ 01480 Jassans Riottier.**

Voir Château de Fléchères★ N : 3,5 km.

XX **Aub. Bressane,** ✆ **74 60 93 92,** ☂ **– Ⓟ. E VISA**
fermé mardi soir et merc. – **R** 65/210.

à Fareins **NE : 4 km par D 44 - BY - et D 933 – ✉ 01480 Jassans Riottier :**

XXX ✿ **Jean Fouillet,** **sur D 933** ✆ **74 67 91 94,** ☂ **– ▤ Ⓟ. AE ⓓ E VISA**
fermé début à fin janv., lundi soir et mardi – **R** 145/310
Spéc. Rillettes de béatilles de volaille au foie gras, Jarret de veau comme en Bugey, Canard colvert au beurre de sauge. Vins Beaujolais.

Autres ressources hôtelières :

Voir *Salles Arbuissonas* NO : 11 km par D 35 - AY.

ALFA-ROMEO, MAZDA Devaux, 361 r. d'Anse ✆ 74 65 12 00
BMW Auto Benoit, 996 r. Ampère ✆ 74 65 04 69
CITROEN Gar. Thivolle, 695 av. Th.-Braun par ③ ✆ 74 65 26 09 🅽 ✆ 74 65 27 10
DATSUN-NISSAN Technic'Auto, 176 bd L.-Blanc ✆ 74 68 05 83
FIAT Mata, ZI av. de l'Europe ✆ 74 62 90 65
FORD Gar. Gambetta, 595 av. Th.-Braun ✆ 74 65 04 06
MITSUBISCHI-SEAT Autos-Services Beaujolais, 494 rte de Frans ✆ 74 62 81 55
OPEL Brun-Autom., 246 r. V.-Hugo ✆ 74 65 51 30
PEUGEOT-TALBOT Nomblot, 1193 av. de l'Europe par D 44 BY ✆ 74 65 22 50

RENAULT Longin, 15 r. Bointon ✆ 74 65 25 66 🅽
RENAULT Villefranche Automobile, 19 av. E. Herriot à Limas ✆ 74 65 33 02 🅽 ✆ 74 65 27 10
TOYOTA Gar. Ferry, 113 av. de la Gare ✆ 74 65 41 75
VAG Gar. de l'Europe, 1 050 r. Ampère ✆ 74 65 50 59

◉ Métifiot, av. de Joux, Zone Ind. Nord à Arnas ✆ 74 65 21 92
Piot-Pneu, Zone Ind., av. E.-Herriot ✆ 74 65 29 75
Tessaro-Pneus, 629 r. d'Anse ✆ 74 65 41 98

VILLEMAGNE 11 Aude 82 ⑳ – 260 h. – ✉ 11310 Saissac.
Paris 777 – Carcassonne 31 – Castelnaudary 16 – Mazamet 44 – ♦ Toulouse 75.

Castel de Villemagne ⑤, ✆ 68 94 22 95, parc – ⇔wc ⋒wc ☎. E VISA
1er mars-31 oct. et fermé le midi sauf sam., dim. et fériés – **R** 82/150, enf. 35 – ☕ 31 – **7 ch** 180/340 – ½ p 220/275.

VILLEMOMBLE 93 Seine-St-Denis 56 ⑪, 101 ⑱ – voir à Paris, Environs.

VILLEMUR-SUR-TARN 31340 H.-Gar. 82 ⑧ **G. Pyrénées Roussillon** – 4 456 h.
Paris 671 – Albi 62 – Castres 73 – Montauban 26 – ♦Toulouse 33.

XX **La Ferme de Bernadou,** rte Toulouse ✆ 61 09 02 38, ≤, ⛱, parc – Ⓟ. VISA
fermé fév., lundi et mardi – **R** 75/160, enf. 50.

XX **Aub. de la Braise,** S : 5 km par D14 et VO ✆ 61 35 35 64, ⛱ – Ⓟ. E VISA
fermé 19 sept. au 8 oct., 11 janv. au 6 fév., dim. soir, lundi et mardi – **R** 95.

CITROEN Vacquie, ✆ 61 09 01 60
PEUGEOT-TALBOT Terral, à Pechnauquié ✆ 61 09 00 70

VILLENEUVE 04 Alpes-de-H.-P. 81 ⑮ – rattaché à Manosque.

VILLENEUVE 12260 Aveyron 79 ⑩ **G. Gorges du Tarn** – 1 649 h.
Paris 602 – Cahors 72 – Figeac 25 – Rodez 52 – Villefranche-de-Rouergue 11.

Poste, ✆ 65 81 62 13 – ⇔wc ⋒ 🚗
fermé 15 déc. au 15 janv. – **R** 48 bc/100 bc – ☕ 17 – **14 ch** 80/170 – ½ p 110/140.

La VILLENEUVE 23 Creuse 73 ② – 117 h. alt. 705 – ✉ **23260** Crocq.
Paris 400 – Aubusson 24 – ♦Clermont-Ferrand 68 – Guéret 63 – Montluçon 62 – Ussel 55.

Relais Marchois, ✆ 55 67 23 17 – ⋒. VISA
fermé oct. et lundi du 15 sept. au 30 juin – **R** 45/90 ₰, enf. 25 – ☕ 18 – **9 ch** 65/120.

VILLENEUVE D'ASCQ 59 Nord 51 ⑯ – rattaché à Lille.

VILLENEUVE-DE-BERG 07170 Ardèche 80 ⑨ **G. Vallée du Rhône** – 2 083 h.
Env. Mirabel : ✻★★, promenade★ au Bomier N : 7 km.
Office de Tourisme (saison) ✆ 75 94 70 55.
Paris 631 – Aubenas 16 – Montélimar 27 – Pont-St-Esprit 54 – Privas 46.

XX **Aub. de Montfleury** avec ch, à la gare O : 4 km par rte Aubenas ✆ 75 94 82 73, ⛱ – TV ⇔wc ☎ Ⓟ. AE ⓓ E VISA
fermé fév., mardi soir et merc. du 1er oct. au 31 mars et merc. soir du 1er avril au 15 juin – **R** 55/165, enf. 35 – ☕ 20 – **5 ch** 150/160 – ½ p 190.

CITROEN Decosne, ✆ 75 94 81 32 N
PEUGEOT-TALBOT Gabriel, ✆ 75 94 81 50 N

VILLENEUVE-DE-MARSAN 40190 Landes 82 ①② – 2 035 h.
Paris 700 – Aire-sur-l'Adour 21 – Auch 87 – Condom 64 – Mont-de-Marsan 17 – Roquefort 16.

✿ **Francis Darroze,** ✆ 58 45 20 07, Télex 560164, ⛱, 🌳 – TV ☎ Ⓟ – 🏛 25. AE ⓓ E VISA
fermé janv. et lundi d'oct. à juin – **R** 230/280, enf. 70 – ☕ 50 – **30 ch** 250/450, 3 appartements 650 – ½ p 450/650
Spéc. Goujonnettes de filets de sole, Coeur d'artichaut à la barigoule, Gibier (saison). **Vins** Tursan, Madiran.

✿ **Europe** (Garrapit), ✆ 58 45 20 08, ⛱, 🌳 – ⇔wc ⋒wc ☎ Ⓟ – 🏛 100. AE ⓓ E VISA
R 80/220 – ☕ 25 – **15 ch** 100/240 – ½ p 200/240
Spéc. Tarte à l'œuf poché et aux champignons, Lotte et son antiboise de légumes, Chartreuse de queue de bœuf. **Vins** Tursan, Madiran.

CITROEN Roumégoux, ✆ 58 45 22 05
RENAULT Avezac, ✆ 58 75 80 39

VILLENEUVE-DE-RIVIÈRE 31 H.-Gar. 85 ⑩ – rattaché à St-Gaudens.

VILLENEUVE-DES-ESCALDES 66760 Pyr.-Or. 86 ⑯ – 457 h. alt. 1 300.
Paris 880 – Ax-les-Thermes 54 – Bourg-Madame 6 – Perpignan 102 – Prades 59.

Relais du Belloch, ✆ 68 30 07 24, ≤, 🌳 – ⋒ Ⓟ
fermé 10 nov. au 20 déc. – **R** 55/100 – ☕ 16 – **26 ch** 100/160 – ½ p 170/230.

VILLENEUVE-LA-SALLE 05 H.-Alpes 77 ⑧⑱ – voir à Serre-Chevalier.

VILLENEUVE-LE-COMTE 77174 S.-et-M. 61 ②, 196 ㉒ – 1 181 h.
Paris 40 – Lagny-sur-Marne 13 – Meaux 21 – Melun 39.

XXX **Bonne Marmite,** av. Gén. de Gaulle ✆ (1) 60 25 00 10, ⛱ – AE ⓓ VISA
fermé 16 août au 6 sept., vacances de fév., mardi et merc. – **R** 159/235, enf. 56.

VILLENEUVE-LÈS-AVIGNON 30400 Gard 81 ⑪⑫ G. Provence (plan) – 9 535 h.

Voir Fort St-André* : ≤** X – Tour Philippe-le-Bel ≤** X F – Vierge en ivoire** et couronnement de la Vierge** au musée municipal X M – Chartreuse du Val-de-Bénédiction* X R – Office de Tourisme 1 pl. Ch.-David ☎ 90 25 61 33.

Paris 683 ② – Avignon 3 – Nîmes 44 ⑥ – Orange 24 ⑦ – Pont-St-Esprit 43 ⑥.

Plan : voir à Avignon

Le Prieuré, pl. du Chapitre ☎ 90 25 18 20, Télex 431042, parc, « Sous les ombrages d'un vieux prieuré », – 50. AE E VISA. rest X t
16 mars-9 nov. – **R** 250 – 65 – **26 ch** 450/950, 10 appartements 1100/1500.

La Magnaneraie, 37 r. Camp-de-Bataille ☎ 90 25 11 11, Télex 432640, – wc wc – 30. AE E VISA. X b
R 150/220, enf. 70 – 40 – **21 ch** 300/600 – 1/2 p 490/850.

Atelier sans rest, 5 r. Foire ☎ 90 25 01 84, « Maison 16e s., patio » – wc wc. AE E VISA X e
fermé 5 au 31 janv. – 27 – **19 ch** 200/350.

Résidence Les Cèdres, à Bellevue, 39 bd Pasteur ✉ 30400 Villeneuve-lès-Avignon ☎ 90 25 43 92, – wc. E VISA X a
15 mars-15 nov. – **R** *(fermé dim.)* (dîner seul.) 95 – 22 – **25 ch** 220/270 – 1/2 p 190/215.

VILLENEUVE-LOUBET 06270 Alpes-Mar. 84 ⑨, 195 ㉕ G. Côte d'Azur – 8 210 h.

Voir Musée de l'Art culinaire* (fondation Auguste Escoffier) Y M2.

Paris 922 ⑤ – Antibes 12 ④ – Cagnes-sur-Mer 3 – Cannes 23 ⑤ – Grasse 23 ⑥ – ♦Nice 16 ③ – Vence 12 ①.

Voir plan de Cagnes-sur-Mer-Villeneuve-Loubet-Haut de Cagnes

Aub. Franc-Comtoise, Grange Rimade, rte La Colle ☎ 93 20 97 58, Télex 462852, – wc wc – 25. E VISA.
fermé 15 oct. au 1er déc. – **R** 100/115 – 25 – **30 ch** 245 – 1/2 p 240/315.

Mail-Post, 12 av. Libération ☎ 93 20 89 53 – E VISA Y u
fermé 26 sept. au 28 oct. et mardi – **R** 82/115.

à Villeneuve-Loubet-Plage :

Bahia M sans rest, rte bord de mer ☎ 93 20 21 21, Télex 970922, – . AE E VISA Z a
40 – **53 ch** 365/500.

Syracuse M sans rest, av. de la Batterie ☎ 93 20 45 09, ≤, – cuisinette wc wc. E VISA Z x
fermé déc. – 27 – **27 ch** 220/330.

Baie des Anges, av. de la Batterie ☎ 93 20 08 54, ≤, – cuisinette wc. AE E VISA Z t
R 75/150, enf. 65 – 17 – **28 ch** 200/310.

Pétanque sans rest, N 98 ☎ 93 20 07 05 – cuisinette wc wc Z w
30 ch.

Palerme sans rest, av. de la Batterie ☎ 93 20 16 07, – cuisinette wc. E VISA Z d
22 – **35 ch** 150/400.

Baléares sans rest, sur N 7 ☎ 93 20 91 07 – cuisinette wc. AE VISA Z k
fermé 15 au 30 nov. – 20 – **18 ch** 175/275.

MERCEDES-BENZ Succursale, av. des Baumettes, N 7 ☎ 93 73 06 11

VILLENEUVE-SUR-LOT 47300 L.-et-G. 79 ⑤ G. Pyrénées Aquitaine – 23 730 h.

Paris 618 ① – Agen 29 ⑤ – Bergerac 60 ① – ♦Bordeaux 143 ⑥ – Brive-la-Gaillarde 144 ③ – Cahors 75 ③ – Libourne 110 ⑥ – Mont-de-Marsan 123 ⑥ – Pau 183 ⑥.

Plan page ci-contre

La Résidence sans rest, 17 av. L.-Carnot ☎ 53 40 17 03, – wc wc BZ s
fermé 7 déc. au 10 janv. – 17 – **18 ch** 70/165.

Le Glacier sans rest, 23 bd G.-Leygues ☎ 53 70 70 14 – wc BY r
12 ch.

Le Glacier sans rest, 23 r. A.-Daubasse ☎ 53 70 50 61 – wc BY d
17 ch.

Les Platanes sans rest, 40 bd Marine ☎ 53 40 11 40 – wc. E VISA BY n
19 – **21 ch** 80/190.

Terminus, pl. Gare ☎ 53 70 30 87 – . VISA AZ b
fermé 4 au 12 juil., janv. et lundi – **R** 60/100 – 20 – **18 ch** 75/120.

Host. du Rooy, chemin de Labourdette par ④ ☎ 53 70 48 48, parc – . AE E VISA
fermé vacances de fév., dim. soir et merc. – **R** 135 bc/240, enf. 54.

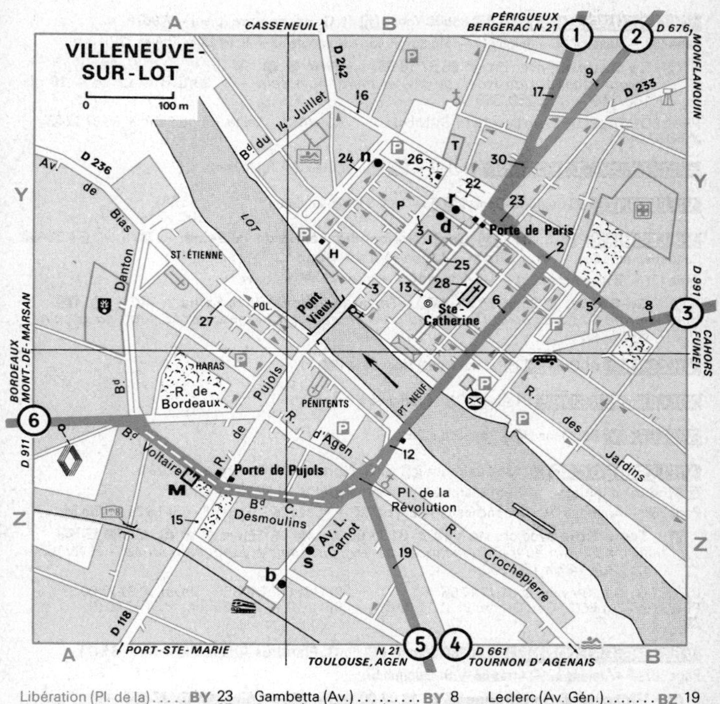

Libération (Pl. de la) . . . . . BY 23
Paris (R. de) . . . . BY 25

Bernard-Palissy (Bd) . . . . BY 2
Cieutats (R. des) . . . . BY 3
Darfeuille (R.) . . . . BY 5
Fraternité (R. de la) . . . . . . BY 6
Gambetta (Av.) . . . . BY 8
Gaulle (Av. Gén.-de) . . . . . . BY 9
Jeanne-de-France (Av.) . BZ 12
La Fayette (Pl.) . . . . BY 13
Lafont (R. Ernest) . . . . AZ 15
Lamartine (Allée) . . . . BY 16
Lattre-de-T. (Av. Mar.) . . . BY 17
Leclerc (Av. Gén.) . . . . BZ 19
Leygues (Bd G.) . . . . BY 22
Marine (Bd de la) . . . . BY 24
République (Bd de la) . . . BY 26
Ste-Étienne (R.) . . . . AY 27
Ste-Catherine (R.) . . . . BY 28
Victor-Hugo (Cours) . . . . . BY 30

à Pujols **SO : 4 km par D 118 et CC 207** - AZ – ✉ **47300** Villeneuve-sur-Lot.
Voir <★.

🏨 **Chênes** M sans rest, ✆ **53 49 04 55**, < – TV ☎ ♿ **P** – 🏟 30. AE ⓓ E VISA
☕ 30 – **20 ch** 180/290.

XXX ✿ **La Toque Blanche** (Lebrun), ✆ **53 49 00 30**, <, 🍴 – **P**. AE ⓓ E VISA. 🚫🐕
fermé 27 juin au 11 juil., 28 nov. au 5 déc., vacances de fév., dim. soir et lundi – **R** 95/295
Spéc. Foie gras de canard chaud et froid, Escalope de lotte aux cèpes, Magret de canard aux griottines. **Vins** Côtes de Buzet, Duras.

XX **Aub. Lou Calel,** ✆ **53 70 46 14,** < **Villeneuve** – **P**. VISA
fermé 6 au 13 avril, 27 juil. au 3 août, 4 au 25 janv., mardi soir et merc. – **R** 85/185.

AUSTIN, ROVER, TOYOTA, VOLVO Gar. Franco, 68 av. de Fumel ✆ 53 70 14 54
BMW Lompech, 29-31 bd Voltaire ✆ 53 70 88 22 N
CITROEN S.E.D.E.A.C., av. Bordeaux à Bias par ⑥ ✆ 53 49 17 17 N ✆ 53 01 43 19
PEUGEOT-TALBOT Gar. de Bordeaux, rte Bordeaux à Bias par ⑥ ✆ 53 70 01 04
RENAULT Villeneuve-Auto, 33 av. d'Agen par ⑤ ✆ 53 70 32 87
RENAULT Gouillon, 19 av. de Bordeaux ✆ 53 70 03 03

Gar. Central Villeneuvois, 7 rte de Casseneuil ✆ 53 70 00 50

Ⓜ Socavi, 28 bd Voltaire ✆ 53 70 12 48
Solapneu, 41 av. Bordeaux ✆ 53 70 12 57
Stat. Moderne du Pneu, 7 av. de Bordeaux ✆ 53 70 65 75
Villeneuve Pneus, rte Bordeaux à Bias ✆ 53 70 13 54

VILLENEUVE-SUR-YONNE **89500** Yonne **61** ⑭ **G. Bourgogne** (plan) – 4 980 h.
Paris 133 – Auxerre 44 – Joigny 17 – Montargis 45 – Nemours 57 – Sens 13 – Troyes 72.

XX **Le Dauphin** avec ch, ✆ 86 87 18 55 – ⇔wc ☎ Ⓟ. ✻
fermé vacances de Noël, de fév. et merc. hors sais. – **R** 98/210 – ⊒ 25 – **10 ch** 160/240 – ½ p 250/330.

PEUGEOT-TALBOT Lesellier, 23 fg St-Nicolas ✆ 86 87 04 24
RENAULT Paille, rte de Sens ✆ 86 87 02 23

VILLENEUVE-TOLOSANE **31** H.-Gar. **82** ⑰ – rattaché à Toulouse.

VILLEPINTE **93** Seine-St-Denis **56** ⑪ – voir à Paris, Environs.

VILLEQUIER **76** S.-Mar. **55** ⑤ **G. Normandie Vallée de la Seine** – 769 h. – ✉ **76490** Caudebec-en-Caux – **Voir Site★** – **Musée Victor-Hugo★**.
Paris 171 – Bourg-Achard 27 – Lillebonne 16 – ♦Rouen 41 – Yvetot 17.

X **Gd Sapin,** ✆ 35 56 78 73, ☂, « **Terrasse au bord de la Seine** », ☂ – Ⓟ. VISA
fermé 15 au 30 nov., 15 janv. au 5 fév., mardi soir et merc. du 16 sept. au 14 juin – **R** 55/135.

VILLERAY **61** Orne **60** ⑮ – rattaché à Nogent-le-Rotrou.

VILLEREVERSURE **01** Ain **74** ③ – rattaché à Ceyzeriat.

VILLEROY **89** Yonne **61** – rattaché à Sens.

VILLERS-BOCAGE **14310** Calvados **54** ⑮ **G. Normandie Cotentin** – 2 623 h.
Syndicat d'Initiative pl. Petit Marché (15 juin-15 sept.) ✆ 31 77 16 14.
Paris 268 – Argentan 70 – Avranches 75 – Bayeux 25 – ♦Caen 26 – Flers 43 – St-Lô 35 – Vire 34.

XX **Trois Rois** avec ch, **rte Vire** ✆ **31 77 00 32,** ☂ – ⇔wc ⋒ ☎ Ⓟ. AE ⓓ E VISA
fermé 27 juin au 4 juil., vacances de fév., dim. soir et lundi sauf fériés – **R** 75/165 – ⊒ 23 – **14 ch** 150/260.

CITROEN Gar. Breville, ✆ 31 77 17 98
PEUGEOT-TALBOT Gar. Duthé, ✆ 31 77 00 81 N
PEUGEOT-TALBOT David, ✆ 31 77 00 33
RENAULT Gar. Simon, ✆ 31 77 00 51

VILLERS-BRETONNEUX **80380** Somme **53** ⑪ **G. Flandres Artois Picardie** – 3 347 h.
Paris 137 – ♦Amiens 17 – Arras 68 – St-Quentin 57.

Victoria, 5 rte Péronne ✆ **22 48 02 00** – TV ⇔wc ⋒wc ☎ Ⓟ. E VISA. ✻
R *(fermé vend. soir, sam. midi et dim. soir)* 55/135 – ⊒ 18 – **18 ch** 150/230 – ½ p 205/285.

VILLERS-COTTERÊTS **02600** Aisne **56** ③ **G. Flandres Artois Picardie** – 8 402 h.
Voir Grand escalier★ du château – Forêt de Retz★ par ②.
Syndicat d'Initiative pl. A.-Briand (fermé matin) ✆ 23 96 30 03.
Paris 78 ④ – Compiègne 29 ① – Laon 58 ② – Meaux 42 ③ – Senlis 38 ④ – Soissons 23 ②.

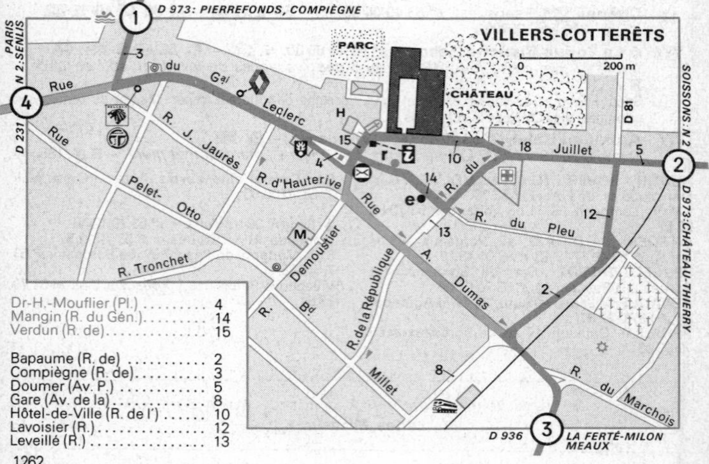

Dr-H.-Mouflier (Pl.) 4
Mangin (R. du Gén.) 14
Verdun (R. de) 15

Bapaume (R. de) 2
Compiègne (R. de) 3
Doumer (Av. P.) 5
Gare (Av. de la) 8
Hôtel-de-Ville (R. de l') 10
Lavoisier (R.) 12
Leveillé (R.) 13

Régent sans rest, 26 r. Gén.-Mangin **(e)** 23 96 01 46, **Télex 150747** – wc wc . AE VISA
24 – **17 ch** 146/265.

Commerce, 17 r. Gén.-Mangin **(r)** 23 96 19 97, – E VISA
fermé 16 au 31 août, 20 janv. au 10 fév., dim. soir et lundi – **R** (dim. prévenir) 75/95.

aux Vertes Feuilles par ② : 11 km – **02600** Villers-Cotterêts :

Le Retz, 23 96 01 42, , parc – . VISA
fermé 15 août au 1er sept., 24 déc. au 10 janv., lundi soir et mardi – **R** 140.

CITROEN Gar. des Sablons, 52 av. de la Ferté-Milon par ③ 23 96 04 96
PEUGEOT-TALBOT Féry, 75 r. Gén.-Leclerc 23 96 19 64 N
RENAULT Picardie Autos Cotteregien, 16 et 67 r. du Gén.-Leclerc 23 96 12 44
V.A.G. Vag France Services, rte de la Ferté Milon 23 96 19 03

Fischbach-Pneu, 6 r. Victor-Hugo 23 96 13 64
Hurand-Pneus, av. de la Ferté-Milon 23 96 13 84

CONSTRUCTEUR : V.A.G.-France, à Pisseleux, par av. de la Gare (S du plan) **23 96 08 03**

VILLERSEXEL **70110** H.-Saône **66** ⑥⑦ – **1 675 h.**

Paris 465 – Belfort 40 – ♦Besançon 61 – Lure 18 – Montbéliard 37 – Vesoul 26.

Terrasse, rte Lure 84 20 52 11, , – wc wc . E VISA
fermé 16 déc. au 2 janv., vend. soir et dim. soir hors sais. – **R** 55/220 , enf. 40 – 22 – **16 ch** 115/180 – 1/2 p 140/180.

Commerce avec ch, 84 20 50 50 – wc wc . E VISA
fermé 2 au 9 oct., 24 au 31 janv. et lundi soir – **R** 43/195 , enf. 30 – 18 – **14 ch** 135/165 – 1/2 p 165.

VILLERS-LE-LAC **25130** Doubs **70** ⑦ **G. Jura** – **4 142 h. alt. 746.**

Voir Saut du Doubs* – Lac de Chaillexon**.**

Syndicat d'Initiative r. Berçot (15 juin-15 sept.) 81 68 00 98.

Paris 486 – ♦Bâle 122 – ♦Besançon 73 – La Chaux-de-Fonds 16 – Morteau 6 – Pontarlier 37.

France, pl. Nationale 81 68 00 06, **collection de montres anciennes** – wc . AE E VISA
1er fév.-31 oct. – **R** *(fermé dim. soir et lundi)* 100/280 – 32 – **14 ch** 190/300 – 1/2 p 210/240.

PEUGEOT-TALBOT Gar. Franco-Suisse, les Terres Rouges 81 68 03 47 N

VILLERS-LES-POTS **21** Côte-d'Or **66** ⑬ – **rattaché à Auxonne.**

VILLERS-SEMEUSE **08** Ardennes **53** ⑲ – **rattaché à Charleville-Mézières.**

VILLERS-SUR-MER **14640** Calvados **55** ③ **G. Normandie Vallée de la Seine** – **1 853 h. – Casino.**

Office de Tourisme pl. Mermoz (avril-sept. et vacances scolaires) 31 87 01 18.

Paris 214 – Cabourg 11 – ♦Caen 35 – Deauville-Trouville 8 – Lisieux 30 – Pont-l'Évêque 19.

Bonne Auberge, r. Mar.-Leclerc 31 87 04 64 – wc . E VISA
fermé 1er déc. au 15 fév. – **R** 120/160 – **13 ch** 290/361 – 1/2 p 390/435.

Frais Ombrages , 38 av. Brigade Piron 31 87 40 38, , – wc wc
1er fév.-15 nov. et fermé mardi et merc. hors sais. – **R** 100/140 – 25 – **13 ch** 140/260 – 1/2 p 300.

PEUGEOT-TALBOT Gar. du Méridien 31 87 02 13

VILLEURBANNE **69** Rhône **74** ⑪⑫ – **rattaché à Lyon.**

VILLEVALLIER **89127** Yonne **61** ⑭ – **421 h.**

Paris 133 – Auxerre 36 – Montargis 46 – Sens 21 – Troyes 80.

Pavillon Bleu, 86 91 12 17, – wc wc – 30 à 150. E VISA
fermé 3 au 25 janv., dim. soir et lundi d'oct. à mars – **R** 58/150 , enf. 50 – 20 – **20 ch** 120/195 – 1/2 p 200/250.

VILLIÉ-MORGON **69910** Rhône **74** ① – **1 592 h.**

Paris 418 – ♦ Lyon 55 – Mâcon 23 – Villefranche-sur-Saône 27.

Parc sans rest, **74 04 22 54** –
fermé 1er au 15 sept. et 20 déc. au 10 janv. – 20 – **7 ch** 100/120.

PEUGEOT-TALBOT Granger, 74 04 23 24 N

VILLIERS-LE-BÂCLE 91 Essonne 60 ⑩, 101 ㉝ – voir à Paris, Environs.

VIMOUTIERS 61120 Orne 55 ⑬ G. Normandie Vallée de la Seine – 5 063 h.

Office de Tourisme 10 av. Gén.-de-Gaulle ✆ 33 39 30 29.

Paris 182 – L'Aigle 43 – Alençon 63 – Argentan 31 – Bernay 38 – ♦Caen 56 – Falaise 37 – Lisieux 27.

Hôtel Escale du Vitou M, Centre de Loisirs, rte Argentan : 2 km par D 916 ✆ 33 39 12 04, ←, parc, – cuisinette wc wc – 80. E VISA
R voir rest. Escale du Vitou ci-après – 20 – **17 ch** 150/220 – ½ p 235.

Soleil d'Or, 16 pl. Mackau ✆ 33 39 07 15 – wc. AE E VISA
fermé 1er fév. au 6 mars – **R** *(fermé mardi)* 50/150 , enf. 30 – 20 – **20 ch** 85/165 – ½ p 180/240.

Rest. Escale du Vitou, Centre de Loisirs, rte Argentan : 2 km par D 916 ✆ 33 39 12 37, ←, – . E VISA
fermé janv., dim. soir et lundi – **R** 48/128 , enf. 32.

CITROEN Goubin, 8 av. Foch ✆ 33 39 01 95
PEUGEOT Noël-Gérard, 15 av. Dr-Dentu ✆ 33 39 00 27
RENAULT Letourneur, 17 r. Argentan ✆ 33 39 03 65

VINAY 51 Marne 56 ⑯ – rattaché à Épernay.

VINCENNES 94 Val-de-Marne 56 ⑪, 101 ⑰ – voir à Paris, Environs.

VINCEY 88 Vosges 62 ⑮ – rattaché à Charmes.

VINON-SUR-VERDON 83 Var 84 ④ – 2 196 h. – ✉ 83560 Rians.

Paris 777 – Aix-en-Provence 43 – Brignoles 57 – Castellane 88 – Cavaillon 75 – Draguignan 75.

Olivier M, rte aérodrome ✆ 92 78 86 99, ←, – wc . E VISA
fermé 20 déc. au 15 janv. et sam. – **R** 95/190 – 30 – **20 ch** 290 – ½ p 255.

RENAULT Gar. Ramu, ✆ 92 78 80 35

VIOLAY 42780 Loire 73 ⑱ – 1 380 h. alt. 820.

Paris 484 – ♦Lyon 54 – Montbrison 54 – Roanne 43 – ♦St-Étienne 67 – Thiers 82.

Perrier, pl. Église ✆ 74 63 91 01 – wc wc – 30. E VISA
fermé fév. et sam. – **R** 42/160 – 18 – **15 ch** 90/170 – ½ p 120/140.

RENAULT Blein, ✆ 74 63 90 62 N

VIOLÈS 84 Vaucluse 81 ② – 1 198 h. – ✉ 84150 Jonquières.

Paris 670 – Avignon 31 – Carpentras 17 – Nyons 32 – Orange 13 – Vaison-la-Romaine 16.

Mas de Bouvau, N : 2 km rte de Cairanne ✆ 90 70 94 08, – . VISA
fermé 28 août au 7 sept., 20 au 30 déc., vacances de fév., mardi soir et merc. de juin à sept. et le soir hors sais. – **R** 92/145 .

VIRAZEIL 47 L.-et-G. 79 ③ – rattaché à Marmande.

VIRE 14500 Calvados 59 ⑨ G. Normandie Cotentin – 13 827 h.

Office de Tourisme square Résistance ✆ 31 68 00 05.

Paris 302 ④ – ♦Caen 60 ① – Flers 31 ④ – Fougères 67 ⑤ – Laval 101 ⑤ – St-Lô 39 ①.

Plan page ci-contre

France, 4 r. Aignaux ✆ 31 68 00 35 – rest wc wc – 50. E VISA — A a
fermé 19 déc. au 8 janv. – **R** 50/150 , enf. 40 – 22 – **20 ch** 120/225 – ½ p 180/220.

Cheval Blanc, 2 pl. du 6 Juin 1944 ✆ 31 68 00 21 – wc . AE E VISA
fermé 20 déc. au 20 janv., vend. soir et sam. midi hors sais. – **R** 70/195 , enf. 45 – 24 – **22 ch** 115/265 – ½ p 190/250. — B e

St-Pierre sans rest, 20 r. Gén.-Leclerc ✆ 31 68 05 82 – wc . E VISA
fermé 19 déc. au 8 janv. – 22 – **30 ch** 90/180. — B n

Voyageurs, av. Gare ✆ 31 68 01 16 – wc . E VISA — B k
R 40/120 , enf. 35 – 25 – **12 ch** 78/150 – ½ p 150/180.

Manoir de la Pommeraie, par ④ : 2 km ✆ 31 68 07 71, « Jardin » – . AE E VISA
fermé vacances de fév., dim. soir et merc. – **R** 102/280.

à St-Germain-de-Tallevende par ⑤ : 5 km – ✉ 14500 Vire :

Aub. St-Germain avec ch, pl. Église ✆ 31 68 24 13 – AE E VISA
fermé 4 au 29 sept., dim. soir et lundi – **R** 46/128 , enf. 36 – 15 – **3 ch** 90/120 – ½ p 145.

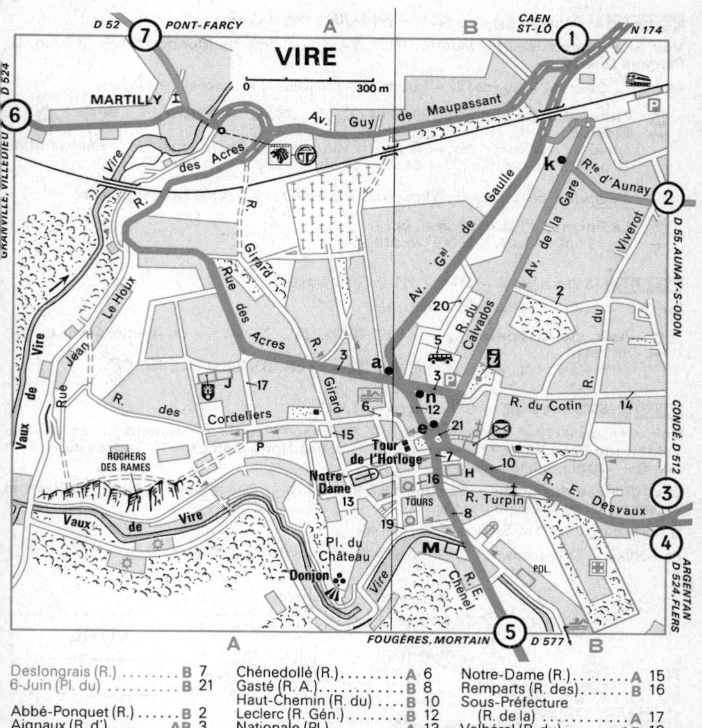

Deslongrais (R.) . . . . B 7
6-Juin (Pl. du) . . . . B 21

Abbé-Ponquet (R.) . . . . . . B 2
Aignaux (R. d') . . . . AB 3
Champ-de-Foire (Pl. du) . B 5
Chénedollé (R.) . . . . A 6
Gasté (R. A.) . . . . B 8
Haut-Chemin (R. du) . . . . B 10
Leclerc (R. Gén.) . . . . B 12
Nationale (Pl.) . . . . A 13
Noes-Davy (R. des) . . . . . B 14
Notre-Dame (R.) . . . . A 15
Remparts (R. des) . . . . B 16
Sous-Préfecture (R. de la) . . . . A 17
Valhérel (R. du) . . . . AB 19
Vieux-Collège (R. du) . . . . B 20

CITROEN Gar. Prunier, rte de Caen par ① ℘ 31 68 33 87
FIAT-LANCIA Onésime, 1 rte de Caen ℘ 31 68 09 98
FORD Gar. Thibaut, rte de Caen ℘ 31 68 01 59
PEUGEOT-TALBOT Gournay, 19 rte de Granville ℘ 31 68 11 86
RENAULT Guilbert, rte de Caen par ① ℘ 31 68 02 33
V.A.G. Gar. Lemauviel, 12 r. d'Aunay ℘ 31 68 00 78
Gar. Duchemin, 1 r. E.-Desvaux ℘ 31 68 01 46

Colin-Pneus, r. de Paris ℘ 31 68 38 65
Vire-Pneus, 28 rte d'Aunay ℘ 31 68 26 75

VIRIEU-LE-GRAND 01510 Ain 74 ④ – 920 h.
Paris 499 – Aix-les-Bains 39 – Annecy 67 – Belley 12 – Bourg-en-B. 70 – Meximieux 55 – Nantua 52.

Michallet, ℘ 79 87 80 97 – wc ☎ P. E VISA. ch
fermé 17 au 24 juin, 18 sept. au 9 oct., vacances de fév. et vend. sauf juil.-août – **R** 58/180 – 25 – **10 ch** 93/162 – $^1/_2$ p 126/148.

PEUGEOT-TALBOT Belmondy, ℘ 79 87 82 76 N

VIRIVILLE 38980 Isère 77 ③ – 1 223 h.
Paris 534 – La Côte-St-André 13 – ♦Grenoble 54 – Romans-sur-Isère 44 – St-Marcellin 28 – Vienne 43.

Bonnoit, ℘ 74 54 02 18, – wc wc P – 30. E VISA.
fermé fév. – **R** 80/300 – 20 – **17 ch** 120/200 – $^1/_2$ p 180/220.

VIROFLAY 78 Yvelines 60 ⑩, 106 ⑯ – voir à Paris, Environs.

VIRONVAY 27 Eure 55 ⑰ – rattaché à Louviers.

VIRY 71 S.-et-L. 69 ⑱ – rattaché à Charolles.

VIRY-CHATILLON 91 Essonne 61 ①, 101 ㊱ – voir à Paris, Environs.

VITRAC 24 Dordogne 75 ⑰ – 631 h. – ✉ **24200** Sarlat-la-Canéda.

Voir Site★ du château de Montfort NE : 2 km – Cingle de Montfort★ NE : 3,5 km, G. Périgord Quercy.

Paris 546 – Cahors 54 – Gourdon 22 – Lalinde 52 – Périgueux 76 – Sarlat-la-Canéda 7.

Plaisance, au port ✆ 53 28 33 04, ≤, – wc wc ☎ Ⓟ – 60. AE E VISA
fermé 20 nov. au 1er fév. – **R** *(fermé vend. soir et dim. soir de fév. à Pâques et du 15 oct. au 20 nov.)* 60/200 – 20 – **38 ch** 130/250 – ½ p 170/200.

à Caudon-de-Vitrac E : 3 km par D 703 et VO – ✉ **24200** Sarlat-la-Canéda :

La Ferme, ✆ 53 28 33 35 – Ⓟ
fermé oct. et lundi – **R** 56/128, enf. 45.

VITRAC 15 Cantal 76 ⑪ – 347 h. – ✉ **15220** St Mamet.

Paris 590 – Aurillac 25 – Figeac 56 – Rodez 92.

Aub. de la Tomette, ✆ 71 64 70 94, – cuisinette wc. E VISA. rest
1er mars-25 oct. – **R** 56/135 – 22 – **12 ch** 150/195 – ½ p 150/170.

VITRÉ 35500 I.-et-V. 59 ⑱ **G. Bretagne** – 13 491 h.

Voir ≤★★ du D178 et ≤★★ du D857 A **– Château★★ : tour de Montalifant ≤★** A **– La Ville★ : rue Beaudrairie★★** A**, remparts★** B**, église Notre-Dame★** B **– Tertres noirs ≤★★ par ⑤ – Jardin public★ par ④.**

Env. Château des Rochers-Sévigné★ 6,5 km par ③ – Champeaux : place★, stalles★ et vitraux★ de l'église 9 km par ⑤.

Office de Tourisme pl. St-Yves ✆ 99 75 04 46.

Paris 310 ② – Châteaubriant 51 ④ – Fougères 30 ⑥ – Laval 37 ② – ♦Rennes 37 ⑤.

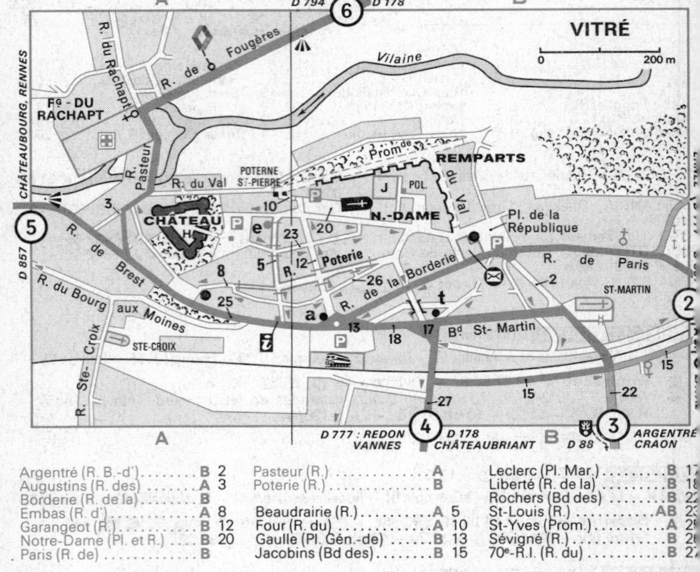

Argentré (R. B.-d') . . . . B 2
Augustins (R. des) . . . . A 3
Borderie (R. de la) . . . . B
Embas (R. d') . . . . A 8
Garangeot (R.) . . . . B 12
Notre-Dame (Pl. et R.) . . . . . B 20
Paris (R. de) . . . . B

Pasteur (R.) . . . . A
Poterie (R.) . . . . B

Beaudrairie (R.) . . . . A 5
Four (R. du) . . . . A 10
Gaulle (Pl. Gén.-de) . . . . B 13
Jacobins (Bd des) . . . . B 15

Leclerc (Pl. Mar.) . . . . B 17
Liberté (R. de la) . . . . B 18
Rochers (Bd des) . . . . B 22
St-Louis (R.) . . . . AB 23
St-Yves (Prom.) . . . . A 25
Sévigné (R.) . . . . B 26
70e-R.I. (R. du) . . . . B 27

Petit-Billot, 5 pl. Mar.-Leclerc ✆ 99 75 02 10 – wc wc ☎. E VISA.
fermé 15 déc. au 15 janv., sam. (sauf le soir en sais.) et vend. soir – **R** 56/98 – 21 – **23 ch** 230. B

Chêne Vert, pl. Gén.-de-Gaulle ✆ 99 75 00 58 – ch B a
fermé 22 sept. au 22 oct., vend. soir hors sais. et sam. – **R** 55/130 – 20 – **22 ch** 65/200.

XX **Le Pichet,** 17 bd Laval par ② ✆ 99 75 24 09, — VISA
fermé 8 au 23 août, vacances de fév., dim. soir et lundi – **R** 80/150 ₰, enf. 40.

XX **Taverne de l'Écu,** 12 r. Beaucherie ✆ 99 75 11 09, « Vieille maison du 17e s. » – E VISA A e
fermé 15 au 28 fév., 1er au 15 sept., dim. soir et lundi – **R** 65/98.

ITROEN Gar. Pinel, rte de Laval par ② ✆ 99 5 06 52
EUGEOT-TALBOT Gar. Gendry, Av. d'Helmedt par ③ ✆ 99 75 00 57
ENAULT Gar. Martin, 18 r. de Fougères ✆ 99 5 01 74
RENAULT Gar. Guimault, rte de Laval par ② ✆ 99 75 00 53
V.A.G. Mouton, Rte de la Guerche ✆ 99 74 54 00
Jollive, av. d'Helmstedt ✆ 99 75 17 75

ITROLLES 13 B.-du-R. 84 ② – rattaché à Marignane.

ITRY-LE-FRANÇOIS 51300 Marne 61 ⑧ G. Champagne – 18 829 h.
Office de Tourisme pl. Giraud ✆ 26 74 45 30.
aris 176 ⑤ – Châlons-sur-Marne 32 ① – Meaux 144 ⑤ – Melun 154 ⑤ – St-Dizier 29 ③ – Sens 1 ⑤ – Troyes 78 ⑤ – Verdun 94 ②.

VITRY-LE-FRANÇOIS

mes (Pl. d') .... ABY
iand (R. Aristide) ...... AZ
de-Rue-de-Vaux ...... BY
clerc (Pl. Mar.) .... BY 23
nt (R. du) .... AY
quebuse (R. de l') ..... BZ 2
c (Rue du) .... BY 3
eaux-Anges (R. des) ... BZ 4
urgeois (Fg. Léon) .... BZ 8
ène-Vert (R. du) .... BY 9
miné (Bd du Col.) .... AZ 10
miné-de-Verzé (R.) ... BZ 13
esde (R. Jules) .... AZ 14
uts-Pas (R. des) ...... AZ 16
ôtel-de-Ville (R. de l') .. BZ 19
urès (R. Jean) .... BZ 20
ffre (Pl. Mar.) .... BZ 21
nimes (R. des) .... AY 24
oll (Av. du Col.) ...... AZ 25
ris (Av. de) .... AY 26
tit-Denier (R. du) ..... AY 28
tite-Rue-de-Vaux ...... BY 29
tite-Sainte (R. de la) ... BZ 30
publique (Av. de la) ... BZ 33
yer-Collard (Pl.) ...... BZ 34
Éloi (Rue de) .... BY 35
Michel (Rue) .... ABY 37
eurs (R. des) .... AY 38
ur (R. de la) .... AY 39
eux-Port (Rue du) ..... BZ 41
ry-le-Brûlé (Fg de) .... BY 42

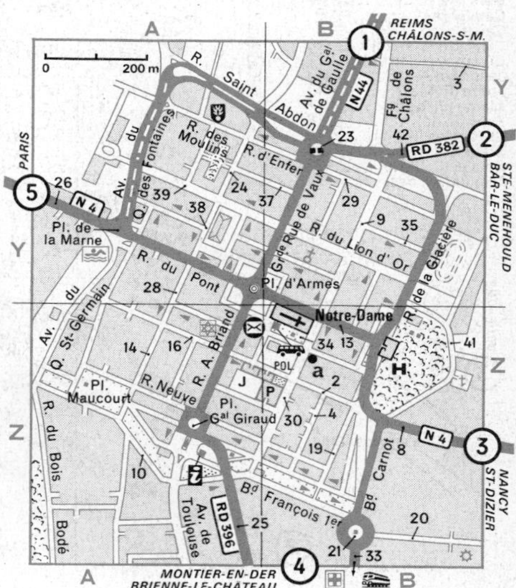

Poste, pl. Royer-Collard ✆ 26 74 02 65 – TV wc wc ☎ – 60. AE E VISA BZ a
fermé 7 au 21 août, Noël au jour de l'An et dim. – **R** 80/140 ₰ – 28 – **28 ch** 180/250.

à Thiéblemont-Farémont par ③ : 10 km – ✉ **51300** Vitry-le-François :

XX **Le Champenois** avec ch, ✆ 26 73 81 03 – wc wc ☎ P. E VISA
fermé 15 au 31 oct., 15 au 28 fév., dim. soir et lundi – **R** 125/280, enf. 70 – 22 – **10 ch** 130/200.

TROEN Blacy Auto., rte Nationale 4 à Blacy r ⑤ ✆ 26 74 15 29
PEL-GM Gar. Labroche, 201 av. de Champagne à Frignicourt ✆ 26 74 13 58
UGEOT-TALBOT Vitry-Champagne-tom., 2 av. de Paris par ⑤ ✆ 26 74 11 47
A.G. Gar. Ruffo, 10 fg St-Dizier ✆ 26 74 39
Auto-Pneu-Marché, 14 av. de Paris ✆ 26 74 04 14
Fischbach Pneu, 138 av. Gén.-Leclerc à Frignicourt ✆ 26 72 27 33

ITRY-SUR-LOIRE 71 S.-et-L. 69 ⑮ – 515 h. – ✉ **71140** Bourbon-Lancy.
ris 300 – Bourbon-Lancy 9,5 – Decize 29 – Digoin 37 – Mâcon 119 – Moulins 39 – Nevers 63.

Acacias, D 979 ✆ 85 84 71 36 – P. ch
fermé 20 déc. au 10 janv. – **R** 52/100 ₰, enf. 45 – 17 – **10 ch** 55/70 – ½ p 145/170.

VITTEAUX 21350 Côte-d'Or 65 ⑱ **G. Bourgogne** – 1 138 h.

Paris 261 – Auxerre 100 – Avallon 56 – Beaune 67 – •Dijon 48 – Montbard 33 – Saulieu 34.

X **Vieille Auberge,** ✆ 80 49 60 88 – E VISA
fermé 14 au 28 oct., 16 au 28 fév., mardi soir et merc. – **R** 60/145 ♗, enf. 40.

VITTEL 88800 Vosges 62 ⑭ **G. Alsace et Lorraine** – 6 440 h. – Stat. therm. – Casino : ABY.

Voir Parc★ BY.

18 18 ✆ 29 08 18 80, N du plan.

ℹ Syndicat d'Initiative av. Bouloumié ✆ 29 08 42 03 et Palais des Congrès (mai-sept.) ✆ 29 08 12 7

Paris 344 ② – Belfort 123 ① – Chaumont 82 ② – Épinal 43 ① – Langres 72 ② – •Nancy 70 ①.

VITTEL

Bouloumié (Av. A.) . . AY 3
Verdun (R. de) . . . . . BZ 26

Belgique (Av. de). . . AZ 2
Dames (R. des) . . . . BZ 5
Div.-Leclerc (R.). . . . BZ 7
Flers (Av. R.-de). . . . BZ 8
Garnier (Av.). . . . . . . BY 9
Gaulle
(Pl. Général-de). . BZ 10
Gérémoy (Allée de) AY 12
Jeanne-d'Arc (R.) . . BZ 13
Joffre (R. Mar.). . . . . BZ 15
Marne (Pl. de la) . . . AZ 17
Paris (R. de) . . . . BZ 18
St-Nicolas (R.). . . . . BY 19
Sœur-Catherine (R.) BZ 20
Soulier (R. M.). . . . BYZ 22
Tilleuls (Av. des) . . . AY 24

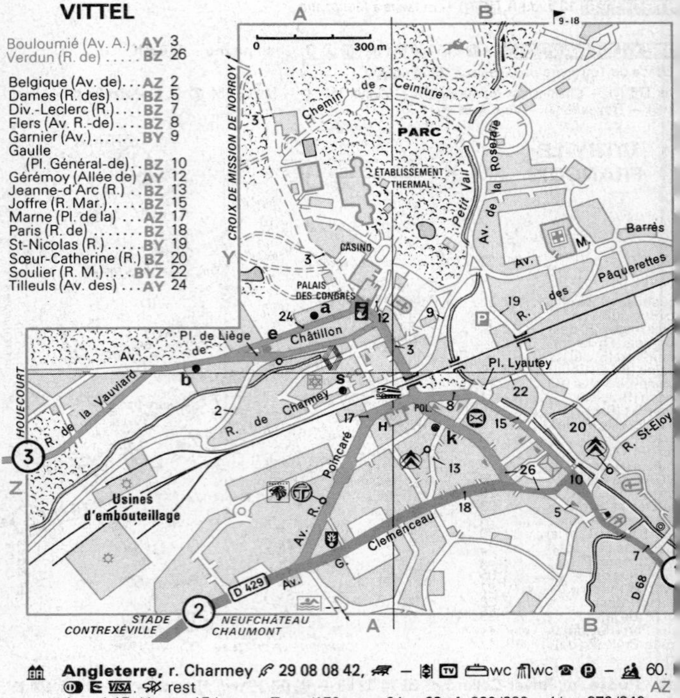

🏨 **Angleterre,** r. Charmey ✆ 29 08 08 42, – ascenseur TV ⇔wc ⋒wc ☎ P – 60. AZ
Ⓓ E VISA. rest
fermé 15 déc. au 15 janv. – **R** 100/150 – ☕ 24 – **62 ch** 220/330 – ½ p 270/340.

🏨 **Bellevue** ⛰, 503 av. Châtillon ✆ 29 08 07 98, – ⇔wc ⋒wc ☎ P. AE Ⓓ AYZ
VISA
15 avril-15 oct. – **R** 90/160 – ☕ 21 – **39 ch** 160/275 – ½ p 200/320.

🏨 **Beauséjour,** 160 av. Tilleuls ✆ 29 08 09 34 – ⇔wc ⋒wc ☎. E VISA AY
Pâques-30 sept. – **R** 82/107, enf. 45 – ☕ 20 – **37 ch** 120/265 – ½ p 196/325.

🏨 **Castel Fleuri** ⛰, 2 r. Jeanne d'Arc ✆ 29 08 05 20, – ⇔wc ⋒wc ☎ P BZ
17 mai-22 sept. – **R** 89 – ☕ 21 – **42 ch** 86/260.

XXX **L'Aubergade** M avec ch, 265 av. Tilleuls ✆ 29 08 04 39 – TV ⇔wc ☎. AE AY
VISA
R *(fermé dim. soir et lundi hors sais.)* 180/285 – ☕ 38 – **9 ch** 250/390 – ½ p 700.

par ③ : 3 km rte Hippodrome – ✉ **88800** Vittel :

🏨 **Orée du Bois,** ✆ 29 08 13 51, ≤, , , – TV ⇔wc ⋒wc ☎ P – 50.
VISA. ch
R 50/144 ♗, enf. 35 – ☕ 18 – **38 ch** 92/196 – ½ p 167/264.

CITROEN Muller, 36.40 r. St-Eloy ✆ 29 08 05 65
CITROEN Villeminot, 106 av. Jeanne d'Arc ✆ 29 08 19 44
PEUGEOT-TALBOT Rambaud, 288 av. Poincaré ✆ 29 08 05 24
RENAULT Ets Leterme, av. Châtillon ✆ 29 07 09

VIVÈS 66 Pyr.-Or. 86 ⑲ – rattaché au Boulou.

VIVIERS 07220 Ardèche 80 ⑩ **G. Vallée du Rhône** (plan) – 3 287 h.

'oir Vieille ville★ – Défilé de Donzère★★ au S.

aris 619 – Aubenas 41 – Montélimar 11 – Pont-St-Esprit 29 – Privas 41 – Vallon-Pont-d'Arc 44.

✕ **Relais du Vivarais** avec ch, NO : 2 km sur N 86 ✆ 75 52 60 41, ⛱, ⛱ – ⇔wc Ⓟ
fermé 20 déc. au 1er fév. et merc. sauf juil.-août – **R** (prévenir) 70/120 – ☐ 15 – **10 ch** 80/150 – 1/2 p 150.

'EUGEOT-TALBOT Sabadel, ✆ 75 52 62 70 **N**

VIVIERS-DU-LAC 73 Savoie 74 ⑮ – rattaché à Aix-les-Bains.

Le VIVIER-SUR-MER 35960 I.-et-V. 59 ⑥ – 914 h.

aris 346 – Dinan 34 – Dol-de-Bretagne 8 – Fougères 59 – Le Mont-St-Michel 31 – St-Malo 21.

🏠 **Bretagne,** ✆ 99 48 91 74, ← – ⇔wc ⇧wc ☎. AE ⓓ E VISA
15 mars-15 nov. et fermé dim. soir et lundi sauf juil.-août – **R** 75/165 – ☐ 24 – **29 ch** 120/200 – 1/2 p 190/230.

VIVONNE 86370 Vienne 68 ⑬ **G. Poitou Vendée Charentes** – 2 817 h.

aris 353 – Angoulême 90 – Confolens 61 – Niort 63 – Poitiers 19 – St-Jean-d'Angély 89.

✕ **La Treille** avec ch, av. Bordeaux ✆ 49 43 41 13 – AE ⓓ E VISA
fermé 15 au 30 janv., vacances de fév. et merc. (sauf rest. en sais.) – **R** 62/180 – ☐ 15,50 – **4 ch** 80/110 – 1/2 p 130/140.

'EUGEOT-TALBOT Babeau, ✆ 49 43 41 29 **N**

VOGELGRUN 68 H.-Rhin 62 ⑳ – rattaché à Neuf-Brisach.

VOGLANS 73 Savoie 74 ⑮ – rattaché à Chambéry.

VOIRON 38500 Isère 77 ④ **G. Alpes du Nord** – 19 658 h.

'oir Caves de la Chartreuse★.

Office de Tourisme (fermé matin hors saison) avec A.C. pl. République ✆ 76 05 00 38.

aris 537 ① – Bourg-en-Bresse 108 ① – Chambéry 44 ② – ♦Grenoble 27 ④ – ♦Lyon 88 ④ – Le Puy 71 ④ – Romans-sur-Isère 62 ④ – ♦St-Étienne 121 ④ – Valence 80 ④ – Vienne 71 ④.

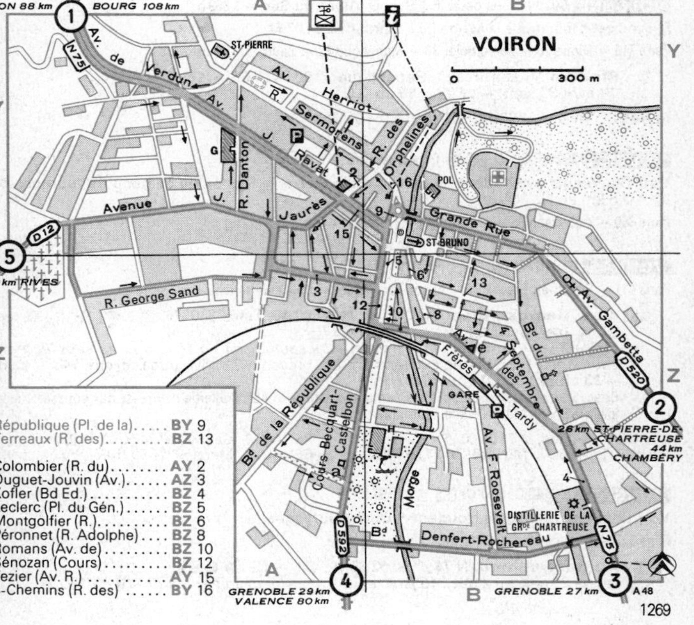

Castel Anne Ⓜ, par ④ : 2 km ✆ 76 05 86 00, ⛱, parc – TV ☎ 🚗 P – 🏛 60 AE ⦿ E VISA
fermé vacances de fév. – **R** 105/145 – ☕ 28 – **18 ch** 230/280.

Abelia Ⓜ, 72 cours Becquart Castelbon ✆ 76 65 90 00, Télex 308475 – ⇅ ▤ rest TV ⇔wc ☎ ♿ P – 🏛 60. AE ⦿ E VISA. ✗ rest AZ
R 65/132, enf. 28 – ☕ 26 – **43 ch** 249 – 1/2 p 321.

La Chaumière 🐚, r. Chaumière (par bd République - AZ) ✆ 76 05 16 24 – ⇔wc ⋒wc ☎ P. AE E VISA. ✗
fermé 8 au 21 août, 1er au 15 janv. et sam. (sauf hôtel de juil. à sept.) – **R** 60/150 🍷 – ☕ 20 – **25 ch** 120/200 – 1/2 p 180/240.

XXX **Baron de Cheny,** ✆ 76 05 29 88 – AE ⦿ E VISA BZ
15 sept.-15 mai et fermé dim. soir et lundi – **R** 115/290.

X **Eden,** par ② : 1 km ✆ 76 05 17 40, ⛱ – P. AE ⦿ E VISA
fermé oct., nov., dim. soir et lundi – **R** 65/168, enf. 50.

CITROEN Gar. de Chartreuse, 22 bd E.-Kofler ✆ 76 05 03 16
OPEL GM Gar. de la Gare, 5 bis av. Tardy ✆ 76 05 03 49
PEUGEOT-TALBOT Guilmeau-Parendel, Zone Ind. des Blanchisseries, N 75 par ① ✆ 76 05 85 33
Piot-Pneu, bd Denfert-Rochereau ✆ 76 0 06 39

VOISINS-LE-BRETONNEUX 78 Yvelines 60 ⑨, 196 ㉙, 101 ㉑ – 5 234 h. – ✉ 7818 Montigny-le-Bretonneux.

Voir Ancienne abbaye de Port-Royal-des-Champs★ SO : 4 km, G. Environs de Paris.

Paris 35 – Chevreuse 12 – Rambouillet 27 – Versailles 9.

Port Royal 🐚 sans rest, 20 r. H.-Boucher ✆ (1) 30 44 16 27, 🌳 – TV ⇔wc ⋒ ☎ P. E VISA
☕ 18 – **35 ch** 125/190.

VOLLORE-MONTAGNE 63 P.-de-D. 73 ⑯ – 450 h. alt. 840 – ✉ 63120 Courpière.

Paris 416 – Ambert 45 – L'Arbresle 98 – ♦Clermont-Fd 63 – Montbrison 54 – Roanne 57 – Thiers 21.

Touristes, ✆ 73 53 77 50, ≤, ⛱ – ⇔ 🚗 P. E VISA
fermé 17 au 25 juin, janv., mardi soir et merc. sauf juil.-août – **R** 65/110 🍷, enf. 30 – ☕ 18 – **16 ch** 80/180 – 1/2 p 120/145.

VOLONNE 04290 Alpes-de-H.-P. 81 ⑯ G. Alpes du Sud – 1 309 h.

Syndicat d'Initiative à la Mairie (juil.-août) ✆ 92 64 07 57.

Paris 716 – Digne 28 – Forcalquier 33 – Manosque 42 – Sault 77 – Sisteron 13.

Modern 🐚 sans rest, r. République ✆ 92 64 07 56 – ✗
1er avril-30 sept. – ☕ 22 – **10 ch** 100.

RENAULT Delaby, ✆ 92 64 05 23 N ✆ 92 64 27 03

VOLVIC 63530 P.-de-D. 73 ⑭ G. Auvergne – 3 936 h.

Voir Coulée de lave ★ dans la maison de la Pierre – Ruines du château de tournoël ★★ ✻ ★ 1,5 km au N.

Paris 380 – Aubusson 85 – ♦ Clermont-Ferrand 21 – Riom 7.

VONNAS 01540 Ain 74 ② – 2 505 h.

Paris 411 – Bourg-en-Bresse 24 – ♦Lyon 66 – Mâcon 19 – Villefranche-sur-Saône 39.

✿✿✿ **Georges Blanc** Ⓜ 🐚, ✆ 74 50 00 10, Télex 380776, 🏊, 🌳, 🎾 – ▤ res TV ☎ 🚗 P. AE ⦿ VISA
fermé 2 janv. au 10 fév. – **R** *(fermé jeudi sauf le soir du 15 juin au 15 sept. et merc sauf fériés)* (nombre de couverts limité - prévenir) 310/460 et carte, enf. 145 – ☕ 6 – **23 ch** 520/950, 7 appartements
Spéc. Sole aux tomates confites, Bar marinière au vin d'Azé, Poularde de Bresse aux gousses d'ail e foie gras. **Vins** Mâcon blanc, Chiroubles.

CITROEN Ferrand, ✆ 74 50 00 27
PEUGEOT-TALBOT Mousset, ✆ 74 50 06 02
RENAULT Gautret, ✆ 74 50 02 41 N
RENAULT Morel, ✆ 74 50 15 66

VOUGEOT 21640 Côte-d'Or 66 ⑫ – 197 h.

Voir Château du Clos de Vougeot ★ O, G. Bourgogne.

Paris 327 – Beaune 23 – ♦ Dijon 18.

XX **Au Gastronome,** N 74 ✆ 80 62 85 10, ⛱ – AE ⦿ E VISA
fermé 20 nov. au 2 déc., 15 janv. au 1er mars, lundi soir et mardi – **R** 80/150.

VOUGY 74 H.-Savoie 74 ⑦ – 597 h. – ✉ **74130** Bonneville.

aris 568 – Annecy 49 – Bonneville 8 – Cluses 7 – ♦Genève 38.

XX ❀ **Capucin Gourmand** (Barbin), sur N 205 ✆ **50 34 03 50** – Ⓟ. AE ⓓ E VISA
fermé jeudi midi et merc. – **R** 130/300
Spéc. Foie gras en feuilletage, Poêlée de langoustines sautées à l'huile d'olive, Millefeuille caramélisé aux fruits. Vins Seyssel, Mondeuse.

VOUILLÉ 86190 Vienne 68 ⑬ – 2 499 h.

aris 340 – Châtellerault 39 – Parthenay 33 – Poitiers 17 – Saumur 84 – Thouars 52.

X **Cheval Blanc** avec ch, ✆ **49 51 81 46** – Ⓟ – 25 à 80. AE E VISA.
R 48/130 – 18 – **12 ch** 80/130 – ½ p 140/160.

Annexe Le Clovis M sans rest, ✆ **49 51 81 46** – wc ☎ Ⓟ. AE E VISA.
20 – **11 ch** 160/190.

La VOULTE-SUR-RHÔNE **07800** Ardèche 77 ⑪ **G. Vallée du Rhône** – 5 301 h.

Voir Corniche de l'Eyrieux★★★ NO : 4,5 km – Plan d'eau du Rhône★.

aris 583 – Crest 23 – Montélimar 33 – Privas 20 – Valence 19.

Musée, pl. 4-Septembre ✆ **75 62 40 19,** – TV wc wc – 30. E VISA
fermé fév. et sam. d'oct. à mars – **R** 70/190 – 22 – **15 ch** 120/230 – ½ p 160/210.

Vallée, quai A.-France ✆ **75 62 41 10,** ←, – wc Ⓟ. E VISA
fermé janv. et sam. sauf vacances scolaires – **R** 55/180 – 20 – **17 ch** 100/200 – ½ p 180/220.

CITROEN Gar. Coutton, ✆ 75 62 00 82 — Plantin Pneus, ✆ 75 62 44 46

VOUTENAY-SUR-CURE 89 Yonne 65 ⑥⑯ **G. Bourgogne** – 193 h. – ✉ **89270** Vermenton.

aris 202 – Auxerre 37 – Avallon 14 – Clamecy 37 – Vézelay 14.

XX **Aub. le Voutenay** avec ch, N 6 ✆ **86 33 41 94, parc** – rest wc Ⓟ. AE E VISA. rest
fermé 12 nov. au 31 janv. et lundi soir (sauf rest.) du 11 nov. à Pâques – **R** *(fermé lundi midi)* 80/245, enf. 40 – 28 – **10 ch** 110/210 – ½ p 200/300.

VOUVANT 85 Vendée 67 ⑯ **G. Poitou Vendée Charentes** – 798 h. – ✉ **85120** La Châtaigneraie – **Voir Eglise★ – Château : tour Mélusine★ (✻★).**

aris 397 – Bressuire 43 – Fontenay-le-Comte 15 – Parthenay 53 – La Roche-sur-Yon 62.

Aub. Maître Pannetier, ✆ **51 00 80 12** – wc wc. E VISA
fermé 1er au 15 oct., vacances de fév. et lundi sauf juil.-août – **R** 38/170, enf. 30 – 16 – **7 ch** 122/150 – ½ p 155/176.

VOUVRAY **37210** I.-et-L. 64 ⑮ **G. Châteaux de la Loire** – 2 598 h.

aris 233 – Amboise 16 – Blois 49 – Château-Renault 26 – ♦Tours 10.

XX **Aub. Gd Vatel** avec ch, av. Brûlé ✆ **47 52 70 32,** – wc Ⓟ. AE VISA. ch
fermé 1er au 15 déc., 1er au 15 mars, dim. soir hors sais. et lundi (sauf hôtel en sais.) – **R** 115/180 – 25 – **7 ch** 140/200 – ½ p 200/240.

XX **Au Virage Gastronomique,** 25 av. Brûlé ✆ **47 52 70 02,** – Ⓟ. E VISA
fermé 29 juin au 10 juil., vacances de Noël, vacances de fév. et merc. – **R** 80/195.

RENAULT Gar. des Sports, ✆ 47 52 73 36

VOUZERON 18 Cher 64 ⑳ – 394 h. – ✉ **18330** Neuvy-sur-Barangeon.

aris 214 – Bourges 32 – Gien 61 – ♦Orléans 83 – Vierzon 13.

Relais de Vouzeron , ✆ **48 51 61 38,** , « Bel intérieur » – wc . AE ⓓ E VISA
fermé août, dim. soir et lundi – **R** carte 160 à 220 – 30 – **9 ch** 220/345.

RENAULT Gar. de Vouzeron, ✆ 48 51 62 01 N

VOVES **28150** E.-et-L. 60 ⑱ – 2 853 h.

aris 97 – Ablis 34 – Bonneval 22 – Chartres 24 – Châteaudun 36 – Étampes 52 – ♦Orléans 58.

XX **Aux Trois Rois** avec ch, ✆ **37 99 00 88** – E VISA. ch
fermé 1er au 7 mars et dim. soir – **R** 70/140 – 16 – **5 ch** 88/105.

CITROEN Jeannot, ✆ 37 99 01 70 N — RENAULT Nadler, ✆ 37 99 17 82
PEUGEOT-TALBOT Poupaux, ✆ 37 99 10 55

La VRINE 25 Doubs 70 ⑥ – alt. 836 – ✉ **25520** Goux-lès-Usiers.

aris 462 – ♦Besançon 49 – Morteau 36 – Mouthier-Hte-Pierre 11 – Pontarlier 9 – Salins-les-Bains 42.

Ferme H., ✆ **81 39 47 74** – wc ☎ Ⓟ. E VISA
R 60/160, enf. 40 – 28 – **35 ch** 140/160 – ½ p 150/200.

VUILLAFANS 25840 Doubs 70 ⑥ **G. Jura** – 600 h.

Paris 446 – ♦Besançon 33 – Levier 22 – Ornans 7 – Pontarlier 27 – Salins-les-Bains 45.

Villa sans Façon, 81 60 90 79, parc – P. rest
fermé 1er déc. au 1er mars – **R** 38/75 – 15 – **12 ch** 70/80 – 1/2 p 115/140.

WAHLBACH 68 H.-Rhin 66 ⑩ – rattaché à Altkirch.

WANGENBOURG 67710 B.-Rhin 62 ⑧⑨ **G. Alsace et Lorraine** – 224 h.

Voir Site★.

Syndicat d'Initiative à la Mairie 88 87 31 46 et rte Gén.-de-Gaulle (juil.-août) 88 87 32 44.

Paris 467 – Molsheim 29 – Sarrebourg 38 – Saverne 20 – Sélestat 62 – ♦Strasbourg 41.

Parc, 88 87 31 72, ←, parc, – wc wc P – 50. E VISA
fermé 5 nov. au 22 déc. et merc. en hiver – **R** 78/180, enf. 56 – 23 – **24 ch** 199/250 – 1/2 p 243/251.

Scheidecker-Fruhauff, 88 87 30 89 – P. E VISA
fermé 1er au 24 déc., 10 au 31 janv. mardi soir (sauf rest.) et merc. hors sais. – **R** 50/150 – 20 – **27 ch** 100/195 – 1/2 p 135/180.

à Engenthal-le-Bas N : 2 km carrefour D 218 - D 224 – **67710** Wangenbourg :

Vosges avec ch, 88 87 30 35, ←, – wc wc P.
fermé mardi soir et merc. hors sais. – **R** 80/165 – 19 – **12 ch** 80/185.

La WANTZENAU 67 B.-Rhin 62 ⑩ – rattaché à Strasbourg.

WASSELONNE 67310 B.-Rhin 62 ⑨ **G. Alsace et Lorraine** – 4 862 h.

Syndicat d'Initiative pl. Gén.-Leclerc (juin-sept.) 88 87 17 22.

Paris 461 – Haguenau 39 – Molsheim 13 – Saverne 14 – Sélestat 46 – ♦Strasbourg 25.

Au Saumon avec ch, r. Gén.-de-Gaulle 88 87 01 83 – wc wc P. AE E VISA
fermé 20 au 24 juin, 1er au 21 fév., dim. soir du 15 oct. au 15 mars et lundi – **R** 68/125, enf. 45 – 21 – **18 ch** 90/170 – 1/2 p 150/170.

CITROEN Gar. Bohnert, 88 87 03 72
PEUGEOT-TALBOT Gar. du Centre, 88 87 06 68 N 88 87 06 44
RENAULT Gar. Kern, 88 87 01 92

WESTHALTEN 68111 H.-Rhin 62 ⑱ **G. Alsace et Lorraine** – 745 h.

Paris 460 – Colmar 21 – Guebwiller 11 – ♦Mulhouse 29 – Thann 29.

Aub. Cheval blanc, 20 r. Rouffach 89 47 01 16 – P. E VISA
fermé 26 juin au 8 juil., 2 au 27 janv., dim. soir et lundi – **R** 87/270.

PEUGEOT-TALBOT Gar. Karch, 89 47 00 52

WETTOLSHEIM 68 H.-Rhin 62 ⑲ – rattaché à Colmar.

WIHR-AU-VAL 68 H.-Rhin 62 ⑱ – 1 051 h. – **68230** Turckeim.

Paris 448 – Colmar 15 – Gérardmer 38 – Guebwiller 34 – Munster 5.

sur D 417 E : 2 km – **68230** Turckheim :

Motel la Prairie, 89 71 10 00, – wc wc P
20 ch.

RENAULT Meyer et Philippe, 89 71 11 09

WIMEREUX 62930 P.-de-C. 51 ① **G. Flandres Artois Picardie** – 7 023 h.

18 21 32 43 20, N : 2 km.

Paris 250 – Arras 121 – Boulogne-sur-Mer 6,5 – ♦Calais 31 – Marquise 10.

Centre, 78 r. Carnot 21 32 41 08, – TV wc wc P. E VISA.
fermé 6 au 13 juin, 19 déc. au 17 janv. et lundi – **R** 70/140 – 20 – **25 ch** 130/250.

Paul et Virginie, 19 r. Gén. de Gaulle 21 32 42 12, – wc. AE E VISA ch
fermé 22 déc. au 23 janv. – **R** *(fermé dim. de nov. à mars)* 70/160 – 22 – **18 ch** 140/230.

Aramis sans rest, 1 r. Romain 21 32 40 15 – wc. E VISA
fermé vacances de Noël, de fév. et dim. d'oct. à mars – 18 – **16 ch** 100/175.

Atlantic H. avec ch, **digue de mer (1er étage)** 21 32 41 01, ← – TV wc wc P – 90. E VISA
1er avril-30 sept. – **R** 68/195 – 28 – **11 ch** 240/290.

RENAULT Coquart, 5 pl. O.-Dewavrin 21 32 40 02

WIMILLE **62** P.-de C. 51 ① – rattaché à Boulogne-sur-Mer.

WINGEN-SUR-MODER **67290** B.-Rhin 57 ⑱ – 1 550 h.

Paris 437 – Bitche 20 – Haguenau 35 – Sarreguemines 42 – Saverne 31 – ♦Strasbourg 57.

Wenk, ✆ 88 89 71 01, – wc wc ☎ . E VISA
fermé 2 janv. au 6 fév. – **R** *(fermé mardi soir et lundi)* 45/185 – 17 – **19 ch** 103/150 – ½ p 150/165.

WINTZENHEIM **68** H.-Rhin 62 ⑱⑲ – rattaché à Colmar.

WISEMBACH **88** Vosges 62 ⑱ – 356 h. – ✉ **88520** Ban-de-Laveline.

Paris 399 – Colmar 44 – Épinal 64 – St-Dié 14 – Ste-Marie-aux-Mines 10 – Sélestat 32.

XX **Blanc Ru** avec ch, ✆ **29 51 78 51,** , – wc . E VISA
fermé 12 au 22 sept., fév., dim. soir et lundi – **R** 75/160 – 21 – **7 ch** 98/190 – ½ p 130/170.

WISSEMBOURG **67160** B.-Rhin 57 ⑲ **G. Alsace et Lorraine** – 6 536 h.

Voir Vieille ville★ : église St-Pierre et St-Paul★ A E – **Col du Pigeonnier** ≤★ **5 km par ④.**

Env. Village★★ d'Hunspach par ② 11 km.

Office de Tourisme à l'Hôtel de Ville ✆ 88 94 10 11.

Paris 476 ④ – Haguenau 32 ② – Karlsruhe 42 ② – Sarreguemines 81 ④ – ♦Strasbourg 64 ②.

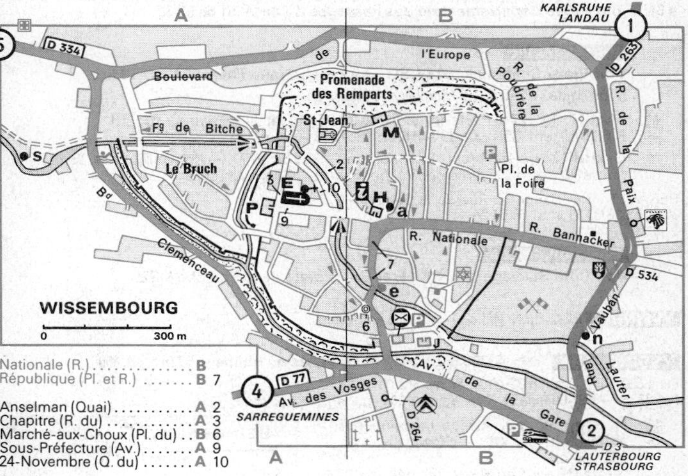

Alsace M sans rest, **16 r. Vauban** ✆ **88 94 98 43** – wc ☎ ♿ . AE E VISA — B n
23 – **41 ch** 170/215.

Cygne, 3 r. Sel ✆ **88 94 00 16** – wc wc ☎. E VISA. ch — B a
fermé juin, fév., jeudi midi et merc. – **R** carte 120 à 210 – 20 – **16 ch** 120/250.

Walck , ✆ **88 94 06 44,** – wc wc ☎ – 40. E VISA. ch
fermé vacances de nov. – **R** *(fermé 15 au 30 juin, vacances de nov., 15 au 30 janv., dim. soir et lundi)* carte 125 à 180 – 22 – **15 ch** 175/220 – ½ p 260. — A s

XX **Ange** avec ch, **r. République** ✆ **88 94 12 11, « Maison du 16e s. »** – wc wc . VISA. ch — B e
fermé 15 janv. au 15 fév., dim. soir et lundi – **R** 95/250 – 18 – **7 ch** 110/160.

à Altenstadt par ② : 2 km – ✉ **67160** Wissembourg :

XX **Rôtisserie Belle Vue,** ✆ **88 94 02 30** – E VISA
fermé 1er au 15 fév., 8 au 30 août, lundi soir et mardi – **R** 65/148 .

CITROEN Gar. Badina, ✆ 88 94 00 25
PEUGEOT Gar. Arbogast, 4 r. de la Paix ✆ 88 94 97 30
RENAULT Gar. Grasser, allée des Peupliers par ② ✆ 88 94 96 00 N

Lauter Pneus, Cour gare Marchandise ✆ 88 54 20 92

WITTERSDORF 68 H.-Rhin 66 ⑨ – rattaché à Altkirch.

XONRUPT-LONGEMER 88 Vosges 62 ⑰ – rattaché à Gérardmer.

Le YAUDET 22 C.-du-N. 58 ⑦ – rattaché à Lannion.

YENNE 73170 Savoie 74 ⑮ **G. Alpes du Nord** – 2 359 h.

Paris 514 – Aix-les-B. 22 – Bellegarde-sur-Valserine 55 – Belley 12 – Chambéry 24 – La Tour-du-Pin 35.

La Diligence, r. A.-Laurent ✆ 79 36 80 78 – AE ⓓ E VISA
fermé 20 au 30 nov., 20 au 31 janv., dim. soir et lundi sauf fêtes – **R** 55/180 ⅄, enf. 30.

Fer à Cheval avec ch, r. des Prêtres ✆ 79 36 70 33, – wc ☎
fermé 1er au 30 oct. et merc. – **R** 55/120 ⅄, enf. 45 – ☕ 24 – **12 ch** 120/180 – 1/2 p 170/190.

CITROEN Gar. Gache ✆ 79 36 90 08
PEUGEOT-TALBOT Gar. Berger ✆ 79 36 70 20
N ✆ 79 36 90 04
RENAULT Gar. Clément, ✆ 79 36 72 32 N ✆ 79 36 86 83

YEU (Ile d') ★★ 85350 Vendée 67 ⑪ **G. Poitou Vendée Charentes** – 4 896 h.

Accès : Transports maritimes, pour Port-Joinville (retenir passage autos très longtemps à l'avance, surtout pour juil.-août) écrire Gare de Port-Joinville ou ✆ 51 58 36 66.

depuis Fromentine. En 1987 : du 15 juin au 18 sept., 2 à 4 services quotidiens ; hors saison, 1 à 2 services quotidiens - Traversée 1 h 10 – Voyageurs 96 F (AR), autos de 253 à 345 F par Régie Départementale des Passages d'Eau ✆ 51 68 52 32.

Port-Joinville

Voir Vieux Château★ : ⋞★★ SO : 3,5 km – Grand Phare ⋞★ SO : 3 km.

ℹ Office de Tourisme pl. Marché ✆ 51 58 32 58.

Flux H. , 27 r. P.-Henry ✆ 51 58 36 25, ⋞, – wc ☎ Ⓟ. VISA
R 65/160, enf. 39 – ☕ 23 – **15 ch** 185/249 – 1/2 p 270.

Grand Large sans rest, 1 r. Courseau ✆ 51 58 36 77 – wc wc ☎. E VISA
fermé 20 déc. au 5 janv. et dim. hors sais. – **22 ch** ☕160/240.

RENAULT Gar. Cantin 55 Rue de la Saulzaie ✆ 51 58 33 80 N ✆ 51 58 54 24

Port-de-la-Meule

Voir Côte Sauvage★★ : ⋞★★ E et O – Pointe de la Tranche★ SE.

YFFINIAC 22 C.-du-N. 59 ③ – rattaché à St-Brieuc.

YSSINGEAUX 43200 H.-Loire 76 ⑧ **G. Vallée du Rhône** – 6 718 h. alt. 860.

Paris 560 ① – Ambert 72 ④ – Privas 112 ② – Le Puy 27 ③ – ♦St-Étienne 51 ① – Valence 100 ②.

H. Cygne, 8 r. Alsace-Lorraine **(u)** ✆ 71 59 01 87, – wc wc ☎. VISA. ✻ ch
fermé 29 août au 4 oct., 22 déc. au 11 janv., dim. soir et lundi sauf juil.-août – **Le Cygne R** 60/135 ⅄ – ☕ 19 – **18 ch** 138/158.

Le Bourbon, 5 pl. Victoire **(e)** ✆ 71 59 06 54 – wc ☎. E VISA. ✻ rest
fermé 2 nov. au 8 déc., dim. soir et lundi du 1er oct. au 30 juin – **R** 58/180 – ☕ 22 – **11 ch** 120/200.

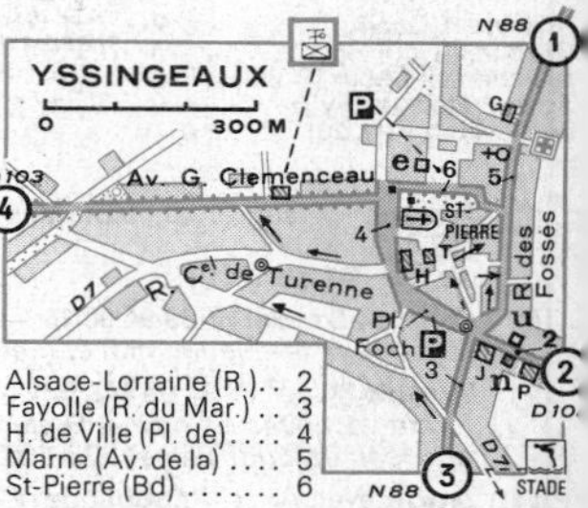

Alsace-Lorraine (R.) . . 2
Fayolle (R. du Mar.) . . 3
H. de Ville (Pl. de) 4
Marne (Av. de la) 5
St-Pierre (Bd) 6

CITROEN Gar. de Bellevue, rte de Retournac par ④ ✆ 71 59 00 68 N
CITROEN Gar. Surrel, r. de Verdun Sud par D 7 ✆ 71 59 07 46 N ✆ 71 59 09 44
PEUGEOT-TALBOT Gar. Berlier, rte de Saint-Etienne par ① ✆ 71 59 06 65 N
RENAULT Renault Yssingeaux, La Guide par ① ✆ 71 59 13 31
RENAULT Gar. Sagnard, ZI La Guide par ① ✆ 71 59 03 39
Chapuis, av. Mar.-de-Vaux ✆ 71 59 05 24

YVETOT 76190 S.-Mar. 52 ⑬ **G. Normandie Vallée de la Seine** – 10 895 h.

Voir Verrières★★ de l'église E.

ℹ Syndicat d'Initiative pl. V.-Hugo (15 mars-déc.) ✆ 35 95 08 40.

Paris 176 ② – Dieppe 53 ② – Fécamp 34 ⑤ – ♦Le Havre 51 ⑤ – Lisieux 85 ⑤ – ♦Rouen 36 ②.

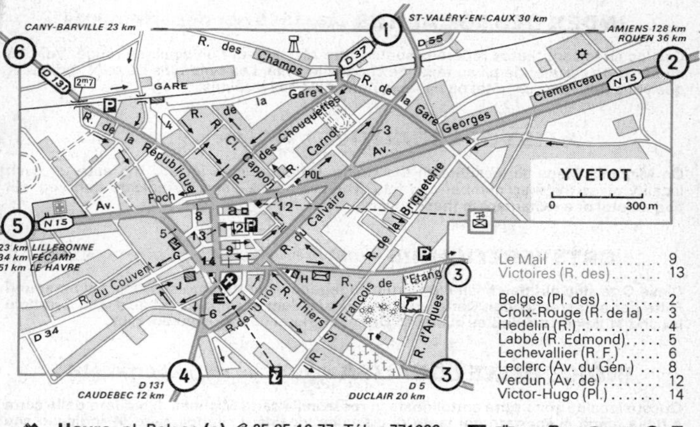

Le Mail 9
Victoires (R. des) 13

Belges (Pl. des) 2
Croix-Rouge (R. de la) .. 3
Hedelin (R.) 4
Labbé (R. Edmond) 5
Lechevallier (R. F.) 6
Leclerc (Av. du Gén.) 8
Verdun (Av. de) 12
Victor-Hugo (Pl.) 14

Havre, pl. Belges (a) ✆ 35 95 16 77, Télex 771683 – TV ⊟wc ⋒wc ☎ ⇔ Ⓟ. E VISA
R *(fermé 17 déc. au 16 janv., vend. soir sauf juil.-août et dim. sauf fériés)* 75/110 ♨ – **43 ch** ☕140/240.

à Croix-Mare par ② N 15 : 8 km – ⊠ **76190** Yvetot :

XX **Aub. de la Forge,** ✆ 35 91 25 94, ⛱ – Ⓟ. AE ⓓ E VISA
fermé 16 août au 4 sept., 2 au 15 janv., mardi soir et merc. – **R** 88/196, enf. 57.

FIAT, LANCIA-AUTOBIANCHI Vasselin, Zone Ind. d'Yvetot à Ste Marie des champs ✆ 35 95 18 44
FORD Lethuillier, av. Gén.-Leclerc ✆ 35 95 12 99
PEUGEOT-TALBOT Leroux N 15 bis à Valliquerville par ⑤ ✆ 35 95 16 66
RENAULT Roussel Autom., rte N 15 par ⑤ ✆ 35 95 00 88

Gar. Perchey, av. G.-Clemenceau ✆ 35 95 01 75

Ⓜ Aubé, Zone Ind. ✆ 35 56 89 89
Central Pneu, 58 r. Ferdinand Lechevalier ✆ 35 95 42 13
Rouen Pneus Caux, à Ourville en Caux ✆ 35 27 60 35

YVOIRE 74 H.-Savoie 70 ⑯⑰ G. Alpes du Nord – 357 h. – ⊠ 74140 Douvaine.

ℹ Syndicat d'Initiative pl. Mairie (mars-sept.) ✆ 50 72 80 21.

Paris 568 – Annecy 71 – Bonneville 40 – ♦Genève 26 – Thonon-les-Bains 16.

Pré de la Cure M ⛱, ✆ 50 72 83 58, ←, ⛱, ⛱ – ⬍ ⊟wc ⋒wc ☎ Ⓟ. E VISA. ⛒ ch
26 mars-30 oct. – **R** *(fermé merc. sauf juil.-août)* 66/200 – ☕ 26 – **20 ch** 220 – ½ p 225.

Vieux Logis, ✆ 50 72 80 24, ⛱ – ⊟wc ☎. AE E VISA
Pâques-31 oct. et fermé lundi – **R** 60/200, enf. 25 – ☕ 25 – **13 ch** 190.

XX **Flots Bleus** ⛱ avec ch, ✆ 50 72 80 08, ←, ⛱, « Terrasse ombragée face au port » – ⊟wc ⋒ ☎ Ⓟ. E VISA. ⛒ ch
7 mai-19 sept. et fermé mardi – **R** 85/170 – ☕ 28 – **8 ch** 145/225.

XX **Port** ⛱ avec ch, ✆ 50 72 80 17, ←, ⛱, « Terrasse dominant le lac » – ⊟wc ⋒wc ☎. E VISA. ⛒ ch
8 mai-30 sept. et fermé merc. hors sais. – **R** 130/170 – ☕ 25 – **8 ch** 160/280.

X **Aub. Porte d'Yvoire,** face poste ✆ 50 72 80 14, ←, ⛱, « Façade fleurie » – E VISA
26 mars-31 oct. et fermé lundi – **R** 68/190, enf. 34.

YZEURES-SUR-CREUSE 37 I.-et-L. 68 ⑤ – 1 820 h.

Paris 315 – Châteauroux 71 – Châtellerault 29 – Poitiers 54 – ♦Tours 90.

XX **La Promenade** avec ch, ✆ 47 94 55 21 – ⊟wc ⋒wc ☎. E VISA. ⛒
fermé vacances de fév. – **R** 98/250 – ☕ 30 – **17 ch** 135/240.

ZELLENBERG 68 H.-Rhin 62 ⑲ – rattaché à Riquewihr.

ZOUFFTGEN 57 Moselle 57 ③ – 664 h. – ⊠ 57330 Hettange-Grande.

Paris 357 – Luxembourg 20 – ♦Metz 48 – Thionville 17.

XX **La Lorraine,** ✆ 82 83 40 46 – Ⓟ. VISA
fermé 29 août au 8 sept., 8 au 26 fév. et merc. – **R** 80/240.

INDEX DES LOCALITÉS classées par départements

Ces localités sont toutes repérées sur la Carte Michelin par un souligné rouge. Voir les numéros de carte et de pli au texte de chaque localité. Les symboles 🛏 et ✕ indiquent que vous trouverez un hôtel ou un restaurant dans ces localités.

A LIST OF LOCALITIES by « département »

On Michelin Maps all localities in the Guide are underlined in red. The entry of each locality gives the map number and fold. The symbols 🛏 and ✕ indicate that you will find a hotel or a restaurant in these towns.

ORTSVERZEICHNIS nach Départements geordnet

Diese Orte sind auf den Michelin-Karten angegeben und rot unterstrichen. Nummer und Falte der entsprechenden Karte ersehen Sie aus dem jeweiligen Ortstext. Die Symbole 🛏 und ✕ zeigen an, daß es in diesen Orten ein Hotel oder Restaurant gibt.

INDICE DELLE LOCALITÀ suddivise per dipartimento

Queste località sono tutte sottolineate in rosso sulla carta Michelin. Il numero della carta e della piega è riportato nel testo di ciascuna località. I simboli 🛏 e ✕ indicano che troverete in questa località un albergo o un ristorante.

ÍNDICE DE LOCALIDADES por departamentos

Todas las localidades están subrayadas en el mapa Michelin en color rojo. Ver los números de mapa y pliego en el texto de cada localidad. Los simbolos 🛏 y ✕ indican que encontrará en estas localidades un hotel o un restaurante.

01 AIN

- Ambérieux-en-Dombes
- Ars-sur-Formans
- Artemare
- Attignat
- Bellegarde-sur-Valserine
- Belley
- Bénonces
- Bourg-en-Bresse
- Ceignes
- Cerdon
- Ceyzériat
- Chalamont
- Challex
- Châtillon-sur-Chalaronne
- Chézery-Forens
- Coligny
- Divonne-les-Bains
- Dompierre-sur-Veyle
- Echallon
- Les Echets
- Faucille (Col de la)
- Ferney-Voltaire
- Flévieu
- Gex
- Groslée
- Hauteville-Lompnes
- Izernore
- Lalleyriat
- Lelex
- Logis-Neuf
- Lompnieu
- Loyettes
- Marlieux
- Meximieux
- Mézériat
- Mionnay
- Montluel
- Montmerle-sur-Saône
- Montrevel-en-Bresse
- Nantua
- Oyonnax
- Pérouges
- Polliat
- Pont-d'Ain
- Pont-de-Vaux
- Priay
- Rancé
- St André-de-Corcy
- St Benoit
- St Etienne-du-Bois
- St Genis-Pouilly
- St Germain-de-Joux
- St Jean-de-Gonville
- St Maurice-de-Gourdans
- Sauverny
- Thoissey
- Trévoux
- Villars-les-Dombes
- Virieu-le-Grand
- Vonnas

02 AISNE

- Berry-au-Bac
- Blérancourt
- La Capelle
- Le Catelet
- Château-Thierry
- Chauny
- Etréaupont
- La Fère
- Fère-en-Tardenois
- Guise
- Hirson
- Laon
- Marle
- Le Nouvion-en-Thiérache
- Plomion
- Reuilly-Sauvigny
- St Gobain
- St Quentin
- Soissons
- Urcel
- Vailly-sur-Aisne
- Vervins
- Vic-sur-Aisne
- Villers-Cotterêts

03 ALLIER

- Arfeuilles
- Bourbon-l'Archambault
- Cérilly
- Chantelle
- Commentry
- Cosne-d'Allier
- Cusset
- Dompierre-sur-Besbre
- Ebreuil
- Lapalisse
- Mariol
- Le Mayet-de-Montagne
- Montluçon
- Moulins
- Néris-les-Bains
- St Léopardin-d'Augy
- St Pourçain-sur-Sioule
- Souvigny
- Tronçais
- Urçay
- Vallon-en-Sully
- Varennes-sur-Allier
- Le Veudre
- Vichy

04 ALPES-DE-HTE-PR.

- Allos
- Annot
- Barcelonnette
- Barrême
- Beauvezer
- Castellane
- Chabriéres
- Château-Arnoux
- Colmars
- Digne
- Forcalquier
- La Fuste
- Gréoux-les-Bains
- Jausiers
- Larche
- Manosque
- Moustiers-Ste-Marie
- La Palud-sur-Verdon
- Peyruis
- Point-Sublime
- Reillanne
- St André-les-Alpes
- St Etienne
- St Julien-du-Verdon
- Seyne
- Sisteron
- Thorame-Haute-Gare
- Turriers
- Valensole
- Volonne

05 HTES-ALPES

- Aspres-sur-Buëch
- Briançon
- Ceillac
- Chaillol
- La Chapelle-en-Valgaudemar
- Château-Ville-Vieille (Commune de)
- Crevoux
- Embrun
- La Freissinouse
- Gap
- La Grave

- 🛏 ✕ Guillestre
- 🛏 Laragne-Montéglin
- 🛏 Lautaret (Col du)
- 🛏 Molines-en-Queyras
- 🛏 Montgenèvre
- 🛏 Orcières
- 🛏 Les Orres
- 🛏 Pelvoux (Commune de)
- 🛏 Puy-St-Vincent
- 🛏 La Roche-les-Arnauds
- 🛏 St Bonnet
- 🛏 St Disdier
- 🛏 St Firmin
- 🛏 St Julien-en-Champsaur
- 🛏 St Léger-les-Mélèzes
- 🛏 St Véran
- 🛏 ✕ Savines-le-Lac
- 🛏 ✕ Serre-Chevalier
- 🛏 Serres
- 🛏 Vallouise
- 🛏 ✕ Vars
- 🛏 Villar-d'Arène

06 ALPES-MAR.

- 🛏 ✕ Antibes
- ✕ Auribeau-sur-Siagne
- 🛏 Auron
- ✕ Le Bar-sur-Loup
- 🛏 ✕ Beaulieu-sur-Mer
- ✕ Beuil
- ✕ Bézaudun-les-Alpes
- ✕ Biot
- 🛏 La Bollène-Vésubie
- 🛏 ✕ Breuil-sur-Roya
- 🛏 La Brigue
- ✕ Le Broc
- 🛏 ✕ Cagnes-sur-Mer
- 🛏 ✕ Cannes
- 🛏 ✕ Le Cannet
- 🛏 Cap d'Ail
- 🛏 ✕ Castagniers
- 🛏 ✕ La Colle-sur-Loup
- 🛏 Colomars
- ✕ Contes
- ✕ L'Escarène
- 🛏 Estenc
- 🛏 ✕ Eze
- 🛏 ✕ Eze-Bord-de-Mer
- ✕ Falicon
- ✕ Gattières
- 🛏 ✕ Golfe-Juan
- 🛏 ✕ Grasse
- 🛏 Gréolières
- 🛏 Gréolières-les-Neiges
- 🛏 Guillaumes
- 🛏 Isola 2000
- 🛏 ✕ Juan-les-Pins
- ✕ Lantosque
- 🛏 ✕ Levens
- 🛏 Mandelieu
- 🛏 ✕ Menton
- 🛏 ✕ Miramar
- ✕ Mouans-Sartoux
- 🛏 ✕ Mougins
- 🛏 ✕ La Napoule
- 🛏 ✕ Nice
- 🛏 ✕ Pégomas
- ✕ Peille
- 🛏 Peillon
- 🛏 Peira-Cava
- 🛏 Plan-du-Var
- 🛏 Pont-du-Loup
- ✕ Puget-Théniers
- 🛏 Roquebillière
- 🛏 ✕ Roquebrune-Cap-Martin
- ✕ Roquefort-les-Pins
- 🛏 St Dalmas-de-Tende
- 🛏 St Etienne-de-Tinée
- 🛏 ✕ St Jean-Cap-Ferrat
- ✕ St Jean-la-Rivière
- ✕ St Jeannet
- 🛏 St Laurent-du-Var
- ✕ St Martin-du-Var
- 🛏 St Martin-Vésubie
- 🛏 St Paul
- 🛏 St Vallier-de-Thiey
- 🛏 Sospel
- 🛏 Le Suquet
- 🛏 Tende
- 🛏 Théoule-sur-Mer
- 🛏 Thorenc
- 🛏 ✕ Touët-sur-Var
- 🛏 ✕ Tourrette-sur-Loup
- 🛏 ✕ La Turbie
- 🛏 Valberg
- ✕ Valbonne
- 🛏 Valdeblore (Commune de)
- ✕ Vallauris
- 🛏 ✕ Vence
- 🛏 ✕ Villefranche
- 🛏 ✕ Villeneuve-Loubet

07 ARDÈCHE

- 🛏 ✕ Annonay
- ✕ Antraigues
- 🛏 Arcens
- 🛏 ✕ Aubenas
- 🛏 Baix
- ✕ Bidon
- 🛏 Bourg-St-Andéol
- ✕ Charmes-sur-Rhône
- 🛏 Le Cheylard
- 🛏 Coucouron
- 🛏 Joyeuse
- 🛏 Lablachère
- 🛏 Lalouvesc
- 🛏 Lamastre
- 🛏 Largentière
- 🛏 Laviolle
- 🛏 Mézilhac
- ✕ Les Ollières-sur-Eyrieux
- 🛏 Orgnac-l'Aven
- 🛏 Le Pouzin
- 🛏 ✕ Privas
- 🛏 Ruoms
- 🛏 St Agrève
- 🛏 St Cirgues-en-Montagne
- 🛏 St Marcel-d'Ardèche
- 🛏 St Martin-de-Valamas
- ✕ St Paul-le-Jeune
- 🛏 ✕ St Péray
- ✕ St Remèze
- 🛏 Sarras
- 🛏 Satillieu
- ✕ Serrières
- ✕ Le Teil
- 🛏 Thueyts
- 🛏 ✕ Tournon
- 🛏 Valgorge
- 🛏 Vallon-Pont-d'Arc
- 🛏 ✕ Vals-les-Bains
- 🛏 Les Vans
- ✕ Villeneuve-de-Berg
- ✕ Viviers
- 🛏 La Voulte-sur-Rhône

08 ARDENNES

- ✕ Aubrives
- ✕ Auvillers-les-Forges
- 🛏 Bazeilles
- ✕ Bièvres
- 🛏 Bogny-sur-Meuse
- 🛏 ✕ Charleville-Mézières
- ✕ Les Hautes-Rivières
- 🛏 ✕ Haybes
- 🛏 Neuville-aux-Tourneurs
- ✕ Nouzonville
- 🛏 Rethel
- ✕ Revin
- 🛏 Rocroi
- 🛏 ✕ Sedan
- 🛏 Signy-l'Abbaye

09 ARIÈGE

- 🛏 Argein
- 🛏 Aulus-les-Bains
- 🛏 ✕ Ax-les-Thermes
- ✕ La Bastide-de-Sérou
- 🛏 ✕ Foix
- 🛏 L'Hospitalet
- 🛏 Mirepoix
- 🛏 Oust
- 🛏 Pamiers
- 🛏 St Girons
- ✕ Seix
- 🛏 Tarascon-sur-Ariège
- ✕ Varilhes

10 AUBE

- 🛏 Aix-en-Othe
- ✕ Arcis-sur-Aube
- 🛏 ✕ Bar-sur-Aube
- 🛏 Bar-sur-Seine
- 🛏 ✕ Brévonnes
- 🛏 ✕ Brienne-le-Château
- ✕ Gyé-sur-Seine
- ✕ Lesmont
- 🛏 Méry-sur-Seine
- 🛏 Mesnil-St-Père
- ✕ Nogent-sur-Aube
- 🛏 ✕ Nogent-sur-Seine
- 🛏 ✕ Romilly-sur-Seine
- 🛏 ✕ Troyes

11 AUDE

- ✕ Belcaire
- 🛏 Capendu
- 🛏 ✕ Carcassonne
- 🛏 ✕ Castelnaudary
- ✕ Chalabre
- ✕ Cucugnan
- ✕ Fitou
- 🛏 La Franqui
- 🛏 Gincla
- 🛏 ✕ Gruissan
- ✕ Leucate
- 🛏 Lézignan-Corbières
- ✕ Limoux
- 🛏 ✕ Narbonne
- 🛏 Peyriac-Minervois
- 🛏 Port-la-Nouvelle
- 🛏 ✕ Quillan
- ✕ Rieux-Minervois
- 🛏 Villemagne

En mars 1989, ce guide ne sera plus valable. Achetez le guide de l'année !

12 AVEYRON

- 🛏 Aguessac
- 🛏 Les Albres
- 🛏 Aubrac
- 🛏 Baraqueville
- ✕ Belcastel
- 🛏 Bertholène
- 🛏 Bois-du-Four
- 🛏 ✕ Bozouls
- 🛏 Broquiès
- 🛏 Brousse-le-Château
- 🛏 Brusque
- 🛏 Camarès
- 🛏 Conques
- 🛏 Coupiac
- 🛏 Cransac
- 🛏 Decazeville
- 🛏 Entraygues-sur-Truyère
- 🛏 ✕ Espalion
- 🛏 Estaing
- 🛏 Gabriac
- 🛏 Grand-Vabre
- 🛏 ✕ Laguiole
- 🛏 ✕ Millau
- 🛏 Montbazens
- 🛏 Mur-de-Barrez
- 🛏 Najac
- 🛏 ✕ Naucelle
- 🛏 Palmas
- ✕ Plaisance
- 🛏 Pont-de-Salars
- 🛏 Rieupeyroux
- 🛏 Rignac
- 🛏 Rivière-sur-Tarn
- 🛏 ✕ Rodez
- 🛏 Roquefort-sur-Soulzon
- 🛏 St Affrique
- 🛏 St Chély-d'Aubrac
- 🛏 St Geniez-d'Olt
- 🛏 St Jean-du-Bruel
- 🛏 St Rome-de-Cernon
- 🛏 St Sernin-sur-Rance
- 🛏 Ste Geneviève-sur-Argence
- 🛏 Salles-Curan
- 🛏 Salmiech
- 🛏 Sauveterre-de-Rouergue
- 🛏 Sévérac-le-Château
- 🛏 Thérondels
- 🛏 ✕ Valady
- 🛏 Viaur (Viaduc du)
- 🛏 ✕ Villefranche-de-Rouergue
- 🛏 Villeneuve

13 B.-DU-RHÔNE

- 🛏 ✕ Aix-en-Provence
- 🛏 ✕ Arles
- 🛏 Auriol
- 🛏 Barbentane
- 🛏 ✕ Les Baux-de-Provence
- 🛏 ✕ Beaurecueil
- ✕ Calas
- 🛏 ✕ Carry-le-Rouet
- 🛏 ✕ Cassis
- 🛏 Châteauneuf-le-Rouge
- 🛏 ✕ Châteaurenard
- 🛏 ✕ La Ciotat
- 🛏 ✕ Eygalières
- 🛏 ✕ Fontvieille
- 🛏 ✕ Fos-sur-Mer
- ✕ Fuveau
- 🛏 ✕ Gémenos
- ✕ Grans
- 🛏 Graveson
- 🛏 ✕ Istres
- ✕ Lambesc
- 🛏 ✕ Marignane
- 🛏 ✕ Marseille
- 🛏 ✕ Martigues
- 🛏 ✕ Maussane-les-Alpilles
- ✕ Meyrargues
- 🛏 ✕ Miramas
- 🛏 Mouriès
- 🛏 Noves
- ✕ Orgon
- 🛏 Plan-d'Orgon
- 🛏 Port-St-Louis-du-Rhône
- 🛏 ✕ Rognac
- ✕ Rognes
- 🛏 Roquefavour
- ✕ St Cannat
- 🛏 St Martin-de-Crau
- ✕ St Paul-lez-Durance
- 🛏 ✕ St Rémy-de-Provence
- 🛏 ✕ Stes Maries-de-la-Mer
- 🛏 ✕ Salon-de-Provence
- ✕ Sausset-les-Pins
- 🛏 ✕ Sénas
- 🛏 Tarascon
- 🛏 ✕ Trets
- 🛏 Vauvenargues
- ✕ Ventabren

14 CALVADOS

- ✕ Annebault
- 🛏 Arromanches-les-Bains
- 🛏 Audrieu
- ✕ Aunay-sur-Odon
- ✕ Balleroy
- 🛏 ✕ Bayeux

🍴 Beaumont-en-Auge
🍴 Bénouville
🍴 Beuvron-en-Auge
🛏 Blonville-sur-Mer
🍴 Le Breuil-en-Auge
🛏 🍴 Cabourg
🛏 🍴 Caen
🍴 Cambremer
🛏 🍴 Clécy
🍴 Condé-sur-Noireau
🛏 🍴 Courseulles-sur-Mer
🍴 Crèvecoeur-en-Auge
🛏 🍴 Deauville
🍴 Douvres-la-Délivrande
🛏 🍴 Falaise
🛏 🍴 Grandcamp-Maisy
🛏 🍴 Honfleur
🍴 Houlgate
🛏 Isigny-sur-Mer
🛏 Langrune-sur-Mer
🛏 Lion-sur-Mer
🛏 🍴 Lisieux
🛏 Livarot
🛏 Luc-sur-Mer
🍴 Merville-Franceville-Plage
🍴 Mery-Cordon
🛏 Le Molay-Littry
🛏 Orbec
🍴 Ouistreham
🛏 🍴 Pont-d'Ouilly
🍴 Pont-Farcy
🛏 🍴 Pont-l'Evêque
🛏 St Aubin-sur-Mer
🍴 St Sylvain
🍴 Thury-Harcourt
🛏 Tilly-sur-Seulles
🛏 🍴 Trouville-sur-Mer
🍴 Villers-Bocage
🛏 Villers-sur-Mer
🛏 🍴 Vire

15 CANTAL

🛏 🍴 Aurillac
🍴 Boisset
🛏 Calvinet
🛏 Champagnac
🛏 Champs-sur-Tarentaine
🛏 🍴 Chaudes-Aigues
🛏 Cheylade
🛏 Le Claux
🛏 Dienne
🛏 Le Falgoux
🛏 Garabit (Viaduc de)
🛏 Laveissière
🛏 🍴 Le Lioran
🛏 Massiac
🛏 Mauriac
🛏 Maurs
🛏 Montsalvy
🛏 🍴 Murat
🛏 Neuvéglise
🛏 Pailherols
🛏 Polminhac
🛏 Riom-ès-Montagnes
🛏 Le Rouget
🛏 Ruynes-en-Margeride
🛏 Saignes
🛏 St Cernin
🛏 St Cirgues-de-Jordanne
🛏 St Etienne-Cantalès
🛏 St Etienne-de-Chomeil
🛏 St Flour
🛏 St Jacques-des-Blats
🛏 St Julien-de-Jordanne
🛏 St Paul-des-Landes
🛏 St Projet-de-Cassaniouze
🛏 Salers
🛏 Ségur-les-Villas
🛏 Thiézac
🛏 Trizac
🛏 Le Vaulmier
🛏 Vezels-Roussy
🛏 Vic-sur-Cère
🛏 Vieillevie
🛏 Vitrac

16 CHARENTE

🛏 🍴 Angoulême
🛏 🍴 Barbézieux
🛏 Chabanais
🍴 Chalais
🍴 Chasseneuil-sur-Bonnieure
🍴 Cierzac
🛏 🍴 Cognac
🛏 🍴 Confolens
🛏 🍴 Jarnac
🛏 Mansle
🛏 Montbron
🛏 Montignac-Charente
🛏 Nieuil
🛏 La Rochefoucauld
🍴 Rouillac
🛏 Roumazières-Loubert
🛏 Ruffec
🛏 Vibrac

17 CHARENTE-MARITIME

🛏 Arvert
🍴 Boutenac-Touvent
🛏 Chaillevette
🛏 🍴 Châtelaillon-Plage
🍴 Chevanceaux
🍴 Esnandes
🛏 Fouras
🛏 🍴 Jonzac
🛏 🍴 La Laigne
🛏 Marennes
🍴 Meschers-sur-Gironde
🛏 Montguyon
🍴 Mornac-sur-Seudre
🛏 🍴 Mortagne-sur-Gironde
🛏 🍴 Oléron (Ile d')
🛏 🍴 Pons
🛏 🍴 Ré (Ile de)
🛏 🍴 Rochefort
🛏 🍴 La Rochelle
🛏 Ronce-les-Bains
🛏 🍴 Royan
🛏 St Aigulin
🛏 St Georges-de-Didonne
🛏 St Jean-d'Angély
🛏 🍴 St Palais-sur-Mer
🛏 🍴 Saintes
🛏 🍴 Saujon
🛏 Surgères
🍴 Talmont
🛏 Tonnay-Boutonne

18 CHER

🛏 Ainay-le-Vieil
🍴 Argent-sur-Sauldre
🛏 Aubigny-sur-Nère
🍴 Bannegon
🛏 🍴 Bourges
🛏 🍴 Brinon-sur-Sauldre
🍴 Concressault
🛏 Culan
🍴 Le Guétin
🛏 🍴 Mehun-sur-Yèvre
🍴 Menetou-Ratel
🍴 Nançay
🛏 🍴 St Amand-Montrond
🛏 St Martin-d'Auxigny
🛏 🍴 Sancerre
🛏 Sancoins
🍴 Vailly-sur-Sauldre
🛏 🍴 Vierzon
🛏 Vouzeron

19 CORRÈZE

- 🛏 Allassac
- 🛏 Argentat
- 🛏 Arnac-Pompadour
- 🛏 Aubazine
- 🛏 Beaulieu-sur-Dordogne
- 🛏 Bort-les-Orgues
- 🛏 🍴 Brive-la-Gaillarde
- 🛏 Camps
- 🛏 Chamboulive
- 🛏 La Chapelle
- 🛏 Clergoux
- 🛏 Collonges-la-Rouge
- 🛏 Corrèze
- 🛏 Donzenac
- 🛏 Egletons
- 🛏 Lapleau
- 🛏 Larche
- 🍴 Lostanges
- 🛏 Lubersac
- 🍴 Marcillac-la-Croisille
- 🛏 Meymac
- 🛏 Neuvic
- 🛏 🍴 Objat
- 🛏 Quatre-Route-d'Albussac
- 🛏 La Roche-Canillac
- 🛏 St Cirgues-la-Loutre
- 🛏 St Martin-la-Méanne
- 🛏 St Pardoux-la-Croisille
- 🛏 🍴 Seilhac
- 🛏 Tarnac
- 🛏 Le Teulet
- 🛏 🍴 Tulle
- 🍴 Turenne
- 🛏 Ussel
- 🛏 🍴 Uzerche
- 🛏 Varetz

2A CORSE-DU-SUD

- 🛏 🍴 Ajaccio
- 🛏 Aullène
- 🛏 🍴 Bastelica
- 🍴 Bavella (Col de)
- 🛏 🍴 Bonifacio
- 🛏 Cargèse
- 🍴 Cauro
- 🛏 Evisa
- 🛏 Favone
- 🛏 🍴 Golfe de la Liscia
- 🍴 Petreto-Bicchisano
- 🛏 Piana
- 🛏 🍴 Porticcio
- 🛏 Porto
- 🛏 Porto-Pollo
- 🛏 🍴 Porto-Vecchio
- 🛏 🍴 Propriano
- 🛏 Quenza
- 🛏 Sagone
- 🛏 Santa-Maria-Sicché
- 🛏 🍴 Sartène
- 🛏 Soccia
- 🛏 Solenzara
- 🍴 Vero
- 🛏 Vico
- 🛏 Zicavo
- 🛏 Zonza

2B HTE-CORSE

- 🛏 Algajola
- 🛏 Barcaggio
- 🛏 🍴 Bastia
- 🛏 Calenzana
- 🛏 🍴 Calvi
- 🛏 Centuri-Port
- 🛏 Corte
- 🛏 Feliceto
- 🛏 Galéria
- 🛏 🍴 L'Ile-Rousse
- 🛏 Macinaggio
- 🛏 Pioggiola
- 🛏 Porticciolo
- 🛏 🍴 St Florent
- 🛏 San Pellegrino
- 🛏 Speloncato
- 🛏 Venaco
- 🛏 Vizzavona (Col de)

21 CÔTE-D'OR

- 🛏 Aisey-sur-Seine
- 🛏 🍴 Arnay-le-Duc
- 🍴 Auxey-Duresses
- 🛏 🍴 Auxonne
- 🛏 🍴 Beaune
- 🍴 Bligny-sur-Ouche
- 🍴 Bouilland
- 🛏 Châteauneuf
- 🛏 Châtillon-sur-Seine
- 🛏 🍴 Dijon
- 🍴 Fixin
- 🛏 🍴 Genlis
- 🛏 🍴 Gevrey-Chambertin
- 🍴 Laignes
- 🍴 Meloisey
- 🛏 🍴 Meursault
- 🛏 🍴 Mirebeau
- 🛏 🍴 Montbard
- 🛏 Nolay
- 🛏 🍴 Nuits-St-Georges
- 🍴 Pont-de-Pany
- 🛏 Pouilly-en-Auxois
- 🛏 Puligny-Montrachet
- 🛏 St Jean-de-Losne
- 🛏 St Seine-l'Abbaye
- 🛏 🍴 Saulieu
- 🛏 Savigny-lès-Beaune
- 🛏 🍴 Semur-en-Auxois
- 🛏 Seurre
- 🛏 Til-Châtel
- 🛏 🍴 Val-Suzon
- 🛏 Venarey-les-Laumes
- 🍴 Vitteaux
- 🍴 Vougeot

22 CÔTES-DU-NORD

- 🍴 Belle-Isle-en-Terre
- 🛏 Bréhat (Ile de)
- 🍴 Broons
- 🍴 Callac
- 🛏 Cap Fréhel
- 🍴 Caurel
- 🛏 Créhen
- 🛏 🍴 Dinan
- 🛏 🍴 Erquy
- 🍴 Etables-sur-Mer
- 🛏 Gouarec
- 🛏 🍴 Guingamp
- 🛏 Lamballe
- 🛏 Lancieux
- 🛏 🍴 Lannion
- 🛏 Lézardrieux
- 🛏 Louargat
- 🛏 🍴 Loudéac
- 🛏 Matignon
- 🍴 Merdrignac
- 🍴 Mur-de-Bretagne
- 🛏 🍴 Paimpol
- 🍴 Pédernec
- 🍴 Penvénan
- 🛏 🍴 Perros-Guirec
- 🍴 Plancoët
- 🛏 🍴 Pléneuf-Val-André
- 🛏 Plestin-les-Grèves
- 🛏 Pléven
- 🛏 Ploeuc-sur-Lié
- 🍴 Les Ponts-Neufs
- 🛏 Port-Blanc
- 🛏 Quintin
- 🛏 Sables-d'Or-les-Pins
- 🛏 🍴 St Brieuc
- 🛏 🍴 St Cast-le-Guildo
- 🛏 St Jacut-de-la-Mer
- 🛏 St Michel-en-Grève
- 🛏 🍴 St Quay-Portrieux
- 🛏 🍴 Trébeurden
- 🛏 🍴 Trégastel-Plage
- 🛏 Tréguier
- 🛏 Trévou-Tréguignec

23 CREUSE

- 🛏 ✕ Aubusson
- 🛏 Bourganeuf
- 🛏 ✕ Boussac
- ✕ Busseau
- 🛏 Chambon-sur-Voueize
- ✕ Chenerailles
- 🛏 ✕ Crozant
- 🛏 Dun-le-Palestel
- ✕ Felletin
- 🛏 Genouillac
- 🛏 Gouzon
- 🛏 ✕ Guéret
- 🛏 Lavaveix-les-Mines
- 🛏 Pontarion
- 🛏 St Georges-la-Pouge
- ✕ St Hilaire-le-Château
- 🛏 La Souterraine
- 🛏 La Villeneuve

24 DORDOGNE

- 🛏 Badefols-sur-Dordogne
- ✕ Beaumont
- 🛏 ✕ Bergerac
- 🛏 ✕ Beynac-et-Cazenac
- ✕ Bouniagues
- 🛏 ✕ Brantôme
- 🛏 ✕ Le Bugue
- 🛏 Champagnac-de-Belair
- 🛏 La Coquille
- 🛏 Domme
- 🛏 Excideuil
- 🛏 Eymet
- 🛏 Les Eyzies-de-Tayac
- 🛏 Groléjac
- 🛏 ✕ Lalinde
- 🛏 ✕ Le Lardin-St-Lazare
- 🛏 Maison-Jeannette
- ✕ Manzac-sur-Vern
- 🛏 Marquay
- 🛏 Mauzac
- 🛏 Montignac
- 🛏 Montpon-Ménesterol
- 🛏 Mouleydier
- 🛏 ✕ Mussidan
- 🛏 Nontron
- 🛏 ✕ Périgueux
- 🛏 Ribérac
- 🛏 ✕ La Roque-Gageac
- 🛏 Rouffillac
- 🛏 St Cybranet
- 🛏 St Cyprien
- 🛏 St Saud-Lacoussière
- 🛏 Salignac-Eyvignes
- 🛏 ✕ Sarlat-la-Canéda
- 🛏 Sarliac-sur-l'Isle
- 🛏 Saussignac
- 🛏 Siorac-en-Périgord
- 🛏 Sorges
- 🛏 Tamniès
- 🛏 Thiviers
- 🛏 Tourtoirac
- 🛏 ✕ Trémolat
- ✕ Vergt
- ✕ Vieux-Mareuil
- 🛏 Villefranche-du-Périgord
- 🛏 ✕ Vitrac

25 DOUBS

- ✕ Audincourt
- 🛏 ✕ Baume-les-Dames
- 🛏 ✕ Besançon
- 🛏 Chapelle-des-Bois
- 🛏 ✕ Charquemont
- ✕ Consolation (Cirque de)
- ✕ Cour-St-Maurice
- 🛏 Damprichard
- 🛏 Goumois
- 🛏 Les Grangettes
- 🛏 Les Hôpitaux-Neufs
- 🛏 Jougne
- 🛏 Levier
- 🛏 Lods
- 🛏 Maîche
- 🛏 ✕ Malbuisson
- ✕ Mathay
- 🛏 ✕ Montbéliard
- 🛏 Montbenoit
- 🛏 ✕ Morteau
- 🛏 ✕ Mouthier-Haute-Pierre
- 🛏 Nans-sous-Ste-Anne
- 🛏 ✕ Orchamps-Vennes
- 🛏 ✕ Ornans
- 🛏 Ouhans
- 🛏 Oye-et-Pallet
- ✕ Pierrefontaine-les-Varans
- 🛏 Pontarlier
- 🛏 Pont-de-Roide
- ✕ Rang
- ✕ Roches-lès-Blamont
- 🛏 St Hippolyte
- ✕ St Vit
- 🛏 ✕ Sochaux
- 🛏 Valdahon
- 🛏 Vernierfontaine
- ✕ Villars-sous-Dampjoux
- 🛏 Villers-le-Lac
- 🛏 La Vrine
- 🛏 Vuillafans

26 DRÔME

- 🛏 Les Barraques-en-Vercors
- 🛏 Bourdeaux
- 🛏 Buis-les-Baronnies
- 🛏 Chabeuil
- 🛏 La Chapelle-en-Vercors
- 🛏 ✕ Crest
- 🛏 Die
- 🛏 ✕ Dieulefit
- 🛏 ✕ Donzère
- ✕ Etoile-sur-Rhône
- 🛏 Génissieux
- ✕ Grane
- 🛏 Grignan
- 🛏 Hauterives
- 🛏 Luc-en-Diois
- 🛏 ✕ Montélimar
- ✕ Montmeyran
- 🛏 Les Nonières
- 🛏 ✕ Nyons
- 🛏 ✕ Pierrelatte
- 🛏 Le Poët-Laval
- ✕ Pont-de-l'Isère
- 🛏 Rochegude
- 🛏 ✕ Romans-sur-Isère
- 🛏 St Jean-en-Royans
- 🛏 St Laurent-en-Royans
- ✕ St Nazaire-en-Royans
- ✕ St Nazaire-le-Désert
- 🛏 St Rambert-d'Albon
- 🛏 St Restitut
- ✕ St Vallier
- 🛏 Saulce-sur-Rhône
- 🛏 Solérieux
- 🛏 Suze-la-Rousse
- 🛏 ✕ Tain-l'Hermitage
- 🛏 ✕ Valence

27 EURE

- ✕ Les Andelys
- ✕ Beaumesnil
- ✕ Beaumont-le-Roger
- ✕ Le Bec-Hellouin
- ✕ Bernay
- 🛏 ✕ Beuzeville
- ✕ Bourth
- 🛏 Breteuil
- ✕ Brionne
- ✕ Broglie
- ✕ Chambray
- ✕ Charleval
- ✕ Conches-en-Ouche
- 🛏 Connelles
- ✕ Conteville
- 🛏 ✕ Evreux

- La Ferrière-sur-Risle
- Gisors
- Illiers-l'Evêque
- Ivry-la-Bataille
- Lieurey
- Louviers
- Lyons-la-Forêt
- Montreuil-l'Argillé
- Nonancourt
- Pacy-sur-Eure
- Pont-Audemer
- Pont-de-l'Arche
- Pont-St-Pierre
- Port-Mort
- La Rivière-Thibouville
- Routot
- St Maclou
- St Samson-de-la-Roque
- Thiberville
- Verneuil-sur-Avre
- Vernon

28 EURE-ET-LOIR

- Anet
- Brezolles
- Brou
- Chartres
- Châteaudun
- Châteauneuf-en-Thymerais
- Cloyes-sur-le-Loir
- Dreux
- Gallardon
- Illiers-Combray
- Logron
- La Loupe
- Nogent-le-Roi
- Nogent-le-Rotrou
- Toury
- Voves

29 FINISTÈRE

- L'Aber-Wrac'h
- Audierne
- Beg-Meil
- Bénodet
- Berven
- Brest
- Briec
- Brignogan-Plages
- Camaret-sur-Mer
- Carantec
- Carhaix-Plouguer
- Châteaulin
- Châteauneuf-du-Faou
- Cléden-Cap-Sizun
- Cléder
- Clohars-Carnoët
- Concarneau
- Le Conquet
- Crozon
- Douarnenez
- Le Faou
- La Forêt-Fouesnant
- Fouesnant
- Gouesnach
- Guerlesquin
- Guilvinec
- Hôpital-Camfrout
- Huelgoat
- Lampaul-Plouarzel
- Landerneau
- Landévennec
- Landivisiau
- Lannilis
- Lesconil
- Lesneven
- Locquirec
- Locronan
- Moëlan-sur-Mer
- Morgat
- Morlaix
- Plobannalec
- Plogoff
- Plomeur
- Plomodiern
- Plonéour-Lanvern
- Ploudalmézeau
- Plouescat
- Plougasnou
- Plougastel-Daoulas
- Plouguerneau
- Plouhinec
- Plouider
- Plouigneau
- Pont-Aven
- Pont-l'Abbé
- Port-Manech
- Pouldreuzic
- Le Pouldu
- Poullaouen
- Quimper
- Quimperlé
- Raguenès-Plage
- Raz (Pointe du)
- Riec-sur-Bélon
- Roscoff
- Rosporden
- St Evarzec
- St Guénolé
- St Jean-du-Doigt
- St Thégonnec
- Ste Anne-la-Palud (Chapelle de)
- Ste Marine
- Scaer
- Sein (Ile de)
- Sizun
- Taulé
- Telgruc-sur-Mer
- Trégunc

30 GARD

- Aigues-Mortes
- Alès
- Anduze
- Les Angles
- Bagnols-sur-Cèze
- Beaucaire
- Bessèges
- Castillon-du-Gard
- Chamborigaud
- Collias
- Concoules
- Durfort
- L'Espérou
- Génolhac
- La Grand-Combe
- Le Grau-du-Roi
- Lasalle
- Montfrin
- Mus
- Nîmes
- Pont-du-Gard
- Pont-St-Esprit
- Remoulins
- Rochefort-du-Gard
- Roquemaure
- St Ambroix
- St Gilles
- St Jean-du-Gard
- Sauveterre
- Sommières
- Tavel
- Uzès
- Valleraugue
- Vergèze
- Vézénobres
- Le Vigan
- Villeneuve-lès-Avignon

31 HAUTE-GARONNE

- Antichan-de-Frontignes
- Aurignac
- Auterive
- Barbazan
- Bourg-d'Oueil
- Boussens
- Cierp-Gaud
- Encausse-les-Thermes
- Le Fousseret
- Labarthe-Inard
- Labarthe-sur-Lèze
- Labastide-Beauvoir
- Lévignac
- Luchon
- Mane
- Martres-Tolosane
- Montaigut-sur-Save

🛏 Montastruc-la-Conseillère
🛏 ✕ Montréjeau
🛏 Muret
🛏 Noé
🛏 ✕ Revel
🛏 St Bertrand-de-Comminges
🛏 St Félix-Lauragais
🛏 St Gaudens
✕ St Martory
✕ St Sulpice-sur-Lèze
🛏 Salies-du-Salat
🛏 Sauveterre-de-Comminges
🛏 ✕ Toulouse
🛏 Vacquiers
🛏 Le Vernet
🛏 Villefranche-de-Lauragais
✕ Villemur-sur-Tarn

32 GERS

🛏 ✕ Auch
🛏 ✕ Barbotan-les-Thermes
✕ Bassoues
🛏 ✕ Castéra-Verduzan
✕ Condom
✕ Eauze
🛏 Fleurance
🛏 ✕ Gimont
✕ L'Isle-de-Noé
🛏 L'Isle-Jourdain
✕ Laguian
🛏 ✕ Lectoure
✕ Luppé-Violles
✕ Masseube
✕ Mauvezin
🛏 Mirande
✕ Montréal
🛏 Nogaro
🛏 Plaisance
🛏 ✕ Riscle
🛏 St Jean-Poutge
🛏 Samatan
🛏 Segos
🛏 Valence-sur-Baïse
🛏 ✕ Vic-Fézensac

33 GIRONDE

🛏 Andernos-les-Bains
🛏 ✕ Arcachon
✕ Le Barp
✕ Barsac
✕ Beaulac
🛏 Belin-Béliet
🛏 ✕ Blaye
🛏 ✕ Bordeaux
✕ Bouliac
✕ Cambes
🛏 ✕ Cap Ferret
✕ Castillon-la-Bataille
🛏 Cavignac
🛏 Cérons
✕ Claouey
🛏 ✕ Coutras
🛏 Créon
🛏 Guîtres
🛏 ✕ Gujan-Mestras
🛏 Hourtin
🛏 Lacanau-Océan
🛏 ✕ Langon
🛏 Lavagnac
🛏 ✕ Libourne
✕ Listrac-Médoc
🛏 Lugos
🛏 ✕ Margaux
🛏 Maubuisson
🛏 Monségur
🛏 Le Pontet-d'Eyrans
✕ Le Porge
🛏 ✕ Pyla-sur-Mer
🛏 Queyrac
✕ Quinsac
✕ Rauzan
🛏 La Réole
✕ St André-de-Cubzac
🛏 ✕ St Emilion
✕ St Laurent-Médoc
✕ St Louis-de-Montferrand
🛏 ✕ Ste Foy-la-Grande
🛏 Soulac-sur-Mer
🛏 Taussat-les-Bains
🛏 La Teste
✕ Le Verdon-sur-Mer
🛏 Villandraut

34 HÉRAULT

🛏 ✕ Agde
🛏 ✕ Balaruc-les-Bains
🛏 Bédarieux
🛏 ✕ Béziers
🛏 ✕ Capestang
✕ Castries
🛏 Le Caylar
🛏 Clermont-l'Hérault
✕ Colombières-sur-Orb
✕ Florensac
🛏 Fraïsse-sur-Agout
🛏 ✕ Frontignan
🛏 ✕ Ganges
🛏 ✕ Gignac
🛏 ✕ La Grande-Motte
🛏 ✕ Lamalou-les-Bains
🛏 ✕ Lodéve
🛏 Lunel
🛏 ✕ Mèze
🛏 ✕ Minerve
🛏 ✕ Montpellier
🛏 Mourèze
🛏 Nissan-lez-Ensérune
🛏 Olargues
🛏 ✕ Palavas-les-Flots
✕ Roquebrun
🛏 ✕ St Pons-de-Thomières
🛏 ✕ Sète
🛏 Valras-Plage
🛏 Valros

35 I.-ET-VILAINE

🛏 Bain-de-Bretagne
🛏 Bédée
🛏 ✕ Cancale
🛏 Châteaubourg
🛏 ✕ Châteaugiron
🛏 ✕ Cherrueix
🛏 Combourg
🛏 ✕ Dinard
🛏 ✕ Dol-de-Bretagne
🛏 ✕ Fougères
🛏 La Gouesnière
🛏 La Guerche-de-Bretagne
🛏 Guichen
✕ Hédé
✕ Janzé
🛏 ✕ Liffré
🛏 Louvigné-du-Désert
🛏 Maure-de-Bretagne
✕ Messac
🛏 Montfort
🛏 ✕ Paimpont
🛏 Plélan-le-Grand
🛏 Pleurtuit
🛏 Quédillac
🛏 ✕ Redon
🛏 ✕ Rennes
🛏 St Brice-en-Coglès
🛏 ✕ St Malo
✕ Tinténiac
🛏 Tremblay
🛏 Le Tronchet
🛏 ✕ Vitré
🛏 Le Vivier-sur-Mer

36 INDRE

🛏 ✕ Aigurande
✕ Ambrault
🛏 ✕ Ardentes
🛏 ✕ Argenton-sur-Creuse
✕ Bélâbre
🛏 Le Blanc
🛏 Buzançais
🛏 ✕ Châteauroux

Châtillon-sur-Indre
La Châtre
Eguzon
Issoudun
Levroux
St Christophe-en-Boucherie
Ste Sévère-sur-Indre
Valençay
Vatan

37 INDRE-ET-LOIRE

Amboise
Azay-le-Rideau
Bléré
Bourgueil
Château-Renault
Chenonceaux
Chinon
Descartes
Genillé
Le Grand-Pressigny
L'Ile-Bouchard
Langeais
Ligueil
Loches
Luynes
Manthelan
Marçay
Monnaie
Montbazon
Montlouis-sur-Loire
Monts
Neuillé-le-Lierre
Ports-sur-Vienne
Preuilly-sur-Claise
St Martin-le-Beau
St Patrice
Ste Maure-de-Touraine
Semblançay
Tours
Véretz
Vernou-sur-Brenne
Villandry
Vouvray
Yzeures-sur-Creuse

38 ISÈRE

Les Abrets
Allemont
Allevard
L'Alpe-d'Huez
Aoste
Autrans
Les Avenières
Beaurepaire
Le Bourg-d'Oisans
Bourgoin-Jallieu
Bresson
Chamrousse
Chanas
Charavines
Château-Bernard
Clelles
Corps
La Côte-St-André
Crémieu
Le Curtillard
Les Deux-Alpes
Faverges-de-la-Tour
Le Freney-d'Oisans
Goncelin
Grenoble
Gresse-en-Vercors
Laffrey
Lans-en-Vercors
Malville
Miribel-les-Echelles
Moirans
Monestier-de-Clermont
Morestel
Le Mottier
Le Péage-de-Roussillon
Pontcharra
Le Pont-de-Beauvoisin
Pont-de-Cheruy
Pont-en-Royans
Les Roches-de-Condrieu
St Antoine
St Geoire-en-Valdaine
St Hilaire-du-Rosier
St Lattier
St Laurent-du-Pont
St Marcellin
St Maurice-en-Trièves
St Nizier-du-Moucherotte
St Pierre-de-Chartreuse
St Pierre-d'Entremont
Le Sappey-en-Chartreuse
Sinard
La Tour-du-Pin
Tréminis
Tullins
Uriage-les-Bains
Vaujany
Vienne
Villard-de-Lans
Viriville
Voiron

39 JURA

Andelot-en-Montagne
Arbois
Arinthod
Baume-les-Messieurs
Bletterans
Bonlieu
Champagnole
Chaussin
Clairvaux-les-Lacs
Dole
Doucier
Ilay
Lamoura
Lons-le-Saunier
Maisod
Mont-sous-Vaudrey
Morez
Mouchard
Orgelet
Poligny
Pont-de-la-Chaux
Pont-de-Poitte
Les Rousses
St Amour
St Claude
St Laurent-en-Grandvaux
Salins-les-Bains
Thoirette
Vers-en-Montagne

40 LANDES

Aire-sur-l'Adour
Amou
Benesse-Maremne
Biscarrosse
Cagnotte
Capbreton
Castets
Contis-Plage
Dax
Eugénie-les-Bains
Grenade-sur-l'Adour
Hagetmau
Herm
Hossegor
Labatut

- 🛏 Labouheyre
- 🛏 Léon
- 🛏 Lubbon
- ✕ Luxey
- 🛏 ✕ Magescq
- 🛏 Mano
- ✕ Mézos
- 🛏 ✕ Mimizan
- 🛏 ✕ Mont-de-Marsan
- 🛏 Montfort-en-Chalosse
- 🛏 Morcenx
- 🛏 ✕ Parentis-en-Born
- 🛏 ✕ Peyrehorade
- ✕ Port-de-Lanne
- ✕ Pouillon
- 🛏 Retjons
- ✕ Rion-des-Landes
- 🛏 Roquefort
- 🛏 Sabres
- ✕ St Geours-de-Maremne
- 🛏 St Jean-de-Lier
- 🛏 St Justin
- 🛏 St Paul-en-Born
- 🛏 St Sever
- 🛏 ✕ St Vincent-de-Tyrosse
- 🛏 Sanguinet
- 🛏 Le Souquet
- 🛏 ✕ Soustons
- 🛏 Tartas
- 🛏 Vieux-Boucau-les-Bains
- 🛏 Villeneuve-de-Marsan

41 LOIR-ET-CHER

- 🛏 ✕ Blois
- 🛏 ✕ Bracieux
- 🛏 ✕ Candé-sur-Beuvron
- 🛏 Chambord
- ✕ La Chapelle-Vendomoise
- 🛏 Chaumont-sur-Loire
- ✕ Chaumont-sur-Tharonne
- 🛏 ✕ Chitenay
- 🛏 ✕ Contres
- 🛏 ✕ Cour-Cheverny
- ✕ Dhuizon
- ✕ La Ferté-Imbault
- 🛏 La Ferté-St-Cyr
- ✕ Herbault
- 🛏 ✕ Lamotte-Beuvron
- 🛏 Mennetou-sur-Cher
- ✕ Mer
- 🛏 Mondoubleau
- 🛏 Montoire-sur-le-Loir
- 🛏 Montrichard
- 🛏 ✕ Nouan-le-Fuzelier
- 🛏 Onzain
- 🛏 Ouchamps
- ✕ Oucques
- 🛏 Rilly-sur-Loire
- 🛏 ✕ Romorantin-Lanthenay
- 🛏 ✕ St Aignan
- 🛏 St Dyé-sur-Loire
- 🛏 St Laurent-Nouan
- 🛏 ✕ Salbris
- 🛏 Santenay
- ✕ Selles-St-Denis
- ✕ Souesmes
- ✕ Souvigny-en-Sologne
- 🛏 ✕ Thésée
- ✕ Troo
- 🛏 ✕ Vendôme
- 🛏 La Ville-aux-Clercs
- ✕ Villefranche-sur-Cher

42 LOIRE

- ✕ Balbigny
- 🛏 Le Bessat
- ✕ Bonson
- 🛏 Bourg-Argental
- ✕ Le Cergne
- 🛏 ✕ Charlieu
- ✕ Chavanay
- 🛏 ✕ Feurs
- 🛏 ✕ Firminy
- ✕ L'Hôpital-sur-Rhins
- 🛏 ✕ Montbrison
- 🛏 ✕ Montrond-les-Bains
- ✕ Noailly
- 🛏 ✕ Noirétable
- 🛏 La Pacaudière
- ✕ Pouilly-sous-Charlieu
- 🛏 ✕ Renaison
- ✕ Rive-de-Gier
- 🛏 ✕ Roanne
- ✕ St Alban-les-Eaux
- ✕ St André-d'Apchon
- 🛏 ✕ St Chamond
- 🛏 ✕ St Etienne
- 🛏 ✕ St Galmier
- 🛏 St Germain-Laval
- 🛏 ✕ St Just-en-Chevalet
- ✕ St Pierre-de-Boeuf
- ✕ St Symphorien-de-Lay
- 🛏 Usson-en-Forez
- 🛏 Valfleury
- ✕ Veauche
- 🛏 Violay

43 HTE-LOIRE

- 🛏 Allègre
- 🛏 Arlempdes
- ✕ Aurec-sur-Loire
- 🛏 Blesle
- 🛏 ✕ Brioude
- 🛏 La Chaise-Dieu
- 🛏 Le Chambon-sur-Lignon
- ✕ Costaros
- 🛏 Fay-sur-Lignon
- 🛏 Langeac
- ✕ Lapte
- 🛏 Lavoûte-sur-Loire
- 🛏 Mazet-St-Voy
- 🛏 Monistrol-sur-Loire
- 🛏 Moudeyres
- 🛏 Paulhaguet
- 🛏 Pontempeyrat
- 🛏 Pont-Salomon
- 🛏 Pradelles
- 🛏 Prades
- 🛏 ✕ Le Puy
- 🛏 Retournac
- ✕ St Bonnet-le-Froid
- ✕ St Didier-en-Velay
- ✕ St Julien-Chapteuil
- 🛏 St Privat-d'Allier
- 🛏 Saugues
- 🛏 La Séauve-sur-Semène
- 🛏 Tence
- 🛏 ✕ Yssingeaux

44 LOIRE-ATL.

- 🛏 Ancenis
- ✕ Batz-sur-Mer
- 🛏 ✕ La Baule
- ✕ Blain
- ✕ Bouaye
- ✕ Chapelle-Basse-Mer
- 🛏 ✕ Châteaubriant
- 🛏 ✕ Clisson
- 🛏 ✕ Le Croisic
- ✕ Donges
- ✕ Fresnay-en-Retz
- 🛏 Guémené-Penfao
- ✕ Guenrouet
- 🛏 ✕ Guérande
- 🛏 ✕ Legé
- 🛏 ✕ Missillac
- ✕ Les Moûtiers-en-Retz
- 🛏 ✕ Nantes
- ✕ Nort-sur-Erdre
- ✕ Nozay
- 🛏 Orvault
- ✕ Paulx
- 🛏 Piriac-sur-Mer
- 🛏 ✕ La Plaine-sur-Mer
- 🛏 ✕ Pornic

🛏 Pornichet
🛏 🍴 Le Pouliguen
🛏 Préfailles
🛏 Rougé
🛏 St Brévin-les-Pins
🍴 St Etienne-de-Mont-Luc
🍴 St Joachim
🍴 St Lyphard
🛏 St Marc-sur-Mer
🍴 St Mars-la-Jaille
🛏 🍴 St Nazaire
🍴 La Turballe
🍴 Vallet

45 LOIRET

🍴 Autry-le-Châtel
🍴 Batilly-en-Puisaye
🛏 Beaugency
🛏 Bellegarde
🛏 Les Bézards
🛏 Bonny-sur-Loire
🛏 Briare
🛏 🍴 Châteauneuf-sur-Loire
🍴 Châteaurenard
🛏 Chatillon-sur-Loire
🍴 Chilleurs-aux-Bois
🛏 🍴 Combreux
🛏 🍴 Courtenay
🛏 Dordives
🛏 🍴 La Ferté-St-Aubin
🛏 🍴 Gien
🛏 Jargeau
🛏 Ladon
🛏 🍴 Lorris
🍴 Loury
🛏 🍴 Malesherbes
🍴 Meung-sur-Loire
🛏 🍴 Montargis
🍴 Nogent-sur-Vernisson
🍴 Olivet
🛏 🍴 Orléans
🍴 Ouzouer-sur-Loire
🛏 🍴 Pithiviers
🛏 St Benoit-sur-Loire
🛏 🍴 Sully-sur-Loire
🍴 Vannes-sur-Cosson

46 LOT

🛏 🍴 Alvignac
🛏 Bretenoux
🛏 Cabrerets
🛏 🍴 Cahors
🍴 Cajarc
🛏 Calès
🛏 Carennac
🍴 Catus
🛏 🍴 Cressensac
🛏 🍴 Figeac
🍴 Goujounac
🛏 🍴 Gourdon
🛏 🍴 Gramat
🍴 Les Junies
🛏 Labastide-Murat
🛏 Lacapelle-Marival
🛏 🍴 Lacave
🛏 Latronquière
🛏 Martel
🛏 Padirac
🛏 Puy-l'Evêque
🛏 🍴 Rocamadour
🛏 🍴 St Céré
🍴 St Cirq-Lapopie
🛏 🍴 Souillac
🛏 Sousceyrac

47 LOT-ET-GAR.

🛏 🍴 Agen
🛏 🍴 Aiguillon
🛏 Cancon
🛏 🍴 Casteljaloux
🛏 Duras
🍴 Francescas
🛏 Fumel
🛏 Lavardac
🛏 🍴 Marmande
🛏 Moncrabeau
🛏 🍴 Nérac
🍴 Poudenas
🍴 Puymirol
🛏 🍴 Ste Livrade-sur-Lot
🛏 Tonneins
🛏 Tournon-d'Agenais
🛏 🍴 Villeneuve-sur-Lot

48 LOZÈRE

🛏 Aumont-Aubrac
🛏 Auroux
🛏 Bagnols-les-Bains
🛏 Barjac
🛏 La Canourgue
🛏 Caze (Château de la)
🛏 🍴 Chanac
🛏 Chapeauroux
🛏 Chasserades
🛏 Florac
🛏 L'Habitarelle
🛏 🍴 Ispagnac
🛏 Langogne
🛏 La Malène
🛏 Le Malzieu-Ville
🛏 Marvejols
🛏 🍴 Mende
🛏 Meyrueis
🛏 Nasbinals
🛏 Rieutort-de-Randon
🛏 Le Rozier
🛏 St Alban-sur-Limagne
🛏 St Chély-d'Apcher
🛏 Ste Enimie
🍴 Vialas
🛏 Les Vignes
🛏 Villefort

49 MAINE-ET-LOIRE

🍴 Andard
🛏 🍴 Angers
🛏 Baugé
🛏 Beaupréau
🛏 Brissac-Quincé
🛏 Chalonnes-sur-Loire
🛏 🍴 Champtoceaux
🛏 🍴 Châteauneuf-sur-Sarthe
🛏 Chavagnes
🛏 Cheffes
🛏 Chênehutte-les-Tuffeaux
🛏 🍴 Cholet
🛏 Doué-la-Fontaine
🍴 Durtal
🛏 🍴 Fontevraud-l'Abbaye
🛏 🍴 Gennes
🍴 Ingrandes
🛏 Jallais
🛏 Le Lion-d'Angers
🛏 🍴 Montreuil-Bellay
🛏 🍴 Montsoreau
🛏 Pouancé
🛏 Rochefort-sur-Loire
🛏 🍴 Les Rosiers
🍴 St Clément-des-Levées
🛏 St Florent-le-Vieil
🍴 St Georges-sur-Loire
🛏 St Macaire-en-Mauges
🍴 St Martin-de-la-Place
🍴 St Mathurin-sur-Loire
🛏 🍴 Saumur
🛏 Seiches-sur-le-Loir
🛏 Tiercé

50 MANCHE

🛏 🍴 Avranches
🛏 Barfleur
🛏 🍴 Barneville-Carteret
🍴 Beauchamps
🛏 Bréhal
🛏 Bricquebec
🍴 Buais

- 🛏 ✕ Carentan
- ✕ Champeaux
- 🛏 ✕ Cherbourg
- 🛏 Coutainville
- 🛏 ✕ Coutances
- 🛏 Ducey
- 🛏 ✕ Granville
- ✕ Hambye
- ✕ La Haye-du-Puits
- ✕ Jullouville
- ✕ Marigny
- 🛏 Montmartin-sur-Mer
- 🛏 Montpinchon
- 🛏 ✕ Le Mont-St-Michel
- 🛏 Mortain
- ✕ Omonville-la-Rogue
- 🛏 Pontaubault
- 🛏 ✕ Pontorson
- ✕ Portbail
- ✕ Quettehou
- 🛏 Quettreville-sur-Sienne
- 🛏 Quinéville
- 🛏 Réville
- ✕ St Germain-des-Vaux
- 🛏 St Hilaire-du-Harcouët
- 🛏 St James
- 🛏 St Jean-le-Thomas
- 🛏 ✕ St Lô
- ✕ St Pair-sur-Mer
- 🛏 St Vaast-la-Hougue
- ✕ Sourdeval
- 🛏 Le Teilleul
- ✕ Thorigni-sur-Vire
- ✕ Trelly
- ✕ Troisgots
- 🛏 Urville-Nacqueville
- 🛏 Valognes
- 🛏 ✕ Villedieu-les-Poêles

51 MARNE

- 🛏 Ambonnay
- ✕ Ay
- 🛏 Beaumont-sur-Vesle
- 🛏 ✕ Châlons-sur-Marne
- 🛏 Champillon
- ✕ Drosnay
- 🛏 ✕ Epernay
- 🛏 Fère-Champenoise
- 🛏 ✕ Fismes
- 🛏 Givry-en-Argonne
- ✕ Le Mesnil-sur-Oger
- ✕ Montchenot
- ✕ Montmort
- 🛏 ✕ Reims
- ✕ Ste Menehould
- 🛏 Sept-Saulx
- 🛏 ✕ Sézanne
- 🛏 Tours-sur-Marne
- 🛏 ✕ Vertus
- ✕ Ville-en-Tardenois
- 🛏 Vinay
- 🛏 ✕ Vitry-le-François

52 HTE-MARNE

- 🛏 Arc-en-Barrois
- 🛏 Bourbonne-les-Bains
- 🛏 Chaumont
- 🛏 ✕ Colombey-les-Deux-Eglises
- ✕ Fayl-Billot
- ✕ Foulain
- 🛏 ✕ Joinville
- 🛏 ✕ Langres
- ✕ Marnay-sur-Marne
- 🛏 Montigny-le-Roi
- 🛏 Nogent-en-Bassigny
- ✕ Perthes
- 🛏 ✕ St Dizier

53 MAYENNE

- 🛏 Ambrières-les-Vallées
- 🛏 ✕ Château-Gontier
- ✕ Craon
- ✕ Ernée
- 🛏 ✕ Evron
- ✕ Gorron
- ✕ Javron
- 🛏 ✕ Laval
- 🛏 ✕ Mayenne
- 🛏 Néau
- ✕ St Denis-d'Anjou
- ✕ St Pierre-des-Nids
- 🛏 Saulges
- 🛏 Vaiges

54 MEURTHE-ET-MOSELLE

- ✕ Azerailles
- 🛏 Baccarat
- ✕ Belleville
- 🛏 Custines
- ✕ Lanfroicourt
- ✕ Liverdun
- ✕ Longuyon
- 🛏 ✕ Longwy
- 🛏 ✕ Lunéville
- 🛏 ✕ Nancy
- ✕ Pont-à-Mousson
- 🛏 Sion
- 🛏 ✕ Toul

55 MEUSE

- 🛏 Aubreville
- 🛏 ✕ Bar-le-Duc
- 🛏 Beaulieu-en-Argonne
- ✕ Damvillers
- 🛏 Etain
- ✕ Futeau
- ✕ Houdelaincourt
- 🛏 Inor
- ✕ Issoncourt
- 🛏 ✕ Ligny-en-Barrois
- 🛏 Montmédy
- ✕ Romagne-sous-Montfaucon
- 🛏 ✕ St Mihiel
- ✕ Senon
- ✕ Stainville
- 🛏 Varennes-en-Argonne
- ✕ Vaucouleurs
- 🛏 Verdun

56 MORBIHAN

- ✕ Arz (Ile d')
- 🛏 ✕ Auray
- 🛏 ✕ Belle-Ile-en-Mer
- 🛏 Bubry
- 🛏 Camors
- 🛏 ✕ Carnac
- 🛏 Colpo
- ✕ Concoret
- 🛏 Damgan
- 🛏 Erdeven
- 🛏 Etel
- 🛏 La Gacilly
- 🛏 Gourin
- ✕ Groix (Ile de)
- 🛏 Guidel
- 🛏 Guilliers
- 🛏 ✕ Hennebont
- 🛏 ✕ Houat (Ile d')
- 🛏 ✕ Josselin
- ✕ Landevant
- ✕ Limerzel
- 🛏 Locmariaquer
- 🛏 Locminé
- 🛏 ✕ Lorient
- 🛏 Mauron
- ✕ Moines (Ile aux)
- 🛏 ✕ Muzillac
- ✕ Néant-sur-Yvel
- 🛏 Péaule
- 🛏 Peillac
- 🛏 Pénestin
- 🛏 Ploemeur
- ✕ Ploërmel
- 🛏 Plumelec
- ✕ Pluvigner
- 🛏 ✕ Pontivy
- 🛏 Port-Louis
- ✕ Questembert
- 🛏 ✕ Quiberon
- 🛏 ✕ La Roche-Bernard

Rochefort-en-Terre
Roudouallec
St Nicolas-les-Eaux
Ste Anne-d'Auray
Sarzeau
Le Tour-du-Parc
La Trinité-sur-Mer
Vannes

57 MOSELLE

Audun-le-Tiche
Bitche
Bouzonville
Carling
Corny-sur-Moselle
Creutzwald
Dabo
Delme
Forbach
Gorze
Liocourt
Lutzelbourg
Metz
Mittersheim
Phalsbourg
Philippsbourg
Richemont
Rombas
St Avold
Sarrebourg
Sarreguemines
Sierck-les-Bains
Thionville
Turquestein-Blancrupt

58 NIÈVRE

Alligny-en-Morvan
La Charité-sur-Loire
Château-Chinon
Châtillon-en-Bazois
Clamecy
Cosne-sur-Loire
Decize
Donzy
Imphy
Luzy
Magny-Cours
La Marche
Montigny-aux-Amognes
Montsauche-les-Settons
Moulins-Engilbert
Moux
Nevers
Pougues-les-Eaux
Pouilly-sur-Loire
Prémery
St Honoré-les-Bains
St Jean-aux-Amognes
St Pierre-le-Moutier
Varzy

59 NORD

Armentières
Avesnes-sur-Helpe
Bailleul
Bavay
Bergues
Bollezeele
Bourbourg
Cambrai
Le Cateau-Cambrésis
Condé-sur-l'Escaut
Douai
Dourlers
Dunkerque
Eppe-Sauvage
Flêtre
Fourmies
Haspres
Hazebrouck
Liessies
Lille
Locquignol
Maubeuge
Orchies
Prémesques
Le Quesnoy
Roubaix
Sains-du-Nord
Sars-Poteries
Solre-le-Château
Téteghem
Tourcoing
Valenciennes

60 OISE

Beauvais
Breteuil
Chambly
Chantilly
Chaumont-en-Vexin
Clermont
Compiègne
Creil
Crillon
Elincourt-Ste-Marguerite
Ermenonville
Fleurines
Fontaine-Chaalis
Hondainville
Liancourt
La Mare-d'Ovillers
Mélicocq
Nanteuil-le-Haudouin
Neuilly-en-Thelle
Noailles
Noyon
Pierrefonds
Pont-Ste-Maxence
Précy-sur-Oise
St Germer-de-Fly
St Jean-aux-Bois
St Omer-en-Chaussée
Senlis
Tracy-le-Mont
Vaudrampont (Carrefour de)
Verberie
Vieux-Moulin

61 ORNE

L'Aigle
Alençon
Argentan
Aube
Bagnoles-de-l'Orne
Bellême
Briouze
Carrouges
Domfront
La Ferté-Macé
Flers
Gacé
Juvigny-sous-Andaine
Lalacelle
Longny-au-Perche
Le Mêle-sur-Sarthe
Mortagne-au-Perche
Moulins-la-Marche
Nocé
Putanges-Pont-Ecrepin
Rânes
St Denis-sur-Sarthon
St Maurice-les-Charencey
Sées
Vimoutiers

62 PAS-DE-CALAIS

🛏 ✕ Aire-sur-la-Lys
🛏 Ardres
🛏 ✕ Arras
✕ Audresselles
🛏 ✕ Bapaume
✕ Beaurainville
🛏 ✕ Berck-Plage
🛏 Béthune
🛏 ✕ Boulogne-sur-Mer
🛏 ✕ Bruay-en-Artois
🛏 Bully-les-Mines
🛏 ✕ Calais
🛏 Camiers
🛏 ✕ Cap Gris-Nez
✕ Fresnes-lès-Montauban
🛏 Frévent
🛏 Hardelot-Plage
🛏 Hénin-Beaumont
🛏 Hesdin
🛏 ✕ Lens
✕ Lumbres
🛏 ✕ Montreuil
🛏 ✕ Noeux-les-Mines
🛏 Pas-en-Artois
🛏 ✕ St Omer
🛏 ✕ St Pol-sur-Ternoise
✕ Saulchoy
🛏 ✕ Le Touquet-Paris-Plage
✕ Vermelles
🛏 ✕ Wimereux

63 PUY-DE-DÔME

🛏 Aigueperse
🛏 Ambert
🛏 Les Ancizes-Comps
✕ Aubusson d'Auvergne
🛏 Bagnols
🛏 Besse-en-Chandesse
🛏 Billom
🛏 ✕ La Bourboule
🛏 Brassac-les-Mines
🛏 Le Brugeron
🛏 ✕ Ceyrat
🛏 Chabreloche
🛏 Chambon (Lac)
✕ Champeix
🛏 Charbonnières-les-Vieilles
🛏 Châteauneuf-les-Bains
🛏 ✕ Châtelguyon
🛏 Le Cheix
🛏 ✕ Clermont-Ferrand
🛏 Cournon-d'Auvergne
✕ Courpière
🛏 Egliseneuve-d'Entraigues
🛏 Giat
🛏 Herment
🛏 ✕ Issoire
🛏 Job
🛏 Laqueuille
🛏 ✕ Lezoux
🛏 Manzat
✕ Maringues
🛏 ✕ Le Mont-Dore
✕ Montpeyroux
🛏 Murol
🛏 Orcival
🛏 Picherande
🛏 Pionsat
🛏 Pontaumur
🛏 ✕ Pont-de-Dore
🛏 ✕ Pont-de-Menat
🛏 Pont-du-Bouchet
🛏 ✕ Pontgibaud
🛏 ✕ Randan
🛏 ✕ Riom
🛏 Rochefort-Montagne
🛏 ✕ Royat
🛏 St Anthème
🛏 St Dier-d'Auvergne
🛏 St Eloy-les-Mines
🛏 St Germain-l'Herm
🛏 St Gervais-d'Auvergne
🛏 ✕ St Nectaire
🛏 St Pardoux
✕ St Rémy-sur-Durolle
🛏 Thiers
🛏 La Tour-d'Auvergne
🛏 Vertolaye
🛏 ✕ Vic-le-Comte
🛏 Vollore-Montagne

64 PYRÉNÉES-ATLANTIQUES

🛏 Ainhoa
🛏 ✕ Anglet
✕ Artiguelouve
🛏 Arudy
🛏 ✕ Ascain
✕ Barcus
🛏 ✕ Bayonne
🛏 ✕ Biarritz
🛏 Bidarray
🛏 ✕ Bidart
✕ Brindos (Lac de)
🛏 Cambo-les-Bains
🛏 Escos
🛏 Espelette
🛏 Etsaut
🛏 Gabas
🛏 Gourette
🛏 ✕ Guéthary
🛏 Hasparren
🛏 ✕ Hendaye
🛏 L'Hôpital-St-Blaise
🛏 Itxassou
🛏 Larceveau
🛏 Larrau
✕ Laruns
🛏 Lescun
🛏 ✕ Lestelle-Bétharram
🛏 Licq-Athérey
🛏 Louvie-Juzon
🛏 Lubre-St-Christau
🛏 Mauléon-Licharre
🛏 ✕ Morlaas
🛏 Navarrenx
🛏 Nay
🛏 ✕ Oloron-Ste-Marie
🛏 ✕ Orthez
🛏 Osquich (Col d')
🛏 Ossès
🛏 ✕ Pau
🛏 Pontacq
🛏 Puyoo
🛏 St Etienne-de-Baïgorry
🛏 ✕ St Jean-de-Luz
🛏 ✕ St Jean-Pied-de-Port
🛏 St Palais
🛏 ✕ St Pée-sur-Nivelle
🛏 ✕ Salies-de-Béarn
🛏 Sare
🛏 Sauveterre-de-Béarn
🛏 Soumoulou
🛏 ✕ Tardets-Sorholus
🛏 Urdos
✕ Urt
🛏 ✕ Ustaritz

65 HAUTES-PYRÉNÉES

🛏 ✕ Argelès-Gazost
🛏 Arreau
🛏 Arrens-Marsous
🛏 ✕ Bagnères-de-Bigorre
🛏 Barèges
✕ Beyrède (Col de)
🛏 ✕ Capvern-les-Bains
🛏 Castelnau-Magnoac
🛏 ✕ Cauterets
✕ Estaing
🛏 ✕ Gavarnie
🛏 Guchan
🛏 Lannemezan
🛏 ✕ Lourdes
🛏 Luz-St-Sauveur
🛏 La Mongie
🛏 Montgaillard
🛏 ✕ Rabastens-de-Bigorre

🛏 St Lary-Soulan
🛏 St Pé-de-Bigorre
🛏 Ste Marie-de-Campan
🛏 ✕ Tarbes
🛏 Trie-sur-Baïse
🛏 Vic-en-Bigorre

66 PYRÉNÉES-OR.

🛏 ✕ Amélie-les-Bains-Palalda
✕ Les Angles
🛏 Argelès-sur-Mer
🛏 ✕ Arles-sur-Tech
🛏 ✕ Banyuls-sur-Mer
🛏 Le Barcarès
🛏 ✕ Le Boulou
🛏 Bourg-Madame
🛏 ✕ Canet-en-Roussillon
✕ Castelnou
🛏 Cerbère
🛏 Céret
🛏 ✕ Collioure
🛏 Dorres
🛏 Elne
🛏 Enveitg
🛏 ✕ Font-Romeu
✕ Latour-de-Carol
✕ Maureillas-Las-Illas
🛏 Molitg-les-Bains
🛏 Mont-Louis
✕ Olette
🛏 ✕ Perpignan
🛏 Port-Vendres
🛏 ✕ Prats-de-Mollo-la-Preste
🛏 Rivesaltes
🛏 Saillagouse
🛏 ✕ St Cyprien
🛏 St Laurent-de-la-Salanque
🛏 Valcebollère
🛏 ✕ Vernet-les-Bains
🛏 ✕ Villefranche-de-Conflent
🛏 Villeneuve-des-Escaldes

67 BAS-RHIN

🛏 ✕ Andlau
🛏 ✕ Barr
✕ Blaesheim
🛏 Bouxwiller
🛏 ✕ Brumath
🛏 ✕ Climbach
🛏 Colroy-la-Roche
✕ Dachstein
🛏 Dambach-la-Ville
🛏 Donon (Col du)
✕ Drusenheim
✕ Duttlenheim
✕ Ebersheim
🛏 Erstein
🛏 Fouday
🛏 Grendelbruch
✕ Gundershoffen
🛏 ✕ Haguenau
✕ Hinsingen
🛏 ✕ Le Hohwald
🛏 Innenheim
🛏 Itterswiller
✕ Landersheim
✕ Lauterbourg
🛏 ✕ Lembach
🛏 Marckolsheim
🛏 ✕ Marlenheim
✕ Marmoutier
✕ Merkwiller-Pechelbronn
✕ Mittelbergheim
🛏 Mittelhausen
🛏 Mollkirch
🛏 ✕ Molsheim
🛏 ✕ Mutzig
🛏 Natzwiller
🛏 ✕ Niederbronn-les-Bains
🛏 Niederhaslach
✕ Nieder-schaeffolsheim
🛏 Niedersteinbach
✕ Obenheim
🛏 Oberhaslach
🛏 ✕ Obernai
🛏 Obersteigen
✕ Obersteinbach
✕ Offendorf
🛏 La Petite-Pierre
✕ Pfaffenhoffen
🛏 Les Quelles
✕ Reichsfeld
🛏 ✕ Rhinau
🛏 ✕ Rosheim
🛏 Saales
🛏 Sand
🛏 Sarre-Union
🛏 ✕ Saverne
🛏 Schirmeck
🛏 ✕ Sélestat
✕ Sessenheim
🛏 ✕ Strasbourg
✕ Traenheim
🛏 Urmatt
🛏 ✕ Villé
🛏 ✕ Wangenbourg
✕ Wasselonne
🛏 Wingen-sur-Moder
🛏 ✕ Wissembourg

68 HAUT-RHIN

🛏 ✕ Altkirch
🛏 ✕ Ammerschwihr
✕ Artzenheim
✕ Bartenheim
✕ Bergheim
🛏 Le Bonhomme
🛏 ✕ Cernay
🛏 ✕ Colmar
✕ Dannemarie
✕ Diefmatten
🛏 ✕ Eguisheim
✕ Ensisheim
✕ Ferrette
🛏 Goldbach
🛏 Gueberschwihr
🛏 ✕ Guebwiller
✕ Hagenthal-le-Bas
🛏 Hohrodberg
🛏 ✕ Illhaeusern
🛏 ✕ Kaysersberg
✕ Kiffis
🛏 Kruth
🛏 ✕ Labaroche
🛏 Lapoutroie
✕ Lautenbach
🛏 ✕ Lièpvre
🛏 Linthal
✕ Masevaux
🛏 ✕ Metzeral
✕ Moosch
🛏 Muhlbach
🛏 ✕ Mulhouse
🛏 ✕ Munster
🛏 Neuf-Brisach
🛏 ✕ Orbey
🛏 ✕ Ribeauvillé
🛏 Rimbach-près-Guebwiller
🛏 ✕ Riquewihr
✕ Roppentzwiller
🛏 ✕ Rouffach
🛏 St Hippolyte
🛏 ✕ St Louis
✕ Ste Croix-aux-Mines
🛏 Sewen
✕ Sierentz
🛏 Thann
🛏 Thannenkirch
🛏 ✕ Les Trois-Epis
🛏 ✕ Turckheim
✕ Westhalten
🛏 Wihr-au-Val

69 RHÔNE

✕ Alix
🛏 Anse
✕ Beaujeu
🛏 ✕ Belleville
✕ Bessenay
✕ Blaceret
✕ Chasselay
✕ Chénas
✕ Les Chères
🛏 Condrieu
✕ Cours
🛏 ✕ Fleurie
✕ Givors
🛏 ✕ Juliénas
🛏 Lamure-sur-Azergues
✕ Lentilly
✕ Limonest

🛏 ✕ Lyon
✕ Mions
🛏 Mornant
✕ Pollionnay
🛏 ✕ Quincié-en-Beaujolais
🛏 ✕ St Georges-de-Reneins
✕ St Lager
🛏 St Laurent-de-Mure
✕ Salles-Arbuissonnas-en-Beaujolais
🛏 Sarcey
🛏 Serezin-sur-Rhône
🛏 ✕ Tarare
🛏 Theizé
✕ Vaugneray
🛏 ✕ Villefranche-sur-Saône
🛏 Villié-Morgon

70 HTE-SAÔNE

🛏 Combeaufontaine
🛏 ✕ Etuz
✕ Fougerolles
🛏 ✕ Gray
🛏 Lure
🛏 ✕ Luxeuil-les-Bains
✕ Pesmes
🛏 Plancher-les-Mines
✕ Port-sur-Saône
🛏 Rioz
🛏 ✕ Ronchamp
🛏 St Loup-sur-Semouse
🛏 Vesoul
🛏 ✕ Villersexel

71 SAÔNE-ET-LOIRE

✕ Anost
🛏 ✕ Autun
✕ Azé
🛏 ✕ Bourbon-Lancy
✕ Bussières
🛏 ✕ Chagny
🛏 ✕ Chalon-sur-Saône
🛏 ✕ Charolles
🛏 Chauffailles
🛏 ✕ La Clayette
🛏 Cluny
✕ Couches
🛏 ✕ Le Creusot
✕ La Croix-Blanche
✕ Cuiseaux
✕ Cuisery
🛏 ✕ Digoin
✕ Etang-sur-Arroux
🛏 ✕ Fleurville
✕ Fuissé
🛏 Givry
🛏 ✕ Gueugnon
🛏 Igé
🛏 ✕ Louhans
🛏 ✕ Mâcon
✕ Marcigny
🛏 ✕ Marmagne
✕ Mercurey
🛏 ✕ Montceau-les-Mines
🛏 Paray-le-Monial
🛏 Pierre-de-Bresse
🛏 Romanèche-Thorins
✕ Romenay
✕ St Amour-Bellevue
✕ St Bonnet-de-Joux
✕ St Germain-du-Bois
🛏 St Germain-du-Plain
🛏 St Martin-en-Bresse
🛏 ✕ Tournus
🛏 ✕ Verdun-sur-le-Doubs
✕ Verzé
🛏 Vitry-sur-Loire

72 SARTHE

✕ Bazouges-sur-le-Loir
✕ Beaumont-sur-Sarthe
🛏 Bessé-sur-Braye
🛏 La Chartre-sur-le-Loir
🛏 Château-du-Loir
✕ Connerré
✕ Domfront-en-Champagne
🛏 Ecommoy
🛏 ✕ La Ferté-Bernard
🛏 ✕ La Flèche
🛏 Fresnay-sur-Sarthe
✕ Guécélard
🛏 Loué
🛏 Luché-Pringé
🛏 ✕ Le Lude
✕ Mamers
🛏 ✕ Le Mans
✕ Mayet
🛏 Sablé-sur-Sarthe
🛏 St Calais
🛏 St Léonard-des-Bois
✕ St Symphorien
✕ Sceaux-sur-Huisne
🛏 Vibraye

73 SAVOIE

🛏 ✕ Aiguebelette (Lac d')
🛏 Aiguebelle
🛏 ✕ Aime
🛏 ✕ Aix-les-Bains
✕ Albens
🛏 ✕ Albertville
✕ Albiez-le-Jeune
🛏 Albiez-le-Vieux
🛏 Les Arcs
🛏 Arêches
🛏 Arvillard
🛏 Aussois
🛏 Beaufort
🛏 Bessans
🛏 ✕ Bonneval-sur-Arc
🛏 ✕ Le Bourget-du-Lac
🛏 ✕ Bourg-St-Maurice
🛏 ✕ Brides-les-Bains
🛏 Challes-les-Eaux
🛏 ✕ Chambéry
🛏 Champagny-en-Vanoise
🛏 ✕ Chindrieux
🛏 ✕ Courchevel
🛏 Crest-Voland
🛏 La Féclaz
🛏 Flumet
🛏 La Giettaz
🛏 Grésy-sur-Isère
🛏 Lanslebourg-Mont-Cenis
🛏 Lanslevillard
🛏 La Léchère
🛏 Lescheraines
🛏 Les Menuires
🛏 ✕ Méribel-les-Allues
🛏 Modane
🛏 ✕ Montmélian
🛏 Moûtiers
🛏 Notre-Dame-de-Bellecombe
🛏 Peisey-Nancroix
🛏 La Plagne
🛏 ✕ Pralognan-la-Vanoise
🛏 Pussy
🛏 ✕ Revard (Mont)
🛏 La Rochette
🛏 La Rosière
🛏 Ruffieux
🛏 St François-Longchamp
🛏 St Jean-d'Arvey
🛏 St Jean-de-Chevelu
🛏 St Jean-de-Maurienne
✕ St Martin-de-Belleville
🛏 St Michel-de-Maurienne
🛏 St Pierre-d'Entremont
🛏 St Sorlin-d'Arves

🛏 Ste Foy-Tarentaise
🛏 Séez
🛏 Termignon
🛏 Tignes
🛏 La Toussuire
🛏 Val-d'Isère
🛏 Valfréjus
🛏 Valloire
🛏 Valmorel
🛏 Val-Thorens
🍴 Yenne

74 HTE-SAVOIE

🛏 Abondance
🛏 Allonzier-la-Caille
🛏 🍴 Amphion-les-Bains
🛏 🍴 Annecy
🛏 🍴 Annemasse
🍴 Aravis (Col des)
🛏 🍴 Argentière
🛏 Assy (Plateau d')
🛏 La Balme-de-Sillingy
🛏 Bellevaux
🛏 🍴 Bernex
🛏 Le Biot
🛏 Bogève
🍴 Bonne
🛏 Bonneville
🍴 Bons-en-Chablais
🛏 🍴 Bout-du-Lac
🛏 Brédannaz
🛏 Les Carroz-d'Arâches
🛏 🍴 Chamonix-Mont-Blanc
🛏 Chapelle-d'Abondance
🛏 🍴 Châtel
🛏 Châtillon-sur-Cluses
🛏 🍴 La Clusaz
🍴 Cluses
🛏 Combloux
🛏 Les Contamines-Montjoie
🍴 Contamine-sur-Arve
🛏 🍴 Douvaine
🛏 🍴 Duingt
🛏 🍴 Evian-les-Bains
🛏 Excenevex
🛏 Faverges
🛏 Flaine
🛏 Les Gets
🛏 🍴 Le Grand-Bornand
🛏 Habère-Lullin
🛏 🍴 Habère-Poche
🛏 Les Houches
🛏 Lugrin
🛏 Lullin
🛏 Manigod
🍴 Marignier
🛏 🍴 Megève
🛏 Menthon-St-Bernard
🛏 Messery
🛏 Mieussy
🛏 Monnetier-Mornex
🛏 Mont-Saxonnex
🛏 🍴 Morzine
🛏 🍴 Praz-sur-Arly
🛏 🍴 La Roche-sur-Foron
🛏 Rumilly
🛏 🍴 St Cergues
🛏 🍴 St Félix
🛏 🍴 St Gervais-les-Bains
🛏 St Gingolph
🛏 St Jean-de-Sixt
🛏 St Jeoire
🛏 St Jorioz
🛏 🍴 St Julien-en-Genevois
🛏 St Paul-en-Chablais
🛏 Salève (Mont)
🛏 🍴 Sallanches
🛏 Samoëns
🛏 Le Semnoz
🛏 Serraval
🛏 Servoz
🛏 Sevrier
🛏 🍴 Seyssel
🛏 🍴 Talloires
🍴 Taninges
🛏 Thollon
🛏 Thones
🛏 🍴 Thonon-les-Bains
🛏 Thyez
🛏 Vallorcine
🛏 🍴 Veyrier-du-Lac
🛏 🍴 Yvoire

76 SEINE-MAR.

🍴 Arques-la-Bataille
🛏 🍴 Aumale
🛏 🍴 Barentin
🍴 Blangy-sur-Bresle
🛏 Bolbec
🛏 🍴 La Bouille
🍴 Buchy
🛏 Caudebec-en-Caux
🛏 🍴 Dieppe
🍴 Duclair
🛏 🍴 Elbeuf
🍴 Envermeu
🛏 🍴 Etretat
🛏 Eu
🍴 Fauville-en-Caux
🛏 🍴 Fécamp
🍴 Fontaine-le-Dun
🛏 🍴 Forges-les-Eaux
🛏 Gournay-en-Bray
🛏 🍴 Le Havre
🛏 🍴 Lillebonne
🍴 Londinières
🛏 Louvetot
🛏 Mesnil-Val
🍴 Neufchâtel-en-Bray
🍴 Neuf-Marché
🍴 Pavilly
🛏 Quiberville
🛏 🍴 Rouen
🍴 Ry
🛏 🍴 St Valéry-en-Caux
🍴 St Wandrille-Rançon
🍴 Sassetot-le-Mauconduit
🍴 Tancarville (Pont routier de)
🍴 Tocqueville-sur-Eu
🛏 🍴 Le Tréport
🛏 Varengeville-sur-Mer
🍴 Veules-les-Roses
🍴 Veulettes-sur-Mer
🍴 Villequier
🛏 🍴 Yvetot

77 SEINE-ET-M.

🍴 Arbonne-la-Forêt
🛏 🍴 Barbizon
🍴 Beton-Bazoches
🍴 Brie-Comte-Robert
🍴 Chailly-en-Bière
🍴 Le Châtelet-en-Brie
🍴 Châtillon-la-Borde
🍴 Claye-Souilly
🛏 🍴 Chelles
🛏 🍴 Coulommiers
🍴 Croissy-Beaubourg
🛏 🍴 Emerainville
🍴 Esbly
🍴 La Ferté-sous-Jouarre
🛏 🍴 Fontainebleau
🛏 🍴 Fontenay-Trésigny
🍴 Guignes
🛏 🍴 Lagny-sur-Marne
🍴 Lorrez-le-Bocage
🛏 🍴 Meaux
🛏 🍴 Melun
🍴 Misy-sur-Yonne
🍴 Montereau-Faut-Yonne
🍴 Moret-sur-Loing
🍴 Nangis
🛏 🍴 Nemours
🛏 Noisiel
🍴 Ozoir-la-Ferrière
🍴 Ponthierry
🛏 🍴 Provins
🍴 Quincy-Voisins
🍴 Rozay-en-Brie

🛏 Samois-sur-Seine
🛏 ✕ Souppes-sur-Loing
✕ Thenisy
✕ Torcy
✕ Tournan-en-Brie
🛏 Valence-en-Brie
✕ Villeneuve-le-Comte

78 YVELINES

🛏 ✕ Ablis
✕ Bonnières-sur-Seine
🛏 ✕ Bougival
✕ La Celle-St-Cloud
✕ Châteaufort
✕ Chaufour-lès-Bonnières
✕ Chevreuse
✕ Coignières
🛏 ✕ Conflans-Ste-Honorine
✕ Dampierre-en-Yvelines
✕ Houdan
✕ Houilles
✕ Louveciennes
✕ Maisons-Laffitte
✕ Mantes-la-Jolie
🛏 Marly-le-Roi
🛏 Maurepas
✕ Les Mesnuls
🛏 ✕ Meulan
✕ Millemont
✕ Montfort-l'Amaury
🛏 Montigny-le-Bretonneux
🛏 ✕ Neauphle-le-Château
🛏 Orgeval
✕ Le Perray-en-Yvelines
✕ Poissy
✕ Pontchartrain
✕ Le Port-Marly
🛏 ✕ Rambouillet
✕ Rochefort-en-Yvelines
✕ St Arnoult-en-Yvelines
🛏 St Cyr-l'Ecole
🛏 ✕ St Germain-en-Laye
✕ St Lambert
🛏 St Léger-en-Yvelines
✕ St Rémy-lès-Chevreuse
✕ Senlisse
✕ Le Tremblay-sur-Mauldre
🛏 Vélizy-Villacoublay
✕ Vernouillet
🛏 ✕ Versailles
✕ Le Vésinet
✕ Viroflay
🛏 Voisins-le-Bretonneux

79 DEUX-SÈVRES

✕ Beauvoir-sur-Niort
🛏 Bressuire
🛏 Cerizay
✕ Coulon
✕ Coulonges-sur-l'Autize
✕ Forêt-sur-Sèvre
🛏 Mauléon
🛏 Mauzé-sur-le-Mignon
🛏 ✕ Niort
✕ Oiron
🛏 Olbreuse
🛏 ✕ Parthenay
🛏 St Maixent-l'Ecole
✕ St Pardoux
🛏 Secondigny
🛏 Thouars

80 SOMME

🛏 ✕ Abbeville
✕ Airaines
🛏 ✕ Amiens
🛏 Ault
✕ Chépy
🛏 Crécy-en-Ponthieu
✕ Le Crotoy
✕ Doullens
✕ Favières
🛏 ✕ Fort-Mahon-Plage
🛏 ✕ Ham
✕ Le Hourdel
🛏 Montdidier
✕ Nampont-St-Martin
✕ Nampty
🛏 ✕ Péronne
🛏 ✕ Poix-de-Picardie
🛏 ✕ Roye
🛏 Villers-Bretonneux

81 TARN

🛏 Alban
🛏 ✕ Albi
🛏 Ambialet
✕ Les Cammazes
🛏 Carmaux
🛏 ✕ Castres
🛏 ✕ Cordes
🛏 ✕ Gaillac
🛏 ✕ Graulhet
🛏 Lacaune
🛏 Lacrouzette
🛏 ✕ Lavaur
✕ Lisle-sur-Tarn
🛏 ✕ Mazamet
🛏 Montredon-Labessonnie
🛏 Puylaurens
🛏 Rabastens
🛏 Réalmont
✕ St Sulpice
✕ Tanus

82 TARN-ET-GAR.

🛏 Beaumont-de-Lomagne
🛏 Caussade
🛏 Cazès-Mondenard
🛏 Grisolles
🛏 ✕ Moissac
✕ Montaigu-de-Quercy
🛏 ✕ Montauban
🛏 Montech
✕ Montpezat-de-Quercy
🛏 Montricoux
🛏 ✕ Valence

83 VAR

🛏 ✕ Agay
🛏 ✕ Aiguebelle
✕ Aiguines
🛏 Anthéor
✕ Les Arcs
🛏 Aups
🛏 ✕ Bandol
✕ Bargemon
🛏 Barjols
🛏 La Bastide
🛏 Bauduen
🛏 ✕ Le Beausset
🛏 Beauvallon
🛏 ✕ Bormes-les-Mimosas
✕ Bras
🛏 Brignoles
✕ Le Brusc
🛏 La Cadière d'Azur
🛏 ✕ Canadel-sur-Mer
🛏 Le Cannet-des-Maures
🛏 Carcès
🛏 ✕ Carqueiranne
✕ Le Castellet
🛏 Cavalaire-sur-Mer
🛏 Cavalière
🛏 Cavaliers (Falaise des)
🛏 ✕ Cogolin
🛏 Comps-sur-Artuby

- 🛏 🍴 Cotignac
- 🛏 🍴 La Croix-Valmer
- 🛏 🍴 Draguignan
- 🛏 🍴 Fayence
- 🛏 🍴 Fréjus
- 🍴 La Garde-Freinet
- 🍴 Gassin
- 🛏 🍴 Giens
- 🛏 Ginasservis
- 🛏 🍴 Grimaud
- 🛏 🍴 Hyères
- 🛏 🍴 Les Issambres
- 🛏 🍴 Le Lavandou
- 🛏 🍴 Les Lecques
- 🍴 Lorgues
- 🛏 🍴 Le Luc
- 🛏 Méounes-les-Montrieux
- 🍴 Mons
- 🛏 🍴 Montauroux
- 🍴 Montferrat
- 🍴 La Motte
- 🛏 Le Muy
- 🛏 Nans-les-Pins
- 🍴 La Pauline
- 🛏 🍴 Plan-de-la-Tour
- 🛏 🍴 Porquerolles (Ile de)
- 🛏 Port-Cros (Ile de)
- 🛏 🍴 Port-Grimaud
- 🛏 🍴 Pradet
- 🛏 Ramatuelle
- 🛏 Le Rayol
- 🛏 Rians
- 🍴 St Antonin-du-Var
- 🛏 🍴 St Aygulf
- 🍴 St Maximin-la-Ste-Baume
- 🛏 🍴 St Raphaël
- 🛏 🍴 St Tropez
- 🛏 🍴 Ste Maxime
- 🛏 Salernes
- 🛏 Les Salles-sur-Verdon
- 🛏 🍴 Sanary-sur-Mer
- 🛏 🍴 Seillans
- 🛏 🍴 La Seyne-sur-Mer
- 🛏 🍴 Six-Fours-les-Plages
- 🍴 Solliès-Toucas
- 🍴 Le Thoronet
- 🛏 🍴 Toulon
- 🛏 🍴 Tourtour
- 🍴 Tourves
- 🛏 Trans-en-Provence
- 🛏 Le Trayas
- 🛏 Trigance
- 🍴 Vidauban
- 🍴 Villecroze
- 🛏 Vinon-sur-Verdon

84 VAUCLUSE

- 🛏 🍴 Apt
- 🛏 🍴 Avignon
- 🍴 La Bastide-des-Jourdans
- 🛏 Beaumettes
- 🍴 Bédoin
- 🍴 Bollène
- 🛏 Bonnieux
- 🍴 Cadenet
- 🛏 Caromb
- 🛏 🍴 Carpentras
- 🛏 🍴 Cavaillon
- 🛏 🍴 Châteauneuf-du-Pape
- 🛏 Courthezon
- 🍴 Coustellet
- 🛏 Cucuron
- 🍴 Fontaine-de-Vaucluse
- 🛏 Gigondas
- 🛏 🍴 Gordes
- 🍴 Grambois
- 🛏 🍴 L'Isle-sur-la-Sorgue
- 🛏 Joucas
- 🛏 Lauris
- 🛏 Lourmarin
- 🛏 🍴 Malaucène
- 🛏 Ménerbes
- 🍴 Méthamis
- 🍴 Mondragon
- 🛏 Montfavet
- 🛏 Mornas
- 🍴 La Motte-d'Aigues
- 🛏 🍴 Orange
- 🛏 Pernes-les-Fontaines
- 🛏 🍴 Pertuis
- 🛏 🍴 Roussillon
- 🍴 St Romain-en-Viennois
- 🍴 Ste Cécile-les-Vignes
- 🛏 Sault
- 🛏 🍴 Séguret
- 🛏 Sorgues
- 🍴 La Tour-d'Aigues
- 🛏 🍴 Vaison-la-Romaine
- 🛏 Valréas
- 🍴 Venasque
- 🍴 Violès

85 VENDÉE

- 🛏 L'Aiguillon-sur-Mer
- 🍴 Avrillé
- 🛏 Beauvoir-sur-Mer
- 🛏 🍴 Bouin
- 🛏 Le Boupère
- 🛏 🍴 Challans
- 🛏 Chantonnay
- 🛏 🍴 Fontenay-le-Comte
- 🛏 Fromentine
- 🛏 🍴 Les Herbiers
- 🛏 Luçon
- 🛏 🍴 Maillezais
- 🛏 Montaigu
- 🛏 🍴 Mortagne-sur-Sèvre
- 🛏 🍴 Noirmoutier (Ile de)
- 🛏 🍴 Notre-Dame-de-Monts
- 🛏 Le Poiré-sur-Vie
- 🛏 Pouzauges
- 🛏 🍴 La Roche-sur-Yon
- 🛏 🍴 Les Sables-d'Olonne
- 🍴 St Cyr-en-Talmondais
- 🛏 🍴 St Gilles-Croix-de-Vie
- 🛏 🍴 St Jean-de-Monts
- 🛏 🍴 St Laurent-sur-Sèvre
- 🛏 St Michel-en-l'Herm
- 🍴 St Michel-Mont-Mercure
- 🛏 St Philbert-de-Bouaine
- 🍴 St Vincent-Sterlanges
- 🛏 🍴 St Vincent-sur-Jard
- 🛏 Ste Hermine
- 🛏 Tiffauges
- 🛏 🍴 La Tranche-sur-Mer
- 🍴 La Verrie
- 🛏 Vouvant
- 🛏 Yeu (Ile d')

86 VIENNE

- 🍴 Beaumont
- 🛏 🍴 Châtellerault
- 🛏 Chaunay
- 🛏 Chauvigny
- 🛏 Couhé
- 🍴 Dangé-St-Romain
- 🛏 Gençay
- 🛏 Jaunay-Clan
- 🛏 Latillé
- 🛏 🍴 Loudun
- 🛏 🍴 Lussac-les-Châteaux
- 🛏 Montmorillon
- 🛏 🍴 Poitiers
- 🛏 La Roche-Posay
- 🛏 St Savin
- 🛏 La Trimouille
- 🍴 Vivonne
- 🛏 🍴 Vouillé

87 HTE-VIENNE

- 🍴 Aixe-sur-Vienne
- 🛏 Bellac
- 🛏 🍴 Bessines-sur-Gartempe
- 🛏 Boisseuil
- 🛏 Bujaleuf
- 🛏 Bussière-Poitevine
- 🍴 Coussac-Bonneval
- 🛏 🍴 Le Dorat
- 🍴 Eymoutiers
- 🛏 🍴 Limoges
- 🛏 🍴 Magnac-Bourg
- 🍴 Mortemart
- 🍴 Oradour-sur-Glane
- 🛏 Peyrat-le-Château
- 🛏 Pont-du-Dognon
- 🍴 Rançon
- 🛏 Razès
- 🛏 Roche l'Abeille
- 🛏 🍴 St Junien
- 🛏 St Léonard-de-Noblat
- 🛏 St Martin-du-Fault
- 🛏 St Priest-Taurion
- 🛏 🍴 St Yrieix-la-Perche
- 🛏 🍴 Séreilhac
- 🍴 Thouron

88 VOSGES

- 🛏 Autreville
- 🛏 Bains-les-Bains
- 🛏 🍴 La Bresse
- 🛏 🍴 Bruyères
- 🛏 Bussang
- 🛏 🍴 Charmes
- 🛏 🍴 Contrexéville
- 🍴 Dommartin-les-Remiremont
- 🍴 Dompaire
- 🛏 🍴 Epinal
- 🛏 🍴 Gérardmer
- 🛏 Julienrupt
- 🍴 Monthureux-sur-Saône
- 🛏 Moyenmoutier
- 🛏 🍴 Neufchâteau
- 🛏 Plombières-les-Bains
- 🛏 Provenchères-sur-Fave
- 🛏 🍴 Raon-l'Etape
- 🛏 🍴 Remiremont
- 🍴 Rouvres-en-Xaintois
- 🍴 Rupt-sur-Moselle
- 🛏 🍴 St Dié
- 🛏 St Maurice-sur-Moselle
- 🛏 Schlucht (Col de la)
- 🛏 Le Thillot
- 🛏 Le Tholy
- 🛏 Le Val-d'Ajol
- 🛏 🍴 Le Valtin
- 🛏 🍴 Ventron
- 🛏 🍴 Vittel
- 🍴 Wisembach

89 YONNE

- 🍴 Appoigny
- 🍴 Arcy-sur-Cure
- 🛏 🍴 Auxerre
- 🛏 🍴 Avallon
- 🍴 Les Baudières
- 🍴 Bléneau
- 🛏 La Celle-St-Cyr
- 🍴 Chablis
- 🍴 Champigny
- 🛏 Charny
- 🍴 Chéroy
- 🍴 Courlon-sur-Yonne
- 🛏 Druyes-les-Belles-Fontaines
- 🛏 Joigny
- 🍴 Leugny
- 🛏 🍴 Ligny-le-Châtel
- 🛏 Mailly-le-Château
- 🛏 Migennes
- 🍴 Montigny-la-Resle
- 🍴 Pontigny
- 🍴 Pont-sur-Yonne
- 🛏 🍴 Quarré-les-Tombes
- 🍴 Rogny
- 🍴 St Fargeau
- 🛏 🍴 St Florentin
- 🛏 St Père
- 🍴 St Valérien
- 🛏 Seignelay
- 🛏 🍴 Sens
- 🍴 Thèmes
- 🍴 Thizy
- 🛏 🍴 Tonnerre
- 🍴 Toucy
- 🍴 Vaudeurs
- 🍴 Vermenton
- 🛏 Vézelay
- 🍴 Villeneuve-sur-Yonne
- 🛏 Villevallier
- 🍴 Voutenay-sur-Cure

90 TER.-DE-BELFORT

- 🛏 🍴 Belfort
- 🍴 Delle
- 🍴 Giromagny

91 ESSONNE

- 🛏 Angerville
- 🍴 Arpajon
- 🍴 Brunoy
- 🛏 Brétigny-sur-Orge
- 🍴 Champrosay
- 🛏 Corbeil-Essonnes
- 🛏 🍴 Dourdan
- 🛏 Draveil
- 🛏 🍴 Etampes
- 🛏 Evry
- 🍴 Gometz-le-Châtel
- 🍴 Grigny
- 🍴 Itteville
- 🛏 Juvisy-sur-Orge
- 🍴 Lardy
- 🛏 Longjumeau
- 🍴 Milly-la-Forêt
- 🛏 🍴 Morangis
- 🍴 Morsang-sur-Orge
- 🛏 Palaiseau
- 🛏 Ris-Orangis
- 🛏 Saclay
- 🍴 St Vrain
- 🛏 Savigny-sur-Orge
- 🛏 Les Ulis
- 🍴 Varennes-Jarcy
- 🍴 Villebon-sur-Yvette
- 🍴 Villiers-le-Bâcle
- 🍴 Viry-Châtillon

92 HTS-DE-SEINE

- 🛏 🍴 Asnières
- 🛏 🍴 Boulogne-Billancourt
- 🍴 Chaville
- 🍴 Clamart
- 🛏 🍴 Clichy
- 🛏 🍴 Courbevoie
- 🛏 🍴 La Garenne-Colombe
- 🛏 🍴 Gennevilliers
- 🛏 🍴 Levallois-Perret
- 🛏 🍴 Meudon
- 🛏 Montrouge
- 🛏 🍴 Neuilly-sur-Seine
- 🍴 Petit-Clamart
- 🛏 🍴 Puteaux
- 🛏 🍴 Rueil-Malmaison
- 🛏 🍴 St Cloud
- 🍴 Sèvres
- 🛏 Suresnes
- 🍴 Vaucresson

Les localités citées dans le guide Michelin sont soulignées de rouge sur les cartes Michelin à 1/200 000.

93 SEINE-ST-DENIS

🛏 ✕ Aulnay-sous-Bois
🛏 ✕ Bagnolet
🛏 Le Bourget
🛏 ✕ Livry-Gargan
🛏 Montreuil
🛏 Noisy-le-Grand
✕ Le Pré-St-Gervais
✕ Le Raincy
🛏 ✕ St Denis
🛏 ✕ St-Ouen
✕ Stains
✕ Villemomble
🛏 Villepinte

94 VAL-DE-MARNE

🛏 Alfortville
🛏 ✕ Bonneuil-sur-Marne
🛏 ✕ Chennevières-sur-Marne
🛏 Créteil
🛏 Gentilly
✕ Joinville-le-Pont
🛏 Le Kremlin-Bicêtre
🛏 ✕ Maisons-Alfort
🛏 Nogent-sur-Marne
🛏 ✕ Orly (Aéroports de Paris)
✕ Le Perreux
🛏 ✕ La Queue-en-Brie
🛏 ✕ Rungis
✕ St Mandé
✕ St Maur-des-Fossés
🛏 St Maurice
🛏 ✕ Sucy-en-Brie
🛏 ✕ La Varenne-St-Hilaire
🛏 ✕ Vincennes

95 VAL-D'OISE

✕ Argenteuil
✕ Auvers-sur-Oise
✕ Boisemont
🛏 ✕ Cergy-Pontoise
✕ Champagne-sur-Oise
✕ Cormeilles-en-Parisis
✕ Cormeilles-en-Vexin
🛏 ✕ Enghien-les-Bains
✕ L'Isle-Adam
🛏 Luzarches
🛏 Maffliers
✕ Magny-en-Vexin
🛏 ✕ La Roche-Guyon
🛏 ✕ Roissy-en-France
🛏 Survilliers-St-Witz

ANDORRE (Principauté d')

🛏 ✕ Andorre-la-Vieille
🛏 Arinsal
🛏 Canillo
🛏 Encamp
✕ Boyardville
🛏 ✕ La Massana
🛏 Ordino
🛏 Pas-de-la-Case
🛏 Santa-Coloma
🛏 Sant-Julia-de-Loria
🛏 El Serrat
🛏 ✕ Soldeu

MONACO (principauté de)

SUISSE

🛏 ✕ Bâle
🛏 ✕ Genève

D'OU VIENT CETTE AUTO ?

Voitures françaises :

Le régime normal d'immatriculation en vigueur comporte :
- un numéro d'ordre dans la série (1 à 3 ou 4 chiffres) ;
- une, deux ou trois lettres de série (1re série : A, 2e série : B,... puis AA, AB,... BA,...) ;
- un numéro représentant l'indicatif du département d'immatriculation.

Exemples : 854 BFK **75 :** Paris — 127 HL **63 :** Puy-de-Dôme.

Voici les numéros correspondant à chaque département :

01 Ain
02 Aisne
03 Allier
04 Alpes-de-H.-Pr.
05 Alpes (Hautes)
06 Alpes-Mar.
07 Ardèche
08 Ardennes
09 Ariège
10 Aube
11 Aude
12 Aveyron
13 B.-du-Rhône
14 Calvados
15 Cantal
16 Charente
17 Charente-Mar.
18 Cher
19 Corrèze
2A Corse-du-Sud
2B Hte-Corse
21 Côte-d'Or
22 Côtes-du-Nord
23 Creuse
24 Dordogne
25 Doubs
26 Drôme
27 Eure
28 Eure-et-Loir
29 Finistère
30 Gard
31 Garonne (Hte)
32 Gers
33 Gironde
34 Hérault
35 Ille-et-Vilaine
36 Indre
37 Indre-et-Loire
38 Isère
39 Jura
40 Landes
41 Loir-et-Cher
42 Loire
43 Loire (Hte)
44 Loire-Atl.
45 Loiret
46 Lot
47 Lot-et-Gar.
48 Lozère
49 Maine-et-Loire
50 Manche
51 Marne
52 Marne (Hte)
53 Mayenne
54 Meurthe-et-M.
55 Meuse
56 Morbihan
57 Moselle
58 Nièvre
59 Nord
60 Oise
61 Orne
62 Pas-de-Calais
63 Puy-de-Dôme
64 Pyrénées-Atl.
65 Pyrénées (Htes)
66 Pyrénées-Or.
67 Rhin (Bas)
68 Rhin (Haut)
69 Rhône
70 Saône (Hte)
71 Saône-et-Loire
72 Sarthe
73 Savoie
74 Savoie (Hte)
75 Paris
76 Seine-Mar.
77 Seine-et-M.
78 Yvelines
79 Sèvres (Deux)
80 Somme
81 Tarn
82 Tarn-et-Gar.
83 Var
84 Vaucluse
85 Vendée
86 Vienne
87 Vienne (Hte)
88 Vosges
89 Yonne
90 Belfort (Ter.-de)
91 Essonne
92 Hauts-de-Seine
93 Seine-St-Denis
94 Val-de-Marne
95 Val-d'Oise

MANUFACTURE FRANÇAISE DES PNEUMATIQUES MICHELIN
Société en commandite par actions au capital de 875 000 000 de francs.
Place des Carmes-Déchaux - 63 Clermont-Ferrand (France)
R.C.S. Clermont-Fd B 855 200 507

Dépôt légal : 3-88 — ISBN 2 06 006 488-0

Printed in France — 1-88-68280

Plans de Bâle et Genève, avec l'autorisation de la Direction fédérale des mensurations cadastrales du 2/1/1988

Photocomposition : S.C.I.A., La Chapelle d'Armentières
Impression : Plusieurs imprimeurs

France
Benelux
Deutschland
España Portugal
Great-Britain and Ireland
Italia
Europe

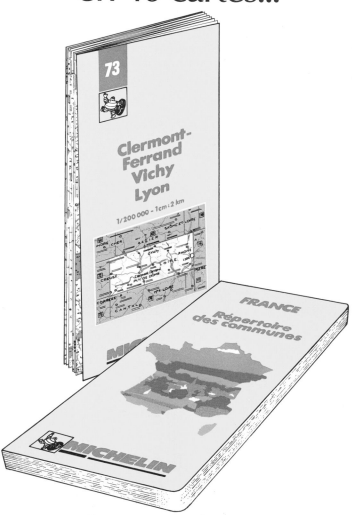

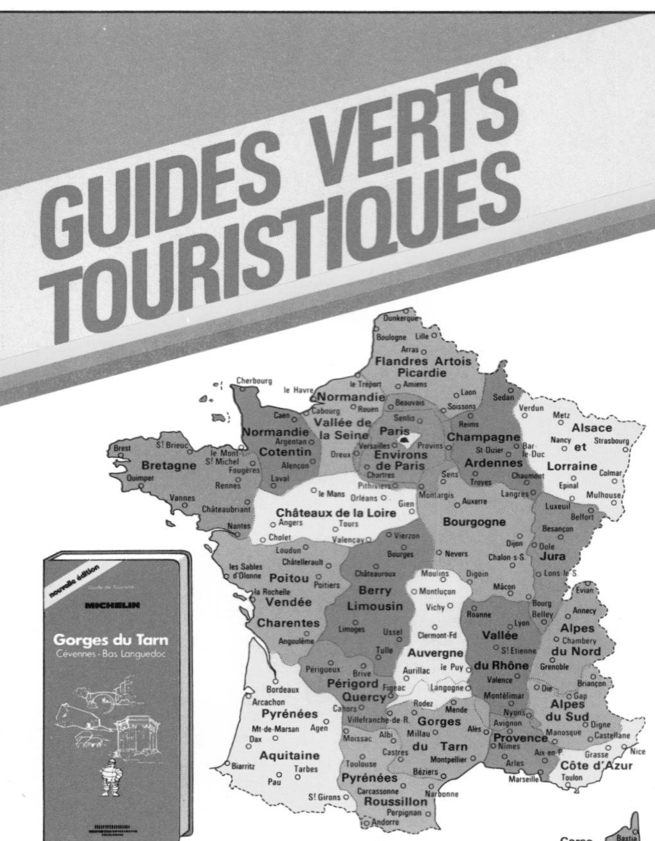

En français

Alpes du Nord
Alpes du Sud
Alsace et Lorraine
Auvergne
Berry-Limousin
Bourgogne
Bretagne
Champagne-Ardennes
Châteaux de la Loire
Corse
Côte d'Azur
Environs de Paris
Flandres Artois Picardie
Gorges du Tarn
Jura
Normandie Cotentin
Normandie Vallée de la Seine
Paris
Périgord-Quercy
Poitou-Vendée-Charentes
Provence
Pyrénées-Aquitaine
Pyrénées-Roussillon
Vallée du Rhône

En anglais

Brittany
Châteaux of the Loire
Dordogne
French Riviera
Normandy
Paris
Provence

En allemand

Bretagne
Côte d'Azur-
Französische-Riviera
Elsaß-Vogesen-Champagne
Korsika
Paris
Provence
Schösser an der Loire